BIOLOGIE
VÉGÉTALE

Chez De Boeck Université

Biologie

CAMPBELL A.,
Biologie

Botanique

NULTSCH W.,
Botanique générale

TRÉMOLIÈRES A.,
Les lipides végétaux. Voies de biosynthèse des glycérolipides

BIOLOGIE VÉGÉTALE

• Peter H. Raven •

Missouri Botanical Garden and Washington University, St. Louis

• Ray F. Evert •
University of Wisconsin, Madison

• Susan E. Eichhorn •
University of Wisconsin, Madison

Traduction de la 6ᵉ édition américaine par Jules Bouharmont
Avec la collaboration scientifique de Charles-Marie Evrard

De Boeck Université

Ouvrage original :

Biology of Plants, Sixth Edition, by Peter H. Raven, Ray F. Evert, Susan E. Eichhorn
First published in the United States by W.H. Freeman and Company, New York, New York and Basingstoke

© 1999 by W.H. Freeman and Company/Worth Publishers
© 1971, 1976, 1981, 1986, 1992 by Worth Publishers

Publié pour la première fois aux États-Unis par W.H. Freeman and Company, New York, New York and Basingstoke

© 1999, W.H. Freeman and Company/Worth Publishers
© 1971, 1976, 1981, 1986, 1992, Worth Publishers

Illustration de couverture : Photo E.S. Ross

Pour toute information sur notre fonds et les nouveautés dans votre domaine de spécialisation, consultez notre site web : http://www.deboeck.be

© De Boeck Université s.a., 2000
   171, rue de Rennes, F-75006 Paris
   Rue des Minimes 39, B-1000 Bruxelles
   Pour la traduction et l'adaptation française

1re édition

Imprimé en Italie par STIGE Turin

Dépôt légal :
Bibliothèque Nationale, Paris : septembre 2000
Bibliothèque Royale Albert Ier, Bruxelles : 2000/0074/141

ISBN 2-7445-0102-6

Préface

Dans sa marche à travers la forêt jusqu'au lac,
l'homme sait qu'il va découvrir étangs et nymphéas,
le héron bleu et les cyprins dorés,
le jeu des ombres sur les roches
et le scintillement de la lumière sur l'onde qui frémit
tels qu'ils étaient en cet été de 1354,
tels qu'ils seront encore en l'an 2054 et au-delà.
Debout sur un roc proche de la rive,
il peut tout à la fois être dans un passé qu'il n'aurait pu connaître
et dans un avenir qu'il ne verra jamais.
Il peut appartenir au temps qui fut
et à celui qui doit encore venir.

William Chapman White, *Adirondak Country,* 1954
(Traduction de Fernand Corin)

Il y a un demi-siècle seulement, c'est ainsi que les gens cultivés percevaient la permanence des décors naturels qu'ils aimaient, à savoir, dans ce cas, les Monts Adirondak au nord de l'état de New York. Depuis que cela a été écrit, nous connaissons les énormes conséquences de l'activité humaine sur le climat et sur les espèces, y compris sur les mares et les nymphéas. Au cours d'une période étonnamment courte, des modifications climatiques ont pu forcer des espèces végétales à migrer ou à périr. La forte croissance des populations humaines altère la nature que nous avons connue. La connaissance du monde naturel, qui dépend finalement du monde végétal, est tout à fait essentielle si nous voulons avoir le moindre espoir d'un avenir acceptable.

C'est dans cet esprit que nous avons entrepris de rédiger cette sixième édition de *Biologie des plantes.* Si les hommes doivent être les responsables de cette planète, ils faut qu'ils sachent comment et pourquoi il fonctionne. Tout au long de cette nouvelle édition, nous avons donc renforcé les parties qui concernent l'environnement et nous terminons l'ouvrage par un essai sur « Un nouveau millénaire : transition vers le supportable. »

Notre connaissance du monde végétal et la conception que nous avons de ses composants ont subi ds modifications majeures depuis la dernière édition. Les réactions des lecteurs à cette édition, comme aux précédentes, nous ont été agréables. Cependant, quand nous examinons les chapitres actuels à la lumière des nombreux progrès qui ont été réalisés en biologie végétale au cours des huit dernières années, il nous semble évident que cette nouvelle édition exigeait une révision approfondie. Beaucoup de choses ont été mises à jour et réécrites, et pratiquement tous les chapitres ont été réorganisés de manière à donner une séquence plus logique. En fait, cette édition représente la révision la plus complète subie par la *Biologie des plan-* tes. Nous croyons qu'elle donne une base botanique solide et passionnante pour notre entrée dans le vingt-et-unième siècle.

Parmi les réorganisations principales, on touve le déplacement du chapitre sur la composition moléculaire des cellules végétales (actuellement chapitre 2) avant le chapitre qui traite de l'introduction à la cellule végétale (maintenant chapitre 3), ce qui donne une base chimique qui permet une discussion plus complète de la structure et du fonctionnement des cellules végétales. On a ajouté, au chapitre 2, un paragraphe sur les métabolites secondaires de telle sorte que, dès le début de l'ouvrage, les étudiants se rendent compte de la grande diversité des molécules chimiques familières qui sont fabriquées par les cellules végétales. Le développement donné au fonctionnement cellulaire et à la communication entre cellules au niveau moléculaire aboutit à une nouvelle approche de la membrane plasmique, particulièrement au chapitre 4 (structure et fonction des membranes) et de nouveaux schémas rendent plus clairs le couplage chimiosmotique et d'autres données sur la respiration (chapitre 6) et la photosynthèse (Chapitre 7).

L'étude de la division cellulaire a été extraite du chapitre sur la cellule végétale à la section 3 (génétique et évolution) pour former un chapitre 8 (la reproduction des cellules), et toute la section a été développée pour donner une introduction solide aux manipulations génétiques et à la spéciation. On a aussi introduit de nombreuses idées nouvelles basées sur l'application des techniques et procédures de l'ADN recombinant, qui sont discutées en détail.

Les modifications importantes dans les relations taxonomiques, basées sur le séquençage moléculaire, exigeaient un réexamen complet de la section concernant la diversification. Le chapitre introductif de cette section a été notablement étendu pour tenir compte des méthodes cladistiques et de la systématiques moléculaire et, dans cette édition, nous avons introduit le schéma taxonomique qui reconnaît les trois domaines : eubactéries, archéobactéries et eucaryotes. Les nouvelles méthodes d'analyse génétique ont entraîné des transferts importants entre groupes d'organismes, les effets les plus profonds apparaissant dans les relations entre les protistes.

De nouvelles découvertes, en particulier celles qui sont basées sur les recherches sur *Arabidopsis,* ont été largement intégrées. L'impact a été surtout significatif sur des parties des chapitres concernant l'anatomie et la physiologie (sections 5 et 6), où des discussions, micrographies et dessins nouveaux ont été ajoutés.

Comme lors des précédentes révisions, nous avons amélioré les illustrations en révisant des notices et des légendes. Pour cette édition, nous avons aussi ajouté beaucoup de nouvelles figures, en particulier dans les chapitres concernant les cellules primitives, l'énergétique et la génétique. Nous sommes reconnaissants d'avoir pu adapter un certain nombre d'illustrations bien conçues, dessinées par Shirley Baty pour *Invitation to Biology*, cinquième édition, d'Helena Curtis et N. Sue Barnes, publiée par North Publishers.

Après nous être penchés longuement sur le problème de la compréhension, nous avons ajouté à cette édition un certain nombre de données pédagogiques. Chaque chapitre s'ouvre désormais par un sommaire qui donne un aperçu, en termes généraux, du contenu du chapitre. Ce sommaire est suivi de points de repères, liste de questions spécifiques qui facilite la compréhension par l'étudiant. Dans chaque chapitre, les paragraphes ont été reformulés sous la forme de phrases complètes qui servent de repères tout au long de la matière. Les mêmes titres apparaissent aussi dans le résumé à la fin des chapitres. Des listes de mots clés, avec références aux pages, permettent aux étudiants de tester leur vocabulaire, et de nouvelles questions, en fin de chapitre, mettent l'accent sur la réflexion critique plutôt que sur la mémorisation de faits. Au total, le résultat est une présentation plus claire et plus cohérente de la matière de chaque chapitre.

Comme toujours, nous avons apprécié l'aide et les recommandations constructives venant des enseignants qui ont utilisé la dernière édition pour leurs cours. Nous avons aussi reçu une assistance substantielle de Kay Robinson-Beers, qui a lu l'édition précédente et fait des recommandations détaillées sur l'incorporation de la biologie moléculaire ; Wayne Becker, de l'Université du Wisconsin, a soigneusement lu et relu les chapitres importants et profondément révisés concernant la chimie, la cellule, l'énergétique et la génétique ; Peter Crane, vice-président des affaires académiques et directeur du Field Museum de Chicago, a examiné les chapitres sur la diversité, introduit un certain nombre de cladogrammes et intégré une information importante à propos de la systématique et de la paléobotanique ; Linda Graham, de l'Université du Wisconsin, a apporté une aide significative à la révision majeure des chapitres sur les protistes et les bryophytes entreprise dans cette édition ; Anthony Bleecker, également de l'Université du Wisconsin, a beaucoup contribué aux chapitres sur la régulation de la croissance et la réponse de croissance ; Bob Evans, de l'Université Rutgers à Camden, a soigneusement écrit les sommaires, les points de repère et les titres des paragraphes ; il a en outre revu individuellement chaque chapitre pour les différentes épreuves du manuscrit.

Nous souhaitons également exprimer nos sincères remerciements aux personnes suivantes, qui nous ont fait parvenir des critiques à propos des chapitres de la dernière édition ou qui ont revu divers brouillons du manuscrit révisé :

Richard Amasino, *Université du Wisconsin*

Michael Balick, *Jardin Botanique de New York*

Bruce Baldwin, *Université de Californie, Berkeley*

Dana Bergstrom, *Université du Queensland*

Peter Bernhardt, *Université de St.Louis*

David Bilderback, *Université du Montana*

Brian Boom, *Jardin Botanique de New York*

Peter Bretting, *USDA-RS, Université de l'Etat d'Iowa*

Rita Calvo, *Université Cornell*

Mark Chase, *Royal Botanical Gardens, Kew*

Joby Marie Chesnick, *Lafayette College*

Clyde Calvin, *Portland State University*

Nigel Crawford, *Université de Californie, San Diego*

Joanne Dannenhoffer, *Central Michigan University*

Jerry Davis, *Université du Wisconsin, Eau Claire*

James Doyle, *Université de Californie, Davis*

Roland Dute, *Auburn University*

Donna Fernandez, *Université du Wisconsin*

Ned Friedman, *Université du Colorado*

Thomas Givnish, *Université du Wisconsin*

Jo Handelsman, *Université du Wisconsin*

Christopher Haufler, *Université du Kansas*

D.L.Hawksworth, *CAB International Mycological Institute, Surrey, G.-B.*

Kent Holsinger, *Université du Connecticut*

Robert Hunter, *Université du Wisconsin*

L.C.W.Jensen, *Université d'Auckland, Nouvelle Zélande*

William Jordan, *Université du Wisconsin*

Arthur Kelman, *Université de l'Etat de Caroline du Nord*

Ken Kilborn, *Shasta College*

Wayne Kussow, *Université du Wisconsin*

David Lee, *Université Internationale de Floride*

Donald Les, *Université du Connecticut*

O.A.M.Lewis, *Université du Cap*

Paul Ludden, *Université du Wisconsin*

Brian McCarthy, *Université d'Ohio*

Elliott Meyerowitz, *California Institute of Technology*

Brent Mishler, *Université de Californie, Berkeley*

Steven Pallardy, *Université du Missouri*

James W.Perry, *University of Wisconsin Center, Fox Valley*

Peter Quail, *The Plant Gene Expression Center*

Richard Robinson

Scott Russell, *Université d'Oklahoma*

Fred Sack, *Université de l'Etat d'Ohio*

Jozef Schell, *Institut Max Planck, Cologne*

Leslie Sieburth, *Université McGill*

Berryl Simpson, *Université du Texas, Austin*

Susan Singer, *Carleton College*

Adgar Spalding, *Université du Wisconsin*

Michael Sussman, *Université du Wisconsin*

Kenneth Sytsma, *Université du Wisconsin*

Edith Taylor, *Université du Texas*

Jennifer Thorsch, *Université de Californie, Santa Barbara*

Kenneth Todar, *Université du Wisconsin*

Sue Tolin, *Institut Polytechnique et Université de Virginie*

Kate VandenBosch, *Texas A & M*

Thomas Volk, *Université du Wisconsin, La Crosse*

Warren Wagner, *Université du Michigan*

Nous devons encore remercier Rhonda Nass pour ses splendides illustrations, qui introduisent avec bonheur chaque section, pour les nouveaux dessins de grande valeur artistique, ainsi que pour les figures qu'elle a créées pour les éditions précédentes et que nous avons continué à utiliser, plus particulièrement les superbes cycles de développement. Nous avons ajouté, à cette édition, les illustations électroniques réalisées par Kandis Elliott, qui a travaillé avec une rare habileté et bonne humeur.

Nous souhaitons également remercier les personnes suivantes, de l'Université du Wisconsin : Lee Wolcox, pour le tableau résumé des protistes, Mark Wetter et Theodore Cochrane, pour l'identification des plantes, Claudia Lipke, pour les photographies et Sharon Pittman et Carri Van Ells, pour leur aide dans la préparation du manuscrit.

Comme dans le passé, le travail requis pour cet ouvrage a demandé plus de temps et d'effort que nous ne l'envisagions à l'origine, et nous souhaitons remercier Mary Evert pour son aide et son encouragement enthousiaste tout au long de cette difficile et longue entreprise, et Henry (Ike) Eichhorn pour sa patience et sa présence continuelle pendant les soirées et les week-ends passés à travailler à ce livre.

Encore une fois, nous avons pu compter sur des gens compétents, associés aux éditions Worth. Sally Anderson a collaboré aux trois dernières éditions, et l'association a toujours été chaleureuse et utile.

Nous lui devons une gratitude particulière pour ses nombreuses contributions importantes aux différents stades du travail, depuis le début de la préparation de la nouvelle édition, pendant toutes les étapes du manuscrit et jusqu'à l'échèvement de l'ouvrage. D'autres ont apporté une contribution importante, plus particulièrement Sarah Cloud, éditrice spécifique du projet, ainsi que Sarah Segal, Bernadine Richey, George Touloumes, Michael Weinstein, Demetrios Zangos, Jennie Nichols, Lee Mahler, John Miller et Yuma Lee. Nous apprécions très sincèrement Linda Strange, à qui nous devons l'amélioration du texte et des illustrations lors de l'impression et de la lecture des épreuves, et Laura Evert pour la lecture des épreuves. Nous voudrions aussi remercier Susan Driscoll, présidente des éditions Worth, pour son enthousiasme et son aide depuis le début de son affectation jusqu'à aujourd'hui. Pour cette dernière édition, nous avons bénéficié des efforts de commercialisation des personnes suivantes chez W.H.Freeman : John Britch, Sara Tenney, Todd Elder et Nicole Folchetti. La combinaison des talents et du travail assidu de nombreuses personnes, dont certaines seulement ont été citées ici, ont apporté une contribution importante et essentielle à l'ouvrage que vous tenez maintenant en main, et nous les remercions très sincèrement.

Peter H. Raven
Ray F. Evert
Susan E. Eichhorn

Avant-propos à l'édition française

L'étude des plantes est trop souvent négligée au profit de celle des animaux et de l'homme. Tous les organismes vivants constituent cependant un ensemble cohérent, d'une part parce qu'ils ont une origine commune et, d'autre part, en raison des interactions multiples qui existent entre eux. Cet ouvrage insiste beaucoup sur ces relations et sur la nécessité de mieux connaître tous les acteurs.

Les chapitres relatifs aux plantes terrestres sont les plus développés : ces plantes sont en effet les plus nombreuses et les plus diversifiées, elles occupent une place prépondérante dans notre environnement, dans notre alimentation et dans notre économie. Moins apparents à première vue, les micro-organismes et les algues jouent cependant aussi un rôle essentiel dans l'équilibre de la biosphère : ils sont même indispensables à la survie de tout ce qui nous entoure. Les plantes, de même que de nombreux autres organismes, sont capables de fixer le gaz carbonique et de libérer de l'oxygène dans l'atmosphère. Ces réactions utilisent l'énergie provenant du soleil et sont à l'origine de pratiquement toutes les matières organiques indispensables aux animaux et à l'homme ; les combustibles fossiles du sous-sol ont également été produits par l'activité des organismes vivants à des époques plus ou moins reculées.

Tous les organismes actuels ont évolué à partir d'ancêtres apparus sur la terre il y a plusieurs milliards d'années et qui se sont spécialisés progressivement au cours du temps. Un des objectifs de la biologie est la reconstitution de la généalogie des différents groupes vivants. Les classifications actuelles sont basées non seulement sur les ressemblances morphologiques entre les organismes vivant aujourd'hui mais aussi, de plus en plus, sur l'étude des fossiles, sur les caractères microscopiques, sur la composition des molécules qui les composent, plus particulièrement sur la comparaison des molécules directement impliquées dans la transmission des caractères héréditaires.

La connaissance des plantes et des autres organismes repose donc sur des techniques très diverses qui aboutissent à la description des structures microscopiques et inframicroscopiques, à l'identification des molécules qui les composent, à la reproduction et au développement d'organismes adultes à partir des cellules reproductrices. Il existe des similitudes entre tous les organismes pour ce qui concerne leur fonctionnement de base, au niveau de leurs cellules. Au cours de leur évolution, les plantes se sont cependant écartées de leurs ancêtres aquatiques et elles ont acquis des adaptations caractéristiques. La vie sur la terre ferme et la fixation au sol ont entraîné l'apparition d'organes spécialisés, les racines, les tiges, les feuilles, les fleurs et les graines. Les racines permettent à la plante de partir à la recherche de l'eau et des minéraux qui lui sont indispensables. Les feuilles sont des organes particulièrement bien adaptés à l'absorption de l'énergie lumineuse ; ce sont elles qui synthétisent pratiquement toutes les molécules organiques de base. Les tiges et leurs ramifications relient les racines souterraines aux feuilles et orientent ces dernières vers la lumière. Les fleurs sont des organes qui permettent aux cellules reproductrices mâles et femelles de se rencontrer malgré l'absence d'eau et qui favorisent la diversité des descendances nécessaire aux évolutions futures. La graine enfin assure à la génération suivante une protection efficace et un moyen de dissémination.

La spécialisation progressive des organismes implique le développement entre eux d'interactions qui sont devenues de plus en plus nombreuses et étroites au cours de l'évolution. Les bactéries, les virus, les champignons et de nombreux autres organismes parasites vivent aux dépens des plantes et sont à l'origine de multiples maladies plus ou moins graves. Les animaux herbivores sont également des prédateurs importants. Par contre, beaucoup de bactéries et de champignons forment, avec les plantes, des associations symbiotiques indispensables, particulièrement pour l'occupation des habitats peu hospitaliers. Les insectes, ainsi que d'autres animaux, jouent un rôle essentiel dans le transport du pollen et la dissémination des graines. Enfin, de nombreux organismes, en particulier des bactéries et des champignons, décomposent la matière organique des plantes et des animaux, assurant ainsi le recyclage de leurs constituants et leur mise à la disposition de nouvelles générations d'organismes. Toutes ces interactions ont entraîné l'apparition, chez les plantes, de nombreuses adaptations morphologiques, biochimiques et comportementales leur permettant d'éviter certains prédateurs et parasites, d'attirer les animaux utiles à leur reproduction et d'améliorer leurs rapports avec leurs symbiontes. Ces relations sont à l'origine de la diversification des plantes, mais également des microorganismes et des animaux participant aux interactions.

Ces interactions entre organismes différents aboutissent à des associations plus ou moins complexes. L'écologie étudie ces associations en relation avec leur environnement, en particulier avec la température et la quantité d'eau disponible. Les interactions entre l'environnement, les plantes et les autres organismes conduisent, au niveau de l'ensemble du globe, à des associations dynamiques, mais en équilibre, dont la diversité est particulièrement grande dans les forêts équatoriales.

L'homme occupe une place de plus en plus prépondérante dans ces associations. L'accroissement accéléré des populations, la recherche de matières premières et d'énergie ont souvent des conséquences catastrophiques pour les équilibres préexistants. Les plantes cultivées, de plus en plus uniformes, envahissent progressivement les espaces jadis occupés par les forêts et les prairies naturelles, ce qui entraîne une réduction rapide de la biodiversité et la disparition de nombreuses espèces végétales avant même que soit vérifiée leur valeur potentielle pour l'agriculture ou la médecine. Les animaux domestiques sont un facteur important de désertification ; la destruction des forêts et la combustion des combustibles fossiles augmentent notablement la teneur de l'atmosphère en gaz carbonique ; l'industrialisation entraîne une pollution croissante de l'atmosphère, du sol et de l'eau. Les auteurs insistent sur la nécessité impérieuse et urgente de limiter les perturbations induites par l'homme sur son environnement naturel, tout en donnant à chacun la possibilité de vivre décemment. Ils proposent des solutions susceptibles d'y arriver.

Les différents aspects de la biologie sont illustrés par des descriptions d'exemples actuels précis, par de très nombreux documents photographiques et par des schémas explicites.

Jules Bouharmont

Sommaire

Table des matières

Section 5
LES ANGIOSPERMES : STRUCTURE ET DÉVELOPPEMENT DE LA PLANTE 554

Section 6
PHYSIOLOGIE DES ANGIOSPERMES

La vie sur terre dépend de la faculté qu'ont les plantes de capter l'énergie solaire et de l'utiliser pour produire les molécules nécessaires au maintien des organismes vivants. Le colibri que l'on voit ici va consommer le nectar très énergétique de la fleur de l'ancolie.

Botanique : Introduction

1

Sommaire

En abordant l'étude de la botanique, vous entreprenez un voyage qui vous conduit à la fois dans l'avenir et dans le passé. Pour comprendre — et apprécier — la structure, la fonction et la diversité des plantes, il faut d'abord remonter le temps à des milliards d'années en arrière, peu après la formation de la terre, et suivre une séquence hypothétique d'événements qui ont abouti d'abord à la formation des matériaux de construction de la vie dans les océans primitifs, puis aux cellules — les plus petites unités de la vie elle-même. Au cours de ce chapitre, vous verrez qu'un événement marquant fut l'apparition, dans certaines de ces cellules, de la photosynthèse — c'est-à-dire l'édification de leurs propres aliments, grâce à l'utilisation de l'énergie solaire, à partir des matières premières simples présentes dans l'environnement marin. Ces cellules photosynthétiques ont changé la composition de l'atmosphère primitive et influencé l'évolution des plantes comme celle des animaux. Finalement, les plantes marines ont colonisé la terre ferme et l'on peut considérer beaucoup de structures des plantes terrestres actuelles — les racines, les tiges et les feuilles — comme des adaptations évolutives permettant leur survie dans un environnement relativement sec.

L'étude de la botanique mène vers l'avenir parce qu'elle est la base nécessaire à la compréhension et peut-être à la solution de nombreux défis auxquels nous serons confrontés dans les années à venir. La pollution, les pénuries alimentaires, le réchauffement global et la destruction de la couche d'ozone, de même que le développement de nouvelles plantes cultivées basé sur l'ingéniérie génétique, constituent des problèmes dont les solutions reposent sur une connaissance de la biologie végétale.

Points de repère

Quand vous terminerez la lecture de ce chapitre, vous devriez pouvoir répondre aux questions suivantes :

- *Quels sont les principaux facteurs supposés responsables de l'origine de la vie et quels arguments sont à la base de l'hypothèse selon laquelle la vie est apparue dans les océans ?*

- *Quelle est la principale différence entre un hétérotrophe et un autotrophe et quel rôle chacun a-t-il joué sur la terre primitive ?*

- *Pourquoi l'évolution de la photosynthèse est-elle considérée comme tellement importante pour l'évolution de la vie en général ?*

- *Citez quelques problèmes auxquels ont été confrontées les plantes quand elles sont passées de la mer à la terre ferme et quelles structures ont apparemment permis aux plantes terrestres de résoudre ces problèmes ?*

- *Que sont les biomes, et quels sont les principaux rôles des plantes dans un écosystème ?*

« Ce qui porte la vie, c'est… un faible courant maintenu par le soleil », écrivait le lauréat Nobel Albert Szent-Györgyi. Dans cette simple phrase, il résumait une des plus grandes merveilles de l'évolution — la photosynthèse. Au cours de la photosynthèse, l'énergie rayonnée par le soleil est capturée et utilisée pour produire les sucres dont dépend toute vie, y compris la nôtre. L'oxygène, tout aussi essentiel pour notre existence, est libéré comme sous-produit. Le processus débute lorsqu'une particule de lumière frappe une molécule d'un pigment vert, la chlorophylle, portant un des électrons de la chlorophylle à un niveau énergétique supérieur. À son tour, l'électron « excité » met en route un flux d'électrons qui transforme finalement l'énergie solaire en énergie chimique contenue dans des molécules de sucre. Par exemple, la lumière solaire frappant la feuille d'ancolie représentée aux pages précédentes est la première étape du processus aboutissant à la production du nectar sucré qui représente la nourriture du colibri.

Quelques types d'organismes seulement — les plantes, les algues et certaines bactéries — possèdent la chlorophylle, molécule indispensable pour qu'une cellule puisse réaliser la photosynthèse. Dès que la lumière est captée sous une forme chimique, elle devient une source d'énergie disponible pour tous les autres organismes, y compris les hommes. Nous dépendons entièrement de la photosynthèse, mécanisme auquel les plantes sont parfaitement adaptées.

Le terme « botanique » vient du grec *botanê*, ce qui signifie « plante », dérivé du verbe *boskein*, « nourrir ». Cependant, les plantes interviennent dans notre vie par des voies innombrables, et non seulement comme source de nourriture. Elles nous procurent des fibres pour le vêtement, du bois pour les meubles, l'abri et le combustible, du papier pour les livres (comme la page que vous êtes en train de lire), des épices pour la saveur, des médicaments pour les soins et l'oxygène que nous respirons. Nous dépendons entièrement des plantes. Les plantes font en outre intensément appel à nos sens et nos vies sont embellies par les jardins, parcs et zones naturelles dont nous disposons. L'étude des plantes nous a donné la possibilité de pénétrer profondément dans la nature de toute vie et elle continuera à le faire dans les années à venir. Grâce aux technologies modernes, comme le développement continu des techniques moléculaires et informatiques, nous entrons à peine dans la période la plus passionnante de l'histoire de la botanique.

L'évolution des plantes

La vie est apparue très tôt dans l'histoire géologique de la terre

Comme tous les autres êtres vivants, les plantes ont une longue histoire pendant laquelle elles ont **évolué**, c'est-à-dire qu'elles elles se sont modifiées au cours du temps. La planète terre elle-même — une accumulation de poussière et de gaz qui orbite autour de l'étoile qu'est notre soleil — est âgée de quelque 4,5 milliards d'années (Figure 1-1). Les premiers fossiles connus se trouvent dans des roches d'Australie Occidentale vieilles d'environ 3,5 milliards d'années et sont représentés par plusieurs types de petites cellules relativement simples ressemblant à des bactéries (Figure 1-2). Les arguments découlant de l'analyse des particules de carbone enrobées dans les roches terrestres les plus anciennes — dans l'île Akilia, au sud-ouest

du Groenland — indiquent cependant que la vie existait déjà sur terre il y a 3,85 milliards d'années.

On pense que les météorites ont soumis la terre à un bombardement mortel qui s'est terminé il y a 3,8 milliards d'années, marquant ainsi la fin de la première période géologique terrestre. De gros fragments de roches ont violemment frappé la planète, participant à son échauffement. Lorsque la terre en fusion a commencé à se refroidir, de violentes tempêtes ont fait rage, accompagnées d'éclairs et d'une libération d'énergie électrique. Les matériaux radioactifs terrestres ont émis de grandes quantités d'énergie et le volcanisme universel a répandu des roches en fusion et de l'eau bouillante d'origine souterraine. L'évidence de la vie sur la terre il y a déjà 3,85 milliards d'années pourrait signifier que la vie a été éliminée et est réapparue, ou qu'elle est apparue ailleurs et qu'elle est arrivée sur terre à travers l'espace sous forme de spores — cellules reproductrices résistantes —

Figure 1-1

Des neuf planètes de notre système solaire, une seule, à notre connaissance porte la vie. Cette planète, la terre, est visiblement différente des autres. À distance, elle apparaît bleue et verte et elle brille un peu. Le bleu est l'eau, le vert est la chlorophylle, et l'éclat provient de la lumière solaire réfléchie par la couche gazeuse qui entoure la surface de la planète. La vie, du moins ce que nous en savons, repose sur ces caractères visibles propres à la terre.

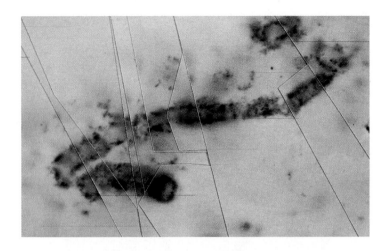

Figure 1-2

Les premiers fossiles connus proviennent de roches anciennes du nord-ouest de l'Australie Occidentale, dont l'âge est estimé à 3,5 milliards d'années. Ils sont environ un milliard d'années plus récents que la terre elle-même, mais il existe peu de roches plus anciennes qui conviendraient pour chercher des signes plus précoces de la vie. Les organismes plus complexes — ceux qui ont une organisation cellulaire eucaryote — ne sont apparus qu'il y a environ 1,5 milliard d'années. Pendant au moins 2 milliards d'années, les procaryotes furent donc les seules formes de vie sur terre. Les « microfossiles », de cette figure, comme on les appelle, ont été agrandis 260 fois.

se sont accumulés dans les océans, où ils ont donné naissance aux premières formes de vie, grâce à l'intervention de l'énergie des éclairs et du rayonnement solaire. L'hypothèse d'Oparin paraît s'être concrétisée, en 1953, dans les expériences entreprises par Stanley L.Miller, qui travaillait alors à préparer une thèse avec le Dr. Harold Urey à l'Université de Chicago. Utilisant un mélange gazeux reconstitué au-dessus d'un « océan » d'eau chaude et d'étincelles électriques pour simuler les éclairs, Miller obtint diverses molécules organiques complexes semblables à celles qui constituent les matériaux de base de toute vie (Figure 1-3).

Les expériences de Miller posaient un problème : le mélange de gaz comprenait du méthane et de l'ammoniac, alors que ces molécules n'étaient peut-être pas présentes dans l'atmosphère terrestre primitive. En l'absence d'une couche d'ozone, ces gaz auraient été détruits par les radiations ultraviolettes. À cette époque, les principaux gaz atmosphériques étaient probablement le dioxyde de carbone et l'azote émis par les volcans, en plus de la vapeur d'eau. Ces trois molécules contiennent les éléments chimiques, carbone, oxygène, azote et hydrogène, qui représentent environ 98 % de la matière vivante actuelle. Néanmoins, des expériences ultérieures, mettant en

ou par tout autre moyen. La vie peut par exemple être apparue sur Mars, dont l'histoire, à l'origine, est apparemment parallèle à celle de la terre. Cette possibilité a été proposée lorsque des scientifiques de la NASA sont arrivés à la conclusion qu'un météorite martien découvert dans l'Antarctique en 1984 contenait des traces d'organismes vivants semblables à des bactéries âgées d'environ 3,6 milliards d'années. En outre, en 1996, le vaisseau spatial Galileo a donné des indications qui suggèrent que, sur une des lunes de Jupiter, Europa, il pourrait y avoir de l'eau liquide sous la surface gelée ; il est donc possible qu'en dehors de la terre, il existe des environnements capables d'entretenir la vie. Nous continuerons cependant à supposer que la vie terrestre est apparue sur la terre.

Les matériaux de construction de la vie se sont accumulés dans les océans primitifs

En 1871, Charles Darwin supposait que la vie a débuté dans « une petite mare chaude », et cette conception de l'origine de la vie à partir d'une soupe primitive a persisté. Cette opinion a d'abord été élaborée dans les années 1930 par le savant russe A.I.Oparin, qui supposait que des molécules contenant du carbone et de l'hydrogène s'étaient formées en grandes quantités dans l'atmosphère primitive à partir de gaz volcaniques composés de méthane, ammoniac, vapeur d'eau et hydrogène. Lessivés depuis l'atmosphère par les pluies, ces composés

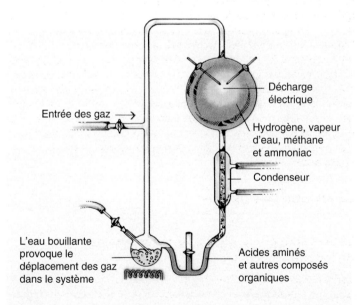

Figure 1-3

Stanley Miller, qui préparait à ce moment une thèse à l'Université de Chicago, dans les années 1950, utilisa un appareil semblable à celui qui est représenté ici pour simuler les conditions qu'il supposait avoir existé sur la terre primitive. L'hydrogène, le méthane et l'ammoniac circulaient de façon continue entre un « océan », en bas, qui était chauffé, et une « atmosphère » supérieure dans laquelle était transmise une décharge électrique. Après 24 heures, environ la moitié du carbone présent à l'origine dans le gaz méthane avait été transformé en acides aminés et autres molécules organiques. C'était le premier test de l'hypothèse d'Oparin.

œuvre des mélanges différents de ces gaz, ont produit divers composés organiques à la suite d'une décharge électrique. Parmi les composés synthétisés en laboratoire, on trouve les nucléotides dont dérivent les acides nucléiques, ARN et ADN.

Une autre théorie concernant l'origine des précurseurs chimiques essentiels à la vie sur terre considère que leur source se trouve dans les comètes. Non seulement la terre primitive a été bombardée par les météorites, mais on pense qu'elle a été la cible d'un grand nombre de comètes, qui renferment de grandes quantités de molécules simples et peut-être aussi plus complexes, qui ont permis l'apparition de la vie. Aujourd'hui encore, quelque 300 tonnes de matière organique complexe, provenant des comètes et des astéroïdes sous forme de poussière, sont filtrées par l'atmosphère terrestre.

Cette théorie a trouvé un appui avec la comète de Hale-Bopp, découverte en juillet 1995, qui a attiré l'attention des scientifiques comme des non-scientifiques durant le printemps de 1997 (Figure 1-4). En se déplaçant dans le système solaire, Hale-Bopp a émis des tonnes d'eau, d'alcool méthylique, de formaldéhyde, de monoxyde de carbone, de cyanure d'hydrogène, de sulfure d'hydrogène et de nombreux composés riches en carbone. Jamais auparavant on n'avait identifié dans une même comète une gamme aussi riche de molécules importantes, contenant en puissance les matériaux de base nécessaires à l'apparition de la vie.

Il est très vraisemblable que les premières cellules étaient de simples agrégats de molécules. Certaines molécules organiques ont tendance à se rassembler en groupes. Dans les océans primitifs,

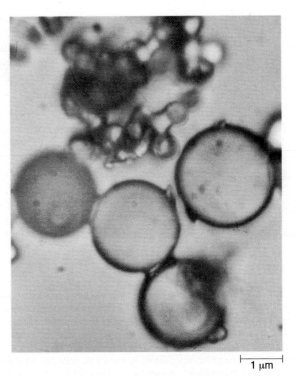

1 μm

Figure 1-5

Si l'on chauffe des mélanges secs d'acides aminés à des températures modérées, il se forme des polymères appelés protéinoïdes thermiques. Chacun de ces polymères peut contenir jusqu'à 200 acides aminés unitaires. Si les polymères sont mis dans une solution aqueuse et conservés dans des conditions adéquates, ils forment spontanément des microsphères de protéinoïdes, qui sont représentées ici. Les microsphères sont séparées de la solution environnante par une membrane qui apparaît biassisiale.

Le court trait droit en bas de cette micrographie et des suivantes sert de référence pour la taille ; un micromètre (μm) est 1/10.000 de centimètre. Le même système est utilisé pour indiquer les distances sur une carte routière.

Figure 1-4

La comète de Hale-Bopp, observée ici au-dessus du Smith Rocks State Park, en Orégon, pendant le printemps de 1997, est formée d'une glace impure qui contient beaucoup de précurseurs chimiques de la vie. Certains scientifiques pensent qu'en tombant en grand nombre sur la terre primitive, les comètes ont apporté la « semence » chimique qui a finalement donné naissance aux organismes très divers vivant sur la terre.

ces groupes ont probablement pris la forme de gouttelettes semblables à celles que l'huile forme dans l'eau. Ces gouttelettes de molécules organiques semblent avoir été les ancêtres des cellules primitives. Sidney W. Fox et ses collaborateurs de l'Université de Miami ont produit des protéines qui s'assemblent dans l'eau en corpuscules de type cellulaire. Dénommées microsphères de protéinoïdes, ces corpuscules croissent lentement par l'accumulation de matériel protéique et bourgeonnent finalement en microsphères plus petites (Figure 1-5). Bien que Fox compare ce processus à une sorte de reproduction, les microsphères ne sont pas des cellules vivantes. On a également supposé que des particules, ou même des bulles d'argile, peuvent être intervenues dans l'apparition de la vie sur terre en récoltant les composés chimiques et en les concentrant pour synthétiser des molécules complexes.

Selon les théories courantes, ces molécules organiques ont aussi servi de source d'énergie pour les premières formes de vie. Les cellules primitives ou des structures de type cellulaire étaient capables d'utiliser ces composés abondants pour répondre à leurs besoins énergétiques. En évoluant et en devenant plus complexes, ces cellules devinrent progressivement capables de contrôler leur propre destinée. Grâce à cette complexité croissante, elles purent *croître, se reproduire* et *transmettre leurs caractéristiques aux générations ultérieures (hérédité)*. Avec l'*organisation cellulaire*, ces trois propriétés caractérisent tous les êtres vivant sur terre.

Les organismes autotrophes fabriquent leur propre nourriture, mais les organismes hétérotrophes doivent trouver leur alimentation dans des sources extérieures. Les cellules qui satisfont leurs besoins énergétiques par la consommation de matériaux organiques produits par des sources externes sont des **hétérotrophes** (du grec *heteros*, « autre » et *trophos*, « qui nourrit »). Un organisme hétérotrophe dépend d'une source extérieure de molécules organiques pour son énergie. Les animaux, les champignons (Figure 1-6a) et beaucoup d'organismes unicellulaires, comme certains protistes et bactéries, sont hétérotrophes.

Lorsque les hétérotrophes primitifs sont devenus plus nombreux, ils ont commencé à épuiser les molécules complexes dont dépendait leur existence — et dont l'accumulation avait pris des millions d'années. Les molécules organiques en solution (non incluses dans une cellule) sont devenues de plus en plus rares et la compétition a débuté. Sous la pression de cette compétition, les cellules capables d'utiliser efficacement les sources d'énergie limitées encore disponibles avaient plus de chance de survivre que les cellules qui ne l'étaient pas. Au cours du temps, par un long et lent processus d'élimination des moins bien adaptées, des cellules capables de fabriquer leurs propres molécules riches en énergie à partir de matières inorganiques simples ont évolué. Ces organismes sont appelés **autotrophes** « autoalimentés ». Sans l'évolution des premiers autotrophes, la vie terrestre aurait rapidement abouti à une impasse.

Les autotrophes les plus réussis furent ceux qui avaient acquis un système permettant l'utilisation directe de l'énergie solaire — le processus de photosynthèse (Figure 1-6b). Les premiers organismes photosynthétiques, malgré leur simplicité par comparaison aux plantes, étaient beaucoup plus complexes que les hétérotrophes primitifs. L'utilisation de l'énergie solaire exigeait un système complexe de pigments pour capturer l'énergie lumineuse et, lié à ce système, un moyen de stocker l'énergie dans une molécule organique.

On a trouvé des preuves de l'activité d'organismes photosynthétiques dans des roches vieilles de 3,4 milliards d'années, soit environ 100 millions d'années plus récentes que les premières traces fossiles de vie terrestre. Nous pouvons cependant être presque certains que la vie et les organismes photosynthétiques ont évolué bien plus tôt que ne le suggèrent ces témoignages. En outre, il ne semble pas faire de doute que les hétérotrophes ont évolué avant les autotrophes. Avec l'arrivée des autotrophes, le flux d'énergie dans la **biosphère** (le monde vivant et son environnement) a commencé à adopter sa forme moderne : l'énergie émise par le soleil est canalisée par les autotrophes photosynthétiques vers toutes les autres formes de vie.

La photosynthèse a modifié l'atmosphère terrestre qui, de son côté, a influencé l'évolution de la vie

Avec l'augmentation de leur nombre, les organismes photosynthétiques ont modifié la face de la planète. Cette révolution biologique est due au fait qu'une des stratégies les plus efficaces de la photosynthèse — celle qui est appliquée par presque tous les autotrophes vivants — implique la rupture de la molécule d'eau (H_2O) et la libération de son oxygène sous forme de molécules libres (O_2). Suite à la photosynthèse, la quantité d'oxygène gazeux dans l'atmosphère a donc augmenté. Cette augmentation du taux d'oxgène a eu deux conséquences importantes.

(a)

(b)

Figure 1-6

Un hétérotrophe moderne et un autotrophe photosynthétique. **(a)** Un champignon, *Coprinus atramentarius*, croissant sur un sol forestier en Californie. *Coprinus*, comme les autres champignons, absorbe sa nourriture (provenant souvent d'autres organismes). **(b)** Trillium à grandes fleurs *(Trillium grandiflorum)*, une des premières plantes en fleur au printemps dans les bois décidus de l'Amérique du Nord orientale et centrale. Comme la plupart des plantes vasculaires, les trilliums sont enracinés dans le sol ; la photosynthèse se fait principalement dans les feuilles. Les fleurs se forment quand la lumière est suffisante, avant l'apparition des feuilles sur les arbres du voisinage. Les parties souterraines (rhizomes) de la plante vivent pendant de nombreuses années et se répandent pour produire végétativement de nouvelles plantes sous le dense couvert de matière en décomposition du sol forestier. Les trilliums se reproduisent également par des graines qui sont dispersées par les fourmis.

En premier lieu, les molécules d'oxygène de la couche supérieure de l'atmosphère se sont transformées en molécules d'ozone (O_3). Dès que la quantité d'ozone dans l'atmosphère est suffisante, il absorbe les rayons ultraviolets — rayons très nuisibles pour les organismes vivants — présents dans la lumière solaire qui arrive à la terre. Depuis 450 millions d'années environ, les organismes protégés par la couche d'ozone, peuvent survivre dans les couches superficielles de l'eau et sur la terre.

En second lieu, l'accroissement de l'oxygène libre a ouvert la voie à une utilisation beaucoup plus efficace des molécules organiques riches en énergie produites par la photosynthèse. Il a permis aux organismes de décomposer ces molécules par un mécanisme utilisant l'oxygène, la respiration. Comme on le verra au chapitre 6, la respiration produit de loin beaucoup plus d'énergie que tous les mécanismes **anaérobies**, c'est-à-dire en l'absence d'oxygène.

Avant que l'atmosphère n'accumule l'oxygène et ne devienne **aérobie**, les seules cellules présentes étaient des **procaryotes** — cellules simples, dépourvues d'enveloppe nucléaire et sans organisation de leur matériel génétique en chromosomes complexes. Il est très vraisemblable que les premiers procaryotes étaient des organismes thermophiles, appelés archéobactéries (bactéries anciennes), dont les descendants actuels sont très répandus et prospèrent souvent à des températures extrêmement élevées, habituellement hostiles à la vie. Les eubactéries sont aussi des procaryotes. Certaines archéobactéries et eubactéries sont hétérotrophes, les autres sont autotrophes. D'après les restes fossiles, l'accroissement d'un oxygène libre relativement abondant a été de pair avec la première apparition des cellules **eucaryotes** — cellules possédant des enveloppes nucléaires, des chromosomes complexes et des organites tels que les mitochondries (sites de la respiration) et les chloroplastes (sites de la photosynthèse), entourés de membranes. Les organismes eucaryotes, dont les cellules sont généralement beaucoup plus grandes que celles des bactéries, sont apparues il y a environ 1,5 milliard d'années et ils étaient bien installés et diversifiés il y a un milliard d'années. En dehors des archéobactéries et des eubactéries, tous les organismes — des amibes au pissenlit, au chêne et à l'homme — sont formés d'une ou plusieurs cellules eucaryotes.

Le milieu côtier était important pour l'évolution des organismes photosynthétiques

Au début de l'histoire de l'évolution, les principaux organismes photosynthétiques étaient des cellules microscopiques flottant sous la surface des eaux éclairées par le soleil. L'énergie était abondante, de même que le carbone, l'hydrogène et l'oxygène mais, avec leur multiplication, les colonies cellulaires ont rapidement épuisé les ressources minérales de l'océan (c'est cet épuisement des minéraux essentiels qui est le facteur limitant de tout projet moderne de production dans les mers). En conséquence, la vie a commencé à se développer plus abondamment près des côtes, là où les eaux étaient riches en nitrates et minéraux amenés des montagnes par les rivières et les fleuves et lessivés à partir des côtes par le mouvement incessant des vagues.

Les côtes rocheuses présentent un milieu beaucoup plus complexe que la pleine mer et, en réponse à ces pressions évolutives, les organismes vivants se sont de plus en plus diversifiés et leur structure est

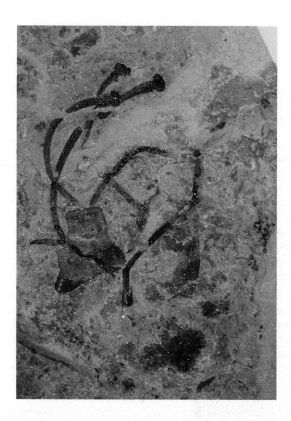

Figure 1-7

Fossile de *Cooksonia*, une des plantes les plus anciennes et les plus simples qui soient connues, datée de la fin du silurien (414-408 millions d'années). *Cooksonia* ne comportait pratiquement qu'une tige ramifiée avec des sporanges terminaux.

devenue plus complexe. Il y a 650 millions d'années déjà, existaient des organismes dans lesquels de nombreuses cellules étaient unies entre elles pour former un corps intégré, multicellulaire (Figure 1-7). Ces organismes primitifs représentent les premiers stades de l'évolution des plantes, champignons et animaux. Les fossiles d'organismes multicellulaires sont beaucoup plus faciles à observer que ceux d'organismes plus simples. L'histoire de la vie terrestre est donc beaucoup mieux documentée depuis qu'ils sont apparus.

Dans la zone littorale agitée, les organismes photosynthétiques multicellulaires pouvaient plus facilement se fixer malgré l'action des vagues et, en réponse au défi posé par la côte rocheuse, de nouvelles formes se sont développées. Typiquement, ces nouvelles formes ont produit des parois cellulaires relativement résistantes servant de support, ainsi que des structures spécialisées pour leur ancrage aux surfaces rocheuses (Figure 1-8). Leur taille augmentant, ces organismes ont été confrontés au problème de l'accès d'une alimentation aux portions de leur corps plus profondément submergées et peu éclairées où il n'y avait pas de photosynthèse. Finalement, l'évolution a produit

teur critique, pour le passage à la terre — ou, comme préfère dire un chercheur, « à l'air » — est donc l'eau.

Les animaux terrestres sont généralement mobiles et capables de rechercher l'eau exactement comme ils recherchent la nourriture. Bien qu'immobiles, les champignons restent en grande partie sous la surface du sol ou à l'intérieur de l'une ou l'autre matière organique dont ils se nourrissent. Les plantes utilisent une autre stratégie évolutive. Les **racines** ancrent la plante au sol et récoltent l'eau nécessaire à la subsistance de l'organisme végétal et à la photosynthèse, tandis que les **tiges** servent de support aux principaux organes photosynthétiques, les **feuilles**. Un flux continu d'eau monte par les racines et les tiges, puis s'échappe des feuilles. L'assise cellulaire externe, l'**épiderme**, de toutes les parties aériennes de la plante qui interviennent finalement dans la photosynthèse est couverte d'une **cuticule** cireuse qui ralentit les pertes d'eau. Cependant, la cuticule a également tendance à empêcher les échanges de gaz entre la plante et l'air ambiant, échanges nécessaires à la photosynthèse comme à la respiration. La solution de ce dilemme repose dans des paires de cellules épidermiques spécialisées (les cellules de garde) qui contrôlent de petites ouvertures, appelées **stomates**. Les stomates s'ouvrent et se ferment pour répondre à des signaux environnementaux et physiologiques, permettant à la plante de maintenir un équilibre entre ses pertes d'eau et ses besoins en oxygène et dioxyde de carbone (Figure 1-9).

Chez les jeunes plantes et chez celles dont le cycle se déroule sur une année (annuelles), la tige est également un organe photosynthétique. Chez les plantes à longue durée de vie (pérennes), la tige peut devenir épaisse et ligneuse et se couvrir d'une **écorce** qui, comme l'épiderme recouvert d'une cuticule, ralentit les pertes d'eau. Chez les annuelles et les pérennes, la tige sert à conduire, par le **système vasculaire** (système conducteur), diverses substances entre les parties

Figure 1-8

Les organismes photosynthétiques multicellulaires s'ancraient spontanément aux côtes rocheuses au début de leur évolution. Cette algue, observée à marée basse sur les rochers de la côte de l'île Tatoosh, Washington, est une algue brune (phéophyte), groupe dont les organismes sont devenus multicellulaires indépendamment des autres groupes.

des tissus spécialisés dans la conduction des aliments, tissus qui se sont étendus tout le long de leur organisme et ont relié les portions supérieures, photosynthétiques, aux structures inférieures, non photosynthétiques.

La colonisation de la terre ferme a été liée à l'évolution de structures permettant la collecte de l'eau et la réduction des pertes d'eau

On comprend mieux l'organisme végétal quand on tient compte de sa longue histoire et, en particulier, des pressions évolutives qu'implique le passage à la terre ferme. Les besoins d'un organisme photosynthétique sont relativement simples : lumière, eau, dioxyde de carbone pour la photosynthèse, oxygène pour la respiration et quelques minéraux. Sur la terre, la lumière est abondante, ainsi que l'oxygène et le dioxyde de carbone — tous deux circulent plus librement dans l'air que dans l'eau — et le sol est généralement riche en minéraux. Le fac-

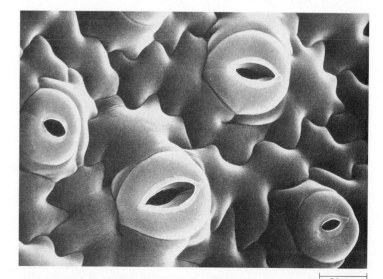

20 µm

Figure 1-9

Stomates ouverts à la surface d'une feuille de tabac (*Nicotiana tabacum*). Les stomates sont des petites ouvertures dans les parties aériennes de la plante ; ils sont contrôlés par les deux cellules de garde qui les bordent.

photosynthétiques et non photosynthétiques de l'organisme végétal. Le système vasculaire comprend deux parties : le **xylème**, par lequel l'eau monte à travers la plante, et le **phloème**, par lequel les aliments fabriqués dans les feuilles et les autres parties photosynthétiques de la plante sont transportés dans l'organisme. C'est ce système conducteur efficace qui a donné son nom au principal groupe de plantes — les **plantes vasculaires** — (Figure 1-10).

Contrairement aux animaux, les plantes poursuivent leur croissance pendant toute leur vie. Dans la plante, toute croissance débute dans les **méristèmes** — régions limitées de tissus perpétuellement jeunes capables d'ajouter indéfiniment des cellules à l'organisme végétal. Les méristèmes localisés aux extrémités de toutes les racines et tiges — les **méristèmes apicaux** — interviennent dans l'allongement de l'organisme. Les racines parviennent donc continuellement à de nouvelles sources d'eau et de minéraux, et les régions photosynthétiques s'allongent continuellement en direction de la lumière. On parle de **croissance primaire** pour désigner le mode de croissance qui dépend des méristèmes apicaux. La **croissance secondaire**, qui produit un épaississement des tiges et des racines, provient de deux **méristèmes latéraux** — le cambium vasculaire et le phellogène.

Les plantes ont acquis d'autres adaptations qui leur permettent de se reproduire sur terre. La première de ces adaptations a été la production de spores résistantes à la sécheresse. Elle a été suivie par l'évolution de structures multicellulaires complexes dans lesquelles les gamètes, ou cellules reproductrices, sont contenues et protégées de la dessiccation par une assise de cellules stériles. Chez les **plantes à graines**, où l'on trouve la plupart des plantes familières, à l'excep-

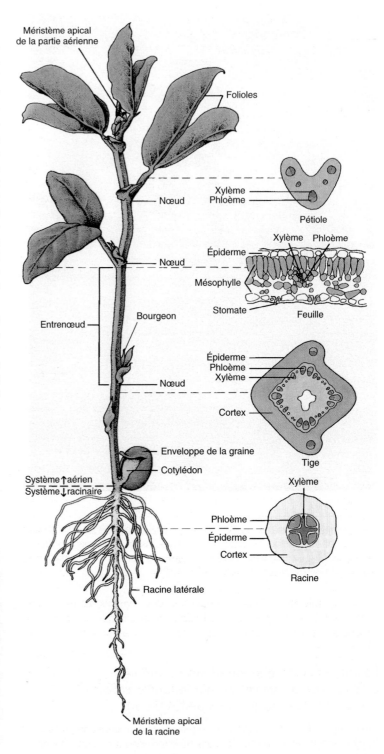

Figure 1-10

Schéma d'une jeune plante de fève (*Vicia faba*) montrant les principaux organes et tissus d'une plante vasculaire moderne. Les organes — racines, tige et feuilles — sont formés de tissus, groupes de cellules dont les structures et fonctions sont distinctes. L'ensemble des racines constitue le système racinaire, les tiges et les feuilles forment le système aérien de la plante. Contrairement aux racines, les tiges sont divisées en nœuds et entrenœuds. Le nœud est la partie de la tige à laquelle sont attachées une ou plusieurs feuilles et l'entrenœud est la partie de la tige située entre deux nœuds successifs. Chez la fève, les premières feuilles véritables sont divisées en deux folioles. Les bourgeons, ou pousses embryonnaires, se forment généralement aux aisselles des feuilles — à l'angle supérieur entre feuille et tige. Les racines latérales dérivent des tissus internes de la racine. Les tissus conducteurs — xylème et phloème — sont réunis et forment un système conducteur continu dans tout l'organisme végétal. Ils se trouvent juste sous le cortex dans la racine et la tige. Le tissu du mésophylle des feuilles est spécialisé en vue de la photosynthèse. Dans ce schéma, on peut voir un cotylédon, ou feuille séminale, par une déchirure de l'enveloppe de la graine.

tion des fougères, mousses et hépatiques, la jeune plante, ou embryon, est enfermée dans une enveloppe spécialisée fournie par la plante mère. L'embryon y est protégé contre la sécheresse et les prédateurs et pourvu de réserves alimentaires. L'embryon, les réserves alimentaires et le spermoderme sont les différentes parties de la **graine**.

En résumé donc, la plante vasculaire (Figure 1-10) se caractérise par un système racinaire qui sert à l'ancrage de la plante dans la terre et à la collecte de l'eau et des minéraux du sol, d'une tige qui élève les parties photosynthétiques de la plante en direction de sa source d'énergie, le soleil, et des feuilles, qui sont des organes photosynthétiques très spécialisés. Racine, tiges et feuilles sont reliées par un système conducteur complexe et efficace pour le transport des nutriments et de l'eau. Les cellules reproductrices des plantes sont enfermées dans des structures protectrices multicellulaires et, chez les plantes à graines, les embryons sont protégés par des enveloppes résistantes. Toutes ces caractéristiques sont des adaptations à la vie photosynthétique sur la terre ferme.

L'évolution des communautés

L'invasion de la terre ferme par les plantes a modifié la face des continents. Quand on voit d'avion une grande étendue désertique ou une chaîne de montagnes, on peut déjà s'imaginer à quoi ressemblait le monde avant l'apparition des plantes. Mais, même dans ces régions, le voyageur terrestre trouvera des plantes étonnamment diverses, disséminées dans les étendues de roches et de sable. Dans certaines parties du monde où le climat est plus tempéré et les pluies plus fréquentes, des communautés végétales dominent le paysage et déterminent son caractère. En fait, dans une large mesure, elles *sont* le paysage. Les forêts pluviales, savanes, bois, déserts, toundras — chacun de ces termes suggère le portrait d'un paysage (Figure 1-11). Les principales caractéristiques de chaque paysage sont ses plantes, qui nous enferment dans la cathédrale vert foncé de notre forêt pluviale imaginaire, couvrent le sol de fleurs sauvages sous nos pieds dans une pelouse, ondule en grandes vagues dorées aussi loin que nos yeux peuvent porter dans notre prairie imaginaire. C'est seulement lorsque nous aurons esquissé ces **biomes** — vastes communautés naturelles, caractérisées par des groupes végétaux et animaux distincts, contrôlées par le climat — en termes d'arbres, arbustes et herbes, que nous pourrons compléter les autres caractéristiques, comme les cerfs, antilopes, lapins ou renards.

Comment se sont formées les vastes communautés végétales, comme celles qui s'observent à l'échelle d'un continent ? Dans une certaine mesure, nous pouvons suivre à la trace l'évolution des différents types de plantes et d'animaux qui peuplent ces communautés. Cependant, malgré l'accumulation des connaissances, nous n'avons encore qu'un faible aperçu du mode de développement beaucoup plus complexe de l'ensemble du système d'organismes qui ont composé ces diverses communautés au cours du temps.

Les écosystèmes sont des unités relativement stables et intégrées qui reposent sur des organismes photosynthétiques

Ces communautés, avec l'environnement non vivant dont elles font partie, sont des systèmes écologiques, ou **écosystèmes**. On parlera plus tard des écosystèmes, au chapitre 32. Pour l'instant, il suffit de considérer un écosystème comme une sorte d'entité collective faite d'individus transitoires. Certains de ces individus, les grandes arbres, vivent jusqu'à plusieurs milliers d'années ; d'autres, les microorganismes, ne vivent que quelques heures ou même quelques minutes. Pourtant, l'écosystème dans son ensemble a tendance à rester remarquablement stable (bien qu'il ne soit pas statique) ; une fois que son équilibre est atteint, il ne se modifie pas pendant des siècles. Nos petits-enfants pourront un jour suivre un sentier forestier qu'ont parcouru nos arrière grand-parents : là où ceux-ci ont vu un pin, une touffe de mûriers, une souris des champs, des myrtilles sauvages ou un pinson, les enfants verront à peu près les mêmes sortes de plantes et d'animaux et en même quantité, pour autant que ce bois existe encore.

Un écosystème fonctionne comme une unité intégrée, bien que beaucoup d'organismes soient en compétition pour les ressources. Pratiquement tout être vivant, même la plus petite cellule bactérienne ou spore de champignon, représente une source de nourriture pour un autre organisme vivant. De cette façon, l'énergie captée par les plantes vertes est transférée d'une manière très organisée à travers un certain nombre d'organismes différents avant de se dissiper. En outre, les interactions entre les organismes eux-mêmes, et entre les organismes et l'environnement non vivant, sont à l'origine d'un cycle bien organisé d'éléments tels que l'azote et le phosphore. De l'énergie doit constamment s'ajouter à l'écosystème, mais les éléments suivent un circuit parmi les organismes, reviennent au sol, sont décomposés par les bactéries et les champignons et sont recyclés. Ces transferts d'énergie et les cycles suivis par les éléments supposent des séquences d'événements compliqués et, dans ces séquences, chaque groupe d'organismes joue un rôle très spécifique. Par conséquent, il est impossible de changer un seul élément d'un écosystème sans courir le risque de détruire l'équilibre dont dépend sa stabilité.

À la base de la productivité de pratiquement tous les écosystèmes se trouvent des plantes, des algues et des bactéries photosynthétiques. Seuls ces organismes ont la capacité de capter l'énergie solaire et de fabriquer les molécules organiques nécessaires à leur propre vie et à celle de tous les autres types d'organismes. Il y a approximativement un demi-million de sortes d'organismes capables de faire la photosynthèse et au moins huit ou dix fois plus d'organismes hétérotrophes, qui dépendent entièrement des photosynthétiques. Les animaux, les hommes y compris, ne peuvent trouver de nombreux types de molécules — comme les acides aminés essentiels, les vitamines et les minéraux — que chez les plantes et autres organismes photosynthétiques. En outre, l'oxygène libéré dans l'atmosphère par les organismes photosynthétiques rend la vie possible sur la terre et dans les couches

(a)

(b)

Figure 1-11

Quelques exemples de l'énorme diversité des communautés biologiques terrestres. **(a)** La forêt décidue tempérée, qui couvre la plus grande partie de l'est des États-Unis et du sud-est du Canada est dominée par des arbres qui perdent leurs feuilles pendant les hivers froids. Ici, des bouleaux et un érable rouge ont été photographiés au début de l'automne dans les monts Adirondack de l'État de New York. **(b)** Surmontant le permafrost, la toundra arctique est un biome sans arbres, caractérisé par une courte période de croissance. On voit ici les plantes de la toundra avec leurs couleurs d'automne, photographiées dans la vallée de Tombstone, dans le Yukon, Canada. **(c)** En Afrique, les savanes sont habitées par d'énormes troupeaux d'herbivores, comme ces zèbres et ces gnous. L'arbre à l'avant-plan est un acacia. **(d)** La forêt tropicale humide, ici au Costa Rica, est le biome le plus riche et le plus diversifié sur terre : au moins les deux tiers de tous les organismes terrestres y sont représentés. **(e)** Les déserts reçoivent normalement moins de 25 centimètres de pluie par an. Ici, dans le désert de Sonora, en Arizona, la plante dominante est le cactus géant saguaro. Adaptés à vivre sous un climat sec, ces cactus possèdent des racines peu profondes, très étalées, et des tiges épaisses pour le stockage de l'eau. **(f)** Les climats méditerranéens sont rares à l'échelle mondiale. Les hivers frais et humides, durant lesquels les plantes poussent, sont suivis par des étés chauds et secs pendant lesquels les plantes deviennent dormantes. On montre ici un chaparral, peuplé de pins et de chênes verts, photographié sur le mont Diablo en Californie.

(c)

(d)

(e)

(f)

superficielles de l'océan. L'oxygène est nécessaire pour les activités métaboliques qui sont source d'énergie chez la plupart des organismes, même les photosynthétiques.

L'apparition des hommes

Les hommes sont relativement des nouveaux venus dans le monde des êtres vivants (Figure 1-12). Si l'on mesurait toute l'histoire de la terre sur une échelle de 24 heures débutant à minuit, les cellules seraient apparues dans les océans chauds avant l'aube. Les premiers organismes multicellulaires n'existeraient pas avant le coucher du soleil et la première apparition de l'homme (il y a environ 2 millions d'années) se situerait une demi-minute environ avant la fin du jour. Cependant, l'homme, plus que tout autre animal — et presque autant que les plantes qui ont envahi la terre — a modifié la surface de la planète, façonnant la biosphère en fonction de ses propres besoins, ambitions ou folies.

Le développement de l'agriculture, qui a débuté il y a au moins 11.000 ans, a permis, avec le temps, de garder de grandes populations dans les villes. Ce développement (détaillé au chapitre 34) a permis la spécialisation et la diversification de la culture humaine. Une caractéristique de cette culture est qu'elle s'étudie elle-même, et elle étudie aussi la nature des autres organismes vivants, comme les plantes. Finalement, la domestication des plantes a permis le développement scientifique de la biologie dans les communautés humaines. La partie de la biologie qui traite des plantes et, par tradition, des procaryotes, des champignons et des algues, est la botanique, ou biologie végétale.

La biologie végétale englobe de nombreux domaines d'études

L'étude des plantes s'est poursuivie pendant des milliers d'années mais, comme toutes les branches de la science, elle ne s'est spécialisée et diversifiée que pendant les trois derniers siècles. Jusqu'il y a un peu plus d'un siècle, la botanique était une branche de la médecine, réservée principalement aux médecins qui se servaient des plantes dans des buts médicaux et qui s'intéressaient à trouver les ressemblances et différences entre plantes et animaux. Aujourd'hui, cependant, c'est une discipline scientifique importante avec de nombreuses subdivisions : la **physiologie végétale** étudie comment les plantes fonctionnent, c'est-à-dire comment elles captent et transforment l'énergie et comment elles croissent et se développent. La **morphologie végétale** étudie la forme des plantes. L'**anatomie végétale** étudie leur structure interne. La **taxonomie** et la **systématique** des plantes interviennent pour leur donner un nom et les classer, ainsi que pour étudier les relations entre elles. La **cytologie** étudie la structure et le fonctionnement des cellules et les cycles de développement. La **génétique** est l'étude de l'hérédité et de la variation. La **biologie moléculaire** étudie la structure et la fonction des molécules biologiques. La **botanique économique** est l'étude de l'utilisation des plantes par l'homme dans le passé, le présent et l'avenir. L'**écologie** étudie les relations entre les organismes et leur environnement. La **paléobotanique** étudie la biologie et l'évolution des plantes fossiles.

Cet ouvrage s'intéresse à tous les organismes qui ont traditionnellement été étudiés par les botanistes : les plantes aussi bien que les procaryotes, virus, champignons et protistes autotrophes (algues). Seuls les animaux ont, par tradition, été le domaine des zoologistes. Bien que nous ne considérions pas les algues, les champignons ou les virus comme des plantes, et nous ne dirons pas dans cet ouvrage que ce sont des plantes, ces organismes sont étudiés ici parce que c'est la

Figure 1-12

Cadran des temps biologiques, situant, condensés en une seule journée, les événements importants qui sont survenus sur la terre au cours des 4,5 milliards d'années de son histoire. La vie apparaît d'abord relativement tôt, avant 6 heures du matin sur une échelle de 24 heures. Les premiers organismes multicellulaires n'apparaissent pas avant le début de la soirée de cette journée de 24 heures et *Homo*, le genre auquel appartiennent les hommes, arrive tardivement — environ 30 secondes avant minuit.

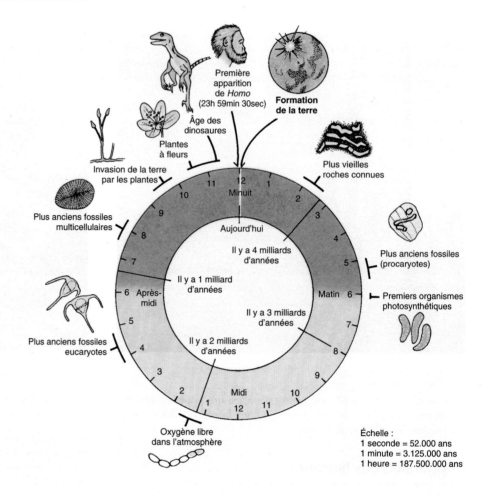

tradition et parce qu'ils sont normalement considérés comme faisant partie de la botanique dans le curriculum, de même que la botanique elle-même était d'habitude considérée comme une partie de la médecine. La virologie, la bactériologie, la phycologie (étude des algues) et la mycologie (étude des champignons) sont de plein droit des champs d'investigation propres bien définis, mais ils se rassemblent encore vaguement sous le chapiteau de la botanique.

La connaissance de la botanique est importante pour traiter les problèmes d'aujourd'hui — et de demain

Dans ce chapitre, nous nous sommes étendus des débuts de la vie sur cette planète à l'évolution des plantes et des écosystèmes, jusqu'au développement de l'agriculture et de la civilisation. En dehors des botanistes ou biologistes des plantes, ces vastes sujets sont intéressants pour bien d'autres personnes. Les pressants efforts des botanistes et des agronomes sont nécessaires pour nourrir la population humaine d'un monde en croissance rapide (Figure 1-13), comme on le verra au chapitre 34. Les plantes, algues et bactéries actuelles représentent le meilleur espoir d'accéder à une source d'énergie renouvelable pour les activités humaines, de la même manière que les plantes, algues et bactéries disparues ont été responsables des accumulations massives de gaz, pétrole et charbon dont dépend notre civi-

lisation industrielle moderne. Le rôle des plantes, avec les algues et les bactéries photosynthétiques, doit retenir notre attention dans un sens qui est même encore plus fondamental. En tant que producteurs de molécules riches en énergie dans l'écosystème global, ces organismes sont le moyen qui permet à tous les autres êtres vivants, nous-mêmes y compris, de trouver l'énergie, l'oxygène et de nombreux autres matériaux nécessaires à la poursuite de notre existence. En étudiant la botanique, vous serez mieux placés pour apprécier les publications d'aujourd'hui sur l'écologie et l'environnement et, grâce à leur compréhension, pour participer à la construction d'un monde plus sain.

Au moment où nous approchons du début du vingt-et-unième siècle, il est clair que les hommes, qui seront bien plus de 6 milliards en l'an 2000, agissent sur le monde avec une force que l'on ne pouvait imaginer il y a quelques décennies. Toutes les heures, des produits chimiques de synthèse tombent sur chaque centimètre carré de la surface de la planète. La couche d'ozone stratosphérique protectrice formée il y a 450 millions d'années a été sérieusement appauvrie par l'utilisation des produits chlorofluorocarbonés (CFC) et des rayons ultraviolets dangereux qui pénètrent dans la couche appauvrie ont augmenté l'incidence du cancer de la peau chez les hommes dans le monde entier. On a en outre estimé que, au milieu du siècle prochain, la température moyenne aura augmenté de 1 à 6°C à cause de l'effet de serre. Ce phénomène — la capture de la chaleur irradiée par la surface de la terre en direction de l'espace — s'est intensifié avec l'accroissement des quantités de dioxyde de carbone, d'oxydes d'azote, de CFC et de méthane dans l'atmosphère dû aux activités humaines. La menace la plus grave est qu'une grande partie du nombre total d'espèces de plantes, animaux, champignons et microorganismes est en voie de disparition pendant une durée qui correspond à notre vie — ce sont les victimes de l'exploitation de la terre par l'homme. Toutes ces tendances sont alarmantes et demandent notre plus grande attention.

Au cours de ces quelques dernières années, de nouvelles perspectives optimistes ont vu le jour et devraient aboutir à une meilleure utilisation des plantes par l'homme. Nous parlons de ces développements tout au long de cet ouvrage. Il est actuellement possible de stimuler la croissance des plantes, d'échapper à leurs ennemis, de contrôler les adventices dans les cultures et d'obtenir des hybrides entre plantes avec beaucoup plus de précision et des potentialités

bien plus larges qu'auparavant. Les possibiliés offertes par ces nouvelles découvertes s'élargissent d'année en année, grâce aux autres découvertes qui sont faites et au développement de nouvelles applications. Par exemple, les méthodes d'ingénierie génétique discutées aux chapitres 11 et 28 permettent maintenant de transférer des gènes naturels ou de synthèse d'une plante ou d'un animal à l'autre pour obtenir différents caractères. Ces méthodes, appliquées pour la première fois en 1973, ont déjà entraîné des investissements de plusieurs milliards de dollars et soulevé plus d'espoir pour l'avenir. Les découvertes encore à venir dépasseront sans doute beaucoup nos rêves les plus fous et iront bien au-delà des connaissances auxquelles nous avons accès aujourd'hui.

En nous engageant dans les chapitres 2 et 3, notre attention va se limiter à une cellule si petite qu'on ne peut la voir à l'œil nu, mais il est important de garder à l'esprit ces plus larges concepts. Une connaissance fondamentale de la biologie végétale est utile en elle-même et elle est essentielle dans de nombreux domaines. Elle a aussi de plus en plus sa place face à certains problèmes de société parmi les plus

Figure 1-13

Au cours des 25.000 dernières années, la population humaine est passée de plusieurs millions à environ 6 milliards. Le taux de croissance de la population s'est accru de manière significative en réponse à la révolution agricole, une augmentation encore plus dramatique est survenue avec l'avènement de la révolution industrielle qui a débuté au milieu du XIXᵉ siècle et elle s'est poursuivie jusqu'à présent.

Les conséquences de la croissance rapide de la population humaine sont nombreuses et diverses. Aux États-Unis et dans d'autres parties du monde développé, il faut tenir compte non seulement de la brusque augmentation du nombre d'individus, mais aussi de la forte consommation de combustibles fossiles non renouvelables et de la pollution qui en résulte — autant par la combustion des combustibles qu'à la suite d'accidents

comme les fuites de pétrole au cours du transport. Dans les parties moins développées du monde, les conséquences sont, entre autres, la malnutrition et, trop souvent, la famine, associées à une vulnérabilité permanente aux maladies infectieuses. Pour les autres organismes, les conséquences sont non seulement les effets directs de la pollution mais aussi — et c'est le plus important, la disparition des habitats.

cruciaux et face aux décisions difficiles auxquelles nous serons confrontés lorsqu'il faudra faire un choix parmi les propositions susceptibles d'y répondre. Notre propre avenir, l'avenir du monde et l'avenir de tous les types de plantes — qu'elles soient considérées comme espèces individuelles et comme faisant partie des systèmes dont dépend la vie et dans lesquels nous avons tous évolué — reposent sur nos connaissances. Cet ouvrage s'adresse donc non seulement aux botanistes de l'avenir, qu'ils soient enseignants ou chercheurs, mais aussi aux citoyens informés, aux scientifiques comme aux profanes, entre les mains desquels reposent ces décisions.

RÉSUMÉ

Il n'existe que quelques types d'organismes — les plantes, les algues et certaines bactéries — capables de capter l'énergie solaire et de la fixer dans des molécules organiques par les processus photosynthétiques. Pratiquement toute vie sur terre dépend, directement ou indirectement, des produits de ces processus.

Les matériaux de construction chimique de la vie se sont accumulés dans les océans primitifs

La planète terre est âgée de quelque 4,5 milliards d'années. Les fossiles connus les plus anciens remontent à 3,5 milliards d'années mais, selon certaines indications, la vie existait déjà sur terre il y a 3,85 milliards d'années. À cette époque, les principaux gaz atmosphériques étaient probablement le dioxyde de carbone et l'azote émis par les volcans, en plus de la vapeur d'eau. Ces trois molécules contiennent du carbone, de l'hydrogène, de l'azote et de l'oxygène, éléments chimiques qui composent environ 98 % de la matière présente dans tous les organismes vivants actuels. Dans l'atmosphère primitive tourmentée, les gaz se sont recombinés en nouvelles molécules plus grosses. L'oxygène était pratiquement absent avant que les organismes photosynthétiques ne commencent à en produire de grandes quantités. En conséquence, les rayons ultraviolets (actuellement arrêtés en grande partie par l'ozone avant d'atteindre la surface terrestre) bombardaient la surface de la terre et participaient à la synthèse des molécules.

Les organismes hétérotrophes sont apparus avant les organismes autotrophes, les procaryotes avant les eucaryotes et les organismes unicellulaires avant les multicellulaires

Les hétérotrophes, organismes qui se nourrissent de molécules organiques ou d'autres organismes, ont évolué les premiers. Les organismes autotrophes, qui peuvent produire leur propres aliments par photosynthèse, sont apparus il y a au moins 3,4 milliards d'années. Jusqu'à il y a environ 1,5 milliard d'années, les procaryotes — archéobactéries et eubactéries — étaient les seuls organismes existants. Les eucaryotes, avec leurs cellules plus grosses et plus complexes, ont évolué à cette époque. Les eucaryotes multicellulaires ont commencé à évoluer il y a au moins 650 millions d'années et ils ont commencé à envahir la terre ferme il y a environ 450 millions d'années.

La colonisation de la terre ferme a été liée à l'évolution de structures permettant la collecte de l'eau et la réduction des pertes d'eau

La plupart des plantes sont terrestres, elles ont développé un certain nombre de caractéristiques spécialisées qui les ont adaptées à la vie sur la terre ferme. Ces caractéristiques sont surtout marquantes dans le groupe dominant, celui des plantes vasculaires. Il s'agit entre autres d'une cuticule cireuse, percée d'ouvertures spécialisées, les stomates, qui permettent les échanges gazeux, et d'un système conducteur efficace. Ce système comprend le xylème, par lequel l'eau et les minéraux passent des racines aux tiges et aux feuilles, et le phloème, qui transporte les produits de la photosynthèse dans toutes les parties de la plante. Les plantes s'allongent par croissance primaire et leur diamètre augmente par croissance secondaire, grâce à l'activité de méristèmes, qui sont des tissus perpétuellement jeunes capables d'ajouter indéfiniment des cellules à l'organisme végétal.

Les écosystèmes sont des unités relativement stables et intégrées qui sont sous la dépendance des organismes photosynthétiques

Quand les plantes ont évolué, elles en sont venues à constituer des biomes, vastes assemblages de plantes et d'animaux. Les systèmes interactifs composés de biomes et de leurs environnements non vivants sont des écosystèmes. Les hommes, qui sont apparus il y a environ 2 millions d'années, ont développé l'agriculture il y a au moins 11.000 ans et ils sont devenus ensuite la force écologique dominante sur terre. Ils ont appliqué leur connaissance des plantes pour entretenir leur propre développement et ils continueront en ce sens dans l'avenir d'une façon de plus en plus importante.

MOTS CLÉS

aérobie p. 6

anatomie végétale p. 11

autotrophes p. 5

biologie moléculaire p. 11

biomes p. 9

biosphère p. 5

botanique économique p. 11

cellules eucaryotes p. 6

cellules procaryotes p. 6

croissance primaire p. 8

croissance secondaire p. 8

cuticule p. 7

cytologie p. 11

écologie p. 11

écosystèmes p. 9

épiderme p. 7

feuilles p. 7

génétique p. 11

graines p. 9

hétérotrophes p. 5

méristèmes p. 8

morphologie végétale p. 11

paléobotanique p. 11

phloème p. 8

physiologie végétale p. 11

plantes vasculaires p. 7

racines p. 7

stomates p. 7

système vasculaire p. 7

taxonomie des plantes p. 11

tiges p. 7

xylème p. 8

QUESTIONS

1. Certains scientifiques croient que d'autres planètes de notre galaxie pourraient bien supporter une forme de vie. Si vous recherchiez une telle planète, à quels caractères feriez-vous appel ?

2. Quels critères utiliseriez-vous pour savoir si une entité est une forme de vie ?

3. Quel rôle l'oxygène a-t-il joué dans l'évolution de la vie sur terre ?

4. De quels avantages les plantes terrestres jouissent-elles par rapport à leurs ancêtres aquatiques ? Pouvez-vous trouver des inconvénients au fait d'être une plante terrestre ?

5. Les plantes ne sont pas seulement une source de nourriture ; elles entrent en outre dans nos vies par d'innombrables chemins. Combien de ces voies pouvez-vous citer ? Avez-vous remercié une plante verte aujourd'hui ?

6. La connaissance de la botanique — des plantes, champignons, algues et bactéries — est essentielle si nous voulons comprendre comment fonctionne le monde. Comment cette connaissance est-elle importante pour s'attaquer aux problèmes d'aujourd'hui et de demain ?

Section 1

BIOLOGIE DE LA CELLULE VÉGÉTALE

Les plantes captent l'énergie lumineuse et l'utilisent pour produire les molécules organiques essentielles à la vie. Ce mécanisme — la photosynthèse — a besoin d'un pigment vert, la chlorophylle, présent dans les feuilles de ce chèvrefeuille. Les molécules organiques produites par la photosynthèse fournissent non seulement l'énergie qui alimente les systèmes vivants, mais aussi les molécules structurales plus volumineuses dont sont formés les organismes vivants.

Composition moléculaire des cellules végétales 2

SOMMAIRE

Vous savez probablement que la croissance et le développement des plantes — en fait, leur survie — dépendent du bon fonctionnement des cellules qui les composent. La survie de ces cellules, à son tour, dépend des interactions entre constituants chimiques extrêmement divers. Certains, comme les ions potassium (K^+) et l'eau (H_2O) sont petits, même à l'échelle atomique. D'autres sont relativement volumineux et composés d'atomes de carbone liés entre eux en longues chaînes. Ce chapitre met l'accent sur ces molécules à base de carbone, principalement les glucides (y compris les sucres et amidons), les lipides (avec les graisses et les huiles), les protéines (y compris les enzymes) et les acides nucléiques (avec l'ADN). Bien que ces molécules semblent complexes, la plupart sont formées de sous-unités semblables réunies comme les anneaux d'une chaîne. Apprendre les caractères spécifiques des sous-unités est donc une étape clé pour la compréhension de l'ensemble de la molécule. Ce chapitre donne aussi des informations sur d'autres molécules carbonées, comme la caféine, la nicotine et la morphine, dont beaucoup ont des usages commerciaux et médicaux, mais dont on commence seulement à comprendre les fonctions dans la plante.

POINTS DE REPÈRE

Quand vous terminerez la lecture de ce chapitre, vous devriez pouvoir répondre aux questions suivantes :

- *Quels sont les quatre types principaux de molécules organiques trouvés dans les cellules végétales et quelles sont, pour chacun, les sous-unités structurales de base ?*
- *Quelles sont les principales fonctions de chacun des quatre principaux types de molécules organiques dans les cellules végétales ?*
- *Quel est le mécanisme responsable du clivage des quatre types de molécules organiques en leurs sous-unités et quel est le mécanisme capable de les unir ?*
- *Quelles sont les différences entre les polysaccharides qui servent de réserve d'énergie et les polysaccharides de structure ? Donnez quelques exemples de chacun.*
- *Qu'est-ce qu'une enzyme et pourquoi les enzymes sont-elles importantes dans les cellules ?*
- *Quelle est la différence entre l'ATP et l'ADP et pourquoi l'ATP est-il important dans les cellules ?*
- *Quelle est la différence entre un métabolite primaire et un métabolite secondaire ?*
- *Quels sont les principaux types de métabolites secondaires ? Donnez des exemples de chacun.*

Tout ce qui existe sur la terre — y compris tout ce que vous pouvez voir en ce moment, ainsi que l'air qui l'entoure — est fait d'éléments chimiques combinés de diverses façons. Les éléments sont des substances qui ne peuvent être décomposées en d'autres substances par des moyens ordinaires. Le carbone est un élément, comme l'hydrogène et l'oxygène. Parmi les 92 éléments normalement présents sur terre, six seulement ont été sélectionnés au cours de l'évolution pour former la matière complexe, très organisée, des organismes vivants. Ces six éléments — carbone, hydrogène, azote, oxygène, phosphore et soufre — représentent 99 % du poids de toute matière vivante. Les propriétés spécifiques de chaque élément dépendent de la structure de ses atomes et de la façon dont ceux-ci peuvent interagir et s'unir à d'autres atomes pour former des molécules. (Il peut être utile que vous lisiez l'appendice A, Fondements de la chimie, avant d'aller plus loin dans ce chapitre.)

L'eau, molécule composée de deux atomes d'hydrogène et d'un atome d'oxygène (H_2O), représente plus de la moitié de toute matière vivante et plus de 90 % du poids de la plupart des tissus végétaux. (L'appendice A traite aussi de certaines propriétés importantes de l'eau.) En comparaison, les ions chargés électriquement, comme le potassium (K^+), le magnésium (Mg^{2+}) et le calcium (Ca^{2+}), n'en représentent qu'environ 1 %. D'un point de vue chimique, presque tout le reste de l'organisme vivant est composé de **molécules organiques** — c'est-à-dire de molécules qui contiennent du carbone.

Dans ce chapitre, nous présentons quelques types de molécules organiques que l'on rencontre dans les êtres vivants. Le drame moléculaire est un vaste spectacle avec, littéralement, des milliers d'acteurs. Une seule cellule bactérienne contient quelque 5.000 sortes différentes de molécules organiques et une cellule animale ou végétale en a au moins deux fois plus. Comme nous l'avons cependant déjà vu, ces milliers de molécules ne sont composées que d'un nombre relativement faible d'éléments. De même, un nombre relativement faible de types moléculaires ont une importance majeure dans les systèmes vivants. Considérez ce chapitre comme une introduction aux principaux acteurs du drame. L'action commence à se dérouler dans le chapitre suivant.

Les molécules organiques

Les propriétés particulières de liaison du carbone permettent la formation d'une grande diversité de molécules organiques. Parmi les milliers de molécules organiques différentes qui se trouvent dans les cellules, quatre types principaux seulement constituent l'essentiel du poids sec des organismes vivants. Ce sont les **glucides** (composés de sucres), les **lipides** (qui contiennent le plus souvent des acides gras), les **protéines** (composés d'acides aminés) et les **acides nucléiques** (les ADN et ARN, formés de molécules complexes, les nucléotides). Toutes ces molécules — glucides, lipides, protéines et acides nucléiques — consistent principalement en carbone et hydrogène, et la plupart contiennent en outre de l'oxygène. De plus, les protéines contiennent de l'azote et du soufre. Les acides nucléiques, de même que certains lipides, contiennent de l'azote et du phosphore.

Les glucides

Les glucides sont les molécules organiques les plus abondantes dans la nature et ce sont les principales molécules de réserve énergétique chez la plupart des organismes vivants. De plus, ils représentent divers constituants structuraux des cellules vivantes. Les parois des cellules des jeunes plantes, par exemple, sont faites de cellulose (un polysaccharide) enrobée dans une matrice d'autres polysaccharides et de protéines.

Les glucides sont formés de petites molécules appelées **sucres**. Il existe trois types principaux de glucides qui sont classés en fonction du nombre de sous-unités qu'ils contiennent. Les **monosaccharides** (« sucres simples »), comme le ribose, le glucose et le fructose, comprennent une seule molécule de sucre. Les **disaccharides** (« deux sucres ») contiennent deux sous-unités unies par covalence. Les exemples familiers sont le saccharose (sucre de table), le maltose (sucre de malt) et le lactose (sucre de lait). La cellulose et l'amidon sont des **polysaccharides** (« nombreux sucres ») contenant de nombreuses sous-unités de sucre unies entre elles.

Les **macromolécules** (grosses molécules) telles que les polysaccharides, qui sont constituées de petites sous-unités semblables ou identiques, sont des **polymères** (« nombreuses parties »). Les sous-unités individuelles des polymères sont des **monomères** (« parties simples ») ; la **polymérisation** est la réunion progressive des monomères en polymères.

Les monosaccharides fonctionnent comme matériaux de construction et comme sources d'énergie

Les monosaccharides sont les glucides les plus simples. Ils sont formés d'une chaîne de carbones auxquels sont attachés des atomes d'hydrogène et d'oxygène dans la proportion d'un atome de carbone pour deux atomes d'hydrogène et d'un atome d'oxygène. On peut représenter les monosaccharides par la formule $(CH_2O)_n$, où n peut aller de 3 (comme dans $C_3H_6O_3$) à 7 (dans $C_7H_{14}O_7$). Ces proportions sont à l'origine du terme *hydrate de carbone* (signifiant « carbone hydraté ») utilisé parfois pour désigner les sucres et les molécules plus grosses formées de sucres. La figure 2-1 donne des exemples de plusieurs monosaccharides communs. Remarquez que chaque monosaccharide possède une chaîne de carbones (le « squelette » carboné) avec un groupement hydroxyle (-OH) attaché à chaque carbone sauf un. Le dernier atome de carbone est représenté par un groupement carbonyle (-C=0). Ces groupements sont tous deux **hydrophiles** (« aimant l'eau ») et les monosaccharides, de même que beaucoup d'autres glucides, se dissolvent facilement dans l'eau. Les sucres à cinq (pentoses) et six (hexoses) carbones sont les monosaccharides les plus communs dans la nature. On les rencontre sous la forme d'une chaîne ouverte ou d'un cycle fermé, cette dernière forme étant en fait normalement présente en solution (Figure 2-2). Quand le cycle est formé, le groupement carbonyle se transforme en groupement hydroxyle. Le groupement carbonyle est donc une caractéristique des monosaccharides en forme de chaîne, mais il est absent dans leur forme cyclique.

REPRÉSENTATION DES MOLÉCULES

Lorsqu'ils représentent des molécules complexes, les chimistes utilisent habituellement des formules moléculaires ou des formules de structure. Une **formule moléculaire** donne le nombre d'atomes de chaque type dans la molécule, tandis que la **formule de structure** montre comment les atomes sont unis entre eux.

Le glucose, par exemple, possède 6 atomes de carbone, 12 d'hydrogène et 6 d'oxygène. Sa formule moléculaire est $C_6H_{12}O_6$. Cependant, le fructose aussi contient 6 carbones, 12 hydrogènes et 6 oxygènes, et sa formule moléculaire est donc la même que celle du glucose. En outre, les deux molécules ont des structures semblables — une chaîne d'atomes de carbone auxquels sont attachés des atomes d'hydrogène et d'oxygène. Les différences entre le glucose et le fructose sont déterminées par la façon dont les atomes d'oxygène et d'hydrogène sont unis aux atomes de carbone. On peut donc distinguer les molécules par leurs formules de structure.

Dans ces formules, le symbole — représente une liaison covalente simple et le symbole = représente une liaison covalente double. Bien qu'il ne soit pas nécessaire de numéroter les atomes de carbone, l'interprétation des formules de structure est plus aisée quand on le fait. L'atome de carbone terminal à l'extrémité la plus oxydée de la molécule porte le numéro 1. Notez que le glucose et le fructose ne diffèrent que par la localisation du groupement —C=O (carbonyle).

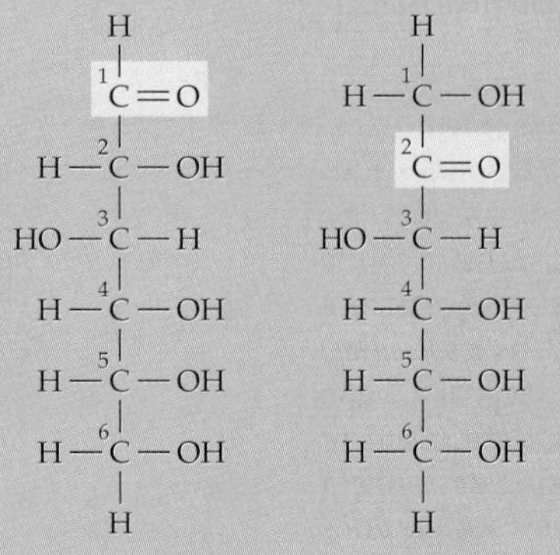

Glucose
(forme caténaire)

Fructose
(forme caténaire)

Cependant, quand le glucose et le fructose sont en solution, leur structure devient cyclique et les formules de structure suivantes les représentent plus adéquatement :

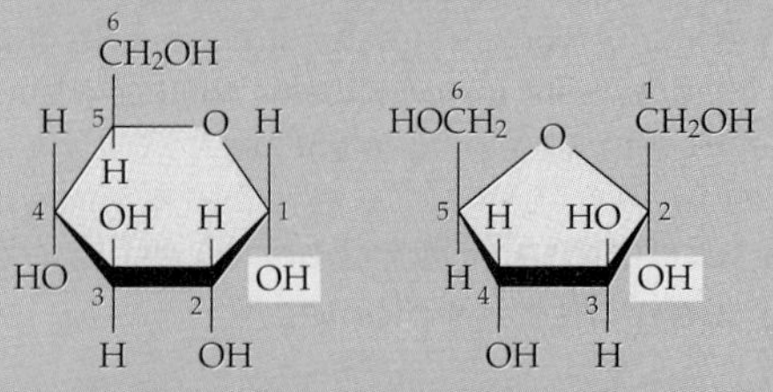

Glucose
(forme cyclique)

Fructose
(forme cyclique)

Les bords inférieurs des cycles sont épaissis pour représenter la structure tridimensionnelle. Le cycle est perpendiculaire à la page, les bords épais étant orientés vers vous ; les bords minces sont rejetés derrière la page. Par convention, les atomes de carbone situés aux intersections des liaisons dans une structure organique cyclique sont supposés présents, mais ils ne sont pas indiqués.

Les formules de structure sont des outils utiles pour l'examen des molécules impliquées dans les structures et mécanismes des systèmes vivants.

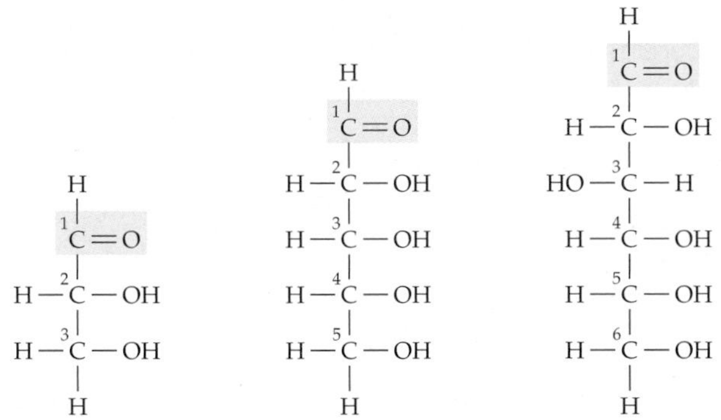

Figure 2-1

Exemples de monosaccharides biologiquement importants. **(a)** Le glycéraldéhyde, sucre à trois carbones, est une source importante d'énergie et représente le squelette carboné de base de nombreuses molécules organiques. **(b)** Le ribose, sucre à cinq carbones, se retrouve dans les acides nucléiques, ADN et ARN, et dans la molécule qui transporte l'énergie, l'ATP. **(c)** Le glucose, sucre à six carbones, a des fonctions importantes dans la cellule, pour la structure et transport. Le carbone terminal le plus proche de la double liaison est le carbone 1.

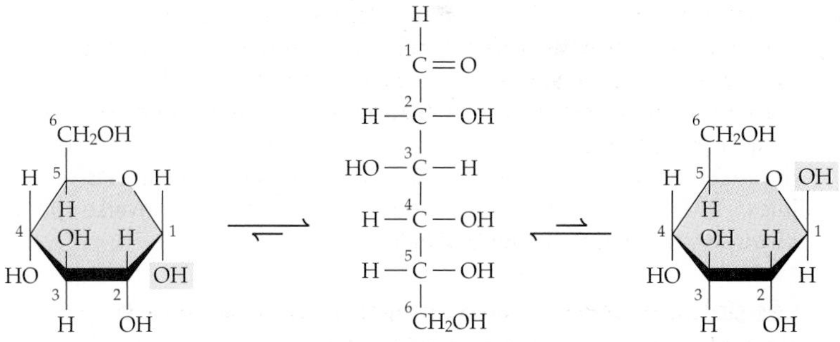

(a) Glycéraldéhyde ($C_3H_6O_3$)

(b) Ribose ($C_5H_{10}O_5$)

(c) Glucose ($C_6H_{12}O_6$)

Figure 2-2

En solution aqueuse, le glucose, sucre à six carbones, est représenté par deux structures cycliques différentes, alpha et bêta, qui sont en équilibre. Les molécules passent par la forme caténaire quand elles vont de l'une à l'autre de ces structures. La seule différence entre les deux structures cycliques est la position du groupement hydroxyle (-OH) attaché au carbone 1 ; il se trouve sous le plan de l'anneau dans la forme alpha et au-dessus dans la forme bêta.

alpha-Glucose
(forme cyclique)

Glucose
(forme caténaire)

bêta-Glucose
(forme cyclique)

Les monosaccharides sont les matériaux de construction — les monomères — à partir desquels les cellules vivantes construisent les disaccharides, polysaccharides et autres glucides essentiels. En outre, le monosaccharide **glucose** est la forme sous laquelle le sucre est transporté dans le système circulatoire des hommes et des autres vertébrés. Nous verrons au chapitre 6 que le glucose et d'autres monosaccharides sont les principales sources d'énergie chimique pour les plantes comme pour les animaux.

Le saccharose (disaccharide) est une forme de transport du sucre chez les plantes

Alors que, chez beaucoup d'animaux, ils sont habituellement transportés sous forme de glucose, les sucres sont souvent transportés sous forme de disaccharides chez les plantes et d'autres organismes. Le **saccharose**, disaccharide composé de glucose et fructose, est la forme utilisée pour le transport des sucres chez la plupart des végétaux, à partir des cellules photosynthétiques (principalement dans les feuilles) où il est produit, vers les autres parties de la plante. Le saccharose que nous consommons comme sucre de table est produit industriellement à partir de betteraves sucrières (racines hypertrophiées) et de canne à sucre (tige), où il s'accumule après son transport depuis les portions photosynthétiques de la plante.

Lors de la synthèse d'un disaccharide à partir de deux monosaccharides, une molécule d'eau est enlevée et une liaison se forme entre les deux monosaccharides. Ce type de réaction chimique, qui se produit lors de la formation du saccharose à partir de glucose et de fructose, est une **réaction de condensation** (avec perte d'une molécule d'eau) (Figure 2-3). En fait, la production de la plupart des polymères organiques à partir de leurs sous-unités se fait par une réaction de condensation.

Lors de la réaction inverse — par exemple, lorsqu'un disaccharide est clivé en ses deux monosaccharides — une molécule d'eau s'ajoute. Ce clivage, qui se produit quand un disaccharide est utilisé comme source d'énergie, est une **hydrolyse**, de *hydro*, « eau » et *lysis*, « rupture. » Les réactions d'hydrolyse libèrent de l'énergie : ce sont des mécanismes importants dans les transferts d'énergie dans les cellules. À l'inverse, la réaction de condensation — l'inverse de l'hydrolyse — exige un apport d'énergie.

Les polysaccharides interviennent dans le stockage de l'énergie ou comme matériaux de structure

Les polysaccharides sont des polymères constitués de monosaccharides unis en longues chaînes. Certains interviennent dans le stockage des sucres et d'autres ont un rôle structural.

L'**amidon,** principal polysaccharide de réserve des plantes, est constitué d'une chaîne de molécules de glucose (on parle aussi, dans les polymères, de résidus glucose). Il y a deux formes d'amidon : l'amylose est une molécule non ramifiée et l'amylopectine est ramifiée (Figure 2-4). L'amylose et l'amylopectine s'accumulent sous forme de grains d'amidon dans les cellules végétales. Le **glycogène**, qui est le polysaccharide de réserve habituel chez les procaryotes, les champignons et les animaux, est également composé de chaînes de molécules de glucose. Il ressemble à l'amylopectine, mais il est plus ramifié.

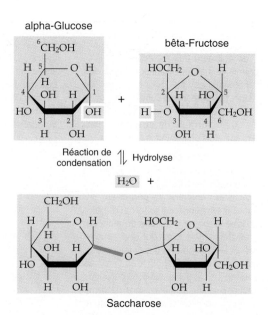

Figure 2-3

Le sucre est généralement transporté dans les plantes sous la forme d'un disaccharide, le saccharose. Le saccharose est formé de deux monosaccharides unitaires, un alpha-glucose et un bêta-fructose réunis par une liaison 1,2 (le carbone 1 du glucose est uni au carbone 2 du fructose). La formation du saccharose implique l'élimination d'une molécule d'eau (réaction de condensation). La nouvelle liaison chimique formée au cours de cette réaction est représentée en bleu. Dans les cellules, la formation de cette liaison, une liaison glycosidique, implique toujours un monomère activé (comme l'uridine diphosphate glucose, ou UDP-glucose) : il s'agit donc d'un processus impliquant de multiples étapes, plus compliqué que celui qui est décrit ici. La réaction inverse — le clivage du saccharose en ses monosaccharides — nécessite l'addition d'une molécule d'eau (hydrolyse). La formation de saccharose à partir de glucose et de fructose demande un apport énergétique de 5,5 kcal par mole (voir appendice A). L'hydrolyse libère la même quantité d'énergie.

Chez certaines plantes — particulièrement chez les céréales, comme le blé, le seigle et l'orge — les principaux polysaccharides de réserve dans les feuilles et les tiges sont des polymères de fructose appelés **fructanes.** Ces polymères sont solubles dans l'eau et peuvent être stockés à des concentrations beaucoup plus élevées que l'amidon.

Les polysaccharides doivent être hydrolysés en monosaccharides et disaccharides pour permettre leur utilisation comme sources d'énergie ou leur transport dans les systèmes vivants. La plante décompose ses réserves amylacées lorsque des monosaccharides et disaccharides sont nécessaires à la croissance et au développement. Nous hydrolysons ces polysaccharides lorsque notre système digestif décompose l'amidon stocké par les plantes dans des aliments tels que le maïs (une céréale) et les pommes de terre (tubercules) : le glucose devient ainsi disponible pour alimenter nos cellules.

CH₂OH ... (a) Amylose — chaîne linéaire de monomères répétitifs d'alpha-glucose

Figure 2-4

Chez la plupart des plantes, les sucres de réserve sont stockés sous forme d'amidon. L'amidon est présent sous deux formes : l'une est non ramifiée (amylose) et l'autre est ramifiée (amylopectine). **(a)** Une seule molécule d'amylose peut contenir au moins 1.000 monomères d'alpha-glucose ; le carbone 1 d'un cycle glucose est uni au carbone 4 du suivant (on parle d'une liaison 1,4) pour former une longue chaîne non ramifiée qui s'enroule en une spirale uniforme. **(b)** Une molécule d'amylopectine peut renfermer au moins 1.000 à 6.000 monomères d'alpha-glucose ; de courtes chaînes d'environ 8 à 12 monomères d'alpha-glucose forment des ramifications à partir de la chaîne principale à des intervalles de 12 à 25 monomères. **(c)** Les molécules d'amidon ont tendance à s'agglomérer en grains, peut-être à cause de leur spiralisation. Dans cette micrographie électronique à balayage d'une cellule d'un tubercule de pomme de terre (*Solanum tuberosum*), les structures sphériques sont des grains d'amidon.

Point de ramification

(b) Amylopectine — chaîne ramifiée de monomères répétitifs d'alpha-glucose

(c)   20 μm

Les polysaccharides sont également des éléments structuraux importants. Chez les plantes, le composant principal de la paroi cellulaire est un polysaccharide, la **cellulose** (Figure 2-5). En fait, la moitié de tout le carbone organique de la biosphère est contenue dans la cellulose, ce qui en fait la molécule organique connue la plus abondante. Le bois est formé d'environ 50 % de cellulose et les fibres de coton sont de la cellulose presque pure.

La cellulose est un polymère composé de monomères de glucose, comme l'amidon et le glycogène, mais il y a des différences importantes. Presque tous les types de systèmes vivants peuvent facilement utiliser l'amidon et le glycogène comme combustible, mais quelques microorganismes seulement — certaines procaryotes, protozoaires et champignons — et de très rares animaux — comme le lépisme (petit poisson d'argent) — peuvent hydrolyser la cellulose. Les bovins, les termites et les blattes ne peuvent utiliser la cellulose comme source d'énergie que parce qu'elle est dégradée par des microorganismes vivant dans leur système digestif.

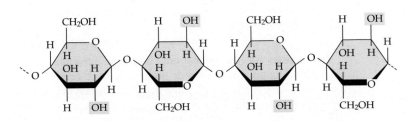

(a)

(b)

Figure 2-5

(a) La cellulose ressemble à l'amidon, puisqu'elle est formée de monomères de glucose avec avec des liaisons 1,4. Cependant, ses monomères sont du bêta-glucose, alors que l'amidon est composé d'alpha-glucose. **(b)** Les molécules de cellulose, groupées en microfibrilles, sont des composants structuraux importants des parois des cellules végétales. Les groupements —OH (en bleu), qui émergent des deux côtés de la chaîne de cellulose, forment des liaisons hydrogène (pointillés) avec les groupements -OH des chaînes voisines, ce qui donne des microfibrilles de molécules parallèles de cellulose unies par des liaisons croisées. Comparez la structure de la cellulose à celle de l'amidon de la figure 2-4.

Pour comprendre les différences entre les polysaccharides structuraux, comme la cellulose, et les polysaccharides de réserve, comme l'amidon et le glycogène, nous devons revenir à la molécule de glucose. Vous vous souviendrez que la molécule est fondamentalement une chaîne de six atomes de carbone ; si, comme c'est le cas dans la cellule, elle est en solution, elle prend une forme cyclique. L'anneau peut se fermer de deux façons différentes (Figure 2-2) : les formes cycliques sont l'alpha-glucose et le bêta-glucose. Les formes alpha et bêta sont en équilibre, un certain nombre de molécules passant sans cesse d'une forme à l'autre ; la forme en chaîne se situe entre les deux. L'amidon et le glycogène sont entièrement formés de sous-unités d'alpha-glucose (Figure 2-4), alors que la cellulose consiste entièrement en sous-unités de bêta-glucose (Figure 2-5). Cette différence en apparence légère a une conséquence profonde sur la structure tridimensionnelle des molécules de cellulose, qui sont longues et non ramifiées. Il en résulte que la cellulose est inaccessible aux enzymes qui dégradent facilement les polysaccharides de réserve. Dès que les molécules de glucose sont incorporées à la paroi cellulaire végétale sous forme de cellulose, elles ne peuvent plus servir de source d'énergie pour la plante.

Les molécules de cellulose forment la partie fibreuse de la paroi cellulaire des plantes. Ces longues molécules rigides se combinent pour former des microfibrilles composées chacune de centaines de chaînes de cellulose. Dans les parois cellulaires, les microfibrilles de cellulose sont enrobées dans une matrice qui contient deux autres polysaccharides ramifiés complexes, les pectines (Figure 2-6) et les hémicelluloses (Figure 2-7). On a comparé les parois cellulaires des plantes à du béton armé, où l'on enrobe des barres d'acier — les microfibrilles de cellulose — pour renforcer le béton — la matrice.

La **chitine** est un autre polymère structural important. C'est le principal composant des parois cellulaires des champignons, ainsi que de l'enveloppe externe relativement dure, ou exosquelette, des insectes et des crustacés, comme les crabes et les homards. Le monomère de la chitine est le glucose à six carbones auquel est ajouté un groupement azoté.

Jusqu'à la fin des années 1960, on pensait que les glucides étaient seulement des sources d'énergie et des matériaux de structure. Depuis

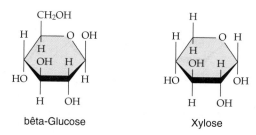

Figure 2-7

Sucres dont dérive une hémicellulose, le xyloglucane. L'ossature du xyloglucane consiste en une chaîne de sous-unités de bêta-glucose auxquelles sont attachées des chaînes latérales de xylose. Les xyloglucanes jouent une rôle structural important en stabilisant la paroi cellulaire primaire par des liaisons hydrogène entre les microfibrilles de cellulose.

lors, les arguments qui se sont accumulés on montré que certains polysaccharides de la paroi cellulaire, qualifiés d'« oligosaccharines », peuvent agir comme hormones et contrôler la croissance et le développement de la plante.

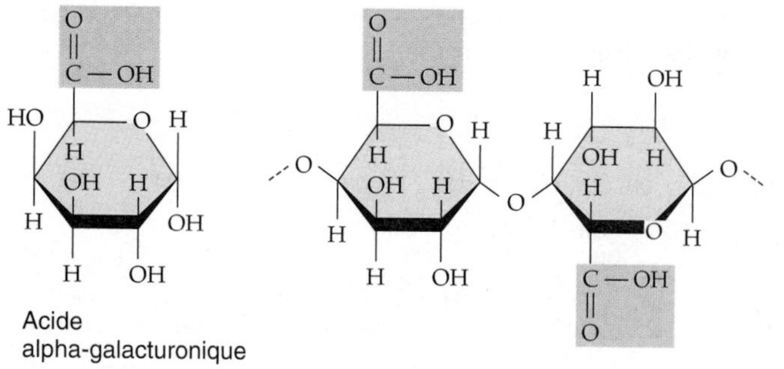

Les lipides

Les lipides sont les graisses et substances apparentées. Ils sont généralement hydrophobes (« craignent l'eau ») et sont donc insolubles dans l'eau. Les molécules de lipide sont typiquement utilisées pour le stockage de l'énergie — d'habitude sous forme de graisses et d'huiles — et pour la structure, comme c'est le cas des phospholipides et des cires. Bien que certaines molécules lipidiques soient très volumineuses, ce ne sont pas, au sens strict, des macromolécules, parce qu'elles ne sont pas formées par polymérisation de monomères.

Les graisses et les huiles sont des triglycérides qui stockent l'énergie

Les plantes, par exemple la pomme de terre, emmagasinent habituellement des glucides sous forme d'amidon. Cependant, certaines plantes stockent également l'énergie alimentaire sous forme d'huile (Figure 2-8), particulièrement dans les graines et les fruits. Les animaux, qui ne disposent que d'une capacité limitée de stockage des glucides sous forme de glycogène, transforment facilement en graisse les sucres en excès. Les graisses et les huiles possèdent une proportion de liaisons carbone-hydrogène à haute énergie supérieure à celle des glucides et contiennent donc une énergie chimique supérieure. En moyenne, les graisses libèrent environ 9,1 kilocalories (kcal) par gramme, à comparer aux 3,8 kcal par gramme de glucide et 3,1 par gramme de protéine.

Les **graisses** et les **huiles** ont la même structure chimique (Figure 2-9). Toutes sont formées de trois molécules d'acides gras unies à une molécule de glycérol. Comme pour la formation des disaccharides et polysaccharides à partir de leurs sous-unités, chacune de ces liaisons est due à une **estérification** impliquant la libération d'une molécule d'eau. Les molécules de graisse et d'huile, appelées aussi **triglycérides** (ou triglycérols), ne renferment pas de groupements polaires (hydrophiles). Les molécules non polaires ont tendance à s'agglutiner dans l'eau, de la même façon que les gouttelettes de graisse ont tendance à se réunir, par exemple à la surface d'un bouillon. Les molécules non polaires sont donc hydrophobes, insolubles dans l'eau.

(a) Acide alpha-galacturonique

(b) Acide pectique

Figure 2-6

Les pectines sont construites à partir de monomères d'acide alpha-galacturonique **(a)**, qui est un dérivé du glucose. Les polymères de ce dérivé sont connus sous le nom d'acide pectique **(b)**. Les sels de calcium et de magnésium de l'acide pectique forment la plus grande partie de la lamelle mitoyenne, couche de matière intercellulaire qui cimente entre elles les parois des cellules végétales contiguës.

Figure 2-8 ▶

Deux cellules de la tige souterraine charnue (corme) d'*Isoetes muricata.* Pendant l'hiver, ces cellules contiennent de grandes quantités d'huile sous forme d'inclusions huileuses. De plus, des glucides, représentés par des grains d'amidon, se forment et sont stockés dans des structures cellulaires, les amyloplastes. On peut voir plusieurs vacuoles (cavités remplies de liquide) dans chacune de ces cellules.

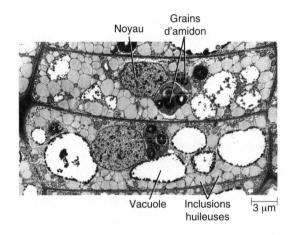

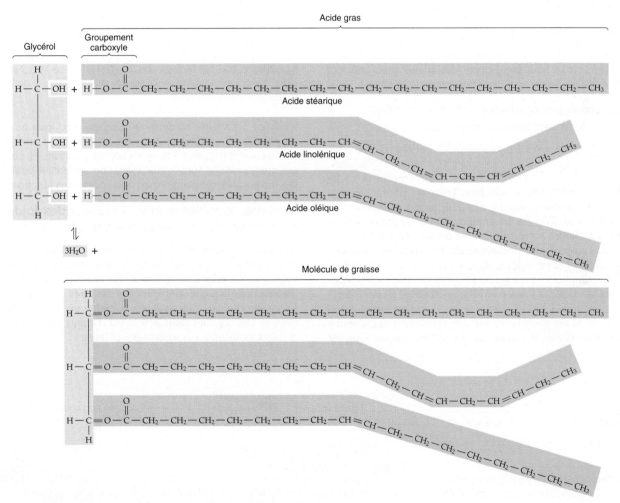

Figure 2-9 ▲

Une molécule de graisse est formée de trois molécules d'acide gras unies à une molécule de glycérol (d'où le terme de « triglycéride »). La longue chaîne hydrocarbonée de chaque acide gras se termine par un groupement carboxyle (-COOH) qui se lie par covalence à la molécule de glycérol. Chaque liaison est formée quand une molécule d'eau (en bleu) est perdue (réaction de condensation). Les propriétés physiques d'une graisse — son point de fusion par exemple — sont déterminées par la longueur de ses chaînes d'acides gras et par le fait que les chaînes sont saturées ou insaturées. On voit ici trois acides gras différents. L'acide stéarique est saturé, les acides linolénique et oléique sont insaturés, ainsi que vous pouvez le voir aux doubles liaisons des chaînes hydrocarbonées.

Vous avez sans doute entendu parler souvent de graisses « saturées » et « insaturées ». On dit d'un acide gras dépourvu de doubles liaisons entre les atomes de carbone, qu'il est **saturé**. Chaque atome de carbone de la chaîne a formé des liaisons covalentes avec quatre autres atomes et toutes ses possibilités de liaison sont donc comblées. Par contre, un acide gras est **insaturé** quand certains de ses atomes de carbone sont réunis par des doubles liaisons. Les atomes de carbone unis par des doubles liaisons sont capables de former des liaisons supplémentaires avec d'autres atomes.

La nature physique d'une graisse est déterminée par la longueur des chaînes de carbone des acides gras et par le degré de saturation ou d'insaturation de ces acides. La présence de doubles liaisons dans les graisses insaturées provoque des replis dans les chaînes d'acides gras qui empêchent un empaquetage dense des molécules. Il en résulte une tendance à l'abaissement du point de fusion de la graisse et les graisses insaturées sont donc plutôt liquides (huileuses) à température ordinaire. Chez les plantes, on en trouve des exemples dans les huiles de carthame, d'arachide et de maïs, qui proviennent de graines riches en huile. Une exception importante est l'huile de coco, qui est presqu'entièrement saturée. Les graisses animales et leurs dérivés, comme le beurre et le lard, contiennent des acides gras fortement saturés et sont habituellement solides à température ordinaire.

Les phospholipides sont des triglycérides modifiés présents dans les membranes cellulaires

Les lipides, particulièrement les phospholipides, ont des rôles structuraux très importants, particulièrement dans les membranes cellulaires. Comme les triglycérides, les **phospholipides** sont composés de molécules d'acides gras fixées à un glycérol. Dans les phospholipides, cependant, le troisième carbone de la molécule de glycérol est occupé non par un acide gras, mais par un groupement phosphate auquel est généralement attaché un autre groupement polaire (Figure 2-10). Par conséquent, la molécule de phospholipide possède une extrémité polaire hydrophile et donc soluble dans l'eau, alors que l'extrémité acide gras est hydrophobe et insoluble. En solution aqueuse, les phospholipides ont tendance à former un film en surface, leurs « têtes » hydrophiles étant sous l'eau et leurs « queues » hydrophobes émergeant en surface. Si les phospholipides sont entourés d'eau, comme c'est le cas à l'intérieur de la cellule, qui est un milieu aqueux, ils ont

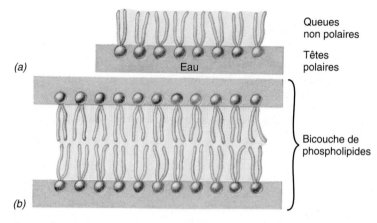

Figure 2-11

(a) À cause de leurs têtes polaires et de leurs queues non polaires, les phospholipides ont tendance à former un mince film à la surface de l'eau. Les têtes hydrophiles (qui aiment l'eau) sont dans l'eau et les queues hydrophobes (qui craignent l'eau) s'allongent à la surface de l'eau. **(b)** Entourés d'eau, les phospholipides se disposent spontanément en deux couches, leurs têtes hydrophiles orientées vers l'extérieur (dans l'eau) et leurs queues hydrophobes en dehors (à l'écart de l'eau). Cette disposition — une bicouche phospholipidique — représente la structure de base des membranes cellulaires.

tendance à s'aligner en doubles couches, avec leurs têtes phosphate dirigées vers l'extérieur et leurs queues acide gras orientées les unes vers les autres (Figure 2-11). Nous verrons plus loin, au chapitre 4, que ces configurations sont importantes non seulement pour la structure des membranes cellulaires, mais aussi pour leurs fonctions.

La cutine, la subérine et les cires sont des lipides qui forment des barrières et limitent les pertes d'eau

La **cutine** et la **subérine** sont des lipides particuliers ; ce sont des composants structuraux importants de beaucoup de parois cellulaires végétales. La principale fonction de ces lipides est de former une matrice dans laquelle sont enrobées des **cires** — composés lipidiques à longues chaînes. Combinées à la cutine ou à la subérine, les cires forment des couches dont le rôle est d'empêcher les pertes d'eau et d'autres molécules à la surface des plantes.

Figure 2-10

Une molécule de phospholipide est constituée de deux molécules d'acides gras unies à une molécule de glycérol, comme dans un triglycéride, mais le troisième carbone du glycérol est lié au groupement phosphate qui fait partie d'une autre molécule. La lettre « R » représente l'atome ou le groupe d'atomes qui compose le reste de cette molécule. La queue du phospholipide est non polaire et ne possède pas de charge : elle est donc hydrophobe (insoluble dans l'eau) ; la tête polaire qui contient les groupements phosphate et R est hydrophile (soluble dans l'eau).

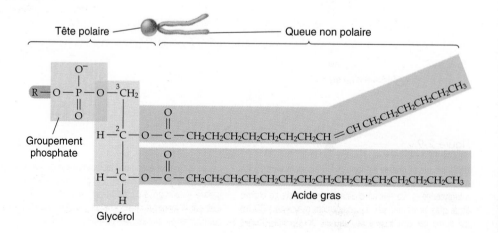

Figure 2-12

Micrographie électronique à balayage de la surface supérieure d'une feuille d'eucalyptus (*Eucalyptus cloeziana*) montrant des dépôts de cire épicuticulaire. Sous ces dépôts se trouve la cuticule, constituée d'une ou plusieurs couches cireuses recouvrant les parois externes des cellules épidermiques. Les cires servent à protéger les surfaces de la plante contre les pertes d'eau.

Les parois externes des cellules épidermiques (les cellules superficielles) des feuilles et des tiges sont recouvertes d'une **cuticule** de protection caractéristique des surfaces végétales exposées à l'air. La cuticule est composée de cire enrobée dans la cutine (**cire cuticulaire**) ; elle est souvent recouverte d'une couche de **cire épicuticulaire** (Figure 2-12). Lorsque vous frottez sur votre manche une pomme fraîchement cueillie, vous astiquez cette couche de cire épicuticulaire.

La subérine est un composant essentiel de la paroi des cellules de liège qui forment la couche externe de l'écorce. Au microscope électronique, les parois cellulaires qui contiennent de la subérine (subérisées) ont un aspect lamellaire, montrant des bandes alternativement claires et foncées (Figure 2-13). On pense que les bandes claires sont composées de cires et les foncées de subérine.

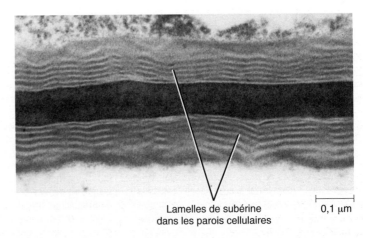

Lamelles de subérine
dans les parois cellulaires   0,1 μm

Figure 2-13

Micrographie électronique montrant les lamelles de subérine dans les parois qui séparent deux cellules corticales d'un tubercule de pomme de terre. Notez l'alternance des bandes, considérées comme formées de cire (bandes claires) et de subérine (bandes foncées). Les cellules corticales forment une couche superficielle de protection pour des organes végétaux comme les tubercules de pomme de terre, ainsi que les tiges et racines ligneuses.

Les cires sont les lipides les plus hydrofuges. La cire de carnauba utilisée pour polir les voitures et les parquets est récoltée à partir des feuilles du palmier à cire de carnauba (*Copernicia cerifera*) du Brésil.

Les stéroïdes ont des cycles hydrocarbonés et jouent divers rôles chez les plantes

On peut aisément distinguer les stéroïdes des autres catégories de lipides par la présence de quatre cycles hydrocarbonés interconnectés. Chez les êtres vivants, des chaînes hydrocarbonées de longueurs diverses, ainsi que des groupements hydroxyle et/ou carbonyle peuvent être attachés à ce squelette : une grande diversité de molécules peuvent en découler. Si un groupement hydroxyle est attaché au carbone 3, le sté-

Figure 2-14

Les stérols. **(a)** Structure générale d'un stérol. **(b)** Le β-sitostérol, le plus abondant des stérols chez les algues vertes et les plantes. **(c)** L'ergostérol, fréquent chez les champignons. **(d)** Le cholestérol, commun chez les animaux.

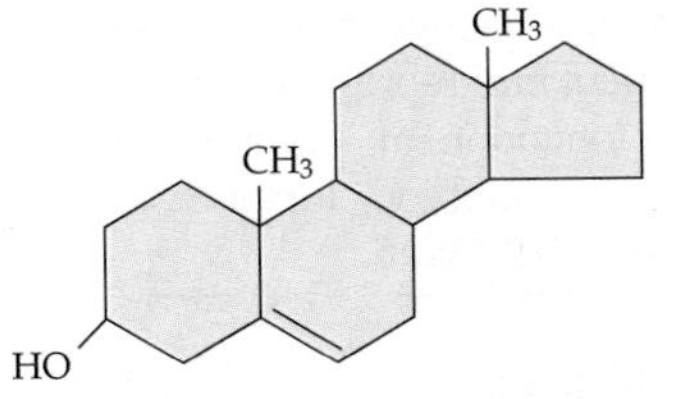

(a) Structure générale d'un stérol

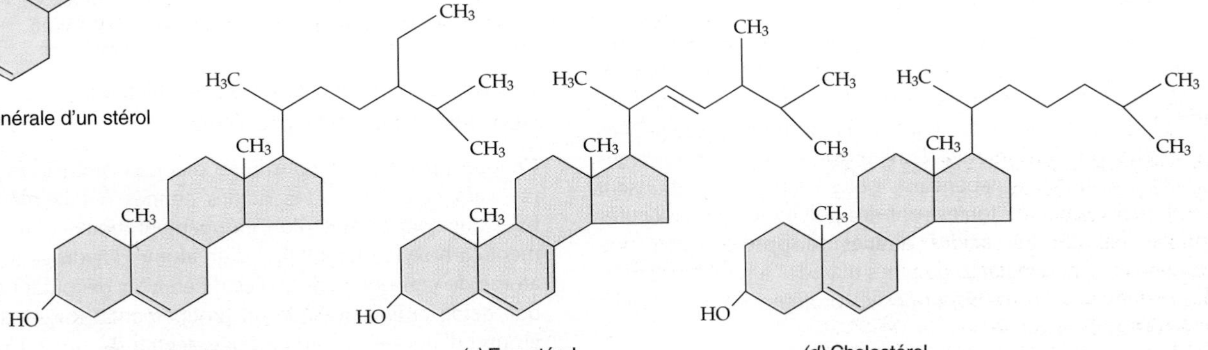

(b) β-Sitostérol
(le stérol le plus abondant
chez les algues vertes et les plantes)

(c) Ergostérol
(fréquent chez les champignons)

(d) Cholestérol
(commun chez les animaux)

roïde est un **stérol** (Figure 2-14a). Le sitostérol (Figure 2-14b) est le stérol le plus abondant chez les algues vertes et les plantes et l'ergostérol (Figure 2-14c) est fréquent chez les champignons. Le cholestérol (Figure 2-14d), si commun dans les cellules animales, n'existe que sous forme de traces chez les plantes. Chez tous les organismes, à l'exception des procaryotes, les stérols sont des composants importants des membranes, où ils stabilisent les extrémités polaires des phospholipides.

Les stéroïdes peuvent aussi fonctionner comme hormones. Par exemple, l'anthéridiol est un stérol qui fonctionne comme attractif sexuel chez le champignon aquatique *Achlya bisexualis,* et un groupe de dérivés des stéroïdes appelé brassines favorise la croissance de certaines tiges. Il semble également que les plantes produisent de l'œstrogène, une des hormones sexuelles de mammifères, mais son rôle dans la plante est inconnu.

Les protéines

Les protéines sont parmi les molécules organiques les plus abondantes. Chez la plupart des organismes vivants, elles représentent jusqu'à 50 % au moins du poids sec. Seules les plantes, avec leur forte teneur en cellulose, contiennent moins de la moitié de protéine. Les protéines ont des fonctions incroyablement diverses dans les systèmes vivants. Dans leur structure, cependant, toutes les protéines obéissent au même plan élémentaire : toutes sont des polymères de molécules contenant de l'azote, les **acides aminés**, disposées selon une séquence linéaire. Une vingtaine de types d'acides aminés sont utilisés par les systèmes vivants pour former les protéines. (Voir « Acides aminés et azote », ci-dessus.)

Les molécules protéiques sont volumineuses et complexes, elle contiennent souvent au moins plusieurs centaines de monomères

d'acides aminés. Le nombre possible de séquences différentes d'acides aminés, et donc la diversité potentielle des molécules protéiques est énorme — presqu'aussi énorme que le nombre de mots différents que l'on peut écrire avec notre alphabet de 26 lettres. Les organismes ne synthétisent cependant qu'une très faible partie des protéines théoriquement possibles. Une seule cellule de la bactérie *Escherichia coli,* par exemple, contient de 600 à 800 types différents de protéines à un moment donné, et une cellule animale ou végétale en a plusieurs fois autant. Un organisme complexe possède au moins plusieurs milliers de sortes différentes de protéines, chacune avec une fonction particulière, et chacune, grâce à sa nature chimique propre, correspondant spécifiquement à cette fonction.

Chez les plantes, les protéines sont surtout concentrées dans certaines graines, dont 40 % du poids sec peut être représenté par des protéines. Ces protéines spécialisées fonctionnent comme réserves d'acides aminés qui seront utilisés par l'embryon, lorsque sa croissance reprendra lors de la germination de la graine.

Les acides aminés sont les matériaux de construction des protéines

Chaque protéine est constituée d'acides aminés disposés avec une précision spécifique. Les acides aminés ont la même structure de base ; ils sont formés d'un groupement amine ($-NH_2$), d'un groupement carboxyle ($-COOH$) et d'un atome d'hydrogène, tous fixés à un atome de carbone central. Les différences découlent du fait que chaque acide aminé possède un groupement « R » — un atome ou un groupe d'atomes uni au carbone central (Figure 2-15). C'est le groupement R (on peut considérer R comme étant le reste de la molécule) qui détermine l'identité de chaque acide aminé.

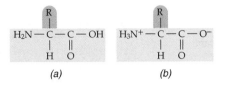

(a)   (b)

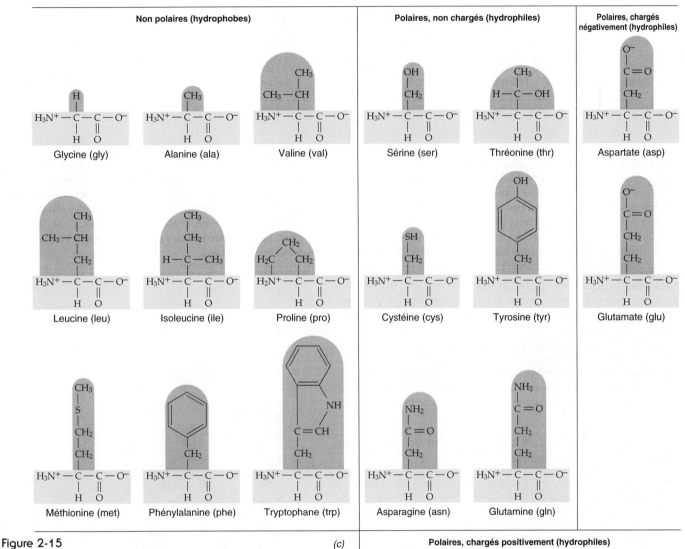

Figure 2-15   (c)

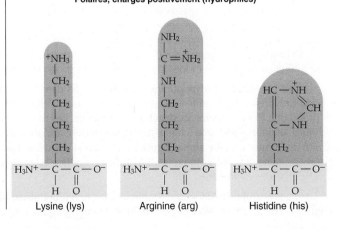

(a) Formule générale d'un acide aminé. Chaque acide aminé possède un groupement amine (-NH$_2$) et un groupement carboxyle (-COOH) unis à un atome de carbone central. Un atome d'hydrogène et un groupement latéral (R) sont aussi fixés au même atome de carbone. Cette structure de base est la même dans tous les acides aminés, mais le groupement latéral R est différent dans chaque type d'acide aminé. (b) A pH 7, les groupements amine et carboxyle sont ionisés. (c) Les 20 acides aminés présents dans les protéines. Vous pouvez voir que la structure est essentiellement la même dans toutes ces molécules, mais que les groupements latéraux R diffèrent. Les acides aminés qui possèdent des groupements R non polaires sont hydrophobes et, quand les protéines se replient sous leur forme tridimensionnelle, ces acides aminés ont tendance à s'assembler à l'intérieur des protéines. Les acides aminés avec des groupements R polaires non chargés sont relativement hydrophiles et sont habituellement à la surface des protéines. Les acides aminés dont les groupements R sont acides (chargés négativement) et basiques (chargés positivement) sont très polaires et donc hydrophiles ; ils se trouvent presque toujours à la surface des molécules protéiques. Tous les acides aminés sont représentés sous la forme ionisée qui prédomine à pH 7. Les lettres entre parenthèses à côté du nom de chaque acide aminé représentent l'abréviation courante de chacun.

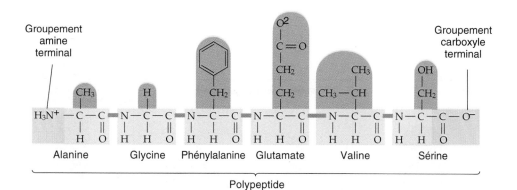

Groupement amine terminal

Groupement carboxyle terminal

Alanine · Glycine · Phénylalanine · Glutamate · Valine · Sérine

Polypeptide

Figure 2-16

Les polypeptides sont des polymères d'acides aminés réunis, un à un, par des liaisons peptidiques. Par conséquent, la structure de base d'un polypeptide est une longue molécule non ramifiée. La courte chaîne polypeptidique représentée ici contient six acides aminés différents, mais les protéines sont des polypeptides formés de plusieurs centaines et même jusqu'à 1.000 monomères liés. L'arrangement linéaire des acides aminés est la structure primaire de la protéine.

Il existe potentiellement une grande diversité d'acides aminés, mais 20 seulement interviennent dans la construction des protéines. Ces 20 acides aminés, toujours les mêmes, se retrouvent dans une cellule bactérienne, une cellule végétale ou une cellule de votre propre organisme. La figure 2-15 donne la structure complète des 20 acides aminés présents dans les protéines ; ils sont groupés en fonction de leur polarité et de leur charge électrique ; ces caractères sont importants pour déterminer leurs propriétés et surtout celles des protéines qu'ils produisent.

Un autre exemple de réaction de condensation avec perte d'une molécule d'eau se présente lorsque le groupement amine d'un acide aminé s'unit au groupement carboxyle de l'acide aminé voisin. De nouveau, ce processus demande de l'énergie. La liaison covalente formée est une **liaison peptidique** et la molécule qui provient de la liaison de nombreux acides aminés est un **polypeptide** (Figure 2-16). Les protéines sont de gros polypeptides ; ces macromolécules peuvent avoir des poids moléculaires qui vont de 10^4 à plus de 10^6. En comparaison, l'eau a un poids moléculaire de 18 et le glucose un poids moléculaire de 180.

On peut décrire la structure d'une protéine en se basant sur son niveau d'organisation

Dans une cellule vivante, une protéine s'assemble en un long polymère, acide aminé par acide aminé. La séquence linéaire des acides aminés est dictée par l'information contenue dans la cellule et constitue la **structure primaire** de la protéine (Figure 2-16). Chaque type de protéine possède une structure primaire différente, un seul « mot » (la protéine) correspondant à une séquence unique de « lettres » (les acides aminés). La séquence des acides aminés détermine les caractéristiques structurales de la molécule protéique dans son ensemble et donc sa fonction biologique. La moindre modification de la séquence peut altérer ou détruire le mode de fonctionnement de la protéine.

Quand une chaîne polypeptidique est assemblée dans la cellule, les interactions entre ses différents acides aminés font qu'elle se replie et prend une forme appelée sa **structure secondaire**. Les liaisons peptidiques étant rigides, une chaîne ne peut prendre qu'un nombre limité de formes. L'**hélice alpha** (Figure 2-17) est une des deux structures secondaires les plus communes. La forme de l'hélice est stabilisée par des liaisons hydrogène.

Une autre structure secondaire commune est le **feuillet plissé bêta** (Figure 2-18). Dans ce feuillet, les chaînes polypeptidiques sont alignées parallèlement et unies par des liaisons hydrogène, ce qui aboutit à une disposition en zigzag plutôt qu'à une hélice. Dans certaines protéines, deux ou plusieurs chaînes polypeptidiques sont alignées l'une en face de l'autre pour former un feuillet plissé. Dans d'autres protéines, une même chaîne polypeptidique est repliée sur elle-même, de telle sorte que des portions adjacentes de la chaîne forment un feuillet plissé bêta.

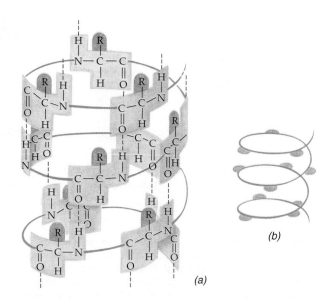

(a) · (b)

Figure 2-17

Dans de nombreux types différents de protéines, la chaîne polypeptidique forme une structure secondaire appelée hélice alpha. **(a)** Des liaisons hydrogène, indiquées par des traits interrompus, maintiennent la forme de l'hélice. Elles se forment entre l'atome d'oxygène à double liaison d'un acide aminé et l'atome d'hydrogène du groupement amine d'un autre acide aminé situé à une distance de quatre acides aminés le long de la chaîne. Les groupements R, qui apparaissent aplatis dans cette figure, s'étendent en réalité en dehors de l'hélice, comme on le voit en **(b)**. Dans certaines protéines, pratiquement toute la molécule prend la forme d'une hélice alpha. Dans d'autres protéines, certaines régions seulement de la molécule ont cette structure secondaire.

Figure 2-18

Le feuillet plissé bêta est une autre structure secondaire commune des protéines. **(a)** Les feuillets proviennent de l'alignement en zigzag des atomes qui constituent l'ossature des chaînes polypeptidiques. Le feuillet est stabilisé par des liaisons hydrogènes entre chaînes contiguës. Les groupements R s'allongent au-dessus et en-dessous des feuillets, comme on le voit en **(b)**. Dans certaines protéines, deux ou plusieurs chaînes polypeptidiques sont alignées côte à côte pour former un feuillet plissé. Dans d'autres protéines, une seule chaîne polypeptidique se replie sur elle-même, de telle sorte que les portions contiguës de la chaîne forment un feuillet plissé.

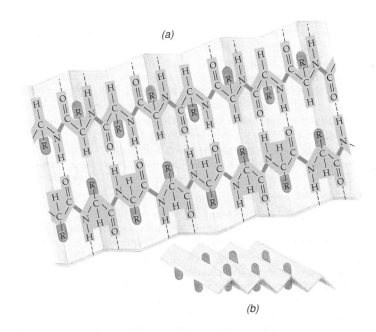

(a)

(b)

Les protéines possédant sur presque toute leur longueur une structure hélicoïdale ou un feuillet plissé sont des **protéines fibreuses**. Ces protéines fibreuses jouent des rôles divers et importants dans les structures, elles fournissent un support aux organismes et leur donnent leur forme. Dans d'autres protéines, dénommées protéines globulaires, la structure secondaire se replie pour former une **structure tertiaire** (Figure 2-19). Pour certaines protéines, le pliage est spontané, c'est un mécanisme d'autoassemblage. Pour d'autres, des protéines, les **chaperons moléculaires**, facilitent le mécanisme et empêchent le pliage incorrect. Les protéines globulaires ont tendance à montrer une structure complexe, elles développent souvent plusieurs structures secondaires. La plupart des protéines actives en biologie, comme les enzymes, les protéines membranaires et les protéines de transport, sont globulaires, de même que d'importantes protéines de structure. Par exemple, les microtubules présents à l'intérieur de la cellule sont formées d'un grand nombre de sous-unités sphériques : chacune est une protéine globulaire (voir Figure 3-25).

La structure tertiaire résulte d'interactions complexes entre les groupements R des acides aminés individuels. Ces interactions consis-

tent en attractions et répulsions entre acides aminés possédant des groupements R polaires et en répulsions entre groupements R non polaires et les molécules d'eau du milieu. En outre, les groupements R de la cystéine, qui contiennent du soufre, peuvent former des liaisons covalentes entre eux. Ces liaisons, les **ponts disulfure**, bloquent des portions de molécule dans une position particulière.

Figure 2-19

Les quatre niveaux d'organisation d'une protéine. **(a)** La structure primaire d'une protéine est la séquence linéaire des acides aminés unis par des liaisons peptidiques. **(b)** La chaîne polypeptidique peut s'enrouler en une hélice alpha, qui est une forme de structure secondaire. **(c)** L'hélice alpha peut se replier pour former une structure globulaire tridimensionnelle, la structure tertiaire. **(d)** La combinaison de plusieurs chaînes polypeptidiques en une seule molécule fonctionnelle est la structure quaternaire. Les polypeptides peuvent être identiques ou non.

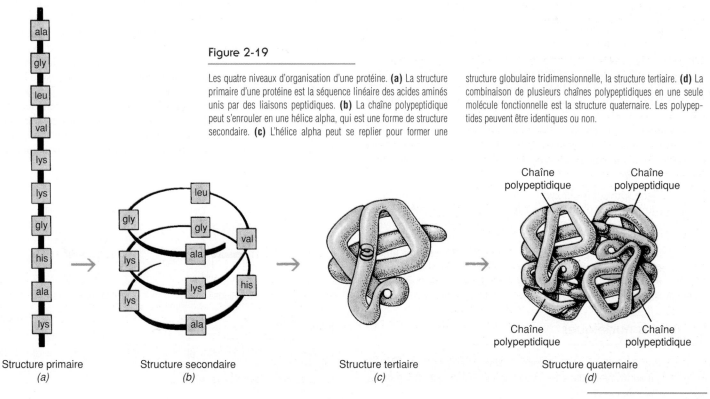

Structure primaire
(a)

Structure secondaire
(b)

Structure tertiaire
(c)

Structure quaternaire
(d)

Chaîne polypeptidique

Chaîne polypeptidique

Chaîne polypeptidique

Chaîne polypeptidique

La plupart des liaisons qui donnent à la protéine sa structure tertiaire ne sont pas covalentes et sont donc relativement faibles. Elles peuvent être rompues assez facilement par des changements physiques ou chimiques de l'environnement, comme la chaleur ou une augmentation de l'acidité. Cette dégradation de la structure est une **dénaturation**. La coagulation du blanc d'œuf à la cuisson est un exemple familier de dénaturation de protéine. Quand les protéines sont dénaturées, les chaînes polypeptidiques se déplient et la structure tertiaire est détruite, et l'activité biologique de la protéine disparaît. La plupart des organismes ne peuvent vivre à des températures extrêmement hautes ou en dehors d'une gamme spécifique de pH parce que leurs enzymes et les autres protéines deviennent instables et non fonctionnelles par dénaturation.

Beaucoup de protéines sont composées de plus d'une chaîne polypeptidique. Ces chaînes peuvent être unies par des liaisons hydrogène, des ponts disulfure, des forces hydrophobes, des attractions entre charges positives et négatives ou, le plus souvent, par une combinaison de ces types d'interactions. Ce niveau d'organisation des protéines — l'interaction de deux ou plusieurs polypeptides — est appelée la **structure quaternaire** (Figure 2-19d).

Les enzymes sont des protéines qui catalysent les réactions chimiques dans les cellules

Les **enzymes** sont de grosses protéines globulaires complexes qui fonctionnent comme catalyseurs. Par définition, les **catalyseurs** sont des substances qui augmentent la vitesse d'une réaction chimique en abaissant l'énergie d'activation (voir Figure 5-6), mais ne sont pas modifiées au cours du processus. N'étant pas altérées, les molécules catalytiques peuvent servir indéfiniment et, de ce fait, elles sont généralement efficaces à de très faibles concentrations.

En laboratoire, les réactions chimiques sont d'habitude accélérées (jusqu'à un certain point) par la chaleur, qui augmente la force et la fréquence des collisions entre les molécules. Dans la nature, cependant, des centaines de réactions sont en cours dans la cellule et la chaleur accélèrerait toutes ces réactions sans discrimination. En outre, la chaleur ferait fondre les lipides, dénaturerait les protéines et aurait d'autres conséquences généralement meutrières pour la cellule. Grâce aux enzymes, les cellules sont capables d'effectuer les réactions chimiques rapidement à des températures relativement basses. Sans les enzymes, les réactions auraient lieu, mais si lentement que leurs effets seraient négligeables, et la vie ne serait pas possible à température ordinaire.

On désigne souvent les enzymes en ajoutant la terminaison -ase à la racine du nom du substrat (la ou les molécules qui interviennent dans la réaction). Ainsi, l'amylase catalyse l'hydrolyse de l'amylose (amidon) en molécules de glucose et la sucrase catalyse l'hydrolyse du saccharose (sucrose) en glucose et fructose. On connaît aujourd'hui près de 2.000 enzymes différentes, chacune capable de catalyser une réaction chimique spécifique. Le fonctionnement des enzymes dans les réactions biologiques est détaillé au chapitre 5.

Les acides nucléiques

L'information qui contrôle la structure des protéines extrêmement diverses qui se trouvent dans les organismes vivants est codée et tra-

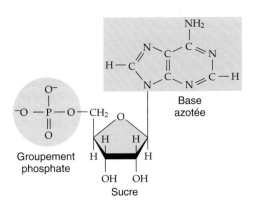

Figure 2-20

Un nucléotide est formé de trois sous-unités différentes : un groupement phosphate, un sucre à cinq carbones et une base azotée. Dans ce nucléotide, la base azotée est l'adénine et le sucre est le ribose. Parce qu'il n'y a qu'un seul groupement phosphate, ce nucléotide est appelé adénosine monophosphate ou AMP.

duite par des molécules appelées acides nucléiques. De même que les protéines sont constituées de longues chaînes d'acides aminés, les acides nucléiques sont composés de longues chaînes d'autres molécules, les **nucléotides**. Cependant, un nucléotide est une molécule plus complexe qu'un acide aminé.

Comme le montre la figure 2-20, un nucléotide est composé de trois sous-unités : un groupement phosphate, un sucre à cinq carbones et une base azotée — molécule qui a les propriétés d'une base et contient de l'azote. Le groupement phosphate (PO_4^{3-}) est un ion de l'acide phosphorique (H_3PO_4) ; c'est de lui que vient « acide » dans le terme « acide nucléique ». La sous-unité sucre d'un nucléotide peut être soit le **ribose**, soit le **désoxyribose**, qui content un atome d'oxygène de moins que le ribose (Figure 2-21). Cinq bases azotées différentes peuvent se trouver dans les nucléotides qui sont les matériaux de base des acides nucléique. Dans le nucléotide de la figure 2-20, la base azotée est l'adénine. Dans l'adénine et d'autres bases azotées, chaque atome d'azote de la molécule possède une paire d'électrons célibataires au niveau énergétique externe. Ces électrons exercent une attraction faible à l'égard des ions hydrogène (H^+). La molécule est donc une base,

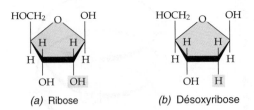

(a) Ribose   *(b)* Désoxyribose

Figure 2-21

Le sucre d'un nucléotide peut être soit **(a)** le ribose, soit **(b)** le désoxyribose. La différence structurale entre les deux sucres est surlignée en bleu. Les nucléotides de l'ARN contiennent le ribose et ceux de l'ADN contiennent le désoxyribose.

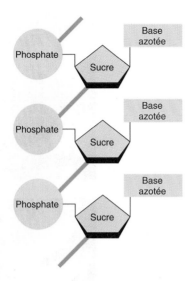

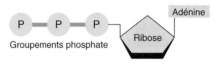

Adénosine triphosphate (ATP)

Figure 2-22

Les molécules d'acides nucléiques sont de longues chaînes de nucléotides dans lesquelles le sucre d'un nucléotide est uni au groupement phosphate du nucléotide suivant. La liaison covalente entre un nucléotide et le suivant — représentée ici en bleu — est formée par une réaction de condensation. Cette réaction est réversible ; la liaison peut être rompue avec l'addition d'une molécule d'eau au cours de l'hydrolyse.

Les molécules d'ARN consistent en une seule chaîne de nucléotides, comme on le voit ici. Par contre, les molécules d'ADN sont formées de deux chaînes de nucléotides enroulées l'une autour de l'autre en une double hélice.

Figure 2-23

Dessin schématique de la molécule d'ATP (adénosine triphosphate). La seule différence entre cette molécule et celle d'AMP (adénosine monophosphate) de la figure 2-20 est l'addition de deux groupements phosphate. Cette différence peut paraître mineure, mais elle conditionne la fonction de l'ATP dans les systèmes vivants.

La découverte de la structure et des fonctions de l'ADN et de l'ARN a sans doute été le plus grand triomphe de la recherche biologique dans son approche moléculaire. Dans la section 3, nous retracerons les événements qui ont conduit aux découvertes essentielles et nous verrons en détail les merveilleux mécanismes — sur les détails desquels on continue encore à travailler — mis en œuvre par les acides nucléiques.

La molécule d'ATP est la monnaie énergétique de la cellule

En plus de leur rôle dans l'édification des acides nucléiques, les nucléotides ont une fonction indépendante et cruciale dans les systèmes vivants. Modifiés par l'addition de deux groupements phosphate supplémentaires, ils transportent l'énergie nécessaire à l'alimentation des nombreuses réactions chimiques qui se déroulent dans les cellules.

capable de se combiner aux ions H^+ et d'augmenter ainsi le nombre relatif d'OH⁻ (ions hydroxyle) dans une solution (voir appendice A).

On trouve deux sortes d'acides nucléiques chez les organismes vivants. Dans l'**acide ribonucléique (ARN)**, le sucre du nucléotide est le ribose. Dans l'**acide désoxyribonucléique (ADN)**, c'est le désoxyribose. Comme les polysaccharides, les lipides et les protéines, l'ARN et l'ADN sont formés à partir de leurs sous-unités par des réactions de condensation. Il en résulte une macromolécule linéaire de nucléotides (Figure 2-22). En particulier, les molécules d'ADN sont très longues et sont, en fait, les plus grosses molécules des cellules vivantes.

Bien que leurs composants chimiques soient très semblables, l'ADN et l'ARN jouent généralement des rôles biologiques différents. L'ADN est porteur du message génétique. Il renferme l'information, organisée en unités, les **gènes**, que nous-mêmes et les autres organismes héritons de nos parents. Les molécules d'ARN interviennent dans la synthèse des protéines en se servant de l'information fournie par l'ADN. Certaines molécules d'ARN fonctionnent comme catalyseurs de type enzymatique (parfois appelés ribozymes).

L'énergie présente dans les glucides de réserve, comme l'amidon et le glycogène, et dans les lipides, est comparable à l'argent des bons d'épargne ou des bons de caisse — qui n'est pas directement disponible. L'énergie du glucose est un peu le montant d'un chèque — disponible, mais pas très maniable pour les transactions courantes. Toutefois, l'énergie des nucléotides modifiés est comme l'argent que nous avons dans notre poche — immédiatement disponible, en quantités commodes et universellement accepté.

Le principal transporteur d'énergie pour la plupart des processus chez les organismes vivants est la molécule d'**adénosine triphosphate**, ou **ATP**, représentée schématiquement à la figure 2-23. Remarquez les trois groupements phosphate. Les liaisons fixant ces groupements sont relativement faibles et ils peuvent être rompus assez facilement par hydrolyse. Les produits de la réaction la plus commune, illustrée à la figure 2-24, sont l'**ADP (adénosine diplosphate)**, un groupement phosphate et de l'énergie. Quand cette énergie est libérée, elle peut servir à alimenter d'autres réactions chimiques.

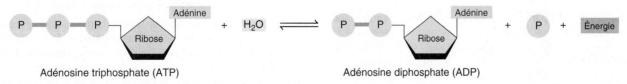

Adénosine triphosphate (ATP) + H_2O ⇌ **Adénosine diphosphate (ADP)** + P + Énergie

Figure 2-24

Hydrolyse de l'ATP. Avec l'addition d'une molécule d'eau à l'ATP, un groupement phosphate est enlevé de la molécule. Les produits de cette réaction sont l'ADP, un groupement phosphate libre et de l'énergie. Environ 7 kcal d'énergie sont libérées pour chaque mole d'ATP hydrolysée. La réaction peut être inversée avec l'apport de 7 kcal par mole

Au cours de la respiration, l'ADP est « rechargé » en ATP quand le glucose est oxydé en dioxyde de carbone et en eau, exactement comme votre portefeuille est « rechargé » quand vous touchez un chèque ou visitez un distributeur automatique. Au chapitre 6, nous verrons ce mécanisme plus en détail. Pour le moment, cependant, il est important de retenir que l'ATP est la molécule qui intervient directement dans la fourniture d'énergie à la cellule vivante, point qui va retenir notre attention à la section 2.

Les métabolites secondaires

Historiquement, les composés produits par les plantes ont été séparés en métabolites primaires et secondaires. Par définition, les **métabolites primaires** sont des molécules qui existent dans toutes les cellules végétales et sont nécessaires à la vie de la plante. Les sucres simples, les acides aminés, les protéines et les acides nucléiques sont des exemples de métabolites primaires. Par comparaison, les **métabolites secondaires** ont une répartition limitée, dans la plante elle-même comme parmi les différentes espèces de végétaux. Ils ont d'abord été considérés comme des produits de rebut, mais on sait maintenant que les métabolites secondaires sont importants pour la survie et la propagation des plantes qui les produisent. Beaucoup fonctionnent comme signaux chimiques qui permettent à la plante de répondre aux contraintes de l'environnement. D'autres interviennent pour défendre leur producteur contre les herbivores, les pathogènes (organismes responsables de maladies) ou les compétiteurs. Certains assurent une protection contre les radiations solaires et d'autres encore facilitent la dispersion du pollen et des graines.

Comme on l'a dit, les métabolites secondaires ne sont pas également répartis parmi les plantes. Ils sont typiquement produits dans un organe, tissu ou type cellulaire spécifique à des stades particuliers du développement (par exemple durant le développement de la fleur, du fruit, de la graine ou de la plantule). Certains, les **phytoalexines**, sont des substances antimicrobiennes produites uniquement après une blessure ou une attaque par des bactéries ou des champignons (voir pages 62, 780 et 782). Les métabolites secondaires sont produits à différents endroits de la cellule et emmagasinés surtout dans les vacuoles. Ils sont souvent synthétisés dans une partie de la plante et stockés dans une autre. En outre, leur concentration dans la plante varie souvent dans de grandes proportions au cours d'une période de 24 heures.

Il y a trois classes principales de métabolites secondaires chez les plantes : les alcaloïdes, les terpénoïdes et les substances phénoliques.

Les alcaloïdes sont des molécules qui comprennent, entre autres, la morphine, la cocaïne, la caféine, la nicotine et l'atropine.

Les **alcaloïdes** figurent parmi les principes actifs les plus importants en pharmacologie et en médecine. L'intérêt qu'on leur porte reposait traditionnellement sur leur action physiologique et psychologique particulièrement violente chez l'homme. Ce sont des composés azotés au goût amer qui ont des propriétés chimiques basiques (alcalines).

Le premier alcaloïde identifié (en 1806) fut la **morphine**, qui provient du pavot (*Papaver somniferum*). Il est actuellement utilisé en médecine comme analgésique (pour calmer la douleur) et pour con-

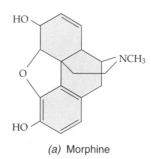

(a) Morphine

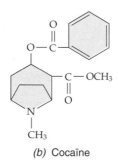

(b) Cocaïne

Figure 2-25

Structure de quelques alcaloïdes physiologiquement actifs. **(a)** La morphine est contenue dans le latex libéré par des incisions dans les capsules de pavot (*Papaver somniferum*) ; **(b)** la cocaïne se trouve dans les feuilles de coca. (*Erythroxylum coca*) ; **(c)** les fèves de café (*Coffea*) et les feuilles de thé (*Camellia*) contiennent de la caféine ; **(d)** les plantes du tabac cultivé (*Nicotiana tabacum*) contiennent de la nicotine.

trôler la toux ; cependant, l'utilisation abusive de ce médicament peut conduire à une forte accoutumance. On a maintenant isolé et identifié la structure de près de 10.000 alcaloïdes, comme la cocaïne, la caféine, la nicotine et l'atropine. La figure 2-25 montre la structure de certains alcaloïdes physiologiquement actifs.

La **cocaïne** provient du coca (*Erythroxylum coca*), un arbuste ou petit arbre indigène des versants orientaux des Andes de Bolivie et du Pérou. Beaucoup d'incas vivant à haute altitude dans ces montagnes mâchent des feuilles de coca pour réduire les douleurs provoquées par la faim et la fatigue lorsqu'ils travaillent dans cet environnement rigoureux. Mâcher les feuilles, qui contiennent de faibles concentrations de cocaïne, est relativement sans danger en comparaison du fait de fumer, de renifler ou d'injecter la cocaïne dans les veines. L'utilisation continue de la cocaïne et du « crack » qui en dérive peut avoir des effets physiques et psychologiques dévastateurs et peut mener à la mort. La cocaïne a été utilisée comme anesthésique dans la chirurgie de l'œil et pour les anesthésies locales par les dentistes.

La **caféine**, que l'on trouve dans certaines plantes telles que le café (*Coffea arabica*), le thé (*Camellia sinensis*) et le cacao (*Theobroma cacao*) entre dans la préparation de boissons populaires. Elle a un effet stimulant. On a montré que les fortes concentrations de caféine présentes dans les plantules de caféier en développement sont très toxiques et létales à la fois pour les insectes et pour les champignons parasites. En outre, la caféine libérée par la plantule semble inhiber la germination d'autres graines à son voisinage et empêcher ainsi la

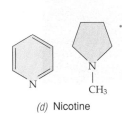

(c) Caféine

(d) Nicotine

plus simple est un hydrocarbure, l'isoprène (C_5H_8). On peut classer tous les terpénoïdes en fonction du nombre de leurs unités isoprène (Figure 2-26a). Les monoterpènes, avec deux unités isoprène, les sesquiterpènes (trois unités) et les diterpènes (quatre unités terpène) sont les catégories usuelles. Une même plante peut synthétiser beaucoup de terpénoïdes différents à différents endroits de l'organisme, dans des buts différents et à des stades différents de son développement.

L'**isoprène** lui-même est émis en quantités significatives par les feuilles de beaucoup d'espèces végétales ; on lui doit, pour une bonne part, la brume légère qui plane en été sur les collines et montagnes boisées (Figure 2-26b). C'est aussi un composant du brouillard. L'isoprène n'est émis qu'à la lumière. Il est synthétisé dans les chloroplastes à partir du dioxyde de carbone peu après la conversion de celui-ci en composés organiques par la photosynthèse. On peut se demander pourquoi les plantes produisent et émettent de telles quantités d'isoprène. Les recherches ont montré que les émissions d'isoprène sont plus fortes par jours chauds, ce qui montre que cette production peut, d'une manière ou d'une autre, aider la plante à supporter la chaleur.

croissance de compétiteurs. On parlera plus largement de ce mécanisme, appelé allélopathie, au chapitre 32.

La **nicotine** est un autre stimulant produit par les feuilles de tabac (*Nicotiana tabacum*). C'est un alcaloïde très toxique qui a beaucoup attiré l'attention en raison de l'intérêt porté aux effets nuisibles de la cigarette. La nicotine est synthétisée dans les racines et transportée vers les feuilles, où elle est contenue dans les vacuoles. Elle a une action répulsive efficace contre les attaques des herbivores et des insectes. La nicotine est synthétisée en réponse aux blessures et semble fonctionner comme une phytoalexine.

Les extraits contenant de l'**atropine**, provenant de la jusquiame d'Egypte (*Hyosciamus muticus*) étaient utilisés par Cléopâtre au premier siècle avant le Christ pour dilater ses pupilles, dans l'espoir d'améliorer sa séduction. Au Moyen-Age, les Européennes utilisaient les extraits riches en atropine de la belladone (*Atropa bella-donna*) dans le même but. L'atropine est aujourd'hui utilisée comme stimulant cardiaque, comme dilatateur de la pupille pour l'examen de l'œil et comme antidote efficace en cas d'empoisonnement par certains gaz neurotoxiques.

Les terpénoïdes sont composés d'unités isoprène et comprennent les huiles essentielles, le taxol, le caoutchouc et les glycosides cardiotoniques

Les **terpénoïdes,** appelés aussi terpènes, existent chez toutes les plantes et représentent de loin la plus vaste catégorie de métabolites secondaires, avec plus de 22.000 composés décrits. Le terpénoïde le

(b)

Isoprène (C_5H_8)

(a)

Figure 2-26

(a) Un groupe diversifié de composés est formé au départ d'unités isoprène. Tous les stérols, par exemple, sont construits à partir de six unités isoprène (Figure 2-14). **(b)** Une légère brume bleue, composée principalement d'isoprène, plane sur les Three Sisters Blue Mountains en Australie.

Beaucoup de monoterpènes et de sesquiterpènes sont appelés **huiles essentielles** parce qu'ils sont très volatils et interviennent dans le parfum, ou essence, des plantes qui les produisent. Chez la menthe (*Mentha*), de grandes quantités de monoterpènes volatils (menthol et menthone) sont synthétisées et stockées dans des poils glandulaires qui sont des excroissances épidermiques. Les huiles essentielles produites par les feuilles de certaines plantes écartent les herbivores ; certaines les protègent des attaques par les champignons parasites et les bactéries ; on sait que d'autres sont allélopathiques. Les terpénoïdes des parfums floraux attirent les insectes pollinisateurs vers les fleurs.

Le **taxol** est un diterpène qui a un grand intérêt en raison de ses propriétés anticancéreuses. On a montré qu'il réduit les cancers de l'ovaire et du sein. Il y a un certain temps, la seule source de taxol était l'écorce de l'if du Pacifique (*Taxus brevifolia*). La récolte de toute l'écorce d'un arbre ne produisait qu'une très faible quantité de taxol (une faible dose de 300 milligrammes pour un arbre de 12 mètres et 100 ans). En outre, le prélèvement de l'écorce tue l'arbre. Heureusement, on a constaté que les extraits d'aiguilles de l'if d'Europe (*Taxus baccata*) et de *Taxus* arbustifs, ainsi que d'un champignon de l'if, pouvaient donner des composés du type taxol. On peut récolter les aiguilles sans détruire les ifs. On a maintenant synthétisé le taxol en laboratoire, mais la technique de synthèse doit encore être affinée. Même dans ce cas, il sera peut-être plus économique de produire des formes commerciales de taxol à partir de sources naturelles.

Le plus gros terpénoïde connu est le **caoutchouc**, dont les molécules contiennent entre 400 et plus de 100.000 unités isoprène. On l'obtient commercialement à partir du *latex,* liquide laiteux produit par une plante tropicale, *Hevea brasiliensis*, qui appartient à la famille des *Euphorbiaceae* (figure 2-27). On a trouvé du caoutchouc chez quelque 1.800 espèces de dicotylédones, mais quelques-unes seulement en produisent suffisamment pour leur donner une valeur commerciale. Chez l'hévéa, le caoutchouc peut représenter de 40 à 50 % du latex. On obtient le latex à partir de l'arbre à caoutchouc en pratiquant une incision en forme de V dans l'écorce. Un bec est inséré à la base de l'incision et le latex qui s'en écoule est récolté dans un bol fixé à l'arbre. Le latex est traité, le caoutchouc est extrait et comprimé en feuilles pour être envoyé aux usines.

Beaucoup de terpénoïdes sont des poisons, comme les glycosides cardiotoniques, qui sont des dérivés de stérol et peuvent provoquer des crises cardiaques. Utilisés en médecine, les glycosides cardiotoniques peuvent ralentir ou stimuler les battements du cœur. Les digitales (*Digitalis*) sont la principale source des glycosides cardiotoniques les plus actifs, la digitoxine et la digoxine. Les glycosides cardiotoniques synthétisés par des plantes appartenant à l'ordre des *Apocynales* procurent une défense efficace contre les herbivores. Chose intéressante, certains insectes ont appris à s'adapter à ces toxines. La chenille du papillon monarque, par exemple, se nourrit préférentiellement sur des *Asclepias* et stocke sans inconvénient les glycosides cardiotoniques dans son organisme (Figure 2-28). Quand le papillon adulte quitte la plante hôte, les glycosides cardiotoniques amers le protègent contre les oiseaux prédateurs. L'ingestion de ces glycosides fait vomir les oiseaux, qui apprennent rapidement à reconnaître dès l'abord et à éviter d'autres monarques de couleur vive.

Les terpénoïdes jouent de multiples rôle chez les plantes. Certains sont des pigments photosynthétiques (les caroténoïdes) ou des hormo-

Figure 2-27

Saignée de l'arbre à caoutchouc, *Hevea brasiliensis*, pour la récolte du caoutchouc, qui est un composant du latex laiteux. Ces arbres cultivés sont saignés par un vieux villageois Iban dans l'île de Bornéo, en Malaisie.

nes (les gibbérellines, l'acide abscissique), tandis que d'autres sont utilisés en tant que composants structuraux des membranes (les stérols) ou transporteurs d'électrons (l'ubiquinone, la plastoquinone), en plus des rôles déjà cités. On parlera de toutes ces substances dans les chapitres suivants.

Les flavonoïdes, les tanins, les lignines et l'acide salycilique sont des substances phénoliques

Les substances phénoliques englobent une vaste gamme de composés possédant tous un groupement hydroxyle (-OH) attaché à un cycle aromatique (un anneau de six carbones avec trois doubles liaisons). Ils sont présents dans presque toutes les plantes et l'on sait qu'ils s'accumulent dans toutes les parties de l'organisme (racines, tiges, feuilles, fleurs et fruits). Bien qu'ils soient le groupe de plus étudié de métabolites secondaires, la fonction de beaucoup de produits phénoliques reste encore inconnue.

Les flavonoïdes sont des pigments solubles dans l'eau, présents dans les vacuoles ; ils représentent le plus grand groupe de composés phénoliques chez les plantes. Les flavonoïdes des vins rouges et du jus de raisin ont été bien étudiés parce qu'on a signalé qu'ils réduisent le taux de cholestérol dans le sang. On a décrit plus de 3.000 flavonoïdes différents et ce sont probablement les métabolites secondaires

(a)

Figure 2-29

La couleur d'un bleu intense de ces fleurs de *Commelina communis* est la conséquence d'une copigmentation. Chez cette plante, l'association des molécules d'anthocyane et de flavone à un ion magnésium produit un pigment bleu, la commélinine.

(b)

Figure 2-28

(a) Une chenille du papillon monarque se nourrit sur un *Asclepias* : elle ingère et emmagasine les composés toxiques produits par la plante. La chenille, comme le papillon **(b)** deviennent ainsi immangeables et vénéneux. La coloration très visible de la chenille et du papillon est un avertissement pour les prédateurs potentiels.

nomène, appelé **copigmentation**, est responsable de la couleur bleu intense des fleurs (Figure 2-29).

Les pigments floraux agissent comme signaux visuels pour attirer les pollinisateurs, oiseaux et abeilles ; Charles Darwin et les naturalistes qui l'ont précédé et suivi avaient déjà reconnu ce rôle. Les flavonoïdes interviennent également dans les interactions entre les plantes et d'autres organismes tels que les bactéries symbiotiques vivant dans les racines de plantes, ainsi que les bactéries pathogènes. Par exemple, les flavonoïdes libérés par les racines des légumineuses peuvent stimuler ou inhiber les réponses spécifiques des différentes bactéries qui leur sont associées. Les flavonoïdes peuvent aussi assurer une protection à l'égard des radiations ultraviolettes.

Les armes dissuasives les plus importantes à l'égard des herbivores qui consomment les angiospermes (plantes à fleurs) sont probablement les **tanins**, composés phénoliques présents à des concentrations relativement élevées dans les feuilles de plantes ligneuses très diverses. C'est leur goût astringent qui fait reculer les insectes, reptiles, oiseaux et animaux supérieurs. L'homme fait usage des tanins pour le tannage du cuir, en dénaturant les protéines du cuir et en le protégeant des attaques par les bactéries. Les tanins sont isolés dans les vacuoles, les autres composants de la cellule étant ainsi protégés (Figure 2-30).

végétaux les mieux étudiés. On divise les flavonoïdes en plusieurs classes telles que les anthocyanes, flavones et flavonoïdes, qui sont très répandus. La gamme de couleur des **anthocyanes** va du rouge au pourpre et au bleu. La plupart des flavones et flavonols sont des pigments jaunâtres ou ivoire, certains sont incolores. Les flavones et flavonols incolores peuvent modifier la couleur d'une plante en formant des complexes avec des anthocyanes et des ions métalliques. Ce phé-

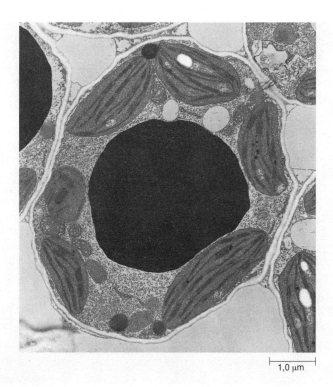

Figure 2-30

Vacuole à tanin dans une cellule foliaire de la sensitive, *Mimosa pudica*. Le tanin, opaque aux électrons, remplit complètement la vacuole centrale de cette cellule.

Contrairement aux autres composés phénoliques, les **lignines** se déposent dans la paroi cellulaire et non dans la vacuole. Après la cellulose, les lignines représentent le composé organique le plus abondant sur terre : ce sont des polymères formés de trois types de monomères : le *p*-coumaryle, le coniféryle et les alcools sinapiques. La proportion de chacun des monomères diffère significativement suivant que la lignine provient de gymnospermes, d'angiospermes ligneuses ou de plantes herbacées. En outre, la composition monomérique des lignines varie beaucoup suivant les espèces, les organes, les tissus et même les fractions de paroi cellulaire.

La lignine est surtout importante pour la résistance à la compression et la rigidité qu'elle confère à la paroi cellulaire. On estime que la **lignification**, qui est le processus de dépôt de lignine, a joué un rôle primordial au cours de l'évolution des plantes terrestres. Bien que les parois cellulaires non lignifiées puissent résister à de sérieuses forces de tension, elles sont très sensibles aux forces de compression dues à la pesanteur. Avec l'adjonction de lignine aux parois, les plantes terrestres ont acquis la capacité d'accroître leur taille et de développer un système de ramifications capable de supporter de grandes surfaces photosynthétiques.

La lignine augmente aussi l'imperméabilité de la paroi cellulaire à l'eau. Elle facilite donc le transport de l'eau vers le haut par les cellules conductrices du xylème en réduisant les fuites d'eau de ces cellules vers l'extérieur. En outre, la lignine aide les cellules à élever l'eau dans les vaisseaux conducteurs en résistant à la tension générée par l'aspiration vers le sommet des plantes de grande taille (le flux transpiratoire) (voir chapitre 31).

Figure 2-31

(a) Structure chimique de l'acide salicylique et de l'aspirine. **(b)** Saule (*Salix*) croissant sur la berge d'une rivière.

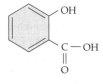

Acide salicylique

Acide acétylsalicylique
(aspirine)

(a)

(b)

Une autre action de la lignine se traduit par son dépôt sur les parois cellulaires lors de blessures ou d'attaques par les champignons. La « lignine de blessure », comme on l'appelle, protège la plante contre les attaques des champignons en augmentant la résistance des parois à la pénétration mécanique, en les protégeant contre l'activité enzymatique du champignon et en réduisant la diffusion des enzymes et des toxines du champignon dans la plante. On a supposé que la lignine agissait, à l'origine, comme agent antifongique et antibactérien et ce ne serait que plus tard au cours de l'évolution des plantes terrestres, qu'elle serait intervenue dans le transport de l'eau et comme support mécanique.

L'**acide salicylique**, qui est le principe actif de l'aspirine, s'est d'abord fait connaître par ses propriétés analgésiques. Il a été découvert par les anciens Grecs et les indigènes d'Amérique, qui calmaient la douleur en utilisant une infusion d'écorce de saule (*Salix*) (Figure 2-31). Ce n'est que récemment cependant que l'on a découvert l'action de cet acide phénolique dans les tissus végétaux : il est essentiel pour le développement d'une résistance systémique acquise ou RSA. La RSA se développe en réponse à une attaque locale par des bactéries, champignons ou virus pathogènes. Grâce à elle, d'autres parties de la plante jouissent d'une protection de longue durée à l'égard de pathogènes identiques ou non apparentés. L'acide salicylique déclenche aussi probablement la forte augmentation de température observée pendant la floraison des espèces d'*Araceae*, notamment de *Sauromatum guttatum*.

Avec cette introduction à la composition moléculaire des cellules végétale, la scène est prête pour nous permettre de porter notre attention sur la cellule vivante — sa structure et les activités qui lui permettent de rester elle-même, comme entité distincte du monde non vivant qui l'entoure. Nous allons examiner comment les molécules organiques introduites dans ce chapitre remplissent leurs fonctions. Nous ne serons pas supris de constater que les molécules organiques fonctionnent rarement isolément, mais plutôt par des interactions entre elles. Les merveilleux mécanismes qui permettent à ces molécules de remplir leurs fonctions ne sont pas encore parfaitement compris et font encore l'objet de recherches intensives.

MOTS CLÉS

QUESTIONS

1. Pourquoi l'amidon doit-il être hydrolysé avant de servir de source d'énergie ou d'être transporté ?

2. Quel est l'avantage pour la plante d'accumuler son énergie de réserve sous forme de fructane plutôt que d'amidon ? D'huile plutôt que d'amidon ou de fructane ?

3. La plupart des huiles végétales sont insaturées. Quelle est la principale différence entre une graisse ou une huile saturée et une insaturée ?

4. Tous les acides aminés ont la même structure de base. Qu'ont-ils tous en commun au niveau de leur structure ? Quelle est la partie d'un acide aminé qui détermine son identité ?

5. Les protéines possèdent plusieurs niveaux d'organisation. Quels sont ces niveaux et comment diffèrent-ils les uns des autres ?

6. La coagulation du blanc d'œuf lors de la cuisson est un exemple commun de dénaturation des protéines. Que se passe-t-il quand une protéine est dénaturée ?

7. Un certain nombre d'insectes, comme le papillon monarque, ont adopté une stratégie qui consiste à utiliser des métabolites secondaires de plantes pour se protéger contre les prédateurs. Expliquez.

8. On pense que la lignine, qui est un composant de la paroi cellulaire, a joué un rôle primordial dans l'évolution des plantes terrestres. Expliquez en tenant compte de toutes les fonctions présumées de la lignine.

TABLEAU RÉSUMÉ

Molécules organiques biologiquement importantes

CLASSE DE MOLÉCULE	TYPES	SOUS-UNITÉS	PRINCIPALES FONCTIONS	AUTRES CARACTERISTIQUES
Glucides	Monosaccharides (p.ex. glucose)	Monosaccharides	Source d'énergie toute prête	Les glucides sont les sucres et les polymères de sucres.
	Disaccharides (p.ex.saccharose)	Deux monosaccharides	Forme de transport dans les plantes	Pour identifier les glucides, cherchez des composés formés de monomères avec de nombreux groupements hydroxyle (-OH) et généralement un groupement carbonyle (-C=O) fixés au squelette carboné. Cependant, si les sucres sont sous leur forme cyclique, le groupement carbonyle n'est pas apparent.
	Polysaccharides	Nombreux monosaccharides	Stockage d'énergie ou éléments de structure	
	Amidon		Principale réserve énergétique chez les plantes	
	Glycogène		Principale réserve énergétique chez les procaryotes, champignons et animaux	
	Cellulose		Composant des parois cellulaires végétales	
	Chitine		Composant des parois cellulaires des champignons	
Lipides	Triglycérides	3 acides gras + 1 glycérol	Réserve énergétique	Les lipides sont des molécules non polaires qui ne peuvent pas se dissoudre dans des solvants polaires comme l'eau. Les lipides sont donc des molécules idéales pour le stockage à long terme de l'énergie. Ils peuvent être mis en réserve dans une cellule, ne seront pas dissous dans un environnement aqueux ou ne seront pas dispersés dans le reste de la cellule.
	Huiles		Principale réserve énergétique des graines et fruits	
	Graisses		Principale réserve énergétique chez les animaux	
	Phospholipides	2 acides gras + 1 glycérol + 1 groupement phosphate	Principal composant de toutes les membranes cellulaires	Les phospholipides et les glycolipides sont des triglycérides modifiés, avec un groupement polaire à un bout. La « tête » polaire de la molécule est hydrophile et se dissout donc dans l'eau ; la « queue » non polaire est hydrophobe et insoluble dans l'eau. C'est de là que vient leur rôle dans les membranes cellulaires, où ils sont disposés queue contre queue.
	Cutine, subérine et cires	Variable ; structures lipidiques complexes	Protection	Servent à imperméabiliser les tiges, feuilles et fruits.
	Stéroïdes	Quatre cycles hydrocarbonés liés	Composants des membranes cellulaires ; hormones	Un stérol est un stéroïde avec un groupement hydroxyle sur le carbone 3.
Protéines	Nombreux types différents	Acides aminés	Nombreuses ; structurales, catalytiques (enzymes)	Structures primaire, secondaire, tertiaire et quaternaire.
Acides nucléiques	ADN	Nucléotides	Transporteurs de l'information génétique	Chaque nucléotide est composé d'un sucre, d'une base azotée et d'un groupement phosphate. L'ATP est un nucléotide qui fonctionne comme principal transporteur d'énergie pour les cellules.
	ARN		Interviennent dans la synthèse des protéines	

RÉSUMÉ

La matière vivante est composée au départ de quelques éléments naturels seulement

Les organismes vivants sont principalement composés de six éléments : carbone, hydrogène, azote, oxygène, phosphore et soufre. La masse de la matière vivante est l'eau. La plus grande partie du reste de la matière vivante est composée de molécules organiques — glucides, lipides, protéines et acides nucléiques. Les polysaccharides, les protéines et les acides nucléiques sont des exemples de macromolécules, qui sont formées de monomères plus simples réunis par des réactions de condensation pour former des polymères. Le processus inverse, l'hydrolyse, peut cliver les polymères en leurs monomères constitutifs.

Les glucides sont les sucres et leurs polymères

Les glucides représentent la principale source d'énergie chimique pour les systèmes vivants et sont des éléments structuraux importants dans les cellules. Les glucides les plus simples sont des monosaccharides, comme le glucose et le fructose. Les monosaccharides peuvent se combiner pour produire des disaccharides, comme le saccharose, et des polysaccharides, comme l'amidon et la cellulose. Ces molécules peuvent généralement être clivées par addition d'une molécule d'eau à chaque liaison : cette réaction chimique est une hydrolyse.

Les lipides sont des molécules hydrophobes qui jouent des rôles divers dans la cellule

Les lipides représentent une autre source d'énergie et de matériaux structuraux pour les cellules. Les composés de ce groupe — graisses, huiles, phospholipides, cutine, subérine, cires et stéroïdes — sont généralement insolubles dans l'eau.

Les graisses et les huiles, ou triglycérides, sont des réserves énergétiques. Les phospholipides sont des triglycérides modifiés, composants importants des membranes cellulaires. La cutine, la subérine et les cires sont des lipides formant barrière pour éviter les pertes d'eau. Les cellules superficielles des tiges et des feuilles sont couvertes par une cuticule imperméable à l'eau, composée de cire et de cutine. Les stéroïdes sont des molécules formées de quatre cycles hydrocarbonés interconnectés. On les trouve dans les membranes cellulaires, et ils remplissent également d'autres rôles dans la cellule.

Les protéines sont des polymères d'acides aminés dont les propriétés sont diverses

Les acides aminés possèdent, attachés au même atome de carbone, un groupement amine, un groupement carboxyle, un hydrogène et un groupement R variable. Vingt sortes différentes d'acides aminés — qui diffèrent par la taille, la charge et la polarité du groupement R — interviennent dans l'édification des protéines. Une réaction de condensation unit les acides aminés par des liaisons peptidiques. Une chaîne d'acides aminés est un polypeptide et une protéine se compose d'un ou plusieurs longs polypeptides.

On peut décrire la structure d'une protéine en se basant sur son niveau d'organisation. La structure primaire est la séquence linéaire des acides aminés unis par des liaisons peptidiques. La structure secondaire, le plus souvent une hélice alpha ou un feuillet plissé bêta, est la conséquence de liaisons hydrogène formées entre groupements amine et carboxyle. La structure tertiaire est le repliement qui résulte d'interactions entre groupements R. La structure quaternaire provient d'interactions spécifiques entre deux ou plusieurs chaînes polypeptidiques.

Les enzymes sont des protéines globulaires qui catalysent les réactions chimiques dans les cellules. Grâce aux enzymes, les cellules sont capables d'accélérer les réactions chimiques à des températures modérées.

Les acides nucléiques sont des polymères de nucléotides

Les nucléotides sont des molécules complexes formées d'un groupement phosphate, d'une base azotée et d'un sucre à cinq carbones. Ce sont les matériaux de construction des acides nucléiques, l'acide désoxyribonucléique (ADN) et l'acide ribonucléique (ARN), qui transmettent et traduisent l'information génétique. Certaines molécules d'ARN fonctionnent comme catalyseurs.

L'adénosine triphosphate (ATP) est la monnaie énergétique de la cellule. L'ATP peut être hydrolysé et libérer l'adénosine diphosphate (ADP), le phosphate et une énergie considérable. Cette énergie peut servir à effectuer d'autres réactions dans la cellule. Dans la réaction inverse, l'ADP peut être « rechargé » en ATP par addition d'un groupement phosphate et avec apport d'énergie.

Les métabolites secondaires jouent divers rôles qui n'ont pas de relation directe avec le fonctionnement de base de la plante

Les alcaloïdes, les terpénoïdes et les substances phénoliques sont les trois classes principales des métabolites secondaires rencontrés dans les plantes. Bien que l'utilité de ces substances pour les plantes ne soit pas clairement connue, ont pense que certaines repoussent les prédateurs et/ou les compétiteurs. Des exemples de ces composés sont la caféine et la nicotine (alcaloïdes), de même que les glycosides cardiotoniques (terpénoïdes) et les tanins (substances phénoliques). D'autres, comme les anthocyanes (produits phénoliques) et les huiles essentielles (terpénoïdes) attirent les pollinisateurs. D'autres encore, comme les lignines (phénoliques), sont responsables de la résistance à la compression, de la rigidité et de l'imperméabilisation de la plante. Certains métabolites secondaires, comme le caoutchouc (terpénoïde), la morphine et le taxol (alcaloïdes) ont des usages commerciaux et médicaux importants.

3 Introduction à la cellule végétale

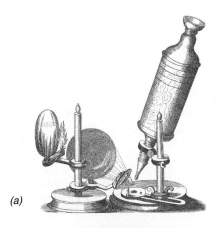

(a)

(b)

Figure 3-1

Le microscopiste anglais Robert Hooke fut le premier à utiliser le terme « cellule » pour désigner les petites chambres qu'il observait dans des préparations agrandies de coupes d'écorce. **(a)** Dessin de son microscope, réalisé par Hooke, reproduit à partir d'un livre qu'il publia en 1665. La lumière d'une lampe à huile était dirigée vers l'objet à travers un globe en verre rempli d'eau servant de condenseur. L'objet était monté sur une épingle, juste sous l'extrémité du microscope. Le microscope était mis au point en le faisant monter ou descendre à l'aide d'une vis fixée au statif par une pince. **(b)** Ce dessin de deux coupes d'écorce faisait partie des nombreuses illustrations du livre.

SOMMAIRE

Essayez de définir la « vie », et vous verrez que c'est une tâche ardue. Vous êtes cependant en bonne compagnie, car les biologistes eux-mêmes ne peuvent s'accorder sur une définition succincte qui embrasse l'ensemble, décrit adéquatement la richesse, la diversité et la complexité de ce que l'on entend par un être vivant. Les biologistes ont cependant pu se mettre d'accord sur l'unité fondamentale de vie — la plus petite structure qui possède toutes les caractéristiques fondamentales des organismes vivants. Cette unité fondamentale est la cellule. Le plus souvent invisibles à l'œil nu, les cellules fonctionnent comme de minuscules usines qui reçoivent et emmagasinent à partir du milieu les substances nécessaires, transforment et emballent des molécules, transportent des matériaux d'un endroit à l'autre, trouvent de l'énergie et font bien d'autres choses encore. Comme dans une usine, les diverses activités de la cellule ne se font pas au hasard, mais elles sont associées à des structures spécifiques qui interagissent d'une façon très organisée.

Ce chapitre débute par la découverte des cellules et le développement de la théorie cellulaire, puis vient une description des deux principaux types de cellules. Les cellules procaryotes, comme les bactéries, sont relativement simples et anciennes ; elles sont comparées aux cellules eucaryotes, comme celles des plantes, champignons et animaux, plus complexes et plus récentes. Le reste du chapitre se concentre sur l'organisation interne des cellules végétales, y compris la structure et la fonction des compartiments délimités par des membranes, appelés organites, ainsi que que sur d'autres structures non membranaires telles que les ribosomes et la paroi cellulaire.

POINTS DE REPÈRE

Quand vous terminerez la lecture de ce chapitre, vous devriez pouvoir répondre aux questions suivantes :

* *Quelles sont les différences entre la structure d'une cellule procaryote et celle d'une cellule eucaryote ?*
* *Quels sont les différents types d'organites et quel est leur rôle dans la cellule ?*
* *Quels sont les principaux composants du système endomembranaire et quel rôle chacun joue-t-il dans ce système ?*
* *Qu'entend-on par cytosquelette de la cellule et dans quels processus cellulaires intervient-il ?*
* *Quelles sont les différences entre parois cellulaires primaires et secondaires ?*

Dans le précédent chapitre, nous avons progressé des atomes et petites molécules jusqu'aux grosses molécules complexes, comme les protéines et les acides nucléiques. De nouvelles propriétés sont apparues à chaque niveau d'organisation. Nous savons que l'eau n'est pas la somme des propriétés isolées de l'hydrogène et de l'oxygène, qui, tous deux, sont des gaz. L'eau est plus que cela et quelque chose de différent. Dans les protéines, les acides aminés s'organisent en polypeptides et les chaînes de polypeptides acquièrent de nouveaux niveaux d'organisation — les structures secondaire, tertiaire et, dans certains cas, quaternaire, de la molécule protéique complète. Ce n'est qu'au niveau final d'organisation qu'émergent les propriétés complexes de la protéine, et c'est alors seulement que la molécule assume sa fonction.

Les caractéristiques des systèmes vivants, comme ceux des atomes ou des molécules, n'apparaissent que graduellement à mesure que s'accroît le niveau d'organisation. Elles se manifestent assez brusquement et spécifiquement sous la forme de la cellule vivante — quelque chose de plus et de différent des atomes et molécules qui la composent. La vie apparaît quand commence la cellule.

Développement de la théorie cellulaire

Les cellules sont les unités fondamentales de la vie — en termes de structure et de fonction. Les organismes les plus petits sont composés de cellules isolées. Les plus grands sont faits de milliards de cellules, chacune vivant encore une existence partiellement indépendante. Le fait de constater que tous les organismes sont composés de cellules fut un des progrès conceptuels les plus importants de l'histoire de la biologie parce qu'il soulignait la similitude sous-jacente de tous les systèmes vivants. Des travaux extrêmement variés concernant de nombreux types différents d'organismes étaient ainsi réunis en un concept unique.

Le terme « cellule » fut utilisé pour la première fois, dans un sens biologique, il y a quelque 300 ans. Au dix-septième siècle, le savant anglais Robert Hooke, se servant d'un microscope qu'il avait lui-même construit, remarqua que l'écorce et d'autres tissus végétaux étaient faits de quelque chose qui ressemblait à de petites cavités séparées par des parois (Figure 3-1). Il appela ces cavités des « cellules », ou « petites chambres. » Cependant, le terme « cellule » ne prit pas sa signification actuelle — l'unité de base de la matière vivante — avant plus de 150 ans.

En 1838, le botaniste allemand Matthias Schleiden fit part de son observation : tous les tissus végétaux sont composées de masses organisées de cellules. L'années suivante, le zoologiste Theodor Schwann élargit l'observation de Schleiden aux tissus animaux et proposa une structure cellulaire pour tous les êtres vivants. En 1858, l'idée que tous les organismes sont composés d'une ou plusieurs cellules acquit une audience plus large encore lorsque le pathologiste Rudolf Virchow proposa la généralisation de l'origine des cellules au départ de cellules antérieures : « Là où existe une cellule, il devait y avoir une cellule préexistante, exactement comme l'animal ne peut provenir que d'un animal et la plante d'une plante. »

À partir de la perspective ouverte par la théorie de Darwin sur l'évolution, publiée l'année suivante, le concept de Virchow prit un sens encore plus large. Il existe une continuité ininterrompue entre les cellules modernes — et les organismes qu'elles composent — et les premières cellules primitives qui sont apparues sur terre il y a au moins 3,5 milliards d'années.

Sous sa forme moderne, la **théorie cellulaire** stipule que (1) tous les organismes vivants sont composés d'une ou plusieurs cellules ; (2) dans un organisme vivant, toutes les réactions chimiques, y compris les mécanismes aboutissant à la libération d'énergie et les réactions de biosynthèse, sont localisées à l'intérieur des cellules ; (3) Les cellules proviennent d'autres cellules ; (4) les cellules contiennent l'information génétique des organismes dont ils font partie et cette information est transmise de la cellule mère à la cellule fille.

Cellules procaryotes et eucaryotes

Toutes les cellules ont en commun deux caractères essentiels. Le premier est une membrane externe, la **membrane plasmique** (aussi appelée *plasmalemme* ou *membrane cellulaire*), qui isole le contenu cellulaire du milieu extérieur. L'autre est le matériel génétique — l'information héréditaire — qui dirige les activités de la cellule et lui permet de se reproduire, en transmettant les caractéristiques de la cellule à sa descendance.

L'organisation du matériel génétique est une des caractéristiques qui distingue les cellules procaryotes de celles des eucaryotes. Dans les **cellules procaryotes**, le matériel génétique est représenté par une grande molécule circulaire d'ADN, à laquelle sont lâchement associées diverses protéines. Cette molécule est le **chromosome**. Dans les **cellules eucaryotes** par contre, l'ADN est linéaire et étroitement associé à des protéines spéciales, les histones, formant plusieurs chromosomes plus complexes.

À l'intérieur de la cellule eucaryote, les chromosomes sont entourés d'une **enveloppe nucléaire** formée de deux membranes, qui les sépare des autres parties de la cellule sous la forme d'un noyau distinct (d'où le nom, *eu*, signifiant « véritable », et *karyon*, pour « noyau »). Chez les procaryotes (« avant le noyau »), le chromosome n'est pas enfermé dans un noyau délimité par des membranes, bien qu'il soit localisé dans une zone distincte, le **nucléoïde**.

Les autres composants de la cellule (en dehors du noyau ou du nucléoïde et de la paroi cellulaire, lorsqu'elle est présente), constituent le **cytoplasme**, dont la membrane plasmique représente la frontière externe. Le cytoplasme contient une grande variété de molécules et de complexes moléculaires. Par exemple, les cellules procaryotes et eucaryotes contiennent des complexes formés de protéines et d'ARN, les **ribosomes,** qui jouent un rôle essentiel dans l'assemblage des molécules protéiques à partir de leurs acides aminés unitaires. Les cellules eucaryotes contiennent aussi diverses structures, appelées **organites**, délimitées par des membranes. Ces structures spécialisées exercent des fonctions particulières dans la cellule. En outre, pratiquement toutes les cellules eucaryotes possèdent un réseau complexe de

EXPLORATION DU MONDE CELLULAIRE

Au cours des trois siècles qui ont suivi l'observation, par Robert Hooke, de la structure de l'écorce à l'aide son microscope simple, (Figure 3-1), les moyens permettant l'étude de la cellule et de son contenu se sont développés de façon extraordinaire. On ne peut distinguer la plupart des cellules qu'à l'aide d'un microscope. Le pouvoir de résolution de l'œil nu est d'environ 0,1 millimètre, ou 100 micromètres (Tableau 3-1). Cela signifie que si l'on regarde deux traits distants de moins de 100 micromètres, ils paraissent n'en former qu'un seul. De même, deux taches séparées par moins de 100 micromètres apparaissent comme une seule tache floue. Pour distinguer des structures plus rapprochées, il faut utiliser des microscopes.

Les meilleurs microscopes optiques ont un pouvoir de résolution de 0,2 micromètre, soit environ 200 nanomètres, et donc environ 200 fois supérieur à celui de l'œil nu. Aucun microscope optique ne peut être meilleur que cela à cause du facteur limitant que constitue la longueur d'onde de la lumière. Le pouvoir de résolution est d'autant meilleur que la longueur d'onde est plus courte. Dans la lumière visible, la plus petite longueur d'onde est d'environ 0,4 micromètre et c'est elle qui détermine la limite de la résolution d'un microscope optique.

Notez bien que pouvoir de résolution et grossissement sont deux choses différentes. Même avec le meilleur microscope optique, si vous prenez une photographie de deux traits distants de moins de 0,2 micromètre (200 nanomètres), vous pouvez agrandir l'image autant que vous le voulez, mais les deux traits resteront confondus. Avec des lentilles plus puissantes, vous pouvez augmenter le grossissement, mais cela n'améliorera pas la définition. Vous verrez simplement une tache plus grande.

Le microscope électronique à transmission utilise des électrons qui traversent l'objet

Avec le microscope électronique à transmission (MET), la limite de résolution imposée par la lumière peut être réduite parce que les électrons ont des longueurs d'onde beaucoup plus courtes que la lumière visible. Théoriquement, un MET opérant sous un voltage d'accélération de 100.000 volts devrait avoir une résolu-

TABLEAU 3.1
Unités de mesures utilisées en microscopie

1 centimètre (cm) = 1/100 mètre = 0,4 pouce*

1 millimètre (mm) = 1/1.000 mètre = 1/10 cm

1 micromètre (μm)** = 1/1.000.000 mètre = 1/10.000 cm

1 nanomètre (nm) = 1/1.000.000.000 mètre = 1/10.000.000 cm

1 angström (Å)† = 1/10.000.000.000 mètre = 1/100.000.000 cm = 1/10 nm

ou

1 mètre = 10^2 cm = 10^3 mm = 10^6 mm = 10^9 nm = 10^{10} Å

*   Une table de conversion entre système métrique et système anglais se trouve dans l'annexe C.

**   Les micromètres étaient anciennement appelés microns (μ) et les nanomètres millimicrons (mμ).

†   L'angström n'est pas reconnu comme unité de mesure dans le système international des mesures. On l'a cependant repris ici parce qu'on l'a beaucoup utilisé en microscopie dans le passé.

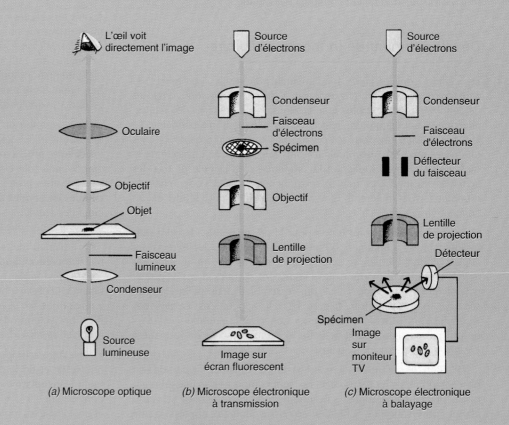

(a) Microscope optique   (b) Microscope électronique à transmission   (c) Microscope électronique à balayage

Comparaison entre **(a)** microscope optique, **(b)** microscope électronique à transmission et **(c)** microscope électronique à balayage. Les lentilles sont en verre ou en quartz pour le microscope optique ; celles des microscopes électroniques sont des bobines magnétiques. Dans le microscope optique et dans le microscope électronique à transmission, le faisceau d'éclairage traverse l'objet. Dans le microscope électronique à balayage, il est réfléchi par la surface.

tion d'environ 0,002 nanomètre. Cependant, en raison de problèmes liés à la préparation de l'objet, au contraste et aux dégâts povoqués par les radiations, la résolution, pour les objets biologiques, est plus proche de 2 nanomètres. Néanmoins, c'est encore 100 fois mieux que la résolution du microscope optique.

Le MET a des désavantages. Pour produire un faisceau d'électrons, il faut pomper l'air du microscope afin de créer un vide. L'objet doit être placé dans ce vide, ce qui empêche l'étude du matériel vivant. Normalement, l'objet est d'abord conservé par fixation chimique, puis enrobé dans un plastique, de manière à pouvoir être sectionné (coupé en tranches), par l'instrument spécial qu'est l'ultramicrotome. Les électrons ayant un pouvoir de pénétration très limité, le bloc de plastique contenant l'objet doit être coupé en tranches excessivement minces (50 à 100 nanomètres). Ces minces coupes sont en fait des tranches bidimensionnelles de tissu qui ne donnent pas une image en trois dimensions. Il est aussi souvent difficile de savoir quels changements le matériel a subi au cours de sa préparation. Les micrographies des figures 3-4 et 3-5 sont deux des nombreuses micrographies électroniques de cet ouvrage.

Le microscope électronique à balayage utilise les électrons renvoyés par la surface de l'objet

Bien que la résolution du microscope électronique à balayage (MEB) n'atteigne qu'environ 10 nanomètres, cet instrument est un outil très utile pour les biologistes. Contrairement au MET qui utilise, pour former une image, les électrons qui ont traversé l'objet, le MEB utilise des électrons qui sont renvoyés ou émis par la surface de l'objet. Le faisceau d'électrons est concentré en une mince sonde qui balaie rapidement l'objet. Le balayage complet, du haut en bas, ne prend d'habitude que quelques secondes. Les variations dans la surface de l'objet modifient la façon dont elle renvoie les électrons. Les creux et les fissures paraissent sombres, les bosses et les angles paraissent clairs. L'image produite par les électrons est agrandie et transmise à un écran de télévision, donnant une image visuelle de l'objet. Le microscope électronique à balayage donne des représentations tridimensionnelles frappantes de la surface des cellules entières et des structures cellulaires qui font plus que compenser sa résolution limitée. La figure 3-18a a été obtenue avec un microscope électronique à balayage.

Les recherches mettant en œuvre ces trois types de microscopes, complétées par diverses techniques, ont apporté une masse de connaissances sur la structure des cellules et leurs processus dynamiques.

filaments protéiques, appelé **cytosquelette**, qui intervient dans de nombreux mécanismes. Il n'y a ni cytosquelette, ni organites chez les procaryotes.

La membrane plasmique des procaryotes est entourée d'une **paroi cellulaire** externe qui est synthétisée par la cellule elle-même. Certaines cellules eucaryotes, comme celles des plantes et des champignons, ont des parois cellulaires, mais elles diffèrent des parois des cellules procaryotes par leur composition chimique et leur structure. D'autres cellules eucaryotes, y compris celles de notre propre organisme et celles des autres animaux, n'ont pas de paroi cellulaire. Une autre caractéristique qui distingue les cellules procaryotes des eucaryotes est leur taille : les cellules eucaryotes sont habituellement plus volumineuses d'un ordre de grandeur que celles des procaryotes.

L'étude des fossiles suggère des relations évolutives entre les différents types d'organismes

Les procaryotes modernes sont représentés par les archéobactéries et les bactéries (Figure 3-2), qui comprennent les cyanobactéries (Figure 3-3), groupe de bactéries photosynthétiques désignées antérieurement sous le nom d'algues bleues. D'après les restes fossiles, les plus anciens êtres vivants étaient des cellules relativement simples, ressemblant aux procaryotes actuels. Avant l'apparition des eucaryotes, les procaryotes étaient les seules formes de vie sur notre planète. Beaucoup de biologistes croient que le passage de la cellule procaryote à la cellule eucaryote, sujet que nous aborderons au chapitre 13, fut l'événement le plus significatif de l'histoire de la vie, seulement précédé en importance par la première apparition des systèmes vivants.

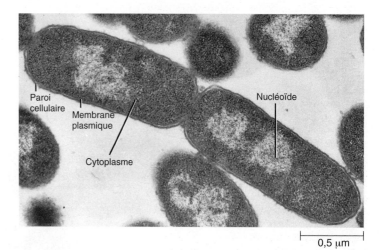

Paroi cellulaire
Membrane plasmique
Cytoplasme
Nucléoïde

0,5 µm

Figure 3-2

Procaryote. Micrographie électronique de cellules d'*Escherichia coli*, bactérie commune, hôte généralement inoffensif du système digestif de l'homme. De tous les organismes vivants, ce procaryote hétérotrophe (non chlorophyllien) est le plus parfaitement connu. Les cellules en bâtonnets ont une paroi cellulaire, une membrane plasmique et du cytoplasme. Le matériel héréditaire (ADN) se trouve dans la zone moins granuleuse au centre de chaque cellule. Cette région, le nucléoïde, n'est pas entourée par une membrane. L'aspect densément granuleux du cytoplasme est en grande partie dû à la présence de nombreux ribosomes, qui participent à la synthèse des protéines. Les deux cellules du centre viennent de se diviser, mais elles ne sont pas encore complètement séparées.

Figure 3-3

Procaryote. Micrographie électronique d'une cellule d'un filament du procaryote photosynthétique *Anabaena azollae* (cyanobactérie). En plus des composants cytoplasmiques trouvés chez *E.coli* (Figure 3-2), cette cellule contient une série de membranes où sont enrobés la chlorophylle et d'autres pigments photosynthétiques. *Anabaena* synthétise ses propres composés organiques énergétiques par des réactions chimiques actionnées par l'énergie solaire.

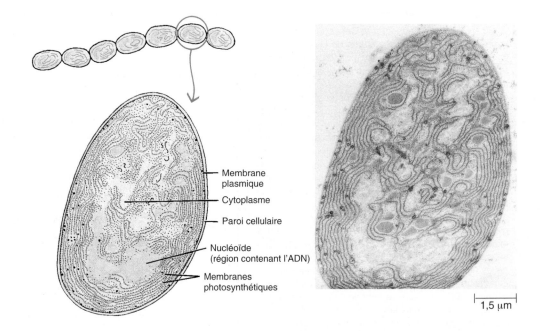

Membrane plasmique
Cytoplasme
Paroi cellulaire
Nucléoïde (région contenant l'ADN)
Membranes photosynthétiques

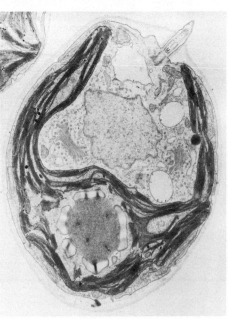

1,5 µm

La figure 3-4 montre un exemple d'eucaryote photosynthétique moderne unicellulaire, l'algue *Chlamydomonas*. C'est un hôte commun des mares d'eau douce. Ces organismes sont petits, d'un vert vif (à cause de leur chlorophylle), et ils peuvent se déplacer très rapidement par une agitation caractéristique. Comme ils sont photosynthéiques, on les trouve habituellement près de la surface de l'eau, où l'intensité lumineuse est la plus forte.

Certaines caractéristiques qui distinguent les cellules procaryotes des eucaryotes sont citées au tableau 3-2.

Figure 3-4

Eucaryote. Micrographie électronique de *Chlamydomonas*, cellule eucaryote photosynthétique, contenant un noyau délimité par des membranes et de nombreux organites. L'organite le plus apparent est l'unique chloroplaste, de forme irrégulière, qui occupe la plus grande partie de la cellule. Il est entouré par une enveloppe formée de deux membranes et c'est là que la photosynthèse se déroule. D'autres organites délimités par des membranes, les mitochondries, fournissent l'énergie nécessaires aux fonctions cellulaires, comme les mouvements de battement des deux flagelles, dont un seul est visible sur la micrographie. Ces battements propulsent la cellule dans l'eau. Les réserves alimentaires de l'organisme sont constituées de grains d'amidon assemblés autour d'une structure appelée pyrénoïde, qui se trouve dans le chloroplaste. Le cytoplasme est entouré par la membrane plasmique, à l'extérieur de laquelle se trouve une paroi cellulaire composée de polysaccharides.

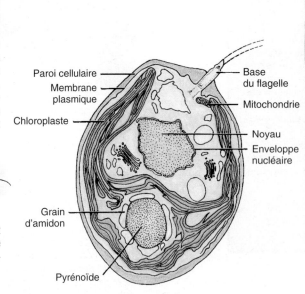

Paroi cellulaire
Membrane plasmique
Chloroplaste
Grain d'amidon
Pyrénoïde
Base du flagelle
Mitochondrie
Noyau
Enveloppe nucléaire

1 µm

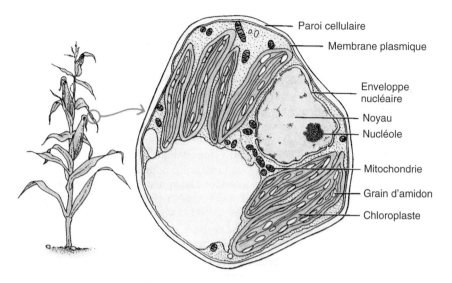

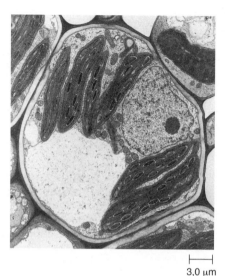

⊢——⊣
3,0 μm

Figure 3-5

Eucaryote. Micrographie électronique d'une cellule foliaire de maïs. Le matériel granuleux du noyau est la chromatine. Il contient l'ADN associé aux histones protéiques. Le nucléole est la région du noyau où sont synthétisés les composants des ribo-somes. Remarquez les nombreux mitochondries et chloroplastes, tous délimités par des membranes. La vacuole, région occupée par un liquide et entourée par une membrane, ainsi que la paroi cellulaire, sont caractéristiques des cellules végétales.

Vous pouvez voir que cette cellule ressemble étroitement au *Chlamydomonas* (Figure 3-4).

TABLEAU 3.2

Caractères comparés des cellules procaryotes et eucaryotes

	Cellules procaryotes	**Cellules eucaryotes**
Taille des cellules (longueur)	Généralement 1 à 10 micromètres	Généralement 5 à 100 micromètres ; beaucoup ont plus de 100 micro-mètres
Enveloppe nucléaire	Absente	Présente
ADN	Circulaire, en nucléoïde	Linéaire, dans un noyau
Organites (comme mitochondries et chloro-plastes)	Absents	Présents
Cytosquelette (microtu-bules et filaments d'actine)	Absent	Présent
Taille des ribosomes[a]	70S	80S dans le cytoplasme, 70S dans les mitochon-dries et les plastes

a. S représente les unités Svedberg, utilisées pour exprimer les coefficients de sédimentation ; c'est la mesure de la vitesse de sédimentation d'une particule dans une ultracentrifugeuse. Les ribosomes des bactéries, ainsi que des mitochondries et plas-tes, sont plus petits que ceux du cytoplasme des cellules eucaryotes et sédimentent donc plus lentement (ils ont des valeurs plus faibles de S).

Les premiers organismes multicellulaires, pour autant que les fossiles permettent de le déterminer, sont apparus il y a 750 millions d'années seulement. Les cellules des organismes multicellulaires modernes ressemblent étroitement à celles des eucaryotes unicellulaires. Elles en diffèrent par le fait que chaque type cellulaire est spécialisé et que sa fonction est relativement limitée dans la vie de l'organisme. Cependant, chacune d'elles reste une unité remarquablement autonome.

Remarquez la similitude entre une cellule de feuille de maïs (Figure 3-5) et celle de *Chlamydomonas*. La cellule végétale est également photosynthétique, elle subvient à ses propres besoins en énergie à partir de la lumière solaire. Cependant, contrairement à l'algue, elle fait partie d'un organisme multicellulaire et dépend des autres cellules pour l'alimentation en eau et en minéraux, la protection contre la dessiccation et pour d'autres besoins encore.

Aperçu général de la cellule végétale

La cellule végétale est typiquement composée d'une **paroi cellulaire** plus ou moins rigide et d'un **protoplaste** (Tableau 3-3). Le terme « protoplaste » dérive du mot **protoplasme**, généralement utilisé pour désigner le contenu des cellules. Un protoplaste est l'unité de protoplasme qui se trouve à l'intérieur de la paroi cellulaire.

Un protoplaste comprend du **cytoplasme** et un **noyau.** Le cytoplasme, limité extérieurement par la membrane plasmique, inclut des organites, des systèmes de membranes et des structures non membranaires telles que les ribosomes. Le reste du cytoplasme — la « soupe

TABLEAU 3.3

Inventaire des composants de la cellule

Paroi cellulaire	Lamelle mitoyenne Paroi primaire Paroi secondaire Plasmodesmes	
Protoplaste	Noyau	Enveloppe nucléaire Nucléoplasme Chromatine Nucléole
	Cytoplasme	Membrane plasmique (limite externe du cytoplasme) Cytosol Organites délimités par deux membranes : • Plastes • Mitochondries Organites délimités par une membrane : • Peroxysomes • Vacuoles, délimitées par le tonoplaste Système endomembranaire[a] (principaux composants) • Réticulum endoplasmique • Appareil de Golgi • Vésicules Cytosquelette • Microtubules • Filaments d'actine Ribosomes Gouttelettes huileuses

a. Le système endomembranaire comprend aussi la membrane plasmique, l'enveloppe nucléaire, le tonoplaste et toutes les autres membranes internes à l'exclusion des membranes des mitochondries, plastes et peroxysomes.

cellulaire, » ou matrice cytoplasmique, dans laquelle sont suspendus le noyau, divers corpuscules et les systèmes membranaires — est appelé le **cytosol**. À l'inverse de la plupart des cellules animales, les cellules végétales développent, dans le cytosol, une ou plusieurs cavités remplies de liquide, ou **vacuoles**. La vacuole est délimitée par une membrane simple appelée **tonoplaste**.

Dans une cellule végétale vivante, le cytoplasme est fréquemment en mouvement. On peut constater que les organites, de même que diverses substances en suspension dans le cytosol, sont entraînés d'une manière ordonnée dans des courants en mouvement. Ce mouvement est le **courant cytoplasmique**, ou *cyclose* : il se poursuit tant que la cellule est vivante (voir l'expérience de la page 47). Le courant cytoplasmique facilite sans aucun doute les échanges de matériaux à l'intérieur de la cellule et entre la cellule et son environnement. On ne sait cependant pas si c'est la principale fonction du courant cytoplasmique.

La membrane plasmique

Dans les micrographies électroniques, la membrane plasmique apparaît normalement comme triassisiale, avec deux couches sombres séparées par une plus claire (Figure 3-6). Le terme « membrane unitaire » a été utilisé pour désigner les membranes qui ont cette structure.

La membrane plasmique a plusieurs fonction importantes : (1) elle règle l'entrée et la sortie du protoplaste des substances, (2) elle coordonne la synthèse et l'assemblage des microfibrilles de cellulose qui composent la paroi cellulaire et (3) elle reçoit et transmet les signaux hormonaux et environnementaux impliqués dans le contrôle de la croissance et de la différenciation de la cellule. La membrane plasmique a la même structure de base que les membranes internes de la cellule ; elle consiste en une bicouche lipidique dans laquelle sont englobées des protéines globulaires. Dans le chapitre 4, nous parlerons plus en détail de la membrane plasmique — de sa structure comme de ses fonctions vitales.

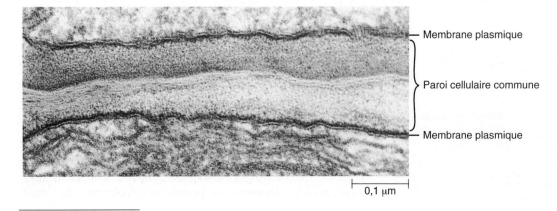

Membrane plasmique

Paroi cellulaire commune

Membrane plasmique

0,1 µm

Figure 3-6

À fort grossissement, les membranes cellulaires ont souvent un aspect triassisial (sombre-clair-sombre), comme on le voit dans les membranes plasmiques sur les deux côtés de la paroi commune à deux cellules foliaires de maïs (*Zea mays*).

LES COURANTS CYTOPLASMIQUES DANS LES CELLULES GÉANTES D'ALGUES

Notre connaissance des courants cytoplasmiques est en grande partie redevable aux travaux effectués sur les cellules géantes d'algues vertes comme *Chara* et *Nitella*. Dans ces cellules, qui mesurent de 2 à 5 centimètres de long, la couche de cytoplasme bordant la paroi, avec ses chloroplastes, est stationnaire. Des faisceaux de filaments d'actine disposés en spirale s'étendent sur plusieurs centimètres le long des cellules, formant des « pistes » fermement attachées aux chloroplastes immobiles. La couche de cytoplasme en mouvement, qui se trouve entre les faisceaux de filaments d'actine et le tonoplaste, contient le noyau, les mitochondries et d'autres composants du cytoplasme.

La force nécessaire aux courants cytoplasmiques provient d'une interaction entre l'actine et la myosine, molécule de protéine possédant une « tête » qui contient de l'ATPase activée par l'actine. L'ATPase est une enzyme qui dégrade (hydrolyse) l'ATP et libère de l'énergie (page 31). Les organites du cytoplasme en mouvement sont apparemment attachés indirectement aux filaments d'actine par des

molécules de myosine, qui utilisent l'énergie libérée par l'hydrolyse pour « se promener » le long des filaments d'actine, tirant les organites avec eux. Le courant va toujours des extrémités moins aux extrémités plus des filaments d'actine, qui sont tous orientés de la même façon dans un faisceau.

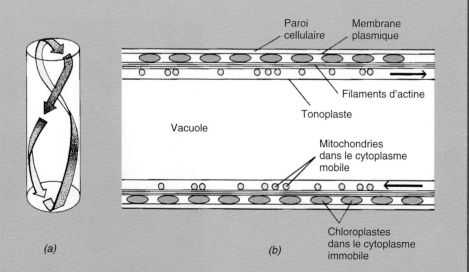

(a)   *(b)*

(a) Chemin suivi par le courant cytoplasmique dans une cellule géante d'algue. **(b)** Coupe longitudinale dans une partie de la cellule, montrant la disposition des couches de cytoplasme immobile et circulante. Pour plus de clarté, les proportions n'ont pas été respectées dans ces deux figures.

Le noyau

Les noyau est souvent la structure la plus apparente dans le protoplaste des cellules eucaryotes. Il assure deux fonctions importantes : (1) le contrôle les activités ultérieures de la cellule, en déterminant la nature des protéines qui sont produites et à quel moment, comme nous le verrons au chapitre 11, et (2) la conservation de l'essentiel de l'information génétique de la cellule et sa transmission aux cellules filles au cours de la division cellulaire.

Le noyau est délimité par une double membrane appelée enveloppe nucléaire. Observée au microscope électronique, cette enveloppe montre un grand nombre de pores circulaires d'un diamètre de 30 à 100 nanomètres (Figure 3-7). Au niveau de chaque pore, les membranes interne et externe se réunissent pour en former le bord. Les pores ne sont pas de simples orifices dans l'enveloppe ; ils ont une structure complexe. Ils représentent une voie de transit directe pour les échanges de matériaux entre le noyau et le cytoplasme. À différents endroits, la membrane externe de l'enveloppe nucléaire peut être en continuité avec le **réticulum endoplasmique**, système membranaire complexe qui joue un rôle essentiel dans la synthèse des molécules nécessaires à la cellule. On peut considérer l'enveloppe nucléaire comme une portion spécialisée, localement différenciée, du réticulum endoplasmique.

Au moyen d'une coloration appropriée des cellules, on peut mettre en évidence, dans le **nucléoplasme**, ou matrice nucléaire, de minces filaments et granules de **chromatine** (Figure 3-8). La chromatine est constituée d'ADN combiné à des grandes quantités de protéines, les histones. Au cours de la division nucléaire, la chromatine se condense progressivement et devient visible au microscope sous la forme de chromosomes individuels. La chromatine diffuse des noyaux au repos (qui ne se divisent pas), est apparemment fixée à un ou plusieurs sites à la face interne de l'enveloppe nucléaire. L'information génétique est portée par les molécules d'ADN qui se trouvent dans les chromosomes.

Les différents types d'organismes diffèrent par le nombre de chromosomes présents dans leur cellules somatiques (ou végétatives). Parmi les plantes vasculaires suivantes, par exemple, on trouve 4 chromosomes par cellule chez *Haplopappus gracilis*, annuelle du désert, 10 chez *Arabidopsis thaliana*, petite adventice largement utilisée pour les travaux génétiques, 18 chez *Brassica oleracea*, le chou, 42 chez *Triticum vulgare*, le blé tendre, et environ 1250 chez une espèce d'*Ophioglossum*. Les gamètes, ou cellules reproductrices, n'ont cependant que la moitié du nombre de chromosomes caractéristique des cellules somatiques des organismes. Le nombre de chromosomes présent dans les gamètes est le nombre **haploïde** (« un seul lot ») et celui des cellules somatiques est le nombre **diploïde** (« double lot »).

Polysome

Réticulum endoplasmique

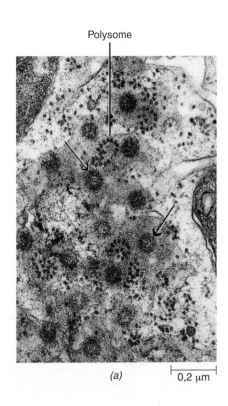

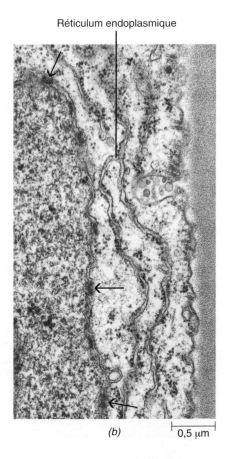

Figure 3-7

Pores nucléaires mis en évidence dans des micrographies électroniques de noyaux, dans des cellules parenchymateuses d'une cryptogame vasculaire, *Selaginella kraussiana*. En **(a)**, on a une vue superficielle des pores, tandis qu'en **(b)**, on les voit en coupe (flèches). Notez les polysomes (paquets de ribosomes) à la surface de l'enveloppe nucléaire en **(a)** et le réticulum endoplasmique rugueux parallèle à l'enveloppe nucléaire en **(b)**.

(a) 0,2 μm

(b) 0,5 μm

Au microscoope optique, les seules structures discernables dans un noyau sont souvent des structures sphériques, les **nucléoles** : il en existe un ou plusieurs dans chaque noyau au repos (Figure 3-5). Chez beaucoup d'organismes diploïdes, le noyau contient deux nucléoles, un par lot haploïde de chromosomes. Les nucléoles peuvent fusionner et former alors une seule structure plus volumineuse. Le nucléole contient de grandes quantités d'ARN et de protéines, en même temps que de grandes boucles d'ADN qui émanent de plusieurs chromosomes. Les boucles d'ADN, appelées régions organisatrices du nucléole, sont les régions où sont synthétisées les sous-unités ribosomiques (voir figure 11-7). Ces dernières sont ensuite transférées au cytoplasme en passant par les pores nucléaires et elles s'y assemblent en ribosomes. La présence du nucléole lui-même est due à l'accumulation des molécules d'ARN et de protéines qui se réunissent pour former les sousunités ribosomiques. En fait, la taille d'un nucléole reflète le niveau de son activité.

Les chloroplastes et autres plastes

Avec les vacuoles et les parois cellulaires, les plastes sont des composants caractéristiques des cellules végétales ; ils interviennent dans des processus tels que la photosynthèse et le stockage des réserves. Les principaux types de plastes sont les chloroplastes, les chromoplastes et les leucoplastes. Chaque plaste est délimité par une enveloppe formée de deux membranes. À l'intérieur, le plaste est différencié en un système de membranes, ou **thylakoïdes**, et un **stroma** plus ou moins homogène. Le niveau de développement du système thylakoïde varie suivant les types de plastes.

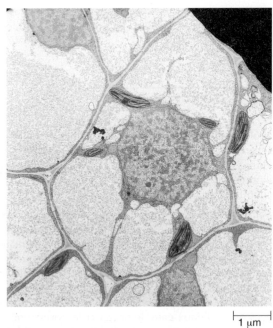

1 μm

Figure 3-8

Cellule parenchymateuse d'une feuille de tabac (*Nicotiana tabacum*), avec son noyau « suspendu » au milieu de la cellule par des trabécules denses de cytoplasme. Les régions moins granuleuses sont des parties d'une grande vacuole centrale qui se réunissent en dehors du plan de cette coupe. La substance granuleuse dense dans le noyau est la chromatine.

Figure 3-9

Dessin en trois dimensions d'une cellule végétale contenant des chloroplastes. Les chloroplastes, en forme de disques, sont typiquement localisés dans le cytoplasme pariétal, leur plus grande surface faisant face à la surface de la cellule. La plus grande partie du volume de cette cellule est occupée par une vacuole (délimitée par le tonoplaste), que traversent quelques cordons de cytoplasme. Dans cette cellule, le noyau se trouve dans le cytoplasme pariétal alors que, dans certaines cellules (Figure 3-8), il peut sembler suspendu par des cordons de cytoplasme au centre de la vacuole.

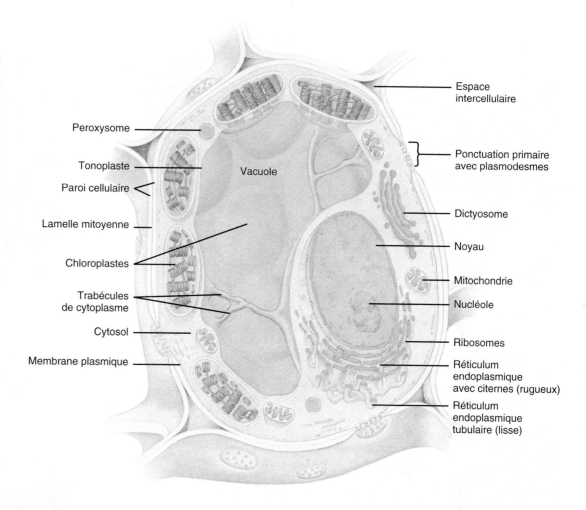

Peroxysome

Tonoplaste

Paroi cellulaire

Lamelle mitoyenne

Chloroplastes

Trabécules de cytoplasme

Cytosol

Membrane plasmique

Vacuole

Espace intercellulaire

Ponctuation primaire avec plasmodesmes

Dictyosome

Noyau

Mitochondrie

Nucléole

Ribosomes

Réticulum endoplasmique avec citernes (rugueux)

Réticulum endoplasmique tubulaire (lisse)

Les chloroplastes sont le site de la photosynthèse

On classe d'habitude les plastes différenciés d'après les pigments qu'ils contiennent. Les **chloroplastes,** sites de la photosynthèse, contiennent des chlorophylles et des pigments caroténoïdes. Les chlorophylles sont les récepteurs de l'énergie lumineuse nécessaire à la photosynthèse ; elles sont responsables de la couleur verte de ces plastes. Chez les plantes, les chloroplastes sont généralement discoïdes et mesurent de 4 à 6 micromètres de diamètre. Une seule cellule de mésophylle (« milieu de la feuille ») peut renfermer de 40 à 50 chloroplastes ; un millimètre carré de feuille en contient quelque 500.000. Les chloroplastes sont d'habitude disposés avec leur plus grande surface parallèle à la paroi cellulaire (Figure 3-9). Ils sont capables de se réorienter dans la cellule sous l'influence de la lumière — par exemple en se rassemblant le long des parois parallèles à la surface de la feuille sous intensité lumineuse faible ou moyenne. Quand une forte intensité lumineuse pourrait les endommager, les chloroplastes peuvent s'orienter perpendiculairement à la surface foliaire.

La structure interne du chloroplaste est complexe (Figure 3-10). Le stroma est traversé par un système élaboré de thylakoïdes, comprenant des **grana** (granum au singulier) — empilements de thylakoïdes en forme de disques qui ressemblent à une pile de pièces de monnaie — et des **thylakoïdes du stroma** (ou thylakoïdes intergranaires) qui traversent le stroma entre les grana et les relient entre eux. On pense que les grana et les thylakoïdes du stroma, ainsi que leurs compartiments internes, constituent un seul système interconnecté. Les chlorophylles et caroténoïdes sont enrobés dans les membranes des thylakoïdes. Ces pigments sont responsables de l'absorption de la lumière qui alimente la photosynthèse. On verra au chapitre 7 comment l'opération se déroule et comment l'énergie lumineuse est convertie en énergie chimique.

Les chloroplastes des algues vertes et des plantes contiennent souvent des grains d'amidon et de petites gouttelettes d'huile appelés plastoglobules. Les grains d'amidon sont des produits de stockage temporaire et ne s'accumulent que si la photosynthèse de l'algue ou de la plante est active (Figures 3-4 et 3-5). Ils peuvent être absents des

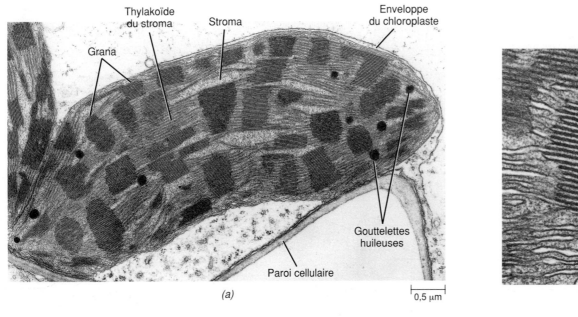

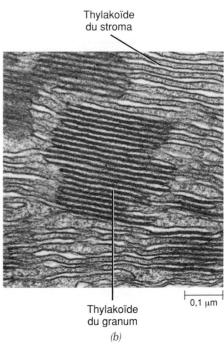

Figure 3-10

Un chloroplaste de feuille de maïs (*Zea mays*). **(a)** Coupe montrant les grana et les thylakoïdes du stroma. **(b)** Détail montrant un granum composé d'un empilement de thylakoïdes en forme de disques. Les thylakoïdes des différents grana sont reliés par d'autres thylakoïdes (les thylakoïdes du stroma).

chloroplastes quand les plantes sont maintenues à l'obscurité pendant 24 heures seulement. L'amidon est décomposé pour fournir du sucre à la plante, incapable de photosynthétiser à l'obscurité. Les grains d'amidon réapparaissent souvent dès que la plante est restée à la lumière pendant 3 ou 4 heures.

Les ADN du noyau et du plaste contribuent tous les deux à la formation des chloroplastes et des pigments associés. Il est clair cependant que le contrôle général réside dans le noyau. Certaines protéines du chloroplaste sont codées (déterminées) par l'ADN du plaste et sont synthétisées à l'intérieur du chloroplaste lui-même. Cependant, la plupart des protéines du chloroplaste sont codées par l'ADN nucléaire, synthétisées dans le cytosol, puis importées dans le chloroplaste.

Les chloroplastes sont la source ultime de pratiquement toutes nos ressources alimentaires et de notre énergie. Nous verrons au chapitre 7 que c'est dans le chloroplaste que l'énergie lumineuse du soleil est convertie en énergie chimique et que le dioxyde de carbone est fixé pour produire les glucides. Les chloroplastes ne sont pas seulement les sites de la photosynthèse ; ils interviennent aussi dans la synthèse des acides aminés et des acides gras et, comme nous l'avons noté, ils offrent un espace pour le stockage temporaire de l'amidon.

Les chromoplastes contiennent d'autres pigments que la chlorophylle

Les **chromoplastes** (du grec *chroma*, « couleur »), sont également des plastes pigmentés (Figure 3-11). De forme variable, les chromoplastes sont dépourvus de chlorophylle, mais ils synthétisent et conservent des pigments caroténoïdes, souvent responsables des couleurs jaune, orange et rouge de nombreuses fleurs, des feuilles d'automne et de certaines racines, comme les carottes. Les chromoplastes peuvent provenir de chloroplastes verts préexistants qui se transforment par disparition de la chlorophylle et de la structure membranaire interne du

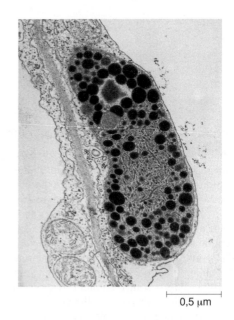

Figure 3-11

Chromoplaste d'un pétale de *Forsythia*, arbuste fréquent dans les jardins, couvert de fleurs jaunes au début du printemps. Le chromoplaste contient de nombreuses gouttelettes huileuses opaques aux électrons, dans lesquelles est stocké le pigment jaune.

chloroplaste et par accumulation massive de caroténoïdes : cela se produit au cours de la maturation de nombreux fruits. On ne connaît pas bien les fonctions précises des chromoplastes, bien qu'ils interviennent parfois pour attirer les insectes et d'autres animaux. Au chapitre 22, nous parlerons du rôle essentiel de cette attraction chez les plantes allogames et dans la dispersion des fruits et des graines.

Les leucoplastes sont des plastes non pigmentés

Les **leucoplastes** sont des plastes adultes dont la structure est la moins différenciée ; ils ne possèdent ni pigments ni système élaboré de membranes internes (Figure 3-12). Certains leucoplastes, appelés *amyloplastes*, synthétisent l'amidon (Figure 3-13), alors que d'autres sont probablement capables de produire diverses substances, comme des huiles et des protéines.

Les proplastes sont les précurseurs des autres plastes

Les **proplastes** sont de petits plastes indifférenciés, incolores ou vert pâle, présents dans les cellules méristématiques (en division) des racines et des tiges. Ce sont les précurseurs des autres plastes plus différenciés, comme les chloroplastes, chromoplastes ou amyloplastes (Figure 3-14). Si le développement d'un proplaste en une forme plus différenciée est arrêté par l'absence de lumière, il peut former un ou plusieurs **corps lamellaires** : ce sont des corpuscules semi-cristallins composés de membranes tubulaires (Figure 3-15). Les plastes qui contiennent des corps prolamellaires sont appelés **étioplastes**. Ceux-ci se forment dans les cellules des plantes cultivées à l'obscurité. Au cours

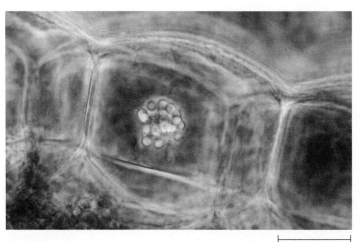

Figure 3-12

20 µm

Leucoplastes — petits plastes incolores — assemblés autour du noyau dans une cellule épidermique d'une feuille de plante d'appartement (*Zebrina*). La couleur pourpre est due à des pigments anthocyaniques dans les vacuoles des cellules épidermiques visibles ici.

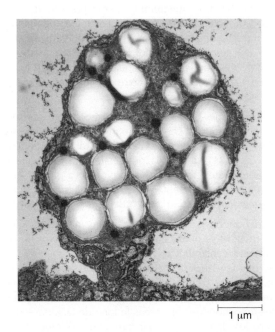

1 µm

Figure 3-13

Amyloplaste, sorte de leucoplaste, du sac embryonnaire de soja (*Glycine max*). Les corpuscules arrondis et clairs sont des grains d'amidon. Les petits corpuscules opaques sont des gouttelettes huileuses. Les amyloplastes interviennent dans la synthèse et la conservation à long terme de l'amidon dans les graines et les organes de stockage, comme les tubercules de pomme de terre.

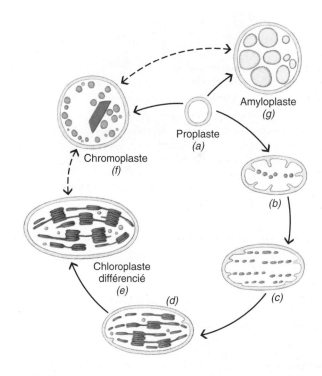

Figure 3-14

Cycle de développement des plastes, qui débute par le développement d'un chloroplaste à partir d'un proplaste. **(a)** À l'origine, le proplaste ne contient que peu ou pas de membranes internes. **(b)-(d)** Au cours de la différenciation du proplaste, des vésicules aplaties se développent à partir de la membrane interne de l'enveloppe du proplaste et, finalement, elles se répartissent en grana et thylakoïdes du stroma. **(e)** Le système de thylakoïdes du chloroplaste mûr paraît distinct de son enveloppe. **(f), (g)** Les proplastes peuvent aussi se développer en chromoplastes et leucoplastes, comme l'amyloplaste producteur d'amidon représenté ici. Notez que les chromoplastes peuvent se former à partir de proplastes, de chloroplastes ou de leucoplastes. Les différentes sortes de plastes peuvent se transformer les unes dans les autres (flèches en traits interrompus).

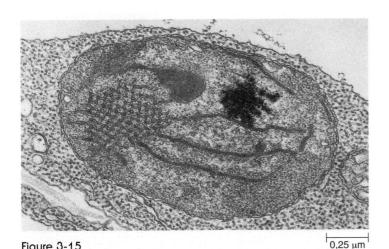

Figure 3-15

0,25 µm

Etioplaste d'une cellule foliaire de tabac (*Nicotiana tabacum*) cultivé à l'obscurité. Remarquez le corpuscule prolamellaire semi-cristallin (en forme d'échiquier, à gauche). Après exposition à la lumière, les membranes tubulaires du corpuscule prolamellaire se développent en thylakoïdes.

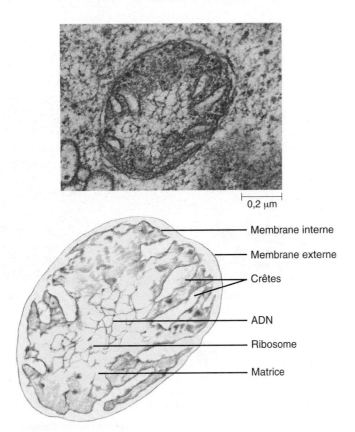

0,2 µm

Membrane interne
Membrane externe
Crêtes
ADN
Ribosome
Matrice

Figure 3-16

Mitochondrie de feuille d'épinard (*Spinacia oleracea*), dans une coupe qui montre des brins d'ADN dans le nucléoïde. L'enveloppe de la mitochondrie est composée de deux membranes séparées, chacune faite d'une bicouche lipidique. La membrane externe est lisse, mais l'interne se replie vers l'intérieur pour former des crêtes qui sont enrobées dans une matrice dense. Les petites particules dans la matrice sont des ribosomes.

du développement ultérieur à la lumière des étioplastes en chloroplastes, les membranes des corps prolamellaires se transforment en thylakoïdes. Dans la nature, les proplastes des embryons séminaux se développent d'abord en étioplastes. Exposés à la lumière, les étioplastes deviennent des chloroplastes. Les différents types de plastes sont remarquables par le passage relativement aisé d'un type à un autre.

Les plastes sont des organites semi-autonomes qui ressemblent aux bactéries par plusieurs caractères. Par exemple, comme les bactéries, les plastes possèdent un ou plusieurs *nucléoïdes*, régions claires, dépourvues de grana, qui contiennent de l'ADN. L'ADN du chloroplaste, comme celui de la bactérie, est de forme circulaire et n'est pas associé aux histones. En outre, les ribosomes des bactéries, comme ceux des plastes, ont environ les deux-tiers de la taille des ribosomes cytoplasmiques. De plus, la synthèse des protéines au niveau des ribosomes des bactéries et des plastes est inhibée par des antibiotiques tels que le chloramphénicol et la streptomycine, qui sont sans effet sur les ribosomes des eucaryotes.

Les plastes se reproduisent par scissiparité, division en deux parties égales, caractéristique des bactéries. Dans les cellules méristématiques, la division des proplastes va de pair avec la division cellulaire. Dans les cellules adultes, cependant, la plus grande partie de la population finale de plastes peut dériver de la division de plastes différenciés.

Les mitochondries

Comme les plastes, les **mitochondries** sont délimitées par deux membranes (Figure 3-16). La membrane interne possède de nombreuses invaginations appelées **crêtes** (cristae). Les crêtes prennent la forme de replis ou de tubules, elles augmentent considérablement la surface disponible pour les protéines et les réactions qui leur sont associées. Les mitochondries sont généralement plus petites que les plastes et mesurent environ un demi-micromètre de diamètre ; leur longueur et leur forme sont très variables.

Les mitochondries sont le site de la respiration, mécanisme qui implique la libération d'énergie à partir de molécules organiques (combustible) et son transfert aux molécules d'ATP, ou adénosine triphosphate (page 31), qui est la principale source directe d'énergie chimique pour toutes les cellules eucaryotes. La plupart des cellules végétales renferment des centaines ou des milliers de mitochondries, leur nombre étant en relation avec la demande d'ATP dans la cellule.

Les mitochondries sont constamment en mouvement, elles tournent, se tordent et se déplacent d'un endroit à l'autre de la cellule ; elles fusionnent également et se divisent par scissiparité. Les mitochondries ont tendance à s'assembler là où il y a une demande d'énergie. Dans les cellules où la membrane plasmique importe ou exporte très activement des matériaux de la cellule, on peut souvent trouver les mitochondries disposées le long de la surface de la membrane. Dans les algues unicellulaires mobiles, les mitochondries sont habituellement rassemblées à la base des flagelles responsables de la locomotion (voir page 60) ; elles fournissent probablement l'énergie nécessaire au mouvement flagellaire.

Les mitochondries, comme les plastes, sont des organites semi-autonomes — cela signifie qu'elles contiennent certains composants nécessaires à la synthèse de leurs propres protéines, mais pas de toutes. La membrane interne de la mitochondrie renferme une matrice liquide qui contient des protéines, de l'ARN, de l'ADN, des petits ribosomes semblables à ceux des bactéries et divers solutés (substances dissoutes). L'ADN de la mitochondrie, comme celui du plaste, est présent sous forme de molécules circulaires dans une ou plusieurs zones claires, les nucléoïdes (Figure 3-16). Dans les cellules végétales, on trouve donc l'information génétique dans trois compartiments différents : le noyau, les plastes et les mitochondries. Le **génome nucléaire**, qui est l'ensemble de l'information génétique emmagasinée dans le noyau, est beaucoup plus important que le génome du plaste ou de la mitochondrie et représente la plus grande partie de l'information génétique de la cellule. Les plastes, comme les mitochondries, peuvent coder certains de leurs propres polypeptides, mais pas tous, loin de là.

Les mitochondires et les plastes ont évolué à partir de bactéries

À la lumière des ressemblances étroites existant entre les bactéries et les mitochondries et chloroplastes de cellules eucaryotes, il semble probable que les mitochondries et chloroplastes sont des bactéries qui ont trouvé refuge dans des cellules hétérotrophes plus volumineuses. Ces plus grosses cellules étaient les précurseurs des eucaryotes. Les cellules plus petites, qui contenaient (et contiennent encore) tous les mécanismes nécessaires à la capture et/ou à la conversion de l'énergie à partir de leur environnement, ont légué cette capacité aux grandes cellules. Les cellules, avec leurs « assistants » respiratoires et/ou photosynthétiques étaient nettement avantagées par rapport à leurs contemporains et elles se sont sans doute multipliées aussitôt au détriment des autres. Pratiquement tous les eucaryotes modernes contiennent des mitochondries et tous les eucaryotes autotrophes possèdent aussi des chloroplastes ; tous deux semblent avoir été acquis lors de symbioses indépendantes (La *symbiose* est une association étroite entre deux ou plusieurs organismes différents qui peut être, mais ce n'est pas nécessaire, bénéfique à chacun. Voir chapitre 13.) Les cellules plus petites — actuellement installées comme organites symbiotiques à l'intérieur des cellules plus volumineuses — étaient protégées contre les conditions extrêmes de l'environnement. Ces symbioses ont eu pour conséquence de permettre aux eucaryotes d'envahir la terre ferme et les eaux acides, où les cyanobactéries procaryotes sont absentes, mais où abondent les algues vertes eucaryotes.

Les peroxysomes

Les **peroxysomes** (également appelés « *microbodies* ») sont des organites sphériques entourés d'une membrane simple, dont le diamètre va de 0,5 à 1,5 micromètre. Ils ont un intérieur granulaire qui contient un corpuscule, parfois cristallin, composé de protéine (Figure 3-17). Il n'y a pas de membranes internes. En outre, les peroxysomes ne possèdent ni ADN, ni ribosomes et ils doivent donc importer toutes leurs protéines. Les peroxysomes sont typiquement associés à une ou deux

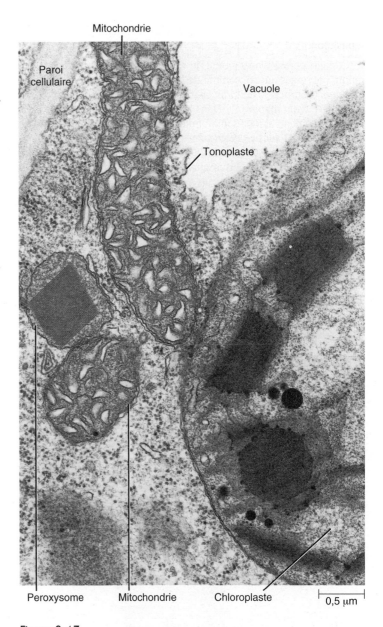

Figure 3-17

Organites dans une cellule foliaire de tabac (*Nicotiana tabacum*). On peut comparer un peroxysome, qui possède une grosse inclusion cristalline et une membrane simple, à deux mitochondries et un chloroplaste, qui sont délimités par deux membranes. En raison du plan de la coupe, la nature double de l'enveloppe du chloroplaste n'apparaît que dans la partie inférieure de la micrographie. Une membrane simple, le tonoplaste, sépare la vacuole du reste du cytoplasme.

portions du réticulum endoplasmique (voir page 56). Les peroxysomes ont d'abord été considérés comme provenant du réticulum endoplasmique ; on pense maintenant que ce sont des organites se répliquant d'eux-mêmes, comme les plastes et les mitochondries.

Contrairement aux plastes et aux mitochondries, cependant, les peroxysomes doivent importer les matériaux indispensables à leur réplication.

Certains peroxysomes jouent un rôle important dans la photorespiration, processus qui consomme de l'oxygène et libère du dioxyde de carbone. Ce processus est l'inverse de ce qui se passe pendant la photosynthèse (voir chapitre 7). Dans les feuilles vertes, les peroxysomes sont étroitement associés aux mitochondries et aux chloroplastes (Figure 3-17). D'autres peroxysomes, appelés *glyoxysomes*, contiennent les enzymes nécessaires à la conversion des graisses de réserve en saccharose, phénomène fréquent lors de la germination des graines. Les graisses représentent un mode de stockage efficace du carbone et de l'énergie, mais le saccharose est le moyen utilisé pour transporter le carbone et l'énergie dans les plantules en croissance.

Les vacuoles

Avec les plastes et la paroi cellulaire, la **vacuole** est une des trois caractéristiques qui distinguent les cellules végétales des cellules animales. Les vacuoles sont des parties de la cellule délimitées par une membrane et remplies d'un liquide, le **suc vacuolaire**. La membrane

(a) |⎯⎯⎯⎯| 5 µm

(b) |⎯⎯⎯⎯| 50 µm

Figure 3-18

Les vacuoles peuvent contenir des formes différentes de cristaux d'oxalate de calcium. **(a)** Macles, ou amas de cristaux composés d'oxalate de calcium, dans l'épiderme de *Cercis canadensis*, observées au microscope électronique à balayage. **(b)** Faisceau de raphides, cristaux en forme d'aiguilles d'oxalate de calcium, dans une vacuole de sansevière (*Sansevieria*). Le tonoplaste entourant la vacuole n'est pas visible. La substance granuleuse que l'on voit ici est le cytoplasme.

simple entourant la vacuole est le **tonoplaste,** ou membrane vacuolaire (Figures 3-9 et 3-17). La vacuole peut provenir directement du réticulum endoplasmique (voir figure 3-19), mais la plus grande partie du tonoplaste et des protéines vacuolaires dérivent directement de l'appareil de Golgi, dont il est question aux pages 57 et 58.

Le suc vacuolaire est principalement composé d'eau et d'autres composants qui varient en fonction du type de plante, d'organe et de cellule, ainsi que de leur stade de développement et de leur état physiologique. Outre des ions inorganiques comme Ca^{2+}, K^+, Cl^-, Na^+ et HPO_4^{2+}, les vacuoles contiennent généralement des sucres, des acides organiques et des acides aminés. Une substance particulière est parfois tellement concentrée qu'elle forme des cristaux. Les cristaux d'oxalate de calcium, capables de prendre des formes différentes, sont particulièrement communs (Figure 3-18). Le suc vacuolaire est d'habitude légèrement acide. Certains sucs vacuolaires, comme celui des vacuoles des fruits de citrus, sont très acides — de là le goût âcre et sûr du fruit. Dans la plupart des cas, les vacuoles ne synthétisent pas les molécules qu'elles accumulent, mais elles leur viennent d'autres parties du cytoplasme.

Les cellules végétales non différenciées contiennent typiquement de nombreuses petites vacuoles qui grandissent et fusionnent en une seule grande vacuole quand la cellule s'accroît. Dans la cellule adulte, jusqu'à 90 % du volume peut être occupé par la vacuole, le reste du cytoplasme consistant en une mince couche périphérique étroitement appliquée contre la paroi cellulaire (Figures 3-8 et 3-9). En remplissant une si grande partie de la cellule d'un contenu vacuolaire « peu coûteux », les plantes épargnent le matériel cytoplasmique azoté « coûteux » (en termes d'énergie) ; elles disposent en outre d'une grande surface de contact entre la mince couche de cytoplasme et l'environnement externe à la cellule. L'augmentation de la taille de la cellule découle surtout de l'accroissement des vacuoles. Une conséquence directe de cette stratégie est le développement d'une pression interne et le maintien de la rigidité des tissus, un des principaux rôles de la vacuole et du tonoplaste (chapitre 4).

Dans une même cellule adulte, on peut trouver différentes sortes de vacuoles avec des fonctions distinctes. Les vacuoles sont des compartiments de stockage importants pour des métabolites primaires tels que les sucres et les acides organiques, ainsi que les protéines de réserve dans les graines. Les vacuoles retirent également du reste du cytoplasme des métabolites secondaires toxiques comme la nicotine et le tanin (voir figure 2-30). Ces substances sont enfermées de façon permanente dans les vacuoles. Comme on l'a dit au chapitre 2, les métabolites secondaires contenus dans les vacuoles peuvent être toxiques non seulement pour la plante elle-même, mais aussi pour les pathogènes, parasites et/ou herbivores, et ils jouent donc un rôle important dans la défense des plantes.

La vacuole est souvent un endroit où se déposent des pigments. Les couleurs bleue, violette, pourpre, rouge foncé et écarlate des cellules végétales sont généralement dues à un groupe de pigments, les anthocyanes (voir chapitre 2). Contrairement aux autres pigments, les anthocyanes sont très solubles dans l'eau et elles sont dissoutes dans le suc vacuolaire (Figure 3-12). Elles sont responsables des couleurs bleue et rouge de beaucoup de légumes (radis, navets, choux), de fruits (raisins, prunes, cerises) et d'une foule de fleurs (bleuets, géraniums, delphiniums, roses et pivoines). Parfois, les pigments sont tellement brillants qu'ils masquent la chlorophylle des feuilles, comme dans l'érable pourpre ornemental.

Les anthocyanes sont aussi responsables des couleurs rouge vif de certaines feuilles en automne. Ces pigments sont produits en réponse au temps froid et ensoleillé, lorsque les feuilles cessent de produire de la chlorophylle. Les anthocyanes nouvellement formées sont démasquées par la dégradation de la chlorophylle présente. Dans les feuilles qui ne produisent pas de pigments anthocyaniques, la dégradation de la chlorophylle en automne peut faire apparaître les caroténoïdes jaunes à oranges plus stables déjà présents dans les chloroplastes. La coloration automnale la plus spectaculaire se développe les années où prévaut en automne un temps frais et clair.

Les vacuoles interviennent aussi dans la dégradation des macromolécules et dans le recyclage de leurs composants à l'intérieur de la cellule. Des organites entiers, comme les mitochondries et les plastes, peuvent être déposés et dégradés dans les vacuoles. En raison de cette activité de digestion, les vacuoles ont une fonction comparable aux organites appelés *lysosomes* que l'on trouve dans les cellules animales.

Les oléosomes

Les **oléosomes,** ou gouttelettes huileuses, sont des structures plus ou moins sphériques qui donnent un aspect granuleux au cytoplasme de

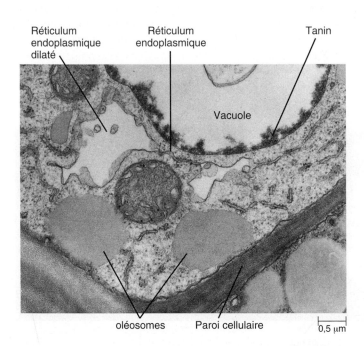

Figure 3-19

Composants cytoplasmiques d'une cellule parenchymateuse d'une tige épaissie, ou corme, d'isoète, *Isoetes muricata*. On voit deux gouttelettes huileuses, immédiatement sous la mitochondrie, au centre de cette micrographie électronique. Le matériel dense qui borde la vacuole est du tanin. À la partie supérieur gauche, une citerne du réticulum endoplasmique est très dilatée. On pense que certaines vacuoles proviennent ainsi du réticulum endoplastique.

la cellule végétale observée au microscope optique. Dans les micrographies électroniques, les oléosomes ont un aspect amorphe (Figures 2-8 et 3-19). Ils sont très répandus dans les cellules des plantes, mais ils sont surtout abondants dans les fruits et les graines. L'huile représente environ 45 % du poids des graines de tournesol, arachide, lin et sésame. Elle fournit de l'énergie et du carbone à la plantule en développement. On suppose que les oléosomes, souvent considérés incorrectement comme des organites (appelés sphérosomes) proviennent du réticulum endoplasmisue, qui est un des deux principaux sites de synthèse des lipides chez les plantes, mais ils ne sont pas délimités par une membrane. Les plastes constituent l'autre site des synthèses lipidiques.

Les ribosomes

Les **ribosomes** sont de petites particules, d'un diamètre de 17 à 23 nanomètres seulement, formées de quantités à peu près égales de protéines et d'ARN. Chaque ribosome comprend deux sous-unités, une grosse et une petite, qui se forment dans le nucléole et sont exportées dans le cytoplasme où elles s'assemblent en ribosome. Nous verrons au chapitre 11 que c'est au niveau des ribosomes que les acides aminés sont fixés les uns aux autres pour former les protéines. Abondants dans le cytoplasme des cellules à métabolisme actif, les ribosomes se trouvent à l'état libre dans le cytoplasme ou fixés au réticulum endoplasmique. Comme on l'a vu précédemment, les plastes et les mitochondries contiennent des ribosomes plus pettis, semblables à ceux des procaryotes.

Les ribosomes qui fonctionnent activement dans la synthèse protéique forment des paquets ou aggrégats appelés **polysomes** ou polyribosomes (Figure 3-20). Les cellules qui synthétisent les protéines en

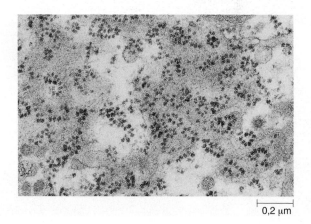

Figure 3-20

Polysomes (paquets de ribosomes) à la surface du réticulum endoplasmique rugueux. Le réticulum endoplasmique est un réseau de membranes qui s'étend dans tout le cytoplasme de la cellule eucaryote ; il la divise en compartiments et il procure les surfaces sur lesquelles les réactions chimiques peuvent s'effectuer. Les polysomes sont les sites où les acides aminés s'assemblent en protéines. Cette micrographie montre une portion de cellule foliaire d'une fougère, *Regnellidium diphyllum*.

grandes quantités possèdent souvent des systèmes étendus de réticulum endoplasmique avec polysomes. En outre, des polysomes sont souvent attachés à la surface externe de l'enveloppe nucléaire (Figure 3-7). Les ribosomes unis aux membranes et les ribosomes libres sont identiques aux points de vue structure et fonction ; ils diffèrent seulement par les protéines qu'ils synthétisent à un moment donné.

Le réticulum endoplasmique

Le **réticulum endoplasmique (RE)** est un système membranaire tridimensionnel complexe. En coupe, il montre deux membranes parallèles ménageant entre elles un espace étroit, ou *lumière*. Il ne faut pas confondre ce profil du réticulum endoplasmique avec une membrane unitaire : chacune des membranes parallèles du réticulum est elle-même une membrane unitaire. La forme et l'abondance du RE diffèrent beaucoup de cellule à cellule, elles dépendent du type de cellule, de son activité métabolique et de son stade de développement. Par exemple, les cellules qui stockent des protéines de réserve possèdent un abondant **réticulum endoplasmique rugueux**, composé de saccules aplatis ou **citernes** (cisternae), avec de nombreux ribosomes à leur surface externe (Figure 3-20). Par contre, les cellules qui sécrètent des lipides ont de vastes systèmes de **réticulum endoplasmique lisse,** dépourvu de ribosomes et de forme principalement tubulaire. Le **réticulum endoplasmique tubulaire** intervient dans la synthèse des lipides. (Notez que les RE des citernes et des tubules se distinguent par la forme des membranes, alors que les RE rugueux et lisse sont caratérisés par la présence ou l'absence de ribosomes fixés. Typiquement, le RE rugueux forme cependant des citernes et le RE lisse est généralement tubulaire.) Les formes rugueuse et lisse du RE sont présentes à l'intérieur d'une même cellule et il existe entre elles de nombreuses connexions.

Dans beaucoup de cellules, un vaste réseau de RE, composé de citernes interconnectées et de tubules, est situé immédiatement à l'intérieur de la membrane plasmique, dans le cytoplasme périphérique ou *cortical* (Figure 3-21). On a supposé que ce réseau cortical de RE intervenait comme élément structural pour stabiliser ou servir d'ancrage au cytosquelette de la cellule. La fonction la plus vraisemblable du RE cortical semble être la régulation du taux d'ions Ca^{2+} dans le cytosol (voir page 87). Le RE cortical peut donc jouer un rôle dans une série de processus physiologiques et développementaux où intervient le calcium.

Certaines micrographies électroniques montrent que le RE rugueux est en continuité avec la membrane externe de l'enveloppe nucléaire. Comme on l'a déjà dit, on peut considérer l'enveloppe nucléaire comme une portion spécialisée du RE, qui s'est localement différenciée. Quand l'enveloppe nucléaire se rompt en morceaux au début de la division nucléaire, on ne peut plus la distinguer des citernes du RE rugueux. Quand les nouveaux noyaux se forment en télophase, des vésicules du RE se réunissent pour former les enveloppes nucléaires des deux noyaux fils. (Les stades de la division nucléaire font l'objet du chapitre 8.)

Le RE fonctionne comme système de communication à l'intérieur de la cellule, il permet de canaliser les matériaux — comme les protéines et les lipides — vers les différentes parties de la cellule. De plus, le RE cortical des cellules contiguës est interconnecté par des trabécules cytoplasmiques, appelés plasmodesmes, qui traversent les parois communes et interviennent dans la communication entre cellules (voir pages 66-68 et 87-89).

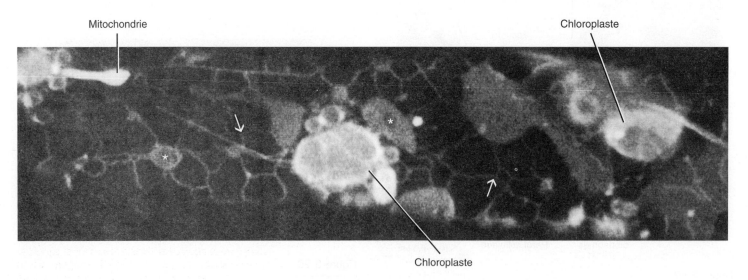

Mitochondrie

Chloroplaste

Chloroplaste

Figure 3-21

Portion d'un protonéma filamenteux de la mousse *Funaria hygrometrica* montrant le réticulum endoplasmique cortical. Le filament a été coloré par une substance fluorescente et photographié au microscope confocal à laser. Le réseau du RE tubulaire (flèches) est entremêlé au RE en forme de citernes (astérisques). On pense que le RE cortical est un indicateur global de l'état métabolique et développemental de la cellule. Les cellules quiescentes ont moins de RE cortical, les cellules actives aux points de vue développement et physiologie en sont mieux pourvues.

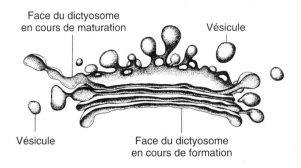

Face du dictyosome
en cours de maturation

Vésicule

Vésicule

Face du dictyosome
en cours de formation

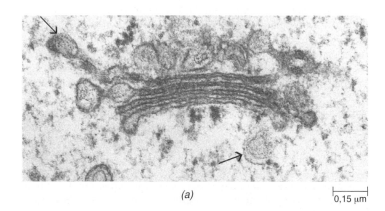

(a) | 0,15 µm

L'appareil de Golgi

Le terme **appareil de Golgi** se réfère collectivement à tous les **dictyosomes** (ou empilements de Golgi) de la cellule. Les dictyosomes sont des piles de saccules aplatis, en forme de disques, ou citernes, souvent ramifiés sur leurs marges pour produire des séries complexes de tubules (Figure 3-22). Les dictyosomes des spermatophytes comportent souvent de quatre à huit citernes.

L'appareil de Golgi est un système membranaire dynamique, fortement polarisé. On dit habituellement que les deux pôles opposés d'un dictyosome représentent, d'un côté, les faces en cours de formation (ou *cis*) et, de l'autre, les faces en cours de maturation (ou *trans*). Dans les couches situés entre les deux faces se trouvent les citernes intermédiaires (ou *médianes*). Il existe en outre, du côté du dictyosome en cours de maturation, un compartiment supplémentaire structuralement et biochimiquement distinct, le **réseau *trans*-Golgi**. (Figure 3-23).

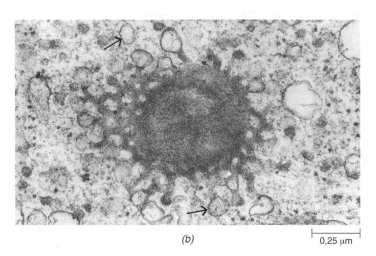

(b) | 0,25 µm

Figure 3-22 ▲

Le dictyosome comporte un groupe de saccules membraneux plats et des vésicules qui bourgeonnent à partir des saccules. Il est utilisé par la cellule eucaryote comme « centre d'emballage » et il est en relation avec ses activités de sécrétion. En **(a)**, on montre les citernes d'un dictyosome dans une cellule de la tige de prêle, *Equisetum hyemale* en coupe, tandis que **(b)** montre une citerne vue de face. Dans les deux micrographies, les flèches montrent des vésicules qui se sont détachées des citernes.

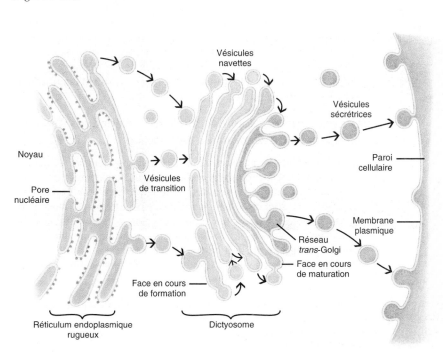

Noyau

Pore nucléaire

Vésicules
navettes

Vésicules
de transition

Vésicules
sécrétrices

Paroi
cellulaire

Membrane
plasmique

Réseau
trans-Golgi

Face en cours
de maturation

Face en cours
de formation

Réticulum endoplasmique
rugueux

Dictyosome

Figure 3-23 ◄

Représentation schématique du système endomembranaire. Ce dessin montre l'origine de nouvelles membranes à partir du réticulum endoplasmique rugueux. Les vésicules de transition se séparent de portions à surface lisse du RE et transportent les membranes avec les substances qu'elles contiennent vers la face en formation du dictyosome. Dans cette cellule, des éléments de la paroi cellulaire sont transportés par étapes à travers le dictyosome au réseau *trans*-Golgi par des vésicules navettes. Les vésicules sécrétrices dérivées du réseau *trans*-Golgi migrent ensuite vers la membrane plasmique et s'y fusionnent, ajoutant de nouvelles portions membranaires à la membrane plasmique et déversant leur contenu à l'intérieur de la paroi.

Les dictyosomes interviennent dans la sécrétion. Chez les plantes, la plupart sont impliqués dans la synthèse et la sécrétion des polysaccharides non cellulosiques de la paroi cellulaire. Il existe des arguments permettant de dire que les différentes étapes de la synthèse de ces polysaccharides sont réalisées dans des citernes différentes des dictyosomes. Ceux-ci transforment aussi et sécrètent les glycoprotéines (voir page 63) qui leur sont transférées depuis de réticulum endoplasmique par les *vésicules de transition*. Il existe un courant de ces vésicules de transition du réticulum endoplasmique vers la face en formation du dictyosome. Les glycoprotéines sont transportées étape par étape à travers le paquet jusqu'à la face de maturation à l'aide de vésicules navettes. Elles sont ensuite triées dans le réseau *trans*-Golgi pour être livrées à la vacuole ou sécrétées à la surface de la cellule (Figure 3-23). Les polysaccharides destinés à être sécrétés à la surface de la cellule peuvent aussi être triés dans le réseau *trans*-Golgi. Un dictyosome particulier peut traiter simultanément des polysaccharides et des glycoprotéines.

Dès leur production, les protéines vacuolaires sont empaquetées dans des *vésicules revêtues* au niveau du réseau *trans*-Golgi (Figure 3-24). Le revêtement de ces vésicules contient plusieurs protéines, entre autres la *clathrine*, protéine composée de trois grosses chaînes polypeptidiques et de trois plus petites qui forment ensemble une structure tridentées appelée *triskélion*. C'est à la disposition des triskélions à leur face cytoplasmique que les vésicules doivent leur revêtement caractéristique.

Les glycoprotéines et les polysaccharides complexes destinés à être sécrétés à la surface de la cellule sont emballés dans des vésicules non revêtues, à surface lisse. Le déplacement de ces vésicules du réseau *trans*-Golgi vers la membrane plasmique paraît dépendre de la présence de filaments d'actine (voir page 60). Lorsque les vésicules atteignent la membrane plasmique, elles fusionnent avec elle et déchargent leur contenu dans la paroi. Dans les cellules en croissance, les membranes des vésicules s'incorporent à la membrane plasmique et contribuent à sa croissance. On parle d'**exocytose** pour désigner la sécrétion de substances par les cellules dans des vésicules.

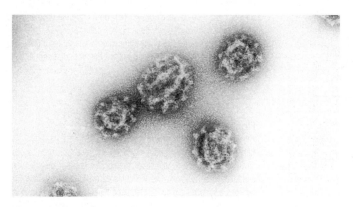

Figure 3-24

Vésicules revêtues isolées à partir de feuilles de haricot (*Phaseolus*) Les vésicules revêtues sont entourées de protéines, qui comprennent les clathrines. Les sous-unités à trois pointes de clathrine sont associées entre elles pour former des cages entourant les vésicules.

Le système endomembranaire est une illustration de la mobilité des membranes cellulaires

Les membranes sont des structures mobiles dynamiques, qui passent souvent d'un compartiment cytoplasmique à un autre. Un excellent exemple de la mobilité des membranes cellulaires est donné par le **système endomembranaire**, principalement composé *du réticulum endoplasmique*, de l'*appareil de Golgi* formé de *dictyosomes*, du réseau *trans*-Golgi et de divers types de vésicules (Figure 3-23). Font également partie du système endomembranaire, la membrane plasmique, l'enveloppe nucléaire, le tonoplaste et toutes les autres membranes internes, à l'exception des membranes des mitochondries, des plastes et des peroxysomes. Les membranes du système endomembranaire forment un continuum, avec le RE comme source initiale des membranes. Les vésicules de transiiton transportent le nouveau matériel membranaire du RE vers les dictyosomes et les vésicules sécrétrices dérivées du réseau *trans*-Golgi contribuent à la croissance de la membrane plasmique. Le réseau *trans*-Golgi fournit aussi les vésicules qui fusionnent avec le tonoplaste et contribuent donc à la formation de la vacuole. Le RE, l'appareil de Golgi et le réseau *trans*-Golgi représentent donc une unité fonctionnelle dans laquelle les dictyosomes sont les principaux véhicules servant à la transformation des membranes de type réticulum endoplastique en membranes de type plasmalemme et tonoplaste.

Le cytosquelette

Comme nous l'avons déjà signalé, pratiquement toutes les cellules eucaryotes possèdent un **cytosquelette**, réseau complexe de filaments protéiques qui s'étendent à travers le cytosol. Le cytosquelette est intimement impliqué dans de nombreux processus, comme la division, la croissance et la différenciation des cellules, ainsi que dans le déplacement des organites d'un point à l'autre de la cellule. Le cytosquelette des cellules végétales comprend deux principaux types de filaments protéiques : les microtubules et les filaments d'actine. En outre, les cellules végétales, comme les cellules animales, contiennent un troisième type de filament dans le cytosquelette, le *filament intermédiaire*. On connaît mal la structure et le rôle du filament intermédiaire dans les cellules végétales.

Les microtubules sont des structures cylindriques composées de sous-unités de tubuline

Les **microtubules** sont des structures cylindriques longues et minces, d'un diamètre d'environ 24 nanomètres et de longueur variable. Un microtubule est formé de sous-unités de la protéine appelée tubuline. Les sous-unités sont disposées en une hélice pour former 13 rangées, ou « protofilaments » autour d'un axe creux (Figure 3-25a, b). Dans chaque protofilament, les sous-unités sont orientées dans la même direction, et tous les protofilaments sont alignés parallèlement avec la même polarité. Par conséquent, le microtubule est une structure polaire, à laquelle

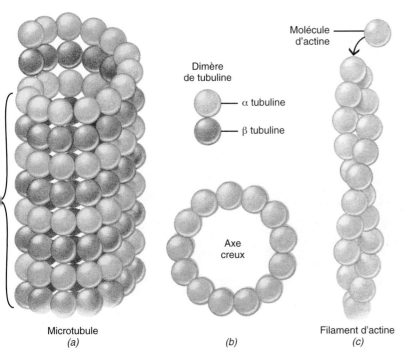

Molécule d'actine

Dimère de tubuline

α tubuline

β tubuline

Axe creux

Microtubule
(a)

(b)

Filament d'actine
(c)

Figure 3-25

Deux composants du cytosquelette, les microtubules et les filaments d'actine, sont formés de protéines globulaires unitaires. **(a)**, **(b)** Les microtubules sont des tubules creux composés de deux sortes différentes de molécules, les tubulines alpha (α) et bêta (β). Ces molécules de tubuline se réunissent d'abord pour former des dimères solubles qui s'assemblent ensuite spontanément en tubules creux insolubles. Leur arrangement aboutit à 13 « protofilaments » entourant un axe creux. **(a)** Court morceau d'un microtubule vu de côté ; **(b)** coupe transversale d'un microtubule montrant l'extrémité des 13 protofilaments. **(c)** Les filaments d'actine sont formés de deux chaînes linéaires de molécules identiques enroulées l'une autour de l'autre en hélice.

on peut attribuer des extrémités plus et moins. Les extrémités plus s'allongent plus vite que les extrémités moins, et les extrémités des microtubules peuvent passer alternativement par des stades de croissance et de raccourcissement : on parle d'*instabilité dynamique*. Les microtubules sont des structures dynamiques qui passent régulièrement, à des stades spécifiques du cycle cellulaire, par des séquences de dégradation et de synthèse (voir chapitre 8). Ils s'assemblent à des endroits dans la cellule appelés *centres d'organisation des microtubules*. La surface et certaines portions du cytoplasme cortical (le cytoplasme situé immédiatement à l'intérieur de la membrane plasmique) ont été identifiés comme centres d'organisation des microtubules.

Les microtubules ont de nombreuses fonctions. Dans les cellules en cours de croissance et de différenciation, les microtubules du cytoplasme cortical, ou microtubules corticaux, interviennent dans la croissance méthodique de la paroi cellulaire (Figure 3-26). Ces microtubules contrôlent l'alignement des microfibrilles de cellulose qui s'ajoutent à la paroi cellulaire, et la direction de l'élongation cellulaire est dirigée, à son tour, par cet alignement des microfibrilles de cellulose dans la paroi. Le microtubules servent aussi à diriger, vers la paroi en croissance, les vésicules sécrétrices du Golgi qui contiennent les substances non-cellulosiques de la paroi cellulaire. En outre, les microtubules composent les fibres fusoriales et jouent un rôle dans le déplacement des chromosomes et dans la formation de la plaque cellulaire dans les cellules en division (voir chapitre 8). Les microtubules sont également des composants importants des flagelles et des cils ; ils interviennent dans le mouvement de ces structures.

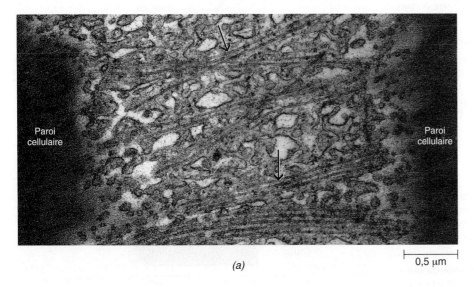

Paroi cellulaire

Paroi cellulaire

(a)

0,5 μm

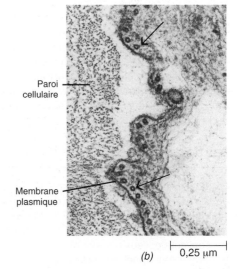

Paroi cellulaire

Membrane plasmique

(b)

0,25 μm

Figure 3-26

Microtubules corticaux (indiqués par des flèches) dans les cellules foliaires de la fougère *Botrychium virginianum*. **(a)** Vue longitudinale des microtubules juste sous la paroi et la membrane plasmique. **(b)** Coupe transversale dans les microtubules corticaux : on peut voir qu'ils sont séparés de la paroi par la membrane plasmique. Les microtubules corticaux jouent un rôle dans l'alignement des microfibrilles de cellulose dans la paroi cellulaire.

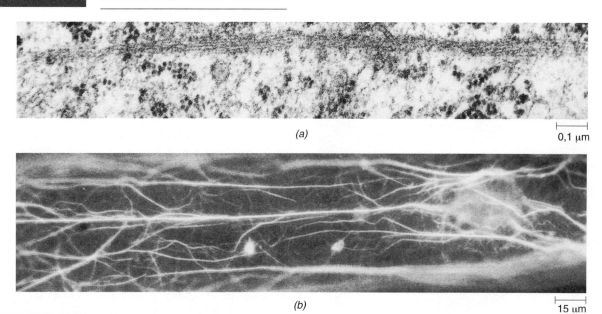

Figure 3-27

(a)

0,1 µm

(b)

15 µm

Filaments d'actine. **(a)** Faisceau de filaments d'actine observé dans une micrographie électronique de cellule foliaire de maïs (*Zea mays*). **(b)** Plusieurs faisceaux de filaments d'actine dans une micrographie en fluorescence d'un poil de la tige de tomate (*Lycopersicon esculentum*). Les filaments d'actine interviennent dans diverses activités, comme les courants cytoplasmiques.

Les filaments d'actine sont plus minces que les microtubules

Les **filaments d'actine**, appelés aussi microfilaments, sont, comme les microtubules, des structures polaires avec des extrémités distinctes, plus et moins. Ils sont composés d'une protéine, l'*actine,* et ils ont la forme de longs filaments d'un diamètre de 5 à 7 nanomètres (Figure 3-25c). Les filaments d'actine sont associés dans l'espace avec les microtubules et, comme ceux-ci, ils prennent de nouvelles configurations à des moments spécifiques du cycle cellulaire. En plus des filaments isolés, on a trouvé des paquets de filaments d'actine dans beaucoup de cellules végétales (Figure 3-27).

Les filaments d'actine interviennent dans diverses activités des cellules végétales, comme les courants cytoplasmiques (voir « les courants cytoplasmiques dans les cellules géantes d'algues », page 47), le dépôt de la paroi cellulaire, la croissance terminale des tubes polliniques, le déplacement du noyau avant et après la division cellulaire, le mouvement des organites, la sécrétion par vésicules et l'organisation du RE.

Les flagelles et cils

Les **flagelles** et les **cils** sont des structures piliformes qui proviennent de la surface de nombreux types différents de cellules eucaryotes. Ils sont relativement minces et de diamètre constant (environ 0,2 micromètre), mais leur longueur varie entre environ 2 et 150 micromètres. Par convention, ceux qui sont plus longs ou présents seuls ou en nombre limité sont appelés flagelles, alors que, s'ils sont courts ou nombreux, on parle de cils. Dans la discussion qui suit, nous utiliserons le terme « flagelles » pour les deux.

Chez certaines algues et d'autres protistes, la flagelles sont des structures locomotrices propulsant les organismes dans l'eau. Chez les plantes, on ne trouve des flagelles que dans les gamètes (cellules reproductrices) et encore, seulement chez les plantes qui possèdent des anthérozoïdes mobiles : mousses, hépatiques, fougères, cycas et ginkgo (*Ginkgo biloba*). Certains flagelles sont plumeux : ils portent une ou plusieurs rangées de minuscules appendices latéraux, alors que d'autres sont lisses et dépourvus de ces structures (Figure 3-28).

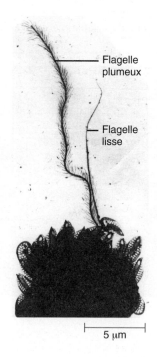

Flagelle plumeux

Flagelle lisse

5 µm

Figure 3-28

Deux sortes de flagelles sont représentés dans cette cellule isolée d'une algue coloniale, *Synura petersenii*. Cet organisme possède un long flagelle plumeux et un flagelle lisse plus court.

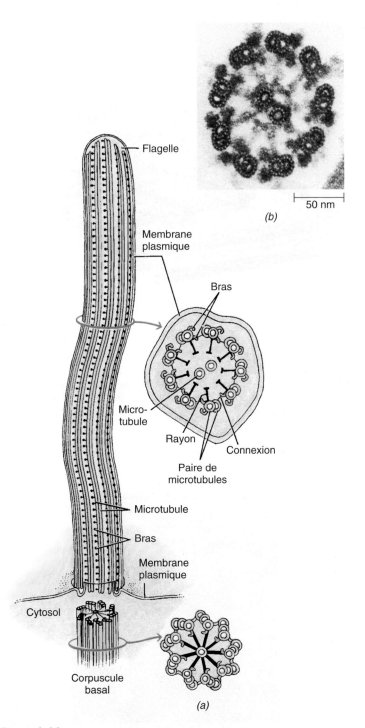

50 nm

(b)

(a)

Figure 3-29

Structure d'un flagelle. **(a)** Dessin d'un flagelle avec son corpuscule basal et **(b)** micrographie électronique du flagelle de *Chlamydomonas* en coupe transversale. Pratiquement tous les flagelles eucaryotes ont cette même structure interne, avec un cylindre externe de neuf paires de microtubules entourant deux autres microtubules au centre. Les « bras », les rayons et les connexions sont formés de sortes différentes de protéines. Le corpuscule basal dont provient le flagelle possède neuf triplets externes, sans microtubules centraux. Le « moyeu » de la roue, dans le corpuscule basal, n'est pas un microtubule, bien que son diamètre soit à peu près le même.

Parmi les découvertes rendues possibles par le microscope électronique, une des plus curieuses est la structure interne des flagelles. Chaque flagelle possède une organisation interne précise (Figure 3-29). Un anneau externe de neuf paires de microtubules entoure deux autres microtubules au centre du flagelle proprement dit. On retrouve ce type fondamental d'organisation 9+2 dans tous les flagelles des organismes eucaryotes.

La structure du flagelle elle-même est à l'origine de son mouvement. Les flagelles sont capables de mouvement même après avoir été détachés des cellules. Le mouvement est produit par un mécanisme de glissement des microtubules : les paires externes de microtubules se déplacent les unes par rapport aux autres sans se contracter. Quand les paires glissent ainsi, leur mouvement provoque une courbure locale du flagelle. Le glissement des paires de microtubules est produit par des cycles d'attachement et de détachement de « bras » qui contiennent des enzymes et se trouvent entre les paires voisines de l'anneau externe (Figure 3-29).

Les flagelles prennent naissance au départ de structures cylindriques, les *corpuscules basaux*, qui forment ainsi la portion basale du flagelle. La structure interne du corpuscule basal ressemble à celle du flagelle lui-même, sauf que les tubules externes du corpuscule de base forment des triplets et non des paires et que les deux tubules centraux sont absents.

La paroi cellulaire

Plus que toute autre caractéristique, la **paroi cellulaire** distingue les cellules végétales des cellules animales. Sa présence est à la base de nombreuses caractéristiques des plantes en tant qu'organismes. La paroi cellulaire est rigide et limite donc la taille du protoplaste, empêchant la rupture de la membrane plasmique si le protoplaste s'agrandit lorsque la cellule est gonflée d'eau. La paroi cellulaire détermine pour une grande part la taille et la forme de la cellule, la texture du tissu et la forme finale de l'organe de la plante. On identifie souvent les types cellulaires par la structure de leurs parois, ce qui traduit bien la relation étroite qui existe entre la structure de la paroi de la cellule et sa fonction.

Alors qu'elle était à l'origine considérée simplement comme une structure externe et inactive produite par le protoplaste, on reconnaît aujourd'hui à la paroi cellulaire des fonctions spécifiques et essentielles et elle fait partie intégrante de la cellule végétale. Les parois cellulaires contiennent diverses enzymes et jouent des rôles importants dans l'absorption, le transport et la sécrétion de substances chez les plantes. Elles peuvent également, comme les vacuoles, constituer le site d'activités de digestion.

En outre, la paroi cellulaire peut jouer un rôle actif de défense contre les pathogènes bactériens et fongiques en recevant et en traitant l'information qui vient de la surface du pathogène et en transmettant cette information à la membrane plasmique de la cellule végétale. Par des mécanismes d'activation des gènes (voir chapitre 11), la cellule végétale peut alors développer une résistance à l'attaque grâce à la

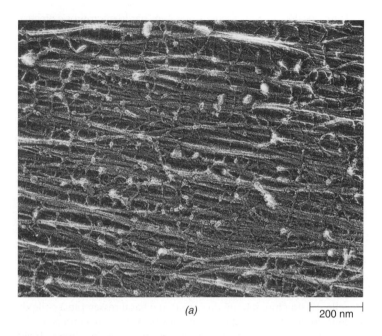

(a)

200 nm

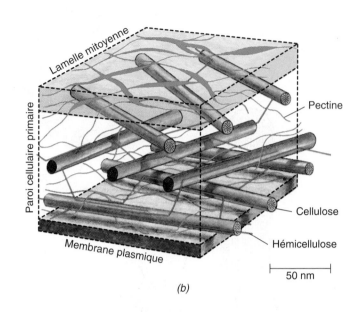

Lamelle mitoyenne

Paroi cellulaire primaire

Pectine

Cellulose

Hémicellulose

Membrane plasmique

50 nm

(b)

Figure 3-30

Parois primaires. **(a)** Aspect, en vue de face, de la paroi primaire d'une cellule de carotte (*Daucus carota*) préparée par la technique de cryodécapage : on voit les microfibrilles de cellulose interconnectés avec un réseau complexe de molécules de la matrice. **(b)** Schéma montrant comment les microfibrilles de cellulose sont interconnectées par les molécules d'hémicellulose pour former un réseau complexe. Les molécules d'hémicellulose sont fixées à la surface des microfibrilles par des liaisons hydrogène. Le réseau cellulose-hémicellulose est traversé par un réseau de pectines, qui sont des polysaccharides très hydrophiles. Hémicellulose et pectine sont des substances de la matrice. La lamelle mitoyenne est l'assise riche en pectine qui cimente les parois primaires des cellules contiguës.

production de *phytoalexines* (voir pages 32 et 780) — antibiotiques toxiques pour les pathogènes — ou grâce à la synthèse et au dépôt de substances telles que la lignine (page 36), qui représentent des barrières face à l'invasion. Certains polysaccharides de la paroi cellulaire, qualifiées d'« oligosaccharines » peuvent même fonctionner comme molécules de transmission qui contrôlent la croissance et le développement de la plante.

La cellulose est le principal composant des parois cellulaires des plantes

Le principal composant des parois cellulaires végétales est la **cellulose** ; elle détermine en grande partie leur architecture. La cellulose est faite d'une répétition de monomères de glucose attachés bout-à-bout (voir figure 2-5). Ces molécules longues et minces de cellulose sont réunies en **microfibrilles** d'un diamètre d'environ 10 à 25 nanomètres (Figure 3-30). La cellulose a des proptiétés cristallines (Figure 3-31) à cause de la disposition ordonnée de ses molécules dans certaines parties, les *micelles*, des microfibrilles (Figure 3-32). Les microfibrilles de cellulose s'enroulent ensemble pour former de minces filaments qui peuvent se tordre les uns autour des autres comme les brins d'un cable. Chaque « cable », ou macrofibrille, mesure environ 0,5 micromètre de diamètre et peut atteindre 4 micromètres de long. Les molécules de cellulose ainsi enroulées ont une résistance supérieure à celle d'une épaisseur équivalente d'acier.

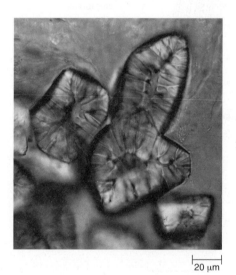

20 μm

Figure 3-31

Cellules sclérenchymateuses (scléréides) de la pulpe d'une poire (*Pyrus communis*). Les paquets de ces cellules sclérenchymateuses sont responsables de la texture grumeleuse du fruit. Les cellules pierreuses ont des parois secondaires très épaisses, traversées par de nombreux canaux simples, qui apparaissent comme des traits dans les parois.

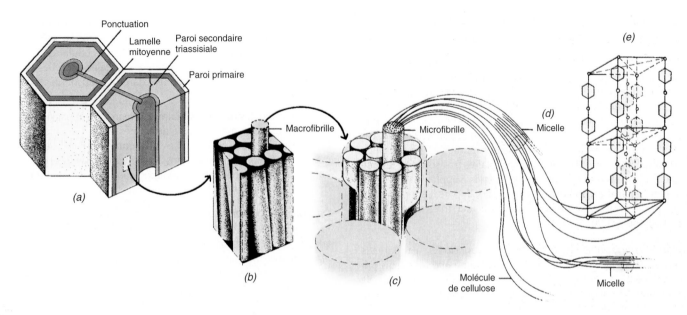

Figure 3-32

Détails de la structure d'une paroi cellulaire. **(a)** Morceau de paroi montrant la lamelle mitoyenne, la paroi primaire et trois couches de paroi secondaire. La cellulose, principal composant de la paroi cellulaire, est représentée par un système de microfibrilles de différentes tailles. **(b)** On peut observer les plus grosses fibrilles, ou macrofibrilles, au microscope optique. **(c)** Au microscope électronique, il est possible de décomposer les macrofibrilles en microfibrilles épaisses de 10 à 25 nanomètres. **(d)** Certaines parties de microfibrilles, ou micelles, sont disposées de façon ordonnée et donnent à la paroi ses propriétés cristallines. **(e)** Un fragment de micelle montre des parties des molécules caténaires de cellulose disposées en forme de maillage.

La cellulose forme un réseau enrobé dans une matrice d'autres molécules

Le réseau de cellulose de la paroi est enrobé dans une *matrice* interconnectée d'autres molécules. Ces molécules sont des polysaccharides, hémicelluloses et pectines, ainsi que des protéines de structure, les glycoprotéines (Figure 3-30).

Les **hémicelluloses** diffèrent beaucoup parmi les différents types de cellules et parmi les différents groupes de plantes. Les *xyloglucanes* (voir figure 2-7) sont les principales hémicelluloses des premières assises qui composent la paroi cellulaire des angiospermes dicotylédones. Les *xylanes* sont les principales hémicelluloses des mêmes assises chez les monocotylédones, qui est l'autre groupe d'angiospermes. Les deux types d'hémicelluloses sont étroitement unis aux microfibrilles de cellulose par des liaisons hydrogène, ce qui limite apparemment l'extensibilité de la paroi cellulaire par les adhérences entre microfibrilles adjacentes et joue donc probablement un rôle important dans le contrôle de la taille de la cellule.

Les **pectines**, surtout connue pour leur faculté de former des gels, sont caractéristiques des premières assises formées dans la paroi cellulaire et de la substance intercellulaire qui cimente les parois des cellules contiguës chez les dicotylédones et, dans une moindre mesure, chez les monocotylédones. Elles peuvent être totalement absentes des assises pariétales qui sont formées ultérieurement. Les pectines sont des polysaccharides très hydrophiles (voir figure 2-6) et l'eau qu'elles introduisent dans la paroi cellulaire rend la paroi plastique, ou pliable, condition nécessaire à son expansion. Les parois primaires en croissance sont composées d'environ 65 % d'eau.

Les parois cellulaires peuvent également contenir des **glycoprotéines** — protéines structurales — ainsi que des enzymes. Les glycoprotéines, qui sont des composants de la matrice, représentent environ 10 % du poids sec de beaucoup de parois primaires. Les glycoprotéines les mieux caractérisées sont les **extensines** (famille de protéines riches en hydroxyproline), ainsi dénommées parce qu'on les suppose impliquées dans l'extensibilité de la paroi cellulaire. Il semble cependant que le dépôt d'extensine pourrait renforcer la paroi en la rendant moins extensible. On a signalé un grand nombre d'enzymes dans les premières assises des parois cellulaires qui se forment. On trouve, dans ces enzymes, des peroxydases, des phosphatases, des cellulases et des pectinases.

Un autre élément important des parois de nombreux types de cellules est la **lignine,** qui donne à la paroi cellulaire sa résistance à la compression et sa rigidité (pages 36 et 37). On la trouve habituellement dans les parois des cellules végétales qui ont une fonction mécanique ou de support. La lignine, qui est hydrophobe, remplace l'eau dans la paroi cellulaire. La lignification des cellules, c'est-à-dire son imprégnation par la lignine, débute dans la matière intercellulaire située aux angles des cellules. Elle se répand ensuite dans les assises les plus anciennes de la paroi et finalement dans celles qui se sont formées plus tard.

La **cutine**, la **subérine** et les **cires** sont des substances lipidiques fréquentes dans les parois des tissus protecteurs externes de la plante. Par exemple, la cutine se trouve dans les parois de l'épiderme et la subérine dans celles du tissu protecteur secondaire, l'écorce. Ces deux substances sont combinées avec les cires et leur fonction consiste surtout à réduire les pertes d'eau par la plante (pages 24 et 25).

De nombreuses cellules végétales possèdent une paroi secondaire en plus de la paroi primaire

Les parois cellulaires végétales ont une épaisseur très variable, qui dépend d'une part du rôle joué par les cellules dans la structure de la plante et, d'autre part, de l'âge des cellules. Chaque protoplaste produit sa paroi à partir de l'intérieur, de telle sorte que l'assise la plus jeune d'une paroi est la partie interne, proche du protoplaste. Les premières assises pariétales produites représentent la **paroi primaire**. Les parois primaires des cellules contiguës sont réunies au niveau de la **lamelle mitoyenne**, ou substance intercellulaire. Très souvent, les cellules déposent ensuite des assises pariétales supplémentaires qui constituent la **paroi secondaire**. Si elle existe, la paroi secondaire est déposée par le protoplaste de la cellule sur la face interne de la paroi primaire (Figure 3-32a).

La lamelle mitoyenne réunit les cellules contiguës. La lamelle mitoyenne est la couche riche en pectine qui cimente les parois primaires des cellules contiguës. Il est souvent difficile de distinguer la lamelle mitoyenne de la paroi primaire, en particulier dans les cellules qui produisent des parois secondaires épaisses. Dans ce cas, on peut parler de *lamelle médiane composée* pour désigner les deux parois primaires adjacentes et la lamelle mitoyenne, ainsi peut-être que la première assise de la paroi secondaire.

La paroi primaire, composée des assises pariétales formées en premier lieu, se dépose pendant la croissance de la cellule. La paroi primaire se dépose avant et pendant la croissance de la cellule végétale. Les parois primaires sont composées de cellulose, hémicellulose, substances pectiques, protéines (glycoprotéines et enzymes) et d'eau. Elles peuvent aussi contenir de la lignine, de la subérine ou de la cutine.

Les cellules en division active n'ont habituellement que des parois primaires, de même que la plupart des cellules adultes impliquées dans des processus métaboliques tels que la photosynthèse, la respira-

tion et la sécrétion. Ces cellules — celles qui ne possèdent que des parois primaires — peuvent abandonner leur forme spécialisée, se diviser et se différencier en de nouveaux types cellulaires. C'est pourquoi ce sont principalement les cellules végétales pourvues seulement de parois primaires qui interviennent dans la guérison des blessures et la régénération.

D'habitude, les parois cellulaires primaires n'ont pas une épaisseur constante partout, mais il existe des zones minces appelées **ponctuations primaires** (Figure 3-33). Les filaments cytoplasmiques, ou plasmodesmes, qui connectent les protoplastes vivants des cellules contiguës, sont généralement groupés dans les ponctuations primaires, mais ils ne sont pas limités à ces zones.

La paroi secondaire se dépose à l'intérieur de la paroi primaire lorsque celle-ci a cessé de s'agrandir. Beaucoup de cellules végétales n'ont qu'une paroi primaire ; dans d'autres, cependant, le protoplaste dépose une paroi secondaire à l'intérieur de la primaire. La paroi secondaire se forme principalement quand la croissance de la cellule est terminée et quand la surface de la paroi primaire ne s'accroît plus. Les parois secondaires sont particulièrement importantes dans les cellules spécialisées qui ont une fonction de consolidation et dans celles qui interviennent dans la conduction de l'eau. Dans ces cellules, le protoplaste meurt souvent après le dépôt de la paroi secondaire.

La cellulose est plus abondante dans les parois secondaires que dans les primaires et les pectines peuvent en être absentes ; la paroi secondaire est donc rigide et ne peut s'étirer facilement. La matrice de la paroi secondaire est composée d'hémicellulose. Les protéines de structure et les enzymes, qui sont relativement abondantes dans les parois cellulaires primaires, sont apparemment absentes des parois secondaires.

On peut fréquemment distinguer trois assises distinctes — S_1, S_2 et S_3, respectivement les assises externe, médiane et interne — dans la paroi secondaire (Figure 3-34). Les assises diffèrent les unes des autres

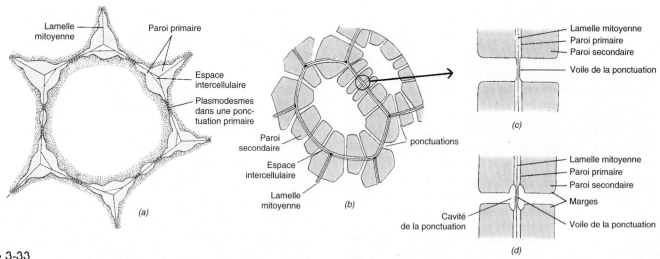

Figure 3-33

Ponctuations et plasmodesmes. **(a)** Cellules parenchymateuse avec les parois primaires et les ponctuations primaires, parties minces dans les parois. On voit ici les plasmodesmes tranver- sant régulièrement la paroi au niveau de ces ponctuations. **(b)** Cellules avec des parois secondaires et de nombreuses ponc- tuations simples. **(c)** Une paire de ponctuations simples. **(d)** Une paire de ponctuations aréolées.

THÉORIE CELLULAIRE OU THÉORIE DE L'ORGANISME

Sous sa forme classique, la théorie cellulaire proposait que les organismes végétaux et animaux sont des assemblages de cellules individuelles différenciées. Ceux qui proposaient cette conception pensaient que l'on pouvait considérer les activités de l'ensemble de la plante ou de l'animal comme la somme des activités des cellules constituantes individuelles, celles-ci ayant une importance primordiale. On a comparé cette conception à la théorie de la démocratie selon Jefferson, qui considérait que la fédération des États-Unis dépendait des droits et privilèges de chacun de ses états membres.

À la fin du dix-neuvième siècle, on a formulé une alternative à la théorie cellulaire. Cette **théorie de l'organisme** remplace certaines des idées exposées dans la théorie cellulaire. Ceux qui proposèrent la théorie de l'organisme attribuaient une importance essentielle à l'organisme dans son ensemble et non aux cellules individuelles. La plante ou l'animal multicellulaire n'est pas considéré comme étant un groupe d'unités indépendants, mais comme une masse plus ou moins continue de protoplasme qui, au cours de l'évolution, s'est subdivisée en cellules. La théorie de l'organisme découlait pour une part des résultats de travaux physiologiques démontrant la nécessité d'une coordination des activités entre les différents organes, tissus et cellules pour une croissance et un développement normaux de l'organisme. On peut comparer la théorie de l'organisme à la théorie de gouvernement selon laquelle la nation est plus importante que les états qui la composent.

Le botaniste allemand du dix-neuvième siècle Julius von Sachs énonça en quelques mots la théorie de l'organisme en écrivant, « Die Pflanze bildet Zelle, nicht die Zelle Pflanzen, », ce qui signifie « La plante forme les cellules, les cellules ne forment pas les plantes. »

De fait, la théorie de l'organisme s'applique spécialement aux plantes, dont les protoplastes ne sont pas séparées par un étranglement au cours de la division cellulaire, comme c'est le cas lors de la division des cellules animales, mais où ils sont partagés, au départ, par l'interposition d'une plaque cellulaire (voir chapitre 8). En outre, la séparation des cellules végétales est rarement complète, les protoplastes des cellules contiguës restant reliés par des trabécules cytoplasmiques, les plasmodesmes. Les plasmodesmes traversent les parois et unissent la plante entière en un ensemble organique appelé symplaste, composé des protoplastes interconnectés et de leurs plasmodesmes. Donald Kaplan et Wolfgang Hagemann ont écrit très justement : « au lieu de constituer des assemblages fédéraux de cellules indépendantes, les plantes supérieures sont des organismes unifiés dont les protoplastes sont incomplètement subdivisés par des parois cellulaires. »

Sous sa forme moderne, la théorie cellulaire stipule simplement que tous les organismes vivants sont composés d'une ou plusieurs cellules, que les réactions chimiques de l'organisme vivant se déroulent dans les cellules, que les cellules dérivent d'autres cellules et qu'elles contiennent l'information génétique transmise de la cellule parentale à la cellule fille. La théorie cellulaire et celle de l'organisme ne s'excluent pas mutuellement. Ensemble, elles donnent une vue pleine de sens de la structure et de la fonction aux niveaux de la cellule et de l'organisme.

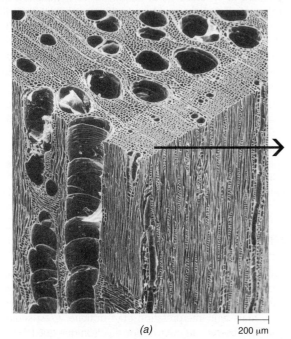

(a)   200 μm

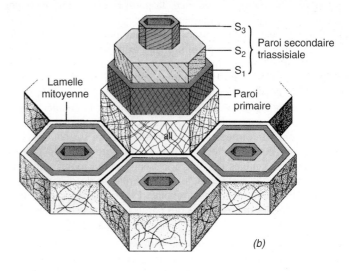

(b)

Figure 3-34

Les assises des parois cellulaires secondaires. **(a)** Micrographie électronique à balayage d'un bloc de bois de chêne d'Amérique (*Quercus rubra*) montrant la localisation des cellules de soutien (fibres) reproduites dans le dessin. **(b)** Dessin montrant l'organisation des microfibrilles de cellulose et des trois couches (S₁, S₂, S₃) de la paroi secondaire. Les orientations différentes des microfibrilles dans les trois couches renforcent la paroi secondaire.

par l'orientation de leurs microfibrilles de cellulose. On trouve ces assises pariétales multiples dans le xylème secondaire, le bois. La structure lamellaire de ces parois secondaires augmente fortement leur résistance, et les dépôts de microfibrilles de cellulose sont plus denses que dans la paroi primaire. Les parois secondaires du bois contiennent habituellement de la lignine.

Alors que la paroi primaire possède des ponctuations, la paroi secondaire forme des canaux de ponctuation. Quand la paroi cellulaire secondaire se dépose, elle ne se développe pas sur les ponctuations de la paroi primaire. Par conséquent, il se forme des interruptions caractéristiques, ou canaux dans la paroi secondaire (Figure 3-33). Dans certains cas, les canaux se forment aussi dans des régions sans ponctuations. Les parois secondaires lignifiées ne sont pas perméables à l'eau mais, avec la formation des ponctuations, les cellules contiguës ne sont séparées que par les parois primaires, du moins à leur niveau.

Il se forme généralement un canal dans une paroi en face d'un autre canal dans la paroi de la cellule voisine. On appelle **voile de la ponctuation** la lamelle mitoyenne et les deux parois primaires qui se trouvent entre les deux canaux. Les deux canaux opposés, avec la membrane, constituent un **canal double**. On trouve deux types principaux de ponctuations dans les parois secondaires : elles sont **simples** ou **aréolées**. Dans les ponctuations aréolées, la paroi secondaire se recourbe au-dessus de la **cavité de la ponctuation**. Dans les simples, il n'y a pas de surplomb. (Voir page 577 pour d'autres informations sur les propriétés des membranes des ponctuations dans les trachées.)

La croissance de la paroi cellulaire implique des interactions entre membrane plasmique, vésicules sécrétrices et microtubules

Les parois cellulaires augmentent en épaisseur et en surface. L'extension de la paroi est un processus complexe étroitement contrôlé par le protoplaste. Pendant la croissance, la paroi primaire doit avoir une production suffisante pour permettre une expansion appropriée, mais elle doit en même temps rester assez solide pour contenir le protoplaste. La croissance de la paroi primaire exige un relâchement de sa structure, phénomène qui est influencé par des hormones (voir chapitre 28). On assiste aussi à une augmentation de la synthèse protéique et de la respiration apportant l'énergie nécessaire, ainsi qu'à une augmentation de la consommation d'eau par la cellule. La plupart des nouvelles microfibrilles de cellulose se placent au-dessus de celles qui ont été formées antérieurement, couche sur couche, bien que certaines puissent s'insérer dans la structure pariétale préexistante. Dans les cellules qui s'agrandissent plus ou moins uniformément dans toutes les directions, les microfibrilles se déposent de façon aléatoire et forment un réseau irrégulier. Par contre, dans les cellules qui s'allongent, les microfibrilles des parois latérales se déposent dans un plan perpendiculaire à l'axe d'élongation (Figure 3-35).

Les microfibrilles qui viennent de se déposer courent parallèlement aux microtubules corticaux se trouvant exactement sous la membrane plasmique. On admet généralement que les microfibrilles de cellulose sont synthétisées par des complexes de **cellulose synthétase** situés dans la membrane plasmique (Figure 3-36). Chez les spermatophytes, ces complexes enzymatiques forment des anneaux, ou rosettes, de six particules disposées en hexagones, qui traversent la membrane ; le creux au centre de chaque rosette est occupé par une particule, ou

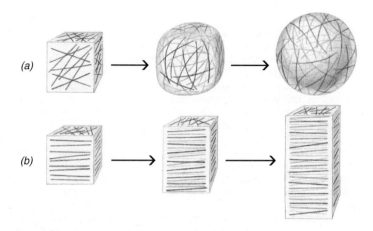

Figure 3-35

L'orientation des microfibrilles de cellulose dans la paroi primaire influence le sens de l'expansion de la cellule. **(a)** Si les microfibrilles de cellulose sont orientées de façon aléatoire dans toutes les parois, la cellule se développera également dans tous les sens et elle aura tendance à devenir sphérique. **(b)** Si les microfibrilles sont orientées perpendiculairement à son grand axe final, la cellule s'allongera suivant cet axe.

globule. Pendant la synthèse de la cellulose, les complexes, qui se déplacent dans le plan de la membrane, excrètent les microfibrilles à la surface externe de la membrane. À partir de là, les microfibrilles de cellulose s'intègrent dans la paroi cellulaire. Le mouvement des complexes est guidé par les microtubules corticaux sous-jacents. Les rosettes sont insérées dans la membrane plasmique par l'intermédiaire des vésicules sécrétrices du réseau *trans*-Golgi.

Les composants de la matrice — hémicelluloses et substances pectiques — sont transportés jusqu'à la paroi dans des vésicules sécrétrices, en même temps que les glycoprotéines. Le type de substance matricielle synthétisée et sécrétée par une cellule à un moment donné dépend du stade de développement. Les pectines, par exemple, sont plutôt caractéristiques des cellules en croissance, tandis que les hémicelluloses prédominent dans les cellules qui ne grandissent plus.

Les plasmodesmes

On a signalé précédemment que les protoplastes de cellules contiguës sont reliées les uns aux autres par des **plasmodesmes**. Ces structures ont été observées depuis longtemps au microscope optique (Figure 3-37), mais leur interprétation était difficile. C'est seulement quand on put les observer au microscope électronique que l'on a confirmé qu'il s'agit de cordons de cytoplasme.

Figure 3-36

Les microfibrilles de cellulose sont synthétisées par des complexes enzymatiques qui se déplacent dans le plan de la membrane plasmique. **(a)** Les enzymes sont des complexes de cellulose synthétase formant des rosettes enrobées dans la membrane plasmique. Chaque rosette synthétise la cellulose à partir d'un dérivé du glucose, l'UDP-glucose (uridine diphosphate glucose). Les molécules d'UDP-glucose entrent dans la rosette à la face interne (cytoplasmique) de la membrane et une microfibrille de cellulose sort de sa face externe. **(b)** À mesure que les extrémités des nouvelles microfibrilles de cellulose s'intègrent à la paroi, les rosettes continuent à synthétiser la cellulose en se déplaçant le long d'un chemin (flèches) parallèle aux microtubules corticaux du cytoplasme sous-jacent.

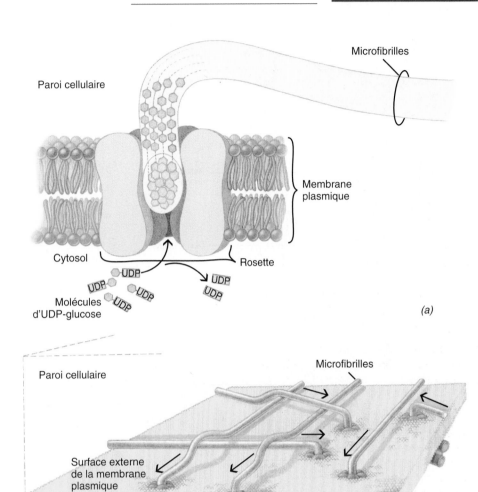

(a)

(b)

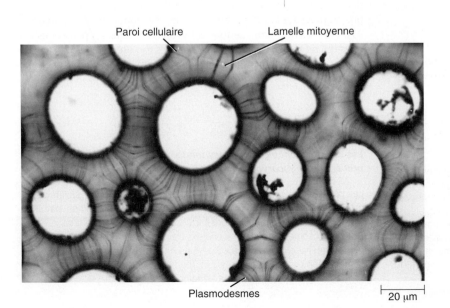

Figure 3-37

Micrographie optique de plasmodesmes dans l'épaisse paroi primaire de l'albumen (tissu nourricier de la graine) de kaki (*Diospyros*). Les plasmodesmes apparaissent comme de minces traits allant d'une cellule à l'autre au travers de la paroi. La lamelle mitoyenne est le trait clair entre ces cellules. Les plasmodesmes ne sont généralement pas visibles au microscope optique. Mais l'épaisseur extrême des parois cellulaires de l'albumen de kaki augmente fortement la longueur des plasmodesmes et les rend visibles au microscope optique.

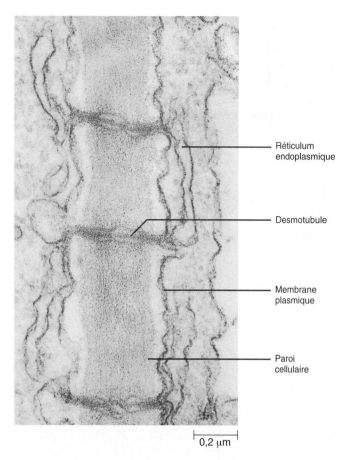

Réticulum
endoplasmique

Desmotubule

Membrane
plasmique

Paroi
cellulaire

0,2 μm

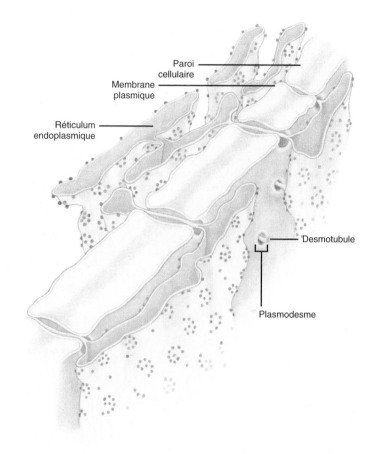

Paroi
cellulaire

Membrane
plasmique

Réticulum
endoplasmique

Desmotubule

Plasmodesme

Figure 3-38

Plasmodesmes reliant deux cellules foliaires de peuplier (*Populus deltoides*). Les plasmodesmes sont de minces canaux bordés par la membrane plasmique et traversés par un tubule modifié de réticulum endoplasmique appelé desmotubule. Comme c'est souvent le cas dans ce genre de préparation, la lamelle mitoyenne séparant les parois primaires contiguës n'est pas apparente dans cette micrographie électronique. Notez la continuité du RE des deux côtés de la paroi, assurée par les desmotubules des plasmodesmes.

Les plasmodesmes peuvent se rencontrer dans toute la paroi cellulaire ; ils peuvent aussi être rassemblés dans les ponctuations primaires ou dans les membranes entre les canaux doubles. Au microscope électronique, les plasmodesmes apparaissent comme d'étroits canaux (d'environ 30 à 60 nanomètres de diamètre), bordés par une membrane plasmique et traversés par un tubule modifié du RE, le *desmotubule* (Figure 3-38). Beaucoup de plasmodesmes se forment durant la division cellulaire, lorsque des brins du RE tubulaire sont pris au piège de la plaque cellulaire en développement (voir figure 8-11). Les plasmodesmes se forment également dans les parois des cellules qui ne se divisent pas. Ces structures représentent un passage qui sert au transport de certaines substances entre les cellules ; on en parlera de façon plus détaillée au chapitre 4 (voir pages 87-89.)

RÉSUMÉ

La cellule est l'unité fondamentale de vie

Toute matière vivante est composée de cellules. Les cellules sont extrêmement diverses, avec des structures et des fonctions qui vont des organismes unicellulaires indépendants aux types cellulaires interdépendants, hautement spécialisés, des plantes et animaux multicellulaires complexes. Cependant, les cellules ont une structure de base remarquablement semblable. Toutes sont délimitées par une membrane externe, la membrane plasmique. Cette membrane entoure le cytoplasme et l'information héréditaire sous forme d'ADN. Le protoplasme est l'ensemble du contenu de la cellule.

Les cellules sont de deux types fondamentalement différents : procaryote et eucaryote

Les cellules procaryotes sont dépourvues de noyaux et d'organites délimités par des membranes. Ils sont actuellement représentés par les archéobactéries et les eubactéries, qui comprennent les cyanobactéries. Le chromosome procaryote consiste en une seule molécule circulaire d'ADN localisée dans le nucléoïde. Les cellules eucaryotes ont un ADN contenu dans un véritable noyau et des organites distincts, délimités par une membrane, qui remplissent certaines fonctions.

Les cellules végétales sont typiquement formées d'une paroi cellulaire et d'un protoplaste

Le protoplaste comprend le cytoplasme et un noyau. La membrane plasmique est la limite externe du cytoplasme, en contact avec la paroi cellulaire. Chez les plantes, le cytosol, ou matrice cytoplasmique, est souvent en mouvement : c'est ce que l'on appelle le courant cytoplasmique.

Le noyau est délimité par une enveloppe nucléaire et contient le nucléoplasme, la chromatine et un ou plusieurs nucléoles

Le noyau est le centre de contrôle de la cellule et il contient son information génétique (le génome nucléaire). C'est souvent la structure la plus remarquable du protoplaste. Il est entouré par une membrane nucléaire composée d'une double membrane que l'on peut considérer comme une portion spécialisée, localement différenciée, du réticulum endoplasmique. La chromatine est enfermée dans l'enveloppe nucléaire ; elle est composée d'ADN et de protéines, les histones. Le nucléole est, dans le noyau, l'endroit où sont formées les sous-unités ribosomiques.

Il y a trois types principaux de plastes : chloroplastes, chromoplastes et leucoplastes

Avec les vacuoles et les parois cellulaires, les plastes sont les composants caractéristiques des cellules végétales. Un plaste est délimité par une enveloppe formée d'une double membrane. On classe les plastes adultes d'après le type de pigment qu'ils contiennent : les pigments contenus dans les chloroplastes sont les chlorophylles et les caroténoïdes ; les chromoplastes contiennent des caroténoïdes ; les leucoplastes ne sont pas pigmentés. Les proplastes sont les précurseurs des plastes.

Les mitochondries sont les sites de la respiration

Comme les plastes, les mitochondries sont des organites délimités par une double membrane. La membrane interne est plissée et forme un vaste système membranaire interne, ce qui augmente la surface disponible pour les enzymes et les réactions qui leur sont associées. Les mitochondries sont les sites principaux de la respiration dans les cellules eucaryotes.

Les plastes et les mitochondries partagent certaines caractéristiques avec des cellules procaryotes

Les plastes, comme les mitochondries, sont des organites semi-autonomes contenant des molécules circulaires d'ADN et des ribosomes semblables à ceux des bactéries. Les plastes et mitochondries étaient probablement, à l'origine, des bactéries qui ont trouvé refuge dans des cellules hétérotrophes plus grosses. Les cellules végétales contiennent trois génomes : ceux du noyau, des plastes et des mitochondries.

Les peroxysomes sont délimités par une membrane simple

Contrairement aux plastes et aux mitochondries, les peroxysomes sont des organites délimités par une membrane simple. Certains jouent un rôle important dans la respiration. D'autres interviennent dans la transformation des graisses de réserve en saccharose au cours de la germination des graines.

Les vacuoles contiennent surtout de l'eau, mais elles assurent différentes fonctions

Les cellules végétales sont caractérisées par la présence de vacuoles dans leur cytoplasme. Ces organites sont des régions délimitées par une membrane et qui sont remplies par le suc vacuolaire, solution aqueuse qui contient divers sels, sucres, pigments anthocyaniques et d'autres substances. Les vacuoles jouent un rôle important dans la croissance des cellules et dans le maintien de la rigidité des tissus. De plus, de nombreuses vacuoles interviennent dans la dégradation des macromolécules et dans le recyclage de leurs composants. La vacuole est délimitée par une membrane simple, le tonoplaste.

Les ribosomes sont le site de la synthèse des protéines

Les ribosomes, qui sont soit libres dans le cytosol, soit attachés au réticulum endoplasmique et à la surface externe de l'enveloppe nucléaire, sont les endroits ou les acides aminés sont liés entre eux pour former les protéines. Pendant la synthèse protéique, les ribosomes forment des paquets appelés polysomes.

Le réticulum endoplasmique est un vaste système tridimensionnel de membranes avec divers rôles

Le réticulum endoplasmique est présent sous deux formes ; le RE rugueux, qui est parsemé de ribosomes, et le RE lisse, qui en est dépourvu. Le RE rugueux intervient dans la synthèse des membranes et des protéines et le RE lisse dans la synthèse des lipides. Certains lipides forment des corpuscules huileux dans le cytoplasme.

L'appareil de Golgi est un système membranaire fortement polarisé impliqué dans la sécrétion.

L'appareil de Golgi est formé de dictyosomes, eux-mêmes composés d'empilements de saccules aplatis en forme de disques, ou citernes. La plupart des dictyosomes de plantes interviennent dans la synthèse et la sécrétion des polysaccharides non-cellulosiques complexes de la paroi cellulaire ; ces derniers sont alors transportés vers la surface de la cellule dans des vésicules sécrétrices dérivées de réseau *trans*-Golgi. Les vésicules participent aussi à la membrane plasmique et au tonoplaste. Les dictyosomes transforment et sécrètent aussi les glycoprotéines qui leur sont transmises du réticulum endoplasmique rugueux via des vésicules de transition.

La mobilité des membranes cellulaires est illustrée par le système endomembranaire

Les principaux composants du système endomembranaire sont le réticulum endoplasmique, l'appareil de Golgi, le réseau *trans*-Golgi et différents types de vésicules. Ensemble, les membranes du système forment un continuum alimenté au départ par le RE.

Le cytosquelette est composé de microtubules et de filaments d'actine

Le cytosol des cellules eucaryotes est traversé par le cytosquelette, réseau complexe de filaments protéiques dont il existe deux types bien caractérisés dans les cellules végétales : les microtubules et les filaments d'actine. Les microtubules sont de minces structures cylindriques de longueur variable, composées de sous-unités d'une protéine, la tubuline. Ils jouent un rôle dans la division cellulaire, dans la croissance de la paroi cellulaire et dans le mouvement des flagelles. Les filaments d'actine sont composés d'une protéine, l'actine. Ces longs filaments sont isolés ou réunis en paquets, ils interviennent dans le courant cytoplasmique.

Les flagelles et les cils émergent de la surface de certaines cellules et produisent les mouvements

Les flagelles et cils sont des structures piliformes qui font saillie à la surface de nombreux types de cellules eucaryotes : ce sont des structures locomotrices. Tous les flagelles des cellules eucaryotes ont la même structure caractéristique interne 9+2 - c'est-à-dire un anneau externe de neuf paires de microtubules entourant une paire interne qui se trouve au centre du flagelle.

La paroi cellulaire est la principale caractéristique qui distingue la cellule végétale

La paroi cellulaire est l'élément déterminant de la structure de la cellule, de la texture des tissus et de nombreuses caractéristiques importantes qui distinguent les plantes en tant qu'organismes. Toutes les cellules végétales ont une paroi primaire. En outre, beaucoup ont aussi une paroi secondaire, qui se forme à l'intérieur de la primaire. La zone située entre les parois primaires des cellules contiguës est la lamelle mitoyenne, assise riche en pectine, qui cimente entre elles les parois primaires. La cellulose est le principal composant des parois primaires et secondaires. Les microfibrilles de cellulose se trouvent dans une matrice réticulée d'autres molécules, comme les hémicelluloses, les pectines et les glycoprotéines. En raison de la présence des pectines, les parois primaires sont fortement hydratées, ce qui augmente leur plasticité. Les cellules en division active et en cours d'élongation n'ont habituellement que des parois primaires. Les parois secondaires contiennent des hémicelluloses, mais elles sont apparemment dépourvues de pectines et glycoprotéines. La lignine peut aussi se trouver dans les parois primaires, mais elle est particulièrement caractéristique des cellules qui possèdent des parois secondaires. La lignine procure à la paroi la résistance à la compression et la rigidité.

Les plasmodesmes sont des cordons cytoplasmiques reliant les protoplastes de cellules végétales contiguës

Les protoplastes de cellules contiguës sont reliés entre eux par des cordons de cytoplasme appelés plasmodesmes, qui représentent une voie permettant le transport de certaines substances entre les cellules.

TABLEAU RÉSUMÉ
Les composants de la cellule végétale

COMPOSANTS MAJEURS	CONSTITUANTS INDIVIDUELS	CARACTÈRES DESCRIPTIFS	FONCTIONS
Paroi cellulaire		Formée de microfibrilles de cellulose enrobées dans une matrice d'hémicelluloses, pectines et glycoprotéines. Sont aussi présentes : la lignine, la cutine, la subérine et les cires.	Renforce la cellule ; détermine sa taille et sa forme.
	Lamelle mitoyenne	Assise riche en pectine, entre les cellules.	Cimente les cellules contiguës.
	Paroi primaire	Premières assises formées ; contient les ponctuations primaires.	Se trouve dans les cellules qui se divisent activement ou dont le métabolisme est actif.
	Paroi secondaire	Formée après le dépôt de la paroi primaire. Située à l'intérieur de celle-ci. Contient des canaux.	Se trouve dans les cellules qui ont une fonction dans la rigidité et/ou dans la conduction de l'eau. Elle est rigide et donc procure une résistance accrue.
	Plasmodesmes	Cordons cytoplasmiques traversant la paroi cellulaire.	Relient les protoplastes des cellules contiguës, offrant une voie au transport de substances entre cellules.
Noyau		Délimité par une paire de membranes, l'enveloppe nucléaire, et contenant le nucléoplasme, les nucléoles et la chromatine (chromosomes) composée d'ADN et d'histones).	Contrôle les activités cellulaires.
Membrane plasmique		Membrane simple, formant la frontière externe du cytoplasme.	Intervient dans le transport de substances dans et hors de la cellule. Site de synthèse de la cellulose. Reçoit et transmet les signaux des hormones et de l'environnement.
Cytoplasme	Cytosol	Partie la moins différenciée du cytoplasme	Matrice où sont suspendus les organites et les systèmes membranaires et où se produisent les réactions biochimiques.
	Plastes	Enveloppés dans une double membrane. organites semi-autonomes contenant leurs propres ADN et ribosomes.	Sites de synthèse et de stockage des nutriments.
	Chloroplastes	Contiennent de la chlorophylle et des pigments caroténoïdes enrobés dans les membranes thylakoïdes.	Site de la photosynthèse. Interviennent dans la synthèse des acides aminés et des acides gras. Stockage temporaire de l'amidon.

COMPOSANTS MAJEURS	CONSTITUANTS INDIVIDUELS	CARACTÈRES DESCRIPTIFS	FONCTIONS
	Chromoplastes	Contiennent des pigments caroténoïdes.	Peuvent fonctionner pour attirer les insectes et autres animaux essentiels pour la pollinisation croisée et la dispersion des fruits et des graines.
	Leucoplastes	Entièrement dépourvus de pigments.	Certains (les amyloplastes) stockent l'amidon ; les autres produisent des huiles.
	Proplastes	Plastes indifférenciés ; peuvent former des corpuscules prolamellaires.	Précurseurs des autres plastes.
	Mitochondries	Enveloppés dans une double membrane. La membrane interne est repliée en crêtes. Organites semi-autonomes, contenant leurs propres ADN et ribosomes.	Sites de la respiration cellulaire.
	Peroxysomes	Entourés d'une membrane simple. Contiennent parfois des corpuscules protéiques cristallins.	Contiennent les enzymes qui interviennent dans divers processus comme la photorespiration et la transformation des graisses en saccharose.
	Vacuoles	Entourées par une membrane simple (le tonoplaste) ; peuvent occuper la majeure partie du volume de la cellule.	Occupées par le suc vacuolaire (surtout de l'eau). Contiennent souvent des pigments anthocyaniques ; emmagasinent des métabolites primaires et secondaires ; dégradent et recyclent les macromolécules.
	Ribosomes	Petites particules opaques aux électrons, formées d'ARN et protéines.	Site de la synthèse des protéines.
	Gouttelettes huileuses	Ont un aspect amorphe.	Site de stockage des lipides, surtout des triglycérides.
	Réticulum endoplasmique	Réseau de canaux membranaires	Le RE rugueux (surtout le RE des citernes) porte des ribosomes qui interviennent dans la synthèse des protéines. Le RE lisse (surtout le RE tubulaire) est impliqué dans la synthèse des lipides. Canalise les matériaux dans toute la cellule.
	Appareil de Golgi	Terme collectif désignant les dictyosomes, empilements de saccules membranaires aplatis.	Transforme et emballe les substances qui doivent être sécrétées et utilisées dans la cellule.
	Système endomembranaire	Terme collectif désignant le réticulum endoplasmique, l'appareil de Golgi, le réseau trans-Golgi, la membrane plasmique, l'enveloppe nucléaire, le tonoplaste et des vésicules diverses.	Réseau dynamique qui transporte les membranes et diverses substances à travers la cellule.
	Cytosquelette	Réseau complexe de filaments protéiques	Intervient dans la division, la croissance et la différenciation des cellules.
	Microtubules	Structures cylindriques dynamiques composées de tubuline.	Interviennent dans de nombreux mécanismes tels que la formation de la plaque cellulaire, le dépôt des microfibrilles de cellulose et l'orientation des mouvements des dictyosomes et des chromosomes.
	Filaments d'actine	Structures filamenteuses dynamiques composées d'actine.	Interviennent dans de nombreux processus, comme les courants cytoplasmiques et le mouvement du noyau et des organites.

MOTS CLÉS

QUESTIONS

1. Qu'entend-on par la théorie cellulaire et quelle est la signification de cette théorie en biologie ?

2. Quelles sont les trois caractéristiques qui distinguent les cellules végétales des cellules animales ?

3. On dit que les plastes et les mitochondries sont des organites semi-autonomes. Expliquez.

4. En quoi les chloroplastes et les mitochondries ressemblent-ils aux bactéries ?

5. Alors qu'elles ont d'abord été considérées comme des dépôts de substances de déchet dans les cellules végétales, on sait maintenant que les vacuoles jouent de nombreux rôles importants. Citez quelques-uns de ces rôles.

6. Expliquez le phénomène de la coloration automnale.

7. Faites la différence entre le réticulum endoplasmique rugueux et le réticulum endoplasmique lisse, aux points de vue structure et fonctionnement.

8. Faites la distinction entre microtubules et filaments d'actine. À quelles fonctions est associé chacun de ces filaments protéiques ?

9. La paroi cellulaire a d'abord été considérée surtout comme une structure externe inactive produite par le protoplaste ; on la reconnaît aujourd'hui comme une partie intégrante de la cellule végétale avec plusieurs fonctions spécifiques et essentielles. Citez certaines de ces fonctions.

10. En vous servant des termes suivants, expliquez le mécanisme impliqué dans la croissance de la paroi cellulaire et le dépôt de cellulose dans les cellules en élongation : microfibrilles de cellulose, complexes de cellulose synthétase (rosettes), microtubules corticaux, vésicules sécrétrices, composants de la matrice, membrane plasmique.

Structure et fonction des membranes

SOMMAIRE

De prime abord, la tâche confiée à la membrane plasmique semble impossible. Parmi d'autres fonctions, cette membrane doit contrôler l'entrée et la sortie des substances du protoplaste. Certaines substances la traversent librement, tandis que d'autres sont arrêtées. La membrane plasmique doit laisser passer des substances essentielles, mais elle doit en même temps éviter la perte de celles qui font partie de la cellule. Comment la membrane plasmique — de même que les autres membranes de la cellule — peut-elle fonctionner avec une telle sélectivité ?

C'est dans sa structure que se trouve la clé du fonctionnement de la membrane. Toutes les membranes cellulaires possèdent fondamentalement les mêmes constituants et c'est leur arrangement interne qui assure à la membrane sa perméabilité sélective. Certaines molécules, comme O_2, CO_2 et H_2O, traversent aisément les membranes ; mais d'autres, les sucres, les acides aminés et les ions inorganiques, par exemple, exigent l'intervention de protéines de transport de la membrane. D'autres encore, comme les molécules plus volumineuses et les particules solides, nécessitent des mécanismes de transport plus élaborés où sont impliquées des vésicules.

La membrane plasmique facilite aussi les communications entre les cellules. Des connexions cytoplasmiques directes permettent les communications « locales ». Les communications « longue distance » impliquent la réception et le traitement de signaux chimiques provenant de différentes parties de la plante.

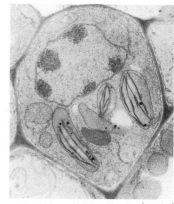

1 µm

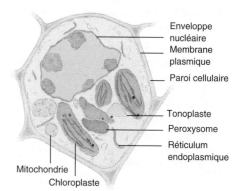

Enveloppe nucléaire
Membrane plasmique
Paroi cellulaire
Tonoplaste
Peroxysome
Réticulum endoplasmique
Mitochondrie
Chloroplaste

Figure 4-1

Membranes cellulaires. Outre la membrane plasmique, qui contrôle le mouvement des substances entrant et sortant de la cellule, de nombreuses membranes internes contrôlent le passage de substances à l'intérieur de la cellule. Des membranes entourent le noyau, les chloroplastes et les mitochondries (ces deux derniers contiennent des membranes internes), les peroxysomes et les vacuoles (tous deux entourés d'un tonoplaste). De plus, le réticulum endoplasmique (dont on voit ici des segments) est composé de membranes. Cette micrographie électronique provient d'une cellule foliaire de *Moricandia arvensis*, une crucifère (famille du chou).

POINTS DE REPÈRE

Quand vous terminerez la lecture de ce chapitre, vous devriez pouvoir répondre aux questions suivantes :

- *En quoi consiste le modèle de la mosaïque fluide de la structure membranaire et, en termes généraux, quel rôle jouent ses deux composants principaux ?*

- *Faites la distinction entre diffusion et osmose. Quelles sortes de substances entrent et quittent les cellules par chacun de ces mécanismes ?*

- *Que sont les protéines de transport et quelle est leur importance pour les cellules végétales ?*

- *Quelles sont les ressemblances et différences entre diffusion facilitée et transport actif ?*

- *Quel est le rôle de la transduction des signaux et des plasmodesmes dans les communications de cellule à cellule ?*

Tous les organismes vivants sont entourés de toutes parts de matière non vivante, avec laquelle ils échangent sans cesse des matériaux. Cependant, la composition chimique des organismes vivants et de leur environnement non vivant diffère qualitativement et quantitativement. Une racine d'arbre, par exemple, est chimiquement très différente du sol où elle grandit. Sans cette différence, les organismes ne pourraient maintenir l'organisation qui est l'essence même de leur existence.

Dans tous les systèmes vivants, de la bactérie la plus petite au plus grand séquoia, des substances sont échangées entre l'organisme vivant et le monde non vivant : air, sol et eau. Ces échanges se déroulent au niveau des cellules individuelles ; ils sont contrôlés par la membrane plasmique. Chez les organismes multicellulaires — l'homme, par exemple — la membrane plasmique contrôle également les échanges de substances entre les diverses cellules spécialisées qui composent l'organisme. Le contrôle de ces échanges entre cellules est essentiel pour (1) protéger l'intégrité de chacune, (2) maintenir les conditions qui lui permettent la poursuite de ses activités métaboliques et (3) coordonner les activités des différentes cellules.

En dehors de la membrane plasmique, qui contrôle le passage des matériaux entrant et sortant de la cellule, il existe des membranes internes, comme celles qui entourent les mitochondries, les chloroplastes et le noyau : elles contrôlent le passage des matériaux entre les compartiments internes de la cellule (Figure 4-1). De cette manière, la cellule peut conserver des environnements chimiques spécifiques nécessaires aux réactions qui se déroulent dans les différents compartiments du cytoplasme.

Les membranes permettent aussi l'établissement de différences de potentiel électrique, ou de voltage, entre la cellule et son environnement externe d'une part et entre compartiments cellulaires contigus d'autre part. Les différences de concentration chimique (ions et molécules divers) et de potentiel électrique de part et d'autre des membranes sont des formes d'énergie potentielle essentielles au déroulement de nombreux processus cellulaires. En fait, leur existence est un critère qui permet de faire la distinction entre les systèmes vivants et l'environnement non vivant.

Pour maintenir l'environnement interne de la cellule et de ses différentes parties, la membrane plasmique et les membranes internes doivent accomplir une double fonction complexe. Non seulement elles doivent laisser certaines substances à l'extérieur et en laisser entrer d'autres, mais elles doivent aussi garder certaines substances à l'intérieur et en laisser sortir d'autres. Pour accomplir cette tâche, la membrane dépend de ses propriétés physiques et chimiques et de celles des ions et molécules qui interagissent avec elle.

Structure des membranes cellulaires

Comme on l'a vu au chapitre 3, les membranes cellulaires, au microscope électronique, paraissent habituellement formées de trois couches — deux couches foncées séparées par une claire (voir figure 3-6). Il fut une époque où l'on pensait que les deux couches foncées étaient formées de protéine et que l'espace qui les sépare était une bicouche lipidique. En 1960, J. David Robertson proposa le **modèle de la membrane unitaire**, qui mettait en avant l'existence d'une structure générale protéine-lipide-protéine dans toutes les membranes cellulaires. Les recherches ultérieures ont cependant clairement montré une variation considérable entre les différentes membranes, notamment en ce qui concerne le rapport protéine/lipide ; en outre, les protéines ne forment pas des couches continues à la surface de la membrane, mais sont représentées par de minuscules unités globulaires enrobées dans la bicouche lipidique.

En 1972, S. Jonathan Singer et Garth Nicolson ont proposé, pour la structure des membranes, le **modèle de la mosaïque fluide** ; ce modèle est largement accepté, il envisage une mosaïque de protéines enrobée dans une bicouche lipidique liquide (page 24), dont les composants sont en mouvement constant. Dans ce modèle, une grande partie des protéines membranaires se déplacent en outre plus ou moins librement dans la bicouche liquide. Les protéines et les molécules lipidiques se déplaçant latéralement à l'intérieur de la bicouche, les protéines formant différentes figures, ou mosaïques, qui varient d'un moment à l'autre et de place en place — d'où le terme de mosaïque fluide choisi pour ce modèle de structure membranaire.

Il existe maintenant un large consensus pour attribuer à toutes les membranes de la cellule la même structure de base formée d'une bicouche lipidique et de protéines globulaires. Beaucoup de protéines membranaires traversent la bicouche et font saillie des deux côtés (Figure 4-2). La portion de ces **protéines transmembranaires** incluse dans la bicouche est hydrophobe, tandis que les deux parties libres des deux côtés de la membrane sont hydrophiles. Les protéines transmembranaires et d'autres protéines fermement fixées à la membrane sont appelées **protéines intrinsèques**. Bien que certaines protéines transmembranaires flottent plus ou moins librement dans la bicouche lipidique, d'autres sont ancrées en place (peut-être au cytosquelette) et leur mobilité est limitée. Certaines protéines membranaires ne pénètrent pas à l'intérieur hydrophobe de la bicouche. Appelées **protéines périphériques**, elles sont attachées aux parties en saillie de certaines protéines transmembranaires.

La composition chimique des deux faces de la membrane est très différente. Par exemple, deux types principaux de lipides sont présents dans les membranes des cellules végétales : les phospholipides (type le plus abondant) et les stérols, particulièrement le stigmastérol (non le cholestérol, qui est le principal stérol des tissus animaux). Ces lipides sont présents en concentrations différentes dans les deux assises de la bicouche. En outre, les protéines transmembranaires sont orientées de façon définie dans la bicouche, et la composition en acides aminés des parties qui émergent des deux côtés sont différentes, ainsi que leur structure tertiaire.

À la face externe de la membrane plasmique, des glucides courts (oligosaccharides) sont attachés à la plupart des protéines en saillie et forment avec elles des **glycoprotéines**. On pense que les glucides, qui forment une gaine à la surface externe de la membrane plasmique de toutes les cellules eucaryotes, ont un rôle important dans la

Figure 4-2

Modèle de la mosaïque fluide de la structure membranaire. La membrane est composée d'une bicouche (double couche) de molécules lipidiques — avec leurs « queues » hydrophobes dirigées vers l'intérieur — et de molécules protéiques volumineuses. Les molécules qui traversent la bicouche sont des protéines transmembranaires : c'est une sorte de protéines intrinsèques. D'autres protéines, appelées protéines périphériques, sont attachées à certaines protéines transmembranaires. La portion d'une molécule de protéine transmembranaire enrobée dans la bicouche lipidique est hydrophobe. La (ou les) portion(s) exposées sur l'une ou l'autre face de la membrane sont hydrophiles. De courtes chaînes glucidiques sont attachées à la plupart des protéines transmembranaires qui sont en saillie à la face externe de la membrane plasmique. L'ensemble de la structure est relativement fluide et l'on peut donc considérer que les protéines flottent dans une « mer » de lipide.

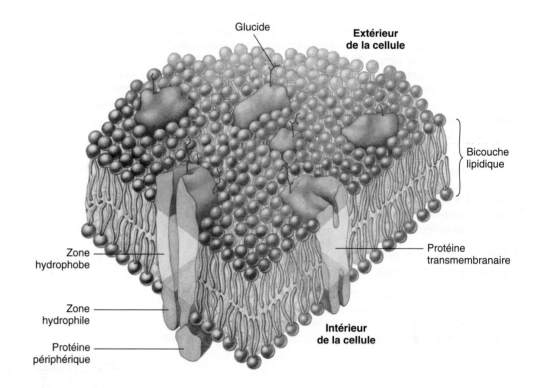

« reconnaissance » des molécules (comme les hormones, les protéines de la capside des virus et les molécules superficielles des bactéries) qui interagissent avec la cellule.

La plupart des glucides membranaires sont représentés par des glycoprotéines, mais il existe aussi une faible proportion de **glycolipides**, lipides membranaires auxquels sont fixées de courtes chaînes de glucides. La disposition des groupements glucidiques à la face externe de la membrane plasmique a surtout été mise en évidence par des expériences utilisant des **lectines**, protéines qui s'unissent fortement à des groupements glucidiques spécifiques.

On a identifié deux configurations de base dans les protéines transmembranaires (Figure 4-3). La première est une structure en bâtonnet relativement simple formée d'une hélice alpha enrobée dans la partie interne hydrophobe de la membrane, avec des portions hydrophiles moins régulières s'étendant des deux côtés. L'autre configuration se retrouve dans les grosses protéines globulaires qui traversent la membrane de façon répétée. Dans ces protéines membranaires, la chaîne polypeptidique franchit généralement la bicouche lipidique par une série d'hélices alpha.

Alors que la bicouche lipidique est responsable de la structure de base et de l'imperméabilité des membranes cellulaires, la plupart des autres fonctions membranaires sont confiées aux protéines. La majorité des membranes sont composées de 40 à 50 % de lipides (en poids) et de 60 à 50 % de protéines ; la fonction d'une membrane découle des proportions et des types de protéines qui s'y trouvent. Les membranes qui interviennent dans les transferts d'énergie (conversion d'une forme d'énergie en une autre), comme les membranes internes des mitochondries et des chloroplastes, comportent environ 75 % de protéines. Cer-

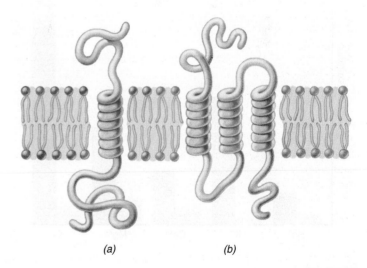

(a)   *(b)*

Figure 4-3

Deux configuration de protéines transmembranaires. Certaines traversent la bicouche lipidique sous forme d'une hélice alpha unique **(a)** et d'autres — les protéines à domaines transmembranaires multiples — ont plusieurs hélices alpha **(b)**. Les portions de protéine émergeant des deux côtés de la membrane sont hydrophiles ; les portions hélicoïdales situées dans la membrane sont hydrophobes.

taines protéines membranaires sont des enzymes catalysant les réactions associées aux membranes, alors que d'autres sont des transporteurs intervenant dans le mouvement des molécules ou ions spécifiques qui entrent ou sortent de la cellule ou des organites. D'autres encore servent de récepteurs qui reçoivent et transmettent les signaux chimiques venant de l'intérieur de la cellule ou du milieu externe.

Mouvement de l'eau et des solutés

Parmi les nombreuses molécules qui se trouvent dans les cellules et qui les entourent, l'eau est de loin la plus répandue. En outre, la plupart des autres molécules et ions importants pour la vie de la cellule (Figure 4-4) sont dissous dans l'eau. Entamons donc notre réflexion sur les transports à travers les membranes cellulaires en voyant comment l'eau se déplace.

L'eau se déplace en suivant un gradient de potentiel hydrique

Sauf quand elle est bloquée sous forme de glace, l'eau est constamment en mouvement. Elle traverse les continents dans les rivières et les fleuves, elle va du sol à l'atmosphère en passant par les plantes, elle se déplace dans l'organisme humain par le flux sanguin, elle

entre et sort des cellules vivantes. Dans le monde vivant comme en dehors, les molécules d'eau se déplacent d'un endroit à l'autre en raison de différences d'énergie potentielle. L'**énergie potentielle** est l'énergie emmagasinée que possède un objet — ou un ensemble d'objets, comme un ensemble de molécules d'eau — en raison de sa position. On parle généralement de **potentiel hydrique** pour désigner l'énergie potentielle de l'eau.

L'eau va d'un endroit où le potentiel hydrique est élevé vers un endroit où il est plus faible, quelle que soit l'origine de la différence de potentiel hydrique. Un exemple simple est celui de l'eau qui coule vers l'aval en réponse à la gravité (Figure 4-5). En haut de la pente, l'eau a plus d'énergie potentielle (elle a un potentiel hydrique supérieur) que l'eau qui se trouve en bas. À mesure que l'eau s'écoule vers le bas, son énergie potentielle se transforme en énergie cinétique. Celle-ci peut à son tour être transformée en énergie mécanique et effectuer un travail utile si, par exemple, une roue à aubes est située sur le chemin de l'eau en mouvement.

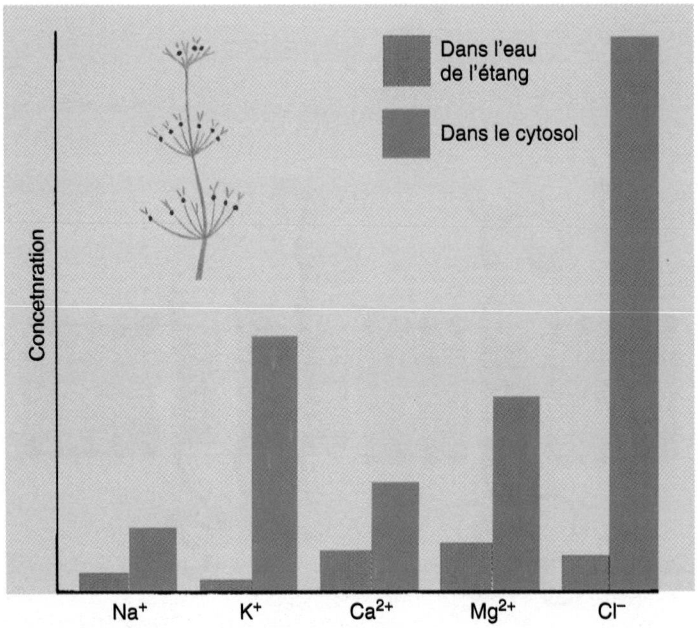

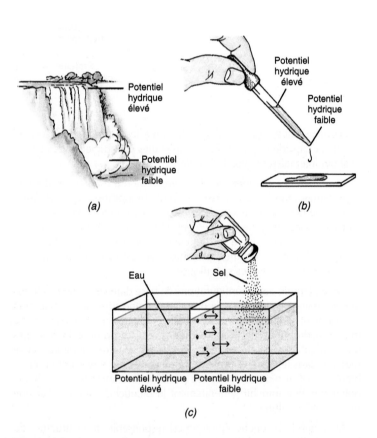

(a) Potentiel hydrique élevé / Potentiel hydrique faible

(b) Potentiel hydrique élevé / Potentiel hydrique faible

(c) Eau / Sel / Potentiel hydrique élevé / Potentiel hydrique faible

Figure 4-5

Les trois facteurs qui déterminent le plus souvent le potentiel hydrique sont **(a)** la gravité, **(b)** la pression et **(c)** la concentration en solutés dissous. L'eau se déplace de la région à potentiel hydrique élevé vers la région à potentiel hydrique moindre, quelle que soit la cause de la différence de potentiel hydrique. Souvent, une combinaison de facteurs est en cause. En **(b)**, par exemple, la pression appliquée sur le compte-gouttes n'est pas le seul facteur qui contribue à la différence de potentiel hydrique. Etant donné l'angle dans lequel on tient le compte-gouttes, la gravité entre aussi en compte.

Concentration — Dans l'eau de l'étang / Dans le cytosol

Na⁺ K⁺ Ca²⁺ Mg²⁺ Cl⁻

Figure 4-4

Parmi les ions les plus importants présents dans les cellules vivantes, on trouve le sodium (Na⁺), le potassium (K⁺), le calcium (Ca²⁺), le magnésium (Mg²⁺) et le chlorure (Cl⁻). Ce graphique montre les concentrations relatives de ces ions dans le cytosol de l'algue verte *Nitella* et dans l'eau de l'étang où elle vit. Ces différences de concentrations ioniques entre l'intérieur des cellules vivantes et leur milieu amorphe indique que les cellules contrôlent leurs échanges de matériaux avec leur environnement. Cette régulation est effectuée par la membrane plasmique.

La pression est une autre source de potentiel hydrique. Si nous remplissons d'eau un compte-gouttes et que nous pressons la poire, l'eau jaillira. Comme l'eau au sommet d'une colline, cette eau a été élevée à un potentiel hydrique supérieur et elle ira vers un plus faible. La pression peut-elle faire remonter la pente à l'eau qui s'écoule vers le bas ? Nous pouvons évidemment faire remonter l'eau — pour autant seulement que le potentiel hydrique produit par la pression soit supérieur au potentiel hydrique lié à la gravité.

Dans les solutions, le potentiel hydrique est affecté par la concentration des particules dissoutes (solutés). Quand la concentration des particules de solutés (le nombre de ces particules par unité de volume de solution) augmente, le potentiel hydrique diminue. Inversement, quand la concentration des particules de solutés diminue, le potentiel hydrique augmente. En l'absence d'autres facteurs (comme la pression) affectant le potentiel hydrique, les molécules d'eau des solutions passent des régions à faible concentration en solutés (potentiel hydrique élevé) aux régions à plus haute concentration en solutés (potentiel hydrique inférieur). Ce fait est très important pour les systèmes vivants.

Le concept de potentiel hydrique est utile parce qu'il permet aux physiologistes de prévoir dans quel sens l'eau se déplacera dans différentes conditions. Le potentiel hydrique est habituellement mesuré par la pression nécessaire pour arrêter le déplacement de l'eau — c'est la pression hydrostatique (arrêt de l'eau) — dans des conditions particulières. Les unités utilisées pour exprimer cette pression sont le bar et le mégapascal (MPa). Un bar équivaut approximativement à la pression moyenne de l'air au niveau de la mer. Un mégapascal vaut 10 bars. Par convention, le potentiel hydrique de l'eau pure — à la pression atmosphérique et au niveau de la mer pour être précis — est fixé à zéro. Dans les mêmes conditions, le potentiel hydrique d'une solution aqueuse aura donc une valeur négative (inférieure à zéro) parce qu'une concentration du soluté plus élevée induit un potentiel hydrique plus faible.

Deux mécanismes interviennent dans le mouvement de l'eau et des solutés : le courant de masse et la diffusion. Dans les systèmes vivants, le courant de masse (écoulement) est le processus utilisé pour le déplacement de l'eau et des solutés d'une partie à d'autre d'un organisme multicellulaire. Par contre, la diffusion joue un rôle primordial dans l'entrée, la sortie et le transit de nombreux ions et molécules dans les cellules. Un exemple particulier de diffusion — celle de l'eau qui traverse une membrane séparant des solutions de concentrations différentes — est l'osmose.

Le courant de masse est le déplacement global d'un liquide.

Dans le **courant de masse**, les molécules d'un liquide se déplacent ensemble et dans la même direction. Par exemple, l'eau s'écoule vers l'aval en réponse à des différences de potentiel hydrique entre le haut et le bas de la pente. Le sang se déplace dans vos vaisseaux sanguins à cause du potentiel hydrique (la pression sanguine) créé par le pompage assuré par votre cœur. La sève élaborée — solution aqueuse de saccharose et d'autres solutés dans le phloème des plantes — s'écoule des feuilles vers les autres parties de l'organisme végétal.

La diffusion aboutit à une répartition uniforme de la substance.

La diffusion est un phénomène familier. Si l'on répand quelques gouttes de parfum dans un coin d'un local, l'odeur remplira finalement tout le local, même si l'air est calme. Si l'on met quelques gouttes de colorant à une extrémité d'un réservoir d'eau, les molécules du colorant se répartiront lentement de façon uniforme dans tout le réservoir (Figure 4-6). Le phénomène peut prendre un jour ou plus, selon le volume du réservoir, la température et la taille des molécules de colorant.

Pourquoi les molécules de colorant s'écartent-elles ? Si vous pouviez observer les molécules individuelles de colorant, vous verriez que chacune se déplace individuellement et au hasard. Imaginez une mince coupe à travers le réservoir, allant du sommet jusqu'au fond. Des molécules de colorant entreront et sortiront de la coupe, certaines allant dans un sens, les autres dans l'autre. Mais vous verriez un plus grand nombre de molécules de colorant quittant le côté où la

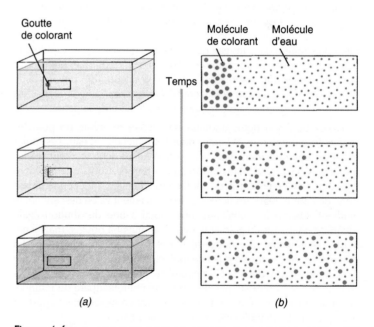

Figure 4-6

Le processus de diffusion, mis en évidence par l'addition d'une goutte de colorant à un réservoir d'eau (au-dessus à gauche). La portion encadrée dans chaque figure en **(a)** est agrandie en **(b)**. La diffusion est le résultat d'un mouvement aléatoire des molécules (ou des ions) individuelles qui provoque un déplacement net de particules d'une région où elles sont plus concentrées vers une région où elles le sont moins. Ce mouvement se fait dans le sens du gradient de concentration. Remarquez que, si les molécules de colorant (rouges) diffusent vers la droite, les molécules d'eau (bleues) diffusent vers la gauche. Le résultat final est une distribution égale des deux types de molécules. Pouvez-vous voir pourquoi le déplacement net des molécules sera plus lent à l'équilibre ?

concentration de colorant est la plus élevée. Pourquoi ? Simplement parce qu'il y a plus de molécules de colorant à cette extrémité du réservoir. Si, par exemple, il y a plus de colorant à gauche, les molécules seront plus nombreuses à se diriger aléatoirement vers la droite, même si toute molécule de colorant, considérée individuellement, a la même probabilité d'aller à droite ou à gauche. Par conséquent, le déplacement *net* (global) des molécules de colorant va de la gauche vers la droite. De même, le déplacement net des molécules d'eau va de la droite vers la gauche.

Que se passe-t-il quand toutes les molécules ont atteint une répartition égale dans l'ensemble du réservoir ? Leur répartition uniforme n'affecte pas le comportement des molécules individuelles ; elles continuent à se déplacer aléatoirement. Mais il y a maintenant autant de molécules de colorant et autant de molécules d'eau d'un côté du réservoir que de l'autre et le mouvement n'a donc plus de direction nette. Le mouvement individuel (agitation thermique) reste cependant exactement le même qu'auparavant, pour autant que la température ne soit pas modifiée.

On dit que les substances qui se déplacent d'une région à forte concentration vers une région moins concentrée *descendent un gradient*, ce qui rappelle un peu l'écoulement sur une pente. Plus fort est le gradient de la pente — plus grande est la différence de concentration — plus rapide est le mouvement net. La diffusion est également plus rapide dans les gaz que dans les liquides et plus rapide aux hautes qu'aux basses températures. Pouvez-vous expliquer pourquoi ? Une substance qui se dirigerait vers une concentration plus forte de ses propres molécules se déplacerait *à l'encontre d'un gradient* : c'est un peu la même chose qu'être poussé vers le haut de la pente.

Notez qu'il y a deux gradients dans votre réservoir, un pour les molécules de colorant et l'autre pour les molécules d'eau. Les molécules de colorant vont dans un sens, celui de leur gradient, et les molécules d'eau vont dans la direction opposée, suivant leur propre gradient. Les deux sortes de molécules circulent indépendamment l'une de l'autre. Dans les deux cas, le mouvement va en descendant le gradient. Quand les molécules ont abouti à une distribution égale (quand il n'y a plus de gradient), elles continuent à bouger, mais il n'y a plus maintenant de mouvement *net* dans aucune direction. En d'autres termes, le *transfert net* de molécules est nul ; on peut dire que le système est arrivé à un état d'**équilibre**. Souvenez-vous que cela ne signifie pas qu'il n'existe pas de mouvement moléculaire ou ionique. Les molécules et les ions de toute sorte sont en mouvement constant et ils passent continuellement d'un endroit à l'autre.

Le concept de potentiel hydrique est également utile pour comprendre la diffusion. La présence d'une forte concentration de molécules de colorant dans une partie du réservoir signifie que la concentration en eau est faible à cet endroit, et que le potentiel hydrique y est donc faible. Si la pression est uniforme dans tout le réservoir, les molécules d'eau, en suivant leur gradient, passent d'une région à potentiel hydrique élevé à une région dont le potentiel hydrique est plus faible. Lorsque l'équilibre est atteint, le potentiel hydrique est égal dans toutes les parties du réservoir.

Le résultat net de la diffusion est la suivante : la substance qui diffuse aboutit finalement à une répartition uniforme. En bref, on peut définir la **diffusion** comme la dispersion des substances provoquée par un déplacement de leurs ions ou de leurs molécules, dispersion qui a tendance à égaliser leurs concentrations dans tout le système. Chaque substance se déplace au hasard et indépendamment des autres.

Les cellules et la diffusion

L'eau, l'oxygène, le dioxyde de carbone et quelques autres molécules simples diffusent librement à travers la membrane plasmique. Le dioxyde de carbone et l'oxygène sont tous deux apolaires, ils sont solubles dans les lipides et traversent facilement la bicouche lipidique. En dépit de leur polarité, les molécules d'eau traversent aussi la membrane sans obstacle, passant apparemment par des ouvertures temporaires qui sont créées par des mouvements spontanés dans les lipides membranaires. À condition d'être suffisamment petites, d'autres molécules polaires non chargées diffusent également par ces ouvertures. La perméabilité de la membrane à ces solutés varie inversement avec la taille des molécules : les ouvertures sont donc petites et la membrane fonctionne à cet égard comme un filtre.

La diffusion est aussi le principal moyen de déplacement des substances à l'intérieur des cellules. Un des principaux facteurs qui limitent la taille des cellules est le fait que celle-ci dépend de la diffusion, processus essentiellement lent, à moins que les distances ne soient très courtes. La diffusion n'est pas efficace pour déplacer des molécules sur de longues distances aux vitesses requises pour les activités cellulaires. Dans beaucoup de cellules, le transport de matériaux est accéléré par des courants cytoplasmiques actifs (voir chapitre 3).

Une diffusion efficace exige un fort **gradient de concentration**, c'est-à-dire une distance courte et une différence de concentration substantielle. (Le gradient de concentration est la différence de concentration d'une substance par unité de distance.) Les cellules maintiennent ces gradients par leurs activités métaboliques. Par exemple, dans une cellule non photosynthétique, l'oxygène est utilisé dans la cellule presqu'aussi rapidement qu'il y entre, ce qui maintient un fort gradient entre l'extérieur et l'intérieur. Inversement, le dioxyde de carbone est produit par la cellule et un gradient se maintient ainsi entre l'intérieur et l'extérieur de la cellule ; le dioxyde de carbone peut diffuser à partir de la cellule en suivant ce gradient. De même, à l'intérieur de la cellule, les molécules ou les ions sont souvent produits à un endroit et utilisés ailleurs. Un gradient de concentration s'établit donc entre deux parties de la cellule et la substance diffuse dans le sens du gradient de l'endroit où il est produit vers l'endroit où il est utilisé.

L'osmose est un cas particulier de diffusion

On dit, d'une membrane qui permet le passage de certaines substances et en arrête d'autres, qu'elle est douée d'une **perméabilité**

Figure 4-7

Direction du mouvement de l'eau dans l'osmose

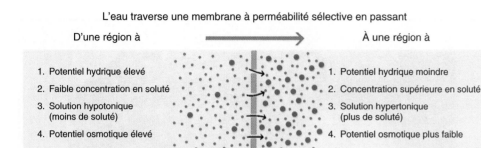

L'eau traverse une membrane à perméabilité sélective en passant

D'une région à	À une région à
1. Potentiel hydrique élevé	1. Potentiel hydrique moindre
2. Faible concentration en soluté	2. Concentration supérieure en soluté
3. Solution hypotonique (moins de soluté)	3. Solution hypertonique (plus de soluté)
4. Potentiel osmotique élevé	4. Potentiel osmotique plus faible

sélective (elle est semi-perméable). Le mouvement des molécules d'eau à travers une telle membrane est un cas particulier de diffusion, l'**osmose**. L'osmose est la conséquence d'un transfert net d'eau d'une solution qui possède un potentiel hydrique élevé (faible concentration en soluté) à une solution dont le potentiel hydrique est plus faible (concentration plus forte en soluté).

La diffusion de l'eau n'est pas affectée par la *nature* de ce qui est dissous dans l'eau, mais seulement par la *quantité* dissoute — c'est-à-dire par la concentration des particules de soluté (molécules ou ions) dans l'eau. Une petite particule de soluté, comme un ion sodium, a la même importance qu'une grosse particule, telle une molécule de sucre.

Si deux ou plusieurs solutions ont le même nombre de particules dissoutes par unité de volume — et donc le même potentiel hydrique — on dit qu'elles sont **isotoniques** (du grec *isos*, « égal », et *tonos*, « tension »). Il n'y a aucun déplacement d'eau à travers une membrane séparant deux solutions isotoniques, à moins, bien sûr, qu'une pression ne soit exercée d'un côté.

Quand on compare des solutions de concentrations différentes, on dit que la solution contenant moins de soluté (dont le potentiel hydrique est donc plus élevé) est **hypotonique**, et celle qui contient moins

de soluté (dont le potentiel hydrique est moindre) est **hypertonique**. (Remarquez que le préfixe hyper signifie « plus » — dans ce cas, plus de particules de soluté, et que le préfixe hypo signifie « moins » — dans ce cas, moins de particules de soluté.) Dans l'osmose, les molécules d'eau diffusent d'un solution hypotonique (ou de l'eau pure) vers une solution hypertonique en passant par une membrane à perméabilité sélective (Figure 4-7).

L'osmose aboutit à la création d'une pression quand l'eau continue à diffuser à travers la membrane vers une région de plus faible concentration en eau. Si l'eau est séparée d'une solution par une membrane qui permet le passage facile de l'eau, mais pas celui du soluté, dans un système semblable à celui qui est représenté à la figure 4-8, elle traversera la membrane et fera monter la solution dans le tube jusqu'à ce qu'un équilibre soit atteint — donc jusqu'à ce que le potentiel hydrique soit le même des deux côtés de la membrane. Si une pression suffisante est appliquée par un piston sur la solution du tube, comme à la figure 4-8c, il est possible d'empêcher le mouvement net d'eau dans le tube. La pression qu'il faudrait appliquer à la solution pour arrêter le mouvement de l'eau est la **pression osmotique**. La tendance de l'eau à traverser une membrane à cause de l'effet des solutés sur le potentiel hydrique s'appelle le **potentiel osmotique** (ou potentiel du soluté, qui est négatif).

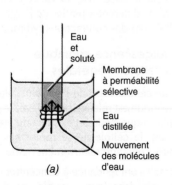
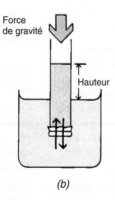
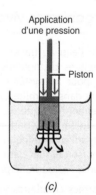

(a)   (b)   (c)

Figure 4-8

Osmose et mesure du potentiel osmotique d'une solution. **(a)** Le tube contient une solution et la cuvette de l'eau distillée. À la base du tube, une membrane à perméabilité sélective permet le passage des molécules d'eau, mais pas celui des particules de soluté. **(b)** La diffusion de l'eau dans la solution augmente son volume et la colonne de liquide s'élève donc dans le tube. Cependant, la pression orientée vers le bas, exercée par la force de gravité qui agit sur la colonne de solution, est proportionnelle à la hauteur de la colonne et à la densité de la solution. Donc, à mesure que la colonne de solution monte dans le tube, la pression vers le bas augmente graduellement jusqu'à devenir suffisante pour contrebalancer la tendance de l'eau à migrer vers la solution. En d'autres termes, le potentiel hydrique devient égal des deux côtés de la membrane. À ce moment, il n'y a plus de déplacement net de l'eau. **(c)** La pression qui doit être appliquée au piston pour forcer la colonne d'eau à redescendre au niveau de l'eau du vase représente une mesure quantitative du potentiel osmotique de la solution — c'est-à-dire de la tendance de l'eau à diffuser dans la solution à travers la membrane.

L'IMBIBITION

Les molécules d'eau sont unies par une très forte cohésion en raison de leur polarité, c'est-à-dire de la différence de charge entre les deux extrémités de la molécule (voir annexe A). De même, cette différence de charge permet aux molécules d'eau de s'attacher (d'adhérer) à des surfaces qui sont chargées soit positivement, soit négativement. Beaucoup de grosses molécules biologiques, comme la cellulose, sont polaires et attirent donc les molécules d'eau. L'adhérence des molécules d'eau est aussi responsable d'un phénomène important en biologie, l'imbibition ou hydratation.

L'imbibition (du latin imbibere, « avaler ») est le mouvement des molécules d'eau dans des matières telles que le bois ou la gélatine, qui gonflent à la suite de l'accumulation des molécules d'eau. Les pressions engendrées par l'imbibition peuvent être étonnamment fortes. On dit que les pierres utilisées pour les pyramides des anciens Egyptiens étaient extraites en introduisant des chevilles en bois dans des trous forés dans la paroi rocheuse, puis en mouillant les chevilles. En gonflant, le bois créait une force qui fendait des plaques de roche. Dans les plantes vivantes, l'imbibition se produit en particulier dans les graines, qui peuvent de cette façon multiplier leur taille d'origine. L'imbibition est essentielle pour la germination des graines (voir chapitre 23).

La germination des graines débute par des modifications de leur enveloppe qui permettent une entrée massive d'eau par imbibition. L'embryon et les structures qui l'entourent gonflent ensuite et font éclater l'enveloppe. Dans le gland de gauche, photographié sur un sol forestier, la racine embryonnaire émerge après l'ouverture des assises externes résistantes du fruit.

Osmose et organismes vivants

Le déplacement de l'eau au travers de la membrane plasmique en réponse aux différences de potentiel osmotique est une cause de sérieux problèmes pour les systèmes vivants, particulièrement pour ceux qui se trouvent dans un milieu aqueux. Ces problèmes diffèrent suivant que le potentiel hydrique de la cellule ou de l'organisme est hypotonique, isotonique ou hypertonique par rapport à son milieu. Par exemple, les organismes unicellulaires qui vivent dans l'eau salée sont habituellement isotoniques par rapport au milieu où ils habitent, ce qui est une façon de résoudre le problème.

Beaucoup de formes cellulaires vivent cependant dans un milieu hypotonique. Chez les organismes unicellulaires d'eau douce, comme *Euglena*, qui est dépourvu de paroi cellulaire, l'intérieur de la cellule est hypertonique par rapport au milieu environnant ; par conséquent, l'eau a tendance à entrer dans la cellule par osmose. Si une quantité d'eau trop importante entrait dans la cellule, elle pourrait rompre la membrane plasmique. Chez l'euglène, cet inconvénient est évité grâce à un organite spécialisé, la vacuole contractile, qui rassemble l'eau à partir de différentes parties de l'organisme et la pompe au delors de la cellule par des contractions rythmiques.

La pression de turgescence contribue à la rigidité des cellules végétales

Quand on place une cellule végétale dans une solution hypotonique dont le potentiel hydrique est relativement élevé, le protoplaste s'élargit, la membrane plasmique s'étire et exerce une pression sur la paroi cellulaire. Cependant, la cellule ne se rompt pas parce qu'elle est retenue par une paroi cellulaire relativement rigide.

Les cellules végétales ont tendance à concentrer des solutions relativement fortes de sels dans leurs vacuoles et elles peuvent aussi accumuler des sucres, des acides organiques et des acides aminés. Par conséquent, ces cellules absorbent l'eau par osmose et renforcent leur pression hydrostatique interne. Cette pression contre la paroi cellulaire rend la cellule turgescente, ou raide. C'est pourquoi la pression hydrostatique des cellules végétales est généralement appelée

Figure 4-9

Plasmolyse dans une cellule d'épiderme foliaire. **(a)** En conditions normales, la membrane plasmique du protoplaste est en contact étroit avec la paroi cellulaire. **(b)** Si la cellule est placée dans une solution de sucre relativement concentrée, l'eau passe de la cellule au milieu hypertonique, le protoplaste se contracte légèrement et la membrane plasmique s'écarte de la paroi. **(c)** Immergée dans une solution sucrée plus concentrée, la cellule perd des quantités d'eau encore plus grandes et le protoplaste se contracte encore plus. Le contenu de la vacuole se concentre d'autant plus que l'eau en sort. L'épaisseur des flèches indique les quantités relatives d'eau qui entrent dans la cellule ou qui la quittent.

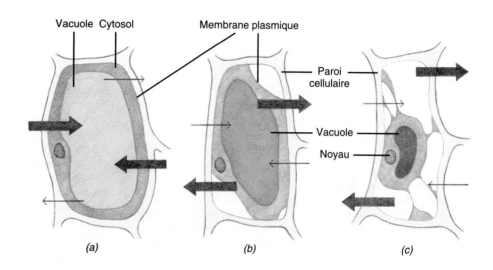

(a) *(b)* *(c)*

pression de turgescence. La **pression de turgescence** est la pression développée dans une cellule végétale par l'osmose et/ou l'imbibition (voir « Imbibition », page 80). À tout moment, la pression mécanique de la paroi cellulaire, ou **pression de paroi**, dirigée vers l'intérieur, est égale et opposée à la pression de turgescence.

La pression de turgescence est particulièrement importante dans la plante pour lui permettre de soutenir les parties non ligneuses de l'organisme. La cellule végétale s'accroît principalement grâce à un apport d'eau, l'augmentation de la taille de la cellule résultant de l'accroissement des vacuoles (page 54). Cependant, pour permettre la croissance de la cellule, il faut que la structure de la paroi se relâche, afin de diminuer la résistance de la paroi à la pression de turgescence (voir chapitre 28).

La turgescence se maintient dans la plupart des cellules végétales parce que celles-ci se trouvent généralement dans un milieu hypoto-

nique. Cependant, si l'on place, dans une solution hypertonique (par exemple une solution sucrée ou salée), un échantillon de tissu végétal dont les cellules sont turgescentes, l'eau quittera la cellule par osmose. La vacuole et le protoplaste vont donc se contracter, entraînant le décollement de la membrane plasmique de la paroi cellulaire (Figure 4-9). Ce phénomène est la **plasmolyse**. Ce processus peut être inversé en replaçant la cellule dans l'eau pure (À cause de la forte perméabilité des membranes à l'eau, la vacuole et le reste du protoplaste sont pratiquement en équilibre pour ce qui concerne le potentiel hydrique.) La figure 4-10 montre des cellules foliaires d'*Elodea* avant et après la plasmolyse. Alors que la membrane plasmique et le tonoplaste, ou membrane vacuolaire ne sont, à quelques exceptions près, perméables qu'à l'eau, les parois cellulaires laissent transiter librement les solutés et l'eau. La perte de turgescence par les cellules végétales peut entraîner le **flétrissement**, ou fanaison, des feuilles et des tiges, ou de votre salade du dîner.

Figure 4-10

Cellules foliaires d'*Elodea*. **(a)** Cellules turgescentes et **(b)** cellules plasmolysées après avoir été placées dans une solution de saccharose relativement concentrée.

 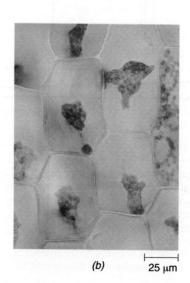

(a) *(b)* 25 μm

Transport des solutés au travers des membranes

Comme on l'a signalé auparavant, les petites molécules non polaires (comme l'oxygène et le dioxyde de carbone) et les petites molécules polaires non chargées (comme l'eau) peuvent pénétrer librement dans la bicouche lipidique des membranes cellulaires par simple diffusion. En fait, l'observation d'une diffusion facile des molécules non polaires à travers la membrane fut la première preuve de sa nature lipidique.

Par contre, la plupart des matières nécessaires à la cellule sont polaires et des **protéines de transport** sont nécessaires pour leur transport à travers les membranes. Chaque protéine de transport est très sélective ; elle peut n'accepter qu'un seul type d'ion (par exemple Ca^{2+} ou K^+) ou de molécule (comme un sucre ou un acide aminé), à l'exclusion d'un autre qui serait pratiquement identique. On a prouvé que toutes les protéines de transport connues sont des protéines transmembranaires à plusieurs domaines intramembranaires (Figure 4-3b). Ces protéines procurent, aux solutés spécifiques qu'elles transportent, une voie de passage continue à travers la membrane, qui évite au soluté tout contact avec l'intérieur hydrophobe de la bicouche lipidique.

Si une molécule n'est pas chargée, son transport à travers de la membrane n'est influencé que par la différence de sa concentration des deux côtés de la membrane (le gradient de concentration). Cependant, si un soluté porte une charge nette, le gradient de concentation et le **gradient électrique** total, ou tension électrique, influencent son transport. Le **gradient électrochimique** d'une substance chargée désigne en même temps le gradient de concentration de la substance et son potentiel de membrane. De même que des différences de potentiel hydrique fournissent la force qui permet à l'eau de se déplacer à travers une membrane, le gradient électrochimique d'une substance chargée, disons K^+, est la source d'énergie qui alimente sa diffusion. Les cellules végétales conservent normalement des gradients électrochimiques identiques entre les deux côtés de la membrane plasmique et du tonoplaste. Le cytosol est négatif par rapport à l'environnement aqueux extérieur à la cellule, de même que par rapport à la solution, ou suc vacuolaire, incluse dans la vacuole.

Le transport de solutés au travers d'une membrane peut être passif ou actif, en fonction de l'énergie exigée par le processus. Le **transport passif** est un processus de diffusion dans lequel la direction du mouvement net est dictée par le gradient de concentration ou, dans le cas des ions, par le gradient électrochimique. Un exemple de transport passif est la **diffusion simple** de petites molécules non polaires à

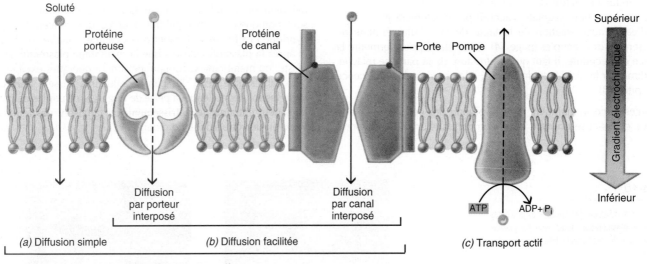

Figure 4-11

Modes de transport à travers la membrane plasmique. **(a)** Dans la diffusion simple, des petites molécules non polaires, comme l'oxygène et le dioxyde de carbone, et les petites molécules polaires non chargées, comme l'eau, traversent directement la bicouche lipidique, en suivant leur gradient de concentration. **(b)** La diffusion facilitée passe par des protéines porteuses ou des protéines de canal. Les protéines porteuses s'unissent au soluté spécifique et subissent des modifications de conforma-tion pendant le transport de la molécule de soluté. Les protéines de canal sélectives permettent à certains solutés — générale-ment des ions comme Na^+ et K^+ — de passer directement par des pores aqueux. Les protéines de canal forment des portes. Quand les portes sont ouvertes, les solutés les traversent mais, si elles sont fermées, le courant de solutés est arrêté. Comme dans la diffusion simple, la diffusion facilitée se fait dans le sens des gradients de concentration ou électrochimique. Ces deux mécanismes de diffusion sont des processus de transport passif qui ne demandent pas d'énergie. **(c)** D'autre part, le transport actif déplace les solutés contre les gradients de concentration ou électrochimique et demande donc un apport d'énergie, qui provient habituellement de l'hydrolyse de l'ATP en ADP et P_i (voir figure 2-24). Les protéines de transport impliquées dans le transport actif sont appelées des pompes.

L'ENREGISTREMENT « PATCH-CLAMP » DANS L'ÉTUDE DES CANAUX IONIQUES

Les membranes des cellules végétales et animales possèdent des protéines de canal qui forment un passage favorisant le déplacement passif des ions. Quand ils sont activés, ces canaux ioniques deviennent perméables aux ions et permettent au soluté de s'écouler à travers la membrane. L'ouverture et la fermeture des canaux ioniques est dénommé « ouverture de porte ».

Le premier argument en faveur d'un système d'ouverture des canaux ioniques a été obtenu par des expériences électrophysiologiques employant des microélectrodes intracellulaires. On ne peut cependant appliquer ces méthodes qu'à des cellules relativement grandes et, par conséquent, les courants (c'est-à-dire les mouvement d'ions) mesurés doivent s'écouler en même temps par de nombreux canaux. De plus, différents types de canaux peuvent être ouverts en même temps. Les cellules végétales posent un autre problème : quand on insère une microélectrode dans le protoplaste, elle traverse presque toujours la membrane plasmique aussi bien que le tonoplaste, de sorte que

les résultats reflètent la participation simultanée des deux membranes.

La technique « patch-clamp » a révolutionné d'étude des canaux ioniques. Cette technique implique l'analyse électrique de très petits fragments de membrane d'un protoplaste nu (sans paroi) ou d'un tonoplaste. De cette façon, il est possible d'identifier un seul canal ionique spécifique dans la membrane et d'étudier le transport des ions par ce canal.

Dans ces expériences, une électrode en verre (micropipette, clamp) dont l'extrémité a un diamètre d'environ 1,0 micromètre est mise en contact avec la membrane. Quand on applique une succion modérée, on assure une fermeture très serrée entre la micropipette et la membrane. Avec ce petit fragment de membrane (patch) toujours attaché au protoplaste intact (a), on peut enregistrer le transport des ions entre le cytoplasme et la solution artificielle qui remplit la micropipette. Si la pipette est détachée du protoplaste, il est possible de ne séparer que le petit fragment de membrane, qui reste intact à l'intérieur de la pointe (b). Avec le

morceau détaché, il est facile de modifier la composition de la solution de l'un ou l'autre côté de la membrane pour tester l'effet de différents solutés sur le fonctionnement du canal.

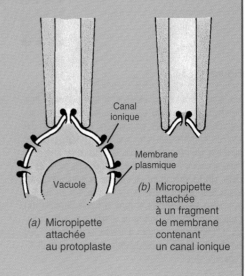

(a) Micropipette attachée au protoplaste

(b) Micropipette attachée à un fragment de membrane contenant un canal ionique

travers la bicouche lipidique (Figure 4-11a). La plupart des transports passifs ont cependant besoin de protéines de transport qui facilitent le passage des ions et molécules polaires à travers la partie interne hydrophobe de la membrane. On parle alors de **diffusion facilitée**. Le soluté diffuse toujours à travers la membrane dans la direction imposée par le gradient de concentration, mais son déplacement à l'intérieur de la membrane est facilité par une protéine de transport.

Deux types de protéines de transport — **protéines porteuses** et **protéines de canal** — permettent le déplacement d'une substance à travers une membrane, mais uniquement en suivant le gradient électrochimique de la substance : ce sont donc des transporteurs passifs (Figure 4-11b). Les protéines porteuses s'unissent à des solutés spécifiques et passent par une série de modifications de conformation afin de transporter le soluté à travers la membrane. Les protéines de canal forment des pores remplis d'eau qui traversent toute la membrane et, quand ils sont ouverts, permettent à des solutés spécifiques (habituellement des ions inorganiques comme Na^+, K^+, Ca^{2+} et Cl^-) de transiter par eux. La conduction des ions par les protéines de canal implique des étapes de liaison transitoires, ou brèves, à l'intérieur du canal. La sélectivité des protéines de canal semble être la conséquence de ces étapes de liaison. Les canaux ioniques ne sont pas continuellement ouverts, ils possèdent des « portes » qui s'ouvrent brièvement, puis se referment : on parle d'« ouverture de portes ».

D'après des arguments récents, il existe des protéines formant des canaux aqueux dans la membrane plasmique de cellules spécialisées chez les animaux, ainsi que dans le tonoplaste et peut-être dans la

membrane plasmique des plantes. Ces protéines de canaux aqueux, ou aquaporines, facilitent le déplacement de l'eau à travers les membranes en excluant le passage des ions et des métabolites.

Les protéines porteuses sont aussi caractérisées par la manière dont elles fonctionnent. Certains porteurs sont des **uniports**, protéines simples qui ne transportent qu'un soluté d'un côté à l'autre de la membrane. Tous les transporteurs intervenant dans la diffusion facilitée et toutes les protéines de canal fonctionnent comme des uniports. D'autres protéines porteuses fonctionnent comme des **systèmes de cotransport** : le transfert d'un soluté dépend du transfert simultané ou séquentiel d'un second soluté. Le second soluté peut être transporté dans la même direction, dans ce cas la protéine porteuse est un **symport**, ou dans la direction opposée, comme dans le cas d'un **antiport** (Figure 4-12).

Ni la diffusion simple, ni la diffusion facilitée ne peuvent de déplacer des solutés *contre* un gradient de concentration ou un gradient électrochimique. Le transport d'une substance contre son gradient électrochimique demande un apport d'énergie : on parle de **transport actif**. Un bon exemple de protéine de transport actif est une **pompe** (Figure 4-11c). Les pompes sont alimentées par une énergie chimique (ATP), électrique ou lumineuse. Dans les cellules de plantes et de champignons, ce sont habituellement des pompes à protons. La pompe à protons est, en fait, une H^+-ATPase liée à une membrane, une enzyme qui utilise l'énergie produite par l'hydrolyse de l'ATP pour transporter des protons (ions H^+) à travers la membrane plasmique contre leur gradient. L'enzyme génère, de part et d'autre de la

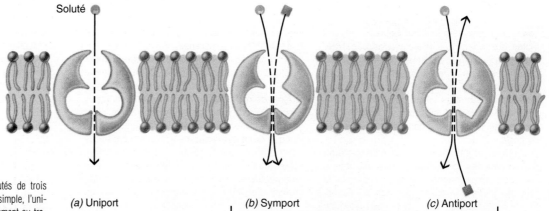

Figure 4-12

Les protéines porteuses transportent les solutés de trois manières différentes. **(a)** Dans le cas le plus simple, l'uniport, un soluté particulier est transporté directement au travers de la membrane dans une direction. Les protéines porteuses qui interviennent dans la diffusion facilitée fonctionnent comme uniporteurs, comme toutes les protéines de canal. **(b)** Le symport est un système de cotransport dans lequel deux solutés différents sont transportés à travers la membrane simultanément et dans la même direction. **(c)** L'antiport est un autre système de cotransport où deux solutés différents sont déplacés à travers la membrane, soit simultanément, soit successivement, mais dans des directions opposées.

(a) Uniport   *(b)* Symport   *(c)* Antiport

Systèmes de cotransport

membrane, un vaste gradient de protons qui fournit l'énergie permettant à tous les systèmes de cotransport couplés aux protons de s'adjoindre le soluté. Le transport du saccharose — forme habituelle de transport de sucre dans la plante — dépend d'un cotransport saccharose-proton (voir page 768). On parle de « transport actif primaire » pour désigner le transport actif des protons contre leur gradient par la pompe à protons. Le second processus, qui est alimenté par le mouvement des protons dans le sens de leur gradient, cotransporte les molécules de saccharose contre leur gradient : on parle d'un « transport actif secondaire » (Figure 4-13). Grâce à ce processus, même des solutés neutres peuvent s'accumuler à des concentrations bien supérieures à celles du milieu extérieur à la cellule, simplement par cotransport avec une molécules chargée — un proton par exemple.

Les trois catégories de protéines de transport déplacent les solutés à des vitesses différentes. Le nombre d'ions ou de molécules en solution transportés par protéine par seconde est relativement faible avec les pompes (moins de 500 par seconde), intermédiaire avec les porteurs (500 à 10.000 par seconde) et plus élevé avec les canaux (de 10.000 à de nombreux millions par seconde).

Figure 4-13

Transport actif primaire et secondaire du saccharose. **(a)** Le transport actif primaire est réalisé quand la pompe à protons (l'enzyme H⁺-ATPase) attire des protons (H⁺) contre leur gradient. Il en résulte un gradient de protons de part et d'autre de la membrane. **(b)** Le gradient de protons fournit l'énergie nécessaire au transport actif secondaire. Alors que les protons s'écoulent passivement suivant leur gradient, les molécules de saccharose sont cotransportées à travers la membrane contre leur gradient. La protéine porteuse est un symporteur saccharose-proton.

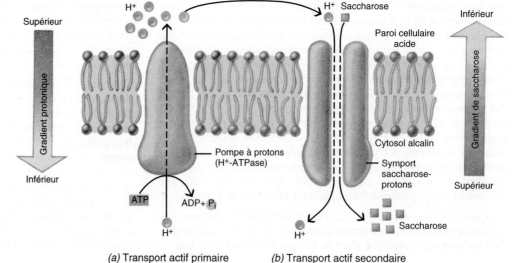

(a) Transport actif primaire   *(b)* Transport actif secondaire

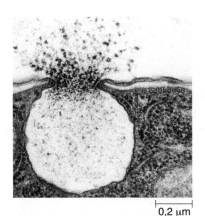

Figure 4-14

Exocytose. Une vésicule sécrétoire, formée par un complexe de Golgi du protiste *Tetrahymena furgasoni*, décharge du mucus à la surface de la cellule. Notez comment la membrane entourant la vésicule et la membrane plasmique ont fusionné.

Transport par vésicules interposées

Les protéines de transport qui font transiter les ions et petites molécules polaires à travers la membrane plasmique ne peuvent recevoir de grosses molécules, comme les protéines ou les polysaccharides, ni de grosses particules, comme les microorganismes ou des fragments de débris cellulaires. Ces grosses molécules et particules sont transportées à l'aide de vésicules ou de structures en forme de saccules qui bourgeonnent à partir de la membrane plasmique ou s'y fusionnent : ce processus est un **transport par vésicules interposées.** Comme nous l'avons vu à la figure 3-23, des vésicules vont du réseau *trans*-Golgi à la surface de la cellule. Les hémicelluloses, pectines et glycoprotéines qui forment la matrice de la paroi cellulaire sont transportées jusqu'aux parois cellulaires en développement dans des vésicules sécrétrices qui fusion-

nent avec la membrane plasmique. Nous avons signalé précédemment que ce processus est une **exocytose** (Figure 4-14). La substance visqueuse qui lubrifie une racine en croissance et favorise sa pénétration dans le sol est un polysaccharide transporté par des vésicules sécrétrices et libéré dans les parois des cellules de la coiffe racinaire par exocytose (voir page 591). L'exocytose ne se limite pas à la sécrétion de substances dérivées des dictyosomes. Les enzymes digestives sécrétées par les plantes carnivores, comme la dionée et le droséra (voir pages 121 et 737), par exemple, sont transportées vers la membrane plasmique dans des vésicules dérivées du réticulum endoplasmique.

Le transport au moyen de vésicules ou de saccules peut également fonctionner dans le sens opposé. Dans l'**endocytose**, le matériel qui doit être introduit dans la cellule induit la formation d'une invagination dans la membrane plasmique et produit une vésicule qui enferme la substance. On connaît trois formes différentes d'endocytose : phagocytose, pinocytose et endocytose par récepteur.

La **phagocytose** (« cellule qui mange ») implique l'ingestion de particules solides relativement volumineuses, comme des bactéries ou des débris cellulaires, par de grandes vésicules dérivées de la membrane plasmique (Figure 4-15a). Beaucoup d'organismes unicellulaires, comme les amibes, se nourrissent de cette façon, de même que les myxomycètes plasmodiaux et cellulaires. Chez les plantes, on trouve un exemple particulier de phagocytose dans les racines de légumineuses qui forment des nodules pendant la libération de *Rhizobium* par les filaments d'infection. Les bactéries sont enveloppées dans des portions de membrane plasmique des poils racinaires (voir page 739).

La **pinocytose** (« cellule qui boit ») implique l'entrée de liquides, à l'exclusion des matières solides (Figure 4-15b). Elle est en principe semblable à la phagocytose. Cependant, contrairement à la phagocytose, qui n'est effectuée que par certaines cellules spécialisées, on

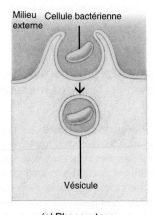

(a) Phagocytose

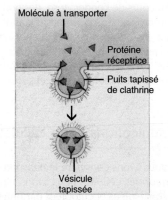

(c) Endocytose par récepteur interposé

(b) Pinocytose

Figure 4-15

Trois types d'endocytose. **(a)** Dans la phagocytose, le contact entre la membrane plasmique et un corpuscule, une cellule bactérienne par exemple, provoque l'extention de la membrane plasmique autour de la particule, qui est englobée dans une vésicule. **(b)** Dans la pinocytose, la membrane plasmique s'invagine et forme une vésicule autour du liquide du milieu externe, qui est ainsi introduit dans la cellule. **(c)** Dans l'endocytose par récepteur interposé, les molécules à introduire dans la cellule doivent d'abord s'unir à des protéines réceptrices spécifiques. Les récepteurs sont localisés dans des régions invaginées de la membrane plasmique appelées puits tapissés, ou ils migrent vers ces régions après leur union aux molécules à transporter. Quand il est rempli par les récepteurs portant leurs molécules particulières, le puits bourgeonne sous forme d'une vésicule tapissée.

pense que la pinocytose existe dans toutes les cellules eucaryotes, les cellules « avalant » continuellement, et sans discrimination, de petites quantités de liquide du milieu environnant.

Dans l'**endocytose par récepteur interposé,** qui fait actuellement l'objet de nombreuses recherches, des protéines membranaires particulières servent de récepteurs pour des molécules spécifiques qui sont transportées dans la cellule (Figure 4-15c). Jusqu'il y a peu, on pensait que l'endocytose par récepteurs était peu fréquente dans les cellules végétales. Les recherches utilisant des protoplastes intacts et des sels de métaux lourds (comme le plomb, qui est visible au microscope électronique) montrent cependant qu'un cycle d'endocytose semblable à celui des cellules animales existe dans les cellules végétales (Figure 4-16).

Ce cycle débute dans des régions spécialisées de la membrane plasmique appelés **puits tapissés,** où sont localisés des récepteurs spécifiques. Les puits tapissés sont des dépressions de la membrane plasmique revêtues, sur leurs faces internes, ou cytoplasmiques, d'une protéine périphérique, la *clathrine* (page 58). La substance qui doit être transportée se fixe aux récepteurs dans un puits tapissé. Peu après (généralement dans les minutes qui suivent), le puits tapissé s'invagine et se libère pour former une vésicule tapissée. Les vésicules ainsi formées contiennent non seulement la substance à transporter, mais aussi les molécules réceptrices : elles possèdent un revêtement externe de clathrine. À l'intérieur de la cellule, les vésicules tapissées perdent leur revêtement, puis elles fusionnent avec une autre structure délimitée par une membrane (par exemple, des dictyosomes ou des petites vacuoles), libérant leur contenu au cours de cette opération. Ainsi qu'on peut le voir à la figure 4-15c, la face de la membrane intérieure d'une vésicule correspond à la face de la membrane plasmique extérieure à la cellule. De même, le côté de la vésicule qui fait face au cytoplasme correspond à la face cytoplasmique de la membrane plasmique.

Comme on l'a fait remarquer au chapitre 3, les nouveaux matériaux nécessaires à l'expansion de la membrane plasmique dans les cellules en croissance sont transportés, tout préparés, dans des vésicules du Golgi. Au cours de l'endocytose, des portions de la membrane plasmique retournent aux dictyosomes. De plus, des arguments récents indiquent que les portions de membranes utilisées pour la formation des vésicules endocytosiques sont ramenées à la membrane plasmique par exocytose. Au cours du processus, les lipides et protéines des membranes, y compris les molécules réceptrices spécifiques, sont recyclés.

Communications entre cellules

Quand nous avons considéré le transport de substances à l'intérieur et à l'extérieur des cellules, nous avons supposé que les cellules individuelles sont isolées et entourées par un environnement aqueux. Dans les organismes multicellulaires, cependant, ce n'est généralement pas le cas. Les cellules sont organisées en **tissus,** ensembles de cellules spécialisées avec des fonctions communes. Les tissus sont eux-mêmes organisés pour former des **organes**, possédant chacun une structure qui correspond à une fonction spécifique.

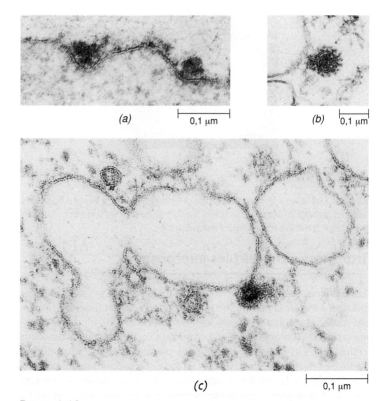

(a) 0,1 µm   *(b)* 0,1 µm

(c) 0,1 µm

Figure 4-16

Endocytose dans des cellules de la coiffe de la racine de maïs (*Zea mays*) qui ont été exposées à une solution contenant du nitrate de plomb. (Les cellules de la coiffe forment une couverture protectrice à la pointe de la racine). **(a)** On peut voir des dépôts granulaires contenant du plomb dans deux puits tapissés. **(b)** Une vésicule tapissée avec dépôts de plomb. **(c)** Ici, une des deux vésicules tapissées a fusionné avec une grande vésicule de Golgi, où elle a libéré son contenu. Cette vésicule tapissée (structure foncée) contient encore des dépôts de plomb, mais paraît avoir perdu son enveloppe, qui se trouve juste à sa droite. La vésicule tapissée qui se trouve à sa gauche est visiblement intacte.

La transduction des signaux est le processus par lequel les cellules communiquent en utilisant des messagers chimiques

Comme on peut l'imaginer, le succès de l'existence des organismes multicellulaires repose sur la possibilité de communication entre les cellules individuelles ; les cellules peuvent ainsi collaborer pour créer des tissus et des organes harmonieux et, finalement, un organisme qui fonctionne convenablement. Cette communication s'effectue, pour une grande part, à l'aide de **signaux** chimiques — c'est-à-dire par des substances qui sont synthétisées dans une cellule, qui en sortent ensuite et transitent vers une autre cellule. Chez les plantes, les signaux chimiques sont principalement représentés par les hormones, messagers chimiques habituellement produits par un type de cellule ou un tissu afin de contrôler le fonctionnement de cellules ou de tissus situés ailleurs dans l'organisme (voir chapitre 28). Les molécules signaux doivent être suffisamment petites pour traverser facilement la paroi cellulaire.

La membrane plasmique joue un rôle fondamental dans la reconnaissance des signaux. Quand les molécules signaux atteignent la membrane plasmique de la **cellule cible**, elles peuvent être transportées à l'intérieur par un des mécanismes d'endocytose que nous avons envisagés. Elles peuvent aussi rester à l'extérieur de la cellule, mais s'unir à des **récepteurs** spécifiques situés à la face externe de la membrane. Dans la plupart des cas, les récepteurs sont des protéines transmembranaires qui sont activées quand elles s'unissent à une molécule signal (le messager primaire) et induisent des signaux secondaires, ou **messagers secondaires**, du côté interne. Les messagers secondaires, dont la concentration augmente à l'intérieur de la cellule en réponse au signal, transmettent celui-ci en modifiant le comportement de protéines cellulaires sélectionnées, déclenchant par là même des modifications chimiques dans la cellule. Ce processus, au cours duquel une cellule transforme un signal extracellulaire en une réponse, est la **transduction d'un signal**. Deux des messagers secondaires les plus fréquemment utilisés sont les ions calcium et, chez les animaux et les champignons, l'AMP cyclique (l'adénosine monophosphate cyclique, qui est une molécule dérivée de l'ATP).

On peut diviser en trois étapes le chemin suivi par la transduction des signaux : **réception, transduction** et **induction** (Figure 4-17). La liaison des hormones (ou de tout autre signal chimique) à son récepteur spécifique représente l'étape de la réception. Au cours de l'étape de transduction, le messager secondaire, capable d'amplifier le stimulus et de déclencher la réponse cellulaire, est produit ou libéré dans le cytosol. On a identifié le rôle de l'ion calcium, Ca^{2+} comme messager secondaire dans de nombreuses réponses chez les plantes. L'union d'une hormone à son récepteur spécifique déclenche la libération, dans le cytosol, des ions Ca^{2+} stockés dans la vacuole. Les ions Ca^{2+} pénètrent dans le cytosol à travers des canaux spécialisés du tonoplaste. Dans certaines cellules végétales, les ions stockés dans la lumière du réticulum endoplasmique peuvent aussi intervenir (page 56). Les ions Ca^{2+} se combinent ensuite à la calmoduline, la principale protéine fixant le calcium dans les cellules végétales. Le complexe Ca^{2+}-calmoduline influence ou induit de nombreux processus cellulaires, généralement par l'activation d'enzymes appropriées.

Les plasmodesmes permettent aux cellules de communiquer

Les **plasmodesmes**, minces trabécules de cytoplasme qui relient les protoplastes de cellules végétales voisines, sont aussi des voies de communication importantes entre les cellules. Etant intimement interconnectés par les plasmodesmes, tous les protoplastes de l'organisme végétal, avec leurs plasmodesmes, forment un continuum appelé **symplaste**. En conséquence, on parle de **transport symplastique** pour désigner le déplacement de substances de cellule à cellule par la voie des plasmodesmes. Par opposition, on parle de **transport apoplastique** pour le déplacement de substances dans le continuum formé par les parois cellulaires, ou **apoplaste**.

Comme on l'a signalé au chapitre 3, le plasmodesme est habituellement traversé par un trabécule tubulaire de réticulum endoplasmique, le *desmotubule*, qui est en continuité avec le réticulum endoplasmique des cellules contiguës. Le desmotubule ne ressemble cependant pas au réticulum endoplasmique voisin. Son diamètre est beaucoup moindre et il contient une structure centrale en bâtonnet. L'interprétation à donner au bâtonnet central a été l'objet de nombreuses controverses, mais la plupart des chercheurs pensent aujourd'hui qu'il représente l'endroit où se réunissent les portions internes des bicouches étroitement appliquées du réticulum endoplasmique qui forme le desmotubule (Figure 4-18). Si cette interprétation est correcte, le desmotubule est dépourvu de lumière, ou d'ouverture, et tout transport par le plasmodesme devrait être limité au canal cytoplasmique entourant le desmotubule. Ce canal, ou **manchon cytoplasmique**, paraît subdivisé en plusieurs canaux étroits par des structures en forme de rayons reliant le desmotubule à la membrane endoplasmique tapissant le manchon cytoplasmique. Il est intéressant de noter que ces étroits canaux ont à peu près le même diamètre que les jonctions lacunaires, ouvertures qui constituent des liaisons entre cellules animales contiguës.

Les plasmodesmes représentent apparemment un accès plus efficace entre cellules voisines que la route alternative, moins directe, qui traverse la membrane plasmique, la paroi cellulaire et la membrane

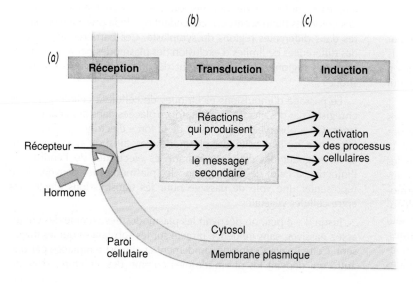

Figure 4-17

Modèle général d'un mode de transduction des signaux. **(a)** Réception. Une hormone (ou un autre signal chimique) s'unit à un récepteur spécifique de la membrane plasmique. **(b)** Transduction. Le récepteur stimule maintenant la production, par la cellule, d'un messager secondaire. **(c)** Induction. Le messager secondaire pénètre dans le cytosol et active des mécanismes cellulaires. Dans d'autres cas, les signaux chimiques pénètrent dans la cellule et s'unissent, à l'intérieur, à des récepteurs spécifiques.

Figure 4-18

Plasmodesmes dans les parois cellulaires de feuille de canne à sucre (*Saccharum*). Micrographies au microcosme électronique montrant **(a)** une vue longitudinale des plasmodesmes et **(b)** des plasmodesmes en coupe transversale. Remarquez que le réticulum endoplasmique est connecté au desmotubule, qui contient un bâtonnet central, apparemment formé par la réunion des portions internes des bicouches du RE. Le canal cytoplasmique entourant le desmotubule est le manchon cytoplasmique des plasmodesmes. Notez la structure radiaire des manchons cytoplasmiques en **(b)**.

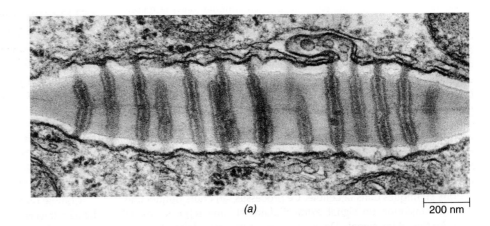

(a)

⊢ 200 nm

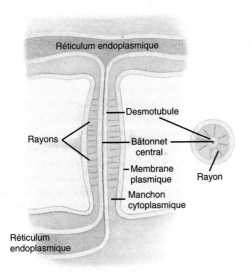

Réticulum endoplasmique

Desmotubule

Rayons

Bâtonnet central

Membrane plasmique

Rayon

Manchon cytoplasmique

Réticulum endoplasmique

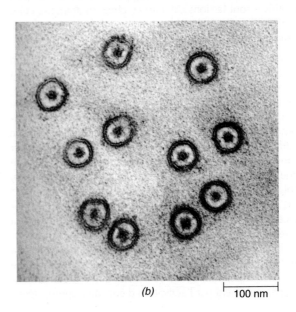

(b)

⊢ 100 nm

plasmique voisine. On pense que les cellules et les tissus qui sont très éloignés des sources directes de nutriments peuvent être alimentées soit par simple diffusion, soit par un courant de masse qui passe par les plasmodesmes. En outre, comme nous le verrons au chapitre 31, on pense que certaines substances passent par les plasmodesmes à destination ou en provenance du xylème et du phloème, tissus qui interviennent dans les transports à longue distance dans la plante.

Les preuves d'un transport entre cellules via les plasmodesmes découlent de recherches utilisant des colorants fluorescents ou des courants électriques. Les colorants ne traversent pas facilement la membrane plasmique, mais on peut observer leur passage depuis les cellules où elles ont été injectées jusqu'aux cellules voisines et au-delà (Figure 4-19). Ces travaux ont montré que la plupart des plasmodesmes peuvent laisser passer des molécules dont le poids moléculaire atteint de 800 à 1.000 daltons (un dalton est le poids d'un seul atome d'hydrogène). La taille effective des pores des plasmodesmes, ou *limite d'exclusion*, permet donc le libre passage, par ces connexions intercellulaires, de petits solutés, comme les sucres, acides

aminés et molécules de transmission. Des travaux mettant en œuvre des colorants fluorescents ont cependant révélé la présence de barrières dans différentes régions du symplaste. Ces barrières sont dues à des différences de limites d'exclusion des plasmodesmes à la limite de certaines régions. Ces régions sont dénommées *domaines symplastiques*.

Le passage d'impulsions électriques de cellule à cellule peut être enregistré par des électrodes réceptrices placées dans des cellules voisines. On a observé que le niveau de la force électrique varie avec la fréquence, ou la densité, des plasmodesmes, ainsi qu'avec le nombre et la longueur des cellules séparant les électrodes de l'endroit de l'injection à celui de la réception : les plasmodesmes peuvent donc représenter une voie de passage pour les transmissions électriques entre cellules végétales

Jusqu'il y a peu, on décrivait les plasmodesmes comme des entités assez passives, sans influence directe sur les substances qui les traversent. Cette image s'estompe rapidement et elle est remplacée par une autre qui dépeint les plasmodesmes comme des structures dynami-

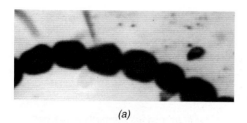
(a)

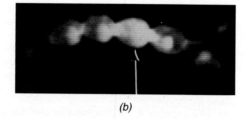
(b)

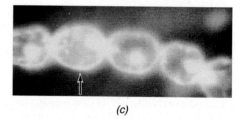
(c)

Figure 4-19

Déplacements à travers les plasmodesmes. **(a)** Poil staminal de *Setcreasea purpurea* avant l'injection d'un colorant fluorescent (fluorescéine disodique). **(b)**, **(c)** Deux et cinq minutes après l'injection du colorant dans la cellule marquée d'une flèche. Remarquez que le colorant est passé, dans les deux sens, dans le cytoplasme des cellules voisines. La membrane plasmique étant imperméable au colorant, celui-ci doit s'être déplacé de cellule en cellule via les plasmodesmes reliant les cellules contiguës.

ques capables de contrôler, à différents degrés, le mouvement intercellulaire des petites molécules. En outre, des travaux récents indiquent que certains plasmodesmes ont la capacité de transporter des macromolécules, comme des protéines et des acides nucléiques, grâce à un mécanisme actif demandant de l'énergie et qu'ils jouent donc un rôle primordial dans la coordination de la croissance et du développement de la plante. On sait depuis longtemps que les virus végétaux, dont la taille dépasse de beaucoup les limites d'exclusion habituelles des plasmodesmes, répandent l'infection en migrant de cellule en cellule par les plasmodesmes. On a montré que ces virus produisent des « protéines de mouvement » spécifiques qui augmentent énormément la limite d'exclusion ou altèrent d'une autre façon la structure des plasmodesmes.

L'entrée et la sortie de matériaux par les plasmodesmes, par les protéines transmembranaires, par endocytose et exocytose, semblent à première vue être trois mécanismes assez différents. Ils sont cependant fondamentalement semblables, en ce sens que tous dépendent de la structure tridimensionnelle précise de molécules protéiques spécifiques très diverses. Ces molécules protéiques ne forment pas seulement des canaux par où le transport est possible, mais elles donnent aussi à la membrane plasmique la capacité de « reconnaître » des molécules particulières. Cette capacité est le résultat de milliards d'années d'un processus évolutif qui a débuté, pour autant que nous puissions le savoir, avec la formation de ce premier film fragile autour de quelques molécules organiques.

RÉSUMÉ

La membrane plasmique contrôle l'entrée et la sortie des matériaux de la cellule, fonction qui permet à celle-ci de conserver son intégrité structurale et fonctionnelle. Cette régulation repose sur une interaction entre la membrane et les matériaux qui la traversent.

Les membranes sont formées d'une bicouche lipidique et de protéines

Selon le modèle de la mosaïque fluide, la membrane plasmique et les autres membranes cellulaires sont composées de bicouches lipidiques dans lesquelles sont enrobées des protéines. Dans les cellules végétales, les principaux types de lipides sont les phospholipides (les plus abondants) et les stérols. Diverses protéines membranaires remplissent des fonctions variées ; certaines sont des enzymes, d'autres sont des récepteurs et d'autres encore sont des protéines de transport. Les deux faces d'une membrane ont des compositions chimiques très différentes. La face externe de la membrane plasmique est caractérisée par de courtes chaînes glucidiques qui sont supposées jouer un rôle important dans la « reconnaissance » des molécules qui interagissent avec la cellule.

L'eau se déplace suivant un gradient de potentiel hydrique

L'eau est une des principales substances entrant et sortant des cellules. Le potentiel hydrique détermine la direction suivie par l'eau : l'eau se déplace des régions à potentiel hydrique élevé (faible concentration en solutés) vers les régions à potentiel hydrique plus faible (haute concentration en solutés), à condition que la pression soit égale dans les deux régions.

Le mouvement de l'eau s'effectue par courant de masse et par diffusion

Le courant de masse est le mouvement généralisé des molécules d'eau, comme lorsque l'eau s'écoule sur une pente ou se déplace en réponse à la pression. La diffusion implique un déplacement indépendant des molécules et aboutit à un déplacement net suivant un gradient. La diffusion est plus efficace lorsqu'elle se fait sur une faible distance et lorsque le gradient de concentration est fort. Grâce à leurs activités métaboliques, les cellules maintiennent de forts gradients de concentration pour plusieurs substances entre les deux faces de la membrane plasmique et entre les différents compartiments du cytoplasme. La vitesse du déplacement des substances à l'intérieur des cellules est accrue par les courants cytoplasmiques. Le dioxyde de carbone et l'oxygène sont deux molécules importantes qui entrent et sortent des cellules par diffusion à travers la membrane.

L'osmose est un cas particulier de diffusion

L'osmose est la diffusion de l'eau à travers une membrane à perméabilité sélective — membrane qui permet le passage de l'eau, mais s'oppose à celui des solutés. En l'absence d'autres forces, l'eau se déplace par osmose d'une région à plus faible concentration en solutés (un milieu hypotonique), et donc à potentiel hydrique élevé, vers une région à plus forte concentration en solutés (un milieu hypertonique) et, par là même, à potentiel osmotique plus faible. La turgescence (rigidité) des cellules végétales est une conséquence de l'osmose et de l'existence d'une paroi cellulaire résistante, mais un peu élastique.

Les petites molécules traversent les membranes par diffusion simple, diffusion facilitée ou transport actif

La diffusion simple, comme la diffusion facilitée (diffusion assistée par des protéines porteuses ou de canal) sont des processus de transport passif. Si le transport demande une dépense d'énergie de la part de la cellule, on parle de transport actif. Le transport actif peut déplacer des substances contre le gradient de concentration ou le gradient électrochimique. Ce processus demande l'intervention de protéines de transport, ou pompes. Dans les cellules des plantes et des champignons, une pompe importante est une H^+-ATPase unie à la membrane.

Les grosses molécules et les particules traversent les membranes grâce à un transport par vésicules interposées

L'entrée contrôlée des grosses molécules dans la cellule, de même que leur sortie, s'effectuent aussi par endocytose et exocytose, processus au cours desquels les substances sont transportées dans des vésicules. On connaît trois formes d'endocytose. Dans la phagocytose, les particules solides sont introduites dans la cellule ; la pinocytose introduit des liquides ; dans l'endocytose par récepteur interposé, les molécules et les ions qui doivent être transportés dans la cellule sont fixés à des récepteurs spécifiques de la membrane plasmique. Au cours de l'exocytose et de l'endocytose, des portions de membranes sont recyclées dans les dictyosomes et dans la membrane plasmique.

La transduction des signaux est le processus permettant aux cellules de communiquer en utilisant des messagers chimiques

Dans les organismes multicellulaires, la communication entre les cellules est essentielle pour la coordination des différentes activités des cellules dans les divers tissus et organes. Cette communication repose en grande partie sur des signaux chimiques qui traversent la membrane plasmique ou interagissent avec des récepteurs localisés sur cette membrane. La plupart des récepteurs sont des protéines transmembranaires qui sont activées par leur union à une molécule signal et qui produisent un messager secondaire à l'intérieur de la cellule. Les messagers secondaires, à leur tour, amplifient le stimulus et déclenchent la réponse de la cellule. Pour désigner ce mécanisme, on parle de transduction des signaux.

Les plasmodesmes permettent aux cellules de communiquer

Les plasmodesmes aussi sont d'importantes voies de communication entre cellules. Tous les protoplastes, avec leurs plasmodesmes, constituent un continuum appelé symplaste. L'apoplaste est l'ensemble des parois cellulaires entourant le symplaste. Les plasmodesmes ont d'abord été considérés comme des entités plutôt passives permettant le passage des ions et petites molécules par diffusion simple ou écoulement de masse ; on sait maintenant que ce sont des structures dynamiques capables de contrôler les déplacements intercellulaires de molécules de taille diverse.

MOTS CLÉS

QUESTIONS

1. Quelle est la valeur, pour les physiologiste végétaux, du concept de potentiel hydrique ?

2. Faites la distinction entre une substance qui se déplace suivant un gradient de concentration et une substance qui se déplace contre ce gradient.

3. En termes de concentration des solutés et de potentiel hydrique, faites la distinction entre solutions isotoniques, hypotoniques et hypertoniques.

4. À la fin des guerres puniques, lorsque les Romains détruisirent la ville de Carthage (en 146 av. J.-C.), on croit qu'ils ont semé du sel sur le sol et qu'ils l'ont enfoui par labour. Expliquez, en utilisant les processus physiologiques dont il a été question dans ce chapitre, pourquoi cette action rendrait le sol stérile pour la plupart des plantes et pendant de nombreuses années.

5. Qu'entend-on par transport par vésicules interposées et quelles sont les différences entre endocytose et exocytose ?

6. Quelles sont les différences entre phagocytose et endocytose par récepteur interposé ?

7. Après le dégel printanier et les averses d'avril, les propriétaires trouvent souvent de l'eau qui remonte dans le drain des fondations parce que le tuyau de l'égout est obstrué par des racines. En vous servant des informations que vous avez trouvées dans ce chapitre, expliquez pourquoi les racines entrent dans le tuyau d'évacuation.

8. Le transport actif secondaire est important chez les plantes parce qu'il permet à une cellule d'accumuler des solutés, même neutres, à des concentrations beaucoup plus élevées que celles qui prévalent à l'extérieur de la cellule. En vous servant de termes comme pompe à protons (H^+-ATPase), gradient de protons, cotransport couplé aux protons, cotransport saccharose-protons, transport actif primaire et transport actif secondaire, expliquez comment fonctionne ce système.

9. Expliquez, en termes généraux, ce qui se passe à chaque étape — réception, transduction et induction — de la voie de transduction du signal.

10. Les virus sont trop volumineux pour traverser les parois cellulaires des plantes et pourtant, certains virus se répandent parmi les cellules saines avec une facilité relative. Comment est-ce possible ?

TABLEAU RÉSUMÉ

Le mouvement des substances à travers les membranes

DÉPLACEMENT DES IONS ET PETITES MOLÉCULES					
NOM DU PROCESSUS	DÉPLACEMENT SUIVANT OU CONTRE UN GRADIENT	PROTÉINES DE TRANSPORT NÉCESSAIRES ?	SOURCES D'ÉNERGIE NÉCESSAIRES ?	SUBSTANCES DÉPLACÉES	COMMENTAIRES
Transport passif					
Diffusion simple	suivant	non	non	Petites molécules non polaires (O_2, CO_2 et autres)	La diffusion est le déplacement net d'une substance suivant son gradient de concentration.
Osmose (cas particulier de diffusion simple)	suivant	non	non	H_2O	L'osmose est la diffusion de l'eau à travers une membrane à perméabilité sélective.
Diffusion facilitée	suivant	oui	non	Molécules polaires et ions	Les protéines porteuses subissent des modifications de conformation pour transporter un soluté spécifique. Les protéines de canal forment des pores aqueux pour des ions spécifiques.
Transport actif	contre	oui	oui	Molécules polaires et ions	Implique souvent des pompes à protons. Permet aux cellules d'accumuler ou d'expulser des solutés à haute concentration.

MOUVEMENT DE GROSSES MOLÉCULES ET PARTICULES (TRANSPORT PAR VÉSICULES INTERPOSÉES)		
NOM DU PROCESSUS	FONCTION DE BASE	EXEMPLES ET COMMENTAIRES
Exocytose	Libération de matériaux	Sécrétion de polysaccharides de la matrice de la paroi cellulaire ; sécrétion d'enzymes digestives par les plantes carnivores.
Endocytose	Introduction de matériaux dans la cellule	
Phagocytose	Ingestion de matières solides	Ingestion de bactéries, de débris cellulaires.
Pinocytose	Introduction de liquides	Incorporation de liquide à partir de l'environnement.
Endocytose par récepteurs interposés	Introduction de molécules spécifiques	Les molécules s'unissent à des récepteurs spécifiques dans des puits tapissés de clathrine, qui s'invaginent ensuite pour former, dans la cellule, des vésicules tapissées.

Section 2
L'ÉNERGÉTIQUE

Mésange dégustant les graines d'un capitule desséché de tournesol en hiver. Au cours de l'été précédent, les feuilles, vertes à l'époque, ont capté l'énergie solaire et l'ont transformée en énergie chimique, emmagasinée dans le sucre et dans d'autres molécules organiques. Une grande partie du sucre a été transportée dans les inflorescences en développement, où il s'est transformé en d'autres molécules de réserve riches en énergie, grâce aux graines en développement. Chacune des nombreuses fleurs de l'inflorescence produit une seule graine. Les mésanges et d'autres animaux consomment ces graines et d'autres parties de la plante où ils trouvent le combustible indispensable à la poursuite de leurs processus vitaux.

Le flux d'énergie 5

SOMMAIRE

L'énergie est la capacité d'accomplir un travail ; dans ce chapitre, nous examinerons le travail produit dans le cadre de la cellule. Les cellules effectuent divers types de travaux : synthèse de molécules, déplacement des organites et des chromosomes d'un endroit à un autre, transport de substances à travers les membranes. Toutes ces activités exigent de l'énergie, et la cellule doit pouvoir trouver l'énergie et l'utiliser de différentes façons.

Comment les cellules font-elles pour utiliser les quantités adéquates d'énergie ? Deux facteurs clés interviennent. En premier lieu, presque toutes les réactions chimiques, dans une cellule, ont besoin de l'intervention d'une enzyme. Les enzymes sont des protéines spécifiques qui permettent aux réactions de se dérouler avec de faibles consommations d'énergie seulement. Sans enzymes, les cellules ne pourraient fonctionner parce que les réactions chimiques seraient trop lentes et demanderaient un apport d'énergie tel que la cellule en souffrirait.

Un second facteur clé est l'ATP, la « monnaie énergétique » de la cellule. Nous verrons que l'énergie libérée au cours de certains types de réactions chimiques peut être stockée dans des molécules d'ATP, molécules qui peuvent ensuite restituer cette énergie pour actionner d'autres réactions. Dans une cellule, les différents types de réactions — qui ont toutes besoin d'une enzyme spécifique — se déroulent à la suite l'une de l'autre, dans des voies métaboliques qui canalisent le flux d'énergie.

POINTS DE REPÈRE

Quand vous terminerez la lecture de ce chapitre, vous devriez pouvoir répondre aux questions suivantes :

- *Quelles sont les première et deuxième lois de la thermodynamique et quel est leur rapport avec les organismes vivants ?*
- *Pourquoi les réactions d'oxydo-réduction sont-elles si importantes en biologie ?*
- *Comment les enzymes catalysent-elles les réactions chimiques ? Citez des facteurs pouvant influencer l'activité enzymatique.*
- *Comment la rétroinhibition contrôle-t-elle les activités cellulaires ?*
- *En quoi consistent les réactions couplées et comment l'ATP intervient-il comme intermédiaire entre les réactions exergoniques et endergoniques ?*

La vie sur la terre est alimentée par le soleil. Presque tous les processus essentiels à la vie dépendent d'un flux constant d'énergie qui vient du soleil. Une énorme quantité d'énergie solaire — estimée à 13×10^{23} calories par an — atteint la terre. Environ 30 % de cette énergie solaire est immédiatement réfléchie vers l'espace sous forme de lumière, exactement comme la lumière est réfléchie par la lune. Environ 20 % est absorbée par l'atmosphère terrestre. La plus grande partie des 50 % restants est absorbée par la terre elle-même et transformée en chaleur. Une partie de l'énergie calorique absorbée sert à l'évaporation des eaux des océans et à la formation des nuages qui, à leur tour, donnent la pluie et la neige. L'énergie solaire, combinée à d'autres facteurs, est aussi responsable des mouvements de l'air et de l'eau qui participent à l'établissement des différents types de climat sur toute la surface terrestre.

Moins d'un pourcent de l'énergie solaire atteignant la terre est captée par les cellules des plantes et des autres organismes photosynthétiques dont dépend le fonctionnement de pratiquement tous les processus de la vie. Les systèmes vivants font passer l'énergie d'une forme à une autre, en transformant l'énergie du rayonnement solaire en énergie chimique, électrique et mécanique utilisée par les organismes vivants (Figure 5-1).

Ce flux d'énergie est l'essence de la vie. On peut, jusqu'à un certain point, considérer l'évolution comme une compétition entre les organismes en vue de l'utilisation la plus efficace des ressources énergétiques. La meilleure représentation de la cellule est un système complexe de transformation de l'énergie. À l'autre bout de l'échelle biologique, la structure d'un écosystème (c'est-à-dire tous les organismes vivants d'un territoire déterminé en compagnie des facteurs non vivants avec lesquels ils interagissent) ou de la biosphère elle-même, est déterminée par les échanges d'énergie qui se produisent entre les groupes d'organismes qui s'y trouvent.

Dans ce chapitre, nous examinerons d'abord les principes généraux qui gouvernent toutes les transformations d'énergie. Nous nous tournerons ensuite vers les voies caractéristiques qui permettent aux cellules de contrôler les transformations d'énergie survenant à l'intérieur des systèmes vivants. Dans les chapitres suivants, on examinera les processus principaux et complémentaires du flux d'énergie à travers la biosphère — la glycolyse et la respiration au chapitre 6 et la photosynthèse au chapitre 7.

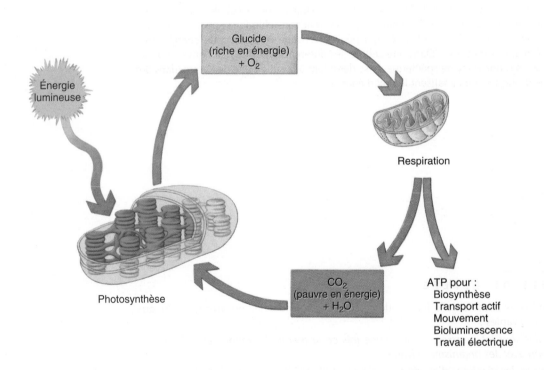

Figure 5-1

Exemple de flux d'énergie biologique. L'énergie rayonnée par le soleil est produite par des réactions de fusion nucléaire. Les chloroplastes, présents dans toutes les cellules eucaryotes photosynthétiques, captent l'énergie de la lumière solaire et l'utilisent pour transformer l'eau et le dioxyde de carbone en glucides, comme le glucose, le saccharose ou l'amidon. L'oxygène est libéré dans l'air comme produit des réactions photosynthétiques. Les mitochondries, présentes dans les cellules eucaryotes, sont responsables des étapes finales de la dégradation de ces glucides et capturent l'énergie pour la stocker dans des molécules d'ATP. Ce processus, ou respiration cellulaire, consomme de l'oxygène et produit du dioxyde de carbone et de l'eau, ce qui complète le cycle moléculaire. À chaque transformation, une partie de l'énergie est dissipée dans l'environnement sous forme de chaleur. Le flux d'énergie qui traverse la biosphère est donc à sens unique. Il ne peut se poursuivre que tant qu'il existe un apport d'énergie à partir du soleil.

Les lois de la thermodynamique

Énergie est un concept difficile à saisir. À l'heure actuelle, on la définit généralement comme la capacité de fournir un travail. Jusqu'il y a 200 ans environ, la chaleur — la forme d'énergie la plus facile à étudier — était considérée comme une substance distincte, bien que dépourvue de poids, dénommée « calorique ». Un objet était chaud ou froid suivant la quantité de calorique qu'il contenait ; quand un objet froid était placé près d'un chaud, le calorique passait de l'objet chaud au froid ; si l'on frappait le métal avec un marteau, il s'échauffait parce que le calorique était poussé vers la surface. Bien que l'idée d'une substance calorique se soit montrée inexacte, cette conception s'est montrée étonnamment utile.

Le développement de la machine à vapeur, à la fin du XVIIIe siècle, a influencé, plus que toute autre série d'événements, notre conception scientifique de la nature de l'énergie. On a associé l'énergie au travail, et la chaleur et le mouvement ont été considérés comme des formes d'énergie. Cette nouvelle interprétation a conduit à l'étude de la **thermodynamique** — la science des transformations de l'énergie — et à la formulation de ses lois.

La première loi stipule que l'énergie totale de l'univers est constante

La **première loi de la thermodynamique** énonce, simplement, qu'*on peut changer la forme de l'énergie, mais qu'on ne peut ni la créer ni la détruire*. Dans les moteurs, par exemple, l'énergie chimique (du charbon ou de l'essence) est transformée en chaleur, ou énergie thermique, qui est partiellement transformée en mouvements mécaniques (énergie cinétique). Une partie de l'énergie est à nouveau transformée en chaleur par la friction liée à ces mouvements et une autre quitte le moteur sous forme de produits d'échappement. À la différence de la chaleur du moteur ou de la chaudière, la chaleur produite par friction et éliminée dans l'échappement ne peut produire un « travail » — c'est-à-dire qu'elle ne peut faire tourner l'appareil — parce qu'elle se dissipe dans l'environnement. Mais elle fait pourtant partie de l'équation. En fait, les ingénieurs calculent que la majeure partie de l'énergie consommée par un moteur est dissipée sous forme de chaleur ; la plupart des moteurs travaillent avec une efficacité inférieure à 25 %.

La notion d'**énergie potentielle** s'est développée au cours des travaux sur l'efficacité des moteurs. On peut attribuer à un baril de pétrole ou à une tonne de charbon une certaine quantité d'énergie potentielle, exprimée par la quantité de chaleur qui pourrait être libérée par leur combustion. L'efficacité de la transformation de l'énergie potentielle en énergie utilisable dépend du type de système utilisé pour la conversion de l'énergie.

Bien que ces concepts aient été formulés à propos des moteurs actionnés par l'énergie thermique, ils s'appliquent de la même manière à d'autres systèmes. Un rocher poussé au sommet d'une pente possède, par exemple, une énergie potentielle. Si on lui applique une légère poussée (l'énergie d'activation), il redescend la pente, transformant l'énergie potentielle en énergie cinétique et en chaleur produite par friction. Comme on l'a signalé pécédemment, l'eau peut aussi posséder une énergie potentielle (page 76). Quand elle se déplace en s'écoulant du haut d'une chute ou par-dessus une digue, elle peut faire tourner une roue à aubes qui actionne une machine, pour moudre le maïs par exemple. Dans ce système, l'énergie potentielle de l'eau est donc transformée en énergie cinétique dans les roues et les transmissions, et en chaleur, provenant du déplacement de l'eau elle-même et de la rotation des appareils.

La lumière est une autre forme d'énergie, de même que l'électricité. La lumière peut être transformée en énergie électrique et l'énergie électrique peut être transformée en lumière (en la faisant passer par le fil de tungstène d'une ampoule par exemple).

La première loi de la thermodynamique peut être complétée comme suit : *Dans tous les échanges et conversions d'énergie, l'énergie totale du système et de son environnement à l'état final est la même que l'énergie totale présente initialement.* On peut définir un « système » comme une entité clairement définie — par exemple un bâton de dynamite qui explose, un moteur d'automobile au repos, une mitochondrie, une cellule vivante, un arbre, une forêt ou la terre entière. L'« environnement » est tout ce qui se trouve à l'extérieur du système.

On peut énoncer la première loi de la thermodynamique comme une simple règle comptable : si l'on additionne les apports et les dépenses d'énergie d'un processus physique ou d'une réaction chimique, les totaux doivent toujours se compenser. (Remarquez cependant que la première loi ne s'applique pas aux réactions nucléaires, dans lesquelles l'énergie est en fait produite par la transformation d'une masse en énergie.)

La seconde loi stipule que l'entropie de l'univers s'accroît

Lors d'une transformation énergétique, l'énergie libérée sous forme de chaleur n'est pas détruite — elle persiste dans le mouvement aléatoire des atomes et molécules — mais elle est « perdue » pour toute utilisation pratique. Ceci nous amène à la **seconde loi de la thermodynamique** qui, d'un point de vue biologique, est la plus importante. Elle prévoit la direction de tous les événements qui impliquent des échanges d'énergie. C'est pourquoi on l'a appelée l'« aiguille du temps ».

La seconde loi stipule : *Dans tous les échanges et transformations d'énergie — si aucune énergie n'entre ni ne sort du système étudié — l'énergie potentielle à l'état final sera toujours inférieure à l'énergie potentielle au stade initial. La seconde loi est entièrement en harmonie avec notre expérience de tous les jours (Figure 5-2). Un rocher roulera toujours vers le bas de la pente, jamais vers le haut. Une balle qui tombe rebondira — mais jamais à la hauteur d'où elle a été lâchée. La chaleur passera d'un objet chaud à un froid, mais n'ira jamais dans l'autre sens.

Un processus libère de l'énergie quand l'énergie potentielle du stade final est inférieure à celle du stade initial. On dit de ce processus qu'il est exergonique (« sortie d'énergie »). Seuls les processus exergoniques peuvent se dérouler spontanément. Bien que le terme « spontanément » ait une connotation explosive, il n'a rien à voir avec la vitesse du processus — il signifie seulement que cela peut se produire sans un apport d'énergie venant de l'extérieur du système (Figure 5-3a). Au contraire, un processus dans lequel l'énergie potentielle de l'état final est supérieure à celle de l'état initial exige de l'énergie. On dit que ces processus sont **endergoniques** (« entrée d'éner-gie »). Pour qu'un processus endergonique puisse progresser, il doit y avoir un apport d'énergie au profit du système (Figure 5-3b).

Un facteur important nous renseigne sur la nature exergonique d'une réaction, il s'agit de ΔH, la différence de contenu calorique du système ; Δ représente la différence et H le contenu calorique (le terme exact pour H est « enthalpie »). En général, la différence de contenu calorique est à peu près égale à la différence d'énergie

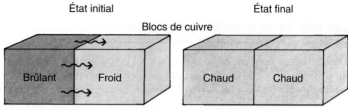

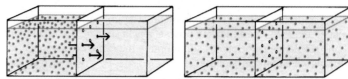

Blocs de cuivre

La chaleur passe de l'objet brûlant à l'objet froid

Les particules de soluté passent d'une région à haute concentration à une région à faible concentration

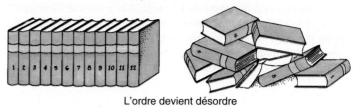

L'ordre devient désordre

Figure 5-2 ▲

Quelques illustrations de la seconde loi de la thermodynamique. Dans chaque cas, une concentration d'énergie — dans le bloc de cuivre chaud, dans les particules de soluté d'un côté du réservoir et dans les livres bien rangés — est dissipée. Dans la nature, les processus tendent vers l'aléatoire, le désordre. Seul un apport d'énergie peut renverser cette tendance et reconstituer l'état initial en partant de l'état final. À la fin, cependant, le désordre prévaudra parce que la quantité totale d'énergie de l'univers est limitée.

Figure 5-3 ▼

(a) Dans les processus exergoniques, qu'ils soient physiques ou chimiques, l'énergie potentielle de l'état final est inférieure à l'énergie potentielle de l'état initial et de l'énergie est libérée. Les processus exergoniques se déroulent spontanément : ils n'ont pas besoin d'un apport d'énergie. **(b)** Dans les processus endergoniques, au contraire, l'énergie potentielle du stade final est supérieure à celle du stade initial. Ces processus ne peuvent se dérouler spontanément. Pour les produire, il leur faut un apport d'énergie.

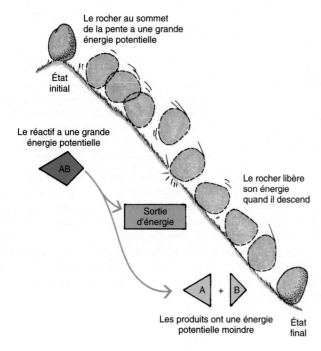

(a) Processus exergonique

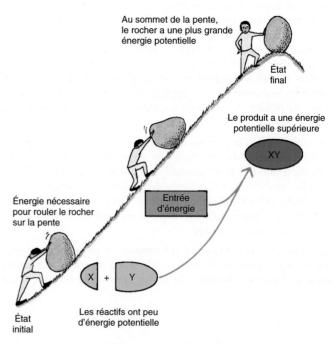

(b) Processus endergonique

potentielle. Comme noté à la figure A-15 de l'annexe A, la différence d'énergie, produite par exemple par l'oxydation du glucose, peut être mesurée dans un calorimètre et exprimée en termes de ΔH. L'oxydation complète d'une mole [1] de glucose en dioxyde de carbone et eau produit 673 kilocalories :

$$C_6H_{12}O_6 + 6O_2 \rightarrow 6CO_2 + 6H_2O + 673 \text{ kcal}$$

Glucose　Oxygène　Dioxyde　Eau　Chaleur
de carbone libérée

$$\Delta H = -673 \text{ kcal/mole}$$

Dans de nombreux cas, une réaction chimique exergonique est aussi une réaction exothermique — elle libère de la chaleur et son ΔH est donc négatif.

À côté de l'augmentation ou de la perte de chaleur, un autre facteur détermine le sens du processus. Ce facteur, appelé **entropie** (symbolisé par S) est une mesure du désordre, du caractère aléatoire, d'un système. Reprenons l'exemple de l'eau. Le passage de la glace à l'eau liquide et celui de l'eau liquide à la vapeur d'eau sont deux processus endothermiques — dans les deux cas, une importante quantité de chaleur est absorbée à partir de l'environnement. Néanmoins, lorsque les conditions s'y prêtent, ces phénomènes peuvent se produire spontanément. Dans ces processus, le facteur essentiel est une augmentation de l'entropie. Lors du passage de la glace à l'eau, un solide est transformé en liquide, et certaines liaisons hydrogène qui maintenaient ensemble les molécules d'eau dans un cristal (glace) sont rompues. Quand l'eau liquide devient vapeur, les dernières liaisons hydrogène sont rompues quand les molécules individuelles d'eau se séparent, une par une. Dans chaque cas, le désordre du système s'est accru.

L'idée que le désordre est plus grand pour des objets nombreux et petits, que pour des objets moins nombreux et plus grands, s'accorde bien avec notre expérience quotidienne. S'il y a 20 papiers sur un bureau, les possibilités de désordre sont plus grandes que s'il y en a 2, ou même 10. Si chacun des 20 papiers est coupé en deux, l'entropie du système — son caractère aléatoire potentiel — augmente. La relation entre entropie et énergie est aussi un fait de bon sens. En trouvant votre chambre rangée et vos livres disposés dans l'ordre alphabétique sur l'étagère, vous comprenez que quelqu'un a fait le travail — que de l'énergie a été dépensée. De même, ranger les papiers sur un bureau demande une dépense d'énergie.

Revenons maintenant au problème des différences d'énergie qui déterminent le sens des réactions chimiques. Comme on l'a vu, la différence de contenu calorique du système (ΔH), ainsi que la différence d'entropie (ΔS) interviennent dans la différence d'énergie globale. Cette différence globale — qui tient compte aussi bien de la chaleur que de l'entropie — est appelée différence d'énergie libre ; elle est

[1] Une mole est la quantité d'une substance, en grammes, correspondant à son poids moléculaire. Par exemple, le poids atomique du carbone est 12 et celui de l'oxygène 16 ; le poids moléculaire du CO_2 est donc 44. Une mole de CO_2 correspond à 44 grammes de CO_2.

symbolisée par ΔG, d'après le physicien américain Josiah Willard Gibbs (1839-1903), qui fut un des premiers à intégrer toutes ces idées.

Gardant ΔG à l'esprit, revenons à l'oxydation du glucose. Le ΔH de cette réaction vaut -673 kcal/mole. Le ΔG vaut -686 kcal/mole. (Notez qu'il s'agit de chiffres valables en conditions standard, tous les réactifs étant présents à la concentration d'une mole. Dans les conditions qui prévalent dans la réalité, les valeurs peuvent être quelque peu différentes.) Le facteur entropie est donc intervenu pour 13 kcal/mole dans la différence d'énergie libre du processus. Les différences de contenu calorique et d'entropie contribuent toutes deux à abaisser le niveau énergétique des produits de la réaction.

Les relations entre ΔG, ΔH et entropie sont données par l'équation suivante :

$$\Delta G = \Delta H - T\Delta S$$

Cette équation signifie que la différence d'énergie libre est égale à la différence de contenu calorique (une valeur négative dans les réactions exothermiques, qui libèrent de la chaleur) moins la différence d'entropie multipliée par la température absolue T. Dans les réactions exothermiques, ΔG est toujours négatif, mais ΔH peut être nul ou même positif. Puisque T est toujours positif, ΔG est d'autant plus négatif que la différence d'entropie est plus grande, c'est-à-dire que la réaction est plus exergonique. Il est donc possible de formuler plus simplement la seconde loi d'une autre façon : *tous les processus qui se déroulent naturellement sont exergoniques.*

Les organismes vivants nécessitent un apport constant d'énergie

L'implication la plus intéressante de la seconde loi, pour ce qui concerne la biologie, est la relation entre l'entropie et l'ordre. Les systèmes vivants dépensent continuellement de grandes quantités d'énergie pour que l'ordre soit maintenu. Enoncé en termes de réactions chimiques, les systèmes vivants dépensent continuellement de l'énergie pour conserver une position très éloignée de l'équilibre. Si l'équilibre venait à se rétablir, les réactions chimiques dans la cellule, quel que soit leur objet, s'arrêteraient et aucun travail ne serait plus possible. À l'équilibre, la cellule serait morte.

L'univers est un système fermé — ni matière, ni énergie n'entrent ni ne sortent du système. La matière et l'énergie présentes dans l'univers au moment du « big bang » représentent toute la matière et l'énergie qui existera à jamais. En outre, après tout échange et transformation de l'énergie, l'univers dans son ensemble possède moins d'énergie potentielle et plus d'entropie qu'il n'en avait auparavant. De ce point de vue, l'univers se dégrade. Les étoiles s'éteindront, une à une. La vie — toute forme de vie sur quelque planète que ce soit — arrivera à sa fin. Le mouvement des molécules individuelles lui-même cessera en fin de compte. Cependant, ne vous faites pas de souci. Même les plus pessimistes ne croient pas que cela se produira avant quelque 20 milliards d'années.

Figure 5-4

(a) Comme la terre, un aquarium est un système ouvert — matière et énergie entrent dans le système et le quittent. La lumière solaire traverse le verre, l'oxygène diffuse dans l'eau à sa surface et un gardien ajoute de la nourriture. La chaleur sort du système par la surface du verre et l'ouverture du sommet, le dioxyde de carbone diffuse à la surface de l'eau et les produits de déchet des animaux sont enlevés quand on nettoie l'aquarium. Bien que le système perde de l'énergie à chaque échange énergétique, un approvisionnement constant en énergie — principalement de la nourriture — venant de l'extérieur maintient le système en ordre. **(b)** Cependant, si l'aquarium est placé dans un récipient opaque clos et isolé, il devient un système fermé comprenant le bocal, son contenu et l'air présent dans le récipient. Ni matière, ni énergie ne peuvent entrer ou sortir du système. Pendant un certain temps après la fermeture du récipient, l'énergie continue à se transformer d'une forme en une autre grâce aux organismes présents dans le bocal. Cependant, à chaque transformation, une partie de l'énergie est émise sous forme de chaleur et se dissipe dans l'eau, dans le verre et dans l'air du récipient. Avec le temps, le système va se dégrader — les organismes vont mourir et leurs corps vont se décomposer. L'ordre présent à l'origine dans le système sera devenu le désordre des atomes et molécules individuels se déplaçant au hasard.

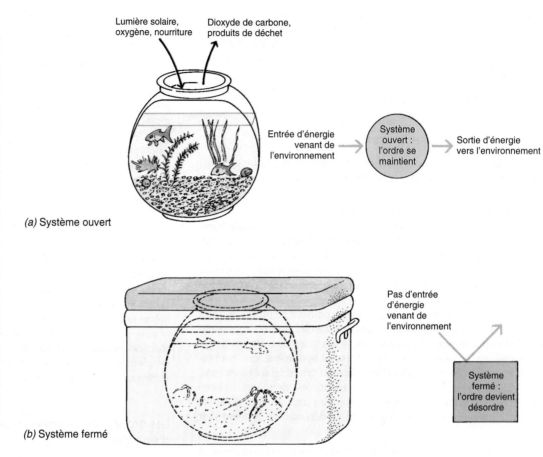

(a) Système ouvert

(b) Système fermé

Dans le même temps, c'est *parce que* l'univers se dégrade que la vie peut exister. L'univers est un système fermé, mais la terre n'en est pas un. C'est un système ouvert (Figure 5-4), qui reçoit du soleil un apport d'énergie d'environ 13×10^{23} calories par an. Les organismes photosynténiques sont spécialisés dans la capture de l'énergie lumineuse libérée par le soleil, alors que lui-même se consume lentement. Ils utilisent cette énergie pour organiser de petites molécules simples (eau et dioxyde de carbone) en molécules plus grosses et plus complexes (sucres). Dans ce processus, l'énergie lumineuse captée est stockée sous forme d'énergie chimique dans les sucres et autres molécules.

Les cellules vivantes — y compris les cellules photosynthétiques — peuvent convertir cette énergie emmagasinée en mouvement, électricité, lumière et, en faisant passer l'énergie d'un type de liaison chimique à un autre, la convertir en formes plus utiles d'énergie chimique. À chaque transformation, de l'énergie est perdue dans l'environnement sous forme de chaleur. Mais, avant sa dissipation complète, les organismes utilisent l'énergie captée à partir du soleil pour créer et maintenir l'organisation complexe des structures et des activités que nous considérons comme la vie.

L'oxydo-réduction

Les réactions chimiques sont essentiellement des transformations énergétiques dans lesquelles l'énergie conservée dans des liaisons chimiques est transférée à d'autres liaisons chimiques nouvelles. Au cours de ces transferts, les électrons passent d'un niveau énergétique à un autre (voir annexe A, Électrons et énergie). Dans de nombreuses réactions, les électrons passent d'un atome ou d'une molécule à un autre. Ces réactions, appelées **réactions d'oxydo-réduction** (ou redox), ont une grande importance dans les systèmes vivants.

La *perte* d'un électron est une **oxydation** et l'on dit, de l'atome ou de la molécule qui perd un électron, qu'il est oxydé. On parle d'oxydation en cas de perte d'un électron parce que l'oxygène, qui attire très fortement les électrons, en est souvent l'accepteur.

À l'inverse, la **réduction** est le gain d'un électron. L'oxydation et la réduction sont toujours simultanées. L'électron perdu par l'atome oxydé est accepté par un autre atome, qui est donc réduit — d'où le terme de réactions « redox » (pour oxydation-réduction) (Figure 5-5).

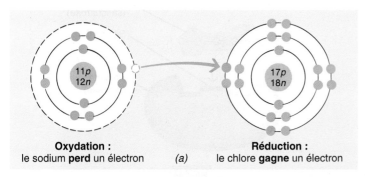

Oxydation :
le sodium **perd** un électron   *(a)*   **Réduction :**
le chlore **gagne** un électron

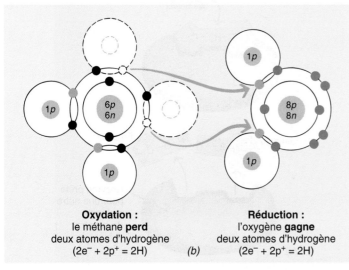

Oxydation :
le méthane **perd**
deux atomes d'hydrogène
(2e⁻ + 2p⁺ = 2H)   *(b)*   **Réduction :**
l'oxygène **gagne**
deux atomes d'hydrogène
(2e⁻ + 2p⁺ = 2H)

Figure 5-5

Réactions redox. **(a)** Dans certaines réactions d'oxydo-réduction, comme l'oxydation du sodium et la réduction du chlore, un seul électron est transféré d'un atome à un autre. Ces réactions simples impliquent habituellement des éléments chimiques ou des composés inorganiques. **(b)** Dans d'autres réactions d'oxydo-réduction, comme l'oxydation partielle du méthane (CH_4), les électrons sont accompagnés par des protons. Dans ces réactions, qui impliquent souvent des molécules organiques, l'oxydation est une perte d'atomes d'hydrogène et la réduction est le gain d'atomes d'hydrogène. Quand un atome d'oxygène gagne deux atomes d'hydrogène, comme ici, le produit est évidemment une molécule d'eau.

Les réactions redox peuvent n'impliquer qu'un électron solitaire, comme lorsque le sodium perd un électron et s'oxyde en Na^+ et que le chlore gagne un électron et est réduit en Cl^-. Dans les réactions biologiques, cependant, l'électron voyage souvent en compagnie d'un proton, c'est-à-dire sous forme d'un atome d'hydrogène. Dans ces cas, l'oxydation implique l'enlèvement d'atomes d'hydrogène et la réduction, un gain d'atomes d'hydrogène. Lors de l'oxydation du glucose, par exemple, la molécule perd des électrons et des atomes d'hydrogène qui sont repris par des atomes d'oxygène, lequel est alors réduit en eau.

$$C_6H_{12}O_6 + 6O_2 \rightarrow 6CO_2 + 6H_2O + \text{Énergie}$$

Glucose   Oxygène   Dioxyde   Eau
de carbone

Les électrons tombent à un niveau énergétique inférieur et l'énergie est libérée. En d'autre termes, l'oxydation du glucose est un processus exergonique

Inversement, pendant la photosynthèse, des électrons et des atomes d'hydrogène sont transférés de l'eau au dioxyde de carbone : l'eau est ainsi oxydée en oxygène et le dioxyde de carbone est réduit pour produire des sucres à trois carbones :

$$6CO_2 + 6H_2O + \text{Énergie} \rightarrow 2C_3H_6O_3 + 6O_2$$

Dioxyde   Eau   Sucre à 3   Oxygène
de carbone   carbones   libéré

Dans ce cas, les électrons sont élevés à un niveau énergétique supérieur et un apport d'énergie est nécessaire au déroulement de la réaction. En d'autres termes, la réduction du dioxyde de carbone en sucre est un processus endergonique.

Dans les systèmes vivants, les réactions de capture d'énergie (photosynthèse) et les réactions qui libèrent de l'énergie (glycolyse et respiration) sont des réactions d'oxydo-réduction. L'oxydation complète d'une mole de glucose libère 686 kilocalories (ΔG = -686 kcal/mole). Inversement, la réduction du dioxyde de carbone, avec formation de l'équivalent d'une mole de glucose, emmagasine 686 kilocalories d'énergie dans les liaisons chimiques du glucose.

Si l'énergie libérée durant l'oxydation du glucose était libérée en une seule fois, la plus grande partie en serait dissipée sous forme de chaleur. Non seulement cela n'aurait aucune utilité pour la cellule, mais la température élevée qui en résulterait détruirait la cellule. Dans les systèmes vivants, des mécanismes de contrôle des réactions chimiques ont cependant évolué de telle manière que l'énergie stockée dans des liaisons chimiques particulières peut être libérée en petites quantités quand la cellule en a besoin. Ces mécanismes, qui n'ont besoin que de quelques types de molécules, permettent aux cellules d'utiliser efficacement l'énergie, sans perturber les équilibres délicats qui caractérisent un système vivant. Pour comprendre comment ils fonctionnent, nous devons examiner de plus près certaines molécules : les enzymes et l'ATP.

Les enzymes

La plupart des réactions chimiques ont besoin, pour démarrer, d'un apport initial d'énergie. C'est vrai même pour des réactions exergoniques telles que l'oxydation du glucose ou la combustion du gaz naturel dans un foyer domestique. L'énergie ajoutée augmente l'énergie cinétique des molécules et permet des collisions suffisamment fortes (1) pour surmonter la répulsion entre les électrons entourant deux molécules et (2) pour rompre les liaisons chimiques existant entre les molécules, et rendre ainsi possible la formation de nouvelles liaisons. L'énergie que les molécules doivent posséder pour réagir est l'**énergie d'activation** (Figure 5-6).

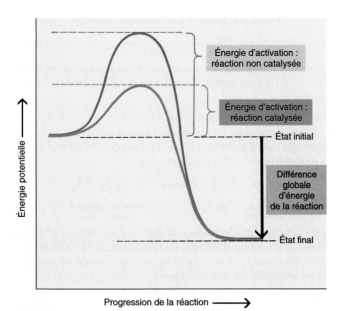

Figure 5-6

Pour réagir, les molécules doivent posséder assez d'énergie — l'énergie d'activation — pour entrer en collision avec une force suffisante permettant de surmonter leur répulsion mutuelle et de rompre les liaisons chimiques existantes. Une réaction non catalysée demande plus d'énergie d'activation qu'une réaction catalysée, par exemple une réaction enzymatique. En présence du catalyseur, l'énergie d'activation est plus faible : elle est souvent comparable à l'énergie des molécules des cellules vivantes et la réaction peut ainsi se dérouler à grande vitesse avec peu ou pas d'énergie supplémentaire. Remarquez cependant que la différence globale d'énergie entre l'état initial et l'état final est le même avec et sans le catalyseur.

En laboratoire, l'énergie d'activation est généralement fournie sous forme de chaleur. Dans une cellule cependant, beaucoup de réactions différentes se déroulent simultanément, et la chaleur affecterait indifféremment toutes ces réactions. En outre, la chaleur briserait les liaisons hydrogène qui maintiennent la structure de nombreuses molécules de la cellule et aurait d'autres effets néfastes. Les cellules résolvent ce problème en utilisant des **enzymes**, molécules protéiques spécialisées servant de catalyseurs.

Un catalyseur est une substance qui abaisse l'énergie d'activation nécessaire à une réaction en s'associant temporairement aux molécules qui interviennent dans la réaction. Cette association temporaire rapproche les molécules qui doivent réagir et peut aussi affaiblir des liaisons chimiques existantes, en facilitant en même temps la formation de nouvelles liaisons. De cette façon, il ne faut pas ou peu d'énergie supplémentaire pour déclencher la réaction, et celle-ci progresse plus rapidement qu'en l'absence du catalyseur. La nature du catalyseur lui-même n'est pas altérée de façon permanente et celui-ci peut donc être réutilisé. (En chinois, le terme utilisé pour « catalyseur » est le même que pour « entremetteur », et les fonctions sont effectivement analogues.)

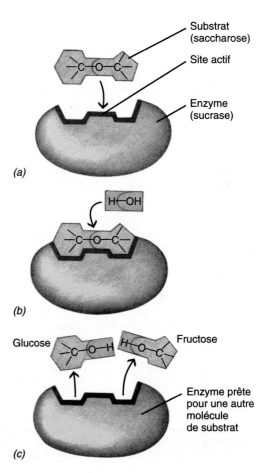

Figure 5-7

Représentation de l'action enzymatique. **(a)**, **(b)** Le saccharose, un disaccharide, est hydrolysé pour donner une molécule de glucose et une molécule de fructose **(c)**. L'enzyme qui intervient dans cette réaction, la sucrase, est spécifique pour ce processus. Comme vous pouvez le voir, le site actif de l'enzyme s'adapte à la face opposée de la molécule de saccharose. L'adaptation est tellement précise qu'une molécule composée, par exemple, de deux sous-unités de glucose, ne pourrait être transformée par cette enzyme.

Grâce aux enzymes, les cellules sont capables d'effectuer des réactions chimiques à grande vitesse et à des températures relativement basses. Une seule molécule d'enzyme peut catalyser la réaction de dizaines de milliers de molécules identiques en une seconde. Les enzymes sont donc normalement efficaces en très faibles quantités.

On connaît maintenant près de 2000 enzymes différentes et chacune d'elles est capable de catalyser une réaction chimique spécifique. Aucune cellule ne contient cependant toutes les enzymes connues — les différents types de cellules synthétisent différents types d'enzymes. Les enzymes particulières fabriquées par une cellule sont le facteur qui permet d'identifier ses activités biologiques. Une cellule ne peut effectuer une réaction chimique particulière à un rythme raisonnable que si elle possède l'enzyme qui catalyse cette réaction.

La molécule sur laquelle agit l'enzyme est son **substrat**. Par exemple, dans la réaction de la figure 5-7, le saccharose est le substrat et la sucrase est l'enzyme.

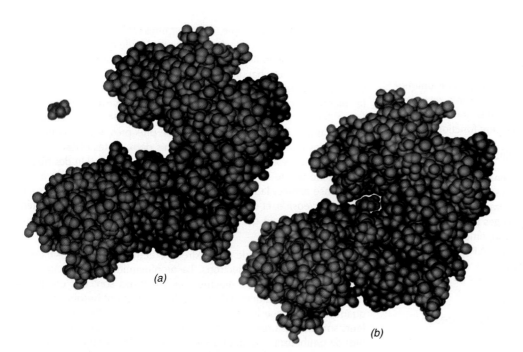

(a)

(b)

Figure 5-8

Modèle plein d'une enzyme de levure, l'hexokinase (en bleu) et d'un de ses substrats, le glucose (en brun). L'hexokinase catalyse la première étape de la dégradation du glucose dans la respiration (voir page 111). Ces modèles, qui sont dessinés par les techniques informatiques, montrent l'aspect tridimensionnel des molécules. On voit ici la molécule de glucose rencontrant l'enzyme et s'unissant au site actif, qui apparaît comme une cavité sur le côté de la molécule de l'hexokinase. **(a)** En l'absence de glucose, la cavité de l'hexokinase est ouverte. **(b)** Quand le glucose est uni à l'hexokinase, la cavité est partiellement fermée.

Une enzyme possède un site actif qui s'unit à un substrat spécifique

Quelques enzymes sont des molécules d'ARN appelées ribozymes. Toutes les autres enzymes sont au contraire de grosses protéines globulaires complexes formées d'une ou plusieurs chaînes polypeptidiques (page 30). Les chaînes polypeptidiques d'une enzyme sont repliées de manière former en surface une cavité ou une poche (Figure 5-8). Le substrat s'ajuste très précisément à cette cavité : c'est à cet endroit que les réactions son catalysées par l'enzyme. Cette portion de l'enzyme est le **site actif**.

Le site actif possède non seulement une forme tridimensionnelle précise mais, de plus, la surface intervenant dans la liaison présente une répartition adéquate de zones chargées et non chargées et de sites hydrophiles et hydrofuges. Si une portion particulière du substrat a une charge négative, le point corespondant du site actif a une charge positive et ainsi de suite. Donc, le site actif ne se contente pas d'enfermer la molécule du substrat, mais il l'oriente aussi de façon correcte.

Les acides aminés qui font partie du site actif ne sont pas nécessairement contigus sur les chaînes polypeptidiques. En fait, dans une enzyme qui possède une structure quaternaire (page 30), ces acides aminés peuvent même se trouver sur des chaînes polypeptidiques différentes. Les acides aminés sont réunis au niveau du site actif par le pliage précis des chaînes polypeptidiques de la molécule.

Selon l'hypothèse de l'ajustement induit, le substrat peut provoquer une modification du site actif

La liaison de l'enzyme au substrat modifie la conformation de l'enzyme, induisant ainsi un ajustement encore plus étroit entre le site actif et les substrats (Figure 5-8). Cet *ajustement induit* peut exercer une certaine tension sur les molécules de réactif et ainsi faciliter encore la réaction.

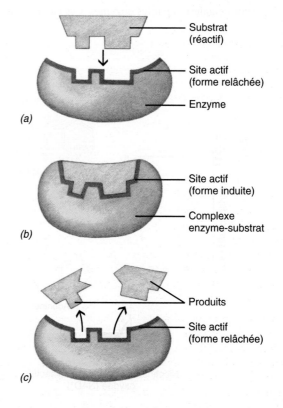

(a)

Substrat (réactif)

Site actif (forme relâchée)

Enzyme

(b)

Site actif (forme induite)

Complexe enzyme-substrat

(c)

Produits

Site actif (forme relâchée)

Figure 5-9

L'hypothèse de l'ajustement induit. **(a)** On suppose que le site actif est flexible et **(b)** adapte sa forme à celle du substrat. Cet ajustement induit une correspondance étroite entre le site actif et le substrat et peut en outre exercer une certaine contrainte sur la molécule du substrat et faciliter la réaction **(c)**. Remarquez l'ajustement induit de l'hexokinase à la figure 5-8.

Les cofacteurs dans l'action des enzymes

L'activité catalytique de certaines enzymes paraît dépendre uniquement de leur structure en tant que protéines. D'autres enzymes, cependant, ont besoin d'un ou plusieurs composants non protéiques, ou **cofacteurs**, sans lesquels les enzymes ne peuvent fonctionner.

Certains cofacteurs sont des ions métalliques

Certains ions métalliques sont les cofacteurs d'enzymes particulières. Par exemple, l'ion magnésium (Mg^{2+}) est nécessaire dans la plupart des réactions enzymatiques impliquées dans le transfert d'un groupement phosphate entre molécules. Les deux charges positives de l'ion magnésium maintiennent en position le groupement phosphate chargé négativement. D'autres ions, comme Ca^{2+} et K^+, ont des rôles semblables dans d'autres réactions. Dans certains cas, les ions servent à conserver la disposition tridimensionnelle adéquate de la protéine enzymatique.

D'autres cofacteurs sont des molécules organiques appelées coenzymes

Des cofacteurs organiques non protéiques jouent aussi un rôle crucial dans les réactions catalysées par les enzymes. Ces facteurs s'appellent des **coenzymes**. Par exemple, dans certaines réactions d'oxydo-réduction, les électrons sont transférés à une molécule qui sert d'accepteur d'électrons. Dans toute cellule, il existe plusieurs accepteurs d'électrons différents, et chacun est taillé de manière à garder l'électron à un niveau énergétique légèrement différent. Observons, par exemple, la nicotinamide adénine dinucléotide (NAD^+), représentée à la figure 5-10. À première vue, la molécule de NAD^+ semble complexe et peu familière mais, en y regardant de plus près, on y reconnaît la plupart des parties qui la composent. Les deux unités ribose (sucre à cinq carbones) sont unies par un *pont pyrophosphate*. Un des riboses est attaché à une base azotée, l'adénine. L'autre est attaché à une autre base azotée, la nicotinamide. Une base azotée unie à un sucre est un *nucléoside*, et un nucléoside avec un phosphate est un **nucléotide.** Une molécule qui contient deux de ces combinaisons est un dinucléotide.

Le cycle nicotinamide est l'extrémité active de NAD^+ — c'est la partie qui accepte les électrons. La nicotinamide est une vitamine, connue sous le nom de niacine. Les vitamines sont des composés organiques dont beaucoup d'organismes vivants ont besoin en petites quantités. Alors que les plantes peuvent synthétiser les vitamines qui leurs sont nécessaires, les hommes et les autres animaux sont incapables de synthétiser la plupart des vitamines et doivent donc les trouver dans leur alimentation. Beaucoup de vitamines sont des précurseurs ou des parties de coenzymes.

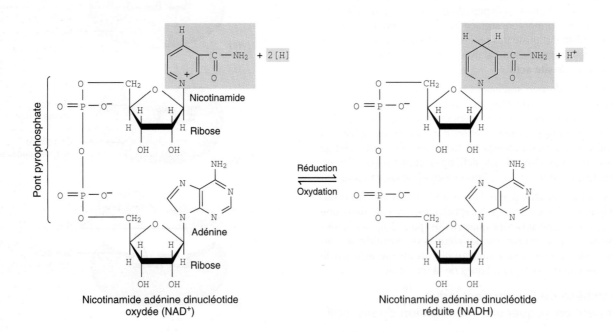

Figure 5-10

La nicotinamide adénine dinucléotide, accepteur d'électrons, sous sa forme oxydée, NAD^+ et sous sa forme réduite, NADH. La nicotinamide est un dérivé de l'acide nicotinique, une des vitamines B essentielles. Remarquez comment la liaison avec le cycle nicotinamide (rectangle ombré) se modifie quand la molécule passe de la forme oxydée à la forme réduite et vice versa. La réduction de NAD^+ en NADH demande deux électrons et un ion hydrogène (H^+). Les deux électrons voyagent cependant comme s'ils faisaient partie de deux atomes d'hydrogène ; un ion hydrogène est donc laissé de côté quand NAD^+ est réduit.

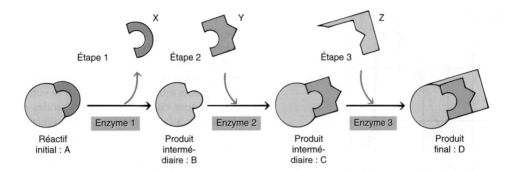

Figure 5-11

Représentation schématique d'une voie métabolique. Une séquence de réactions est nécessaire pour arriver au produit final (D) à partir du réactif initial (A). Chaque réaction est catalysée par une enzyme différente, et chacune aboutit à une modification faible, mais significative, de la molécule de substrat. Si l'une ou l'autre étape de la voie est inhibée — soit à cause d'une enzyme non fonctionnelle, soit parce qu'un substrat n'est pas disponible — la voie se ferme et les réactions ultérieures de la série ne se déroulent pas.

Quand la nicotinamide est présente, nos cellules peuvent l'utiliser pour fabriquer NAD$^+$ qui, comme beaucoup d'autres coenzymes, est recyclé ; autrement dit, NAD$^+$ est régénéré quand NADH + H$^+$ transmet ses électrons à un autre accepteur d'électrons. Bien que cette coenzyme intervienne dans beaucoup de réactions cellulaires, le nombre réel de molécules de NAD$^+$ requis est relativement faible.

Certaines enzymes utilisent des cofacteurs non protéiques qui restent fixés à la protéine enzymatique. Ces cofacteurs étroitement unis (soit des ions, soit des coenzymes) sont appelés *groupements prosthétiques*. Les centres fer-soufre des ferrédoxines (voir page 138) et le pyridoxal phosphate (vitamine B$_6$) de certaines transaminases sont des exemples de groupements prosthétiques.

Les voies métaboliques

Une caractéristique des enzymes est le fait qu'elles travaillent en séquences, comme les ouvriers d'une chaîne de montage. Chaque enzyme catalyse une petite étape dans une séquence ordonnée de réactions qui, dans leur ensemble, forment une **voie métabolique**, ou **biochimique** (Figure 5-11). Diverses voies métaboliques servent à différentes fonctions dans la vie de la cellule. Par exemple, une voie peut intervenir dans la dégradation des polysaccharides dans les parois cellulaires bactériennes, une autre dans la dégradation du glucose et une autre encore dans la synthèse d'un acide aminé particulier.

Ce type de disposition est avantageux à plusieurs titres pour les cellules. Tout d'abord, les groupes d'enzymes qui font partie d'une voie commune peuvent être séparés à l'intérieur de la cellule. Certains se trouvent en solution, par exemple dans les vacuoles, tandis que d'autres sont enrobés dans les membranes d'organites spécialisés, comme les mitochondries et les chloroplastes. Les enzymes localisées dans les membranes paraissent alignées les unes à la suite des autres, de telle sorte que le produit d'une réaction passe directement à l'enzyme voisine pour la réaction suivante de la séquence. Un second avantage de cette disposition est que les produits intermédiaires ne s'accumulent guère, puisque chacun est normalement consommé dans la réaction suivante le long de la voie. Un troisième avantage est de nature thermodynamique. Si certaines réactions de la voie sont hautement exergoniques (libèrent donc de l'énergie), elles épuiseront rapidement les produits des réactions précédentes, les faisant progresser plus avant. De même, l'accumulation des produits des réactions exergoniques faciliteront les réactions suivantes en augmentant la concentration de leurs réactifs.

Certaines réactions sont communes à deux ou plusieurs voies métaboliques dans une cellule. Souvent, cependant, des réactions identiques, se déroulant dans des voies différentes sont catalysées par des enzymes différentes. Ces enzymes sont des **isozymes.** Chaque isozyme est habituellement codées par un lot différent de gènes. Les isozymes sont adaptées à des voies spécifiques et à l'endroit où elles sont utilisées dans la cellule.

Régulation de l'activité enzymatique

Une autre caractéristique remarquable du métabolisme est l'importance de la régulation de la synthèse des produits nécessaires au bien-être de la cellule : elle les fabrique en quantités appropriées et à la vitesse requise. En même temps, les cellules évitent la surproduction, qui serait un gaspillage d'énergie et de matériaux bruts. La disponibilité des molécules de réactif ou de cofacteurs est la limitation principale de l'action enzymatique ; c'est la raison pour laquelle la plupart des enzymes travaillent probablement à une vitesse bien inférieure à leur potentiel.

La température influence les réactions enzymatiques. Une augmentation de la température augmente la vitesse des réactions catalysées par les enzymes, mais jusqu'à un certain point seulement.

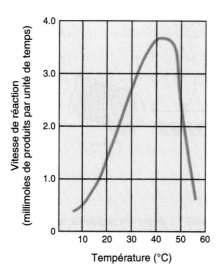

Figure 5-12

Effet de la température sur la vitesse d'une réaction catalysée par une enzyme. Les concentrations de l'enzyme et des molécules de réactif (substrat) restent constantes. Comme dans la plupart des réactions biologiques, la vitesse de la réaction double approximativement chaque fois que la température augmente de 10°C jusqu'à environ 40°C. Au-delà de cette température, la vitesse diminue quand la température augmente et, à 60°C environ, la réaction s'arrête tout à fait, sans doute parce que l'enzyme est dénaturée.

Comme on peut le voir à la figure 5-12, la vitesse de la plupart des réactions enzymatiques double approximativement pour chaque augmentation de 10°C de la température entre 10 et 40°C, mais, au-delà de 40°C environ, elle chute ensuite très rapidement. L'augmentation de la vitesse des réactions provient de l'énergie plus élevée des réactifs. La diminution de la vitesse des réactions au-dessus de 40°C environ provient du fait que la structure de la molécule d'enzyme elle-même commence à se déplier, la chaleur rompant les forces relativement faibles qui lui gardent sa forme active spécifique. Ce dépliement de la molécule enzymatique est la *dénaturation* (page 30).

Le pH de la solution environnante influence aussi l'activité enzymatique. Parmi d'autres facteurs, la conformation d'une enzyme dépend de l'attraction et de la répulsion entre acides aminés chargés négativement (acides) et positivement (basiques). Quand le pH change, ces charges sont modifiées, et l'enzyme est également modifiée ; son altération peut être si grave que l'enzyme n'est plus fonctionnelle. La modification des charges du site actif et du substrat est probablement le facteur le plus important, parce que la capacité de liaison est alors affectée. Certaines enzymes se trouvent fréquemment à un pH différent de leur optimum : il est donc possible que cette divergence ne soit pas une erreur de l'évolution, mais un moyen de contrôler l'activité enzymatique. La régulation de plusieurs enzymes de la voie photosynthétique est liée à des changements de pH.

Les systèmes vivants ont aussi des moyens plus précis de déclencher et d'arrêter l'activité enzymatique. Dans chaque voie métabolique, il existe au moins une enzyme qui règle la vitesse de toute la séquence parce qu'elle catalyse la réaction la plus lente, représentant le facteur limitant pour la vitesse. L'activité catalytique de ces **enzymes régulatrices** augmente ou diminue en réponse à certains signaux. Ces enzymes ajustent constamment la vitesse de toutes les séquences enzymatiques en réponse aux demandes d'énergie et de molécules nécessaires à la croissance ou aux réfections de la cellule. Dans la plupart des systèmes multienzymatiques, la première enzyme de la séquence est une enzyme régulatrice. Grâce au contrôle de la voie métabolique dès son début, la dépense d'énergie et la quantité de métabolites détournés sont minimales, au bénéfice de processus plus importants.

Le plus important groupe d'enzymes régulatrices dans les voies métaboliques est celui des **enzymes allostériques**. Le terme allostérique dérive du grec *allos*, « autre » et *stereos*, « forme ». Les enzymes allostériques ont au moins deux sites : un **site actif**, qui s'unit au substrat, et un **site effecteur**, qui s'unit à la substance régulatrice. Si la substance régulatrice est unie au site effecteur, la forme de l'enzyme se modifie de façon réversible : on dit que l'enzyme est contrôlée par allostérie.

Dans certains systèmes multienzymatiques, l'enzyme régulatrice est spécifiquement inhibée par le produit final de la voie, qui s'accumule alors s'il est synthétisé en quantité dépassant les besoins de la cellule. L'inhibition de l'enzyme régulatrice entraîne un ralentissement de l'activité de toutes les enzymes suivantes parce que leurs substrats s'épuisent. Un équilibre s'établit de cette manière entre la quantité de produit final de la voie et les besoins de la cellule. Ce type de régulation est une **rétroinhibition** (Figure 5-13). Quand la cellule aura besoin d'une plus grande quantité de ce produit final, les molécules de ce dernier se sépareront du site effecteur et l'activité de l'enzyme régulatrice augmentera de nouveau.

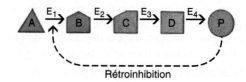

Figure 5-13

Rétroinhibition d'une voie métabolique catalysée par une séquence de quatre enzymes (de E_1 à E_4). Cette inhibition implique habituellement une inhibition allostérique de la première enzyme (E_1) de la séquence par le produit final (P) de la voie. L'enzyme E_1 sera donc plus active en présence de faibles quantités de P.

NH₂

Adénine

Phosphates

Ribose

Adénosine

AMP

ADP

ATP

Figure 5-14 ◀

Structure de l'adénosine triphosphate (ATP), de l'adénosine diphosphate (ADP) et de l'adénosine monophosphate (AMP). Une liaison phosphodiester unit le premier groupement phosphate au ribose de l'adénosine, tandis que les liaisons phosphoanhydride, représentées en bleu, relient les deuxième et troisième groupements phosphate à la molécule. À pH 7, les groupements phosphate sont entièrement ionisés.

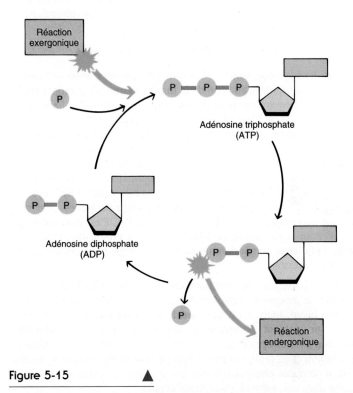

Figure 5-15 ▲

Dans les systèmes vivants, les réactions endergoniques, telles que les réactions de biosynthèse, sont alimentées par l'énergie libérée dans les réactions exergoniques auxquelles elles sont couplées. Dans la plupart des réactions couplées, l'ATP est l'intermédiaire qui transporte l'énergie d'une réaction à l'autre.

Le facteur énergétique : retour à l'ATP

Toutes les activités de biosynthèse de la cellule (et beaucoup d'autres activités encore) demandent de l'énergie. Une grande partie de cette énergie est fournie par l'**ATP**, dérivé nucléotidique qui représente la principale monnaie énergétique de la cellule.

Comme on l'a vu au chapitre 2, l'ATP est composé d'adénine, d'un sucre à cinq carbones (ribose) et de trois groupements phosphate (Figure 5-14). Ces trois groupements phosphate, à fortes charges négatives, sont unis les uns aux autres par des liaisons phosphoanhydride et au ribose par une liaison phosphodiester.

Afin de comprendre le rôle de l'ATP, revoyons rapidement le concept de la liaison chimique et de l'énergie de liaison. Etant donné qu'une liaison chimique est une configuration stable d'électrons, les molécules qui interviennent dans une réaction doivent se heurter avec une certaine énergie afin de séparer les atomes réunis et permettre ainsi la formation de nouvelles liaisons. Cette énergie est l'énergie d'activation. Puisque les enzymes réduisent l'énergie d'activation à un niveau que possèdent déjà une proportion significative des molécules de réactif (Figure 5-6), les réactions essentielles à la vie peuvent progresser à une vitesse suffisante.

Cependant, ainsi que nous l'avons vu, la *direction* prise par la réaction est déterminée par la différence d'énergie libre ΔG. Ce n'est que si la réaction est exergonique (ΔG négatif) qu'elle démarrera. Mais de nombreuses réactions cellulaires, y compris des réactions de biosynthèse — comme la production d'un disaccharide à partir de deux molécules de monosaccharide — sont endergoniques (ΔG positif). Dans ces réactions, les électrons qui forment les liaisons chimiques du produit se trouvent à un niveau énergétique supérieur à celui des électrons dans les liaisons des matériaux de départ. Cela signifie que l'énergie potentielle du produit est supérieure à celle des réactifs, ce qui est une violation apparente de la seconde loi de la thermodynamique. Les cellules contournent cette difficulté par des **réactions couplées**, dans lesquelles les réactions endergoniques sont liées et

conduites par des réactions exergoniques qui fournissent un surplus d'énergie. Le résultat est un processus global exergonique, et donc capable de progresser spontanément (Figure 5-15). Dans ces réactions couplées, l'ATP est la molécule qui joue le plus souvent le rôle d'intermédiaire entre la réaction exergonique et celle qui serait endergonique.

Les enzymes qui catalysent l'hydrolyse de l'ATP sont des **ATPases**. On a identifié plusieurs ATPases différentes. Les « bras » protéiques des microtubules des flagelles (voir figure 3-29), par exemple, sont des molécules d'ATPase catalysant la libération d'énergie qui provoque le déplacement des microtubules les uns par rapport aux autres. Beaucoup de protéines qui transportent des molécules et des ions à travers les membranes cellulaires contre les gradients de concentration ne sont pas seulement des protéines de transport, mais aussi des ATPases qui libèrent l'énergie actionnant le processus de transport (page 83).

En raison de sa structure, la molécule d'ATP est bien adaptée à son rôle dans les systèmes vivants. L'énergie est libérée de la molécule d'ATP quand un groupement phosphate est enlevé par hydrolyse, avec production d'une molécule d'ADP (adénosine diphosphate) et d'un ion phosphate libre :

$$ATP + H_2O \rightarrow ADP + Phosphate + Énergie$$

Au cours de cette réaction, environ 7,3 kilocalories d'énergie sont libérées par mole d'ATP hydrolysée. L'enlèvement d'un second groupement phosphate produit de l'AMP (adénosine monophosphate) et libère la même quantité d'énergie :

$$ADP + H_2O \rightarrow AMP + Phosphate + Énergie$$

Les liaisons covalentes — liaisons phosphoanhydride — unissant ces deux phosphates au reste de la molécule sont relativement faibles et donc facilement rompues par hydrolyse. Les nouvelles liaisons formées à la suite de l'hydrolyse sont beaucoup plus fortes, et cette réaction libère donc de l'énergie. La fragilité de la liaison anhydride terminale de l'ATP est due aux charges négatives des trois phosphates (Figure 5-14). Les répulsions mutuelles qui en résultent affaiblissent significativement la liaison et c'est pourquoi l'énergie nécessaire à la rupture de la liaison est relativement faible. Après l'hydrolyse, la molécule n'a plus que deux charges négatives contiguës — et cette disposition est plus stable. En conséquence, l'ADP est plus stable que l'ATP. Pour la même raison, l'AMP est encore plus stable, et les réactions cellulaires demandant un surplus d'énergie pourront séparer les deux phosphates.

Dans la plupart des réactions qui se déroulent à l'intérieur de la cellule, le groupement phosphate terminal de l'ATP n'est pas simplement enlevé, mais il est transféré à une autre molécule. L'addition d'un groupement phosphate à une molécule est une **phosphorylation** ; les enzymes qui catalysent ces transferts sont des **kinases.** L'addition d'un groupement phosphate chargé négativement déstabilise le composé phosphorylé qui, grâce à l'énergie acquise, peut intervenir dans une autre réaction métabolique.

Voyons un exemple simple d'échange d'énergie impliquant l'ATP dans la production de saccharose chez la canne à sucre. Le saccharose est formé de deux monosaccharides, le glucose et le fructose. En conditions thermodynamiques normales, la synthèse du saccharose est fortement endergonique et demande un apport de 5,5 kilocalories pour chaque mole de saccharose formée :

$$Glucose + Fructose + Énergie \rightarrow Saccharose + H_2O$$

Cependant, si elle est couplée à la dégradation de l'ATP, la synthèse du saccharose est en réalité exergonique. Au cours de la série de réactions impliquées dans la production du saccharose (voir figure 2-3), deux molécules d'ATP sont utilisées pour phosphoryler le glucose et le fructose, augmentant l'énergie de chacun :

$$ATP + Glucose \rightarrow Glucose\ phosphate + ADP$$
$$ATP + Saccharose \rightarrow Saccharose\ phosphate + ADP$$

Ils s'unissent ensuite par hydrolyse de ces phosphates. L'équation globale pour la production de saccharose à partir des monoxaccharides phosphorylés est :

$$Glucose\ phosphate + Fructose\ phosphate \rightarrow$$
$$Saccharose +\ 2\ phosphates$$

La cellule dépense au total 2 × 7,3 kilocalories = 14,6 kilocalories d'énergie de l'ATP et en utilise 5,5 pour produire une mole de saccharose. Les autres 9,1 kilocalories sont utilisées pour faire progresser irréversiblement la réaction et elles sont finalement libérées sous forme de chaleur. La canne à sucre est donc capable de produire le saccharose en couplant la dégradation de deux molécules d'ATP à la synthèse d'une liaison covalente entre glucose et fructose.

D'où provient l'ATP ? Nous verrons dans le prochain chapitre que l'énergie libérée par la dégradation exergonique de molécules telles que le glucose est utilisée pour « recharger » la molécule d'ADP en ATP. Bien sûr, l'énergie libérée par ces réactions dérive finalement du soleil, puisque l'énergie de son rayonnement est transformée en énergie chimique pendant la photosynthèse. Une partie de cette énergie chimique est stockée dans la molécule d'ATP avant d'être convertie en énergie de liaison chimique dans d'autres molécules organiques. Le système ATP/ADP est donc un système universel d'échange d'énergie qui fait la navette entre les réactions qui libèrent de l'énergie et celles qui en demandent.

RÉSUMÉ

La vie sur terre est sous la dépendance du flux d'énergie qui provient du soleil

Une petite fraction de cette énergie, captée par les processus photosynthétiques, est transformée en l'énergie qui permet les nombreuses autres réactions métaboliques associées aux systèmes vivants et grâce à laquelle ces systèmes peuvent s'organiser.

Dans la photosynthèse, l'énergie du soleil est utilisée pour forger les liaisons carbone-carbone et carbone-hydrogène très énergétiques des composés organiques. Dans la respiration, ces liaisons sont ultérieurement rompues pour libérer le dioxyde de carbone et l'eau à partir des composés où se situent les liaisons, et l'énergie est libérée. Une partie de cette énergie est utilisée pour conduire les processus cellulaires mais, comme dans les moteurs, une partie de l'énergie est perdue sous forme de chaleur à chaque étape de la transformation.

Les systèmes vivants fonctionnent en respectant les lois de la thermodynamique

La première loi de la thermodynamique stipule que l'énergie peut se transformer d'une forme en une autre, mais ne peut jamais être ni créée ni détruite. L'énergie potentielle de l'état initial (réactifs) est égale à l'énergie potentielle de l'état final (les produits) plus l'énergie libérée au cours de la réaction. La seconde loi de la thermodynamique stipule qu'au cours des transformations énergétiques, l'énergie potentielle de l'état final sera toujours inférieure à l'énergie potentielle de l'état initial. Autrement dit, tous les processus naturels ont tendance à progresser dans une direction telle que le désordre, ou le hasard, de l'univers augmente. Ce désordre est l'entropie. Pour maintenir l'organisation dont dépend la vie, les systèmes vivants doivent être constamment approvisionnés en énergie pour surmonter la tendance vers un désordre croissant.

Les réactions d'oxydo-réduction jouent un rôle important dans le flux d'énergie

Les transformations d'énergie dans les cellules impliquent le transfert d'électrons d'un niveau énergétique à un autre et, souvent, d'un atome ou d'une molécule à l'autre. Les réactions impliquant le transfert d'électrons d'une molécule à une autre sont des réactions d'oxydo-réduction. Un atome ou une molécule qui perd des électrons est oxydé ; s'il en gagne, il est réduit. L'oxydation (perte d'électrons) donne un produit avec moins d'énergie potentielle. La réduction (addition d'électrons) donne un produit avec une plus grande quantité d'énergie potentielle.

Les enzymes permettent aux réactions chimiques de se dérouler à des températures compatibles avec la vie

Les enzymes sont les catalyseurs des réactions biologiques, elles abaissent l'énergie d'activation et augmentent donc énormément la vitesse des réactions. À quelques exceptions près, les enzymes sont de grosses protéines globulaires repliées de telle façon qu'un groupe particulier d'acides aminés forment un site actif. Les molécules de réactif, ou substrat, s'adaptent avec précision au site actif. Bien que la forme d'une enzyme puisse changer temporairement au cours de la réaction, son altération n'est pas permanente.

Beaucoup d'enzymes ont besoin de cofacteurs, qui peuvent être des ions métalliques ou des molécules organiques non protéiques : ce sont les coenzymes. Les coenzymes servent souvent de transporteurs d'électrons, les différentes coenzymes retenant des électrons à des niveaux énergétiques légèrement différents.

Les réactions catalysées par les enzymes se déroulent dans des séquences ordonnées, les voies métaboliques. Chaque étape de la voie est catalysée par une enzyme particulière. Les réactions progressives des voies métaboliques permettent aux cellules d'effectuer leurs activités métaboliques avec une efficacité remarquable en termes d'énergie et de matériaux. Chaque voie métabolique est étroitement contrôlée par une ou plusieurs enzymes de régulation.

L'ATP fournit l'énergie à la plupart des activités de la cellule

La molécule d'ATP comprend une base azotée, l'adénine, un sucre à cinq carbones, le ribose, et trois groupements phosphate. Les trois groupements phosphate sont fixés par deux liaisons covalentes facilement rompues, chacune produisant environ 7,3 kcal/mole. Les cellules sont capables d'effectuer des réactions et des processus endergoniques (qui exigent de l'énergie) en les couplant à des réactions exergoniques (produisant de l'énergie) qui fournissent un surplus d'énergie. Ces réactions couplées impliquent habituellement l'ATP comme intermédiaire.

MOTS CLÉS

QUESTIONS

1. Faites la distinction entre ce qui suit : site actif/substrat, AMP/ADP/ATP, ATPases/kinases.

2. Quatre types de transformation d'énergie au moins se déroulent dans les cellules photosynthétiques. Citez-les.

3. Les enzymes ont la caractéristique de travailler en séquences, ou voies métaboliques, comme les travailleurs sur une ligne de montage. Quels sont les avantages de ce type de disposition pour la cellule ?

4. Les lois de la thermodynamique ne s'appliquent qu'aux systèmes fermés, c'est-à-dire aux systèmes où il n'entre ni ne sort de l'énergie. Un aquarium est-il un système fermé ? Si non, pourriez vous faire en sorte qu'il en devienne un ? Une station spatiale peut être ou non un système fermé, en fonction de certaines caractéristiques de sa construction. Quelles seraient ces caractéristiques ? La terre est-elle un système fermé ? Qu'en est-il de l'univers ?

5. L'implication la plus intéressante de la seconde loi de la thermodynamique, en ce qui concerne les systèmes vivants, est la relation entre l'entropie et l'ordre. Expliquez.

La respiration

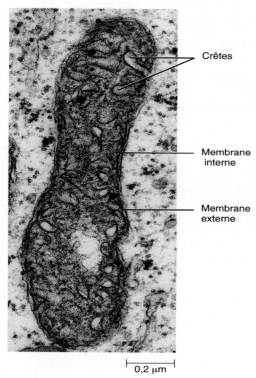

Crêtes

Membrane
interne

Membrane
externe

⊢—————⊣
0,2 μm

Figure 6-1

Mitochondrie dans une cellule foliaire de fougère (*Regnellidium diphyllum*). Les mitochondries sont le site de la respiration, processus
qui permet le transfert de l'énergie chimique
des composés organiques à l'ATP. La plus
grande partie de l'ATP est produite à la surface
des crêtes mitochondriales par des enzymes
enrobées dans ces membranes.

SOMMAIRE

De même que nous avons parlé du flux d'énergie dans le chapitre précédent, nous nous concentrons maintenant sur le flux de carbone — bien qu'on ne puisse en réalité séparer les deux. Dans ce chapitre, on mettra l'accent sur la dégradation des molécules qui permet à la cellule d'obtenir de l'énergie. Les plantes, comme les animaux, utilisent les métabolites primaires comme matériaux de construction pour construire et réparer les cellules et comme source d'énergie. La principale différence est que les plantes peuvent fabriquer leurs propres métabolites par photosynthèse, alors que les animaux doivent les trouver dans leur nourriture. Une fois à l'intérieur de la cellule végétale ou animale, ces molécules, principalement le glucose, sont dégradées, suivant une même séquence en chaîne, et une grande partie de l'énergie présente à l'origine dans les molécules est convertie en ATP — forme d'énergie plus disponible.

On verra que la voie métabolique se divise en quatre stades distincts. Dans la glycolyse, la molécule de glucose devient d'abord réactionnelle grâce à une « excitation » par l'ATP, puis le glucose excité est partiellement dégradé en une molécule à trois carbones. L'étape suivante est le cycle de Krebs, au cours duquel les restes de la molécule de glucose sont complètement dégradés en dioxyde de carbone et eau. Deux autres stades — la chaîne de transport d'électrons et la phosphorylation oxydative — ont une importance particulière. C'est au cours de ces stades qu'est formée la plus grande quantité d'ATP, du moins si l'oxygène est présent. Le chapitre se termine par la discussion des événements qui surviennent en l'absence d'oxygène et lorsque des molécules alimentaires différentes sont utilisés.

POINTS DE REPÈRE

Quand vous terminerez la lecture de ce chapitre, vous devriez pouvoir répondre aux questions suivantes :

- *Quelle est la réaction globale, ou équation, de la respiration, et quelle est la principale fonction de ce processus ?*

- *Quels sont les principaux événements qui se produisent au cours de la glycolyse ?*

- *Dans quelle partie de la cellule se déroule le cycle de Krebs et quels sont les produits formés ?*

- *Comment le flux d'électrons de la chaîne de transport aboutit-il à la formation d'ATP ?*

- *Quand une cellule métabolise une molécule de glucose, quelle est la différence d'énergie nette produite en conditions aérobies et anaérobies ? Comment pouvez-vous expliquer la différence ?*

L'ATP est la monnaie énergétique universelle des systèmes vivants. Il intervient dans des événements cellulaires très divers, depuis la biosynthèse des molécules organiques jusqu'au battement d'un flagelle, aux courants cytoplasmiques ou au transport actif d'une molécule à travers la membrane plasmique (Figure 6-1). Dans les pages qui suivent, nous décrirons la manière dont une cellule oxyde les glucides et capture, dans les liaisons phosphoanhydride de l'ATP, une partie de l'énergie libérée. Ce processus est une excellente illustration des principes chimiques décrits dans le chapitre précédent et de la façon dont les cellules peuvent réaliser les processus biochimiques.

Survol de l'oxydation du glucose

Comme on l'a signalé au chapitre 2, les molécules de glucides riches en énergie sont généralement stockées dans les plantes sous forme de saccharose ou d'amidon. Une étape préliminaire à la **respiration** — dégradation complète des sucres ou autres molécules organiques en dioxyde de carbone et eau — est l'hydrolyse de ces molécules de réserve en monosaccharides. La respiration elle-même est généralement considérée comme débutant par le glucose, produit final de l'hydrolyse du saccharose comme de l'amidon.

L'oxydation du glucose (et des autres glucides) est compliquée dans ses détails, mais son plan général est simple. Nous avons vu dans le dernier chapitre que l'**oxydation** est une perte d'électrons. La **réduction** est un gain d'électrons. Dans l'oxydation du glucose, la molécule est scindée et les atomes d'hydrogène (les électrons et les protons qui les accompagnent) sont arrachés aux atomes de carbone et combinés à l'oxygène, qui est donc lui-même réduit. Les électrons passent de niveaux énergétiques élevés à des niveaux inférieurs et l'énergie est libérée.

Le glucose peut constituer une source d'énergie en conditions aérobies (en présence d'oxygène) et anaérobie (en l'absence d'oxygène). Cependant, les composés organiques oxydables ne fournissent une quantité importante d'énergie qu'en conditions aérobies. Considérez, par exemple, la réaction globale de l'oxydation complète du glucose :

$$C_6H_{12}O_6 + 6O_2 \rightarrow 6CO_2 + 6H_2O + \text{Énergie}$$

Glucose   Oxygène   Dioxyde   Eau
de carbone

Avec l'oxygène comme accepteur final d'électrons, cette réaction est fortement exergonique (produit de l'énergie) : son ΔG est de -686 kcal/mole. Cette réaction est la respiration. Si l'énergie est extraite des composés organiques sans intervention de l'oxygène, le processus s'appelle la **fermentation** : il en sera question plus loin dans ce chapitre.

La respiration implique quatre stades distincts : la glycolyse, le cycle de Krebs, la chaîne de transport d'électrons et la phosphorylation oxydative (Figure 6-2). Dans la **glycolyse**, la molécule de glucose

est rompue en une paire de molécules à trois carbones, l'acide pyruvique ou **pyruvate**. (L'acide pyruvique se dissocie, produisant le pyruvate et un ion hydrogène. Acide pyruvique et pyruvate sont en équilibre, et les deux termes sont souvent utilisés indifféremment). Dans le **cycle de Krebs**, les molécules de pyruvate sont décomposées en dioxyde de carbone et les électrons qui en proviennent sont transférés à la **chaîne de transport d'électrons**. Dans la **phosphorylation oxydative**, l'énergie libérée par les électrons se déplaçant par la chaîne de transport est utilisée pour produire l'ATP à partir d'ADP et phosphate.

Au cours de l'oxydation de la molécule de glucose, une partie de son énergie est extraite dans une séquence de petites étapes distinctes et elle est stockée dans les liaisons phosphoanhydride de l'ATP. En accord avec la seconde loi de la thermodynamique, cependant, la plus grande partie de son énergie se dissipe sous forme d'énergie calorique.

La glycolyse

Comme on l'a signalé antérieurement, dans la glycolyse (de *glyco*, qui signifie « sucre » et *lyse*, pour « clivage »), la molécule à six carbones du glucose est scindée en deux molécules de pyruvate (Figure 6-3). La glycolyse se déroule en passant par une séquence de dix étapes, catalysées chacune par une enzyme spécifique. Cette série de réactions est réalisée pratiquement dans toutes les cellules vivantes, depuis les bactéries jusqu'aux cellules eucaryotes des plantes et des animaux. La glycolyse est un processus anaérobie qui se déroule dans le cytosol. D'un point de vue biologique, on peut considérer la glycolyse comme un processus primitif, en ce sens que son origine date très vraisemblablement d'avant l'apparition de l'oxygène atmosphérique et des organites cellulaires.

La voie glycolytique est représentée en détail à la figure 6-4. Elle illustre le principe qui veut que les processus biochimiques, dans une cellule vivante, progressent par petites étapes successives, chacune catalysée par une enzyme spécifique. Dans la séquence de réactions envisagée, remarquez comment le squelette carboné de la molécule est désassemblé à mesure que ses atomes sont redistribués étape par étape. Il n'est pas nécessaire de retenir toutes les étapes ; suivez-les simplement de près. Remarquez particulièrement la formation de l'ATP à partir d'ADP et phosphate et la production de NADH à partir de NAD⁺ (voir figure 5-10). **ATP** et **NADH** représentent la production d'énergie nette de la cellule dans la glycolyse. Au chapitre 7, nous verrons que les réactions 4 à 7 sont réalisées aussi dans le cycle de Calvin, qui fait partie du processus photosynthétique. Cette répétition illustre un principe de l'évolution biochimique : les voies métaboliques ne se créent pas entièrement à partir du néant ; de nouvelles réactions s'ajoutent plutôt à un ensemble préexistant pour constituer une « nouvelle » voie métabolique.

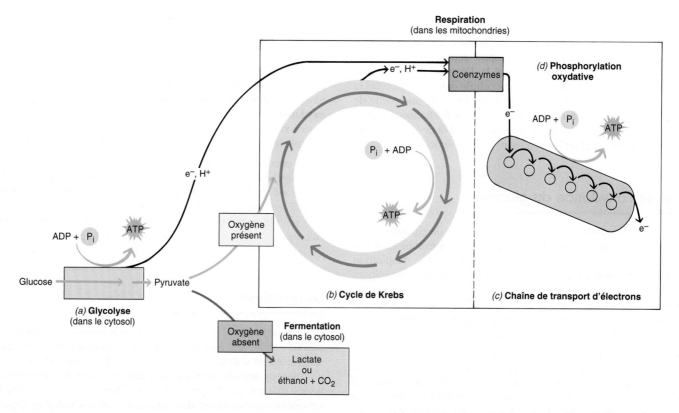

Respiration
(dans les mitochondries)

(d) **Phosphorylation oxydative**

(b) **Cycle de Krebs**

(c) **Chaîne de transport d'électrons**

(a) **Glycolyse**
(dans le cytosol)

Fermentation
(dans le cytosol)

Figure 6-2

Schéma général de l'oxydation du glucose. Respiration est le terme qui désigne la dégradation oxydative complète du glucose. La glycolyse est considérée comme la première de quatre étapes. Le cycle de Krebs, la chaîne de transport d'électrons et la phosphorylation oxydative sont les trois autres. **(a)** Dans la glycolyse, le glucose est scindé en pyruvate. Une petite quantité d'ATP est synhtétisée à partir d'ADP et de phosphate, et quelques électrons (e⁻) ainsi que les protons H⁺ qui les accompagnent, sont transférés aux coenzymes, qui fonctionnent comme

transporteurs d'électrons. **(b)** En présence d'oxygène (voie aérobie), le pyruvate est injecté dans le cycle de Krebs. Au cours de ce cycle, de nouvelles molécules d'ATP sont produites et d'autres électrons et protons sont transférés aux coenzymes. **(c)** Les coenzymes transfèrent ensuite les électrons à une chaîne de transport où les électrons descendent, marche par marche, à des niveaux énergétiques inférieurs, en produisant un gradient protonique. **(d)** Le gradient de protons est ensuite utilisé pour activer la formation de beaucoup plus d'ATP. Ce processus est la

phosphorylation oxydative. Au bout de la chaîne de transport d'électrons, les électrons rejoignent les protons et se combinent à l'oxygène pour former de l'eau.

En l'absence d'oxygène (voie anaérobie), le pyruvate est converti soit en lactate, soit en éthanol. Ce processus, ou fermentation, ne produit pas d'ATP supplémentaire, mais il régénère les coenzymes nécessaires à la poursuite de la glycolyse.

Figure 6-3

Dans la glycolyse, la molécule à six carbone de glucose est clivée, en passant par une série de dix réactions, en deux molécules à trois carbones, le pyruvate. Au cours de la glycolyse, quatre atomes d'hydrogène sont enlevés à la molécule de glucose initiale.

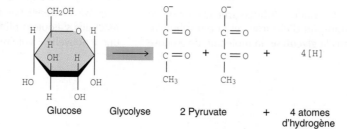

Glucose   Glycolyse   2 Pyruvate   +   4 atomes d'hydrogène

Phase préparatoire

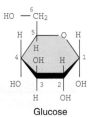

HO — CH₂
Glucose

Étape 1

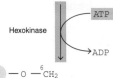

Hexokinase
ATP
ADP

Première réaction de phosphorylation préparatoire

Glucose 6-phosphate

Étape 2

Phosphoglycoisomérase

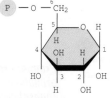

Fructose 6-phosphate

Étape 3

Phosphofructokinase
ATP
ADP

Seconde réaction de phosphorylation préparatoire

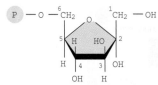

Fructose 1,6-diphosphate

Étape 4

Aldolase

Clivage du sucre phosphate à 6 carbones en deux sucres phosphate à 3 carbones

Étape 5

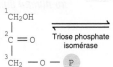 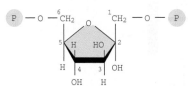

Triose phosphate isomérase

Dihydroxyacétone phosphate

Glycéraldéhyde 3-phosphate

Figure 6-4

Les étapes de la glycolyse. Chacune est catalysée par une enzyme spécifique dont le nom est cité.

P = groupement phosphate.

Étape 1 La phase préparatoire de la glycolyse exige un apport d'énergie. Cette énergie est fournie par le couplage de cette étape avec le système ATP/ADP. Dans la première étape — la première réaction préparatoire — le groupement phosphate terminal est transféré d'une molécule d'ATP au carbone de la molécule de glucose situé en sixième position pour donner le glucose 6-phosphate. La réaction de l'ATP avec le glucose, produisant le glucose 6-phosphate et d'ADP, est une réaction exergonique. Une partie de l'énergie qu'elle libère est conservée dans la liaison qui unit le phosphate à la molécule de glucose : la molécule de glucose est donc excitée. Cette réaction est catalysée par une enzyme spécifique (l'hexokinase ; voir figure 5-8).

Étape 2 Dans cette étape, la molécule est réorganisée, de nouveau grâce à une enzyme spécifique (la phosphoglucoisomérase). L'anneau hexagonal caractéristique du glucose devient un cycle de fructose à cinq carbones (la figure 2-3 montre que le glucose et le fructose ont les mêmes types et le même nombre d'atomes — $C_6H_{12}O_6$ — mais que la disposition de ces atomes est différente). Cette réaction est activée par le glucose 6-phosphate accumulé au cours de l'étape 1 et par l'épuisement du fructose 6-phosphate qui passe à l'étape 3.

Étape 3 Au cours de cette étape — la seconde réaction préparatoire — le fructose 6-phosphate acquiert un second phosphate grâce à l'investissement d'un autre ATP. Ce phosphate ajouté s'unit au premier carbone et produit le fructose 1,6-diphosphate — c'est-à-dire un fructose avec des phosphates sur le carbone 1 et sur le carbone 6. Notez qu'au cours des réactions qui viennent de se dérouler, deux molécules d'ATP ont été transformées en deux molécules d'ADP et qu'on n'a pas récupéré d'énergie. En d'autres termes, le rendement énergétique est, jusqu'à présent, de -2ATP.

Étape 4 C'est l'étape de clivage qui donne son nom à la glycolyse. La molécule de sucre à six carbones est scindée en deux molécules à trois carbones, la glycéraldéhyde 3-phosphate et la dihydroxyacétone phosphate.

Étape 5 La glycéraldéhyde 3-phosphate peut être convertie en dihydroacétone phosphate et réciproquement par l'enzyme triose phosphate isomérase. Cependant, la glycéraldéhyde 3-phosphate étant utilisée dans les réactions ultérieures, le résultat net est une conversion de la dihydroxyacétone en glycéraldéhyde 3-phosphate. *Il faut donc compter deux fois les produits des étapes suivantes pour tenir compte de l'évolution de chaque molécule de glucose.* La phase préparatoire se termine à la fin de l'étape 5.

Étape 6   Dans la première réaction de la phase rentable en énergie, les molécules de glycéraldéhyde 3-phosphate sont oxydées — des atomes d'hydrogène sont enlevés avec leurs électrons — et NAD$^+$ est réduit en NADH et H$^+$ (au total, deux molécules de NADH et deux ions H$^+$ par molécule de glucose — une pour chacune des deux molécules de glycéraldéhyde 3-phosphate générées par molécule de glucose). C'est la première réaction au cours de laquelle la cellule récolte de l'énergie, emmagasinée sous forme du composé très énergétique NADH. Une partie de l'énergie de cette réaction d'oxydation est également conservée par la fixation d'un groupement phosphate au carbone 1 de la molécule, qui forme le 1,3-diphosphoglycérate. Les propriétés de cette nouvelle liaison sont semblables à celles des liaisons phosphoanhydride de l'ATP (P$_i$ représente le phosphate inorganique, présent sous forme d'ion phosphate en solution dans le cytosol.)

Étape 7   L'énergie de liaison du phosphate libéré par la molécule de 1,3-diphosphoglycérate est utilisée pour phosphoryler une molécule d'ADP (au total, deux molécules d'ATP sont formées par molécule de glucose). Il s'agit d'une réaction très exergonique (son ΔG a une valeur négative élevée), et elle « entraîne » toutes les réactions qui la précèdent. La formation d'ATP par transfert enzymatique d'un groupement phosphate entre un intermédiaire métabolique et l'ADP est appelé une **phosphorylation au niveau du substrat**.

Étape 8   Le groupement phosphate restant est transféré du carbone en position 3 au carbone 2 dans la molécule de glycérate.

Étape 9   Dans cette étape, une molécule d'eau est enlevée du composé à trois carbones. Suite à la redistribution des électrons et de l'énergie dans la molécule, il se forme un composé phosphorylé très énergétique (le phosphoénolpyruvate).

Étape 10   Le groupement phosphate du phosphoénolpyruvate est transféré à une molécule d'ADP et produit une autre molécule d'ATP. (De nouveau, deux molécules d'ATP au total sont formée pour chaque molécule de glucose par phosphorylation au niveau du substrat.) C'est également une réaction très exergonique et elle entraîne les deux réactions précédentes (étapes 8 et 9).

Résumé de la glycolyse

La séquence complète de la glycolyse débute avec une molécule de glucose (Figure 6-5). De l'énergie est fournie à la séquence aux étapes 1 et 3 par transfert d'un groupement phosphate d'une molécule d'ATP — une à chaque étape — à la molécule de sucre. La molécule à six carbones est scindée à l'étape 4 et, après l'étape 5, la voie produit de l'énergie. À l'étape 6, deux molécules de NAD$^+$ sont réduites en deux

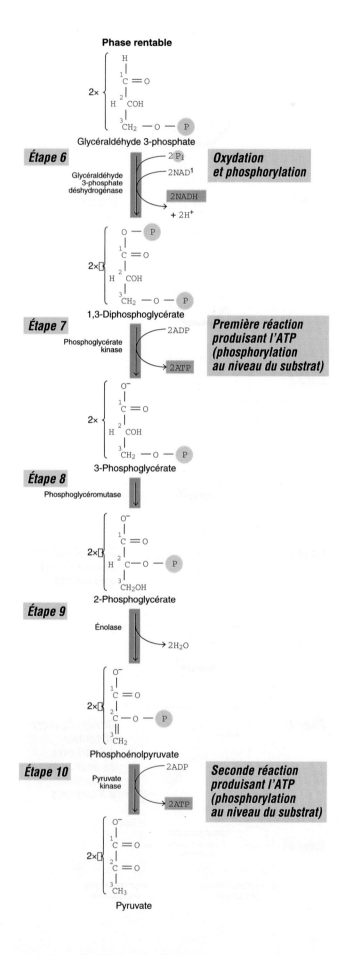

Figure 6-5

Résumé des deux phases de la glycolyse. La phase préparatoire exige un investissement énergétique de 2 ATP. Ce stade se clôture par le scission de la molécule à six carbones de glucose en molécules à trois carbones. La phase rentable produit une éner-gie de 4 ATP et 2 NADH — ce qui représente un rendement substantiel de l'investissement initial. La production nette d'ATP est donc de 2 molécules par molécule de glucose. En dehors du glucose, d'autres glucides, comme le glycogène, l'amidon, divers disaccharides et un certain nombre de monosaccharides, peuvent passer par la glycolyse après avoir été convertis en glucose 6-phosphate ou fructose 6-phosphate.

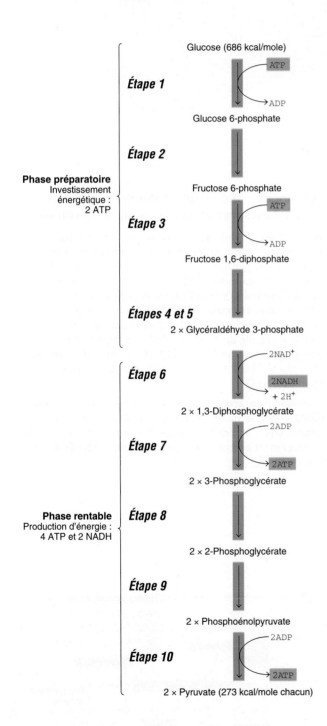

molécules de NADH, mettant par là même une partie de l'énergie qui provient de l'oxydation du glycéraldéhyde 3-phosphate en réserve sous la forme d'électrons à haute énergie de la coenzyme réduite. Aux étapes 7 et 10, deux molécules d'ADP reçoivent de l'énergie du système, elles produisent des liaisons phosphoanhydride supplémentaires et se transforment en deux molécules d'ATP pour chaque molécule de glycéraldéhyde 3-phosphate — ou quatre molécules d'ATP par molécule de glucose. Deux des quatre molécules d'ATP remplacent en fait les deux ATP utilisés aux étapes 1 et 3. Le rendement net en ATP n'atteint que deux molécules par molécule de glucose.

On peut résumer la glycolyse (depuis le glucose jusqu'au pyruvate) par l'équation générale suivante :

$$\text{Glucose} + 2\,\text{NAD}^+ + 2\,\text{ADP} + 2\,\text{P}_i \rightarrow$$
$$2\ \text{pyruvate} + 2\,\text{NADH} + 2\,\text{H}^+ + 2\,\text{ATP} + 2\,\text{H}_2\text{O}$$

Une molécule de glucose est donc convertie en deux molécules de pyruvate. Le rendement *net* — la production d'énergie — est de deux molécules d'ATP et deux molécules de NADH par molécule de glucose. Le contenu énergétique total de deux moles de pyruvate est d'environ 546 kilocalories, à comparer aux 686 kilocalories stockées dans une mole de glucose. Une grande partie (environ 80 %) de l'énergie emmagasinée dans la molécule originelle de glucose reste donc dans les deux molécules de pyruvate.

Remarquez également, qu'en conditions aérobies, les deux molécules de NADH peuvent fournir des molécules d'ATP supplémentaires aux mitochondries si elles sont utilisées comme donneurs d'électrons à la chaîne de transport d'électrons de la voie aérobie (voir page 116).

La voie aérobie

Le pyruvate est un intermédiaire clé dans le métabolisme cellulaire parce qu'il peut être utilisé par différentes voies. La voie suivie dépend en partie des conditions dans lesquelles se déroule le métabolisme et en partie de l'organisme considéré. Dans certains cas, la voie dépend spécifiquement du tissu de l'organisme. Le principal facteur environnemental est l'oxygène disponible. En présence d'oxygène, le pyruvate est complètement oxydé en dioxyde de carbone, et la glycolyse n'est que l'étape initiale de la respiration. Cette voie aérobie aboutit à l'oxydation complète du glucose et la quantité d'ATP produite est beaucoup plus grande que celle que peut donner la glycolyse seule. Dans les cellules eucaryotes, les réactions de la voie aérobie se déroulent à l'intérieur des mitochondries.

Figure 6-6

Structure d'une mitochondrie. Ce dessin en trois dimensions montre que la mitochondrie est entourée de deux membranes. La membrane interne se replie vers l'intérieur pour former les crêtes. De nombreux enzymes et transporteurs d'électrons impliqués dans la respiration se trouvent dans la membrane interne.

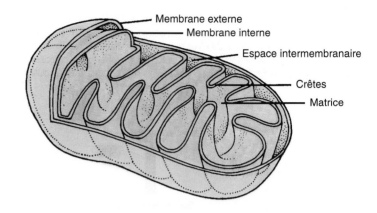

Membrane externe
Membrane interne
Espace intermembranaire
Crêtes
Matrice

La structure de la mitochondrie est la clé de sa fonction

Comme nous l'avons vu au chapitre 3, la mitochondrie est entourée de deux membranes, dont l'interne est convolutée vers l'intérieur en forme de replis, les **crêtes** (Figures 6-1 et 6-6). Dans le compartiment interne de la mitochondrie, baignant les crêtes, se trouve une **matrice** liquide. La matrice contient de l'eau, des enzymes, coenzymes, phosphates et d'autres molécules et ions qui interviennent dans la respiration. À l'exception d'une seule, toutes les enzymes du cycle de Krebs sont en solution dans la matrice. Une enzyme du cycle de Krebs et les éléments de la chaîne de transport d'électrons se trouvent dans la membrane interne et sont donc les caractéristiques principales des crêtes. La mitochondrie ressemble ainsi à une usine chimique intégrée.

La membrane externe de la mitochondrie est perméable à la plupart des petites molécules, et la solution qui se trouve entre les membranes interne et externe présente donc la même composition que le cytosol. La membrane interne ne permet cependant que le passage de certaines molécules, comme le pyruvate, l'ADP et l'ATP. Elle empêche le passage d'autres molécules et ions, comme H^+ (protons). Nous verrons que cette perméabilité sélective de la membrane interne a une importance critique dans la maîtrise, par la mitochondrie, de la respiration et de la production d'ATP.

Étape préliminaire : le pyruvate entre dans la mitochondrie, il est simultanément oxydé et décarboxylé

Du cytosol, où il est produit par glycolyse, le pyruvate passe à la matrice de la mitochondrie en traversant les membranes externe et interne. Cependant, le pyruvate n'est pas utilisé directement dans le cycle de Krebs. Dans la mitochondrie, il est oxydé et décarboxylé — des électrons sont enlevés et le CO_2 est excisé de la molécule. Au cours de cette réaction exergonique, une molécule de NADH est produite à partir de NAD^+ (Figure 6-7). Les deux molécules de pyruvate provenant de la molécule de glucose initiale ont maintenant été oxydées en deux groupements acétyle ($-CH_3CO$). De plus, deux molécules de CO_2 ont été libérées et deux molécules de NADH ont été formées à partir de NAD^+.

Chaque groupement acétyle est temporairement fixé à la **coenzyme A (CoA)** — grosse molécule composée d'un nucléotide uni à l'acide pantothénique, une des vitamines du complexe B. La combinaison du groupement acétyle et de CoA, appelée **acétyl-CoA**, entre dans le cycle de Krebs.

Figure 6-7

La molécule de pyruvate à trois carbones est oxydée et décarboxylée pour donner un groupement acétyle bicarboné qui s'attache à la coenzyme A, et donne ainsi l'acétyl-CoA. L'oxydation de la molécule de pyruvate est couplée à la réduction du NAD^+ en NADH. Les atomes de carbone dérivés du glucose entrent dans le cycle de Krebs sous la forme d'acétyl CoA.

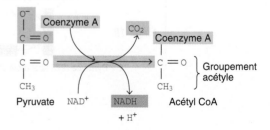

Le cycle de Krebs oxyde les groupements acétyle des molécules d'acétyl-CoA

Le cycle de Krebs doit son nom à Sir Hans Krebs, dont le groupe de recherche est en grande partie responsable de la découverte. Krebs a proposé cette voie métabolique en 1937 et il reçut plus tard un prix Nobel en reconnaissance de sa brillante recherche. Le cycle de Krebs peut aussi s'appeler cycle de l'acide citrique ou cycle de l'acide tricarboxylique (TCA) parce qu'il débute par la production d'acide citrique ou citrate, qui possède trois groupements acide carboxylique.

Le cycle de Krebs commence toujours par l'acétyl-CoA, son seul substrat véritable. À l'entrée dans le cycle de Krebs (Figure 6-8), le groupement acétyle à deux carbones se combine à un composé à quatre carbone (l'oxaloacétate) pour produire une molécule à six carbone (le citrate). La coenzyme A est libérée pour se combiner à un nouveau groupement acétyle après l'oxydation d'une autre molécule de pyruvate. Au cours du cycle, deux des six carbones sont soustraits et oxydés en CO_2 ; l'oxaloacétate est régénéré — faisant donc bien de cette séquence de réactions un processus cyclique. Chaque tour de cycle consomme un groupement acétyle et régénère une molécule d'oxaloacétate, qui est ainsi prête à entrer à nouveau dans le cycle de Krebs.

Figure 6-8

Pendant le déroulement du cycle de Krebs, deux carbones entrent sous la forme du groupement acétyle de l'acétyl CoA et deux carbones sont oxydés en dioxyde de carbone ; les atomes d'hydrogène sont transférés aux coenzymes NAD^+ et FAD. Comme dans la glycolyse, une enzyme spécifique intervient à chaque étape.

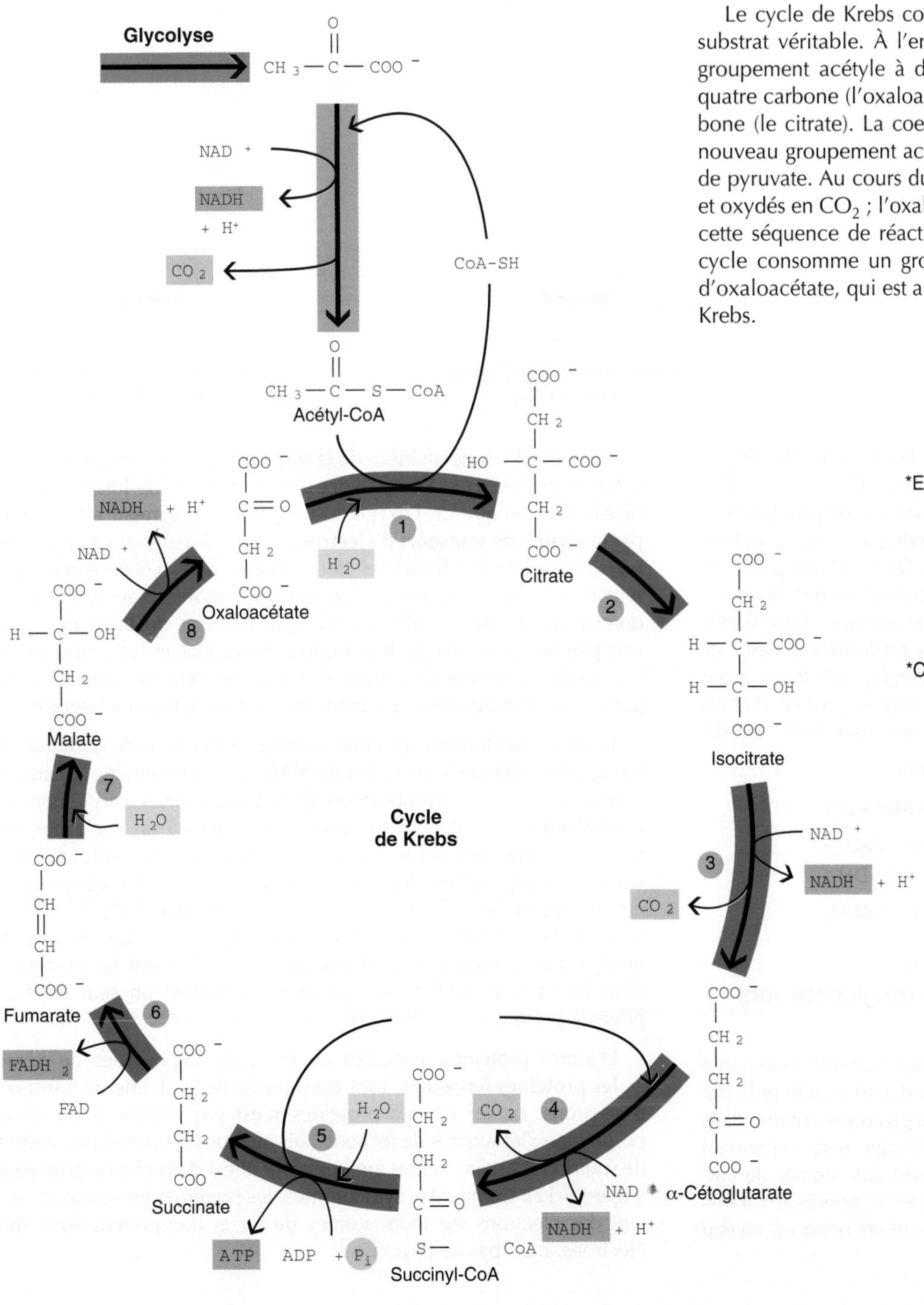

*Enzymes qui catalysent ces réactions :

1. Citrate synthétase
2. Isocitrate déshydrogénase
3. α–Cétoglutarate déshydrogénase
4. Succinyl CoA synthétase
5. Succinate déshydrogénase
6. Malate déshydrogénase

*CoA s'écrit souvent sous la forme CoA-SH

Figure 6-9

Forme oxydée (FAD) et forme réduite (FADH$_2$) de la coenzyme flavine adénine dinucléotide. La riboflavine est une vitamine (vitamine B$_2$) fabriquée par les plantes et de nombreux microorganismes ; mais elle doit se trouver dans l'alimentation de la plupart des animaux. C'est un pigment jaune vif sous sa forme oxydée. La flavine mononucléotide (FMN) est un accepteur d'électrons apparenté ; elle est composée de riboflavine associée à un groupement phosphate. Elle accepte les électrons venant de NADH dans la chaîne de transport d'électrons.

Flavine adénine dinucléotide
oxydée (FAD)

Flavine adénine dinucléotide
réduite (FADH$_2$)

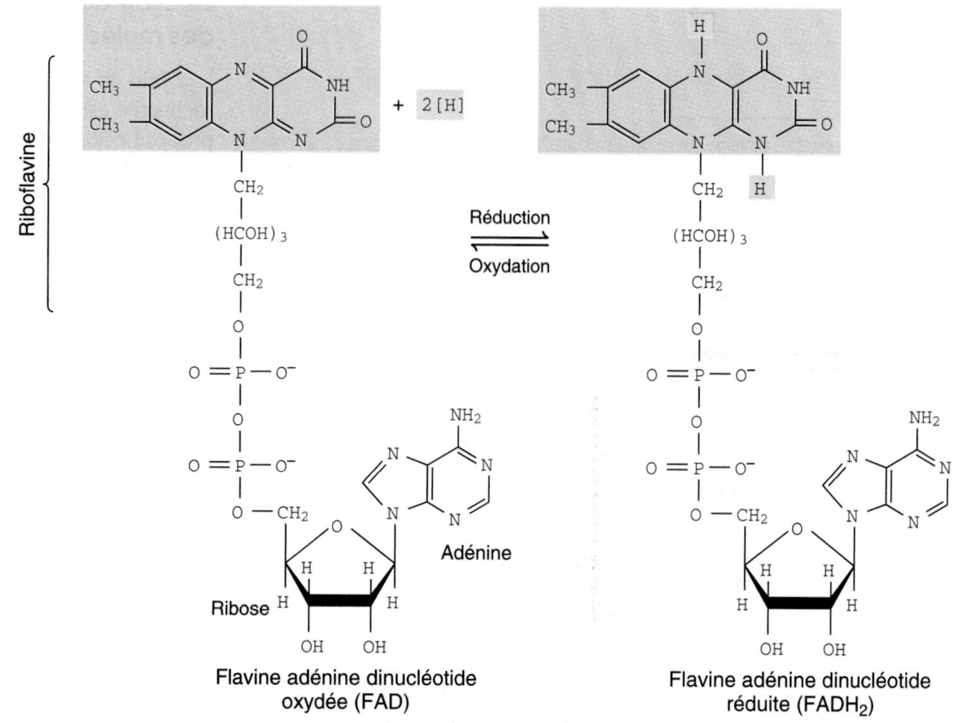

Au cours de cette séquence, une partie de l'énergie libérée par l'oxydation des atomes de carbone est utilisée pour transformer l'ADP en ATP (une molécule par cycle ; c'est un autre cas de phosphorylation au niveau du substrat), mais la plus grande partie sert à réduire NAD$^+$ en NADH (trois molécules par cycle). De plus, une partie de l'énergie est utilisée pour réduire un second transporteur d'électrons, la coenzyme connue sous le nom de flavine adénine dinucléotide (FAD) (Figure 6-9). Une molécule de **FADH$_2$** est formée à partir de FAD au cours de chaque tour de cycle. L'oxygène n'intervient pas directement dans le cycle de Krebs ; les électrons et protons enlevés pendant l'oxydation du carbone sont tous acceptés par NAD$^+$ et FAD.

L'équation globale du cycle de Krebs est donc :

$$\text{Oxaloacétate} + \text{Acétyl-CoA} + 3H_2O + ADP + P_i +$$
$$3NAD^+ + FAD \rightarrow$$
$$\text{Oxaloacétate} + 2CO_2 + CoA + ATP + 3NADH +$$
$$3H^+ + FADH_2$$

Dans la chaîne de transport d'électrons, les électrons prélevés de la molécule de glucose sont transférés à l'oxygène

La molécule de glucose est maintenant totalement oxydée. Une partie de son énergie a servi à produire de l'ATP au départ d'ADP et P$_i$ par phosphorylation au niveau du substrat, dans la glycolyse comme dans le cycle de Krebs. La plus grande part de l'énergie reste cependant encore emmagasinée dans les électrons enlevés aux atomes de carbone lors de leur oxydation. Ces électrons ont été transférés aux transporteurs d'électrons NAD$^+$ et FAD et se trouvent encore à un niveau énergétique élevé dans NADH et FADH$_2$.

Au cours du stade ultérieur de la respiration, ces électrons très énergétiques de NADH et FADH$_2$ vont retomber pas à pas jusqu'au faible niveau énergétique de l'oxygène. Ce passage progressif est possible par la **chaîne de transport d'électrons** (Figure 6-10), série de transporteurs qui retiennent chacun les électrons à un niveau énergétique légèrement inférieur. Chaque transporteur est capable d'accepter ou de donner un ou deux électrons. Chaque élément de la chaîne peut accepter les électrons du transporteur précédent et les transférer au suivant dans un ordre spécifique. À une exception près, tous ces transporteurs sont inclus dans la membrane interne de la mitochondrie.

La structure chimique des transporteurs d'électrons de la chaîne de transport est différente de celles de NAD$^+$ et FAD. Certains appartiennent à une classe de transporteurs d'électrons connus sous le nom de **cytochromes** — molécules protéiques associées à un cycle porphyrine, ou groupement hème, qui contient du fer (Figure 6-11) Les cytochromes acceptent les électrons sur leurs atomes de fer, qui peuvent être réduits de façon réversible de la forme ferrique (Fe^{3+}) à la forme ferreuse (Fe^{2+}). Chaque cytochrome diffère par la structure de sa protéine et par le niveau énergétique auquel il maintient les électrons. Sous leur forme réduite, les cytochromes portent un seul électron privé de proton.

D'autres protéines associées au fer, mais dépourvues de hème — **les protéines fer-soufre**, font aussi partie de la chaîne de transport d'électrons. Le fer de ces protéines n'est pas associé à un cycle porphyrine ; les atomes de fer sont fixés aux ions sulfure et aux atomes de soufre de certains acides aminés particuliers de la chaîne protéique (Figure 6-12). Comme les cytochromes, les protéines fer-soufre acceptent des électrons sur leurs atomes de fer et transportent donc des électrons, mais pas de protons.

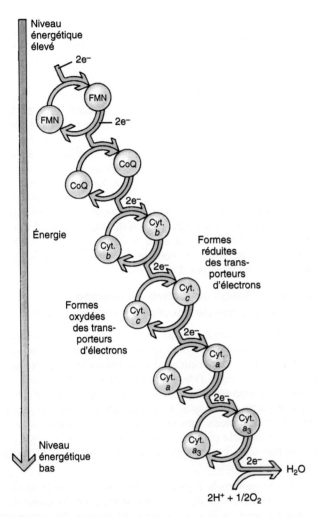

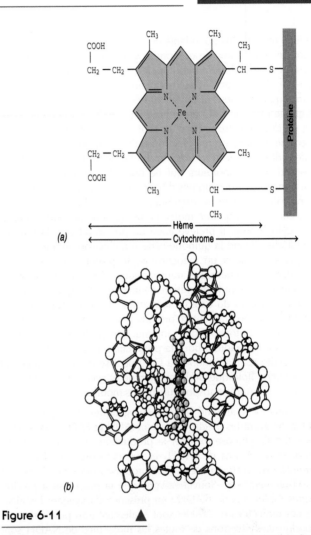

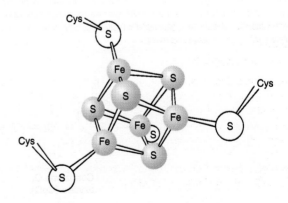

Figure 6-10 ▲

Représentation schématique de la chaîne de transport d'électrons. Les molécules représentées ici — flavine mononucléotide (FMN), coenzyme Q (CoQ) et cytochromes *b, c, a* et *a₃* — sont les principaux transporteurs d'électrons de cette chaîne. Au moins neuf autres molécules servent également d'intermédiaires entre ces transporteurs d'électrons.

Les électrons portés par NADH entrent dans la chaîne et sont transférés au FMN, qui est donc réduit (en bleu). Presqu'instantanément, FMN passe les électrons à la CoQ. De cette façon, FMN revient à sa forme oxydée (en gris), prête à recevoir une autre paire d'électrons. CoQ passe ensuite les électrons au transporteur suivant et revient à sa forme oxydée et ainsi de suite tout au long de la séquence. À mesure que les électrons descendent le long de la chaîne, ils tombent à des niveaux énergétique toujours plus bas. Les électrons sont finalement acceptés par l'oxygène, qui se combine à des protons (ions hydrogène) pour former de l'eau.

Les électrons portés par FADH₂ sont à un niveau énergétique légèrement inférieur à celui des électrons portés par NADH. Ils entrent dans la chaîne de transport un peu plus avant dans la séquence, au niveau de la CoQ, et ils ne produisent que 2 ATP par molécule de coenzyme au lieu des trois ATP produits par molécule de NADH.

Figure 6-12 ▶

Disposition hypothétique des atomes de fer (Fe) et de soufre (S) dans le centre réactionnel d'une protéine fer-soufre. Le centre fer-soufre représenté ici se compose de six atomes de fer et de huit atomes de soufre. Les centres fer-soufre sont attachés aux groupements cystéine (cys) de la protéine. Les protéines fer-soufre interviennent dans le transfert d'électrons.

Figure 6-11 ▲

Les cytochromes sont des molécules participant au transfert d'électrons dans les mitochondries. **(a)** Chaque molécule de cytochrome contient un atome de fer maintenu dans un anneau porphyrine contenant de l'azote. Avec son atome de fer, l'anneau porphyrine constitue le hème. Chaque atome de fer accepte un électron et est réduit de Fe^{3+} à Fe^{2+}. Le cytochrome représenté ici est le cytochrome *c*. **(b)** Structure générale de la molécule de cytochrome *c* montrant la position du groupement hème (coloré) à l'intérieur de la protéine globulaire.

Les éléments les plus abondants de la chaîne de transport d'électrons sont des molécules de quinone. La quinone présente dans les mitochondries est l'*ubiquinone*, appelée aussi **coenzyme Q (CoQ)** (Figure 6-13). Contrairement aux cytochromes et aux protéines fer-soufre, une quinone peut accepter ou céder soit un, soit deux électrons. Cela permet à la CoQ de servir d'intermédiaire entre des transporteurs de deux électrons ou d'un seul. De plus, CoQ accepte un proton en même temps que l'électron qu'il transporte — c'est-à-dire l'équivalent d'un atome d'hydrogène. En faisant alterner un transfert d'électrons entre transporteurs qui ne portent que des électrons et ceux qui transportent des atomes d'hydrogène, CoQ peut faire transiter des protons à travers la membrane mitochondriale interne. Par exemple, chaque fois qu'une molécule de quinone accepte un électron d'un cytochrome, il prélève aussi un proton (H^+) de la matrice mitochondriale. Quand la quinone cède son électron au transporteur suivant, par exemple à un cytochrome, le proton est libéré dans l'espace intermembranaire. Les transporteurs d'électrons étant orientés dans la membrane mitochondriale de telle manière que les protons sont toujours prélevés du côté de la matrice et libérés dans l'espace intermembranaire, un gradient de protons se crée entre les deux faces de la membrane mitochondriale interne. On parlera plus tard de l'importance de ce gradient pour la production aérobie d'ATP. Parce qu'elle est petite et hydrophobe, la CoQ peut se déplacer librement dans la bicouche lipidique de la membrane et servir de navette aux électrons parmi d'autres transporteurs moins mobiles.

Au « sommet » (extrémité la plus énergétique) de la chaîne de transport se trouvent les électrons unis à NADH et $FADH_2$. Pour chaque molécule de glucose oxydée, la production du cycle de Krebs était de deux molécules de $FADH_2$ et six molécules de NADH, et l'oxydation du pyruvate en acétyl CoA produisait deux molécules de NADH supplémentaires. Souvenez-vous que la glycolyse a produit deux autres molécules de NADH ; en présence d'oxygène, les électrons de ces molécules de NADH sont également transportés dans la mitochondrie. Les électrons de toutes les molécules de NADH sont alors transférés à l'accepteur flavine mononucléotide (en abrégé FMN, voir figure 6-9), qui est le premier élément de la chaîne de transport d'électrons. Les électrons associés aux molécules de $FADH_2$ sont transférés directement à la CoQ, qui se trouve plus bas que FMN dans la chaîne de transport d'électrons (Figure 6-10).

Quand les électrons s'écoulent le long de la chaîne de transport d'un niveau énergétique élevé à un niveau inférieur, l'énergie libérée est maîtrisée et utilisée pour créer un gradient de protons. À son tour, le gradient de protons actionne la production d'ATP à partir d'ADP et P_i au cours d'un processus appelé **phosphorylation oxydative**. Au bout de la chaîne, les électrons sont acceptés par l'oxygène et se combinent aux protons (ions hydrogène) pour donner de l'eau. Chaque fois qu'une paire d'électrons passe de NADH à l'oxygène, des protons sont « pompés » à travers la membrane en nombre suffisant pour produire trois molécules d'ATP. Chaque fois qu'une paire d'électrons provient de $FADH_2$, qui les tient à un niveau énergétique légèrement inférieur à celui de NADH, le nombre de protons « pompés » permet de produire deux molécules d'ATP.

La phosphorylation oxydative est réalisée par un mécanisme de couplage chimiosmotique

Jusqu'au début des années 1960, le mécanisme de phosphorylation oxydative était une des énigmes les plus déconcertantes de toute la biologie cellulaire. La perspicacité et la créativité expérimentale du biochimiste britannique Peter Mitchell (1920-1992) — et le travail ultérieur de nombreux autres chercheurs — ont permis de résoudre une grande partie de l'énigme. La phosphorylation oxydative dépend d'un gradient de protons (ions H^+) créé de part et d'autre de la membrane mitochondriale et de l'utilisation ultérieure de l'énergie potentielle stockée dans ce gradient pour la production d'ATP à partir d'ADP et de phosphate.

Comme le montre la figure 6-14, les éléments de la chaîne de transport d'électrons sont disposés les uns à la suite des autres dans la membrane interne de la mitochondrie. La plupart des transporteurs d'électrons sont étroitement associés à des protéines encastrées dans la membrane et forment trois complexes distincts. Dans chaque complexe, les transporteurs d'électrons sont maintenus à une place convenant à leurs interactions mutuelles.

Comme on l'a fait remarquer plus haut, les complexes protéiques sont aussi des pompes à protons. Tandis que les électrons dévalent

Figure 6-13

Formes oxydée et réduite de la coenzyme Q. La forme oxydée de CoQ est réduite quand elle reçoit des électrons provenant d'un donneur de la chaîne de transport d'électrons. Les protons prélevés par CoQ proviennent de la face matricielle de la membrane mitochondriale interne. La coenzyme Q est également appelée « ubiquinone », pour rappeler l'ubiquité de cette substance — on la trouve dans pratiquement toutes les cellules eucaryotes.

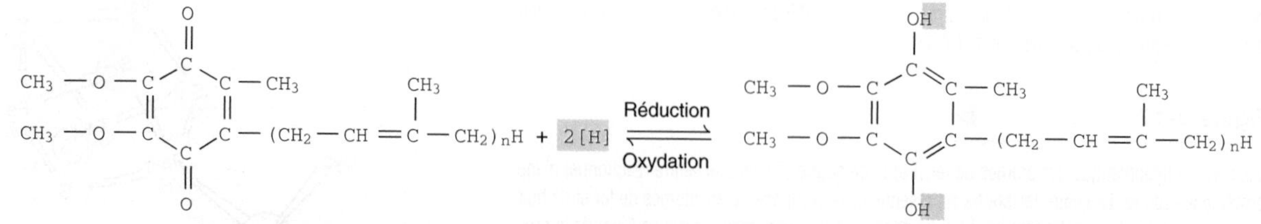

Coenzyme Q, oxydée (CoQ)

Coenzyme Q, réduite ($CoQH_2$)

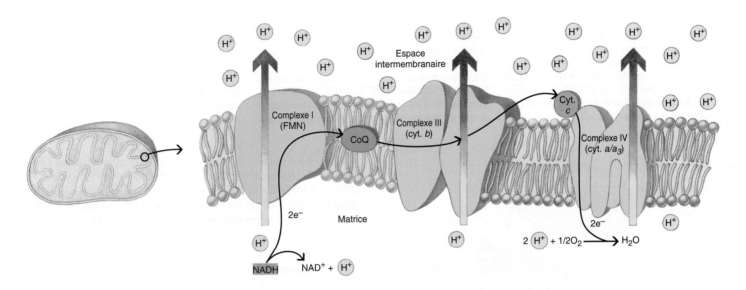

Figure 6-14

Disposition des composants de la chaîne de transport d'électrons dans la membrane interne de la mitochondrie. Trois structures protéiques complexes (indiquées ici par I, III et IV) sont enrobées dans la membrane. Elles contiennent les transporteurs d'électrons et les enzymes qui catalysent le transfert d'électrons d'un transporteur au suivant. Le transporteur d'électrons FMN est situé dans le complexe I ; il reçoit deux électrons de NADH et les passe à CoQ. La CoQ, localisée dans la partie lipidique interne de la membrane, transporte les électrons du complexe I au complexe III, qui renferme le cytochrome *b*. Du complexe III, les électrons se déplacent vers le cytochrome *c*, protéine membranaire périphérique qui fait la navette entre les complexes III et IV. Les électrons passent ensuite par les cytochromes *a* et *a_3*, situés dans le complexe IV, reviennent à la matrice où ils se combinent aux protons (ions H$^+$) et à l'oxygène pour produire de l'eau.

Le complexe II, autre structure protéique complexe (non représentée ici) enrobée dans la membrane mitochondriale interne, renferme FAD. Les électrons passent du succinate (dans le cycle de Krebs) au FAD, pour donner FADH$_2$, et de là à la CoQ. Les électrons de FADH$_2$ entrent donc dans la chaîne de transport d'électrons au niveau de la CoQ. Le complexe II n'intervient pas dans le transfert d'électrons de NADH à O$_2$.

Pendant que les électrons descendent le long de la chaîne de transport d'électrons, des protons sont pompés, à travers les trois complexes protéiques, de la matrice vers l'espace intermembranaire. Ce transfert de protons de la matricielle de la membrane mitochondriale interne à son autre face établit le gradient de protons qui alimente la synthèse d'ATP.

vers les niveaux énergétiques inférieurs le long de la chaîne de transporteurs, l'énergie libérée est utilisée par les complexes protéiques pour pomper des protons de la matrice mitochondriale vers l'espace intermembranaire. On estime que, pour chaque paire d'électrons descendant la chaîne de transport d'électrons du NADH à l'oxygène, 10 protons environ sont extraits de la matrice.

On a vu précédemment que la membrane interne de la mitochondrie est imperméable aux protons. Les protons pompés dans l'espace intermembranaire ne peuvent donc retraverser la membrane vers la matrice. Il en résulte un gradient de concentration des protons entre les deux côtés de la membrane interne de la mitochondrie, avec une concentration beaucoup plus élevée dans l'espace intermembranaire que dans la matrice.

Comme un rocher au sommet d'une pente ou l'eau en amont d'une chute, la différence de concentration des protons entre l'espace intermembranaire et la matrice représente de l'énergie potentielle. Cette énergie potentielle ne provient pas seulement de la différence effective de concentration (plus d'ions hydrogène à l'extérieur de la membrane qu'à l'intérieur), mais également d'une différence de charge électrique (plus de charges positives à l'extérieur qu'à l'intérieur). L'énergie potentielle est donc constituée d'un **gradient électrochimique**. Elle est disponible pour alimenter tout processus qui ouvre un canal permettant aux protons de descendre le gradient pour retourner à la matrice.

Un tel canal est fourni par un vaste complexe enzymatique, **l'ATP synthétase** (Figure 6-15). Ce complexe enzymatique, enrobé dans la membrane interne de la mitochondrie, possède des sites de fixation pour l'ATP et l'ADP. Il possède également un canal interne, un pore, par où peuvent transiter les protons. Quand les protons s'écoulent à travers ce canal, en descendant le gradient électrochimique de l'espace intermembranaire vers la matrice, l'énergie libérée alimente la synthèse d'ATP à partir d'ADP et phosphate.

Figure 6-15

Complexe de l'ATP synthétase. **(a)** Ce complexe enzymatique se compose de deux portions principales, F_0, qui se trouve à l'intérieur de la membrane interne de la mitochondrie, et F_1, qui s'étend dans la matrice. Les sites de liaison de l'ATP et de l'ADP se trouvent dans la partie F_1, qui est constituée de neuf sous-unités protéiques séparées. Un canal, ou pore, qui relie l'espace intermembranaire à la matrice mitochondriale, traverse tout le complexe. Lorsque le flux de protons s'écoule par ce canal, en suivant le gradient électrochimique, l'ATP est synthétisé à partir d'ADP et de phosphate. **(b)** Dans cette micrographie électronique, les protubérances qui sortent des vésicules sont les portions F_1 des complexes d'ATP synthétase. Les portions F_0 auxquelles elles s'attachent sont enrobées dans la membrane et ne sont pas visibles. Pour la préparation des vésicules, on a provoqué la rupture de la membrane mitochondriale interne par des ultrasons. Quand la membrane est rompue de cette façon, les fragments se resoudent immédiatement et forment des vésicules fermées. Les vésicules sont cependant inversées. Ici, la surface externe est celle qui tapissait la matrice dans la mitochondrie intacte.

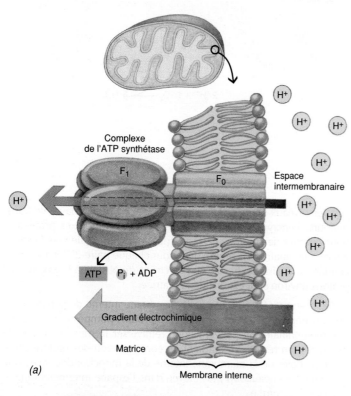

(a)

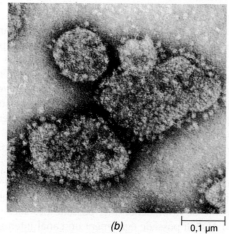

(b)　　0,1 μm

Notez bien que le fonctionnement de l'ATP synthétase est l'inverse de celui de la pompe à protons H+-ATPase décrit au chapitre 4. Dans celle-ci, l'ATP était *utilisé* comme source d'énergie pour pomper les protons contre leur gradient électrochimique. Au contraire, l'ATP synthétase utilise l'énergie des protons qui suivent leur gradient pour *produire* l'ATP.

Le mécanisme de synthèse de l'ATP, résumé à la figure 6-16, est appelé **couplage chimiosmotique**. Le terme « chimiosmotique », imaginé par Peter Mitchell, traduit le fait que la production d'ATP, dans la phosphorylation oxydative, comprend des processus chimiques (portion « chimi » du terme) et des phénomènes de transport (partie « osmotique »). Ainsi que nous l'avons vu, le couplage chimiosmotique aboutit à deux conséquences : (1) un gradient de protons s'établit de part et d'autre de la membrane interne de la mitochondrie et (2) l'énergie potentielle stockée dans le gradient est utilisée pour produire l'ATP à partir d'ADP et phosphate.

La force chimiosmotique a encore d'autres usages dans les systèmes vivants. Par exemple, elle est la source d'énergie qui actionne la rotation du flagelle bactérien. Dans les cellules photosynthétiques, comme nous le verrons au chapitre suivant, elle intervient dans la production d'ATP aux dépens de l'énergie fournie aux électrons par le soleil. Elle peut également servir à actionner d'autres mécanismes de transport. Dans les mitochondries, par exemple, l'énergie emmagasinée dans le gradient de protons est aussi utilisée pour faire transiter d'autres substances par la membrane interne. Le phosphate, comme le pyruvate, sont introduits dans la matrice par des protéines membranaires qui transportent simultanément des protons descendant le gradient.

NADH et FADH$_2$, comme l'ATP, interviennent dans la production globale d'énergie

Nous avons maintenant la possibilité de voir quelle quantité d'énergie initialement présente dans la molécule de glucose a été récupérée sous forme d'ATP. Le « bilan » de la production d'ATP de la figure 6-17 peut vous aider à suivre la discussion qui suit.

La glycolyse se déroule dans le cytosol et, en présence d'oxygène, elle produit directement deux molécules d'ATP et deux molécules de NADH par molécule de glucose. Les électrons retenus par des deux molécules de NADH sont transportés à travers la membrane

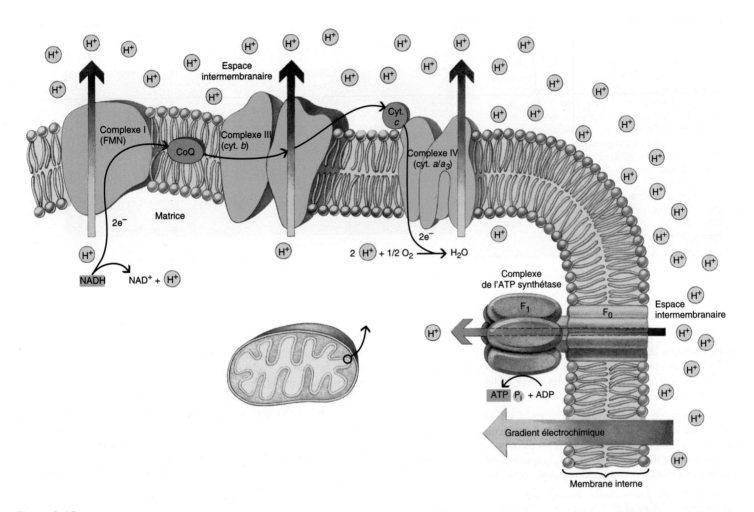

Figure 6-16

Résumé de la synthèse chimiosmotique d'ATP dans la mitochondrie. Quand les électrons descendent le long de la chaîne de transport d'électrons, qui fait partie de la membrane mitochondriale interne, des protons sont pompés de la matrice mitochondriale vers l'espace intermembranaire, créant un gradient électrochimique. Le déplacement ultérieur des protons suivant le gradient, lors de leur passage au travers du complexe de l'ATP synthétase, fournit l'énergie nécessaire à la régénération de l'ATP à partir d'ADP et phosphate. On suppose actuellement que trois protons s'écoulent par le complexe de l'ATP synthétase pour chaque molécule d'ATP produite.

Figure 6-17

Résumé montrant le rendement énergétique de l'oxydation complète d'une molécule de glucose.

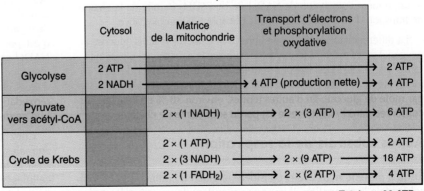

Molécules produites dans :

	Cytosol	Matrice de la mitochondrie	Transport d'électrons et phosphorylation oxydative	
Glycolyse	2 ATP			→ 2 ATP
	2 NADH		→ 4 ATP (production nette)	→ 4 ATP
Pyruvate vers acétyl-CoA		2 × (1 NADH)	→ 2 × (3 ATP)	→ 6 ATP
Cycle de Krebs		2 × (1 ATP)		→ 2 ATP
		2 × (3 NADH)	→ 2 × (9 ATP)	→ 18 ATP
		2 × (1 FADH$_2$)	→ 2 × (2 ATP)	→ 4 ATP

Total : 36 ATP

mitochondriale au « prix » d'une molécule d'ATP par molécule de NADH. La production nette de la réoxydation des 2 molécules de NADH n'atteint donc que 4 molécules d'ATP au lieu des 6 auxquelles on devrait s'attendre.

La conversion du pyruvate en acétyl-CoA se déroule dans la matrice de la mitochondrie et produit 2 molécules de NADH pour chaque molécule de glucose. Quand les électrons descendent le long de la chaîne de transport d'électrons, la quantité de protons pompés à travers la membrane mitochondriale suffit pour synthétiser 6 ATP.

Le cycle de Krebs aussi se déroule dans la matrice de la mitochondrie ; il produit 2 molécules d'ATP, 6 de NADH et 2 de $FADH_2$. Le passage, par la chaîne de transport, des électrons retenus par les molécules de NADH et $FADH_2$ est responsable du pompage d'une quantité d'électrons suffisante pour produire 22 ATP. Pour chaque molécule de glucose, la production totale du cycle de Krebs atteint donc 24 ATP.

D'après le bilan de la figure 6-17, la production nette d'une molécule de glucose est de 36 molécules d'ATP. À l'exception de 2, ces 36 molécules proviennent de réactions dans la mitochondrie et toutes, sauf 4, impliquent l'oxydation de NADH ou de $FADH_2$ le long de la chaîne de transport d'électrons couplée à la phosphorylation oxydative.

La différence totale d'énergie libre (ΔG) entre les réactifs (glucose et oxygène) et les produits (dioxyde de carbone et eau) est de -686 kilocalories par mole. Les liaisons terminales phosphoanhydride des 36 molécules d'ATP interviennent pour environ 263 kilocalories (7,3 × 36) par mole de glucose. En d'autres termes, environ 38 % de l'énergie est conservée dans l'ATP. Le reste est perdu sous forme de chaleur.

Autres substrats de la respiration

Jusqu'à présent, nous avons considéré le glucose comme le principal substrat de la respiration. Il importe cependant de noter que les grais-

ses et les protéines peuvent également être converties en acétyl-CoA et entrer dans le cycle de Krebs (voir figure 6-19). Dans le cas des graisses, une molécule de triglycéride est d'abord hydrolysée en glycérol et trois acides gras. Ensuite, en commençant par l'extrémité carboxyle des acides gras, des groupements acétyle à deux carbones sont successivement enlevés sous forme d'acétyl-CoA par un mécanisme appelé *oxydation bêta*. Une molécule comme l'acide oléique (voir figure 2-9), qui contient 18 atomes de carbone, produit neuf molécules d'acétyl-CoA qui peuvent être oxydées dans le cycle de Krebs. Les protéines sont décomposées de la même manière en acides aminés élémentaires, et les groupements amine sont enlevés. Certains squelettes carbonés résiduels sont convertis en intermédiaires du cycle de Krebs tels que l'α-cétoglutarate, l'oxaloacétate et le fumarate, et entrent ainsi dans le cycle.

Les voies anaérobies

Dans la plupart des cellules eucaryotes (de même que chez la plupart des bactéries), le pyruvate suit habituellement la voie aérobie et il est complètement oxydé en dioxyde de carbone et eau. Cependant, si l'oxygène est absent ou en concentration insuffisante, le pyruvate n'est pas le produit final de la glycolyse. Dans ces conditions, le NADH produit au cours de l'oxydation de la glycéraldéhyde 3-phosphate ne peut passer ses électrons à O_2 par la chaîne de transport d'électrons, mais il doit d'abord être réoxydé en NAD^+. Sans cette réoxydation, la glycolyse serait rapidement arrêtée parce que la cellule ne disposerait plus de NAD^+ comme accepteur d'électrons.

Chez beaucoup de bactéries, champignons, protistes et cellules animales, ce processus anaérobie aboutit à la formation de lactate : c'est la **fermentation lactique**. Chez la levure et dans beaucoup de cellules végétales, cependant, le pyruvate est dégradé en éthanol (alcool éthylique) et dioxyde de carbone. C'est pourquoi ce processus anaérobie s'appelle la **fermentation alcoolique**. Dans les deux cas, deux électrons (et un proton) du NADH sont transférés à ce qui était le carbone central du pyruvate. Toutefois, dans la fermentation alcoolique, la réoxydation du NADH est précédée de la libération de dioxyde de carbone (décarboxylation) (Figure 6-18).

D'un point de vue thermodynamique, les fermentations lactique et alcoolique sont semblables. Dans les deux cas, le NADH est réoxydé et l'énergie produite par la dégradation du glucose se limite au bénéfice net des 2 molécules d'ATP produites pendant la glycolyse. On peut représenter comme suit l'équation complète pour la fermentation du glucose :

$$\text{Glucose} + 2\,\text{ADP} + 2\,\text{P}_i \rightarrow$$
$$2\,\text{Éthanol} + 2\,\text{CO}_2 + 2\,\text{ATP} + 2\,\text{H}_2\text{O}$$

ou

$$\text{Glucose} + 2\,\text{ADP} + 2\,\text{P}_i \rightarrow 2\,\text{Lactate} + 2\,\text{ATP} + 2\,\text{H}_2\text{O}$$

Durant la fermentation alcoolique, 7 % environ de l'énergie totale disponible de la molécule de glucose — environ 52 kilocalories par mole — est libérée, 93 % restant dans les deux molécules d'alcool. Cependant, si l'on considère que la cellule anaérobie conserve la plus grande partie de ces 52 kilocalories sous forme d'ATP (7,3 kilocalories par mole d'ATP, ou 14,6 par mole de glucose), on constate que l'énergie est conservé avec un rendement de quelque 26 %. Comme on l'a fait remarquer au chapitre 5, le rendement des machines artificielles dépasse rarement 25 % et nous avons vu dans ce chapitre que celui de la respiration est de 38 % environ.

Le fait que la glycolyse n'exige pas d'oxygène fait penser que la séquence glycolytique est apparue très tôt, avant que l'oxygène libre soit présent dans l'atmosphère. On peut penser que les organismes unicellulaires primitifs utilisaient la glycolyse (ou quelques chose de très semblable) pour extraire l'énergie des molécules organiques qu'ils trouvaient dans leur environnement aquatique. Bien que les voies anaérobies ne produisent que deux molécules d'ATP pour chaque glucose transformé, cette faible production était et reste suffisante pour les besoins de nombreux organismes ou parties d'organismes. Dans le système racinaire des plantes de riz cultivées dans les rizières irriguées, la fermentation est souvent importante et fournit l'énergie nécessaire à la croissance et au métabolisme des racines.

La stratégie du métabolisme énergétique

Les différentes voies qui produisent de l'énergie par dégradation des molécules organiques représentent collectivement le **catabolisme**. Elle occupent aussi une position centrale dans les processus vitaux de biosynthèse. Ces derniers, rassemblés sous le terme d'**anabolisme**, sont les voies utilisées par les cellules pour synthétiser les diverses molécules qui constituent un organisme vivant. Parce que beaucoup

Figure 6-18

(a) Processus en deux étapes de la conversion anaérobie du pyruvate en éthanol. Au cours de la première étape, le dioxyde de carbone est libéré. Dans la seconde, NADH est oxydé et l'acétaldéhyde est réduite. La plus grande partie de l'énergie du glucose est conservée dans l'alcool, qui constitue le principal produit final de la séquence. Cependant, par la régénération de NAD⁺, ces réactions permettent à la glycolyse de se poursuivre, avec sa production d'ATP modeste, mais parfois vitale. **(b)** Un exemple de glycolyse anaérobie. Des peintures murales de l'ancienne Égypte, comme celle qui est reproduite ici, sont les plus anciens documents historiques concernant la vinification. Elles ont été datées d'il y a environ 5000 ans. Cependant, des fragments de poteries découverts récemment et teintés par le vin, suggèrent que les Sumériens maîtrisaient l'art de la vinification 500 ans au moins avant les Égyptiens. Les raisins étaient cueillis, puis foulés aux pieds, et le jus était récolté dans des jarres pour permettre la fermentation et produire le vin. Dans la vinification moderne, on ajoute des cultures pures de levure au jus de raisin relativement stérile pour provoquer la fermentation, au lieu de se fier aux levures apportées par le raisin.

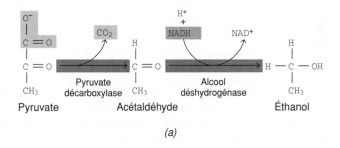

(a)

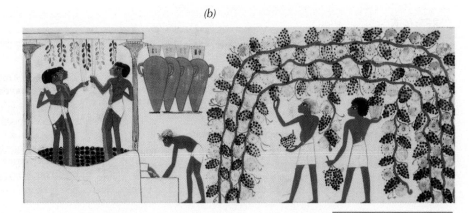

(b)

Figure 6-19

Aperçu de voies cataboliques et anaboliques importantes dans la cellule vivante. Les voies cataboliques (flèches pointées vers le bas) sont exergoniques. Une partie significative de l'énergie libérée par ces voies est conservée lors de la synthèse d'ATP. Les vois anaboliques (flèches pointées vers le haut) sont endergoniques. L'énergie qui alimente les réactions de ces voies est fournie principalement par ATP et NADH.

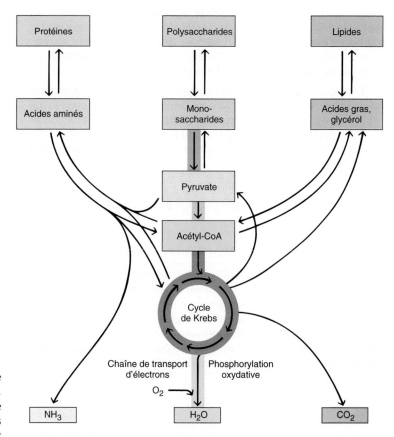

de ces molécules, comme les protéines et les lipides, peuvent être dégradées et alimenter la voie centrale du métabolisme du glucose, on pourrait penser que le processus inverse est possible — c'est-à-dire que les différents intermédiaires de la glycolyse et du cycle de Krebs peuvent servir de précurseurs pour la biosynthèse. C'est effectivement le cas, comme le souligne la figure 6-19. Ainsi, le cycle de Krebs joue un rôle critique dans les processus cataboliques et anaboliques et il constitue une importante « plaque tournante » pour les activités métaboliques de la cellule.

Les réactions des voies cataboliques et anaboliques ne peuvent se dérouler sans un apport régulier de molécules organiques pouvant être dégradées pour produire non seulement l'énergie, mais aussi les molécules servant de briques de construction. Sans l'apport de ces molécules, les voies métaboliques cessent de fonctionner et l'organisme meurt. Les cellules hétérotrophes (y compris les cellules hétérotrophes des plantes, comme les cellules des racines) dépendent de sources externes — plus précisément, des cellules autotrophes — pour acquérir les molécules organiques essentielles à la vie. Les cellules autotrophes sont par contre capables de synthétiser leurs propres molécules énergétiques en partant de molécules inorganiques simples et d'une source d'énergie externe. Ces molécules fournissent l'énergie, aussi bien que les matériaux de construction.

Les cellules photosynthétiques des algues et des plantes sont de loin les cellules autotrophes les plus importantes. Dans le chapitre qui suit, nous verrons comment ces cellules captent l'énergie de la lumière solaire et l'utilisent pour synthétiser les molécules de monosaccharides dont dépend la vie sur cette planète.

RÉSUMÉ

La respiration, oxydation complète du glucose, est la principale source d'énergie de la plupart des cellules

À mesure que le glucose est dégradé en suivant une série de réactions successives catalysées par des enzymes, une partie de l'énergie libérée est emmagasinée dans les liaisons phosphoanhydride terminales de l'ATP et le reste est perdu sous forme de chaleur.

Dans la glycolyse, le glucose est scindé en pyruvate

La première étape de la dégradation du glucose est la glycolyse, dans laquelle le molécule de glucose à six carbones est scindée en deux molécules de pyruvate à trois carbones ; deux molécules d'ATP et deux autres de NADH sont formées. Cette réaction se déroule dans le cytosol.

Le cycle de Krebs complète la décomposition métabolique du glucose en dioxyde de carbone

Au cours de la respiration, les molécules de pyruvate à trois carbones sont décomposées à l'intérieur de la mitochondrie en deux groupements acétyle à deux carbones, puis ils entrent dans le cycle de Krebs sous la forme d'acétyl-CoA. Dans le cycle de Krebs, tous les groupements acétyle sont oxydés dans une série de réactions qui produisent deux molécules de dioxyde de carbone supplémentaires, une molécule d'ATP et quatre molécules de transporteurs d'électrons réduits (trois NADH et un FADH$_2$). En deux tours de cycle, les atomes de carbone provenant du glucose sont complètement oxydés.

Dans la chaîne de transport d'électrons, le flux d'électrons est couplé au pompage des protons au travers de la membrane mitochondriale interne et à la synthèse d'ATP

L'étape suivante de la respiration est la chaîne de transport d'électrons, qui met en œuvre une série de transporteurs d'électrons et d'enzymes enrobés dans la membrane interne de la mitochondrie. Tout le long de cette série de transporteurs, les électrons de haute énergie sont transportés par NADH et FADH$_2$ et « descendent » vers l'oxygène. La grande quantité d'énergie libre libérée au cours du passage des électrons le long de la chaîne de transport alimente le pompage des protons (ions H$^+$) à partir de la matrice mitochondriale. Ce processus crée un gradient d'énergie potentielle de part et d'autre de la membrane interne de la mitochondrie. Quand les protons passent par le complexe de l'ATP synthétase en redescendant le gradient vers la matrice, l'énergie libérée est utilisée pour produire de l'ATP à partir d'ADP et d'ions phosphate. Ce processus, ou couplage chimiosmotique, est le mécanisme qui accomplit la phosphorylation oxydative.

Au cours de la dégradation aérobie du glucose en CO$_2$ et eau, 36 molécules d'ATP sont produites, la plupart dans la mitochondrie, au stade final de la réaction, ou phosphorylation oxydative.

Les réactions de fermentation se déroulent en conditions anaérobies

En cas d'absence ou de pénurie d'oxygène, le pyruvate produit par la glycolyse peut être transformé soit en lactate (chez beaucoup de bactéries, champignons et cellules animales) ou en éthanol et dioxyde de carbone (chez les levures et la plupart des cellules végétales). Ces processus anaérobies — la fermentation — produisent 2 ATP pour chaque molécule de glucose.

Le cycle de Krebs est la « plaque tournante métabolique » où s'intègrent la dégradation et la synthèse de nombreux types différents de molécules

Le glucose est considéré comme le principal substrat pour la respiration dans la plupart des cellules, mais les graisses et les protéines peuvent également être converties en molécules susceptibles d'entrer dans différentes étapes de la séquence respiratoire. Les différentes voies qui aboutissent à la dégradation des molécules organiques pour la production d'énergie forment ensemble le catabolisme. L'anabolisme représente l'ensemble des processus biosynthétiques vitaux.

MOTS CLÉS

acétyl-CoA p. 114

anabolisme p. 123

ATP synthétase p. 119

catabolisme p. 123

chaîne de transport d'électrons p. 116

coenzyme A (CoA) p. 114

coenzyme Q (CoQ) p. 118

couplage chimiosmotique p. 120

crêtes p. 114

cycle de Krebs p. 109

cytochromes p. 116

FADH$_2$ p. 116

fermentation alcoolique p. 123

fermentation lactique p. 122

fermentation p. 109

glycolyse p. 109

gradient électrochimique p. 119

matrice mitochondriale p. 114

NADH p. 109

phosphorylation au niveau du substrat p. 112

phosphorylation oxydative p. 118

protéines fer-soufre p. 116

pyruvate p. 109

respiration p. 109

voies anaérobies p. 122

QUESTIONS

1. Faites la distinction entre phosphorylation au niveau du substrat et phosphorylation oxydative. Localisez ces processus dans la cellule, en relation avec la respiration.

2. Faites un schéma de la structure de la mitochondrie. Expliquez où se déroulent les différents stades de la dégradation du glucose en tenant compte de la structure mitochondriale. Quels sont les molécules et ions qui traversent les membranes mitochondriales au cours de ce processus ?

3. On peut dire que deux événements différents se produisent dans le couplage chimiosmotique. Quels sont-ils ? Citez quelques utilisations de la force chimiosmotique dans les systèmes vivants.

4. Certaines substances chimiques fonctionnent comme agents « découplants » s'ils sont ajoutés aux mitochondries qui respirent. Le passage d'électrons le long de la chaîne de transport se poursuit, mais il ne se forme pas d'ATP. Un de ces agents est un antibiotique, la valinomycine : on sait qu'il transporte les ions K$^+$ dans la matrice en traversant la membrane interne. Un autre, le 2,4-dinitrophénol, transporte les ions H$^+$ à travers la membrane. Comment ces substances empêchent-elles la production d'ATP ?

5. Avec certaines souches de levure, la fermentation s'arrête avant l'épuisement du sucre, généralement lorsque la concentration d'alcool excède 12 %. Comment peut-on l'expliquer ?

7 Photosynthèse, lumière et vie

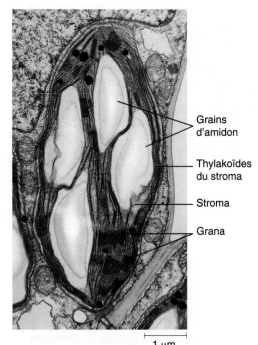

Grains
d'amidon

Thylakoïdes
du stroma

Stroma

Grana

1 µm

Figure 7-1

Chez les organismes eucaryotes, la photosynthèse se déroule dans les chloroplastes. On voit ici un chloroplaste d'une cellule de mésophylle foliaire d'*Amaranthus retroflexus*. Les réactions aboutissant à la capture de la lumière se déroulent dans les membranes internes, ou thylakoïdes, où se trouvent les chlorophylles et les autres pigments. Beaucoup de thylakoïdes forment des empilements en forme de disques, les grana. Les thylakoïdes des différents grana sont interconnectés par les thylakoïdes du stroma. Les séquences de réactions qui permettent à l'énergie lumineuse captée de synthétiser des composés carbonés se déroulent dans le stroma, substance entourant les thylakoïdes. Pendant les périodes de photosynthèse intense, une partie des glucides est emmagasinée temporairement dans le chloroplaste sous forme de grains d'amidon. Pendant la nuit, du saccharose est produit à partir de l'amidon et exporté de la feuille vers d'autres parties de la plante, où il est finalement utilisé pour la fabrication de molécules diverses nécessaires à la plante.

SOMMAIRE

Si on l'envisage d'un point anthropologique, la photosynthèse est sans doute le processus le plus important sur la terre. Pendant la photosynthèse, les plantes, les algues et les bactéries photosynthétiques sont capables de « maîtriser le soleil, » et d'utiliser l'énergie de ses rayons pour transformer des molécules simples — le dioxyde de carbone et l'eau — en molécules organiques complexes utilisables par les plantes, mais aussi par les animaux, comme source d'énergie et de matériaux de construction de molécules organiques. De plus, la photosynthèse libère l'oxygène (O_2) dans l'air que nous respirons et cet oxygène joue un rôle vital dans la respiration cellulaire et dans la synthèse d'ATP qui l'accompagne. Donc, sans la photosynthèse, les plantes et les animaux, y compris l'homme, étoufferaient et mourraient de faim.

Après une introduction concernant la nature de la lumière et le rôle des pigments, ce chapitre introduit deux séries de réactions qui interviennent dans la photosynthèse. Dans la première série, les réactions claires (ou réactions de transformation d'énergie), les molécules de chlorophylle absorbent l'énergie lumineuse et s'en servent pour synthétiser l'ATP, ainsi que NADPH. Ces molécules entrent ensuite dans la seconde série de réactions, la fixation du carbone, pour transformer en glucides les molécules de CO_2 présentes dans l'atmosphère. L'oxygène, si important pour les organismes aérobies, est libéré comme un déchet de la photosynthèse quand les molécules d'eau sont scindées au cours des réactions claires.

POINTS DE REPÈRE

Quand vous terminerez la lecture de ce chapitre, vous devriez pouvoir répondre aux questions suivantes :

- *Quel est le rôle de la lumière dans la photosynthèse et quelles propriétés de la lumière font penser à une onde ? À une particule ?*
- *Quels sont les pigments principaux impliqués dans la photosynthèse et pourquoi les feuilles sont-elles vertes ?*
- *Quels sont les principaux produits des réactions de transduction d'énergie, ou réactions claires, de la photosynthèse ?*
- *Quels sont les principaux produits des réactions de fixation du carbone dans la photosynthèse et pourquoi le terme « réactions sombres » est-il trompeur pour désigner cette série de réactions ?*
- *Quels sont les principaux événements associés aux deux systèmes photosynthétiques et quelle est la différence entre les pigments de l'antenne et ceux du centre réactionnel ?*
- *Quelles sont les principales différences entre les voies de fixation du carbone en C_3, C_4 et CAM ? Quels sont leurs caractéristiques communes ?*

Dans le chapitre précédent, nous avons décrit la dégradation des glucides, qui fournit l'énergie nécessaire à de nombreuses activités réalisées par les systèmes vivants. Dans les pages qui suivent, nous refermerons la boucle en décrivant comment l'énergie lumineuse du soleil est captée et convertie en énergie chimique.

La photosynthèse : perspective historique

On n'a reconnu l'importance de la photosynthèse pour l'économie de la nature qu'à une époque relativement récente. En observant que la vie des animaux dépendait de la nourriture qu'ils consommaient, Aristote et les autres auteurs grecs pensaient que les plantes puisaient toute leur nourriture du sol.

Il y a plus de 350 ans, au cours d'une des premières expériences biologiques les plus soigneusement préparées de l'histoire, le médecin belge Jan Baptiste van Helmont (vers 1577-1644) prouva expérimentalement, et pour la première fois, que la plante ne se nourrit pas seulement à partir du sol. Van Helmont cultiva un petit saule dans un pot en faïence en n'ajoutant que de l'eau. Après 5 ans, le poids du saule avait augmenté de 74,4 kilogrammes, alors que le poids de la terre n'avait baissé que de 57 grammes. En se basant sur ces résultats, van Helmont arriva à la conclusion que toute la substance de la plante provenait de l'eau et non du sol ! Les conclusions de van Helmont étaient cependant trop générales.

Vers la fin du XIXe siècle, Joseph Priestley (1733-1804), pasteur et savant anglais, signala qu'il était « accidentellement tombé sur un moyen de purifier l'air vicié par la combustion des chandelles. » Le 17 août 177, Priestley mit un brin [vivant] de menthe dans de l'air où un cierge s'était consumé et il trouva que, le 27 du même mois, une autre chandelle pouvait être allumée dans le même air. » Le « moyen de purification utilisé par la nature pour arriver à ce résultat », écrivait-il, était « la végétation. » Priestley élargit ses observations et montra bientôt que l'air « purifié » par la végétation n'était pas « du tout gênant pour une souris. » Les expériences de Priestley expliquaient pour la première fois d'une façon logique comment l'air restait « pur » et supportable pour la vie en dépit de la combustion de feux innombrables et de la respiration de nombreux animaux. Quand on lui présenta une médaille pour sa découverte, la citation disait en particulier : « Par ces découvertes, vous sommes assurés qu'aucune plante ne croît en vain...mais qu'elle nettoie et purifie notre atmosphère. » Aujourd'hui, nous expliquerions simplement les expériences de Priestley en disant que les plantes captent le CO_2 produit par les combustions ou la respiration des animaux et que les animaux respirent l'O_2 libéré par les plantes.

Un peu plus tard, le médecin hollandais Jan Ingenhousz (1730-1799) confirma le travail de Priestley et montra que l'air n'était « puri-

fié » qu'en présence de la lumière solaire et seulement par les parties vertes des plantes. En 1796, Ingenhousz supposait que le dioxyde de carbone est scindé, au cours de la photosynthèse, en carbone et oxygène, l'oxygène étant libéré sous forme gazeuse. Par la suite, on découvrit que les proportions de carbone, hydrogène et oxygène dans les sucres et amidons correspondaient à peu près à un atome de carbone par molécule d'eau (CH_2O), d'où le terme « hydrate de carbone ». On supposait donc généralement que, dans la réaction globale de la photosynthèse,

$$CO_2 + H_2O + \text{Énergie lumineuse} \rightarrow (CH_2O) + O_2$$

le glucide provenait d'une combinaison entre les molécules d'eau et les atomes de carbone du dioxyde de carbone, et que l'oxygène était libéré à partir du dioxyde de carbone.

Le chercheur qui contredit cette théorie longtemps acceptée, fut C.B.van Niel. Van Niel préparait alors une thèse sur les activités de différents types de bactéries photosynthétiques (Figure 7-2).

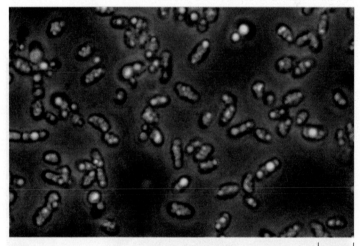

5 µm

Figure 7-2

Bactéries sulfureuses pourpres. Ces bactéries contemporaines réduisent le carbone en glucides durant la photosynthèse, mais elles ne libèrent pas d'oxygène. Dans ces cellules, le sulfure d'hydrogène (H_2S) joue le même rôle que l'eau dans la photosynthèse des plantes. Le sulfure d'hydrogène est scindé et le soufre s'accumule sous forme de globules, visibles à l'intérieur de ces cellules.

Un groupe particulier de ces bactéries — les bactéries sulfureuses pourpres — réduisent le carbone en glucides pendant la photosynthèse, mais elles ne libèrent pas d'oxygène. Les bactéries sulfureuses pourpres doivent disposer de sulfure d'hydrogène pour leur activité photosynthétique. Au cours de la photosynthèse, des globules de soufre s'accumulent à l'intérieur des cellules bactériennes (Figure 7-2). Van Niel découvrit que la réaction qui se déroule chez ces bactéries durant la photosynthèse est la suivante :

$$CO_2 + 2H_2S \xrightarrow{\text{Lumière}} (CH_2O) + H_2O + 2S$$

Cette découverte était simple et n'attira guère l'attention jusqu'au jour où van Niel fit une extrapolation audacieuse. Il proposa l'équation générale suivante pour la photosynthèse :

$$CO_2 + 2H_2A \xrightarrow{\text{Lumière}} (CH_2O) + H_2O + 2A$$

Dans cette équation, H_2A représente une substance oxydable, comme le sulfure d'hydrogène ou l'hydrogène libre (Figure 7-3). En bref, van Niel supposait que c'était l'eau, et *non* le dioxyde de carbone, qui était la source d'oxygène dans la photosynthèse.

En 1937, Robin Hill montra que des chloroplastes isolés, exposés à la lumière, étaient capables de produire l'O_2 en l'absence de CO_2. Cette libération d'oxygène actionnée par la lumière en l'absence de CO_2 - appelée **réaction de Hill** — n'était possible que si les chloroplastes étaient éclairés et s'ils disposaient d'un accepteur d'électrons artificiel. Cette découverte confirmait l'hypothèse de van Niel proposée six ans plus tôt.

Une preuve plus convaincante du fait que O_2 libéré par la photosynthèse dérive de l'eau vit le jour en 1941, quand des chercheurs utilisèrent un isotope lourd de l'oxygène ($^{18}O_2$) pour suivre l'oxygène de l'eau jusqu'à l'oxygène gazeux :

$$CO_2 + 2H_2^{18}O \xrightarrow{\text{Lumière}} (CH_2O) + H_2O + {}^{18}O_2$$

Donc, dans le cas des algues et des plantes vertes, où l'eau intervient comme donneur d'électrons, on peut écrire comme suit une équation de la photosynthèse complète et équilibrée :

$$3CO_2 + 6H_2O \xrightarrow{\text{Lumière}} C_3H_6O_3 + 3O_2 + 3H_2O$$

Bien que l'on présente habituellement le glucose comme le produit hydrocarboné de la photosynthèse dans les équations brutes, la quantité de glucose produite dans les cellules pendant la photosynthèse est en réalité très faible. Les premiers produits glucidiques sont des trioses (sucres à trois carbones).

Comme on l'a fait remarquer précédemment, on avait déjà découvert il y a quelque 200 ans que la lumière est nécessaire au processus que nous appelons aujourd'hui photosynthèse. En fait, la photosynthèse passe par deux étapes, dont l'une seulement demande de la lumière. La preuve de ce processus en deux étapes fut présentée pour la première fois en 1905 par le physiologiste végétal anglais F.F. Blackman, à la suite d'expériences au cours desquelles il mesurait les effets individuels et combinés de modifications de l'intensité lumineuse et de la température sur la vitesse de la photosynthèse. Ces expériences montraient que la photosynthèse comporte une étape dépendante de la lumière et une étape qui en est indépendante.

Dans les expériences de Blackman, les réactions indépendantes de la lumière étaient accélérées par une augmentation de la température, mais seulement jusqu'à 30°C environ, après quoi la vitesse commençait à diminuer. On en conclut que ces réactions sont contrôlées par des enzymes, puisque c'est la réponse à la température que l'on peut attendre de l'action des enzymes (voir figure 5-12). On a montré depuis lors que cette conclusion était correcte.

Nature de la lumière

Il y a plus de 300 ans, le physicien anglais Sir Isaac Newton (1642-1727) sépara la lumière en un spectre de couleurs visibles en la faisant passer par un prisme. De cette manière, Newton montra que la lumière blanche se compose de plusieurs couleurs, allant du violet d'un côté du spectre au rouge de l'autre côté. La séparation des couleurs est possible parce que les différentes couleurs sont déviées (réfractées) sous des angles différents en passant par le prisme.

Au dix-neuvième siècle, le physicien britannique James Clerk Maxwell (1831-1879) démontra que la lumière ne représente qu'une

Figure 7-3

Les bulles qui se forment sur les feuilles submergées d'*Elodea* sont formées d'oxygène, un des produits de la photosynthèse. Van Niel fut le premier à émettre l'opinion que l'oxygène produit par la photosynthèse provient de la scission de l'eau plutôt que de la décomposition du dioxyde de carbone.

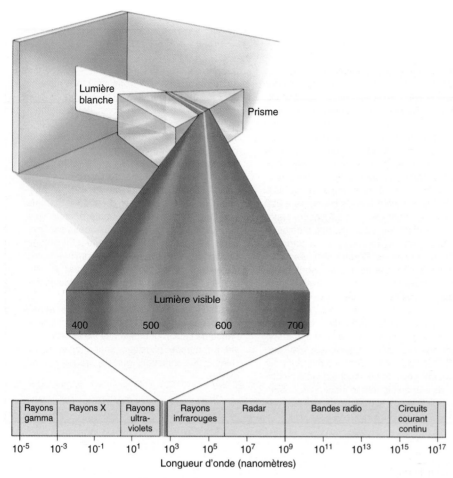

Figure 7-4

La lumière blanche est en réalité un mélange de lumières de couleurs différentes. Quand elle passe par un prisme, ses constituants sont séparés — « le célèbre phénomène des couleurs, » comme l'appelait Newton. La lumière visible n'est qu'une petite portion d'un vaste spectre électromagnétique. Pour l'oeil humain, les radiations visibles vont de la lumière violette, dont les rayons les plus courts ont une longueur d'onde d'environ 380 nanomètres, à la lumière rouge, avec les rayons les plus longs à 750 nanomètres.

petite partie d'un vaste spectre continu de radiations, le **spectre électromagnétique** (Figure 7-4). Toutes les radiations de ce spectre se déplacent sous forme d'ondes. Les **longueurs d'onde —** distances qui séparent le sommet d'une onde du sommet de la suivante — s'étalent depuis celles des rayons gamma, qui se mesurent en fractions de nanomètre (1 nanomètre = 10^{-9} mètre) jusqu'aux ondes radio à haute fréquence, mesurées en kilomètres. Pour chaque longueur d'onde particulière, la radiation possède une quantité d'énergie caractéristique qui lui est associée. L'énergie est d'autant plus grande que la longueur d'onde est plus courte et inversement. À l'intérieur du spectre de la lumière visible, la lumière violette a la longueur d'onde la plus courte et la rouge a la plus grande. Les radiations les plus courtes dans le violet possèdent presque deux fois plus d'énergie que les plus longues de la lumière rouge.

La lumière a des propriétés propres aux ondes et aux particules

Vers 1900, il était devenu évident que le **modèle ondulatoire** de la lumière n'était pas satisfaisant. L'expérience démonstrative, très simple, fut faite en 1888 : lorsqu'on expose une plaque de zinc à la lumière ultraviolette, elle acquiert une charge positive. Le métal se charge positivement parce que l'énergie lumineuse extrait des électrons des atomes métalliques. On a découvert ultérieurement que cet **effet photoélectrique**, comme on l'appelle, peut se produire dans tous les métaux. Pour chaque métal, il existe une longueur d'onde cri

tique maximale à ce point de vue ; la lumière, ou une autre radiation, doit avoir cette longueur d'onde particulière ou une autre plus courte (plus énergétique) pour aboutir à cet effet.

Avec certains métaux, comme le sodium, le potassium et le sélénium, la longueur d'onde critique se situe dans le spectre de la lumière visible et, par conséquent, la lumière visible qui frappe le métal peut déclencher un flux d'électrons (un courant électrique). Les posemètres, les caméras de télévision et les cellules photoélectriques qui ouvrent les portes des supermarchés et des aéroports fonctionnent tous sur ce principe de transformation d'énergie lumineuse en énergie électrique.

Quel est alors le problème posé par le modèle ondulatoire de la lumière ? Tout simplement le suivant : le modèle ondulatoire prédit que plus la lumière est brillante, c'est-à-dire plus intense est le flux lumineux, plus grande sera la force permettant d'arracher les électrons à un métal. Or, la possibilité ou l'impossibilité pour la lumière d'éjecter les électrons d'un métal particulier ne dépend que de la longueur d'onde et non de l'intensité de la lumière. Un très faible faisceau de longueur d'onde critique est efficace, alors qu'un faisceau plus puissant d'une longueur d'onde plus grande ne l'est pas. En outre, une intensité lumineuse plus forte augmente le nombre d'électrons arrachés, mais pas la vitesse de leur éjection. Pour accroître leur vélocité, il faut utiliser une longueur d'onde plus courte. Il n'est pas nécessaire non plus que l'énergie s'accumule à l'intérieur du métal. Même avec un faible faisceau de longueur d'onde critique, un électron peut être émis dès l'instant où la lumière frappe le métal.

Pour expliquer ce phénomène, Albert Einstein proposa, en 1905, le **modèle corpusculaire** de la lumière. Selon cette théorie, la lumière est composée de particules d'énergie appelées **photons**, ou quanta de lumière. L'énergie d'un photon (quantum de lumière) est inversement proportionnelle à sa longueur d'onde — l'énergie est d'autant plus faible que la longueur d'onde est plus grande. Les photons de lumière violette, par exemple, ont presque deux fois plus d'énergie que les photons de lumière rouge, qui ont la plus grande longueur d'onde dans le visible.

Le modèle ondulatoire permet aux physiciens de décrire mathématiquement certains comportements de la lumière, tandis que le modèle corpusculaire donne accès à un autre ensemble de calculs et de prévisions mathématiques. On ne considère plus ces deux modèles comme antinomiques, mais plutôt comme complémentaires, en ce sens que les deux sont nécessaires pour décrire complètement le phénomène que nous connaissons comme étant la lumière.

Le rôle des pigments

Pour que les systèmes vivants puissent utiliser l'énergie lumineuse, ils doivent d'abord l'absorber. Une substance qui absorbe la lumière est un **pigment**. Certains pigments absorbent toutes les longueurs d'onde de la lumière et apparaissent ainsi de couleur noire. Cependant, la plupart des pigments n'absorbent que certaines longueurs d'onde et transmettent ou réfléchissent celles qu'ils n'absorbent pas (Figure 7-5).

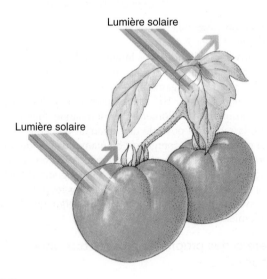

Lumière solaire

Lumière solaire

Figure 7-5

Quand la lumière frappe un objet coloré, certaines longueurs d'onde sont absorbées, tandis que d'autres sont transmises ou réfléchies. Les couleurs que nous percevons sont les longueurs d'onde transmises ou réfléchies. Par exemple, une tomate mûre paraît rouge parce qu'elle réfléchit la lumière de la partie rouge du spectre ; toutes les autres parties du spectre sont absorbées. De même, les feuilles de la plante de tomate paraissent vertes parce qu'elles réfléchissent la partie verte du spectre.

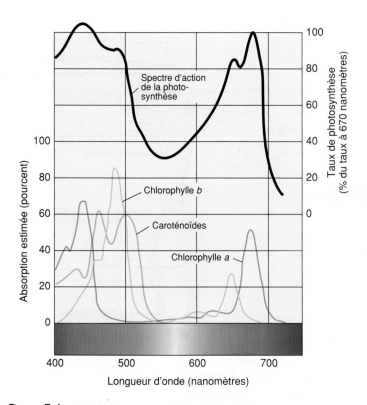

Figure 7-6

Spectre actif de la photosynthèse (courbe du haut) et spectres d'absorption de la chlorophylle *a*, de la chlorophylle *b* et des caroténoïdes (courbes du bas) dans un chloroplaste. Notez le rapport entre le spectre d'action de la photosynthèse et les spectres d'absorption de la chlorophylle *a*, de la chlorophylle *b* et des caroténoïdes, qui absorbent tous la lumière utilisée dans la photosynthèse.

La bande d'absorption de la lumière est son **spectre d'absorption**. La **chlorophylle**, pigment responsable de la couleur verte des feuilles, absorbe la lumière principalement dans la gamme du violet et du bleu, ainsi que dans le rouge ; elle paraît verte parce qu'elle réfléchit la lumière verte.

Un **spectre d'action** représente l'efficacité relative des différentes longueurs d'onde pour un processus qui exige de la lumière, comme la photosynthèse ou la floraison. La similitude entre le spectre d'absorption d'un pigment et le spectre d'action d'un processus dépendant de la lumière prouve que le pigment est responsable de ce processus particulier (Figure 7-6). Une des preuves que la chlorophylle est le principal pigment impliqué dans la photosynthèse est la similitude entre son spectre d'absorption et le spectre d'action de la photosynthèse (Figure 7-7).

Lorsque les molécules de chlorophylle (ou d'autres molécules pigmentées) absorbent la lumière, ses électrons sont temporairement portés à un niveau énergétique supérieur, appelé l'**état excité**. Quand les électrons regagnent leur niveau énergétique inférieur, ou niveau de base, trois possibilités s'offrent à l'énergie libérée. La première est une conversion de l'énergie en chaleur ou en une combinaison de chaleur et de lumière de longueur d'onde supérieure : c'est la **fluorescence**. Il n'y a cependant fluorescence que si l'énergie lumineuse est absorbée par des molécules de chlorophylle libres en solution. Une deuxième possibilité est que l'énergie — mais pas les électrons — soit transférée de la molécule de chlorophylle excitée à une molécule de chlorophylle voisine, excitant la deuxième molécule et permettant à la première de revenir à son niveau de base. Ce processus est un **transfert d'énergie par résonance**, et il peut se répéter pour une troisième,

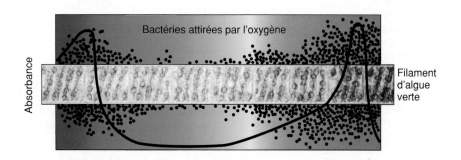

Figure 7-7

Relation entre les spectres d'action et d'absorption. Les résultats d'une expérience réalisée en 1882 par T.W. Engelmann ont mis en évidence le spectre d'action de la photosynthèse dans l'algue filamenteuse *Spirogyra*. Comme les chercheurs contemporains, Engelmann se basait sur la quantité d'oxygène produite pour mesurer l'activité photosynthétique. À l'inverse de ses successeurs, cependant, il manquait de dispositifs électroniques sensibles pour détecter l'oxygène. Pour déceler la présence d'oxygène, il choisit des bactéries mobiles qui sont attirées par l'oxygène. Il remplaça le miroir et le diaphragme qui servent normalement à éclairer les objets observés au microscope par « un dispositif microspectral » qui, comme son nom n'indique, projetait un mince spectre coloré sur la lame du microscope. Il étala ensuite un filament d'algue parallèlement à la largeur du spectre. À la recherche d'oxygène, les bactéries s'assemblaient surtout dans les zones où les longueurs d'onde violettes et rouges atteignaient le filament d'algue. Comme on le voit, le spectre d'action de la photosynthèse est parallèle au spectre d'absorption de la chlorophylle (représenté par la ligne noire épaisse). Engelmann en concluait que la photosynthèse dépend de la lumière absorbée par la chlorophylle. Ceci est un exemple du type d'expérience que les scientifiques qualifient d'« élégante », non seulement démonstrative, mais également simple à planifier et décisive dans ses résultats.

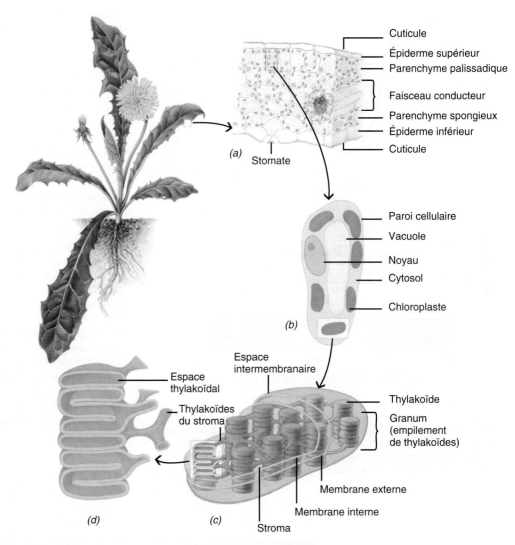

Cuticule
Épiderme supérieur
Parenchyme palissadique
Faisceau conducteur
Parenchyme spongieux
Épiderme inférieur
Cuticule

(a) Stomate

Paroi cellulaire
Vacuole
Noyau
Cytosol
Chloroplaste

(b)

Espace
intermembranaire

Espace
thylakoïdal

Thylakoïdes
du stroma

Thylakoïde

Granum
(empilement
de thylakoïdes)

Membrane externe

Membrane interne

(d) *(c)* Stroma

Figure 7-8

Voyage dans une feuille de pissenlit (*Taraxacum officinale*) **(a)** Le tissu interne de la feuille, ou mésophylle, est spécialisé pour la photosynthèse. Le mésophylle de la feuille de pissenlit est composé de cellules allongées, en forme de colonnes (parenchyme palissadique, situé sous l'épiderme supérieur) et de cellules de forme irrégulière (parenchyme spongieux) ; toutes ces cellules contiennent de nombreux chloroplastes et la plus grande partie de leur surface est en contact avec les espaces intercellulaires (remplis d'air). L'oxygène, le dioxyde de carbone et les autres gaz, y compris la vapeur d'eau, entrent dans la feuille principalement par des ouvertures spécialisées, les stomates. Ces gaz occupent les espaces intercellulaires, entrent et sortent de la feuille et des cellules par diffusion. L'eau et les sels minéraux prélevés par la racine entrent dans la feuille par le tissu qui conduit l'eau (xylème) de ses faisceaux conducteurs, ou nervures. Les sucres produits par la photosynthèse sortent de la feuille par le tissu qui conduit la sève organique (le phloème) des faisceaux conducteurs et migrent vers les parties non photosynthétiques de la plante. **(b)** Les chloroplastes sont situés dans la mince couche de cytoplasme riche en protéine qui entoure une grande vacuole centrale. **(c)** Structure tridimensionnelle d'un chloroplaste et **(d)** disposition des membranes thylakoïdales contenant les pigments. Les empilements de thylakoïdes en forme de disques, ou grana, sont interconnectés par les thylakoïdes du stroma, qui traversent ce dernier.

une quatrième molécules de chlorophylle et d'autres encore. La troisième possibilité est le transfert de l'électron à haute énergie à une molécule voisine (un accepteur d'électrons) qui fait partie d'une chaîne de transport d'électrons, ce qui laisse un « trou électronique » dans la molécule de chlorophylle excitée.

Au cours de la photosynthèse, dans les chloroplastes intacts, les deuxième et troisième possibilités — le transfert d'énergie de la chlorophylle excitée à une molécule de chlorophylle voisine et le transfert de l'électron énergétique lui-même à un accepteur d'électrons voisin — sont des mécanismes utilisés pour la libération d'énergie.

Comme vous l'avez appris au chapitre 3, dans les cellules eucaryotes, la photosynthèse se déroule dans le chloroplaste, et la structure du chloroplaste joue un rôle essentiel dans ces transferts d'énergie (Figures 7-1 et 7-8). Les molécules de chlorophylle elles-mêmes sont enrobées dans les thylakoïdes du chloroplaste.

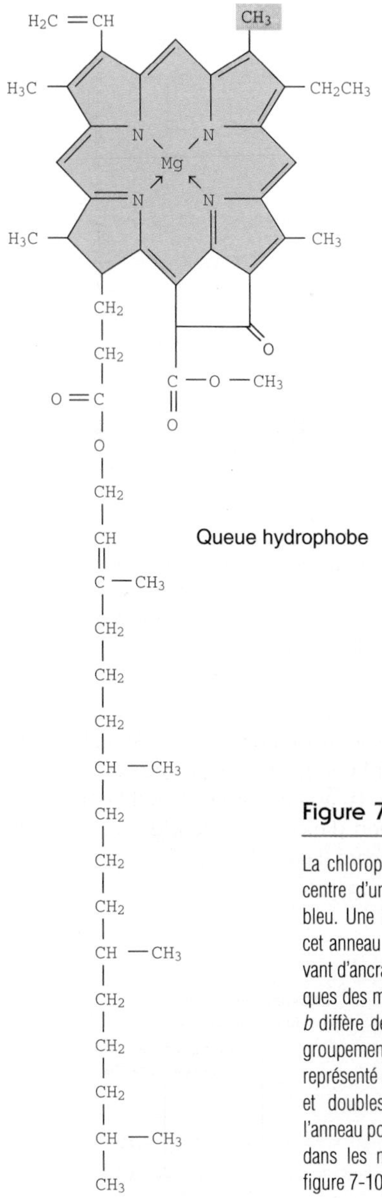

Figure 7-9

La chlorophylle *a* renferme un ion magnésium au centre d'un anneau porphyrine azoté, indiqué en bleu. Une longue chaîne glucidique est attachée à cet anneau ; elle forme une queue hydrophobe servant d'ancrage à des protéines hydrophobes spécifiques des membranes thylakoïdales. La chlorophylle *b* diffère de la chlorophylle *a* par la présence d'un groupement -CHO à la place du groupement -CH₃ représenté en gris. L'alternance de liaisons simples et doubles (liaisons conjuguées), comme dans l'anneau porphyrine des chlorophylles, est fréquente dans les molécules de pigments (voir également figure 7-10).

Les principaux pigments photosynthétiques sont les chlorophylles, les caroténoïdes et les phycobilines

Il existe plusieurs sortes de chlorophylle, qui diffèrent entre elles d'une part par des détails de leur structure moléculaire et, d'autre part, par leurs propriétés spécifiques d'absorption. La **chlorophylle *a*** existe chez tous les eucaryotes photosynthétiques et chez les cyanobactéries. La chlorophylle *a* est, sans surprise, essentielle à la photosynthèse associée à une libération d'oxygène des organismes de ces groupes (Figure 7-9).

Les plantes, les algues vertes et les algues euglénoïdes possèdent aussi la **chlorophylle *b*,** dont le spectre d'absorption est légèrement différent de celui de la chlorophylle *a*. La chlorophylle *b* est un **pig-**ment accessoire — un pigment qui n'intervient pas directement dans la transformation de l'énergie lumineuse, mais dont le rôle consiste à élargir la gamme de lumière utilisable en photosynthèse (Figure 7-6). Quand une molécule de chlorophylle *b* absorbe la lumière, l'énergie est finalement transférée à une molécule de chlorophylle *a*, qui la transforme ensuite en énergie chimique au cours de la photosynthèse. Dans les feuilles de la plupart des plantes vertes, la chlorophylle *a* représente environ les trois quarts de la teneur totale en chlorophylle, la chlorophylle *b* intervenant pour le reste.

La **chlorophylle *c*** occupe la place de la chlorophylle *b* dans certains groupes d'algues, plus particulièrement les algues brunes et les diatomées (Chapitre 17). Les bactéries photosynthétiques (en dehors des cyanobactéries) contiennent soit la **bactériochlorophylle**, qui se trouve chez les bactéries pourpres, soit la **chlorophylle à chlorobium**, présente chez les thiobactéries vertes. Ces bactéries ne peuvent extraire les électrons de l'eau et ne produisent donc pas d'oxygène. Les chlorophylles *b* et *c*, ainsi que les pigments photosynthétiques des bactéries pourpres et des thiobactéries vertes sont de simples variations chimiques de la structure de base comme celle représentée à la figure 7-9.

Les deux autres classes de pigments qui interviennent dans la capture de l'énergie lumineuse sont les **caroténoïdes** et les **phycobilines**. L'énergie absorbée par ces pigments accessoires doit être transférée à la chlorophylle *a* ; comme les chlorophylles *b* et *c*, ces pigments accessoires ne peuvent se substituer à la chlorophylle *a* dans la photosynthèse. Bien que les caroténoïdes puissent participer à la collecte de la lumière de différentes longueurs d'onde, leur principale fonction est celle d'un antioxydant, qui évite aux molécules de chlorophylle les dégâts dus à la photooxydation. Sans les caroténoïdes, il n'y aurait pas de photosynthèse en présence d'oxygène.

Les caroténoïdes sont des pigments rouges, oranges ou jaunes, solubles dans les lipides, qui se trouvent dans tous les chloroplastes et chez les cyanobactéries. Comme les chlorophylles, les caroténoïdes des chloroplastes sont enrobés dans les membranes des thylakoïdes. Deux groupes de caroténoïdes — les **carotènes** et les **xanthophylles** — sont normalement présents dans les chloroplastes (Figure 7-10). Le béta-carotène des plantes est la principale source de vitamine A indispensable aux hommes et aux autres animaux. Dans les feuilles vertes, la couleur des caroténoïdes est généralement masquée par les chlorophylles, beaucoup plus abondantes, mais, dans les régions tempérées du monde entier, les caroténoïdes deviennent visibles quand les chlorophylles se dégradent en automne.

La troisième classe de pigments accessoires, les phycobilines, se rencontre chez les cyanobactéries et dans les chloroplastes des algues rouges. Contrairement aux caroténoïdes, les phycobilines sont hydrosolubles.

Les réactions de la photosynthèse

Aujourd'hui, on divise les nombreuses réactions qui se déroulent pendant la photosynthèse en deux processus principaux : les **réactions de transfert d'énergie** et les **réactions de fixation du carbone**. Traditionnellement, on désigne les réactions de transduction d'énergie comme les **réactions claires** (ou *réactions dépendant de la lumière*), à cause de l'importance de la lumière dans ces réactions. Par tradition, les réactions de fixation du carbone ont été désignées comme *réactions*

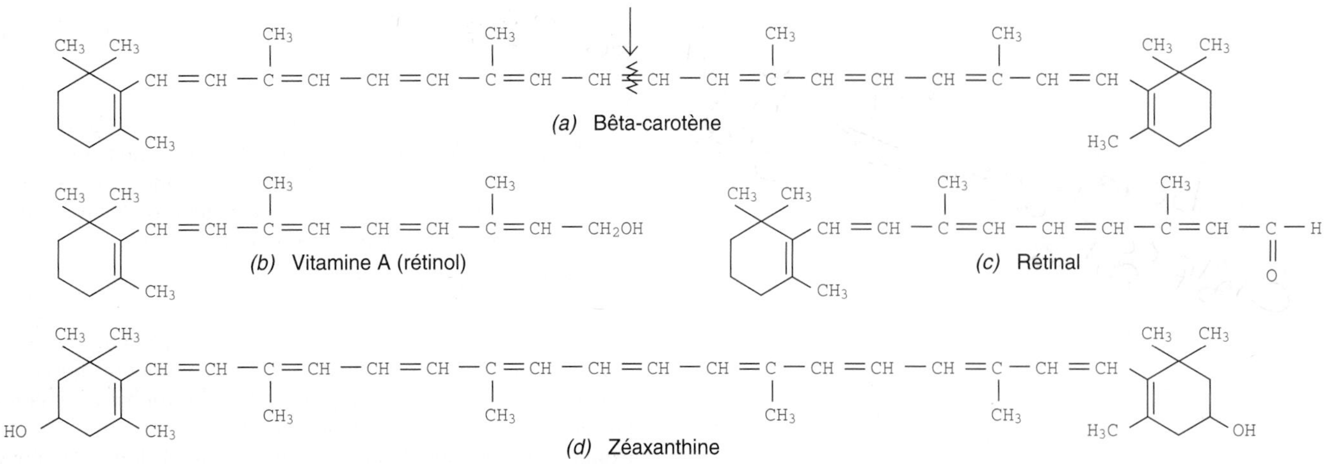

(a) Bêta-carotène

(b) Vitamine A (rétinol)

(c) Rétinal

(d) Zéaxanthine

Figure 7-10

Caroténoïdes apparentés. **(a)** Le bêta-carotène est le pigment qui donne aux carottes, patates douces et autres légumes jaunes leur couleur caractéristique. **(b)** La plupart des animaux, dont l'homme, transforment enzymatiquement une molécule de bêta-carotène en deux molécules de vitamine A (rétinol) par scission de la molécule de bêta-carotène à l'endroit marqué d'une flèche en **(a)** et addition de -H et -OH aux extrémités. **(c)** L'oxydation de la vitamine A produit le rétinal, pigment essentiel pour la vision. **(d)** La zéaxanthine (une xanthophylle) est le pigment responsable de la couleur jaune des grains de maïs (*Zea mays*). Contrairement aux carotènes, les xanthophylles contiennent de l'oxygène. Remarquez les liaisons conjuguées (alternance de liaisons simples et doubles) dans les chaînes carbonées, semblables aux liaisons conjuguées de l'anneau porphyrine des chlorophylles (Figure 7-9).

sombres ou *réactions indépendantes de la lumière*. Ces termes sont cependant trompeurs, car la fixation du carbone par réduction dépend essentiellement de l'énergie chimique récoltée au cours des réactions claires. De plus, aussi longtemps que l'énergie est disponible, les réactions de fixation du carbone peuvent se dérouler à la lumière comme à l'obscurité.

Dans les réactions claires, l'énergie lumineuse sert à la production d'ATP à partir d'ADP et à la réduction de molécules de transporteurs d'électrons, en particulier la coenzyme NADP⁺. NADP⁺ possède une structure semblable à celle de NAD⁺ (voir figure 5-10) — il possède un phosphate supplémentaire sur un des riboses — mais son rôle biologique est nettement différent. Sa forme réduite, NADPH, est utilisée par les cellules pour fournir l'énergie nécessaire aux voies biosynthétiques. Comme nous l'avons vu au chapitre 6, NADH transfère ses électrons à la chaîne de transport d'électrons. De plus, les molécules d'eau sont scindées et O_2 est libéré (Figure 7-11).

Figure 7-11

Aperçu général de la photosynthèse. La photosynthèse se déroule en deux étapes : les réactions de transfert d'énergie et les réactions de fixation du carbone. **(a)** Au cours des réactions de transfert d'énergie, l'énergie lumineuse absorbée par les molécules de chlorophylle *a* dans la membrane du thylakoïde est utilisée indirectement pour actionner la synthèse d'ATP. Simultanément, à l'intérieur du thylakoïde, l'eau est scindée en oxygène gazeux et en atomes d'hydrogène (électrons et protons). Les électrons sont finalement acceptés par NADP⁺ et H⁺ et produisent NADPH. **(b)** Dans les réactions de fixation du carbone, qui se déroulent dans le stroma du chloroplaste, les sucres sont synthétisés à partir de dioxyde de carbone et de l'hydrogène apporté par NADPH. Ce processus est actionné par l'ATP et le NADPH produits dans les réactions de transfert d'énergie. Nous verrons qu'il implique une série de réactions qui se répètent sans fin : c'est le cycle de Calvin.

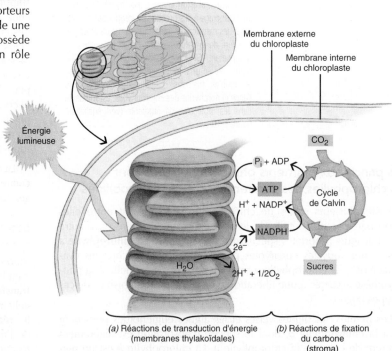

Membrane externe du chloroplaste

Membrane interne du chloroplaste

Énergie lumineuse

P_i + ADP

ATP

H⁺ + NADP⁺

NADPH

CO_2

Cycle de Calvin

H_2O

2e⁻

2H⁺ + 1/2O_2

Sucres

(a) Réactions de transduction d'énergie (membranes thylakoïdales)

(b) Réactions de fixation du carbone (stroma)

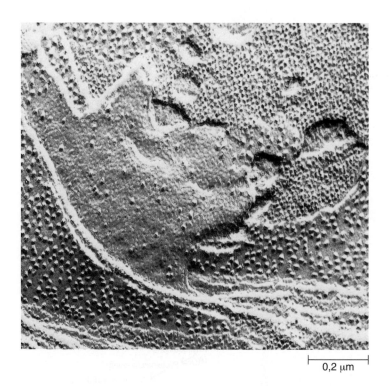

Figure 7-12

Surface interne d'un thylakoïde observée par la technique du cryodécapage. Les particules enrobées dans la membrane sont probablement les photosystèmes, unités structurales qui interviennent dans les réactions lumineuses.

0,2 µm

Pendant les réactions de fixation du carbone, l'énergie de l'ATP sert à unir par covalence le dioxyde de carbone à une molécule organique et le potentiel réducteur de NADPH est ensuite utilisé pour réduire en sucre simple les atomes de carbone dès leur fixation. Au cours de ce processus, l'énergie chimique de l'ATP et du NADPH est utilisée pour la synthèse de molécules adaptées au transport (sucre) et au stockage (amidon). En même temps, un squelette carboné est construit, à partir duquel toutes les autres molécules organiques peuvent être édifiées. Cette transformation du dioxyde de carbone en composés organiques est la **fixation du carbone**, ou **fixation du CO_2**.

Deux photosystèmes différents interviennent dans les réactions claires

Dans les chloroplastes (Figures 7-1, 7-8 et 7-11), les molécules de chlorophylle et des autres pigments sont enrobés dans les thylakoïdes sous forme de complexes d'organisation distincts appelés **photosystèmes** (Figure 7-12). Un photosystème comprend environ 250 à 400 molécules de pigment et se compose de deux parties étroitement unies : un **complexe antennaire** et un **centre réactionnel**. Le complexe antennaire est composé des molécules de pigment qui collectent l'énergie lumineuse et la canalisent vers le centre réactionnel. Le centre réactionnel est formé d'un complexe de protéines et de molécules de chlorophylle qui permet la conversion de l'énergie lumi-

neuse en énergie chimique. A l'intérieur des photosystèmes, les molécules de chlorophylle sont unies à des protéines membranaires spécifiques et maintenues en place pour une fixation efficace de l'énergie lumineuse.

Tous les pigments d'un photosystème sont capables d'absorber les photons mais, dans chaque photosystème, une paire de molécules de chlorophylle *a* seulement peut effectivement utiliser l'énergie de la réaction photochimique. Cette paire spéciale de molécules de chlorophylle *a* se trouve au coeur du centre réactionnel du photosystème. Les autres molécules pigmentaires, appelées **pigments d'antenne** parce qu'elles font partie du réseau collecteur de lumière, sont localisées dans les complexes antennaires. Outre la chlorophylle, des quantités variables de pigments caroténoïdes se trouvent également dans tous les complexes antennaires.

L'énergie lumineuse absorbée par une molécule de pigment, où que ce soit dans le complexe antennaire, est transférée d'une molécule de pigment à la suivante par résonnance jusqu'à atteindre le centre réactionnel avec sa paire spéciale de molécules de chlorophylle (Figure 7-13). Quand l'une ou l'autre des deux molécules de chlorophylle *a* du centre réactionnel absorbe l'énergie, un de ses électrons est porté à un niveau énergétique supérieur et transféré à une molécule acceptrice pour enclencher le flux d'électrons. La molécule de chlorophylle est donc oxydée et chargée positivement.

Les deux types différents de photosystèmes, le photosystème I et le photosystème II, sont reliés par une chaîne de transport d'électrons. On les a numérotés dans l'ordre de leur découverte. Dans le **photosystème I**, les molécules de chlorophylle *a* particulières du centre réactionnel sont dénommées P_{700}. « P » signifie pigment et « 700 » représente le pic d'absorption optimal en nanomètres. Le centre réactionnel du **photosystème II** contient également une forme spéciale de chlorophylle *a*. Son pic d'absorption optimale se situe à 680 nanomètres : on l'appelle donc P_{680}.

En général, le photosystème I et le photosystème II fonctionnent de façon simultanée et continue. Nous verrons cependant que le photosystème I peut opérer indépendamment.

Pendant les réactions claires, les électrons descendent de l'eau vers le photosystème II, puis vers le photosystème I

La figure 7-14 montre le modèle admis actuellement de la coopération des deux photosystèmes. Selon ce modèle, l'énergie lumineuse incidente sur le photosystème II est absorbée directement ou indirectement par les molécules de P_{680} du centre réactionnel, par l'intermédiaire d'une ou plusieurs molécules de l'antenne. Quand une molécule P_{680} est à l'état excité, son électron excité est transféré à une molécule acceptrice primaire qui transfère son électron supplémentaire à un accepteur secondaire et ainsi de suite le long de la chaîne de transport d'électrons. A la fin d'une réaction imparfaitement élucidée, la molécule de P_{680} déficitaire en électrons est capable de les remplacer, un à un, en les soutirant à des molécules d'eau. Dès que quatre électrons ont été extraits de deux molécules d'eau, ce qui demande quatre photons, les deux molécules d'eau sont scindées en quatre électrons, quatre protons et de l'oxygène gazeux :

$$2H_2O \rightarrow 4e^- + 4H^+ + O_2$$

Figure 7-13

Transfert d'énergie durant la photosynthèse. L'énergie lumineuse absorbée par une molécule de pigment à un endroit quelconque du complexe antennaire passe, par transfert d'énergie par résonance, d'une molécule de pigment à une autre jusqu'à atteindre une des deux molécules spéciales de chlorophylle a du centre réactionnel. Quand une molécule de chlorophylle a du centre réactionnel absorbe l'énergie, un de ses électrons est porté à un niveau énergétique supérieur et il est transféré à une molécule acceptrice d'électrons.

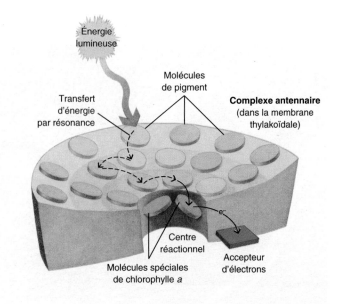

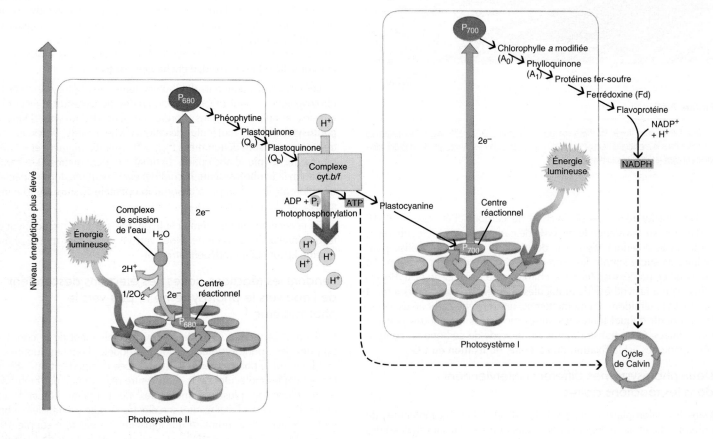

Figure 7-14

Comment les deux photosystèmes agissent de concert : flux d'électrons non cyclique et photophosphorylation. Ce schéma en zigzag (schéma Z) montre le chemin suivi par les électrons pendant leur transfert de H_2O à $NADP^+$ dans le flux non cyclique d'électrons, ainsi que les rapports énergétiques. Pour accroître l'énergie des électrons provenant de H_2O jusqu'au niveau nécessaire à la réduction de $NADP^+$ en $NADPH$, chaque électron doit être excité deux fois (larges flèches rouges) par les photons absorbés dans les photosystèmes I et II. Après chaque étape d'excitation, les électrons excités « descendent » par les chaînes de transport d'électrons représentées par les flèches noires. Les protons sont pompés au travers de la membrane thylakoï-dale vers la lumière du thylakoïde pendant la réaction de clivage de l'eau et pendant le transfert des électrons par le complexe du cytochrome b/f, ce qui produit le gradient protonique indispensable à la production d'ATP (voir figure 7-15 pour les détails de ce processus). La production d'ATP par flux d'électrons non cyclique est appelée photophosphorylation non cyclique.

LE COUPLAGE CHIMIOSMOTIQUE DANS LES CHLOROPLASTES ET LES MITOCHONDRIES

En dépit de ressemblances entre les processus chimiosmotiques dans les chloroplastes et les mitochondries — comme l'existence de complexes d'ATP synthétase semblables et de chaînes de transport d'électrons qui pompent les protons à travers la membrane au moment où les électrons passent par une série de transporteurs — il existe également des différences notables. Par exemple, dans la mitochondrie, les électrons à haute énergie passant par la chaîne de transport proviennent de l'oxydation des molécules venant de l'alimentation. L'énergie chimique de ces molécules est utilisée pour fabriquer de l'ATP. Dans le chloroplaste, les photosystèmes captent l'énergie lumineuse et l'utilisent pour élever les électrons au sommet de la chaîne de transport. Le chloroplaste n'a donc pas besoin de nourriture pour fabriquer de l'ATP. Il utilise pour cela l'énergie lumineuse et la transforme en énergie chimique.

L'orientation spatiale des complexes d'ATP synthétase et la direction du flux de protons diffèrent également dans les chloroplastes et les mitochondries. Dans la mitochondrie, les protons sont pompés de la matrice vers l'espace intermembranaire. Dans le chloroplaste, ils sont pompés du stroma vers l'espace thylakoïdal. L'espace intermembranaire sert donc de réservoir pour les ions hydrogène qui alimentent les complexes d'ATP synthétase dans la membrane mitochondriale interne, alors que l'espace thylakoïdal joue le même rôle pour les complexes d'ATP synthétase dans la membrane thylakoïdale.

Le gradient de protons de part et d'autre de la membrane thylakoïdale est essentiel. A mesure que les protons sont pompés du stroma vers l'espace thylakoïdal, le pH de celui-ci tombe à 5 environ, alors qu'il monte à 8 dans le stroma. Le gradient de quelque trois unités de pH qui en résulte représente une force protonmotrice d'environ 200 millivolt (mV) de part et d'autre de la membrane du thylakoïde. La plus grande partie de cette force motrice est fournie par le gradient de pH plutôt que par le potentiel de membrane. C'est cette force protonmotrice qui alimente la synthèse d'ATP par l'intermédiaire du complexe de l'ATP synthétase dans la membrane du thylakoïde.

La matrice mitochondriale, comme le stroma du chloroplaste, se maintient également à un pH d'environ 8. Le pH de l'espace intermembranaire n'atteint cependant que 7 : c'est le pH du cytosol. La plus grande partie de la force protonmotrice de la mitochondrie est donc créée par le potentiel de membrane plutôt que par un gradient de pH. Notez que, dans le chloroplaste comme dans la mitochondrie, l'extrémité catalytique du complexe de l'ATP synthétase est localisée dans une solution saturée d'enzymes, avec un pH d'environ 8. C'est à cet endroit (respectivement dans le stroma et la matrice) que l'ATP des organites est fabriqué.

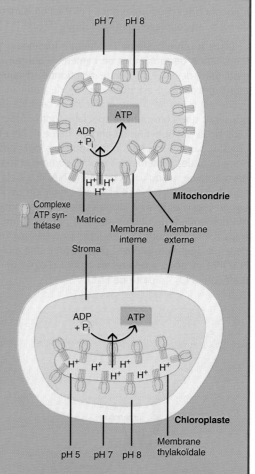

Comparaison du flux de protons et de la position des complexes d'ATP synthétase dans les membranes des mitochondries et des chloroplastes. On a coloré de la même manière les portions des organites qui ont un pH identique.

Ce clivage oxydatif dépendant de la lumière est la **photolyse**. Le complexe enzymatique de clivage de la photolyse est situé à l'intérieur de la membrane thylakoïdale et les protons sont libérés dans la lumière du thylakoïde, ou espace thylakoïdal, mais donc pas directement dans le stroma du chloroplaste. En conséquence, la photolyse de l'eau contribue à la production d'un gradient de protons de part et d'autre de la membrane du thylakoïde — ceci constitue le seul mode de production d'ATP durant la photosynthèse. Le manganèse est un cofacteur essentiel pour le mécanisme de dégagement d'oxygène.

Les éléments de la chaîne de transport d'électrons situé entre les deux photosystèmes ressemblent à ceux de la chaîne de transport d'électrons de la respiration : quinones, cytochromes et protéines fersoufre interviennent. En outre, le transport d'électrons dans la photosynthèse implique la plastocyanine, protéine contenant du cuivre, et un dérivé de la chlorophylle, la phéophytine, dans lequel l'atome central de magnésium est remplacé par deux atomes d'hydrogène. La chaîne de transport d'électrons est disposée de telle sorte que le transfert des électrons entre transporteurs successifs est obligatoirement couplé au pompage des protons au travers de la membrane thylakoïdale, ce qui génère le gradient électrochimique de protons capable de produire l'ATP. Les complexes d'ATP synthétase, enrobés dans la membrane des thylakoïdes, forment un canal permettant l'écoulement des protons suivant le gradient, jusqu'au stroma du chloroplaste. Ce faisant, l'énergie potentielle du gradient alimente la synthèse d'ATP à partir d'ADP et Pi. Ce processus est tout à fait analogue à la synthèse d'ATP menée dans la mitochondrie par les protons, mais on l'appelle ici **photophosphorylation** pour souligner que la lumière fournit l'énergie utilisée pour conserver le gradient de protons. Les chloroplastes et les mitochondries produisent donc l'ATP en utilisant le même mécanisme de base : le couplage chimiosmotique (Figure 7-15).

Dans le photosystème I, l'énergie lumineuse provoque une photoexcitation de molécules de l'antenne, qui transfèrent l'énergie aux molécules de P_{700} du centre réactionnel (Figure 7-14). Quand une molécule de P_{700} est photoexcitée de cette manière, son électron excité est transféré à une molécule acceptrice primaire appelée A_0, qui serait une chlorophylle spéciale dont la fonction est semblable à celle de la phéophytine du photosystème II. Les électrons descendent ensuite, par une chaîne de transporteurs qui comprend la phylloquinone (A_1), des protéines fer-soufre, comme la ferrédoxine (Fd) et une flavoprotéine, jusqu'à la coenzyme $NADP^+$. Cela aboutit à la réduction de $NADP^+$ en NADPH et à l'oxydation de la molécule de P_{700}. Les électrons enlevés à la molécule de P_{700} sont remplacés par ceux qui descendent du photosystème II par la chaîne de transport d'électrons. Deux photons doivent être absorbés par le photosystème II et deux par le photosystème I pour réduire une molécule de $NADP^+$ en NADPH et pour produire un atome d'oxygène — la moitié d'une molécule d'O_2 - à partir de H_2O.

À la lumière, des électrons s'écoulent donc continuellement de l'eau vers $NADP^+$ en passant par les photosystèmes II et I, pour aboutir à l'oxydation de l'eau en oxygène (O_2) et à la réduction de $NADP^+$ en NADPH. Ce flux à sens unique d'électrons de l'eau vers $NADP^+$ est le **transport non cyclique d'électrons** et la production d'ATP est la **photophosphorylation non cyclique**.

La différence d'énergie libre (ΔG) de la réaction

$$H_2O + NADP^+ \rightarrow NADPH + H^+ + 1/2 O_2$$

atteint 51 kilocalories par mole. L'énergie de la lumière à une longueur d'onde de 700 nanomètres est d'environ 40 kilocalories par mole de photons. Puisque quatre photons sont nécessaires pour pousser deux électrons au niveau de NADPH, 160 kilocalories environ sont disponibles. Environ un tiers de cette énergie (51/160) est capturée sous forme de NADPH. Le rendement total en énergie par le transport d'électrons non cyclique (en se basant sur le passage de six paires d'électrons de H_2O à $NADP^+$) est de 6 ATP et 6 NADPH.

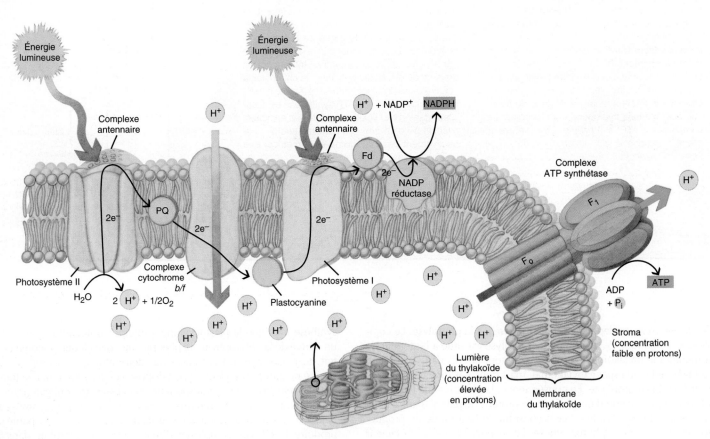

Figure 7-15

Mécanisme de couplage chimiosmotique de photophosphorylation. Les électrons venant de H_2O passent par le photosystème II, la chaîne intermédiaire de transporteurs d'électrons, le photosystème I et arrivent à $NADP^+$. (PQ représente un complexe de plastoquinones, transporteurs mobiles d'électrons solubles dans les lipides.) Les protons sont pompés du stroma vers la lumière du thylakoïde par le courant d'électrons qui transite par la chaîne de transporteurs entre les photosystèmes II et I. Un gradient de protons s'établit de cette façon et actionne la synthèse d'ATP à mesure que les protons s'écoulent le long de ce gradient en passant par un complexe d'ATP synthétase situé dans la membrane et qu'ils reviennent dans le stroma.

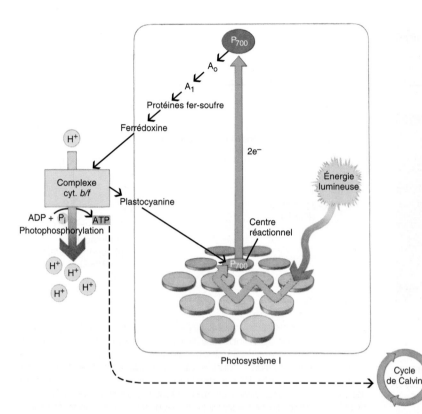

Figure 7-16

Flux cyclique d'électrons. Seul le photosystème I intervient dans ce flux. L'ATP est produit à partir d'ADP par le mécanisme de couplage chimiosmotique de photophosphorylation illustré à la figure 7-15, mais l'oxygène n'est pas libéré et NADP$^+$ n'est pas réduit. La production d'ATP par flux cyclique d'électrons est appelée photophosphorylation cyclique.

La photophosphorylation cyclique ne produit que de l'ATP

Comme on l'a signalé précédemment, le photosystème I peut fonctionner indépendamment du photosystème II. Dans ce processus, appelé **transport cyclique d'électrons**, les électrons excités sont transférés de P$_{700}$ à A$_0$, comme précédemment (Figure 7-16). Cependant, au lieu de descendre jusqu'à NADP$^+$, les électrons sont détournés vers un accepteur de la chaîne de transport d'électrons reliant les photosystèmes I et II. Les électrons reviennent alors au centre réactionnel du photosystème I, induisant le transport des protons à travers la membrane thylakoïdale et alimentant ainsi la production d'ATP. Parce que ce processus implique un flux cyclique d'électrons, on l'appelle **photophosphorylation cyclique**. On pense que les mécanismes photosynthétiques les plus primitifs fonctionnaient de cette façon, et c'est apparemment ainsi que certaines bactéries réalisent la photosynthèse. Les eucaryotes photosynthétiques (plantes et algues) sont également capables de synthétiser l'ATP par transport cyclique d'électrons. Il n'y a cependant ni clivage d'eau, ni dégagement d'oxygène, ni formation de NADPH. Le seul produit de la réaction est l'ATP.

Comme nous l'avons vu, le gain total d'énergie dans le transport non cyclique d'électrons (en se basant sur le passage de 6 paires d'électrons de H$_2$O au NADP$^+$) est de 6 ATP et 6 NADPH. Pourtant, les réactions de fixation du carbone que nous allons rencontrer exigent plus d'ATP que de NADPH. La phosphorylation cyclique est donc une nécessité absolue pour répondre aux besoins du cycle de Calvin, de même que pour permettre de nombreux autres processus qui demandent de l'énergie à l'intérieur du chloroplaste.

Les réactions de fixation du carbone

Dans la seconde série des réactions photosynthétiques, l'ATP et le NADPH produits par les réactions claires sont utilisées pour fixer et pour réduire le carbone dans la synthèse des sucres simples. Le carbone est mis à la disposition des cellules photosynthétiques sous forme de dioxyde. Pour les algues et les cyanobactéries, ce dioxyde de carbone se trouve en solution dans l'eau environnante. Chez la plupart des plantes, le dioxyde de carbone arrive aux cellules photosynthétiques par des ouvertures spéciales des feuilles et des tiges vertes, les stomates.

Dans le cycle de Calvin, le CO$_2$ est fixé par une voie à trois carbones

Chez beaucoup d'espèces végétales, la réduction du carbone s'effectue exclusivement dans le stroma du chloroplaste par le biais d'une série de réactions souvent appelée **cycle de Calvin** (en l'honneur de Melvin Calvin, qui l'a découvert et a reçu un prix Nobel en 1961 pour son travail de recherche sur cette voie). Le cycle de Calvin est analogue à d'autres cycles métaboliques (page 115) par le fait qu'à la fin de chaque boucle, la substance de départ est régénérée. La substance de départ (et d'arrivée) du cycle de Calvin est un sucre à cinq carbones avec deux groupements phosphate : c'est le **ribulose 1,5-diphosphate (RuDP)**.

Le cycle de Calvin se déroule en trois étapes. Au cours de la première étape, le dioxyde de carbone entre dans le cycle et est lié enzymatiquement au RuDP. La substance à six carbones qui en résulte,

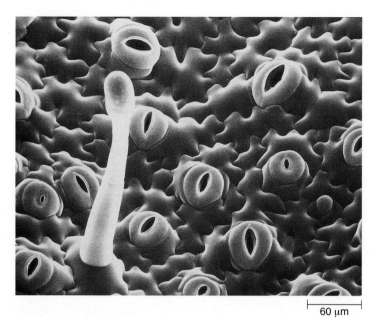

Figure 7-17

Micrographie au microscope électronique à balayage des stomates de la face inférieure d'une feuille de tabac (*Nicotiana tabacum*). La plante peut ouvrir ou fermer ses stomates en fonction de ses besoins ; dans cette micrographie, la plupart sont ouverts. C'est par les stomates que le dioxyde de carbone nécessaire à la photosynthèse diffuse à l'intérieur de la feuille et que l'oxygène produit comme déchet diffuse au dehors. La structure qui émerge de la surface dans le coin inférieur gauche est un poil.

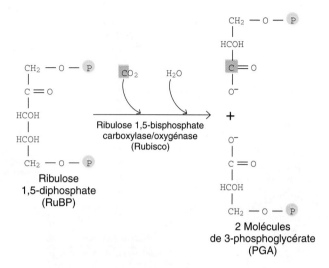

Figure 7-18

Première étape du cycle de Calvin. Melvin Calvin et ses collaborateurs, Andrew A. Benson et James A. Bassham, ont exposé pendant une brève période des algues photosynthétiques à du dioxyde de carbone radioactif ($^{14}CO_2$) ; ils ont ensuite tué les cellules dans l'alcool bouillant et séparé les diverses substances contenant ^{14}C par chromatographie sur papier en deux dimensions. Ils ont constaté que les différents intermédiaires sont marqués radioactivement. Ils en ont déduit que le carbone radioactif est lié par covalence à une molécule de ribulose 1,5-diphosphate (RuDP). Le composé à six carbone produit est immédiatement scindé en deux molécules de 3-phosphoglycérate (PGA). L'atome de carbone radioactif, ici dans un carré orange, apparaît dans une des deux molécules de PGA.

intermédiaire instable uni à une enzyme, est immédiatement hydrolysée en deux molécules d'acide 3-phosphoglycérique (PGA) (Figure 7-18). Chaque molécule de PGA — premier produit décelable du cycle de Calvin — contient trois atomes de carbone. C'est pourquoi le cycle de Calvin est aussi connu comme la **voie en C$_3$**.

La **RuDP carboxylase/déshydrogénase**, souvent appelée en raccourci **Rubisco**, est l'enzyme qui catalyse cette réaction initiale essentielle. (L'activité oxygénase de l'enzyme est envisagée plus loin dans

ce chapitre.) Rubisco est sans aucun doute l'enzyme la plus abondante au monde ; selon certaines estimations, elle peut représenter plus de 40 % de l'ensemble des protéines solubles dans la plupart des feuilles.

Au cours de la deuxième étape du cycle, le 3-phosphoglycérate est réduit en glycéraldéhyde 3-phosphate, ou 3-phosphoglycéraldéhyde (PGAL) (Figure 7-19). Cette réduction passe par deux stades qui sont

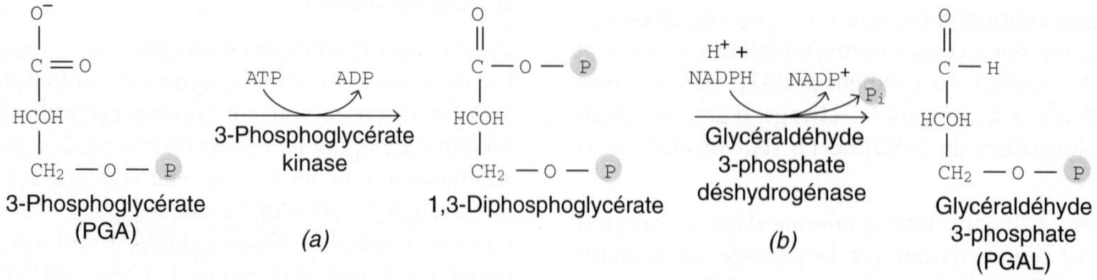

Figure 7-19

La seconde étape du cycle de Calvin implique la conversion du 3-glycéraldéhyde (PGA) en glycéraldéhyde 3-phosphate (PGAL) en passant par deux stades. **(a)** Au cours du premier stade de la séquence, l'enzyme 3-phosphoglycérate kinase du stroma cata-lyse le transfert du phosphate de l'ATP au PGA, pour produire le 1,3-diphosphoglycérate. **(b)** Dans le deuxième stade, NADPH cède des électrons au cours d'une réduction catalysée par l'aldé-hyde 3-phosphate déshydrogénase, produisant le PGAL. En plus de son rôle d'intermédiaire dans la fixation du CO_2, PGAL peut avoir plusieurs destinations dans la cellule végétale. Il peut être oxydé via la glycolyse pour produire de l'énergie ou servir à la synthèse des hexoses.

en fait l'inverse des étapes correspondantes de la glycolyse, à une exception près : pour la réduction du 1,3-diphosphoglycérate, le cofacteur nucléotidique est NADPH et non NADH. Notez qu'il est nécessaire de fixer trois molécules de CO_2 à trois molécules de ribulose 1,5-diphosphate pour former six molécules de glycéraldéhyde 3-phosphate.

Dans la troisième étape du cycle, cinq des six molécules de glycéraldéhyde 3-phosphate servent à régénérer trois molécules de ribulose 1,5-diphosphate, ce qui régénère la substance de départ.

Le cycle complet est résumé à la figure 7-20. Comme dans toute voie métabolique, chaque étape du cycle de Calvin est catalysée par une enzyme spécifique. À chaque tour de cycle, une molécule de dioxyde de carbone entre et est réduite, et une molécule de RuDP est régénérée. Trois tours de cycle, et l'introduction de trois atomes de carbone, sont nécessaires pour produire une molécule de glycéraldé-

hyde 3-phosphate, forme phosphorylée du $C_3H_6O_3$ dans la dernière équation de la page 128. L'équation globale pour la production d'une molécule de glycéraldéhyde 3-phosphate est la suivante :

$$3CO_2 + 9ATP + 6NADPH + 6H^+ \rightarrow$$
$$\text{Glycéraldéhyde 3-phosphate} + 9ADP + 8P_i +$$
$$6NADP^+ + 3H_2O$$

(Notez que le cycle de Calvin demande plus d'ATP que de NADPH, d'où la nécessité de la production d'ATP par photophosphorylation cyclique.)

Le produit immédiat du cycle est le **glycéraldéhyde 3-phosphate**, molécule primordiale transportée du chloroplaste au cytosol de la cellule. Ce même triose phosphate (« triose » signifie sucre à trois carbones) est formé quand la molécule de fructose 1,6-diphosphate est

Figure 7-20

Résumé du cycle de Calvin. À chaque tour de cycle, une molécule de dioxyde de carbone (CO_2) entre dans la séquence. Trois boucles sont ici résumées — c'est le nombre requis pour fabriquer une molécule de glycéraldéhyde 3-phosphate (PGAL), l'équivalent d'une molécule de sucre à trois carbones. L'énergie qui actionne le cycle de Calvin arrive sous forme d'ATP et NADPH, produits eux-mêmes par les réactions claires de la photosynthèse.

(a) Étape 1 : Fixation. Le cycle débute à la partie supérieure gauche quand trois molécules de ribulose 1,5-diphosphate (RuDP), substance à cinq carbones, se combinent à trois molécules de dioxyde de carbone. Il en résulte trois molécules d'un intermédiaire instable qui se scinde immédiatement en six molécules de 3-phosphoglycérate (PGA), composé à trois carbones. **(b)** Étape 2 : Réduction. Les six molécules de PGA sont réduites en six molécules de glycéraldéhyde 3-phosphate (PGAL). **(c)** Étape 3 : Régénération de l'accepteur. Cinq des six molécules de PGAL sont combinées et réaménagées pour produire trois molécules de RuDP à cinq carbones. La molécule « supplémentaire » de PGAL représente le gain net du cycle de Calvin. PGAL est le point de départ de la synthèse des sucres et des autres substances cellulaires.

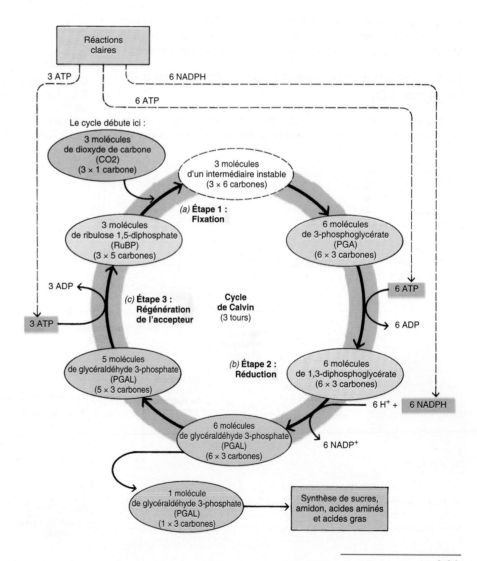

scindée pendant la quatrième étape de la glycolyse, et il est interchangeable avec un autre triose phosphate, le dihydroxyacétone phosphate (voir figure 6-4). En utilisant l'énergie provenant de l'hydrolyse des liaisons phosphate, les quatre premières étapes de la glycolyse peuvent être inversées pour produire du glucose à partir de glycéraldéhyde 3-phosphate.

La plus grande partie du carbone fixé est transformée en saccharose ou en amidon

Ainsi que nous l'avons signalé, le glucose est généralement présenté comme le produit glucidique de la photosynthèse dans les équations schématisées mais, en réalité, très peu de glucose libre est produit par les cellules photosynthétiques. La plus grande partie du carbone fixé est transformé soit en **saccharose**, principal sucre transporté dans les plantes, soit en **amidon,** principal glucide de réserve (voir chapitre 2).

La plus grande partie du glycéraldéhyde 3-phosphate produit par le cycle de Calvin est exporté vers le cytosol, où il est converti en saccharose en passant par une série de réactions. La majorité du glycéraldéhyde 3-phosphate qui reste dans le chloroplaste est transformée en amidon, qui est emmagasiné temporairement pendant la journée sous forme de grains d'amidon dans le stroma (Figure 7-1). Pendant la nuit, le saccharose est produit aux dépens de l'amidon et exporté de la feuille vers les autres parties de la plante via les tissus conducteurs.

La photorespiration se produit quand Rubisco s'unit à O_2 au lieu de CO_2

En présence d'une forte concentration de dioxyde de carbone, l'enzyme Rubisco catalyse la carboxylation du ribulose 1,5-diphos-

phate avec beaucoup d'efficacité. Dans ces conditions, l'efficacité thermodynamique du cycle de Calvin est proche de 90 %, et l'efficacité thermodynamique globale maximum de la photosynthèse est d'environ 33 %. (La plus grande partie de l'énergie lumineuse est perdue lors de la production d'ATP et NADPH dans les réactions claires.)

Néanmoins, comme on l'a signalé précédemment, le CO_2 n'est pas l'unique substrat spécifique de Rubisco. L'oxygène entre en compétition avec le CO_2 au site actif et Rubisco catalyse la condensation de O_2 avec RuDP pour produire une molécule de 3-phosphoglycérate et une de **phosphoglycolate** (Figure 7-21). Il s'agit de l'activité oxygénase de l'enzyme qui apparaît dans son nom : RuDP carboxylase/oxygénase. Il n'y a pas de fixation de carbone pendant cette réaction, et une dépense d'énergie est nécessaire pour récupérer les carbones du phosphoglycolate, qui n'est pas un métabolite utile.

Figure 7-21

Réactions catalysées par la RuDP carboxylase/oxygénase (Rubisco) **(a)** L'activité carboxylase de Rubisco — la fixation du CO_2 dans le cycle de Calvin — est favorisée par les concentrations élevées en CO_2 et faibles en oxygène (voir aussi figure 7-18). **(b)** L'activité oxygénase de Rubisco a également une importance significative, spécialement en présence de concentrations faibles en CO_2 et élevées en oxygène (concentrations atmosphériques normales). L'activité oxygénase de Rubisco diminue l'efficacité de la photosynthèse, puisqu'une seule molécule de 3-phosphoglycérate (PGA) est formée à partir du ribulose 1,5-diphosphate (RuDP) au lieu de deux dans l'activité carboxylase de Rubisco. Combinée à la voie de récupération (voir figure 7-22), l'activité oxygénase de Rubisco consomme O_2 et libère CO_2, processus appelé photorespiration.

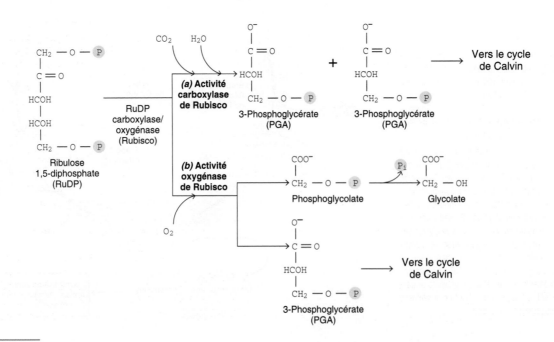

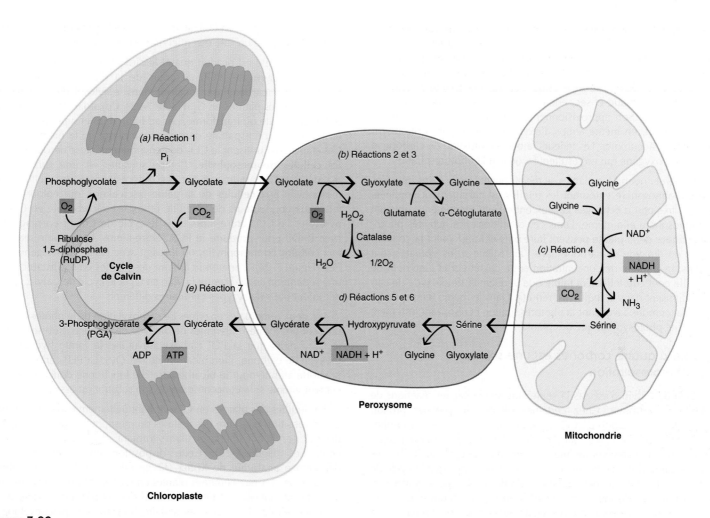

Chloroplaste

Peroxysome

Mitochondrie

Figure 7-22

Voie permettant la récupération du phosphoglycolate formé durant la photorespiration, par conversion en sérine, puis en 3-phosphoglycérate (PGA), qui rentre dans le cycle de Calvin. **(a)** Réaction 1 : Le phosphoglycolate est déphosphorylé dans les chloroplastes et produit le glycolate. **(b)** Réactions 2 et 3 : Dans les peroxysomes, le glycolate est oxydé en glyoxylate, qui est ensuite transaminé en glycine. **(c)** Réaction 4 : Dans les mito-chondries, deux molécules de glycine se condensent pour former la sérine et le CO_2 qui est libéré durant la photorespiration. **(d)** Réactions 5 et 6 : Dans les peroxysomes, la sérine est transaminée en hydroxypyruvate, qui est ensuite réduit en glycérate. Le glycérate entre ensuite dans les chloroplastes. **(e)** Réaction 7 : Le glycérate est phosphorylé en PGA, qui rejoint le cycle de Calvin. L'oxygène est consommé à deux endroits au cours de la photorespiration, une fois dans le chloroplaste (l'activité oxygé-nase de Rubisco) et une fois dans le peroxysome (oxydation du glycolate en glyoxylate). CO_2 est libéré à un endroit dans la mitochondrie (condensation de deux molécules de glycine en une molécule de sérine).

La voie de récupération est longue et utilise trois organites cellulaires : chloroplaste, peroxysome et mitochondrie (Figure 7-22). Elle implique en particulier la transformation de deux molécules de phosphoglycolate en une molécule de l'acide aminé sérine (qui possède trois carbones) et une molécule de CO_2. L'activité oxygénase de Rubisco, combinée à la voie de récupération, *consomme* O_2 et *libère* CO_2 : c'est ce que l'on appelle la **photorespiration**. Contrairement à la respiration mitochondriale (souvent désignée comme « respiration à l'obscurité », pour la distinguer de la photorespiration, qui ne se déroule qu'à la lumière), la photorespiration est un gaspillage, qui ne produit ni ATP, ni NADH. Chez certaines plantes, jusqu'à 50 % du carbone fixé par la photosynthèse peut être réoxydé en dioxyde de carbone durant la photorespiration. L'évolution de Rubisco semble avoir produit un site actif incapable de faire la distinction entre CO_2 et O_2, peut-être parce que cette évolution s'est faite avant que O_2 ne devienne un élément important de l'atmosphère.

La condensation de O_2 avec RuDP se fait en même temps que la fixation du CO_2 dans les conditions atmosphériques présentes, avec une atmosphère qui contient 21 % d'O_2 et seulement 0,036% (360 parties par million, ou ppm) de CO_2. En outre, les conditions capables d'altérer le rapport entre CO_2 et O_2 en faveur de $O2$, et donc d'augmenter la photorespiration, sont assez fréquentes. Le dioxyde de carbone n'est pas toujours disponible dans les cellules photosynthétiques de la plante. Nous avons vu qu'il entre dans la feuille en passant par les stomates, pores spécialisés qui s'ouvrent et se ferment en fonction de divers facteurs, dont le stress hydrique. Lorsqu'une plante vit dans un environnement chaud et sec, elle doit fermer ses stomates pour conserver son eau. Son approvisionnement en dioxyde de carbone est alors coupé et, en même temps, l'oxygène produit par la photosynthèse peut s'accumuler. Les teneurs faibles en dioxyde de carbone et élevées en oxygène qui en résultent favorisent la photorespiration.

De même, quand les plantes se développent très près les unes des autres, l'atmosphère entourant les feuilles est parfaitement confinée, et il y a très peu d'échanges gazeux entre l'environnement immédiat et l'atmosphère elle-même. Dans ces conditions, les activités photosynthétiques de la plante peuvent faire baisser rapidement la concentration du dioxyde de carbone dans l'air. Même si les stomates sont ouverts, le gradient de concentration entre l'extérieur et l'intérieur de la feuille peut être tellement faible que la quantité de dioxyde de carbone diffusant dans la feuille est réduite. Dans le même temps, l'oxygène s'accumule, favorisant la photorespiration et réduisant fortement l'efficacité photosynthétique des plantes.

La voie à quatre carbones est une solution à la photorespiration

Le cycle de Calvin n'est pas la seule voie suivie par les réactions de fixation du carbone. Chez certaines plantes, le premier produit décelable de la fixation du CO_2 n'est pas la molécule de 3-phosphoglycérate à trois carbones, mais l'oxaloacétate, molécule à quatre carbones, qui est également un intermédiaire dans le cycle de Krebs. Les plantes qui utilisent cette **voie en C_4**, en même temps que le cycle de Calvin, sont habituellement appelées **plantes en C_4** (pour quatre carbones) pour les distinguer des **plantes en C_3**, qui n'utilisent *que* le cycle de Calvin. La voie en C_4 est également désignée comme la voie

de Hatch-Slack, pour M.D. Hatch et C.R. Slack, physiologistes australiens qui ont joué un rôle essentiel dans sa découverte.

L'oxaloacétate est produit quand le dioxyde de carbone se fixe au phosphoénolpyruvate (PEP) au cours de la réaction catalysée par l'enzyme **PEP carboxylase**, localisée dans le cytosol des cellules du mésophylle des plantes en C_4 (Figure 7-23). L'oxaloacétate est ensuite réduit en malate ou transformé, par addition d'un groupement amine, en l'acide aminé aspartate dans le chloroplaste de la même cellule. Ces étapes, qui utilisent le CO_2 de l'environnement, se déroulent dans les **cellules du mésophylle**. L'étape suivante est une surprise : le malate (ou l'aspartate, suivant les espèces) passe des cellules du mésophylle aux **cellules de la gaine fasciculaire,** qui entourent les faisceaux conducteurs de la feuille et il y est décarboxylé en CO_2 et pyruvate. Le CO_2 entre alors dans le cycle de Calvin en réagissant avec RuDP pour produire le PGA. Entre-temps, le pyruvate retourne aux cellules du mésophylle, où il réagit avec l'ATP pour régénérer le PEP (Figure 7-24). L'anatomie foliaire des plantes en C_4 instaure donc une *séparation spatiale* entre la voie en C_4 et le cycle de Calvin, qui se déroulent dans deux types cellulaires différents.

Les deux principales enzymes de carboxylation de la photosynthèse utilisent des formes différentes de dioxyde de carbone. Rubisco utilise le CO_2, alors que la PEP carboxylase utilise la forme hydratée du dioxyde de carbone, l'ion bicarbonate (HCO_3^-). La PEP carboxylase a une forte affinité pour le bicarbonate. Elle fonctionne donc très efficacement, même si la concentration de son substrat est assez faible.

Les feuilles des plantes en C_4 sont habituellement caractérisées par une disposition régulière des cellules du mésophylle autour des grandes cellules de la gaine fasciculaire, formant ainsi deux couches concentriques (Figure 7-25). Cette disposition en couronne a été dénommée **anatomie de Kranz** (*Kranz* est le terme allemand pour « couronne »). Chez certaines plantes en C_4, les chloroplastes des cellules du mésophylle ont des grana bien développés, tandis que, dans ceux des cellules de la gaine fasciculaire, les grana sont peu développés

Figure 7-23

Fixation du carbone par la voie en C_4. Le dioxyde de carbone est « fixé » au phosphoénolpyruvate (PEP) par l'enzyme PEP carboxylase. Cette enzyme utilise la forme hydratée du CO_2, HCO_3^- (ion bicarbonate). Suivant les espèces, l'oxaloacétate qui en résulte est soit réduit en malate, soit transaminé en aspartate par addition d'un groupement amine (-NH_2). Le malate ou l'aspartate pénètre dans les cellules de la gaine fasciculaire, où le CO_2 est libéré pour être utilisé dans le cycle de Calvin. Remarquez que PEP possède une liaison phosphoanhydride. Comme l'ATP, PEP est une substance à haute énergie.

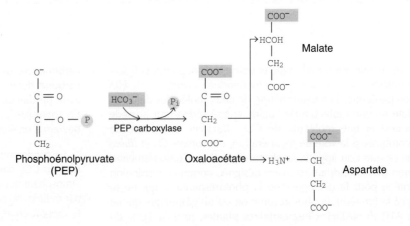

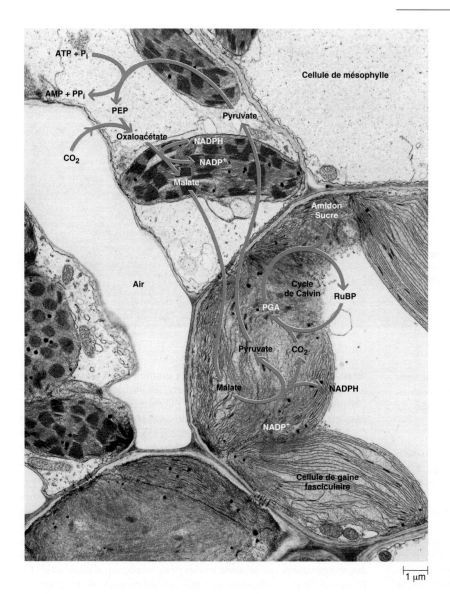

Figure 7-24

Mode de fixation du carbone dans la plante de maïs (*Zea mays*), plante en C$_4$. Le dioxyde de carbone est d'abord fixé dans le mésophylle, sous forme d'oxaloacétate, qui est rapidement converti en malate. Le malate est alors transporté aux cellules de la gaine fasciculaire, où le CO$_2$ est libéré et entre dans le cycle de Calvin, générant finalement des sucres et de l'amidon. Le pyruvate retourne à la cellule du mésophylle pour la régénération du phosphoénolpyruvate (PEP). Il y a donc ici une séparation spatiale entre la voie en C$_4$, qui se déroule dans les cellules du mésophylle, et le cycle de Calvin, qui se situe dans les cellules de la gaine fasciculaire.

Figure 7-25

Coupe transversale d'une portion de feuille de maïs (*Zea mays*). Une caractéristique des plantes en C$_4$ est d'avoir les faisceaux conducteurs (composés de xylème et phloème) entourés par les grandes cellules de la gaine fasciculaire contenant des chloroplastes ; ces cellules sont à leur tour entourées par une assise de cellules du mésophylle. La voie en C$_4$ se déroule dans les cellules du mésophylle ; le cycle de Calvin se produit dans les cellules de la gaine fasciculaire. On voit ici quatre faisceaux conducteurs — un gros et trois petits. Le sucre venant des cellules du mésophylle passe en grande partie par les petits faisceaux. Les gros faisceaux interviennent principalement dans l'exportation du sucre de la feuille vers d'autres parties de la plante.

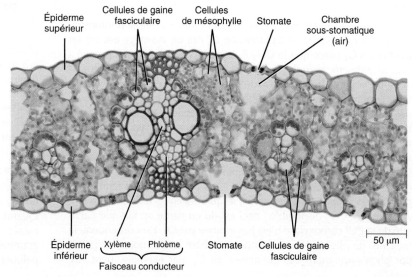

Figure 7-26

Micrographie électronique montrant des portions de chloroplastes dans une cellule de mésophylle (au-dessus) et dans une cellule de gaine fasciculaire (en-dessous) d'une feuille de maïs (*Zea mays*). Comparez les grana bien développés du chloroplaste de la cellule du mésophylle aux grana peu développés du chloroplaste de la cellule de la gaine fasciculaire. Remarquez les plasmodesmes dans la paroi qui sépare ces deux cellules. Les intermédiaires de la photosynthèse migrent d'une cellule à l'autre par les plasmodesmes chez cette plante en C_4.

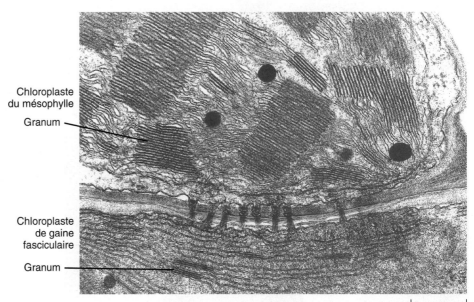

Chloroplaste du mésophylle
Granum

Chloroplaste de gaine fasciculaire
Granum

0,5 μm

ou absents (Figure 7-26). De plus, quand la photosynthèse est active, les chloroplastes de la gaine fasciculaire produisent généralement des grains d'amidon plus gros et plus nombreux que les chloroplastes du mésophylle.

La photosynthèse est généralement plus efficace chez les plantes en C_4 que chez les plantes en C_3. La fixation du CO_2 a un coût énergétique plus élevé chez les plantes en C_4 que chez les plantes en C_3. Pour chaque molécule de CO_2 fixée dans la voie en C_4, une molécule de PEP doit être régénérée au prix de deux groupements phosphate de l'ATP (Figure 7-24). Les plantes en C_4 ont donc besoin de cinq molécules d'ATP pour fixer une molécule de CO_2, alors que les plantes en C_3 n'en demandent que trois. On pourrait se demander pourquoi l'évolution a conduit, chez les plantes en C_4, à une méthode aussi coûteuse au point de vue énergétique, pour alimenter le cycle de Calvin en CO_2.

Les teneurs élevées en CO_2 et basses en O_2 limitent la photorespiration. Par conséquent, les plantes en C_4 ont un avantage net sur les plantes en C_3 parce que le CO_2 fixé par la voie en C_4 est « pompé » avec grande efficacité des cellules du mésophylle vers les cellules de la gaine fasciculaire, ce qui maintient un rapport élevé entre CO_2 et O_2 à l'endroit où fonctionne Rubisco. Ce rapport élevé CO_2 :O_2 favorise la carboxylation de RuDP. En outre, puisque le cycle de Calvin et la photorespiration sont localisés tous deux dans l'assise cellulaire interne de la gaine fasciculaire, tout CO_2 libéré par la photorespiration dans l'assise externe du mésophylle peut être de nouveau fixé par la voie en C_4 qui se déroule à cet endroit. Le CO_2 libéré par la photorespiration peut donc être empêché de s'échapper de la feuille. De plus, comparées aux plantes en C_3, les plantes en C_4 utilisent plus efficacement le CO_2 disponible ; ceci est dû en partie au fait que l'activité de la PEP carboxylase n'est pas inhibée par O_2. Par conséquent, le taux net de photosynthèse (la photosynthèse totale moins les pertes par photorespiration) des graminées en C_4, par exemple, peut être

deux à trois fois supérieur à celui des graminées en C_3 placées dans les mêmes conditions d'environnement. En résumé, le gain d'efficacité provenant de l'élimination de la photorespiration chez les graminées en C_4 fait plus que compenser le coût énergétique de la voie en C_4. Le maïs (*Zea mays*), la canne à sucre (*Saccharum officinale*) et le sorgho (*Sorghum vulgare*) sont des exemples de plantes en C_4. Le blé (*Triticum aestivum*), le seigle (*Secale cereale*), l'avoine (*Avena sativa*) et le riz (*Oryza sativa*) sont des exemples de graminées en C_3.

Les plantes en C_4 ont d'abord évolué sous les tropiques et sont particulièrement bien adaptées aux fortes intensités lumineuses, aux hautes températures et à la sécheresse. La gamme des températures optimales pour la photosynthèse en C_4 est beaucoup plus élevée que pour la photosynthèse en C_3, et les plantes en C_4 prospèrent encore à des températures qui seraient létales pour beaucoup d'espèces en C_3. En raison de leur utilisation plus efficace du dioxyde de carbone, les plantes en C_4 peuvent atteindre le même niveau de photosynthèse que les plantes en C_3, mais avec une ouverture des stomates plus réduite, et donc avec moins de pertes d'eau. La prépondérance des plantes en C_4 sous les climats chauds et secs peut être l'expression de ces avantages de la photosynthèse en C_4 aux températures élevées (Figure 7-27). De plus, les plantes en C_4 possèdent de trois à six fois moins de Rubisco que les plantes en C_3 et la teneur globale des feuilles en azote des plantes en C_4 est inférieure à celle des plantes en C_3 ; les plantes en C_4 sont donc capables d'utiliser l'azote plus efficacement que les plantes en C_3.

Un exemple familier de la compétitivité des plantes en C_4 s'observe en été dans les pelouses. Dans la plus grande partie des États-Unis, les pelouses sont principalement composées de graminées en C_3, comme le paturin (*Poa pratensis*) et l'agrostis (*Agrostis tenuis*). Quand les journées estivales deviennent chaudes et sèches, ces graminées à feuilles étroites, vert foncé, sont souvent supplantées par une graminée à croissance rapide (*Digitaria sanguinalis*) qui défigure la pelouse quand ses larges feuilles jaunâtres prennent progressivement le dessus. Vous ne serez pas surpris d'apprendre que *Digitaria* est une plante en C_4.

Toutes les plantes connues actuellement pour utiliser la photosynthèse en C_4 sont des angiospermes ; on les trouve dans 19 familles au moins, dont 3 sont des monocotylées et 16 des dicotylées. On n'a cependant trouvé aucune famille ne comprenant que des plantes en C_4. Cette voie est sans aucun doute apparue indépendamment à plusieurs reprises au cours de l'évolution.

Dans plusieurs genres, on a découvert des espèces dont les caractéristiques photosynthétiques sont intermédiaires entre celles des espèces en C_3 et en C_4. Ces intermédiaires C_3-C_4, comme on les appelle, sont caractérisés par une anatomie folaire Kranz, une suppression partielle de la photorespiration et une sensibilité réduite à O_2 ; certains biologistes végétaux les considèrent comme une preuve de l'évolution progressive de la voie en C_4 à partir d'ancêtres en C_3.

Les plantes qui possèdent un métabolisme de l'acide crassulacéen peuvent fixer le CO_2 à l'obscurité

Une autre stratégie pour la fixation du CO_2 a évolué indépendamment chez de nombreuses plantes succulentes, comme les cactus et les crassulacées. Comme on l'a identifiée pour la première fois dans la famille des crassulacées, on l'a appelée le **métabolisme de l'acide crassulacéen (CAM)**. Les plantes qui profitent de la photosynthèse CAM sont appelées **plantes CAM**. Ces plantes, comme les plantes en C_4, utilisent aussi bien la voie en C_4 que la voie en C_3. Chez les plantes CAM, cependant, il existe une *séparation temporelle,* plutôt qu'une séparation spatiale entre les deux voies.

On considère que les plantes possèdent un métabolisme CAM si leurs cellules photosynthétiques ont la faculté de fixer le CO_2 à l'obscurité grâce à l'activité de la PEP carboxylase dans le cytosol. Le produit initial de la carboxylation est l'oxaloacétate, qui est immédiatement réduit en malate. Le malate ainsi formé est emmagasiné dans la vacuole, où on peut le déceler à son goût acide. Au cours de la période claire suivante, l'acide malique est récupéré hors de la vacuole, décarboxylé, et le CO_2 est transféré au RuDP du cycle de Calvin *à l'intérieur de la même cellule* (Figure 7-29). Pour être considérées comme CAM, les plantes doivent donc posséder les caractéristiques structurales suivantes (1) de grandes vacuoles où l'acide malique peut être gardé en solution aqueuse et (2) des chloroplastes où le CO_2 provenant de l'acide malique peut être transformé en glucides.

Les plantes CAM dépendent largement, pour leur photosynthèse, de l'accumulation nocturne du CO_2 parce que leurs stomates sont fermés durant la journée, ce qui retarde la perte d'eau. Ceci représente un avantage évident dans les conditions de haute intensité lumineuse et de stress hydrique où vivent la plupart de ces plantes. Si l'apport en CO_2 atmosphérique chez une plante CAM se fait la nuit, l'utilisation de l'eau par cette plante peut être plusieurs fois plus efficace que celle d'une plante en C_3 ou en C_4. Habituellement, les plantes CAM perdent de 50 à 100 grammes d'eau pour chaque gramme de CO_2 gagné,

Figure 7-27

Distribution des graminées en C_4. Les recherches sur la distribution géographique des espèces en C_4 en Amérique du Nord ont montré qu'elles sont en général plus abondantes sous les climats à températures élevées. Il existe cependant des différences entre monocotylées et dicotylées en ce qui concerne le type de haute température qui leur convient. Par exemple, les graminées en C_4 sont plus abondantes dans les régions où les températures sont les plus élevées durant la saison de croissance. Au contraire, les dicotylées en C_4 sont surtout fréquentes dans les régions à forte aridité pendant la saison de croissance. Les nombres inscrits sur la carte indiquent le pourcentage du nombre total d'espèces de graminées avec la voie en C_4 dans 32 flores locales d'Amérique du Nord. On trouve les pourcentages les plus élevés dans les régions caractérisées par les températures les plus élevées durant la période de croissance.

Canne à sucre
plante en C_4

Ananas
plante CAM

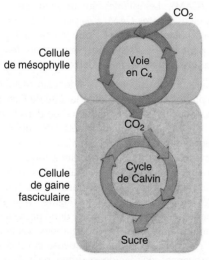

Cellule
de mésophylle

CO_2

Voie
en C_4

CO_2

Cellule
de gaine
fasciculaire

Cycle
de Calvin

Sucre

(a) Photosynthèse en C_4

Étape 1 :
Fixation initiale
du CO_2 produisant
des acides
à 4 carbones

Étape 2 :
libération de CO_2
vers le cycle
de Calvin

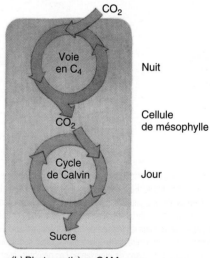

CO_2

Voie
en C_4

Nuit

CO_2

Cellule
de mésophylle

Cycle
de Calvin

Jour

Sucre

(b) Photosynthèse CAM

Figure 7-28

Comparaison de la photosynthèse en C_4 et CAM. Les plantes en C_4 et les plantes CAM utilisent les voies en C_4 et en C_3 (cycle de Calvin) ; le CO_2 est incorporé initialement à des acides à quatre carbones dans la voie en C_4. Par la suite, le CO_2 est transféré à la voie en C_3, ou cycle de Calvin. **(a)** Chez les plantes en C_4, les deux voies se déroulent dans des cellules différentes ; elles sont donc séparées spatialement (voir figure 7-24). **(b)** Chez les plantes CAM, par contre, elles sont séparées temporellement, elles fonctionnent à des moments différents (voir figure 7-29). La voie en C_4, qui représente la fixation initiale du CO_2, a lieu la nuit, et la voie en C_3 fonctionne durant la journée. Les stomates des plantes en C_4 sont ouverts durant le jour et fermés la nuit, tandis que ceux des plantes CAM sont fermés durant la journée et ouverts la nuit.

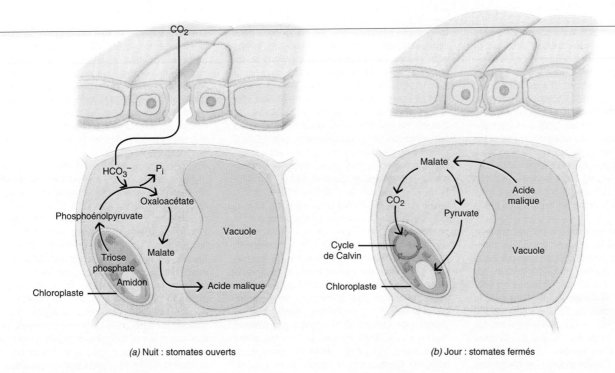

(a) Nuit : stomates ouverts   *(b)* Jour : stomates fermés

Figure 7-29

Le métabolisme de l'acide crassulacéen (CAM) implique la production d'acide malique pendant la nuit et sa disparition durant la journée. C'est pourquoi on dit que les plantes CAM ont un goût acide pendant la nuit et doux pendant le jour. **(a)** Le CO_2 est d'abord fixé la nuit, quand les stomates sont ouverts. Durant la nuit, l'amidon du chloroplaste est dégradé jusqu'au phos-phoénolpyruvate (PEP). Le CO_2, hydraté en HCO_3^- (ion bicarbonate) réagit avec PEP pour produire l'oxaloacétate, qui est ensuite réduit en malate. La plus grande partie du malate est pompé dans la vacuole et stocké sous forme d'acide malique. **(b)** Durant la journée, l'acide malique est récupéré de la vacuole et décarboxylé, produisant du CO_2 et du pyruvate. Le CO_2 entre dans le cycle de Calvin, où il est refixé par Rubisco. La plus grande partie du pyruvate peut être converti en sucres et amidon par glycolyse inverse (remarquez que la voie représentée à la figure 6-4 peut aller dans les deux sens). La fermeture des stomates durant la journée permet d'éviter les pertes d'eau et du CO_2 libéré par décarboxylation du malate.

en comparaison des 250 à 300 grammes pour les plantes en C_4 et 400 à 500 grammes pour celles en C_3. Au cours de périodes de sécheresse prolongée, certaines plantes CAM peuvent garder leurs stomates fermés nuit et jour, en conservant une faible activité métabolique par refixation du CO_2 produit par la respiration.

Parmi les plantes vasculaires, la photosynthèse CAM est plus répandue que celle en C_4. On l'a signalée dans 23 familles au moins d'angiospermes, principalement des dicotylées, y compris des plantes d'appartement familières, comme *Hoya carnosa* et une sansevière, cette dernière appartenant aux monocotylées. Toutes les plantes CAM ne sont pas particulièrement succulentes (charnues) ; l'ananas et la « mousse espagnole », appartenant tous deux à la famille des broméliacées (monocotylées) sont des exemples de plantes moins succulentes. On a aussi signalé une activité CAM chez des plantes autres que des angiospermes, comme la gymnosperme bizarre qu'est *Welwitschia mirabilis* (voir figure 20-43, page 492), une espèce aquatique d'*Isoetes* (voir figure 19-19, page 442) et certaines fougères. *Welwitschia* fixe cependant surtout le CO_2 à la manière d'une plante en C_3.

Tous les mécanismes de fixation du carbone ont leurs avantages et leurs inconvénients en nature

Le type de mécanisme photosynthétique utilisé par une plante est important, mais ce n'est pas le seul facteur qui détermine l'endroit où vit la plante. Les trois mécanismes — photosynthèse en C_3, C_4 et CAM — ont des avantages et des inconvénients, et une plante ne peut être compétitive que si les bénéfices de son mode de photosynthèse surpassent les autres facteurs. Par exemple, bien que les plantes en C_4 tolèrent généralement des températures plus élevées et des conditions plus arides que les espèces en C_3, elles ne peuvent être concurrentielles à des températures inférieures à 25°C. C'est, en partie, parce qu'elles sont plus sensibles au froid que les espèces en C_3. De plus, comme on l'a vu, les plantes CAM croissent lentement et sont peu compétitives face aux espèces en C_3 et C_4 en dehors des conditions d'aridité extrême. Jusqu'à un certain point, chaque type de plante a donc des limitations imposées par son propre mécanisme photosynthétique.

LE CYCLE DU CARBONE

Dans la photosynthèse, les organismes vivants incorporent le dioxyde de carbone atmosphérique dans des composés carbonés organiques. Dans la respiration, ces composés sont dégradés en dioxyde de carbone et eau. Considérés au niveau mondial, ces processus s'intègrent au **cycle du carbone**. Les principaux organismes photosynthétiques du cycle sont les plantes, le phytoplancton, les algues marines et les cyanobactéries. Ils synthétisent des glucides à partir de dioxyde de carbone et d'eau et ils libèrent l'oxygène dans l'atmosphère. Environ 100 milliards de tonnes de carbone sont fixés chaque année en composés organiques par la photosynthèse.

Certains glucides sont utilisés par les organismes photosynthétiques eux-mêmes. Les plantes libèrent du dioxyde de carbone par leurs racines et leurs feuilles, le phytoplancton, les algues marines et les cyanobactéries en libèrent dans l'eau, où il reste en équilibre avec le dioxyde de carbone de l'air. Environ 42.000 milliards de tonnes de carbone sont « emmagasinés » sous forme de dioxyde de carbone en solution dans les océans, et 740 milliards de tonnes dans l'atmosphère. Une partie des glucides sont utilisés par les animaux qui se nourrissent de plantes vivantes, d'algues et d'autres animaux en libérant du dioxyde de carbone. Une quantité énorme de carbone organique est emmagasinée dans les cadavres de plantes et d'autres organismes, ainsi que dans les feuilles mortes et les coquilles, les fèces et autres déchets. Tous ces matériaux se trouvent dans le sol ou tombent au fond des océans où, très souvent, ils sont consommés par des petits invertébrés, bactéries et champignons qui les décomposent. Le dioxyde de carbone est également libéré par ces processus dans l'atmosphère et les océans. Une grande quantité de carbone — estimée à 60.000 milliards de tonnes, est fixée sous forme de calcaire (carbonate de calcium). Les dépôts de calcaire représentent les coquilles d'anciens organismes marins. Le carbone réintègre le cycle à condition que les dépôts de calcaire soient exposés à l'air (par surrection géologique) et commencent à se dégrader. Une autre grande réserve de carbone se trouve sous la surface du sol sous forme de charbon et de pétrole, déposés il y a quelque 300 millions d'années.

Au cours des années et en moyenne, les processus photosynthétique et respiratoire natu-rels sont pratiquement en équilibre pour l'ensemble de la terre. A l'échelle des temps géologiques, la concentration du dioxyde de carbone dans l'atmosphère a varié mais, pour les 10.000 dernières années — du moins jusqu'à la révolution industrielle — elle est restée relativement constante. En volume, le dioxyde de carbone ne représente qu'une très faible proportion de l'atmosphère, soit 0,036% seulement. Ce dioxyde de carbone est cependant important parce que, avec la vapeur d'eau, le méthane et d'autres gaz à « effet de serre », il absorbe les rayons infrarouges. Il laisse passer la lumière solaire jusqu'à la surface de la terre, mais il empêche le retour du rayonnement thermique (rayons infrarouges) de la terre vers l'espace. Par conséquent, l'atmosphère s'échauffe. Une partie de sa chaleur est transmise aux océans et augmente ainsi leur température. Avec l'échauffement de l'atmosphère et des océans, la température globale de la terre s'élève. Parce que le dioxyde de carbone et les autres gaz piègent les rayons solaires comme le font les vitres d'une serre, on parle d'**effet de serre** pour désigner l'échauffement global ainsi produit. Depuis 1850, la concentration du dioxyde de carbone dans l'atmosphère a grimpé de 270 parties par million (ppm) à environ 365 ppm aujourd'hui, principalement à cause de l'utilisation des combustibles fossiles tels que le charbon, le pétrole et le gaz naturel, du labour des terres, ainsi que de la destruction et de la combustion des forêts, particulièrement sous les tropiques. Pendant les deux dernières décennies du vingtième siècle au moins, la teneur de l'atmosphère en dioxyde de carbone a augmenté au rythme d'environ 0,4% par an.

Bien que 95 % du dioxyde de carbone provenant des combustibles fossiles soit libéré dans l'hémisphère nord, il n'y a que 3 ppm de différence entre les niveaux de dioxyde de carbone atmosphérique dans les hémisphères nord et sud. En se basant sur des modèles de circulation atmosphérique, ainsi que sur des estimations de l'absorption du dioxyde de carbone par les océans, les chercheurs n'ont pas pu mettre en évidence les très faibles différences de concentration du dioxyde de carbone entre les deux hémisphères. Il existe des arguments sérieux montrant que le carbone manquant proviendrait des forêts de conifères boréales d'Amérique du Nord et d'Eurasie ; ces forêts seraient donc un élément essentiel de l'équili-bre du carbone. (Il est intéressant de savoir que, dans les forêts d'épicéa, la couche de mousse assimile et emmagasine autant de dioxyde de carbone que les troncs des arbres.) Alors que l'intérêt croissant porté à la déforestation sous les tropiques et à l'épuisement des arbres dans les forêts tempérées a permis de ralentir ces pratiques, peu d'efforts ont été faits pour écarter la menace qui pèse sur les forêts boréales.

Au début des années 1980, une étude majeure, réalisée par l'Agence de la protection de l'environnement des États-Unis prévoyait que l'augmentation de la « couverture » de dioxyde de carbone entraînerat une hausse significative des températures moyennes de la terre à partir de la fin de ce siècle. Plusieurs études ultérieures, s'ajoutant au fait que les températures mondiales ont été plus élevées pendant les années 1980 et au début des années 1990 qu'au cours de toutes les décennies qui se sont écoulées depuis que les relevés existent, ont maintenant convaincu non seulement la majorité des membres de la communauté scientifique, mais aussi les dirigeants politiques de par le monde que l'augmentation est réelle et a déjà débuté. Si la tendance au réchauffement se poursuit, d'ici le milieu du XXIe siècle, la température moyenne de la terre pourrait augmenter de 1,5 à 4,5°C.

On ne peut connaître avec certitude les conséquences de cette augmentation. Dans certaines parties du monde, il pourrait y avoir un allongement des périodes de végétation, des précipitations plus abondantes et, en rapport avec les teneurs plus élevées de dioxyde de carbone disponibles pour les plantes, une augmentation de la productivité agricole. Dans d'autres parties du monde, cependant, les précipitations peuvent être réduites, les récoltes moins bonnes et, dans les régions déjà arides, l'extension des grands déserts du monde pourrait s'accélérer. Toutes les plantes ne réagissent pas de la même manière aux teneurs élevées en dioxyde de carbone. On doit s'attendre à une réaction importante des plantes en C_3 à ces teneurs élevées, avec une augmentation de la photosynthèse et de la croissance, la photorespiration étant effectivement réduite au minimum. La réaction des plantes en C_4 devrait être moins nette parce qu'elles perdraient leur avantage compétitif sur les plantes en C_3. L'élévation du niveau des mers résultant de la fonte des glaces polaires représente un danger

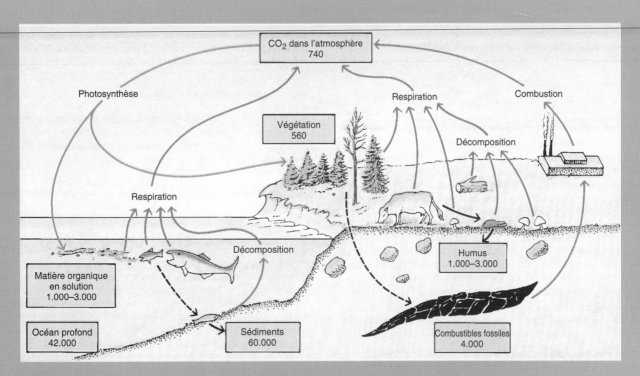

Le cycle du carbone. Les flèches indiquent le mouvement des atomes de carbone. Les chiffres sont tous des estimations de la quantité de carbone, exprimée en millions de tonnes, stockée dans différents réservoirs en 1988. La quantité de carbone libérée par la respiration et la combustion a commencé à dépasser la quantité fixée par photosynthèse. La quantité de carbone présente dans l'atmosphère augmente actuellement de 3 millions de tonnes par an.

potentiel non seulement pour les populations des régions côtières, mais aussi pour une multitude d'organismes marins qui vivent et se reproduisent dans les eaux peu profondes en bordure des continents.

Bien qu'il semble maintenant que le réchauffement global soit la conséquence inévitable des activités humaines passées et présentes, des efforts sont entrepris aux niveaux national et international afin de développer des straté-gies susceptibles de ralentir le processus — voire de l'inverser — en gérant l'agriculture, l'utilisation de l'énergie et l'industrie. Au sommet des Nations Unies de 1992 à Rio de Janeiro, par exemple, les dirigeants des pays industrialisés du monde ont signé la convention cadre sur les changements climatiques, dans le but de stabiliser les émissions de dioxyde de carbone en l'an 2000. Ultérieurement, à la conférence sur le climat de Kyoto, en décembre 1997, on a adopté un protocole visant à réduire les émissions de gaz à effet de serre. S'il est intégralement appliqué, le protocole de Kyoto devrait pouvoir « écarter la terre du chemin qui le conduit à un réchauffement du climat et l'orienter vers un monde plus sûr. » Reste à voir si nous nous sommes réveillés à temps.

RÉSUMÉ

Dans la photosynthèse, l'énergie lumineuse est transformée en énergie chimique et le carbone est « fixé » sous forme de composés organiques. On peut écrire comme suit l'équation complète et équilibrée de cette réaction :

$$3CO_2 + 6H_2O \xrightarrow{\text{Lumière}} C_3H_6O_3 + 3O_2 + 3H_2O$$

La lumière est absorbée par des pigments organisés en photosystèmes

La première étape de la photosynthèse est l'absorption de l'énergie lumineuse par des molécules de pigments. Parmi les pigments impliqués dans la photosynthèse eucaryote, on trouve les chlorophylles et les caroténoïdes, qui sont empaquetés dans les thylakoïdes des chloroplastes sous forme de complexes photosynthétiques appelés photosystèmes. La lumière absorbée par les molécules de pigment porte leurs électrons à un niveau énergétique supérieur. En raison de leur disposition dans les photosystèmes, les molécules de pigments sont capables de transférer cette énergie à des molécules particulières de pigments dans les centres réactionnels. La plupart des organismes photosynthétiques possèdent deux photosystèmes, les photosystèmes I et II.

On divise les nombreuses réactions qui se déroulent durant la photosynthèse en deux processus principaux : les réactions de transduction d'énergie, ou réactions claires, et les réactions de fixation du carbone.

Pendant les réactions claires, les électrons tombent de l'eau au photosystème II, descendent une chaîne de transport d'électrons jusqu'au photosystème I, et aboutissent finalement au NADP⁺

Suivant le schéma des réactions claires qui est le plus généralement accepté, l'énergie lumineuse entre dans le photosystème II, où elle est captée par des molécules de pigment et passe aux molécules de chlorophylle P_{680} du centre réactionnel. Les électrons excités sont transférés de P_{680} à un accepteur d'électrons. Quand les électrons sont enlevés de P_{680}, ils sont remplacés par des électrons de faible énergie venant de l'eau, produisant ainsi de l'oxygène (photolyse). Les paires d'électrons descendent ensuite au photosystème I en suivant une chaîne de transport d'électrons. Ce passage génère un gradient de protons qui actionne la synthèse d'ATP à partir d'ADP et de phosphate (photophosphorylation). Entre-temps, l'énergie lumineuse absorbée par le photosystème I est transférée aux molécules de chlorophylle P_{700} du centre réactionnel du photosystème I. Les électrons excités sont finalement acceptés par la molécule de coenzyme NADP⁺, et les électrons enlevés à P_{700} sont remplacés par ceux qui viennent du photosysème II. L'énergie produite par les réactions dépendantes de la lumière est emmagasinée dans les molécules de NADPH et dans l'ATP formé par photophosphorylation. La photophosphorylation passe également par un courant cyclique d'électrons, processus qui peut se passer du photosystème II. l'ATP est l'unique produit du flux cyclique d'électrons. Cet ATP supplémentaire est nécessaire pour le cycle de Calvin, qui utilise ATP et NADPH dans un rapport de 3/2.

Dans la chaîne de transport d'électrons, le flux d'électrons est couplé à un pompage de protons et à une synthèse d'ATP via un mécanisme chimiosmotique

Comme la phosphorylation oxydative dans les mitochondries, la photophosphorylation, dans les chloroplastes, est un processus chimiosmotique. Lorsque les électrons descendent le long de la chaîne de transport du photosystème II au photosystème I, des protons sont pompés depuis le stroma vers la lumière du thylakoïde, ce qui crée un gradient d'énergie potentielle. L'ATP est produit quand les protons suivent ce gradient pour revenir de la lumière du thylakoïde au stroma, en passant par une ATP synthétase.

Dans le cycle de Calvin, le CO_2 est fixé suivant une voie à trois carbones

Dans les réactions de fixation du carbone, qui se déroulent dans le stroma du chloroplaste, le NADPH et l'ATP produits au cours des réactions claires sont utilisés pour réduire le dioxyde de carbone en carbone organique. Le cycle de Calvin est responsable de la fixation initiale du carbone, ainsi que de sa réduction subséquente, aussitôt qu'il est fixé. Dans le cycle de Calvin, une molécule de dioxyde de carbone se combine à la substance de départ, un sucre à cinq carbones appelé ribulose 1,5-diphosphate (RuDP) pour former deux molécules d'un produit à trois carbones, le 3-phosphoglycérate (PGA). Le PGA est ensuite réduit en une molécule de glycéraldéhyde 3-phosphate (PGAL) à trois carbones. Un carbone entre dans le cycle à chaque tour du cycle. Trois tours de cycle produisent une molécule de glycéraldéhyde 3-phosphate. À chaque fois, le RuDP est régénéré. La plus grande partie du carbone fixé est convertie en saccharose ou en amidon.

La voie de fixation du carbone des plantes en C_4 est une solution au problème de la photorespiration

On parle de plantes en C_3 quand la seule voie de fixation du carbone est le cycle de Calvin et quand le premier produit décelable de la fixation du CO_2 est le PGA. Dans les plantes dites en C_4, le dioxyde de carbone se fixe d'abord au phosphoénolpyruvate (PEP) pour produire l'oxaloacétate, une molécule à quatre carbones, dans les cellules du mésophylle de la feuille. L'oxaloacétate est rapidement converti en malate (ou en aspartate, suivant les espèces), qui passe des cellules du mésophylle aux cellules de la gaine fasciculaire. Le malate y est décarboxylé et le CO_2 entre dans le cycle de Calvin en réagissant avec RuDP pour former le PGA. La voie en C_4 se déroule donc dans les cellules du mésophylle, mais le cycle de Calvin se situe dans les cellules de la gaine fasciculaire.

Les plantes en C_4 utilisent le CO_2 avec plus d'efficacité que les plantes en C_3, en particulier parce que la PEP carboxylase n'est pas inhibée par O_2. Les plantes en C_4 peuvent donc arriver au même niveau de photosynthèse que les plantes en C_3, mais avec une ouverture des stomates réduite, et donc avec une moindre perte d'eau. En outre, les plantes en C_4 sont plus compétitives que les plantes en C_3 aux températures élevées.

Les plantes CAM peuvent fixer le CO_2 à l'obscurité

Beaucoup de plantes succulentes possèdent un métabolisme de l'acide crassulacéen (CAM). Chez les plantes CAM, la fixation du CO_2 en phosphoénolpyruvate et la production d'oxaloacétate se déroulent la nuit, lorsque les stomates sont ouverts. L'oxaloacétate est rapidement converti en malate, qui est emmagasiné dans la vacuole pendant la nuit sous forme d'acide malique. Pendant la journée, quand les stomates sont fermés, l'acide malique est repris dans la vacuole et le CO_2 fixé est transféré au RuDP du cycle de Calvin. La voie en C_4 et le cycle de Calvin se déroulent à l'intérieur des mêmes cellules chez les plantes CAM ; ces deux voies, qui sont séparées spatialement chez les plantes en C_4, sont donc séparées dans le temps chez les plantes CAM.

MOTS CLÉS

QUESTIONS

1. Expliquez comment la réaction de Hill et l'utilisation de $^{18}O_2$ ont démontré l'hypothèse de van Niel, selon laquelle c'est l'eau, et non le dioxyde de carbone, qui est la source de l'oxygène émis par la photosynthèse.

2. Quel est le rapport entre le spectre d'absorption et le spectre d'action d'un pigment ?

3. Quand les électrons excités reviennent à l'état fondamental, l'énergie libérée a trois destinations possibles. Quelles sont-elles et quelles sont les deux destinations qui libèrent une énergie utile à la photosynthèse ?

4. Faites la distinction entre les flux d'électrons non cyclique et cyclique et la photophosphorylation. Quels sont les produits qui en dérivent ? Pourquoi la photophosphorylation cyclique est-elle essentielle au cycle de Calvin ?

5. Le dioxyde de carbone ne représente que 0,036% de l'air dans les conditions atmosphériques d'aujourd'hui ; dans l'ensemble, c'est suffisant pour le déroulement de la photosynthèse. On peut cependant rencontrer des circonstances où la concentration en CO_2 ne convient pas pour la photosynthèse. Citez certaines de ces conditions.

6. Expliquez, par un dessin avec légende, en quoi consiste l'anatomie de Kranz.

7. Quels sont les avantages des plantes en C_4 sur celles en C_3 ?

8. Alors que la voie en C_4 et le cycle de Calvin (voie en C_3) sont *séparés dans l'espace* chez les plantes en C_4, ces voies sont *séparées dans le temps* chez les plantes CAM. Expliquez.

9. On dit que les plantes CAM sont douces au goût pendant la journée et acide pendant la nuit. Expliquez pourquoi.

10. Qu'est-ce que la photophosporylation et quel est le rapport entre ce processus et la membrane thylakoïdale ?

11. Comment Rubisco intervient-il dans la photosynthèse comme dans la photorespiration et pourquoi la photorespiration a-t-elle des conséquences négatives pour la plante ?

Section 3

GÉNÉTIQUE ET ÉVOLUTION

Le maïs (*Zea mays*) est une des trois plus importantes plantes cultivées dans le monde. Il fut longtemps un organisme important pour les recherches en génétique. L'aspect moucheté de certains grains représentés dans ce tableau est le résultat de la transposition génétique, dont l'étude a valu un prix Nobel à la généticienne américaine Barbara McClintock.

La reproduction des cellules

8

SOMMAIRE

Lorsqu'on parle de la reproduction cellulaire, on dit parfois que « les cellules se multiplient en se divisant. » Cette tournure est mathématiquement un peu particulière, mais elle est pourtant biologiquement correcte. Les cellules se reproduisent par une division cellulaire au cours de laquelle la cellule « parentale » se partage de telle façon que les parties qui la composent se répartissent entre les deux cellules « filles » qui en résultent. Ce chapitre et le suivant sont centrés sur la division cellulaire dans les cellules eucaryotes. Nous étudierons comment le matériel génétique — l'ADN des chromosomes — se répartit dans les cellules filles. Dans ce chapitre, nous nous concentrerons sur la division cellulaire somatique, qui aboutit à des cellules filles génétiquement identiques à la cellule parentale. Dans le chapitre suivant, nous considérerons le mode de division cellulaire qui donne naissance aux cellules reproductrices, génétiquement différentes de leur cellule parentale.

La division cellulaire fait partie de l'ensemble de l'histoire du développement de la cellule — c'est le cycle cellulaire. Pendant le cycle cellulaire somatique, l'ADN se réplique, les copies dupliquées sont réparties dans deux noyaux fils et le cytoplasme se divise de telle sorte que chaque noyau s'isole dans sa propre cellule. Ce processus est tellement fondamental pour les organismes vivants que nous ne réalisons souvent pas son importance avant que les choses ne tournent mal. Quand des problèmes surviennent dans le cycle cellulaire, les cellules peuvent se diviser de façon anarchique, pour arriver à une croissance de type cancéreux. Il est dès lors important de comprendre les cycles cellulaires tant chez les plantes que chez les animaux.

POINTS DE REPÈRE

Quand vous terminerez la lecture de ce chapitre, vous devriez pouvoir répondre aux questions suivantes :

- *Quelles sont les différences entre la division cellulaire des procaryotes et celle des eucaryotes ? Quelles sont les ressemblances entre les deux processus ?*

- *En quoi consiste le cycle cellulaire et quels événements essentiels se déroulent au cours des stades G_1, S, G_2, G_0 et M ?*

- *Quelle est la signification de la mitose ? Que se produit-il au cours des quatre phases mitotiques ?*

- *Quel est le rôle du fuseau mitotique dans le positionnement, puis dans la séparation des chromatides sœurs durant la mitose ?*

- *À quoi servent le phragmosome, le phragmoplaste et la plaque cellulaire durant la cytocinèse ?*

La reproduction des cellules passe par la division cellulaire : c'est à ce moment que le contenu d'une cellule se répartit entre deux cellules filles. Chez les organismes unicellulaires, comme les bactéries et les protistes, la division cellulaire augmente le nombre d'individus de la population. Chez les organismes multicellulaires, comme les plantes et les animaux, c'est par la division cellulaire et l'augmentation de la taille des cellules que l'organisme s'accroît. C'est également de cette manière que se réparent ou se remplacent les tissus endommagés ou usés.

Une cellule individuelle s'accroît en absorbant des substances venant de son environnement et en se servant de ces matériaux pour la synthèse de nouvelles molécules structurales et fonctionnelles. Quand la cellule atteint une certaine taille et un stade métabolique déterminé, elle se divise. Les deux cellules filles, qui ont à peu près la moitié de la taille de la cellule parentale originelle, la cellule mère, recommencent alors à croître. Chez les organismes unicellulaires, les divisions peuvent se succéder tous les jours, après quelques heures, ou même après quelques minutes et produire successivement des organismes identiques.

Les nouvelles cellules se ressemblent et sont semblables à la cellule parentale aux points de vue structure et fonction. Elles sont semblables, d'une part, parce que chaque nouvelle cellule reçoit d'habitude environ la moitié du cytoplasme de la cellule parentale. Mais, ce qui est plus important, aux points de vue structure et fonction, c'est que chaque cellule hérite d'une copie exacte de l'information génétique de la cellule parentale. Avant que la cellule puisse se diviser, il faut donc que toute l'information génétique présente dans le noyau de la cellule parentale soit fidèlement répliquée.

La division cellulaire chez les procaryotes

La répartition de copies fidèles de l'information génétique est relativement simple dans les cellules procaryotes. La plus grande partie de l'information génétique y est représentée par une seule longue molécule circulaire d'ADN, associée à diverses protéines. Cette molécule, le **chromosome bactérien**, est dupliquée avant la division cellulaire et donne deux chromosomes fils. Les deux chromosomes fils sont attachés à des endroits différents, à l'intérieur de la membrane plasmique. À mesure que la cellule grandit et que la membrane s'allonge, les chromosomes se séparent graduellement (Figure 8-1). Quand la taille de la cellule a approximativement doublé et que les chromosomes sont complètement séparés, la membrane plasmique et la paroi cellulaire se développent vers l'intérieur et divisent la cellule en deux. Ce type de division cellulaire est la **scissiparité**.

La division cellulaire chez les eucaryotes

Dans les cellules eucaryotes, la répartition du matériel génétique est un problème beaucoup plus complexe. Le noyau d'une cellule eucaryote typique contient environ un millier de fois plus d'ADN qu'une cellule procaryote. Cet ADN se trouve dans des molécules linéaires et forment un certain nombre de chromosomes distincts. Par exemple, les cellules de blé tendre (*Triticum vulgare*) ont 42 chromosomes. Quand ces cellules se divisent, chaque cellule fille doit recevoir un

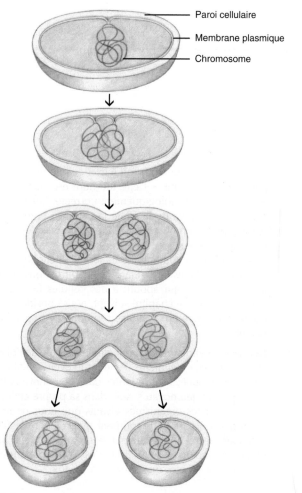

Paroi cellulaire
Membrane plasmique
Chromosome

Figure 8-1

Division cellulaire chez une bactérie. La fixation du chromosome à un repli interne de la membrane plasmique garantit la répartition d'un des chromosomes dupliqués dans chaque cellule fille quand la membrane plasmique s'allonge.

exemplaire — et seulement un exemplaire — de chacun des 42 chromosomes.

La solution à ce problème est, comme nous allons le voir, ingénieuse et complexe. En passant par une série d'étapes réunies sous le terme de **mitose**, ou division nucléaire, un lot complet de chromosomes préalablement dupliqués est attribué à chacun des deux noyaux fils. La mitose est généralement suivie par la **cytocinèse**, processus qui divise toute la cellule en deux nouvelles cellules. Chaque nouvelle cellule contient non seulement un noyau avec l'ensemble du complément chromosomique, mais aussi approximativement la moitié du cytoplasme de la cellule parentale.

Bien que la mitose et la cytocinèse soit les deux événements le plus souvent associés à la reproduction des cellules eucaryotes, elles ne représentent qu'une partie relativement réduite du processus plus vaste qu'est le cycle cellulaire.

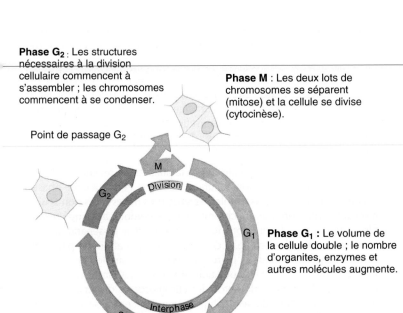

Phase G$_2$: Les structures nécessaires à la division cellulaire commencent à s'assembler ; les chromosomes commencent à se condenser.

Point de passage G$_2$

Phase M : Les deux lots de chromosomes se séparent (mitose) et la cellule se divise (cytocinèse).

Phase G$_1$: Le volume de la cellule double ; le nombre d'organites, enzymes et autres molécules augmente.

Point de passage G$_1$

Phase S : Réplication de l'ADN et synthèse des protéines associées ; il existe maintenant deux exemplaires de l'information génétique de la cellule.

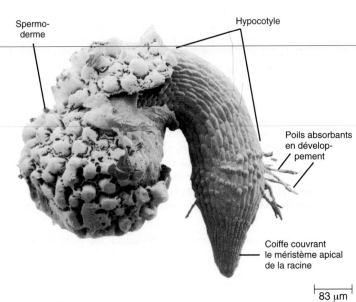

Spermoderme

Hypocotyle

Poils absorbants en développement

Coiffe couvrant le méristème apical de la racine

83 μm

Figure 8-3

Graine d'*Arabidopsis* en germination, avec une partie de la tige (hypocotyle) et la racine de l'embryon sortant du spermoderme (enveloppe de la graine). Le reste de l'embryon, comprenant les cotylédons (feuilles séminales) est enfermé dans le spermoderme. La reprise de la croissance de l'embryon dépend beaucoup de la présence des méristèmes apicaux aux extrémités des racines et des tiges. Les méristèmes sont des tissus perpétuellement embryonnaires. Lorsqu'ils sont situés aux pointes des racines et des tiges, ils interviennent dans la croissance de l'organisme.

Figure 8-2

Le cycle cellulaire. La division cellulaire, qui comprend la mitose (division du noyau) et la cytocinèse (division du cytoplasme) se déroule après les trois phases préparatoires (G$_1$, S et G$_2$) de l'interphase. La progression du cycle cellulaire est principalement contrôlée à deux points, l'un à la fin de G$_1$, l'autre à la fin de G$_2$. Après la phase G$_2$ vient la mitose, habituellement suivie de la cytocinèse. Ensemble, mitose et cytocinèse constituent la phase M du cycle cellulaire. Dans les cellules d'espèces différentes ou de tissus différents d'un même organisme, les divers stades occupent des portions différentes de l'ensemble du cycle.

Le cycle cellulaire

Les cellules eucaryotes en division passent par une séquence d'étapes qui constituent le **cycle cellulaire** (Figure 8-2). L'achèvement du cycle exige une durée de variable, de quelques heures à plusieurs jours, en fonction du type de cellule et des facteurs extérieurs tels que la température et les éléments nutritifs disponibles. On divise habituellement le cycle cellulaire en interphase et mitose. L'**interphase** précède la mitose. C'est une période d'intense activité cellulaire, au cours de laquelle se situe une préparation complexe de la division cellulaire, en particulier la duplication des chromosomes. On peut diviser l'interphase en trois stades, représentés par G$_1$, S et G$_2$. La mitose et la cytocinèse forment ensemble la **phase M** du cycle cellulaire.

Certains types de cellules passent par une succession de cycles cellulaires durant la vie de l'organisme. Dans cette catégorie, on trouve les organismes unicellulaires et des types particuliers de cellules chez les plantes et les animaux. Par exemple, les cellules végétales appelées **initiales**, de même que leurs descendants immédiats, ou cellules sœurs, constituent les **méristèmes apicaux**, localisés aux extrémités des racines et des tiges (Figure 8-3). Les méristèmes sont des tissus perpétuellement jeunes et, chez les plantes, la plupart des divisions cellulaires se déroulent dans ou à proximité des méristèmes. Les initiales peuvent cesser de progresser dans le cycle cellulaire en réponse à des facteurs de l'environnement, par exemple pendant la dormance hivernale, et reprendre plus tard leur prolifération. Ce stade spécialisé de repos, ou de dormance, est souvent appelé phase G$_0$.

Dans un organisme multicellulaire, il est extrêmement important que les cellules se divisent à un rythme suffisant pour produire des cellules en suffisance pour une croissance et un développement normaux.

De plus, avant de progresser vers le stade suivant, la cellule doit disposer de mécanismes pour détecter si certaines conditions sont remplies. Par exemple, la réplication de l'ADN et la synthèse des protéines qui lui sont associées doivent être achevées avant que la cellule puisse passer de la phase G_2 à la mitose et à la cytocinèse.

La nature du ou des contrôles qui règlent le cycle cellulaire fait actuellement l'objet de recherches intensives ; elle paraît être fondamentalement semblable dans toutes les cellules eucaryotes. Dans le cycle cellulaire typique, la progression est principalement controlée à deux points de transition cruciaux, appelés **points de passage** — l'un à la fin de G_1, l'autre à la fin de G_2 (Figure 8-2). C'est au point de passage G_1 que le système de contrôle arrête le cycle ou déclenche un mécanisme qui va mettre en route la phase S. Au point de passage G_2, le système de contrôle arrête de nouveau le cycle ou déclenche la mitose.

Voyons maintenant comment se déroulent les trois étapes de l'interphase.

L'interphase

Avant de pouvoir entamer la mitose et finalement se diviser, la cellule doit répliquer son ADN et synthétiser un nouveau stock de protéines associées à l'ADN des chromosomes. Elle doit aussi produire une quantité d'organites et d'autres composants cytoplasmiques suffisante pour les deux cellules filles et assembler les structures nécessaires au déroulement de la mitose et de la cytocinèse. Ces préparatifs se déroulent durant l'interphase — c'est-à-dire pendant les phases G_1, S et G_2 du cycle cellulaire.

Le processus clé de la réplication de l'ADN se déroule pendant la **phase S** (phase de synthèse) du cycle cellulaire ; c'est à ce moment que sont aussi synthétisées la plupart des protéines associées à l'ADN, plus particulièrement les histones. Les phases G (« gap ») précèdent et suivent la phase S.

La **phase G_1**, qui précède la phase S, est une période d'intense activité biochimique. La cellule double son volume et synthétise de nouveaux stocks d'enzymes, de ribosomes, d'organites, de systèmes membranaires et d'autres molécules et structures cytoplasmiques. Certaines de ces structures sont entièrement synthétisées *de novo* à l'intérieur de la cellule. C'est le cas des microtubules, des filaments d'actine et des ribosomes, tous composés, au moins en partie, de sous-unités protéiques. Les structures membranaires, comme les dictyosomes, des vésicules diverses et les vacuoles, dérivent apparemment, soit directement, soit indirectement, du réticulum endoplasmique, qui se renouvelle et s'accroît par la synthèse de molécules lipidiques et protéiques.

Dans les cellules qui en possèdent — la plupart des cellules eucaryotes, à l'exception de celles des champignons et des plantes — les **centrioles** commencent à se séparer et à se dupliquer. Les centrioles, qui sont des structures identiques aux corpuscules basaux des cils et des flagelles (page 61), sont entourés d'un nuage de matière amorphe appelé **centrosome**. Le centrosome aussi se duplique, de telle sorte que chaque paire de centrioles dupliqués est entourée d'un centrosome.

Les mitochondries et les plastes proviennent exclusivement de mitochondries et plastes préexistants. Dans le cas des plastes, leurs précurseurs aussi se répliquent. Chaque mitochondrie et plaste possède son propre ADN, dont l'organisation est très semblable à celle de l'unique chromosome circulaire d'une cellule bactérienne (voir page 41).

Pendant la phase G_2, qui fait suite à la phase S et précède la mitose, la préparation de la division cellulaire s'achève. Pendant cette phase, la cellule commence à assembler les structures nécessaires non seulement à l'attribution d'un lot chromosomique complet à chaque noyau fils, mais aussi à la division du cytoplasme et à la séparation des noyaux fils. Dans les cellules à centrioles, la duplication des paires de centrioles se termine, deux paires de centrioles complets se trouvant juste en dehors de l'enveloppe nucléaire, à quelque distance l'une de l'autre. Vers la fin de l'interphase, les chromosomes dispersés dans le noyau, qui viennent de se dupliquer, commencent à se condenser, mais sont difficiles à distinguer du nucléoplasme.

La division cellulaire chez les plantes

Deux événements se déroulant durant l'interphase sont propres aux plantes. En premier lieu, pour que la mitose puisse débuter, le noyau doit migrer au centre de la cellule, pour autant qu'il ne s'y trouve déjà. Cette migration paraît débuter pendant la phase G_1, juste avant la réplication de l'ADN, et elle est particulièrement visible dans les cellules végétales qui possèdent de grandes vacuoles. Dans ces cellules, le noyau se fixe d'abord au centre de la cellule par des trabécules cytoplasmiques (Figure 8-4). Les trabécules fusionnent graduellement pour former un film transversal de cytoplasme qui coupe la cellule en deux dans un plan correspondant à celui de la division finale. Ce film, appelé **phragmosome**, contient en même temps des microtubules et des filaments d'actine qui contribuent à sa formation.

En second lieu, à côté de la migration du noyau vers le centre de la cellule, un des premiers signes de l'imminence de la division est l'apparition d'une étroite bande annulaire de microtubules située juste sous de la membrane plasmique (voir l'expérience de la page suivante). Cet anneau relativement dense de microtubules entoure le noyau dans un plan qui correspond au plan équatorial du futur fuseau mitotique (voir figure 8-12). La **bande préprophasique** porte ce nom parce qu'elle est formée de microtubules apparaissant en G_2 juste avant le premier stade de la mitose (prophase). Des filaments d'actine sont orientés parallèlement aux microtubules de la bande préprophasique. Celle-ci disparaît après l'initiation du fuseau mitotique, bien avant la formation de la plaque cellulaire en télophase, dernier stade de la mitose. Lors de sa formation, la plaque cellulaire s'accroît vers l'extérieur pour fusionner avec la paroi cellulaire de la cellule parentale, à l'endroit même occupé précédemment par la bande préprophasique.

LA MICROSCOPIE À IMMUNOFLUORESCENCE

La microscopie à immunofluorescence a permis de localiser les microtubules à différents stades de la division cellulaire. Cette technique permet d'obtenir des vues en trois dimensions. Ici, des cellules de pointes de racines d'oignon (*Allium cepa*) ont été colorées par des anticorps fluorescents spécialement préparés contre la tubuline, protéine qui compose les microtubules (page 58). Les anticorps fluorescents se fixent à la tubuline et, photographiés au microscope à fluorescence, ils montrent la localisation des microtubules. *(a)* Avant la formation de la bande préprophasique, la plupart des microtubules se trouvent juste sous la membrane plasmique. C'est l'ensemble cortical de microtubules impliqué dans l'orientation des microfibrilles de cellulose. *(b)* Une bande préprophasique de microtubules (pointes de flèches) entoure chaque cellule immédiatement avant la prophase. D'autres microtubules (flèches) forment le fuseau préprophasique et soulignent l'enveloppe nucléaire, elle-même invisible. La cellule située dans le coin inférieur droit est à un stade plus avancé de la préprophase que celle du haut, et les microtubules associés au noyau convergent au-dessus et en-dessous dans les deux régions qui deviendront les pôles du fuseau mitotique. *(c)* Fuseau mitotique en métaphase. *(d)* Pendant la télophase, de nouveaux microtubules forment un phragmoplaste, au sein duquel se développe la plaque cellulaire.

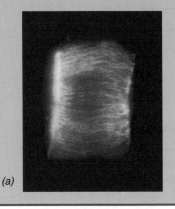

(a)

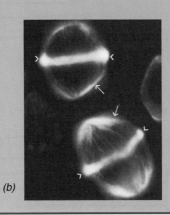

(b)

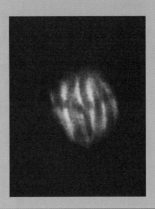

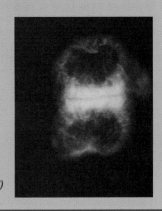

(c)

(d)

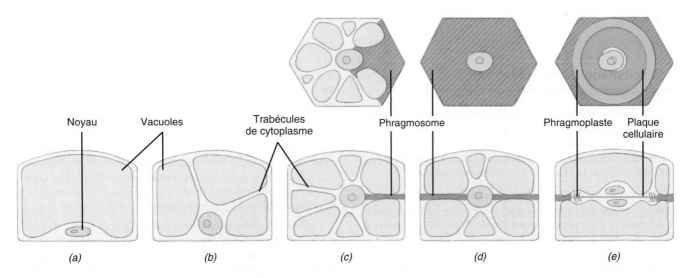

Noyau   Vacuoles   Trabécules de cytoplasme   Phragmosome   Phragmoplaste   Plaque cellulaire

(a)   *(b)*   *(c)*   *(d)*   *(e)*

Figure 8-4

Représentation schématique de certains stades de la division cellulaire dans une cellule très vacuolisée. **(a)** Au départ, le noyau se trouve le long d'une paroi de la cellule, qui contient une grande vacuole. **(b)** Des trabécules de cytoplasme pénètrent dans la vacuole, ouvrant un chemin qui permet au noyau de migrer vers le centre de la cellule. **(c)** Le noyau a atteint le centre de la cellule et il y est suspendu par de nombreuses trabécules de cytoplasme. Certaines de celles-ci ont commencé à fusionner pour former le phragmosome qui va permettre le déroulement de la division cellulaire **(d)** Le phragmosome est complet, il forme une couche qui coupe la cellule en deux. **(e)** Quand la mitose est terminée, la cellule va se diviser dans le plan occupé par le phragmosome.

Figure 8-5

Représentation schématique de la mitose avec quatre chromosomes. **(a)** Au début de la prophase, les chromosomes deviennent visibles sous forme de filaments dispersés dans le noyau. **(b)** À mesure que la prophase progresse, les chromosomes se raccourcissent et s'épaississent jusqu'au moment où l'on peut voir que chacun se compose de deux filaments (chromatides) réunis par leur centromère. **(c)** En fin de prophase, les kinétochores se développent des deux côtés de chaque chromosome au niveau du centromère. Finalement, le nucléole et l'enveloppe nucléaire disparaissent. **(d)** La métaphase débute par l'apparition du fuseau dans la zone occupée précédemment par le noyau. Durant la métaphase, les chromosomes migrent vers le plan équatorial du fuseau. En fin de métaphase (représentée ici), les centromères des chromosomes se trouvent dans ce plan. **(e)** L'anaphase débute quand les centromères des chromatides sœurs se dissocient Les chromatides sœurs, qui sont maintenant des chromosomes fils, vont alors se diriger vers les pôles opposés du fuseau. **(f)** La télophase commence quand la migration des chromosomes fils est terminée.

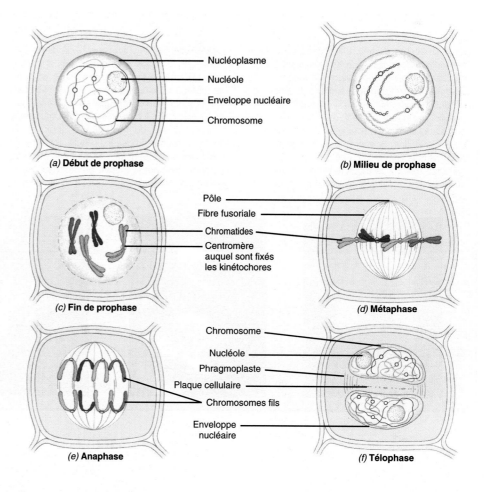

(a) **Début de prophase**

(b) **Milieu de prophase**

Nucléoplasme
Nucléole
Enveloppe nucléaire
Chromosome

(c) **Fin de prophase**

Pôle
Fibre fusoriale
Chromatides
Centromère auquel sont fixés les kinétochores

(d) **Métaphase**

Chromosome
Nucléole
Phragmoplaste
Plaque cellulaire
Chromosomes fils
Enveloppe nucléaire

(e) **Anaphase**

(f) **Télophase**

La mitose comprend quatre stades : prophase, métaphase, anaphase et télophase

La mitose, ou division nucléaire, est un processus continu, mais, par convention, on la divise en quatre stades principaux : prophase, métaphase, anaphase et télophase (Figures 8-5 à 8-7). Ces quatre stades représentent le processus qui répartit de façon égale le matériel génétique synthétisé pendant la phase S entre les deux noyaux fils.

Durant la prophase, les chromosomes se raccourcissent et s'épaississent. Observée au microscope, la transition entre la phase G_2 de l'interphase et la prophase, premier stade de la mitose, n'est pas bien définie. Pendant la prophase, la chromatine, qui était diffuse dans le noyau interphasique, se condense progressivement en chromosomes bien définis. Au départ, cependant, les chromosomes apparaissent comme des filaments étirés dispersés dans tout le noyau. (L'apparence filamenteuse des chromosomes quand ils commencent à devenir visibles est à l'origine du terme « mitose » ; *mitos* est le mot grec pour « filament. »)

À mesure que la prophase progresse, les filaments se raccourcissent et s'épaississent et, les chromosomes devenant plus distincts, on voit mieux qu'ils ne sont pas composés d'un seul, mais de deux filaments enroulés l'un autour de l'autre. Au cours de la phase S précédente, les chromosomes se sont dupliqués et chacun est donc composé maintenant de deux **chromatides sœurs**. Vers la fin de la prophase, après un nouveau raccourcissement, les deux chromatides de chaque chromosome sont situées côte à côte presque parallèlement, unies sur toute leur longueur, sauf à un seul endroit montrant là une constriction appelée **centromère** (Figure 8-8). Les centromères sont formés de séquences d'ADN spécifiques, nécessaires à la fixation des chromosomes au fuseau mitotique.

Durant la prophase, une zone claire apparaît autour de l'enveloppe nucléaire (Figure 8-6a). Des microtubules y apparaissent. Les microtubules sont d'abord orientés au hasard mais, à la fin de la prophase, ils se disposent parallèlement à la surface du noyau suivant l'axe du fuseau. Ils forment alors le *fuseau préprophasique*, première manifestation de l'assemblage du fuseau mitotique : il s'assemble alors que la bande préprophasique est encore présente.

Vers la fin de la prophase, le nucléole devient progressivement indistinct et disparaît. Au même moment, ou peu après, l'enveloppe nucléaire se désagrège, ce qui marque la fin de la prophase.

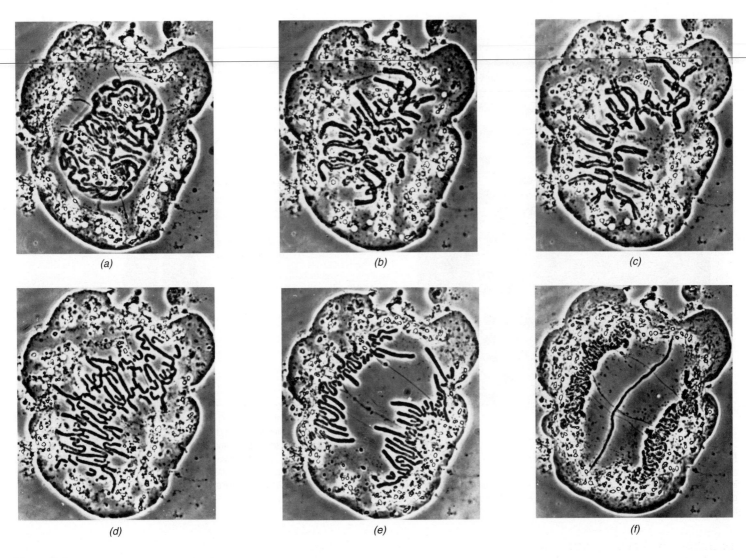

Figure 8-6

Mitose, observée au microscope à contraste de phase dans une cellule vivante d'*Haemanthus katherinae*. Le fuseau est à peine visible dans ces cellules, qui ont été écrasées pour montrer plus clairement tous les chromosomes. **(a)** Fin de prophase : les chromosomes sont condensés. Une zone claire s'est développée autour du noyau. **(b)** Fin de prophase — début de la métaphase : l'enveloppe nucléaire a disparu et les extrémités de certains chromosomes émergent dans le cytoplasme. **(c)** Métaphase : les chromosomes sont disposés avec leurs centromères dans le plan équatorial. **(d)** Milieu de l'anaphase : les chromatides sœurs (devenues des chromosomes fils) se sont séparées et se déplacent vers les deux pôles du fuseau. **(e)** Fin d'anaphase. **(f)** Télophase-cytocinèse : les chromosomes fils ont atteint les pôles opposés et les deux paquets de chromosomes ont commencé à former les deux noyaux fils. La plaque cellulaire est presqu'entièrement formée.

Pendant la métaphase, les chromosomes s'alignent dans le plan équatorial du fuseau mitotique. Le second stade de la mitose est la métaphase. La métaphase débute quand le fuseau mitotique, structure tridimensionnelle élargie au milieu et rétrécie vers ses pôles, apparaît dans la région occupée auparavant par le noyau (Figure 8-9). Le fuseau est composé de *fibres fusoriales*, faisceaux de microtubules qui remplacent progressivement ceux de la bande pré-prophasique (voir figure 8-12c). Les premiers stades de la métaphase constituent les caractéristiques les plus dynamiques de la mitose. Lors de la désagrégation brutale de l'enveloppe nucléaire, certains microtubules du fuseau se fixent, ou sont « capturés » par des complexes protéiques spécialisés, les kinétochores (Figure 8-8). Ces structures se développent au niveau du centromère, des deux côtés du chromosome, de telle sorte que chaque chromatide possède son propre kinétochore. Ces microtubules sont les microtubules de kinétochore.

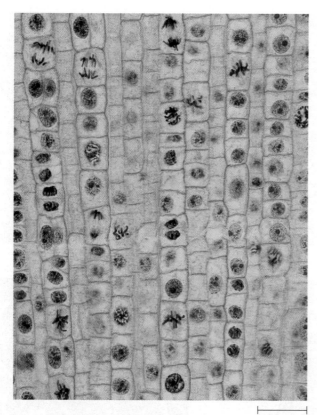

Figure 8-7

Micrographie de cellules en division dans une pointe racinaire d'oignon (*Allium*). En comparant ces cellules aux stades de la mitose illustrés aux figures 8-5 et 8-6, vous devriez pouvoir identifier les différents stades visibles dans cette photo.

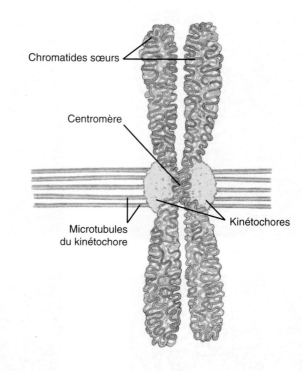

Figure 8-8

Dessin d'un chromosome complètement condensé. L'ADN chromosomique s'est répliqué pendant la phase S du cycle cellulaire. Chaque chromosome est maintenant formé de deux parties identiques, les chromatides sœurs. Le centromère, qui est la région médiane rétrécie, est l'endroit où les deux chromatides sont attachées. Les kinétochores sont des structures contenant des protéines ; il y en a un sur chaque chromatide, associé au centromère. Des microtubules qui font partie du fuseau sont attachés aux kinétochores.

Aussitôt que le premier microtubule est attaché à l'un des kinétochores, le chromosome commence à se mouvoir vers le pôle du microtubule capturé. Un ou plusieurs microtubules sont bientôt capturés par le kinétochore opposé, et le chromosome est alors tiré vers le pôle opposé. Ces tiraillements en sens contraires se poursuivent jusqu'à ce que les microtubules aient aligné le chromosome à mi-chemin entre les pôles du fuseau, de telle sorte que le centromère se trouve dans son plan équatorial. Quand les chromosomes se sont tous dirigés vers le plan équatorial, ou plaque métaphasique, la cellule est arrivée en *pleine métaphase*. Les chromatides sont maintenant en situation de se séparer.

Figure 8-9

Fuseau mitotique en métaphase, composé des microtubules des kinétochores et des microtubules fusoriaux qui se chevauchent. Notez que les extrémités moins des microtubules sont aux pôles ou près d'eux et que les extrémités plus en sont éloignées. Après avoir été entraînés, les chromosomes doivent gagner le plan équatorial.

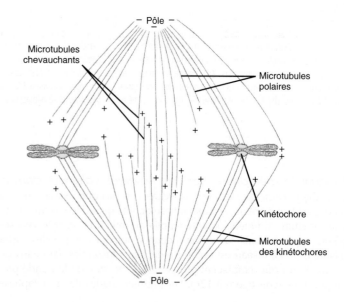

Le fuseau mitotique est composé d'un ensemble bien organisé de microtubules de kinétochore et de microtubules polaires. Le fuseau mitotique est un appareillage complexe, bien organisé, composé de deux classes principales de microtubules, les microtubules de kinétochore et les microtubules polaires, non fixés aux kinétochores (Figure 8-9). Tous les microtubules du fuseau sont orientés avec une extrémité (l'extrémité moins) aux pôles ou à proximité de ceux-ci et l'autre (l'extrémité plus) s'écartant des pôles. Certains microtubules polaires sont relativement courts, mais la plupart sont assez longs pour chevaucher les microtubules polaires venant du pôle opposé. Le fuseau mitotique comporte donc un ensemble de microtubules formé de deux parties. Des filaments d'actine sont entremêlés aux microtubules du fuseau et forment une « cage » élastique autour du fuseau durant la mitose.

Comme on l'a signalé précédemment, les microtubules s'assemblent à des endroits spécifiques, les *centres organisateurs des microtubules* (page 59). Chez les animaux et beaucoup de protistes, le centrosome est le centre organisateur des microtubules, responsable de la formation du fuseau mitotique. Pendant la mitose, un centrosome est situé à chaque pôle du fuseau et l'on peut voir les microtubules du fuseau qui en sortent. Dans les cellules végétales, les centres organisateurs de microtubules servent à l'assemblage du fuseau, bien que ses pôles soient mal définis.

Pendant l'anaphase, les chromatides sœurs se séparent et migrent vers les pôles opposés du fuseau : ce sont des chromosomes fils. Le stade le plus rapide de la mitose, l'anaphase (Figure 8-6e) débute brusquement par la séparation simultanée de toutes les chromatides sœurs au niveau des centromères. Les chromatides sœurs sont maintenant considérées comme des chromosomes fils. À mesure qu'ils se déplacent vers les pôles opposés, leurs bras semblent traîner en arrière. Tandis que l'anaphase se poursuit, les deux lots identiques de chromosomes gagnent rapidement les pôles opposés du fuseau.

La séparation des chromatides et la migration des chromosomes fils sont la conséquence de deux processus indépendants déterminés par le fuseau. Dans le premier, le déplacement des chromatides vers les pôles s'accompagne du raccourcissement des microtubules des kinétochores. Dans le second, les pôles eux-mêmes s'écartent, suite à l'allongement des microtubules polaires. Vers la fin de l'anaphase, les deux lots identiques de chromosomes sont arrivés aux pôles opposés (Figure 8-6e).

Pour assurer que les chromatides sœurs soient bien séparées en anaphase, il est essentiel qu'elles soient attachées aux microtubules qui s'allongent à partir de pôles opposés et que leur migration se fasse vers ces deux pôles. À mesure que les chromosomes fils se déplacent, les microtubules des kinétochores se raccourcissent en perdant des sous-unités de tubuline, principalement aux extrémités proches des kinétochores. Le déplacement des chromosomes vers les pôles semblerait donc ne dépendre que du raccourcissement des microtubules. Il est cependant évident que des **protéines motrices** (comme la dynéine), qui font partie du kinétochore, utilisent l'énergie de l'ATP pour entraîner les chromosomes le long des microtubules auxquels ils sont attachés. Les protéines motrices fournissent donc l'énergie nécessaire à la séparation des chromosomes fils, alors que le raccourcissement des microtubules au niveau du kinétochore n'est qu'un phénomène secondaire.

Pendant la télophase, les chromosomes s'allongent et se confondent. Pendant la **télophase** (Figure 8-6f), la séparation des deux lots identique de chromosomes se termine par l'organisation d'enveloppes nucléaires autour de chacun. Les membranes de ces enveloppes nucléaires dérivent de vésicules. L'appareil fusorial disparaît. Au cours de la télophase, les chromosomes deviennent de moins en moins distincts, ils s'allongent pour devenir à nouveau de minces filaments. Les nucléoles réapparaissent également à ce moment. Quand ces processus sont terminés et que les chromosomes sont à nouveau devenus invisibles, la mitose est terminée et les deux noyaux fils sont arrivés en interphase.

Les deux noyaux fils provenant de la mitose sont génétiquement équivalents entre eux, ainsi qu'au noyau qui s'est divisé pour les produire. Cette équivalence est importante, car le noyau est le centre de contrôle de la cellule, comme on le verra plus en détail au chapitre 11. Le noyau contient les instructions codées qui déterminent la production des protéines, dont beaucoup interviennent dans les processus cellulaires comme enzymes, alors que d'autres servent directement d'éléments de structure dans la cellule. Ce patron héréditaire est fidèlement transmis aux cellules filles et sa répartition précise est assurée, chez les organismes eucaryotes, par l'organisation des chromosomes et leur division pendant la mitose.

La durée de la mitose varie suivant le tissu et l'organisme concernés. Cependant, la prophase est toujours le stade le plus long et l'anaphase est toujours le plus court. Dans une cellule de pointe de racine (Figure 8-7), la durée relative des différents stades est la suivante : prophase, 1 à 2 heures, métaphase, 5 à 15 minutes, anaphase, 2 à 10 minutes, et télophase, 10 à 30 minutes. En comparaison, la durée de l'interphase dans une pointe de racine va de 12 à 30 heures.

Chez les plantes, la cytocinèse comporte la formation d'un phragmoplaste et d'une plaque cellulaire

Ainsi que nous l'avons noté, la *cytocinèse* —division du cytoplasme— succède habituellement à la mitose. Chez la plupart des organismes, les cellules se divisent par invagination de la paroi, si elle existe, et constriction de la membrane plasmique, au travers des fibres fusoriales. Chez toutes les plantes (bryophytes et plantes vasculaires) et chez quelques algues, la division cellulaire passe par la formation d'une **plaque cellulaire** (Figures 8-10 à 8-12).

Figure 8-10

Dans les cellules végétales, la séparation des chromosomes fils est suivie de la formation d'une plaque cellulaire, qui clôture la scission des cellules en division. On peut voir ici de nombreuses vésicules de Golgi qui fusionnent au début de la formation de la plaque cellulaire. Les deux groupes de chromosomes qui se trouvent des deux côtés de la plaque cellulaire en cours de développement sont en télophase. Les flèches indiquent des portions de l'enveloppe nucléaire qui se réorganise autour des chromosomes.

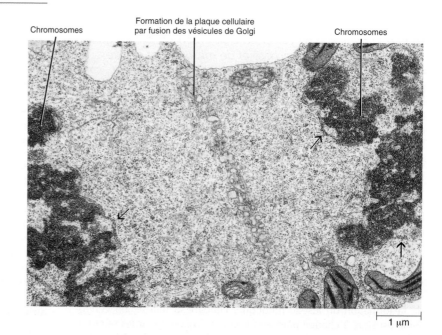

Chromosomes

Formation de la plaque cellulaire
par fusion des vésicules de Golgi

Chromosomes

1 µm

Figure 8-11

Stades successifs de la formation de la plaque cellulaire dans des cellules racinaires de laitue (*Lactuca sativa*), montrant l'association du réticulum endoplasmique au développement de la plaque cellulaire et à l'origine des plasmodesmes. **(a)** Stade relativement précoce de la formation de la plaque cellulaire, avec fusion de nombreuses petites vésicules de Golgi et des éléments du réticulum endoplasmique (lisse) disposés de façon lâche. **(b)** Stade plus avancé de la formation de la plaque cellulaire : il existe un rapport étroit et permanent entre le réticulum endoplasmique et les vésicules qui fusionnent. Des portions du réticulum endoplasmique tubulaire sont piégées dans la plaque cellulaire en voie de consolidation. **(c)** Plasmodesmes différenciés, composés d'un canal délimité par une membrane plasmique et d'un tubule (le desmotubule) du réticulum endoplasmique

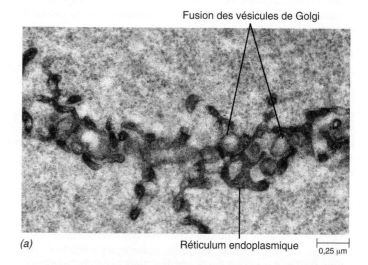

Fusion des vésicules de Golgi

(a)   Réticulum endoplasmique

0,25 µm

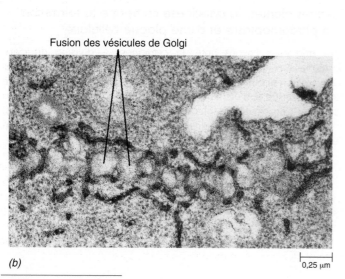

Fusion des vésicules de Golgi

(b)   0,25 µm

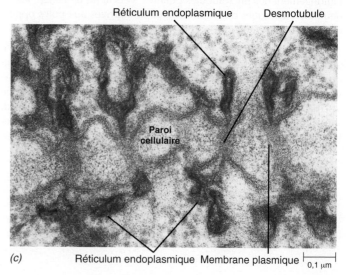

Réticulum endoplasmique   Desmotubule

Paroi
cellulaire

(c)   Réticulum endoplasmique Membrane plasmique   0,1 µm

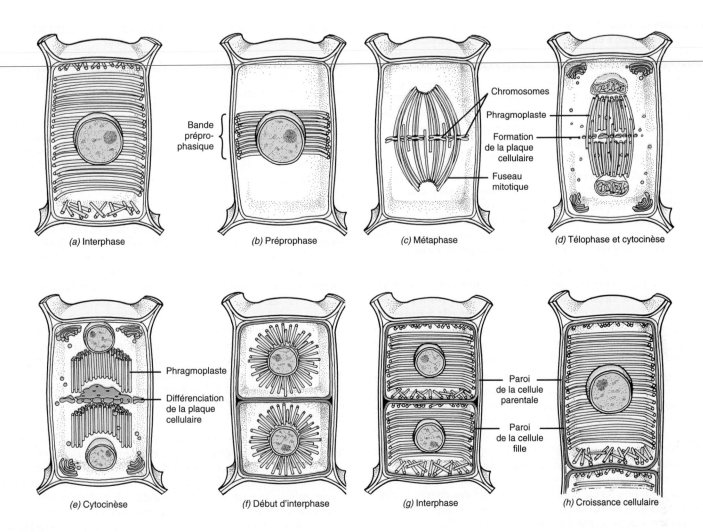

Chromosomes
Phragmoplaste
Formation
de la plaque
cellulaire
Fuseau
mitotique

(a) Interphase Bande prépro-phasique *(b)* Préprophase *(c)* Métaphase *(d)* Télophase et cytocinèse

Phragmoplaste
Différenciation
de la plaque
cellulaire

Paroi
de la cellule
parentale
Paroi
de la cellule
fille

(e) Cytocinèse *(f)* Début d'interphase *(g)* Interphase *(h)* Croissance cellulaire

Figure 8-12

Modifications de la répartition des microtubules au cours du cycle cellulaire et la formation de la paroi cellulaire pendant la cytocinèse. **(a)** Pendant l'interphase et dans les cellules qui s'agrandissent et se différencient, les microtubules se trouvent juste à l'intérieur de la membrane plasmique. **(b)** Immédiatement avant la prophase, une bande annulaire de microtubules, la bande préprophasique, entoure le noyau dans un plan qui correspond au plan équatorial du futur fuseau mitotique. **(c)** Pendant la métaphase, les microtubules forment le fuseau mitotique. **(d)** Pendant la télophase, les microtubules sont organisés en un phragmoplaste situé entre les deux noyaux fils. La plaque cellulaire, provenant de la fusion de vésicules de Golgi orientées par les microtubules du phragmoplaste, se forme à l'équateur du phragmoplaste. **(e)** Tandis que la plaque cellulaire se développe au centre du phragmoplaste, ce dernier et la plaque cellulaire s'accroissent vers l'extérieur jusqu'à atteindre la paroi de la cellule en division. **(f)** Au début de l'interphase, des microtubules rayonnent dans le cytoplasme à partir de l'enveloppe nucléaire. **(g)** Chaque cellule fille forme sa propre paroi primaire. **(h)** La paroi de la cellule mère se déchire, tandis que les cellules filles grandissent (celle du haut est seule représentée ici). En **(g)** et **(h)**, les microtubules se trouvent à nouveau juste à l'intérieur de la membrane plasmique, où ils interviennent dans l'orientation des nouvelles microfibrilles de cellulose qui se forment.

En début de télophase, le **phragmoplaste**, ensemble de microtubules ayant initialement une forme de tonneau, se forme entre les deux noyaux fils. Le phragmoplaste, comme le fuseau mitotique qui le précède, est composé de microtubules formant deux ensembles opposés de chaque côté du plan de division. Les microtubules des demi-phragmoplastes se chevauchent de la même manière que ceux des demi-fuseaux. La plaque cellulaire apparaît d'abord comme un disque suspendu dans le phragmoplaste (Figure 8-12d). À ce stade, le phragmoplaste n'atteint pas les parois de la cellule en division. Les microtubules du phragmoplaste disparaissent quand la plaque cellulaire est formée, mais ils réapparaissent par la suite sur les bords de celle-ci. Cette plaque — précédée par le phragmoplaste — s'accroît vers l'extérieur pour atteindre les parois de la cellule en division, complétant ainsi la séparation des deux cellules filles. Dans les cellules qui ont de grandes vacuoles, le phragmoplaste et la plaque cellulaire se forment à l'intérieur du phragmosome (Figure 8-4).

La plaque cellulaire se forme par la fusion de vésicules sécrétrices émanant du complexe de Golgi. Les vésicules sont apparemment dirigées vers le plan de division par les microtubules du phragmoplaste et peut-être avec l'aide de protéines motrices. Les vésicules contiennent des molécules de la matrice, hémicellulose et/ou pectines, qui vont former la plaque cellulaire. Après la fusion des vésicules, leurs membranes participent à la formation de la membrane plasmique des deux côtés de la plaque cellulaire. Les plasmodesmes apparaissent à ce moment sous forme de segments du réticulum endoplasmique lisse pris au piège entre vésicules fusionnées (Figure 8-11).

La plaque cellulaire en croissance fusionne avec la paroi de la cellule parentale exactement au niveau de la zone délimitée antérieurement par la bande préprophasique. On a trouvé des filaments d'actine traversant l'espace entre le bord du phragmoplaste et la paroi cellulaire, ce qui pourrait expliquer comment le phragmoplaste « se souvient » de la position de l'ancienne bande préprophasique.

Après la formation de la lamelle mitoyenne, les deux protoplastes déposent une paroi primaire contre la lamelle mitoyenne. En outre, chaque cellule fille dépose une nouvelle couche de paroi primaire tout autour de l'ensemble du protoplaste. Cette nouvelle assise est en continuité avec la paroi au niveau de la plaque cellulaire. La paroi originelle de la cellule parentale s'étire et se rompt ensuite, lorsque les cellules filles s'aggrandissent (Figure 8-12h).

En raison de la présence des parois cellulaires, plusieurs aspects de la division cellulaire sont particuliers aux plantes. Chez les animaux, les migrations cellulaires, ou les mouvements, jouent un rôle important dans la **morphogenèse**, c'est-à-dire la formation et la différenciation des tissus et des organes. Chez les plantes, par contre, les contraintes imposées par la paroi cellulaire empêchent pratiquement les cellules de se déplacer et limitent de plus leur expansion. Par conséquent, l'organisation des cellules dans une portion déterminée de la plante est, pour une bonne part, le reflet du plan des divisions cellulaires et de la direction prise par l'expansion des cellules pendant le développement de la plante. Les éléments microtubulaires du cytosquelette jouent un rôle important dans l'alignement des microfibrilles, et donc dans le sens de l'expansion cellulaire (page 66).

Division cellulaire et reproduction de l'individu

Chez beaucoup d'organismes unicellulaires, la mitose est l'événement essentiel de la reproduction. C'est par elle que des copies exactes des chromosomes sont transmises du parent aux descendants. La mitose joue le même rôle essentiel dans la reproduction de certains organismes de grande taille. Les plantes peuvent produire de nouveaux individus à partir de racines ou de stolons. Lorsque des copies exactes des chromosomes sont transmises de parent à descendants par mitose, on parle de reproduction asexuée. On parle aussi parfois de multiplication végétative parce qu'elle est particulièrement commune chez les plantes.

Comme on l'a signalé antérieurement, les cellules méristématiques des plantes peuvent cesser de progresser dans le cycle cellulaire et reprendre plus tard leur prolifération. Les cellules méristématiques sont indifférenciées ; des cellules végétales entièrement différenciées, ou spécialisées, dont les protoplastes sont intacts, peuvent cependant revenir au cycle cellulaire. Des cellules spécialisées pour la mise en réserve, la sécrétion ou la photosynthèse, par exemple, doivent d'abord se dédifférencier. Après leur dédifférenciaiton, elles peuvent se diviser un nombre indéterminé de fois, en fonction des conditions, puis se redifférencier en types cellulaires correspondant à leur localisation dans la racine ou la tige. Ces processus se déroulent régulièrement lors de la cicatrisation des blessures, par exemple quand des racines ont été blessées à l'occasion du travail de la terre, ou encore lors du développement de racines sur des boutures de tiges placées dans l'eau.

Tous les organismes multicellualires produisent de nouvelles cellules — et donc s'accroissent — par mitose et cytocinèse, et certains produisent de cette façon des individus complètement nouveaux. Cependant, la plupart des organismes multicellulaires proviennent d'une cellule unique — l'œuf fécondé, ou zygote. Cette cellule résulte de la fusion de deux cellules, une mâle et une femelle. Comment sont produites ces cellules ? Et quel est le mécanisme qui garantit que le nouvel organisme reçoit un complément complet de chromosomes ? Dans le chapitre suivant, nous allons envisager ces questions, en abordant la méiose.

RÉSUMÉ

Les cellules procaryotes et eucaryotes peuvent se diviser pour produire des cellules filles semblables aux cellules parentales

Les cellules se reproduisent par division cellulaire, processus au cours duquel le contenu cellulaire est réparti entre deux nouvelles cellules filles. Les nouvelles cellules sont structuralement et fonctionnellement semblables les unes aux autres et à la cellule parentale parce que chacune reçoit en héritage une copie exacte de l'information génétique de la cellule parentale.

Les cellules procaryotes se divisent par scissiparité

La division des cellules procaryotes est un processus relativement simple : les deux chromosomes fils sont attachés à des endroits différents à l'intérieur de la membrane plasmique. L'allongement de la membrane entraîne la séparation des chromosomes. La membrane plasmique et la paroi cellulaire s'invaginent ensuite et divisent en deux la cellule parentale.

Dans les cellules eucaryotes, la division cellulaire passe par la mitose et la cytocinèse

La division cellulaire des eucaryotes est plus complexe. Ces cellules contiennent une quantité importante de matériel génétique (ADN) organisé en plusieurs chromosomes différents. Les cellules eucaryotes en division passent par une séquence régulière d'étapes qui constituent le cycle cellulaire ; celui-ci comporte quatre stades principaux : M, avec la mitose et la cytocinèse, G_1, S et G_2. Les phases G_1, S et G_2 - qui composent ensemble l'interphase — sont les stades préparatoires du cycle. Pendant la phase G_1, la taille de la cellule double. L'accroissement de taille s'accompagne d'une augmentation du nombre des molécules et des structures cytoplasmiques. La réplication de l'ADN est limitée à la phase S : il en résulte une duplication des chromosomes. Pendant la phase G_2, les structures nécessaires à la mitose et à la cytocinèse s'assemblent. La progression dans le cycle est principalement contrôlée à deux points de passage essentiels, l'un à la transition entre G_1 et S, l'autre entre G_2 et M.

Pendant la prophase, les chromosomes dupliqués se raccourcissent et s'épaississent

Quand la cellule est en interphase, les chromosomes sont déspiralisés et il est difficile de les distinguer du nucléoplasme. Dans les cellules végétales, la mitose est précédée d'une migration du noyau vers le centre de la cellule et de l'apparition d'une bande préprophasique, bande dense de microtubules qui marque le plan équatorial du futur fuseau mitotique. Au début de la prophase mitotique, la chromatine se condense progressivement en chromosomes bien définis, chacun formé de deux cordons identiques, les chromatides, maintenues ensemble au niveau du centromère. En même temps, la formation du fuseau débute.

La métaphase, l'anaphase et la télophase aboutissent à une distribution identique des chromosomes dupliqués dans de nouveaux noyaux

La prophase se termine par la désagrégation de l'enveloppe nucléaire et la disparition du nucléole. Durant la métaphase, les paires de chromatides, manœuvrées par les microtubules des kinétochores du fuseau mitotique, se placent au centre de la cellule, avec leurs centromères dans un plan équatorial. Pendant l'anaphase, les paires de chromatides se séparent et chaque chromatide, devenue maintenant un chromosome indépendant, se déplace vers un pôle opposé. Pendant la télophase, la séparation des deux lots identiques de chromosomes s'achève avec la formation des enveloppes nucléaires autour de chaque noyau fils. Les nucléoles réapparaissent également à ce moment.

La mitose est généralement suivie d'une cytocinèse, ou division du cytoplasme

Chez les plantes et chez certaines algues, le cytoplasme est divisé par une plaque cellulaire qui commence à se former pendant la télophase mitotique. La plaque cellulaire se développe grâce à la fusion de vésicules de Golgi ; celles-ci sont guidées vers le plan de division par les microtubules du phragmoplaste, système de microtubules initialement en forme de tonnelet se formant entre les deux noyaux fils en début de télophase.

TABLEAU RÉSUMÉ

Le cycle cellulaire chez les plantes

PHASES DU CYCLE CELLULAIRE			ÉVÉNEMENTS ESSENTIELS DU STADE
Interphase	Phase G₁		La taille de la cellule double ; le nombre des organites et des autres structures augmente ; des enzymes et autres protéines sont synthétisées ; le noyau commence à migrer vers le centre de la cellule.
	Phase S		L'ADN est répliqué ; les protéines associées à l'ADN sont synthétisées.
	Phase G₂		Les structures nécessaires à la mitose et à la cytocinèse se mettent en place ; la bande préprophasique apparaît ; la condensation des chromosomes commence.
Phase M	Mitose	Prophase	Les chromosomes continuent à se condenser ; la bande préprophasique disparaît ; le fuseau préprophasique apparaît ; les kinétochores se développent ; le nucléole disparaît ; l'enveloppe nucléaire de désagrège.
		Métaphase	Le fuseau mitotique apparaît ; les kinétochores « capturent » des microtubules fusoriaux ; les chromosomes migrent vers le plan équatorial.
		Anaphase	Les chromatides sœurs se séparent et les chromosomes fils qui en résultent vont vers des pôles opposés de la cellule.
		Télophase	Des enveloppes nucléaires se forment autour des deux lots identiques de chromosomes ; les nucléoles réapparaissent ; l'appareil fusorial disparaît ; les chromosomes s'allongent et deviennent indistincts. Le phragmoplaste se forme et la plaque cellulaire commence à se développer.
	Cytocinèse		La plaque cellulaire, précédée du phragmoplaste, se forme entre les deux noyaux fils et s'accroît vers l'extérieur. La lamelle mitoyenne apparaît et la paroi primaire se dépose autour de chaque cellule. La paroi cellulaire d'origine est étirée et rompue.

MOTS CLÉS

anaphase p. 163

bande préprophasique p. 158

chromatides sœurs p. 160

chromosome bactérien p. 156

chromosomes fils p. 163

cycle cellulaire p. 157

cytocinèse p. 156

fuseau mitotique p. 161

initiales p. 157

interphase p. 157

kinétochores p. 161

méristèmes apicaux p. 157

métaphase p. 161

microtubules de kinétochore p. 161

microtubules polaires p. 163

mitose p. 156

morphogenèse p. 166

phase G₀ p. 157

phase G₁ p. 158

phase G₂ p. 158

phase M p. 157

phase S p. 158

phragmoplaste p. 158

phragmosome p. 165

plaque cellulaire p. 163

prophase p. 160

protéines motrices p. 163

scissiparité p. 156

télophase p. 163

QUESTIONS

1. Chez les plantes, la plupart des divisions cellulaires se déroulent dans les méristèmes ou à leur proximité. Qu'est-ce qu'un méristème ? De quels types de cellules sont composés les méristèmes ? Qu'appelle-t-on phase G₀ ?

2. Dans le cycle cellulaire typique, il existe des points de passage obligés. Quels sont-ils ? À quoi servent-ils ?

3. Quelle est la différence entre centromère et kinétochore.

4. Qu'est-ce que la bande préprophasique ? Quel est son rôle dans la division de la cellule végétale ?

5. Quelles sont les durées relatives de la prophase, de la métaphase, de l'anaphase et de la télophase ?

6. Chez les animaux, la migration (mouvement) des cellules, joue un rôle important dans la morphogenèse. Qu'entend-on par morphogenèse et pourquoi la migration des cellules ne joue-t-elle pas le même rôle chez les plantes ?

Méiose et reproduction sexuée 9

SOMMAIRE

Quand vous pensez à la sexualité, pensez à la méiose. La reproduction sexuée implique la méiose : c'est une forme de division nucléaire dérivée de la mitose. Souvenez-vous que la mitose aboutit à des cellules filles possédant exactement le même nombre et le même type de chromosomes que la cellule parentale. Pendant la méiose toutefois, le nombre de chromosomes est réduit de moitié. Les cellules filles ont donc deux fois moins de chromosomes que la cellule parentale.

Pourquoi la reproduction sexuée dépend-elle de cette réduction du nombre chromosomique ? Chez les plantes, comme chez l'homme, la reproduction sexuée implique l'union de gamètes mâles et femelles. Après la fusion des gamètes, le nombre chromosomique de la cellule produite est deux fois supérieur à celui des gamètes. Sans la méiose, la fusion des gamètes entraînerait un doublement du nombre chromosomique à chaque génération : ce n'est pas le cas. Une fonction de la méiose est donc de produire des gamètes possédant la moitié du nombre chromosomique de la cellule parentale. Quand les gamètes fusionnent ensuite, le nombre chromosomique de la cellule parentale est rétabli. Contrairement à la mitose, la méiose est en outre source de diversité génétique. Non seulement les gamètes sont génétiquement différents de la cellule parentale, mais ils sont en outre génétiquement différents les uns des autres. C'est en partie à cause de la méiose que les descendants provenant de la reproduction sexuée diffèrent de leurs parents, que ces parents soient des conifères, des angiospermes, des hommes ou des algues.

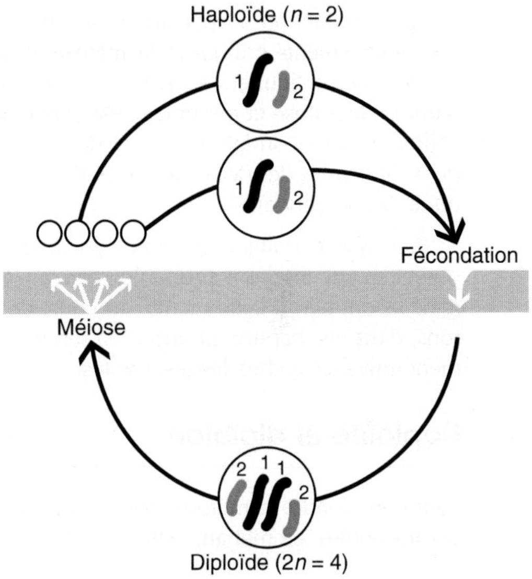

Figure 9-1

La reproduction sexuée est caractérisée par deux événements : diminution de moitié du nombre de chromosomes (méiose) et réunion des gamètes (fécondation). Après la méiose, il reste un seul lot de chromosomes — le nombre haploïde (n) ; ici, n = 2. Après la fécondation, il y a deux lots de chromosomes — le nombre diploïde (2n).

POINTS DE REPÈRE

Quand vous terminerez la lecture de ce chapitre, vous devriez pouvoir répondre aux questions suivantes :

* *Quels sont les rapports entre les nombres chromosomiques haploïdes et diploïdes, la méiose et la fécondation ?*
* *Quelle est la principale différence entre méiose zygotique, méiose gamétique et méiose sporique ?*
* *Quelle est la différence entre un sporophyte et un gamétophyte, et que signifie le terme « alternance de générations » ?*
* *Que se passe-t-il pendant le crossing-over et pourquoi ce processus est-il tellement important ?*
* *Quels sont les principales étapes de la méiose ? Quelles sont les différences entre la cinèse I et la cinèse II ?*
* *Quels sont les avantages et les désavantages de la reproduction sexuée et de la reproduction asexuée ?*

Beaucoup d'organismes peuvent se passer de sexe. Comme on l'a vu dans le chapitre précédent, la mitose est l'événement clé dans la reproduction de nombreux organismes unicellulaires : elle transmet des copies exactes des chromosomes du parent à ses descendants. Par conséquent, la reproduction asexuée aboutit à une descendance génétiquement identique à l'organisme parental. Beaucoup d'eucaryotes unicellulaires sont aussi capables de se reproduire sexuellement. La reproduction sexuée est le principal mode de reproduction des eucaryotes multicellulaires. Elle implique le mélange des génomes de deux individus et, contrairement à la reproduction asexuée, elle produit des descendants qui diffèrent génétiquement les uns des autres et de leurs deux parents.

La reproduction sexuée implique une alternance régulière entre deux événements critiques : la **méiose** et la **fécondation**. La méiose est un type particulier de division nucléaire qui a peut-être évolué à partir de la mitose et qui utilise essentiellement le même appareillage cellulaire. La fécondation permet de réunir les combinaisons génétiques différentes des deux parents et d'arriver ainsi à l'originalité génétique des descendants.

Bien que certains organismes eucaryotes ne se reproduisent pas sexuellement, ils l'ont probablement fait à une époque antérieure, mais ils ont perdu cette faculté au cours de leur évolution. Nous verrons, dans ce chapitre, pourquoi la reproduction sexuée est pratiquement universelle chez les eucaryotes.

Haploïde et diploïde

Pour comprendre la méiose, nous devons revenir une fois encore aux chromosomes, en mettant cette fois l'accent sur leur nombre. Comme on l'a signalé au chapitre 3, le nombre chromosomique de tout organisme est un caractère spécifique. Chez la pomme de terre, par exemple, toutes les cellules somatiques (de l'organisme, ou végétatives) contiennent 46 chromosomes, comme chez l'homme ; chez le maïs, il y en a 20, 42 chez le blé tendre, 18 chez le chou. Cependant, chez ces organismes comme chez la plupart des autres eucaryotes, les cellules reproductrices — les **gamètes** — ont exactement la moitié du nombre de chromosomes caractéristique des cellules somatiques de l'organisme.

Le nombre de chromosomes des gamètes (du grec *gamein*, « se marier ») est le nombre **haploïde** (« lot unique »). Et, comme vous devez vous en douter, le nombre de chromosomes des cellules somatiques est le nombre **diploïde** (« lot double »). Les cellules qui possèdent plus de deux lots de chromosomes, sont dites **polyploïdes** (« nombreux lots »).

En abrégé, on représente le nombre haploïde par n et le diploïde par $2n$. Par exemple, chez les pommes de terre et l'homme, $n = 23$ et $2n = 46$. Quand un gamète mâle féconde un gamète femelle, les deux noyaux haploïdes fusionnent, $n + n = 2n$, et le nombre diploïde est rétabli. La cellule diploïde produite par la fusion de deux gamètes est un **zygote** (du grec *zygôtos*, « réunir »).

Dans toute cellule diploïde, chaque chromosome possède un partenaire. Les chromosomes d'une paire sont des **chromosomes homologues**. Les deux homologues se ressemblent aux points de vue taille et forme, et aussi, comme nous le verrons, par l'information héréditaire qu'ils contiennent. Un homologue provient du gamète d'un parent, et son partenaire vient du gamète de l'autre parent. Après la fécondation, les deux homologues sont présents dans le zygote (Figure 9-2).

Figure 9-2

Les chromosomes homologues. **(a)** Pendant ou avant la formation des gamètes, les chromosomes homologues qui font partie d'une même paire sont séparés à la méiose, de sorte que le gamète haploïde (n) ne possède qu'un exemplaire de chaque homologue. **(b)** À la fécondation, les chromosomes des noyaux des gamètes mâle et femelle se réunissent en un zygote diploïde ($2n$), ce qui donne à nouveau des paires de chromosomes. Chaque paire est constituée d'un homologue provenant de chacun des parents (chromosomes paternel et maternel).

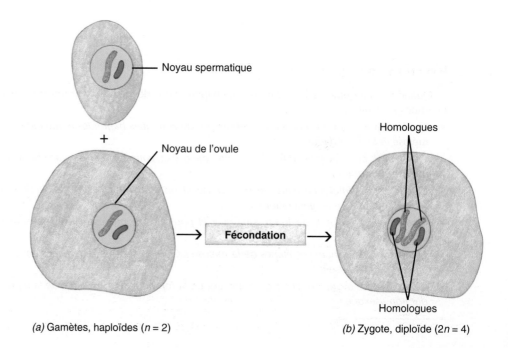

Noyau spermatique

Noyau de l'ovule

Homologues

Fécondation

Homologues

(a) Gamètes, haploïdes ($n = 2$)

(b) Zygote, diploïde ($2n = 4$)

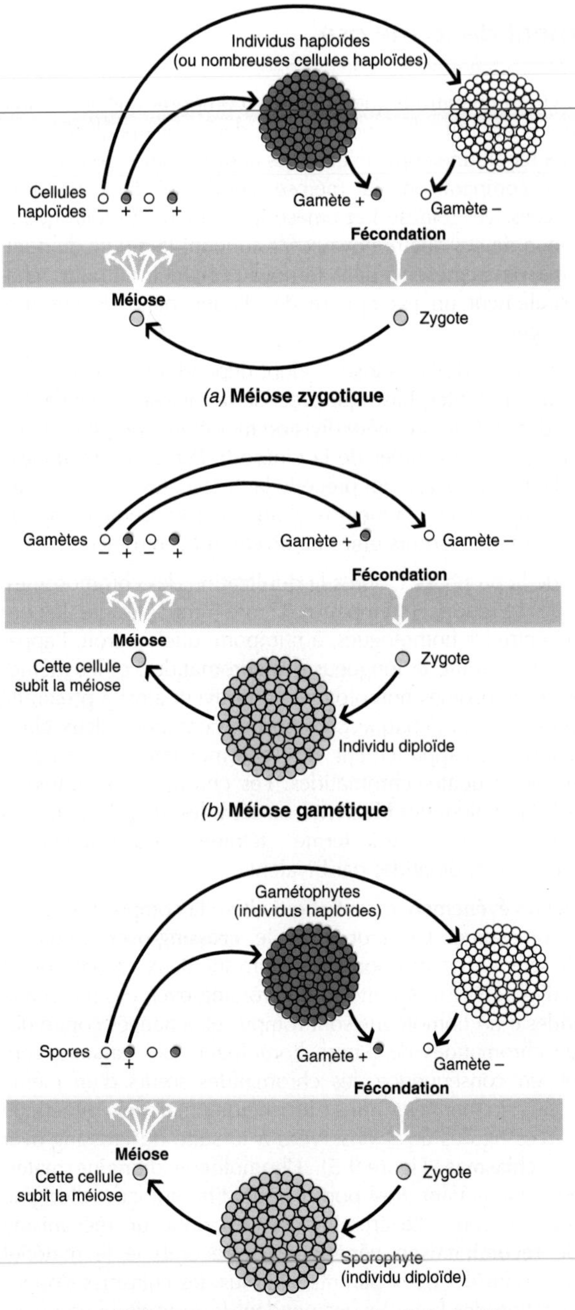

(a) **Méiose zygotique**

(b) **Méiose gamétique**

(c) **Méiose sporique** (alternance de générations)

Lors de la méiose, le lot diploïde de chromosomes, avec les deux homologues de chaque paire, est réduit à un lot haploïde, avec un seul homologue de chaque paire. La méiose compense donc les conséquences de la fécondation et garantit que le nombre de chromosomes reste constant de génération en génération. Nous verrons également que la méiose est à l'origine de nouvelles combinaisons à l'intérieur des chromosomes eux-mêmes.

Méiose, cycle de développement et diploïdie

Les premiers organismes eucaryotes étaient probablement haploïdes et asexués mais, dès que la reproduction sexuée s'y est installée, la scène était prête pour l'évolution de la diploïdie. Il est vraisemblable que la diploïdie soit apparue pour la première fois suite à la combinaison de deux cellules haploïdes et à la production d'un zygote diploïde ; ce cas s'est probablement produit plusieurs fois. Il est probable que le zygote s'est ensuite divisé immédiatement par méiose (**méiose zygotique**), rétablissant ainsi l'état haploïde (Figure 9-3a). Chez les organismes qui possèdent ce cycle de développement simple (certaines algues et tous les champignons), le zygote est la seule cellule diploïde.

Par « accident » — un accident qui s'est produit dans un certain nombre de lignées évolutives distinctes — certains de ces zygotes diploïdes se sont divisés par mitoses au lieu de passer par la méiose et, par conséquent, ils ont donné naissance à un organisme composé de cellules diploïdes, la méiose intervenant plus tard. Chez les animaux, les oomycètes et certaines algues vertes et brunes, cette méiose retardée aboutit à la production de gamètes — mâles et femelles : on l'appelle donc une **méiose gamétique**. S'ils se rencontrent, ces gamètes fusionnent, rétablissant immédiatement l'état diploïde (Figure 9-3b). Chez les animaux et certains autres organismes, les gamètes sont donc les seules cellules haploïdes.

Figure 9-3

Schémas illustrant les principaux types de cycles de développement. Dans ces schémas, la phase diploïde du cycle se trouve sous le trait épais et la phase haploïde au-dessus. Les quatre flèches blanches montrent les produits de la méiose ; l'unique flèche blanche représente le zygote. **(a)** Dans le cycle haplophasique (méiose zygotique), le zygote se divise par méiose pour produire quatre cellules haploïdes. Chacune de ces cellules se divise par mitoses pour donner soit un plus grand nombre de cellules haploïdes, soit un individu haploïde multicellulaire qui, finalement, produira des gamètes par différenciation. On trouve ce type de cycle de développement chez *Chlamydomonas* et plusieurs autres algues, ainsi que chez les champignons. **(b)** Dans le cycle diplophasique (méiose gamétique), les gamètes haploïdes sont produits à la suite de la méiose chez un individu diploïde et fusionnent pour donner un zygote diploïde qui se divise et produit un nouvel individu diploïde. Ce type de cycle de développement caractérise la plupart les animaux et certains protistes (*Oomycota*), de même que certaines algues vertes et brunes (par exemple *Fucus*). **(c)** Dans le cycle haplo-diplophasique (méiose sporique), le sporophyte, individu diploïde, produit des spores haploïdes en passant par la méiose. Ces spores ne fonctionnent pas comme gamètes, mais subissent des divisions mitotiques. Cela donne des individus haploïdes multicellulaires (gamétophytes) produisant finalement des gamètes qui fusionnent pour donner des zygotes diploïdes. Ces zygotes, à leur tour, se différencient en individus diploïdes. Ce type de cycle de développement, ou alternance de générations, est caractéristique des plantes et de nombreuses algues.

Chez les plantes, la méiose (**méiose sporique**) aboutit à la production non pas de gamètes, mais de spores (**méiospores**). Les méiospores sont des cellules haploïdes qui peuvent se diviser par mitoses et produire un organisme multicellulaire haploïde ; c'est différent des gamètes, qui ne peuvent se développer qu'après leur fusion avec un autre gamète. On trouve des organismes multicellulaires haploïdes alternant avec des formes diploïdes chez les plantes, chez beaucoup d'algues (des brunes, des rouges et des vertes) et dans quelques autres groupes d'organismes. Le cycle de développement de ces organismes comporte une **alternance de générations**, ou de phases (Figure 9-3c). Chez les plantes et les algues, la génération haploïde, qui produit les gamètes, est appelée **gamétophyte** et la génération diploïde, qui donne des spores, est le **sporophyte**.

Chez certaines algues — la plupart des rouges, beaucoup de vertes et quelques brunes — les formes (ou générations) haploïde et diploïde, ont la même apparence externe. On dit que ces cycles vitaux ont une alternance de **générations isomorphes** (« même forme »).

Dans d'autres cycles de développement par contre, les formes haploïde et diploïde ne sont pas identiques. Au cours de l'histoire évolutive de ces groupes, des mutations (modifications héréditaires du message génétique) sont survenues et ne se sont exprimées que dans une génération. C'est ainsi que le gamétophyte et le sporophyte sont devenus nettement différents l'un de l'autre et qu'est apparue une alternance de générations hétéromorphes (« forme différente »). Ces cycles de développement sont caractéristiques des plantes et de certaines algues brunes et rouges.

Chez les bryophytes (mousses, hépatiques et anthocérotées), le gamétophyte est la forme dominante. C'est cette forme qui est indépendante pour son alimentation ; elle est généralement plus grande que le sporophyte, dont la structure peut être plus complexe. D'autre part, chez les plantes vasculaires (conifères et angiospermes), le sporophyte — l'arbre ou la plante à fleur elle-même — est la forme dominante ; il est beaucoup plus grand que le gamétophyte qui, dans presque tous les groupes, dépend du sporophyte pour son alimentation.

La diploïdie permet de conserver plus d'information génétique et permet aussi probablement une expression plus subtile du patrimoine génétique de l'organisme au cours du développement. C'est peut-être pour cette raison que le sporophyte est la génération la plus développée, la plus complexe et nutritionnellement indépendante chez les plantes vasculaires. Une des tendances évolutives les plus claires de ce groupe, qui est le mieux représenté dans la plupart des habitats terrestres, est la dominance de plus en plus nette du sporophyte et la régression du gamétophyte. Chez les angiospermes, le gamétophyte femelle est un organisme microscopique composé de sept cellules seulement ; le gamétophyte mâle ne comprend que trois cellules. L'alimentation de ces deux gamétophytes dépend du sporophyte.

Déroulement de la méiose

Nous avons vu au chapitre 8 que la mitose comporte une seule division nucléaire et aboutit à la production de deux noyaux fils. Chacun de ces noyaux reçoit une copie exacte des chromosomes de la cellule parentale. En comparaison, la méiose comporte deux divisions nucléaires successives (cinèse I et cinèse II) et donne au total quatre noyaux. Chacun de ces quatre noyaux fils contient la moitié du nombre de chromosomes présents dans le noyau originel. En outre, chacun reçoit seulement un exemplaire de chaque paire de chromosomes homologues.

Les faits essentiels de la méiose — dont dépend tout le reste — se situent au cours de l'interphase qui précède la méiose et pendant la prophase, au début de la première division méiotique (prophase I ; on utilise « I » pour tous les stades de la cinèse I). Pendant l'interphase, comme pendant l'interphase qui précède la mitose, les chromosomes se dupliquent. Au début de la méiose, chaque chromosome comporte donc deux chromatides sœurs unies au niveau du centromère.

Au début de la prophase I, après la duplication des chromosomes, les homologues se réunissent en paires (Figure 9-4a). Dès que le contact est établi entre les homologues, à n'importe quel endroit, l'appariement s'étend sur toute la longueur des chromatides, et les mêmes portions des chromosomes homologues se trouvent ainsi à proximité l'une de l'autre. Puisque chaque chromosome comporte deux chromatides identiques, l'appariement des chromosomes homologues intéresse en réalité quatre chromatides. Les chromosomes homologues appariés s'appellent des **bivalents**, ou **tétrades** (du grec *tétra*, qui signifie « quatre »). On utilise le terme « tétrade » pour souligner la présence de quatre chromatides par bivalent.

Survient ici un événement essentiel qui altère la composition génétique du chromosome. Ce processus, le **crossing-over**, implique l'échange de segments correspondants entre les deux chromosomes homologues (Figure 9-4b). Au niveau du crossing-over, des morceaux des chromatides d'un homologue sont rompus et échangés contre des morceaux de chromatides de l'autre homologue. Les cassures sont resoudées et, en conséquence, les chromatides sœurs d'un même homologue ne contiennent plus le même matériel génétique (Figure 9-4c). Les figures en X observées à la suite du crossing-over sont appelées **chiasmas** (Figure 9-5). L'homologue d'origine maternelle possède maintenant des portions de l'homologue d'origine paternelle, et vice versa. Le crossing-over est donc un mécanisme important de **recombinaison génétique** : il recombine le matériel génétique provenant des deux parents. De plus, les chiasmas s'opposent à la séparation des homologues pendant le reste de la prophase et il permet leur orientation vers les pôles opposés en métaphase I, ce qui garantit leur ségrégation correcte en anaphase I. Les chiasmas jouent donc un rôle analogue à celui du centromère dans une division mitotique ordinaire.

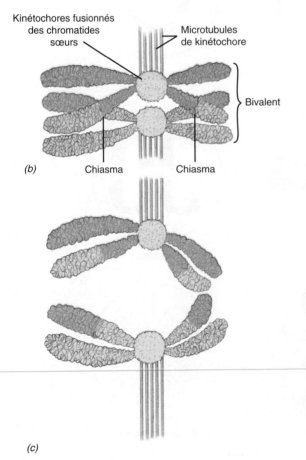

Chromatides
sœurs

Homologue
paternel

Paire
d'homologues

Centromère

Chromatides
sœurs

Homologue
maternel

(a)

Kinétochores fusionnés
des chromatides
sœurs

Microtubules
de kinétochore

Bivalent

(b)   Chiasma   Chiasma

(c)

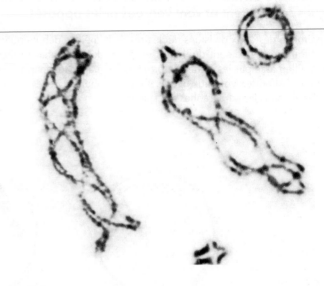

Figure 9-5

On peut observer un nombre variable de chiasmas dans les chromosomes appariés d'une saute-relle, *Chorthippus parallelus, n* = 4.

En conditions normales, les homologues d'une paire sont mainte-nus ensemble par au moins un chiasma. S'il ne se forme pas de chias-mas entre les chromosomes homologues, ceux-ci ne se séparent pas en anaphase I et les cellules haploïdes qui en résultent peuvent conte-nir un nombre trop faible ou trop élevé de chromosomes : ce phéno-mène est une **non disjonction**.

Les stades de la méiose

Nous avons déjà remarqué que la méiose comporte deux divisions nucléaires successives, la cinèse I et la cinèse II. Pendant la cinèse I, les chromosomes homologues s'apparient, puis se séparent. En cinèse II, les chromatides des différents homologues se séparent. Les cellules où se déroule la méiose sont des **méiocytes**.

Figure 9-4

(a) Une paire de chromosomes homologues, avant la méiose. Un chromosome de la paire provient du père, et l'autre de la mère. Ces chromosomes se sont dupliqués et comportent deux chromatides sœurs reliées par le centromère. **(b)** En prophase de la première division méiotique, les deux homologues se réu-nissent et s'associent étroitement. Les chromosomes homolo-gues appariés forment un bivalent. Une paire d'homologues comprend quatre chromatides : on parle donc aussi d'une tétrade. Dans la tétrade, les chromatides des deux homologues se croisent à certains endroits, ce qui permet l'échange de seg-ments de chromatides. Ce phénomène est le crossing-over et l'endroit où celui-ci se produit est la chiasma. **(c)** Le résultat du crossing-over est une recombinaison du matériel génétique des deux homologues. Les chromatides sœurs des homologues ne sont plus identiques. Les microtubules fixés aux kinétochores fusionnés des chromatides sœurs séparent les homologues en anaphase I.

En première division méiotique, les chromosomes homologues se séparent et vont vers des pôles opposés

La première des deux divisions nucléaires de la méiose débute quand les chromosomes se sont dupliqués eu cours de l'interphase précédente. Elle passe par les stades de prophase, métaphase, anaphase et télophase. Reportez-vous aux figures 9-6 et 9-7 pour suivre les processus décrits dans les paragraphes qui suivent.

En **prophase I,** stade le plus long et le plus complexe de la méiose, les chromosomes — présents en nombre diploïde — apparaissent d'abord comme de longs filaments minces. Comme en mitose, ils se sont déjà dupliqués pendant l'interphase précédente. Par conséquent, au début de la prophase I, chaque chromosome comprend deux chromatides identiques reliées au niveau du centromère. À ce stade précoce de la méiose, les chromosomes paraissent cependant simples et non pas doubles.

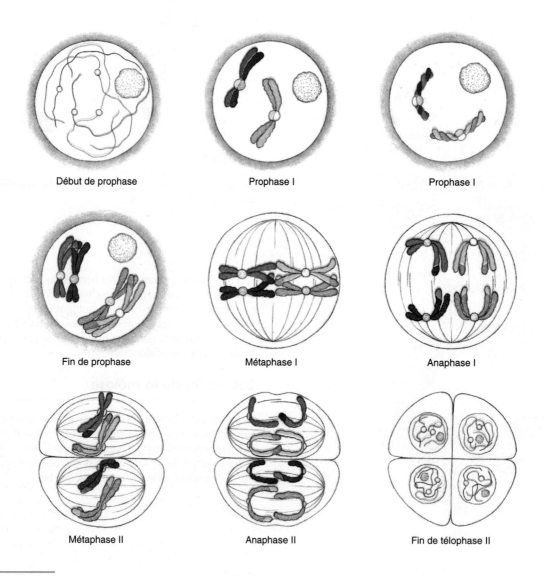

Début de prophase　　Prophase I　　Prophase I

Fin de prophase　　Métaphase I　　Anaphase I

Métaphase II　　Anaphase II　　Fin de télophase II

Figure 9-6

Méiose : représentation schématique pour deux paires de chromosomes. Tous les stades ne sont pas représentés.

Prophase I : Les chromosomes deviennent visibles sous forme de filaments allongés, les homologues se rassemblent par paires, les paires s'enroulent en spirales et les chromosomes appariés deviennent très courts

Métaphase I : Les chromsoomes appariés prennent position sur la plaque métaphasique et leurs centromères sont répartis de façon symétrique des deux côtés du plan équatorial du fuseau.

Anaphase I : Les chromosomes appariés se séparent et se dirigent vers les deux pôles.

La seconde division méiotique est essentiellement semblable à une mitose normale.

Métaphase II : Les chromosomes sont alignés dans le plan équatorial, leurs centromères situés dans le plan.

Anaphase II : Les centromères se séparent, les chromatides se séparent et vont vers les pôles du fuseau.

Télophase II : Les chromosomes ont terminé leur migration. Quatre nouveaux noyaux sont formés, chacun avec le nombre haploïde de chromosomes.

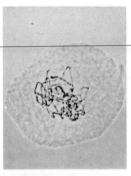

Début de prophase I. Les chromosomes apparaissent comme des filaments. Chaque filament est en réalité double, formé de deux chromatides identiques.

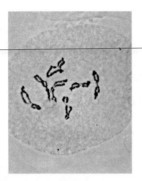

Fin de prophase I. Les chromosomes homologues sont appariés. Il s'agit de la différence essentielle entre la méiose et la mitose. Les chiasmas sont visibles.

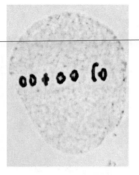

Métaphase I. Les bivalents sont maintenant alignés au hasard dans le plan équatorial de la cellule, avec leurs centromères répartis symétriquement des deux côtés de ce plan.

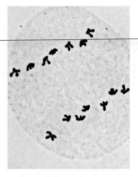

Anaphase I. Les chromosomes homologues se sont séparés et se déplacent vers les deux pôles de la cellule.

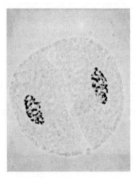

Télophase I. Les chromosomes sont regroupés aux deux pôles, et la cellule se divise en deux.

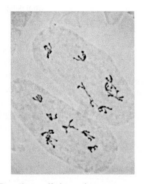

Prophase II. Les chromosomes réapparaissent. Chacun est formé de deux chromatides. A la suite du crossing-over, les chromatides ne sont plus identiques entre elles.

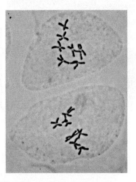

Métaphase II. Les chromosomes sont alignés dans le plan équatorial de la cellule, avec leurs centromères dans ce plan.

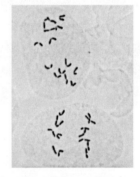

Anaphase II. Les centromères des différents chromosomes se sont divisés et les chromatides — maintenant des chromosomes — migrent vers les pôles opposés.

Télophase II. Les chromosomes se sont maintenant complètement séparés et les nouvelles parois cellulaires se forment.

Figure 9-7

La méiose chez le lis *(Lilium regale)*, *n* = 12.

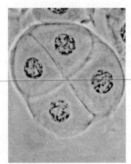

Tétrade. Les nouvelles membranes plasmiques et les parois cellulaires se forment quand la cytocinèse est terminée. Ces quatre cellules haploïdes (formant une tétrade) deviendront des grains de pollen.

Au cours de la prophase I, les filaments appariés se contractent de plus en plus, et les chromosomes se raccourcissent et s'épaississent. Au microscope électronique, il est possible d'identifier, dans chaque chromosome, un *élémnt axial* densément coloré, principalement formé de protéines (Figure 9-8a). Les deux chromatides sœurs sont fixées à cet élément. Au milieu de la prophase, les éléments axiaux des chromosomes homologues d'une même paire se rapprochent à une distance de l'ordre de 0,1 micromètre pour former un **complexe synaptonémique** (Figure 9-8b). L'appariement est très précis, il débute à un ou plusieurs endroits le long du chromosome et il progresse de manière à amener à proximité l'une de l'autre les portions correspondantes des chromosomes homologues. Le complexe synaptonémique est une structure protéique en forme de fermeture à glissière qui relie les éléments axiaux des deux chromosomes homologues de chaque bivalent. L'appariement des chromosomes homologues, ou **synapse**, est une étape essentielle de la méiose. Ce processus est impossible dans les cellules haploïdes parce qu'il n'existe pas de paires d'homologues.

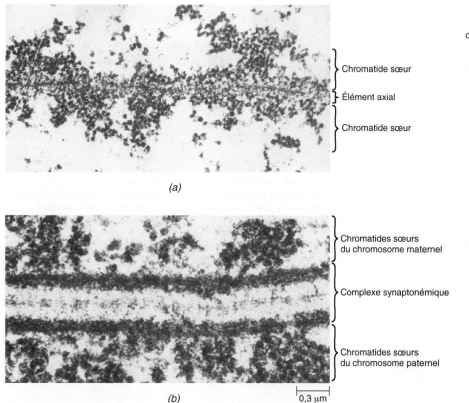

(a)

(b)

0,3 μm

- Chromatide sœur
- Élément axial
- Chromatide sœur

- Chromatides sœurs du chromosome maternel
- Complexe synaptonémique
- Chromatides sœurs du chromosome paternel

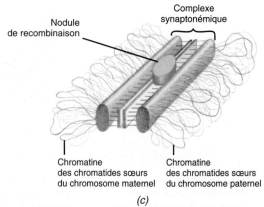

Nodule de recombinaison

Complexe synaptonémique

Chromatine des chromatides sœurs du chromosome maternel

Chromatine des chromatides sœurs du chromosome paternel

(c)

Figure 9-8

(a) Portion d'un chromosome de *Lilium* en début de prophase I, avant son appariement avec son homologue. Remarquez l'élément axial dense avec, au-dessus et en-dessous, la chromatine de chaque chromatide. L'axe, formé surtout de protéines, peut répartir le matériel génétique de manière à ce qu'il soit prêt pour l'appariement et l'échange génétique. **(b)** Complexe synaptonémique, avec une structure protéique en forme de fermeture à glissière reliant les deux éléments axiaux des deux chromosomes homologues, dans un bivalent de *Lilium*. **(c)** Portion d'un complexe synaptonémique typique, qui paraît être indispensable au crossing-over. Les nodules de recombinaison sont des complexes protéiques qui paraissent intervenir dans le processus.

Le crossing-over se déroule pendant la durée d'existence du complexe synaptonémique. Des portions de chromatides se brisent et s'unissent aux segments correspondants des chromatides homologues. Comme on l'a fait remarquer, il en résulte des chromatides dont la constitution génique est différente de celle présente à l'origine.

Le complexe synaptonémique semble indispensable au déroulement du crossing-over, bien que ce ne soit probablement pas lui qui provoque la recombinaison. Les responsables du crossing-over seraient plutôt d'autres complexes protéiques, appelés *nodules de recombinaison* (Figure 9-8c).

À mesure que progresse la prophase, le complexe synaptonémique disparaît. L'enveloppe nucléaire se désagrège ensuite. Le nucléole disparaît généralement, du fait de l'arrêt temporaire de la synthèse d'ARN. Finalement, les chromosomes homologues paraissent se repousser l'un l'autre. Leurs chromatides sont cependant maintenues ensemble par les chiasmas. Ces chromatides se séparent très lentement. Au cours de cette séparation, certains chiasmas glissent vers l'extrémité du bras chromosomique. Il peut y avoir un ou plusieurs chiasmas par bras chromosomique, ou seulement un seul pour l'ensemble du bivalent. La forme du bivalent peut varier dans une large mesure, en fonction du nombre de chiasmas présents (Figure 9-5).

En **métaphase I,** le fuseau — axe de microtubules semblable à celui qui fonctionne à la mitose — devient visible (Figure 9-9). Tandis que la méiose progresse, les microtubules s'attachent aux kinétochores des chromosomes des différents bivalents. Ces chromosomes appariés se retrouvent dans le plan équatorial de la cellule, ils s'y alignent aléatoirement en prenant une disposition caractéristique de la métaphase I. Les centromères des chromosomes appariés s'alignent des deux côtés du plan équatorial, les kinétochores des chromatides sœurs étant apparemment fusionnés, de manière telle que tous les microtubules qui leur sont attachés s'orientent dans la même direction. En métaphase somatique au contraire, comme nous l'avons vu, les centromères des chromosomes individuels s'alignent directement dans le plan équatorial et les microtubules des kinétochores des chromatides sœurs sont orientés dans des directions opposées.

L'**anaphase I** débute quant les chromosomes homologues se séparent et commencent à se déplacer vers les deux pôles. Notez encore le contraste avec la mitose. En anaphase mitotique, les centromères se partagent et les chromatides sœurs se séparent. En anaphase I de la méiose, les centromères ne se divisent pas et les chromatides sœurs restent ensemble ; ce sont les homologues qui se séparent. Cependant, à cause des échanges de segments de chromatides résultant du

mosomes passent plus ou moins directement de la télophase I à la prophase de la seconde division méiotique, sans cytocinèse. Dans tous les cas, il n'y a pas de réplication de l'ADN entre les cinèses I et II.

Pendant la seconde division méiotique, les chromatides de chaque homologue se séparent et se dirigent vers les pôles opposés

Au début de la seconde division méiotique, les chromatides sont encore unies par leurs centromères. Cette division ressemble à une division mitotique : l'enveloppe nucléaire (s'il s'en est reformé une pendant la télophase I) se désorganise et le nucléole disparaît vers la fin de la **prophase II**. En **métaphase II**, un fuseau est à nouveau visible et les chromosomes — formés chacun de deux chromatides — s'alignent, avec leurs centromères dans le plan équatorial. En **anaphase II**, les centromères se dissocient et sont entraînés dans des directions opposées ; les chromatides qui viennent de se séparer, et qui sont maintenant des chromosomes fils, se dirigent vers les pôles. En **télophase II**, de nouvelles enveloppes nucléaires et de nouveaux nucléoles s'organisent, les chromosomes condensés se relâchent et disparaissent dans un noyau interphasique. Des parois se développent autour de chaque nouveau noyau et de son cytoplasme. Les cellules formées ont donc le nombre haploïde de chromosomes.

La méiose est responsable de la variabilité génétique

Le résultat final des deux divisions nucléaires de la méiose est que chaque cellule ne possède que la moitié du nombre de chromosomes du noyau diploïde d'origine. Les conséquences génétiques sont cependant beaucoup plus importantes. En métaphase I, l'orientation des bivalents est aléatoire ; cela entraîne une répartition aléatoire des chromosomes entre les deux nouveaux noyaux. Si la cellule diploïde originelle avait deux paires de chromosomes homologues, $n = 2$, ils peuvent se répartir de quatre façons dans les cellules haploïdes (Figure 9-10). Si $n = 3$, il y a 8 possibilités ; si $n = 4$, il y en 16. La formule générale est 2^n. Chez les pommes de terre et l'homme, $n = 23$ et

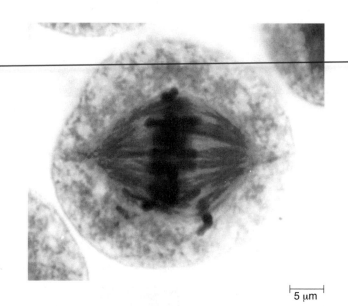

Figure 9-9

Le fuseau, dans un sporocyte de blé (*Triticum aestivum*) pendant la métaphase I de la méiose.

5 μm

crossing-over, les chromatides ne sont pas identiques à ce qu'elles étaient au début de la méiose.

En **télophase I**, la spiralisation des chromosomes se relâche, ils s'allongent et deviennent à nouveau indistincts. De nouvelles enveloppes nucléaires commencent à se former, tandis que la télophase passe progressivemnt à l'interphase. Finalement, le fuseau disparaît, les nucléoles se reforment et la synthèse des protéines recommence. Chez beaucoup d'organismes, cependant, il n'y a pas d'interphase entre les divisions méiotiques I et II. Chez ces organismes, les chro-

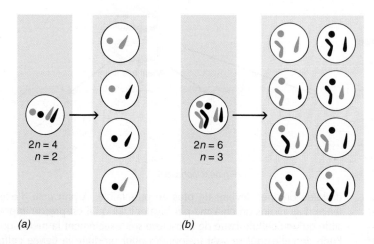

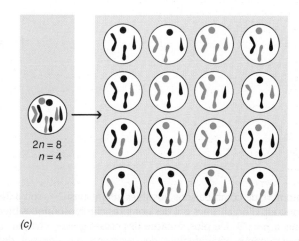

(a)   (b)   (c)

Figure 9-10

Les différentes combinaisons chromosomiques possibles dans les gamètes de trois organismes avec relativement peu de chromosomes. Les chromosomes d'origine paternelle sont représentés en rouge et les chromosomes d'origine maternelle sont en noir. **(a)** Organisme avec $n = 2$. **(b)** Organisme avec $n = 3$. **(c)** Organisme avec $n = 4$.

Figure 9-11

Comparaison des principales caractéristiques de la mitose et de la méiose.

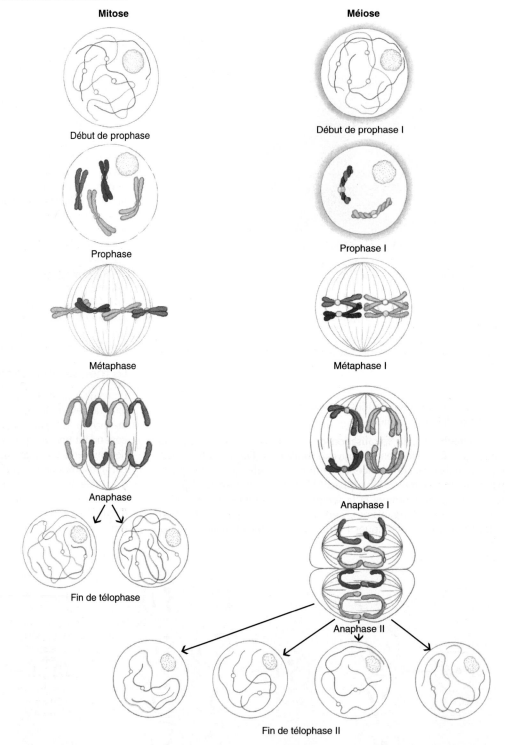

Mitose

Début de prophase

Prophase

Métaphase

Anaphase

Fin de télophase

Méiose

Début de prophase I

Prophase I

Métaphase I

Anaphase I

Anaphase II

Fin de télophase II

le nombre de combinaisons possibles atteint ainsi 2^{23}, soit 8.388.608. Beaucoup d'organismes ont des nombres chromosomiques bien supérieurs à $n = 23$. De plus, à cause des crossing-over, chaque chromosome contient généralement des segments qui dérivent des deux parents. Il est clair que la variabilité génétique potentielle est énorme.

Lorsque le nombre de chromosomes augmente, la probabilité de reconstituer un lot identique à celui qui se trouvait dans le noyau diploïde originel devient de plus en plus faible. À part cela, l'existence d'au moins un chiasma par bivalent fait qu'il est presqu'impossible qu'une cellule issue de la méiose soit exactement la même que l'une de celles qui se sont fusionnées pour produire la lignée cellulaire diploïde d'origine.

En résumé, la méiose diffère de la mitose par trois points fondamentaux (Figure 9-11) :

1. Deux divisions nucléaires interviennent dans la méiose et une seule dans la mitose, tandis que l'ADN n'est répliqué qu'une seule fois dans la méiose comme dans la mitose.

2. Les quatre noyaux produits par la méiose sont haploïdes, ils ne contiennent que la moitié du nombre de chromosomes — c'est-à-dire un seul exemplaire de chaque paire de chromosomes homologues — présents dans le noyau diploïde originel dont ils dérivent. Par contre, les deux noyaux produits pendant la mitose ont le même nombre de chromosomes que le noyau originel.

3. Tous les noyaux provenant de la méiose possèdent des combinaisons géniques différentes les unes des autres, alors que les noyaux provenant de la mitose sont génétiquement identiques.

En méiose, des noyaux *différents* du noyau d'origine sont produits, contrairement à la mitose, où les noyaux produits ont des compléments chromosomiques *identiques* à ceux du noyau d'origine. Les conséquences génétiques et évolutives du comportement des chromosomes à la méiose sont importantes. Grâce à la méiose et à la fécondation, les populations d'organismes diploïdes présentes dans la nature sont loin d'être uniformes ; au contraire, elles sont composées d'individus différents les uns des autres par beaucoup de caractères.

La reproduction asexuée : une stratégie alternative

La reproduction asexuée (ou multiplication végétative) aboutit à la production d'une descendance identique à l'unique parent. Chez les eucaryotes, il existe des modes de reproduction asexuée très divers, qui vont du développement d'une oosphère non fécondée à la division en parties à peu près égales de l'organisme parental. Dans tous ces cas, cependant, les nouveaux organismes sont produits par mitoses et sont donc génétiquement identiques au parent.

La multiplication végétative est commune chez les plantes et elle utilise différentes voies (voir « Multiplication végétative : quelques voies et moyens », page 180). Le plus souvent, les plantes possèdent une reproduction sexuée et une autre asexuée, combinant ainsi leur sort évolutif (Figure 9-12), mais de nombreuses espèces ne se reproduisent que par voie asexuée. Même pour celles-ci, cependant, il est clair que leurs ancêtres pouvaient se reproduire sexuellement et que la multiplication végétative représente donc une alternative — un « choix » qui a été fait en réponse à une pression évolutive en faveur d'une uniformité extrême. Ce choix, s'il est rigoureusement respecté, limite sévèrement la possibilité de la population à s'adapter à de nouvelles conditions. En l'absence de recombinaison et de variabilité génétique, la population ne peut s'adapter à de nouvelles conditions aussi facilement que les populations capables de se reproduire par voie sexuée.

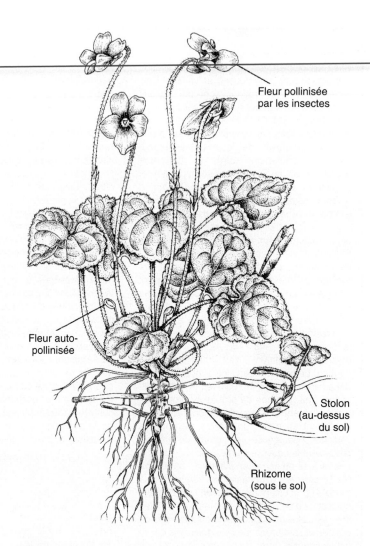

Fleur pollinisée par les insectes

Fleur auto-pollinisée

Stolon (au-dessus du sol)

Rhizome (sous le sol)

Figure 9-12

Les violettes se reproduisent sexuellement et asexuellement. Les grandes fleurs subissent une pollinisation croisée par des insectes et les graines peuvent être transportées à une certaine distance de la plante parentale par des fourmis. Les petits fleurs, plus proches du sol, sont autopollinisées et ne s'ouvrent jamais. Les graines de ces fleurs tombent près de la plante parentale et produisent des plantes génétiquement semblables au parent. On peut supposer que ces plantes sont (en moyenne) mieux à même de se développer avec succès près de leur parent. Ces deux formes de reproduction sont sexuées et impliquent une recombinaison génétique. Les violettes se reproduisent asexuellement quand des tiges rampantes horizontales (des stolons s'ils sont au-dessus du sol et des rhizomes s'ils sont dans le sol) produisent, à proximité de leur parent, de nouvelles plantes génétiquement identiques.

LA MULTIPLICATION VÉGÉTATIVE : QUELQUES VOIES ET MOYENS

Chez les plantes, les formes de multiplication végétative sont nombreuses et variées. Certaines plantes se reproduisent par stolons — longues tiges minces qui se développent à la surface du sol. Chez le fraisier cultivé (*Fragaria ananassa*), par exemple, tous les nœuds du stolon produisent des feuilles, fleurs et racines. Immédiatement après le deuxième nœud, la pointe du stolon se redresse et s'épaissit. Cette portion épaissie donne d'abord des racines adventives, puis une nouvelle partie aérienne qui prolonge le stolon.

Les tiges souterraines, ou rhizomes, sont aussi des structures importantes pour la reproduction, particulièrement chez les graminées et les laîches. Les rhizomes envahissent les régions proches de la plante parentale et chaque nœud peut donner naissance à une nouvelle hampe florale. Beaucoup de mauvaises herbes doivent leur nocivité à ce type de croissance et de nombreuses plantes de jardin, comme les iris, sont propagées presqu'exclusivement par rhizomes. Les cormes, bulbes et tubercules sont spécialisés dans l'accumulation de réserves et la multiplication. Les pommes de terre sont propagées artificiellement par fragments de tubercules possédant au moins un « œil. » Ce sont les yeux des « semences » de pomme de terre qui produisent la nouvelle plante.

Les racines de certaines plantes — par exemple le cerisier, le pommier, le framboisier, la ronce — produisent des drageons qui donnent naissance à de nouvelles plantes. Les variétés commerciales de banane ne produisent pas de graines et sont propagées par des rejets qui se développent à partir de bourgeons situés sur les tiges souterraines. Quand la racine du pissenlit est cassée, par exemple quand on essaie de l'arracher, chaque fragment peut donner une nouvelle plante.

Chez quelques espèces, même les feuilles servent à la multiplication. La plante d'appartement, *Kalanchoë daigremontiana*, par exemple, produit de nombreuses plantules aux dépens d'un tissu méristématique situé entre les dents du bord des feuilles. On propage généralement le kalanchoe au moyen de ces plantules qui tombent sur le sol et s'enracinent quand elles sont suffisamment développées. *Asplenium rhizophyllum* donne un autre exemple de propagation végétative : de jeunes plantes se forment là où les extrémités des feuilles viennent en contact avec le sol.

Chez certaines plantes, parmi lesquelles des citrus, des orchidées, certaines graminées, comme la pâturin (*Poa pratensis*), et le pissenlit, les graines peuvent contenir des embryons produits asexuellement par la plante maternelle. Ce type de multiplication végétative est l'apomixie. Les graines produites suivant cette voie donnent des individus qui sont génétiquement identiques à leur parent ; en effet, la fécondation n'est pas nécessaire pour produire un embryon apomictique : c'est un autre exemple de reproduction asexuée.

En général, la reproduction asexuée permet la réplication exacte d'individus qui sont particulièrement bien adaptés à un environnement ou à un habitat spécifique. Ce genre d'adaptation peut inclure des caractéristiques considérées comme désirables pour une plante cultivée par exemple, ou encore peuvent faciliter la survie dans un ensemble particulier de conditions d'environnement.

(a)

(b)

(c)

(a) Le fraisier (*Fragaria ananassa*) est propagé asexuellement par stolons. Les plantes de fraisier donnent aussi des fleurs et se reproduisent sexuellement. **(b)** *Kalanchoë daigremontiana* montrant les petites plantes qui proviennent de petits creux entre les dents marginales des feuilles. **(c)** *Asplenium rhizophyllum*, montrant la façon dont les feuilles s'enracinent à leur extrémité et produisent de nouvelles plantes. De cette façon, la fougère est capable de former de grandes colonies de plantes génétiquement identiques.

Avantages de la reproduction sexuée

La reproduction sexuée possède un grand avantage sélectif. Ainsi que nous l'avons vu, elle n'existe que chez les organismes eucaryotes et elle implique une alternance régulière entre méiose et fécondation. Un de ses traits les plus caractéristiques est la production d'une gamme infinie de diversité génétique dans les populations naturelles et, dans une certaine mesure, la participation au maintien de cette diversité. De cette façon, elle représente le mécanisme fondamental de l'évolution. En théorie, la reproduction sexuée n'est pas nécessaire si un organisme est particulièrement bien en phase avec son environnement. Ce qu'il faut, dans un cas pareil, c'est la reproduction exacte d'une « combinaison gagnante » particulière. En fait cependant, les populations naturelles doivent s'ajuster à un environnement en modification perpétuelle, et celles qui sont capables d'envahir de nouveaux habitats, où elles sont en compétition avec d'autres, seront avantagées.

La quantité d'énergie et d'autres ressources utiles est une façon différente de mesurer l'avantage évolutif de la reproduction sexuée. Chez les angiospermes, la reproduction sexuée demande non seulement la production de gamètes, souvent en quantités excessives, mais également le développement de fleurs et d'autres dispositifs destinés à augmenter les possibilités de fécondation de ces gamètes — possibilités qui restent encore souvent assez minces. On peut considérer la prépondérance de la reproduction sexuée chez les eucaryotes actuels comme la preuve du succès de ce mode de reproduction par rapport à la reproduction asexuée.

Les avantages de la reproduction sexuée ont été résumées avec justesse en 1932 par le lauréat du prix Nobel Hermann J. Müller :

Il n'existe pas de raison biologique fondamentale empêchant la reproduction, la variation et l'évolution de progresser indéfiniment sans la sexualité ; dans l'absolu, la sexualité n'est donc pas une nécessité, mais un « luxe ». La sexualité est cependant très souhaitable et utile et, en réalité, c'est ainsi qu'elle est devenue une nécessité à partir du moment où les espèces en compétittion sont également sexuées ; les organismes non sexués, même s'ils profitent souvent d'avantages temporaires, ne peuvent en effet suivre la progression des organismes sexués dans la course évolutive ; lorsque des réajustements sont exigés, ils en sont finalement réduits à disparaître.

RÉSUMÉ

La reproduction sexuée implique la méiose et la fécondation

La reproduction sexuée implique un type spécial de division nucléaire, la méiose. C'est grâce à ce processus que les chromosomes sont réassortis et que sont produites des cellules avec le nombre haploïde (n) de chromosomes. L'autre volet principal de la reproduction sexuée est la fécondation, qui est la réunion de cellules haploïdes produisant le zygote. La fécondation rétablit le nombre diploïde ($2n$) de chromosomes. Les grands groupes d'organismes.sont caractérisés par l'endroit où se situent ces événements dans le cycle de développement.

La reproduction sexuée peut impliquer une méiose zygotique, gamétique ou sporique.

Dans l'évolution des organismes, la diploïdie est apparue après la reproduction sexuée. Chez certaines algues et chez tous les champignons, le zygote provenant de la fécondation subit immédiatement la méiose (méiose zygotique). Au départ de tels cycles primitifs, des cycles de développement plus complexes, impliquant des phases diploïdes, ont évolué à plusieurs occasions, lorsque le zygote s'est divisé par mitoses. Si les cellules haploïdes provenant de la méiose fonctionnent immédiatement comme gamètes (méiose gamétique), on aboutit au cycle de développement propre aux animaux et à certains groupes de protistes. Si les cellules haploïdes se divisent par mitoses (méiose sporique), comme chez beaucoup d'algues, chez toutes les plantes et chez quelques autres organismes, elles sont considérées comme des spores (méiospores), et la génération diploïde qui les produit est le sporophyte. La génération haploïde, qui dérive des spores par mitoses, est le gamétophyte ; elle donne finalement des gamètes à la suite de mitoses. Dans cette alternance de générations, si le gamétophyte et le sporophyte d'un cycle de développement particulier sont à peu près semblables en taille et complexité, on dit que les générations sont isomorphes. Mais, si ces deux gnérations sont très différents aux points de vue taille et complexité, on dit qu'elles sont hétéromorphes.

La méiose implique deux divisions nucléaires successives et aboutit au total à quatre noyaux (ou cellules) qui possèdent chacun le nombre haploïde de chromosomes

Pendant la première division méiotique (cinèse I), les chromosomes homologues appariés subissent des crossing-over et finalement se séparent. Les chromosomes homologues s'apparient d'abord sur toute leur longueur pour former des bivalents (ou tétrades). Les chromosomes sont doubles, formés chacun de deux chromatides. Des chiasmas se produisent entre les chromatides des homologues. Ces chiasmas sont les preuves visibles des crossing-over — échanges de segments de chromatides entre chromosomes homologues. Les bivalents s'alignent dans le plan équatorial de manière aléatoire, mais les centromères des chromosomes appariés sont situés des deux côtés de ce plan. De cette manière, les chromosomes provenant du parent mâle et du parent femelle se réassortissent pendant l'anaphase I. Ce réassortiment et le crossing-over garantissent que tous les produits de la méiose diffèrent les uns des autres et du lot chromosomique parental. De cette manière, la méiose permet à la variabilité présente dans le génotype diploïde de s'exprimer.

Pendant la seconde division méiotique (cinèse II), les chromosomes se divisent comme dans la mitose.

La reproduction sexuée est source de diversité, tandis que la reproduction asexuée ne l'est pas

La reproduction asexuée donne une descendance identique à son unique parent, tandis que la reproduction sexuée aboutit à une gamme infinie de diversité génétique dans les populations naturelles. Dépourvues de recombinaison et de variabilité génétique, les plantes produites asexuellement ne peuvent s'adapter aux modifications de l'habitat, alors que les individus de la même espèce produites par voie sexuée en sont capables.

TABLEAU RÉSUMÉ

Comparaison des principales caractéristiques de la mitose et de la méiose*

MITOSE (DANS LES CELLULES SOMATIQUES)	MÉIOSE (DANS LE CYCLE SEXUÉ)
Une division cellulaire, aboutissant à deux cellules filles 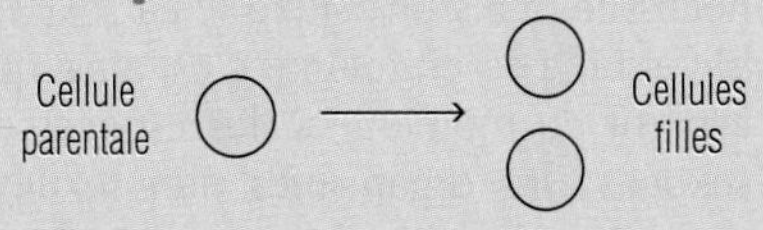	Deux divisions cellulaires, aboutissant à quatre noyaux ou cellules 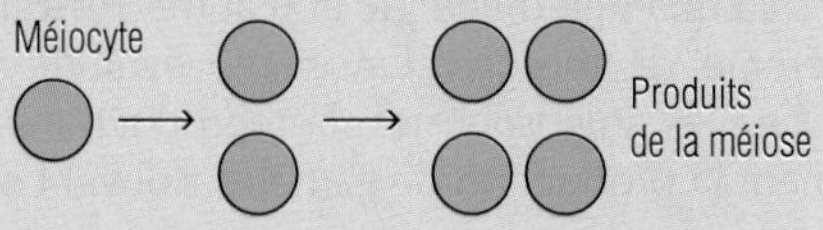
Conservation du nombre chromosomique (en particulier pour une cellule diploïde) 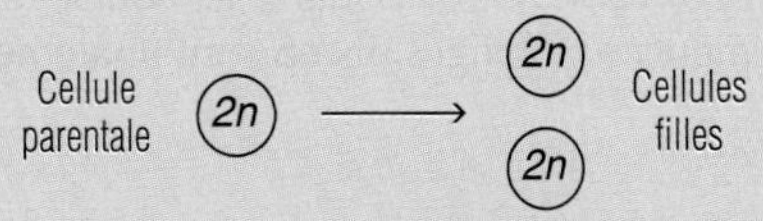	Nombre chromosomique diminué de moitié dans les produits de la méiose 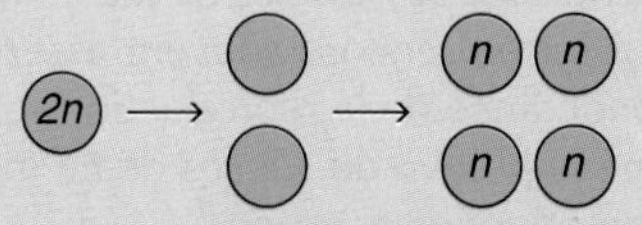
Normalement pas d'appariement d'homologues 	Synapse complet entre homologues en prophase 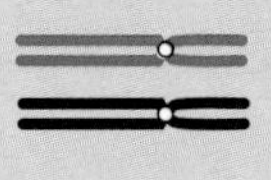
Normalement pas de chiasmas	Au moins un chiasma par paire d'homologues 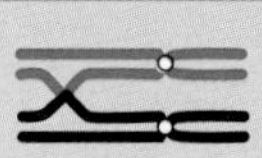
Les centromères se divisent en anaphase 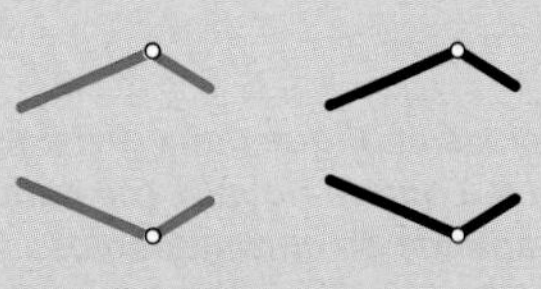	Les centromères ne se divisent pas en anaphase I, mais ils le font en anaphase II 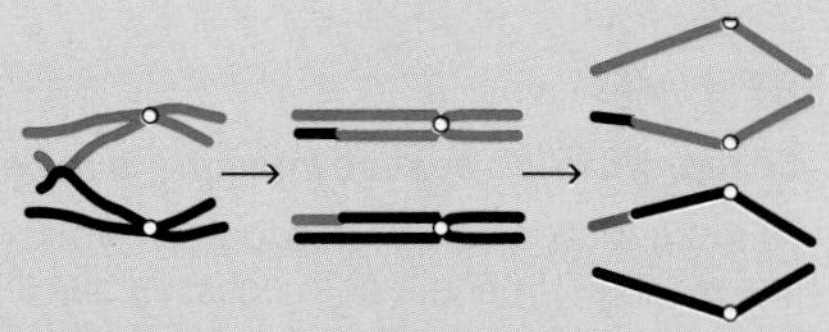
Processus conservatif : génotypes des cellules filles identiques à celui du parent	Favorise la diversité parmi les produits de la méiose
Les cellules qui subissent la mitose peuvent être diploïdes ou haploïdes	La cellule qui subit la méiose est diploïde

* D'après Anthony J.F. Griffiths, Jeffrey H. Miller, David T. Suzuki, Richard C. Lewontin, William M. Gelbart. 1996. *An introduction to Genetic Analysis*, 6/e.W.H.Freeman Company, New York. (Figure 3-57)

MOTS CLÉS

alternance de générations p. 172

bivalent, ou tétrade p. 172

chiasmas p. 172

chromosomes homologues p. 170

complexe synaptonémique p. 175

crossing-over p. 172

diploïde p. 170

fécondation p. 170

gamètes p. 170

gamétophyte p. 172

générations hétéromorphes p. 172

générations isomorphes p. 172

haploïde p. 170

méiocytes p. 173

méiose gamétique p. 171

méiose p. 170

méiose sporique p. 172

méiose zygotique p. 171

polyploïde p. 170

recombinaison génétique p. 172

sporophyte p. 172

synapse p. 175

zygote p. 170

QUESTIONS

1. Quels sont les deux événements importants de la reproduction sexuée chez les eucaryotes ?

2. Dans les cycles de développement avec alternance de générations, il y a un gamétophyte et un sporophyte. Quelle est la première cellule de chacune de ces générations ?

3. Quelle est la différence entre une alternance de générations isomorphes et une alternance de générations hétéromorphes ?

4. Quelles sont les différences entre chiasmas et crossing-over ; entre complexe synaptonémique et synapse ?

5. Quelle est la principale différence entre l'anaphase I et l'anaphase II ?

6. Bien que Müller ait parlé de la sexualité comme d'un « luxe », il la considérait comme « très souhaitable et utile » et finalement « nécessaire. » Pourquoi nécessaire ?

7. Quelles sont les différences entre méiose et mitose ?

Génétique et hérédité 10

SOMMAIRE

Ce chapitre traite de deux des questions les plus fondamentales de la biologie : quelle est la nature des caractères héréditaires et comment ces caractères sont-ils transmis de génération en génération ? Pour répondre à ces questions, nous allons d'abord revenir au siècle passé et nous suivrons le raisonnement de Gregor Mendel lorsqu'il réalisa les expériences qui sont devenues les bases de la génétique moderne. Nous examinerons ensuite des variations plus récentes sur les thèmes mendéliens et les moyens susceptibles d'altérer le matériel héréditaire — les gènes — par mutations. Comme nous le verrons, bien que Mendel n'ait pas eu connaissance de la méiose, ce processus — décrit dans le chapitre qui précède — est essentiel pour comprendre les principes qu'il a développés.

La seconde moitié de ce chapitre traite de la nature du gène lui-même, et nous nous tournerons donc vers l'ADN. Nous voyagerons de nouveau dans le temps passé, dans ce cas-ci, pour suivre le raisonnement de Watson et Crick, quand ils ont réuni les arguments qui ont permis de déterminer la structure de l'ADN. De la structure, nous passerons à la fonction et nous nous demanderons comment l'ADN peut s'autorépliquer. Depuis le chapitre 8, nous savons qu'une des caractéristiques clés de la reproduction cellulaire est la réplication de l'ADN et la production, qui lui fait suite, de chromatides sœurs en interphase. À la fin de ce chapitre, nous examinerons le mécanisme de cette réplication ainsi que la réparation des erreurs qui peuvent survenir au cours de ce processus.

Figure 10-1

Gregor Mendel (1822-1884). Encore adolescent, Mendel reçut une formation complète en agronomie. Il passa ensuite deux ans à l'Université de Vienne, où il étudia la physique, la chimie, les mathématiques et la botanique. En 1843, à l'âge de 21 ans, il entra au monastère des Augustins à Brünn, dans l'empire austro-hongrois (actuellement Brno, en République tchèque). Bien que Mendel n'ait publié que deux articles scientifiques pendant sa vie, il a poursuivi des expériences de sélection sur diverses plantes jusqu'à son élection comme abbé du monastère en 1871. Malheureusement, la plupart des documents de Mendel relatant son travail scientifique furent détruits peu avant ou après sa mort en 1884.

POINTS DE REPÈRE

Quand vous terminerez la lecture de ce chapitre, vous devriez pouvoir répondre aux questions suivantes :

- *Quelles furent les principales découvertes de Gregor Mendel et quels sont, dans sa méthode expérimentale, les aspects particuliers qui contribuèrent à son succès ?*
- *Comment est-il possible qu'un caractère soit visible chez les parents, mais pas dans la descendance ? Quel type de test pourriez-vous faire pour vérifier votre réponse ?*
- *En quoi consistent les gènes liés ? Quelle est la singularité du concept de linkage par rapport au principe de l'assortiment indépendant ?*
- *Quels sont les différentes sortes de mutations et comment les mutations affectent-elles l'évolution d'une population d'individus ?*
- *Qu'entend-on par hérédité cytoplasmique ?*
- *Comment se fait la réplication de l'ADN ?*

Depuis que l'homme a commencé à examiner le monde qui l'entoure, il a été intrigué et étonné par l'hérédité. Comment se fait-il que les descendants de tous les êtres vivants — que ce soient des pissenlits, des chiens, des oryctéropes ou des chênes — ressemblent toujours à leurs parents et jamais à d'autres espèces ? Alors que l'héritage biologique — l'hérédité — a toujours été un sujet de curiosité dès le début de l'histoire de l'humanité, ce n'est qu'assez récemment que nous avons commencé à comprendre son fonctionnement. En fait, l'étude scientifique de l'hérédité, ou **génétique**, n'a vraiment débuté qu'à la seconde moitié du dix-neuvième siècle.

Le concept du gène

À peu près à l'époque où Darwin écrivait *L'origine des espèces*, Gregor Mendel s'engageait dans une série d'expériences qui apportaient une première réponse utile aux questions fondamentales posées par l'hérédité (Figure 10-1). Ses recherches, qui se sont poursuivies de 1856 à 1863 dans la tranquillité d'un jardin du monastère, de ce qui était à l'époque la ville de Brünn dans l'empire austro-hongrois, marquent le début de la génétique moderne. Le travail de Mendel a cependant été en grande partie ignoré jusqu'après sa mort.

À l'époque de Mendel, les expériences de sélection effectuées sur les plantes et les animaux domestiques avaient montré que les deux parents contribuent aux caractères de leurs descendants. En outre, on savait que ces contributions passaient par les gamètes mâles et femelles.

La grande réalisation de Mendel fut de prouver que les caractères hérités sont déterminés par des facteurs distincts qui sont transmis d'une génération à l'autre et se répartissent séparément (se réassortissent) à chaque génération. Ces facteurs distincts, que Mendel appelait *Elemente*, sont connus aujourd'hui sous le nom de **gènes**.

La méthode expérimentale de Mendel a contribué à son succès

Le principal objet des expériences de Mendel sur l'hérédité était le pois cultivé (*Pisum sativum*). C'était un bon choix, d'une part parce que les organes reproducteurs de la fleur de pois sont entièrement enfermés dans les pétales, même à leur complet développement (Figure 10-2). Par conséquent, la fleur est normalement autopollinisée ; c'est-à-dire que les gamètes mâles du pollen d'une fleur fécondent les oosphères de la même fleur. Les plantes peuvent cependant être croisées artificiellement, mais les croisements accidentels ont peu de chance de brouiller les résultats expérimentaux. Ainsi que Mendel l'énonçait dans son article original, « la valeur et l'utilité de toute expérience sont déterminées par l'adéquation du matériel au but dans lequel il est utilisé. »

Le choix du pois qu'avait fait Mendel pour ses expériences n'était pas original. En raison de la méthode utilisée pour aborder le problème, il fut cependant le premier à formuler les principes fondamentaux de l'hérédité, alors que d'autres avaient échoué. Il y avait, dans son approche, cinq points importants. *Premièrement,* il testa une hypothèse très précise par une série logique d'expériences. Il planifia ses expériences avec soin et imagination, choisissant pour son travail

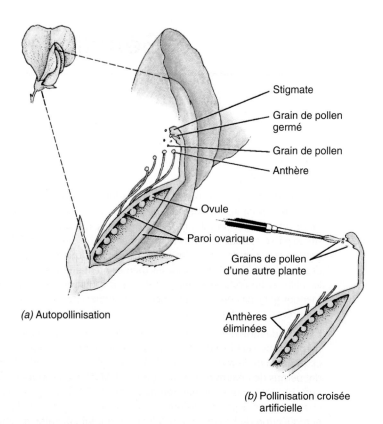

(a) Autopollinisation

(b) Pollinisation croisée artificielle

Figure 10-2

Dans une fleur, le pollen se développe dans les anthères et les oosphères dans les ovules. La pollinisation est le transfert du pollen de l'anthère au stigmate. Les grains de pollen germent ensuite et donnent les tubes polliniques qui conduisent les cellules spermatiques aux oosphères. Quand les noyaux des cellules spermatiques et de l'oosphère s'unissent, l'œuf fécondé, ou zygote, se développe dans l'ovule en un embryon. L'ovule mûrit pour produire la graine et la paroi de l'ovaire pour former le fruit qui, chez le pois, est une gousse.

Chez beaucoup d'espèces d'angiospermes, la pollinisation implique le transfert (souvent par un insecte) du pollen d'une plante au stigmate d'une autre plante. On parle alors de pollinisation croisée. **(a)** Dans la fleur de pois, cependant, le stigmate et les anthères sont complètement enfermés par les pétales et la fleur, contrairement au cas le plus fréquent, ne s'ouvre pas avant la fécondation. L'autopollinisation est donc la situation normale dans la fleur de pois — c'est-à-dire que le pollen se dépose sur le stigmate de la fleur dont il provient. Notez que chaque pois, dans une gousse, est le résultat d'une fécondation indépendante. **(b)** Dans ses expériences de croisement, Mendel ouvrait le bouton floral avant maturation du pollen et enlevait les anthères avec une pince pour empêcher l'autopollinisation. Il croisait ensuite la fleur en saupoudrant le stigmate avec du pollen récolté sur une autre plante.

les seules caractéristiques qui montraient des différences héréditaires bien délimitées et persistantes. *Deuxièmement,* avant d'effectuer un croisement entre deux types différents de pois, il avait obtenu des lignées pures pour chacun des caractères qui l'intéressaient, caractères qui restaient inchangés de génération en génération. *Troisièmement,* il n'étudia pas seulement les descendants de première génération, mais également ceux des générations suivantes et de leurs hybrides. *Quatrièmement*, et c'est le plus important, il compta les différents types de descendants provenant des différents croisements, puis il analysa mathématiquement les résultats (voir l'encadré, page 188). Même si son approche mathématique était élémentaire, l'idée qu'il était possible d'étudier quantitativement les problèmes biologiques était tout à fait nouvelle à l'époque. *Cinquièmement*, et ce n'est pas sa moindre qualité, il prit des notes précises, organisant ses données de manière telle que ses résultats puissent être évalués de manière simple et objective. Les expériences elles-mêmes étaient décrites avec une clarté telle qu'elles pouvaient être répétées et testées par d'autres scientifiques, comme elles le furent d'ailleurs effectivement.

Le principe de ségrégation

L'interprétation des résultats de Mendel était étonnamment claire. Pour effectuer ses recherches, Mendel sélectionna sept caractères représentés chacun par deux formes différentes dans diverses variétés de plantes. (Le tableau 10-1 donne la liste complète de ces caractères.) On parle de **monohybridisme** pour des croisements entre individus qui diffèrent par un seul caractère, comme ceux que réalisa Mendel ; quand deux caractères sont impliqués, on parle de **dihybridisme**. Après avoir croisé des lignées pures de plantes à caractères opposés, Mendel constata, dans tous les cas, que l'ensemble des descendants ne montraient qu'un seul des caractères, tandis que l'autre était absent de la première génération (que l'on appelle en raccourci la génération F_1, pour « première génération filiale »). Par exemple, les graines de toute la descendance du croisement entre plantes à graines jaunes et plantes à graines vertes étaient aussi jaunes que cel-

TABLEAU 10.1
Résultats des expériences de Mendel sur le pois

CARACTÈRE	Croisements d'origine DOMINANT x RÉCESSIF	Seconde génération filiale (f_2) DOMINANT	RÉCESSIF
Forme de la graine	Ronde × Ridée	5.474	1.850
Couleur de la graine	Jaune × Vert	6.022	2.001
Position des fleurs	Axillaire × Terminale	651	207
Couleur des fleurs	Pourpre × Blanche	705	224
Forme de la gousse	Enflée × Comprimée	882	299
Couleur de la gousse	Verte × Jaune	428	152
Longueur de la tige	Longue × courte	787	277

les du parent à graines jaunes. Mendel appela **dominant** le caractère graine jaune, de même que les autres caractères qui apparaissaient à la génération F_1. Il appela **récessifs** les caractères qui n'apparaissaient pas en F_1. Après autopollinisation spontanée des plantes de la génération F_1 (Figure 10-3), les caractères récessifs réapparaissaient dans la deuxième génération, ou F_2, en même temps que le caractère dominant, dans un rapport approximatif de 3 dominants pour 1 récessif (Tableau 10-1). Les facteurs héréditaires déterminant les caractères étaient donc encore présents en F_1, mais ils étaient masqués.

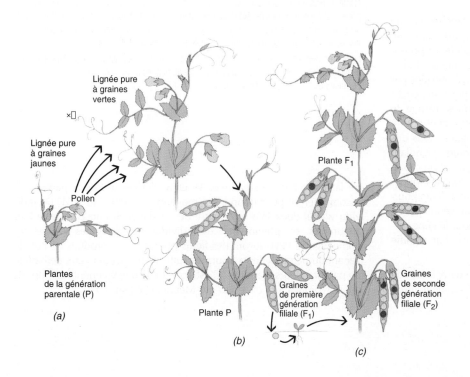

Lignée pure à graines vertes

Lignée pure à graines jaunes

Pollen

Plante F_1

Plantes de la génération parentale (P)

Plante P

Graines de première génération filiale (F_1)

Graines de seconde génération filiale (F_2)

(a)

(b)

(c)

Figure 10-3

Aperçu d'une des expériences de Mendel. **(a)** Une plante de lignée pure à graines jaunes était croisée à une plante à graines vertes en prélevant le pollen d'anthères des fleurs d'une plante et en le transférant sur le stigmate des fleurs de l'autre plante. Ces plantes représentaient la génération parentale (P). **(b)** Les gousses ne contenaient que des graines jaunes développées à partir des fleurs fécondées. Ces pois (graines) et les plantes qui en provenaient représentaient la génération F_1. Les plantes F_1 ont fleuri et ont pu s'autoféconder naturellement sans intervention humaine. **(c)** Les gousses développées à partir des fleurs autofécondées contenaient des graines jaunes et des vertes (la génération F_2) dans un rapport d'environ 3 :1. Environ les 3/4 étaient donc jaunes et 1/4 vertes.

Comment est-il possible que les caractères récessifs disparaissent complètement pour réapparaître ensuite, et toujours dans ces proportions constantes de 3 :1 ? C'est par sa réponse à cette question que Mendel apporta sa contribution la plus importante. Il constata que l'apparition et la disparition des caractères alternatifs, de même que leurs proportions constantes en génération F$_2$, pouvaient s'expliquer si les caractères héréditaires étaient déterminés par des facteurs distincts (séparables). Mendel réalisa que ces facteurs devaient être présents en double exemplaire dans les plantes F$_1$, un des exemplaires provenant du parent maternel et l'autre, du parent paternel. Les facteurs appariés se séparaient de nouveau lorsque les plantes F$_1$ adultes produisaient leurs gamètes : deux types de gamètes étaient formés, chacun avec un exemplaire de la paire.

L'hypothèse selon laquelle chaque individu porte une paire de facteurs pour chaque caractère et que les membres de la paire se séparent l'un de l'autre (ségrégation) pendant la formation des gamètes est devenue la première loi de Mendel, ou **principe de ségrégation**. Ce phénomène est facile à comprendre quand on se réfère à la méiose, processus qui était inconnu à l'époque où Mendel entreprenait ses expériences. Mendel n'a jamais vu un chromosome.

La ségrégation implique la séparation des allèles

Nous savons maintenant que n'importe quel gène — comme ceux qui déterminent la couleur de la graine et la couleur de la fleur — peuvent se présenter sous des formes différentes. Les différentes formes d'un gène sont les **allèles**. Les allèles occupent le même site, ou **locus**, sur les chromosomes homologues. Ainsi, chaque cellule diploïde a deux allèles pour chaque gène, un sur chacun des chromosomes homologues. Les allèles sont représentés en abrégé par des lettres. Par convention, les lettres majuscules sont utilisées pour les allèles correspondant aux caractères dominants et les minuscules pour les allèles des caractères récessifs.

Prenez un croisement entre une plante à fleurs blanches et une plante à fleurs pourpres. L'allèle pour les fleurs pourpres, caractère dominant, est représenté par la majuscule *W*. L'autre allèle, responsable de la couleur blanche, caractère récessif, est représenté par la lettre minuscule *w*. Dans les lignées pures de pois cultivé utilisées par Mendel, les individus à fleurs blanches avaient la composition génétique, ou **génotype**, *ww*. Les individus à fleurs pourpres avaient le génotype *WW*. De tels individus, possédant deux allèles identiques à un locus particulier de leurs chromosomes homologues, sont dits **homozygotes** pour ce gène (Le terme vient du grec *homos*, signifiant « même » ou « semblable » et *zygotos* », « réuni ».) Quand on croise des plantes qui possèdent ces caractères antagonistes, tous les individus de la génération F$_1$ reçoivent un allèle *W* du parent à fleurs pourpres et un allèle *w* du parent à fleurs blanches : leur génotype est donc *Ww*. On dit que cet individu est **hétérozygote** pour le gène responsable de la couleur de la fleur (du grec *heteros*, qui signifie « autre » ou « différent »).

Pendant la méiose, un individu hétérozygote forme deux sortes de gamètes, *W* et *w*, en proportions égales (Figure 10-4). Comme le mon-

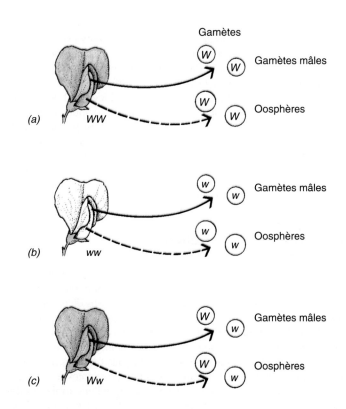

Gamètes

Figure 10-4

Exemple de la ségrégation des allèles lors de la formation des gamètes. **(a)** Dans une plante de pois homozygote pour la couleur pourpre des fleurs *(WW)*, tous les gamètes, cellules spermatiques et oosphères, posséderont un allèle pour la couleur pourpre *(W)*. **(b)** De même, dans une plante de pois homozygote pour la couleur blanche des fleurs *(ww)*, tous les gamètes auront un allèle pour la couleur blanche. **(c)** Cependant, dans une plante hétérozygote pour la couleur de la fleur, la moitié des cellules spermatiques auront un allèle *W* et l'autre moitié un allèle *w*. De même, la moitié des oosphères auront un allèle *W* et la moitié un allèle *w*.

Les lettres *W* et *w* sont utilisées ici en raison d'une convention : les généticiens font généralement dériver le symbole de l'allèle de la première lettre du nom de la forme moins commune en nature (les fleurs blanches de pois dans ce cas).

tre la figure 10-5, les gamètes *W* et *w*, dérivés des deux parents, se recombineront pour donner, en moyenne, un individu *WW*, un individu *ww* et deux *Ww* sur quatre descendants. Si l'on considère leur apparence, ou **phénotype**, les individus hétérozygotes *Ww* et les homozygotes *WW* auront des fleurs pourpres. Les produits de l'allèle venant du parent à fleurs pourpres suffisent à masquer ceux de l'allèle du parent à fleurs blanches. C'est donc de là que viennent les rapports phénotypiques 3 :1 observés par Mendel (Tableau 10-1).

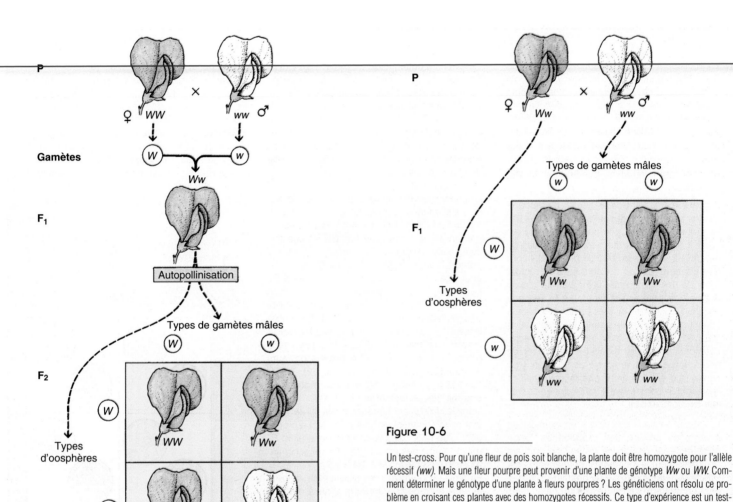

Figure 10-6

Un test-cross. Pour qu'une fleur de pois soit blanche, la plante doit être homozygote pour l'allèle récessif *(ww)*. Mais une fleur pourpre peut provenir d'une plante de génotype *Ww* ou *WW*. Comment déterminer le génotype d'une plante à fleurs pourpres ? Les généticiens ont résolu ce problème en croisant ces plantes avec des homozygotes récessifs. Ce type d'expérience est un test-cross. On voit ici que le rapport phénotypique 1 :1 dans la génération F₁ (une fleur pourpre pour une fleur blanche) signifie que le parent à fleurs pourpres utilisé dans le test-cross devait être hétérozygote. Quel aurait été le résultat si la plante testée avait été homozygote pour l'allèle responsable de la couleur pourpre ?

Figure 10-5

Le principe mendélien de ségrégation, illustré dans les générations F₁ et F₂ après un croisement entre deux plantes parentales (P) de pois homozygotes, l'une avec deux allèles dominants pour la coloration pourpre des fleurs *(WW)* et l'autre avec deux allèles récessifs pour les fleurs blanches *(ww)*. Le symbole femelle ♀ représente la plante qui a fourni les oosphères (gamètes femelles) et le symbole mâle ♂ représente la plante qui fournit les cellules spermatiques (gamètes mâles).

Le phénotype de la descendance en génération F₁ est pourpre, mais notez que le génotype est *Ww*. La F₁ hétérozygote produit quatre sortes de gamètes, ♀ *W*, ♀ *w*, ♂ *W*, ♂ *w* en proportions égales. Quand cette plante est autopollinisée, les oosphères et cellules spermatiques *W* et *w* se combinent au hasard et produisent, en moyenne, les descendants suivants : 1/4 *WW* (pourpre), 2/4 (ou 1/2) *Ww* (pourpre) et 1/4 *ww* (blanc). Ce rapport 1 :2 :1 entre les génotypes est à l'origine du rapport phénotypique de 3 dominants (pourpres) pour 1 récessif (blanc).

Comment peut-on savoir si le génotype d'une plante à fleurs pourpres est *WW* ou *Ww* ? La figure 10-6 montre qu'on peut le savoir en croisant cette plante avec un individu à fleurs blanches (homozygote récessif, *ww)* et en dénombrant les descendants du croisement. Si la plante testée est hétérozygote, la descendance donnera un rapport phénotypique de 1 :1. Mendel effectua effectivement ce type d'expérience, appelée aujourd'hui un **test-cross** — croisement d'un individu montrant un caractère dominant par un individu homozygote récessif pour ce caractère.

Pour prévoir le type de descendance qui découlera d'un croisement, le moyen le plus simple consiste à dessiner le croisement comme le montrent les figures 10-5 et 10-6. Cette sorte d'échiquier est un *carré de Punnett,* du nom du généticien anglais qui fut le premier à l'utiliser pour l'analyse de caractères déterminés génétiquement.

MENDEL ET LES LOIS DE LA PROBABILITÉ

En appliquant les mathématiques à l'étude de l'hérédité, Mendel voulait montrer que les lois de la probabilité s'appliquaient à la biologie aussi bien qu'aux sciences physiques. Lancez une pièce de monnaie. La probabilité d'avoir pile est de 50%, une chance sur deux, 1/2. La probabilité d'avoir face est également d'une chance sur deux, 1/2. La probabilité d'avoir l'une ou l'autre est une certitude, une chance sur une.

Lançons maintenant deux pièces. La probabilité que l'une d'elles donne pile est encore 1/2. La probabilité d'avoir pile pour la seconde est aussi 1/2. La probabilité d'avoir deux fois pile est de 1/2 × 1/2, soit 1/4. La probabilité pour que les deux pièces donnent face est également de 1/4. De même, la probabilité d'avoir pile pour la première et face pour la seconde est de 1/2 × 1/2 et la probabilité d'avoir face pour la première et pile pour la seconde est de 1/2 × 1/2. Nous pouvons représenter graphiquement ces quatre résultats d'un lancer de deux pièces dans un carré de Punnett (voir figure) ; ce carré montre que la combinaison représentée dans chaque carré apparaît avec la même probabilité.

Le lancer de deux pièces est un exemple de la **règle du produit des probabilités**. Selon cette règle, la probabilité de voir se produire ensemble deux événements indépendants est simplement la probabilité du premier multipliée par la probabilité de l'autre. Par exemple, dans l'expérience de Mendel représentée à la figure 10-5, la probabilité qu'un gamète provenant d'une plante de génotype Ww porte l'allèle W est de 1/2 et la probabilité qu'il porte w est de 1/2. La probabilité d'une combinaison spécifique de deux allèles dans la descendance — par exemple WW ou ww — est 1/2 × 1/2, soit 1/4. L'apparition du phénotype récessif dans un quart des descendants en génération F2 indiquait sans aucun doute possible que Mendel avait affaire à un exemple simple des lois de probabilité.

Revenons à notre lancer de pièces ; s'il y avait trois pièces, la probabilité d'une combinaison particulière serait simplement le produit de toutes les probabilités individuelles : 1/2 × 1/2 × 1/2, ou 1/8. De même, avec quatre pièces, la probabilité d'une combinaison spécifique est de 1/2 × 1/2 × 1/2 × 1/2, soit 1/16. Le carré de Punnett de la figure 10-7 donne la probabilité de chacune des quatre combinaisons phénotypiques possibles.

Quand un résultat donné peut découler de plusieurs événements, on additionne les probabilités individuelles. Par exemple, quelle est la probabilité de lancer une fois pile et une fois face, dans n'importe quel ordre ? On peut y arriver de deux façons, en ayant d'abord pile, puis face (PF), ou d'abord face, puis pile (FP). La probabilité de lancer d'abord pile, puis face (PF) est de 1/2 × 1/2, soit 1/4. La probabilité d'avoir d'abord face, puis une pile (FP) est également de 1/2 × 1/2, soit 1/4. La probabilité d'avoir une fois face et une fois pile, dans n'importe quel ordre, est la somme de leurs probabilités individuelles : (1/2 × 1/2) + (1/2 × 1/2) = 1/4 + 1/4 = 1/2. C'est la **règle de la somme des probabilités**.

Dans le croisement représenté à la figure 10-5, Ww et wW donnent un hétérozygote. La probabilité d'un hétérozygote dans la génération F2 est la somme des probabilités des deux combinaisons possibles : 1/4 + 1/4 = 1/2.

La règle de la somme des probabilités, comme la règle du produit, s'applique aussi à des cas plus complexes. Par exemple, si vous vouliez connaître la probabilité de lancer deux fois pile et une fois face, la réponse serait 3/8. Trois combinaisons sont possibles : PPF, PFP et FPP. La probabilité de chaque combinaison est de 1/2 × 1/2 × 1/2 = 1/8, c'est-à-dire le produit de trois essais indépendants. La probabilité de lancer deux piles et une face est donc la somme des probabilités de chacune des trois combinaisons possibles : 1/8 + 1/8 + 1/8 = 3/8.

Notez qu'en préparant ses expériences, Mendel faisait plusieurs hypothèses : (1) pour cha-que gène, la moitié des gamètes mâles produits possède un allèle paternel et l'autre moitié contient l'autre allèle paternel ; (2) pour chaque gène, la moitié des gamètes femelles possède un allèle maternel et l'autre moitié possède l'autre allèle maternel ; (3) les gamètes mâle et femelle se combinent au hasard. Les lois de la probabilité pouvaient donc s'appliquer — mariage élégant de la biologie et des mathématiques.

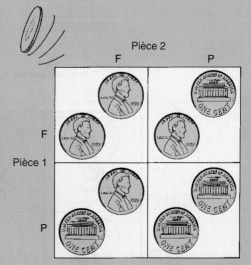

Pièce 2

Pièce 1

Si vous lancez quatre fois deux pièces, il est peu vraisemblable que vous obteniez exactement les résultats représentés ici. Cependant, si vous le faites 100 fois, vous vous rapprocherez des proportions prévues dans le carré de Punnett et, si vous le faites 1000 fois, vous en serez vraiment très proche. Mendel savait que le rapport entre dominants et récessifs en génération F2 pourrait ne pas être aussi clair en travaillant sur un petit échantillon. Cependant, plus l'échantillon est grand, plus il se rapprochera des résultats prévus par la loi des probabilités.

Le principe de l'assortiment indépendant

Dans une seconde série d'expériences, Mendel étudia des hybrides impliquant deux paires de caractères opposés ; autrement dit, il réalisa des croisements dihybrides. Par exemple, il croisa une lignée de pois cultivé à graines rondes et jaunes avec une lignée à graines ridées et vertes. D'après le tableau 10-1, les allèles pour les graines rondes et pour les graines jaunes sont tous deux dominants, ceux pour les graines ridées et pour les graines vertes sont récessifs. Toutes les graines de la génération F1 étaient rondes et jaunes. Après semis des graines de la génération F1 et autopollinisation des fleurs, 556 plantes F2 furent produites. Parmi elles, 315 graines montraient les deux caractères dominants — rond et jaune — et 32 combinaient les caractères récessifs, ridé et vert. Toutes les autres graines produites étaient différentes de celles des parents : 101 étaient ridées et jaunes et 108 étaient rondes et vertes. Des combinaisons entièrement nouvelles de caractères étaient apparues.

Cette expérience n'était cependant pas en contradiction avec les résultats antérieurs de Mendel. Si les deux caractères, couleur des graines et forme des graines sont considérés indépendamment, rond et ridé apparaissent encore dans une proportion d'environ 3 :1 (423 ronds et 133 ridés), de même que pour jaune et vert (416 jaunes et 140 verts). Mais les caractères forme de la graine et couleur de la graine, qui étaient à l'origine combinés d'une certaine façon (rond toujours avec jaune et ridé avec vert), se sont comportés comme s'ils étaient entièrement indépendants l'un de l'autre (jaune peut maintenant se trouver avec ridé et vert avec rond).

La figure 10-7 montre comment expliquer les résultats des expériences de dihybridisme. Dans un croisement qui implique deux paires d'allèles dominants et récessifs, chaque paire se trouvant sur un chromosome différent, le rapport entre les distributions des phénotypes est le suivant : 9 :3 :3 :1. La fraction 9/16 représente la proportion de la descendance F_2 qui doit montrer les deux caractères dominants, 1/16 est la proportion attendue avec les deux caractères récessifs et 3/16 est la proportion à laquelle il faut s'attendre pour les deux combinaisons de caractères dominants et récessifs. Dans cet exemple, un parent porte les deux caractères dominants et l'autre a les deux caractères récessifs. Supposez que chaque parent porte un allèle dominant et un récessif. Les résultats seraient-ils les mêmes ? Si vous n'êtes pas certain de la réponse, essayez de représenter les possibilités en vous servant d'un carré de Punnett, comme on l'a fait à la figure 10-7.

À partir de ces expériences, Mendel formula sa seconde loi, le principe de l'**assortiment indépendant**. Selon cette loi, les deux allèles d'un gène s'assortissent, ou se répartissent, indépendamment des allèles des autres gènes. Notez bien que le principe de la ségrégation s'adresse strictement aux allèles d'un même gène, alors que le principe de l'assortiment indépendant considère les rapports entre gènes différents.

Découverte des bases chromosomiques des lois de Mendel

Les expériences de Mendel firent l'objet d'un premier rapport en 1865, devant un petit groupe de personnes, lors d'une réunion de la Société d'Histoire Naturelle de Brünn, et elles furent publiées l'année suivante dans les comptes rendus de la société. Bien que la revue ait circulé dans les bibliothèques de toute l'Europe, le travail de Mendel resta ignoré pendant 35 ans. Puis, en 1900, son article fut redécouvert indépendamment par trois scientifiques, Hugo de Vries, Carl Correns et Erich von Tschermak, tous trois dans des pays différents d'Europe. Ces scientifiques avaient réalisé des expériences de sélection semblables et ils étaient en quête de littérature sur ce type de recherches. Ils trouvèrent tous que la brillante analyse de Mendel était bien en avance sur leur propre travail.

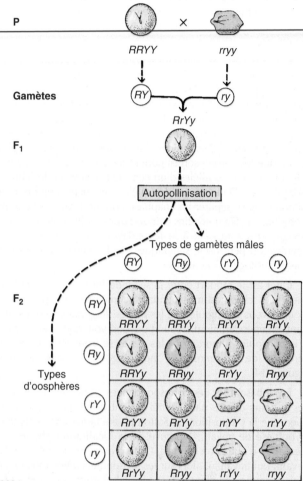

Phénotypes :

 9 Rond jaune

 3 Rond vert

 3 Ridé jaune

 1 Ridé vert

Figure 10-7

Une des expériences qui ont conduit Mendel à son principe de l'assortiment indépendant. Une plante homozygote à pois ronds *(RR)* et jaunes *(YY)* est croisée avec une plante à pois ridés *(rr)* et verts *(yy)*. Les pois F_1 étaient tous ronds et jaunes, mais notez les caractéristiques apparaissant, en moyenne, en F_2. Des 16 combinaisons possibles dans les descendants, neuf montrent les deux caractères dominants (rond et jaune), trois une combinaison de dominant et récessif (rond et vert), trois l'autre combinaison (ridé et jaune) et un montre les deux récessifs (ridé et vert). Cette distribution 9 :3 :3 :1 des phénotypes est toujours le résultat attendu d'un croisement impliquant deux gènes indépendants, chacun avec un allèle dominant et un récessif chez les deux parents.

Pendant les 35 années où le travail de Mendel était resté dans l'ombre, la microscopie avait fait de grands progrès et, par conséquent, aussi la **cytologie** — qui est l'étude de la structure cellulaire. C'est pendant cette période que les chromosomes furent découverts et que l'on observa et enregistra leurs déplacements en mitose et en méiose.

Puis, en 1902, en étudiant la formation des cellules spermatiques chez les sauterelles, Walter Sutton remarqua que leurs chromosomes étaient appariés au début de la prophase I et il supposa que l'orientation de différentes paires dans le plan équatorial en métaphase I était purement une question de hasard. Sutton fut frappé par le parallélisme entre ses observations et la première loi de Mendel, le principe de la ségrégation. Très rapidement, les idées se mirent en place. Imaginez que les chromosomes portent les gènes, les facteurs décrits par Mendel, et que les allèles d'un gène se trouvent sur les chromosomes homologues. Dans ce cas, les allèles devraient toujours rester indépendants et se séparer en anaphase comme le font les chromosomes homologues. De nouvelles combinaisons d'allèles apparaîtront quand les gamètes s'unissent à la fécondation. Le principe mendélien de ségrégation peut donc s'expliquer par la ségrégation des chromosomes homologues à la méiose.

Quel est le rapport entre la seconde loi de Mendel et le déplacement des chromosomes pendant la méiose ? Ce principe, comme nous l'avons vu, stipule que les allèles de gènes différents se répartissent indépendamment. Nous pouvons voir que c'est le cas si — et c'est un point important — les gènes se trouvent sur des paires différentes de chromosomes homologues, comme le montre la figure 10-8.

En se basant sur ces correspondances, Sutton émit l'hypothèse que les facteurs décrits par Mendel étaient portés par les chromosomes. Bien que la proposition de Sutton ait été largement acceptée comme hypothèse de travail, la preuve de la localisation physique du gène demanda d'autres recherches. Cette preuve fut donnée par A.H. Sturtevant, qui travaillait alors sur les drosophiles (*Drosophila melanogaster*), comme étudiant, dans le laboratoire de T.H. Morgan à l'Université Columbia. Non seulement les travaux de Sturtevant confirmèrent que les gènes sont localisés sur les chromosomes, comme l'avait supposé Sutton, mais aussi qu'ils se trouvent à des endroits déterminés suivant une séquence linéaire.

Le linkage

Sachant les gènes localisés sur les chromosomes, on peut facilement supposer que, si deux gènes différents sont relativement proches l'un de l'autre sur la même paire de chromosomes, ils ne se sépareront normalement pas indépendamment. Ces gènes qui sont habituellement hérités ensemble, sont des **gènes liés.**

Le **linkage** (ou liaison) des gènes fut découvert pour la première fois en 1905 par le généticien anglais William Bateson et ses collaborateurs, alors qu'ils étudiaient la génétique du pois de senteur (*Lathyrus odoratus*). Ces scientifiques croisèrent une lignée doublement homozygote récessive de pois de senteur à pétales rouges et grains de pollen ronds à une seconde lignée (ressemblant à la forme sauvage de

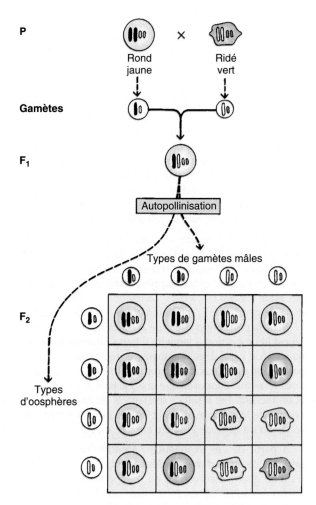

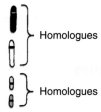

Figure 10-8

Distribution des chromosomes dans le croisement de Mendel entre pois ronds jaunes et ridés verts, suivant l'hypothèse de Sutton. Le pois possède 14 chromosomes (n = 7), mais quatre seulement (deux paires) sont représentés ici, la paire d'homologues portant les allèles pour le grain rond ou ridé et la paire avec les allèles pour la couleur jaune ou verte. (Ce choix de paires spécifiques de chromosomes homologues est analogue au choix fait par Mendel des caractères spécifiques à étudier.) Une plante parentale est homozygote pour les dominants et l'autre est homozygote pour les récessifs. Les gamètes d'un parent ne peuvent donc avoir que *R* et *Y* et ceux de l'autre parent seulement *r* et *y*. La génération F_1 doit donc être *Rr* et *Yy*. Quand une cellule de cette génération passe par la méiose, *R* se sépare de *r* et *Y* de *y* lors de la séparation des membres de chaque paire d'homologues en anaphase I. Étant localisés sur des paires différentes de chromosomes homologues, les allèles des deux gènes se distribuent indépendamment à la méiose. Le diagramme vous rappelle que quatre types différents de noyaux haploïdes d'oosphères sont possibles, ainsi que quatre types différents de noyaux spermatiques. Le carré de Punnett montre que ces noyaux peuvent se combiner de 4 x 4, soit 16 manières différentes.

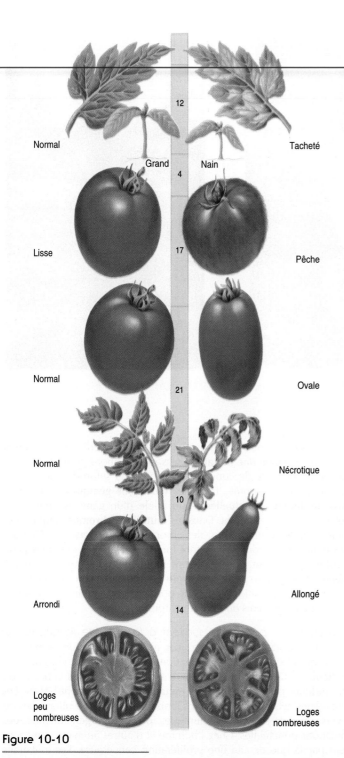

Figure 10-10

Partie d'une carte de linkage du chromosome 1 de tomate (*Lycopersicum esculentum*), montrant la position relative des gènes sur le chromosome. Chaque locus est flanqué de dessins du premier phénotype modifié qui a permis au départ l'identification du locus (à droite) et du phénotype normal (à gauche). Les distances entre les locus sont représentées en unités de recombinaison basées sur la fréquence des crossing-over, ou recombinaisons, entre gènes. Si deux gènes sont situés à plus de 50 unités l'un de l'autre, la fréquence de recombinaison est suffisamment élevée pour qu'ils paraissent se répartir indépendamment.

l'espèce) qui avait des pétales pourpres et des grains de pollen allongés. Toute la descendance F_1 avait des pétales pourpres et des grains de pollen allongés : ces caractères sont donc dominants. Après auto-pollinisation de la F_1, ils obtinrent les caractères suivants en génération F_2 :

4831	pourpre	allongé
390	pourpre	rond
393	rouge	allongé
1338	rouge	rond

Si les gènes pour la couleur de la fleur et pour la forme du pollen étaient sur le même chromosome, il ne devrait y avoir que deux types de descendants. Si les gènes étaient sur deux chromosomes différents, il devrait y avoir quatre types de descendants dans un rapport de 3910 :1304 :1304 :434, soit 9 :3 :3 :1. Il est clair que les résultats expérimentaux ne correspondaient pas à ce dernier rapport.

Les résultats obtenus s'expliquent si les deux gènes sont « liés » sur un chromosome, mais sont parfois échangés entre homologues à l'occasion du crossing-over (Figure 10-9). On sait maintenant que le crossing-over — rupture et réunion des chromosomes qui aboutissent à l'apparition des chiasmas — se produise en prophase I de la méiose (voir figure 9-4). Plus la distance entre deux gènes sur un chromosome est grande, plus il y a de chance qu'un crossing-over survienne entre eux. Plus proches sont deux gènes, plus ils ont tendance à migrer ensemble à la méiose et donc plus fort est leur « linkage ». On peut construire des cartes génétiques basées sur la fréquence des crossing-over entre les gènes et donc sur le nombre d'échanges entre leurs allèles. Ces cartes génétiques, ou cartes de linkage, donnent les positions approximatives des gènes sur les chromosomes (Figure 10-10).

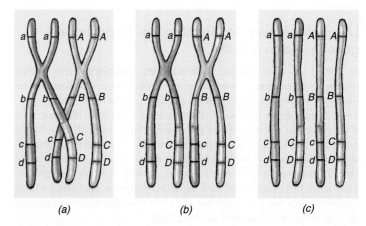

(a)   *(b)*   *(c)*

Figure 10-9

Echange d'allèles pendant le crossing-over. **(a), (b)** Il y a un crossing-over après rupture des chromatides des chromosomes homologues au début la cinèse I. Des allèles sont échangés quand l'extrémité rompue de chaque chromatide s'unit à la chromatide d'un chromosome homologue. **(c)** Après le crossing-over, deux des chromosomes ont des combinaisons d'allèles différentes de celles des chromosomes d'origine.

Figure 10-11

(a) Hugo de Vries à côté d'*Amorphophallus titanum*, de la famille des arums. La plante, originaire de la jungle de Sumatra, possède une des plus grandes inflorescences de toutes les angiospermes. Cette photo a été prise dans l'arboretum de l'Université Agricole de Wageningen, en Hollande, en 1932. **(b)** *Oenothera glazioviana*, l'onagre. De Vries a étudié les mutations observées chez cet organisme.

(a)

(b)

Les mutations

Les recherches sur l'assortiment indépendant qui viennent d'être décrites supposent l'existence de différences entre les allèles d'un même gène. D'où viennent ces différences ? La première réponse à cette question fut donnée par le généticien hollandais Hugo de Vries (Figure 10-11a).

Les mutations sont des modifications du patrimoine génétique d'un individu

En 1901, de Vries étudiait l'hérédité des caractères d'une espèce d'onagre (*Oenothera glazioviana*) qui s'était bien installée sur les dunes de la côte hollandaire. Alors que le type d'hérédité était généralement régulier et prévisible, il constata l'apparition occasionnelle d'un caractère qui n'avait pas été observé auparavant dans la lignée parentale. De Vries supposa que ce nouveau caractère était l'expression phénotypique d'une modification dans un gène. De plus, selon cette hypothèse, le gène modifié serait ensuite transmis aux générations suivantes exactement comme les autres gènes. De Vries parla de mutation pour désigner cette modification d'un des allèles du gène et de mutant pour l'organisme qui la portait.

Nous savons maintenant, et c'est amusant, que, parmi les quelque 2000 modifications observées par de Vries chez l'onagre, deux seulement étaient dues à des mutations telles qu'il les avait définies. Tout le reste était dû à de nouvelles combinaisons génétiques ou à la présence de chromosomes supplémentaires et non à de véritables modifications brusques d'un gène particulier.

Aujourd'hui, toute modification du statut héréditaire d'un organisme est appelée une **mutation**. Ces modifications peuvent survenir au niveau du gène (le concept de la mutation selon de Vries) ou au niveau du chromosome. Dans les **mutations géniques** — appelées aussi **mutations ponctuelles** — un allèle d'un gène est modifié, il devient un allèle différent. Dans les **mutations chromosomiques**, des morceaux de chromosomes, des chromosomes entiers ou même des lots entiers de chromosomes sont modifiés. Dans les quelques paragraphes qui suivent, nous parlerons rapidement des mutations ponctuelles et des quatre principaux types de mutations chromosomiques : délétions et duplications, effets de position, conversions et translocations, et changements du nombre chromosomique.

Une mutation ponctuelle survient à la suite de la substitution d'un nucléotide par un autre. Les mutations ponctuelles n'impliquent qu'un ou quelques nucléotides de l'ADN d'un chromosome particulier. Elle peuvent se produire spontanément dans la nature ou être induites par des agents, dits **mutagènes**, qui affectent l'ADN. Les mutagènes, tels que les radiations ionisantes, les rayons ultraviolets ou divers types de substances chimiques, provoquent généralement des mutations ponctuelles. Chez l'homme et d'autres animaux, c'est souvent par là que débute une prolifération cancéreuse. Les mutations ponctuelles peuvent aussi provenir de rares appariements aberrants qui se produisent pendant la réplication de l'ADN.

Les délétions et les duplications impliquent l'élimination ou l'insertion de nucléotides. Les mutations chromosomiques appelées **délétions** surviennent quand des segments d'un chromosome sont perdus, par exemple à cause des rayons X. Cette situation entraîne d'habitude une modification des caractères de l'organisme. Dans la nature, beaucoup de délétions semblent apparaître à la suite d'un crossing-over inégal, quand un segment chromosomique est perdu et n'est pas remplacé par le segment correspondant de son homologue. Le crossing-over inégal peut aussi conduire à des **duplications**, lorsqu'un même segment chromosomique est présent deux fois. Le plus souvent, cependant, le crossing-over est un processus très précis.

Les gènes peuvent se déplacer d'un endroit à un autre.
Bien que les gènes soient généralement fixés à un endroit déterminé sur les chromosomes, ils peuvent pourtant, à de rares occasions, se déplacer. Chez les bactéries, les **plasmides** — petites molécules circulaires d'ADN séparées du chromosome principal — peuvent s'insérer dans le chromosome à un endroit où existe une séquence commune de nucléotides. (On parle des conséquences de ce processus pour l'évolution des bactéries et des virus au chapitre 14 et des conséquences pour l'ingéniérie génétique au chapitre 28.) Chez les bactéries et les eucaryotes, les gènes peuvent se déplacer, sous forme de petits segments d'ADN, d'un endroit à l'autre des chromosomes. Ces éléments génétiques mobiles, les **transposons** ou « gènes sauteurs » furent d'abord découverts chez le maïs par Barbara MacClintock à la fin des années 1940 (Figure 10-12 ; voir aussi page 154). En hommage à ces travaux, le Dr MacClintock fut honorée d'un prix Nobel en 1984. Quand des gènes changent de place, que ce soit grâce à des plasmides ou à des transposons, l'action de leurs nouveaux voisins peut être perturbée, ou inversement, et il en résulte des effets — les effets de position — que l'on assimile à des mutations.

Des portions de chromosomes peuvent être inversées ou déplacées vers un autre chromosome. Après deux cassures dans un même chromosome, le segment situé entre les deux points peut se retourner de 180° et réintégrer le chromosome, avec une orientation de la séquence des gènes inversée par rapport à ce qu'elle était antérieurement. Cette modification de la séquence chromosomique est une **inversion**. Une autre sorte de changement fréquente dans certains groupes de plantes implique l'échange de portions entre deux chromosomes non homologues, qui aboutit à une mutation chromosomique. Ce changement de position est une **translocation.** Les translocations sont souvent réciproques, ce qui signifie qu'un segment d'un chromosome est échangé avec un segment d'un autre chromosome non homologue, de telle manière que les deux chromosomes transloqués apparaissent simultanément. En cas d'inversion ou de translocation, les gènes du segment chromosomique intéressé peuvent s'exprimer différemment dans leur nouvel environnement.

Des chromosomes entiers peuvent être perdus ou dupliqués.

Des effets semblables aux mutations peuvent aussi être associés à des modifications du nombre de chromosomes ; ces modifications se produisent spontanément et sont assez fréquentes, mais elles sont d'habitude rapidement éliminées. Dans certaines circonstances, des chromosomes entiers peuvent être ajoutés ou soustraits du lot de base : on parle d'**aneuploïdie**. La **polyploïdie**, qui est une duplication de lots chromosomiques complets est une autre possibilité. (L'importance de la polyploïdie pour l'évolution des plantes est discutée au

Figure 10-12

Barbara McClintock avec un épi de maïs du type utilisé dans ses remarquables travaux sur les transposons. Après la publication de ses recherches, son travail fut pratiquement ignoré pendant des décennies.

chapitre 12.) Dans tous les cas, le phénotype subit généralement des altérations connexes.

On peut induire des modifications du nombre chromosomique par des agents chimiques tels que la colchicine, alcaloïde dérivé du colchique (*Colchicum autumnale*). Cette substance inhibe l'assemblage des microtubules, et donc la formation du fuseau mitotique. Si les cellules d'un tissu méristématique sont traitées par la colchicine, les chromosomes se dupliquent, mais la métaphase et l'anaphase sont inhibées. Après l'élimination de la colchicine et la reprise de la multiplication cellulaire, les cellules qui en dérivent auront un nombre chromosomique supérieur à celui de leurs précurseurs.

Les mutations représentent le matériel brut des modifications évolutives

Quand une mutation survient dans un organisme normalement haploïde, comme le champignon *Neurospora* ou une bactérie, le phénotype correspondant à cette mutation est immédiatement mis en contact avec l'environnement. Si la mutation est favorable, le nombre d'organismes porteurs de la mutation a tendance à s'accroître dans la population en réponse à la sélection naturelle (voir page 239).

Si elle est défavorable, le mutant est rapidement éliminé. Certaines mutations peuvent être pratiquement neutres et elles peuvent alors persister par le seul jeu du hasard, mais la plupart ont des effets négatifs ou positifs sur l'organisme qui les possède. La situation est très différente chez un organisme diploïde. Chaque chromosome et chaque gène sont présents en double exemplaire et une mutation dans l'un des homologues, même défavorable à double dose, peut avoir beaucoup moins de conséquences ou même être avantageuse si elle se trouve en simple dose. C'est pourquoi cette mutation peut persister dans la population. La fonction du gène mutant peut finalement se modifier ; les forces sélectives agissant sur la population peuvent aussi se modifier de telle sorte que les effets du gène mutant peuvent même devenir avantageux.

Que les mutations soient dommageables ou neutres, la capacité de subir des mutations est extrêment importante, car c'est grâce à elle que les individus d'une espèce montrent des différences et peuvent s'adapter à de nouvelles conditions de milieu. Les mutations sont donc une source de matériel brut permettant des changements évolutifs. Chez les eucaryotes, le taux de mutations spontanées est, pour un locus particulier, de l'ordre d'un gène mutant par 200.000 divisions cellulaires. Ces mutations, de même que les recombinaisons, représentent, pour chaque espèce, la source de variabilité nécessaire à l'adaptation évolutive par sélection naturelle.

Conception élargie du gène

Les allèles sont soumis à des interactions qui affectent le phénotype

À mesure que progressaient les recherches en génétique, il parut bientôt évident que les caractères dominants et récessifs n'étaient pas toujours aussi nets que dans le cas des sept caractères étudiés par Mendel. Des interactions peuvent se produire et existent effectivement entre les allèles d'un même gène et elles affectent le phénotype.

La dominance incomplète produit des phénotypes intermédiaires. En cas de **dominance incomplète,** le phénotype de l'hétérozygote est intermédiaire entre ceux des homozygotes parentaux. Chez le muflier, par exemple, un croisement entre une plante à fleurs rouges et une plante à fleurs blanches donne une plante à fleurs roses. Nous verrons au chapitre 11 que les gènes déterminent la structure des protéines — dans ce cas-ci, ce sont les protéines qui interviennent dans la synthèse des pigments des cellules des pétales. Pour cet hétérozygote, le pigment produit dans une cellule de pétale par un allèle n'est pas complètement masqué par l'effet de l'autre allèle. Quand on laisse la génération F_1 s'autopolliniser, les caractères se séparent à nouveau et, dans la génération F_2, on compte une plante à fleurs rouges (homozygote) pour deux à fleurs roses (hétérozygotes) et une à fleurs blanches (homozygote) (Figure 10-13). Les allèles eux-mêmes restent donc distincts et inchangés conformément au principe mendélien de la ségrégation.

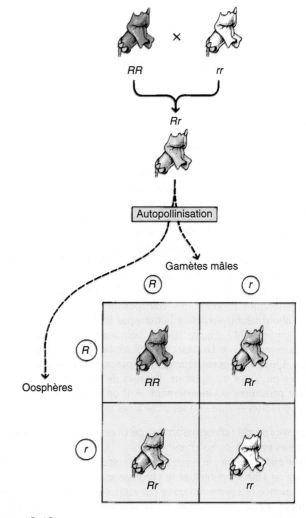

Figure 10-13

Croisement entre un muflier rouge *(RR)* et un blanc *(rr)*. Il ressemble beaucoup au croisement entre plantes de pois à fleurs pourpres et à fleurs blanches représenté à la figure 10-5, mais il y a une différence importante parce que, dans ce cas-ci, aucun allèle n'est dominant. La fleur de l'hétérozygote est un mélange des deux couleurs.

Certains gènes possèdent des allèles multiples. Bien qu'un organisme diploïde, pris individuellement, ne puisse avoir que deux allèles d'un même gène, il est possible que plus de deux formes d'un gène soient présentes dans une population. On parle d'**allèles multiples** quand il existe au moins trois allèles. Les gènes qui contrôlent l'autostérilité (gènes qui empêchent l'autopollinisation) chez certaines angiospermes peuvent avoir de nombreux allèles. On estime par exemple qu'il existe, dans certaines populations de trèfle rouge, des centaines d'allèles du gène d'autoincompatibilité. Heureusement pour Mendel, les pois sont autogames.

Il existe aussi des interactions entre allèles de gènes différents

En plus des interactions entre allèles du même gène, il existe aussi des interactions parmi les allèles de gènes différents. En effet, beaucoup de caractères (structuraux et chimiques) qui sont à l'origine du phénotype de l'organisme sont la conséquence d'interactions entre deux ou plusieurs gènes distincts.

Il y a épistasie en cas d'interaction entre gènes. Dans certains cas, un gène peut interférer avec l'effet d'un autre ou le masquer. Ce type d'interaction est l'**épistasie** (« se trouver au-dessus »). On en trouve un exemple classique dans une variété de pois de senteur à fleurs pourpres ou blanches. Pour donner des fleurs pourpres, la plante doit avoir au moins un allèle dominant de deux gènes différents. Les allèles dominants *A* et *B* doivent tous deux être présents parce qu'ils contrôlent la production des enzymes qui catalysent deux réactions séparées dans la production du pigment pourpre. Si une plante est homozygote soit pour *a*, soit pour *b*, la réaction correspondante est impossible. Par conséquent, le pigment pourpre ne pourra pas être produit et les fleurs seront blanches.

Certains caractères sont contrôlés par plusieurs gènes. Certains caractères, comme la taille, la forme, le poids, la productivité et la vitesse du métabolisme, ne dépendent pas d'interactions entre un, deux ou même plusieurs gènes. Ils sont plutôt la conséquence des effets combinés de nombreux gènes. Ce phénomène constitue l'**hérédité polygénique**.

Quand un caractère est influencé par plusieurs gènes, les différences entre les groupes d'individus ne sont pas claires — comme c'était le cas pour les différences cataloguées par Mendel. Ce caractère montre plutôt une gradation, une **variation continue**. Si l'on représente graphiquement les différences individuelles pour un caractère influencé par plusieurs gènes, dont aucun n'est dominant sur les autres, on obtient une courbe en cloche, la moyenne se situant généralement au milieu de la courbe (Figure 10-14).

La première expérience illustrant comment de nombreux gènes peuvent interagir et donner une variation continue chez les plantes fut réalisée avec le blé par le scientifique suédois H. Nilson-Ehle. Le tableau 10-2 montre les conséquences, pour le phénotype, de diverses combinaisons de deux gènes, chacun avec deux allèles, qui interviennent simultanément pour contrôler l'intensité de la coloration des grains de blé.

Un seul gène peut avoir des effets multiples sur le phénotype

Bien que de nombreux gènes n'aient qu'un seul effet sur le phénotype, un gène unique peut avoir des effets multiples et affecter plusieurs caractères apparemment sans relation entre eux. Ce phénomène est la **pléiotropie** (« nombreux tournants »). Mendel fut confronté à des gènes pléiotropiques dans ses expériences de croisement chez le pois. Quand il croisait des pois à fleurs pourpres, graines brunes et tache foncée à l'aisselle des feuilles avec une variété à fleurs blanches, graines claires et sans tache axillaire, les mêmes caractères

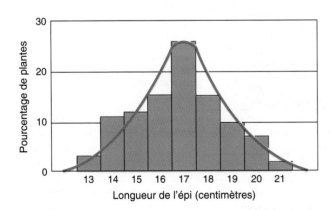

Figure 10-14

Distribution de la longueur de l'épi chez la variété Black Mexican de maïs *(Zea mays)*. C'est un exemple de caractère phénotypique déterminé par l'interaction de plusieurs gènes. La variation de ces caractères est continue. Si la variation est mise en diagramme, la courbe a la forme d'une cloche, la moyenne se trouvant au milieu de la courbe.

TABLEAU 10.2

Contrôle génétique de la couleur des grains de blé

Parents	$R_1R_1R_2R_2$ × $R_1R_1R_2R_2$		
	(Rouge foncé) (Blanc)		
F₁	$R_1r_1R_2r_2$ *(Rose moyen)*		
F₂	**Génotype**		**Phénotype**
1	$R_1R_1R_2R_2$		Rouge
2 ⎤ 4	$R_1R_1R_2r_2$		Rose foncé
2 ⎦	$R_1r_1R_2R_2$		Rose foncé
4 ⎤	$R_1r_1R_2r_2$		Rose moyen
1 ⎬ 6	$R_1R_1r_2r_2$		Rose moyen
1 ⎦	$r_1r_1R_2R_2$		Rose moyen
2 ⎤ 4	$R_1r_1r_2r_2$		Rose clair
2 ⎦	$r_1r_1R_2r_2$		Rose clair
1	$r_1r_1r_2r_2$		Blanc

15 rouges pour 1 blanc

des fleurs, graines et feuilles restaient toujours liés. On peut mettre l'hérédité de tous ces caractères sur le compte d'un seul gène, qui influence visiblement plusieurs caractéristiques.

Un cas particulièrement intéressant pour les sélectionneurs est la relation qui existe, chez le blé, entre la productivité et la présence ou l'absence d'arête sur les glumelles (bractées) des fleurs. Le même gène intervient dans les deux caractères. Le blé aristé produit plus que le blé mutique, ce qui permet d'estimer la production potentielle sans attendre la maturité.

L'hérédité de certains caractères est soumise au contrôle de gènes localisés dans les plastes et les mitochondries

Au chapitre 3, nous avons noté que les plastes et les mitochondries possèdent leur propre ADN et codent certaines de leurs propres protéines. Tous les caractères de la cellule ne sont donc pas contrôlés exclusivement par l'ADN des chromosomes nucléaires. L'hérédité des caractères contrôlés par des gènes localisés dans le cytoplasme — plus précisément, dans les plastes et les mitochondries — est **l'hérédité cytoplasmique**.

Chez beaucoup d'organismes, y compris chez les angiospermes, la plupart des caractères transmis par le cytoplasme ont une hérédité maternelle, en ce sens qu'ils ne sont déterminés que par le parent femelle. L'**hérédité maternelle** peut avoir plusieurs origines. Chez certaines angiospermes, par exemple, le précurseur immédiat (la cellule générative) des cellules spermatiques peut ne recevoir aucun plaste quand la microspore (grains de pollen jeune) se divise en une grande cellule de tube et une petite cellule générative (Figure 10-15). Chez certaines orchidées, la cellule générative ne reçoit ni plastes, ni mitochondries. Chez plusieurs espèces d'angiospermes, les cellules génératives reçoivent des plastes et des mitochondries, mais un des types d'organites, ou les deux, dégénèrent avant la division de la cellule en cellules spermatiques. Dans d'autres cas, les plastes et les mitochondries sont expulsées ou éliminées de la cellule générative ou des cellules spermatiques. Même si des plastes ou des mitochondries se trouvent dans les cellules spermatiques au moment de la fécondation, il est encore possible qu'ils ne soient pas transmis à l'oosphère. Dans ces cas, le noyau spermatique seul pénètre dans l'oosphère et tout le cytoplasme spermatique en est exclu.

Certains caractères bien visibles dépendent d'une hérédité cytoplasmique où interviennent les chloroplastes. Parmi eux, on note le cas des feuilles bigarrées ou tachetées de certaines plantes ornementales de jardin ou d'appartement montrant un feuillage attrayant. Chez les coleus et hostas tachetés, par exemple, les taches claires dérivent d'une cellule qui ne possède que des plastes mutants (non verts). La stérilité mâle cytoplasmique est un caractère maternel qui empêche la production de pollen mais n'affecte pas la fertilité femelle ; c'est un exemple d'hérédité cytoplasmique impliquant les mitochondries. Le phénotype de stérilité mâle cytoplasmique est utilisé sur une grande échelle pour la production commerciale de graines hybrides F_1 (par exemple chez le maïs, les oignons, les carottes, les betteraves et les pétunias), parce qu'il n'est pas nécessaire d'éliminer les anthères pour éviter l'autopollinisation avant d'effectuer les croisements.

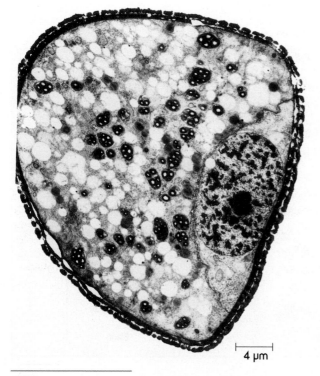

4 µm

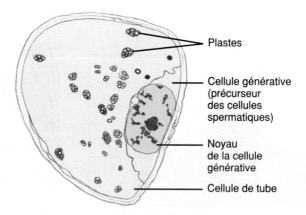

Plastes

Cellule générative (précurseur des cellules spermatiques)

Noyau de la cellule générative

Cellule de tube

Figure 10-15

Micrographie, au microscope électronique à transmission, d'un grain de pollen de *Tulbaghia violacea (Liliaceae)* montrant la cellule générative qui vient de se former et va donner les cellules spermatiques. Notez que la cellule générative est dépourvue de plastes, qui sont nombreux dans la grande cellule de tube. Celle-ci donnera le tube pollinique qui amènera les cellules spermatiques à l'oosphère. Les cellules spermatiques ou leurs noyaux entreront seuls dans l'oosphère.

Le phénotype est le résultat d'une l'interaction entre le génotype et l'environnement

L'expression d'un gène est toujours le résultat de son interaction avec l'environnement. Pour prendre un exemple commun, une plantule peut être génétiquement capable de verdir, de fleurir et de fructifier, mais elle ne deviendra jamais verte si elle reste à l'obscurité et elle peut rester sans fleurir ni fructifier si certaines exigences environnementales ne sont pas rencontrées.

La renoncule aquatique en est un exemple particulièrement frappant. Une partie de la plante est submergée et une autre partie flotte à la surface de l'eau. Bien qu'elles soient génétiquement identiques, les larges feuilles flottantes diffèrent notablement des feuilles finement divisées qui se développent sous l'eau (Figure 10-16).

La température affecte souvent l'expression des gènes. Des primevères ont des fleurs rouges à température ordinaire et blanches au-dessus de 30°C.

L'expression d'un gène peut être modifiée non seulement par des facteurs de l'environnement externe, mais également par l'environnement interne de l'organisme au cours du développement de la plante. Parmi ces facteurs, on peut citer la température, le pH, la concentration des ions, les hormones et une multitude d'autres influences, y compris l'action d'autres gènes.

Figure 10-16

La renoncule aquatique, *Ranunculus peltatus*, se développe avec une partie de la plante submergée. Les feuilles qui se développent au-dessus de l'eau sont larges, aplaties et lobées. Les feuilles submergées, génétiquement identiques, sont minces et finement divisées, presque en forme de racines. Ces différences semblent être en relation avec des différences de turgescence (page 80) des cellules foliaires immatures dans les deux milieux. Le niveau de turgescence influence l'expansion des parois cellulaires et donc la taille finale des cellules.

Les bases chimiques de l'hérédité

Au début des années 1940, l'existence des gènes et le fait qu'ils sont portés par les chromosomes ne faisaient plus de doute. L'histoire de la génétique prit un tournant décisif quand les scientifiques se sont focalisés sur la question suivante : comment est-il possible que les chromosomes portent ce qui devait être, à leur avis, une énorme quantité d'information très complexe.

Les chromosomes, comme toutes les autres parties de la cellule vivante, sont composés d'atomes disposés en molécules. Certains scientifiques, dont plusieurs étaient des généticiens éminents, pensaient qu'il devait être impossible de comprendre la complexité de l'hérédité en se basant sur la structure de substances chimiques « inanimées ». D'autres pensaient qu'en élucidant la structure chimique des chromosomes, on pourrait parvenir par la suite à comprendre leur fonctionnement comme support de l'information génétique. Cette approche marqua le début d'investigations en tous sens qui constituent la **génétique moléculaire**.

La chimie du gène : ADN ou protéine ?

Les premières analyses chimiques ont montré que le chromosome eucaryote se compose d'**acide désoxyribonucléique (ADN)** et de protéine, en quantités à peu près égales. Dès que les chercheurs furent certains que les chromosomes portaient l'information génétique, le problème fut de décider lequel des deux composants, protéine ou

ADN, joue ce rôle essentiel. Vers le début des années 1950, une masse d'arguments se sont accumulés en faveur du rôle de l'ADN comme matériel génétique. Ce ne fut cependant qu'après la découverte de la structure de l'ADN qu'il fut possible d'élucider son rôle génétique.

Structure de l'ADN

Au début des années 1950, un jeune chercheur américain, James Watson, se rendit à Cambridge (Angleterre), grâce à une bourse de recherche, pour étudier des problèmes de structure moléculaire. C'est là, dans le laboratoire Cavendish, qu'il rencontra le physicien Francis Crick. Tous deux s'intéressaient à l'ADN, et ils commencèrent bientôt à travailler ensemble à la solution du problème de sa structure moléculaire. Ils ne firent pas de l'expérimentation au sens habituel du terme, mais ils entreprirent d'examiner toutes les données de la littérature concernant l'ADN et de les structurer en un ensemble significatif.

L'ADN se compose de nucléotides contenant chacun une des quatre bases azotées

À l'époque où Watson et Crick commençaient leurs recherches sur l'ADN, une masse d'informations s'étaient déjà accumulée à ce sujet. On savait que la molécule d'ADN est très volumineuse, longue et mince, et composée de quatre sortes différentes de molécules, les nucléotides (page 30). Chaque nucléotide possède un groupement phosphate, le sucre désoxyribose et une des quatre bases : **adénine**, **guanine**, **cytosine** et **thymine**. Deux de ces bases, l'adénine et la guanine, ont une structure semblable, ce sont des **purines**. Les deux autres bases, cytosine et thymine, se ressemblent également, ce sont des **pyrimidines**.

En 1950, Linus Pauling avait montré que les protéines prennent parfois la forme d'une hélice (page 28) et que la structure hélicoïdale est maintenue par des liaisons hydrogène entre spires successives de l'hélice. Pauling avait même émis l'hypothèse que la structure de l'ADN pouvait être semblable. Par la suite, les recherches aux rayons X de Rosalind Franklin et Maurice Wilkins, au Kings College de Londres, montrèrent de façon évidente que la molécule d'ADN était effectivement une hélice géante. Finalement, les résultats obtenus par Erwin Chargaff montrèrent que le rapport entre les nucléotides contenant la thymine et l'adénine était proches de 1 :1, et que le rapport entre les nucléotides contenant la guanine et la cytosine avaient la même proportion.

L'ADN a la forme d'une double hélice

En se basant sur ces données, Watson et Crick tentèrent de construire un modèle de l'ADN conciliant les faits connus et expliquant son rôle biologique. Pour porter l'énorme quantité d'information génétique,

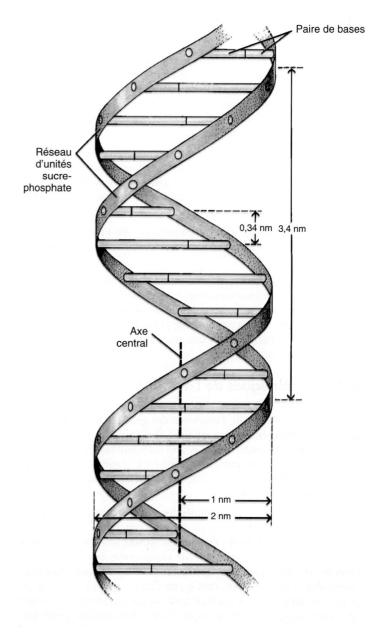

Figure 10-17

Structure en double hélice de l'ADN telle qu'elle fut proposée en 1953 par Watson et Crick. L'ossature de l'hélice est composée des unités sucre-phosphate des nucléotides. Les échelons sont formés de quatre bases azotées, adénine et guanine (les purines), thymine et cytosine (les pyrimidines). Chaque échelon comporte une paire de bases. Il était essentiel de connaître les distances en nanomètres (nm) indiquées ici, pour établir la structure précise de la molécule d'ADN. Ces distances ont été déterminées à partir de photographies par diffraction des rayons X de l'ADN prises par Rosalind Franklin.

TABLEAU 10.3
Composition de l'ADN de quelques espèces

	PURINES		PYRIMIDINES	
Source	Adénine	Guanine	Cytosine	Thymine
Homme	30,4 %	19,6 %	19,9 %	30,1 %
Bœuf	29,0 %	21,2 %	21,2 %	28,7 %
Sperme de saumon	29,7 %	20,8 %	20,4 %	29,1 %
Germe de blé	28,1 %	21,8 %	22,7 %	27,4 %
Escherichia coli	24,7 %	26,0 %	25,7 %	23,6 %
Foie de mouton	29,3 %	20,7 %	20,8 %	29,2 %

D'après Erwin Chargaff, *Essays on Nucleic Acids*, 1963

les molécules devaient être hétérogènes et variées. Elles devaient aussi pouvoir se répliquer facilement et avec une grande précision, de manière à pouvoir transmettre des copies fidèles de cellule en cellule et de parent à descendants, génération après génération.

En réunissant ces différentes données, Watson et Crick arrivèrent à la conclusion que l'ADN n'est pas une hélice monocaténaire, comme le sont beaucoup de protéines, mais deux énorme hélices enlacées. On peut obtenir un modèle grossier de la double hélice en prenant une échelle et en la tordant pour lui donner la forme d'une hélice, les échelons restant perpendiculaires aux montants (Figure 10-17). Les deux montants de l'échelle sont formés d'une alternance de molécules de sucre et de groupements phosphate. Les échelons sont formés par les bases azotées — adénine (A), thymine (T), guanine (G) et cytosine (C) — une base pour chaque sucre-phosphate, deux bases formant un échelon. Les bases appariées se rejoignent à l'intérieur de l'hélice et sont unies par des liaisons hydrogène, liaisons relativement faibles que Pauling avait découvertes au cours de ses travaux sur la structure des protéines.

Tandis qu'ils se frayaient un chemin à travers les données de la littérature, Watson et Crick assemblaient des modèles métalliques réels de molécules, testant chaque pièce susceptible d'entrer dans le puzzle tridimensionnel (Figure 10-18). En travaillant sur ces modèles, ils notèrent que les nucléotides situés le long d'un brin de la double hélice pouvaient s'assembler dans un ordre quelconque, comme, par exemple, ATGCGTACATT. La molécule d'ADN pouvait donc être longue de plusieurs milliers de nucléotides disposés de manières très diverses.

Watson et Crick firent la découverte la plus passionnante quand ils entreprirent de construire le brin d'ADN capable de s'apparier. Ce faisant, ils rencontrèrent une restriction intéressante et importante : les purines ne pouvaient s'apparier à des purines, ni les pyrimidines à des pyrimidines ; l'adénine ne pouvait s'apparier qu'à la thymine et la guanine à la cytosine. Seules ces deux combinaisons de bases azotées peuvent former des liaisons hydrogène correctes. L'adénine forme deux liaisons hydrogène avec la thymine et la guanine en forme trois avec la cytosine.

Revenons maintenant au tableau 10-3. Le modèle de Watson-Crick explique, de façon simple et logique, la composition en bases de l'ADN — le fait que la quantité de A est égale à celle de T et la quantité de C égale à celle de G. La propriété la plus importante du modèle est peut-être que les deux brins sont **complémentaires** ; autrement dit, chaque brin renferme une séquence de bases qui est le complément de celle de l'autre brin.

La figure 10-19 représente la structure bicaténaire d'une petite portion d'une molécule d'ADN. Dans chaque brin, le groupement phosphate qui réunit deux molécules de désoxyribose est attaché à un sucre en position 5' (carbone 5 du désoxyribose) et à l'autre sucre en position 3' (troisième carbone de l'anneau de désoxyribose). Cette configuration donne à chaque brin une extrémité 5' et une 3'. De plus, les deux brins vont dans des directions opposées — la direction de 5' à 3' d'un brin est opposée à celle de l'autre brin. On dit que les brins sont **antiparallèles**.

Dans leur brève publication initiale, Watson et Crick notaient, avec un euphémisme rarement égalé : « il ne nous a pas échappé que l'appariement spécifique que nous avons imaginé suggère immédiatement un mécanisme possible de copie du matériel génétique. » En 1962, neuf ans après la publication de leur hypothèse, Watson, Crick et Wilkins se partagèrent un prix Nobel en reconnaissance de leurs remarquables travaux.

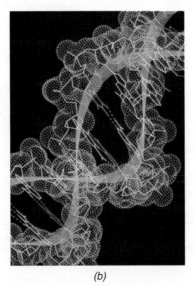

(a)
(b)

Figure 10-18

(a) James Watson (à gauche) et Francis Crick en 1953, avec un de leur modèles d'ADN. Au moment où ils annoncèrent leur découverte de la structure de l'ADN, Watson avait 23 ans et Crick 34. **(b)** Modèle, construit par ordinateur, d'une portion de molécule d'ADN. L'ossature sucre-phosphate est représentée par les rubans bleus et les points verts. Les purines sont en jaune et les pyrimidines en rouge. Les liaisons hydrogène reliant les paires de bases sont représentées par des traits interrompus bleus.

En 1993, 40 ans après leur découverte, Watson faisait remarquer ; « La molécule est si belle. Sa gloire s'est répandue sur Francis et moi-même. Je pense que le reste de ma vie s'est passée à tenter de prouver que j'étais en fait presque associé à l'ADN, ce qui fut une dure tâche. » Crick répliqua, « Nous avons été mis à l'écart par une molécule. »

Figure 10-19

Structure bicaténaire d'une petite portion de molécule d'ADN. Chaque nucléotide est composé d'un groupement phosphate, d'un sucre désoxyribose et d'une base purique ou pyrimidique.

Notez la séquence répétitive sucre-phosphate-sucre-phosphate qui forme l'ossature des deux brins de la molécule. Chaque groupement phosphate est attaché au carbone 5' d'une sous-unité sucre et au carbone 3' du sucre du nucléotide contigu. Chaque brin de la molécule d'ADN a donc une extrémité 5' et une autre 3', qui sont identifiées par ces carbones 5' et 3'. Les brins sont antiparallèles — le sens 5'-3' d'un brin est opposé à celui de l'autre.

Les brins sont maintenus ensemble par des liaisons hydrogène (représentées ici par des traits interrompus) entre les bases. Remarquez que l'adénine et la thymine forment deux liaisons hydrogène, alors que la guanine et la cytosine en forment trois. En raison de ces restrictions au niveau de l'appariement, l'adénine ne peut s'apparier qu'à la thymine et la guanine à la cytosine. L'ordre des bases le long d'un brin détermine donc l'ordre des bases sur l'autre.

La séquence des bases diffère d'une molécule d'ADN à l'autre. On la représente généralement par la séquence dans le sens 5'-3' d'un des brins. Ici, en se basant sur le brin de gauche, la séquence est TCAG.

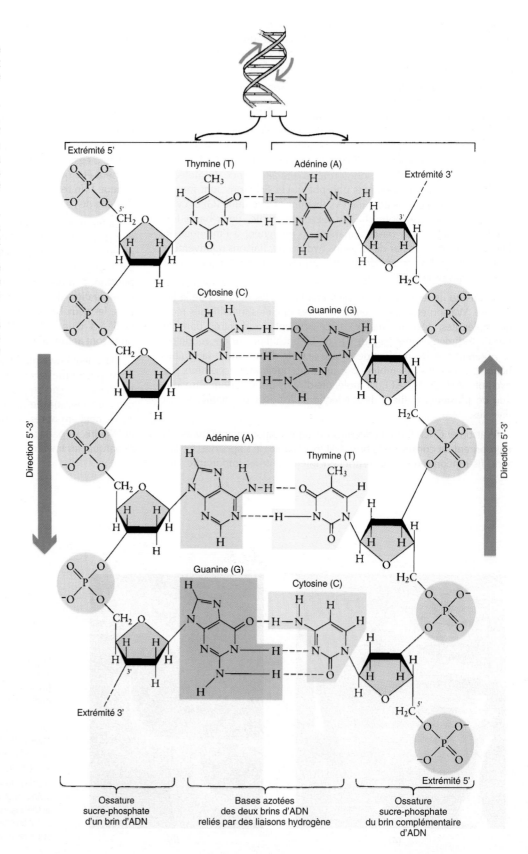

Réplication de l'ADN

Une propriété essentielle du matériel génétique est la faculté de produire des copies exactes de lui-même. Suivant l'observation originale de Watson et Crick, un mécanisme d'autoréplication est implicite dans la structure double et complémentaire de l'hélice d'ADN.

Au moment de sa réplication, la molécule d'ADN s'ouvre comme une fermeture à glissière, les paires de bases se séparant après la rupture des liaisons hydrogène. Quand les deux brins se séparent, ils fonctionnent comme **modèles**, ou patrons, pour la synthèse de deux nouveaux brins. Chaque brin dirige la synthèse du nouveau brin complémentaire sur toute sa longueur (Figure 10-20) à partir des matériaux de base de la cellule. Si un T se trouve dans le brin originel (le modèle), seul un A peut s'adapter au site contigu du brin nouveau, un G ne s'apparie qu'à un C, etc. De cette façon, chaque brin donne une copie de son partenaire d'origine et deux répliques exactes de la molécule sont produites. Une réponse était donnée à l'éternelle question : comment l'information héréditaire est-elle dupliquée et transmise de génération en génération ?

La réplication de l'ADN est bidirectionnelle

La réplication de l'ADN est un processus qui ne se produit qu'une fois à chaque génération cellulaire, pendant la phase S du cycle cellulaire (page 158). C'est l'étape essentielle de la duplication des chromosomes. Dans la plupart des cellules eucaryotes, la réplication aboutit finalement à la mitose mais, dans les cellules qui donnent naissance aux méiospores ou aux gamètes, elle conduit à la méiose. Il s'agit d'un mécanisme remarquablement rapide. Par exemple, chez l'homme et les autres mammifères, la vitesse de la synthèse atteint environ 50 nucléotides par seconde ; chez les procaryotes, elle peut atteindre environ 500 nucléotides par seconde.

Le principe de la réplication de l'ADN, où chaque brin de la double hélice sert de modèle pour la production d'un nouveau brin, est relativement simple et facile à comprendre. Cependant, le processus effectivement utilisé par la cellule pour réaliser la réplication est beaucoup plus complexe. Comme toutes les autres réactions biochimiques dans la cellule, la réplication de l'ADN a besoin de plusieurs enzymes différentes, chacune catalysant une étape particulière du processus. L'identification des principales enzymes, de leurs fonctions précises et des étapes successives de la réplication a demandé plusieurs années et les efforts de nombreux chercheurs travaillant dans des laboratoires différents. Bien que nos connaissances soient encore incomplètes, les grandes lignes du processus sont maintenant clarifiées.

La réplication de l'ADN débute toujours par une séquence nucléotidique spécifique, qui est l'**origine de réplication**. L'initiation requiert des protéines spéciales d'initiation, les **hélicases**, qui rompent les liaisons hydrogène reliant les bases complémentaires au niveau de l'origine de réplication, ouvrant l'hélice pour permettre la réplication. Des protéines de fixation aux brins monocaténaires maintiennent les brins séparés et permettent l'union des enzymes nécessaires à la synthèse. La synthèse des nouveaux brins est catalysée par des enzymes appelées **ADN polymérases**.

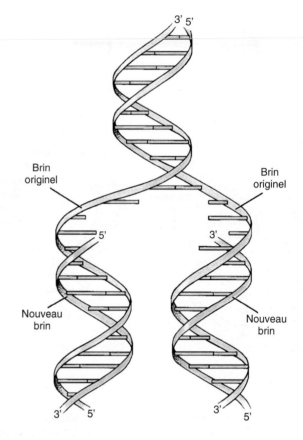

Figure 10-20

Réplication de la molécule d'ADN prévue par le modèle de Watson-Crick. Les brins se séparent quand les bases se dissocient au niveau des liaisons hydrogène. Chaque brin originel joue alors le rôle d'un modèle sur lequel un nouveau brin complémentaire se forme à partir des nucléotides disponibles dans la cellule. Les recherches ultérieures ont modifié quelques détails de ce processus, comme nous allons le voir, mais le principe sous-jacent n'a pas été modifié.

Si l'on observe au microscope électronique l'ADN en cours de réplication, les portions où se déroule la synthèse apparaissent comme des « yeux », ou **bulles de réplication**. À chaque bout de la bulle, là où les brins préexistants se séparent et où sont synthétisés les nouveaux brins complémentaires, la molécule a une structure en forme d'Y appelée la **fourche de réplication**. Les deux fourches de réplication s'écartent en sens opposés à partir de l'origine (Figure 10-21) ; c'est pourquoi on dit que la réplication est **bidirectionnelle**.

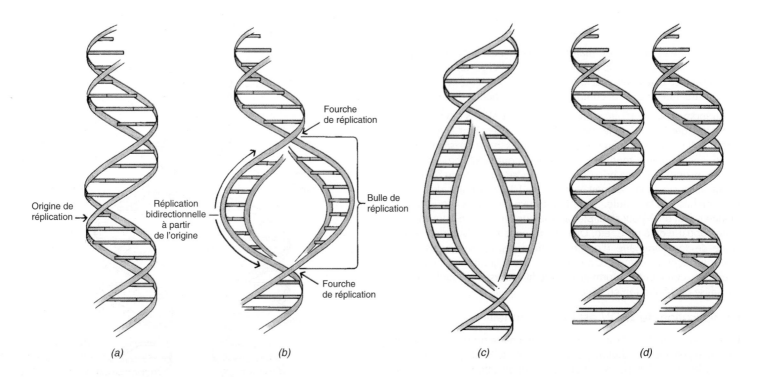

(a)   *(b)*   *(c)*   *(d)*

Figure 10-21

Aspect général de la réplication **(a)** Les deux brins de la molécule d'ADN se séparent au niveau de l'origine de réplication suite à l'action de protéines initiatrices spéciales et d'enzymes. **(b)**, **(c)** Les deux fourches de réplication s'écartent de l'origine de réplication dans des directions opposées, formant une bulle de réplication qui s'étend dans les deux sens. **(d)** Quand la synthèse des nouveaux brins d'ADN est complète, les deux chaînes bicaténaires se séparent en deux nouvelles hélices doubles. Chaque hélice comprend un ancien brin et un nouveau.

Chez les procaryotes, il n'y a qu'une seule origine de réplication dans le chromosome. Chez les eucaryotes, par contre, chaque chromosome possède de nombreuses origines de réplication. La réplication progresse le long du chromosome à mesure que la bulle s'allonge dans les deux sens (Figure 10-22) jusqu'à rejoindre une bulle voisine.

L'ADN polymérase ne synthétise les nouveaux brins d'ADN qu'en allant de 5′ vers 3′. Donc, le long d'un des brins d'origine, l'ADN peut être synthétisé de façon continue dans le sens 5′-3′ sous la forme d'une seule unité. On dit que ce nouveau brin d'ADN est le **brin avancé**. À cause de la nature antiparallèle de l'ADN et de la polarisation de l'ADN polymérase, l'autre brin est synthétisé, lui aussi dans le sens 5′-3′, sous forme d'une série de fragments. Ces fragments, qui constituent le **brin retardé**, sont synthétisés séparément dans une direction *opposée* au sens général de la réplication. À mesure que ces fragments, les **fragments d'Okazaki**, s'allongent, ils finissent par se réunir grâce à une enzyme, l'**ADN ligase**. Le processus complexe de réplication de l'ADN est résumé à la figure 10-23.

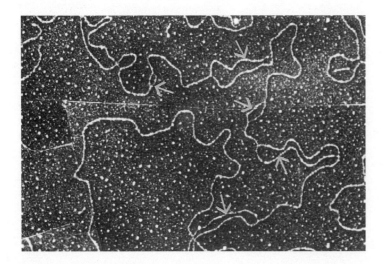

Figure 10-22

La réplication d'un chromosome d'eucaryote débute en plusieurs endroits. Les bulles de réplication isolées s'étendent pour finalement se rejoindre et fusionner. Dans cette micrographie électronique de la réplication d'un chromosome dans un embryon de mouche à vinaigre *(Drosophila)*, les bulles de réplication sont indiquées par des flèches.

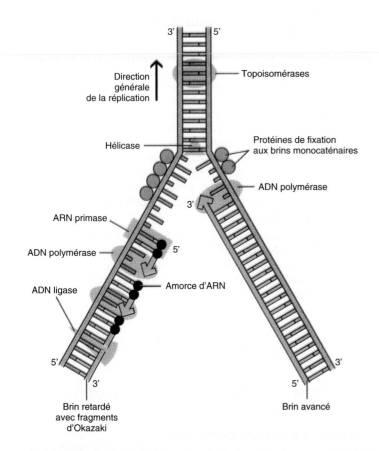

Direction générale de la réplication

Topoisomérases

Hélicase

Protéines de fixation aux brins monocaténaires

ADN polymérase

ARN primase

ADN polymérase

ADN ligase

Amorce d'ARN

Brin retardé avec fragments d'Okazaki

Brin avancé

Figure 10-23

Résumé de la réplication de l'ADN. Les deux brins de la double hélice se séparent et des brins complémentaires sont synthétisés par l'ADN polymérase dans le sens 5'-3', en utilisant les brins d'origine comme modèles.

Chaque nouveau brin débute par une courte amorce d'ARN produite par l'ARN primase. Sur le brin avancé, la synthèse n'a besoin que d'une ARN primase (non visible sur le schéma) et elle est continue. Cependant, sur le brin retardé, la synthèse se fait dans une direction opposée au sens général de la réplication et elle est discontinue. Les courtes molécules d'ADN du brin retardé, qui doivent avoir chacune une amorce d'ARN, sont les fragments d'Okazaki. La synthèse de ces fragments se termine quand l'ADN polymérase arrive à l'amorce d'ARN attachée à l'extrémité 5' du fragment précédent. Après le remplacement de l'amorce du fragments d'Okazaki précédent par des nucléotides d'ADN, le fragment est réuni au brin en croissance par l'ADN ligase.

Des enzymes dénommées topoisomérases empêchent l'enchevêtrement de l'ADN pendant la réplication, et les deux brins, séparés au niveau de la fourche de réplication par les hélicases, sont stabilisés par des protéines de fixation aux brins uniques.

Le problème posé par les extrémités de l'ADN linéaire

La réplication des molécules circulaires d'ADN des procaryotes est terminée quand les brins avancé et retardé ont complété l'anneau. Le brin avancé continue simplement à croître dans le sens 5'-3' jusqu'à ce que son extrémité 3' atteigne et se joigne à l'extrémité 5' du brin retardé du même brin complémentaire arrivant de l'autre côté. Avec l'ADN linéaire des eucaryotes, cependant, il n'y a pas moyen pour les ADN polymérases de polymériser les quelques derniers nucléotides du brin retardé parce qu'il n'y a pas d'extrémité 3' vers l'avant. À chaque cycle de réplication, les molécules d'ADN répliquées deviennent donc plus courtes. Si cette tendance se poursuivait, le chromosome et ses gènes essentiels pourraient graduellement disparaître.

Les chromosomes eucaryotes évitent cette disparition grâce à la présence de séquences terminales spéciales, les **télomères**. Bien que les extrémités des chromosomes se raccourcissent habituellement avec la réplication de la molécule d'ADN, les télomères protègent de la dégradation l'ADN non télomérique. Occasionnellement, les télomères peuvent s'allonger à mesure que leur ADN est synthétisé par une ADN polymérase spéciale, appelée **télomérase**.

En 1939, Barbara McClintock avait imaginé un rôle pour les télomères : elle observait que les chromosomes de maïs brisés fusionnaient fréquemment à d'autres chromosomes également brisés. Par contre, les chromosomes intacts, pourvus de télomères, ne fusionnaient pas entre eux. Elle a dès lors émis l'hypothèse que les télomères empêchent les chromosomes de s'unir par leurs extrémités et, finalement ce rôle a été admis.

Les erreurs de réplication sont généralement corrigées par des ADN polymérases

Des erreurs peuvent se produire occasionnellement pendant la réplication et des dégâts peuvent être provoqués à l'ADN, par exemple par les rayons ultraviolets ou des substances chimiques. Les ADN polymérases sont cependant remarquablement précises, et les erreurs sont rares pendant la réplication. Mais, si une erreur survient, l'enzyme la corrige elle-même, et le nucléotide incorrect est bientôt remplacé par celui qui convient. De plus, de nombreux mécanismes différents sont apparus au cours de l'évolution pour réparer l'ADN endommagé. On constate finalement que la plus grande partie de l'ADN est fidèlement préservée, mais que des erreurs — des mutations — peuvent se produire occasionnellement. Certaines mutations sont nuisibles et provoquent la mort de l'organisme, mais quelques-unes peuvent être avantageuses et représentent un matériau brut utile à la sélection.

Énergétique de la réplication de l'ADN

Les nucléotides servant à à la réplication de l'ADN sont synthétisés par les mêmes voies biochimiques que les nucléotides nécessaires aux autres fonctions cellulaires. Ils ne sont cependant pas fournis sous forme de monophosphates, mais de triplosphates. Par exemple, l'adénine est fournie sous forme de dioxyadénosine triphosphate (dATP). La seule différence entre ATP et dATP se situe dans la sous-unité sucre — dans l'ATP (page 31) il s'agit du ribose, et de désoxyribose dans le dATP. De même, la guanine, la cytosine et la thymine sont fournies sous la forme de dGTP, dCTP et dTTP.

De même que l'ATP fournit l'énergie nécessaire à une série de réactions de biosynthèse, dATP, dGTP, dCTP et dTTP fournissent l'énergie qui actionne la synthèse de l'ADN. À mesure qu'un nucléotide s'attache au brin d'ADN en croissance, le groupement pyrophosphate « supplémentaire » est enlevé et immédiatement scindé en deux ions phosphate. L'énergie libérée par ce processus alimente les réactions catalysées par les ADN polymérases.

L'ADN en tant que porteur d'information

Vous vous souviendrez qu'une propriété essentielle du matériel génétique est sa capacité de transporter une grande quantité d'information. Dans la molécule d'ADN, l'information est portée par la séquence des bases, et *toutes* les séquences de bases sont possibles. Le nombre de paires de bases va de 5.000 environ pour le virus le plus simple jusqu'à environ 200 milliards chez le lis. Dans une cellule humaine, comptant « seulement » 6 milliards de paires de bases, l'ADN contient une quantité d'information équivalente à quelque 600.000 pages imprimées, avec chacune 500 mots en moyenne, soit l'équivalent d'une bibliothèque contenant un millier de livres. Il est donc évident que la molécule d'ADN est capable de stocker toute l'information génétique nécessaire.

Nous avons parcouru un long chemin pour arriver à comprendre le mécanisme de l'hérédité et de l'apparition des caractères des organismes. Il reste beaucoup à apprendre cependant, et ce domaine restera d'une importance capitale pour la botanique pendant de nombreuses années à venir.

RÉSUMÉ

Les expériences de Mendel sont à la base de la génétique moderne

Les expériences de sélection réalisées par Gregor Mendel chez le pois ont montré que les caractères héréditaires sont déterminés par des facteurs distincts (appelé aujourd'hui des gènes) qui sont présents en double exemplaire. D'après le principe mendélien de la ségrégation, les membres de chaque paire se séparent l'un de l'autre lors de la formation des gamètes. Quand deux gamètes s'unissent à la fécondation, les descendants reçoivent un exemplaire de chaque paire provenant de chacun des parents. Les exemplaires d'une paire peuvent être identiques (homozygotes) ou différents (hétérozygotes). Les différentes formes d'un même gène sont des allèles.

Les allèles peuvent être dominants ou récessifs

L'information génétique d'un organisme est son génotype, tandis que son phénotype désigne ses caractères observables. Un allèle qui s'exprime dans le phénotype d'un individu hétérozygote à l'exclusion de l'autre allèle est un allèle dominant. Un allèle est récessif s'il est masqué dans le phénotype d'un individu hétérozygote. Dans la descendance de croisements impliquant deux individus hétérozygotes pour le même gène, on s'attend à un rapport entre les phénotypes dominant et récessif de 3 :1.

Les gènes non liés s'assortissent indépendamment pendant la méiose

Le second principe mendélien — l'assortiment indépendant — s'applique au comportement de deux ou plusieurs gènes. Selon ce principe, durant la formation des gamètes, les allèles d'un gène se séparent indépendamment des allèles de l'autre gène. Quand on croise des organismes hétérozygotes pour deux gènes indépendants, les rapports attendus dans la descendance entre les phénotypes sont 9 :3 :3 :1.

Les gènes sont portés par les chromosomes

Sutton fut un des premiers à remarquer l'analogie entre le comportement des chromosomes à la méiose et la ségrégation et l'assortment des facteurs décrits par Mendel. Sur la base de ses observations, Sutton émit l'hypothèse que les gènes sont portés par les chromosomes.

Les gènes situés sur le même chromosome sont liés

D'après les travaux ultérieurs de Bateson, bien que certains gènes s'assortissent indépendamment et obéissent au second principe de Mendel, d'autres ont tendance à rester ensemble. On dit que ces gènes, relativement proches sur un chromosome, sont liés. Les cartes de linkage, basés sur la fréquence des crossing-over qui se produisent entre ces gènes, peuvent donner une idée de la position des gènes sur le chromosome.

Les mutations sont des modifications des caractères génétiques d'un individu

Les mutations sont des modifications aléatoires du génotype. Les mutations différentes d'un même gène augmentent la diversité des allèles du gène dans une population. Par conséquent, la mutation est à l'origine d'une variabilité qui constitue le matériau brut de l'évolution des organismes. Il existe plusieurs types différents de mutations : mutations ponctuelles, délétions, duplications, effets de position, inversions, translocations et modifications du nombre chromosomique.

Les allèles peuvent manifester une dominance complère et/ou être représentés par plus de deux formes

L'hérédité de nombreux caractères obéit aux modèles proposés par Mendel. Pour d'autres, cependant, — et peut-être pour la plupart d'entre eux — les modèles sont plus complexes. Alors que beaucoup de gènes ont des relations dominant-récessif, certains manifestent une dominance incomplète à des niveaux divers, avec des phénotypes intermédiaires. Dans une population d'organismes, il peut exister des allèles multiples d'un même gène, mais deux allèles seulement peuvent se trouver dans un individu diploïde donné.

Des gènes différents peuvent aussi interagir les uns avec les autres

De nouveaux phénotypes peuvent provenir d'interactions géniques ; des gènes peuvent également s'influencer mutuellement par épistasie, l'un pouvant masquer les effets de l'autre. L'expression phénotypique de nombreux caractères est influencée par plusieurs gènes. Ce phénomène est l'hérédité polygénique. Dans une population, la variation de ces caractères est généralement continue et représentée par une courbe en cloche. Inversement, un seul gène peut affecter deux ou plusieurs caractères superficiellement non liés. Cette propriété d'un gène est la pléiotropie.

Certains gènes sont situés dans le cytoplasme

Bien que la plupart des caractères héréditaires de la cellule soient dus à des gènes nucléaires, certains sont contrôlés par des gènes localisés dans le cytoplasme — plus spécialement dans les plastes et les mitochondries. Ce phénomène est l'hérédité cytoplasmique.

Le phénotype est le résultat d'une interaction entre le génotype et l'environnement

L'expression des gènes est également affectée par l'environnement externe et interne. Des influences provenant du milieu extérieur et/ou des interactions avec d'autres gènes peuvent faire varier l'expression d'allèles particuliers.

Watson et Crick ont imaginé que l'ADN est une double hélice

Le modèle de l'ADN proposé par Watson et Crick est une double hélice en forme d'échelle spiralée. Les deux montants de l'échelle sont composés de sous-unités répétitives d'un groupement phosphate et d'un sucre à cinq carbones, le désoxyribose. Les « échelons » sont formés de bases azotées appariées. Il y a quatre bases dans l'ADN — les purines, adénine (A) et guanine (G) et les pyrimidines, thymine (T) et cytosine (C). A ne peut s'apparier qu'à T et G à C, de telle sorte que les « échelons » sont toujours formés d'une purine et d'une pyrimidine. Les quatre bases sont les quatre « lettres » qui composent le message génétique. Les bases appariées sont unies par les liaisons hydrogène.

Quand l'ADN se réplique, chaque brin sert de modèle pour la synthèse d'un brin complémentaire

Quand la molécule d'ADN se réplique, les deux brins se séparent localement, avec rupture des liaisons hydrogène qui, sinon, les maintenaient ensemble. Chaque brin fonctionne comme un modèle pour la production d'un nouveau brin complémentaire à partir des nucléotides disponibles dans la cellule. L'addition de nucléotides aux nouveaux brins est catalysée par les ADN polymérases. Diverses autres enzymes ont aussi un rôle essentiel dans le déroulement de la réplication.

La réplication de l'ADN est bidirectionnelle

La réplication débute au niveau d'une séquence nucléotidique particulière sur le chromosome, l'origine de réplication. Elle progresse dans deux directions, par deux fourches de réplication qui s'avancent en sens opposés. Les molécules d'ADN circulaires des procaryotes n'ont qu'une origine de réplication ; la réplication est terminée quand les brins avancé et retardé ont achevé le tour. Au contraire, les molécules linéaires d'ADN des eucaryotes ont de nombreuses origines de réplication, et les ADN polymérases sont incapables d'ajouter les quelques derniers nucléotides au brin retardé. Il en résulte que les molécules d'ADN ont tendance à se raccourcir progressivement à chaque réplication. Les chromosomes eucaryotes évitent cette perte grâce à la présence de séquences terminales spéciales, les télomères.

Les erreurs dans la réplication de l'ADN sont habituellement corrigées par des ADN polymérases

L'ADN subit continuellement des dommages, qui vont du mauvais appariement des bases aux ruptures chromosomiques. De nombreuses enzymes et des mécanismes différents ont évolué pour réparer l'ADN endommagé ; le mécanisme qui conserve l'intégrité génétique de la cellule est donc remarquablement exact.

L'ADN porte et transmet l'information génétique

Il est aujourd'hui généralement admis que le rôle de l'ADN consiste à porter et transmettre l'information génétique. Avec la découverte du mécanisme qui permet aux cellules de répliquer leur ADN, on a trouvé la réponse à la question de savoir comment l'information héréditaire est fidèlement transmise de cellule parentale à cellule fille, de génération en génération.

MOTS CLÉS

QUESTIONS

1. Expliquez la différence entre les termes suivants : gènes/allèles, génotype/phénotype, épistasie/pléiotropie, brin avancé/brin retardé.

2. Pourquoi utilise-t-on toujours un récessif homozygote dans un test-cross ?

3. Expliquez le rapport existant entre le déplacement des chromosomes en méiose et les deux principes ou lois de Mendel.

4. Expliquez ce qu'on entend par hérédité cytoplasmique et hérédité maternelle.

5. Une lignée pure de pois à graines rondes et vertes (*RRyy*) est croisée avec une lignée à graines ridées et jaunes (*rrYY*). Les deux parents sont homozygotes pour un caractère dominant et pour un caractère récessif. (a) Quel est le génotypes de la génération F_1 ? (b) quel est son phénotype ? (c) Les graines F_1 sont semées et on laisse leurs fleurs s'autopolliniser. Dessinez le carré de Punnett pour déterminer les rapports entre les phénotypes en génération F_2. Comparez les résultats avec ceux de l'expérience représentée à la figure 10-7.

6. Chez la pomme épineuse, l'allèle pour les pétales violets (*W*) est dominant sur l'allèle pour les pétales blancs (*w*) et l'allèle pour les capsules épineuses (*S*) est dominant sur l'allèle pour les capsules lisses (*s*). Une plante à pétales blancs et capsules épineuses a été croisée avec une autre à pétales violets et capsules lisses. La génération F_1 comprenait 47 plantes à pétales blancs et capsules épineuses, 45 à pétales blancs et capsules lisses, 50 à pétales violets et capsules épineuses et 46 à pétales violets et capsules lisses. Quels étaient les génotypes des parents ?

7. Comment les « bases complémentaires » et les « brins antiparallèles » interviennent-ils dans la structure de l'ADN ?

8. Voici la séquence des bases dans le sens 5'-3' dans un brin d'une molécule imaginaire d'ADN. Identifiez la séquence de bases dans le brin complémentaire.

   5'–A–A–G–T–T–T–G–G–T–T–A–C–T–T–G–3'

   3' – _ _ _ _ _ _ _ _ _ _ _ _ _ _ _ – 5'

9. Quelles sont les différences entre les termes suivants : origine de la réplication, bulle de réplication et fourche de réplication ?

10. Des cellules eucaryotes sont cultivées pendant plusieurs générations dans un milieu contenant de la thymine marquée au tritium, isotope radioactif de l'hydrogène (^3H). Les cellules sont ensuite sorties du milieu radioactif, placées dans un milieu ordinaire, non radioactif, et on les laisse se diviser. Des tests sur la distribution de l'isotope radioactif sont entrepris à chaque génération pour vérifier la présence ou l'absence de matériel radioactif dans les chromatides.

    Avant que les cellules ne soient placées dans le milieu non radioactif, toutes les cellules contiennent ^3H. Après une génération dans le milieu non radioactif, toutes les chromatides contiennent encore ^3H radioactif. (a) En supposant que chaque chromatide contient une seule molécule d'ADN, expliquez les résultats ? (b) Les faits sont-ils en accord avec l'hypothèse de Watson-Crick concernant la réplication de l'ADN ? (c) Quelle serait la distribution du ^3H après deux générations dans le milieu non radioactif ? Pourquoi ? (À propos de ces questions, vous pouvez avoir intérêt à examiner la figure 10-21.)

L'expression des gènes 11

SOMMAIRE

De quelle manière l'information génétique est-elle stockée dans l'ADN ? Et comment cette information est-elle utilisée pour contrôler les activités de la cellule et donc les caractères de l'individu, comme la couleur des fleurs étudiée par Mendel par exemple ? Dans ce chapitre, nous verrons que l'information génétique codée dans la séquence des bases azotées de l'ADN est utilisée pour construire des protéines. Souvenez-vous que les protéines, en particulier les enzymes, jouent un rôle vital dans la cellule et que chaque protéine est constituée d'une séquence linéaire spécifique d'acides aminés qui détermine sa fonction dans la cellule. Nous verrons que la séquence des bases dans l'ADN contrôle les activités cellulaires en déterminant la séquence des acides aminés dans les protéines.

La seconde partie de ce chapitre traite de la régulation de l'activité génique. Une plante se développe à partir d'une seule cellule — le zygote — à la suite de divisions mitotiques ; ses parties végétatives sont donc génétiquement identiques. Les cellules racinaires, par exemple, possèdent les gènes pour développer des feuilles, et les cellules de feuilles possèdent les gènes pour différencier des racines. Cependant, les feuilles ne produisent généralement pas de racines, et les gènes codant pour les feuilles doivent, d'une manière ou d'une autre, être inactifs dans les racines, mais actifs dans les cellules foliaires. Bien que des incertitudes persistent à propos des mécanismes de mise en route ou d'arrêt des gènes, nous considérerons certains modèles proposés pour les cellules procaryotes et les facteurs qui contrôlent l'activité génique dans les cellules eucaryotes.

La dernière partie de ce chapitre présente des informations sur la technologie de l'ADN recombinant et sur les diverses techniques utilisées pour manipuler artificiellement les gènes à des fins humaines.

Figure 11-1

Modèle d'ADN construit par ordinateur

POINTS DE REPÈRES

Quand vous terminerez la lecture de ce chapitre, vous devriez pouvoir répondre aux questions suivantes :

- *Quelle est la nature du code génétique et en quoi est-il « universel » ?*
- *Quelles sont les principales étapes de la transcription de l'ARN en ADN ?*
- *Dans quelle partie de la cellule eucaryote se passe la traduction et quelles sont ses principales étapes ?*
- *Quelles sont les différences entre chromosomes eucaryotes et procaryotes ?*
- *Citez quelques facteurs qui contrôlent l'expression génique chez les eucaryotes.*
- *Comment peut-on utiliser la technologie de l'ADN recombinant pour cloner un gène d'intérêt ?*

Nous avons vu, dans le dernier chapitre, que Watson et Crick — en construisant un modèle de la molécule d'ADN — ont défini la nature chimique du gène et suggéré un mécanisme pour sa réplication. La molécule d'ADN (Figure 11-1) possède des instructions qui concernent l'édification des structures cellulaires et qui permettent à la cellule de croître, de se développer et de fonctionner. La molécule d'ADN transmet aussi ces instructions aux nouvelles cellules et aux nouveaux organismes. Deux questions fondamentales demeurent cependant encore sans réponse : comment les instructions sont-elles codées dans la molécule d'ADN et comment sont-elles exécutées ?

La recherche d'une réponse à ces questions a conduit à l'acide ribonucléique (ARN), molécule semblable à l'ADN (page 31). On s'est douté depuis longtemps que l'ARN intervenait dans l'expression génique parce que les cellules qui synthétisent de grandes quantités de protéine contiennent toujours de grandes quantités d'ARN. En outre, contrairement à l'ADN, qui se trouve surtout dans le noyau, l'ARN se trouve principalement dans le cytoplasme, là où les protéines sont synthétisées. Les cellules, tant de procaryotes que d'eucaryotes, qui produisent beaucoup de protéines ont également de nombreux ribosomes, et les ribosomes sont formés en grande partie d'ARN.

Les recherches sur les virus ont apporté d'autres arguments en faveur de l'implication de l'ARN dans l'expression génique. Quand une cellule bactérienne est infectée par un bactériophage (virus bactérien) à ADN, de l'ARN est synthétisé à partir de l'ADN viral avant le début de la synthèse des protéines virales. De plus, certains virus ne sont composés que d'ARN et de protéine. Ces indices montraient tous que l'ARN, aussi bien que l'ADN, possédait une information concernant la structure des protéines.

Comme l'ADN, l'ARN est une longue chaîne macromoléculaire d'acide nucléique, mais il en diffère par trois propriétés importantes (Figure 11-2).

1. Dans les nucléotides de l'ARN, l'élément sucre est le ribose au lieu du désoxyribose.

2. On trouve la base azotée thymine dans l'ADN, mais pas dans l'ARN. En lieu et place, l'ARN possède une pyrimidine apparentée, l'**uracile (U)**. Comme la thymine, l'uracile ne s'apparie qu'à l'adénine.

3. L'ARN est généralement formé d'un brin simple et ne produit pas de structure hélicoïdale régulière.

De l'ADN à la protéine : le rôle de l'ARN

On a montré que ce n'est pas une, mais trois sortes d'ARN qui jouent un rôle d'intermédiaire dans les étapes qui vont de l'ADN aux protéines : l'ARN messager, l'ARN de transfert et l'ARN ribosomique.

Nous verrons dans ce chapitre que l'ADN sert de modèle pour la synthèse des molécules d'**ARN messager (ARNm)** : c'est la transcription. La transcription obéit aux mêmes lois que la réplication, elle est catalysée par une enzyme, l'**ARN polymérase**. Le rôle de l'ARNm consiste à porter le message génétique de l'ADN aux ribosomes, qui sont eux-mêmes composés d'**ARN ribosomique (ARNr)** et de protéines.

Les ribosomes sont les sites effectifs de la synthèse des protéines. Le rôle des molécules d'**ARN de transfert (ARNt),** qui sont chacune spécifiques d'un acide aminé particulier, est la traduction de la séquence nucléotidique de l'ARNm en une séquence d'acides aminés dans la protéine. Les molécules d'ARNt apportent les acides aminés aux ribosomes, où ils sont attachés à un polypeptide en croissance. Cette synthèse d'un polypeptide, avec la participation des ribosomes, est la traduction. C'est la séquence des nucléotides de l'ARNm qui détermine la séquence des acides aminés de la protéine.

L'ARN est donc synthétisé à partir de l'ADN, et l'ARN sert à synthétiser la protéine. On peut maintenant reconnaître trois processus de transfert de l'information : **réplication** (synthèse d'ADN),

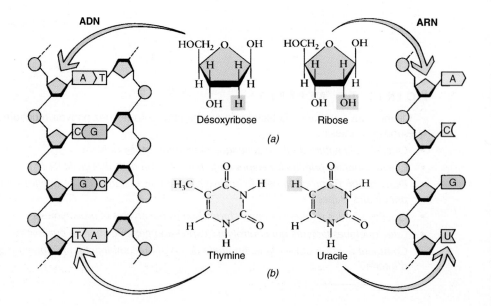

Figure 11-2

D'un point de vue chimique, l'ARN est très semblable à l'ADN, mais il existe deux différences au niveau de ses nucléotides. **(a)** La première concerne l'élément sucre. À la place du désoxyribose, l'ARN contient du ribose, qui possède un atome d'oxygène supplémentaire. **(b)** L'autre différence est qu'au lieu de thymine, l'ARN contient une pyrimidine très proche, l'uracile (U). Comme la thymine, l'uracile ne s'apparie qu'à l'adénine. Une troisième différence concerne la structure de l'ARN. Contrairement à l'ADN, l'ARN est habituellement monocaténaire et ne forme pas d'hélice régulière.

Figure 11-3

Les trois processus de transfert d'information : réplication, transcription et traduction. L'ADN ne se réplique qu'une fois par cycle cellulaire (page 158), pendant le stade S, avant la mitose ou la méiose. La transcription et la traduction se déroulent par contre plusieurs fois pendant l'interphase.

transcription (synthèse de l'ARNm, qui est une copie d'une fraction d'un des brins de la double hélice d'ADN) et **traduction** (synthèse d'un polypeptide dirigée par la séquence nucléotidique de l'ARNm) (Figure 11-3). Le principe du flux à sens unique du gène à l'ARNm et à la protéine est le **dogme central de la biologie moléculaire**, expression imaginée par Francis Crick.

Le code génétique

L'identification de l'ARNm comme copie de travail de l'information génétique qui dicte la séquence des acides aminés dans les protéines laissait encore sans réponse une question importante : comment cela se passe-t-il ? Les protéines contiennent 20 types différents d'acides aminés, mais l'ADN et l'ARN n'ont chacun que quatre sortes différentes de nucléotides. D'une manière ou d'une autre, ces nucléotides représentent un **code génétique** pour les acides aminés.

En fait, l'idée d'un code n'était pas seulement une métaphore littéraire, mais bien une réalité pouvant constituer une hypothèse de travail. En cherchant à comprendre comment la séquence de nucléotides de la double hélice pouvait déterminer la structure passablement différente des molécules protéiques, les scientifiques ont abordé le problème avec des méthodes qu'utilisent les décrypteurs pour déchiffrer les codes secrets.

Nous avons vu au chapitre 2 que la structure primaire d'une protéine est une succession linéaire des 20 types différents d'acides aminés. De la même manière, les quatre sortes différentes de nucléotides sont disposés suivant une séquence linéaire spécifique, dans une molécule d'ADN. Si chaque nucléotide « codait » un acide aminé, le quatre bases ne pourrait déterminer que la position de quatre acides aminés. Si deux nucléotides déterminaient la position d'un acide aminé, en utilisant toutes les combinaisons possibles des nucléotides, on pourrait arriver à un nombre maximum de 4 × 4, ou 16 combinaisons — nombre encore insuffisant pour coder les 20 acides aminés. En poursuivant l'analogie avec un code, il fallait donc au moins trois nucléotides successifs pour déterminer la position de chaque acide aminé. Cela donnerait 4 × 4 × 4, ou 64 combinaisons possibles, ou **codons** — ce qui est nettement plus que suffisant.

Le codon de trois nucléotides, ou triplet, a été immédiatement et très largement accepté comme hypothèse de travail. Sa réalité n'a pourtant été démontrée qu'après le déchiffrement complet du code, une dizaine d'années après que Watson et Crick aient pour la première fois proposé leur structure pour l'ADN. Les premières expériences essentielles furent l'œuvre de Marshall Nirenberg et de son collègue Heinrich Matthaei, tous deux des National Institutes of Health. En utilisant à la fois des extraits de cellules vivantes d'*Escherichia coli*, des acides aminés radioactifs et des ARNm de différentes origines, ils fournirent la traduction du premier mot du code — UUU pour la phénylalanine — et ils proposèrent une méthode pour définir les autres. À la suite de ces expériences et d'autres du même genre, effectuées dans plusieurs laboratoires, tous les codons d'ARNm correspondant à tous les acides aminés furent bientôt traduits. Sur les 64 triplets possibles, 61 correspondent à des acides aminés spécifiques et trois sont des signaux d'arrêt. Avec 61 combinaisons codant seulement 20 acides aminés, on comprend que beaucoup d'acides aminés sont codés par plus d'un codon ; c'est pourquoi on dit que le code génétique est **dégénéré**, ou redondant. On peut voir, à la figure 11-4, que les codons qui caractérisent le même acide aminé ne diffèrent souvent que par le troisième nucléotide.

Deuxième lettre

	U	C	A	G	
U	UUU\ phe UUC/ UUA\ leu UUG/	UCU\ UCC ser UCA UCG/	UAU\ tyr UAC/ UAA stop UAG stop	UGU\ cys UGC/ UGA stop UGG trp	U C A G
C	CUU\ CUC leu CUA CUG/	CCU\ CCC pro CCA CCG/	CAU\ his CAC/ CAA\ gln CAG/	CGU\ CGC arg CGA CGG/	U C A G
A	AUU\ AUC ile AUA/ AUG met	ACU\ ACC thr ACA ACG/	AAU\ asn AAC/ AAA\ lys AAG/	AGU\ ser AGC/ AGA\ arg AGG/	U C A G
G	GUU\ GUC val GUA GUG/	GCU\ GCC ala GCA GCG/	GAU\ asp GAC/ GAA\ glu GAG/	GGU\ GGC gly GGA GGG/	U C A G

Première lettre (extrémité 5')

Troisième lettre (extrémité 3')

Figure 11-4

Le code génétique, composé de 64 codons (combinaisons de trois bases d'ARNm) et les acides aminés qui leur correspondent. (voir la figure 2-15 pour les noms et les structures des 20 acides aminés.) Sur les 64 codons, 61 déterminent des acides aminés particuliers. Les trois autres codons sont des signaux stop, qui arrêtent la chaîne polypeptidique. Puisque 61 triplets codent 20 acides aminés, il doit évidemment y avoir des « synonymes » ; il existe, par exemple, six codons pour la leucine (leu). Chaque codon est cependant spécifique d'un seul acide aminé.

Le code génétique est universel

Une des découvertes les plus remarquables de la biologie moléculaire est que le code génétique est presque identique chez tous les organismes, n'admettant que de rares exceptions mineures. Lorsque les conditions sont appropriées, les gènes des bactéries peuvent parfaitement fonctionner dans les cellules végétales. On peut aussi introduire des gènes de plantes dans des bactéries, où la « machinerie » de la cellule bactérienne destinée à la synthèse protéique peut produire des protéines végétales. Cette observation démontre non seulement l'origine commune de tout ce qui vit sur terre, mais elle est aussi à la base des techniques d'ingénierie génétique et de toutes leurs perspectives (voir chapitre 28).

La synthèse des protéines

Maintenant que nous connaissons le code génétique, nous pouvons nous interroger sur la façon dont l'information codée dans l'ADN et transcrtite en ARNm est ensuite traduite en une séquence spécifique d'acides aminés dans la chaîne polypeptidique. Les principes de la synthèse des protéines sont fondamentalement les mêmes dans les cellules procaryotes et eucaryotes, bien qu'il existe des différences de détail. Nous allons d'abord étudier le processus qui se déroule dans les cellules procaryotes en nous servant d'*E.coli* comme modèle.

L'ARN messager est synthétisé à partir d'un modèle d'ADN

Comme on l'a fait remarquer précédemment, les instructions pour la synthèse des protéines sont codées dans les séquences nucléotidiques de l'ADN, puis copiées, ou transcrites, en molécules d'ARNm suivant les règles d'appariement entre bases qui dirigent la réplication de l'ADN. Toute nouvelle molécule d'ARNm est transcrite à partir d'un des deux brins de l'hélice d'ADN (Figure 11-5). La transcription est catalysée par l'ARN polymérase. Les molécules monocaténaires d'ARNm produites de cette façon sont longues de moins de 500 à plus de 10.000 nucléotides. Des séquences spécifiques de l'ADN, appelées **promoteurs**, sont des sites de fixation pour l'ARN polymérase et déterminent donc l'endroit où débute la synthèse d'ARN et quel brin d'ADN sert de modèle. Une fois que l'ARN polymérase s'attache à un promoteur et que la double hélice d'ADN est ouverte, la transcription, ou synthèse d'ARN, peut commencer. La transcription se termine quand l'ARN polymérase a transcrit une séquence spéciale de l'ADN appelée **terminateur**.

Ainsi que nous l'avons signalé, la synthèse des protéines requiert, en plus des molécules d'ARNm, les deux autres types d'ARN : ARN de transfert et ARN ribosomique. Ces dernières molécules, qui sont transcrites à partir de leurs propres gènes de l'ADN de la cellule, ont des structures et des fonctions différentes de celles de l'ARNm.

Chaque ARN de transfert transporte un acide aminé

On appelle parfois les molécules d'ARN de transfert (ARNt) « le dictionnaire du langage de la vie » en raison du rôle qu'elles jouent dans la traduction des séquences nucléotidiques d'ARNm en séquences d'acides aminés protéiques. Les molécules d'ARNt sont relativement petites, formées de quelque 80 nucléotides qui forment un long brin solitaire replié sur lui-même (Figure 11-6). Il y a environ 60 molécules différentes d'ARNt dans toutes les cellules, au moins une pour chacun des 20 acides aminés qui se trouvent dans les protéines.

Chaque molécule d'ARNt possède deux sites de fixation importants. Un de ces sites, l'**anticodon**, comporte une séquence de trois nucléotides qui s'unissent au codon d'une molécule d'ARNm. L'autre site, à l'extrémité 3' de la molécule d'ARNt, s'attache à un acide aminé particulier. Attaché à son acide aminé, l'ARNt s'appelle un **aminoacyl-ARNt**. Des enzymes (**aminoacyl-ARNt synthétases**) sont

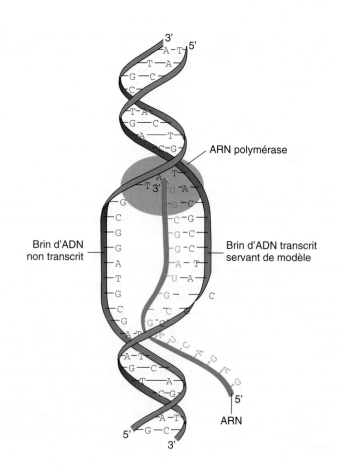

Figure 11-5

Transcription de l'ARN. Au point de fixation de l'ARN polymérase, l'ADN s'ouvre et, à mesure que l'enzyme progresse le long de la molécule d'ADN, les deux brins d'ADN se séparent. Les nucléotides utilisés dans la construction sont assemblés en ARN dans le sens 5'-3'. Notez que le brin d'ARN est le complément du brin 3'-5' à partir duquel il est transcrit — mais qu'il ne lui est pas identique. Sa séquence est cependant identique à celle du brin d'ADN (5'-3') non transcrit, la substitution de la thymine (T) par l'uracile (U) mise à part.

Figure 11-6

Structure de l'ARNt. Chaque molécule d'ARNt comporte environ 80 nucléotides réunis en une chaîne simple. La chaîne se termine toujours par une séquence CCA à son extrémité 3'. Un acide aminé se fixe à sa molécule d'ARNt spécifique à cette extrémité. Certains nucléotides sont les mêmes dans tous les ARNt ; ils sont représentés en gris. Les autres nucléotides diffèrent d'un ARNt à l'autre. Les cases sans indication représentent les nucléotides modifiés inhabituels, caractéristiques des molécules d'ARNt.

Certains nucléotides sont réunis entre eux par des liaisons hydrogène, représentées par des traits rouges. Dans certaines régions, les nucléotides non appariés forment des boucles. Dans cette figure, la boucle de droite interviendrait dans la fixation de la molécule d'ARNt à la surface du ribosome. Trois des nucléotides non appariés de la boucle du bas (en brun) forment l'anticodon. Ils servent à « connecter » la molécule d'ARNt à un codon de l'ARNm.

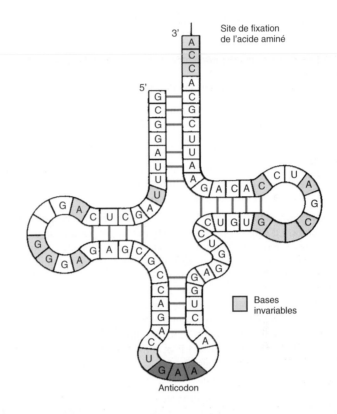

responsables de la fixation des molécules d'ARNt à leurs acides aminés. Il y a au moins 20 aminoacyl-ARNt synthétases différentes, une ou plusieurs pour chaque acide aminé. Activées grâce à l'énergie libérée par l'hydrolyse de l'ATP, ces enzymes sont des éléments clés de la traduction du message génétique. Elles déterminent quel acide aminé s'associera à quel ARNt (et donc à quel anticodon).

L'ARN ribosomique s'associe à des protéines pour former un ribosome

Comme son nom l'implique, l'ARN ribosomique (ARNr) est associé aux ribosomes, qui sont de gros complexes de molécules d'ARN et protéines. Fonctionnellement, les ribosomes sont des machines à synthétiser les protéines : les molécules d'ARNt s'y fixent aux molécules d'ARNm en respectant une relation précise avec les molécules d'ARNm, de manière à ce que le message génétique codé dans l'ARNm soit lu avec exactitude. Les ribosomes sont formés de deux sous-unités, une petite et une grosse, toutes deux composées de molécules d'ARN spécifiques et de protéines (Figure 11-7). La petite unité possède un **site d'union à l'ARNm**. La grosse sous-unité possède trois sites auxquels peut s'unir l'ARNt : un **site A (aminoacyle)**, où l'ARNt

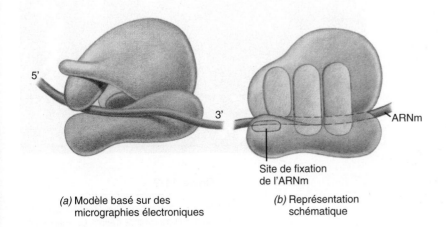

(a) Modèle basé sur des micrographies électroniques

(b) Représentation schématique

Figure 11-7

Chez les procaryotes, comme chez les eucaryotes, les ribosomes sont formés de deux sous-unités, une grosse et une petite. Chaque sous-unité se compose de molécules d'ARNt spécifiques et de protéines. La taille et la densité des deux sous-unités sont supérieures chez les eucaryotes. **(a)** Aspect de la structure tridimensionnelle du ribosome d'*E.coli*, d'après les micrographies électroniques. **(b)** Dessin schématique d'un autre aspect du ribosome d'*E.coli* vu sous un autre angle. Pendant la synthèse des protéines, le ribosome se déplace le long d'une molécule d'ARNm représentée par le filament qui se faufile entre les deux sous-unités.

entrant, porteur de l'acide aminé, se fixe habituellement, un **site P (peptidyle)**, où se loge l'ARNt porteur de la chaîne polypeptidique en croissance, et un **site E (exit)**, par où l'ARNt quitte le ribosome après avoir libéré son acide aminé.

Traduction de l'ARNm en protéine

La synthèse des protéines est connue sous le nom de « traduction » parce qu'elle implique le transfert de l'information d'un langage (une séquence de nucléotides) dans un autre (une séquence d'acides aminés). Dans la plupart des cellules, la synthèse protéique consomme plus d'énergie que tout autre processus de biosynthèse. Les principales étapes de la traduction sont l'initiation, l'élongation de la chaîne polypeptidique et sa terminaison (Figure 11-8).

L'**initiation** débute quand la petite sous-unité ribosomique s'attache à un brin d'ARNm près de son extrémité 5', exposant son premier codon, le *codon d'initiation*. L'anticodon du premier ARNt s'apparie ensuite au codon d'initiation de l'ARNm de façon antiparallèle : le codon d'initiation est généralement (5')-AUG-(3') et l'anticodon de l'ARNt est (3')-UAC-(5'). L'ARNt d'initiation, qui s'unit au codon AUG, porte une forme modifiée de l'acide aminé méthionine (fMet) : c'est par cet acide aminé que débute la chaîne polypeptidique. La grosse sous-unité ribosomique s'attache alors à la petite, permettant au fMet-ARNt de s'unir au site P et offrant le site A à l'aminoacyl-ARNt suivant. L'énergie nécessaire à cette étape provient de l'hydrolyse du guanosine triphosphate (GTP).

Au début du stade d'**élongation**, le deuxième codon de l'ARNm se place en face du site ribosomique A libre. Un ARNt dont l'anticodon est complémentaire de ce deuxième codon s'unit à l'ARNm et occupe le site A du ribosome avec son acide aminé. Les sites P et A étant occupés, une enzyme, la **peptidyl transférase**, qui fait partie de la grande sous-unité du ribosome, forge une liaison peptidique entre les deux acides aminés, attachant le premier (fMet) au deuxième. Le premier ARNt est libéré du ribosome via le site E et revient dans la réserve d'ARNt du cytoplasme. Le ribosome se déplace alors sur la longueur d'un codon le long de la molécule d'ARNm. Il en découle que le second ARNt, auquel sont maintenant attachés fMet et le deuxième acide aminé, passe de la position A à la position P. Un troisième aminoacyl-ARNt arrive à la position A en face du troisième codon de l'ARNm et le processus se répète. La position P reçoit l'un après l'autre les ARNt portant la chaîne polypeptidique en croissance, et la position A accepte les ARNt portant le nouvel acide aminé qui s'ajoutera à la chaîne. Lorsque le ribosome arrive au bout du brin d'ARNm, la portion initiatrice de la molécule d'ARNm se libère, et un autre ribosome peut former avec elle un nouveau complexe d'initiation. Un **polyribosome**, ou **polysome**, est un groupe de ribosomes traduisant la même molécule d'ARNm (Figure 11-9).

Figure 11-8

Trois étapes de la synthèse des protéines. **(a)** Initiation. La petite sous-unité ribosomique s'attache à l'extrémité 5' de la molécule d'ARNm. La première molécule d'ARNt, molécule d'initiation, porte l'acide aminé modifié fMet et s'unit au codon d'initiation AUG de la molécule d'ARNm. La grosse sous-unité du ribosome se fixe à sa place, l'ARNt occupant le site P (peptidyle). Les sites A (aminoacyle) et E (exit) sont libres.

(b) Élongation. Un deuxième ARNt, muni de son acide aminé, arrive au site A et son anticodon s'unit à l'ARNm. Une liaison peptidique se forme entre les deux acides aminés réunis sur le ribosome. Au même moment, la liaison entre le premier acide aminé et son ARNt est rompue. Le ribosome se déplace le long de la chaîne de l'ARNm dans le sens 5'-3' et le deuxième ARNt, muni de son dipeptide, passe du site P au site A, alors que le premier ARNt est libéré du ribosome via le site E. Un troisième ARNt entre au site A et une autre liaison peptidique se forme. La chaîne peptidique en croissance est toujours attachée à l'ARNt qui va du site A au site P, et l'ARNt qui arrive avec l'acide aminé suivant occupe toujours le site A. Cette étape se répète sans discontinuer jusqu'à ce que le polypeptide soit terminé.

(c) Terminaison. Quand le ribosome arrive à un codon de terminaison (UGA dans cet exemple), un facteur de libération occupe le site A. Le polypeptide est libéré du dernier ARNt, l'ARNt quitte le site P et les deux sous-unités du ribosome se séparent.

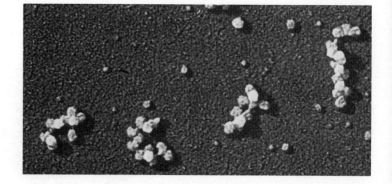

Figure 11-9

Amas de ribosomes. Tous les ribosomes d'un amas lisent la même molécule d'ARNm. Ces paquets sont des polyribosomes, ou polysomes.

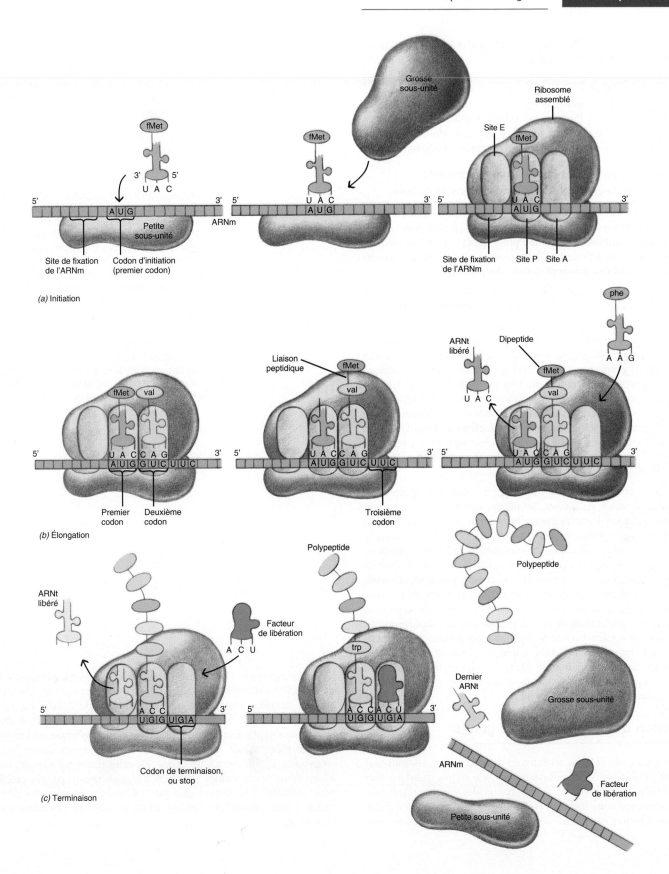

(a) Initiation

(b) Élongation

(c) Terminaison

Le processus cyclique de traduction qui vient d'être décrit se poursuit jusqu'à la **terminaison,** quand un des trois *codons stop* (UAG, UAA ou UGA) est atteint sur l'ARNm. Aucun ARNt ne reconnaît ces codons, et aucun ARNt n'entre donc au site A à leur niveau. Inversement, des protéines cytoplasmiques, appelées *facteurs de libération,* s'unissent directement à l'un de ces codons stop à un site A du ribosome, la chaîne polypeptidique terminée se libère, de même que le dernier ARNt, et les deux sous-unités ribosomiques se séparent.

Chez les eucaryotes, les polypeptides sont triés en fonction de leur localisation finale dans la cellule.

Les polypeptides codés par les gènes nucléaires sont synthétisés au cours d'un processus qui débute dans le cytosol. Il doit donc exister un mécanisme garantissant que les polypeptides soient finalement dirigés vers le compartiment cellulaire adéquat. Ce mécanisme est l'**adressage** et le **tri des polypeptides** (ou **des protéines**).

Peu après le début de la synthèse des polypeptides sur les ribosomes dans le cytosol, deux voies différentes se présentent (Figure 11-10).

Dans la première voie, les ribosomes qui participent à la synthèse des polypeptides destinés au réticulum endoplasmique ou à aux membranes qui en dérivent s'attachent à la membrane du réticulum au début du processus de traduction. Dès leur synthèse, les polypeptides sont transportés à travers la membrane du réticulum endoplasmique (ou ils y sont insérés, s'il s'agit de protéines intrinsèques). Ce processus est donc appelé un **import cotraductionnel**. Le polypeptide terminé se trouvant dans le réticulum endoplasmique peut y rester ou être transporté à travers la membrane vers le système de Golgi et diverses vésicules, puis vers une autre destination.

Dans la seconde voie, les ribosomes participant à la synthèse de polypeptides destinés au cytosol, au noyau, aux mitochondries, aux chloroplastes ou aux peroxysomes restent libres dans le cytosol. Les polypeptides qui se séparent de ces ribosomes libres restent dans le cytosol ou sont embarqués dans le compartiment cellulaire approprié. La capture des polypeptides par le noyau, la mitochondrie, le chloroplaste ou le peroxysome représente un **import posttraductionnel**, parce que les polypeptides sont importés dans ces éléments cellulaires *après* la fin de la traduction. L'importation a besoin de séquences spécifiques de signalisation de nature peptidique, qui sont responsables de la bonne localisation du polypeptide. Les séquences polypeptidiques qui interviennent dans l'import posttraductionnel des polypeptides dans le noyau sont désignés comme des signaux de localisation nucléaire. Dans le cas des mitochondries et des chloroplastes, ce sont des peptides de transit.

Régulation de l'expression des gènes

Bien que toutes ses cellules somatiques aient la même composition génétique, l'organisme multicellulaire comporte un très grand nombre de types cellulaires différents, ayant chacun des fonctions spécialisées. La différence entre les types cellulaires est la conséquence d'une expression sélective des gènes — cela signifie que certains gènes seu-

Figure 11-10

Adressage et tri des polypeptides. **(a)** La synthèse de tous les polypeptides codés par les gènes nucléaires débute dans le cytosol. Les deux sous-unités du ribosome s'associent entre elles et avec l'extrémité 5' d'une molécule d'ARNm pour produire un ribosome fonctionnel qui commence à synthétiser le polypeptide. Quand le polypeptide en développement est long d'une trentaine d'acides aminés, il se trouve devant une alternative.

(b) S'il est destiné à un des compartiments du système endomembranaire (page 58), le polypeptide s'attache à une membrane du réticulum endoplasmique et il est transféré dans sa lumière (l'espace intérieur), alors que sa synthèse se poursuit. Ce processus est l'import cotraductionnel. Le polypeptide terminé reste alors dans le réticulum endoplasmique, ou il est transporté à sa destination finale par le système de Golgi et par des vésicules diverses. Les protéines membranaires intrinsèques sont insérées dans la membrane du réticulum endoplasmique dès leur synthèse.

(c) Si le polypeptide est destiné au cytosol ou à l'intérieur du noyau, des mitochondries, des chloroplastes ou des peroxysomes, sa synthèse se poursuit dans le cytosol. Quand sa synthèse est terminée, le polypeptide se libère du ribosome et reste dans le cytosol ou est introduit dans un organite. Ce processus est l'import posttraductionnel. Le polypeptide pénètre dans le noyau en passant par les pores nucléaires.

lement s'expriment. Par conséquent, les enzymes qui interviennent dans la différenciation cellulaire s'expriment sélectivement. Dans une cellule donnée, certains gènes s'expriment de façon continue, d'autres ne le font que si leurs produits sont nécessaires, et d'autres encore ne s'expriment pas du tout. La **régulation génique** est l'ensemble des mécanismes qui contrôlent l'expression des gènes — qui « ouvrent » et « ferment » les gènes. Dans les pages qui suivent, nous allons examiner quelques stratégies mises en œuvre par les cellules pour contrôler l'expression génique, en commençant par les procaryotes. Jetons cependant d'abord un coup d'œil sur le chromosome procaryote.

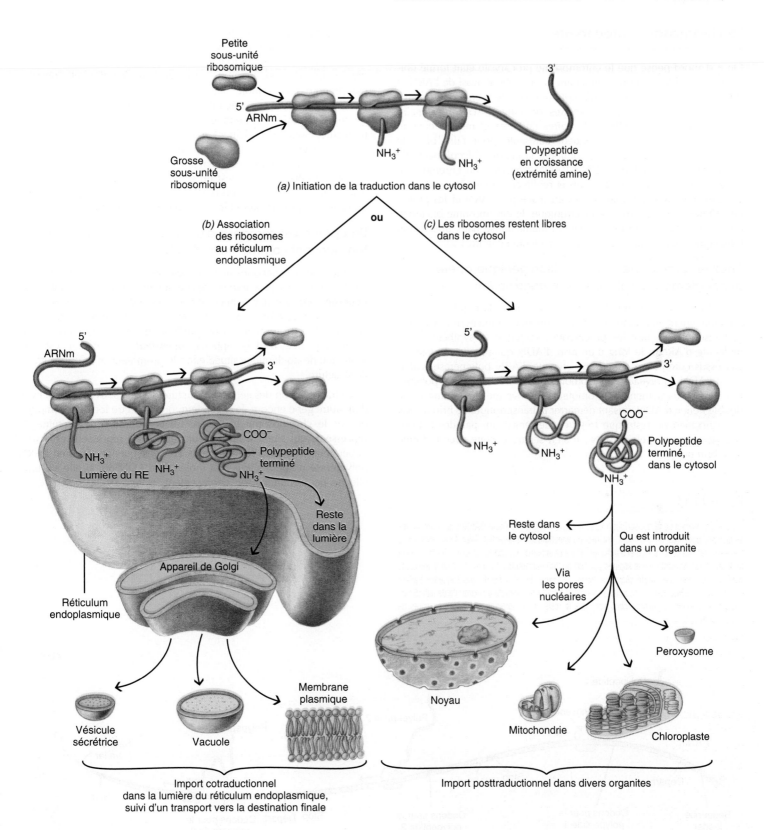

Petite
sous-unité
ribosomique

Grosse
sous-unité
ribosomique

5'

ARNm

3'

NH₃⁺

NH₃⁺

Polypeptide
en croissance
(extrémité amine)

(a) Initiation de la traduction dans le cytosol

ou

(b) Association
des ribosomes
au réticulum
endoplasmique

(c) Les ribosomes restent libres
dans le cytosol

5'

ARNm

3'

NH₃⁺   NH₃⁺

Lumière du RE

COO⁻

Polypeptide
terminé

NH₃⁺

Reste
dans la
lumière

Appareil de Golgi

Réticulum
endoplasmique

Vésicule
sécrétrice

Vacuole

Membrane
plasmique

5'

3'

NH₃⁺   NH₃⁺

COO⁻

NH₃⁺

Polypeptide
terminé,
dans le cytosol

Reste dans
le cytosol

Ou est introduit
dans un organite

Via
les pores
nucléaires

Noyau

Peroxysome

Mitochondrie

Chloroplaste

Import cotraductionnel
dans la lumière du réticulum endoplasmique,
suivi d'un transport vers la destination finale

Import posttraductionnel dans divers organites

Le chromosome procaryote

On a d'abord pensé que le chromosome procaryote était formé uniquement d'ADN ; on sait maintenant qu'il contient aussi de l'ARN et des protéines. Chez *Escherichia coli*, une cellule d'environ 1 micromètre de diamètre et 2 micromètres de long, l'ADN bicaténaire contient environ 4,7 millions de paires de bases et mesure environ 1,6 millimètre de long — longueur suffisante pour faire plus de 400 fois le tour de la cellule. Comment la cellule d'*E.coli* peut-elle loger une telle quantité d'ADN ? L'ADN circulaire du chromosome bactérien est enroulé plusieurs fois et replié en un certain nombre de boucles qui paraissent maintenues en place par l'ARN et les protéines. Observé au microscope électronique, le chromosome bactérien forme une masse confuse de matière filamenteuse dans une région relativement claire du cytoplasme, le nucléoïde (Figure 3-2).

Chez les procaryotes, la régulation génique opère principalement au niveau de la transcription

Chez *E.coli*, comme chez les autres procaryotes, la régulation opère principalement au niveau de la transcription. Comme nous l'avons vu, la transcription, chez les procaryotes, implique la synthèse d'une molécule d'ARNm le long d'un brin d'ADN qui sert de modèle. Le processus commence quand une enzyme, l'ARN polymérase, s'attache à l'ADN au niveau d'un promoteur. La molécule d'ARN polymérase se fixe fermement au promoteur et provoque l'ouverture de la double hélice d'ADN, faisant démarrer la transcription. Le brin d'ARN en croissance ne reste que très peu de temps uni par des liaisons hydrogène au modèle d'ADN ; il s'en sépare ensuite sous la forme d'un brin unique.

Un **gène de structure** est un segment d'ADN qui code un polypeptide. Dans le chromosome bactérien, les gènes de structure codant des polypeptides dont les fonctions sont apparentées sont souvent placés les uns derrière les autres. Ces groupes fonctionnels, peuvent comprendre, par exemple, deux chaînes polypeptidiques qui composent ensemble une enzyme, ou encore, trois enzymes qui participent à une même voie biochimique. Les groupes de gènes qui codent ces molécules sont généralement transcrits sous forme d'un seul brin d'ARNm (Figure 11-11). Un groupe de polypeptides dont la cellule a besoin au même moment et en même quantité peuvent donc être synthétisés simultanément ; c'est un système simple et efficace de contrôle. On ne trouve ce type d'ARNm codant plusieurs polypeptides que chez les procaryotes et les virus végétaux et animaux.

Un opéron est composé d'un groupe de gènes contigus fonctionnant comme unité de régulation

Ce que nous connaissons actuellement sur la régulation de la transcription chez les procaryotes repose sur un modèle, le **modèle de l'opéron**, proposé il y a quelques années par les Français François Jacob et Jacques Monod. Suivant ce modèle, un **opéron** (Figure 11-12) comprend le promoteur, un ou plusieurs gènes de structure et une autre séquence d'ADN appelée **opérateur**. L'opérateur est une séquence de nucléotides située entre le promoteur et le ou les gènes de structure.

La transcription des gènes de structure dépend souvent de l'activité d'un autre gène encore, le **régulateur**, qui peut être localisé n'importe où sur le chromosome bactérien. Ce gène code une protéine, le **répresseur**, qui s'unit à l'opérateur. Quand un répresseur est fixé à l'opérateur, il entrave le promoteur. En conséquence, ou bien l'ARN polymérase ne peut s'unir à la molécule d'ADN ou, si elle s'y unit, elle ne peut entamer son déplacement le long de la molécule. Le

Figure 11-11

Chez les procaryotes, la transcription aboutit souvent à une molécule d'ARNm qui contient les séquences codantes de plusieurs chaînes polypeptidiques différentes, avec leurs séquences séparées par des codons stop et d'initiation. Dans ce schéma, les codons stop et d'initiation sont contigus, mais ils sont parfois séparés par 100 ou 200 nucléotides. L'extrémité 5' de la molécule d'ARNm possède une courte séquence leader et l'extrémité 3' possède une séquence trailer ; aucune de ces séquences ne code les protéines. La traduction débute à l'extrémité de tête (5') de l'ARNm et commence généralement alors que le reste de la molécule est encore en cours de transcription.

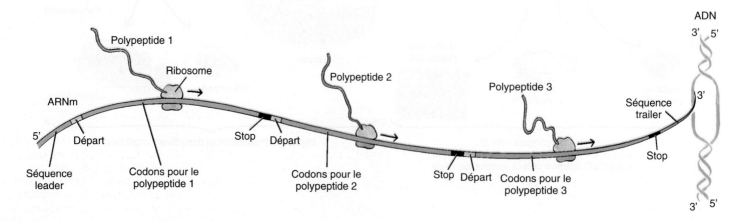

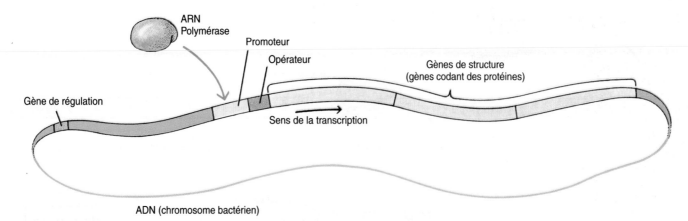

Figure 11-12

Représentation schématique d'un opéron. L'opéron comprend un promoteur, un opérateur et les gènes de structure (il s'agit des gènes qui codent des protéines, souvent des enzymes, intervenant successivement dans une voie biochimique particu-lière). Le promoteur, qui précède l'opérateur, est le site de fixation de l'ARN polymérase. C'est au niveau de l'opérateur qu'un répresseur peut se fixer ; le répresseur peut chevaucher soit le promoteur, soit le premier gène de structure, soit les deux. Un autre gène intervenant dans le fonctionnement de l'opéron est le régulateur, qui code le répresseur. Bien que le régulateur puisse être contigu à l'opéron, il se trouve le plus souvent à un autre endroit du chromosome bactérien.

résultat est le même dans les deux cas, il n'y a pas de transcription d'ARNm. Cependant, si le répresseur est éliminé, la transcription peut commencer.

La capacité du répresseur de s'unir à l'opérateur, et donc de bloquer la synthèse protéique, dépend, à son tour, d'une autre molécule qui active ou inactive le répresseur de cet opéron particulier (Figure 11-13). Une molécule qui active un répresseur est un **corépresseur**, et celle qui l'inactive est un **inducteur**. Quand le lactose (sucre de lait), par exemple, se trouve dans le milieu de culture, la première étape de son métabolisme dans les cellules bactériennes produit un sucre très voisin, l'allolactose. L'allolactose est un inducteur — il se fixe au répresseur et l'inactive, en l'écartant de l'opérateur

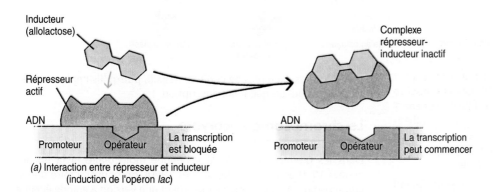

(a) Interaction entre répresseur et inducteur (induction de l'opéron *lac*)

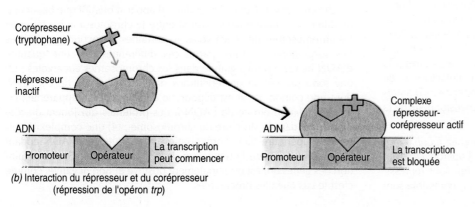

(b) Interaction du répresseur et du corépresseur (répression de l'opéron *trp*)

Figure 11-13

Dans un système d'opérons, la transcription de l'ARNm — et donc la synthèse des protéines — est contrôlée par une inte-raction entre un répresseur et soit un inducteur, soit un coré-presseur. Les répresseurs actifs empêchent la transcription de l'ARNm par l'ARN polymérase. **(a)** Dans certains systèmes, comme l'opéron *lac*, la molécule de répresseur est active, elle se fixe au site opérateur jusqu'à sa combinaison à l'inducteur. **(b)** Dans d'autres systèmes, comme l'opéron *trp*, le répres-seur n'est pas actif avant sa combinaison au corépresseur.

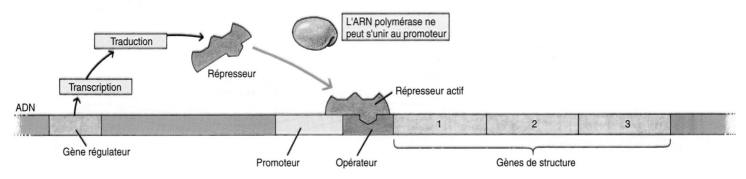

(a) Opéron *lac*, opérateur "fermé"

Figure 11-14

Régulation de l'opéron *lac*. **(a)** En l'absence de lactose, le répresseur s'unit à l'ADN au niveau de l'opérateur et empêche ainsi l'ARN polymérase de commencer la transcription. **(b)** En présence de lactose, le répresseur est inactivé. L'ARN polymérase peut donc s'unir au promoteur et la synthèse d'ARNm peut progresser. Les gènes de l'opéron sont transcrits sous forme d'une seule molécule d'ARNm responsable de la synthèse de trois protéines : l'enzyme β-galactosidase, une protéine de transport qui apporte le lactose du milieu externe dans la cellule, et l'enzyme transacétylase, qui transfère un groupement acétyle de l'acétyl CoA (page 114) au galactose.

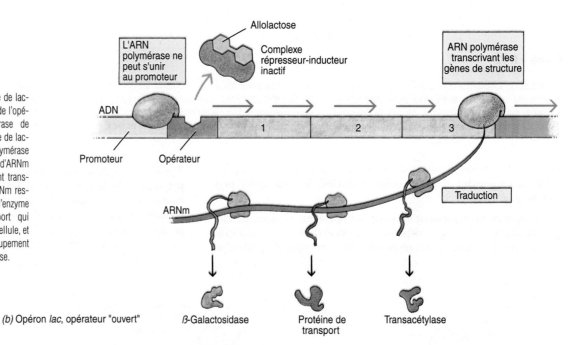

(b) Opéron *lac*, opérateur "ouvert"

de l'opéron lactose (*lac*). Par conséquent, l'ARN polymérase peut entamer son mouvement le long de la molécule d'ADN et transcrire les gènes de structure de l'opéron en ARNm (Figure 11-14). Les enzymes qui interviennent dans le métabolisme du lactose sont synthétisées et la bactérie est donc capable d'utiliser le lactose comme source d'énergie. En l'absence de lactose, les enzymes ne sont pas produites et la cellule peut dépenser son énergie à d'autres activités.

L'acide aminé tryptophane est un exemple de corépresseur. Quand il est présent dans le milieu de culture, il active le répresseur de l'opéron tryptophane (*trp*). Le répresseur activé s'unit ensuite à l'opérateur et bloque la synthèse des enzymes qui ne sont pas nécessaires. Puisque la bactérie dispose aisément du tryptophane, elle n'a pas besoin de dépenser de l'énergie pour produire les enzymes nécessaires à la synthèse de cet acide aminé. Le tryptophane et l'allolactose — de même que les molécules qui interagissent avec les opérateurs d'autres opérons — fonctionnent en modifiant la forme tridimensionnelle de la molécule de répresseur (Figure 11-13).

On a identifié actuellement quelque 75 opérons chez *E.coli*, comprenant 260 gènes de structure. Certains, comme l'opéron *lac*, sont inductibles, tandis que d'autres, comme l'opéron *trp*, sont répressibles. Notez cependant que les systèmes inductible et répressible sont tous deux des exemples de contrôle négatif, puisqu'ils impliquent des répresseurs qui bloquent la transcription.

Le chromosome eucaryote

Dans les premiers jours de la génétique moléculaire (à la fin des années 1950 et au début des années 1960), on pouvait croire que le chromosome eucaryote était simplement une version à grande échelle du chromosome d'*E.coli*. Cependant, il apparut bientôt que beaucoup de différences importantes existent entre le chromosome bactérien et les chromosomes des eucaryotes — certaines soupçonnées, d'autres très surprenantes. Citons, parmi ces différences : (1) une quantité d'ADN beaucoup plus grande dans les chromosomes eucaryotes ; (2) une forte proportion de répétitions dans la séquence de cet ADN, dont une grande partie est dépourvue de signification apparente ; (3) une association étroite de l'ADN à des protéines qui jouent un rôle primordial dans la structure du chromosome ; (4) une complexité nettement supérieure dans l'organisation des séquences d'ADN codant des protéines et dans la régulation de leur expression ; (5) une régulation des gènes qui est principalement positive et non négative, comme c'est le cas chez les procaryotes.

(a)

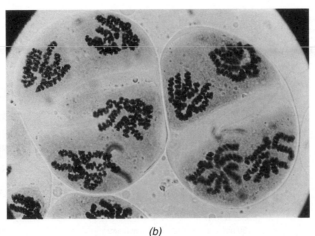

(b)

Figure 11-15

(a) *Trillium erectum* fleurit au début du printemps. (b) Seconde anaphase de la méiose pendant la formation des microspores chez *T.erectum*. Les chromosomes complètement condensés sont bien visibles et leur séparation est presque complète. Chaque nouveau noyau formé possède un lot haploïde de chromosomes contenant au total plus de 30 mètres d'ADN.

L'ADN est un « filament merveilleusement mince », suivant les termes de E.J. DuPraw, qui avait calculé qu'une longueur permettant de relier la terre au soleil ne pèserait qu'un demi-gramme. On considère que l'ADN d'un chromosome eucaryote est formé d'une seule molécule linéaire. Si vous avez été impressionné par la taille du génome d'*E.coli* et la longueur de son ADN, considérez la taille du génome et la longueur de l'ADN de *Trillium*, une fleur sauvage commune au printemps (Figure 11-15). (La taille du génome est habituellement exprimée en nombre de paires de bases dans un lot haploïde de chromosomes.) Un lot haploïde de chromosomes de *Trillium* contient 1×10^{11} (100 milliards) paires de bases. Chaque cellule diploïde contient donc environ 68 mètres d'ADN ! Nous commençons seulement à comprendre ce que *Trillium* fait de tout cet ADN.

Les chromosomes contiennent des protéines, les histones

L'empaquetage de l'ADN est plus compliqué dans les cellules eucaryotes que dans les procaryotes. Comme nous l'avons noté au chapitre 3, on parle de **chromatine** (« filaments colorés ») pour désigner la combinaison de l'ADN et des protéines qui lui sont associées dans les chromosomes eucaryotes en raison de ses propriétés de coloration. Plus de la moitié de la chromatine sont des protéines, et les protéines les plus abondantes appartiennent à une classe de petits polypeptides, les **histones**. Les histones sont chargées positivement (basiques) et sont ainsi attirées par l'ADN chargé négativement (acide). Elles sont toujours présentes dans la chromatine et sont synthétisées en grandes quantités pendant la phase S du cycle cellulaire. Les histones sont principalement responsables du pliage et de l'empaquetage de l'ADN.

Il y a cinq types différents d'histones. Elles sont présentes en quantités énormes — environ 60 millions de molécules par cellule pour chacun des quatre types (H2A, H2B, H3 et H4) et environ 30 millions de molécules du cinquième type, H1). À l'exception de H1, les séquences d'acides aminés des histones sont remarquablement semblables dans des groupes d'organismes très divers. Par exemple, les

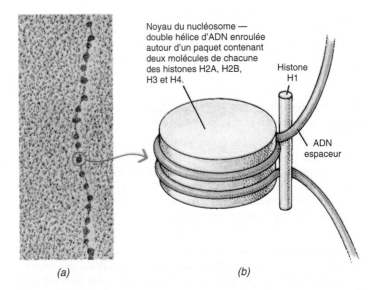

Noyau du nucléosome — double hélice d'ADN enroulée autour d'un paquet contenant deux molécules de chacune des histones H2A, H2B, H3 et H4.

Histone H1

ADN espaceur

(a)   (b)

Figure 11-16

Nucléosomes. (a) Micrographie électronique de nucléosomes et des filaments d'ADN qui les relient, dans un érythrocyte (cellule rouge du sang) de poulet. Les nucléosomes — structures qui ressemblent aux perles d'un collier — mesurent environ 10 nanomètres de diamètre. (b) Un nucléosome est composé d'un noyau protéique comprenant quatre types différents d'histones (deux molécules de H2A, H2B, H3 et H4), autour duquel l'hélice d'ADN s'enroule deux fois. Les nucléosomes sont séparés les uns des autres par un ADN espaceur. L'histone H1 se fixe à la surface externe des nucléosomes.

séquences des histones H4 chez les vaches et chez les pois ne diffèrent que par 102 acides aminés.

Les unités fondamentales d'emballage de la chromatine sont les **nucléosomes** (Figure 11-16), qui ressemblent aux perles d'un collier. Un nucléosome comprend un noyau de huit molécules d'histones (deux de chaque type H2A, H2B, H3 et H4) autour duquel le filament d'ADN s'enroule deux fois, comme un fil autour d'une bobine. L'histone H1 se trouve sur l'ADN, en-dehors du noyau du nucléosome.

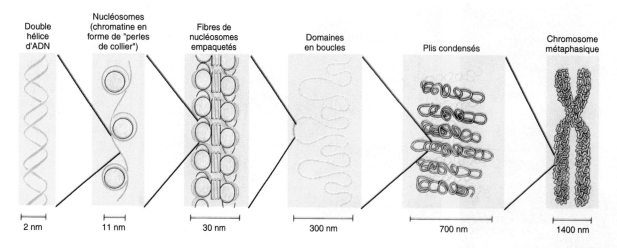

Double hélice d'ADN	Nucléosomes (chromatine en forme de "perles de collier")	Fibres de nucléosomes empaquetés	Domaines en boucles	Plis condensés	Chromosome métaphasique
2 nm	11 nm	30 nm	300 nm	700 nm	1400 nm

Figure 11-17

Etapes du pliage de la chromatine, se terminant par le chromosome métaphasique entièrement condensé. Le modèle est basé sur des micrographies électroniques de la chromatine à des degrés différents de condensation. D'après les données actuelles, chaque chromatide d'un chromosome dupliqué contient une seule molécule d'ADN bicaténaire et comprend, en poids, environ 60 % de protéine.

Quand un fragment d'ADN est enroulé dans un nucléosome, il est six fois plus court que s'il était entièrement étendu.

La figure 11-17 montre qu'un empaquetage supplémentaire des nucléosomes donne une fibre épaisse d'environ 30 nanomètres. La condensation de cette fibre produit une série de boucles : ce sont des domaines bouclés. Ces domaines bouclés s'enroulent également, jusqu'à ce que, finalement, les amas de boucles voisines se condensent et donnent les chromosomes métaphasiques compacts visibles au microscope optique pendant la mitose et la méiose.

D'autres protéines sont associées au chromosome : les enzymes qui interviennent dans la synthèse de l'ADN et de l'ARN, des protéines de régulation, et un grand nombre de molécules diverses qui n'ont pas encore été isolées ni identifiées. Contrairement aux histones, ces molécules diffèrent d'un type cellulaire à l'autre.

Régulation de l'expression génique chez les eucaryotes

Comme nous l'avons vu précédemment, la régulation de l'expression génique chez les procaryotes implique le plus souvent le déclenchement et l'arrêt du fonctionnement des gènes en fonction de la quantité plus ou moins grande d'aliments disponibles dans l'environnement. Chez les eucaryotes, en particulier chez les multicellulaires, les problèmes de régulation sont très différents. La vie d'un organisme multicellulaire débute normalement par une oosphère fécondée, le zygote. Celui-ci se divise de façon répétée par mitose et cytocinèse pour produire de nombreuses cellules. À un certain stade, ces cellules commencent à se différencier pour devenir, chez une angiosperme par exemple, des cellules épidermiques, photosynthétiques, de réserve, de transport de l'eau (dans le xylème), de transport des aliments (dans

le phloème) et ainsi de suite. Au cours de sa différenciation, chaque type cellulaire produit d'abord des protéines caractéristiques qui le distinguent, structurallement et fonctionnellement, de tous les autres types de cellules.

On a cependant prouvé que toute l'information génétique présente à l'origine dans le zygote se retrouve aussi dans toutes les cellules diploïdes de l'organisme. C'est particulièrement évident pour les plantes, où les cellules différenciées dont les protoplastes sont intacts ont la capacité de se dédifférencier et de se diviser, et leurs descendants peuvent à leur tour se différencier et donner pratiquement tous les types cellulaires. Les cellules individuelles peuvent même régénérer une plante entière, génétiquement semblable à la plante d'origine (phénomène appelé totipotence, dont il sera question au chapitre 28). On peut voir que, bien que la cellule différenciée d'origine n'ait produit que ses protéines caractéristiques — et non celles d'autres types cellulaires — elle peut par la suite produire des protéines différentes qui modifient ses caractéristiques. (En fait, les cellules différenciées de types différents ont en commun de nombreuses protéines, en rapport avec les nombreuses fonctions communes à toutes les cellules, comme le cycle de Krebs et les mécanismes de réplication, transcription et traduction.) Il est clair que la différenciation des cellules d'un organisme multicellulaire dépend de l'activation de certains groupes de gènes et de l'inactivation d'autres groupes.

La condensation des chromosomes est un facteur important dans l'expression des gènes

De nombreux arguments indiquent que le degré de condensation de l'ADN du chromosome, mis en évidence par la coloration de la chromatine, joue un rôle majeur dans la régulation de l'expression des gènes dans les cellules eucaryotes. La coloration révèle l'existence de deux types de chromatine : l'**euchromatine**, la forme la plus ouverte qui se colore faiblement, et l'**hétérochromatine**, qui est la forme la plus condensée, se colore intensément. Pendant l'interphase, l'hétérochromatine reste très condensée, mais l'euchromatine devient plus ouverte. La transcription de situe durant l'interphase, lorsque la chromatine est moins condensée et est donc plus accessible aux molécules d'ARN polymérase.

Certaines régions hétérochromatiques sont constamment présentes dans toutes les cellules et ne s'expriment jamais. La région centromérique des différents chromosomes est un exemple de chromatine très condensée. Cette région, qui ne code pas de protéines, joue probablement un rôle structural dans le déplacement des chromosomes au cours de la mitose et de la méiose. De même, il n'y a pas de transcription au niveau des télomères, les extrémités protectrices des chromosomes (page 203).

Le niveau de condensation des autres régions de la chromatine varie cependant d'un type de cellule à l'autre à l'intérieur du même organisme. Cela reflète probablement le fait que les différents types de cellules synthétisent des protéines différentes et requièrent donc la transcription de segments d'ADN différents. De plus, dès qu'une cellule se différencie au cours du développement embryonnaire, le rapport entre hétérochromatine et euchromatine augmente avec la spécialisation croissante de la cellule. Les segments d'ADN qui ne seront plus nécessaires à la cellule différenciée deviennent effectivement « silencieux ».

Des protéines de fixation spécifiques contrôlent l'expression génique

Chez les eucaryotes, comme chez les procaryotes, la transcription est contrôlée par des protéines qui se fixent à des sites spécifiques de la

TABLEAU 11.1
Teneur en ADN dans les génomes de quelques bactéries et eucaryotes

GÉNOME	NOMBRE APPROXIMATIF DE PAIRES DE BASES (KB)ᵃ	NOMBRE (HAPLOÏDE) DE CHROMOSOMES
Bactéries (chromosomes circulaires)		
Mycoplasma hominis	760	
Bacillus	3.000	
E.coli	4.700	
Eucaryotes (chromosomes linéaires)		
CHAMPIGNONS		
Saccharomyces cerevisiae (levure)	13.500	16
ANIMAUX		
Drosophila melanogaster	165.000	4
Homo sapiens	3.000.000	46
Amphiuma sp.	76.500.000	14
PLANTES		
Arabidopsis thaliana	100.000	10
Zea mays (maïs)	4.500.000	10
Pisum sativum (pois)	5.000.000	7
Trillium	100.000.000	5

a. kb = kilobase ; 1 kb vaut mille paires de bases

molécule d'ADN. Fonctionnant conjointement avec d'autres protéines appelées facteurs de transcription, ces protéines réorganisent les nucléosomes et permettent aux mécanismes de transcription d'accéder à l'ADN. On a aujourd'hui identifié bon nombre de ces protéines, ainsi que leurs sites de fixation, et il est devenu de plus en plus évident que le contrôle de la transcription est beaucoup plus complexe chez les eucaryotes multicellulaires que chez les procaryotes. Des arguments récents indiquent que les histones peuvent également jouer un rôle dans la régulation de l'expression génique en exposant sélectivement les gènes à la transcription.

Dans un organisme multicellulaire, le gène paraît répondre à un vaste ensemble de protéines de régulation différentes, certaines ayant tendance à le mettre en action et d'autres à l'arrêter. Le site de fixation de ces protéines peut se situer à des endroits distants de centaines, voire de milliers de paires de bases de la séquence promotrice où se fixe l'ARN polymérase et où débute la transcription. Comme on peut s'en douter, il est de ce fait plus difficile d'identifier les molécules régulatrices et de comprendre exactement la manière dont elles exercent leurs effets.

L'ADN du chromosome eucaryote

Les premiers travaux sur l'ADN des cellules eucaryotes ont mis en évidence deux faits surprenants. Premièrement, à quelques exceptions près, la quantité d'ADN est identique dans toutes les cellules d'une même espèce (ce qui n'est pas surprenant), mais les différences entre les espèces sont énormes (Tableau 11-1). En second lieu, dans toute cellule eucaryote, il paraît y avoir beaucoup trop d'ADN, ou au moins d'ADN dont la fonction est inconnue. On estime que moins de 10 % de tout l'ADN des cellules eucaryotes code des protéines. Dans l'espèce humaine, on n'atteint peut-être pas un pour-cent. Au contraire, les procaryotes utilisent leur ADN d'une façon très économique, presque tout leur ADN s'exprime à l'un ou l'autre moment de la vie de l'organisme.

Les recherches se poursuivent pour comprendre l'organisation de l'ADN eucaryote, de même que la fonction des longues chaînes de nucléotides qui ne codent pas de protéines.

Dans l'ADN eucaryote, de nombreuses séquences nucléotidiques sont répétées.

Les génomes eucaryotes contiennent de nombreuses copies de séquences nucléotidiques apparemment non essentielles et qui ne codent pas de protéines. La présence d'une quantité excessive d'ADN explique, au moins en partie, les quantités importantes d'ADN dans des organismes tels que la salamandre et *Trillium* (Tableau 11-1).

On peut reconnaître deux catégories importantes d'ADN répétitif : l'ADN répété en tandem et l'ADN répétitif dispersé. L'**ADN répété en tandem** est essentiellement caractérisé par la disposition des copies répétées, l'une à la suite de l'autre, c'est-à-dire en tandem. L'unité répétée de cet ADN peut compter une paire de bases seulement ou atteindre jusqu'à 2.000 paires de bases.

Une sous-catégorie d'ADN répété en tandem est l'**ADN répété à séquence simple** (appelé auparavant ADN satellite), constitué de séquences de moins de 10 paires de bases qui sont typiquement présentes en quantités énormes. Les segments d'ADN à séquence simple sont considrés comme vitaux pour la structure chromosomique. Il existe de longs blocs de séquences répétitives courtes autour des centromères : ils jouent un rôle important dans le déplacement des chromosomes. En fait, cet ADN répété à séquence simple pourrait bien constituer le centromère. Les extrémités des chromosomes, ou télomères, qui empêchent la dégradation des chromosomes à chaque cycle de réplication, sont également constituées de répétitions de séquences simples.

Les unités d'**ADN répétitif dispersé** ne sont pas disposées en tandem, mais réparties dans l'ADN, et leur longueur peut atteindre des centaines, voire des milliers de paires de bases. Chez la plupart des organismes multicellulaires, 20 à 40 % environ de l'ADN sont représentés par des séquences répétitives dispersées. Les unités dispersées, qui peuvent être au nombre de plusieurs centaines ou de plusieurs milliers, se ressemblent, mais ne sont pas identiques.

Bien que le rôle des séquences répétitives dispersées soit inconnu, on pense que la plupart des séquences proviennent de séquences transposables d'ADN, ou transposons (page 193) et qu'elles représentent une sorte de parasite moléculaire. Les transposons peuvent se multiplier et se déplacer dans le génome vers de nombreux autres sites, laissant sur place des copies d'eux-mêmes.

Certaines séquences nucléotidiques ne sont pas répétées

Contrairement à l'ADN répétitif, l'**ADN en copie unique** n'est représenté que par un seul ou par quelques exemplaires par génome. Selon l'espèce, il représente de 50 à 70 % de l'ensemble de l'ADN de l'organisme. Tous les gènes qui codent des protéines appartiennent en fait à cette catégorie d'ADN. Cependant, une très faible proportion seulement de l'ADN en copie unique paraît être transcrit en ARN. Une partie de l'ADN en copie unique non codant se trouve dans les longs brins d'ADN espaceur (Figure 11-16), qui ne sont jamais transcrits en ARN. On a retrouvé l'autre partie en des endroits les plus inattendus.

La plupart des gènes de structure sont composés d'introns et d'exons

Au cours de l'étude de l'ADN eucaryote, une des plus grandes surprises fut de découvrir que les séquences des gènes codant des protéines n'étaient généralement pas continues, mais interrompues par des séquences non codantes — c'est-à-dire par des séquences nucléotidiques non traduites en protéines. Ces séquences intercalées à l'intérieur d'un gène sont des séquences intermédiaires ou **introns**. Les séquences codantes — les séquences qui *sont* traduites en protéine — sont les **exons**.

La présence d'introns dans les gènes d'eucaryotes fut signalée presque simultanément en 1977 par plusieurs groupes de chercheurs. Dans les micrographies électroniques d'hybrides entre molécules d'ARNm et les segments d'ADN connus pour contenir les gènes codant ces molécules d'ARNm, la correspondance n'était pas exacte entre les molécules d'ARNm et les gènes qui les avait transcrites (Figure 11-18). Les séquences nucléotidiques des gènes étaient beau-

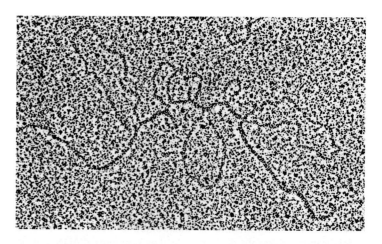

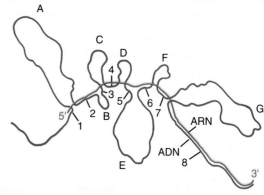

Figure 11-18

Cette micrographie électronique illustre les résultats d'une expérience d'hybridation entre un brin unique d'ADN contenant le gène qui code l'ovalbumine et son ARN messager. Les séquences complémentaires de l'ADN et de l'ARNm sont maintenues assemblées par des liaisons hydrogène. On distingue huit de ces séquences (les exons, marqués de 1 à 8 dans le dessin correspondant). Certains segments de l'ADN n'ont pas de segments d'ARNm correspondants et s'écartent donc de l'hybride sous forme de boucles ; il s'agit des sept introns, marqués de A à G. Seuls les exons sont traduits en protéine.

coup plus longues que les molécules d'ARNm trouvées dans le cytosol.

On sait maintenant que la plupart des gènes de structure des eucaryotes multicellulaires contiennent des introns, mais pas tous. Les introns font partie des molécules d'ARN au moment de la transcription, mais ils sont excisés avant la traduction. Le nombre d'introns par gène varie beaucoup. On a aussi trouvé des introns dans les gènes codant les ARN de transfert et ribosomiques. Les gènes procaryotes, par contre, ne contiennent pas d'introns.

Transcription et maturation de l'ARNm chez les eucaryotes

La transcription est en principe la même chez les eucaryotes que chez les procaryotes. Elle débute par la fixation d'une ARN polymérase à une séquence nucléotidique particulière de la molécule d'ADN. L'enzyme se déplace ensuite le long de la molécule en se servant du brin 3'-5' comme d'un modèle pour la synthèse des molécules d'ARN, comme le montre la figure 11-5. Les molécules d'ARN transcrites (ARNr, ARNt et ARNm) jouent ensuite leurs différents rôles dans la traduction en protéine de l'information génétique codée.

En dépit de ces ressemblances fondamentales, il y a des différences importantes entre procaryotes et eucaryotes au niveau de la transcription, de la traduction et de ce qui se passe entre ces deux processus. Une différence importante est le fait que les gènes eucaryotes ne sont pas groupés et qu'il n'y a donc pas de transcription de deux ou plusieurs gènes de structure en une seule molécule d'ARN. Chez les eucaryotes, chaque gène de structure est transcrit séparément, et sa transcription est soumise à un contrôle séparé.

Une autre différence importante est que, chez les eucaryotes, l'ADN est séparé des sites de synthèse protéique du cytoplasme par l'enveloppe nucléaire. Par conséquent, dans les cellules eucaryotes, la transcription et la traduction sont séparées dans le temps comme dans l'espace. Quand la transcription est terminée dans le noyau, les ARNm transcrits subissent de profondes modifications avant leur transport dans le cytoplasme, où se déroule la traduction.

Avant même la fin de la transcription, alors que le nouveau brin d'ARNm en croissance n'est encore long que d'environ 20 nucléotides, une « coiffe » d'un nucléotide inhabituel s'ajoute à son extrémité antérieure (5'). Cette coiffe est nécessaire pour la fixation de l'ARNm au ribosome eucaryote. Après la fin de la transcription et la libération de la molécule de son modèle d'ADN, des enzymes spéciales ajoutent un chapelet d'adénines, la queue poly-A, à l'extrémité postérieure (3') de la molécule.

Avant que les molécules d'ARNm modifiées ne quittent le noyau, les introns sont éliminés et les exons sont épissés pour former une seule molécule continue (Figure 11-19). Le mécanisme d'épissage est extrêmement précis. On peut constater que l'addition ou la délétion d'un seul nucléotide décalerait la lecture des triplets, ce qui modifierait complètement le codage des acides aminés. Par conséquent, une protéine totalement nouvelle, et probablement non fonctionnelle, serait produite.

On a maintenant trouvé plusieurs cas où des transcrits d'ARNm identiques sont transformés de plusieurs manières. Cet épissage alternatif peut conduire à la formation de polypeptides fonctionnels différents à partir de molécules d'ARN qui étaient identiques à l'origine. Dans ces cas, un intron peut devenir un exon, ou vice versa. Plus on progresse dans l'étude de l'ADN eucaryote et de son expression, plus il devient donc difficile de définir « gène », « intron » ou « exon ».

Ainsi que nous l'avons noté plus tôt, les biologistes moléculaires ont d'abord considéré le chromosome eucaryote simplement comme une version à grande échelle du chromosome procaryote. On a pu vérifier qu'il n'en était rien. Comme nous l'avons vu, la structure et l'organisation du chromosome, la régulation de l'expression des

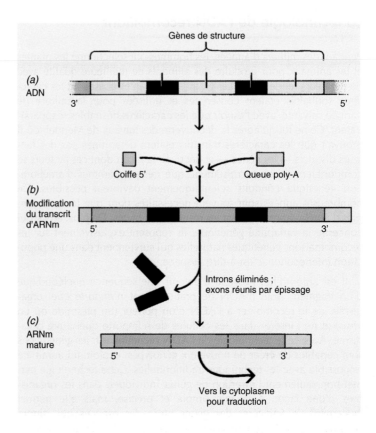

Figure 11-19

Résumé des étapes de la maturation d'un ARNm transcrit à partir d'un gène de structure d'eucaryote. **(a)** L'information génétique codée dans l'ADN est transcrite sous forme d'une copie d'ARN. **(b)** Cette copie est ensuite modifiée par addition d'une coiffe à l'extrémité 5' et d'une queue poly-A à l'extrémité 3'. **(c)** Les introns sont excisés et les exons sont réunis par épissage. L'ARNm mature passe ensuite dans le cytoplasme, où il est traduit en protéine.

gènes et la maturation des molécules d'ARNm sont beaucoup plus complexes chez les eucaryotes que chez les procaryotes. Pendant de nombreuses années, il a semblé raisonnable aussi de croire que les chromosomes des eucaryotes étaient stables. Bien entendu, des recombinaisons apparaissaient par crossing-over, mais on estimait que — à l'exception de mutations ponctuelles occasionnelles et d'erreurs à la méiose — la structure d'un chromosome était essentiellement stable et invariable. La plus grande suprise fut sans doute de découvrir que ce n'était pas le cas non plus. Chez les procaryotes comme chez les eucaryotes, des segments d'ADN peuvent déménager à l'intérieur d'un chromosome, entrer ou sortir des chromosomes, aller d'un chromosome à un autre — et parfois même d'un organisme à un autre.

La technologie de l'ADN recombinant

Pendant des milliers d'années, les hommes ont sélectionné les plantes et les animaux pour produire des aliments de meilleure qualité avec de meilleurs rendements. Les graines des plantes possédant les caractères souhaités étaient conservées et utilisées pour la culture de l'année suivante, avec l'espoir que les caractères désirables réapparaîtraient. Ce ne fut qu'après la découverte des travaux de Mendel, où il prouvait que les caractères transmis étaient déterminés par des facteurs distincts — les gènes — et décrivait la façon dont ces facteurs se comportaient dans un croisement, que des programmes d'amélioration génétique conduits scientifiquement devinrent possibles. De nombreuses années sont souvent nécessaires pour que les programmes d'amélioration donnent les résultats souhaités. De plus, en ce qui concerne la variabilité génétique, ils reposent exclusivement sur les recombinaisons génétiques naturelles qui surviennent dans une population interféconde, c'est-à-dire l'espèce.

Il est aujourd'hui possible d'obtenir une séquence nucléotidique d'un fragment isolé d'ADN de pratiquement *n'importe quel* organisme, de le recombiner à l'ADN d'un porteur (un plasmide ou un virus) et de l'insérer dans les cellules de n'importe quel autre organisme. Avec cette technologie de l'**ADN recombinant**, les généticiens sont capables de créer de nouveaux génotypes, exploit qui aurait été impossible avec les techniques traditionnelles. Cette technologie permet non seulement l'insertion de gènes individuels dans les organismes d'une façon à la fois simple et précise, mais elle permet également de transférer des gènes entre des espèces qui, sinon, seraient incapables de se croiser — par exemple, de transférer un gène de résistance à une maladie du pétunia à une plante de tomate.

Les enzymes de restriction sont utilisées pour obtenir l'ADN recombinant

La technologie de l'ADN recombinant est basée en grande partie sur la possibilité de couper avec précision des molécules d'ADN de différentes sources en fragments spécifiques et de les réunir pour en faire des combinaisons nouvelles. Cette technique repose sur l'existence des **enzymes de restriction** *(endonucléases de restriction)*, qui reconnaissent des séquences spécifiques d'ADN bicaténaire, les séquences de reconnaissance. Ces séquences ont généralement une longueur de quatre à six nucléotides et sont toujours symétriques (les deux brins sont identiques quand on les lit dans les deux sens).

Les enzymes de restriction coupent l'ADN à l'intérieur ou à proximité de leurs séquences de reconnaissance spécifiques. La plupart de ces enzymes font des coupures nettes, mais certaines coupent les deux brins à une distance de quelques nucléotides, laissant ce qu'on appelle des **bouts collants** (Figure 11-20). Au niveau de leurs deux bouts collants, les brins d'ADN sont complémentaires et peuvent donc s'apparier entre eux et être soudés par l'ADN ligase (voir figure 10-23). Le plus important est que ces bouts collants peuvent s'unir à n'importe quel autre segment d'ADN — de n'importe quelle origine — qui a été coupé par la même enzyme de restriction et possède donc des bouts collants complémentaires. Cette propriété permet d'obtenir des recombinaisons pratiquement illimitées de matériel génétique, puisque la faculté de recombinaison des fragments d'ADN est indépendante de leur origine.

Comment construire et manipuler l'ADN recombinant ? La technique de base utilise des enzymes de restriction pour découper l'ADN d'un **organisme donneur**. Comportant chacun un ou plusieurs gènes, les fragments excisés d'ADN (ou *fragments de restriction*) sont combinés à de petites molécules d'ADN, comme des plasmides bactériens, qui peuvent se répliquer de façon autonome après leur introduction dans des cellules bactériennes. Les plasmides fonctionnent comme **vecteurs** pour les fragments d'ADN étrangers. Avec leurs inserts, les plasmides sont des exemples d'ADN recombinant puisqu'ils contiennent de l'ADN provenant de deux sources différentes — un donneur

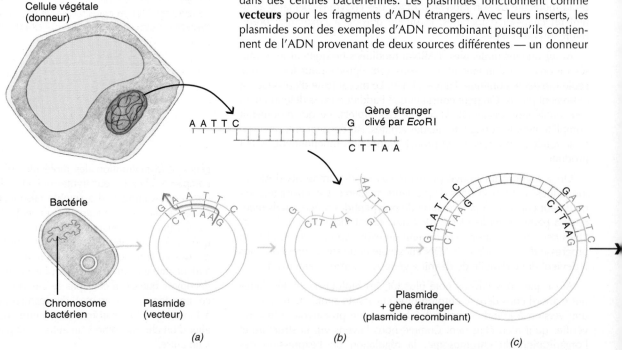

Cellule végétale (donneur)

Gène étranger clivé par *Eco*RI

A A T T C   G

C T T A A

Bactérie

Chromosome bactérien   Plasmide (vecteur)

Plasmide + gène étranger (plasmide recombinant)

(a)   (b)   (c)

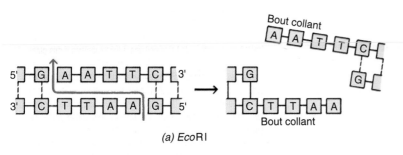

*(a) Eco*RI

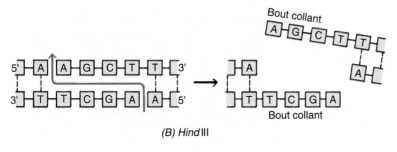

*(B) Hind*III

Figure 11-20

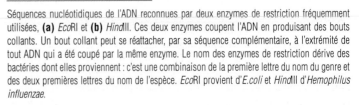

Séquences nucléotidiques de l'ADN reconnues par deux enzymes de restriction fréquemment utilisées, **(a)** *Eco*RI et **(b)** *Hind*III. Ces deux enzymes coupent l'ADN en produisant des bouts collants. Un bout collant peut se réattacher, par sa séquence complémentaire, à l'extrémité de tout ADN qui a été coupé par la même enzyme. Le nom des enzymes de restriction dérive des bactéries dont elles proviennent : c'est une combinaison de la première lettre du nom du genre et des deux premières lettres du nom de l'espèce. *Eco*RI provient d'*E.coli* et *Hind*III d'*Hemophilus influenzae*.

et une bactérie. L'ADN recombinant, qui se trouve maintenant sous la forme d'un plasmide recombinant, est ensuite introduit dans des cellules bactériennes, qui sont ainsi **transformées.** Si une cellule bactérienne contenant un plasmide recombinant se divise et développe une colonie de plusieurs millions de cellules, celles-ci contiendront toutes le même plasmide recombinant avec le même insert d'ADN. Ce processus d'amplification, qui donne de nombreux fragments d'ADN identiques, est le **clonage de l'ADN**, ou clonage du gène. La figure 11-21 donne une vue générale de ce processus, qui utilise des plasmides comme vecteurs de clonage. Un virus peut également être utilisé comme vecteur de clonage : il s'agit généralement d'un bactériophage.

On utilise des systèmes de criblage pour identifier les colonies qui portent le plasmide recombinant

Même si toutes les bactéries d'une population peuvent se trouver au contact des plasmides recombinants, toutes ne seront pas transformées. Il est donc essentiel de pouvoir identifier les bactéries qui contiennent les plasmides recombinants. Il s'agit d'un « criblage. » Pour un criblage sélectif, on utilise des plasmides vecteurs génétiquement modifiés qui contiennent des gènes de résistance aux antibiotiques. Un de ces plasmides porte le gène *amp*^{R}, qui confère la résistance à l'antibiotique ampicilline. Les bactéries qui portent des plasmides avec ce gène, par exemple, seront capables de croître en présence d'ampicilline. En conséquence, les bactéries transformées survivront et les autres mourront.

Figure 11-21

Utilisation des plasmides pour le clonage de l'ADN. **(a)** Le plasmide est clivé par une enzyme de restriction. Dans cet exemple, l'enzyme est *Eco*RI, qui clive le plasmide au niveau de la séquence (5')-GAATC-(3') et laisse des bouts collants libres. **(b)** Ces extrémités, formées de séquences TTAA et AATT, peuvent s'unir à tout autre segment d'ADN coupé par la même enzyme. Il est donc possible d'insérer un gène étranger — venant, par exemple, d'une cellule végétale — dans le plasmide **(c)**. (Dans cette figure, la longueur des séquences GAATTC est exagérée et la longueur des autres portions du gène étranger, ainsi que celle du plasmide, sont réduites.) **(d)** Quand les plasmides contenant un gène étranger sont libérés dans un milieu où se développent des bactéries, certaines cellules bactériennes les incorporent. **(e)** Quand ces cellules se multiplient, les plasmides recombinants se répliquent. Il en résulte un nombre croissant de cellules qui fabriquent toutes des copies du même plasmide. **(f)** On peut ensuite séparer les plasmides recombinants du contenu cellulaire restant et les traiter par *Eco*RI pour libérer les copies du gène cloné.

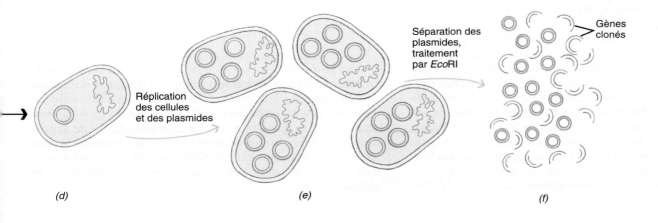

Réplication des cellules et des plasmides

Séparation des plasmides, traitement par *Eco*RI

Gènes clonés

(d) *(e)* *(f)*

Un autre système de criblage implique l'utilisation de vecteurs portant le gène *lac*Z. Le gène *lac*Z code la β-galactosidase, enzyme qui hydrolyse le lactose. Ces plasmides ont une seule séquence de reconnaissance pour l'enzyme de restriction utilisée, et la séquence de reconnaissance se trouve dans le gène *lac*Z. Les bactéries qui contiennent un plasmide avec le gène *lac*Z intact produiront des colonies bleues si elles se développent sur un milieu de culture solide qui contient un sucre modifié appelé X-gal. Quand un fragment d'ADN étranger s'est inséré dans la séquence de reconnaissance du plasmide, les colonies sont blanches parce que le gène *lac*Z a été altéré et ne peut plus produire la β-galactosidase. Dans certains cas, on utilise simultanément les méthodes de résistance aux antibiotiques (criblage sélectif) et d'identification par la couleur (criblage non sélectif) (Figure 11-22).

Les banques d'ADN peuvent être génomiques ou complémentaires

On parle parfois de clonage « aveugle » (shotgun) pour désigner la technique de clonage d'ADN qui vient d'être décrite. Cette approche implique le découpage de l'ensemble du génome d'un organisme en un grand nombre de fragments de restriction, puis leur introduction aléatoire dans un grand nombre de cellules bactériennes ou de virus. Cette collection d'ADN clonés est appelée une **banque (ou bibliothèque) génomique** parce qu'elle contient des fragments clonés de la plus grande partie, voire de l'ensemble du génome.

Une autre sorte de banque d'ADN est une **banque d'ADNc**, ou d'**ADN complémentaire**. L'ADN complémentaire est un ADN synthétique construit à partir d'ARNm grâce à une enzyme spéciale, la **transcriptase inverse**. Cette enzyme est extraite de rétrovirus, qui sont des virus animaux. À partir d'un ARNm servant de modèle, la transcriptase inverse catalyse la synthèse de l'ADNc monocaténaire par transcription inverse. L'ADNc monocaténaire est ensuite transformé en ADN bicaténaire par l'ADN polymérase. Etant produit à partir d'ARNm, l'ADNc est dépourvu d'introns. Cela signifie que, contrairement à l'ADN génomique, l'ADNc des eucaryotes ne contiendra que les séquences codant les protéines et pourra être traduit en protéines fonctionnelles dans les bactéries, qui sont incapables d'éliminer les introns.

On peut utiliser la réaction en chaîne de la polymérase pour amplifier des segments d'ADN

La **réaction en chaîne de la polymérase (PCR)** est une technique qui permet d'amplifier à grande échelle et en peu de temps tout fragment d'ADN. Par PCR, il est littéralement possible d'obtenir en quelques heures des millions de copies d'un segment d'ADN. La technique implique l'addition d'une courte amorce aux deux extrémités d'une séquence d'ADN choisie, la séparation des deux brins de la double hélice par chauffage et leur exposition à une ADN polymérase résistante à la chaleur, appelée polymérase *Taq*, qui catalyse la croissance à partir des amorces d'ADN. (Si l'ADN est chauffé, les liaisons hydrogène qui relient les deux brins sont rompues et les brins sont séparés, la structure tridimensionnelle de la molécule est perdue ; on dit que la molécule est dénaturée.) La polymérase *Taq* provient d'une bactérie, *Thermus aquaticus*, qui prospère dans les sources chaudes. Elle n'est donc pas dénaturée aux températures utilisées pour dénaturer l'ADN.

Figure 11-22

Schéma du clonage de l'ADN à l'aide d'un plasmide bactérien utilisé comme vecteur. **(a)** Des cellules d'*E.coli* contenant des plasmides portant les gènes *amp*^R et *lac*Z sont traitées pour libérer les plasmides. Le gène *amp*^R confère la résistance à l'ampicilline, un antibiotique, et le gène *lac*Z produit la β-galactosidase, enzyme qui hydrolyse un sucre, le lactose. En outre, des cellules végétales contenant le gène d'intérêt sont traitées pour libérer leur ADN. **(b)** Les plasmides et l'ADN végétal sont tous deux traités par la même enzyme de restriction. La séquence de reconnaissance pour l'enzyme se trouve dans le gène *lac*Z du plasmide, de telle sorte que le gène est altéré. Dans toutes les cellules végétales, l'ADN est coupé en nombreux fragments : l'un d'entre eux contient le gène d'intérêt. Le traitement enzymatique produit des bouts collants sur les plasmides et sur les fragments d'ADN de la plante. **(c)** La combinaison des plasmides et des fragments traités produit des plasmides recombinants contenant le gène d'intérêt, aussi bien que des plasmides recombinants avec les autres gènes de la plante. L'insertion se fait par appariement entre les bases des extrémités collantes du plasmide et des extrémités complémentaires des fragments d'ADN de la plante. **(d)** La solution de plasmides, comprenant des plasmides recombinants aussi bien que des plasmides intacts, est mise en contact avec des bactéries dépourvues des gènes *amp*^R et *lac*Z. Des plasmides s'introduisent dans certaines bactéries par transformation. **(e)** Les bactéries sont cultivées sur un milieu de culture solide avec ampicilline et X-gal, sucre modifié qui devient bleu quand il est digéré par la β-galactosidase. Les bactéries qui contiennent les plasmides se développeront et formeront des colonies sur ces milieux parce qu'elles sont résistantes à l'ampicilline. Les bactéries qui contiennent les plasmides recombinants possèdent un gène *lac*Z non fonctionnel ; ces bactéries formeront donc des colonies blanches. Les colonies bactériennes contenant les plasmides sans le gène *lac*Z altéré seront bleues parce qu'elles produisent la β-galactosidase. **(f)** Chaque colonie blanche représente un clone de bactéries portant des plasmides recombinants identiques. Une sélection supplémentaire est nécessaire pour déterminer si, oui ou non, une colonie blanche est constituée de bactéries transformées portant le gène végétal d'intérêt.

Dans la réaction en chaîne de la polymérase, les deux brins de l'ADN sont copiés simultanément. Lorsque la réplication du segment compris entre les deux amorces est terminée, les deux nouvelles molécules d'ADN bicaténaires sont ensuite chauffées. Les brins se séparent ainsi en quatre brins simples et un second cycle de réplication est induit par abaissement de la température en présence de tous les éléments nécessaires à la polymérisation. Après 20 cycles de cette technique, on peut atteindre des amplifications d'un million de fois en quelques heures.

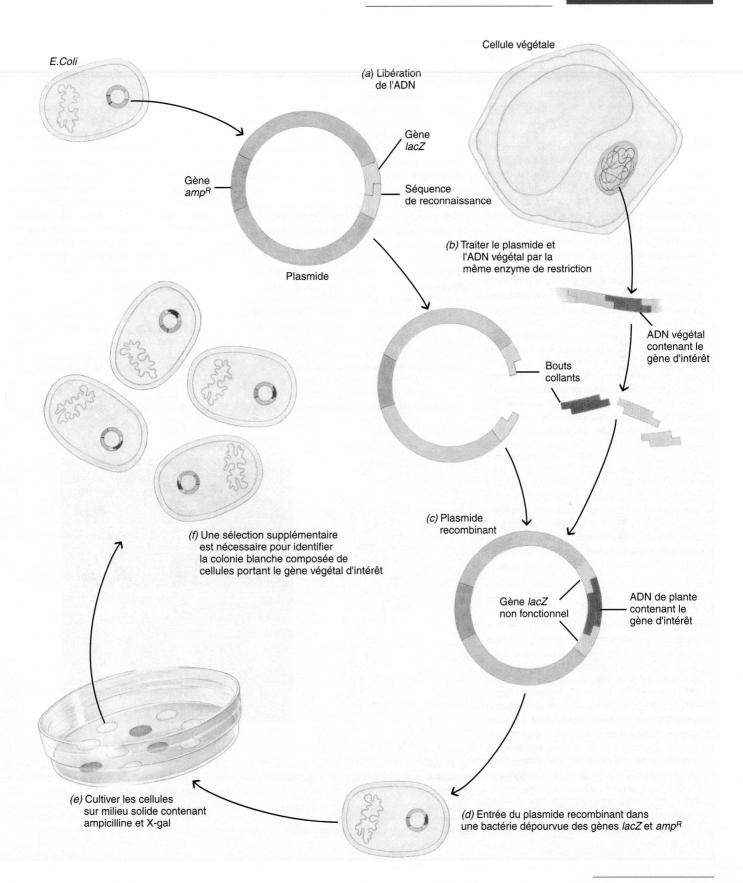

E.Coli

Cellule végétale

(a) Libération de l'ADN

Gène *ampR*

Gène *lacZ*

Séquence de reconnaissance

Plasmide

(b) Traiter le plasmide et l'ADN végétal par la même enzyme de restriction

ADN végétal contenant le gène d'intérêt

Bouts collants

(c) Plasmide recombinant

(f) Une sélection supplémentaire est nécessaire pour identifier la colonie blanche composée de cellules portant le gène végétal d'intérêt

Gène *lacZ* non fonctionnel

ADN de plante contenant le gène d'intérêt

(e) Cultiver les cellules sur milieu solide contenant ampicilline et X-gal

(d) Entrée du plasmide recombinant dans une bactérie dépourvue des gènes *lacZ* et *ampR*

ARABIDOPSIS THALIANA, UNE PLANTE MODÈLE

Arabidopsis thaliana, une petite mauvaise herbe de la famille des crucifères (*Brassicaceae*) est devenue l'organisme expérimental modèle pour les recherches sur la génétique moléculaire des plantes. Elle est particulièrement bien adaptée aux recherches en génétique tant classique que moléculaire en raison des caractères suivants : (1) Sa courte durée de végétation. Il ne faut que quatre à six semaines pour obtenir des plantes adultes, dont chacune peut produire plus de 10.000 graines. (2) Sa petite taille. *Arabidopsis* est une plante tellement petite qu'on peut cultiver des dizaines d'individus dans un petit pot ; sa croissance rapide ne demande que de la terre humide et de la lumière fluorescente. (3) Son adaptabilité. Les plantes d'*Arabidopsis* se développent bien sur des milieux stériles, définis biochimiquement. De plus, on a cultivé des cellules d'*Arabidopsis* et régénéré des plantes à partir de ces cellules. (4) Elle est normalement autogame. Cette propriété permet d'obtenir de nouvelles mutations à l'état homozygote avec un minimum d'effort. On a identifié de nombreuses mutations chez *Arabidopsis* : certaines sont visibles et utiles comme marqueurs pour la confection des cartes génétiques. Ces cartes donnent une idée de la position réelle des gènes sur les chromosomes. (5) Son génome est relativement petit et l'ADN répétitif est en faible quantité, ce qui simplifie le travail d'identification et d'isolement des gènes. (6) Sa susceptibilité à l'infection par la bactérie *Agrobacterium tumefaciens*, qui porte des plasmides capables de se recombiner à des gènes étrangers (voir page 692).

Aucune plante cultivée ne possède tous les caractères d'*Arabidopsis*. Les plantes cultivées usuelles ont une durée de végétation de plusieurs mois et demandent beaucoup d'espace quand on les cultive en grand nombre. De plus, celles qui ont été utilisées pour des travaux sur l'ADN recombinant possèdent des génomes de grande taille et des quantités importantes d'ADN répétitif. *Arabidopsis* a rejoint des organismes tels que *E.coli*, la levure, la drosophile et la souris parmi les outils dont disposent les biologistes moléculaires cherchant à pénétrer les processus fondamentaux de la vie. Les scientifiques réunis dans le projet coordonné de recherche international sur le génome d'*Arabidopsis thaliana* ont projeté de caractériser et de séquencer complètement le génome d'*Arabidopsis* avant l'an 2000.

Dans le monde entier, les grands laboratoires de recherche privilégient actuellement l'approche génétique pour trouver une solution aux problèmes fondamentaux posés par la croissance et le développement des plantes. La stratégie passe par le criblage de grandes populations de plantes traitées par des agents mutagènes induisant des altérations aléatoires dans les gènes individuels. L'expérimentateur recherche des plantes différentes des plantes non traitées. Le généticien considère ces altérations comme des phénotypes mutants. En effectuant une analyse génétique, il peut déterminer si un phénotype mutant est causé par l'altération d'un gène du génome de la plante. Des généticiens intéressés par les plantes ont depuis longtemps identifié, par exemple, une série de mutations géniques distinctes qui réduisent l'élongation des entrenœuds. L'analyse chimique des tissus de ces mutants a montré que, dans beaucoup de cas, les plantes mutantes sont déficitaires pour une ou plusieurs hormones végétales du groupe des gibbérellines, dont il sera question au chapitre 28. Certains phénotypes nains sont donc dus à la perte de gènes codant les enzymes qui interviennent dans la biosynthèse des gibbérellines. L'étude des plantes déficientes pour un seul gène peut donner des informations importantes sur le rôle joué par le gène et la protéine correspondante dans la croissance et le développement. Par exemple, beaucoup de mutants déficients en gibbérelline ont une taille réduite, mais les feuilles et les fleurs se développent normalement ; les gibbérellines qui manquent interviennent donc dans l'élongation des entrenœuds, mais pas dans les autres processus du développement.

Un organisme modèle comme *Arabidopsis* permet de mettre à profit la masse d'information de plus en plus sophistiquée dont nous disposons sur la structure du génome végétal. Les généticiens des plantes ont déjà identifié certains gènes contrôlant le développement de l'embryon, de la plantule, de la racine et de la fleur. De plus, on a proposé, pour chacun de ces processus, des modèles concernant la régulation du développement.

(a)   (b)   (c)   (d)

Arabidopsis thaliana (ci-dessous, à gauche), qui est devenu un objet de recherche pour des centaines de chercheurs dans le monde entier.

Différentes étapes du développement de la souche *erecta* de Landsberg d'*Arabidopsis thaliana*. **(a)** 14 jours après le semis. À ce stade, la partie aérienne est formée d'une rosette de 7 à 8 feuilles. **(b)** 21 jours après le semis. La plante est déjà passée de la phase végétative à la phase reproductrice. **(c)** 37 jours après le semis. La plante a produit de nombreuses fleurs et fruits, et le développement des graines est bien entamé. **(d)** 53 jours après le semis. La plante devient sénescente.

Le séquençage de l'ADN a révélé les génomes des organismes

Avec les techniques mises au point pour cliver les molécules d'ADN en fragments plus petits et pour produire des copies multiples de ces fragments, il est aujourd'hui possible de déterminer la séquence nucléotidique de n'importe quel gène isolé. Une des caractéristiques les plus importantes des enzymes de restriction est le fait que les différentes enzymes coupent les molécules d'ADN à des sites différents. Quand on clive une molécule d'ADN avec une enzyme de restriction, on obtient un lot particulier de courts fragments d'ADN. Si l'on coupe la même molécule d'ADN avec une autre enzyme de restriction, on obtient un lot différent de fragments. On peut séparer les fragments des deux lots par électrophorèse sur la base de leurs longueurs (Figure 11-23) et les cloner ensuite pour obtenir de nombreuses copies.

Ces copies peuvent ensuite être analysées, afin de déterminer la séquence nucléotidique exacte de chaque fragment. Les méthodes utilisées pour ces analyses impliquent des séries complexes de réactions chimiques et enzymatiques. Cependant, le séquençage de l'ADN s'effectue le plus souvent, à l'heure actuelle, à l'aide de machines automatiques qui utilisent des didésoxyribonucléotides (nucléotides dont l'unité sucre possède deux oxygènes de moins que le ribose) marqués par un colorant fluorescent différent pour chacun des quatre nucléotides. Cette méthode réduit fortement le temps nécessaire pour déterminer les séquences nucléotidiques de courts fragments.

Grâce au fait que les lots de fragments produits par les différentes enzymes de restriction se recouvrent, les informations provenant du séquençage des différents lots peuvent être réunies comme un puzzle pour révéler l'ensemble de la séquence d'une molécule d'ADN (Figure 11-24). On connaît aujourd'hui les séquences complètes d'ADN d'organites (mitochondries et chloroplastes), de certains virus, et aussi des génomes complets d'*E.coli,* de *Methanococcus jannaschii*

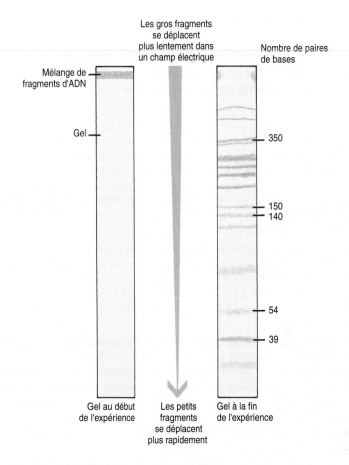

Figure 11-23

On peut utiliser l'électrophorèse pour séparer des fragments d'ADN. Au cours de l'électrophorèse, le champ électrique sépare les molécules en fonction de la charge et de la taille. Les plus petites molécules se déplacent plus rapidement que les grosses. On peut séparer sans équivoque, en fonction de leur taille, des fragments d'ADN qui contiennent des nombres différents de paires de bases. Le gel est ensuite découpé en tranches et les fragments séparés et purifiés sont extraits du gel sans dommage par rinçage. Cette technique de séparation est importante à de nombreuses étapes des recherches sur l'ADN recombinant.

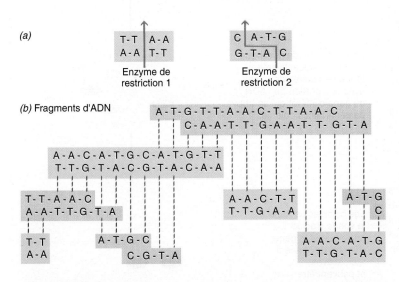

Figure 11-24

Exemple simplifié de séquençage de l'ADN. Des échantillons identiques de la molécule d'ADN à séquencer sont traités par des enzymes de restriction différentes qui coupent l'ADN à des endroits différents. **(a)** Un échantillon est traité par une enzyme (enzyme de restriction 1) qui produit un lot de fragments, et un autre échantillon est traité par une autre enzyme (enzyme des restriction 2) qui donne un lot différent de fragments. Les fragments des différents lots sont ensuite séparés, clonés et analysés, afin d'obtenir la séquence nucléotidique de chaque fragment individuel. **(b)** On peut voir que les fragments produits par les deux enzymes de restriction se chevauchent, ce qui permet de déterminer la séquence nucléotidique de l'ensemble de la molécule **(c)**.

229

(archéobactérie) et de la levure *Saccharomyces cerevisiae*. Les recherches sont également en cours sur le génome humain, ainsi que sur celui d'*Arabidopsis* (voir l'encadré de la page 228).

L'hybridation des acides nucléiques est utilisée pour localiser des segments spécifiques d'ADN

Avant de pouvoir cloner, séquencer ou manipuler un segment d'ADN d'intérêt — comme un gène ou une portion de gène — il faut d'abord le localiser et l'isoler. Même pour les cellules eucaryotes les plus simples, les chromosomes contiennent une énorme quantité d'ADN. Localiser un segment spécifique de cet ADN est un peu comme essayer de trouver l'aiguille du proverbe dans une meule de foin. L'« aimant » utilisé par les scientifiques est l'**hybridation des acides nucléiques**, une des méthodes les plus anciennes utilisées pour l'étude des molécules d'ADN et d'ARN.

L'hybridation repose sur les propriétés d'appariement des bases des acides nucléiques. Vous savez que, si les molécules d'ADN en solution sont chauffées modérément, les liaisons hydrogène entre les brins sont rompues et les brins se séparent. Quand la solution est refroidie lentement, les liaisons hydrogène se reforment et reconstituent la double hélice.

Quand des molécules d'ADN d'origines différentes sont mélangées et chauffées, les brins se séparent et se rencontrent au hasard. Si deux brins dont les séquences sont presque complémentaires se rencontrent quand la solution refroidit, ils formeront une double hélice hybride. On peut estimer le degré de ressemblance entre les séquences nucléotidiques par le niveau d'association, ou d'hybridation, entre les segments des deux échantillons et par la vitesse à laquelle ils s'associent.

La technique a été adaptée pour localiser des séquences nucléotidiques spécifiques, aussi bien dans l'ADN que dans l'ARN. On peut préparer une sonde d'acide nucléique en incorporant un isotope radioactif dans un court segment d'ADN monocaténaire ou d'ARN complémentaire de la séquence à laquelle on s'intéresse. Supposez que l'on veuille par exemple identifier le gène qui code une enzyme spécifique. Si la séquence nucléotidique de ce gène est connue, le chercheur peut préparer un petit brin d'ADN marqué radioactivement, complémentaire d'une partie de la séquence d'ADN nécessaire à la production de l'enzyme. La sonde marquée est utilisée pour « étiqueter », ou marquer, les colonies contenant l'ADN complémentaire. La sonde étant marquée radioactivement, on peut la détecter sur un film pour rayons X (Figure 11-25). On peut également marquer la sonde par un colorant fluorescent (Figure 11-26).

Les sondes peuvent être des molécules d'ARNm, des fragments d'ADN produits par les enzymes de restriction, des ADN complémentaires synthétisés à partir d'ARN par la transcriptase inverse ou des séquences nucléotidiques synthétisées en laboratoire. Une fois préparée, la sonde peut servir à rechercher des segments d'ADN ou d'ARN qui contiennent la séquence nucléotidique complémentaire. Les molécules d'ARN marquées sont couramment utilisées pour rechercher les segments d'ADN complémentaires, et vice versa.

Figure 11-25   ▶

Localisation du gène d'intérêt par sonde d'acide nucléique marquée radioactivement

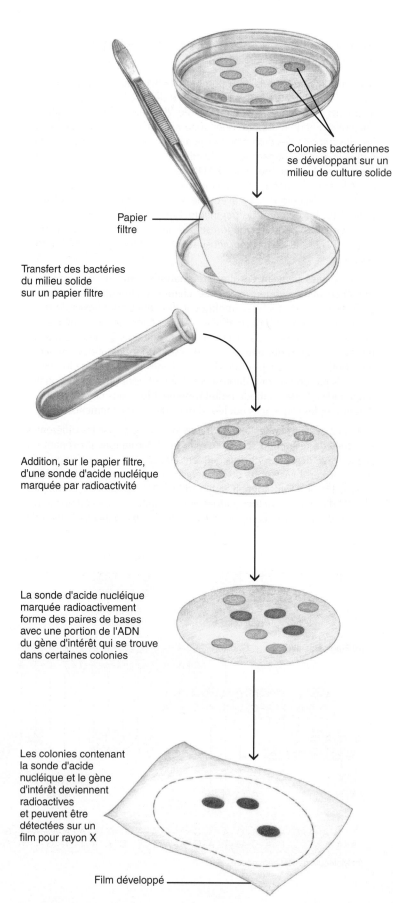

Colonies bactériennes se développant sur un milieu de culture solide

Papier filtre

Transfert des bactéries du milieu solide sur un papier filtre

Addition, sur le papier filtre, d'une sonde d'acide nucléique marquée par radioactivité

La sonde d'acide nucléique marquée radioactivement forme des paires de bases avec une portion de l'ADN du gène d'intérêt qui se trouve dans certaines colonies

Les colonies contenant la sonde d'acide nucléique et le gène d'intérêt deviennent radioactives et peuvent être détectées sur un film pour rayon X

Film développé

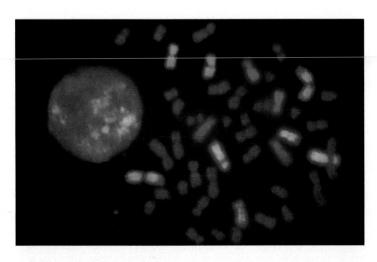

Figure 11-26

Préparation de chromosomes dans laquelle plusieurs paires d'homologues ont été marquées par des sondes fluorescentes spécifiques. Le marquage spécifique met en évidence la position des chromosomes dans le noyau intact (à gauche).

Il existe plusieurs techniques pour localiser des gènes d'intérêt

Comme on l'a signalé précédemment, on connaît déjà les séquences nucléotidiques complètes des génomes de plusieurs organismes, et l'on connaîtra, au cours de la prochaine décennie, celles de l'homme et d'une plante au moins — *Arabidopsis*. Un défi de taille sera l'identification de tous les gènes individuels et des fonctions des protéines codées par ces gènes. On utilise couramment plusieurs techniques pour faire correspondre les séquences d'ADN aux protéines appropriées qui sont produites.

Si un chercheur travaille sur une protéine dont la fonction est connue, il est parfois possible de purifier cette protéine et de déterminer une partie de la séquence des acides aminés par des méthodes chimiques. La séquence des acides aminés permet ensuite de prédire la séquence nucléotidique correspondante, qui peut alors être synthéti-sée, marquée par du phosphate radioactif et servir de sonde dans des banques génomiques ou d'ADNc afin d'identifier le clone approprié.

Une deuxième méthode d'identification des gènes passe par une approche génétique. On peut localiser, sur une carte génétique, une mutation qui affecte un processus biochimique particulier, et la faire correspondre à l'ADN localisé au même endroit sur la carte (voir chapitre 10). Si, par exemple, la mutation récessive responsable de la substitution de la couleur pourpre des fleurs de pois par la couleur blanche était due à la mutation d'une enzyme responsable de la production du pigment pourpre, on pourrait identifier le gène qui code cette enzyme par co-localisation, sur la carte génétique du pois, de la mutation et d'un fragment d'ADN préalablement cloné.

En utilisant les méthodes décrites ci-dessus, les biologistes moléculaires ont pu séquencer des centaines de gènes codant différentes protéines à fonctions connues. Ces séquences sont conservées dans des banques de données informatisées mises à la disposition de toute la communauté scientifique. Etant donné que les organismes proviennent d'ancêtres communs, des gènes semblables appartenant à des organismes différents possèdent souvent des séquences très semblables au niveau de la protéine et de l'ADN. On peut comparer une séquence d'ADN dont la fonction est inconnue à une banque de données de séquences grâce à des programmes informatiques sophistiqués. Lorsqu'une correspondance est trouvée, elle donne souvent une information sur la fonction d'une séquence codante inconnue. Les séquences géniques connues d'un organisme peuvent également servir de sondes pour identifier les gènes semblables chez d'autres organismes auxquels on s'intéresse.

Avec l'accumulation des informations concernant la structure et la fonction des gènes individuels, informations provenant des travaux des biochimistes, des généticiens et des biologistes moléculaires, les banques de données de plus en plus vastes permettent de faire correspondre de plus en plus facilement les séquences d'ADN aux processus qui en découlent. Cependant, l'identification de tous les gènes du génome d'un organisme est un objectif qui fait un peu peur et qui devra occuper les chercheurs pendant les prochaines années.

Certaines applications de la technologie de l'ADN recombinant, reprises sous le titre plus large de **biotechnologie**, sont décrites dans le chapitre 28. Nous y parlerons des manipulations génétiques chez les plantes — c'est-à-dire de la façon dont des gènes étrangers sont transférés, par l'intermédiaire d'un plasmide bactérien, à un génome végétal, dans le but de créer une plante dont le génome a été modifié par un nouvel ADN étranger.

RÉSUMÉ

L'ADN contient l'information héréditaire codée

L'information génétique est codée dans la séquence nucléotidique des molécules d'ADN et celles-ci déterminent à leur tour la séquence des acides aminés des molécules de protéine

Au cours de la transcription, l'ADN sert de modèle pour la synthèse de l'ARNm

L'information génétique de l'ADN ne s'exprime pas directement : elle est transférée par l'intermédiaire de l'ARN messager (ARNm). Les longues molécules d'ARNm sont assemblées par l'appariement de bases complémentaires le long d'un brin de l'hélice d'ADN. Ce processus, la transcription, est catalysé par une enzyme, l'ARN polymérase. Chaque séquence de trois nucléotides de la région codante de la molécule d'ARNm est le codon d'un acide aminé spécifique.

Le code génétique est un code de triplets

On a déchiffré le code génétique ; on sait donc aujourd'hui quel acide aminé est pris en charge par un codon particulier de l'ARNm. Sur les 64 combinaisons possibles du code nucléotidique à quatre lettres, 61 correspondent à des acides aminés particuliers, et trois sont des codons de terminaison. Avec 61 combinaisons codant 20 acides aminés, beaucoup d'acides aminés correspondent à plusieurs codons.

Au cours de la traduction, l'information codée dans un brin d'ARNm est utilisée pour la synthèse d'une protéine spécifique

La synthèse des protéines — la traduction — se déroule au niveau des ribosomes. Le ribosome est formé de deux sous-unités, une grande et une petite, formées chacune d'ARN ribosomiques (ARNr) caractéristiques associés à des protéines. La synthèse des protéines exige également un autre groupe de molécules d'ARN, les ARN de transfert (ARNt). Ces petites molécules peuvent porter un acide aminé à une extrémité et elles ont un triplet de bases, l'anticodon, sur une boucle centrale, à l'extrémité opposée de leur structure tridimensionnelle. La molécule d'ARNt est un adaptateur qui réunit l'acide aminé correct à chaque codon pendant la synthèse protéique. Il existe au moins une sorte d'ARNt pour chacun des acides aminés composant les protéines.

Chez les bactéries, avant même la fin de la transcription du brin d'ARNm, des ribosomes s'attachent, l'un à la suite de l'autre, près de son extrémité libre. Au point où le brin d'ARNm est en contact avec un ribosome, les ARNt s'unissent temporairement au brin d'ARNm. Cette union se fait par appariement des bases complémentaires entre le codon de l'ARNm et l'anticodon de l'ARNt. Chaque molécule d'ARNt porte l'acide aminé spécifique exigé par le codon de l'ARNm auquel s'attache l'ARNt. De cette manière, en suivant la séquence dictée par l'ADN, les acides aminés unitaires sont amenés un à un de manière linéaire et, après formation de liens peptidiques, ils sont réunis en une chaîne polypeptidique. La figure 11-27 donne un résumé de la synthèse des protéines dans une cellule bactérienne.

L'opéron est formé d'un groupe de gènes contigus qui fonctionnent comme unité de régulation

L'information génétique fondamentale des procaryotes, dont E.coli est l'exemple le mieux connu, est codée dans une molécule circulaire bicaténaire d'ADN. Le système des opérons est le principal moyen de régulation génique chez les procaryotes. Un opéron contient non seulement une séquence linéaire de gènes codant un groupe de protéines fonctionnellement apparentées, mais aussi des séquences contiguës d'ADN, constituant le promoteur et l'opérateur. La transcription de l'opéron est contrôlée par le promoteur, site de fixation de l'ARN polymérase, et par l'opérateur, site de fixation du répresseur. Quand le répresseur est attaché à la molécule d'ADN au niveau de l'opérateur, l'ARN polymérase ne peut déclencher la transcription de l'ARN. Quand le répresseur est inactivé, l'ARN polymérase peut s'attacher à l'ADN et permettre la transcription et la synthèse protéique.

Les chromosomes eucaryotes contiennent des protéines, les histones

Le chromosome eucaryote diffère de celui des procaryotes par de nombreux traits. Son ADN est toujours associé à des protéines — principalement des histones — qui jouent un rôle essentiel dans la structure du chromosome. La molécule d'ADN s'enroule autour de noyaux d'histones pour former les nucléosomes, qui sont les unités de base de l'empaquetage de l'ADN eucaryote.

La régulation de l'expression génique est plus complexe chez les eucaryotes que chez les procaryotes

Au cours du développement des eucaryotes multicellulaires, différents groupes de gènes sont activés ou inactivés dans des types de cellules variés. L'expression des gènes est en relation avec le degré de condensation du chromosome. On soupçonne également diverses protéines de régulation de jouer un rôle décisif dans la régulation de l'expression génique.

Chez les eucaryotes, la plupart des gènes de structure contiennent des introns et des exons

La totalité de l'ADN du gène n'intervient pas pour contrôler la séquence d'une protéine. Pendant la transcription, certaines séquences d'ADN transcrites en ARN sont des introns qui doivent être éliminés avant que le transcrit puisse être utilisé dans une molécule d'ARNm. Ces segments sont excisés de l'ARNm avant son arrivée dans le cytoplasme. Les autres segments d'ARNm, transcrits à partir des segments d'ADN appelés exons, sont réunis par épissage dans le noyau avant la migration de l'ARNm vers le cytoplasme.

Dans l'ADN eucaryote, de nombreuses séquences nucléotidiques sont répétées

En plus des introns, les génomes eucaryotes contiennent un grand nombre de copies d'autres ADN apparemment en excès et « sans signification ». Il y a deux catégories principales d'ADN répétitifs : l'ADN répété en tandem et l'ADN répété dispersé. Une sous-catégorie d'ADN répété en tandem, l'ADN répété à séquence unique, se trouve au niveau des centromères et des télomères (extrémités) des chromosomes. L'ADN à copie unique représente de 50 à 70 % de l'ADN chromosomique eucaryote, mais une très petite proportion seulement paraît être transcrite en ARN.

La transcription des eucaryotes est différente de celle des procaryotes par de nombreux aspects

Chez les eucaryotes, la transcription implique un grand nombre de protéines de régulation. De plus, les gènes de structure ne sont pas groupés en opérons, comme c'est souvent le cas chez les procaryotes. La transcription de chaque gène est contrôlée séparément, et chaque gène produit un transcrit d'ARN contenant une information codée correspondant à un seul produit. Les transcrits d'ARN sont transformés dans le noyau en molécules d'ARNm matures qui passent du noyau au cytoplasme. Cette transformation comprend l'élimination des introns et l'épissage des exons. L'épissage alternatif de transcrits d'ARN identiques dans des types différents de cellules peut produire des molécules d'ARN différentes et donc des polypeptides différents.

La technologie de l'ADN recombinant est utilisée pour créer de nouveaux génotypes

La technologie de l'ADN recombinant réunit des méthodes destinées à (1) obtenir des segments d'ADN suffisamment courts pour être analysés et manipulés, (2) obtenir de grandes quantités de segments d'ADN identiques, (3) déterminer la séquence exacte des nucléotides dans un segment d'ADN et (4) localiser et identifier des segments d'ADN spécifiques auxquels on s'intéresse.

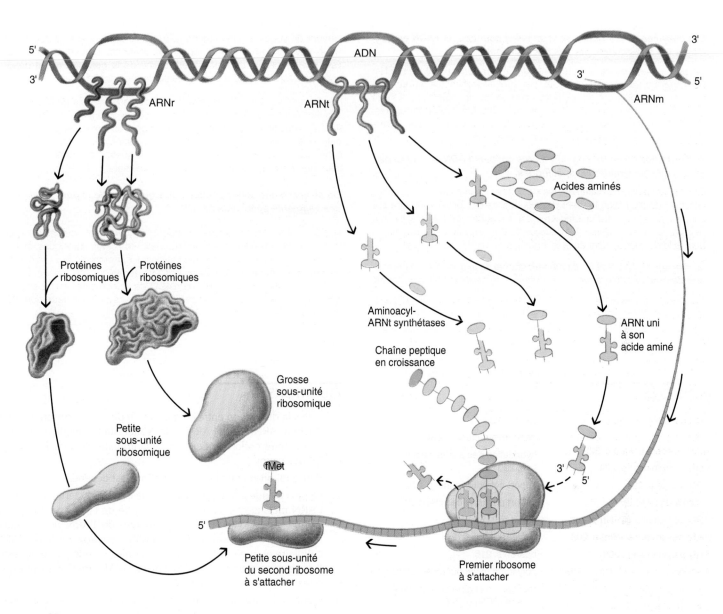

Figure 11-27

Schéma de la synthèse des protéines dans une cellule bactérienne. Trois sortes différentes de molécules d'ARNr sont transcrites à partir de l'ADN chromosomique. Elles se combinent avec des protéines spécifiques pour former les sous-unités ribosomiques. Au moins 32 sortes différentes de molécules d'ARNt sont aussi transcrites à partir de l'ADN. Ces molécules ont une structure qui leur permet de s'attacher par une extrémité (grâce à une aminoacyl synthétase) à un acide aminé spécifique. Chacune possède un anticodon complémentaire d'un codon d'ARNm pour un acide aminé particulier.

La synthèse protéique commence quand un brin d'ARNm est en cours de transcription à partir de son modèle d'ADN. Quand l'extrémité avancée (5') du brin d'ARNm s'attache à la petite sous-unité ribosomique, un ARNt d'initiation portant fMet s'insère dans le codon d'initiation de l'ARNm. L'addition d'une grosse sous-unité ribosomique complète le complexe d'initiation. Le deuxième acide aminé est apporté par une molécule d'ARNt possédant un anticodon complémentaire du codon suivant sur le brin d'ARNm. L'ARNt s'accroche momentanément à ce codon, une liaison peptidique se forme entre le premier acide

aminé et le deuxième, et la première molécule d'ARNt est libérée. À mesure que le ribosome progresse le long du brin d'ARNm, ce processus se répète indéfiniment, tandis que les acides aminés sont apportés un à un dans la série, en suivant l'ordre exact déterminé à l'origine par l'ADN à partir duquel l'ARNm a été transcrit.

E.coli peut synthétiser jusqu'à 3000 protéines.

*Les enzymes de restriction sont utilisées pour couper l'ADN en frag-
ments qui se terminent par des bouts collants*

On peut obtenir de courts segments d'ADN en transcrivant de l'ARNm
par l'enzyme transcriptase inverse, par synthèse chimique, ou en coupant les molécules d'ADN au moyen d'enzymes de restriction : il s'agit
d'enzymes bactériennes qui coupent les molécules d'ADN étrangères.
On peut séparer les segments d'ADN produits par les enzymes de restriction par électrophorèse en fonction de leur taille.

*Des enzymes de restriction différentes coupent l'ADN au niveau de
séquences nucléotidiques spécifiques.*

Plutôt que de couper nettement les deux brins de la molécule, certaines
enzymes de restriction laissent des bouts collants. Tout ADN coupé par
une telle enzyme peut s'unir facilement à une autre molécule d'ADN cou-
pée par la même enzyme. La découverte des enzymes de restriction a
permis le développement de la technologie de l'ADN recombinant.

*Le clonage de l'ADN et la réaction en chaîne de la polymérase permet-
tent de produire de grandes quantités de segments d'ADN identiques*

Au cours du clonage, les segments à copier sont introduits dans des cellules bactériennes au moyen de plasmides ou de bactériophages qui
servent de vecteurs. Une fois dans la cellule bactérienne, le vecteur et
l'ADN étranger qu'il porte se répliquent, et de nombreuses copies peuvent être récoltées. La réaction en chaîne de la polymérase est beaucoup plus rapide, mais le segment à copier doit être mieux connu.

Quand on dispose de nombreuses copies, il est possible de déterminer
ensuite l'ordre exact des nucléotides dans un segment d'ADN. En combinant l'information provenant du séquençage de courts segments produits par des enzymes de restriction différentes, les biologistes
moléculaires parviennent à déterminer la séquence complète d'un long
segment d'ADN (pour un gène entier par exemple).

*On se sert d'une sonde d'acide nucléique spécifique pour localiser
des segments spécifiques d'ADN*

Les segments d'ADN intéressants pour la recherche et pour les manipulations peuvent être identifiés par hybridation d'acides nucléiques, en utilisant des sondes monocaténaires marquées par des isotopes radioactifs
ou par des colorants fluorescents. Cette technique est basée sur la
faculté d'un brin unique d'ARN ou d'ADN de se combiner, ou de s'hybri-
der, à un autre brin qui possède une séquence nucléotidique complémentaire.

MOTS CLÉS

QUESTIONS

1. Faites la distinction entre ce qui suit : réplication/transcription/tra-
duction, ARNm/ARNt/ARNr, site A/siteP/siteE. Quelle est la différence entre codons/anticodons, euchromatine/hétérochromatine,
introns/exons ?

2. Pourquoi dit-on que le code génétique est dégénéré ?

3. La plus grande partie de l'ADN d'une cellule bactérienne code de
l'ARN messager, et la plus grande partie de l'ARN produit par la
cellule est l'ARNm. Pourtant, l'analyse de l'ARN de la cellule
montre qu'en général, l'ARNr constitue environ 80 % de l'ARN
cellulaire et que l'ARNt représente la plus grande partie du reste.
Il n'y a généralement que 2 % environ d'ARNm. Comment expli-
quez-vous ces constatations ?

4. Quel est l'acide aminé porté par la molécule d'ARNt représentée
à la figure 11-6 ? Comment le savez-vous ?

5. « Il y a des différences significatives entre les procaryotes et les
eucaryotes en ce qui concerne la transcription, la traduction et les
événements qui se déroulent entre ces deux processus. » Expliquez.

6. Que sont les enzymes de restriction ? Quelles sont leurs utilisations dans la technologie de l'ADN recombinant ?

7. Décrivez le rôle des bouts collants dans la technologie de l'ADN
recombinant. Comment sont-ils produits ? Quelle enzyme est
nécessaire en fin de recombinaison ?

8. Supposons que vous avez traité une molécule d'ADN par une
enzyme de restriction particulière et que vous avez obtenu cinq
fragments que vous avez séparés et clonés en de nombreuses
copies. En utilisant ces copies, vous avez ensuite séquencé les
cinq fragments. Que feriez-vous ensuite pour déterminer leur
séquence dans la molécule d'origine ?

L'évolution 12

SOMMAIRE

La théorie de l'évolution est souvent considérée comme le plus grand principe unificateur de la biologie — en partie parce qu'elle nous donne une réponse à tant de questions sur le monde qui nous entoure. Pourquoi par exemple y a-t-il tant de formes différentes d'organismes à la surface du globe ? Pourquoi les organismes sont-ils là ou ils se trouvent ? Comment apparaissent de nouveaux types d'organismes ? Formulée d'abord par le naturaliste Charles Darwin, la théorie de l'évolution fait aujourd'hui appel à la génétique mendélienne, à la biologie moléculaire et aux mathématiques.

Nous pouvons définir l'évolution de différentes façons, mais il est utile de se concentrer en premier lieu sur l'évolution des populations. À ce niveau d'organisation, l'évolution est simplement une modification dans le temps des caractères génétiques d'une population. Nous allons étudier le processus qui aboutit à augmenter les caractères favorables et à diminuer les traits défavorables de telle sorte qu'avec le temps, la population s'adapte mieux à son environnement.

Nous examinerons ensuite avec plus de détail le niveau spécifique pour étudier les mécanismes permettant l'apparition de nouvelles espèces d'organismes. Ce processus, ou spéciation, nous permet de comprendre comment des organismes aussi divers que les pins, les pissenlits et les asperges peuvent provenir d'une même plante ancestrale. Le chapitre se termine par une discussion de quelques modèles actuels de modifications évolutives.

Figure 12-1

Charles Darwin en 1840, quatre ans après son retour du voyage sur le HMS *Beagle*. Dans son dernier livre, *The Voyage of the Beagle*, Darwin fit le commentaire suivant sur sa sélection comme naturaliste de bord pour le voyage : « Plus tard, étant devenu très intime avec Fitz Roy [le capitaine du Beagle], j'appris que j'avais couru un très faible risque d'être refusé à cause de la forme de mon nez ! Il... était convaincu de pouvoir juger le caractère de quelqu'un sur le profil de son visage ; et il doutait que quelqu'un avec un nez comme le mien possède assez d'énergie et de détermination pour le voyage. Mais je pense qu'il fut par la suite satisfait que mon nez ait menti. »

POINTS DE REPÈRE

Quand vous terminerez la lecture de ce chapitre, vous devriez pouvoir répondre aux questions suivantes :

- *En quoi consiste la théorie darwinienne de l'évolution ? Quelle est la différence entre sélection naturelle et sélection artificielle ?*

- *Quelle est l'importance de l'équilibre de Hardy-Weinberg pour l'étude de l'évolution ? En dehors de la sélection naturelle, quels sont les quatre facteurs susceptibles de modifier la fréquence des allèles dans une population, et comment ces modifications se produisent-elles ?*

- *Au point de vue de l'évolution, quel est l'avantage de la reproduction sexuée ?*

- *Citez quelques moyens utilisés par les organismes pour s'adapter à leur environnement physique.*

- *Quelle est la différence entre le concept biologique et le concept morphologique de l'espèce ?*

- *Comment apparaissent de nouvelles espèces ? Quels mécanismes empêchent les croisements entre espèces étroitement apparentées ?*

En 1831, un jeune homme de 22 ans, Charles Darwin (Figure 12-1), partit pour un voyage de cinq ans comme naturaliste de bord sur un navire britannique, le HMS *Beagle*. Le livre relatant le voyage, *The Voyage of the Beagle*, n'est pas seulement un ouvrage classique d'histoire naturelle, mais c'est également une introduction aux expériences qui ont mené rapidement Darwin à proposer sa théorie de l'évolution par sélection naturelle.

À l'époque du voyage historique de Darwin, la plupart des naturalistes — ainsi que des non-scientifiques — croyaient encore à la théorie de la « création spécifique ». Selon celle-ci, les nombreuses espèces d'organismes vivants ont été créées (ou sont apparues d'une autre façon) sous leur forme actuelle. Certains savants, comme Jean-Baptiste de Lamarck (1744-1828) avaient proposé des théories de l'**évolution**, processus de transformation des formes terrestres les plus anciennes ayant abouti à la grande diversité des formes de vie visibles aujourd'hui. Lamarck, et d'autres, ne purent néanmoins donner d'explications convaincantes sur le mécanisme responsable de ce processus.

La théorie de Darwin provoqua une révolution intellectuelle considérable parce qu'elle apportait la preuve indubitable que tous les êtres vivants descendent d'un même ancêtre commun et que leur diversité peut être attribuée aux modifications qui se sont accumulées au cours du temps. Le mécanisme qu'il proposait — la sélection naturelle — est le processus qui fait que certaines modifications « favorables » deviennent de plus en plus fréquentes d'une génération à l'autre.

Les plantes et les animaux qu'il observa à l'occasion d'un séjour d'environ cinq semaines aux Îles Galapagos, archipel qui se trouve dans les eaux équatoriales à quelque 950 kilomètres des côtes de l'Équateur (Figures 12-2 et 12-3) ont eu une importance particulière dans la genèse des idées de Darwin. Il y fit deux observations importantes. Il observa tout d'abord que les plantes et les animaux trouvés sur les îles, bien que différents, ressemblaient à ceux du continent sud-américain proche. Si les différentes espèces de plantes et d'animaux avaient été créées séparément et étaient interchangeables, comme on le pensait généralement à l'époque, pourquoi les plantes et les animaux des Galapagos ne ressemblaient-ils pas à ceux d'Afrique, par exemple, plutôt qu'à ceux d'Amérique du Sud ? Et pourquoi n'y avait-il pas d'organismes différents, tout à fait uniques, ailleurs sur terre ? En second lieu, ceux qui connaissaient bien les îles avaient mis en évidence des différences, d'une île à l'autre, chez des organismes tels que les tortues géantes, qui ont donné leur nom aux îles (en espagnol, *galapagos* signifie « tortue »). Les marins qui emportaient ces tortues à bord et les utilisaient comme source de viande fraîche au cours de leurs voyages pouvaient généralement dire de quelle île provenait une tortue particulière (Figure 12-4). Si les tortues de Galapagos avaient été spécifiquement créées, pourquoi n'étaient-elles pas toutes les mêmes ?

Figure 12-2

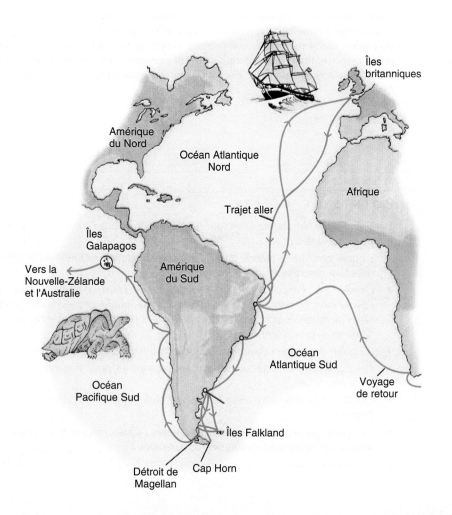

Voyage du *Beagle* autour de l'Amérique du Sud. Le navire quitta l'Angleterre en décembre 1831 et arriva à Bahia, au Brésil, fin février 1832. Environ 3$\frac{1}{2}$ années se passèrent le long des côtes d'Amérique du Sud, à effectuer des mesures et des exploration sur le continent. L'arrêt aux îles Galapagos dura un peu plus d'un mois et, pendant ce court laps de temps, Darwin récolta la somme d'informations qui devaient changer le cours des sciences biologiques. Le voyage se poursuivit à travers le Pacifique, jusqu'en Nouvelle-Zélande et en Australie, ensuite l'Océan Indien jusqu'au Cap de Bonne-Espérance, puis de nouveau Bahia, et enfin retour en Angleterre, qui prit encore une année.

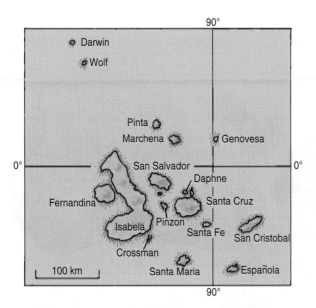

Figure 12-3

L'archipel des Galapagos, quelque 950 kilomètres à l'ouest des côtes de l'Equateur, comprend 13 îles volcaniques principales et beaucoup d'îlots et rochers plus petits. On a appelé ces îles « un laboratoire vivant de l'évolution. » « On est étonné, » écrivait Charles Darwin en 1837, « de la quantité d'énergie créatrice… étalée sur ces petites îles stériles et rocheuses. »

Darwin commença par se demander si toutes les tortues et autres plantes et animaux étranges des Galapagos pouvaient être apparentés à des organismes existant sur le continent sud-américain. Après avoir atteint cet archipel isolé, ces organismes pouvaient s'être répandus lentement d'île en île, s'étaient modifiés peu à peu en réponse aux conditions locales et étaient finalement devenus des variants distincts susceptibles d'être identifiés par un observateur humain.

La théorie de Darwin

Peu après son retour en Angleterre, Darwin lut un essai du révérend Thomas Malthus, publié en 1798. Dans cet essai, Malthus montrait que la population humaine augmentait à une allure telle qu'il serait bientôt impossible de nourrir tous les habitants de la planète.

Darwin constata que la conclusion de Malthus — pour qui la nourriture disponible et d'autres facteurs contrôlent les populations — est valable pour toutes les espèces, et pas seulement pour l'homme. Darwin calcula, par exemple, qu'un seul couple reproducteur d'éléphants devait, si tous ses descendants survivaient et se reproduisaient à leur tour normalement, produire une population permanente de 19 millions d'éléphants en 750 ans. Or le nombre moyen d'éléphants reste comparable au cours des années. Ainsi, même si un seul couple reproducteur pouvait théoriquement donner naissance à 19 millions de descendants, il n'en produit en fait en moyenne que deux. Bien que le nombre d'individus de toutes les espèces ait la possibilité d'augmenter énormément, les populations restent en réalité à peu près constantes. Darwin admit que, dans toute population, il devait y avoir une lutte pour la vie. Il arriva à la conclusion que l'interaction entre les variations individuelles et l'environnement avait un rôle primordial dans le choix entre les individus capables de survivre et de se reproduire et les autres. Certains caractères nouveaux permettent aux individus de s'adapter, de survivre plus longtemps et de donner plus de descendants que d'autres individus. Darwin parlait de variants « favorables » et soutenait qu'avec le temps, les variations héréditaires favorables avait tendance, par sélection naturelle, à devenir plus fréquentes dans la population.

Selon Darwin, la sélection naturelle était un processus analogue au mode de sélection appliqué par les sélectionneurs de plantes et

(a)

(b)

Figure 12-4

Un caractère distinctif de la tortue des Galapagos est la forme de sa carapace, qui diffère en fonction de l'île d'origine. **(a)** Les tortues des îles où la végétation est relativement luxuriante sont caractérisées par une caparace en dôme. Cette carapace protège les parties molles de la tortue lorsqu'elle traverse les broussailles denses. Cette tortue est indigène dans l'île Isabela. **(b)** Les tortues des îles arides, où la végétation typique est formée de buissons épineux et de cactus, sont caractérisées par une carapace en forme de selle. L'arc élevé à l'avant de la carapace permet à la tortue de rechercher sa nourriture en hauteur. Cette tortue a été photographiée dans l'île d'Española.

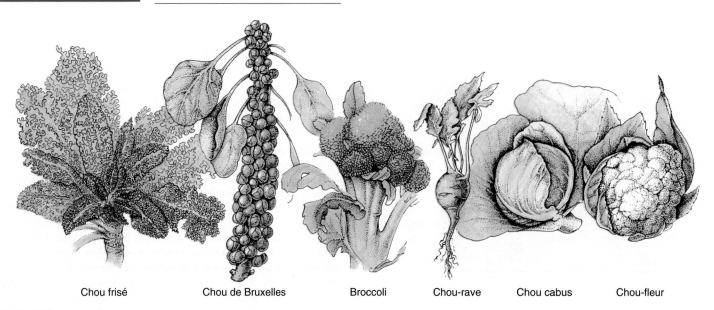

| Chou frisé | Chou de Bruxelles | Broccoli | Chou-rave | Chou cabus | Chou-fleur |

Figure 12-5

Six légumes produits par une même espèce de plante (*Brassica oleracea*), de la famille des crucifères. Ils proviennent de la sélection pour les feuilles (chou frisé), les bourgeons latéraux (chou de Bruxelles), les fleurs et la tige (broccoli), la tige (chou-rave), les bourgeons terminaux volumineux (chou cabus) et les inflorescences (chou-fleur). C'est le chou frisé qui ressemble le plus à la plante sauvage primitive. La sélection artificielle pratiquée par les sélectionneurs de plantes et d'animaux permit à Darwin de concevoir une explication à la sélection naturelle.

d'animaux domestiques (Figure 12-5). Il parlait de **sélection artificielle** pour désigner ce processus. Il se demandait « Si l'homme peut patiemment sélectionner des variants qui lui sont utiles, pourquoi, dans des conditions de vie changeantes et complexes, n'apparaîtrait-il pas souvent des variants utiles chez les organismes vivants dans la nature, et ne pourraient-ils pas être conservés et sélectionnés ? » Dans la sélection naturelle — principal moteur d'évolution — l'influence de l'environnement remplace le choix fait par l'homme. La population se modifiera lentement à mesure que survivent et se reproduisent les individus qui possèdent certains caractères héréditaires favorables et que sont éliminés les individus qui ne les possèdent pas.

Dans la sélection artificielle, les améliorateurs peuvent concentrer leurs efforts sur l'une ou l'autre caractéristique qui les intéressent, comme la taille du fruit ou le poids de l'animal. Dans la sélection naturelle par contre, l'organisme entier doit être « adapté » en fonction de l'environnement global dans lequel il vit. Autrement dit, c'est l'ensemble du phénotype qui est soumis à la sélection naturelle.

Les modifications évolutives qui aboutissent à la différenciation des grands groupes d'organismes, comme les plantes ou les champignons, demandent évidemment de longues périodes de temps. Ce n'est donc pas une coïncidence si les conclusions du géologue Charles Lyell, qui prouva que l'âge de la terre est beaucoup plus grand qu'on ne l'avait pensé jusqu'alors, eut une profonde influence sur Darwin. Pour développer sa théorie, Darwin devait postuler l'ancienneté de la terre, scène sur laquelle on peut contempler le développement de la diversité des êtres vivants. Les nombreuses espèces de fossiles (reliques d'organismes morts depuis longtemps) que l'on découvrait — fossiles de plus en plus différents des organismes actuels à mesure que leur âge est plus grand — apportaient aussi un argument important en faveur de la théorie de l'évolution (Figure 12-6).

La différence essentielle entre la formulation de Darwin et celle de tous ses prédécesseurs est le rôle essentiel qu'il donnait à la variation individuelle. D'autres avaient pensé que les variations n'étaient que des perturbations du schéma général, alors que Darwin considérait les variations entre individus comme le matériel de départ du processus évolutif. L'interaction entre ces variations et l'environnement est le critère décisif qui détermine les individus qui survivront et se reproduiront et ceux qui ne le feront pas. Certaines variations permettent à une partie des individus de survivre plus longtemps et de donner une descendance plus nombreuse que d'autres. Si la période est suffisamment longue, la sélection naturelle peut conduire à une somme de changements qui feront apparaître des groupes d'individus différents les uns des autres. Darwin supposait que les espèces apparaissent quand les différences entre les individus d'un groupe se transforment graduellement, à la suite de nombreuses générations, en différences entre les groupes. La poursuite de ces divergences pendant des millions d'années a conduit à la grande diversité des organismes que l'on rencontre aujourd'hui sur terre.

Telle qu'elle fut présentée à l'origine par Darwin, la théorie de l'évolution souffrait d'une faiblesse majeure : l'absence de tout mécanisme valable pouvant expliquer l'hérédité. À l'époque où Darwin rédigeait *Sur l'origine des espèces*, Mendel était occupé à ses expériences sur le pois, mais son article ne fut pas publié avant 1865 et ses idées ne se répandirent pas parmi les biologistes avant le début du vingtième siècle. Le développement ultérieur de la génétique permit de trouver une réponse à trois questions que Darwin ne fut jamais capable de résoudre : (1) comment les caractères héréditaires sont transmis d'une génération à la suivante, (2) pourquoi les caractères héréditaires ne se « diluent » pas, mais peuvent disparaître pour réapparaître au cours de générations ultérieures et (3) comment apparaissent les variations sur lesquelles agit la sélection naturelle.

(a)

(b)

(c)

Figure 12-6

Différents types de fossiles. Les fossiles prennent des formes variées et se trouvent généralement dans les roches sédimentaires, formées par l'accumulation de particules rocheuses. **(a)** Certaines portions de plantes sont aplaties par l'accumulation des sédiments, et tout ce qui en reste est un mince film carboné, comme pour cette feuille de cycadale datée du jurassique (entre 145 à 208 millions d'années avant notre ère). Des cycadales très diverses vivaient à l'époque des dinosaures ; il en reste environ 140 espèces aujourd'hui. **(b)** Ces troncs, vieux de 225 millions d'années, dans le Petrified Forest National Park, en Arizona, sont des exemples de fossiles de substitution. Ces fossiles se forment quand l'eau du sol contenant des minéraux en solution pénètre dans les troncs enterrés dans les sédiments. L'eau imprégnant les troncs, le bois est remplacé par les minéraux dissous et se transforme en pierre — il est pétrifié. **(c)** Fleur d'*Acacia* enrobée dans l'ambre (résine durcie) il y a environ 40 millions d'années, en République Dominicaine. On voit ici les nombreuses étamines formées de longs filets surmontés par les petites anthères arrondies.

Le concept du pool de gènes

Une nouvelle branche de la biologie, la **génétique des populations**, est née de la synthèse des principes de Mendel et de l'évolution darwinienne. On peut définir une **population** comme un groupe localisé d'individus appartenant à une même espèce. Pour l'instant, nous pouvons considérer l'**espèce** comme un groupe de populations capables de se reproduire entre elles dans la nature.

Une population est unifiée et définie par son **pool de gènes**, qui est tout simplement l'ensemble des allèles de tous les gènes de tous les individus de la population. Pour le généticien des populations, un organisme individuel n'est qu'un contenant provisoire d'un petit échantillon du pool de gènes. Les généticiens des populations s'intéressent aux pools de gènes, aux changements de leur composition au cours du temps et aux forces qui provoquent ces changements.

Dans les populations naturelles, certains allèles deviennent plus fréquents de génération en génération, alors que d'autres deviennent plus rares. (La fréquence d'un allèle est tout simplement la proportion de cet allèle par rapport à tous les allèles du même gène dans une population.) Si un individu possède, dans son génotype, une combinaison favorable d'allèles, il a plus de chance de survivre et de se reproduire. Par conséquent, ses allèles sont susceptibles de se retrouver en proportion plus élevée à la génération suivante. Inversement, si la combinaison d'allèles n'est pas favorable, l'individu a moins de chance de survivre et de se reproduire. Ses allèles seront moins bien représentés à la génération suivante ou seront peut-être éliminés.

L'évolution est le résultat de l'accumulation de ces modifications du pool de gènes avec le temps.

Dans le cadre de la génétique des populations, l'**adaptation** (« fitness ») d'un individu ne signifie pas son bien-être physique ou une adéquation optimale à son environnement. Le seul critère — l'unique mesure — de l'adaptation d'un individu est le nombre relatif de ses descendants en vie, c'est-à-dire la proportion des allèles du génotype d'un individu qui se retrouveront dans les générations suivantes.

Comportement des gènes dans les populations : la loi de Hardy-Weinberg

Au début des années 1900, les biologistes se posaient une question importante, déjà soulevée auparavant, concernant la conservation de la variation dans les populations. Comment, se demandaient-ils, les populations conservent-elles les allèles dominants comme les récessifs ? Pourquoi les dominants n'éliminent-ils pas simplement les récessifs ? Si, par exemple, dans une population de plantes à deux couleurs de fleurs, l'allèle pour la couleur pourpre est dominant sur l'allèle pour la couleur blanche, pourquoi toutes les fleurs ne deviennent-elles pas pourpres ? La question est évidemment importante pour comprendre l'évolution, parce que c'est la diversité génétique qui fournit le « matériel brut » sur lequel agit la sélection naturelle. La réponse à cette question a été donnée en 1908 par G.H. Hardy, mathématicien anglais, et G. Weinberg, médecin allemand.

Travaillant indépendamment ; Hardy et Weinberg ont montré que, dans une grande population, où les croisements sont aléatoires, et en l'absence de mécanismes pouvant modifier les proportions des allèles (voir ci-dessous), le rapport entre les allèles dominants et récessifs se maintient de génération en génération. En d'autres termes, la **loi de Hardy-Weinberg**, comme on l'appelle aujourd'hui, stipule que les proportions, ou **fréquences**, des allèles et des génotypes dans le pool génique d'une population restent constantes, ou en équilibre, de génération en génération, si elles ne sont pas influencées par des facteurs autres que la recombinaison sexuée. Pour le prouver, ils ont étudié le comportement des allèles dans une population imaginaire stable où cinq conditions sont remplies :

1. Absence de mutations. Les mutations modifient le pool de gènes en transformant un allèle en un autre.

2. Isolement par rapport aux autres populations. L'entrée ou la sortie d'individus — et le transfert de leurs allèles — peut modifier les pools géniques de la population.

3. Population de grande taille. Si la population est suffisamment grande, les lois de la probabilité sont d'application — cela veut dire qu'il est très peu probable que le hasard seul puisse altérer les fréquences, ou proportions relatives, des allèles.

4. Fécondation au hasard. L'équilibre de Hardy-Weinberg ne sera respecté que si un individu possédant un génotype quelconque choisit son partenaire au hasard dans la population.

5. Absence de sélection naturelle. La sélection naturelle modifie le pool génique parce que, dans la population, certains allèles deviennent plus fréquents et d'autres plus rares.

Prenons un seul gène avec seulement deux allèles, *A* et *a*. Hardy et Weinberg ont montré mathématiquement [1] que, si les cinq conditions précédentes sont remplies, les fréquences des allèles *A* et *a* dans la population ne se modifieront pas au cours des générations. De plus, les fréquences des trois combinaisons de ces allèles — les génotypes *AA*, *Aa* et *aa* — ne changeront pas non plus. En d'autres termes, le pool de gènes restera stable — ou en équilibre — pour ce qui concerne ces allèles.

Cet équilibre est exprimé par l'équation de Hardy-Weinberg :

$$p^2 + 2pq + q^2 = 1$$

Dans cette équation, *p* désigne la fréquence d'un allèle à un locus particulier (par exemple, *A*) et *q* représente la fréquence de l'autre allèle (*a*). La somme *p* plus *q* doit toujours être égale à 1 (100 % des allèles de ce gène particulier dans le pool de gènes). L'expression p^2 représente la fréquence des individus homozygotes pour un allèle (*AA*), q^2 la fréquence des homozygotes pour l'autre allèle (*aa*) et $2pq$ la fréquence des hétérozygotes (*Aa*).

---

(1) Cette démonstration mathématique et son application à des exemples spécifiques sont données dans l'annexe B.

L'équilibre de Hardy-Weinberg est une mesure qui permet de détecter une modification évolutive

L'équilibre de Hardy-Weinberg et sa formulation mathématique ont eu la même importance comme base de la génétique des populations que les principes de Mendel pour la génétique classique. À première vue, cela semble difficile à comprendre, puisque les cinq conditions requises pour qu'un pool génique soit en équilibre — pour qu'une population n'évolue pas — ont une faible probabilité d'être réunies dans une population naturelle. Quelle peut, dès lors, être l'utilité de l'équation de Hardy-Weinberg ? Une analogie avec la physique peut être utile. La première loi de Newton dit qu'un corps reste au repos ou conserve une vitesse constante s'il n'est soumis à aucune force extérieure. Dans le monde réel, les corps sont toujours soumis à des forces extérieures, mais cette première loi est une prémisse essentielle pour étudier la nature de ces forces. Elle fournit une norme par rapport à laquelle les mesures sont possibles.

De même, l'équation de Hardy-Weinberg représente une norme par rapport à laquelle il est possible de mesurer les modifications de la fréquence des allèles toujours présente dans les populations naturelles. Sans l'équation de Hardy-Weinberg, nous ne pourrions pas déceler le changement, ni déterminer sa grandeur et sa direction, ni enfin connaître les forces qui entrent en jeu.

Les facteurs de changement

Pour que l'évolution soit possible, il faut que les fréquences des allèles ou des génotypes de la population s'écartent de l'équilibre de Hardy-Weinberg. Au niveau de la population, on peut définir l'évolution comme un changement de la structure génétique de la population de génération en génération. Ce changement, mineur d'une génération à l'autre, de la fréquence des allèles d'une population est une **microévolution**.

Selon la théorie moderne de l'évolution, la sélection naturelle est le mécanisme principal responsable des changements des fréquences alléliques. Prenons d'abord en compte d'autres facteurs susceptibles de modifier les fréquences des allèles dans une population. Il y en a quatre : les mutations, le flux de gènes, la dérive génétique et le choix non aléatoire du partenaire.

Les mutations fournissent le matériel brut des changements évolutifs

Du point de vue de la génétique des populations, les **mutations** sont des changements héréditaires du génotype (Figure 12-7). Nous avons appris antérieurement qu'une mutation peut impliquer la substitution d'un ou quelques nucléotides dans la molécule d'ADN ou des changements dans des chromosomes entiers, des segments de chromosomes ou même des lots entiers de chromosomes (pages 192-193). La plupart des mutations se produisent « spontanément » — ce qui signifie simplement que nous ne connaissons pas les facteurs qui les ont déclenchées. On dit généralement que les mutations se produisent de manière aléatoire. Cela ne signifie pas qu'elles surviennent sans

Figure 12-7

Un mutant de la pomme red delicious. L'allèle mutant responsable de la couleur dorée est apparu dans une cellule de la paroi ovarique de la fleur, qui s'est ensuite développée pour donner la partie charnue de la pomme. Les graines de cette pomme produiront des pommes rouges parce qu'elles n'ont pas été affectées par la mutation. On a cependant trouvé les pommes golden delicious sur une branche mutée d'un arbre produisant des pommes red delicious. Les graines de ces pommes dorées, porteuses de la mutation, ont donné des arbres qui ont produit des pommes golden delicious.

cause, mais plutôt que les facteurs qui les déclenchent sont indépendants de leurs effets ultérieurs. Bien que le taux de mutation puisse être influencé par des facteurs de l'environnement, les mutations spécifiques produites en sont indépendantes — elles sont indépendantes du bénéfice ou du désavantage qu'ils peuvent entraîner par la suite pour l'organisme ou sa descendance.

Bien que les mutations spontanées soient généralement rares, elles constituent une source de matérel brut pour le changement évolutif ; elles sont en effet à l'origine d'une variabilité sur laquelle peuvent agir d'autres forces évolutives. Les taux de mutation sont pourtant tellement faibles qu'ils n'ont probablement jamais déterminé la direction du changement évolutif.

Le flux de gènes consiste en une entrée ou une sortie d'allèles d'une population

Un **flux de gènes** peut être le résultat d'une immigration ou d'une émigration d'individus en âge de se reproduire. Dans le cas des plantes, il peut aussi provenir d'un déplacement de gamètes entre populations par l'intermédiaire du pollen.

Un flux de gènes peut introduire de nouveaux allèles dans une population ou modifier les fréquences des allèles existants. Son effet global est est une réduction des différences entre populations. La sélection naturelle, au contraire, a plus de chance d'augmenter les différences et de produire des populations mieux adaptées aux conditions locales. Le flux de gènes va donc souvent à contre-courant de la sélection naturelle.

Chez la plupart des espèces végétales, les possibilités de flux de gènes entre populations naturelles diminuent rapidement avec la distance qui les sépare. Bien que le pollen puisse parfois être transporté sur de longues distances, il n'a que peu de chance d'atteindre un stigmate réceptif très éloigné. Chez plusieurs espèces de plantes des régions tempérées pollinisées par les insectes, un intervalle de 300 mètres seulement peut isoler efficacement deux populations. Il est rare que plus d'un pour-cent du pollen qui atteint un individu donné vienne d'aussi loin. Chez les plantes dont le pollen est disséminé par le vent, il en arrive très peu à plus de 50 mètres en conditions normales.

La dérive génétique concerne les changements aléatoires

Nous avons vu précédemment que l'équilibre de Hardy-Weinberg n'est respecté que si la population est grande. Cette restriction est nécessaire parce que l'équilibre repose sur les lois de la probabilité. Considérez, par exemple, un allèle *a*, dont la fréquence est de 1 %. Pour une population d'un million d'individus, il devrait y avoir 20.000 d'allèles *a* dans le pool génique. (Souvenez-vous que chaque individu diploïde porte deux allèles de chaque gène. Dans le pool génique de cette populaiton, il y a 2 millions d'allèles de ce gène particulier, dont 1 %, soit 20.000 sont l'allèle *a*.) Si quelques individus de cette population étaient détruits par hasard avant de se reproduire, les conséquences sur la fréquence de l'allèle *a* seraient négligeables.

Dans une population de 50 individus, cependant, la situation serait tout à fait différente. Dans cette population, il est vraisemblable qu'il n'y aurait qu'un seul exemplaire de l'allèle *a*. Si l'unique individu portant cet allèle ne se reproduisait pas ou s'il était détruit par hasard sans donner de descendance, l'allèle *a* serait complètement perdu. De même, la perte de 10 des 49 individus homozygotes pour l'allèle *A* entraînerait un saut de 1 sur 100 à 1 sur 80 pour la fréquence de *a*.

Ce phénomène, cette modification du pool de gènes par le hasard, est la **dérive génétique.** Les généticiens des populations et les autres biologistes de l'évolution s'accordent généralement à considérer que la dérive génétique joue un rôle pour déterminer le cours de l'évolution des petites populations. Comparée à celle de la sélection naturelle, son importance relative est cependant un sujet de discussion. Il existe au moins deux situations — l'effet fondateur et l'effet goulet d'étranglement — dans lesquelles on a montré l'importance de la dérive génétique

L'effet fondateur se manifeste quand une petite population colonise un nouveau territoire. Une petite population qui s'écarte d'une plus grande peut être représentative de la grande population dont elle dérive, mais le contraire peut être vrai (Figure 12-8). Certains allèles rares peuvent être surreprésentés ou, à l'inverse, être complètement absent de la petite population. Un cas extrême serait

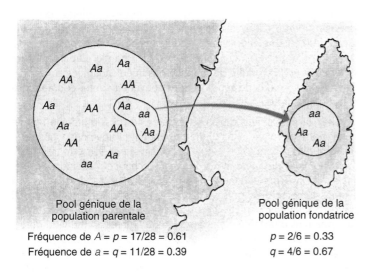

Fréquence de $A = p = 17/28 = 0.61$
Fréquence de $a = q = 11/28 = 0.39$

$p = 2/6 = 0.33$
$q = 4/6 = 0.67$

Figure 12-8

L'effet fondateur. Quand une petite portion d'une population fonde une nouvelle colonie (par exemple sur une île encore inhabitée), les fréquences alléliques dans le groupe fondateur peuvent être différentes de celles de la population parentale. La composition du pool génique de la nouvelle population sera donc différente de celle du pool génique de la population parentale.

l'origine d'une nouvelle population à partir d'une seule graine de plante. En conséquence, quand et si la petite population se multiplie, elle conservera une composition génétique différente — un pool génique différent — de celle du groupe parental. Ce phénomène, qui est une forme de dérive génétique, est l'**effet fondateur**.

L'effet goulet d'étranglement survient quand des facteurs environnementaux réduisent brusquement la taille de la population. L'effet goulet d'étranglement est une autre situation qui peut aboutir à une dérive génétique. Il se produit quand une population est réduite de façon drastique par un événement tel qu'un tremblement de terre, une inondation ou un incendie, qui n'ont que peu ou pas de rapport avec les mécanismes habituels de sélection naturelle. Un goulet d'étranglement est susceptible non seulement d'éliminer entièrement certains allèles d'une population, mais il peut aussi faire en sorte que d'autres soient surreprésentés dans le pool de gènes.

La fécondation non aléatoire diminue la fréquence des hétérozygotes

L'union sexuelle non aléatoire peut aussi rompre l'équilibre de Hardy-Weinberg. Dans les conditions normales, les individus d'une population s'unissent plus souvent avec leurs proches voisins qu'avec les individus plus éloignés. Dans une grande population, les individus

voisins ont donc plus de chance d'être plus étroitement apparentés. Cette union non aléatoire favorise l'**endogamie**, qui est une union entre individus étroitement apparentés. Une forme extrême d'union non aléatoire particulièrement importante chez les plantes est l'autopollinisation (comme chez le pois étudié par Mendel).

L'endogamie et l'autopollinisation ont tendance à augmenter la fréquence des homozygotes dans la population aux dépens des hétérozygotes. Considérez les plantes de pois de Mendel par exemple, où deux allèles seulement interviennent dans la couleur des fleurs, W (pourpre) et w (blanc). Quand les plantes WW et ww s'autopollinisent, toute leur descendance est homozygote. Mais, quand les plantes Ww s'autofécondent, la moitié seulement de leur descendance est hétérozygote. Au cours des générations successives, il y aura une diminution de la fréquence des hétérozygotes et une augmentation correspondante de la fréquence des deux homozygotes. Bien que l'union non aléatoire, comme dans l'exemple des plantes de pois, puisse modifier le rapport entre génotypes et phénotypes dans la population, on observe que les fréquences des allèles en question restent les mêmes.

Conservation et promotion de la variabilité

La reproduction sexuée est à l'origine de nouvelles combinaisons génétiques

Le moyen de loin le plus important dont disposent les organismes eucaryotes pour promouvoir la variabilité dans leur descendance est la reproduction sexuée. Cette reproduction produit de nouvelles combinaisons génétiques de trois façons : (1) par l'assortiment indépendant au moment de la méiose (voir figure 9-10), (2) par crossing-over et recombinaison génétique (voir figure 9-4) et (3) par la combinaison de deux génomes parentaux différents à la fécondation. À chaque génération, les allèles sont assortis en combinaisons nouvelles.

Considérez au contraire des organismes qui se reproduisent uniquement par voie asexuée — par mitose et cytocinèse, mais sans passer par la méiose. Sauf si une mutation s'est produite en cours de duplication, le nouvel organisme ressemblera exactement à son parent unique. Au cours du temps, des clones divers peuvent se former, chacun portant une ou plusieurs mutations, mais il est peu probable que des combinaisons susceptibles d'être favorables s'accumulent dans un génotype. Pour l'organisme, le seul avantage de la reproduction sexuée, d'un point de vue strictement scientifique, paraît être la promotion de la variabilité par la production de nouvelles combinaisons d'allèles parmi les descendants. L'avantage éventuel de cette variabilité pour un organisme individuel reste une question controversée.

Divers mécanismes favorisent l'allogamie

De nombreux mécanismes favorisant de nouvelles combinaisons génétiques dans les populations à reproduction sexuée sont apparues au cours de l'évolution. Chez les plantes, divers systèmes garantissent le dépôt, sur le stigmate d'une plante, de pollen et de gamètes mâles provenant des fleurs d'une autre plante.

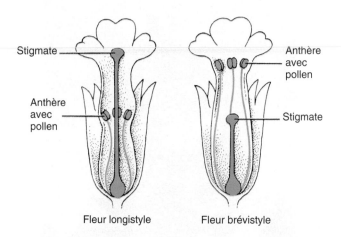

Stigmate

Anthère
avec
pollen

Anthère
avec
pollen

Stigmate

Fleur longistyle   Fleur brévistyle

Figure 12-9

Dessin de deux types de fleurs (« pin » et « thrum ») d'une même espèce de primevère. Notez que les anthères de la fleur pin, qui donnent le pollen, et le stigmate de la fleur thrum, qui reçoit le pollen, sont tous deux situés à peu près à mi-hauteur dans la fleur et que le stigmate pin est au niveau des anthères thrum. Un insecte à la recherche de nectar dans le fond de ces fleurs collecterait le pollen sur des parties différentes de son corps, de telle sorte que le pollen thrum serait déposé sur les stigmates pin et vice versa. L'autopollinisation est donc empêchée.

TABLEAU 12.1

Protection des allèles récessifs par la diploïdie

Fréquence de l'allèle *w* dans le pool génique	Fréquences génotypiques			Pourcentage de l'allèle *w* chez les hétérozygotes
	WW	*Ww*	*ww*	
0,9	0,01	0,18	0,81	10
0,1	0,81	0,18	0,01	90
0,01	0,9801	0,0198	0,0001	99

blanches dans les plantes de pois de Mendel (Tableau 12-1). Comme le montre le tableau, moins fréquent est l'allèle *w*, moins souvent il est exposé dans l'homozygote *ww*. L'élimination par sélection naturelle de l'allèle sera donc d'autant plus lente.

Les hétérozygotes peuvent avoir un avantage sélectif sur les homozygotes

Les allèles récessifs, même ceux qui sont nuisibles à l'état homozygote peuvent non seulement être masqués à l'état hétérozygote, mais ils peuvent parfois être effectivement sélectionnés. Ce phénomène, où les hétérozygotes produisent une descendance plus abondante que chacun des types homozygotes, est l'**avantage hétérozygote**. C'est un autre moyen de conserver la variabilité génétique.

Chez les plantes, le meilleur exemple d'avantage hétérozygote est vraisemblablement le croisement de lignées autofécondées de plantes de culture, qui entraîne une augmentation de la vigueur et de la productivité chez les **hybrides** — qui sont, par définition, les descendants de parents génétiquement différents. Les hybrides qui montrent cette **hétérosis** (vigueur hybride) ont joué un rôle important dans l'augmentation du rendement des plantes cultivées dans le monde entier, particulièrement chez le maïs. L'hybridation a constitué la première application systématique des principes génétiques à l'amélioration des plantes. La découverte de l'hétérosis chez le maïs date de 1908, lorsque le sélectionneur américain G.H. Shull découvrit que les croisements entre lignées purifiées produisaient des hybrides dont le rendement était quatre fois supérieure à celui des lignées autofécondées.

Réponses à la sélection

Au cours des controverses qui ont abouti à la synthèse entre la théorie de l'évolution et la génétique mendélienne, certains biologistes ont prétendu que la sélection naturelle ne pouvait servir qu'à éliminer le « moins apte ». Par conséquent, elle aurait tendance à réduire le polymorphisme génétique de la population et donc les possibilités d'une évolution ultérieure. La génétique des populations moderne a démontré que ce n'est pas le cas. La sélection naturelle peut, en fait, être un facteur essentiel de conservation et de promotion de la diversité génétique d'une population.

Chez certaines plantes, comme le houx et le palmier dattier, les fleurs mâles sont produites sur un pied et les femelles sur un autre. Chez d'autres, comme l'avocatier, le pollen d'une plante arrive à maturité alors que son propre stigmate n'est pas réceptif. Chez certaines espèces, des dispositions anatomiques empêchent l'autopollinisation (Figure 12-9).

Certaines plantes possèdent des gènes d'autoincompatibilité. Habituellement, ces gènes possèdent des allèles multiples — s^1, s^2, s^3, etc. Une plante portant l'allèle s^1 ne peut féconder une plante avec le même allèle s^1. Une plante avec le génotype s^1s^2 ne peut féconder aucune plante qui possède l'un ou l'autre de ces allèles, et ainsi de suite. Dans une population d'environ 500 plantes de primevère, on a trouvé 37 allèles différents d'autoincompatibilité et l'on a estimé qu'il peut y avoir des centaines d'allèles d'autoincompatibilité chez le trèfle rouge. Une plante avec un allèle d'autoincompatibilité rare a plus de chance de pouvoir féconder une autre plante que si elle possède un allèle fréquent. Par conséquent, le système d'autoincompatibilité favorise nettement la diversité des populations. La sélection en faveur de l'allèle rare le rend plus fréquent, tandis que les allèles fréquents deviennent plus rares.

La diploïdie permet de réunir des allèles récessifs

Un autre facteur qui favorise la conservation de la variabilité chez les eucaryotes est la diploïdie. Chez un organisme haploïde, les variations génétiques s'expriment immédiatement dans le phénotype et sont donc exposées au processus de sélection. Chez un organisme diploïde par contre, ces variations, si elles sont récessives, peuvent être mises en réserve, comme c'est le cas des allèles pour les fleurs

En général, le phénotype seul est sélectionné, en ce sens que c'est la relation entre le phénotype et l'environnement qui détermine le nombre de descendants d'un individu qui contribueront à la génération suivante. Puisque tous les caractères d'un organisme individuel sont déterminés par des interactions entre de nombreux gènes, des individus phénotypiquement semblables peuvent posséder beaucoup de génotypes différents.

Quand un trait quelconque, comme la taille, subit une forte pression de sélection, les allèles qui contribuent à ce caractère s'accumulent et les allèles qui agissent en sens contraire sont éliminés. Mais la sélection en faveur d'un caractère polygénique ne se limite pas à l'accumulation d'un lot d'allèles et à l'élimination des autres. Les interactions entre gènes, comme l'épistasie et la pléiotropie (pages 195-196) déterminent fondamentalement le cours de la sélection dans une population.

Il faut également garder à l'esprit que le phénotype n'est pas déterminé uniquement par les interactions entre la multitude d'allèles qui composent le génotype. Le phénotype est aussi un produit de l'interaction entre le génotype et l'environnement durant toute la vie de l'individu (Figure 12-10).

Dans les populations naturelles, les modifications évolutives peuvent être rapides

Dans certaines circonstances, les caractéristiques des populations peuvent se modifier rapidement, souvent suite à un changement rapide de l'environnement. L'influence de l'homme a été telle en certains endroits du globe, particulièrement au cours des derniers siècles, que certaines populations ont dû s'adapter rapidement pour survivre. Les biologistes de l'évolution se sont particulièrement intéressés à des exemples de ces modifications rapides — « l'évolution en action » — parce que les principes impliqués sont supposés être les mêmes que ceux qui gouvernent les modifications (même si ce sont des modifications beaucoup plus lentes) des autres populations.

Chez les plantes, on a observé que de fortes pressions sélectives provoquent des modifications rapides dans les populations naturelles. Par exemple, les plantes étaient beaucoup plus rases dans les parties pâturées d'une prairie expérimentale du Maryland que dans les parties non pâturées et l'on pensait que ce caractère pouvait être une conséquence directe du pâturage. Cette hypothèse a été testée en déterrant des plantes des deux parties de la prairie et en les cultivant ensemble dans une même parcelle. On supposait que, si la petite taille des plantes était principalement une conséquence du pâturage, elles devraient rapidement devenir plus grandes en l'absence de pâturage. Ce fut le cas pour certaines, mais les plantes de trèfle blanc (*Trifolium repens*), de pâturin (*Poa pratensis*) et de dactyle (*Dactylis glomerata*) restèrent courtes : au cours d'une période de deux ou trois siècles seulement, la force sélective due au pâturage avait donc entraîné une modification génétique de ces populations. La figure 12-11 illustre une exemple semblable.

Au pays de Galles, les gravats entourant plusieurs mines de plomb abandonnées sont riches en plomb (jusqu'à un pour-cent) et en zinc (jusqu'à 0,03%) — substances toxiques pour la plupart des plantes à ces concentrations. En raison de la présence de ces métaux, les gravats sont souvent presque dépourvus de végétation. En observant

(a)

(b)

Figure 12-10

Les pins de Jeffrey (*Pinus jeffreyi*) sont généralement hauts et droits, comme en **(a)**. L'environnement peut cependant modifier le mode normal de croissance, comme on le voit en **(b).** Cet arbre pousse au sommet d'une montagne, dans le Yosemite National Park, en Californie, où il est exposé constamment à des vents violents.

qu'une espèce de graminées, *Agrostis tenuis*, colonisait ces zones, les scientifiques prélevèrent des plantes provenant de la zone minière et d'autres de prairies voisines, ils les cultivèrent ensemble à la fois sur un sol normal et sur un sol minier. Sur le sol normal, les plantes des mines se développèrent plus lentement et restèrent plus petites que celles des prairies. Sur le sol minier, cependant, les plantes des mines

Figure 12-11

Prunella vulgaris est une labiée herbacée commune ; elle est répandue dans les bois, les prairies et les pelouses des régions tempérées du globe. La plupart des populations sont formées de plantes érigées, comme celles qui sont représentées en **(a)** : elles poussent dans des endroits herbeux ouverts, souvent un peu humides, des régions fraîches. Cependant, les populations trouvées dans les pelouses sont toujours formées de plantes prostrées, comme celles qui sont montrées en **(b)**, trouvées à Berkeley, en Californie. Les plantes érigées de *Prunella vulgaris* ne peuvent survivre dans les pelouses parce qu'elles souffrent de la tonte et n'ont pas la faculté de produire, à partir de la base, des rejets nécessaires pour assurer leur survie. Quand les plantes de pelouse sont plantées en jardin expérimental, certaines restent prostrées, alors que d'autres sont érigées. L'allure prostrée est déterminée génétiquement dans le premier groupe et par l'environnement dans le second.

(a)

(b)

Figure 12-12

Plantes d'*Agrostis tenuis* poussant à l'avant-plan sur des graviers d'une mine de plomb abandonnée, au Pays de Galles. Ces graviers sont souvent dépourvus de vie végétale parce que les concentrations de plomb sont létales pour les plantes. Les plantes d'*Agrostis* tolérantes au plomb qui poussent ici sont des descendants d'une population de plantes qui s'est progressivement adaptée au plomb contaminant les graviers.

poussèrent normalement, mais celles des prairies ne se sont pas développées du tout. La moitié des plantes des prairies placées sur le sol minier étaient mortes après trois mois, leurs racines étaient mal formées et dépassaient rarement 2 millimètres de long. Mais quelques plantes de prairie (3 sur 60) firent preuve d'une certaine résistance aux effets du sol riche en métaux. Elles étaient sans doute semblables aux plantes sélectionnées à l'origine lors du développement de la souche d'*Agrostis* résistance au plomb. Les mines n'avaient pas plus de 100 ans et la souche résistante au plomb s'était donc développée en une période de temps relativement courte. Des plantes résistantes avaient été sélectionnées dans une population de plantes de prairie génétiquement variables dont des graines étaient tombées sur le sol minier, avaient germé et produit des graines capables d'y survivre. Grâce à la sélection naturelle, une souche distincte d'*Agrostis tenuis* était ainsi apparue (Figure 12-12).

Le résultat de la sélection naturelle : l'adaptation

La sélection naturelle aboutit à l'**adaptation**, terme qui a plusieurs sens en biologie. Il peut d'abord désigner un état d'ajustement à l'égard de l'environnement. En ce sens, tout organisme vivant est adapté, de même que les jambes d'Abraham Lincoln étaient, ainsi qu'il le faisait remarquer, « juste assez longues pour toucher le sol. » En second lieu, adaptation peut s'appliquer à une caractéristique particulière qui permet à un organisme de s'ajuster à son environnement. Troisièmement, adaptation peut s'appliquer à un processus évolutif qui se déroule sur de nombreuses générations et donne naissance à des organismes mieux ajustés à leur environnement.

La sélection naturelle implique des interactions entre organismes individuels, leur environnement physique et leur environnement biologique — autrement dit, les autres organismes. Très souvent, on peut mettre en relation de façon évidente les adaptations dues à la sélection naturelle et les facteurs environnementaux ou les pressions sélectives exercées par d'autres organismes.

Les clines et les écotypes sont la conséquence de l'adaptation à l'environnement physique

La **plasticité du développement** est une tendance que possèdent les individus à se modifier au cours du temps en réponse à des conditions environnementales différentes ou, pour des organismes génétiquement identiques, à devenir différents en réponse à des stimulations différentes de l'environnement. Cette plasticité est beaucoup plus grande chez les plantes que chez les animaux, parce que le mode de croissance indéfini caractéristique des plantes peut être plus aisément modifié de manière à ce qu'un génotype particulier s'exprime de façon très différente. Tous les jardiniers savent que les facteurs environnementaux peuvent entraîner des différences profondes dans les phénotypes de nombreuses espèces de plantes. Les feuilles qui se développent à l'ombre peuvent par exemple être plus minces et plus grandes que celles qui se développent au soleil.

La variation phénotypique à l'intérieur d'une même espèce peut parfois avoir une répartition géographique particulière et il est alors possible d'établir une corrélation entre cette variation et des modifications graduelles de la température, de l'humidité ou de tout autre facteur du milieu. On parle de **cline** pour désigner cette modification graduelle des caractères des populations d'un organisme. Beaucoup d'espèces montrent des clines nord-sud pour divers caractères. Par exemple, les plantes croissant dans le sud ont souvent des exigences légèrement différentes pour la floraison ou pour la levée de dormance de celles qui poussent au nord, bien que toutes appartiennent à la même espèce.

Les clines se rencontrent fréquemment chez les organismes marins, pour lesquels la température augmente ou diminue souvent très graduellement en fonction de la latitude. Les clines sont également caractéristiques des organismes répandus dans l'est des États-Unis par exemple, où les gardients de pluviosité peuvent s'étendre sur des milliers de kilomètres. Quand on prélève des échantillons de plantes le long d'un cline, les différences sont souvent proportionnelles à la distance qui sépare les populations.

Une espèce occupant de nombreux habitats différents peut paraître légèrement différente dans chacun d'eux. Chaque groupe de phénotypes distincts est un **écotype**. Les différences entre les écotypes sont-elles entièrement déterminées par l'environnement, ou ces différences représentent-elles une adaptation résultant de l'action de la sélection naturelle sur la variation génétique ?

L'étude des écotypes est particulièrement bien illustrée par le travail de Jens Clausen, David Keck et William Hiesey sur une herbe pérenne, *Potentilla glandulosa*, répandue dans une large gamme de zones climatiques en Californie. Ces chercheurs ont installé des parcelles expérimentales dans trois localités de Californie à des endroits où existent des populations indigènes de *P.glandulosa* : (1) Stanford, situé entre les massifs côtiers interne et externe, à 30 mètres d'altitude, avec un climat tempéré chaud et des pluies principalement hivernales, (2) Mather, sur le versant occidental de la Sierra Nevada, à 1400 mètres d'altitude, avec des hivers longs, froids et enneigés, des

étés essentiellement secs, et (3) Timberline, à l'est de la crête de la Sierra Nevada, à peu près à la même latitude que les deux autres stations, mais à 3050 mètres d'altitude, avec des hivers enneigés, très longs et froids et des étés courts, frais et plutôt secs (Figure 12-13).

Lorsque les plantes de *P.glandulosa* provenant de nombreuses localités ont été cultivées côte-à-côte dans des jardins situés dans les trois stations, quatre écotypes distincts sont apparus. Les caractéristiques morphologiques, ou structurales, de chaque écotype étaient fonction de ses réponses physiologiques, à leur tour essentielles pour la survie de chaque écotype dans son milieu d'origine.

L'écotype des massifs côtiers, par exemple, se compose de plantes qui se développent bien en hiver comme en été lorsqu'elles sont cultivées à Stanford, près de leur habitat d'origine. Les plantes de cet écotype étaient plus petites, mais elles survivaient à Mather, bien qu'elles soient soumises à cinq mois environ de temps froid en hiver. À Mather, elles devenaient dormantes en hiver, mais accumulaient assez de réserves pendant leur saison de croissance pour toute la durée de l'hiver long et défavorable. À Timberline, les plantes de l'écotype des massifs côtiers furent incapables de survivre, elles moururent presque toutes au cours du premier hiver. À cette altitude élevée, la courte durée de la saison de végétation ne leur avait pas permis d'emmagasiner des réserves suffisantes pour survivre au long hiver. D'autres espèces des chaînes côtières de Californie produisent des écotypes dont les réponses physiologiques sont comparables à celles de *P.glandulosa*. En effet, des souches d'espèces végétales non apparentées qui, dans la nature, vivent ensemble dans une station particulière sont souvent plus proches l'une de l'autre d'un point de vue physiologique, que d'autres populations de leur propre espèce.

Comme chez *P.glandulosa*, les caractères physiologiques et morphologiques des écotypes ont souvent une base génétique complexe, impliquant des dizaines (ou, dans certains cas, peut-être des centaines) de gènes. Les écotypes à exigences strictes sont caractéristiques de régions, comme l'ouest de l'Amérique du Nord, où les limites entre habitats contigus sont bien définies. D'autre part, quand les changements de l'environnement sont plus graduels entre les habitats, les caractères des plantes qui se trouvent dans ces régions peuvent également se modifier progressivement.

Les écotypes diffèrent par leur écologie. Pour comprendre pourquoi les écotypes sont à l'aise là où ils se trouvent, nous devons appréhender les fondements physiologiques de leur différenciation écotypique. Par exemple, quand des souches scandinaves de verge d'or (*Solidago virgaurea*) provenant d'habitats ombragés et ensoleillés furent cultivées sous des intensités lumineuses différentes, elles manifestèrent des différences dans leur réponse photosynthétique. Les plantes de milieux ombragés poussaient rapidement sous faibles intensités lumineuses, alors que leur croissance était nettement ralentie sous une lumière intense. Par contre, les plantes venant d'habitats dégagés poussaient rapidement à haute intensité lumineuse, mais moins bien au faibles niveaux lumineux.

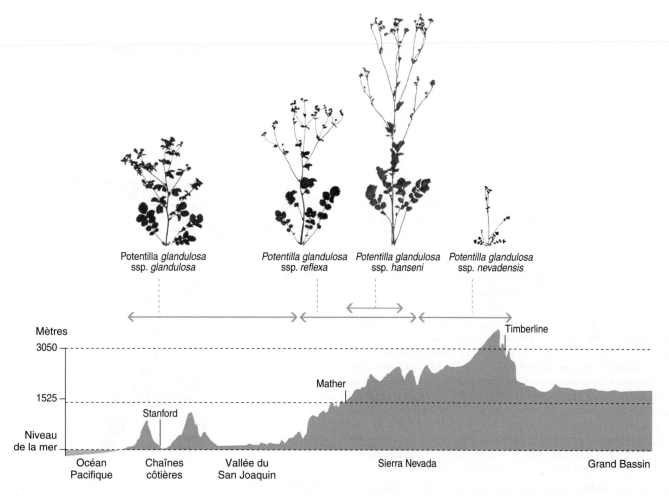

Figure 12-13

Ecotypes de *Potentilla glandulosa*, plante apparentée au fraisier. Des plantes provenant de plusieurs populations de *P.glandulosa* ont été récoltées à 38° de latitude nord depuis l'Océan Pacifique jusqu'à Timberline et transplantées en jardins expérimentaux à Stanford, Mather et Timberline, également aux alentours de 38° de latitude nord. Les plantes ont été propagées asexuellement de manière à pouvoir cultiver des individus génétiquement identiques dans les trois jardins jouissant de climats différents. Cultivés côte-à-côte, quatre écotypes différents se sont distingués. Aux quatre écotypes écologiquement distincts correspondaient des différences morphologiques, concernant particulièrement des caractères floraux et foliaires. Beaucoup de ces caractères ont été transmis aux générations suivantes : ces différences sont donc génotypiques autant que phénotypiques.

Chaque écotype est distribué dans une gamme d'altitudes. Lorsque les aires de distribution de deux écotypes se superposent, ils vivent dans des environnements différents. On a représenté ici les quatre écotypes au stade de floraison et leur répartition approximative. On a donné un nom de sous-espèce à chacun des quatre écotypes.

Dans une autre expérience, on a étudié des populations arctiques et alpines d'une plante cosmopolite, *Oxyria digyna*, en partant de souches provenant de latitudes extrêmement diverses, allant du sud du Groenland et de l'Alaska aux montagnes de Californie et du Colorado. Les plantes des populations du nord-ouest avaient plus de chlorophylle dans leurs feuilles, et des taux de respiration supérieurs pour toutes les températures, contrairement aux plantes plus méridionales. Les plantes de haute altitude, proches des limites méridionales de l'aire de l'espèce, avaient une photosynthèse plus efficace aux hautes intensités lumineuses que les plantes plus septentrionales venant de basse altitude. Les différents écotypes pouvaient donc mieux fonctionner dans leurs habitats, caractérisés, par exemple, par de fortes intensités lumineuses à haute altitude et de moindres intensités dans le grand nord. La présence d'*O.digyna* dans une aire aussi large et dans une gamme de conditions écologiques aussi vaste est possible, partiellement au moins, en raison de différences de potentiel métabolique entre ses différentes populations.

La coévolution est le résultat d'une adaptation à l'environnement biologique

Quand des populations de deux ou plusieurs espèces interagissent assez étroitement pour que chacune exerce une pression sélective rigoureuse sur l'autre, les ajustements simultanés aboutissent à une coévolution. Compte tenu du nombre total des espèces et des individus concernés, un des cas les plus importants est la coévolution des fleurs et de leurs pollinisateurs, décrite au chapitre 22. Un autre exemple de coévolution est celui du papillon monarque et des asclépiadacées (page 34).

L'origine des espèces

Bien que Darwin ait intitulé son monumental ouvrage *On the Origin of Species*, il ne fut jamais vraiment capable d'expliquer comment pouvaient apparaître les espèces. Cependant, une énorme quantité de travail, principalement réalisé au cours du vingtième siècle, a permis de nombreuses avancées dans la compréhension du processus. Il a fallu par ailleurs beaucoup de temps et de discussions pour tenter d'arriver à une définition claire du terme « espèce. »

Qu'est-ce qu'une espèce ?

En latin, **species** signifie simplement « sorte » et les espèces sont donc, dans le sens le plus simple, des sortes différentes d'organismes. Plus précisément, une espèce est un groupe de populations naturelles composées d'individus capables de se reproduire entre eux, mais incapables de se croiser avec des individus appartenant à d'autres groupes semblables (ou du moins ils ne le font généralement pas). Il s'agit là du *concept biologique de l'espèce*. Le critère essentiel de cette définition est l'**isolement génétique** : si les membres d'une espèce échangeaient librement des gènes avec ceux d'une autre espèce, ils ne conserveraient pas longtemps les caractères particuliers qui permettent de les identifier comme des sortes particulières d'organismes. Le concept biologique de l'espèce ne fonctionne pas dans toutes les situations et il est parfois difficile de l'appliquer à des données réelles dans la nature. On a donc proposé d'autres définitions de l'espèce. En pratique, les « espèces biologiques » sont généralement identifiées essentiellement en fonction d'une estimation de leurs caractères morphologiques ou structuraux distinctifs. En fait, la plupart des espèces reconnues par les taxonomistes ont été désignées comme telles sur la base de critères anatomiques et morphologiques. Cette approche pratique est le *concept morphologique de l'espèce*.

On s'est souvent basé sur l'incapacité à produire des hybrides pour définir les espèces. Cependant, ce critère n'est pas applicable de façon générale. Dans certains groupes de plantes — particulièrement les plantes ligneuses à longue durée de vie, comme les arbres et les arbustes — des espèces morphologiquement bien distinctes peuvent former entre elles des hybrides fertiles. Prenez le cas des platanes, *Platanus orientalis* et *Platanus occidentalis*, qui sont isolés dans la nature depuis au moins 50 millions d'années. *P.orientalis* est originaire de l'est de la région méditerranéenne à l'Himalaya, tandis que *P.occidentalis* est indigène dans l'est de l'Amérique du Nord (Figure 12-14). On a cultivé sur une grande échelle *P.orientalis* en Europe méridionale depuis l'époque romaine, mais il ne peut pousser en Europe septentrionale s'il ne bénéficie pas de l'influence modératrice de la mer. Après la découverte du Nouveau Monde par les Européens, *P.occidentalis* fut mis en culture dans les parties plus froides de l'Europe septentrionale, où il s'est bien établi. Après 1670, ces deux arbres très différents ont donné des hybrides intermédiaires et parfaitement fertiles lorsqu'ils étaient cultivés ensemble en Angleterre. Appelé platane de Londres, l'hybride (*Platanus x hybrida*) est capable de vivre dans les régions à hivers froids et il est maintenant planté le long des rues à New York. et dans toutes les régions tempérées du monde.

On pourrait dire que *P.orientalis* et *P.occidentalis* n'ont pas la possibilité de se croiser en nature. Mais il existe de nombreux groupes, comme les bouleaux, les chênes et les saules, dans lesquels beaucoup

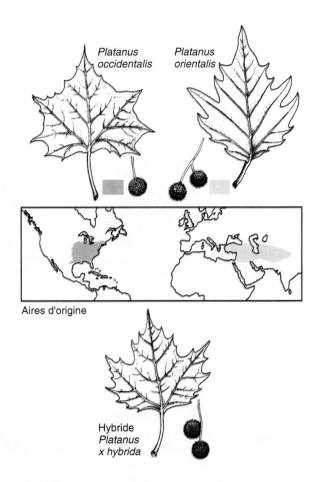

Figure 12-14

Distribution de deux espèces de platanes, *Platanus orientalis*, dont l'aire s'étend de la région méditerranéenne orientale à l'Himalaya, et *P.occidentalis*, d'Amérique du Nord. L'hybride complètement fertile, *Platanus x hybrida*, est le platane de Londres, arbre vigoureux convenant bien à la culture le long des avenues urbaines.

d'espèces se croisent librement dans la nature. Cela signifie-t-il que chacun de ces groupes d'espèces interfécondes doive être considéré comme n'en formant qu'une et les formes que nous considérons comme des espèces morphologiquement distinctes devrait-elles être considéré comme des sous-espèces (subdivisions d'une espèce) ? Il est peu vraisemblable que la plupart des taxonomistes accepteraient d'aller aussi loin.

Dans une perspective évolutive, une espèce est une population ou un groupe d'organismes unis d'un point de vue reproducteur, mais qui se modifie très probablement quand il se déplace dans l'espace et dans le temps. Les groupes éclatés, isolés reproductivement à partir de la population globale, peuvent se modifier suffisamment pour devenir de nouvelles espèces. Ce processus est la **spéciation**. En se répétant pendant plus de 3,5 milliards d'années, il a été à l'origine de la diversité des organismes qui ont vécu dans le passé et qui existent aujourd'hui.

Comment s'opère la spéciation ?

Par définition, les individus d'une espèce se partagent un pool génique commun, bien séparé des pools géniques des autres espèces. Une question fondamentale est donc celle-ci : comment un pool de gènes se sépare-t-il d'un autre pour entamer un parcours évolutif distinct ? Une question subsidiaire est celle-ci : comment se fait-il que deux espèces, souvent très semblables, partagent le même habitat et restent cependant isolées reproductivement.

Selon une opinion répandue, la spéciation est le plus souvent la conséquence de la séparation géographique d'une population d'organismes : c'est la spéciation allopatrique (« autre pays »). Dans certaines circonstances cependant, une spéciation peut se produire sans isolement géographique : on parle dans ce cas de spéciation sympatrique (« même pays »).

La spéciation allopatrique implique une séparation géographique des populations

On a constaté que toutes les espèces à large répartition qui ont été soigneusement étudiées renferment des populations géographiques qui diffèrent plus ou moins les unes des autres. Les écotypes de *Potentilla glandulosa* et les souches d'*Oxyria digyna* en sont des exemples. Une espèce comprenant de tels variants géographiques est susceptible de passer à la spéciation si des barrières géographiques apparaissent et empêchent les flux de gènes.

Il existe différents types de barrières géographiques (Figure 12-15). Les îles sont souvent des endroits où se développent de nouvelles espèces et elles permettent la diversification brusque (à l'échelle des temps biologiques) d'un groupe d'organismes dérivés d'un ancêtre commun, souvent lui-même évolué de fraîche date. La brusque diversification d'un tel groupe d'organismes est le **rayonnement adaptatif**. Il est associé à l'ouverture d'un nouvel espace biologique qui peut être aussi vaste que la terre ou l'air ou, comme dans le cas des tortues des Galapagos, aussi restreinte qu'un archipel. Le rayonnement adaptatif aboutit à l'apparition presque simultanée de nombreuses espèces nouvelles dans une vaste gamme d'habitats. (Voir « Le rayonnement adaptatif chez les composées des îles Hawaii », pages 250-251.)

La différenciation dans les îles est particulièrement frappante parce que, en l'absence de compétition, les organismes semblent avoir plus de chance de donner naissance à des formes très inhabituelles que les espèces apparentées des continents. Dans les stations insulaires, les caractéristiques des plantes et des animaux peuvent changer plus rapidement que sur le continent et des caractères qui ne se rencontrent jamais ailleurs peuvent apparaître. Des groupes d'espèces semblables peuvent bien sûr aussi apparaître dans des régions continentales et leur différenciation peut être aussi spectaculaire.

La spéciation sympatrique ne demande pas de séparation géographique

La **polyploïdie** est un mécanisme bien connu qui aboutit à la production de nouvelles espèces par spéciation sympatrique — c'est-à-dire

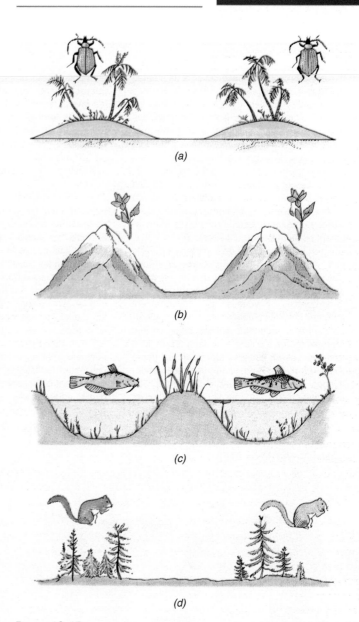

(a)

(b)

(c)

(d)

Figure 12-15

Quatre barrières géographiques différentes capables de conduire à la spéciation : **(a)** les îles, **(b)** les sommets de montagnes, **(c)** les mares, les lacs ou même les océans et **(d)** les groupes isolés de végétation.

sans isolement géographique. Par définition, la polyploïdie est une augmentation du nombre de chromosomes au-delà du complément diploïde habituel ($2n$). La polyploïdie peut être la conséquence d'une non-disjonction (page 173) durant la mitose ou la méiose ; elle peut aussi provenir d'une division normale des chromosomes en mitose ou en méiose, mais sans cytocinèse ultérieure. On peut également produire artificiellement des polyploïdes en laboratoire en utilisant la colchicine, qui empêche la formation des microtubules et donc la séparation des chromosomes en mitose (page 161).

LE RAYONNEMENT ADAPTATIF CHEZ LES COMPOSÉES DES ÎLES HAWAII

Il existe des groupes spectaculaires de plantes et d'animaux indigènes aux îles Hawaii. Les grandes îles de cet archipel ont émergé de l'océan et sont restées isolées pendant des millions d'années ; les habitats sont extrêmement variés et les aires continentales qui sont les sources de migration des plantes et des animaux se trouvent à des distances considérables. Les organismes qui ont atteint les îles Hawaï se sont fortement modifiés à mesure qu'ils occupaient les différents habitats disponibles. Le processus qui aboutit à ces changement est le rayonnement adaptatif.

Un groupe remarquable de composées (famille des *Asteraceae*), les « silverswords » des Hawaii, qui comprend 28 espèces réparties dans trois genres très proches, est un des plus remarquables exemples de rayonnement adaptatif chez les plantes. Ces espèces appartiennent à la sous-tribu des *Madiinae*, surtout représentée en Californie et dans les régions voisines. Les 28 espèces font partie du genre *Argyroxiphium* et de deux autres genres endémiques à Hawaï, *Dubautia* et *Wilkensia*. Ces espèces ont un port qui va du suffrutex en forme de coussinet à des plantes herbacées en rosette et aux grands arbres et lianes. Elles poussent dans des habitats aussi divers que les laves dénudées, les broussailles sèches, les forêts sèches, les forêts humides et les marais. Dans ces habitats, les précipitations annuelles s'étalent de moins de 400 à plus de 12.300 millimètres. Les habitats les plus arrosés sont parmi les endroits les plus humides de la terre.

Cette énorme variation dans les habitats correspond à une variation parallèle de la taille et de la forme des feuilles chez ces plantes. Par exemple, les espèces de *Dubautia* vivant dans des habitats ensoleillés secs ont généralement de très petites feuilles, tandis que celles qui habitent les sous-bois ombragés des forêts humides ont des feuilles beaucoup plus grandes. *Argyroxiphium sandwicense*, qui vit sur les pentes alpines sèches du cratère Haleakala, dans l'île de Maui, a des feuilles couvertes d'un duvet dense de poils argentés. Ces poils assurent apparemment une protection à l'encontre de l'intense rayonnement solaire et contribuent à conserver l'humidité. Les feuilles d'une espèce très proche, *Argyroxiphium grayanum*, qui vit sur la même île, mais dans

Argyroxiphium sandwicense est une plante remarquable qui se développe sur les pentes exposées de cendrées volcaniques au sommet du cratère Haleakala, sur l'île de Maui, où les plantes sont soumises à des radiations solaires intenses et à une faible humidité.

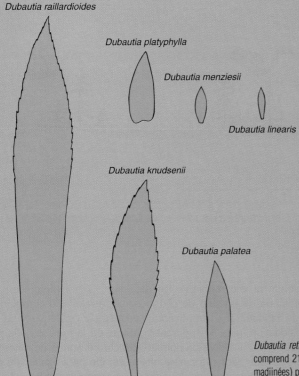

Dubautia raillardioides

Dubautia platyphylla

Dubautia menziesii

Dubautia linearis

Dubautia knudsenii

Dubautia palatea

Dubautia reticulata. Les espèces du genre *Dubautia* (qui comprend 21 des 28 espèces hawaïennes du groupe des madiinées) peuvent être des arbres, des buissons, des lianes ou de petites plantes en coussinets à peine lignifiées.

Dubautia reticulata, représenté ici, croît dans les forêts humides de Maui, où il peut atteindre au moins 8 mètres et développer un tronc d'un diamètre de près de 0,5 mètre.

Dubautia scabra. Cette petite plante herbacée en coussinet se rencontre dans les habitats plus ou moins humides de plusieurs îles de l'archipel des Hawaii. On la considère comme l'ancêtre de plusieurs autres espèces présentes dans les îles plus récentes.

Wilkesia gymnoxiphium. Cette plante bizarre, à l'allure d'un yucca, n'existe que sur l'île de Kauai, où on ne la trouve que dans la végétation buissonnante en bordure de la gorge de Waimea. Kauai est la plus vieille des îles principales de l'archipel hawaïen. On voit ici Robert Robichaux, qui étudie l'écologie physiologique de ce groupe fascinant de plantes.

des habitats forestiers humides et marécageux, ne possède pas ces poils.

D'importantes différences physiologiques caractérisent également les espèces de ce groupe de composées des Hawaii, qui doivent faire face à différentes types de défis environnementaux. Par exemple, les espèces de *Dubautia* vivant dans des habitats secs sont beaucoup plus tolérantes à la sécheresse que celles des habitats humides. Les espèces des habitats secs ont des feuilles dont les parois cellulaires sont plus élastiques et, en cas de sécheresse, elles sont capables de conserver des pressions de turgescence plus élevées que les espèces voisines.

En dépit de leur grande diversité d'aspect et des habitats très différents où elles vivent, les 28 espèces de ces trois genres sont très proches les unes des autres. Elles peuvent toutes se croiser deux à deux et, dans la mesure de nos connaissances, tous les hybrides sont au moins partiellement fertiles. De plus, on a obtenu des hybrides expérimentaux entre espèces hawaïennes et californiennes, ce qui souligne leurs relations étroites. L'ensemble de ce groupe de trois genres semble avoir évolué séparément dans les îles Hawaii après l'arrivée d'un seul colonisateur de départ provenant de l'ouest de l'Amérique du Nord. Les recherches moléculaires ont montré que cette espèce ancestrale était étroitement apparen-

tée (et semblable) aux espèces californiennes actuelles des genres *Madia* et *Raillardiopsis*.

Les schémas évolutifs reconstitués à partir des données sur les séquences d'ADN indiquent que l'ancêtre commun le plus récent du groupe moderne des « silverswords » se trouvait sur l'île la plus ancienne de Kauai. Les nombreuses espèces du groupe qui se trouvent en-dehors de Kauai doivent leur existence à la

dispersion entre les îles de fondateurs allant des îles les plus anciennes vers les îles de plus en plus jeunes, dispersion suivie d'une spéciation impliquant les principales modifications écologiques — traces du rayonnement adaptatif. Les mêmes schémas ont été confirmés récemment pour plusieurs autres lignées endémiques d'organismes hawaïens.

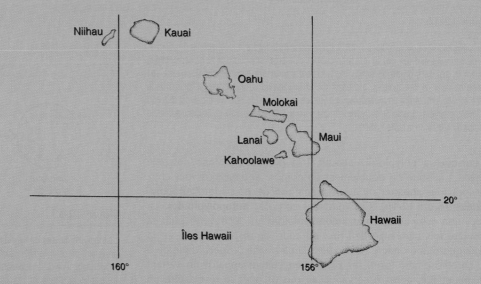

Les îles Hawaii. La plus vieille des grande îles, Kauai, renferme des roches vieilles de 6 millions d'années, la plus jeune, Hawaii, est encore en formation. L'archipel des Hawaii se déplace progressivement vers le nord-ouest avec la plaque Pacifique, les îles les plus anciennes étant graduellement érodées sous la surface de la mer et les plus jeunes s'accroissant continuellement, apparemment lorsqu'elles passent au-dessus d'un « point chaud » plage mince de la croûte terrestre par où la lave est émise. Nous savons donc qu'il y avait des îles à proximité de la position actuelle des Hawaii il y a beaucoup plus de 6 millions d'années.

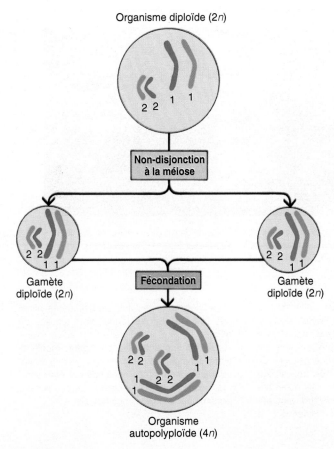

Figure 12-16

L'autopolyploïdie. La polyploïdie, à l'intérieur d'organismes individuels, peut aboutir à la formation de nouvelles espèces. **(a)** Si les chromosomes d'un organisme diploïde ne se séparent pas pendant la méiose (non-disjonction), l'individu peut donner des gamètes diploïdes *(2n).* **(b)** L'union de deux de ces gamètes, provenant du même individu ou d'individus différents de la même espèce, produiront un individu autopolyploïde, ou tétraploïde *(4n).* Bien que cet individu soit éventuellement capable de se reproduire par voie sexuée, il sera isolé de l'espèce parentale diploïde au niveau de la reproduction.

Lorsque la polyploïdie aboutit à la production d'une nouvelle espèce à la suite du doublement du nombre de chromosomes chez des individus appartenant à une même espèce, on parle d'**autopolyploïdie** (Figure 12-16). Ces individus sont des **autopolyploïdes.** La spéciation sympatrique par autopolyploïdie fut découverte pour la première fois par Hugo de Vries, au cours de ses recherches sur la génétique d'une onagre (*Oenothera lamarckiana*), espèce diploïde à 14 chromosomes. Parmi les plantes en culture apparut un variant inhabituel qui, après observation au microscope, se révéla être un tétraploïde (4*n*), avec 28 chromosomes. De Vries ne put croiser les plantes tétraploïdes avec les diploïdes, en raison de problèmes d'appariement des chromosomes en méiose. Le tétraploïde (un autopolyploïde) était une nouvelle espèce, que de Vries appela *Oenothera gigas* (*gigas* signifiant « géant »).

L'**allopolyploïdie** est un type de polyploïdie beaucoup plus commun ; elle provient d'un croisement entre deux espèces différen

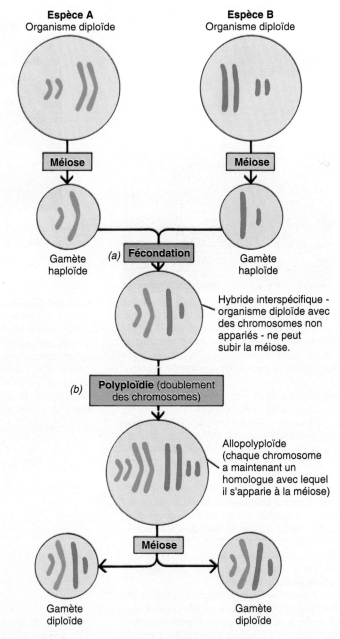

Figure 12-17

L'allopolyploïdie. **(a)** Un hybride entre deux espèces différentes — un hybride interspécifique — provenant de deux gamètes haploïdes *(n)* peut se développer normalement parce que la mitose est normale. Il ne peut cependant se reproduire par voie sexuée, parce que les chromosomes sont incapables de s'apparier à la méiose. **(b)** Si le nombre de chromosomes est ensuite doublé, les chromosomes s'apparient à la méiose. Par conséquent, l'hybride — un allopolyploïde — peut donner des gamètes diploïdes *(2n)* viables : c'est une nouvelle espèces capable de se reproduire sexuellement.

tes, produisant un **hybride interspécifique** (Figure 12-17). Ces hybrides sont généralement stériles parce que les chromosomes ne peuvent s'apparier en méiose (parce qu'ils n'ont pas d'homologues), ce qui

Figure 12-18

Capitules de *Tragopogon* (salsifis). Trois espèces diploïdes *(2n = 12)* hautement fertiles introduites d'Europe, **(a)** *Tragopogon dubius*, **(b)** *Tragopogon porrifolius* et **(c)** *Tragopogon pratensis*, s'étaient bien établies dans le sud-est de l'état de Washington et les régions voisines de l'Idaho vers 1930. Ces espèces se croisaient facilement, donnant des hybrides interspécifiques (F₁) diploïdes fortement stériles : **(d)** *Tragopogon dubius x porrifolius*, **(e)** *Tragopogon porrifolius x pratensis* et **(f)** *Tragopogon dubius x pratensis*. En 1949, on a découvert quatre petites populations de *Tragopogon* nettement différentes des hybrides diploïdes : on pensa immédiatement qu'il s'agissait de deux espèces polyploïdes nouvelles. Les polyploïdes présumés **(g)**, **(h)** ne différaient des hybrides diploïdes **(d)**, **(f)** par aucun caractère, sauf qu'ils étaient plus grands à tous les niveaux et manifestement fertiles, les capitules portaient en effet de nombreux fruits en développement. On a bientôt confirmé que ces populations étaient des espèces tétraploïdes *(2n = 24)* et elles furent appelées **(g)** *Tragopogon mirus* et **(h)** *Tragopogon miscellus*. Ces espèces tétraploïdes font partie des quelques allopolyploïdes dont l'époque d'origine est connue avec un haut degré de certitude. **(i)** Notez que cette inflorescence de *Tragopogon porrifolius x pratensis* est un hybride diploïde fortement stérile d'une génération plus avancée que la *F₁* représentée en **(e)**.

représente une étape indispensable pour l'obtention de gamètes viables. Cependant, si le nombre de chromosomes est doublé chez cet hybride stérile et si les cellules qui en résultent se divisent par mitoses et cytocinèse, elles produisent finalement un nouvel individu par multiplication asexuée. Cet individu — un allopolyploïde — aura deux fois plus de chromosomes que son parent. Par conséquent, il est reproductivement isolé de la lignée parentale. Cependant, ses chromosomes, qui sont maintenant dupliqués, peuvent s'apparier, la méiose se déroule normalement et la fertilité est restaurée. Une nouvelle espèce, capable de se reproduire par voie sexuée, est née.

L'hybridation et la spéciation sympatrique par polyploïdie sont des phénomènes importants et bien connus chez les plantes. Il est clair qu'elles ont joué un rôle important dans l'évolution des angiospermes. Les estimations récentes font état de 47 à plus de 70 % d'angiospermes polyploïdes. En outre, on estime que 80 % des espèces de la famille des graminées sont polyploïdes, et qu'un grand nombre de plantes alimentaires majeures sont polyploïdes, comme le blé, la canne à sucre, la pomme de terre, la patate douce et le bananier.

Certains polyploïdes, qui étaient à l'origine des adventices dans des habitats rudéraux, ont eu un succès spectaculaire. Les exemples les plus connus sont probablement deux espèces de salsifis, *Tragopogon mirus* et *Tragopogon miscellus*, produits d'une spéciation par allopolyploïdie (Figure 12-18). Toutes deux sont apparues au cours des cent dernières années dans la région de Palouse, au sud-est de l'état de Washington et dans l'Idaho voisin, à la suite de l'introduction et de la naturalisation de leurs progéniteurs de l'Ancien Monde, *Tragopogon dubius*, *Tragopogon porrifolius* et *Tragopogon pratensis*. Les trois espèces de l'Ancien Monde sont toutes diploïdes (2n = 12) et elles se croisent facilement entre elles pour donner des hybrides F₁ fortement stériles. En 1949, on découvrit deux hybrides tétraploïdes (2n = 24) relativement fertiles qui se sont bien multipliés dans la région de Palouse depuis leur découverte. On a signalé la présence de *T.mirus* et de *T.miscellus* en Arizona, et *T.miscellus* existe également au Montana et dans le Wyoming. Les parents de *T.mirus* sont *T.dubius* et *T.porrifolius* et ceux de *T.miscellus* sont *T.dubius* et *T.pratensis*. L'origine des allopolyploïdes a été récemment confirmée par l'analyse moléculaire des gènes pour les ARN ribosomiques.

(a)   *(b)*   *(c)*   *(d)*   *(e)*

Figure 12-19

On a bien étudié la polyploïdie chez les graminées du genre *Spartina*, qui vivent dans les marais salés le long des côtes d'Amérique du Nord et d'Europe. **(a)** Ce marais salé se trouve sur la côte de Grande-Bretagne. **(b)** Un *Spartina* hybride. **(c)** *Spartina maritima*, espèce européenne des marais salés, possède 2*n* = 60 chromosomes, que l'on voit ici dans une cellule méiotique en anaphase I. **(d)** *Spartina alterniflora* est une espèce nord-américaine avec 2*n* = 62 chromosomes (il y a 30 bivalents et 2 chromosomes non appariés), observés ici dans une cellule méiotique en métaphase I. **(e)** Un polyploïde vigoureux, *S.anglica*, est apparu spontanément à partir d'un hybride entre ces espèces et il fut récolté pour la première fois au début des années 1890. Ce polyploïde, qui a 2*n* = 122 chromosomes, observés ici dans une cellule méiotique en anaphase I, se répand maintenant dans les marais salés de Grande-Bretagne et d'autres régions tempérées.

Un des polyploïdes les mieux connus, dont l'origine est liée à l'activité humaine, est une herbe des prés salés du genre *Spartina* (Figure 12-19). Une espèce spontanée, *S.maritima*, se rencontre dans les endroits humides, le long des côtes d'Europe et d'Afrique. Une seconde espèce, *S.alterniflora*, a été introduite de l'est de l'Amérique du Nord en Grande-Bretagne aux environs de 1800, elle s'est répandue à partir du site de son introduction et elle a formé des colonies étendues, mais localisées.

En Grande-Bretagne, *S.maritima* est de courte taille, tandis que *S.alterniflora* est beaucoup plus grande, dépassant souvent 0,5 mètre et parfois 1 mètre ou même plus. Près du port de Southampton, dans le sud de l'Angleterre, l'espèce indigène et l'espèce introduite ont vécu côte-à-côte pendant tout le dix-neuvième siècle. En 1870, les botanistes ont découvert un hybride stérile entre ces deux espèces, hybride qui se reproduisait efficacement par rhizomes. Chez les deux espèces parentales, *S.maritima* a un nombre chromosomique de 2*n* = 60 et *S.alterniflora* a 2*n* = 62 ; l'hybride, peut-être à cause de perturbations méiotiques mineures, possède lui aussi 2*n* = 62 chromosomes. Cet hybride stérile, appelé *Spartina x townsendii*, existe toujours. Aux environs de 1890, il a donné spontanément naissance à un polyploïde vigoureux, produisant des graines, et appelé *S.anglica*. Ce polyploïde fertile, dont le nombre de chromosomes somatiques est de 122 (une paire de chromosomes a manifestement été perdue), s'est rapidement répandu le long des côtes de Grande-Bretagne et du nord-ouest de la France. On le plante souvent pour fixer les bancs de boue, et cette utilisation a contribué à son expansion ultérieure.

Un des plus importants groupes de plantes polyploïdes est le genre *Triticum*, les blés. L'espèce la plus cultivée au monde, le blé tendre (*T.aestivum*) a 2*n* = 42 chromosomes. Le blé tendre est apparu il y a au moins 8000 ans, probablement en Europe centrale, à la suite d'un croisement naturel entre un blé cultivé à 2*n* = 28 chromosomes et une plante sauvage du même genre avec 2*n* = 14 chromosomes. La graminée sauvage était probablement une adventice présente spontanément dans le cultures de blé. L'hybridation qui est à l'origine du blé tendre provenait sans doute de polyploïdes apparaissant de temps à autre à l'intérieur des populations des deux espèces ancestrales.

Il est vraisemblable que les caractères intéressants du nouveau blé fertile à 42 chromosomes étaient faciles à identifier, et il a été sélectionné pour être cultivé par les premiers agriculteurs en Europe dès son apparition dans leurs champs. Un de ses parents, le blé cultivé à 28 chromosomes, provient lui-même d'un croisement entre deux espèces sauvages à 14 chromosomes du Proche-Orient. Des espèces de blé à 28 chromosomes sont encore cultivées, en même temps que leur descendant à 42 chromosomes. Ces blés à 28 chromosomes produisent les grains surtout utilisés pour la production de pâtes alimentaires en raison des bonnes propriétés d'agglutination de leurs protéines.

Figure 12-20

Spéciation sympatrique. *Helianthus anomalus* est le résultat d'un croisement entre deux autres espèces distinctes de tournesol, *Helianthus annuus* et *Helianthus petiolaris*. Les trois espèces se distinguent facilement les unes des autres. Par exemple, *H.anomalus* possède peu de ligules, qui sont plus larges que celles de *H.petiolaris* et de *H.annuus* ; ses feuilles sont plus petites et les pétioles sont courts. *H.petiolaris* doit son nom à ses pétioles longs et minces, *H.annuus* a de grandes feuilles à pétioles épais.

Helianthus annuus   *Helianthus petiolaris*   *Helianthus anomalus*

Le tournesol anormal (*Helianthus anomalus*) est un exemple de spéciation sympatrique n'impliquant pas la polyploïdie ; c'est le produit d'un croisement entre deux autres espèces distinctes du même genre, le tournesol commun (*Helianthus annuus*) et le tournesol pétiolé (*Helianthus petiolaris*) (Figure 12-20). Ces trois espèces ont une large distribution dans l'ouest des États-Unis. Les données moléculaires montrent que *H.anomalus* provient d'une **spéciation par recombinaison** ; dans ce processus, deux espèces distinctes se croisent et le mélange des génomes de l'hybride aboutit à une troisième espèce isolée génétiquement (au niveau de la reproduction) de ses ancêtres.

Les hybrides de première génération entre *H.annuus* et *H.petiolaris* sont partiellement stériles, probablement à cause d'interactions défavorables entre les génomes des espèces parentales, responsables de perturbations au cours de la méiose chez l'hybride. Après plusieurs générations cependant, les hybrides retrouvent une fertilité complète à la suite d'une réorganisation des combinaisons géniques. Les individus qui possèdent les nouveaux génomes réorganisés sont compatibles entre eux — *H.anomalus* avec *H.anomalus* — mais incompatibles avec *H.annuus* et *H.petiolaris*.

Dans un travail récent, Loren Rieseberg et ses collaborateurs ont comparé la composition génomique de trois lignées hybrides obtenues expérimentalement à la suite de croisements entre *H.annuus* et *H.petiolaris* à celle de l'espèce *H.anomalus* apparue spontanément. Ils furent étonnés de constater qu'aux alentours de la cinquième génération, la composition génomique des trois lignées était remarquablement semblable à celle de *H.anomalus*. De plus, dans les trois lignées hybrides obtenues expérimentalement, la fertilité était toujours élevée (supérieure à 90 %). On a supposé que certaines combinaisons de gènes de *H.annuus* et *H.petiolaris* fonctionnent régulièrement mieux quand elles sont réunies et qu'on les retrouve donc toujours ensemble chez les hybrides qui survivent. On a considéré ce travail comme « une première recréation d'une nouvelle espèce. »

Les hybrides stériles peuvent se disperser largement s'ils ont la capacité de se reproduire asexuellement

Même si les hybrides sont stériles, comme la prêle hybride *Equisetum x ferrissii*, ils peuvent se répandre, pour autant qu'ils soient capables de se reproduire par voie asexuée (Figure 12-21). Dans certains groupes de plantes, la reproduction sexuée est combinée à une reproduction asexuée fréquente, de telle sorte que des recombinaisons peuvent se produire, mais que des génotypes réussis peuvent se multiplier fidèlement (voir figure 9-12).

Le pâturin des prés (*Poa pratensis*) est un exemple frappant de ce système : c'est une espèce extrêmement variable, représentée sous l'une ou l'autre forme dans toutes les régions froides de l'hémisphère nord. Des croisements occasionnels avec toute une série d'espèces apparentées ont donné des centaines de races distinctes de cette graminée, toutes caractérisées par une forme de reproduction asexuée appelée apomixie : des graines se forment, mais leurs embryons sont produits indépendamment de la fécondation. Par conséquent, les embryons sont génétiquement identiques au parent. L'apomixie se

Figure 12-21

Une des prêles les plus abondantes et les plus vigoureuses d'Amérique du Nord (voir figure 19-25) est **(a)** *Equisetum x ferrissii*, hybride tout à fait stérile entre *Equisetum hyemale* et *Equisetum laevigatum*. Les prêles se propagent rapidement par des petits fragments de tiges souterraines, et cette propagation végétative permet à l'hybride de se maintenir dans une aire étendue. **(b)** Distribution de *E. x ferrissii* et de ses espèces parentales.

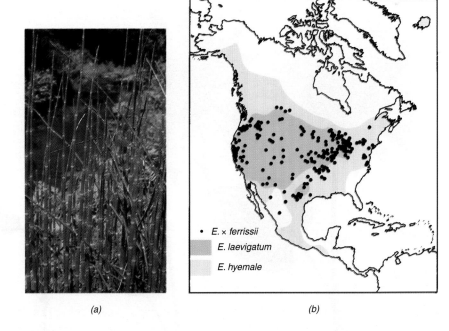

- • *E. × ferrissii*
- *E. laevigatum*
- *E. hyemale*

(a)   (b)

déroule dans l'ovule ou la graine immature et l'embryon apomictique se forme en passant par une des deux voies possibles suivant les espèces. Chez les angiospermes, on a décrit plus de 300 espèces apomictiques appartenant à plus de 35 familles. On y trouve des *Poaceae* (graminées), *Asteraceae* (composées) et *Rosaceae*.

Chez les espèces apomictiques, ou chez les espèces douées d'une reproduction végétative bien adaptée, des souches individuelles peuvent être particulièrement efficaces dans certains habitats spécifiques. De plus, ces souches propagées par voie asexuée n'ont pas besoin d'exogamie (pollinisation croisée entre individus de la même espèce) et peuvent donc prospérer dans des environnements tels que la haute montagne, où la pollinisation par les insectes peut être aléatoire.

Maintien de l'isolement reproducteur

Une fois que la spéciation a abouti, les espèces désormais séparées peuvent vivre ensemble sans se croiser, en dépit du fait que certaines se ressemblent phénotypiquement au point que seul un expert peut les identifier. Quels sont les facteurs qui maintiennent cet **isolement reproducteur**, ou **génétique**, entre espèces étroitement apparentées ?

Par convention, on peut répartir les mécanismes d'isolement en deux catégories : les **mécanismes prézygotiques** (agissant avant la fécondation), qui empêchent la production de zygotes hybrides, et les **mécanismes postzygotiques** (agissant après la fécondation), qui empêchent ou limitent les échanges de gènes même après la formation de zygotes hybrides. Un des points les plus importants, en ce qui concerne les mécanismes d'isolement postzygotiques, est qu'ils sont rarement étudiés dans la nature. Seuls les mécanismes prézygotiques empêchent habituellement la fécondation.

L'isolement dans des microhabitats est un type de mécanisme prézygotique chez les plantes. Par exemple, deux chênes, *Quercus coc-*

cinea et *Quercus velutina* sont répandus dans l'est des États-Unis (Figure 12-22) ; les deux espèces, qui sont pollinisées par le vent, produisent facilement des hybrides fertiles en culture. Cependant, les hybrides entre les deux espèces se rencontrent rarement dans la nature. On trouve en général *Q.coccinea* dans des régions basses, relativement humides, à sol acide, tandis que *Q.velutina* fréquente des habitats plus secs, bien drainés. Bien que ces deux espèces coexistent dans la même grande aire de répartition, leur cantonnement dans les deux habitats différents empêche pratiquement les fécondations croisées. C'est seulement là où l'environnement a été perturbé — par l'incendie ou la coupe des arbres — que les hybrides deviennent plus fréquents.

Les différences saisonnières de la période de floraison font partie des mécanismes prézygotiques qui empêchent la production d'hybrides entre espèces végétales sympatriques. Si deux espèces ne fleurissent pas en même temps, elles ne peuvent se croiser en nature, même si elles poussent côte-à-côte. D'un autre côté, elles peuvent être pollinisées par des espèces différentes d'insectes ou d'autres animaux, et le transfert de pollen entre elles peut être rare. Elles ne se croiseront que si un pollinisateur visite par erreur une « mauvaise » fleur.

Origine des grands groupes d'organismes

Grâce à une meilleure connaissance de l'origine des espèces, les biologistes de l'évolution ont tourné leur attention sur l'origine des genres et des groupes taxonomiques d'organismes de niveaux supérieurs. Comme on l'a supposé dans l'encadré sur le rayonnement adaptatif (pages 250-251), les genres peuvent prendre naissance grâce aux mêmes processus évolutifs responsables de l'origine des espèces. Si une espèce particulière est adaptée à un habitat très différent de celui ou vivait le parent, l'espèce adaptée peut devenir très différente de ce parent.

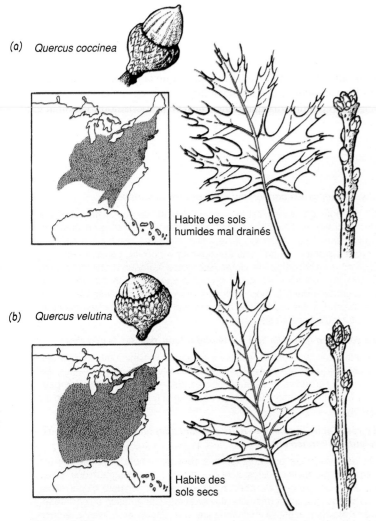

(a) *Quercus coccinea*

Habite des sols humides mal drainés

(b) *Quercus velutina*

Habite des sols secs

Figure 12-22

L'isolement dans un microhabitat, mécanisme empêchant les croisements. Bien qu'on les rencontre dans toute la partie orientale des États-Unis, ces deux espèces de chênes sont isolées au point de vue de la reproduction, principalement parce qu'elles exigent un habitat spécifique. **(a)** *Quercus coccinea* habite des sols acides mal drainés, relativement humides, et **(b)** *Quercus velutina* habite des sols secs, bien drainés.

Elle peut donner progressivement naissance à un grand nombre de nouvelles espèces et arriver à constituer une nouvelle lignée évolutive : c'est ce qu'on appelle une modification phylétique. Progressivement, elle peut devenir distincte à un point tel qu'il est possible de classer cette lignée comme un nouveau genre, famille, ou même classe d'organismes (On parlera, au chapitre 13, des niveaux de classification, ou groupes taxonomiques.) En conséquence, il ne sera pas nécessaire de faire appel à des mécanismes spéciaux pour expliquer l'origine des groupes taxonomiques supérieurs au niveau spécifique, autrement dit, pour expliquer la **macroévolution** — les discontinuités dans l'habitat, la distribution ou le mode de vie, et l'accumulation de nombreuses petites modifications de la fréquence des allèles dans le pool génique pourraient suffire. C'est le modèle de l'évolution **graduelle**.

Bien que les fossiles donnent des informations sur beaucoup d'étapes importantes de l'histoire de l'évolution, il subsiste de nombreuses lacunes, et l'on trouve rarement toutes les transitions graduelles entre les formes fossiles. Au contraire, de nouvelles formes, représentant des espèces nouvelles, apparaissent assez brusquement (en termes géologiques) dans les strates, elles semblent rester constantes pendant toute leur existence, elles disparaissent enfin des roches aussi soudainement qu'elles étaient apparues. Pendant de nombreuses années, la discordance entre le modèle de la lente évolution phylétique et les maigres informations concernant cette évolution dans la plupart des documents fossiles a été attribuée à l'imperfection de ces documents eux-mêmes. Darwin, dans *l'origine des espèces*, signalait que les données géologiques étaient «...une histoire du monde imparfaitement conservée, et écrite dans un dialecte instable ; de cette histoire, nous ne possédons que le dernier volume, relatif à deux ou trois pays seulement. De ce volume, seul un court chapitre a été conservé de-ci de-là et, de chaque page, il ne reste que quelques lignes çà et là. »

En 1972, deux jeunes chercheurs, Niles Eldredge et Stephen Jay Gould, prirent le risque de proposer que, peut-être, les données fossiles ne sont après tout pas tellement incomplètes. Comme Gould, Eldredge avait une formation en géologie et en paléontologie, et tous deux étaient frappés par le fait qu'il n'y avait que peu de preuves d'une transformation phylétique graduelle dans les espèces fossiles qu'ils étudiaient.

Typiquement, une espèce devrait apparaître « brusquement » dans les strates fossilifères, elle pourrait persister de 5 à 10 millions d'années et disparaître ensuite, à peu près de la même manière qu'elle était apparue au départ. Une autre espèce, proche, mais distincte, prendrait ensuite le relais, persisterait sans grand changement et disparaîtrait à son tour « brusquement ». Supposez, disaient Eldredge et Gould, que ces longues périodes au cours desquelles il ne se passe que peu ou pas de changement, suivies par ce qui semble être des hiatus dans la séquence des fossiles ne consituent pas des lacunes dans cette séquence, mais *représentent* la séquence elle-même, c'est-à-dire la situation réelle.

Eldredge et Gould ont ainsi suggéré que ces espèces subissent leurs modifications morphologiques principales quand elles commencent à diverger de leurs géniteurs et qu'ensuite, ces espèces changent peu, même si elles donnent naissance à d'autres. En d'autres termes, de longues périodes de modifications nulles ou graduelles (périodes d'équilibre) sont interrompues par des périodes de changement rapide, c'est-à-dire de spéciation. Cette théorie est celle de l'**équilibre intermittent** de l'évolution.

De quelle manière une espèce pourrait-elle apparaître aussi « soudainement » ? Pour trouver la réponse, Eldredge et Gould se sont tournés vers la spéciation allopatrique. La séquence des fossiles serait celle observée lorsque les nouvelles espèces apparaissent principalement dans de petites populations isolées par rapport aux populations parentales, au cours d'un processus rapide (en milliers plutôt qu'en millions d'années) et si les nouvelles espèces supplantent ensuite les anciennes en occupant leur aire géographique.

Le modèle de l'équilibre intermittent a stimulé un débat vif et continu parmi les biologistes, un réexamen des mécanismes évolutifs tels qu'ils étaient habituellement appréhendés, et une réévaluation des arguments. Peut-être les populations se modifient-elles plus rapidement à certaines époques qu'à d'autres, particulièrement pendant les périodes de stress environnementaux.

De nouveaux travaux sont régulièrement publiés pour appuyer le gradualisme ou l'équilibre intermittent mais aucun consensus n'a pu être atteint sur l'un ou l'autre modèle. Ces activités ont parfois été interprétée à tort comme signifiant que la théorie darwinienne est « en difficulté ». En fait, elles indiquent que la biologie de l'évolution est bien vivante et que les scientifiques font ce qu'ils sont supposés faire — répondre aux questions. Darwin, pensons-nous, en aurait été ravi.

RÉSUMÉ

Darwin a proposé une théorie de l'évolution par sélection naturelle

Charles Darwin ne fut pas le premier à proposer une théorie de l'évolution, mais sa théorie différait des autres en ce qu'il envisageait l'évolution comme un double processus, dépendant (1) de l'existence, dans la nature, de différences héréditaires parmi les organismes et (2) de la sélection naturelle, grâce à laquelle certains organismes, en vertu de leurs différences héréditaires, ont une descendance vivante plus nombreuse que d'autres. La théorie de Darwin est considérée comme le plus grand principe unificateur de la biologie.

La génétique des populations est l'étude des pools géniques

La génétique des populations est une synthèse de la théorie darwinienne de l'évolution et des principes de la génétique mendélienne. Pour le généticien des populations, une population est un groupe d'organismes interféconds défini et unifié par son pool de gènes (la somme de tous les allèles de tous les gènes de tous les individus de la population). L'évolution est le résultat de modifications qui s'accumulent dans la composition du pool génique.

La loi de Hardy-Weinberg stipule que, dans une population idéale, la fréquence des allèles restera constante au cours du temps

La loi de Hardy-Weinberg décrit l'état stable des fréquences alléliques et génotypiques qui existerait dans une population idéale, qui n'évolue pas, si cinq conditions sont remplies : (1) absence de mutation, (2) isolement par rapport aux autres populations, (3) population de grande taille, (4) fécondation au hasard et (5) absence de sélection naturelle. L'équilibre de Hardy-Weinberg démontre que la recombinaison génétique résultant de la méiose et de la fécondation ne peut modifier par elle-même les fréquences alléliques à l'intérieur du pool génique. L'expression mathématique de l'équilibre de Hardy-Weinberg fournit une méthode quantitative pour déterminer l'étendue et le sens des changements des fréquences des allèles et des phénotypes.

Cinq facteurs entraînent des modifications de la fréquence des gènes dans un pool génique

Le principal facteur de changement dans la composition du pool génique est la sélection naturelle. Les autres facteurs de changement sont la mutation, le flux génique, la dérive génétique et la reproduction sexuée non aléatoire. Les mutations représentent, pour la sélection, une source de matériaux bruts, mais les taux de mutation sont généralement tellement faibles que les mutations ne peuvent déterminer par elle-mêmes le sens du changement évolutif. Le flux génique, qui est une entrée ou une sortie d'allèles du pool génique, peut introduire de nouveaux allèles ou modifier la fréquence de certains allèles déjà présents. Il a souvent pour effet de s'opposer à la sélection naturelle. La dérive génétique provoque l'augmentation ou la diminution de la fréquence de certains allèles, et parfois même leur disparition, par le jeu du hasard. Parmi les circonstances qui peuvent mener à la dérive génétique et qui ont le plus de chance d'intervenir dans les petites populations, on peut citer l'effet fondateur et l'effet de goulet d'étranglement. La fécondation non aléatoire provoque des modifications dans les proportions des génotypes, mais n'affecte pas nécessairement les fréquences alléliques.

Divers processus conservent et favorisent la variabilité

La reproducion sexuée est le principal moteur de variabilité génétique des populations. Les mécanismes favorables à l'allogamie encouragent également la variabilité : c'est le cas des allèles d'autoincompatibilité chez les plantes. La diploïdie conserve la variabilité, parce qu'elle protège de la sélection les allèles récessifs rares. Lorsque l'hétérozygote est avantagé, il est sélectionné par rapport à chacun des homozygotes, ce qui conserve dans la population les deux sortes d'allèles, récessif et dominant. Un des meilleurs exemple d'avantage de l'hétérozygote chez les plantes est l'hétérosis.

La sélection naturelle agit sur le phénotype, pas sur le génotype

Seul le phénotype est accessible à la sélection. Des combinaisons très différentes d'allèles peuvent produire des phénotypes semblables. En raison de l'épistasie et de la pléiotropie, des allèles particuliers ne peuvent pas être sélectionnés isolément. La sélection affecte l'ensemble du génotype.

Le résultat de la sélection naturelle est l'adaptation des populations à leur environnement

On peut constater une adaptation à l'environnement physique par les variations graduelles qui résultent d'une distribution géographique (cline) ou dans les groupes de phénotypes distincts (écotypes) d'une même espèce qui occupent des habitats différents. L'adaptation à l'environnement biologique est la conséquence des forces évolutives exercées mutuellement par des espèces qui interagissent les unes avec les autres (coévolution).

On définit habituellement les espèces en se basant sur l'isolement génétique

On définit généralement une espèce comme un groupe de populations dont les individus peuvent se reproduire entre eux mais ne peuvent se croiser avec les individus d'autres groupes semblables (ou du moins ne le font généralement pas). En pratique, l'identification de la plupart des espèces ne repose d'habitude que sur une simple estimation de leurs différences morphologiques, ou structurales.

Pour que la spéciation — l'apparition de nouvelles espèces — soit possible, des populations qui se partageaient à l'origine un pool génique commun doivent d'abord s'isoler au niveau de la reproduction, et subir ensuite des pressions de sélection différentes.

La spéciation allopatrique implique la séparation géographique des populations, tandis que la spéciation sympatrique se passe au sein d'organismes vivant ensemble

On reconnaît deux modes principaux de spéciation, allopatrique (« autre pays ») et sympatrique (« même pays »). La spéciation allopatrique se passe dans des populations isolées géographiquement. Les îles sont souvent des sites de diversification brusque, où de nouvelles espèces apparaissent à partir d'un ancêtre commun : ce type de spéciation est le rayonnement adaptatif. Chez les plantes, la spéciation sympatrique, qui ne nécessite pas d'isolement géographique, est principalement due à la polyploïdie, souvent associée à l'hybridation. Les populations hybrides dérivées de deux espèces sont fréquentes chez les plantes, en particulier chez les arbres et les arbustes. Même si les hybrides sont stériles, ils peuvent se répandre grâce à des moyens de reproduction asexués, y compris l'apomixie : dans ce dernier cas, des graines se forment, mais leurs embryons sont produits sans fécondation.

Deux modèles peuvent expliquer l'évolution des groupes supérieurs d'organismes, ce sont le gradualisme et l'équilibre intermittent

Avec le temps, les processus responsables de l'évolution des espèces peuvent donner naissance aux genres et autres groupes supérieurs. C'est l'hypothèse de l'évolution par gradualisme. Les paléontologues ont apporté des arguments en faveur d'un autre mode d'évolution connu sous le nom d'équilibre intermittent. Ils supposent que les nouvelles espèces apparaissent brusquement par une spéciation rapide dans de petites populations isolées, que les nouvelles espèces éliminent de nombreuses espèces préexistantes (qui disparaissent) et que les nouvelles espèces, à leur tour, s'éteignent brusquement.

MOTS CLÉS

adaptation p. 245

allopolyploïdie p. 252

apomixie p. 255

autopolyploïdie p. 252

cline p. 246

coévolution p. 247

dérive génétique p. 241

écotype p. 246

effet fondateur p. 242

effet goulet d'étranglement p. 242

équilibre intermittent p. 257

espèce p. 248

flux génique p. 241

génétique des populations p. 239

gradualisme p. 257

hétérosis p. 243

isolement reproducteur (génétique) p. 256

loi de Hardy-Weinberg p. 240

macroévolution p. 257

microévolution p. 240

mutations p. 240

plasticité du développement p. 246

polyploïdie p. 249

pool génique p. 239

rayonnement adaptatif p. 149

sélection artificielle p. 238

sélection naturelle p. 236

spéciation p. 248

spéciation allopatrique p. 249

spéciation par recombinaison p. 255

spéciation sympatrique p. 249

théorie darwinienne p. 237

QUESTIONS

1. Expliquez l'influence de Thomas Malthus et de Charles Lyell sur le développement de la théorie darwinienne de l'évolution.

2. Quelle est la principale différence entre la conception de l'évolution selon Darwin et celle de ses prédécesseurs ? Quelle était la principale faiblesse de la théorie de Darwin ?

3. Que signifie plasticité du développement ? Pourquoi cette plasticité est-elle beaucoup plus grande chez les plantes que chez les animaux ?

4. Quelles sont les différences entre : cline/écotype, microévolution/macroévolution, spéciation allopatrique/spéciation sympatrique, autopolyploïdie/allopolyploïdie ?

5. Définissez l'isolement génétique. Pourquoi représente-t-il un facteur si important dans la spéciation ?

6. Quand deux espèces de plantes distinctes se croisent, l'hybride est souvent stérile. Pourquoi ? Expliquez comment cet hybride stérile peut donner naissance à une nouvelle espèce capable de se reproduire sexuellement.

Section 4

LA DIVERSITÉ

Le sabot de Vénus (*Cypripedium calceolus*) est une orchidée qui fleurit en sous-bois au début de l'été. Les *Orchidaceae* sont la plus grande famille d'angiospermes, avec quelque 20.000 espèces, dont la majorité vivent sous les tropiques. Comme la plupart des orchidées, particulièrement celles des régions tempérées, le sabot de Vénus est menacé d'extinction.

La systématique : science de la diversité biologique

13

SOMMAIRE

Si vous vous arrêtez pour regarder une fleur, un arbuste ou un arbre, l'attitude normale est de vous demander : « quel est le nom de cette plante ? » Cette question — simple curiosité d'identifier les organismes qui nous entourent — a intrigué les hommes depuis Aristote, et sans doute bien avant lui. Dans ce chapitre, nous allons voir que le processus apparemment banal qui consiste à donner un nom à un organisme fait partie en réalité d'un système bien organisé destiné à établir les relations génétiques et à identifier les tendances évolutives.

Comme la langue du pays est habituellement la plus utilisée pour désigner les plantes et les autres organismes, il y aura à peu près autant de noms que de langues pour un même organisme. Pour les botanistes et pour les autres biologistes, cette multitude de noms représente un obstacle important aux échanges d'information. En plus des « noms communs » qui diffèrent de pays à pays, chaque organisme possède également un « nom scientifique » — un binôme latin qui l'identifie avec précision dans le monde entier.

Le nom scientifique représente non seulement une « carte d'identité » universelle, mais il donne aussi une information sur les relations mutuelles entre les organismes. Après avoir décrit les règles et la raison d'être qui se cachent derrière la dénomination scientifique des organismes, nous élargirons le sujet pour aborder les différentes caractéristiques utilisées pour classer les êtres vivants. Viendra ensuite un aperçu des principaux groupes d'organismes et du mécanisme que l'on suppose être à l'origine de l'évolution des organismes eucaryotes à partir des procaryotes.

POINTS DE REPÈRE

Quand vous terminerez la lecture de ce chapitre, vous devriez pouvoir répondre aux questions suivantes :

* *En quoi consiste le système binomial de nomenclature ?*
* *Pourquoi utilise-t-on le terme « hiérarchique » pour décrire les catégories taxonomiques et quelles sont les principales catégories entre l'espèce et le règne ?*
* *Qu'est-ce que l'analyse cladistique et comment construit-on un cladogramme ?*
* *Quelles sont les arguments en faveur de l'existence de trois domaines, ou groupes principaux d'organismes vivants ?*
* *Quels sont les quatre règnes d'eucaryotes et quels sont les principaux caractères d'identification ?*

Dans la section précédente, nous avons envisagé les mécanismes responsables des changements évolutifs. Nous nous tournons maintenant vers les produits de l'évolution, autrement dit, vers la multitude d'espèces différentes d'organismes vivants — estimées à plus de 30 millions — qui se partagent aujourd'hui notre biosphère. L'étude scientifique de la diversité biologique et de son histoire évolutive est la **systématique**.

Taxonomie et classification hiérarchique

Un aspect important de la systématique est la **taxonomie** — qui consiste à identifier, nommer et classer les espèces. La classification bio-

Figure 13-1

Carl von Linné (1707-1778), professeur, médecin et naturaliste suédois du XVIIIe siècle ; il imagina le système binomial pour désigner les espèces et il détermina les grandes catégories utilisées dans le système hiérarchisé de classification biologique. À 25 ans, Linné passa cinq mois à explorer la Laponie pour l'Académie Suédoise des Sciences ; on le voit ici avec son équipement lapon de récolteur.

logique moderne a débuté avec le naturaliste suédois du XVIIIe siècle, Carl von Linné (Figure 13-1), dont l'ambition était de donner un nom et de décrire toutes les sortes connues de plantes, d'animaux et de minéraux. En 1753, Linné publia un ouvrage en deux volumes intitulé *Species Plantarum* (« Les espèces de plantes ») dans lequel il décrivait les espèces par une phrase ne dépassant pas douze mots. Il considérait ces noms latins descriptifs, ou **polynômes**, comme les noms propres aux espèces, mais en y adjoignant une nouveauté importante imaginée auparavant par Caspar Bauhin (1560-1624), Linné rendit permanent le **système binomial** de nomenclature. En marge du *Species plantarum*, à côté du nom « propre » polynomial de chaque espèce, il mentionna un mot unique. Ce mot, combiné au premier mot du polynôme — le **genre** — permettait de désigner commodément l'espèce sous une forme abrégée. Par exemple, pour l'herbe aux chats, qui s'appelait formellement *Nepeta floribus interrupte spicatus pedunculatus* (« *Nepeta* à fleurs sur un épi pédonculé interrompu »), Linné écrivit, en marge du texte, le mot « cataria » (qui signifie « associé au chat »), pour attirer ainsi l'attention sur un caractère familier de la plante. Lui-même et ses contemporains prirent bientôt l'habitude d'appeler cette espèce *Nepeta cataria*, et ce nom latin est encore en usage aujourd'hui pour cette espèce.

La commodité de ce nouveau système était évidente, et les noms polynomiaux, difficilement maniables, furent bientôt remplacés par les dénominations binomiales. Le premier binôme appliqué à une espèce particulière a la priorité sur d'autres noms donnés ultérieurement à la même espèce. Les lois régissant l'application des noms scientifiques aux plantes sont réunies dans le *Code international de nomenclature botanique*. Il existe aussi des codes pour les animaux (*Code international de nomenclature zoologique*) et pour les microorganismes (*Code international de nomenclature des bactéries*).

Le nom spécifique est formé du nom du genre et de l'épithète spécifique

Le nom d'une espèce comporte deux parties. La première est le nom du genre — aussi appelé le nom générique — et la seconde est l'**épithète spécifique**. Pour l'herbe aux chats, le nom générique est *Nepeta*, l'épithète spécifique est *cataria*, et le nom de l'espèce est *Nepeta cataria*.

On peut écrire le nom générique seul quand on se réfère à l'ensemble des espèces qui constitue le genre. Par exemple, la figure 13-2 montre trois espèces du genre de la violette, *Viola*. Un épithète spécifique n'a cependant pas de sens, s'il est écrit seul. L'épithète spécifique *biennis*, par exemple, est utilisé conjointement avec des dizaines de noms génériques différents. *Artemisia biennis*, une armoise, et *Lactuca biennis*, une laitue sauvage, sont deux sortes très différentes de composées, alors qu'*Oenothera biennis*, une onagre, appartient à une famille tout à fait différente. En raison du risque de confusion entre les noms, un épithète spécifique est toujours précédé du nom du genre auquel il se réfère, ou de son initiale : par

(a)   *(b)*   *(c)*

Figure 13-2

Trois espèces du genre *Viola*. **(a)** La violette bleue commune, *Viola papilionacea*, qui vit dans les régions tempérées de l'est de l'Amérique du Nord, jusqu'à l'ouest des Grands Lacs. **(b)** *Viola tricolor*, pensée à fleurs jaunes. **(c)** La pensée, *Viola trico-* *lor* var.*hortensis*, lignée annuelle cultivée provenant d'une espèce principalement pérenne originaire d'Europe de l'ouest. Ces photographies montrent les différences de couleur et de taille des fleurs, de la forme et du bord des feuilles et d'autres caractères qui, même s'il existe entre elles des ressemblances générales, distinguent les différentes espèces d'un genre. Il existe environ 500 espèces dans le genre *Viola* ; la plupart se retrouvent dans les régions tempérées de l'hémisphère nord.

exemple, *Oenothera biennis* ou *O.biennis*. Les noms des genres et des espèces sont imprimés en italiques ou soulignés.

Si l'on constate qu'une espèce a été placée à l'origine dans un genre inadéquat et doit alors être transféré dans un autre, l'épithète spécifique passe avec elle dans le nouveau genre. Cependant, s'il existe déjà dans ce genre une espèce avec ce même nom spécifique, il faut alors trouver un nouveau nom.

Pour chaque espèce, il existe un **spécimen type**, généralement un exemplaire séché de la plante conservé dans un musée ou un herbarium, spécimen nommé soit par la personne qui a donné son nom à cette espèce à l'origine, soit par un auteur ultérieur si l'auteur d'origine ne l'a pas fait (Figure 13-3). Le spécimen type sert à comparer d'autres spécimens et à vérifier s'ils appartiennent ou non à la même espèce.

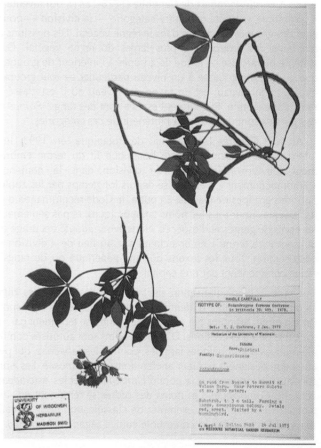

Figure 13-3

Spécimen type de l'angiosperme *Podandrogyne formosa* (*Capparidaceae*), du Costa Rica et de l'ouest du Panama. Ce spécimen a été récolté par Theodore S.Cochrane, qui l'a décrit lui-même dans un article de la revue *Britonnia* (volume 30, pages 405-410, 1978).

On peut grouper les membres d'une espèce en sous-espèces ou variétés

Certaines espèces sont composées de deux ou plusieurs sous-espèces ou variétés (certains botanistes considèrent les variétés comme des subdivisions des sous-espèces, d'autres les considèrent comme équivalentes). Tous les membres d'une sous-espèce ou d'une variété d'une même espèce se ressemblent et ont en commun un ou plusieurs caractères qui n'existent pas dans les autres sous-espèces ou variétés de cette espèce. En raison de ces subdivisions, bien que le binôme reste la base de la classification, les noms de certaines plantes et de certains animaux peuvent comporter trois parties. La sous-espèce ou la variété à laquelle appartient le spécimen type de l'espèce répète le nom de l'espèce, et tous les noms sont écrits en italiques ou soulignés. Le pêcher est donc *Prunus persica* var.*persica*, tandis que la nectarine est *Prunus persica* var.*nectarina*. La répétition de *persica* dans le nom du pêcher nous dit que le spécimen type de l'espèce *P.persica* appartient à cette variété, en abrégé, « var. ».

Les organismes sont groupés en rangs taxonomiques plus vastes, répartis de façon hiérarchique

Linné (et les scientifiques plus anciens) reconnaissaient trois règnes - végétal, animal et minéral — et, jusqu'il y a très peu de temps, le **règne** était l'unité la plus large utilisée dans les classifications biologiques. En outre, plusieurs catégories taxonomiques hiérarchisées furent ajoutées entre le genre et le règne : on groupa les genres en **familles**, les familles en **ordres** et les ordres en **classes**. Le botaniste franco-suisse Augustin-Pyramus de Candolle (1778-1841), qui inventa le mot « taxonomie », ajouta une autre catégorie — la **division** — pour désigner des groupes de classes dans le règne végétal. Les divisions devinrent ainsi les groupes les plus larges du règne végétal. Dans ce système hiérarchisé — formé de groupes à l'intérieur de groupes, chaque groupe étant classé à un niveau particulier — tout groupe, quel que soit son niveau, est un **taxon**. Le niveau où il est classé est un **rang**. Par exemple, le genre et l'espèce sont des rangs, *Prunus* et *Prunus persica* sont des taxons à l'intérieur de ces catégories.

Au XVᵉ Congrès International de Botanique, en 1993, le Code international de nomenclature botanique fit du terme **embranchement** (phylum) l'équivalent de division dans la nomenclature. « Embranchement » a été utilisé depuis longtemps par les zoologistes pour des groupes de classes. En outre, le Code recommanda d'utiliser les italiques pour tous les noms taxonomiques, et pas seulement pour les noms de genres et d'espèces. Nous avons adopté cet usage et nous utiliserons le terme « embranchement » au lieu de « division » dans cette section. Tous les taxons du rang générique ou de rangs supérieurs commencent par une capitale.

Grâce à la régularisation de la forme des noms des différents taxons, il est possible d'identifier le niveau auquel ils correspondent. Par exemple, les noms des familles de plantes se terminent par -aceae, avec très peu d'exceptions. D'anciens noms sont autorisés comme des alternatives pour quelques familles, comme les *Fabaceae*, qui peuvent aussi être désignées par leur ancien nom, *Leguminosae*. Les *Apiaceae* sont aussi connues sous le nom d'*Umbelliferae* et les *Asteraceae* sous celui de *Compositae*. Les noms des ordres se terminent en -ales. Le tableau 13-1 donne des exemples de classification pour le maïs *(Zea mays)* et le champignon comestible cultivé *(Agaricus bisporus)*.

Classification et phylogénie

Comme on l'a mentionné précédemment, la taxonomie n'est qu'un aspect de la systématique. Pour Linné et ses successeurs immédiats, le but de la taxonomie était une révélation du grand dessein immuable de la création. Cependant, après la publication de l'ouvrage de Darwin *De l'origine des espèces*, en 1859, on a commencé à considérer les différences et les ressemblances entre les organismes comme

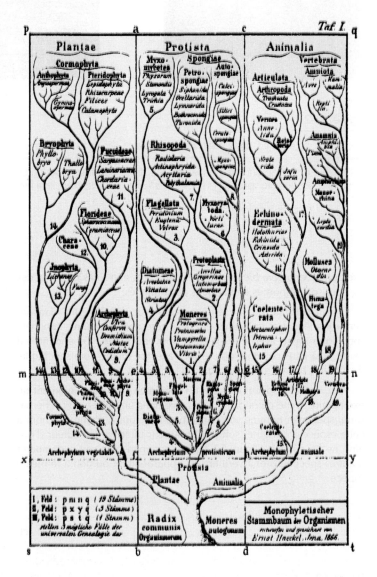

Figure 13-4

Un des premiers arbres phylogénétiques paru dans *L'histoire de la création*, publié en 1866 par le naturaliste allemand Ernst Haeckel. La terminologie est basée sur le système de classification en usage à cette époque.

TABLEAU 13.1

Classification biologique. Certaines informations peuvent être déduites de la place qu'occupe un organisme dans le système. Les descriptions ci-dessous ne donnent pas une définition précise des différentes catégories, mais seulement quelques indications sur leurs caractéristiques. Les règnes des *Plantae* et des *Fungi* appartiennent au domaine des *Eukarya*.

Catégorie	Taxon	Description
Maïs		
Règne	*Plantae*	Organismes principalement terrestres, présence des chlorophylles *a* et *b* dans les chloroplastes, spores entourées de sporopollénine (substance pariétale résistante) et embryons multicellulaires incapables de se nourrir indépendamment.
Embranchement	*Anthophyta*	Plantes vasculaires avec graines et fleurs ; ovules enfermés dans un ovaire, pollinisation indirecte ; ce sont les angiospermes.
Classe	*Monocotyledones*	Embryon avec un cotylédon ; pièces florales habituellement par trois ; nombreux faisceaux conducteurs dispersés dans la tige ; ce sont les monocotylées.
Ordre	*Commelinales*	Monocotylées à feuilles fibreuses ; réduction et fusion des pièces florales.
Famille	*Poaceae*	Monocotylées à tige creuse ; fleurs verdâtres réduites ; le fruit est un akène spécialisé (caryopse) ; ce sont les graminées.
Genre	*Zea*	Graminées robustes portant des inflorescences mâles et femelles séparées ; caryopse charnu.
Espèce	*Zea mays*	Le maïs
Champignon comestible		
Règne	*Fungi*	Organismes non mobiles, multinucléés, hétérotrophes, s'alimentent par absorption, la chitine est prédominante dans les parois cellulaires.
Embranchement	*Basidiomycota*	Champignon dicaryotique formant une baside qui porte quatre spores (basidiospores) : ce sont les *Basidiomycetes*, les *Teliomycetes* et les *Ustomycetes*.
Classe	*Basidiomycetes*	Champignons qui produisent des carpophores, ou «fructifications» et des basides non cloisonnées, en forme de massue, qui bordent des lamelles ou des pores ; ce sont les hyménomycètes.
Ordre	*Agaricales*	Champignons charnus à lamelles rayonnantes ou pores
Famille	*Agaricaceae*	*Agaricales* avec lamelles
Genre	*Agaricus*	Champignons mous à spores noires, avec pied central et lamelles libres par rapport au stipe
Espèce	*Agaricus bisporus*	Le champignon comestible commun.

des conséquences de leur histoire évolutive, ou de la **phylogénie**. Les biologistes ont dès lors voulu des classifications qui ne soient pas seulement descriptives et utiles, mais qu'elles soient aussi le reflet exact des relations de filiation entre les organismes. On a souvent représenté les relations évolutives entre organismes par des **arbres phylogénétiques** qui décrivent les rapports généalogiques entre les taxons imaginés par un chercheur particulier (Figure 13-4). Comme d'autres hypothèses, certains aspects des arbres phylogénétiques peuvent être testés et revus si le besoin s'en fait sentir. L'étude détaillée des documents fossiles et l'examen des caractéristiques structurales et moléculaires des organismes vivants pourraient servir d'exemples de ces méthode de test.

Dans un schéma de classification qui reflète fidèlement la phylogénie, les membres d'un taxon, quel que soit son rang, que ce soit le genre, la famille ou l'ordre, devraient idéalement être tous des descendants d'une seule espèce ancestrale commune, c'est-à-dire représenter un taxon **monophylétique**. Un genre devrait donc comprendre toutes les espèces issues de l'ancêtre commun le plus récent — et seulement ces espèces.

L'ÉVOLUTION CONVERGENTE

Des forces sélectives comparables, agissant sur des plantes qui vivent dans des habitats semblables, mais dans différentes parties du monde, conduisent souvent à donner une apparence semblable à des espèces qui n'ont aucune parenté. Ce processus est l'**évolution convergente**.

Considérons quelques caractères adaptatifs des plantes poussant dans des milieux désertiques — tiges charnues en colonne (qui permettent le stockage de l'eau), épines protectrices et feuilles réduites. Trois familles fondamentalement différentes d'angiospermes — les euphorbiacées, les cactacées et les asclépiadacées — sont représentées par des espè-

ces qui ont acquis ces caractéristiques. Les espèces cactiformes d'euphorbiacées et d'asclépiadacées représentées ci-dessous ont évolué à partir de plantes feuillues très différentes les unes des autres.

À l'exception d'une seule espèce, les cactus sauvages n'existent que dans le Nouveau Monde. Les euphorbiacées et les asclépiadacées charnues se retrouvent par contre dans les régions désertiques d'Asie, et surtout d'Afrique, où leur rôle écologique est le même que celui des cactus du Nouveau Monde.

Bien que les plantes représentées ici — (a) *Euphorbia*, de la famille des euphorbiacées, (b) *Echinocereus* (un cactus), (c) *Hoodia*,

asclépiadacée charnue — aient une photosynthèse CAM, toutes trois sont apparentées à des plantes qui ne possèdent que la photosynthèse en C$_3$ (page 147) dont elles dérivent. Cela montre que les adaptations physiologiques impliquées par la photosynthèse CAM sont aussi une conséquence de l'évolution convergente.

(a)

(b)

(c)

De même, une famille devrait rassembler tous les genres descendant d'un ancêtre commun plus éloigné — et uniquement des genres descendant de cet ancêtre.

Bien que cet idéal, qui aboutit à des **taxons naturels**, ait une apparence relativement correcte il est souvent difficile à atteindre. Très souvent, les biologistes n'ont pas une connaissance suffisante de l'histoire évolutive des organismes pour déterminer, avec un degré de certitude raisonnable, quels taxons sont monophylétiques. Cependant, lorsque les relations de filiation sont inconnues ou incertaines, il peut être plus pratique de créer un **taxon artificiel**. Comme nous allons le voir, certains taxons largement acceptés renferment encore des membres issus de plusieurs lignées ancestrales. On dit de ces taxons qu'ils sont **polyphylétiques**. Dans d'autres taxons, un ou plusieurs descendants de l'ancêtre commun sont exclus. On dit que ces taxons sont **paraphylétiques**.

Les caractères homologues ont une origine commune et les caractères analogues ont une fonction commune, mais des origines évolutives différentes

La systématique est, pour une grande part, une science comparative. Elle regroupe les organismes en taxons dont le niveau va du genre à l'embranchement sur la base de ressemblances de structure et

d'autres caractères. Depuis Aristote, cependant, les biologistes ont reconnu que les ressemblances superficielles ne sont pas des critères utiles pour résoudre des problèmes taxonomiques. Pour prendre un exemple simple, on ne peut réunir dans une même catégorie les oiseaux et les insectes pour la simple raison que tous deux ont des ailes. Un insecte sans ailes (comme une fourmi) est encore un insecte, et un oiseau qui ne vole pas (comme le kiwi) reste un oiseau.

La question fondamentale en systématique est l'origine des ressemblances ou des différences. La similitude d'un caractère traduit-elle une transmission à partir d'un ancêtre commun, ou une adaptation, à des environnements semblables, d'organismes qui n'ont pas d'ancêtre commun ? Une question parallèle peut se poser à propos des différences entre les organismes : une différence reflète-t-elle des histoires évolutives séparées, ou plutôt l'adaptation, à des environnements très différents, d'organismes étroitement apparentés ? Nous verrons dans les chapitres suivants que les feuilles, les cotylédons, les écailles des bourgeons et les pièces florales ont des fonctions tout à fait différentes, mais que tous sont des différenciations d'un même type d'organe, la feuille. De ces structures, dont l'origine est commune mais la fonction ne l'est pas nécessairement, on dit qu'elles sont **homologues** (du grec *homologia*, qui signifie « accord »). C'est de préférence à partir de ces caractères que les classifications phylogénétiques sont élaborées.

À l'opposé, d'autres structures, qui ont une fonction et une apparence superficielle semblables, ont une origine évolutive totalement différente. On dit que ces structures sont **analogues** et proviennent d'une évolution convergente (voir l'encadré de la page précédente). Les ailes de l'oiseau et celles de l'insecte sont donc analogues, mais pas homologues. De même, les épines du cactus (feuille modifiée) et de l'aubépine (tige modifiée) sont analogues et pas homologues. La distinction entre homologie et analogie est rarement aussi simple, elle demande généralement une comparaison détaillée, ainsi que des arguments basés sur d'autres caractères des organismes étudiés.

Méthodes de classification

La méthode traditionnelle est basée sur une comparaison de ressemblances externes

Traditionnellement, la classification d'un organisme nouvellement découvert et ses rapports phylogénétiques avec d'autres organismes ont été établis sur la base de l'ensemble de ses ressemblances externes avec d'autres représentants du même taxon. Les arbres phylogéniques obtenus par les méthodes traditionnelles prennent rarement en compte des considérations détaillées sur les informations comparatives. Ils sont plutôt le reflet d'un examen assez intuitif et de l'estimation de l'importance d'un grand nombre de facteurs. Les arbres qui en résultent contiennent souvent des informations sur la séquence des ramifications, ainsi que sur l'importance des changements biologiques ultérieurs (Figure 13-5). Bien que cette approche ait donné de nombreux résultats utiles, elle est basée pour une bonne part sur l'idée que le chercheur se fait de l'importance relative des différents facteurs pris en compte pour établir la classification. Il n'est donc pas étonnant que des classifications très différentes aient parfois été proposées pour les mêmes groupes d'organismes.

La méthode cladistique est basée sur la phylogénie

La méthode utilisée le plus couramment aujourd'hui pour classer les organismes s'appelle la **cladistique**, ou **analyse phylogénétique**, parce qu'elle cherche explicitement à comprendre les relations phylogénétiques. Cette approche se focalise sur la séparation d'une lignée à partir d'une autre au cours de l'évolution. Elle tente d'identifier des groupes monophylétiques, ou **clades**, qui peuvent se définir par la possession de caractéristiques propres (états de *caractères dérivés partagés*), par opposition à la possession de caractéristiques plus répandues. On peut considérer ces caractéristiques plus répandues comme des états de *caractères préexistants*, ou *ancestraux*. Les deux types de caractères se distinguent généralement par comparaison avec un ou plusieurs **groupes de référence** (« outgroups »), qui sont des taxons étroitement apparentés, situés à l'extérieur du groupe analysé.

Le résultat de l'analyse cladistique est un **cladogramme**, qui donne une représentation graphique d'un modèle de travail, c'est-à-dire d'une hypothèse concernant la séquence des ramifications. Ces hypo-

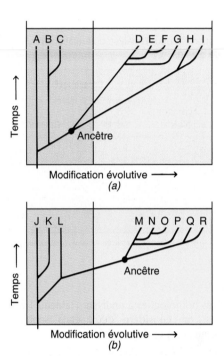

Figure 13-5

On peut représenter l'histoire évolutive d'un groupe d'organismes apparentés par un arbre phylogénétique basé sur les méthodes traditionnelles. La position verticale des points de ramification montre à quelle époque les divers taxons se sont séparés les uns des autres. Les distances horizontales indiquent jusqu'à quel point les taxons ont divergé l'un de l'autre lorsqu'on tient compte d'un certain nombre de caractères différents.

Ces deux schémas représentent l'histoire évolutive de deux groupes différents de taxons marqués de A à I en **(a)** et de J à R en **(b)**. En **(a)**, l'ancêtre des taxons D à I est inclus dans le taxon 1 à cause de sa ressemblance étroite avec les taxons B et C. En **(b)**, l'ancêtre des taxons M à R est placé dans le taxon M à cause de sa ressemblance étroite avec le taxon M. Dans les deux cas, les taxons 1 et 2 feraient eux-mêmes partie d'un taxon de catégorie supérieure, qui renfermerait probablement aussi d'autres taxons.

thèses peuvent ensuite être testées en tentant d'y incorporer de nouvelles plantes ou des caractères supplémentaires qui peuvent on non être conformes aux prévisions du modèle.

Pour comprendre comment se construit un cladogramme, considérons quatre groupes de plantes : les mousses, les fougères, les pins et les chênes. Pour chacun de ces groupes de plantes, nous avons choisi

TABLEAU 13.2

Caractères sélectionnés pour l'analyse des relations phylogénétiques entre quatre taxons de plantes

Taxon	Caractères[a]			
	Xylème et phloème	Bois	Graines	Fleurs
Mousses	-	-	-	-
Fougères	+	-	-	-
Pins	+	+	+	-
Chênes	+	+	+	+

a. Le caractère « présence » (+) est la condition dérivée ; le caractère « absence » (-) est la condition ancestrale.

quatre caractères homologues à analyser (Tableau 13-2). Pour simplifier les choses, on considère deux états seulement pour ces caractères : présence (+) et absence (-).

Du fait qu'elles possèdent des embryons, on sait que les mousses sont apparentées aux trois autres groupes, qui ont aussi des embryons. Cependant, les mousses sont dépourvues de nombreux caractères qui existent chez les trois autres plantes — par exemple, le xylème et le phloème, ainsi que beaucoup d'autres caractères non mentionnés ici. On peut prendre les mousses comme groupe de référence et supposer qu'elles ont divergé plus tôt que les autres taxons à partir d'un ancêtre commun. On peut donc utiliser les mousses pour déterminer si les caractères communs aux fougères, aux pins et aux chênes peuvent servir à définir un clade. Par exemple, les graines n'existent pas chez les mousses ; ceci peut donc laisser supposer qu'il s'agit d'un caractère dérivé partagé, ce qui confirmerait la réunion des pins et des chênes en un groupe monophylétique. En appliquant le même argument aux quelques caractères envisagés, on arriverait à la conclusion que l'état « absent » d'un caractère serait la marque d'un état ancestral et que l'état « présent » indiquerait une condition dérivée ou évoluée.

La figure 13-6a montre de quelle manière on peut esquisser un cladogramme en se basant sur la présence ou l'absence de xylème et de phloème. Etant donné que les fougères, les pins et les chênes possè-

dent tous xylème et phloème, on peut supposer qu'ils forment un groupe monophylétique. La figure 13-6b montre comment améliorer la résolution en ajoutant les informations provenant d'autres caractères.

Comment interpréter le cladogramme de la figure 13-6b ? Il faut noter tout d'abord que les cladogrammes ne signifient pas qu'un groupe a donné naissance à un autre, comme beaucoup d'arbres phylogénétiques construits par la méthode traditionnelle. Ils impliquent plutôt que les groupes qui se trouvent à l'extrémité de branches latérales voisines (les points de ramification sont appelés des **nœuds**), ont un ancêtre commun. Le cladogramme de la figure 13-6b nous apprend que les chênes ont, avec les pins, un ancêtre commun plus récent qu'avec les fougères. Les positions relatives des plantes dans le cladogramme indiquent les époques relatives de leur divergence.

Un principe fondamental de la cladistique est qu'un cladogramme devrait être établi de la façon la plus simple, la moins compliquée et la plus efficace possible. C'est le **principe de parcimonie**. Quand des cladogrammes contradictoires sont établis à partir de données disponibles, on donne la préférence à celui qui se base sur le nombre le plus grand d'homologies et sur le moins d'analogies.

Systématique moléculaire

Jusqu'il y a relativement peu de temps, la classification de basait principalement sur la morphologie et l'anatomie comparées, quelle que soit la méthodologie utilisée. Au cours de la présente décennie, cependant, l'application des techniques moléculaires a révolutionné la systématique des plantes. Les techniques utilisées le plus souvent sont basées sur la détermination des séquences d'acides aminés dans les protéines et des nucléotides dans les acides nucléiques — séquences qui sont génétiquement déterminées. Les données moléculaires diffèrent de celles qui proviennent des sources traditionnelles par plusieurs traits importants : en particulier, elles sont plus facile à quantifier, elles fournissent beaucoup plus de caractères permettant une analyse phylogénétique et elles permettent de comparer des organismes morphologiquement très différents. Avec le développement des techniques moléculaires, il est devenu possible de comparer des organismes au niveau le plus fondamental — le gène. Les inconvénients des données moléculaires sont que l'on peut rarement les obtenir à partir des fossiles et qu'il est parfois très difficile d'évaluer les homologies.

Figure 13-6

Cladogramme montrant les relations phylogénétiques entre les fougères, les pins et les chênes, signalant les caractères communs qui justifient ces relations. **(a)** Cladogramme basé sur la présence ou l'absence de xylème et de phloème. **(b)** Représentation plus précise des relations, basée sur d'autres informations concernant la présence ou l'absence du bois, des graines et des fleurs.

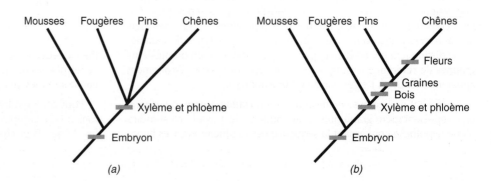

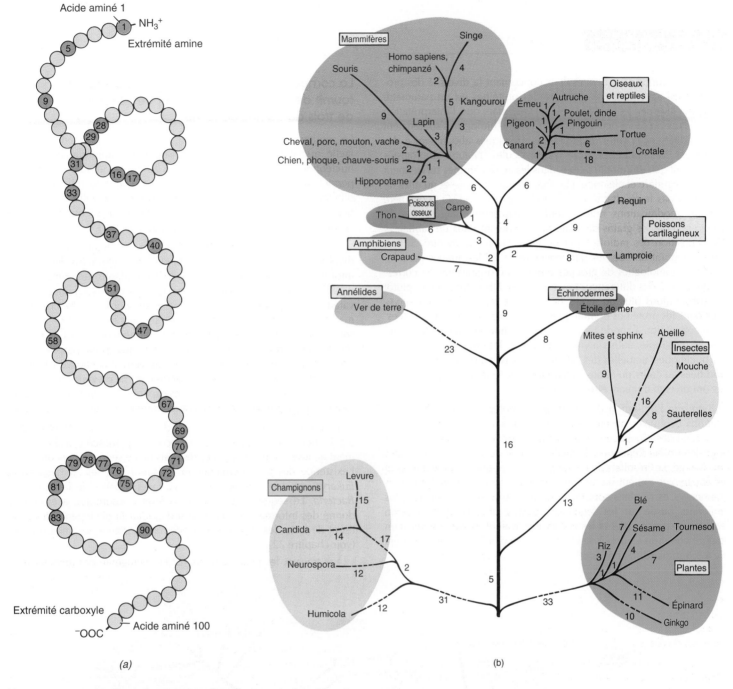

(a)

(b)

La comparaison des séquences d'acides aminés aboutit à une horloge moléculaire

Le cytochrome *c*, qui est un des transporteurs de la chaîne de transport d'électrons (page 116) a été une des premières protéines analysées pour des recherches taxonomiques. On a séquencé des molécules de cytochrome *c* provenant d'organismes très divers : il est donc possible de déterminer le nombre d'acides aminés différents chez divers organismes. Le nombre d'acides aminés semblables et différents entre les organismes a ensuite servi à évaluer leurs relations évolutives : deux organismes sont des parents d'autant plus proches que les différences sont moins nombreuses. La figure 13-7 représente une phylogénie des organismes eucaryotes basée sur les données concernant le cytochrome *c*. Les résultats correspondent assez bien, mais pas parfaitement, aux phylogénies établies par des méthodes plus traditionnelles.

Figure 13-7

Utilisation des séquences d'acides aminés dans des protéines homologues, pour la détermination des relations évolutives. Cette méthode suppose que les relations évolutives entre deux organismes sont d'autant plus lâches que le nombre d'acides aminés différents dans chaque protéine homologue est plus grand. Inversement, la relation est d'autant plus étroite que les différences sont moins nombreuses.

Une des protéines le plus souvent séquencée est le cytochrome *c*, qui fait partie de la chaîne de transport d'électrons. **(a)** Dans les molécules de cytochrome *c* provenant de plus de 60 espèces étudiées jusqu'à présent, 27 acides aminés sont identiques (bleu-vert sombre). **(b)** Principales ramifications d'un arbre évolutif basé sur les comparaisons entre séquences d'acides aminés dans les molécules de cytochrome *c*. Les chiffres indiquent le nombre d'acides aminés différents entre deux cytochrome *c* et le cytochrome *c* des points de ramification les plus proches. Les traits interrompus indiquent qu'une ligne a été raccourcie et n'est donc pas représentée à l'échelle. Bien qu'il soit basé sur les comparaisons d'un seul type de molécule protéique, cet arbre correspond assez bien aux arbres évolutifs construits par des moyens plus conventionnels, qui tiennent compte de diverses données.

Avec l'accumulation des résultats concernant la diversité des protéines, il est apparu que la structure des protéines est un paramètre utile pour évaluer les relations évolutives, mais que l'interprétation des résultats présente des difficultés. Certains biologistes soutenaient que les différences entre les structures protéiques aboutissent à des différences fonctionnelles entre les molécules. D'autres biologistes admettaient que des modifications dans les acides aminés surviennent de façon régulière et aléatoire à la suite de mutations — et qu'elles ne sont donc pas le résultat d'un processus de sélection. On considère que ces modifications représentent principalement la marche du temps, comme les grains de sable qui s'écoulent dans un sablier, la décomposition des radioisotopes ou le tic-tac d'une montre. Si l'on admet ce point de vue, les différences entre acides aminés dans les protéines homologues de groupes différents d'organismes ne correspondent pas à des différences fonctionnelles. Elles représentent plutôt des substitutions plus ou moins nombreuses d'acides aminés survenues dans les protéines homologues depuis la séparation des lignées. Cette conception a conduit à concevoir une **horloge moléculaire** qui, pour rester simple, utilise la vitesse à laquelle les protéines (ou les acides nucléiques) actuelles des différents groupes d'organismes se sont modifiées au cours du temps, indiquant ainsi le moment où ces groupes ont divergé d'un ancêtre commun.

Bien que l'utilisation des protéines homologues pour estimer les relations évolutives ait été généralement délaissée, on s'est récemment servi des séquences d'acides aminés de 57 enzymes différentes pour déterminer l'époque à laquelle les procaryotes et les eucaryotes ont divergé. Les résultats de ce travail montrent que les procaryotes et les eucaryotes avaient un ancêtre commun il y a environ 2 milliards d'années. Ces résultats sont en désaccord avec une estimation plus ancienne, basée sur les séquences d'ARN ribosomiques et selon laquelle les procaryotes et les eucaryotes avaient évolué à partir d'un ancêtre commun au début de l'histoire de la planète et existaient déjà il y a 3,5 milliards d'années.

La comparaison des séquences nucléotidiques fournit des arguments en faveur de l'existence de trois domaines de la vie

Le séquençage des acides nucléiques est techniquement bien plus facile que celui des protéines, puisqu'il ne s'applique qu'à quatre nucléotides différents, comparés aux 20 acides aminés différents. Il permet en outre une estimation plus sensible des ressemblances et des différences, puisque les modifications dans les nucléotides peuvent ne pas se traduire au niveau des acides aminés en raison des nombreuses synonymies du code génétique (page 209).

Suite à la détermination des séquences des acides nucléiques de différentes espèces, les données ont été introduites dans des banques informatisées. Il est donc devenu possible d'établir des comparaisons détaillées entre de nombreux taxons. Ces comparaisons ont prouvé la valeur des séquences d'acides nucléiques pour les recherches systématiques. Par exemple, l'analyse des séquences d'ARN de la petite sous-unité ribosomique a apporté une première preuve de la division du monde vivant en trois groupes, ou domaines, principaux — *Bactéria*, *Archaea* et *Eukarya* (Figure 13-8). On verra au chapitre 14 que les *Bacteria* sont les procaryotes considérés comme de vraies bactéries, et que les *Archaea* sont des procaryotes capables de vivre dans des environnements extrêmes. Les *Eukarya* comprennent tous les eucaryotes.

Le premier séquençage complet d'un génome — l'ADN — d'un représentant des *Archaea*, *Methanococcus jannaschii*, a été récemment achevé (Figure 13-9). Les résultats de ce séquençage confirment l'existence des trois domaines et montrent que les *Archaea* et les *Eukarya* ont suivi une voie évolutive indépendante de la lignée des *Bacteria*. Le séquençage direct de l'ARN ribosomique a également donné des informations permettant d'étudier la phylogénie des plantes et de tester les hypothèses concernant l'origine des angiospermes (voir chapitre 22).

Les travaux les plus complets sur la phylogénie des angiospermes

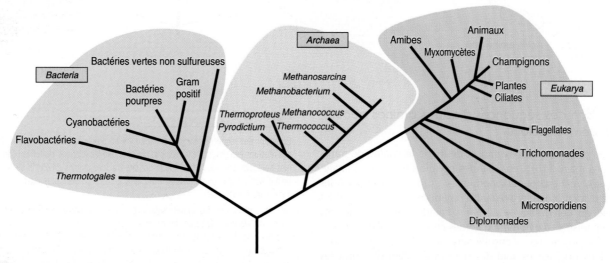

Figure 13-8

Arbre évolutif universel basé sur la comparaison des séquences d'ARN ribosomiques. Les données confirment la division du monde vivant en trois domaines, dont deux renferment des organismes procaryotes (*Bacteria* et *Archaea*) et le dernier, des organismes eucaryotes (*Eukarya*). L'ancêtre de toutes les cellules se trouve à la base de l'arbre. Les animaux, les champignons et les plantes représentent trois règnes séparés faisant partie du domaine des eucaryotes. Les autres groupes d'eucaryotes font partie du règne des protistes.

sont basés sur la variation des séquences nucléotidiques du gène *rbc*L, qui se trouve dans l'ADN du chloroplaste. Le gène *rbc*L, qui code la grande sous-unité de l'enzyme Rubisco dans le cycle de Calvin (page 140), convient particulièrement bien pour l'analyse d'un groupe de plantes aussi vaste. Non seulement c'est un gène présent en copie unique, dont l'évolution est lente, mais il est en outre dépourvu d'introns et il est suffisamment grand (environ 1500 paires de bases) pour conserver une information phylogénétique.

Considérées seules, les données moléculaires ne fournissent pas nécessairement l'estimation la plus correcte des relations phylogénétiques. Certains systématiciens pensent que tous les arguments disponibles — moléculaires, morphologiques, anatomiques, ultrastructuraux, développementaux et fossiles — doivent être pris en compte pour estimer les rapports phylogénétiques.

Les grands groupes d'organismes : *Bacteria, Archaea et Eukarya*

À l'époque de Linné, comme nous l'avons signalé plus tôt, on reconnaissait trois règnes — le animaux, les végétaux et les minéraux — et, jusqu'il y a relativement peu de temps, on avait l'habitude de classer tous les êtres vivants soit dans les animaux, soit dans les plantes. Le règne des *Animalia* comprenait tous les organismes qui se déplacent, ingèrent des aliments et dont l'organisme grandit jusqu'à atteindre une certaine taille, puis cesse de croître. Le règne des *Plantae* comprenait tous les organismes vivants qui ne se déplacent pas, ne mangent pas et grandissent indéfiniment. Les champignons, les algues et les bactéries (procaryotes) étaient donc groupés avec les plantes, et les protozoaires — organismes unicellulaires qui mangent et se déplacent — étaient classés parmi les animaux. Lamarck, Cuvier et la plupart des biologistes du XVIIIe et du XIXe siècles ont continué à placer tous les êtres vivants dans l'un ou l'autre de ces règnes. Cette ancienne division entre plantes et animaux se retrouve encore largement dans l'organisation des manuels, dont celui-ci. C'est pourquoi, outre les plantes, nous incluons de ce texte les algues, les champignons et les procaryotes.

De nouvelles données ont commencé à émerger au XXe siècle. Ce fut en partie une conséquence des améliorations apportées au microscope optique et, par la suite, du développement du microscope électronique. Ce fut aussi, en partie, une conséquence de l'application des techniques biochimiques à l'étude des différences et ressemblances entre les organismes. C'est ainsi que le nombre de groupes reconnus pour constituer des règnes différents s'est accru. Les nouvelles techniques ont, par exemple, révélé des différences fondamentales entre les cellules procaryotes et eucaryotes. Ces différences étaient suffisantes pour permettre de séparer les procaryotes dans un règne distinct, celui des monères. Depuis lors, comme nous venons de le voir, les recherches sur les séquences d'ARN ribosomique ont mis en évidence deux lignées distinctes chez les organismes procaryotes — les *Bacteria* et les *Archaea* — en plus de la lignée distincte des organismes eucaryotes — les *Eukarya* (Figure 13-10).

En se basant sur les arguments moléculaires, le système de classification adopté dans cet ouvrage reconnaît les trois domaines, *Bacteria, Archaea* et *Eukarya*. Les protistes, les champignons, les plantes et les animaux sont maintenant considérés comme des règnes faisant partie du domaine des *Eukarya*. C'est donc le domaine, et non le règne, qui est le niveau le plus élevé parmi les catégories taxonomiques. Le tableau 13-3 donne un résumé des principales différences qui distinguent les trois domaines.

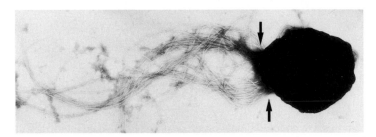

0,5 µm

Figure 13-9

Micrographie de *Methanococcus jannaschii*, la première archéobactérie dont le génome entier a été complètement séquencé. Son génome est formé d'un chromosome circulaire composé d'ADN. Terminé en 1996, le séquençage a montré que les deux tiers des gènes de cet organisme sont formées de séquences qui n'avaient encore jamais été observées par les chercheurs. Les flèches montrent l'endroit où la cellule a été rompue pour libérer son contenu.

TABLEAU 13.3

Caractères distinctifs principaux des trois domaines vitaux[a]

Caractéristiques	Bacteria	Archaea	Eukarya
Type de cellule	Procaryote	Procaryote	Eucaryote
Enveloppe nucléaire	Absente	Absente	Présente
Nombre de chromosomes	1	1	Plusieurs
Forme des chromosomes	Circulaire	Circulaire	Linéaire
Organites (mitochondries et plastes)	Absents	Absents	Présents (généralement)
Cytosquelette	Absent	Absent	Présent
Photosynthèse à base de chlorophylle	Oui	Non	Oui

a. Notez que certains caractères cités ne s'appliquent qu'à certains représentants du domaine.

Figure 13-10

Représentants des trois domaines. Micrographies électroniques **(a)** d'un procaryote, la cyanobactérie *Anabaena* (domaine des bactéries), **(b)** d'un procaryote, *Methanothermus fervidus* (domaine des archéobactéries) et **(c)** d'une cellule de betterave sucrière (*Beta vulgaris*) (domaine des eucaryotes). La cyanobactérie est un hôte fréquent des mares, alors que *Methanothermus*, adapté aux températures élevées, a un développement optimal entre 83 et 88°C. Notez la complexité de la cellule eucaryote, avec son noyau et ses chloroplastes apparents, et sa taille beaucoup plus grande (voyez les échelles).

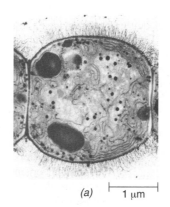

(a) |———| 1 μm

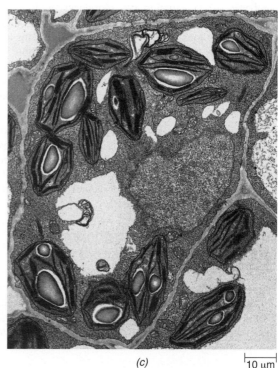

(c) |—| 10 μm

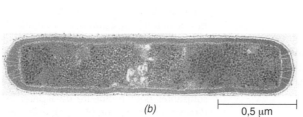

(b) |———————| 0,5 μm

Origine des eucaryotes

Au cours de l'évolution de la vie sur la terre, un des plus importants ensembles d'événements fut la transformation de cellules procaryotes relativement simples en cellules eucaryotes possédant une organisation complexe. On se souviendra (chapitre 3), que les cellules eucaryotes sont normalement plus volumineuses que celles des procaryotes et que leur ADN, beaucoup plus structuré, est inclus dans une enveloppe nucléaire. Outre qu'elles possèdent un cytosquelette interne, les cellules eucaryotes diffèrent des procaryotes par l'existence de mitochondries et, chez les plantes et les algues, de chloroplastes, qui ont à peu près la taille d'une cellule procaryote.

L'hypothèse d'une série d'endosymbioses explique l'origine des mitochondries et des chloroplastes

On pense que les mitochondries et les chloroplastes sont les descendants de bactéries qui ont été capturées et adoptées par une **cellule hôte** primitive. Cette conception de l'origine des mitochondries et des chloroplastes est la **théorie d'endosymbioses en série,** les ancêtres procaryotes des mitochondries et des chloroplastes étant les **endosymbiontes**. Un endosymbionte est un organisme qui vit à l'intérieur d'un organisme différent. On parle d'endosymbiose *en série* pour le processus qui est à l'origine des cellules eucaryotes parce que les événements n'ont pas été simultanés — on pense que les mitochondries ont précédé les chloroplastes.

On suppose que le système endomembranaire a évolué à partir de portions de la membrane plasmique. L'endosymbiose a eu une une influence profonde sur la diversification des eucaryotes. La plupart des experts estiment que l'établissement de la relation endosymbiotique fut précédée par l'évolution d'une cellule hôte en un **phagocyte** (ce qui signifie « cellule qui mange ») primitif, cellule capable d'englober des grosses particules comme des bactéries (Figure 13-11). Il est probable que la cellule hôte ancestrale était un hétérotrophe sans paroi, vivant dans un environnement où elle trouvait sa nourriture. Ces cellules devaient disposer d'une membrane plasmique flexible capable d'envelopper des objets extracellulaires volumineux en s'invaginant. Cette endocytose aurait été suivie par la dégradation des particules alimentaires dans des vacuoles dérivées de la membrane plasmique. La membrane plasmique serait devenue flexible par l'incorporation de stérols et le développement d'un

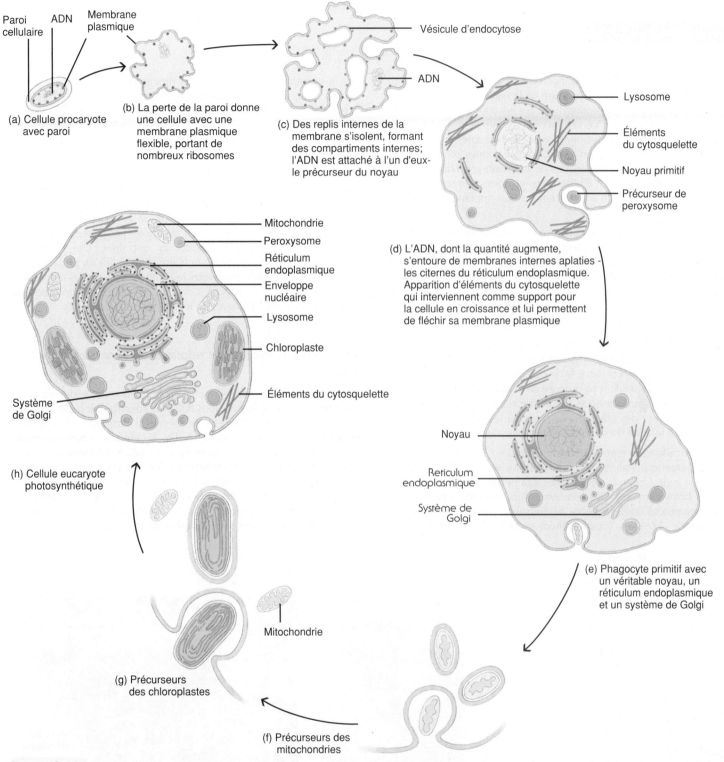

Paroi cellulaire · **ADN** · **Membrane plasmique**

(a) Cellule procaryote avec paroi

(b) La perte de la paroi donne une cellule avec une membrane plasmique flexible, portant de nombreux ribosomes

Vésicule d'endocytose

ADN

(c) Des replis internes de la membrane s'isolent, formant des compartiments internes; l'ADN est attaché à l'un d'eux- le précurseur du noyau

Lysosome

Éléments du cytosquelette

Noyau primitif

Précurseur de peroxysome

(d) L'ADN, dont la quantité augmente, s'entoure de membranes internes aplaties - les citernes du réticulum endoplasmique. Apparition d'éléments du cytosquelette qui interviennent comme support pour la cellule en croissance et lui permettent de fléchir sa membrane plasmique

Mitochondrie
Peroxysome
Réticulum endoplasmique
Enveloppe nucléaire
Lysosome
Chloroplaste

Système de Golgi

Éléments du cytosquelette

(h) Cellule eucaryote photosynthétique

Noyau

Reticulum endoplasmique

Système de Golgi

(e) Phagocyte primitif avec un véritable noyau, un réticulum endoplasmique et un système de Golgi

Mitochondrie

(g) Précurseurs des chloroplastes

(f) Précurseurs des mitochondries

Figure 13-11

Représentation schématique de l'origine de la cellule eucaryote photosynthétique à partir d'un procaryote hétérotrophe. **(a)** La plupart des procaryotes possèdent une paroi cellulaire rigide : il est donc vraisemblable que la première étape de la transformation d'une cellule procaryote en une eucaryote a été la perte de la capacité du procaryote à produire une paroi cellulaire. **(b)**, **(c)** Cette forme libre, sans paroi, peut s'agrandir, changer de forme et englober des objets extérieurs par invagination de la membrane plasmique (endocytose). **(d)**, **(e)** L'invagination d'une plage de la membrane plasmique à laquelle était attaché l'ADN fut probablement à l'origine du noyau. Le phagocyte primitif a finalement acquis un véritable noyau contenant une quantité plus grande d'ADN. De plus, un cytosquelette a dû se développer pour donner un support interne à la cellule qui était dépourvue de paroi et intervenir dans les mouvements de la cellule elle-même comme de ses composants internes. **(f)** Les mitochondries de la cellule eucaryote étaient, à l'origine, des endosymbiontes bactériens qui ont finalement transféré la plus grande partie de leur ADN au noyau de l'hôte. **(g)** On suppose que les chloroplastes aussi sont les descendants de bactéries. Ils ont finalement transféré la plus grande partie de leur ADN au noyau de l'hôte. **(h)** La cellule eucaryote photosynthétique renferme un système endomembranaire complexe et diverses autres structures internes, comme les peroxysomes, les mitochondries et les chloroplastes qui sont représentés ici.

cytosquelette (en particulier de microtubules) serait à l'origine du mécanisme indispensable à la capture de la nourriture ou de la proie et à son incorporation par endocytose. Les lysosomes (vésicules délimitées par une membrane, contenant des enzymes de dégradation) de la cellule hôte auraient fusionné avec les vacuoles alimentaires, décomposant leur contenu en molécules organiques utilisables. Les membranes intracellulaires dérivées de la membrane plasmique ont progressivement divisé les cellules hôtes en compartiments, donnant ce qui constitue aujourd'hui le système endomembranaire de la cellule eucaryote (page 58).

La formation du noyau — principale caractéristique des cellules eucaryotes — pourrait aussi avoir débuté par des replis de la membrane plasmique. On se souviendra que, chez les procaryotes, la molécule circulaire d'ADN, le chromosome, est attachée à la membrane plasmique. L'invagination de cette portion de la membrane plasmique pourrait avoir abouti à l'inclusion de l'ADN à l'intérieur d'un sac intracellulaire, le noyau primitif (Figure 13-11).

On suppose que les mitochondries et les chloroplastes ont évolué à partir de bactéries phagocytées. La scène est prête. Il existe maintenant un phagocyte capable de capturer les bactéries. Le phagocyte ne possède cependant pas encore de mitochondries. Pour le phagocyte, l'étape suivante consiste à éviter de digérer les précurseurs des mitochondries (ou des chloroplastes), mais à les adopter et à établir avec eux une relation de symbiose (vie commune).

La Vorticelle verte représentée à la figure 13-12 est un exemple de protiste actuel qui établit une endosymbiose avec certaines espèces de l'algue verte *Chlorella*. Les cellules algales restent intactes dans les cellules hôtes comme endosymbiontes et fournissent les produits de la photosynthèse utile à l'hôte hétérotrophe. En retour, les algues reçoivent de l'hôte les aliments minéraux essentiels. Il existe de nombreux exemples d'endosymbiontes procaryotes (bactériens) et eucaryotes chez d'autres protistes, de même que dans les cellules d'environ 150 genres d'animaux invertébrés marins et d'eau douce. Les algues endosymbiotiques, y compris celles des polypes des coraux récifaux, améliorent la productivité et la survie de l'hôte (voir chapitre 16).

La transformation d'un endosymbionte en organite implique généralement la disparition de la paroi cellulaire de l'endosymbionte (s'il en avait une) et d'autres structures inutiles. Au cours de l'évolution, L'ADN de l'endosymbionte et beaucoup de ses fonctions ont été progressivement transférées au noyau de l'hôte. Les génomes des mitochondries et chloroplastes modernes ont donc une taille bien inférieure à celle du génome nucléaire. Bien qu'ils ne puissent vivre en dehors de la cellule eucaryote, les mitochondries et les chloroplastes sont des organites capables de s'autorépliquer qui ont conservé beaucoup de caractéristiques de leurs ancêtres procaryotes.

Parmi les eucaryotes, les relations ne sont pas toujours bien définies

Alors que la distinction est nette entre les domaines des *Bacteria*, *Archaea* et *Eukarya*, les relations entre les *Eukarya* sont beaucoup plus complexes et la séparation entre les règnes d'eucaryotes est beaucoup moins nette. Pour des raisons de facilité, les embranchements principalement unicellulaires et certaines lignées multicellulaires qui leur sont associées sont groupées dans le règne des *Protista*, à partir duquel ont évolué les trois règnes composés essentiellement d'organismes multicellulaires — *Plantae*, *Animalia* et *Fungi*. Alors que les plantes, les animaux et les champignons sont probablement des groupes monophylétiques, les protistes sont paraphylétiques.

Figure 13-12

Endosymbiose dans une vorticelle. **(a)** La cellule en forme de cloche du protozoaire *Vorticella* contient de nombreuses cellules de l'algue autotrophe endosymbiotique *Chlorella*. **(b)** Micrographie électronique d'une vorticelle contenant des cellules de *Chlorella*. Les cellules de l'algue se trouvent dans des vacuoles séparées (vacuoles périalgales) délimitées par une membrane simple. Le protozoaire fournit aux algues protection et aliments minéraux, tandis que les algues produisent les glucides qui servent de nourriture à leur hôte hétérotrophe.

(a)

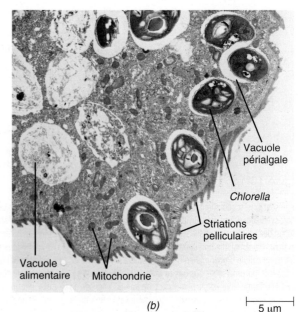

Vacuole périalgale

Chlorella

Striations pelliculaires

Vacuole alimentaire

Mitochondrie

(b)

5 μm

TABLEAU 13.4

Classification des organismes vivants dont il est question dans cet ouvrage. (Voir les descriptions sommaires de ces groupes à l'Annexe D.)

Domaines procaryotes		
Bacteria	Bactéries	
Archaea	Archéobactéries	
Domaine eucaryote		
Eukarya		
Règne des *Fungi*	Champignons	Embranchement *Chytridiomycota*
		Embranchement *Zygomycota* (zygomycètes)
		Embranchement *Ascomycota* (ascomycètes)
		Embranchement *Basidiomycota* (*Basidiomycetes*, *Teliomycetes* et *Ustomycetes*)
Règne des *Protista*	Protistes hétérotrophes	Embranchement *Myxomycota*
		Embranchement *Dictyosteliomycota*
		Embranchement *Oomycota*
	Protistes photosynthétiques («algues»)	Embranchement *Euglenophyta* (euglènes)
		Embranchement *Cryptophyta* (cryptomonades)
		Embranchement *Rhodophyta* (algues rouges)
		Embranchement *Dinophyta* (dinoflagellates)
		Embranchement *Haptophyta* (haptophytes)
		Embranchement *Bacillariophyta* (diatomées)
		Embranchement *Chrysophyta (*chrysophytes)
		Embranchement *Phaeophyta* (algues brunes)
		Embranchement *Chlorophyta* (algues vertes)
Règne des *Plantae*	Bryophytes	Embranchement *Hepatophyta* (hépatiques)
		Embranchement *Anthocerophyta* (anthocérotées)
		Embranchement *Bryophyta* (mousses)
	Plantes vasculaires	
	Cryptogames vasculaires	Embranchement *Psilophyta* (psilophytes)
		Embranchement *Lycophyta* (lycopodes)
		Embranchement *Sphenophyta* (prêles)
		Embranchement *Pterophyta* (fougères)
	Spermatophytes	Embranchement *Cycadophyta* (cycadales)
		Embranchement *Ginkgophyta* (ginkgo)
		Embranchement *Coniferophyta* (conifères)
		Embranchement *Gnetophyta* (gnétophytes)
		Embranchement *Anthophyta* (angiospermes)

Les règnes eucaryotes

Les paragraphes suivants sont un synopsis des quatre règnes inclus dans le domaine des eucaryotes (voir le tableau 13-4, qui ne comprend pas le règne animal).

Le règne des protistes comprend des eucaryotes unicellulaires, coloniaux et multicellulaires élémentaires

Nous avons admis que les protistes (Figure 13-13) comprennent l'ensemble des organismes traditionnellement regardés comme des protozoaires (« animaux » unicellulaires), qui sont hétérotrophes, ainsi que des algues, qui sont autotrophes. Sont aussi compris dans le règne des protistes des groupes d'organismes hétérotrophes placés traditionnellement avec les champignons — comme les *Oomycota, Dictysteliomycota* et *Myxomycota*).

Les cycles de développement des protistes sont variés, mais on y trouve normalement la division cellulaire et la reproduction sexuée. Les protistes sont mobiles grâce à des flagelles ou cils 9 + 2 ou grâce à des mouvements amiboïdes, ou encore ils ne sont pas mobiles. Les algues rouges et certains groupes de protistes surtout unicellulaires inclus dans cet ouvrage sont abordés au chapitre 16, et deux grands groupes d'algues — les algues vertes et les algues brunes (et les organismes apparentés) — sont discutés au chapitre 17. Il est clair que les algues vertes sont très proches des plantes.

(a)

(b)

(c)

(d)

Figure 13-13

Protistes. **(a)** Plasmode de *Physarum* (*Myxomycota*) se développant sur une feuille. **(b)** *Postelsia palmiformis* (*Phaeophyta*) sur des rochers exposés de l'étage littoral de l'île Vancouver (Colombie Britannique). **(c)** *Volvox*, algue verte coloniale mobile (*Chlorophyta*) **(d)** Une algue rouge (*Rhodophyta*). **(e)** Diatomée pennale (*Bacillariophyta*) montrant l'ornementation complexe de la carapace, caractéristique de ce groupe.

(e)

En résumé, le règne des protistes est paraphylétique et réunit un ensemble très hétérogène d'eucaryotes unicellulaires, coloniaux et multicellulaires qui n'ont pas les caractéristiques propres aux animaux, aux plantes ou aux champignons.

Le règne animal comprend des organismes multicellulaires eucaryotes qui ingèrent des aliments

Les animaux sont des organismes multicellulaires formés de cellules eucaryotes dépourvues de parois cellulaires, de plastes et de pigments photosynthétiques. L'alimentation se fait principalement par ingestion — les aliments sont ingérés par une bouche ou par une autre ouverture — et digestion dans une cavité interne. Chez certaines formes, cependant, la nutrition se fait par absorption, et plusieurs groupes sont dépourvus de cavité digestive interne. Chez les animaux complexes, le niveau d'organisation et la différenciation des tissus dépassent de loin ceux des autres règnes, en particulier par l'évolution de systèmes sensitifs et neuromoteurs complexes. La mobilité de l'organisme (ou, chez les formes sessiles, des parties qui le composent) est basée sur des fibrilles contractiles. La reproduction est principalement sexuée. On ne parlera pas des animaux dans cet ouvrage, sauf en ce qui concerne certaines de leurs interactions avec les plantes et autres organismes.

Le règne des champignons comprend des organismes eucaryotes multicellulaires se nourrissant par absorption

Font partie du règne des champignons (*Fungi*), des eucaryotes non mobiles, filamenteux, dépourvus de plastes et de la photosynthèse, absorbant leur nourriture à partir d'organismes morts ou vivants (Figure 13-14). Les champignons ont traditionnellement été réunis aux plantes, mais il ne fait plus aucun doute qu'ils représentent une lignée évolutive indépendante. En outre, la comparaison des séquences d'ARN ribosomique indique que les champignons sont plus étroitement apparentés aux animaux qu'aux plantes. Les animaux et les champignons ont apparemment une histoire évolutive commune, leur ancêtre commun le plus récent étant un protiste flagellé semblable aux choanoflagellates modernes. Les choanoflagellates sont caractérisés par des crêtes mitochondriales aplaties et un flagelle postérieur. À côté de leur mode de croissance filamenteux, les champignons ont peu de chose en commun avec les différentes groupes de protistes qui

ont été considérés comme des algues. Les parois cellulaires des champignons, par exemple, possèdent habituellement une matrice de chitine. Les structures dans lesquelles les chamignons forment leurs spores sont souvent complexes. Les cycles de développement, parfois assez complexes, comportent normalement des processus sexués et asexués. Les champignons font l'objet du chapitre 15

Le règne végétal comprend des eucaryotes multicellulaires photosynthétiques

Les plantes — avec trois embranchements de bryophytes (mousses, hépatiques et anthocérotées) et les neuf embranchements, vivants ou fossiles, de plantes vasculaires — forment un règne composé d'organismes photosynthétiques adaptés à la vie sur la terre ferme (Figure 13-15). Leurs ancêtres étaient des algues vertes spécialisées. Toutes les plantes sont multicellulaires et sont composées de cellules

Figure 13-14

Champignons. **(a)** *Herpothallon sanguineum*, lichen de développant sur un tronc d'arbre. **(b)** Clavaire blanc (famille des *Clavariaceae*) **(c)** Champignons supérieurs (probablement du genre *Mycena*) suintant des gouttelettes de rosée, vivant dans une forêt pluviale au Pérou. **(d)** Une vesse de loup, *Scleroderma aurantium*.

(a)   (b)   (c)   (d)

(a)

(b)

(c)

(d)

(e)

Figure 13-15

Plantes. **(a)** Les sphaignes (*Sphagnum*, dans l'embranchement des *Bryophyta*), forment de vastes tourbières dans les régions à climat froid et tempéré du monde. **(b)** *Marchantia* (*Hepatophyta*) est de loin l'hépatique à thalle la plus commune. C'est un genre terrestre très répandu qui vit sur les sols et rochers humides. **(c)** *Diphasiastrum digitatum*, un lycopode (*Lycophyta*). **(d)** Une prêle (*Equisetum sylvaticum*, de l'embranchement des *Sphenophyta*). **(e)** *Cystopteris bulbifera* (*Pterophyta*). **(f)** Le pissenlit, *Taraxacum officinale* et **(g)** un cactus, (*Mammillaria microcarpa*), sont des dicotylées (*Anthophyta*). **(h)** *Hordeum jubatum* et **(i)** *Cymbidium lambertiana* (orchidée) sont des monocotylées (*Anthophyta*). *Pinus lambertiana* et *Calocedrus decurrens* sont deux conifères (*Coniferophyta*).

eucaryotes contenant des vacuoles et entourées de parois cellulaires cellulosiques. Leur principal mode de nutrition est la photosynthèse, bien que quelques plantes soient devenues hétérotrophes. L'évolution des plantes sur la terre a entraîné une différenciation des structures allant de la production d'organes spécialisés pour la photosynthèse, l'ancrage et le soutien. Chez les plantes plus complexes, cette organisation a produit des tissus photosynthétiques, vasculaires et protecteurs spécialisés. Chez les plantes, la reproduction est principalement sexuée, avec une alternance entre générations haploïdes et diploïdes. Dans les groupes les plus évolués de ce règne, la génération haploïde (le gamétophyte) s'est progressivement réduite au cours de l'évolution. Les bryophytes sont discutés au chapitre 18 et les plantes vasculaires dans les chapitres 19 à 22.

(f)

(g)

(h)

(i)

(j)

RÉSUMÉ

La systématique, qui est l'étude scientifique de la diversité biologique, embrasse la taxonomie — identification, nomenclature et classification des espèces — et la phylogénie — détermination des relations évolutives entre les organismes.

Les espèces sont désignées par un binôme et groupées en catégories taxonomiques disposées de façon hiérarchique

Les organismes reçoivent un nom scientifique composé de deux mots — un binôme. Le premier mot est le nom du genre et le second, qui est l'épithète spécifique, complète le nom de l'espèce lorsqu'il est combiné au nom du genre. Les espèces sont parfois subdivisées en sous-espèces ou variétés. Les genres sont groupés en familles, les familles en ordres, les ordres en classes, les classes en embranchements et les embranchements en règnes. Sur la base des recherches taxonomiques récentes, les règnes peuvent encore être groupés en domaines.

Les organismes sont classés phylogénétiquement sur la base de caractéristiques homologues, plutôt qu'analogues

Quand ils classent les organismes dans des catégories qui vont du genre au domaine, les systématiciens essayent de les grouper de manière à rappeler leur phylogénie (leur histoire évolutive). Dans un système phylogénétique, tout taxon devrait idéalement être monophylétique — c'est-à-dire qu'on ne devrait y trouver que des organismes provenant d'un ancêtre commun. Un principe essentiel de cette classification est que les ressemblances doivent être homologues — c'est-à-dire être dues à une origine commune — et ne pas être la conséquence d'une évolution convergente.

Les méthodes de classification traditionnelles, souvent intuitives, ont été en grande partie remplacées par les méthodes cladistiques plus explicites, qui tentent d'élucider les séquences de ramifications (généalogie) en se basant sur la présence de caractères dérivés communs.

On peut utiliser la comparaison de la composition moléculaire des organismes pour définir leurs relations évolutives

Les nouvelles techniques de systématique moléculaire sont à l'origine d'une méthode relativement objective et explicite pour comparer les organismes au niveau le plus fondamental de tous, le gène. De nombreux arguments montrent que, dans certaines circonstances, les molécules de protéines et d'acides nucléiques peuvent constituer des horloges moléculaires : les modifications de leur composition traduisent le temps qui s'est écoulé depuis la séparation des différents groupes d'organismes. Le séquençage des acides aminés et des nucléotides contribue valablement à des schémas de classification plus précis, qui traduisent une meilleure connaissance de la diversité biologique et de son histoire évolutive.

Les organismes sont classés dans deux domaines de procaryotes et un domaine d'eucaryotes qui comporte quatre règnes.

Dans ce texte — basé en grande partie sur les résultats du séquençage de l'ARN de la petite sous-unité ribosomique — les organismes sont groupés en trois domaines, bactéries (*Bacteria*), archéobactéries (*Archaea*) et eucaryotes (*Eukarya*). Les archéobactéries sont plus étroitement apparentées aux eucaryotes que les bactéries. Les protistes, les champignons, les plantes et les animaux constituent les règnes d'eucaryotes.

MOTS CLÉS

analogie p. 267

arbre phylogénétique p. 265

Archaea p. 270

Bacteria p. 270

clades p. 267

cladistique p. 267

cladogramme p. 267

domaines p. 271

endosymbiose p. 272

épithète spécifique p. 262

Eukarya p. 270

évolution convergente p. 266

genre p. 262

groupe de référence p. 267

homologie p. 266

horloge moléculaire p. 270

monophylétique p. 265

paraphylétique p. 266

phylogénie p. 265

polyphylétique p. 266

principe de parcimonie p. 268

rang p. 264

spécimen type p. 263

systématique p. 262

systématique moléculaire p. 268

système binomial p. 262

taxon p. 264

taxon artificiel p. 266

taxonomie p. 262

théorie endosymbiotique p. 272

QUESTIONS

1. Faites la distinction entre : rang/taxon, monophylétique/polyphylétique/paraphylétique, hôte/endosymbionte.

2. Identifiez, ci-après, les rangs et les taxons : les étudiants, la faculté de l'Université de l'État de Pennsylvanie, les Emballeurs de Green Bay, les équipes de baseball de première division, le corps des marines des E.-U., la famille Robinson.

3. Une question essentielle en systématique est l'origine d'une ressemblance ou d'une différence. Expliquez.

4. Quelle est la différence entre un cladogramme et un arbre phylogénétique établi par la méthode traditionnelle ?

5. On croit généralement que les ressemblances et différences entre séquences nucléotidiques homologues sont un indicateur plus sensible de la distance évolutive entre organismes que les ressemblances et différences entre séquences d'acides aminés dans les protéines homologues. Donnez une explication.

6. Expliquez le rôle de l'endosymbiose dans l'origine des cellules eucaryotes.

Les procaryotes et les virus   14

SOMMAIRE

Les organismes les plus abondants à la surface du globe — c'est-à-dire les procaryotes, qui réunissent les domaines *Bacteria* et *Archaea* — sont généralement invisibles à l'œil nu. Microscopique ne signifie cependant pas insignifiant. Les procaryotes ont, par exemple, apporté l'oxygène à l'atmosphère de la terre primitive et ils sont responsables de la décomposition des organismes morts et du recyclage de leurs éléments chimiques. Les procaryotes sont de plus une source de produits économiquement importants, tels que les antibiotiques, et ils fournissent aux scientifiques des systèmes modèles pour étudier la survie et le développement des organismes dans des environnements hostiles. D'autre part, certains procaryotes sont devenus célèbres en raison des problèmes qu'ils provoquent, plus particulièrement les maladies des plantes et des animaux.

Les virus — autres agents microscopiques dont il est question dans ce chapitre — n'appartiennent à aucun domaine ni aucun règne et représentent en quelque sorte un paradoxe. Intrinsèquement, les virus sont des entités métaboliquement inertes. Mais, dès qu'ils se trouvent à l'intérieur d'une cellule vivante, ils sont capables de se reproduire en détournant l'outillage génétique de la cellule.

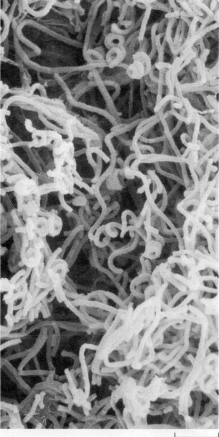

2 µm

Figure 14-1

Un procaryote commun, l'actinomycète filamenteux *Streptomyces scabies*. Les actinomycètes abondent dans le sol ; ils sont en grande partie responsables de l'odeur « de moisi » du sol humide et des matières en décomposition. *Streptomyces scabies* est la bactérie responsable de la tavelure de la pomme de terre.

POINTS DE REPÈRE

Quand vous terminerez la lecture de ce chapitre, vous devriez pouvoir répondre aux questions suivantes :

- *Quelle est la structure de base d'une cellule procaryote ?*
- *Comment se reproduisent les procaryotes, et comment la recombinaison génétique peut-elle s'y produire ?*
- *Quelle est l'importance écologique des cyanobactéries ?*
- *Quelles sont les principales différences entre les cyanobactéries et les bactéries pourpres et vertes d'un point de vue métabolique ?*
- *Quelles sont les différences entre les mycoplasmes et les autres bactéries ?*
- *D'un point de vue physiologique, quels sont les trois grands groupes d'Archaea ?*
- *Quelle est la structure de base d'un virus ? Comment se reproduisent les virus ?*

Parmi tous les organismes, les procaryotes ont les structures les plus simples, ils sont physiquement les plus petits, et ils sont les plus répandus dans le monde. Bien que leur taille individuelle soit microscopique, on estime que la masse totale des procaryotes dépasse celle de l'ensemble de tous les autres organismes vivants. En mer, par exemple, on estime que les procaryotes représentent au moins 90 % du poids total des organismes vivants. Dans un seul gramme de sol agricole fertile, il peut y avoir 2,5 milliards d'individus. On a identifié jusqu'à présent quelque 2700 espèces de procaryotes, mais beaucoup attendent d'être découvertes.

Les procaryotes sont, en termes d'évolution, les organismes les plus anciens sur terre. Les plus vieux fossiles connus sont des procaryotes filamenteux, découverts dans des roches d'Australie Occidentale et dont l'âge est d'environ 3,5 milliards d'années (voir figure 1-2). Bien que certains procaryotes actuels ressemblent phénotypiquement à ces organismes anciens, aucun n'est réellement primitif. Il s'agit plutôt d'organismes modernes qui sont parvenus à s'adapter à leur environnement spécifique.

Les procaryotes sont, en fait, les formes de vie terrestre les plus abondantes et les plus efficaces. Leur succès est sans aucun doute dû à leur grande diversité métabolique et à la rapidité de leur division cellulaire. En conditions optimales, une population d'*Escherichia coli*, le procaryote probablement le mieux connu, peu doubler de taille et se diviser toutes les 20 minutes. Les procaryotes peuvent survivre dans de nombreux environnements qui ne tolèrent aucune autre forme de vie. On en trouve dans les déserts glacés de l'Antarctique, dans les

profondeurs obscures de l'océan, dans les eaux proches de l'ébullition des sources thermales (Figure 14-2) et dans les eaux surchauffées des fumeroles sous-marines. Certains procaryotes font partie des très rares organismes modernes capables de survivre en l'absence d'oxygène libre, en utilisant des processus anaérobies pour se procurer leur énergie (page 122). L'oxygène est létal pour certaines formes, alors que d'autres peuvent vivre avec ou sans oxygène.

Au chapitre 13, nous avons insisté sur l'existence de deux lignées de procaryotes, les bactéries et les archéobactéries. Au niveau moléculaire, la distinction entre ces deux domaines, bien que procaryotes tous les deux, est aussi grande, d'un point de vue évolution, que celle qui sépare chacun d'eux des eucaryotes. Nous commencerons par aborder des caractéristiques en grande partie partagées par tous les procaryotes, en prenant note des différences existant entre les deux domaines (voir tableau 14-3). Nous nous tournerons ensuite plus spécialement vers les bactéries, puis vers les archéobactéries. Finalement, nous jetterons un coup d'œil aux virus. Les virus ne sont pas des cellules et ne possèdent donc pas de métabolisme propre. Un virus est surtout constitué d'un génome (soit d'ADN, soit d'ARN) qui se réplique dans une cellule hôte vivante en contrôlant l'outillage génétique de cette cellule afin de synthétiser des acides nucléiques et des protéines virales.

Caractères de la cellule procaryote

Les procaryotes sont dépourvus d'un noyau organisé délimité par une enveloppe nucléaire (voir page 41). Une seule molécule d'ADN circulaire, ou continue, associée à des protéines différentes des histones, se situe dans une région de la cellule appelée le **nucléoïde**. Outre ce « chromosome », la cellule procaryote peut aussi contenir un ou plusieurs morceaux d'ADN extrachromosomiques circulaires, des **plasmides**, qui se répliquent indépendamment du chromosome cellulaire.

Le cytoplasme de la plupart des procaryotes est relativement peu structuré, bien qu'il ait souvent un aspect finement granuleux dû à la présence de nombreux ribosomes — jusqu'à 10.000 dans une seule cellule. Ces ribosomes sont plus petits (70S) que les ribosomes cytoplasmiques (80S) des eucaryotes (voir tableau 3-2). Les procaryotes contiennent parfois également des **inclusions**, granules distincts qui représentent des matières de réserve. Ils n'ont pas de cytosquelette. Le cytoplasme ne contient aucun organite entouré d'une membrane et il n'est généralement pas divisé en compartiments par des membranes. La principale exception se retrouve chez les cyanobactéries, qui contiennent un système important de membranes (les thylakoïdes) portant la chlorophylle et les autres pigments photosynthétiques (voir figure 14-10). Les bactéries pourpres développent également des membranes destinées à leur système photosynthétique.

La membrane plasmique est le site de fixation des divers composants moléculaires

La membrane plasmique de la cellule procaryote est formée d'une bicouche lipidique et sa composition est semblable à celle de la cellule eucaryote. Cependant, sauf chez les mycoplasmes (les plus petites cellules libres connues), les membranes plasmiques des procaryotes sont dépourvues de cholestérol et d'autres stérols. Chez les procaryotes anaérobies, la membrane plasmique renferme la chaîne de

Figure 14-2

Vue aérienne d'une très grande source d'eau bouillante, la grande source prismatique, dans le Parc National de Yellowstone (Wyoming). Les bactéries thermophiles prospèrent dans ces sources chaudes. Les pigments caroténoïdes des populations denses de bactéries thermophiles, cyanobactéries comprises, colorent en brun orange les chenaux d'écoulement.

transport d'électrons qui se trouve dans la membrane mitochondriale des cellules eucaryotes : c'est une nouvelle confirmation de la théorie endosymbiotique (page 272). Chez les bactéries photosynthétiques pourpres et vertes (à la différence des cyanobactéries), la photosynthèse se déroule dans la membrane plasmique. Chez les bactéries photosynthétiques pourpres et chez les procaryotes aérobies dont les exigences en énergie sont importantes, la membrane est souvent très convolutée, ce qui augmente fortement sa surface de travail. La membrane possède apparemment aussi des sites spécifiques de fixation pour les molécules d'ADN, garantissant ainsi la séparation des chromosomes répliqués lors de la division cellulaire (page 156).

La paroi cellulaire de la plupart des procaryotes contient des peptidoglycanes

Le protoplaste de presque tous les procaryotes est entouré d'une paroi cellulaire qui donne aux différents types leur forme caractéristique. Les parois de nombreux procaryotes sont rigides, elles sont flexibles chez d'autres et seuls les mycoplasmes en sont dépourvus.

Les parois cellulaires des procaryotes sont complexes et renferment de nombreux types de molécules absentes chez les eucaryotes. Sauf chez les archéobactéries, les parois des procaryotes contiennent des polymères complexes, réunis sous le nom de **peptidoglycanes**, qui

sont principalement responsables de la résistance mécanique de la paroi. On peut donc qualifier le peptidoglycane de « signature moléculaire » permettant de distinguer les espèces de bactéries de celles des archéobactéries.

On peut diviser les bactéries en deux groupes principaux en se basant sur la capacité de leurs parois cellulaires de fixer un colorant, le crystal violet. Celles dont les parois cellulaires fixent le colorant sont appelées **gram positif**, tandis que celles qui ne le font pas sont **gram négatif** ; ce nom vient de Hans Gram, le microbiologiste danois qui a proposé cette distinction. Les bactéries gram positif et gram négatif diffèrent notablement par la structure de leurs parois cellulaires. Chez les bactéries gram positif, la paroi, d'une épaisseur de 10 à 80 nanomètres, a un aspect homogène et contient jusqu'à 90 % de peptidoglycane (Figure 14-3a). Chez les bactéries gram négatif, la paroi est formée de deux assises : une couche interne de peptidoglycane épaisse seulement de 2 à 3 nanomètres, et une couche externe formée de lipopolysaccharides et protéines (Figure 14-3b). Les molécules de l'assise externe sont disposées en une bicouche épaisse d'environ 7 à 8 nanomètres, de structure semblable à celle de la membrane plasmique. Parce qu'elle reflète une différence fondamentale dans l'architecture de la paroi cellulaire, la coloration de Gram est couramment utilisée pour l'identification et la classification des bactéries.

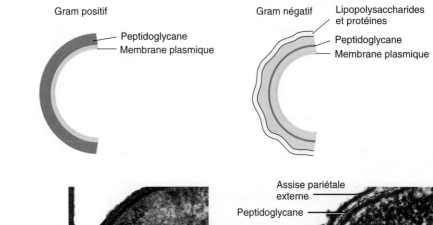

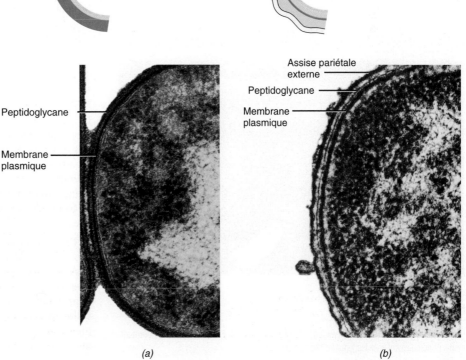

Figure 14-3

Parois cellulaires bactériennes. **(a)** La paroi d'une bactérie gram prositif se compose d'une assise homogène principalement composée de peptidoglycane, représentée ici par une bande interne foncée. La couche foncée externe de cette micrographie électronique représente une assise de protéines de surface. **(b)** Dans une bactérie gram négatif, une couche de peptidoglycane est coincée entre la membrane plasmique et une assise externe de lipopolysaccharides et de protéines dont la composition est semblable à celle de la membrane plasmique.

Beaucoup de procaryotes sécrètent des substances visqueuses ou collantes à la surface de leurs parois. La plupart de ces substances sont formées de polysaccharides ; quelques-unes sont des protéines. Ces couches sont habituellement appelées « capsule » ou, plus généralement, **glycocalyx**. Le glycocalyx joue un rôle important dans l'infection en permettant à certaines bactéries pathogènes de se fixer à des tissus hôtes spécifiques. On pense que le glycocalyx peut aussi protéger les bactéries de la dessiccation.

Les procaryotes stockent diverses substances dans des granules

Des procaryotes très divers — bactéries comme archéobactéries — contiennent des inclusions, ou granules de réserve, formées d'**acide poly-β–hydroxybutyrique**, substance apparentée aux lipides fonctionnant comme dépôt de carbone et d'énergie. Une autre substance de réserve des procaryotes est le **glycogène**, molécule proche de l'amidon. Les granules de glycogène sont habituellement plus petits que ceux d'acide poly-β-hydroxybutyrique.

Les procaryotes ont des flagelles particuliers

La plupart des procaryotes sont mobiles, et leur faculté de se déplacer indépendamment est généralement due à des appendices longs et minces, les **flagelles** (Figure 14-4). Ne possédant pas de microtubules ni de membrane plasmique, ces flagelles sont très différents de ceux des eucaryotes (page 60). Le flagelle des procaryotes est composé de sous-unités d'une protéine appelée flagelline disposées en chaînes, elles-mêmes tordues en une triple hélice (triple chaîne), avec un axe central creux. Les flagelles bactériens s'allongent par leur extrémité. Les molécules de flagelline produites dans la cellule accèdent par l'axe creux à l'extrémité des chaînes. Chez certaines espèces, les flagelles sont répartis sur toute la surface de la cellule ; chez d'autres, ils forment des touffes à une de ses extrémités.

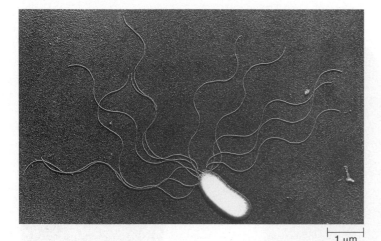

Figure 14-4

Flagelles de *Pseudomonas marginalis*, bactérie commune du sol. Elle provoque une pourriture molle, principalement chez les légumes charnus et feuillus.

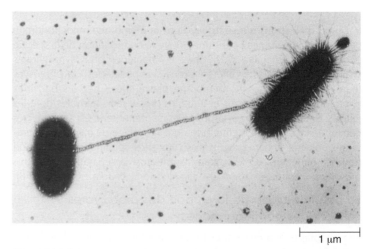

Figure 14-5

Micrographie électronique de cellules d'*E.coli* pendant la conjugaison. La cellule donatrice allongée, à droite de cette micrographie, est reliée à la cellule réceptrice plus arrondie par un long pilus, nécessaire à la conjugaison. On voit de nombreux fimbriae sur la cellule donnatrice.

Des fimbriae et des pili interviennent dans la fixation

Les fimbriae et les pili — les deux termes sont souvent utilisés indifféremment — sont des structures filamenteuses assemblées à partir de sous-unités protéiques pratiquement de la même manière que les filaments des flagelles. Les **fimbriae**, ou **pili somatiques** sont beaucoup plus courts, plus rigides et normalement beaucoup plus nombreux que les flagelles (Figure 14-5). On ne connaît pas avec certitude les fonctions des fimbriae, mais ils peuvent servir à fixer l'organisme à une source d'alimentation ou à d'autres interfaces.

Les **pili sexuels** (pilus au singulier) sont généralement plus longs que les fimbriae, et il n'y en a qu'un ou quelques-uns à la surface d'un individu (Figure 14-5). Certains pili interviennent dans la conjugaison entre procaryotes, intervenant d'abord pour relier deux cellules, puis, en se rétractant, pour les rapprocher et permettre le transfert effectif de l'ADN.

Diversité de forme

La méthode la plus ancienne d'identification des procaryotes est basée sur leur apparence extérieure. Les procaryotes ont des formes très diverses, mais la plupart, parmi les espèces les plus familières, se répartissent en trois catégories (Figure 14-6). Un procaryote de forme cylindrique est un bâtonnet, ou bacille ; s'il est sphérique, il s'agit d'une coque et, s'il est allongé, courbé ou spiralé, c'est un spirochète. La forme de la cellule est une caractéristique relativement constante chez la plupart des espèces de procaryotes.

Chez beaucoup de procaryotes, les cellules restent groupées pour produire des filaments, des amas ou des colonies présentant souvent aussi une forme distinctive. Les coques et les bâtonnets peuvent par exemple former des chaînes, comportement caractéristique de certains genres. Les bacilles se séparent généralement après la division cellulaire. Quand ils restent ensemble, ils forment de longues chaînes minces de cellules, comme celles que l'on trouve chez les actinomycètes filamenteux (Figure 14-1). Les bâtonnets gram négatif des

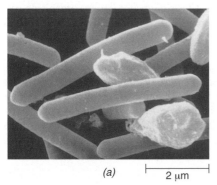

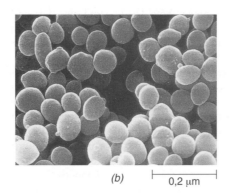

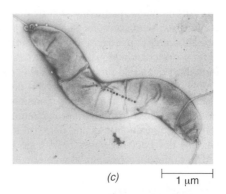

(a)　2 μm

(b)　0,2 μm

(c)　1 μm

Figure 14-6

Les trois formes principales de procaryotes sont : les bacilles, les coques et les spirochètes. **(a)** *Clostridium botulinum*, source d'une toxine qui provoque le botulisme, empoisonnement mortel par les aliments, est un bacille, bactérie en forme de bâtonnet. Les structures en forme de sacs sont des endospores ; celles-ci sont résistantes à la chaleur et difficiles à détruire. Les bacilles sont responsables de nombreuses mala-dies des plantes, comme le feu bactérien des pommiers et des poiriers (provoqué par *Erwinia amylovora*) et du flétrissement bactérien des tomates, pommes de terre et bananes (causé par *Pseudomonas solanacearum*). **(b)** Beaucoup de procaryotes, comme *Micrococcus luteus*, ici représenté, prennent une forme sphérique. Parmi les coques, on trouve *Streptococcus lactis*, souvent responsable du sûrissement du lait, et *Nitrosococcus* *nitrosus*, bactérie du sol qui oxyde l'ammonium en nitrites. **(c)** Les spirochètes, comme *Magnetospirillum magnetotacticum*, sont moins communs que les bacilles et les coques. On peut voir les flagelles aux deux extrémités de cette cellule, isolée dans un marécage. Le cordon de particules magnétiques fon-cées oriente la cellule dans le champ magnétique terrestre.

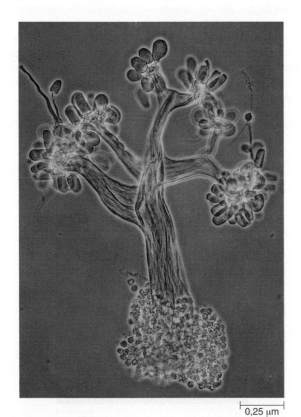

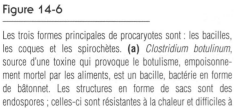

0,25 μm

Figure 14-7

Un des divers types de procaryotes. Il s'agit d'une fructification de *Chondromyces crocatus*, une myxobactérie. Chaque fructification, qui peut contenir jusqu'à un million de cellules, comporte un pied central qui se ramifie pour produire des amas de myxospores. Normalement, les myxobacté-ries sont des bâtonnets qui glissent ensemble le long de pistes visqueuses et forment finalement une structure du type représenté ici.

myxobactéries se rassemblent et construisent des fructifications com-plexes, dans lesquelles certaines cellules se transforment en cellules dormantes, les myxospores (Figure 14-7). Les myxospores sont plus résistantes à la dessiccation, aux rayons UV et à la chaleur que les cel-lules végétatives et ont valeur de survie pour la bactérie.

Reproduction et échange de gènes

Le plupart des procaryotes se reproduisent par une simple division cellulaire, la **scissiparité** (page 156). Chez certaines formes, la repro-duction se fait par bourgeonnement ou par fragmentation de filaments cellulaires. Quand les procaryotes se multiplient, en l'absence de mutation, ils produisent des clones de cellules génétiquement identi-ques. Des mutations surviennent cependant. Dans une culture d'*E.coli* qui s'est divisée 30 fois, on estime qu'environ 1,5% des cellu-les sont des mutants. Les mutations et la succession fréquente des générations sont responsables de l'extraordinaire adaptabilité des pro-caryotes.

L'adaptabilité est encore accrue par les recombinaisons génétiques qui se produisent à la suite de la conjugaison, de la transformation et de la transduction. On a de plus en plus d'indices prouvant que ces recombinaisons génétiques sont assez répandues dans la nature. Les trois mécanismes de transfert de gènes coexistent chez certaines bac-téries, de même que chez des archéobactéries.

On a considéré la **conjugaison** comme la sexualité propre aux pro-caryotes. Cette forme d'union se produit lorsqu'un pilus issu d'une cellule donatrice entre en contact avec une cellule réceptrice (Figure 14-5). Ce « pilus sexuel » se rétracte ensuite, rapprochant les cellules et permettant la formation, entre elles, d'un canal appelé pont de conjugaison. Une partie du chromosome donneur passe alors dans la cellule réceptrice à travers ce pont. La conjugaison est également le mécanisme qui permet le transfert de plasmides à un nouvel hôte. La conjugaison peut transférer l'information génétique à des organismes peu apparentés ; par exemple, des plasmides peuvent passer des bactéries à des champignons, ainsi qu'à des plantes. On parle de **transformation** quand un procaryote prélève, dans son environnement, de l'ADN à l'état libre. L'ADN libre peut provenir des restes d'un organisme mort. L'ADN n'étant pas chimiquement stable en dehors des cellules, la transformation est probablement plus rare que la conjugaison. Il y a **transduction** quand des virus s'attaquant à des bactéries — ce sont des bactériophages (voir page 297) — apportent avec eux l'ADN qu'ils ont reçu d'un hôte antérieur.

Les endospores

Certaines espèces de bactéries peuvent former des **endospores**, qui sont des cellules au repos (Figure 14-8). On a beaucoup étudié ce processus, appelé sporulation, dans les genres *Bacillus* et *Clostridium*. Il survient normalement quand une population de cellules commence à épuiser ses réserves alimentaires.

La production d'endospores augmente considérablement la capacité de survie de la cellule procaryote. Les endospores sont extrêmement résistantes à la chaleur, aux radiations et aux désinfectants chimiques, principalement à cause de la déshydratation de leurs pro-

toplastes. Les endospores de *Clostridium botulinum*, organisme responsable d'un empoisonnement souvent mortel du sang, ne sont pas détruites par une ébulition de plusieurs heures. En outre, les endospores peuvent rester viables (c'est-à-dire qu'elles peuvent germer et donner des cellules végétatives) pendant une très longue période. On a prouvé la viabilité d'endospores retrouvées, par exemple, dans des carottes de sédiments d'un lac du Minnesota âgés de 7000 ans. Plus remarquable encore : d'anciennes endospores conservées dans le système digestif d'une abeille d'une espèce disparue, piégée dans l'ambre, ont pu reprendre vie. On a estimé que l'âge de l'ambre — et donc les endospores — était compris entre 25 et 40 millions d'années.

Diversité métabolique

Les procaryotes sont autotrophes ou hétérotrophes

Les procaryotes font preuve d'une extrême diversité métabolique. Certains sont autotrophes (ce qui signifie littéralement qu'ils « se nourrisent eux-mêmes ») — des organismes utilisant le dioxyde de carbone comme unique source de carbone, mais la plupart sont **hétérotrophes** — des organismes qui ont besoin de composés organiques comme source de carbone. La grande majorité des hétérotrophes sont des **saprophytes** (du grec *sapros*, « pourri », ou « putride »), qui trouvent leur carbone dans la matière organique morte. Les bactéries et champignons saprophytes sont responsables de la décomposition et du recyclage de la matière organique du sol ; ils sont donc les reclycleurs de la biosphère.

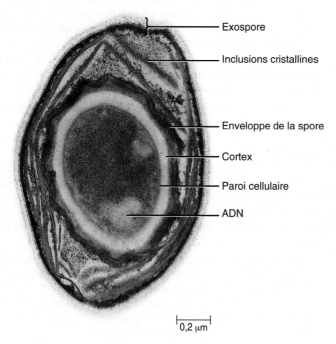

Exospore

Inclusions cristallines

Enveloppe de la spore

Cortex

Paroi cellulaire

ADN

0,2 µm

Figure 14-8

Spore adulte libre de *Bacillus megaterium*. L'assise externe est l'exospore, composée d'une couche périphérique pâle et d'une couche de base foncée. Sous l'exospore se trouvent de grosses inclusions cristallines. La spore elle-même est couverte d'une gaine protéique. Sous cette gaine se trouve un épais cortex de peptidoglycane, indispensable pour donner aux spores bactériennes leur résistance particulière. À l'intérieur du cortex se trouve une mince paroi cellulaire, également formée de peptidoglycane, qui couvre le protoplaste déshydraté de la spore.

50 µm

Figure 14-9

Thiothrix, bactérie sulfureuse incolore. *Thiothrix* trouve son énergie dans l'oxydation du sulfure d'hydrogène, H_2S. Les chaînes de cellules, remplies chacune de particules de soufre, sont attachées au substrat par leur base (au centre de la micrographie) et forment ainsi une rosette caractéristique.

Parmi les autotrophes, certains trouvent leur énergie dans la lumière. Ces organismes sont des **autotrophes photosynthétiques.** Certains autotrophes sont **chimiosynthétiques**, ils sont capables d'utiliser des composés inorganiques comme source d'énergie, au lieu de la lumière (Figure 14-9). L'énergie provient de l'oxydation de composés inorganiques réduits qui contiennent soit de l'azote, soit du soufre ou du fer, ou encore de l'hydrogène gazeux qui sera oxydé.

La tolérance des procaryotes à l'oxygène et à la température est variable

Les besoins, ou la tolérance à l'oxygène varie parmi les procaryotes. Certaines espèces, les **aérobies**, ont besoin d'oxygène pour la respiration. D'autres, les **anaérobies**, ne possèdent pas de voie aérobie et ne peuvent donc utiliser l'oxygène comme accepteur final d'électrons. Il en existe de deux sortes : les **anaérobies stricts**, qui sont tués par l'oxygène et ne peuvent donc vivre qu'en l'absence d'oxygène, et les **anaérobies facultatifs**, capables de vivre en présence ou en l'absence d'oxygène.

Les procaryotes diffèrent aussi par la gamme des températures où leur vie est possible. Pour certains, la température optimale (température à laquelle leur croissance est la plus rapide) est basse. Ces organismes, appelés **psychrophiles**, peuvent se développer à 0°C ou à une température plus basse, et ils peuvent survivre indéfiniment quand il fait beaucoup plus froid. À l'autre extrême se situent les **thermophiles** et les **thermophiles extrêmes**, qui ont respectivement des optimums de température hauts et très hauts. Les procaryotes thermophiles, dont la croissance optimale se situe au-dessus de 80°C, sont des hôtes communs des sources chaudes. Certains thermophiles extrêmes ont des températures de croissance optimales supérieures à 100°C et l'on en a souvent trouvé qui vivent dans l'eau à 140°C près des fumeroles marines de grande profondeur. On a bien étudié l'utilisation des thermophiles et des thermophiles extrêmes dans les processus industriels et biotechnologiques parce que leurs enzymes thermostables sont capables de catalyser des réactions biochimiques à températures élevées.

Les procaryotes jouent un rôle vital dans le fonctionnement de l'écosystème mondial

Les bactéries autotrophes apportent une contribution essentielle au bilan global du carbone. Le rôle de certaines bactéries dans la fixation de l'azote atmosphérique — incorporation de l'azote gazeux à des composés azotés — a également une grande importance biologique (voir page 290 et chapitre 30). Grâce à l'activité des décomposeurs, les matériaux qui se trouvent dans les organismes morts sont dégradés et libérés pour être mis à la disposiion des générations suivantes. Plus de 90 % de la production de CO_2 dans la biosphère, à l'exception de celle des activités humaines, provient de l'activité métabolique des bactéries et des champignons. La faculté qu'ont certaines bactéries de décomposer des substances naturelles et synthétiques toxiques comme le pétrole, les pesticides et les colorants, peut permettre leur utilisation à grande échelle en vue d'assainir les déchets dangereux et les dépôts toxiques, tout au moins lorsqu'on aura maîtrisé les techniques permettant leur utilisation.

Certains procaryotes sont responsables de maladies

En plus de leur rôle écologique, les bactéries sont importantes comme sources de maladies, chez les animaux comme chez les plantes. Parmi les maladies de l'homme provoquées par des bactéries, on trouve la tuberculose, le choléra, l'anthrax, la gonorrhée, la coqueluche, la pneumonie bactérienne, la maladie du légionnaire, la fièvre typhoïde, le botulisme, la syphilis, la diphthérie et le tétanos. On a récemment trouvé une relation évidente entre les ulcères de l'estomac et l'infection par *Helicobacter pylori*, ainsi qu'entre les maladies coronariennes et *Chlamydia pneumoniae*, qui est un hôte des artères. On a identifié environ 80 espèces de bactéries responsables de maladies des plantes ; parmi celles-ci, beaucoup de souches semblent identiques, mais infectent des espèces végétales différentes. Beaucoup de ces maladies sont très graves et certaines feront l'objet d'une description dans ce chapitre.

Certains procaryotes sont utilisés dans l'industrie

Dans l'industrie, les bactéries sont une source d'antibiotiques importants : la streptomycine, l'auréomycine, la néomycine et la tétracycline, par exemple, sont produites par des actinomycètes. Les bactéries sont aussi fort utilisées dans l'industrie pour la production de médicaments et d'autres substances comme le vinaigre, divers acides aminés et des enzymes. La fabrication de presque tous les fromages implique la fermentation bactérienne du lactose en acide lactique, qui coagule les protéines du lait. Les mêmes bactéries utilisées dans la fabrication du fromage servent aussi à la production du yaourt et de l'acide lactique destiné à la conservation de la choucroute et des pickles.

Les bactéries

L'analyse phylogénétique, basée sur le séquençage de l'ARN ribosomique, révèle l'existence de douze lignées principales, ou règnes, de bactéries, qui constituent donc un groupe hétérogène d'organismes. Leur lignée la plus ancienne est composée d'autotrophes chimiosynthétiques thermophiles extrêmes qui oxydent l'hydrogène gazeux ou réduisent les composés soufrés ; les plus récentes sont des autotrophes photosynthétiques, représentées par les cyanobactéries et les bactéries pourpres et vertes. Les bactéries choisies pour le présent exposé sont celles que nous considérons comme particulièrement importantes pour l'évolution et l'écologie.

Les cyanobactéries sont importantes pour l'écologie et l'évolution

Les cyanobactéries ont droit à une attention particulière en raison de leur grande importance écologique, particulièrement dans le cycle global du carbone et de l'azote, ainsi que pour leur signification évolutive. Elles représentent une des principales lignées évolutives parmi les bactéries. Les cyanobactéries photosynthétiques possèdent la chlorophylle *a*, en même temps que des caroténoïdes et d'autres pigments accessoires inhabituels, les **phycobilines**. Il y a deux types de phycobilines : la **phycocyanine**, pigment bleu, et la **phycoérythrine**, qui est rouge. À l'intérieur des cellules des cyanobactéries, on observe de nombreuses couches de membranes, souvent parallèles entre elles (Figure 14-10). Ces membranes sont des thylakoïdes photosynthétiques qui ressemblent à ceux des chloroplastes — la taille de ces derniers correspond, en fait, à celle de toute la cellule de cyanobactérie. Le principal produit de réserve des cyanobactéries est le glycogène. On suppose que les cyanobactéries ont donné naissance, par symbiose, à certains des chloroplastes eucaryotes au moins. Quand on se base sur des détails biochimiques et structuraux, les cyanobactéries ressemblent particulièrement aux chloroplastes des algues rouges. (voir page 358).

Beaucoup de cyanobactéries produisent une enveloppe mucilagineuse, ou gaine, qui réunit des groupes de cellules ou de filaments. La gaine est souvent très pigmentée, particulièrement chez les espèces qui peuvent se rencontrent dans des habitats terrestres. Suivant les espèces, la couleur des gaines peut être dorée, jaune, brune, rouge, vert émeraude, bleue, violette ou bleu-noir. En dépit de leur ancien nom (« algues bleues »), la moitié seulement des espèces de cyanobactéries ont effectivement une couleur bleu-vert.

Les cyanobactéries forment souvent des filaments et peuvent se développer en masses dépassant un mètre de long. La plupart sont unicellulaires, quelques-unes forment des filaments ramifiés et très peu d'entre elles forment des plaques ou des colonies irrégulières (Figure 14-11). Après la division cellulaire, les sous-unités produites peuvent se séparer ensuite et former de nouvelles colonies. De plus, les filaments peuvent se rompre en fragments appelés **hormogonies**. Comme chez d'autres bactéries filamenteuses ou coloniales, les cellules des cyanobactéries ne sont souvent unies que par leurs parois ou par leurs gaines mucilagineuses, de telle sorte que chaque cellule mène une vie indépendante.

Certaines cyanobactéries filamenteuses sont mobiles, elles glissent et pivotent autour d'un axe longitudinal. Les courts segments qui se détachent d'une colonie de cyanobactérie peuvent glisser et s'écarter de leur colonie parentale à des vitesses atteignant 10 micromètres par seconde. On peut mettre ce déplacement en rapport avec l'extrusion de mucilage par des petits pores de la paroi cellulaire, ainsi qu'avec la production d'ondes de contraction dans une des assises superficielles de la paroi. Certaines cyanobactéries manifestent par moment des mouvements saccadés.

Les cyanobactéries peuvent vivre dans des environnements très divers. Bien que l'on ait décrit et dénommé plus de 7500 espèces de cyanobactéries, il pourrait exister seulement 200 espèces libres, indépendantes non-symbiotiques distinctes. Comme d'autres bactéries, les cyanobactéries vivent souvent dans des conditions extrêmement inhospitalières, qui vont de l'eau des sources chaudes aux lacs glacés de l'Antarctique, où elles forment parfois dans l'eau des tapis luxuriants épais de 2 à 4 centimètres sous plus de cinq mètres de glace permanente. On ne trouve cependant pas de cyanobactéries dans les eaux acides, où les algues eucaryotes prolifèrent souvent. La couleur verdâtre de certains ours polaires dans les zoos est due à la présence de colonies de cyanobactéries qui se développent à l'intérieur des poils creux de leur fourrure.

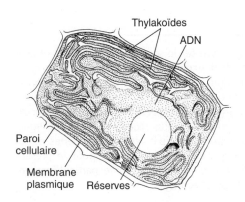

Thylakoïdes
ADN
Paroi cellulaire
Membrane plasmique
Réserves

Figure 14-10

Une cellule de la cyanobactérie *Anabaena cylindrica*. La photosynthèse se déroule dans les membranes riches en chlorophylle — les thylakoïdes — de la cellule. La vue en trois dimensions de cette micrographie électronique est due à la technique de cryofracture utilisée pour la préparation du tissu.

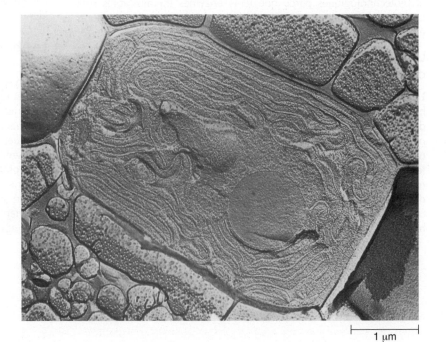

1 µm

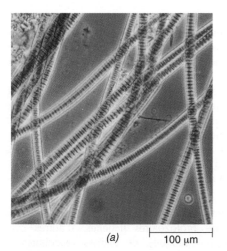

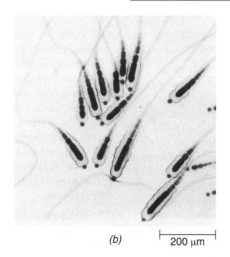

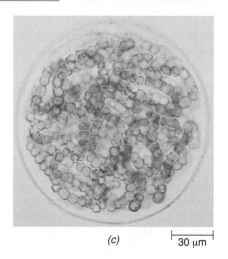

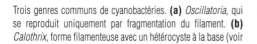

(a)   100 µm   (b)   200 µm   (c)   30 µm

Figure 14-11

Trois genres communs de cyanobactéries. **(a)** *Oscillatoria*, qui se reproduit uniquement par fragmentation du filament. **(b)** *Calothrix*, forme filamenteuse avec un hétérocyste à la base (voir page 290). *Calothrix* est capable de former des akinètes — cellules plus grandes qui produisent une enveloppe externe résistante — immédiatement au-dessus des hétérocystes. **(c)** Une « bille » gélatineuse de *Nostoc commune*, contenant de nombreux filaments. Ces cyanobactéries sont fréquentes dans les eaux douces.

Des dépôts calcaires stratifiés, appelés **stromatolites** (Figure 14-12), sont signalés de façon continue dans les couches géologiques pendant 2,7 milliards d'années : ils sont produit lorsque des colonies de cyanobactéries réagissent avec des sédiments riches en calcium. Aujourd'hui, les stromatolites ne sont produits qu'en de rares endroits, comme les mares peu profondes, sous les climats chauds et secs. Leur abondance dans les dépôts fossiles prouve que ces conditions de milieu étaient prépondérantes dans le passé, à l'époque où les cyanobactéries jouaient un rôle décisif dans l'augmentation du taux d'oxygène libre dans l'atmosphère primitive. Les stromatolites les plus anciens (au moins 3 milliards d'années), qui se sont développés dans un environnement sans oxygène, étaient probablement formés de bactéries pourpres et vertes. Des données récentes suggèrent que certains stromatolites peuvent être simplement la conséquence de processus géologiques.

Beaucoup de cyanobactéries marines se trouvent dans des substrats calcaires (carbonate de calcium) ou riches en chaux, comme les algues incrustées de calcaire (voir page 359) et les coquilles de mollusques. Certaines espèces d'eau douce, en particulier celles qui vivent dans les sources thermales, constituent souvent d'abondants dépôts de calcaire dans leurs colonies.

Les cyanobactéries produisent des vésicules gazeuses, des hétérocystes et des akinètes. Les cellules des cyanobactéries des habitats marins ou d'eau douce — spécialement celles qui habitent les couches superficielles avec les organismes microscopiques constituant le **plancton** — contiennent souvent des structures luisantes, de forme irrégulière, appelées **vésicules gazeuses**. Ces vésicules permettent et contrôlent la flottaison des organismes à certaines profondeurs de l'eau. Lorsqu'un excès de cyanobactéries ne permet plus de contrôler adéquatement les vésicules gazeuses — suite à des fluctuations extrêmes de température ou de concentration en oxygène par exemple — elles peuvent flotter à la surface de l'eau et former des masses spectaculaires appelées « fleurs d'eau ». Certaines cyanobactéries qui forment des fleurs d'eau sécrètent des substances chimiques toxiques pour les autres organismes, responsables d'une forte mortalité. La Mer

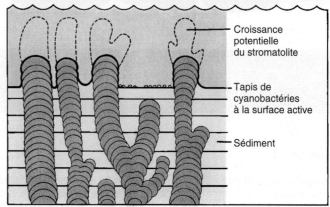

Croissance potentielle du stromatolite

Tapis de cyanobactéries à la surface active

Sédiment

Figure 14-12

Les stromatolites se forment lorsque des colonies de cyanobactéries en prolifération fixent du carbonate de calcium dans des structures en forme de dôme, comme celles de ce dessin et de cette photographie, ou encore d'autres structures de forme plus compliquée. Ces structures sont abondantes dans les fossiles mais elles ne s'observent effectivement aujourd'hui que dans quelques sites très favorables, comme les étendues plates intertidales de Hamlin Pool, en Australie Occidentale, qui sont représentés ici.

Rouge semble devoir son nom aux fleurs d'eau produites par des espèces planctoniques de *Trichodesmium*, une cyanobactérie rouge.

Beaucoup de genres de cyanobactéries ont la capacité de fixer l'azote gazeux et de le transformer en ammonium, forme d'azote accessibles aux réactions biologiques. Chez les cyanobactéries filamenteuses, la **fixation de l'azote** s'opère souvent dans les **hétérocystes**, qui sont de grandes cellules spécialisées (Figure 14-13). Les hétérocystes sont entourés d'une paroi cellulaire épaisse qui contient de grandes quantités de glycolipide empêchant l'entrée de l'oxygène par diffusion dans la cellule. À l'intérieur de l'hétérocyste, les membranes cellulaires internes sont réorganisées et disposées de façon concentrique ou réticulée. Les hétérocystes sont pauvres en phycobilines et ne possèdent pas le photosystème II, de telle sorte que la phosphorylation cyclique qui se déroule dans ces cellules ne peut aboutir à la production d'oxygène (page 139). L'oxygène présent est soit rapidement réduit par l'hydrogène, un sous-produit de la fixation de l'azote, soit expulsé à travers la paroi de l'hétérocyste. La nitrogénase, enzyme qui catalyse les réactions de fixation de l'azote, est sensible à la présence d'oxygène ; la fixation de l'azote est donc un processus anaérobie. Les hétérocystes sont connectés aux cellules contiguës par des petits plasmodesmes — les microplasmodesmes. C'est par ces microplasmodesmes que les produits de la fixation de l'azote sont transportés des hétérocystes aux cellules végétatives et que les produits de la photosynthèse vont des cellules végétatives aux hétérocystes.

Parmi les cyanobactéries fixatrices d'azote, il existe des espèces libres, comme *Trichodesmium*, qui vit dans certains océans tropicaux. *Trichodesmium* intervient pour environ un quart de la quantité totale d'azote fixée dans ces milieux, ce qui est énorme. Les cyanobactéries symbiotiques sont également très importantes pour la fixation de l'azote. Dans les régions chaudes d'Asie, on peut souvent cultiver le riz sans interruption sur un même champ sans addition d'engrais grâce à la présence de cyanobactéries fixatrices d'azote dans les rizières (Figure 14-14). Dans ce cas, les cyanobactéries, spécialement des espèces du genre *Anabaena* (Figure 14-13), vivent souvent en association avec la petite fougère flottante *Azolla*, qui forme des tapis dans les rizières.

On trouve des cyanobactéries symbiotiques à l'intérieur de certaines éponges, d'amibes, de protozoaires flagellés, d'autres cyanobactéries, de mousses, d'hépatiques, de plantes vasculaires et d'oomycètes, sans compter leur rôle bien connu de partenaire photosynthétique de nombreux lichens (voir chapitre 15). Certaines cyanobactéries endosymbiotiques n'ont pas de paroi cellulaire ; dans ce cas, elles fonctionnent comme des chloroplastes. La cyanobactérie se dédouble en même temps que la cellule hôte, comme un chloroplaste qui se divise. Des bactéries semblables aux cyanobactéries paraissent être à l'origine de certains chloroplastes au moins.

En plus des hétérocystes, certaines cyanobactéries forment des spores résistantes appelées **akinètes**, qui sont des cellules plus grandes, entourées par des parois épaissies (Figure 14-13b). Comme les endospores produites par d'autres bactéries, les akinètes sont résistantes à la

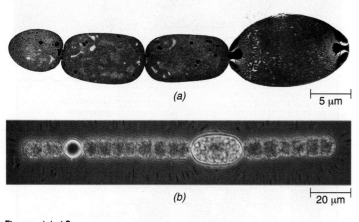

(a)   ├─ 5 µm ─┤

(b)   ├─ 20 µm ─┤

Figure 14-13

Filaments d'*Anabaena*. **(a)** Cette micrographie électronique montre une chaîne de cellules réunies par des parois incomplètement séparées. La première cellule à droite de la chaîne est un hétérocyste, où s'opère la fixation de l'azote. La matrice gélatineuse de ce filament a été détruite au cours de la préparation de l'échantillon pour la microscopie électronique. **(b)** Dans cette préparation, la matrice gélatineuse est à peine visible sous forme de stries rayonnant à la surface des cellules. La troisième cellules à partir de la gauche est un hétérocyste. Comme le *Calothrix* de la figure 14-11b, *Anabaena* forme des akinètes (grande cellule ovale vers la droite).

Figure 14-14

Femmes plantant du riz dans une rizière à Perak, Malaisie. En Asie du Sud-Est, on peut souvent cultiver le riz sans interruption sur la même sole sans addition d'engrais grâce à la fixation d'azote par *Anabaena azollae*, qui se développe dans les tissus de la fougère aquatique *Azolla* flottant sur les rizières.

chaleur et à la sécheresse et elles permettent donc à la cyanobactérie de survivre pendant les périodes défavorables.

Les bactéries pourpres et les vertes ont des voies photosynthétiques particulières

Les bactéries pourpres et les bactéries vertes forment ensemble le second groupe important de bactéries photosynthétiques. Globalement, le mécanisme photosynthétique et les pigments mis en œuvre par ces bactéries diffèrent de ceux qui sont utilisés par les cyanobactéries. Alors que les cyanobactéries produisent de l'oxygène au cours de la photosynthèse, les bactéries pourpres et vertes ne le font pas. En fait, les bactéries pourpres et vertes ont une croissance à la lumière uniquement en conditions anaérobies parce que, chez ces organismes, la synthèse des pigments est inhibée par l'oxygène. Les cyanobactéries utilisent la chlorophylle a et les deux photosystèmes au cours de leur photosynthèse. Par contre, les bactéries pourpres et vertes emploient plusieurs types différents de bactériochlorophylle, qui diffèrent de la chlorophylle par plusieurs aspects, et un seul photosystème (Figure 14-15). Les photosystèmes existant chez les bactéries pourpres et vertes paraissent être les ancêtres des deux photosystèmes — respectivement le photosystème II et le photosystème I — que l'on rencontre chez les autres autotrophes photosynthétiques, y compris les plantes, les algues et les cyanobactéries.

Les couleurs caractéristiques des bactéries photosynthétiques sont liées à la présence de plusieurs pigments accessoires qui interviennent dans la photosynthèse. Dans deux groupes de bactéries pourpres, ces pigments sont des caroténoïdes jaunes et rouges. Chez les cyanobactéries, nous avons vu que les pigments sont les phycobilines rouges et bleues, qui n'existent pas chez les bactéries pourpres et vertes.

On subdivise les bactéries pourpres et vertes entre des formes qui utilisent principalement des composés sulfurés comme donneurs d'électrons et celles qui ne le font pas. Chez les bactéries sulfureuses pourpres et les bactéries sulfureuses vertes, les dérivés du soufre jouent, dans la photosynthèse, le même rôle que l'eau chez les organismes qui contiennent la chlorophylle a (page 128).

Bactérie sulfureuse pourpre ou verte :

$$CO_2 \ + \ 2H_2S \ \xrightarrow{\text{Lumière}} \ (CH_2O) + H_2O + 2S$$

Dioxyde   Sulfure   Glucide   Eau   Soufre
de carbone d'hydrogène

Cyanobactérie, algue ou plante :

$$CO_2 + 2H_2O \ \xrightarrow{\text{Lumière}} \ (CH_2O) + H_2O + O_2$$

Dioxyde   Eau   Glucide   Eau   Oxygène
de carbone

Les bactéries pourpres et vertes non-sulfureuses, qui ne peuvent utiliser le sulfure qu'à de faibles concentrations, utilisent des composés organiques comme donneurs d'électrons. Ces composés sont des alcools, des acides gras, et diverses autres substances organiques.

On suppose que le procaryote qui est devenu un endosymbionte des eucaryotes et a évolué en mitochondrie est un proche parent des bactéries pourpres non-sulfureuses. Cette conclusion repose sur les ressemblances métaboliques entre les mitochondries et les bactéries

pourpres non-sulfureuses et sur les comparaisons de séquences de bases dans leurs petites sous-unités d'ARN ribosomiques.

Parce qu'elles ont besoin d'H_2S ou d'un substrat similaire, les bactéries sulfureuses pourpres et vertes ne peuvent se développer que dans des habitats qui contiennent de grandes quantités de matière organique en décomposition, reconnaissables à leur odeur soufrée. Chez ces bactéries, comme *Thiothrix* bactérie sulfureuse incolore, le soufre élémentaire peut s'accumuler sous forme de dépôt à l'intérieur de la cellule (Figure 14-9).

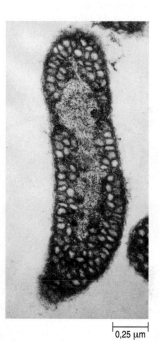

0,25 µm

Figure 14-15

Une bactérie pourpre non-sulfureuse, *Rhodospirillum rubrum*. Les structures semblables à des vésicules sont des intrusions de la membrane plasmique qui contiennent les pigments photosynthétiques. Cette cellule, avec ses nombreuses intrusions membranaires, contient une très grande quantité de bactériochlorophylle. Elle provient d'une culture réalisée en lumière atténuée. Dans les cellules qui se sont développées en pleine lumière, les intrusions membranaires sont moins importantes parce que les besoins en pigments photosynthétiques sont moindres.

Les prochlorophytes possèdent les chlorophylles *a* et *b* et des caroténoïdes

Les **prochlorophytes** sont un groupe de procaryotes photosynthétiques qui possèdent les chlorophylles *a* et *b*, de même que des caroténoïdes, mais pas de phycobilines. Jusqu'à présent, on n'a découvert que trois genres de prochlorophytes. Le premier de ces genres est *Prochloron*, qui ne vit que sur les côtes tropicales, en symbiose avec des ascidies coloniales. Les cellules de *Prochloron* ont une forme à peu près sphérique et contiennent un système très développé de thylakoïdes (Figure 14-16).

Les deux autres genres de prochlorophytes connus sont *Prochlorothrix* et *Prochlorococcus*. *Prochlorothix* est filamenteux, il a été découvert dans plusieurs lacs peu profonds des Pays-Bas. On a découvert *Prochlorococcus* au fond de la zone euphotique — zone où pénètre une lumière suffisante pour assurer la photosynthèse — des océans ouverts. Les prochlorocoques ont une taille très réduite.

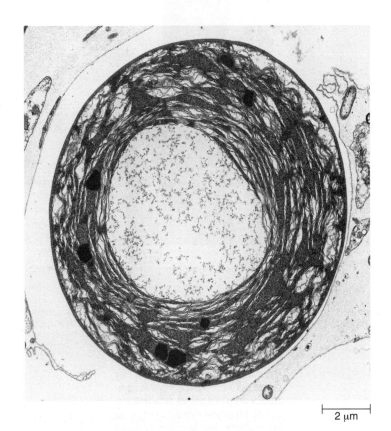

2 µm

Figure 14-16

Cellule isolée de la bactérie *Prochloron*, montrant l'important système de thylakoïdes. *Prochloron* est une bactérie photosynthétique avec les chlorophylles *a* et *b* et des caroténoïdes, pigments identiques à ceux des algues vertes et des plantes. Les prochlorophytes ressemblent à la fois aux cyanobactéries (parce que ce sont des procaryotes et contiennent la chlorophylle *a*) et aux chloroplastes des algues vertes et des plantes (parce qu'ils possèdent la chlorophylle *b* au lieu des phycobilines).

Les mycoplasmes sont des organismes dépourvus de paroi, vivant dans des environnements variés

Les **mycoplasmes** et organismes apparentés sont des bactéries dépourvues de parois cellulaires. Leur diamètre ne dépassant généralement pas 0,2 à 0,3 micromètre, ce sont probablement les plus petits organismes capables de se développer indépendamment. Le génome des mycoplasmes est également petit, n'atteignant qu'un cinquième de celui d'*E.coli* et d'autres procaryotes communs. Dépourvus de paroi cellulaire, et donc de rigidité, les mycoplasmes peuvent prendre des formes diverses. Dans une même culture, un mycoplasme peut avoir une forme qui varie du petit bâtonnet au filament ramifié.

Les mycoplasmes peuvent vivre librement dans le sol et les eaux usées, être parasites de la bouche ou du système urinaire de l'homme, ou des agents pathogènes des animaux et des plantes. Parmi les organismes pathogènes des plantes, on trouve les **spiroplasmes**, longues cellules spiralées ou en tire-bouchon d'un diamètre inférieur à 0,2 micromètre, mobiles, bien que dépourvues de flagelle (Figure 14-17). Ils se déplacent par rotation ou par ondulation lente. On a cultivé des spiroplasmes sur des milieux artificiels, par exemple *Spiroplasma citri*, qui provoque la maladie « stubborn » des citrus. Les symptômes de cette maladie, comme le développement en touffes verticales des rameaux et des branches, apparaissent lentement et sont malaisées à déceler. La maladie est répandue et son contrôle est difficile. En Californie et dans certains pays méditerranéens, cette maladie est probablement la menace la plus grave pour la culture des pamplemousses et des oranges. On a également isolé *Spiroplasma citri* de plantes de maïs atteintes de rabougrissement.

Des organismes semblables aux mycoplasmes provoquent des maladies chez les plantes. On a identifié des organismes semblables aux mycoplasmes (mycoplasmalike organisms, ou MLO) dans plus de 200 maladies différentes, affectant plusieurs centaines de genres de plantes. Certaines de ces maladies provoquent des dégâts

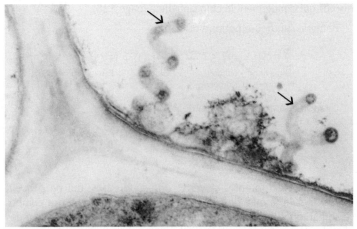

Figure 14-17

Spiroplasmes (flèches) dans un tube criblé d'une plante de maïs *(Zea mays)* souffrant de rabougrissement. *Spiroplasma citri* provoque le rabougrissement du maïs et la « stubborn disease » des citrus.

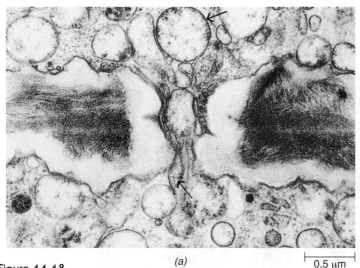

Figure 14-18

0,5 μm

(a)

(b)

(a) Organismes de type mycoplasme (flèches) qui semblent traverser un pore de crible dans une jeune inflorescence de cocotier *(Cocos nucifera)* souffrant de jaunisse létale. **(b)** Plantation dévastée de cocotiers — ressemblant à présent à des poteaux de téléphone — à la Jamaïque. La jaunisse létale a été responsable de la mort des palmiers appartenant à de nombreux genres dans le sud de la Floride et ailleurs.

importants comme, par exemple, la maladie X du pêcher, qui fait qu'un arbre perd toute valeur commerciale en 2 à 4 ans, et le dépérissement du poirier, dont le nom rappelle qu'il provoque habituellement un affaiblissement lent et progressif, puis la mort des poiriers. La jaunisse des asters, autre maladie provoquée par des MLO, provient d'un jaunissement généralisé (chlorose) du feuillage ; elle affecte des plantes cultivées, ornementales et des adventices très diverses. Les pertes les plus sévères atteignent les carottes, elles s'élèvent souvent à 10 ou 25 % et peuvent aller jusqu'à 90 %. La jaunisse létale du cocotier est également provoqué par un MLO (Figure 14-18).

Chez les angiospermes, les MLO sont généralement confinés dans les éléments conducteurs du phloème, les tubes criblés. On pense que la plupart se déplacent passivement d'une cellule de tube criblé à l'autre et traversant les pores en même temps que la solution sucrée transportée par le phloème. Des spiroplasmes mobiles, que l'on trouve également dans les tubes criblés, ont sans doute la capacité de se déplacer activement dans le tissu phloémien. La plupart des MLO et spiroplasmes sont transmis d'une plante à l'autre par des insectes vecteurs qui prélèvent le pathogène en se nourrissant sur une plante infectée.

Les bactéries pathogènes des végétaux provoquent une grande diversité de maladies

Outre celles que l'on vient de mentionner, beaucoup d'autres maladies des plantes économiquement importantes sont provoquées par des bactéries et contribuent de façon substantielle à la perte annuelle d'un huitième des récoltes à l'échelle du globe. Pratiquement toutes les plantes peuvent être affectées par des maladies bactériennes et beaucoup de ces maladies peuvent provoquer des dégâts extrêmement importants.

Pratiquement toutes les bactéries pathogènes des plantes sont gram négatif et toutes ont la forme de bâtonnets, à l'exception de *Streptomyces*, qui est filamenteux. Ce sont des **parasites** — symbiontes nuisibles pour leurs hôtes. Les symptômes causés par les bactéries pathogènes des plantes peuvent prendre des formes diverses, la plus fréquente étant l'apparition de taches de taille variable sur les tiges, feuilles, fleurs et fruits (Figure 14-19). Presque toutes les taches bactériennes sont provoquées par des espèces appartenant à deux genres étroitement apparentés, *Pseudomonas* et *Xanthomonas*.

Les maladies les plus destructrices des plantes — comme les dépérissements, les pourritures molles et les flétrissements — sont également provoquées par des bactéries. Les dépérissements (blights) sont caractérisés par des nécroses à développement rapide (zones décolorées mortes) sur les tiges, les feuilles et les fleurs. Le feu bactérien des pommiers et des poiriers, provoqué par *Erwinia amylovora*, est une maladie répandue qui peut tuer les jeunes arbres en une seule saison et qui a de graves conséquences économiques. Le feu bactérien était tellement nocif pour les poiriers que, dans les années 1930, leur culture à l'échelle commerciale a disparu de presque toutes les régions des États-Unis à l'exception du nord-ouest. Les pourritures bactériennes molles sont surtout fréquentes dans les tissus de réserve charnus des légumes tels que les pommes de terre et les carottes, ainsi que dans les fruits charnus, comme les tomates et les aubergines, et les tiges ou feuilles charnues, comme le chou ou la laitue. Les pourritures molles les plus destructrices sont provoquées par les bactéries du genre *Erwinia*, les pertes les plus lourdes survenant après la récolte.

Les flétrissements (wilts) vasculaires bactériens affectent principalement les plantes herbacées. Les bactéries envahissent les vaisseaux du xylème, où elles se multiplient. Elles interfèrent avec les déplacements de l'eau et des aliments inorganiques en produisant des polysaccharides de haut poids moléculaire qui provoquent le flétrissement et la mort des plantes. Les bactéries décomposent fréquemment des segments des parois vasculaires et peuvent finalement provoquer leur rupture. Après la rupture des parois, les bactéries se répandent dans les tissus parenchymateux contigus, où leur multiplication se poursuit.

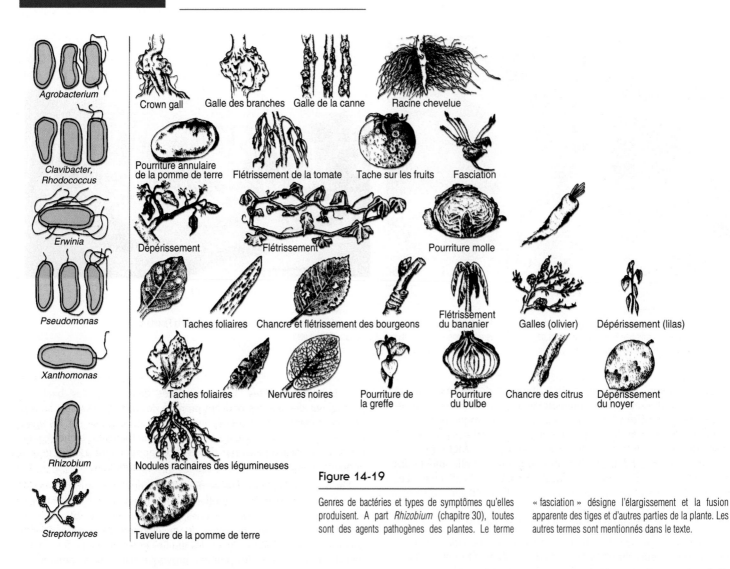

Agrobacterium

Crown gall Galle des branches Galle de la canne Racine chevelue

Clavibacter, Rhodococcus

Pourriture annulaire de la pomme de terre Flétrissement de la tomate Tache sur les fruits Fasciation

Erwinia

Dépérissement Flétrissement Pourriture molle

Pseudomonas

Taches foliaires Chancre et flétrissement des bourgeons Flétrissement du bananier Galles (olivier) Dépérissement (lilas)

Xanthomonas

Taches foliaires Nervures noires Pourriture de la greffe Pourriture du bulbe Chancre des citrus Dépérissement du noyer

Rhizobium

Nodules racinaires des légumineuses

Streptomyces

Tavelure de la pomme de terre

Figure 14-19

Genres de bactéries et types de symptômes qu'elles produisent. A part *Rhizobium* (chapitre 30), toutes sont des agents pathogènes des plantes. Le terme « fasciation » désigne l'élargissement et la fusion apparente des tiges et d'autres parties de la plante. Les autres termes sont mentionnés dans le texte.

Dans certains flétrissements bactériens, les bactéries suintent à la surface des tiges ou des feuilles par des crevasses formées au-dessus de cavités pleines de débris cellulaires, de gommes et de cellules bactériennes. Plus souvent, cependant, les bactéries n'arrivent pas à la surface de la plante avant que celle-ci ne soit tuée par la maladie.

Comme exemples les plus importants de flétrissements bactériens, on citera ceux de la luzerne, de la tomate et du haricot (provoqués par des espèces différentes de *Clavibacter*), celui des cucurbitacées, comme les courges et les pastèques (provoqués par *Erwinia tracheiphila*) et la veine noire des crucifères, comme le chou (due à *Xanthomonas campestris*). La maladie économiquement la plus importante de ce type chez les plantes est cependant provoquée par *Pseudomonas solanacearum*. Elle affecte plus de 40 genres différents de plantes, y compris des espèces cultivées d'importance majeure comme les bananiers, les arachides, les tomates, les pommes de terre, les aubergines et le tabac, pour n'en citer que quelques-unes. Cette maladie se rencontre dans toutes les régions tropicales, subtropicales et tempérées chaudes du monde entier.

Les espèces d'un autre genre de bactéries, les *Agrobacterium*, provoquent une maladie ressemblant à un cancer, appelé crown gall

chez les plantes, « gall » étant un terme général utilisé pour désigner un œdème. En raison de leur rôle en ingénierie génétique, on parlera de ces bactéries au chapitre 28.

Les archéobactéries (*Archaea*)

Il existe quatre lignées phylogénétiquement distinctes d'archéobactéries, qui manifestent une diversité physiologique énorme. Sur la base de cette diversité, on peut diviser les archéobactéries en trois grands groupes — halophiles extrêmes, méthanogènes et thermophiles extrêmes — plus un petit groupe représenté par un thermophile dépourvu de paroi cellulaire. Jusqu'il y a peu, on considérait généralement les archéobactéries comme des reliques peu compétitives habitant des milieux hostiles et sans grande importance pour l'écologie globale. On sait cependant aujourd'hui qu'il existe des archéobactéries dans des milieux moins hostiles tels que le sol. Les archéobactéries représentent également un composant essentiel du picoplancton océanique (organismes de taille inférieure à 1 micromètre), leur nombre dépassant peut-être celui de tous les autres organismes océaniques.

Les halophiles extrêmes sont des archéobactéries qui « aiment le sel »

Les **archéobactéries halophiles extrêmes** sont un groupe diversifié présent naturellement dans tous les milieux où la concentration en sel est très élevée — dans des endroits tels que le Grand Lac Salé et la Mer Morte, aussi bien que dans les mares où on laisse s'évaporer l'eau de mer pour la production du sel de cuisine (Figure 14-20). Les halophiles extrêmes ont des besoins en sel très élevés, la plupart d'entre eux exigeant de 12 à 23 % de sel (chlorure de sodium, NaCl) pour une croissance optimale. Leurs parois cellulaires, ribosomes et enzymes sont stabilisés par l'ion sodium, Na^+.

Tous les halophiles extrêmes sont des chimioorganotrophes (hétérotrophes qui trouvent leur énergie dans l'oxydation de composés organiques), et la plupart des espèces ont besoin d'oxygène. En outre, chez certains halophiles extrêmes, la lumière intervient dans la synthèse d'ATP, sans qu'aucun pigment chlorophyllien ne soit impliqué. On y trouve *Halobacterium halobium*, qui est l'espèce d'archéobactérie prédominante dans le Grand Lac Salé. Bien que la forte concentration en sel de leur environnement limite la quantité d'O_2 disponible pour la respiration, ces halophiles extrêmes sont capables d'accroître leur capacité de production d'ATP en transformant l'énergie lumineuse en ATP grâce à une protéine appelée bactériorhodopsine présente dans la membrane plasmique.

Les méthanogènes sont des archéobactéries qui produisent du méthane

Les **méthanogènes** constituent un groupe particulier de procaryotes — les seuls qui produisent du méthane (Figure 14-21). Tous sont strictement anaérobies et ne tolèrent même pas la plus minime exposition à l'oxygène. Les méthanogènes peuvent produire du méthane (CH_4) à partir d'hydrogène (H_2) et de dioxyde de carbone (CO_2), les électrons nécessaires provenant de H_2 ; le CO_2, quant à lui, sert en même temps de source de carbone et d'accepteur d'électrons.

Tous les méthanogènes utilisent l'ammonium (NH_4^+) comme source d'azote, mais quelques-uns d'entre eux peuvent fixer l'azote. Les méthanogènes sont fréquents dans les installations de traitement des eaux usées, les marais et les profondeurs de l'océan. En fait, la plus grande partie des réserves du gaz naturel utilisé aujourd'hui comme combustible ont été produites par l'activité antérieure des procaryotes producteurs de méthane. On trouve aussi des méthanogènes dans le système digestif des bovins et des autres ruminants, où ils permettent la digestion de la cellulose. On estime qu'une vache émet, en ruminant, quelque 50 litres de méthane par jour.

1 μm

Figure 14-22

Source chaude du Parc National de Yellowstone, produisant une vapeur riche en sulfure d'hydrogène qui arrive à la surface. C'est un habitat typique des archéobactéries thermophiles extrêmes, où les formes supérieures de vie ne peuvent se développer à cause de la chaleur et de l'acidité. Les archéobactéries recouvrent le bord de la source.

Les thermophiles extrêmes sont des archéobactéries « qui aiment la chaleur »

Parmi les **archéobactéries thermophiles extrêmes**, on rencontre les représentants les plus thermophiles de tous les procaryotes connus. Leurs membranes et leurs enzymes ont une stabilité inhabituelle aux hautes températures : leur optimum thermique dépasse toujours 80°C et certaines se développent à des températures supérieures à 110°C. La plupart des espèces métabolisent le soufre de l'une ou l'autre manière et, à quelques exceptions près, ce sont tous des anaérobies stricts. Ces archéobactéries vivent dans les milieux chauds et riches en soufre, comme les sources chaudes et les geysers d'Islande, d'Italie, de Nouvelle-Zélande et du Parc National de Yellowstone (Figure 14-22). Comme on l'a signalé, des archéobactéries thermophiles extrêmes se développent également près des sources et fissures hydrothermiques qui émettent de l'eau surchauffée par géothermie au fond de l'océan (page 287).

Thermoplasma est une archéobactérie dépourvue de paroi cellulaire

Un quatrième groupe d'archéobactéries est représenté par le seul genre connu, *Thermoplasma*, avec une seule espèce, *T.acidophilum*. *Thermoplasma* ressemble aux mycoplasmes (page 292) par l'absence de paroi et sa très petite taille ; les individus sont sphériques (0,3 à 2 micromètres de diamètre) ou filamenteux. La présence de *Thermoplasma* se limite à des terrils de charbon, dans le sud de l'Indiana et l'ouest de la Pennsylvanie ; l'échauffement est spontané et, par endroit, les températures vont de 32 à 80°C — c'est un habitat très inhabituel où ces archéobactéries semblent se plaire.

Étant donné que les archéobactéries se développent souvent à des environnements semblables à celui de la terre primitive, on a supposé que les méthanogènes pourraient être apparus il y a plus de 3 milliards d'années, alors que l'atmosphère était riche en CO_2 et H_2, et qu'ils pourraient avoir persisté dans certains habitats semblables à ceux dans lesquels leur évolution a débuté.

Les virus

On a mis en évidence l'existence des virus il y a un peu plus de cent ans, lorsque des scientifiques néerlandais, allemand et russe montrèrent que la maladie de la mosaïque du tabac pouvait être induite chez les plantes par un liquide filtré pour éliminer les bactéries. Jusqu'en 1930, les virus étaient considérés comme des bactéries extrêmement petites ou même comme des enzymes ou des protéines. Des arguments allant à l'encontre de cette opinion se sont accumulées à partir de 1933, lorsque Wendell Stanley, biochimiste travaillant à l'Institut Rockefeller pour la Recherche Médicale, prépara un extrait de plantes de tabac atteintes du virus de la mosaïque (TMV) et le purifia. En présence de fortes concentrations en sel, le virus purifié précipita sous forme de cristaux, se comportant donc comme une substance chimique plutôt que comme un organisme. Après redissolution de ces cristaux en forme d'aiguilles et application de la solution à une feuille de tabac, les symptômes caractéristiques de la maladie de la mosaïque apparurent. Le virus avait donc gardé sa capacité d'infecter les plantes de tabac même après sa cristallisation, contrairement à tout organisme connu.

On sait que pratiquement toutes les espèces d'organismes sont infectées par des virus spécifiques, et il est clair qu'il existe une énorme diversité parmi les virus. Habituellement, un virus est associé à un type d'hôte spécifique ; une maladie provoquée chez son hôte permet le plus souvent son identification et son étude.

Chez l'homme, les virus sont responsables de nombreuses maladies infectieuses, comme la varicelle, la rougeole, les oreillons, la grippe, les rhumes (souvent compliqués par des infections bactériennes secondaires), l'hépatite infectieuse, la polyo, la rage, le herpès, le SIDA et des fièvres hémorragiques mortelles (comme celles qui sont dues au virus d'Ebola et au virus de Hantaan). Les virus attaquent aussi d'autres animaux, de même que les procaryotes (y compris les mycoplasmes), les protistes, les champignons et les plantes. De nombreuses maladies des plantes sont causées par des virus. En fait, environ un tiers de tous les virus connus attaquent et causent des maladies

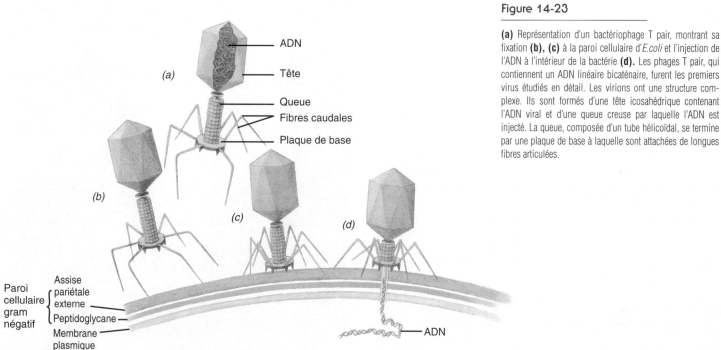

Figure 14-23

(a) Représentation d'un bactériophage T pair, montrant sa fixation **(b)**, **(c)** à la paroi cellulaire d'*E.coli* et l'injection de l'ADN à l'intérieur de la bactérie **(d)**. Les phages T pair, qui contiennent un ADN linéaire bicaténaire, furent les premiers virus étudiés en détail. Les virions ont une structure complexe. Ils sont formés d'une tête icosahédrique contenant l'ADN viral et d'une queue creuse par laquelle l'ADN est injecté. La queue, composée d'un tube hélicoïdal, se termine par une plaque de base à laquelle sont attachées de longues fibres articulées.

aux plantes. Certains virus infectant les plantes sont fort semblables à ceux qui infectent les animaux. Les principales différences se situent au niveau des protéines de la surface cellulaire, qui restreignent l'action d'un virus à une niche écologique étroite. Une fois à l'intérieur d'une cellule, l'expression et la réplication des gènes viraux exigent des interactions spécifiques avec d'autres composants de l'hôte. Pour se répandre ensuite parmi les cellules végétales, les virus doivent profiter d'autres interactions virus-hôte. Toutes ces étapes peuvent être bloquées par des incompatibilités entre des composants du virus et de l'hôte.

Les virus qui infectent les bactéries sont appelés **bactériophages** (« mangeurs de bactéries »), ou simplement **phages** (Figure 14-23). Les recherches sur les bactériophages ont été particulièrement importantes pour le développement initial de la biologie moléculaire. Des techniques de plus en plus efficaces ont également été développées pour l'étude des virus animaux et végétaux.

Les expériences sur les bactériophages ont mis en lumière de nombreux mécanismes importants et jusqu'alors inconnus de la biologie cellulaire des eucaryotes, comme l'épissage de l'ARN et de nombreux aspects de la réplication, de la transcription et de la traduction de l'ADN. Les virus ont donc été et restent des sources très importantes d'accès à la biologie cellulaire en général. Les virus sont aussi utilisés comme systèmes de transfert de gènes et sont devenus des outils indispensables pour la biotechnologie moderne, comme nous le verrons au chapitre 28.

Les virus sont des structures non-cellulaires composées de protéine et d'ADN ou d'ARN

Les virus se composent d'un génome d'acide nucléique entouré de protéine qui protège le génome du milieu ambiant et aide le virus à s'attacher à une nouvelle cellule ou à un hôte nouveau. Les virus isolés peuvent survivre en dehors d'une cellule vivante, mais leur nombre ne peut s'accroître que par réplication dans des cellules hôtes réceptrices appropriées. En dehors de la cellule, un virus est une particule inframicroscopique métaboliquement inerte. La particule virale, habituellement appelée **virion**, est la structure qui transporte le génome viral d'une cellule à une autre.

Les génomes viraux sont composés soit d'ARN, soit d'ADN — bicaténaire ou monocaténaire — suivant le virus. Les virus n'ont ni membranes plasmiques, ni cytoplasme avec ribosomes, ni enzymes nécessaires à la synthèse des protéines et à la production d'énergie. Les gènes viraux possèdent cependant l'information nécessaire à la production d'enzymes intervenant dans la réplication des acides nucléiques et la transformation des protéines. Les séquences nucléotidiques des génomes viraux sont très organisées, avec des gènes distincts et des séquences régulatrices. Les séquences régulatrices des virus à ADN fonctionnent souvent de la même manière que ceux qui contrôlent les gènes dans l'ADN cellulaire. Chez les virus à ARN, cependant, les mécanismes de régulation de l'expression génique diffèrent souvent des voies cellulaires habituelles, basées sur l'ADN. On a déterminé la totalité de la séquence nucléotidique de centaines de virus et l'on a montré la similitude entre des virus infectant des hôtes très différents.

La capside virale est composée de sous-unités protéiques

Tous les virus possèdent une ou plusieurs protéines, appelées protéines de capside ou d'enveloppe, qui s'assemblent de façon symétrique précise pour former la **capside** en forme de coquille qui protège l'acide nucléique. Certains virus ont aussi une enveloppe de molécules lipidiques mêlées à des protéines à la surface externe de la capside. Les protéines et les lipides de surface favorisent la reconnaissance des cellules hôtes potentielles et représentent également des cibles pour la réponse immunitaire qui permet aux animaux de lutter contre l'infection virale.

Aujourd'hui, on connaît bien la structure d'un grand nombre de virus grâce à la microscopie électronique et à la cristallographie. Le virus de la mosaïque du tabac — le premier qui fut observé, en 1939 — est une particule en bâtonnet d'environ 300 nanomètres de long et 15 nanomètres de diamètre. L'ARN, avec plus de 6000 bases nucléotidiques, forme un seul brin qui s'insère dans une rainure creusée dans chacune des 2000 molécules protéiques identiques disposées selon une symétrie hélicoïdale, un peu comme un ressort (Figure 14-24). Comme le virus de la mosaïque du tabac, la plupart des virus végétaux, sont des virus à ARN monocaténaire. Les quelques virus qui possèdent un génome d'ARN bicaténaire appartiennent tous à la famille des *Reoviridae*. La maladie de la gale nanisante du riz est provoquée par un réovirus, plus précisément un phytoréovirus qui est transmis de plante en plante par des cicadelles.

La forme la plus commune chez les virus est un icosaèdre, structure à 20 faces, dans laquelle les capsides sont assemblées à partir d'au moins 180 molécules de protéines disposées suivant une symétrie qui rappelle celle d'un dôme géodésique (Figure 14-25). La plupart des virus icosaédriques des plantes ont un diamètre d'environ 30 nanomètres. Parmi les virus qui ont cette forme, on trouve les virus des taches annulaires du tabac, de la mosaïque du concombre, de la marbrure chlorotique de *Vigna unguiculata* (Figure 14-25a) et de la mosaïque de Tulare chez le pommier (Figure 14-26a). D'autres virus végétaux sont en forme de balle de pistolet (Figure 14-26b) ou apparaissent comme de longs bâtonnets ou filaments flexibles (Figure 14-26c).

Les virus se multiplient en détournant l'équipement génétique de la cellule hôte

Pour leur transmission des plantes malades aux plantes saines et leur prolifération, les virus utilisent le plus souvent des insectes vecteurs comme des aphides, cicadelles ou mouches blanches, pourvus de pièces buccales suceuses appelées stylets. Après s'être nourris sur des plantes malades, ces insectes transportent les virus sur leurs stylets et les transmettent à une plante saine en s'y nourrissant. Sauf dans quelques rares cas de virus végétaux à ARN (voir ci-dessous), les virus des plantes n'infectent pas réellement les organismes vecteurs qui les transmettent. Ils sont au contraire simplement transportés, d'une façon très spécifique, et chaque type de virus végétal n'est transmis que par

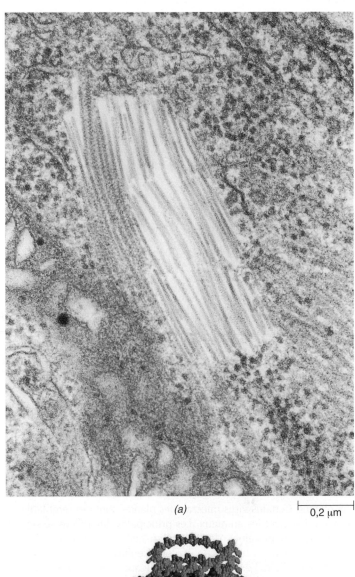

(a)   ⊢——⊣ 0,2 µm

(b)

Figure 14-24

Virus de la mosaïque du tabac (TMV). **(a)** Micrographie électronique montrant des particules virales dans une cellule du mésophylle d'une feuille de tabac. **(b)** Portion d'une particule de TMV, telle qu'elle est déterminée par cristallographie aux rayons X. L'ARN monocaténaire, représenté ici en rouge, s'adapte aux rainures des sous-unités protéiques qui s'assemblent pour produire la disposition hélicoïdale de la capside.

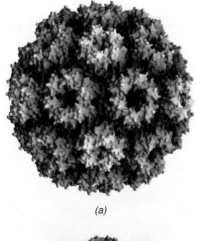

(a)

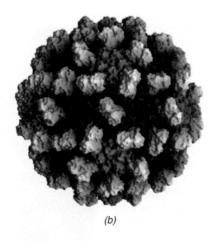

(b)

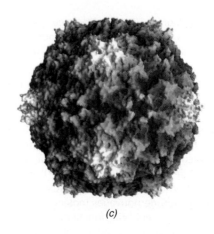

(c)

Figure 14-25

Virus végétaux. Capsides protéiques étudiées par cristallographie aux rayons X, pour **(a)** le virus de la marbrure chlorotique de *Vigna unguiculata*, **(b)** le virus du nanisme de la tomate, **(c)** le virus de la mosaïque du haricot et **(d)** le virus de la mosaïque jaune du navet. Tous ces virus sont icosaédriques ; cela signifie que leurs sous-unités forment une structure à 20 faces ou une structure qui en dérive.

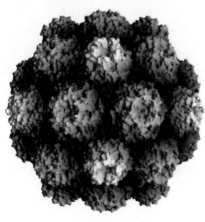

(d)

Figure 14-26

Virus végétaux ; ce sont presque tous des virus à ARN. **(a)** Mélange de virus de la mosaïque de Tulare et de virus de la mosaïque du tabac. Le virus de Tulare est icosaédrique, alors que le virus de la mosaïque du tabac est rigide et allongé. **(b)** Particules d'un rhabdovirus dans une cellule de piment *(Capsicum frutescens)* ; il s'agit d'un virus typique en forme de balle de pistolet. On voit ici des particules de rhabdovirus dans l'espace qui sépare les membranes interne et externe de l'enveloppe nucléaire. Quand le virus migre de cet espace à travers la membrane nucléaire interne, il conserve une partie de cette membrane qui enveloppe ensuite la particule. **(c)** Particules d'un virus flexible, allongé, dans une cellule de cactus *(Zygocactus truncatus)*.

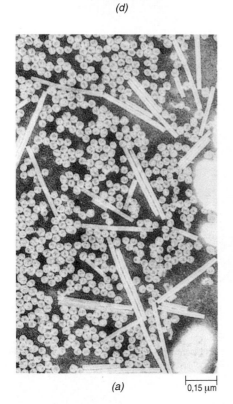

(a)   0,15 µm

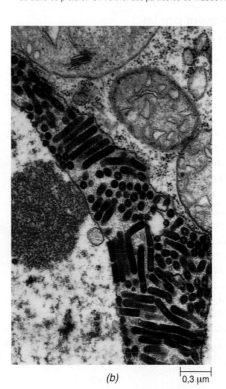

(b)   0,3 µm

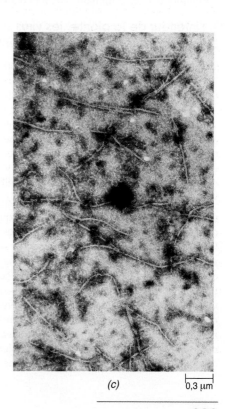

(c)   0,3 µm

un vecteur ou un type de vecteur particulier. Mise à part l'action des insectes vecteurs, les virus végétaux ne peuvent entrer dans la plante que par des blessures provoquées mécaniquement, ou par transmission à un ovule via un tube pollinique ou un grain de pollen infecté.

Une fois à l'intérieur d'une cellule hôte, le virion perd sa capside (et son enveloppe, si elle existe), et libére son acide nucléique. Dans la cellule, l'ARN ou l'ADN du virus se multiplie ensuite en détournant l'équipement génétique de la cellule, produisant ainsi les acides nucléiques et les protéines nécessaires à l'assemblabe de nouvelles particules virales. Dans un virus à ARN monocaténaire, comme le virus de la mosaïque du tabac, l'ARN viral contrôle la production d'un brin complémentaire d'ARN qui sert ensuite de modèle pour la production de nouvelles molécules d'ARN viral. L'ARN viral, qui est formé d'un seul brin, fonctionne comme un ARN messager et utilise les ribosomes de sa cellule hôte pour diriger la synthèse d'enzymes et des sous-unités protéiques de la capside. Les nouveaux brins d'ARN et les sous-unités protéiques de la capside s'assemblent en particules virales complètes à l'intérieur de la cellule hôte.

Trois types de virus végétaux, les géminivirus, les badnavirus et les caulimovirus, ont de l'ADN pour matériel génétique. Les géminivirus sont de petites particules sphériques presque toujours groupées par paires (Figure 14-27). La mosaïque dorée du haricot est une maladie provoquée par un géminivirus. Elle est transmise de plante à plante par les mouches blanches et se rencontre principalement sous les climats tropicaux. Un autre géminivirus provoque la striure du maïs, il est répandu par les cicadelles et possède le plus petit génome connu parmi tous les virus. Les badnavirus et les caulimovirus sont plus volumineux, la réplication de leur ADN passe par un ARN intermédiaire et utilise une transcription inverse très semblable à celle du virus de l'immunodéficience humaine (VIH) et d'autres rétrovirus.

À l'intérieur de la plante, les virus se déplacent par les plasmodesmes et certains voyagent dans le phloème

Certains virus sont confinés à une région relativement restreinte, à l'endroit de l'infection initiale, tandis que d'autres envahissent tout l'organisme végétal : on dit qu'ils sont systémiques. Le déplacement à courte distance, de cellule à cellule, se fait par les plasmodesmes (Figure 14-28). Il est facilité par des protéines codées par le virus, appelées **protéines de déplacement,** qui semblent augmenter la taille des plasmodesmes et permettre le passage des virus. Ce déplacement est lent. Dans une feuille, par exemple, le virus se déplace d'environ 1 millimètre par jour, soit à travers 8 à 10 cellules de parenchyme.

Alors que le mouvement de certains virus paraît limité aux cellules parenchymateuses et aux plasmodesmes qui les relient, beaucoup de d'autres sont transportés rapidement par les tubes criblés du phloème. Parvenu à l'intérieur du phloème, le virus se déplace systémiquement vers les régions en croissance (par exemple, les extrémités des tiges et des racines) et les régions de stockage, comme les rhizomes et les tubercules, où le virus pénètre dans les cellules parenchymateuses voisines du phloème. Les virus qui dépendent du phloème pour un démarrage efficace de l'infection sont introduits par le vecteur directement dans le phloème. Certains virus dépendant du phloème, comme celui de la jaunisse de la betterave, semblent limités au phloème et à quelques cellules parenchymatuses voisines. Le virus de la mosaïque

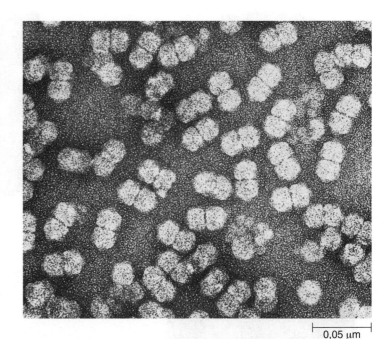

├─ 0,05 μm ┤

Figure 14-27

Géminivirus purifiés à partir de la graminée *Digitaria*, après coloration négative dans une solution aqueuse à 2 % d'acétate d'uranyle. Les géminivirus, dont le matériel génétique est de l'ADN, se trouvent généralement par paires.

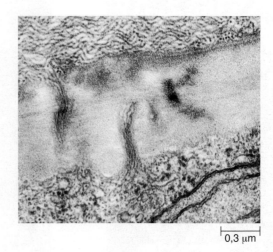

├─ 0,3 μm ┤

Figure 14-28

Particules du virus de la jaunisse de la betterave dans les plasmodesmes d'un tube criblé du phloème (au-dessus) passant à sa cellule compagne (en-dessous).

du tabac, par contre, envahit toutes les sortes de cellules. Après avoir pénétré dans les tubes criblés, les virus sont transportés vers les autres parties de la plante en même temps que les sucres et les autres substances de la sève élaborée.

Les virus provoquent diverses maladies chez les plantes

On connaît plus de 2000 sortes de maladies des plantes provoquées par plus de 600 types de virus identifiés. Les maladies virales réduisent fortement le rendement de nombreuses espèces de plantes agricoles et horticoles. Au niveau mondial, on estime les pertes annuelles dues aux maladies virales à quelque 15 milliards de dollars.

Le symptôme le plus fréquent d'une infection virale est une réduction de la croissance, qui entraîne un nanisme ou un rabougrissement plus ou moins important de la plante. Les symptômes les plus évidents se manifestent généralement dans les feuilles, où les virus interfèrent avec la production de chlorophylle et affectent donc la photosynthèse. Les mosaïques et les taches annulaires sont les symptômes les plus fréquents des maladies à virus systémiques. Dans les maladies à mosaïque, des zones vertes, jaunes ou blanches — représentées par des petites taches allant jusqu'à de larges stries — sont mêlées à la couleur verte normale des feuilles et des fruits (Figure 14-29). Dans les maladies à taches annulaires, des anneaux chlorotiques (jaunes) ou nécrotiques (tissu mort) apparaissent sur les feuilles et parfois aussi sur les tiges et les fruits. Des maladies virales moins communes provoquent un enroulement des feuilles (enroulement des feuilles de la pomme de terre), des jaunissements (jaunissement de la betterave), le nanisme (jaunisse nanisante de l'orge), des chancres (chancre noir du cerisier) et des tumeurs (tumeur de blessure) (Figure 14-30). Les taches ou les bords jaunes recherchés chez certaines variétés horticoles peuvent être causés par des virus et l'aspect bigarré de certaines fleurs est le résultat d'infections virales transmises de génération en génération chez des plantes propagées végétativement (Figure 14-31).

Figure 14-29

Feuille de tabac infectée par le virus de la mosaïque du tabac.

Figure 14-30

(a) Tumeurs provoquées par le virus des tumeurs de blesure chez *Melilotus alba*. **(b)** Particules du virus des tumeurs de blesure (flèches) dans une cellule de la plante hôte. **(c)** Le virus est transmis par la cicadelle du trèfle *(Agallia constricta)*. Cette micrographie électronique montre une cellule épidermique. Les virus sont en production dans la région alvéolée à la partie supérieur gauche. On peut voir des virus individuels dans la zone sombre plus bas.

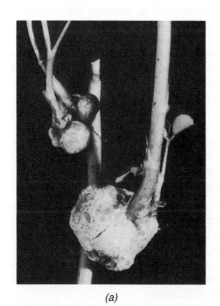
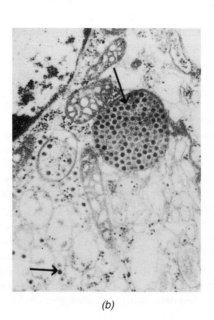

(a)   *(b)*   *(c)*   0,5 µm

Figure 14-31

Fleurs striées de tulipes Rembrandt. Les stries sont provoquées par une infection virale transmise directement d'une plante à l'autre. L'infection affaiblit la plante et finalement la tue. Pour obtenir des stries, la pratique courante consiste à sélectionner les effets des transposons (page 193).

Il existe plusieurs moyens de contrôler les maladies virales.

Puisque les maladies virales réduisent fortement la production ou diminuent l'attractivité commerciale de nombreuses plantes de culture à l'échelle mondiale, de grands efforts ont été consentis pour trouver des moyens efficaces de contrôle de ces maladies. La pulvérisation de produits chimiques sur les plantes infectées est souvent inutile, et le contrôle des vecteurs est habituellement peu pratique et inefficace. La culture de méristèmes a donné des résultats satisfaisants chez les plantes à propagation végétative, comme les pommes de terre et de nombreuses plantes cultivées pour les fleurs et les fruits. Le virus n'atteint souvent pas la pointe méristématique, de telle sorte d'une nouvelle plante développée en culture de tissus à partir du méristème excisé de la plante parentale sera non virosée dans de nombreux cas. Ces plantes sont ensuite utilisées comme plantes mères : elles fournissent des boutures de plantes indemnes de virus aux utilisateurs. L'élimination des virus transmis par les graines est également efficace chez certaines plantes, comme les pois, les haricots, l'orge et la laitue. On cultive des plantes au départ d'échantillons de graines et, si le virus est présent, tout le lot est éliminé.

Une autre manière de contrôler les virus végétaux est basée sur la faculté d'une plante hôte d'empêcher la réplication du virus ou son déplacement dans l'organisme, la plante hôte devenant ainsi résistante. Comme on l'a signalé plus haut, des protéines de déplacement codées par le virus paraissent modifier les plasmodesmes et permettre au virus de passer d'une cellule à l'autre. Certaines protéines de déplacement sont nettement spécifiques et ne peuvent induire une diffusion importante de cellule à cellule que chez certains hôtes particuliers. Il est intéressant de constater qu'au moins dans certains cas, ces protéines de déplacement inadaptées sont efficaces pour la diffusion initiale entre les cellules de plantes qui ne conviennent pas comme hôtes, mais qu'elles induisent rapidement une résistance, et cette réaction empêche l'infection d'autres cellules. D'autrs types de résistance chez les plantes impliquent une inhibition de la réplication initiale du virus, un blocage du déplacement à distance ou l'induction d'une réaction d'hypersensibilité qui arrête le virus en tuant les cellules proches du point d'infection.

On sait que la résistance est conditionnée par des gènes spécifiques de l'hôte, et l'un de ces gènes, le gène *N* du tabac, a récemment été cloné et caractérisé. Plusieurs autres gènes de résistance de l'hôte ont été localisés génétiquement sur les chromosomes et d'autres encore sont largement utilisés pour développer des variétés résistantes aux virus. Comme beaucoup d'agents pathogènes, les virus mutent souvent et se diversifient pour surmonter ces gènes de résistance. On peut cependant modifier génétiquement les plantes pour les rendre résistantes à l'infection virale en insérant, dans leur génome, quelques-uns des segments de l'acide nucléique viral. Certaines séquences interviennent en bloquant complètement la réplication du virus, tandis que d'autres réduisent fortement la capacité du virus à passer de cellule à cellule. Le concombre a été la première plante commercialisée après transformation génétique pour la résistance aux virus, mais on s'attend à ce que plusieurs autres soient utilisées là où n'existent pas d'autres moyens de contrôle de la maladie virale.

Les viroïdes : autres particules infectieuses

Les **viroïdes** sont les plus petits agents connus de maladies infectieuses. Ils sont composés de petites molécules circulaires d'ARN monocaténaires et ne possèdent aucune sorte de capsides (Figure 14-32). Leur taille va de 246 (viroïde cadang-cadang du cocotier) à 375 paires de bases (viroïde exocortis du citrus) : les viroïdes ont donc une taille beaucoup plus réduite que les génomes viraux les plus petits. Bien que l'ARN des viroïdes soit un anneau monocaténaire, il peut produire une structure secondaire ressemblant à une courte molécule bicaténaire fermée à l'extrémité. L'ARN des viroïdes ne contient pas de gènes codant des protéines et il dépend donc totalement de l'hôte pour sa réplication. La molécule d'ARN des viroïdes semble se répliquer dans le noyau de la cellule hôte, où elle imite l'ADN et permet à l'ARN polymérase de la cellule hôte de la répliquer. Les viroïdes peuvent manifester leurs symptômes en interférant avec la régulation des gènes de la cellule hôte infectée.

Le terme « viroïde » a été utilisé pour la première fois an 1971 par Theodor O. Diener, du Département Américain de l'Agriculture, pour décrire l'agent infectieux responsable de la maladie du tubercule en fuseau de la pomme de terre. Les pommes de terre infectées par ce viroïde, ou PSTVd (le d est ajouté aux initiales des viroïdes pour les distinguer des abréviations utilisées pour les noms des virus), sont allongées (en forme de fuseau) et noueuses.

Figure 14-32

Micrographie électronique du viroïde du tubercule en fuseau de la pomme de terre (flèches) en mélange avec la molécule d'ADN bicaténaire d'un bactériophage. Cette micrographie illustre l'énorme différence de taille entre un viroïde et un virus.

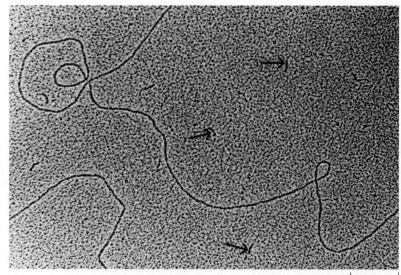

0,25 µm

Leur surface est parfois profondément crevassée. On a identifié des viroïdes responsables de plusieurs maladies économiquement importantes chez les plantes. Le viroïde du cadang-cadang du cocotier (CCCVd), par exemple, a provoqué la mort de millions de cocotiers aux Philippines pendant la dernière moitié du siècle et le viroïde du rabougrissement du chrysanthème (CSVd) a presque éliminé l'industrie du chrysanthème aux États-Unis au début des années 1950.

Origine des virus

En raison de la simplicité des génomes et de la structure des virus, certains chercheurs ont pensé, dans un premier temps, que les virus pouvaient représenter les descendants directs des unités capables d'autoréplication à l'origine des premières cellules. D'autres chercheurs estiment cette origine peu vraisemblable, parce que les virus ne peuvent se développer qu'en raison de leur faculté d'utiliser l'équipement génétique des cellules hôtes. Ils sont en compétition avec les acides nucléiques de ces cellules et ils détournent les activités génétiques et métaboliques de l'hôte pour lui faire produire de nouvelles particules virales. Les virus ne peuvent donc être apparus qu'après l'évolution de cellules possédant déjà le code génétique.

Les virus peuvent avoir comme origine des segments du matériel génomique de l'hôte qui se seraient échappés et auraient acquis la faculté de se répliquer indépendamment à l'intérieur d'une cellule et d'être transmis ensuite à une autre cellule. L'acquisition d'une protéine capable de protéger l'acide nucléique au cours de la transmission et de faciliter la reconnaissance de nouvelles cellules hôtes fut une étape clé pour l'évolution des virus. En réponse à de fortes pressions sélectives, l'évolution des virus peut être étonnamment rapide. Il est vraisemblable que de nouveaux virus sont encore en train d'évoluer aujourd'hui à partir de bactéries et même d'eucaryotes.

RÉSUMÉ

Les bactéries et les archéobactéries représentent deux domaines de procaryotes

Les procaryotes sont les organismes les plus petits et structuralement les plus simples. En termes d'évolution, ce sont aussi les organismes les plus anciens sur terre, et ils représentent deux lignées distinctes, les domaines *Bacteria* et *Archaea*. Les procaryotes ne possèdent pas de noyau organisé ni d'organites cellulaires délimités par des membranes. La plus grande partie de leur matériel génétique se trouve dans une seule molécule circulaire d'ADN bicaténaire, qui se réplique avant la division cellulaire. Souvent, des fragments supplémentaires d'ADN circulaire, les plasmides, sont également présents. À l'exception des mycoplasmes, tous les procaryotes ont des parois cellulaires rigides. Chez les bactéries, cette paroi est principalement composée de peptidoglycane. Les bactéries gram négatif, dont les parois ne fixent pas le colorant crystal violet, possèdent une couche externe de lipopolysaccharides et de protéines à l'extérieur de l'assise de peptidoglycane. Beaucoup de procaryotes sécrètent des substances visqueuses ou collantes à la surface de leurs parois, formant une couche appelée glycocalyx, ou capsule. Des procaryotes très divers — bactéries comme archéobactéries — contiennent des granules d'acide poly-β–hydroxybutyrique et de glycogène, qui sont des matières de réserve.

Les cellules procaryotes peuvent être en forme de bâtonnets (bacilles), sphériques (coques) ou spiralées (spirochètes). Tous les procaryotes sont unicellulaires mais, si la paroi cellulaire ne se sépare pas complètement après la division, les cellules filles peuvent rester associées en groupes, filaments ou masses compactes. Beaucoup de procaryotes ont des flagelles et sont donc mobiles ; la rotation des flagelles produit un déplacement de la cellule dans le milieu. Ne possédant pas de microtubules, les flagelles des procaryotes sont très différents de ceux des eucaryotes. Les procaryotes peuvent aussi avoir des fimbriae ou des pili.

La plupart des procaryotes se reproduisent par simple division cellulaire, ou scissiparité. Les mutations, combinées à la multiplication rapide des procaryotes, sont responsables de leur extraordinaire adaptabilité. Cette adaptabilité est encore accrue par des recombinaisons génétiques qui résultent de la conjugaison, de la transformation et de la transduction. Certaines espèces de bactéries ont la faculté de produire des endospores, cellules dormantes permettant la survie en conditions défavorables.

Les procaryotes font preuve d'une énorme diversité métabolique

Bien que certains soient autotrophes, la plupart des procaryotes sont hétérotrophes. La grande majorité des hétérotrophes sont saprophytes et, avec les champignons, ce sont les recycleurs de la biosphère. Certains autotrophes — les autotrophes photosynthétiques — trouvent leur énergie dans la lumière. D'autres autotrophes obtiennent leur énergie en réduisant des composés inorganiques : ce sont des autotrophes chimiosynthétiques. Plusieurs genres jouent un rôle important dans le cycle de l'azote, du soufre et du carbone. Parmi tous les organismes vivants, seules certaines bactéries sont capables de fixer l'azote. Sans bactéries, la vie sur terre, telle que nous la connaissons, ne serait pas possible.

Certains procaryotes sont aérobies, d'autres sont strictement anaérobies, et d'autres encore sont des anaérobies facultatifs. Les procaryotes diffèrent aussi beaucoup entre eux par la gamme des températures auxquelles ils se développent ; cela va des espèces pouvant se développer à 0°C ou en-dessous (psychrophiles) à celles qui se développent à des températures supérieures à 100°C (thermophiles extrêmes).

Parmi les bactéries, on rencontre des pathogènes et des organismes photosynthétiques

Beaucoup de bactéries sont des agents pathogènes des plantes et des animaux. Un groupe distinct de bactéries, les mycoplasmes (et des organismes semblables), sont dépourvus de paroi cellulaire et de très petite taille ; on y trouve plusieurs organismes responsables de maladies.

On peut diviser les bactéries photosynthétiques en trois groupes principaux : les cyanobactéries, les prochlorophytes et les bactéries pourpres et vertes. Les cyanobactéries et les prochlorophytes possèdent la chlorophylle *a*, également présente chez tous les eucaryotes photosynthétiques. Les prochlorophytes contiennent en outre la chlorophylle *b*, mais n'ont pas de phycobilines, présentes chez les cyanobactéries. De nombreux genres de cyanobactéries peuvent fixer l'azote. Il semble bien que les bactéries ont joué un rôle dans l'origine symbiotique des chloroplastes. Au début de l'histoire des eucaryotes, une symbiose semblable à celle qui est à l'origine des chloroplastes semble avoir donné naissance aux mitochondries ; le groupe des bactéries pourpres non-sulfureuses a probablement été impliqué dans cet événement.

Les archéobactéries sont des organismes physiologiquement divers, occupant des habitats très variés

On peut diviser les archéobactéries en trois grands groupes : les halophiles extrêmes, les méthanogènes et les thermophiles extrêmes. Un quatrième groupe est représenté par un seul genre, *Thermoplasma*, dépourvu de paroi cellulaire. On a d'abord pensé que les archéobactéries occupaient principalement des environnements hostiles ; on sait maintenant qu'ils constituent en outre un élément essentiel du picoplancton océanique.

Les virus sont des structures non cellulaires constituées d'ADN ou d'ARN entouré d'une enveloppe de protéine

Les virus possèdent des génomes qui se répliquent dans une cellule vivante en contrôlant la machinerie génétique de celle-ci pour qu'elle synthétise les acides nucléiques et les protéines du virus. Les virus contiennent soit de l'ARN, soit de l'ADN — monocaténaire ou bicaténaire — entouré d'une enveloppe externe protéique, la capside, et parfois aussi d'une enveloppe qui contient des lipides. Au point de vue taille, les virus sont comparables aux grosses macromolécules et leur forme est variée. La plupart sont sphériques, avec une symétrie icosaédrique, et un certain nombre d'autres sont en bâtonnets, présentant une symétrie hélicoïdale.

Les virus et les viroïdes provoquent des maladies chez les plantes et les animaux

Les virus sont responsables de nombreuses maladies de l'homme et d'autres animaux, et aussi de plus de 2000 maladies connues chez les plantes. La transmission des virus entre plantes malades et saines implique le plus souvent des insectes vecteurs. Quand elle se trouve dans une cellule hôte, la particule virale perd sa capside et libère alors son acide nucléique. La plupart des virus végétaux sont des virus à ARN. Chez les virus à ARN monocaténaire, comme le virus de la mosaïque du tabac, l'ARN viral contrôle la formation d'un brin complémentaire d'ARN qui sert ensuite de modèle pour produire de nouvelles molécules d'ARN viral. En se servant des ribosomes de la cellule hôte, l'ARN viral contrôle la synthèse des protéines de la capside. Les nouveaux brins d'ARN et les protéines de la capside s'assemblent ensuite en virions complets à l'intérieur de la cellule hôte.

Les déplacements à courte distance des virus entre cellules à l'intérieur des plantes hôtes se font par les plasmodesmes. Ces déplacements sont facilités par des protéines codées par le virus, les protéines de déplacement. Un grand nombre de virus végétaux se déplacent systémiquement à travers la plante par le phloème.

Les viroïdes, les plus petits agents infectieux connus, consistent en petites molécules d'ARN circulaires, monocaténaires. Contrairement aux virus, les viroïdes n'ont pas d'enveloppes protéiques. On pense qu'ils interfèrent avec la régulation des gènes dans les cellules hôtes infectées : on les trouve surtout dans le noyau.

MOTS CLÉS

aérobies p. 287

akinètes p. 290

anaérobies p. 287

anaérobies facultatifs p. 287

anaérobies stricts p. 287

autotrophes chimiosynthétiques p. 287

autotrophes photosynthétiques p. 287

bacilles p. 284

bactériophage, ou phage p. 297

capside p. 298

conjugaison p. 285

coques p. 284

cyanobactéries p. 288

endospores p. 286

fimbriae p. 284

fixation de l'azote p. 290

glycocalyx p. 284

gram négatif p. 283

gram positif p. 283

halophiles p. 295

hétérocystes p. 290

hétérotrophes p. 286

hormogonies p. 288

méthanogènes p. 295

mycoplasmes p. 292

nucléoïde p. 282

organismes semblables aux mycoplasmes (MLO) p. 292

peptidoglycanes p. 283

pili p. 284

plancton p. 289

plasmide p. 282

prochlorophytes p. 292

protéines de déplacement p. 300

psychrophiles p. 287

saprophytes p. 286

scissiparité p. 285

spirochètes p. 284

spiroplasmes p. 292

stromatolites p. 289

thermophiles p. 287

transduction p. 286

transformation p. 286

virion p. 297

viroïdes p. 302

QUESTIONS

1. Faites la distinction entre les termes suivants : bactérie gram positif/bactérie gram négatif, fimbriae/pili, endospore/akinète, virus/viroïde.

2. On parle de dépérissement du poirier parce que cette maladie provoque un affaiblissement lent et progressif, puis la mort du poirier. C'est une maladie systémique provoquée par un MLO, ou phytoplasme. Que signifie « maladie systémique », et de quelle façon les MLO se déplacent-ils dans l'arbre ?

3. Quels sont les facteurs génétiques qui contribuent à l'extraordinaire adaptabilité des procaryotes à des conditions environnementales très diverses ?

4. Citez quelques moyens permettant de contrôler les maladies virales chez les plantes.

5. On peut discuter le fait que les virus soient considérés comme des organismes vivants. Selon quels critères les virus devraient-ils être considérés comme vivants ?

15

Les champignons

Figure 15-1

Mycélium de plusieurs champignons différents se développant sous l'écorce d'un arbre tombé. La décomposition par les champignons et les bactéries permet le recyclage, dans l'écosystème, de la matière organique des organismes.

SOMMAIRE

Les champignons sont vraiment partout sur terre. Ils absorbent leur nourriture en sécrétant des enzymes digestives dans leur environnement immédiat. Ces enzymes catalysent la décomposition de grosses molécules alimentaires en molécules suffisamment petites pour être absorbées par la cellule du champignon. Pour cette raison, les champignons se développent généralement dans ou sur leur source de nourriture.

Ce mode d'absorption de la nourriture vaut aux champignons des louanges comme des malédictions. D'une part, les champignons sont extrêmement utiles parce que les enzymes digestives qu'ils sécrètent sont responsables de la décomposition des plantes et des animaux morts, ce qui permet le recyclage des éléments chimiques. Cependant, les champignons sécrètent également des enzymes qui digèrent des substances qui nous sont utiles, provoquant des moisissures sur la nourriture, des taches sur les textiles, la pourriture sèche du bois et des maladies fongiques chez l'homme. L'utilisation commerciale des champignons et de leurs enzymes est à l'origine du vin, de la bière, de certains fromages et de divers antibiotiques.

Nous allons d'abord étudier les groupes qui composent le règne des champignons, puis les importantes relations symbiotiques entre champignons et autres organismes.

POINTS DE REPÈRES

Quand vous terminerez la lecture de ce chapitre, vous devriez pouvoir répondre aux questions suivantes :

* *En quoi les champignons sont-ils différents de toutes les autres formes de vie ? En d'autres termes, quels sont les caractères distinctifs des champignons ?*
* *À partir quel type d'organisme pense-t-on que les champignons ont évolué ?*
* *Quels sont les caractères distinctifs des* Chytridiomycota, *des* Zygomycota, *des* Ascomycota *et des* Basidiomycota *?*
* *Que sont les deutéromycètes et quel sont leurs relations avec les autres groupes de champignons ?*
* *Qu'est-ce qu'une levure, et quelles sont les relations entre les levures et les autres groupes de champignons ?*
* *Quels sont les types de rapports symbiotiques existant entre les champignons et d'autres organismes ?*

Les champignons sont des organismes hétérotrophes considérés jadis comme des plantes primitives ou dégénérées dépourvues de chlorophylle. Aujourd'hui cependant, il est évident que le seul caractère que les champignons partagent avec les plantes — en dehors de ceux qui sont communs à tous les eucaryotes — est un mode de croissance multicellulaire. (Quelques champignons, comme les levures, sont unicellulaires.) Selon des données moléculaires récentes, les champignons sont plus proches des animaux que des plantes. Nous verrons que les champignons représentent une forme de vie tellement différente de toutes les autres qu'ils ont été placés dans un règne qui leur est propre — celui des *Fungi*.

On a identifié jusqu'à présent plus de 70.000 espèces de champignons, et 1700 nouvelles espèces environ sont découvertes chaque année. Les mycologues les plus conservateurs estiment que le nombre total d'espèces dépasse 1,5 million, ce qui situe, à ce point de vue, les champignons en seconde position après les seuls insectes. À ce jour, l'être vivant le plus grand connu sur la terre est un individu d'un champignon responsable de la pourriture des racines, *Armillaria ostoyae*, qui couvre plus de 600 hectares de forêt près du Mont Adams, dans l'état de Washington. On estime l'âge de ce champignon entre 400 et 1000 ans. On a trouvé un proche parent d'*A.ostoyae*, *Armillaria gallica*, occupant 15 hectares dans le nord du Michigan. L'âge de ce champignon est estimé à 1500 ans au moins.

Importance des champignons

Les champignons sont écologiquement importants comme agents de décomposition

On ne peut surestimer l'impact écologique des champignons. Avec les bactéries hétérotrophes, les champignons sont les principaux agents de décomposition de la biosphère (Figure 15-1). Ces agents sont tout aussi nécessaires à la poursuite de l'existence du monde que les producteurs de nourriture. La décomposition libère le dioxyde de carbone dans l'atmosphère et retourne au sol les composés azotés et d'autres matériaux qui peuvent y être réutilisés — recyclés — par les plantes et finalement par les animaux. En moyenne, on estime que les 20 centimètres superficiels d'un sol fertile contiennent près de 5 tonnes de champignons et de bactéries par hectare. Quelque 500 espèces connues de champignons, représentent plusieurs groupes différents, sont marines et décomposent les matières organiques dans la mer exactement comme le font sur terre les organismes qui leur sont apparentés.

Dans leurs activités de décomposition, les champignons entrent souvent en conflit direct avec les activités humaines. Un champignon ne fait pas de distinction entre un arbre pourrissant tombé dans la forêt et un piquet de clôture ; il a tout autant de chance de s'attaquer l'un qu'à l'autre. Equipés d'un puissant arsenal d'enzymes capables de dégrader les substances organiques, y compris la lignine et la cellulose du bois, les champignons sont souvent des nuisances et ils sont parfois très destructeurs. Certains champignons s'attaquent aux tissus, à la peinture, au cuir, aux cires, au carburant des avions, au pétrole, au bois, au papier, à l'isolation des cables et des fils, aux films photographiques et même au revêtement des lentilles des équipements optiques — en fait, à presque tout ce qu'on peut imaginer. Bien que les

Figure 15-2

La moisissure commune, *Rhizopus*, se développant sur des fraises.

espèces individuelles de champignons soient très spécifiques à l'égard de substrats particuliers, dans leur ensemble, ils s'attaquent pratiquement à tout. Partout, ils sont un fléau pour les producteurs et les distributeurs du secteur de l'alimentation, ainsi que pour leurs clients, car ils se développent sur le pain, les fruits frais (Figure 15-2), les légumes, les viandes et autres produits. Les champignons modifient la valeur nutritive, ainsi que le goût des aliments. De plus, certains produisent, sur certaines matières végétales, des substances très toxiques, les **mycotoxines**.

Pour la médecine et l'économie, les champignons sont importants en tant que pestes, pathogènes et producteurs de substances chimiques

L'importance des champignons comme ravageurs de produits commerciaux est amplifiée par le fait qu'ils sont capables de se développer dans des conditions très diverses. Certaines souches de *Cladosporium herbarum*, qui s'attaque à la viande conservée à basse température, peuvent se développer jusqu'à une température de -6°C. À l'opposé, une espèce de *Chaetomium* a son optimum de croissance à 50°C et survit même à 60°C.

De nombreux champignons s'attaquent aux organismes vivants plutôt qu'aux cadavres, et ils le font parfois de façon suprenante (voir « Champignons prédateurs », page 333). Ce sont les principaux agents responsables des maladies des plantes. On a estimé que plus de 5000 espèces de champignons s'attaquent à des plantes de culture et de jardin à haute valeur économique, ainsi qu'aux arbres et à beaucoup de plantes sauvages. D'autres champignons — plus de 150 espèces ont été identifiées — provoquent des maladies graves chez les animaux domestiques et chez l'homme.

Bien que les infections fongiques chez l'homme soient plus fréquentes en régions tropicales, le nombre d'individus infectés par des champignons a augmenté de façon alarmante dans toutes les régions du monde. Cette augmentation est due en partie au nombre croissant d'individus dont les systèmes immunitaires sont affaiblis, comme les malades du SIDA en traitement dans les hôpitaux. On a montré que près de 40 % de tous les décès dus à des infections de source hospitalière au milieu des années 1980 étaient dus non pas à des bactéries ou à des virus, mais à des champignons. Environ 80 % des décès liés au SIDA sont dus à une pneumonie causée par *Pneumocystis carinii*, longtemps considéré comme un protozoaire. Sur la base des connaissances actuelles, on considère aujourd'hui *P.carinii* comme un champignon, plus précisément un ascomycète. Un autre pathogène fongique sérieux pour les malades du SIDA est *Candida*, qui provoque des aphtes et d'autres infections des muqueuses.

Les caractères qui font des champignons des ennemis aussi importants sont aussi à l'origine de leur valeur commerciale. Certaines levures, comme *Saccharomyces cerevisiae*, sont utiles parce qu'elles produisent de l'éthanol et du dioxyde de carbone, qui jouent un rôle essentiel en boulangerie, brasserie et vinification. D'autres champignons donnent les saveurs et les aromes qui caractérisent des différents types de fromages. L'utilisation commerciale des champignons dans l'industrie se développe, et de nombreux antibiotiques — comme la pénicilline, qui fut le premier antibiotique utilisé à grande échelle — sont produits par des champignons. Des dizaines d'espèces différentes de champignons sont régulièrement consommées par l'homme et certaines sont cultivées à grande échelle. La faculté qu'ont les champignons de dégrader la matière est à l'origine de recherches en vue de leur utilisation dans des programmes d'élimination des déchets toxiques. Le champignon responsable de la pourriture blanche, *Phanerochaete chrysosporium*, qui se nourrit en digérant le bois, est très efficace pour la dégradation de composés organiques toxiques.

Un exemple frappant de la valeur potentielle de substances dérivées de champignons est la cyclosporine, un « remède miracle » isolé à partir d'un champignon du sol, *Tolypocladium inflatum*. La cyclosporine supprime les réactions immunitaires qui entraînent le rejet des organes transplantés, mais elle n'a pas les effets secondaires indésirables d'autres substances utilisées dans ce but. Ce produit remarquable est disponible depuis 1979 et il a permis de reprendre les transplantations d'organes qui avaient pratiquement été abandonnées. Grâce à la cyclosporine, la réussite des transplantations d'organes est devenue aujourd'hui presque banale.

Il existe, chez les champignons, d'importantes relations symbiotiques

Les types de relations entre champignons et autres organismes sont extrêmement divers. Par exemple, 80 % au moins de toutes les plantes vasculaires forment, entre leurs racines et des champignons, des associations bénéfiques pour chacun, les **mycorrhizes**. Ces associations, dont il sera question plus loin, à partir de la page 340, jouent un rôle essentiel dans la nutrition des plantes. Les lichens, dont beaucoup occupent des habitats extrêmement hostiles, sont des associations symbiotiques entre des champignons et des cellules d'algues ou de cyanobactéries (voir page 334). Il existe aussi des relations symbiotiques entre champignons et insectes. Dans un de ces cas, les champignons, qui produisent la cellulase et d'autres enzymes nécessaires à la digestion des matières végétales, sont cultivés par les fourmis dans des « jardins » de champignons. Les fourmis fournissent au champignon des fragments de feuilles et des déjections, et elles se nourrissent exclusivement du champignon. Ni le champignon ni les fourmis ne peuvent vivre l'un sans l'autre. D'autres relations symbiotiques impliquent des champignons très divers, des **endophytes**, qui vivent à l'intérieur des feuilles et des tiges de plantes apparemment en bonne santé. Beaucoup de ces champignons produisent des métabolites secondaires toxiques qui semblent protéger leur hôtes contre les champignons pathogènes, les attaques d'insectes ou de mamifères herbivores (voir « du pathogène au symbionte : les champignons endophytes, » page 335).

TABLEAU 15.1
Principales caractéristiques des embranchements de champignons

Embranchement	Exemples	Nature des hyphes	Mode de reproduction asexuée	Types de spores sexuées	Maladies communes des plantes
Chytridiomycota (790 espèces)	*Allomyces, Coelomomyces*	non cloisonnées, cénocytiques	Zoospores	Aucune	Taches brunes du maïs, tumeur noduleuse de la luzerne, gale noire de la pomme de terre
Zygomycota (1060 espèces)	*Rhizopus* (moisissure commune du pain), *Glomus* (champignon endomycorhizien)	non cloisonnées, cénocytiques	Spores non mobiles	Zygospore (dans le zygosporange)	Pourriture molle de différentes parties des plantes
Ascomycota (32.300 espèces)	*Neurospora*, mildious, *Morchella* (morille comestible), *Tuber* (truffes)	cloisonnées	Bourgeonnement, conidies (spores non mobiles), fragmentation	Ascospore	Oïdium, pourriture brune des fruits à noyau, dépérissement du châtaignier, maladie hollandaise de l'orme
Basidiomycota (22.244 espèces)	Champignons à chapeau (*Amanita, Agaricus*), satyres, vesses de loup, champignons en console	cloisonnées avec dolipore	Bourgeonnement, conidies (spores non mobiles), y compris urédospores, fragmentation	Basidiospore	Rouille noire du blé et d'autres céréales, rouille vésiculeuse des pins à cinq feuilles, rouille commune du maïs, charbon nu de l'avoine, pourriture des racines par *Armillaria*

Figure 15-3

Champignons. **(a)** Le chytride *Polyphagus euglenae* parasitant une cellule d'euglène. Le cytoplasme de la cellule à sommet arrondi de l'euglène est dégradé. **(b)** Un *Syrphus* tué par le champignon *Entomophthora muscae*, un zygomycète. **(c)** La morille commune, *Morchella esculenta*, un ascomycète. La morille est un des champignons comestibles les plus recherchés. **(d)** Un champignon à chapeau, *Hygrocybe aurantiosplendens*, qui est une espèce de *Basidiomycetes*. Le carpophore est formé d'hyphes densément empaquetées, dont l'ensemble constitue le mycélium.

Aujourd'hui, la plupart des mycologues distinguent quatre embranchements de champignons : les *Chytriomycota* (chytrides), *Zygomycota* (zygomycètes), *Ascomycota* (ascomycètes) et *Basidiomycota* (*Basidiomycetes*, *Teliomycetes* et *Ustomycetes*) (Figure 15-3 ; tableau 15-1). La réintroduction des chytrides dans le règne des champignons est très récente. Il y a 15 ou 20 ans environ, les chytrides faisaient partie des champignons, mais les systématiciens de ce groupe ont estimé que l'absence de cellules flagellées était une condition indispensable pour pouvoir faire partie de ce règne. On savait que les chytrides ont beaucoup de caractères communs avec les champignons, mais la production de cellules flagellées les disqualifiaient. Les chytrides furent donc placés dans le règne des protistes. Cependant, des indices récents, découlant de la comparaison des protéines et des séquences d'acides nucléiques, ont faire pencher la balance en faveur de l'inclusion des chytrides parmi les champignons. Nous avons donc placé les *Chytridiomycota* dans les champignons, mais il faut noter que la systématique des champignons est encore instable.

(a)

(b)

(c)

(d)

Biologie et caractéristiques des champignons

La plupart des champignons sont composés d'hyphes

Les champignons sont essentiellement terrestres. Bien que certains soient unicellulaires, la plupart sont filamenteux, et des structures telles que les carpophores sont formés par un grand nombre de ces filaments étroitement empaquetés (Figure 15-3c, d). Les filaments fongiques sont appelés des **hyphes**, et l'ensemble des hyphes constitue le **mycélium** (Figure 15-1). Les hyphes s'accroissent par leurs extrémités, mais les protéines sont synthétisées dans tout le mycélium. Les hyphes grandissent très rapidement. Un seul individu de champignon peut produire plus d'un kilomètre de nouvelles hyphes en 24 heures. (Les termes « mycélium » et **mycologie** — l'étude des champignons — dérivent du mot grec *mykes*, qui signifie « champignon ».)

Les hyphes de la plupart des champignons sont divisées par des parois transversales, ou cloisons. On dit que ces hyphes sont **cloisonnées**. Chez d'autres espèces, les cloisons n'existent normalement qu'à la base des structures reproductrices (sporanges et gamétanges) et dans les portions des hyphes vieilles et très vacuolisées. On dit des hyphes non cloisonnées qu'elles sont **cénocytiques**, ce qui signifie « contenues dans un cytoplasme commun » ou multinucléées. Chez de nombreux champignons, les cloisons sont traversées par un pore central, de telle sorte que les protoplastes des cellules contiguës sont pratiquement continus d'une cellule à l'autre. Chez les ascomycètes, les pores ne sont généralement pas obstrués (Figure 15-4) et ils sont suffisamment grands pour permettre aux noyaux, qui sont assez petits, de s'y glisser. Ces mycéliums sont donc fonctionnellement cénocytiques. Les noyaux des hyphes des champignons sont haploïdes.

Tous les champignons ont des parois cellulaires. Les parois cellulaires des plantes et de beaucoup de protistes sont formés par un réseau de microfibrilles de cellulose enrobé dans une matrice de molécules non-cellulosiques telles que les hémicelluloses et les substances pectiques. Chez les champignons, la paroi cellulaire est composée principalement d'un autre polysaccharide — la **chitine** — qui se retrouve également dans les écailles résistantes, ou exosquelettes, des arthropodes : insectes, arachnides et crustacés. La chitine résiste mieux à la dégradation par les microbes que la cellulose.

Eu égard à leur croissance rapide et à leur forme filamenteuse, les champignons ont, avec leur environnement, une relation très différente de celle de tout autre groupe d'organismes. Le rapport entre surface et volume des champignons est très élevé, de telle sorte qu'ils ont un contact très étroit avec le milieu, tout comme les bactéries. Aucune partie somatique d'un champignon n'est en général distante de plus de quelques microns de son environnement externe, dont il n'est séparé que par une mince paroi cellulaire et la membrane plasmique. (Les termes **somatique** et **soma**, du grec *soma*, qui signifie « corps », correspondent au terme « végétatif » chez les plantes.) Grâce à son mycélium très développé, un champignon peut avoir une influence profonde sur son voisinage — par exemple en liant les particules du sol. Les hyphes des individus de la même espèce fusionnent souvent, augmentant ainsi la complexité du réseau.

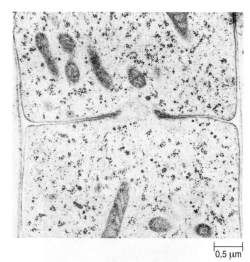

0,5 µm

Figure 15-4

Micrographie électronique d'une cloison entre deux cellules de l'ascomycète *Gibberella acuminata*. Les grandes structures globulaires sont des mitochondries et les petits granules foncés sont des ribosomes. L'objet a été coupé en sections minces passant au niveau du pore central d'une cloison.

Les champignons sont des hétérotrophes par absorption

Leurs parois cellulaires étant rigides, les champignons sont incapables d'englober des petits microorganismes ou d'autres particules. Habituellement, un champignon sécrètera des enzymes dans la source d'alimentation, puis il absorbera les petites molécules libérées. Les champignons absorbent leur nourriture principalement dans les régions proches des parties en croissance à l'extrémité de leurs hyphes.

Tous les champignons sont hétérotrophes. Quand ils se nourrissent, ils fonctionnent soit comme saprophytes (ils vivent sur des matières organiques provenant d'organismes morts), soit comme parasites, soit encore comme symbiontes (voir page 334). Certains champignons, principalement les levures, obtiennent leur énergie par la fermentation du glucose et produisent de l'alcool éthylique. Le glycogène est le principal polysaccharide de réserve chez beaucoup de champignons, comme chez les animaux et les bactéries. Les lipides ont une importante fonction de stockage chez d'autres espèces.

Des hyphes spécialisées, les **rhizoïdes,** fixent certains types de champignons au substrat. Les champignons parasites ont souvent des hyphes spécialisées semblables, appelées **suçoirs** ou **haustories**, qui absorbent directement la nourriture à partir des cellules d'autres organismes (Figure 15-5).

Les champignons possèdent des formes spécifiques de mitose et de méiose

Une des principales caractéristiques des champignons concerne la division nucléaire. Chez les champignons, le déroulement de la méiose et de la mitose diffère de celui des plantes, des animaux et de

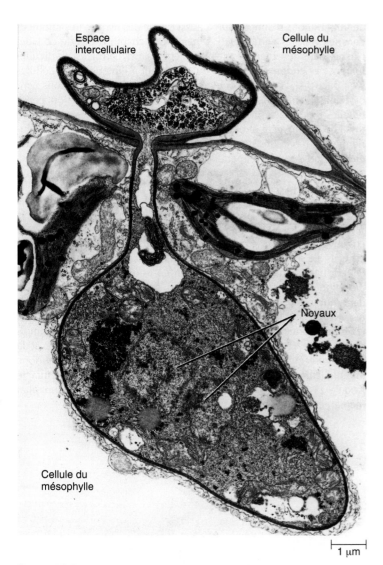

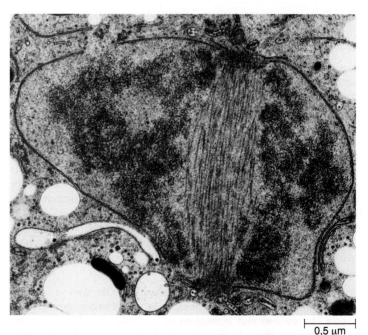

Figure 15-6

Micrographie électronique d'un noyau métaphasique d'*Arthuriomyces peckianus*, une rouille, montrant le fuseau à l'intérieur du noyau et les deux corpuscules polaires du fuseau aux deux extrémités. Les corpuscules polaires du fuseau, qui sont les centres organisateurs des microtubules, sont caractéristiques des *Zygomycota*, *Ascomycota* et *Basidiomycota*.

Figure 15-5

Micrographie électronique d'un suçoir de *Melamspora lini*, une rouille qui se développe dans une cellule foliaire de lin *(Linum usitatissimum)*. La cellule qui a produit le suçoir se trouve dans l'espace intercellulaire, à la partie supérieure de la micrographie. L'hyphe étroite qui pénètre dans la cellule se prolonge à l'intérieur de la cellule du mésophylle inférieur par un grand suçoir bulbeux.

beaucoup de protistes. Chez la plupart, l'enveloppe nucléaire ne se désagrège pas pour se reformer ensuite, mais elle se rétrécit à mi-chemin entre les deux noyaux fils. Chez d'autres, elle se rompt près de la région médiane. Dans la plupart des cas, le fuseau se forme à l'intérieur de l'enveloppe nucléaire mais, chez certains basidiomycètes, il paraît se former dans le cytoplasme et pénétrer dans le noyau. Sauf les chytrides, tous les champignons sont dépourvus de centrioles, mais ils produisent des structures particulières, les **corpuscules polaires**, qui apparaissent aux pôles du fuseau (Figure 15-6). Les deux corpuscules polaires et les centrioles fonctionnent comme centres d'organisation des microtubules pendant la mitose et la méiose.

Les champignons se reproduisent asexuellement et sexuellement

Les champignons se reproduisent en formant des spores qui sont formées soit par voie sexuée, soit asexuellement. À l'exception des chytrides, les spores non mobiles sont le moyen de reproduction caractéristique des champignons. Certaines spores sont sèches et très petites. Elles peuvent rester en suspension dans l'air pendant de longues périodes et elles sont ainsi transportées à haute altitude et sur de grandes distances. Cette propriété peut expliquer la très large distribution de beaucoup d'espèces de champignons. D'autres spores sont visqueuses et adhèrent au corps des insectes et d'autres arthropodes, qui peuvent ainsi les répandre d'un endroit à l'autre. Les spores de certains champignons sont projetées en l'air mécaniquement (voir « Le phototropisme chez un champignon », page 315). Les couleurs vives et la texture poudreuse de nombreuses moisissures sont dues aux spores. Certains champignons ne produisent jamais de spores.

Les spores représentent le mode de reproduction asexué le plus commun chez les champignons : elles sont produites soit dans des **sporanges,** soit à partir de cellules d'hyphes appelées **cellules conidiogènes.** Les spores produites par les cellules conidiogènes sont soit isolées, soit en chaîne : on les appelle des **conidies.** Le sporange est une structure en forme de sac dont l'ensemble du contenu se transforme en une ou plusieurs — souvent très nombreuses — spores. Certains champignons se reproduisent aussi asexuellement par fragmentation de leurs hyphes.

Chez les champignons, la reproduction sexuée comporte trois phases : plasmogamie, caryogamie et méiose. Les deux premières phases sont des étapes de la syngamie, ou fécondation. La **plasmogamie** (fusion des protoplastes) précède la **caryogamie** (fusion des noyaux). Chez certaines espèces, la caryogamie suit presqu'immédiatement la plasmogamie tandis que, chez d'autres, les deux noyaux haploïdes ne fusionnent pas avant un certain temps et forment un **dicaryon** (« deux noyaux »). La caryogamie peut être retardée de plusieurs mois ou même de plusieurs années. Pendant ce temps, les paires de noyaux peuvent se diviser en tandem et produire un mycélium dicaryotique. Finalement, les noyaux s'unissent en un noyau diploïde qui, tôt ou tard, subira la méiose qui rétablit l'état haploïde. Chez la plupart des champignons, la reproduction sexuée aboutit à la formation de spores spécialisées telles que les zygospores, les ascospores et les basidiospores.

Il est important de souligner que la phase diploïde, dans le cycle de développement d'un champignon, n'est représentée que par le zygote. La méiose suit normalement la formation du zygote ; en d'autres termes, le cycle de développement est haplophasique et la méiose est zygotique (voir figure 9-3a). De plus, les gamètes, quand les champignons en produisent, ont le même aspect et la même taille : ce sont des **isogamètes**. Chez la plupart des champignons, ce sont les noyaux qui fonctionnent comme gamètes. **Gamétange** est le terme général utilisé pour désigner les structures qui produisent les gamètes.

L'évolution des champignons

Comme nous l'avons fait remarquer précédemment, nous incluons, dans le règne des *Fungi,* quatre embranchements — les *Chytridiomycota*, les *Zygomycota*, les *Ascomycota* et les *Basidiomycota*. Il semble aujourd'hui que les chytrides sont les champignons les plus primitifs et que la présence de flagelles — dans les zoospores ciliées — est un caractère primitif conservé par les chytrides après leur évolution à partir de protistes flagellés. De plus, il existe de nombreux arguments moléculaires en faveur d'une séparation des animaux et des champignons à partir d'un ancêtre commun, le plus vraisemblablement un protiste colonial ressemblant à un choanoflagellate (Figure 15-7). En fait, si les premiers champignons étaient des organismes aquatiques flagellés, les ancêtres des zygomycètes, ascomycètes et basidiomycètes ont probablement perdu leurs stades flagellés assez tôt au cours de leur histoire évolutive. Bien que les champignons paraissent constituer une lignée évolutive monophylétique dont les relations sont plus étroites avec les animaux qu'avec tout autre règne, les affinités existant entre eux sont loin d'être établies.

Les champignons existent depuis longtemps, mais leur histoire est mal connue. Les fossiles les plus anciens ressemblant à des champignons sont représentés par des filaments non cloisonnés du cambrien inférieur, il y a environ 544 millions d'années. On pense qu'il s'agissait de saprophytes des récifs. On a trouvé des champignons fossiles morphologiquement semblables au chytride *Allomyces* sur des tiges d'*Aglaophyton major*, une plante du dévonien inférieur vieille de plus

de 400 millions d'années. On a aussi trouvé des hyphes très ramifiées dans les cellules corticales d'*A.major*. Des champignons de ce type, classés dans les zygomycètes, forment des mycorrhizes, particulièrement des **endomycorrhizes**, qui pénètrent à l'intérieur des cellules (voir page 341). Il s'agit d'une des premières et rares associations symbiotiques plante-champignon trouvées à l'état fossile et l'on pense qu'elles ont joué un rôle primordial dans l'évolution des plantes. Le fossile d'ascomycète le plus ancien a été trouvé dans des roches siluriennes (438 millions d'années) et le plus vieux basidiomycète connu provient du dévonien supérieur (380 millions d'années).

Les chytrides (embranchement des *Chytridiomycota*)

Les chytrides sont un groupe essentiellement aquatique d'environ 790 espèces. Le sol des digues et les berges des étangs et rivières sont également habités par des chytrides ; on en trouve même dans les sols désertiques. La diversité des chytrides se manifeste non seulement dans leur forme, mais aussi dans la nature de leurs interactions sexuelles et dans leur cycle de développement. Les parois cellulaires des chytrides contiennent de la chitine et, comme les autres champignons, leurs réserves sont formées de glycogène. La méiose et la mitose ressemblent à celles des autres champignons : elles sont donc intranucléaires ; cela signifie que l'enveloppe nucléaire reste intacte jusqu'à la fin de la télophase ; elle se rompt alors dans un plan médian et se reconstitue ensuite autour des noyaux fils.

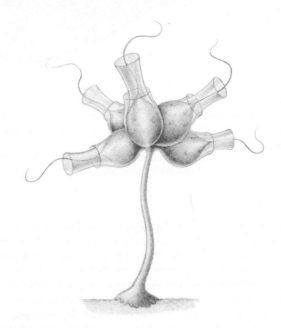

Figure 15-7

Un choanoflagellate, protiste colonial considéré par beaucoup de zoologistes comme proche de l'ancêtre commun aux animaux et aux champignons.

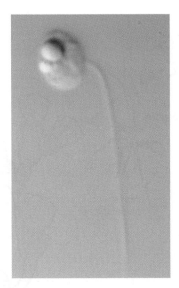

Figure 15-8

Zoospore uniflagellée du chytride *Polyphagus euglenae*. Les chytrides se distinguent des autres champignons principalement par leurs zoospores et gamètes mobiles caractéristiques.

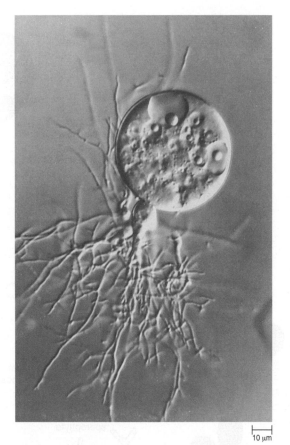

10 µm

Figure 15-9

Chytridium confervae, chytride commun, observé au microscope à contraste interférentiel. Remarquez les minces rhizoïdes s'allongeant vers le bas.

Presque tous les chytrides sont cénocytiques, ne montrant que de rares cloisons à maturité. On les distingue principalement des autres champignons par leurs cellules mobiles caractéristiques (zoospores et gamètes) : la plupart possèdent un seul flagelle postérieur lisse (Figure 15-8). Certains chytrides sont des organismes unicellulaires simples qui ne produisent pas de mycélium. L'ensemble de leur organisme se transforme en un organe reproducteur au moment opportun. D'autres chytrides ont des rhizoïdes minces qui se développent dans le substrat et servent d'ancrage (Figure 15-9). Certaines espèces sont parasites d'algues, de protozoaires et d'oomycètes aquatiques, ainsi que de spores, grains de pollen ou autres parties de plantes. D'autres espèces de chytrides sont saprophytes, vivant sur des substrats tels que les cadavres d'insectes.

Plusieurs espèces de chytrides sont des pathogènes de plantes, comme *Physoderma maydis* et *Physoderma alfalfae*, qui provoquent des maladies bénignes, les taches brunes du maïs pour le premier et les tumeurs marbrées de la luzerne pour le second. *Synchitrium endobioticum* provoque une maladie des pommes de terre appelée gale noire, qui constitue un problème sérieux dans certaines régions d'Europe et du Canada.

Les modes de reproduction des chytrides sont variés. Certaines espèces d'*Allomyces*, par exemple, possèdent une alternance de générations isomorphes, illustrée figure 15-10, tandis que, chez d'autres espèces, les générations sont hétéromorphes — les individus haploïdes et diploïdes ne se ressemblant guère. L'alternance de générations est caractéristique des plantes et de beaucoup d'algues mais, à

part cela, on ne la retrouve que chez *Allomyces*, dans un autre genre de chytrides voisin et chez quelques protistes hétérotrophes non traités dans cet ouvrage. Pour ce qui est de son cycle de développement, de sa morphologie et de sa physiologie, *Allomyces* est le chytride le mieux connu.

Embranchement des *Zygomycota*

La plupart des zygomycètes vivent sur la matière végétale et animale en décomposition dans le sol, mais certains sont des parasites de plantes, d'insectes ou de petits animaux du sol. D'autres encore forment des associations symbiotiques — des endomycorrhizes — avec des plantes et quelques-uns provoquent des infections graves chez l'homme et les animaux domestiques. On a décrit quelque 1060 espèces de zygomycètes. La plupart possèdent des hyphes cénocytiques, dans lesquelles on peut voir des courants cytoplasmiques rapides. On peut généralement reconnaître les zygomycètes à leurs hyphes abondantes, à croissance rapide ; néanmoins, certains aussi montrent des formes unicellulaires comme les levures dans certains conditions. La reproduction asexuée par spores haploïdes produites

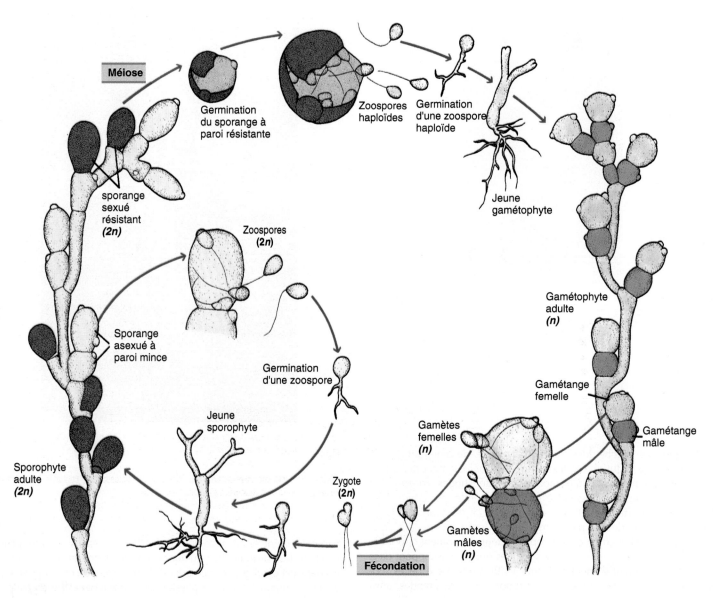

Méiose

Germination
du sporange à
paroi résistante

Zoospores
haploïdes

Germination
d'une zoospore
haploïde

Jeune
gamétophyte

sporange
sexué
résistant
(2n)

Zoospores
(2n)

Gamétophyte
adulte
(n)

Sporange
asexué à
paroi mince

Germination
d'une zoospore

Gamétange
femelle

Gamétange
mâle

Jeune
sporophyte

Gamètes
femelles
(n)

Sporophyte
adulte
(2n)

Zygote
(2n)

Gamètes
mâles
(n)

Fécondation

Figure 15-10

Le cycle de développement du chytride *Allomyces arbusculus* comporte une alternance de générations isomorphes. Il est impossible de distinguer les individus haploïdes des diploïdes avant la formation des organes reproducteurs. Les individus haploïdes (gamétophytes) produisent à peu près en même nombre des gamétanges femelles incolores et des gamétanges mâles oranges (à droite). Les gamètes mâles, environ deux fois plus petits que les femelles, sont attirés par la sirénine, hormone produite par les gamètes femelles. Le zygote perd son flagelle et germe pour produire un individu diploïde. Le sporophyte donne deux sortes de sporanges. Les premiers sont des sporanges asexués — structures incolores à paroi mince qui libèrent des zoospores diploïdes — qui germent à leur tour et reproduisent la génération diploïde. Le second type comprend des sporanges sexués — structures brun-rouge à paroi épaisse, capables de supporter des conditions environnementales rigoureuses. Après une période de dormance, la méiose se déroule dans ces sporanges sexués résistants et aboutit à la formation de zoospores haploïdes. Ces zoospores se développent en gamétophytes qui produisent des gamétanges à maturité.

LE PHOTOTROPISME CHEZ UN CHAMPIGNON

Au cours des millénaires, les champignons ont acquis, par évolution, divers moyens leur permettant d'assurer une large dispersion des spores. Un moyen des plus ingénieux se rencontre chez *Pilobolus*, un zygomycète qui se développe sur les excréments. Les sporangiophores de ce champignon, dont la taille atteint de 5 à 10 millimètres, sont doués d'un phototropisme positif — c'est-à-dire qu'ils s'allongent en direction de la lumière. Une portion dilatée du sporangiophore, située exactement sous le sporange (appelée à juste titre le renflement sous-sporangial) agit comme une lentille et concentre les rayons lumineux du soleil sur une zone photoréceptive située à sa base. La lumière concentrée latéralement induit une croissance maximum du sporangiophore du côté opposé et provoque une courbure du sporangiophore vers la lumière.

La vacuole du renflement sous-sporangial contient des solutés très concentrés, ce qui provoque une entrée d'eau par osmose. Finalement, la pression de turgescence devient telle que le renflement se déchire, projetant le sporange en direction de la lumière. La vitesse initiale peut approcher 50 kilomètres à l'heure et le sporange peut franchir une distance dépassant 2 mètres. Sachant que le diamètre du sporange ne dépasse pas 80 micromètres, cette distance est énorme. Ce mécanisme est efficace pour le projeter à distance des excréments — les animaux n'en mangent pas — et dans l'herbe, où elles peuvent être consommés par les herbivores et excrétées dans des excréments frais pour recommencer un cycle.

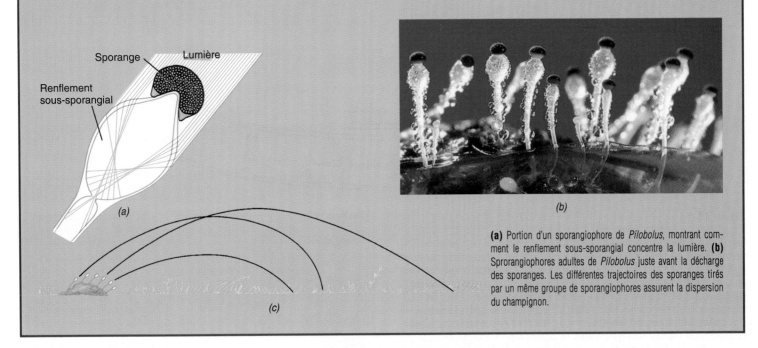

(a) Portion d'un sporangiophore de *Pilobolus*, montrant comment le renflement sous-sporangial concentre la lumière. **(b)** Sprorangiophores adultes de *Pilobolus* juste avant la décharge des sporanges. Les différentes trajectoires des sporanges tirés par un même groupe de sporangiophores assurent la dispersion du champignon.

---

dans des sporanges spécialisés se développant sur les hyphes est pratiquement universelle chez les zygomycètes.

Une des espèces les mieux connues et des plus familières de cet embranchement est *Rhizopus stolonifer*, une moisissure noire qui forme des masses cotonneuses à la surface d'aliments humides riches en glucides comme le pain et d'autres substances du même type exposées à l'air (Figure 15-2). Cet organisme constitue également un danger sérieux pour les fruits et légumes stockés. La figure 15-11 représente le cycle de dévelopement de *R.stolonifer*. Le mycélium de *Rhizopus* est composé de plusieurs types différents d'hyphes haploïdes. La plus grande partie du mycélium est formé d'hyphes cénocytiques à croissance rapide, qui se développent à travers tout le substrat en absorbant les substances nutritives. À partir de là se développent des hyphes courbées appelées **stolons**. Les stolons forment des rhizoïdes dès que leurs extrémités entrent en contact avec le substrat. De chacun de ces points se développe une rameau érigé robuste, appelé **sporangiophore** (« porteur de sporange ») parce qu'il produit à son extrémité un sporange sphérique. À l'origine, le sporange est un renflement dans lequel un certain nombre de noyaux convergent. Le sporange s'isole finalement en formant une cloison. À l'intérieur, le protoplasme se clive et une paroi cellulaire se forme autour de chacun des noyaux produits asexuellement pour donner une spore. Quand la paroi du sporange arrive à maturité, elle devient noire et donne à la moisissure sa couleur caractéristique. Avec la rupture de la paroi du sporange, les spores sont libérées. Chacune peut germer et produire un nouveau mycélium, ce qui complète le cycle asexué.

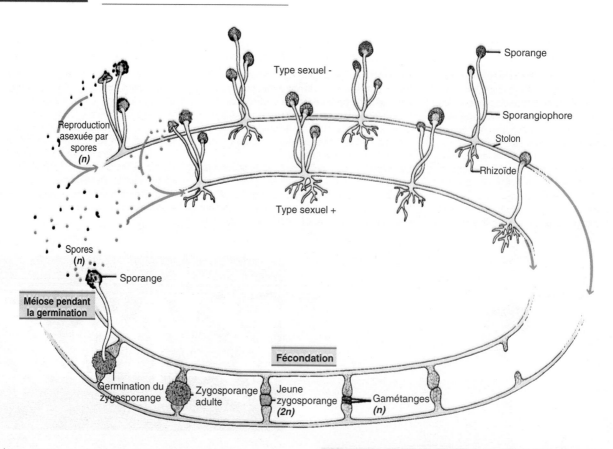

Type sexuel -

Sporange

Sporangiophore

Stolon

Rhizoïde

Reproduction
asexuée par
spores
(n)

Type sexuel +

Spores
(n)

Sporange

**Méiose pendant
la germination**

Fécondation

Germination du
zygosporange

Zygosporange
adulte

Jeune
zygosporange
(2n)

Gamétanges
(n)

Figure 15-11

Chez *Rhizopus stolonifer*, comme chez beaucoup d'autres zygomycètes, le principal mode de reproduction est une multiplication asexuée par spores haploïdes. La reproduction sexuée est moins fréquente. Les spores sont formées dans des sporanges, dont les parois noires donnent à la moisissure sa couleur caractéristique. Chez cette espèce banale, la reproduction sexuée implique des souches génétiquement différentes, traditionnellement représentées par les types + et -. (Bien qu'elles soient morphologiquement indistinctes, les deux souches sont représentées ici en deux couleurs). La reproduction sexuée aboutit à la production d'une spore dormante, la zygospore, produite à l'intérieur d'un zygosporange. Le zygosporange de *Rhizopus* développe une enveloppe noire, épaisse, et rugueuse, et la zygospore reste au repos, souvent pendant plusieurs mois.

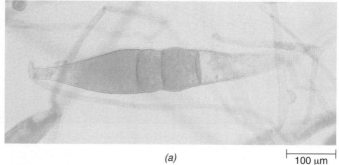

(a)   100 µm

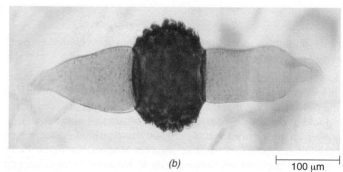

(b)   100 µm

Figure 15-12

Le zygomycète *Rhizopus stolonifer*, une moisissure noire. **(a)** Fusion des gamétanges, structures qui produisent les gamètes, d'où résulte la production d'une zygospore. **(b)** La zygospore se développe à l'intérieur d'un zygosporange à paroi épaisse.

L'embranchement des zygomycètes doit son nom à sa caractéristique principale — la production sexuée de spores quiescentes, appelées **zygospores**, qui se développent à l'intérieur de structures pourvues d'une paroi, les **zygosporanges** (Figure 15-12). Les zygospores restent souvent au repos pendant de longues périodes. Deux mycéliums physiologiquement distincts, représentés par les souches + et -, doivent être présents pour permettre la reproduction sexuée de *R.stolonifer*. Quand deux individus compatibles sont proches l'un de l'autre, des hormones sont produites : celles-ci induisent l'apparition, sur les hyphes, d'excroissances qui se rapprochent et se développent en gamétanges. Des espèces telles que *R.stolonifer*, chez lesquelles des souches + et - sont nécessaires à la reproduction sexuée, on dit qu'elles sont **hétérothalliques**, alors que les espèces autofertiles sont **homothalliques**.

Dans tous les cas, les gamétanges se séparent du reste du champignon par la formation de cloisons (Figure 15-11). Les parois séparant les deux gamétanges en contact se dissolvent et les deux protoplastes multinucléés fusionnent. Après la plasmogamie (fusion des deux gamétanges multinucléés), les noyaux + et - s'apparient et un zygosporange à paroi épaisse se forme. À l'intérieur du zygosporange, les noyaux + et - appariés fusionnent (caryogamie) pour produire des noyaux diploïdes qui se développent en une seule zygospore multinucléée. Au moment de la germination, le zygosporange s'ouvre et un sporangiophore émerge de la zygospore. La méiose se déroule au moment de la germination, de telle sorte que les spores produites asexuellement à l'intérieur du nouveau sporange sont haploïdes. Le cycle recommence à la germination de ces spores.

Deux genres de zygomycètes seulement induisent fréquemment des maladies chez les plantes et dans les tissus végétaux vivants. L'un d'eux est *Rhizopus*, qui provoque une pourriture molle dans beaucoup de fleurs, fruits charnus, graines et bulbes. L'autre est *Choanephora*, responsable d'une pourriture molle du concombre, de la citrouille, de l'okra et du poivron.

Un des les plus importants groupes de zygomycètes renferme le genre *Glomus* et des genres apparentés, qui se développent toujours en étroite association avec les racines des plantes et forment des endomycorrhizes. Un autre groupe de zygomycètes de grande importance écologique est l'ordre des *Entomophthorales*, parasite des insectes et d'autres petits animaux (voir figure 15-3b). Les espèces de cet ordre, dont la plupart se reproduisent par une spore asexuée terminale déchargée à maturité, sont de plus en plus utilisées pour le contrôle biologique des insectes nuisibles aux cultures.

Les trichomycètes, un troisième groupe de zygomycètes, ont des relations curieuses avec les arthropodes. On trouve ces champignons dans des larves d'insectes aquatiques, des mille-pattes, des écrevisses et même des crustacés des sources thermales sous-marines. On voit rarement les trichomycètes, parce qu'ils vivent dans le système digestif de l'organisme hôte ; on pense que certains fournissent des vitamines à l'animal.

Embranchement des *Ascomycota*

Les ascomycètes, dont on a décrit environ 32.000 espèces, comprennent un certain nombre de champignons familiers et économiquement importants. La plupart des moisissures bleu-vert, rouges et brunes qui gâtent les aliments sont des ascomycètes. Les ascomycètes sont également responsables de plusieurs maladies graves des plantes, comme les oïdiums, qui s'attaquent principalement aux feuilles, la pourriture brune des fruits à noyau (provoquée par *Monilinia fructicola*), le chancre du chataîgnier (causé par le champignon *Cryphonectria parasitica*), introduit accidentellement en Amérique du Nord à partir de Chine septentrionale, et la maladie hollandaise de l'orme (causé par *Ophiostoma ulmi* et *O.novo-ulmi*, introduits respectivement d'Europe septentrionale et d'une région de Roumanie et d'Ukraine). Beaucoup de levures sont aussi des ascomycètes, ainsi que les morilles et les truffes comestibles (Figure 15-13). De nombreuses nouvelles familles et des milliers d'autres espèces d'ascomycètes — certaines sans doute de grande importance économique — attendent d'être découvertes et décrites scientifiquement.

Figure 15-13

Ascomycètes. **(a)** *Scutellinia scutellata.* **(b)** L'ascome de la truffe noire, *Tuber melanosporum* est comestible et très recherché. Chez les truffes, cette structure sporogène se forme dans le sol et reste fermée, elle ne libére ses ascospores qu'après la décomposition de l'ascome ou son ouverture par des animaux fouisseurs. Les truffes forment des mycorhizes (voir page 342), principalement sur les chênes et les noisetiers, et elles sont recherchées par des chiens et des porcs spécialement dressés. Les porcs utilisés sont des truies, parce que les truffes émettent une substance qui ressemble à la phéromone de la salive du mâle. On a récemment pu cultiver commercialement des truffes à petite échelle en inoculant leurs spores sur les racines de plantes hôtes.

(a)   (b)

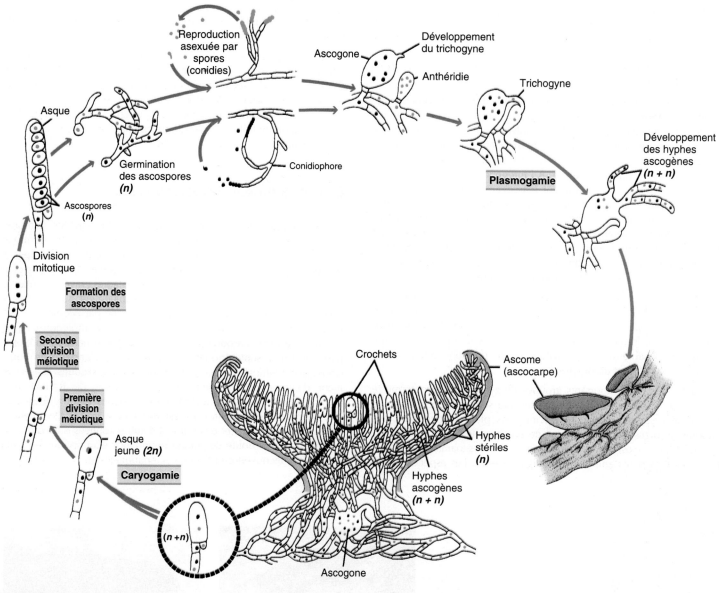

Figure 15-14

Cycle de développement typique d'un ascomycète. Le champignon se reproduit asexuellement par des spores spécialisées, les conidies, qui sont généralement uninucléées. La reproduction sexuée implique la formation d'asques et d'ascospores. La plasmogamie produit des protoplastes dont les noyaux ne sont pas encore fusionnés, représentés par *n + n*. À l'intérieur de l'asque, la caryogamie est immédiatement suivie de la méiose et aboutit à la production des ascospores.

À l'exception des levures unicellulaires, les ascomycètes ont des formes végétatives filamenteuses. En général, leurs hyphes ont des cloisons perforées (Figure 15-4), ce qui permet au cytoplasme et aux noyaux de passer d'une cellule à l'autre. Les cellules hyphales du mycélium végétatif sont habituellement uninucléées. Certains ascomycètes sont homothalliques, d'autres sont hétérothalliques.

Le cycle de développement d'un ascomycète est représenté schématiquement à la figure 15-14. Chez la plupart des espèces de cet embranchement, la reproduction asexuée est généralement assurée par des conidies multinucléées. Les conidies se forment à partir de cellules conidiogènes (Figure 15-15) qui naissent au sommet d'hyphes modifiées appelées conidiophores. Contrairement aux zygomycètes, dont les spores se forment à l'intérieur d'un sporange, les ascomycètes produisent leurs spores asexuées à l'extérieur, sous forme de conidies.

La reproduction sexuée des ascomycètes implique toujours la formation d'un **asque**, structure en forme de sac dans laquelle se forment les **ascospores** haploïdes à la suite de la méiose. Parce que l'asque ressemble à un sac, on parle parfois des ascomycètes comme des

Figure 15-15

Les conidies sont les spores asexuées caractéristiques des ascomycètes ; elles sont généralement uninucléées. Ces micrographies électroniques montrent les stades de développement des conidies de *Nomuraea rileyi*, qui infecte la chenille vivant sur *Mucuna pruriens*. **(a)** Micrographie au microscope électronique à balayage de conidies à différents stades de développement. **(b)** Micrographie de conidies au microscope électronique à transmission

(a)

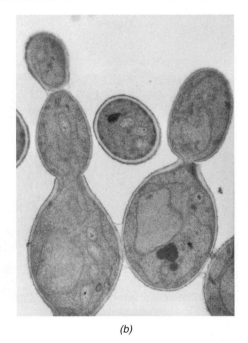

(b)

« champignons à sac ». Les asques et les ascospores sont les structures caractéristiques qui distinguent les ascomycètes de tous les autres champignons (Figure 15-16). Les asques se forment généralement à l'intérieur d'une structure complexe composée d'hyphes étroitement entremêlées — l'**ascome,** ou ascocarpe. Beaucoup d'ascomes sont macroscopiques. Un ascome peut être ouvert et plus ou moins en forme de coupe (une *apothécie* ; figure 15-13a) ; il peut être fermé et sphérique (un *cléistothèce* ; figure 15-16b), ou bien sphérique ou en forme de bouteille avec un petit pore par lequel s'échappent les ascospores (un *périthèce* ; figure 15-16c). Les asques se développent généralement à la face interne de l'ascome. On appelle habituellement la couche d'asques un **hyménium**, ou **assise hyméniale** (Figure 15-17).

Figure 15-16

Asques et ascospores. **(a)** Micrographie électronique montrant deux asques d'*Ascodesmis nigricans* renfermant des ascospores en cours de maturation. **(b)** Ascome d'*Erysiphe aggregata*, contenant les asques et les ascospores. Ce type d'ascome complètement clos est appelé cléistothécie. **(c)** Ascome de *Coniochaeta*, montrant les asques et ascospores inclus. Remarquez le petit pore au sommet. Ce type d'ascome avec une petite ouverture est un périthèce.

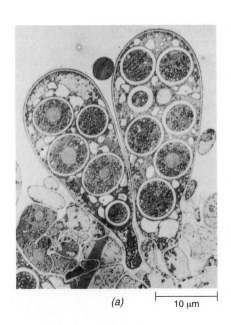

(a)   10 µm

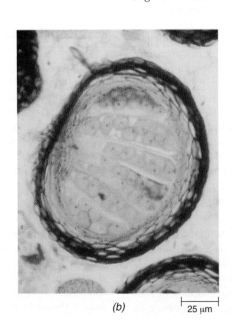

(b)   25 µm

(c)   100 µm

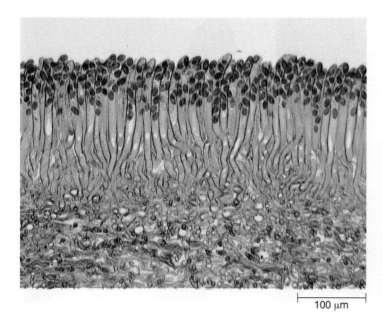

100 µm

Figure 15-17

Coupe colorée dans l'assise hyméniale d'une morille *(Morchella)*, montrant les asques et les ascospores.

Dans le cycle de développement d'un ascomycète (Figure 15-14, coin supérieur gauche), le mycélium débute par la germination d'une ascospore sur un milieu adéquat. Peu après, le mycélium commence à se reproduire asexuellement en produisant des conidies. De nombreuses vagues de conidies sont produites pendant la période de croissance, et ce sont les conidies qui sont les principaux responsables de la propagation et de la dissémination du champignon.

La reproduction sexuée, qui implique la formation d'asques, se déroule sur le même mycélium qui a produit des conidies. La formation des gamétanges multinucléés, appelés **anthéridies** (gamétanges mâles) et **ascogones** (gamétanges femelles) précède la reproduction sexuée. Les noyaux mâles de l'anthéridie pénètrent dans l'ascogone en passant par le **trichogyne**, excroissance de l'ascogone. La plasmogamie — fusion des protoplastes — est alors effective. Les noyaux mâles peuvent ensuite s'apparier aux noyaux femelles génétiquement différents à l'intérieur du cytoplasme commun, mais ils *ne fusionnent pas encore*. Les **hyphes ascogènes** commencent maintenant à se développer en dehors de l'ascogone. Tandis que leur développement se poursuit, les paires de noyaux compatibles y migrent et la cellule se divise de telle façon que les cellules produites sont toujours **dicaryotiques**, ce qui signifie qu'elles contiennent deux noyaux haploïdes compatibles (Les cellules monocaryotiques ne contiennent qu'un seul noyau).

Les asques se forment près de l'extrémité des hyphes ascogènes dicaryotiques. Habituellement, c'est la cellule apicale de l'hyphe dicaryotique qui grandit pour former un **crochet.** Dans ce crochet, les noyaux se divisent de telle sorte que leur fibres fusoriales soient parallèles les unes aux autres. Deux des noyaux fils sont rapprochés au sommet du crochet ; un des deux autres noyaux se trouve près de la

Figure 15-18

Cycle de développement d'un champignon supérieur (hyménomycète de l'embranchement des *Ascomycota*). Les mycéliums primaires, monocaryotiques, proviennent des basidiospores et produisent des mycéliums secondaires dicaryotiques, souvent après fusion de deux types reproducteurs différents : dans ce cas, les mycéliums sont hétérocaryotiques. Les mycéliums tertiaires, dicaryotiques, forment le carpophore, dans lequel les basides se différencient sur l'hyménium qui tapisse les lames ; finalement, elles libèrent des milliards de basidiospores.

pointe et l'autre est proche de la cloison à la base du crochet. Deux cloisons se forment alors ; elles divisent le crochet en trois cellules, dont la médiane devient l'asque. C'est dans cette cellule médiane que se déroule la caryogamie : les deux noyaux fusionnent pour former un noyau diploïde (zygote), qui est le seul noyau diploïde du cycle de développement des ascomycètes. Aussitôt après la caryogamie, le jeune asque commence à s'allonger. Le noyau diploïde subit alors la méiose, qui est généralement suivie d'une division mitotique : l'asque contient ainsi huit noyaux haploïdes. Ces noyaux haploïdes sont alors séparés dans des portions de cytoplasme pour donner les ascospores. Chez la plupart des ascomycètes, l'asque devient turgescente à maturité et finalement elle éclate, libérant ses ascospores de façon explosive chez les champignons en coupe et chez d'autres espèces qui forment des périthèces. Les ascospores sont généralement propulsées à 2 centimètres environ de l'asque, mais certaines espèces les projettent jusqu'à 30 centimètres. C'est l'origine de leur dispersion dans l'atmosphère.

Embranchement des *Basidiomycota*

Parmi les basidiomycètes, le dernier des quatre embranchements de champignons que nous devons envisager, se rencontrent certains des champignons les plus familiers. Parmi les 23.000 espèces différentes de cet embranchement, on trouve des champignons comestibles, des champignons vénéneux, les satyres, les vesses de loup, les polypores, ainsi que deux groupes importants d'agents pathogènes des plantes, les rouilles et les charbons. Les basidiomycètes jouent un rôle essentiel dans la décomposition de la litière végétale : ils constituent souvent les deux tiers de la biomasse vivante du sol (les animaux non compris).

Un schéma du cycle de développement d'un champignon à chapeau peut être une référence utile (Figure 15-18) pour progresser dans notre propos. Les basidiomycètes se distinguent des autres champignons par la production de **basidiospores,** qui se forment à l'extérieur d'une structure sporogène en forme de massue, la **baside.** (Figure 15-19). Dans la nature, la plupart des basidiomycètes se reproduisent principalement par basidiospores.

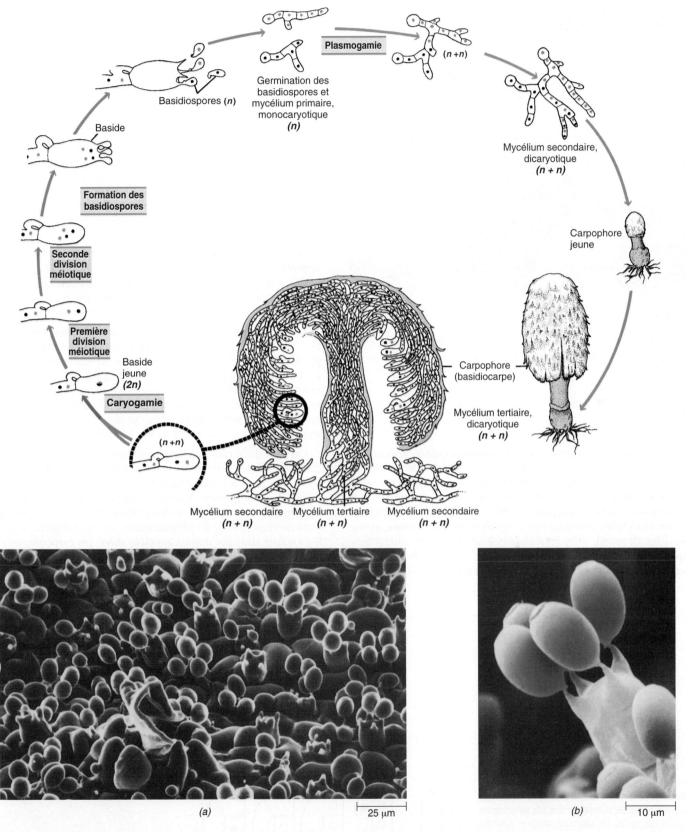

Basidiospores (n)

Baside

Formation des basidiospores

Seconde division méiotique

Première division méiotique

Baside jeune (2n)

Caryogamie

(n +n)

Germination des basidiospores et mycélium primaire, monocaryotique (n)

Plasmogamie

(n +n)

Mycélium secondaire, dicaryotique (n + n)

Carpophore jeune

Carpophore (basidiocarpe)

Mycélium tertiaire, dicaryotique (n + n)

Mycélium secondaire (n + n) Mycélium tertiaire (n + n) Mycélium secondaire (n + n)

(a)   25 µm

(b)   10 µm

Figure 15-19

Micrographies au microscope électronique à balayage de basidiospores de *Coprinus cinereus*. **(a)** Hyménium montrant de nombreuses basides qui ont été congelées au moment de la libération des basidiospores. **(b)** Sommet d'une baside avec quatre basidiospores, chacune attachée à un stérigmate en forme de stipe.

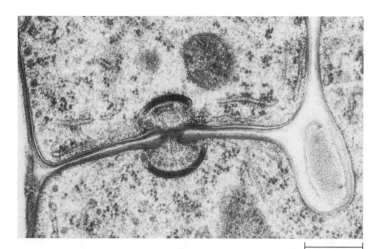

Figure 15-20

Cloison avec dolipore, chez *Auricularia auricula*, basidiomycète commun qui s'attaque au bois. Ces cloisons sont fréquentes chez les basidiomycètes. La cloison à dolipore est percée. Les parenthésomes sont visibles des deux côtés du dolipore.

0,5 μm

Le mycélium des basidiomycètes est toujours cloisonné, mais les cloisons sont perforées. Chez de nombreuses espèces, le pore de la cloison possède une marge renflée en forme d'anneau ou de tonnelet, appelée **dolipore**. Tout champignon dont les cloisons présentent des dolipores est un basidiomycète. Des deux côtés du dolipore, on peut trouver des coiffes membraneuses appelées **parenthésomes**, parce que, vues de profil, elles ressemblent à une paire de parenthèses (Figure 15-20). Beaucoup de basidiomycètes, y compris les rouilles et les charbons, ont des cloisons semblables à celles des ascomycètes.

Chez beaucoup d'espèces de basidiomycètes, le mycélium passe par deux phases distinctes — monocaryotique et dicaryotique — au cours du cycle de développement. À sa germination, la basidiospore produit un mycélium qui peut être multinucléé dès l'origine. Des cloisons se forment cependant bientôt et le mycélium est divisé en cellules **monocaryotiques** (uninucléées). Ce mycélium est aussi appelé **mycélium primaire**. Généralement, l'origine du mycélium dicaryotique est la fusion d'hyphes monocaryotiques provenant de types sexuels différents (dans ce cas, il est hétérocaryotique) ; cette fusion conduit à la formation d'un **mycélium dicaryotique** (binucléé), ou **secondaire**, puisque la caryogamie ne suit pas immédiatement la plasmogamie.

Les cellules apicales du mycélium dicaryotique se divisent généralement en formant des **connexions à boucles** (Figure 15-21). Ces connexions, qui garantissent la répartition d'un noyau de chaque type dans les cellules filles, ne se retrouve que chez les basidiomycètes, bien que 50 % des espèces puissent ne pas en former.

Le mycélium qui produit les **carpophores**, ou **basidiomes** — structures charnues qui produisent les basidiospores, comme les champignons à chapeau et les vesses de loup — est également dicaryotique. On parle d'un **mycélium tertiaire**. La formation des carpophores peut exiger de la lumière et de faibles taux de CO_2 : ces deux facteurs font savoir au mycélium qu'il est sorti de son substrat, à l'« air libre ». En formant le carpophore, le mycélium se différencie en hyphes spécialisées qui ont des fonctions différentes à l'intérieur de l'organe.

On peut diviser les *Basidiomycota* en trois classes : les *Basidiomycetes*, les *Teliomycetes* et les *Ustomycetes*. Dans les *Basidiomycetes*, on trouve tous les champignons qui produisent des carpophores, comme les champignons à chapeau, les polypores et les vesses. Ni les *Teliomycetes* (les rouilles), ni les *Ustomycetes* (les charbons) ne forment de carpophores. En remplacement, ces champignons produisent leurs spores dans des masses appelées **sores**. Les carpophores, caractéristiques des *Basidiomycetes*, sont analogues aux asques des ascomycètes.

Figure 15-21

Formation de boucles. **(a)** Chez les basidiomycètes, les hyphes dicaryotiques sont caractérisées par la formation de connexions en boucles au cours des divisions cellulaires aux extrémités des hyphes. Elle paraissent assurer la répartition régulière des deux types génétiquement distincts de noyaux dans le carpophore. La formation de deux cloisons divise la cellule parentale en deux cellules filles. **(b)** Micrographie électronique d'une connexion en boucle dans une hyphe d'*Auricularia auricula*.

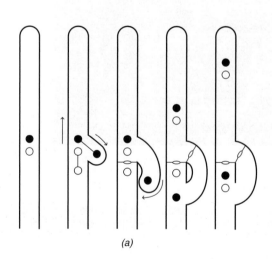

(a)

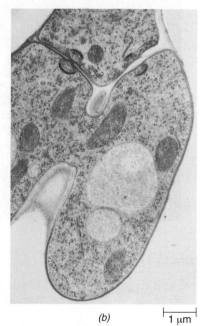

(b)

1 μm

(a)   *(b)*   *(c)*

Figure 15-22

Hyménomycètes. **(a)** L'amanite tue-mouches, *Amanita muscaria*. Les champignons sont à des stades de développement différents. Ce genre de champignons, dont beaucoup d'espèces sont vénéneuses, est caractérisé par un chapeau écailleux, un anneau sur le stipe et une coupe, ou volve, autour de la base. **(b)** Un polypore, *Polyporus arcularius*. Les polypores ne possèdent pas de lames comme la plupart des autres champignons supérieurs. Chez *P. arcularius*, les spores sont disséminées par des pores anguleux. **(c)** Un champignon en console, *Ganoderma applanatum*. Ces champignons provoquent la pourriture du bois. **(d)** Un champignon comestible à pointes, *Hericium coralloides*. Une assise externe de basides sporogènes, ou hyménium, se développe à la surface de pointes orientées vers le bas.

(d)

La classe des *Basidiomycetes* comprend les hyménomycètes et les gastéromycètes

La classe des *Basidiomycetes* comprend des champignons à chapeau comestibles et vénéneux, en console ou à pointes (Figure 15-22). On parle souvent d'hyménomycètes pour désigner ces *Basidiomycetes* parce qu'ils produisent leurs basidiospores sur une assise fertile distincte, l'**hyménium**, apparente avant la maturité des spores (Figure 15-23). Dans un autre groupe de *Basidiomycetes*, celui des gastéromycètes (littéralement « champignons estomac »), il n'y a pas d'hyménium distinct au moment de la libération des basidiospores. Parmi les gasté-romycètes familiers, on trouve les satyres, les géastres, les sclérodermes, les nidulaires et les vesses de loup (voir figure 15-27). La plupart des *Basidiomycetes* ont des basides en massue dépourvues de cloisons (non divisées à l'intérieur), portant habituellement quatre basidiospores, chacune sur une petite protubérance, le **stérigmate** (Figures 15-19b et 15-23). D'autres — les champignons gélatineux (Figure 15-24) — ont des basides cloisonnées (divisées à l'intérieur), comme celles des rouilles et des charbons.

La structure que l'on identifie au champignon ou carpophore est un basidiome (Figure 15-18). (Dans la suite du texte, nous utiliserons le terme de carpophore.)

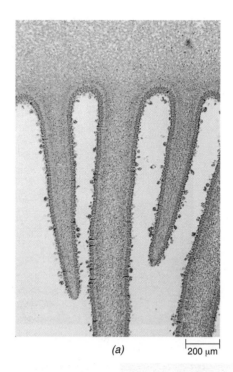

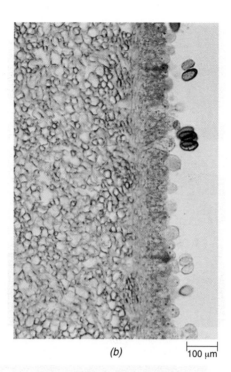

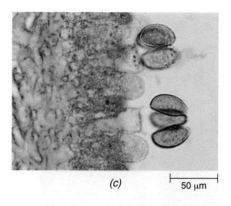

(c)   50 µm

Figure 15-23

Coupes colorées dans les lames de *Coprinus*, un champignon commun, à des grossissements de plus en plus forts. L'assise hyméniale est plus sombre dans ces différentes préparations. **(a)** Contour de quelques lames. **(b)** Dans une coupe à travers l'assise hyméniale, on voit les basides et basidiospores en cours de développement. **(c)** Basidiospores presque mûres attachées aux basides par les stérigmates.

(a)   200 µm

(b)   100 µm

Le carpophore est généralement formé d'un **pileus**, ou **chapeau**, situé sur un **stipe**, ou **pied**. Les masses d'hyphes du basidiome forment généralement des couches distinctes. Au début de son développement — au stade « bouton » — le carpophore peut être recouvert d'un tissu membraneux qui se rompt lorsque le champignon grandit. Dans certains genres, des traces de ce tissu restent visibles sous la forme de fragments à la face supérieure du chapeau et d'une coupe, ou **volve**, à la base du stipe (Figure 15-22a). Chez beaucoup d'hyménomycètes, la face inférieure du chapeau est formée de bandes de tissu, les **lames** (Figure 15-23), qui sont tapissées par l'hyménium. Chez d'autres groupes de cette classe, l'hyménium est localisé à d'autres endroits ; par exemple, chez les tremellacées (Figure 15-22d), l'hyménium recouvre des pointes dirigés vers le bas. Chez les champignons en console et les polypores (Figure 15-22b, c), l'hyménium tapisse des tubes verticaux qui s'ouvrent par des pores.

Comme on l'a déjà signalé, les basides des hyménomycètes se forment dans des hyméniums bien définis, avant la maturité des basidiospores. Chaque baside se développe à partir d'une cellule terminale d'un hyphe dicaryotique. La caryogamie a lieu alors que la jeune baside s'agrandit. Elle est suivie presqu'immédiatement par la méiose du noyau diploïde et la production de quatre noyaux haploïdes (Figure 15-18). Ces quatre noyaux migrent ensuite chacun dans un stérigmate dont l'extrémité s'accroît pour former une basidiospore haploïde uninucléée. À maturité, les basidiospores sont déchargées violemment par le carpophore, mais elles dépendent du vent pour leur dispersion. La capacité de reproduction d'un champignon est extraordinaire : un seul carpophore produit des milliards de spores. Cette capacité est indispensable : chaque espèce occupe une niche étroite dans l'environnement, et la probabilité pour une spore d'atterrir sur un substrat qui lui permettra de germer et de se développer est réduite.

Dans les habitats relativement uniformes, comme les pelouses et les champs, le mycélium qui produit les carpophores s'étale en sous-sol, il s'accroît en profondeur et vers l'extérieur en formant un cercle

Figure 15-24

Champignon gélatineux se développant sur une branche d'arbre mort dans la forêt amazonienne du Brésil. Les champignons gélatineux produisent des basides cloisonnées. C'est entre autres pour cette raison que beaucoup de mycologistes ne classent plus les champignons gélatineux dans les hyménomycètes.

Figure 15-25

« Rond de sorcières » formé par le champignon *Marasmius oreades*. On estime l'âge de certains ronds de sorcières à 500 ans. À cause de l'épuisement des éléments nutritifs essentiels, l'herbe qui se trouve immédiatement à l'intérieur de ce cercle est souvent rabougrie et d'un vert plus clair qu'à l'extérieur.

de carpophores en bordure de la colonie. Cet anneau peut atteindre 30 mètres de diamètre. En terrain dégagé, le mycélium se répand régulièrement dans toutes les directions, il meurt au centre et émet des carpophores au bord du cercle, où son développement est le plus actif parce que c'est dans cette région que les matières nutritives du sol sont les plus abondantes. C'est pourquoi les carpophores apparaissent en cercles qui s'élargissent à mesure que le mycélium s'accroît. En Europe, ces cercles sont connus, d'après les légendes populaires, sous le nom de « ronds de sorcières » (Figure 15-25).

Les hyménomycètes les mieux connus sont les champignons à lames, comme *Agaricus campestris*, le champignon des champs commun. Une espèce très proche, *Agaricus bisporus*, est un des rares champignons cultivés commercialement. On le cultive aujourd'hui dans plus de 70 pays et la valeur de la production mondiale dépasse 14 milliards de dollars. Avec le champignon oriental shiitake, *Lentinula edodes*, *A.bisporus* représente environ 86 % de la production mondiale de champignons. D'autres champignons sont encore cultivés et certains sont récoltés en grande quantité dans la nature. On s'est alarmé du déclin des champignons dans les forêts d'Europe et du nord-ouest des États-Unis, tant par le nombre total d'espèces que par le nombre d'individus. Si cette tendance se poursuit, il pourrait en résulter un déclin fatal de la santé des arbres qui dépendent des mycorhizes fongiques pour leur alimentation, et aussi d'une perturbation du cycle alimentaire dans l'écosystème. La cause de ce déclin n'a pas été identifiée, mais on suspecte des polluants, les nitrates par exemple.

On trouve également, dans les champignons à lames, de nombreuses espèces vénéneuses. Dans le genre *Amanita,* les champignons les plus vénéneux côtoient des espèces comestibles. Quelques bouchées d'*A.virosa* peuvent être fatales. D'autres basidiomycètes contiennent des substances chimiques qui provoquent des hallucinations chez les personnes qui les consomment (Figure 15-26).

Les gastéromycètes (Figure 15-27) sont caractérisés par le fait que leurs basidiospores murissent à l'intérieur des carpophores et n'en sont pas expulsées avec violence. On sait maintenant que ce groupe, d'abord considéré comme une classe distincte, celle des *Gasteromycetes*, est polyphylétique. Les carpophores des gastéromycètes possèdent une enveloppe externe distincte, le **péridium,** qui est presqu'aussi mince que du papier chez certaines espèces ou épais, élastique ou coriace chez d'autres. Chez certaines espèces, le péridium s'ouvre naturellement quand les spores sont mûres ; chez d'autres, il reste toujours fermé et les spores ne sont libérées qu'après sa rupture par un agent externe.

(a)

(b)

Figure 15-26

Les champignons occupent une place importante dans les cérémonies religieuses chez plusieurs groupes d'indiens du sud du Mexique et d'Amérique Centrale. Les indiens consomment certains hyménomycètes pour leurs propriétés hallucinogènes. **(a)** Un des plus importants de ces champignons est *Psilocybe mexicana*, que l'on voit ici dans une pâture près de Huautla de Jimenez, état d'Oaxaca, au Mexique. **(b)** On voit la chaman Maria Sabina mangeant *Psilocybe* au cours d'une cérémonie religieuse nocturne. **(c)** La psilocybine, substance responsable des visions colorées éprouvées par ceux qui consomment ces champignons « sacrés » a une structure analogue à celle du LSD et de la mescaline (voir figure 22-50a).

(c) Psilocybine

Figure 15-27

Gastéromycètes. **(a)** Une vesse de loup, *Calostoma cinnabarina*. Les gouttes de pluie provoquent des creux dans la mince couche externe, ou péridinium, et font sortir, par l'orifice, une bouffée d'air avec des spores. **(b)** Le satyre voilé, *Dictyophora duplicata*. Les basidiospores sont libérées dans une masse visqueuse d'odeur fétide, au sommet du champignon. Les mouches les visitent pour se nourrir et disséminent les spores, qui collent en grand nombre à leurs pattes et à leur corps. **(c)** Une nidulaire, *Crucibulum laeve*. Les structures arrondies (« œufs ») des carpophores (les « nids ») de ces champignons contiennent les basidiospores, qui sont expulsées et dispersées par les gouttes de pluie. **(d)** Un géastre, *Geastrum saccatum* : un individu est entièrement ouvert et deux autres sont à leurs premiers stades de développement. Dans ce genre, les assises externes du péridium se recourbent vers l'extérieur et soulèvent la masse de spores au-dessus des feuilles mortes.

(a)   *(b)*

Les satyres (Figure 15-27b) ont une morphologie remarquable. Ils développent dans le sol des structures coriaces en forme d'œuf. À maturité, ils se différencient en un stipe allongé et en pileus, ou chapeau, qui porte la **gléba**, portion fertile du basidiome. La gléba forme une masse de spores gluante d'odeur désagréable attirant les mouches et les coléoptères qui disséminent les spores.

Les vesses de loup sont des gastéromycètes bien connus. À maturité, l'intérieur se dessèche et libère un nuage de spores quand on le heurte. Certaines vesses de loup géantes peuvent atteindre un diamètre d'un mètre et produire plusieurs billions de basidiospores. Les nidulaires (Figure 15-27c) commencent à se développer comme les vesses de loup, mais le résidu de la dégradation de la plus grande partie de leur structure interne ressemble à de minuscules nids d'oiseaux.

Les rouilles (urédinées) font partie de la classe des *Teliomycetes*

Dans la classe des *Teliomycetes*, on trouve les champignons habituellement désignés comme rouilles : on en a décrit quelque 7000 espèces. Contrairement aux *Basidiomycetes*, les rouilles ne forment pas de carpophores. Comme on l'a signalé plus haut, leurs spores sont produites sous forme de masses appelées sores (Figure 15-28). Elles produisent cependant bien des hyphes dicaryotiques et des basides, qui sont cloisonnées comme celles des champignons gélatineux (qui appartiennent à la classe des *Basidiomycetes*). Les rouilles sont des agents pathogènes pour les plantes ; de ce fait, elles ont une importance économique énorme ; elles provoquent des dégâts aux cultures qui coûtent des milliards de dollars chaque année dans le monde entier. Parmi les maladies les plus sérieuses dues au rouilles, citons la rouille noire des céréales, la rouille vésiculaire des pins à cinq feuilles, la rouille du café, la rouille du genévrier et la rouille de l'arachide.

Le cycle de développement de nombreuses rouilles est complexe et ces agents pathogènes représentent un défi constant pour les phytopathologistes dont la tâche est de les tenir sous contrôle. Jusqu'il y a peu, on supposait que les rouilles étaient des parasites obligatoires

(c)

(d)

des plantes vasculaires, mais plusieurs espèces ont pu aujourd'hui être cultivées sur milieux artificiels. Certains charbons sont également capables de réaliser leur développement complet en conditions de laboratoire.

Figure 15-28

Sores orange de la rouille vésiculeuse *(Kuehneola uredinis)* sur une feuille de ronce photographiée dans le comté de San Mateo, Californie.

On peut prendre *Puccinia graminis*, responsable de la rouille noire de la tige du blé, comme exemple de cycle de développement. Il existe de nombreuses souches de *P.graminis* et, en plus du blé, elles parasitent d'autres céréales comme l'orge, l'avoine et le seigle, ainsi que diverses espèces de graminées sauvages. *Puccinia graminis* est une cause permanente de pertes économiques pour les céréaliers. En une seule année, les pertes se sont élevées à près de 8 millions de tonnes pour le Minnesota, le Dakota du Nord, le Dakota du Sud et les provinces des prairies du Canada. Dès l'année 100 de notre ère, Pline a décrit la rouille comme « le plus grand ennemi des cultures ». Aujourd'hui, les phytopathologistes combattent la rouille noire de la tige principalement par la sélection de variétés de blé résistantes, mais les mutations et les recombinaisons de la rouille rendent tout progrès éphémère.

Puccinia graminis est **hétéroïque** ; cela signifie qu'il a besoin de deux hôtes pour boucler son cycle de développement (voir figure 15-29, sur les deux pages qui suivent). Les parasites **autoïques**, par contre, n'ont besoin que d'un seul hôte. *Puccinia graminis* peut se développer indéfiniment sur la graminée, mais il ne s'y reproduit qu'asexuellement. Pour que la reproduction sexuée soit possible, le cycle de développement de la rouille doit se dérouler en partie sur un *Berberis*, l'épine-vinette, et en partie sur une graminée. Pour tenter d'éliminer cette rouille, on a éradiqué les buissons d'épine-vinette. La colonie de la couronne du Massachusetts, par exemple, passa une loi ordonnant « tout qui... a des buissons d'épine-vinette sur son terrain... fera en sorte de les arracher ou de les détruire au plus tard le treize juin 1760. »

Le *Berberis* s'infecte au printemps (Figure 15-29, au-dessus à gauche), quand des basidiospores uninucléées pénètrent dans la plante en formant des mycéliums haploïdes, qui développent d'abord des **spermogonies** (pycnides), principalement à la face supérieure des feuilles. Dans la forme de *P.graminis* qui se développe sur *Berberis* il existe des lignées + et -séparées ; les basidiospores et les spermogonies qui en dérivent sont donc soit +, soit -. Chaque spermogonie est une pustule en forme de bouteille bordée par une assise cellulaire qui produit des cellules uninucléées collantes appelées **spermaties** (pycnospores). L'orifice de la spermogonie est entouré par une touffe de poils orange, raides, non ramifiés et pointus, les **périphyses,** qui portent des gouttelettes d'un nectar sucré d'odeur douce. Les spermaties se trouvent dans le nectar, qui attire les mouches. Entre les périphyses, on trouve aussi des **hyphes réceptrices** ramifiées. Les mouches visitent les spermogonies et se nourrissent du nectar. En passant d'une spermogonie à l'autre, elles transportent des spermaties. Si une spermatie+ provenant d'une spermogonie entre en contact avec une hyphe réceptrice- d'une autre spermogonie, ou vice versa, la plasmogamie est possible et des hyphes dicaryotiques sont produites. Les initiales d'écidies se développent à partir des hyphes dicaryotiques qui descendent à partir de la spermogonie. Les **écidies** se forment alors principalement à la face inférieure de la feuille, où elles produisent des chaînes d'**écidiospores**. Les écidiospores dicaryotiques doivent alors infecter le blé ; elles ne peuvent poursuivre leur développement sur l'épine-vinette.

La première manifestation externe de l'infection sur le blé est l'apparition de stries linéaires de couleur rouille sur les feuilles et les tiges (le stade rouge). Ces stries sont des **urédies,** qui contiennent des **urédospores** unicellulaires dicaryotiques. Les urédospores sont produites pendant tout l'été et réinfectent le blé ; c'est principalement par ce moyen que la rouille du blé se répand dans toutes les régions céréalières du monde. À la fin de l'été et au début de l'automne, les sores rouges deviennent progressivement plus sombres et se transforment en **télies,** avec des **téleutospores** dicaryotiques bicellulaires (stade noir). Les téleutospores hivernent et infectent soit l'épine-vinette, soit le blé. Peu après leur formation, les noyaux fusionnent et les téleutospores hivernent à l'état diploïde. La méiose débute en fait immédiatement, mais elle s'arrête en prophase I. Au début du printemps, avant la germination, la méiose se termine dans des basides courtes, courbées, qui émergent des deux cellules de la téleutospore. Des cloisons se forment entre les noyaux produits, qui migrent ensuite dans les stérigmates et se développent en basidiospores. Le cycle annuel est ainsi bouclé.

Dans certaines régions, le cycle de développement de la rouille du blé peut être raccourci grâce à la persistance du stade urédinien lorsque des tissus végétaux en croissance active sont disponibles pendant toute l'année. Dans les plaines d'Amérique du Nord, les urédospores du blé d'hiver des états du sud et du Mexique dérivent vers le nord jusqu'au Manitoba. Les générations tardives se dispersent en direction de l'ouest vers l'Alberta et, finalement, il existe une dérive en direction du sud à la fin de l'été, qui semble suivre le versant oriental des Montagnes Rocheuses et retourne ainsi aux territoires d'hivernage. Dans ces conditions, la rouille du blé persiste sans dépendre de l'épine-vinette, de telle sorte que l'éradication de cet hôte n'était pas un moyen efficace pour contrôler la rouille du blé dans cette région. Par contre, les urédospores ne peuvent se répandre du sud vers le nord en Eurasie, où existent des chaînes de montagnes importantes orientées d'est en ouest, et où l'épine-vinette *est* indispensable à la survie du pathogène.

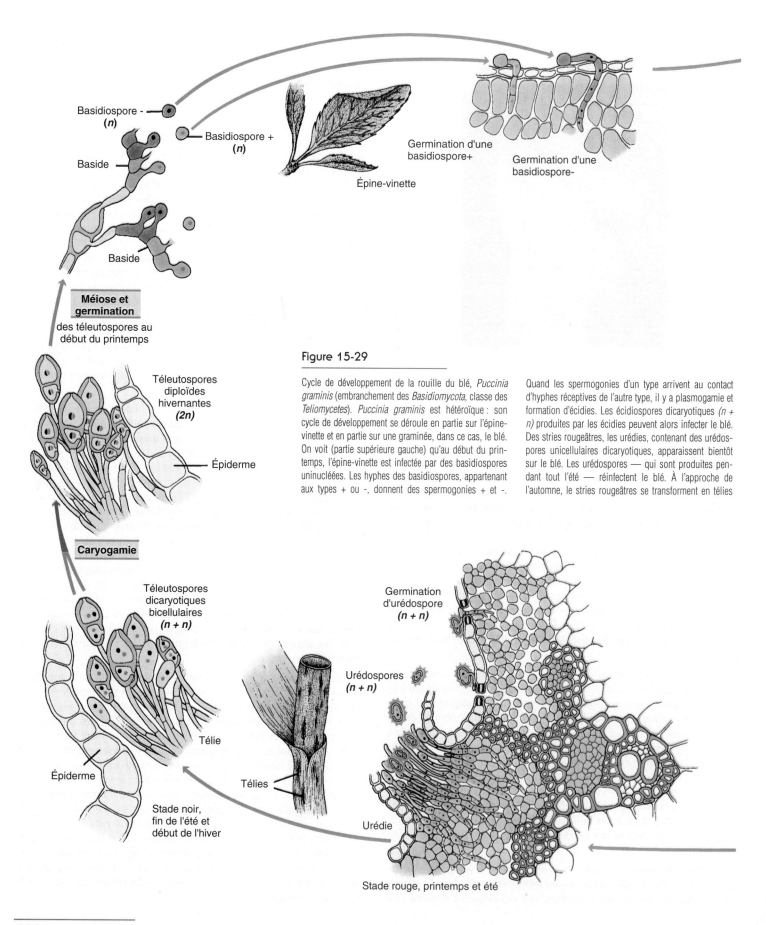

Basidiospore -
(n)

Basidiospore +
(n)

Baside

Baside

Germination d'une
basidiospore+

Germination d'une
basidiospore-

Épine-vinette

Méiose et germination
des téleutospores au
début du printemps

Téleutospores
diploïdes
hivernantes
(2n)

Épiderme

Caryogamie

Téleutospores
dicaryotiques
bicellulaires
(n + n)

Télie

Épiderme

Stade noir,
fin de l'été et
début de l'hiver

Télies

Germination
d'urédospore
(n + n)

Urédospores
(n + n)

Urédie

Stade rouge, printemps et été

Figure 15-29

Cycle de développement de la rouille du blé, *Puccinia graminis* (embranchement des *Basidiomycota*, classe des *Teliomycetes*). *Puccinia graminis* est hétéroïque : son cycle de développement se déroule en partie sur l'épine-vinette et en partie sur une graminée, dans ce cas, le blé. On voit (partie supérieure gauche) qu'au début du printemps, l'épine-vinette est infectée par des basidiospores uninucléées. Les hyphes des basidiospores, appartenant aux types + ou -, donnent des spermogonies + et -.

Quand les spermogonies d'un type arrivent au contact d'hyphes réceptives de l'autre type, il y a plasmogamie et formation d'écidies. Les écidiospores dicaryotiques *(n + n)* produites par les écidies peuvent alors infecter le blé. Des stries rougeâtres, les urédies, contenant des urédospores unicellulaires dicaryotiques, apparaissent bientôt sur le blé. Les urédospores — qui sont produites pendant tout l'été — réinfectent le blé. À l'approche de l'automne, le stries rougeâtres se transforment en télies

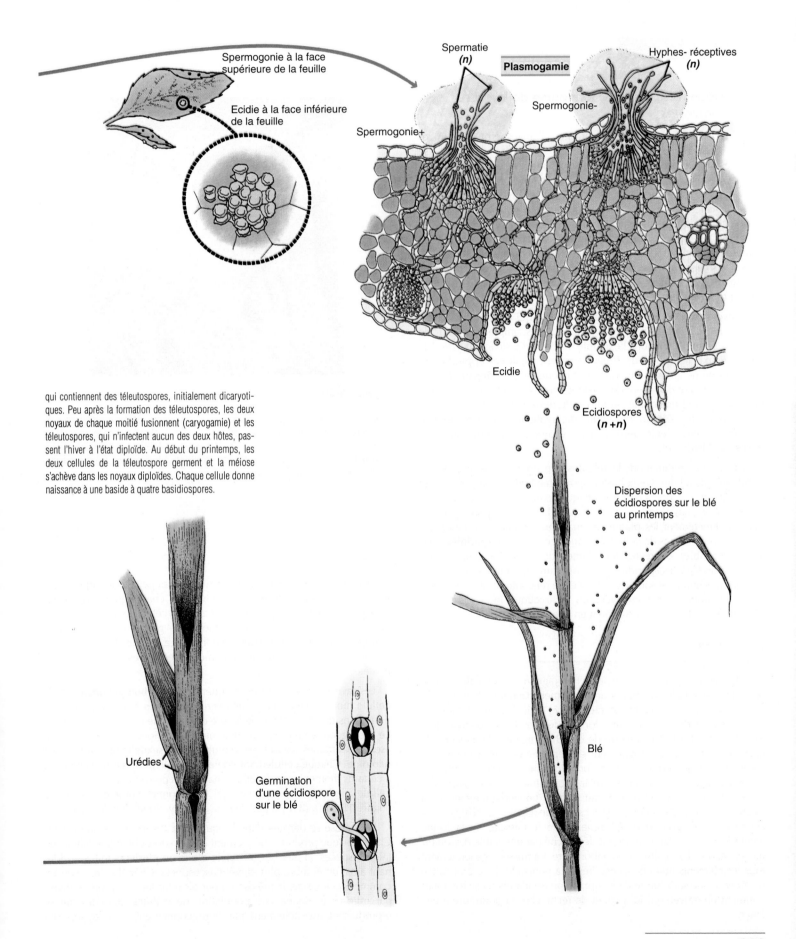

Spermogonie à la face
supérieure de la feuille

Ecidie à la face inférieure
de la feuille

Spermatie
(n)

Plasmogamie

Hyphes- réceptives
(n)

Spermogonie-

Spermogonie+

Ecidie

Ecidiospores
(n +n)

qui contiennent des téleutospores, initialement dicaryotiques. Peu après la formation des téleutospores, les deux
noyaux de chaque moitié fusionnent (caryogamie) et les
téleutospores, qui n'infectent aucun des deux hôtes, passent l'hiver à l'état diploïde. Au début du printemps, les
deux cellules de la téleutospore germent et la méiose
s'achève dans les noyaux diploïdes. Chaque cellule donne
naissance à une baside à quatre basidiospores.

Dispersion des
écidiospores sur le blé
au printemps

Blé

Urédies

Germination
d'une écidiospore
sur le blé

Les charbons (ustilaginées) font partie de la classe des *Ustomycetes*

Tous les *Ustomycetes* sont des parasites d'angiospermes et on les appelle généralement des charbons. Ce terme de « charbon » se réfère à l'apparence fuligineuse ou charbonneuse des masses poudreuses de téleutospores, qui sont les spores quiescentes caractéristiques de ces champignons. On a décrit environ 1070 espèces d'*Ustomycetes*. La plupart des charbons forment des basides cloisonnées. Économiquement, les charbons sont très importants. Ils s'attaquent à 4000 espèces d'angiospermes environ, y compris des plantes alimentaires et ornementales. Trois espèces sont particulièrement connues ; *Ustilago maydis* provoque le charbon commun du maïs (Figure 15-30) ; *Ustilago avenae* est la cause du charbon de l'avoine ; *Tilletia tritici* est responsable de la carie commune du blé.

Le cycle de développement d'un charbon, qui est autoïque (il n'a besoin que d'un seul hôte) est beaucoup plus simple que celui de *Puccinia graminis*. Prenons l'exemple du cycle d'*Ustilago maydis*. Les infections par les spores de *P.maydis* restent localisées et produisent des sores ou de grosses tumeurs. Les tumeurs les plus apparentes, ou galles, se forment dans l'épi de maïs : les grains deviennent beaucoup plus gros et sont malformés en raison du développement d'un mycélium interne massif. Un mycélium dicaryotique donne finalement naissance à des téleutospores à paroi épaisse : la caryogamie et la méiose s'y déroulent.

Lors de sa germination, la téleutospore donne naissance à une baside tétracellulaire. Deux basidiospores haploïdes uninucléées + et deux - se forment, une à partir de chaque cellule de la baside (comme *P.graminis*, *U.maydis* est hétérothallique). Les basidiospores peuvent infecter directement les plantes de maïs ou produire, en bourgeonnant, des populations de cellules uninucléées appelées **sporidies**, également capables d'infecter les plantes de maïs. En germant, les basidiospores ou les sporidies produisent un mycélium + ou -. Lorsque des mycélium de souches opposées se rencontrent, il y a plasmogamie et production d'un mycélium dicaryotique (n + n), dont la plupart des cellules se transforment en téleutospores.

Les levures

Une **levure** est, par définition, un champignon unicellulaire qui se reproduit principalement par bourgeonnement. Certains champignons possèdent les deux formes de croissance, unicellulaire et filamenteuse, passant de l'une à l'autre lorsque les conditions d'environnement changent. Chez beaucoup de ces champignons, la plus grande partie du cycle de développement est représentée par la forme filamenteuse. On en trouve d'autres principalement sous la forme de levures : c'est le cas de la levure la plus familière, *Saccharomyces cerevisiae* (Figure 15-31a). On sait depuis un certain temps qu'il existe une forme filamenteuse de *S.cerevisiae* (Figure 15-31b) ; on n'a cependant découvert que récemment que le passage de la forme levure à la forme filamenteuse est déclenché par une faible disponibilité en azote. Les cultures en laboratoire fournissent généralement tous les éléments nutritifs nécessaires à la poursuite de la croissance de *S.cerevisiae* sous forme de levure. La phase filamenteuse est apparemment un moyen qui lui permet de rechercher sa nourriture à distance.

Figure 15-30

Le charbon du maïs est une maladie commune : le champignon, *Ustilago maydis*, produit des masses poussiéreuses noires de spores dans les épis de maïs. Quand ils sont jeunes et blancs, ceux-ci sont consommés après cuisson au Mexique et en Amérique Centrale et considérés comme une friandise. *Ustilago* est un charbon appartenant à la classe des *Teliomycetes*, dans l'embranchement des *Basidiomycota*.

Les levures ne forment pas un véritable groupe taxonomique. Cette forme de croissance se rencontre chez des champignons très divers sans liens de parenté regroupant des zygomycètes, des ascomycètes et des basidiomycètes. Il existe au moins 80 genres de levures, avec approximativement 600 espèces connues. La plupart des levures sont des ascomycètes, mais un quart au moins des genres sont des basidiomycètes.

Les levures se reproduisent fréquemment par **bourgeonnement** : la cellule mère produit une petite excroissance, un bourgeon. On peut donc considérer la cellule de levure comme une cellule conidiogène. Le bourgeonnement est évidemment un mode de reproduction asexué. Certaines levures ne se multiplient asexuellement qu'à l'état haploïde. Chaque cellule haploïde est capable de servir de gamète et, à certains moments, deux cellules haploïdes peuvent fusionner en une cellule diploïde, le zygote, qui fonctionne comme un asque (Figure 15-31c). (Il n'y a pas de phase dicaryotique chez les levures).

La méiose se déroule dans l'asque chez les levures ascomycètes. Chaque asque produit généralement quatre spores bien que, chez certaines espèces, la méiose soit suivie d'une ou plusieurs mitoses, donnant ainsi un nombre plus élevé d'ascospores. Chez d'autres levures, comme *S.cerevisiae*, la méiose est parfois retardée, le zygote se divise par mitoses et donne une population de cellules diploïdes qui se reproduisent asexuellement par bourgeonnement. Ces levures ont

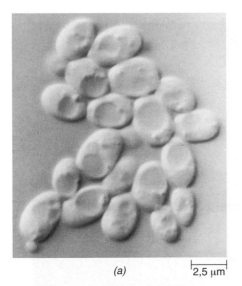

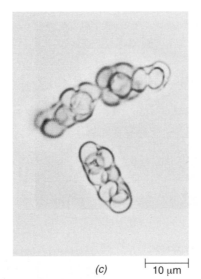

Figure 15-31

Levures. Formes unicellulaire **(a)** et filamenteuse **(b)** de la levure de boulangerie, *Saccharomyces cerevisiae*. Les levures se reproduisent habituellement par bourgeonnement (partie inférieure gauche des deux micrographies). **(c)** Asques, avec huit ascospores dans chacun, de *Schizosaccharomyces octosporus*.

(a) 　2,5 µm　(c)　10 µm

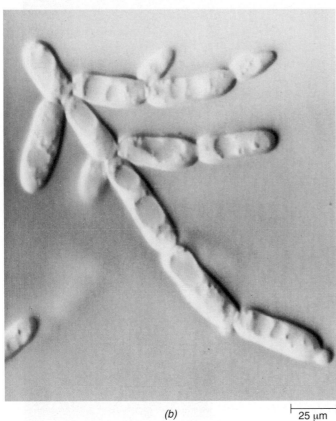

(b)　25 µm

les deux substances. On a développé, par sélection et croisements, de nombreuses souches de levure pour les utilisations domestiques, et les techniques d'ingénierie génétique sont appliquées aujourd'hui pour améliorer encore ces lignées par addition de gènes utiles provenant d'autres organismes. Certaines saveurs du vin proviennent directement du raisin, mais la plupart découlent de l'action directe de la levure (Figure 15-32). La plupart des levures importantes pour la production du vin, du cidre, du saké et de la bière sont des souches de *S.cerevisiae*, bien que d'autres espèces jouent également un rôle. Pour la plupart des bières blondes, par exemple, on utilise *Saccharomyces carlsbergensis*. *Saccharomyces cerevisiae* est aujourd'hui pratiquement la seule espèce utilisée en boulangerie (Figure 15-31a). Certaines espèces de levures sont importants parce qu'elles sont des agents pathogènes de l'homme : elles provoquent des maladies telles

Figure 15-32

Dans certaines régions du monde, les levures présentes sur les raisins sont encore utilisées pour la production du vin. Lors de l'écrasement des raisins, la levure se mêle au jus et ensuite fermente en alcool le glucose du jus.

donc des phases de bourgeonnement haploïde et diploïde. Les cellules diploïdes peuvent finalement subir la méiose et revenir à l'état haploïde. Chez d'autres levures encore, les ascospores fusionnent deux à deux dès leur formation ; l'ascospore est la seule cellule haploïde d'un cycle esentiellement diploïde.

Comme on l'a signalé plus haut, les levures sont utilisées par les vinificateurs pour la production d'éthanol, par les boulangers pour la production de dioxyde de carbone et par les brasseurs pour produire

Figure 15-33

Penicillium et *Aspergillus* — deux genres communs de deutéromycètes. **(a)** Culture de *Penicillium notatum*, le champignon qui est à l'origine de la production de pénicilline, montrant les colorations caractérsitiques produites au cours de la croissance et du développement des spores. **(b)** Culture d'*Aspergillus fumigatus*, champignon qui provoque une maladie respiratoire chez l'homme. Remarquez le mode de croissance en stries concentriques correspondant à des « poussées » successives dans la production des spores.

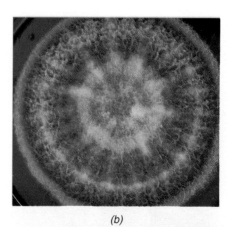

(a)   *(b)*

que des aphtes (provoqués par *Candida albicans*) et la cryptococcose ; celle-ci causée par une espèce de basidiomycète (*Cryptococcus neoformans*) qui se développe comme une levure quand il infecte un être humain.

Un certain nombre de levures, particulièrement *S.cerevisiae,* sont devenues des organismes de laboratoire importants dans la recherche génétique. Cette levure est aujourd'hui un organisme de choix pour les travaux sur le métabolisme, la génétique moléculaire et le développement des cellules eucaryotes et pour l'étude des chromosomes. Les cellules haploïdes de *S.cerevisiae* ont 16 chromosomes et les séquences d'ADN de tous ces chromosomes ont été déterminées. *Saccharomyces cerevisiae* est donc le premier eucaryote dont le génome a été complètement séquencé. Dans l'avenir, l'importance des levures pour les recherches scientifiques et les applications industrielles s'élargira sans doute beaucoup, grâce à la connaissance détaillée du groupe, ainsi qu'aux manipulations génétiques aisées de levures que l'on peut cultiver sur des milieux connus et bien définis.

Les deutéromycètes

Les deutéromycètes, ou champignons à conidies, sont un assemblage artificiel d'environ 15.000 espèces différentes de champignons dont on ne connaît que la phase de reproduction asexuée ou pour lesquelles les critères liés à la reproduction sexuée ne sont en conséquence pas utilisés pour la classification (Figures 15-33 et 15-34). On les a souvent appelés « Fungi imperfecti » parce qu'on les considérait comme de seconde (deutéro-) classe, ou des formes « imparfaites », à côté des organismes — « parfaits » — à reproduction sexuée. Si l'on tient compte du fait que beaucoup de deutéromycètes sont des organismes abondants et prospères, le terme « imparfait » est quelque peu trompeur.

Chez certains champignons classés parmi les deutéromycètes, le stade sexuel semble avoir été perdu au cours de l'évolution. Chez d'autres, on peut simplement ne pas encore avoir découvert le stade sexué et, chez d'autres encore, il ne peut servir de base de classification

(a)

(b)

Figure 15-34

La classification des deutéromycètes est basée sur les cellules conidiogènes et les conidiophores — hyphes spécialisées portant les conidies. **(a)** *Penicillium* (en pinceau) et **(b)** *Aspergillus* (étroitement groupées, provenant du sommet renflé du conidiophore). Notez les longues chaînes de petites conidies sèches.

CHAMPIGNONS PRÉDATEURS

Parmi les champignons les plus spécialisés, ou trouve les champignons prédateurs, qui ont développé différents mécanismes pour la capture de petits animaux utilisés comme aliments. On connaît depuis de nombreuses années des champignons microscopiques doués de cette capacité, mais on sait depuis peu de temps que plusieurs espèces de champignons à lames aussi s'attaquent aux nématodes et les consomment. Le pleurote (*Pleurotus ostreatus*), par exemple, se développe sur le bois en décomposition *(a, b)*. Ses hyphes sécrètent une substance qui anesthé-sie les nématodes, après quoi les hyphes enveloppent et pénètrent à l'intérieur de ces minces vers. Le champignon semble les utili-ser principalement comme source d'azote, pour compenser les faibles teneurs en azote du bois.

Certains deutéromycètes microscopiques sécrètent, à la surface de leurs hyphes, une substance collante où s'englue au passage des protozoaires, rotifères, petits insectes ou autres animaux *(c)*. Plus de 50 espèces de ce groupe prennent des nématodes au piège ou au lacet. En présence de ces nématodes, les hyphes fongiques produisent des boucles qui s'enflent rapidement et se referment comme un nœud coulant quand un nématode se frotte à sa surface interne. La stimulation de la paroi cellulaire augmente probablement la quantité de molécules osmotiquement actives dans la cellule et provoque une entrée d'eau dans les cellules qui augmente leur pression de turges-cence. La paroi externe se fend ensuite et une paroi interne, initialement plissée, se déplie quand le piège se referme.

(a)

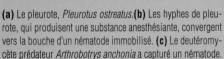

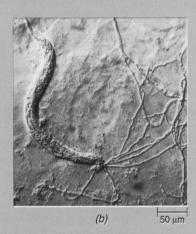

(b)   50 µm

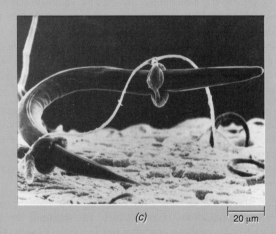

(c)   20 µm

(a) Le pleurote, *Pleurotus ostreatus*. **(b)** Les hyphes de pleu-rote, qui produisent une substance anesthésiante, convergent vers la bouche d'un nématode immobilisé. **(c)** Le deutéromy-cète prédateur *Arthrobotrys anchonia* a capturé un nématode.

Le piège est formé d'anneaux composés de trois cellules qui, à la suite d'un signal de déclenchement, gonflent rapidement jusqu'à atteindre environ trois fois leur taille initiale en 0,1 seconde et étranglent le nématode. Quand le ver a été cap-turé, les hyphes du champignon se développent dans son corps et le digèrent.

en raison de la ressemblance étroite entre les caractères des structures productrices de conidies et ceux d'autres deutéromycètes. C'est ainsi que l'on connaît le stade sexué chez certaines espèces de genres bien connus de deutéromycètes, *Aspergillus* et *Penicillium*, mais on a classé les espèces dans ces genres à cause de leurs ressemblances générales avec les autres espèces. Quand on se base sur leurs caractères généraux, la plupart des deutéromycètes sont visiblement des ascomycètes qui se reproduisent uniquement par conidies. Quelques deutéromycètes sont des basidiomycètes ou des zygomycètes ; les premiers sont caractérisés par les cloisons et les connexions à boucles typiques des basidiomycè-tes. Les techniques moléculaires récentes s'ajoutent aujourd'hui aux caractères morphologiques traditionnels pour l'évaluation des relations entre certains deutéromycètes et leurs proches qui possèdent un stade sexué. Lorsqu'on a identifié les stades sexué et asexué d'un champi-gnon, on attribue le nom du stade sexué à toutes les formes de l'orga-nisme.

L'**hétérocaryose** existe chez de nombreux champignons ; ce phé-nomène implique l'existence de noyaux génétiquement différents dans un même cytoplasme. Les noyaux peuvent être différents les uns des autres à la suite d'une mutation ou de la fusion d'hyphes généti-quement distinctes. La répartition des noyaux génétiquement diffé-rents peut varier dans les différentes parties d'un mycélium ; c'est pourquoi ces secteurs ont parfois des propriétés différentes.

Chez les deutéromycètes, de même que chez certains autres cham-pignons, des noyaux haploïdes génétiquement distincts fusionnent à l'occasion. Dans les noyaux diploïdes ainsi produits, les chromoso-mes peuvent s'apparier, des recombinaisons apparaissent et de nou-veaux noyaux haploïdes peuvent se former. La méiose n'intervient pas dans le rétablissement de l'haploïdie. Celui-ci provient plutôt d'une perte progressive de chromosomes : on parle d'*haploïdisation*. Ce phénomène génétique, qui implique successivement la plasmogamie, la caryogamie et l'haploïdisation, est la **parasexualité**. On l'a découverte chez *Aspergillus*, un deutéromycète. À l'intérieur des hyphes de ce champignon banal, on compte en moyenne un noyau diploïde pour 1000 haploïdes. Les cycles parasexuels peuvent augmenter considérablement la flexibilité génétique et évolutive des champignons qui ne possèdent pas de véritable cycle sexué.

Parmi les deutéromycètes, il existe des organismes de grande importance économique. Un certain nombre de pathogènes végétaux particulièrement importants, par exemple, sont des deutéromycètes. Les anthracnoses des plantes, qui provoquent des lésions et un noircissement, sont généralement provoquées par des deutéromycètes. En outre, une maladie souvent fatale d'un cornouiller (*Cornus florida*) décelée dans une vaste région de l'est des États-Unis à la fin des années 1980, est provoquée par le deutéromycète *Discula destructiva*.

L'activité d'autres deutéromycètes est valorisée par l'homme. Certaines espèces de *Penicillium* donnent par exemple à certains types de fromages un aspect, un goût, une odeur et une texture très appréciés des gourmets. Le roquefort, le bleu danois, le stilton et le gorgonzola sont tous mûris par *Penicillium roqueforti*. Une autre espèce, *P.camemberti,* est à l'origine des qualités spécifiques du camembert et du brie.

La pâte soy (miso) provient de la fermentation du soja par *Aspergillus oryzae*, et la sauce soy de sa fermentation par *A.oryzae* et *A.soyae*, associés à des bactéries lactiques. *Aspergillus oryzae* est également important pour les premières étapes du brassage du saké, la boisson alcoolisée traditionnelle du Japon ; *Saccharomyces cerevisiae* intervient ensuite dans le processus.

Trichoderma, deutéromycète très répandu dans le sol, a de nombreuses applications commerciales. Par exemple, les enzymes qui dégradent la cellulose produites par *Trichoderma* sont utilisées par les fabriquants de tissus pour donner aux jeans un aspect « délavé ». On ajoute les mêmes enzymes à certains détergents de lessive domestiques pour améliorer l'élimination des défauts du tissu. Les agriculteurs utilisent aussi *Trichoderma* pour le contrôle biologique d'autres champignons qui s'attaquent aux cultures et aux arbres forestiers.

De nombreux antibiotiques importants sont produits par des deutéromycètes. Le premier antibiotique fut découvert par Sir Alexander Fleming, qui remarqua, en 1928, qu'une souche de *Penicillium* qui avait contaminé une culture de *Staphylococcus* en développement sur un milieu nutritif gélosé avait complètement bloqué la croissance de la bactérie. Dix ans plus tard, Howard Florey et ses associés de l'Université d'Oxford purifièrent la pénicilline et se rendirent ensuite aux États-Unis pour promouvoir la production à grande échelle du médicament. La production de pénicilline augmenta fortement pendant la seconde guerre mondiale en fonction de la demande croissante. La pénicilline est efficace pour soigner des maladies bactériennes très diverses, comme la pneumonie, la scarlatine, la syphilis, la gonorrhée, la diphthérie et le rhumatisme articulaire.

Toutes les substances produites par les deutéromycètes ne sont pas utiles. Les aflatoxines sont, par exemple, des agents importants responsables du cancer du foie chez l'homme. Ces mycotoxines fortement carcinogènes, efficaces à des concentrations qui ne dépassent

pas quelques parties par milliard, sont des métabolites secondaires produits par certaines souches d'*Aspergillus flavus* et d'*Aspergillus parasiticus*. Ces deux champignons se développent souvent sur des denrées alimentaires au cours de leur conservation, particulièrement sur les arachides, le maïs et le blé. Dans les régions tropicales, on estime que les aflatoxines contaminent au moins 25 % des aliments. On a décelé occasionnellement des aflatoxines dans le maïs récolté aux États-Unis, en dépit des efforts importants qui sont consentis pour déceler et détruire le maïs contaminé.

Un groupe de deutéromycètes, les dermatophytes (du grec *derma*, « peau » et *phyton,* « plante »), sont responsables de l'herpès tonsurant, du « pied de l'athlète » et d'autres maladies fongiques de la peau. Ces maladies sont particulièrement importantes sous les tropiques. Les stades pathogènes de ces champignons sont asexués, mais la plupart de ces organismes sont aujourd'hui rapprochés d'espèces d'ascomycètes. On continue cependant à les classer parmi les deutéromycètes en sa basant sur leurs formes responsables des maladies. Au cours de la seconde guerre mondiale, les infections de la peau ont été à l'origine de l'évacuation d'un plus grand nombre de soldats du Pacifique Sud que les blessures subies au cours des combats.

Relations symbiotiques des champignons

La symbiose — « vivre ensemble » — est une association étroite et durable entre des organismes d'espèces différentes. Certaines relations symbiotiques, typiquement responsables de maladies, sont parasites. Une espèce (le parasite) bénéficie de l'association et l'autre (l'hôte) en souffre. Bien que la plupart des champignons soient **parasites,** d'autres interviennent dans des relations symbiotiques qui sont **réciproques** — c'est-à-dire que l'association est bénéfique pour les deux organismes. Deux de ces symbioses réciproques — les lichens et les mycorrhizes — ont eu et ont encore une importance énorme, parce qu'elles permettent à des organismes photosynthétiques de s'installer dans des environnements terrestres déserts à l'origine.

Un lichen se compose d'un mycobionte et d'un photobionte

Un lichen est une association symbiotique réciproque entre un partenaire fongique et une population d'algues ou de cyanobactéries unicellulaires ou filamenteuses. L'élément fongique du lichen est appelé **mycobionte** (du grec *mykes*, « champignon », et *bios*, « vie »), et l'élément photosynthétique est le **photobionte** (*photo-*, « lumière », et *bios,* « vie »). Le nom scientifique du lichen est celui du champignon. Environ 98 % des champignons lichénisants sont des ascomycètes, les autres sont des basidiomycètes. Les lichens sont polyphylétiques. Les données récentes, basées sur l'ADN, indiquent qu'ils sont apparus indépendamment à cinq reprises au moins, et il est vraisemblable qu'ils ont évolué indépendamment beaucoup plus souvent.

On a décrit environ 13.250 espèces de champignons lichénisants, ce qui représente presque la moitié de tous les ascomycètes connus. On trouve environ 40 genres de photobiontes combinés à ces ascomycètes. Les plus fréquents sont les algues vertes *Trebouxia*,

DU PATHOGÈNE AU SYMBIONTE : LES ENDOPHYTES FONGIQUES

Les feuilles et les tiges des plantes sont souvent criblées d'hyphes fongiques. Ces champignons sont appelés endophytes : ce terme général désigne une plante ou un champignon qui se développe à l'intérieur d'une autre plante. Bien que certains endophytes fongiques provoquent des symptômes de maladies dans les plantes où ils sont installés, d'autres sont inoffensifs. Au contraire, ils protègent les plantes hôtes de leurs ennemis naturels : les herbivores et, dans certains cas, des microbes pathogènes.

Chez beaucoup d'espèces de graminées, les champignons endophytes infectent les fleurs de l'hôte et prolifèrent dans les graines. Finalement, une masse importante se développe dans l'ensemble des tiges et des feuilles de la plante adulte, les hyphes fongiques s'allongeant entre les cellules de l'hôte. On trouve un bel exemple de cette relation chez la grande fétuque, *Festuca arundinacea*, graminée qui couvre plus de 15.000 km² de prairies, champs et pâtures aux États-Unis, particulièrement dans l'est et le Midwest. Les plantes de fétu-

que immunes de champignon constituent un fourrage de qualité pour le bétail, mais les bovins qui se nourrissent de plantes infectées deviennent léthargiques et cessent de brouter, montrant souvent un essouflement et une bave excessive. Si les animaux ne sont pas déplacés vers un autre pâturage, ils deviennent fiévreux, ils grossissent lentement, la production laitière diminue, la reproduction est difficile, la gangrène se développe et la mort survient finalement si les animaux n'ont pas été abatus à ce moment pour limiter les pertes. Dans les années 1970, des chercheurs de l'Université du Kentucky ont constaté que ces symptômes étaient associés à un ascomycète endophyte, *Sphacelia typhina*. Grâce aux interactions avec les endophytes fongiques, communs chez les graminées, la plante hôte est protégée de ses ennemis (y compris des bovins, pour notre malheur) et, en échange, tous les besoins alimentaires du champignon sont assurés par la graminée. Les effets dissuasifs pour les herbivores sont dus à la production, par les champignons, d'alcaloïdes

— composés amers, riches en azote, abondants chez certaines plantes. Les alcaloïdes ont des effets physiologiques sur l'homme et les autres animaux (page 32).

Certains alcaloïdes produits par un autre champignon, *Claviceps purpurea*, qui infecte le seigle (*Secale cereale*) et d'autres graminées sont identiques à ceux qui sont produits par *Sphacelia*. Le champignon qui infecte le seigle produit, à la place du grain, une masse dure de mycélium, ou sclérote et provoque, chez la plante, une maladie appelée ergot. Le sclérote — également appelé ergot — contient de l'acide lysergique amide (LDA), un précurseur de l'acide lysergique diéthylamide (LSD). Le LSD fut découvert à l'origine lors de recherches sur les alcaloïdes de *C.purpurea*. Les animaux domestiques et les personnes qui consomment le grain infecté développent l'ergotisme, maladie souvent accompagnée de gangrène, spasmes nerveux, illusions psychotiques et convulsions. Elle était fréquente au Moyen Age et connue sous le nom de feu de Saint-Antoine. On pense que les accusations de sorcellerie largement répandues dans le village de Salem (aujourd'hui Danvers) et d'autres communautés du Massachusetts et du Connecticut en 1692 et qui ont conduit à de nombreuses exécutions, pouvaient être la conséquence d'une épidémie d'ergotisme convulsif. Au cours d'une épidémie en Europe, en 994, plus de 40.000 personnes périrent. En 1951 encore, une épidémie d'ergotisme a sévi dans un petit village français, où 30 personnes perdirent temporairement la raison, se croyant poursuivies par des démons ou des serpents. Cinq villageois moururent. Certains alcaloïdes de l'ergot ont la propriété d'augmenter la contraction musculaire et ils ont été utilisés pendant plus de 400 ans pour accélérer la contraction utérine au cours de l'accouchement. D'autres alcaloïdes de l'ergot contractent les veines et sont utilisés dans le traitement de la migraine. En raison de ces propriétés médicales, on tente actuellement de produire des souches améliorées de *C.purpurea* et de les cultiver commercialement.

On voit ici, se développant sur des épis de seigne (*Secale cereale*), des sclérotes de *Claviceps purpurea*, responsable de la maladie des plantes appelée l'ergot

---

Pseudotrebouxia et *Trentepohlia*, et la cyanobactérie *Nostoc*. Environ 90 % de tous les lichens ont un de ces quatre genres pour photobionte. Plusieurs lichens incorporent deux photobiontes — une algue verte et une cyanobactérie. Plusieurs espèces d'un même genre d'algue peuvent servir de photobiontes à une même espèce de lichen.

En outre, une même espèce de champignon peut former des lichens avec des algues ou des cyanobactéries différentes.

Les lichens sont capables de vivre dans les environnements les plus rigoureux de la surface terrestre et ils sont par conséquent extrêmement répandus (Figure 15-35). On les trouve depuis les régions

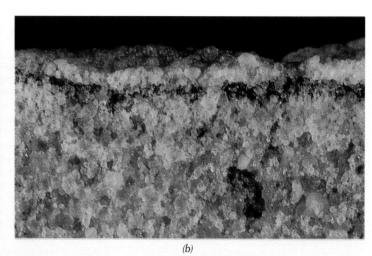

(a)

(b)

Figure 15-35

Dans cette région d'Antarctique qui paraît sans vie **(a)** des lichens vivent directement sous la surface exposée du grès. **(b)** Dans une fracture du rocher, les bandes colorées sont des zones biologiquement distinctes. Les zones blanche et noire sont formées par un lichen, alors que la zone verte inférieure est produite par une algue unicellulaire verte non lichénisée. Les températures de l'air dans cette partie de l'Antarctique atteignent presque le point de congélation en été et descendent probablement jusqu'à -60°C en hiver.

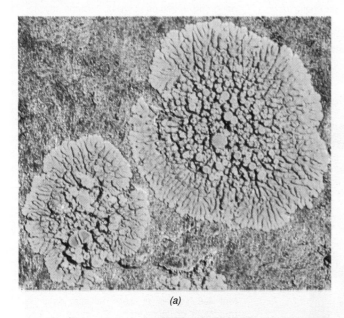

(a)

désertiques arides jusqu'en arctique et ils se développent dans le monde entier sur le sol nu, les troncs d'arbres, les rochers brûlés par le soleil, les piquets de clôture et les pics montagneux balayés par les vents (Figures 15-36 et 15-37). Certains lichens sont tellement petits qu'ils sont presqu'invisibles à l'œil nu ; d'autres, comme les « mousses de rennes », peuvent couvrir des kilomètres carrés et atteindre la hauteur de la cheville. Une espèce, *Verrucaria serpuloides*, est un lichen marin submergé de façon permanente. Les lichens sont souvent les premiers colonisateurs des surfaces rocheuses récemment exposées. Dans l'Antarctique, il y a plus de 350 espèces de lichens (Figure 15-35), mais seulement deux espèces de plantes vasculaires ; sept espèces de lichens se trouvent effectivement à moins de 4 degrés du pôle Sud ! Bien que largement distribuées, les espèces individuelles de lichens occupent généralement des substrats assez spécifiques, comme la surface ou l'intérieur des roches, du sol, des feuilles et de l'écorce. Certains lichens procurent un substrat à d'autres lichens et à des champignons parasites qui sont parfois étroitement apparentés au lichen parasité.

(b)

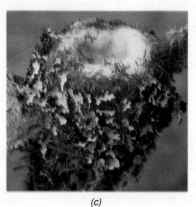

(c)

Figure 15-36

Lichens crustacés et foliacés. **(a)** Un lichen crustacé, *Caloplaca saxicola*, qui se développe à la surface d'un rocher nu en Californie centrale. **(b)** Lichens crustacés et foliacés sur la pierre tombale de Roland Thaxter (1858-1932), mycologue réputé de l'Université Harvard. **(c)** Un lichen foliacé, *Parmelia perforata*, dans un nid de colibris, sur une branche d'arbre mort dans le Mississipi.

(a)

(c)

(b)

(d)

Figure 15-37

Quelques lichens fruticuleux (« buissonnants »). **(a)** *Teloschistes chrysophthalmus.* **(b)** *Cladonia cristatella*, haut de 1 à 2 centimètres. **(c)** *Alectoria sarmentosa,* lichen pendant présent en masses sur les branches d'arbres. Bien qu'il soit superficiellement semblable à *Alectoria* et occupe la même niche écologique, la « mousse espagnole », fréquente dans tout le sud des États-Unis, n'est pas un lichen, mais une angiosperme — de la famille de l'ananas *(Bromeliaceae).* **(d)** *Cladonia subtenuis*, la mousse des rennes, est en réalité un lichen. Les lichens de ce groupe, abondants dans l'Arctique, ont concentré des matières radioactives à la suite des tests nucléaires dans l'atmosphère et des accidents survenus aux réacteurs nucléaires. Les rennes se nourrissant de ces lichens ont encore concentré ces substances radioactives et les ont transmises à l'homme et à d'autres animaux qui les ont consommé eux-mêmes ou leurs produits, particulièrement le lait et le fromage.

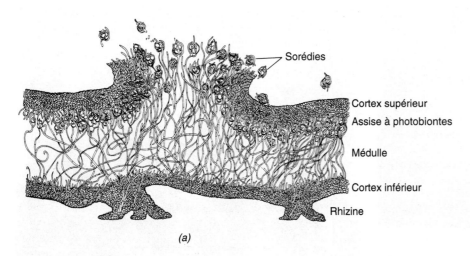

Sorédies

Cortex supérieur

Assise à photobiontes

Médulle

Cortex inférieur

Rhizine

(a)

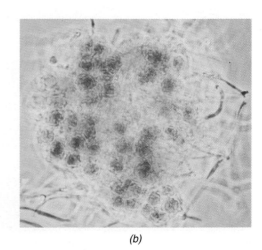

(b)

Figure 15-38

Un lichen stratifié **(a)** Coupe transversale dans le lichen *Lobaria verrucosa*, que l'on voit ici libérant des sorédies formées d'hyphes enveloppant des cyanobactéries. Les lichens les plus simples sont formés d'une croûte d'hyphes fongiques enlaçant des colonies d'algues ou de cyanobactéries. Les lichens plus complexes ont cependant un mode de croissance défini avec une structure interne caractéristique. Le lichen ici représenté possède quatre assises distinctes : (1) le cortex supérieur, surface protectrice formée d'hyphes fongiques fortement gélatinisées, (2) la couche de phycobiontes composée, chez *Lobaria*, de cellules de cyanobactéries et d'hyphes à parois minces lâchement entremêlées, (3) la médulle, formée d'hyphes faiblement gélatinisées et lâchement empaquetées, qui représente environ les deux tiers de l'épaisseur du thalle et semble servir de zone de stockage des réserves, et (4) le cortex inférieur, plus mince que le supérieur et couvert de fines projections (les rhizines) qui fixent le lichen à son substrat. **(b)** Sorédie, composée d'hyphes fongiques et de cellules de photobiontes.

Dans presque tous les cas, le champignon représente la plus grande partie du thalle et joue apparemment le rôle principal pour déterminer la forme du lichen. Il existe deux types principaux de thalles chez les lichens. Dans le premier, les cellules du photobionte sont réparties plus ou moins uniformément dans tout le thalle ; dans l'autre, ces cellules forment une couche distincte à l'intérieur de celui-ci (Figure 15-38). Dans ce dernier type, celui des lichens stratifiés, on reconnaît trois formes principales de développement : les lichens **crustacés** sont aplatis et adhèrent fermement au substrat, ils ont l'apparence d'une croûte ; les **foliacés** ressemblent à une feuille ; les **fruticuleux** sont érigés, souvent ramifiés et buissonnants (Figures 15-36 et 15-37).

La couleur des lichens va du blanc au noir, en passant par toutes les nuances du rouge, de l'orange, du brun, du jaune et du vert, et ces organismes contiennent beaucoup de composés chimiques inhabituels. Beaucoup de lichens sont utilisés comme sources de colorants ; par exemple, la couleur caractéristique du « Harris tweed » provenait, à l'origine, du traitement de la laine par un colorant lichénique. De nombreux lichens ont également été utilisés comme médicaments, composants de parfums ou sources mineures d'alimentation. Certaines espèces sont étudiées parce qu'elles peuvent sécréter des composés antitumoraux.

Les lichens se reproduisent habituellement par simple fragmentation, par la production de propagules pulvérulentes particulières, appelées **sorédies** (Figure 15-38), ou par de petites excroissances, les **isidies**. Les fragments, sorédies et isidies, qui contiennent en même temps des hyphes fongiques et des algues ou des cyanobactéries, fonctionnent comme de petites unités de dissémination qui permettent l'installation du lichen dans de nouvelles stations. Le composant fongique du lichen produit les ascospores, les conidies ou les basidiospores caractéristiques de son groupe taxonomique. Si le champignon est un ascomycète, il peut former des ascomes semblables à ceux des autres ascomycètes sauf que, chez les lichens, les ascomes peuvent persister et produire des spores lentement, mais de façon continue pendant plusieurs années. Quoi qu'il en soit, toutes ces spores peuvent former de nouveaux lichens si elles germent et rencontrent l'algue verte ou la cyanobactérie appropriée.

La survie des lichens est due à leur faculté de se dessécher très rapidement. Comment les lichens peuvent-ils survivre dans des conditions d'environnement rigoureuses au point que toute autre forme de vie en soit exclue ? On a pensé un moment que le secret du succès du lichen était la protection contre la dessiccation offerte par le champignon à l'algue ou à la cyanobactérie. En réalité, un des facteurs principaux de leur survie semble être le fait qu'ils se dessèchent très rapidement. Les lichens sont souvent très desséchés dans la nature ; leur une teneur en eau n'atteint que de 2 à 10 % de leur poids sec. Quand un lichen se dessèche, la photosynthèse cesse. Dans cet état de « vie latente », certaines espèces de lichens peuvent endurer la brûlure du soleil ou des températures extrêmes, chaudes ou froides. L'arrêt de la photosynthèse dépend en grande partie du fait que le cortex supérieur du lichen devient plus épais et plus opaque quand il est sec, interdisant ainsi le passage de l'énergie lumineuse.

Un lichen humide peut être endommagé ou détruit par des intensités lumineuses ou des températures qui sont sans danger pour un lichen sec.

La vitalité du lichen est maximale, si l'on en juge par le niveau de sa photosynthèse, quand il est imbibé d'eau et commencea à sécher. Son taux de photosynthèse atteint un pic quand la teneur en eau est de 65 à 90 % du maximum de la capacité de l'organisme ; en-dessous de ce niveau, si le lichen continue à perdre de l'eau, le taux de photosynthèse décroît. Dans de nombreux environnements, la teneur en eau du lichen varie notablement au cours de la journée et la plus grande partie de la photosynthèse se déroule pendant quelques heures seulement, généralement au début de la matinée, après humectation par la brume ou la rosée. Il en résulte que la croissance des lichens est extrêmement lente, leur rayon s'accroissant à des vitesses qui vont de 0,1 à 10 millimètres par an. Un calcul basé sur ces valeurs permet d'évaluer l'âge de certains lichens adultes à 4500 ans. Leur développement est surtout luxuriant le long des côtes et dans les montagnes couvertes de brouillards. Les plus anciens lichens fossiles ont été trouvés dans le dévonien inférieur (400 millions d'années).

Nature des rapports entre mycobionte et photobionte. De longs débats ont entouré la nature des relations entre le mycobionte et le photobionte, quant à savoir si leur relation est une symbiose parasitaire ou réciproque. David L.Hawksworth a suggéré que la solution est en réalité une question de degré. Au niveau cellulaire, on peut considérer que les cellules individuelles du photobionte sont parasitées par les mycobiontes dont les hyphes adhèrent étroitement aux parois cellulaires du photobionte (Figure 15-39). Ces hyphes forment généralement des **suçoirs**, haustories ou appressoriums, qui sont des hyphes spécialisées pénétrant les cellules du photobionte au moyen de protubérances. Ces structures inteviennent dans le transfert des glucides et des composés azotés (dans le cas des cyanobactéries fixatrices d'azote comme les *Nostoc*) du photobionte vers le champignon. En outre, le mycobionte contrôle la vitesse de division du photobionte. Le mycobionte, à son tour, fournit au photobionte un environnement physique qui permet son développement et il absorbe les minéraux nécessaires à partir de l'air sous forme de poussière ou à partir de l'eau de pluie. Au niveau du lichen dans son ensemble, l'association est donc visiblement réciproque puisqu'aucun des partenaires ne peut prospérer sans l'autre dans les niches qu'ils occupent dans la nature. De nos jours, on estime généralement la réciprocité en se basant sur l'unité fonctionnelle du couple, et la symbiose lichénique est donc considérée comme réciproque.

À une certaine époque, on pensait que la dispersion du mycobionte et du photobionte était peu fréquente, mais il semble maintenant que la dispersion indépendante et la « resynthèse » du lichen sont communes dans la nature chez certaines espèces. Plusieurs lichénologues ont mis au point des méthodes permettant de cultiver séparément de nombreux photobiontes et mycobiontes sur des milieux définis et de reconstituer ensuite le lichen. Le mécanisme qui permet à la spore germée du champignon de reconnaître l'algue ou la cyanobactérie adéquate n'est pas bien connu. Quand ils se développent ensemble en culture, le champignon semble d'abord prendre le contrôle du partenaire photobionte et développer par la suite la forme caractéristique du lichen adulte (Figure 15-39).

Les lichens sont écologiquement importants. Il est évident que les lichens jouent un rôle important dans les écosystèmes. Les mycobiontes produisent de nombreux métabolites secondaires, les **acides lichéniques**, qui représentent parfois jusqu'à 40 % au moins du poids sec du lichen. On sait que ces métabolites jouent un rôle dans la désagrégation biogéochimique des roches et la formation des sols. Les

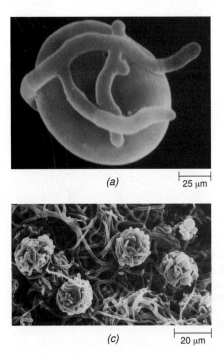
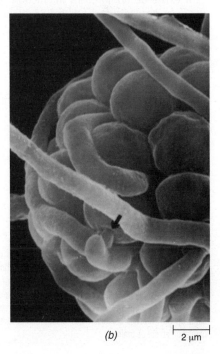

Figure 15-39

Micrographies au microscope électronique à balayage des premiers stades de l'interaction entre le champignon et l'algue du lichen *Cladonia cristatella* dans une culture en laboratoire. L'élément photosynthétique de ce lichen (Figure 15-37b) est un *Trebouxia*, une algue verte. **(a)** Cellule d'algue entourée par un hyphe. **(b)** Pénétration d'une cellule d'algue par un suçoir fongique (flèche). **(c)** Groupes formés d'un mélange des éléments fongique et algal qui se développent en un lichen adulte.

(a)   25 µm

(c)   20 µm

(b)   2 µm

lichens fixent le sol après sa formation et permettent ainsi le développement d'une succession de plantes.

Les lichens contenant une cyanobactérie revêtent une importance particulière parce qu'ils contribuent à la fixation de l'azote dans le sol. Ces lichens prennent une part importante dans la fourniture d'azote à de nombreux écosystèmes, comme les anciennes forêts du nord-ouest des États-Unis, certaines forêts tropicales et certaines stations dans les déserts ou les toundras.

N'ayant pas la possibilité d'excréter les éléments qu'ils absorbent, certains lichens sont particulièrement susceptibles aux substances toxiques. Les toxines entraînent la détérioration de la quantité limitée de chlorophylle présente dans les cellules de leurs algues ou cyanobactéries. Les lichens sont des indicateurs très sensibles de la présence de substances toxiques — particulièrement du dioxyde de soufre — dans l'air pollué, et on les utilise de plus en plus pour tester les polluants atmosphériques, particulièrement autour des villes. Les lichens à cyanobactéries sont particulièrement sensibles au dioxyde de soufre : par conséquent, la pollution de l'air peut limiter de façon substantielle la fixation de l'azote dans les communautés naturelles et modifier, à grande échelle, la fertilité des sols. L'état de santé des lichens et leur composition chimique sont tous deux utilisés pour tester l'environnement. L'analyse des lichens permet par exemple de déceler la distribution des métaux lourds et d'autres polluants autour des sites industriels. Beaucoup de lichens ont heureusement la faculté de fixer les métaux lourds à l'extérieur de leurs cellules et ainsi d'échapper eux-mêmes aux dommages.

À l'occasion de tests nucléaires dans l'atmosphère, on a utilisé des lichens pour évaluer les retombées. Les lichens représentent aujourd'hui un test efficace de la contamination par les substances radioactives suite à des événements tels que l'explosion de la centrale nucléaire de Tchernobyl en 1986.

Il existe de nombreuses interactions entre les lichens et d'autres groupes d'organismes. Les lichens sont consommés par beaucoup d'animaux vertébrés et invertébrés. Ils représentent une source importante de nourriture en hiver pour les rennes et les caribous dans le Grand Nord, en Amérique et en Europe, et ils sont en outre consommés par des insectes et des limaces. Les lichens sont dispersés par les oiseaux qui les utilisent pour construire leurs nids (Figure 15-36c). Les nids des écureils volants peuvent contenir jusqu'à 98 % de lichens. On a découvert d'importantes propriétés antibiotiques à certains lichens

Les mycorhizes sont des associations réciproques entre champignons et racines

La symbiose réciproque la plus répandue et peut-être la plus importante dans le règne végétal est la **mycorhize**, qui signifie littéralement « racine de champignon. » Les mycorhizes sont des associations intimes et bénéfiques pour les deux partenaires entre champignons et racines ; elles se rencontrent dans la grande majorité des plantes vasculaires, sauvages comme cultivées. Parmi les quelques familles d'angiospermes qui en sont généralement dépourvues, on peut citer les crucifères (*Brassicaceae*) et les cypéracées.

Les champignons des mycorhizes sont bénéfiques pour leurs plantes hôtes en augmentant leur capacité d'absorption d'eau et d'éléments minéraux essentiels (voir chapitre 30), spécialement le phosphore. Une absorption accrue de zinc, manganèse, cuivre — trois autres éléments essentiels, est également démontrée. Chez beaucoup d'espèces forestières, si les plantules sont cultivées dans une solution nutritive stérile, puis transplantées dans un sol de prairie, elles se développent mal et beaucoup finissent par mourir de malnutrition (Figure 15-40). Les champignons mycorhiziens offrent également une protection à l'égard des champignons pathogènes et des nématodes. En compensation de ces avantages, le partenaire fongique reçoit, de la plante hôte, des glucides et des vitamines essentiels à sa croissance.

Figure 15-40

Mycorhizes et alimentation d'un arbre. Des plantules de neuf mois de *Pinus strobus* ont été cultivées pendant deux mois dans une solution nutritive stérile, puis transplantées dans un sol de prairie. Les plantules de gauche ont été transplantées directement. Celles de droite ont été cultivées pendant deux semaines dans un sol forestier contenant des champignons, avant leur plantation en sol de prairie.

Figure 15-41

Endomycorhize. On voit ici un zygomycète, *Glomus versiforme*, se développant en association avec des racines de poireau, *Allium porum*. **(a)** Arbuscules (structures fortement ramifiées) et vésicules (structures ovales foncées). Les arbuscules prédominent dans les infections débutantes et les vésicules deviennent nombreuses plus tard. **(b)** Arbuscules se développant à l'intérieur d'une cellule de poireau.

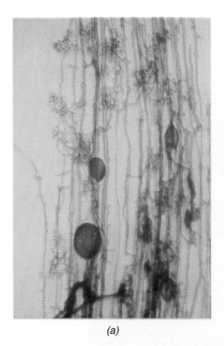
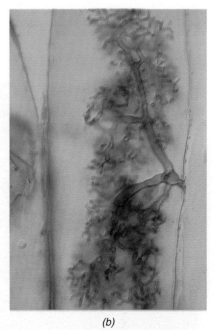

(a)   *(b)*

Les endomycorhizes envahissent les cellules des racines. Il existe deux types principaux de mycorhizes : les **endomycorhizes**, qui pénètrent dans les cellules des racines, et les **ectomycorhizes**, qui les enveloppent. Les endomycorhizes sont de loin les plus communes des deux, elles existent chez environ 80 % de toutes les plantes vasculaires. L'élément fongique est un zygomycète (de l'ordre des *Glomales*), dont moins de 200 espèces sont impliquées dans ces associations à l'échelle du globe. Les relations endomycorhiziennes ne sont donc pas très spécifiques. Les hyphes du champignon pénètrent dans les cellules corticales de la racine de la plante, où elles forment des structures très ramifiées appelées **arbuscules** (Figures 15-41 et 15-42) et, dans certains cas, des renflements terminaux ou **vésicules.** Les arbuscules n'entrent pas dans le protoplaste, mais provoquent une forte invagination de la membrane plasmique, ce qui augmente sa surface et facilite vraisemblablement le transfert, dans les deux sens, des métabolites et des nutriments entre les deux partenaires de la mycorhize. La plupart, et peut-être la totalité des échanges entre plante et champignon se font par les arbuscules. Les vésicules se rencontrent entre les cellules de l'hôte et l'on pense qu'elles servent d'espaces de stockage pour le champignon. Ces mycorhizes sont souvent appelées des mycorhizes vésiculaires-arbusculaires (ou V/A). Les hyphes s'étendent dans le sol environnant sur plusieurs centimètres et augmentent ainsi la capacité d'absorption d'eau, de phosphates et d'autres éléments essentiels.

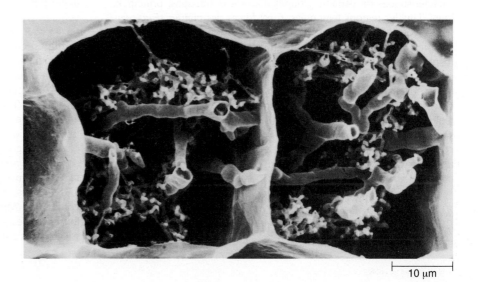

Figure 15-42

Endomycorhizes. Micrographie au microscope électronique à balayage montrant les arbuscules d'un zygomycète, *Glomus etunicatum*, dans les cellules corticales d'une racine d'érable à sucre (*Acer saccharum*). Les protoplastes, qui entourent normalement les hyphes, ne sont pas visibles.

10 µm

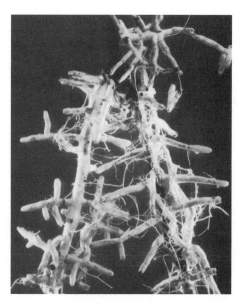

Figure 15-44

Ectomycorhize d'un *Tsuga heterophylla*. Dans ces ectomycorhizes, le champignon forme habituellement une gaine d'hyphes, le manteau fongique, autour de la racine. Les hormones sécrétées par le champignon déclenchent la ramification de la racine. Ce type de croissance et la gaine d'hyphes donnent aux ectomycorhizes une apparence ramifiée et renflée caractéristique. Les minces filaments mycéliens qui sortent de la mycorhize agissent comme des extensions du système racinaire.

Figure 15-43

Ectomycorhize. Coupe à travers les ectomycorhizes très développées d'une plantule de pin *(Pinus contorta)*. La plantule s'est allongée à 4 centimètres environ au-dessus de la surface du sol.

Les ectomycorhizes enveloppent, mais ne pénètrent pas les cellules de racines. Les ectomycorhizes (Figures 15-43 et 15-44) sont caractéristiques de certains groupes d'arbres et buissons, principalement dans les régions tempérées. C'est le cas des chênes *(Fagaceae)*, des saules et des peupliers *(Salicaceae)*, des bouleaux *(Betulaceae)*, des pins *(Pinaceae)* et de certains groupes d'arbres tropicaux qui forment des populations denses composées d'une seule ou de quelques espèces. Les arbres qui vivent à la limite de la zone forestière (aux altitudes et latitudes limites permettant la croissance des arbres) dans différentes parties du monde — comme les pins des montagnes septentrionales, les *Eucalyptus* d'Australie et les hêtres de l'hémisphère sud *(Nothofagus)* (voir figure 22-10) ont presque toujours des ectomycorhizes. L'association ectomycorhizienne augmente apparemment la résistance des arbres aux conditions rigoureuses, froides et sèches, qui prévalent à la limite de la végétation arborescente.

Dans les ectomycorhizes, le champignon enveloppe, mais ne pénètre pas les cellules vivantes des racines. Chez les conifères, les hyphes se développent entre les cellules de l'épiderme et du cortex de la racine ; elles forment un réseau très ramifié caractéristique, le **réseau de Hartig** (Figure 15-45), qui finit par entourer de nombreuses cellules corticales et épidermiques. Dans les racines de la plupart des angiospermes colonisées par des champignons endomycorhiziens, les cellules s'accroissent surtout perpendiculairement à la surface de la racine, qui s'épaissit alors plutôt que de s'allonger, et le réseau de Hartig est confiné à cette assise (Figure 15-45b). Le réseau de Hartig fonctionne comme interface entre le champignon et la plante. En plus de ce réseau, les ectomycorhizes développent un **manteau**, ou gaine, formé d'hyphes qui recouvre la surface de la racine. Des cordons mycéliens s'écartent du manteau vers le sol environnant (Figure 15-44). Habituellement, les poils absorbants ne se développent pas sur les ectomycorhizes, et les racines sont courtes et souvent ramifiées. Les ectomycorhizes sont surtout formées par des basidiomycètes, y compris de nombreux genres de champignons à chapeau ; dans certaines ectomycorhizes cependant, il existe des associations avec des ascomycètes, comme les truffes *(Tuber)* et peut-être des morilles comestibes *(Morchella)*. Au moins 5000 espèces de champignons participent à des associations ectomycorhyziennes, et la spécificité y est souvent très grande.

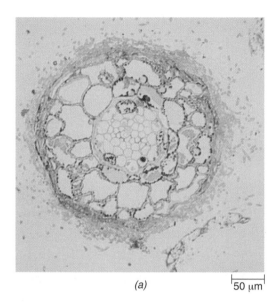

(a)   50 μm

Figure 15-45

Ectomycorhizes. **(a)** Coupe transversale dans une ectomycorhize de *Pinus*. Les hyphes du champignon forment un manteau autour de la racine et pénètrent également entre les cellules épidermiques et corticales, où elles forment le réseau de Hartig caractéristique. **(b)** Coupe longitudinale de l'ectomycorhize du bouleau *(Betula alleghaniensis)*. Le champignon engaine la racine et forme autour d'elle un manteau. Le réseau de Hartig est confiné dans l'assise de cellules épidermiques allongées radialement.

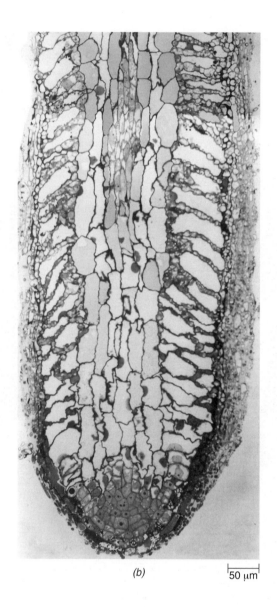

(b)   50 μm

On trouve d'autres types de mycorhizes chez les éricacées et les orchidées. Deux autres types de mycorhizes caractérisent les éricacées et quelques groupes étroitement apparentés, ainsi que les orchidées. Chez les éricacées, les hyphes fongiques forment un réseau important, lâchement organisé, à la surface des racines. Le rôle du champignon ne consiste par à accroître significativement la surface d'absorption, mais à libérer, dans le sol, des enzymes qui dégradent certains composants et les mettent à la disposition de la plante. La fonction principale de ces mycorhizes semble être une amélioration de l'absorption par les plantes, de l'azote, plutôt que du phosphore. Cela permet aux éricacées de coloniser les sols stériles et acides où elles sont particulièrement fréquentes. Des ascomycètes, autant que des basiodiomycètes, existent dans les assocations mycorhiziennes d'éricacées.

Au cours des premiers stades de leur développement, toutes les espèces d'orchidées sont hétérotrophes et elles dépendent de la présence de champignons pour leur alimentation. Dans cette association mycorhizienne, les champignons sont internes et fournissent le carbone à leur hôte. Les champignons de ces associations sont principalement des basidiomycètes : il en existe plus de 100 espèces.

La mycorhizes furent probablement importantes dans l'histoire des plantes vasculaires. L'étude des premières plantes fossiles révèle que les associations mycorhiziennes étaient aussi fréquentes à cette époque qu'actuellement (Figure 15-46). Cette découverte a con-duit K.A.Pirozynski et D.W.Malloch à suggérer que l'évolution des associations mycorhiziennes a peut-être été l'étape décisive qui a rendu possible la colonisation de la terre ferme par les plantes. Étant donné la pauvreté des sols disponibles lors du premier envahissement des terres, le rôle des champignons mycorhiziens (probablement des zygomycètes) a pu être essentiel, en particulier parce qu'ils ont facilité l'absorption du phosphore et d'autres éléments nutritifs. On a montré qu'une relation semblable existait chez les plantes contemporaines qui colonisent des sols extrêmement pauvres en nutriments, comme les tas de mâchefer : les individus mycorhizés ont beaucoup plus de chances de survivre. Il est donc possible que la première invasion de la terre ferme ne soit pas le fait d'un seul organisme, mais plutôt qu'une association symbiotique d'organismes, comparable à un lichen.

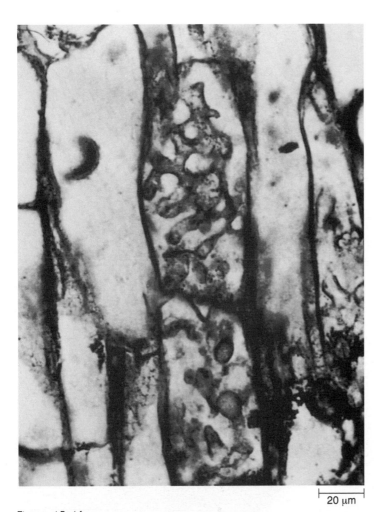

20 µm

Figure 15-46

Racine silicifiée d'un gymnosperme de la période triassique dans l'Antarctique, montrant des arbuscules bien développés. Les endomycorhizes étaient une caractéristique des premières plantes dont on a découvert des fossiles.

RÉSUMÉ

Les champignons ont une grande importance écologique et économique

Avec les bactéries hétérotrophes, les champignons sont les principaux agents responsables des décompositions dans la biosphère, ils décomposent les matières organiques et recyclent le carbone, l'azote et les autres composants du sol et de l'air. En raison de leurs facultés de décomposition, ils entrent souvent en conflit direct avec les intérêts de l'homme, en s'attaquant pratiquement à toutes les substances imaginables. La plupart des champignons sont saprophytes ; cela signifie qu'ils vivent de la matière organique des organismes morts. Beaucoup de champignons s'attaquent cependant aux organismes vivants et ce sont la cause d'importantes maladies chez les plantes, les animaux domesti-

ques et l'homme. Plusieurs champignons ont une importance économique pour l'homme parce qu'ils détruisent des denrées alimentaires et d'autres matières organiques. Le règne des *Fungi* comprend également les levures, les moisissures des fromages, les champignons comestibles, ainsi que les *Penicillium* et les autres producteurs d'antibiotiques.

La plupart des champignons sont formés d'hyphes

Les champignons sont des organismes à croissance rapide qui forment normalement des hyphes, filaments qui peuvent être cloisonnées ou non. Les hyphes sont généralement très ramifiées et forment un mycélium. Les champignons parasites ont souvent des hyphes spécialisées (haustories) qui leur permettent d'extraire le carbone organique et d'autres substances des cellules vivantes d'autres organismes.

Les champignons se nourrissent par absorption et se reproduisent au moyen de spores

Les champignons, qui sont presque tous terrestres, se reproduisent par des spores dispersées par le vent. Il ne se forme des cellules mobiles à aucun stade du cycle de développement des champignons, sauf chez les chytrides. L'élément principal de la paroi cellulaire fongique est la chitine. Typiquement, un champignon sécrète des enzymes dans une source d'alimentation et il absorbe ensuite les petites molécules qui ont été libérées. Le glycogène est le principal polysaccharide de réserve.

La phase diploïde du cycle de développement d'un champignon n'est représenté que par le zygote

Les champignons sont isogames (les gamètes sont semblables aux points de vue taille et forme) et la méiose est zygotique — c'est-à-dire que le zygote se divise par méiose pour produire quatre cellules haploïdes.

Il existe quatre embranchemnts de champignons

Le règne des *Fungi* comprend quatre embranchements : *Chytridiomycota*, *Zygomycota*, *Ascomycota* et *Basidiomycota*, ainsi qu'un groupe artificiel, celui des deutéromycètes. Il existe de nombreuses preuves d'une séparation des animaux et des champignons à partir d'un ancêtre commun, très vraisemblablement un protiste colonial ressemblant à un choanoflagellate.

Les Chytridiomycota produisent des cellules mobiles flagellées

Les *Chytridiomycota* sont un groupe principalement aquatique, et c'est le seul groupe de champignons qui possède des cellules reproductrices (zoospores et gamètes) mobiles. La plupart des chytrides sont cénocytiques, possédant quelques cloisons à maturité. Certaines espèces sont parasites et d'autres sont saprophytes. Plusieurs sont des pathogènes des plantes et provoquent des maladies bénignes telles que les taches brunes du maïs et les tumeurs marbrées de la luzerne.

Les Zygomycota produisent des zygospores dans des zygosporanges

Les zygomycètes (embranchement des *Zygomycota*) possèdent le plus souvent des mycéliums cénocytiques. Les spores asexuées sont généralement formées dans des sporanges — structures en forme de sac dont tout le contenu se transforme en spores. On les appelle zygomycètes parce qu'ils produisent leurs spores, les zygospores, au cours de la reproduction sexuée. Les zygospores se développent à l'intérieur de structures à paroi épaisse, les zygosporanges.

Les Ascomycota produisent des ascospores dans des asques

L'embranchement des *Ascomycota* (généralement appelés ascomycètes) comprend quelque 32.000 espèces décrites, soit plus que tout autre groupe de champignons. Le caractère distinctif des ascomycètes est l'asque, structure en sac dans laquelle se forment les spores méiotiques (sexuées), ou ascospores. Dans le cycle de développement des ascomycètes, les protoplastes des gamétanges mâles et femelles fusionnent et les gamétanges femelles produisent des hyphes spécialisées, dicaryotiques (chaque compartiment contient une paire de noyaux haploïdes). L'asque se forme près de l'extrémité d'une hyphe dicaryotique. Les ascospores en sont généralement expulsées. Les asques font partie d'organes sporifères complexes, les ascomes. Habituellement, la reproduction asexuée implique la production de spores généralement multinucléées, les conidies.

Chez les Basidiomycota, les basidiospores sont produites sur des basides

On trouve, dans l'embranchement des *Basidiomycota*, les champignons les plus grands et les plus familiers. Cet embranchement comprend les champignons à chapeau, les gastéromycètes, les champignons en console, les satyres et d'autres, de même que les rouilles et les charbons, pathogènes importants pour les plantes. Le caractère qui distingue cet embranchement est la production de basides. La baside est produite à l'extrémité d'une hyphe dicaryotique où se déroule la méiose. Chaque baside produit normalement quatre basidiospores, qui représentent le principal mode de reproduction des basidiomycètes.

Les champignons à chapeau, les rouilles et les charbons constituent les trois classes de Basidiomycota

On peut diviser les *Basidiomycota* en trois classes, les *Basidiomycetes*, les *Teliomycetes* et les *Ustomycetes*. Chez les *Basidiomycetes*, les basides font partie d'organes sporogènes complexes, les carpophores. Chez les hyménomycètes, qui comprennent les champignons à chapeau et en console, les basidiospores sont produites sur une assise distincte, l'hyménium. Cette assise tapisse souvent les lames ou les pores des hyménomycètes et elle est exposée à l'air libre avant l'expulsion des spores mûres. Chez les gastéromycètes, où l'on trouve les satyres et les vesses de loup, les basidiospores mûrissent à l'intérieur des carpophores et elles n'en sont pas expulsées. Les espèces réunies dans les classes des *Teliomycetes* et des *Ustomycetes*, les rouilles et les charbons, ne forment pas de carpophores. Leurs basides sont cloisonnées, ainsi que chez les champignons gélatineux, qui, eux, appartiennent à la classe des *Basidiomycetes*. En dehors des champignons gélatineux, tous les *Basidiomycetes* forment des basides non cloisonnées.

Les levures sont des champignons unicellulaires

Les levures sont des champignons unicellulaires qui se reproduisent normalement par bourgeonnement, donc par un mode de reproduction asexué. Certains champignons possèdent les deux formes de développement, unicellulaire et filamenteux, passant de l'une à l'autre en fonction de modifications des conditions environnementales. La plupart des levures sont des ascomycètes qui se reproduisent sexuellement par la production d'ascospores.

On place, dans les deutéromycètes, les champignons pour lesquels on ne connaît pas de stade sexué

Un groupe artificiel de champignons — les deutéromycètes, ou fungi imperfecti — rassemble plusieurs milliers d'espèces dont le cycle sexué n'est pas connu. La plupart des deutéromycètes sont apparentés aux ascomycètes, mais certains sont des *Basidiomycetes* ou des zygomycètes.

Les lichens sont formés d'un mycobionte et d'un photobionte

Les lichens représentent une association symbiotique réciproque entre un partenaire fongique (le mycobionte) et une population d'algues vertes ou de cyanobactéries (le photobionte). Environ 98 % des partenaires fongiques appartiennent aux *Ascomycota*, les autres aux *Basidiomycota*. Les champignons reçoivent, de leurs partenaires photosynthétiques, des glucides et des composés azotés, et ils procurent au photobionte un environneemnt physique qui permet son développement. Le lichen est capable de survivre dans des conditions d'environnement défavorables grâce à sa faculté de résister à la dessication et de rester au repos quand il est sec.

Les mycorhizes sont des associations réciproques entre les champignons et les racines

Les mycorhizes — associations symbiotiques entre racines de plantes et champignons — caractérisent pratiquement toutes les familles de plantes vasculaires. Les endomycorhizes, aussi appelées mycorhizes vésiculaires-arbusculaires, dans lesquelles les partenaires fongiques sont des zygomycètes, se retrouvent dans environ 80 % de l'ensemble des espèces de plantes vasculaires. Dans ces associations, le champignon pénètre effectivement dans les cellules corticales de l'hôte, mais ne pénètre pas dans les protoplastes. Dans le second grand type d'association mycorhizienne, les ectomycorhizes, le champignon ne pénètre pas dans les cellules hôtes, mais forme une gaine, ou manteau, qui enveloppe les racines, ainsi qu'un réseau (le réseau de Hartig) qui se développe autour des cellules corticales. Ce sont surtout des *Basidiomycetes*, mais aussi quelques ascomycètes, qui interviennent dans ces associations mycorhiziennes. Les mycorhizes sont importantes parce qu'elles fournisent du phosphore et d'autres nutriments à la plante et du carbone organique au champignon. Ces associations ont été un caractère des premières plantes qui ont envahi la terre ferme.

MOTS CLÉS

QUESTIONS

1. Faites la distinction entre les termes suivants : hyphes/mycélium, somatique/végétatif, rhizoïdes/suçoirs, plasmogamie/caryogamie, sporange/gamétange, hétérothallique/homothallique, dicaryotique/monocaryotique, parasite/symbiotique, arbuscules/vésicules, endomycorhizes/ectomycorhizes.

2. « Les champignons ont une énorme importance, écologique et économique. » Développez cette affirmation, en termes généraux et en vous référant spécifiquement aux grands groupes de champignons, y compris aux levures, aux lichens et aux champignons mycorhiziens.

3. Comment peut-on savoir, en se basant uniquement sur la structure des hyphes, si un champignon particulier appartient aux *Zygomycota*, aux *Ascomycota* ou aux *Basidiomycota* ?

4. Qu'y a-t-il de commun entre zygospores, ascospores et basidiospores ? Entre zoospores, conidies, écidiospores et urédospores ?

5. Beaucoup de champignons produisent des antibiotiques. D'après vous, quelle peut être la fonction de ces antibiotiques pour les champignons qui les produisent ?

6. Dans le cycle de développement d'un champignon, on peut reconnaître trois types d'hyphes, ou de mycéliums : primaire, secondaire et tertiaire. Quelles sont les relations entre ces trois types de mycéliums et comment s'insèrent-ils dans le cycle de développement ?

7. « L'état de santé des lichens et leur composition chimique sont tous deux utilisés pour contrôler l'environnement. » Expliquez

8. « La mycorhize est la symbiose réciproque la plus fréquente et probablemlent la plus importante dans le règne végétal. » Expliquez.

Les protistes I : euglénoïdes, myxomycètes, cryptophycées, algues rouges, dinoflagellates et haptophytes

16

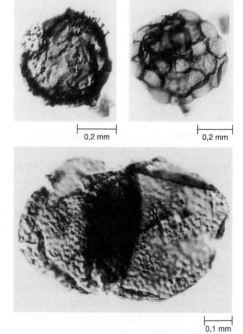

Figure 16-1

Trois sortes d'acritarches très différents qui coexistaient en mer, il y a environ 700 millions d'années, dans la région actuelle du Grand Canyon de l'Arizona. Les acritarches, apparus pour la première fois dans les fossiles il y a environ 1,5 milliard d'années, étaient visiblement des eucaryotes, comme le montrent leur taille et la complexité de leurs parois cellulaires. Ils étaient très diversifiés ; c'étaient probablement des autotrophes planctoniques ; certains d'entre eux ressemblent beaucoup aux zygotes quiescents des dinoflagellates (voir page 365), tandis que d'autres rappellent certaines algues vertes.

SOMMAIRE

Dans ce chapitre et dans le suivant, nous rendrons visite au règne des protistes, qui embrasse des organismes très divers, avec des formes unicellulaires, coloniales et multicellulaires simples. On peut considérer ce règne comme un assemblage « fourre-tout » d'organismes qui, tout simplement, ne peuvent pas trouver place dans les autres.

Parmi les organismes dont il est question dans ce chapitre se trouvent deux embranchements comprenant des organismes totalement hétérotrophes autrefois considérés comme des champignons et cinq embranchements d'algues. En général, les algues sont des organismes photosynthétiques simples, bien que certains soient hétérotrophes. Certains, comme les euglénoïdes, les cryptophycées et les dinoflagellates, sont surtout unicellulaires. D'autres, comme les haptophytes, sont unicellulaires ou coloniaux, et les algues rouges sont principalement multicellulaires. D'autre part, les deux embranchements d'organismes hétérotrophes ont des modes de développement remarquablement différents. Les myxomycètes plasmodiaux forment surtout de grandes masses multinucléées de protoplasme, tandis que les myxomycètes cellulaires sont généralement représentés par des cellules amiboïdes capables de se rassembler en une masse qui rappelle un organisme multicellulaire.

Nous verrons que beaucoup d'organismes dont il est question dans ce chapitre ont une importance écologique énorme et apportent maintes informations sur l'évolution des cellules eucaryotes et sur l'origine d'autres règnes eucaryotes.

POINTS DE REPÈRES

Quand vous terminerez la lecture de ce chapitre, vous devriez pouvoir répondre aux questions suivantes :

* *Quels sont les critères utilisés pour classer un organisme dans le règne des protistes ? Quelles sont les différences entre ce règne et les quatre autres ?*

* *Quelle est l'importance écologique des algues ?*

* *Quelles sont les ressemblances entre les cryptophycées et les euglénoïdes ? Pourquoi est-il difficile de classer ces organismes en fonction de leurs mécanismes de recherche de nourriture ?*

* *Quels sont les caractères qui distinguent les myxomycètes plasmodiaux et cellulaires ? Pourquoi ces organismes ne sont-ils pas considérés comme des algues ?*

* *Quels sont les caractères cellulaires qui distinguent les algues rouges ? En quoi leur cycle de développement est-il particulier ?*

* *Quels sont les caractères distinctifs de l'embranchement des haptophytes et quelle est leur importance dans les chaînes alimentaires ?*

Avec quelque 70 % de sa surface couverte par les eaux, on peut considérer la terre comme la « planète aquatique ». Cette abondance de l'eau est à l'origine l'habitat aqueux dans lequel la vie a débuté, il y a quelque 3,5 milliards d'années, avec la première apparition des procaryotes. Les arguments basés sur l'ADN font soupçonner que les premiers eucaryotes sont apparus il y a 2,5 à 1 milliards d'années, au moins un milliard d'années après l'arrivée des premiers procaryotes.

Jusqu'il y a peu, les plus anciens fossiles d'eucaryotes connus étaient les **acritarches**, qui sont apparus dans la stratification il y a environ 1,5 milliard d'années (Figure 16-1). On a cependant retrouvé récemment, en Chine, des fossiles d'eucaryotes dans des sédiments âgés de 1,7 milliard d'années. Ces fossiles ressembleraient aux algues brunes, qui sont des eucaryotes aquatiques modernes. On a trouvé un fossile d'eucaryote encore plus ancien, mince et long de 0,5 mètre, appelé *Grypania*, dans des roches de 2,1 milliards d'années. Considéré comme un eucaryote photosyntynthétique, *Grypania* serait l'eucaryote le plus ancien. Bien que ces interprétations soient quelque peu controversées, elles font croire que les premiers eucaryotes sont encore plus anciens qu'on ne l'avait d'abord pensé.

Aujourd'hui, une gamme hétérogène de descendants de ces premiers eucaryotes — les protistes — peuplent les océans et les côtes marines, de même que les lacs d'eau douce, les mares et les rivières. Quelques protistes sont capables de vivre dans des habitats terrestres, mais leur domaine principal reste l'eau.

Les biologistes ont réuni les protistes en un règne, les *Protista*, qui renferme les eucaryotes qu'il est difficile d'assigner aux règnes des *Fungi, Plantae* ou *Animalia* (voir figure 13-13). La plupart des biologistes pensent que les champignons, les plantes et les animaux dérivent de protistes anciens et que l'étude des protistes actuels pourrait éclairer l'origine de ces groupes importants. Outre leur importance pour l'évolution, certains protistes occasionnent des maladies chez les plantes et les animaux, tandis que d'autres ont un rôle écologique important.

Les groupes de protistes considérés dans cet ouvrage (dans ce chapitre et dans le suivant) comprennent des organismes photosynthétiques dont la fonction écologique est semblable à celle des plantes — en ce sens que ce sont des producteurs primaires, utilisant l'énergie lumineuse pour fabriquer leur propre nourriture (voir chapitre 32). On trouve des protistes photosynthétiques dans les embranchements qui constituent les algues. Parmi les algues, les vertes revêtent une importance particulière parce que les plantes dérivent d'un ancêtre qui, s'il est encore en vie actuellement, devrait être classé parmi les algues vertes. Outre ces autotrophes, nous décrirons des protistes incolores, hétérotrophes, incluant les oomycètes. Ces protistes hétérotrophes sont très proches des algues. Nous décrirons également les mixotrophes, protistes qui disposent à la fois de la photosynthèse et de l'hétérotrophie. Les algues comprennent des eucaryotes autotrophes, hétérotrophes et mixotrophes. On décrira également deux groupes de protistes — les myxomycètes cellulaires et les myxomycètes plasmodiaux — qui ne sont pas des algues. Avec les oomycètes, ces deux groupes, ont traditionnellement été l'affaire du *mycologiste*, qui étu-

die les champignons. Bien qu'ils n'en soient pas très voisins, la terminologie utilisée pour décrire ces organismes est toujours celle dont on se sert pour décrire les champignons. Les ressemblances et les différences entre les groupes de protistes sont résumées dans le tableau 16-1.

Les protistes montrent une diversité étonnante de formes, avec des cellules amiboïdes, des cellules isolées — pourvues ou non de parois cellulaires — avec ou sans flagelles, des colonies formées d'assemblages de cellules avec ou sans flagelles, des filaments ramifiés ou simples, des feuillets formés d'une ou deux assises, des tissus qui ressemblent à ceux des plantes et des animaux, ou encore des masses multinucléées de protoplasme entourées ou non de parois cellulaires. La taille des protistes varie de celle du plus petit eucaryote connu — une algue verte microscopique — à l'algue brune de 30 mètres de long. La très petite taille, comme la très grande, constituent une protection contre la prédation par les herbivores aquatiques. Beaucoup de protistes se reproduisent sexuellement et possèdent des cycles de développement complexes, mais certains ne se reproduisent que par voie asexuée. Les trois types de cycles de développement — haplophasique, diplophasique et alternance de phases (voir figure 9-3) — se retrouvent chez les protistes. Les différentes phases du cycle de développement d'une même espèce de protiste ont souvent des durées et des formes très différentes.

Les recherches sur les séquences des gènes nucléaires codant l'ARN ribosomique ont mis en lumière les affinités entre les différents groupes de protistes. Dans ce chapitre, nous étudierons les groupes qui sont considérés comme étant apparus les premiers : euglénoïdes, myxomycètes plasmodiaux et cellulaires, cryptophycées, algues rouges, dinoflagellates et algues haptophytes. Dans le chapitre suivant, nous parlerons des protistes apparus un peu plus récemment : champignons aquatiques, diatomées, chrysophytes, algues brunes et algues vertes.

Ecologie des algues

Dans toutes les pièces d'eau, on trouve de minuscules cellules photosynthétiques et de très petits animaux qui forment le **plancton** (du grec *planktos*, « errant »). Les algues et les cyanobactéries planctoniques, qui représentent ensemble le **phytoplancton**, sont à l'origine de la chaîne alimentaire des organismes hétérotrophes vivant dans l'océan et dans les étendues d'eau douce. Le plancton hétérotrophe — le **zooplancton** — est principalement formé de minuscules crustacés, de larves de nombreux embranchements différents d'animaux et de nombreux protistes et bactéries hétérotrophes.

En mer, beaucoup de poissons, petits et grands, de même que la plupart des grandes baleines, se nourrissent de plancton, et les grands poissons se nourrissent des petits. C'est ainsi que l'on peut comparer aux prairies terrestres la « grande prairie de la mer », comme on a parfois appelé le phytoplancton, parce qu'il est la source de nourriture pour les organismes hétérotrophes. Les cellules isolées et les colonies

TABLEAU 16.1

Résumé comparatif des caractères des protistes I

Embranchement	Nombre d'espèces	Pigments	Réserves glucidiques photosynthétiques	Flagelles	Composition de la paroi cellulaire	Habitat
Euglenophyta (euglénoïdes)	900	La plupart n'en n'ont pas, ou chlorophylles *a* et *b*; caroténoïdes	Paramylon	Généralement 2, souvent inégaux, un vers l'avant et un à l'arrière, ou réduit à un chicot; s'allongent par l'apex; poils divers	Pas de paroi cellulaire; possèdent une pellicule flexible ou rigide de bandes protéiques sous la membrane plasmique	Principalement eaux douces, parfois en mer
Myxomycota (myxomycètes plasmodiaux)	700	Aucun	Glycogène	Généralement deux; apicaux; inégaux; sur les cellules reproductrices seulement, lisses	Aucune sur le plasmode	Terrestre
Dictyosteliomycota (dictyostélides ou myxomycètes cellulaires)	50	Aucun	Glycogène	Aucun (amiboïde)	Cellulose	Terrestre
Cryptophyta (cryptophycées)	200	Aucun, ou chlorophylles *a* et *c*; phycobilines; caroténoïdes	Amidon	2; inégaux; subapicaux; plumeux (1 avec une rangée, 1 avec deux rangées de poils)	Pas de paroi cellulaire; ont une assise rigide de plaques protéiques à l'intérieur de la membrane plasmique	Eaux douces et salées; eaux froides
Rhodophyta (algues rouges)	4000-6000	Chlorophylle *a*; phycobilines; caroténoïdes	Amidon floridéen	Aucun	Microfibrilles de cellulose enrobées dans une matrice (généralement de galactanes); dépôts de carbonate de calcium chez beaucoup	Principalement marin, environ 100 espèces d'eau douce; beaucoup d'espèces tropicales
Dinophyta (dinoflagellates)	2000-4000	Souvent aucun; chlorophylles *a* et *c*; caroténoïdes, principalement péridinine	Amidon	Aucun (sauf chez les gamètes) ou 2, différents; latéraux (1 transversal, 1 longitudinal); tous deux sont plumeux	Ont une couche de vésicules sous la membrane plasmique, avec ou sans plaques de cellulose	Principalement marin; souvent eau douce; rapports symbiotiques éventuels
Haptophyta (algues haptophytes)	300	Chlorophylles *a* et *c*; caroténoïdes, particulièrement fucoxanthine	Chrysolaminarine	Aucun ou 2; égaux ou inégaux; généralement sans poils; la plupart ont des haptonèmes	Écailles de cellulose; écailles de matière organique calcifié chez certains	Le plus souvent marin, rarement eau douce

de chrysophytes, diatomées, algues vertes et dinoflagellates qui flottent ou nagent sont les plus importants organismes à la base des chaînes alimentaires dans les eaux douces. En mer, les cellules ou colonies d'haptophytes, dinoflagellates et diatomées sont les eucaryotes les plus importants du phytoplancton marin et jouent donc un rôle essentiel pour entretenir la vie animale des mers (Figure 16-2).

0,2 mm

Figure 16-2

Phytoplancton marin. Les organismes représentés ici sont des dinoflagellates, ainsi que des diatomées filamenteuses et unicellulaires.

On utilise de plus en plus le phytoplancton marin pour l'élevage industriel des crevettes, des mollusques et d'autres fruits de mer. On peut cultiver des algues dans des fermes aquatiques pour la production de produits utilisés dans l'alimentation et l'industrie (voir « Algues et affaires humaines », page 380). Ces deux formes d'utilisation des algues sont des exemples de *mariculture*, ou culture d'organismes marins dans leur environnement naturel ; elles sont comparables aux systèmes terrestres d'agriculture.

Dans les eaux salées et douces qui ne sont pas trop polluées par l'homme, les populations planctoniques sont généralement contrôlées par les modifications climatiques saisonnières, les restrictions alimentaires et la prédation. Cependant, quand l'homme pollue les systèmes aquatiques, certaines algues peuvent se libérer de ces contraintes et leurs populations s'accroître jusqu'à prendre des proportions indésirables (elles « fleurissent »). Dans l'océan, on parle de « marées rouges » ou de « marées brunes » pour désigner certaines de ces fleurs d'eau, parce que l'eau est colorée par un grand nombre de cellules d'algues qui possèdent des pigments secondaires rouges ou bruns. Les fleurs d'algues sont accompagnés de la libération, dans l'eau, de grandes quantités de substances toxiques. Ces toxines, qui sont apparues au cours de l'évolution pour servir de défense à l'égard des prédateurs, protistes ou animaux, peuvent provoquer des indispositions chez l'homme et la mort de poissons, oiseaux et mammifères marins (voir « Marées rouges/fleurs toxiques », page 364). Globalement, la fréquence des fleurs d'eau marines s'est accrue au cours des dernières années, bien que quelques dizaines d'espèces du phytoplancton seulement soient toxiques. Certains écologistes font le lien entre cette augmentation et la diminution, à l'échelle du globe, de la qualité des eaux provoquée par la croissance démographique.

Les algues, abondantes sur cette planète aqueuse, jouent un rôle important dans le cycle du carbone (voir « Le cycle du carbone »,

page 150). Elles sont capables de transformer le dioxyde de carbone (CO_2) — un des « gaz à effet de serre », qui participe au réchauffement global — en glucides par photosynthèse et en carbonate de calcium par calcification. De grandes quantités de carbone organique et de carbonate de calcium sont incorporées aux algues et ont été transportées au fond des océans. Aujourd'hui, le phytoplancton marin absorbe environ la moitié de tout le CO_2 qui provient des activités humaines, comme la combustion des combustibles fossiles. Un sujet controversé est de savoir dans quelle mesure ce carbone est transporté dans les fonds marins et ne contribue donc pas au réchauffement global.

Certains organismes du phytoplancton réduisent la quantité de CO_2 atmosphérique, grâce à un mécanisme qui favorise la formation de carbonate de calcium au cours de la fixation du CO_2 par photosynthèse. Le carbonate de calcium se dépose sous forme de petites écailles qui recouvrent le phytoplancton. Le CO_2 extrait de l'eau par ce mécanisme de calcification et par la photosynthèse est remplacé par le CO_2 atmosphérique, ce qui crée une sorte d'aspiration, ou « abaissement du CO_2. »Après son dépôt au fond de l'océan, le phytoplancton recouvert de carbonate de calcium a donné naissance aux fameuses falaises blanches de Douvres et aux dépôts de pétrole de la Mer du Nord, importants pour l'économie. Plusieurs types d'algues rouges, vertes et brunes peuvent également s'incruster de carbonate de calcium. On connaît moins bien les conséquences de la calcification de ces algues pour le cycle global du carbone que de celle du phytoplancton.

Certains composants du phytoplancton marin, particulièrement les haptophytes et les dinoflagellates, produisent des quantités importantes d'une substance organique soufrée, qui intervient dans le contrôle de la pression osmotique à l'intérieur de leurs cellules. Les cellules dégagent une substance volatile qui est ensuite transformée dans l'atmosphère en oxydes de soufre, augmentant ainsi la couverture nuageuse et donc le pouvoir réfléchissant. Les oxydes de soufre, également produits par la combustion des combustibles fossiles, contribuent aux pluies acides et interviennent dans le refroidissement du climat. Les chercheurs qui tentent de prévoir les climats futurs doivent tenir compte de ce refroidissement, en même temps que du réchauffement provoqué par les gaz à effet de serre.

Dans ce chapitre, nous étudierons les embranchements suivants de protistes, qui ont entre eux peu de rapports : les *Euglenophyta* (euglénoïdes), *Myxomycota* et *Dictyosteliomycota* (myxomycètes plasmodiaux et cellulaires), *Cryptophyta* (cryptophycées), *Rhodophyta* (algues rouges), *Dinophyta* (dinoflagellates), et *Haptophyta* (haptophytes). Tous ces groupes d'organismes, et ceux qui font l'objet du chapitre suivant, ont une très grande importance écologique.

Les euglénoïdes : embranchement des *Euglenophyta*

Les flagellates — protistes flagellés — appelés euglénoïdes constituent l'embranchement des *Euglenophyta*. On connaît environ 900 espèces d'euglénoïdes. Les données moléculaires suggèrent que les premiers euglénoïdes étaient phagocytaires (consommant des particules).

Figure 16-3

Euglena. **(a)** Micrographie électronique montrant deux gros corpuscules de réserve de paramylon et les bandes protéiques de la pellicule disposées en hélice. Un stigma est visible à l'extrémité supérieure de la cellule. **(b)** Structure de l'euglène, interprétée à partir des micrographies électroniques.

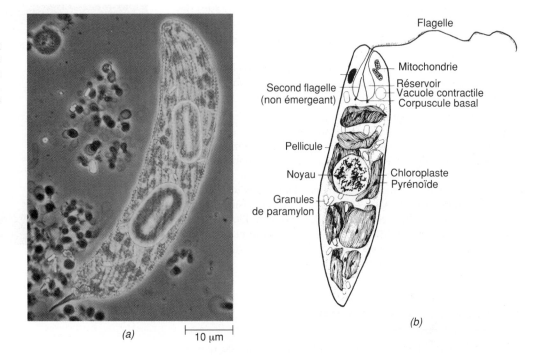

(a)   ├ 10 µm ┤

(b)

Environ un tiers des genres, y compris le genre bien connu *Euglena*, possèdent des chloroplastes. Les ressemblances entre les chloroplastes des euglénoïdes et ceux des algues vertes — tous deux possèdent les chlorophylles *a* et *b*, ainsi que plusieurs caroténoïdes — suggèrent que les chloroplastes des euglénoïdes dérivent d'algues vertes symbiotiques. Les deux tiers environ des genres sont des hétérotrophes incolores qui se nourrissent de particules ou en absorbant des substances organiques en solution. Ces modes d'alimentation, de même qu'un besoin plus général en vitamines, expliquent pourquoi beaucoup d'euglénoïdes vivent dans des eaux douces riches en particules et substances organiques.

La structure d'*Euglena* (Figure 16-3) fournit bon nombre d'informations sur les caractères des euglénoïdes en général. À une exception près (le genre colonial *Colacium*), les euglénoïdes sont unicellulaires. *Euglena*, comme la plupart des euglénoïdes, ne possède pas de paroi cellulaire ni d'autre structure rigide à l'extérieur de la membrane plasmique. Cependant, le genre *Trachelomonas* (Figure 16-4) possède une enveloppe ressemblant à une paroi cellulaire, composée de fer et de manganèse. La membrane plasmique des euglénoïdes est renforcée par un ensemble de bandes protéiques hélicoïdales situées dans le cytoplasme, immédiatement sous la membrane plasmique. Ces bandes forment une structure appelée **pellicule** ; elle peut être flexible ou rigide. La pellicule flexible d'*Euglena* permet à la cellule de changer de forme et facilite ses déplacements dans des habitats boueux où l'utilisation des flagelles pour la natation est malaisée. Pour nager, *Euglena* possède un seul long flagelle qui émerge à la base d'une dépression antérieure, le **réservoir**, et d'un second flagelle qui n'en sort pas (Figure 16-3). Les euglénoïdes possèdent un système photosensible comprenant un renflement situé à la base du long flagelle et un **stigma** rouge, qui se trouve à proximité.

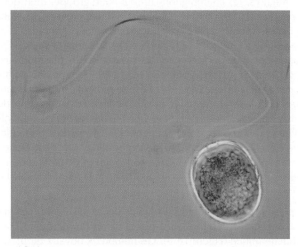

Figure 16-4

Trachelomonas est un euglénoïde très répandu. Sa cellule verte est délimitée par une enveloppe semblable à une paroi, rigide et souvent ornementée, appelée lorica, dont la couleur peut varier du brun clair au brun-noir. Un seul flagelle émerge d'un pore au sommet de la lorica. La reproduction se fait par mitose.

Une **vacuole contractile** collecte l'eau en excès provenant de toutes les parties de la cellule euglénoïde ; elle l'évacue par le réservoir. Après chaque décharge, une nouvelle vacuole contractile se reforme par réunion de petites vésicules. On observe souvent des vacuoles contractile chez les protistes d'eau douce, qui doivent éliminer l'excès d'eau qui s'accumule par osmose. Si l'eau n'était pas éliminée, les cellules éclateraient.

Contrairement aux chloroplastes des algues vertes, les plastes des euglénoïdes ne stockent pas d'amidon, mais des granules d'un polysaccharide spécial, le **paramylon**, se forment dans le cytoplasme. Les plastes des euglénoïdes rappellent souvent ceux de beaucoup d'algues vertes et d'autres algues par l'existence d'une région riche en protéine, le **pyrénoïde** : c'est à cet endroit que se trouvent le rubisco et d'autres enzymes impliqués dans la photosynthèse.

Les euglénoïdes se reproduisent par mitose et cytocinèse longitudinale ; elles continuent à nager pendant leur division. L'enveloppe nucléaire reste intacte durant la mitose, comme chez beaucoup d'autres protistes et chez les champignons. Une enveloppe nucléaire restant intacte durant la mitose semble donc être un caractère primitif et les enveloppes nucléaires qui se rompent durant la mitose, comme chez les plantes, les animaux et certains autres protistes, sont un caractère secondaire. Il ne semble pas exister de reproduction sexuée ni de méiose chez les euglénoïdes, ce qui laisserait supposer que ces processus n'avaient pas encore fait leur apparition quand le groupe s'est séparé de la lignée principale des protistes.

Les myxomycètes plasmodiaux : embranchement des *Myxomycota*

Les myxomycètes plasmodiaux représentent un groupe de quelque 700 espèces qui ne semblent pas avoir de parenté directe avec les formes cellulaires, les champignons ni tout autre groupe. Bien que l'on parle de moisissures, comme pour certains champignons, les données moléculaires prouvent que ni les myxomycètes plasmodiaux, ni les cellulaires, ne sont étroitement apparentés aux champignons. Quand les conditions leur conviennent, les myxomycètes plasmodiaux forment de minces masses multinucléées mobiles, qui rampent à la façon des amibes. Cette masse « nue » de protoplasme est dépourvue de paroi cellulaire et s'appelle un **plasmode**. Au cours de leur déplacement, ces plasmodes ingèrent et digèrent des bactéries, des cellules de levures, des spores de champignons et de petites particules de matière végétale et animale en décomposition. On peut également cultiver les plasmodes sur des milieux dépourvus de particules, ce qui fait penser qu'ils peuvent aussi se nourrir en absorbant des substances organiques en solution.

Le plasmode peut atteindre un poids de 20 à 30 grammes et peut couvrir une surface de plusieurs mètres carrés du fait qu'il s'étale en une couche mince (Figure 16-5). Les nombreux noyaux du plasmode ne sont pas séparés par des parois cellulaires. Au cours de sa croissance, les noyaux se divisent à plusieurs reprises et synchroniquement ; tous les noyaux d'un plasmode se divisent donc simultanément. Il existe des centrioles et la mitose est semblable à celle des plantes et des animaux supérieurs, bien que les chromosomes soient très petits.

Généralement, le plasmode en mouvement a la forme d'un éventail, des tubules de protoplasme plus épais sont situés à la base de l'éventail et ils deviennent de plus en plus minces vers les extrémités. Les tubules sont formés de protoplasme légèrement solidifié, à l'intérieur duquel s'écoule plus rapidement un protoplasme liquide. La marge antérieure du plasmode est formée d'un mince film de gel

Figure 16-5

Plasmode d'un myxomycète plasmodial, *Physarum*, se développant sur un tronc d'arbre.

séparé du substrat par une membrane plasmique et une gaine de mucus seulement.

Le cycle de développement des myxomycètes implique la reproduction sexuée : ils peuvent donc faire partie des premières lignées de protistes où la sexualité est apparue. La croissance plasmodiale se poursuit aussi longtemps que sont disponibles une alimentation et une humidité suffisantes. Quand un de ces facteurs fait défaut, le plasmode s'écarte en général de la région où il s'est nourri. À ce moment, on peut rencontrer des plasmodes qui traversent des routes ou des pelouses, qui grimpent aux arbres ou gagnent d'autres endroits insolites. Chez beaucoup d'espèces, quand le plasmode cesse de se déplacer, il se divise en un grand nombre de petits amas. Ces amas ont la même hauteur et le même volume : leur formation dans le plasmode est donc probablement soumise à un contrôle chimique. Le cycle de développement d'un myxomycète plasmodial typique est résumé à la figure 16-6. Chaque amas produit un sporange, généralement au sommet d'un pédoncule. Le sporange adulte est souvent extrêmement ornementé (Figure 16-7). Le protoplasme du jeune sporange contient de nombreux noyaux, dont le nombre augmente à la suite de mitoses répétées. Progressivement, le protoplasme se clive en un grand nombre de spores, chacune contenant un seul noyau diploïde. La méiose se situe à ce moment : elle donne quatre noyaux haploïdes par spore. Trois des quatre noyaux dégénèrent cependant, laissant dans chaque spore un seul noyau haploïde. Chez certaines espèces du groupe, il ne se forme pas de sporanges distincts, et l'ensemble du plasmode peut se développer soit en **plasmodiocarpe** (Figure 16-7d), qui conserve la forme initiale du plasmode, soit en une **éthalie** (Figure 16-7d), dans laquelle le plasmode forme un gros amas qui est, en fait, un sporange volumineux unique.

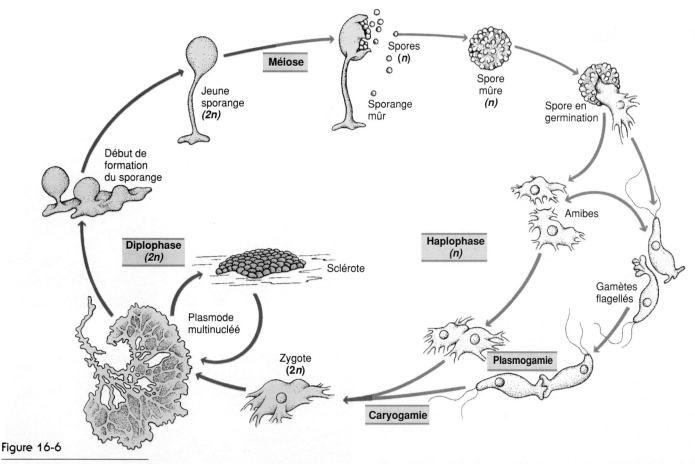

Figure 16-6

Cycle d'un myxomycète typique. La reproduction sexuée des myxomycètes plasmodiaux comprend trois stades distincts : la plasmogamie, la caryogamie et la méiose. La plasmogamie est l'union de deux protoplastes, soit des amibes, soit des gamètes flagellés issus de spores en germination ; elle réunit deux noyaux haploïdes dans la même cellule. La caryogamie est la fusion de ces deux noyaux, aboutissant à la formation d'un zygote diploïde ; elle initie ce que l'on appelle la diplophase du cycle de développement. Le plasmode est une masse de protoplasme multinucléée qui se déplace librement ; il peut traverser un tissu de soie ou un morceau de papier filtre sans se modifier. Dans la nature, les plasmodes forment souvent un sclérote résistant, et ils peuvent alors supporter des périodes de sécheresse. De toute façon, le plasmode vivant peut finalement former des sporanges. La méiose rétablit l'état haploïde dans les sporanges en développement et démarre ainsi l'haplophase du cycle de développement.

Figure 16-7

Structures sporifères chez les myxomycètes plasmodiaux. **(a)** Sporange d'*Arcyria nutans*. **(b)** Sporanges de *Stemonitis splendens*. **(c)** Plasmodiocarpe d'*Hemitrichia serpula*. **(d)** Ethalie de *Lycogala* en développement sur une écorce.

(a)

(b)

(c)   5 mm

(d)   10 mm

Quand les habitats deviennent secs, les plasmodes peuvent s'enkyster rapidement et former un **sclérote**. On observe facilement des sclérotes sur les piles de bois de feu, parce que ces organismes ont souvent des couleurs vives, dans les tons jaunes et oranges. Ils sont très importants pour la survie des myxomycètes plasmodiaux, particulièrement dans les habitats qui se dessèchent rapidement, comme les cactus morts ou le sol des déserts où ces organismes abondent.

Les spores de myxomycètes sont également résistantes aux environnements extrêmes et elles peuvent vivre très longtemps. Certaines ont germé après être restées en laboratoire pendant plus de 60 ans. Dans ce groupe, la production de spores semble donc non seulement permettre les recombinaisons génétiques, mais aussi la survie en conditions défavorables.

En conditions favorables, les spores s'ouvrent et le protoplaste s'en échappe (Figure 16-6). Le protoplaste peut rester amiboïde ou produire de un à quatre flagelles lisses. La transition entre les stades amiboïde et flagellé est courante. Les amibes se nourrissent par ingestion de bactéries et de matière organique, elles se multiplient par mitose et clivage de la cellule. Si la nourriture s'épuise ou si les conditions deviennent défavorables pour une autre raison, l'amibe peut cesser de se déplacer, elle s'arrondit et sécrète une paroi mince, formant ainsi un **microcyste**. Ces microcystes peuvent rester viables pendant un an au moins et reprendre leur activité quand les conditions deviennent à nouveau favorables.

Après une période de croissance, des plasmodes apparaissent dans la population d'amibes. Leur apparition est conditionnée par plusieurs facteurs, comme l'âge des cellules, l'environnement, la densité des amibes et l'adénosine monophosphate cyclique (AMP cyclique, ou AMPc). Ces facteurs jouent le même rôle que chez le myxomycète cellulaire *Dictyostelium discoideum*, dont il est question dans le paragraphe suivant. Un plasmode peut se former par la fusion des gamètes. Les gamètes sont en général génétiquement différents l'un de l'autre et, dans ce cas, ils dérivent en fait de spores haploïdes différentes. Ces gamètes sont simplement des amibes ou des cellules flagellées dont le rôle se modifie. Cependant, chez certaines espèces et souches, on sait que le plasmode dérive directement d'une seule amibe. Ces plasmodes sont généralement haploïdes, comme les amibes sont ils proviennent.

Les myxomycètes cellulaires : embranchement des *Dictyosteliomycota*

Les myxomycètes cellulaires, ou dictyostélides — regroupant quelque 50 espèces réparties en quatre genres — sont probablement plus proches des amibes (embranchement des *Rhizopoda*, qui n'est pas traité dans cet ouvrage) que de tout autre groupe. Ils sont communs dans la plupart des sols riches en matières organiques, où ils sont généralement représentés par des cellules amiboïdes libres, ou **myxamibes**. Ces myxamibes se nourrissent de bactéries par phagocytose (Figure 16-8). Contrairement aux champignons, avec lesquels on les

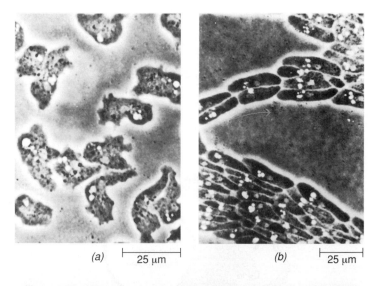

(a) ⊢ 25 µm   *(b)* ⊢ 25 µm

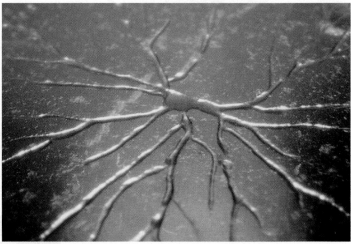

(c)

Figure 16-8

Cycle de développement du myxomycère cellulaire *Distyostelium discoideum*. **(a)** Stade d'alimentation des myxamibes. La zone gris clair au centre de chaque cellule est le noyau et les zones blanchâtres sont des vacuoles contractiles. **(b, c)** Réunion des myxamibes. Une flèche indique le sens du courant. **(d)** Pseudoplasmode en migration. Chaque masse en forme de limace dépose une épaisse gaine glaireuse qui s'affaisse vers l'arrière. **(e-g)** À l'issue de la migration, le pseudoplasmode se contracte en une pustule et commence à s'élever verticalement ; il se différencie en un pédoncule et un amas de spores, comme on le voit dans ces micrographies électroniques à balayage.

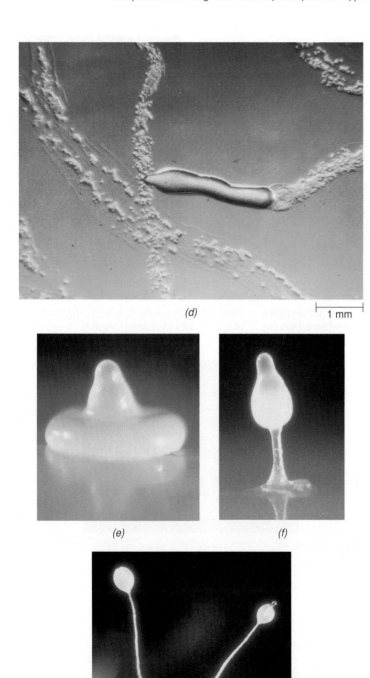

(d)   1 mm

(e)   (f)

(g)   0,5 mm

avait autrefois groupés, ces organismes possèdent des parois cellulaires riches en cellulose pendant la plus grande partie de leur cycle de développement et leur mitose est du même type que celle que l'on rencontre chez les plantes et les animaux, avec une dégradation de l'enveloppe nucléaire. De plus, contrairement encore aux champignons, ils possèdent des centrioles.

Dictyostelium discoideum est devenu un système modèle pour les recherches en laboratoire sur l'expression des gènes eucaryotes et les processus de développement. Un de ces processus est la mort programmée des cellules, ou **apoptose**, mort cellulaire normale au cours de laquelle la cellule met en route un programme qui conduit à sa propre mort. *Dictyostelium* se reproduit par division cellulaire et sa différenciation morphologique est faible jusqu'au moment où sa provision de bactéries est épuisée. En réponse à la privation de nourriture, ce myxomycète produit des spores asexuées, mais le mécanisme mis en œuvre n'est pas simple. Les cellules individuelles se réunissent d'abord en une masse mobile qui ressemble à une limace, appelée **pseudoplasmode** (Figure 16-8d).. Les myxamibes haploïdes, uninucléées, conservent leur individualité dans la masse, qui contient d'habitude de 10.000 à 125.000 individus. Le pseudoplasmode migre alors vers un nouveau site avant de se différencier et de libérer les spores. Il évite ainsi de libérer de nouvelles spores dans des habitats dépourvus de bactéries.

Les myxamibes se réunissent par **chimiotactisme**, en migrant vers une source d'AMPc sécrété par des myxamibes dépourvues de nourriture. L'AMPc diffuse à partir des cellules, formant un gradient de concentration le long duquel les cellules environnantes se déplacent dans la direction de celles qui ont sécrété l'AMPc. Les cellules sécrétrices sont à leur tour stimulées et émettent une nouvelle « vague » d'AMPc après une période d'environ cinq minutes. Trois vagues au moins de cellules sont ainsi recrutées. La fixation de l'AMPc aux récepteurs de la membrane plasmique déclenche une réorganisation en masse des filaments d'actine qui permet aux myxamibes de ramper vers la source d'AMPc. À mesure que les cellules s'accumulent au point de rassemblement, leurs membranes plasmiques deviennent collantes ; elles adhèrent ainsi les unes aux autres et un pseudoplasmode se forme.

La destinée ultime d'une cellule individuelle est déterminée précocement par sa position dans l'agrégat, qui semble elle-même contrôlée par le stade du cycle auquel se trouvait la cellule au début du rassemblement. Les cellules qui se divisent entre 1,5 heure environ avant et 40 minutes après le début de la privation de nourriture sont les dernières à entrer dans la masse. Quand la migration s'arrête, les cellules situées à la partie antérieure du pseudoplasmode deviennent les cellules du pédoncule de la structure sporogène en développement. Les cellules du pédoncule se couvrent de cellulose, assurant ainsi sa rigidité, et elles meurent ensuite par apoptose. Dans l'intervalle, les cellules postérieures du pseudoplasmode migrent vers le sommet du pédoncule et se transforment en spores dormantes. Finalement, les spores sont dispersées. Si elles tombent sur une surface chaude et humide, elles germent. Chacune libère une seule myxamibe, et le cycle recommence.

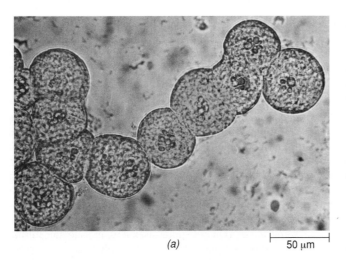

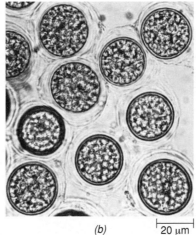

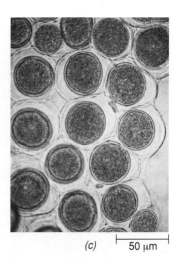

(a) `50 µm`   (b) `20 µm`   (c) `50 µm`

Figure 16-9

Etapes de la formation de macrocystes chez *Dictyostelium mucoroides*. **(a)** Les zygotes, ou cellules géantes, commencent à englober les myxamibes qui les entourent. **(b)** Les cellules géantes ont ingéré toutes les myxamibes et chacune d'elles s'est entourée d'une paroi cellulosique épaisse. **(c)** Macrocystes adultes ; à ce stade, ils paraissent homogènes.

La reproduction par spores asexuée est commune chez les myxomycètes cellulaires. La reproduction sexuée est également fréquente et aboutit à la formation de zygotes pourvus d'une paroi, les **macrocystes**. Les macrocystes se forment par un rassemblement de myxamibes plus petit que celui qui intervient dans la formation du pseudoplasmode. En outre, ces agrégats ont un contour arrondi, plutôt qu'allongé (Figure 16-9). Au cours de la formation d'un macrocyste, deux myxamibes commencent par fusionner et produisent une grosse myxamibe, le zygote, dont la phagocytose devient très active. Le zygote continue à se nourrir avec voracité, jusqu'à ce que toutes les myxamibes du voisinage aient été englouties, ce qui en fait une cellule géante. À ce stade, une épaisse paroi cellulaire, riche en cellulose, se dépose autour de la cellule géante, et le macrocyste adulte est formé. À l'intérieur du macrocyste, le zygote — seule cellule diploïde du cycle de développement — subit la méiose et plusieurs divisions mitotiques avant de germer et de libérer de nombreuses myxamibes haploïdes.

Les cryptophycées : embranchement des *Cryptophyta*

Les cryptophycées sont des flagellates unicellulaires, à croissance rapide, de couleur brun-chocolat, olive, bleu-vert ou rouge, vivant dans les eaux salées et douces (Figure 16-10). On connaît 200 espèces de cryptophycées, ou cryptomonades (du grec *kryptos*, « caché » et *monos*, « seul »). Leur nom est bien choisi, parce que leur petite taille (3 à 50 micromètres) fait qu'elles passent souvent inaperçues. On les trouve principalement dans les eaux froides ou superficielles, elles ne se conservent pas facilement et elles sont rapidement consommés par les herbivores aquatiques. Les cryptophycées sont particulièrement riches en acides gras polyinsaturés, indispensables à la croissance et au développement du zooplancton. Les cryptophycées sont des algues phytoplanctoniques importantes d'un point de

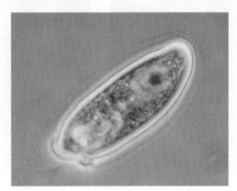

Figure 16-10

Cryptomonas (cryptophycées). Ces algues unicellulaires possèdent deux flagelles (non visibles ici) légèrement inégaux, de la même longueur environ que la cellule. Les deux flagelles sortent de la dépression antérieure de la cellule.

vue écologique : ce sont en effet de bons comestibles et ce sont souvent les algues dominantes dans les lacs et les eaux littorales lorsque les populations de diatomées et de dinoflagellates régressent en fonction des saisons.

Les cryptophycées ressemblent aux euglénoïdes non seulement parce qu'elles ont besoin de certaines vitamines, mais aussi par le fait qu'il existe des formes photosynthétiques pigmentées et des formes incolores qui pratiquent la phagocytose en consommant des particules, comme les bactéries. Les cryptophycées représentent un des meilleurs exemples prouvant que des hôtes eucaryotes incolores peuvent acquérir des chloroplastes à partir d'eucaryotes endosymbiotiques. Les chloroplastes des cryptophycées et de certaines autres algues sont entourées de quatre membranes. Il existe des indices montrant que les cryptophycées proviennent de la fusion de deux cellules eucaryotes différentes, une hétérotrophe, l'autre photosynthétique,

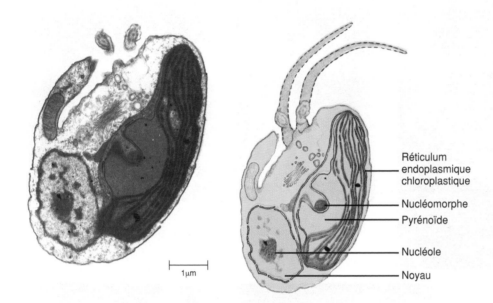

Figure 16-11

Micrographie électronique d'une cryptophycée montrant le noyau et le nucléomorphe, coincé dans une fissure du chloroplaste. On considère le nucléomorphe comme un vestige du noyau appartenant à l'endosymbionte — une cellule d'algue rouge — ingérée par un hôte hétérotrophe. La plus externe des quatre membranes qui entourent le chloroplaste est son réticulum endoplasmique chloroplastique. La liaison des membranes chloroplastique et nucléaire n'est pas visible dans le plan de cette coupe.

Réticulum endoplasmique chloroplastique

Nucléomorphe

Pyrénoïde

Nucléole

Noyau

1μm

aboutissant ainsi à une endosymbiose secondaire. Outre les chlorophylles *a* et *c* et les caroténoïdes, certains chloroplastes de cryptophycées contiennent une phycobiline, soit la phycocyanine, soit la phycoérythrine. En dehors d'elles, ces pigments secondaires hydrosolubles ne sont connus que chez les cyanobactéries et les algues rouges, ce qui est un argument en faveur de l'origine symbiotique du chloroplaste des cryptophycées.

Parmi les quatre membranes entourant le chloroplaste des cryptophycées, la plus externe est en continuité avec l'enveloppe nucléaire : on l'appelle le **réticulum endoplasmique du chloroplaste** (Figure 16-11). L'espace qui sépare la seconde et la troisième membrane du chloroplaste renferme des grains d'amidon et les restes d'un noyau réduit complet, avec trois chromosomes linéaires et un nucléole avec un ARN eucaryote typique. Le noyau réduit, appelé nucléomorphe (ce qui signifie « ressemble à un noyau »), est considéré comme le vestige du noyau d'une cellule d'algue rouge qui a été ingérée et parasitée par un hôte hétérotrophe pour son potentiel photosynthétique. L'endosymbionte ressemble aux chloroplastes d'autres algues, en ce sens que la plupart de ses gènes ont été transférés au noyau de l'hôte, de telle sorte qu'il ne peut plus avoir d'existence indépendante.

Les algues rouges : embranchement des *Rhodophyta*

Les algues rouges sont particulièrement abondantes dans les eaux tropicales et chaudes, mais on en trouve aussi beaucoup dans les régions plus froides du globe. On connaît de 4000 à 6000 espèces réparties dans environ 680 genres ; quelques genres seulement sont unicellulaires — comme *Cyanidium*, un des rares organismes capables de se développer dans les sources chaudes acides — ou en filaments microscopiques. La grande majorité des algues rouges sont des algues marines macroscopiques et leur structure est plus complexe. Il existe moins de 100 espèces différentes d'algues rouges dans l'eau douce (Figure 16-12) mais, en mer, le nombre d'espèces est supérieur à celui

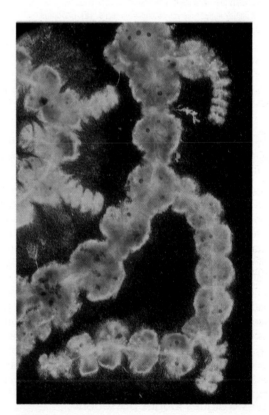

Figure 16-12

Batrachospermum moniliforme est une algue filamenteuse d'eau douce. Les filaments ramifiés gélatineux et de consistance molle de cette algue se rencontrent dans les rivières, mares et lacs froids du monde entier.

(b)

(a)

Figure 16-13

Algues rouges marines. **(a)** Chez *Bonnemaisonia hamifera*, la structure de base filamenteuse est évidente. Les filaments ramifiés sont terminés par des crochets, ce qui lui permet à l'algue de s'accrocher à d'autres. **(b)** Algue calcifiée articulée dans une mare littorale de Californie. **(c)** *Porolithon craspedium*, algue calcifiée incrustante qui stabilise les récifs. **(d)** *Chondrus crispus*, source importante de carragheen.

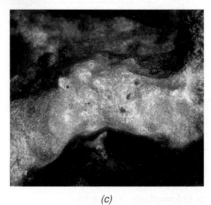

(c)

(d)

de tous les autres types d'algues marines réunies (Figure 16-13). Les algues rouges sont généralement fixées aux rochers ou à d'autres algues, mais il existe aussi quelques formes flottantes.

Les chloroplastes des algues rouges contiennent des phycobilines qui masquent la couleur de la chlorophylle *a* et donnent à ces algues leur coloration caractéristique. Ces pigments sont particulièrement bien adaptés pour absorber la lumière verte et bleu-vert qui pénètre dans les eaux profondes, où les algues rouges sont bien représentées. Par leur biochimie et leur structure, les chloroplastes des algues rouges ressemblent beaucoup aux cyanobactéries dont ils dérivent presque certainement, comme conséquence directe d'une endosymbiose. Certaines algues rouges ont perdu la plupart ou la totalité de leurs pigments et se développent en parasites sur d'autres algues rouges. Les chloroplastes de quelques algues rouges primitives possèdent des pyrénoïdes où se forme l'amidon, mais les pyrénoïdes semblent avoir été perdus au cours de l'évolution avant l'apparition des formes plus complexes.

Les cellules d'algues rouges possèdent des caractéristiques qui leur sont propres

Les algues rouges se distinguent des autres embranchements d'algues par l'absence de centrioles et de cellules flagellées. On ignore si elles ont perdu les centrioles et flagelles à une époque révolue ou si leurs ancêtres n'ont jamais possédé ces structures. En remplacement des centrioles, qui sont présents chez beaucoup d'autres eucaryotes, les algues rouges possèdent des centres organisateurs de microtubules appelés **anneaux polaires**. Les principales matières de réserve des algues rouges sont des granules d'**amidon floridéen** emmagasinés dans le cytoplasme. L'amidon floridéen est une molécule particulière qui ressemble à l'amylopectine de l'amidon ; il est en réalité plus proche du glycogène que de l'amidon (page 20).

Les parois cellulaires des algues rouges comportent une partie rigide composée de microfibrilles de cellulose ou d'un autre polysaccharide et une assise externe mucilagineuse, habituellement un polymère sulfaté de galactose, comme l'agar ou le carragheen (voir « Algues et affaires humaines », page 380). Cette assise mucilagineuse est responsable de la texture flexible et glissante caractéristique des algues rouges. La production et l'émission permanentes de mucilage aident les algues rouges à se débarrasser d'autres organismes qui pourraient les coloniser et réduire ainsi leur surface d'exposition à la lumière solaire.

En outre, certaines algues rouges accumulent du carbonate de calcium dans leurs parois cellulaires. La fonction de cette calcification est incertaine. Suivant une hypothèse, elle aiderait les algues à capter le dioxyde de carbone de l'eau pour la photosynthèse. Beaucoup d'algues rouges calcifiées sont particulièrement dures et pierreuses :

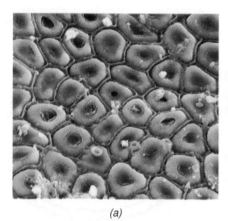

(a)   *(b)*

Figure 16-14

Algues calcifiées **(a)** Micrographie électronique à balayage d'une espèce non identifiée d'algue rouge crustacée provenant d'un haut fond des Bahamas à 268 mètres de profondeur, près de 100 mètres plus bas que les limites inférieures atteintes par tout autre organisme photosynthétique. On estime qu'à cette profondeur, l'éclairement relatif représente 0,0005% de la valeur mesurée à la surface de l'océan. L'algue formait des plages d'environ un mètre de large et couvrait environ 10 % de la surface du rocher. Lors de tests en laboratoire, on a constaté que cette algue était environ 100 fois plus efficace que les formes apparentées vivant en eau peu profonde pour la capture et l'utilisation de l'énergie lumineuse. **(b)** Algues calcaires crustacées pourpres de la même station.

elles constituent la famille des *Corallinaceae*, ou **algues calcifiées**. La calcification explique l'existence de fossiles âgés de plus de 700 millions d'années qui sont peut-être des corallines. Les algues calcifiées sont communes dans tous les océans du globe, elles se développent sur des surfaces fixes qui reçoivent assez de lumière, y compris des rochers des fonds marins à 268 mètres de profondeur (Figure 16-14). Il existe d'autres habitats, comme les rochers de cuvette littorales, sur lesquels se développent les algues rouges calcifiées articulées et les surfaces littorales des récifs coralliens battues par le ressac, où les algues calcifiées crustacées participent à la stabilisation des récifs (Figure 16-13c). Tout autour du globe, de grandes étendues de divers récifs coralliens doivent leur survie aux algues calcifiées qui assurent la résistance à leurs structures. Au cours de ces dernières années, une bactérie orange vif, responsable d'une maladie mortelle des algues calcifiées s'est répandue dans tout le Pacifique Sud, mettant en danger des milliers de kilomètres de récifs.

Beaucoup d'algues rouges produisent des terpénoïdes toxiques inhabituels (page 33) qui peuvent intervenir pour éloigner les herbivores. Certains d'entre eux ont une activité antitumorale et sont actuellement testés eu vue de leur utilisation comme médicaments anticancéreux.

Quelques genres, comme *Porphyra*, possèdent des cellules disposées en un ou deux feuillets uniassisiaux compacts (Figure 16-15). Cependant, la plupart des algues rouges sont composées d'un réseau serré de filaments maintenus par une couche de mucilage de

Figure 16-15

Le cycle de développement de l'algue rouge *Porphyra nereocystis* comporte un stade foliacé et un stade filamenteux. **(a)** Le stade foliacé est le gamétophyte, il produit des gamétanges femelles, des carpogones (paquets de cellules rougeâtres vers la gauche) et des gamétanges mâles, appelés spermatanges (paquets de cellules, à droite). **(b)** Après la fécondation, les carpospores diploïdes donnent naissance à un système de filaments ramifiés. La méiose se déroule pendant la germination des spores (conchospores) produites par le stade filamenteux. Ces cellules haploïdes se développent ensuite en gamétophyte foliacé.

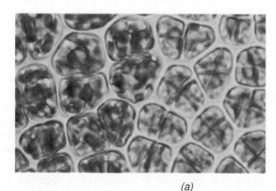

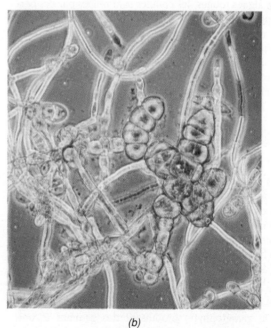

(a)   *(b)*

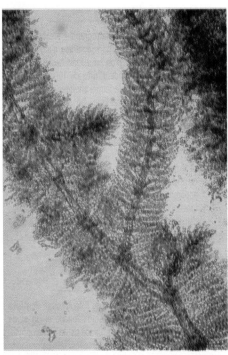

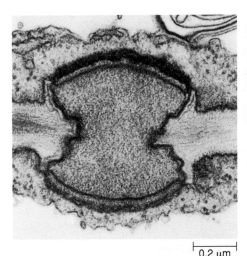

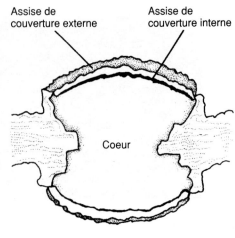

Assise de couverture externe

Assise de couverture interne

Coeur

0,2 μm

Figure 16-17

Un synapse chez l'algue rouge *Palmaria*. Les synapses sont des bouchons lenticulaires distincts qui se forment entre les cellules des algues rouges lors de la division cellulaire. Ces connexions se forment aussi fréquemment entre des cellules de filaments contigus qui entrent en contact : elles relient entre elles plusieurs individus d'algues rouges. Le cœur des synapses est formé de protéine et les assises de couverture externes sont, au moins en partie, composées de polysaccharide.

Figure 16-16

Batrachospermum sirodotia, montrant les verticilles de rameaux latéraux.

consistance assez ferme. Chez les algues rouges filamenteuses, la croissance est initée par une cellule apicale unique en forme de dôme qui forme un axe en se divisant en une succession de segments. À son tour, cet axe donne des verticilles de rameaux latéraux (Figure 16-16). Chez la plupart des algues rouges, les cellules sont reliées par des perforations, ou **synapses**, primaires (Figure 16-17) qui se forment à la cytocinèse. De nombreuses algues rouges sont multiaxiales — cela signifie qu'elles sont constituées de nombreux filaments qui adhèrent entre eux et forment un organisme tridimensionnel. Dans ces structures, les filaments sont interconnectés par la formation de synapses secondaires. Ces perforations se produisent entre cellules de filaments différents lorsqu'ils entrent en contact.

Les cycles de développement des algues rouges sont complexes

Beaucoup d'algues rouges se reproduisent asexuellement en libérant dans l'eau des spores appelées **monospores**. Si les conditions sont favorables, les monospores peuvent se fixer à un substrat. À la suite de mitoses répétées, une nouvelle algue semblable à celle qui a produit les monospores prend naissance. La reproduction sexuée est également répandue chez les algues rouges multicellulaires et elle peut impliquer des cycles de développement très complexes.

Le type le plus simple comporte une alternance de générations entre deux formes multicellulaires distinctes de la même espèce — une haploïde, le **gamétophyte**, produisant des gamètes et une diploïde, le **sporophyte**, produisant des spores. Le gamétophyte

donne des **spermatanges** et libère des **spermaties** non mobiles, les gamètes mâles, qui sont transportés vers les gamètes femelles par les mouvements de l'eau. Le gamète femelle, l'oosphère, est la partie inférieure, où se trouve le noyau, d'une structure appelée **carpogone**, qui se développe sur le même gamétophyte que les spermatanges et y reste fixé. Le carpogone développe une protubérance, le **trichogyne**, destiné recevoir les spermaties. Quand une spermatie arrive au contact d'un trichogyne, les deux cellules fusionnent. Le noyau mâle migre alors dans le trichogyne jusqu'au noyau femelle et s'y unit. Le zygote diploïde qui en résulte produit ensuite quelques **carpospores**, qui sont libérées du gamétophyte maternel dans l'eau ambiante. Si elles survivent, les carpospores se fixent à un substrat et se développent en sporophyte ; celui-ci produit des spores haploïdes à la suite d'une méiose sporique. Si ces spores haploïdes survivent, elles se fixent à leur tour à un support et se développent en gamétophytes, ce qui clôture le cycle de développement.

Les experts pensent que l'alternance de deux générations multicellulaires est apparue tôt, au cours de l'histoire évolutive des algues rouges : ce serait une réponse adaptative à l'absence de gamètes mâles ciliés. Les gamètes dépourvus de flagelles ne peuvent nager vers les gamètes femelles, comme le font les gamètes mâles flagellés de certains autres protistes, des animaux et de certaines plantes. La fécondation est donc plutôt une quesion de chance avec, comme conséquence, que la production d'un zygote peut être relativement rare. L'alternance de générations est considérée comme une adaptation qui augmente le nombre et la diversité génétique des descendants issus d'une fécondation individuelle et d'un zygote. Un sporophyte multicellulaire peut en effet produire beaucoup plus de spores — et des spores haploïdes plus diverses — qu'un noyau unique de zygote méiotique. L'alternance de deux générations multicellulaires existe également chez plusieurs autres groupes de protistes, comme les algues vertes et les algues brunes (Chapitre 17), ainsi que chez les bryophytes et les plantes vasculaires (Chapitres 18 à 20), avec éventuellement les mêmes avantages écologiques et génétiques.

Un autre progrès évolutif est apparu chez bon nombre d'algues rouges. Au lieu de produire immédiatement des spores, le noyau du zygote se divise à plusieurs reprises par mitoses et donne une troisième phase multicellulaire, le **carposporophyte**, diploïde. Le carposporophyte reste fixé au gamétophyte qui l'a produit et il en reçoit probablement son alimentation. Ces aliments lui pemettent une prolifération cellulaire rapide par mitoses. Quand le carposporophyte atteint sa taille adulte, les cellules apicales subissent une mitose qui donne naissance aux carpospores. Les carpospores sont libérées dans l'eau, s'installent sur un substrat et se développent en sporophytes diploïdes distincts.

Chez beaucoup d'algues rouges, une copie du noyau diploïde du zygote, produite mitotiquement, est transférée à une autre cellule du gamétophyte. Cette cellule, la **cellule auxiliaire**, sert d'hôte et de source de nourriture pour la série de mitoses subies par le noyau adopté. La prolifération de filaments diploïdes à partir de la cellule auxiliaire est à l'origine du carposporophyte et des carpospores. Chez beaucoup de formes, de nombreuses copies du noyau zygote diploïde sont transportées à travers l'algue par le développement de longues cellules tubulaires et sont déposées dans de nombreuses autres cellules auxiliaires. Chaque noyau diploïde produit ensuite de nombreux carposporophytes, qui libèrent dans l'eau un très grand nombre de carpospores. Dans un cas, on a pu constater qu'un noyau zygote aboutit à la libération de quelque 4500 carpospores. Chaque carpospore peut se développer en une génération diploïde indépendante, le **tétrasporophyte**. La méiose se déroule dans des cellules spécialisées du tétrasporophyte, les **tétrasporanges**. Chaque tétraspore produite peut germer en un nouveau gamétophyte si les conditions sont favorables. *Polysiphonia* est un exemple de ce type de cycle de développement (Figure 16-18).

Le cycle de développement de la plupart des algues rouges comporte donc trois phases : (1) un gamétophyte haploïde, (2) une phase diploïde, appelée carposporophyte, et (3) une autre phase diploïde, le tétrasporophyte. Le carposporophyte des algues rouges est considéré comme un moyen supplémentaire permettant de multiplier les combinaisons génétiques produites par la reproduction sexuée lorsque les taux de fécondation sont faibles. L'alternance de phases impliquant trois générations multicellulaires est propre aux algues rouges. La capacité de produire de nombreux carposporophytes, le grand nombre de carpospores qui en proviennent et le nombre potentiellement énorme de tétraspores issues toutes d'un même zygote, a permis aux algues rouges de surmonter le handicap imposé par l'absence de flagelles.

Chez la plupart des algues rouges, le gamétophyte et le tétrasporophyte se ressemblent : on dit qu'ils sont isomorphes, comme chez *Polysiphonia*. Les algues calcifiées ont aussi des cycles de développement isomorphes. On a cependant découvert aussi un nombre croissant de cycles de développement hétéromorphes. Chez ces espèces, les tétrasporophytes sont microscopiques et filamenteux ou formés d'une mince croûte fermement attachée à un substrat rocheux. Les *algologues* — chercheurs qui étudient les algues — estiment que les différences de forme ont des avantages sélectifs qui répondent aux changements saisonniers ou à d'autres variations de l'environnement. Le développement des cultures d'algues en laboratoire a montré que, dans certains cas, ce qui semble être des espèces distinctes correspond en réalité à des générations du cycle d'une même espèce.

La découverte la plus importante en ce domaine découle des recherches réalisées sur des cultures dans le laboratoire de la phycologiste britannique Kathleen Drew Baker. Elle a découvert que les très petits filaments rouges de *Conchocelis*, qui se développent sur les coquillages, représentent en fait la phase diploïde de l'algue foliacée comestible *Porphyra* (qui est la phase haploïde). Son travail, publié dans la revue *Nature* en 1949, fut à l'origine de la production industrielle de « nori », qui se chiffre en milliards de dollars par an, au Japon, en Corée et en Chine (voir l'encadré de la page 380). En remerciement, un parc en l'honneur de Drew Baker a été créé dans la préfecture de Kumamoto, au Japon, où elle est vénérée tous les ans lors d'une cérémonie dédiée à « la mère de la mer. »

Les dinoflagellates : embranchement des *Dinophyta*

Les données de la systématique moléculaire indiquent que les dinoflagellates sont étroitement apparentés à des protozoaires ciliates comme *Paramecium* et *Vorticella* (voir figure 13-12). Ils sont également très proches des sporozoaires, où l'on trouve l'agent responsable de la malaria, et d'autres parasites des animaux et de l'homme.

La plupart des dinoflagellates sont unicellulaires et biflagellés (Figure 16-19). On en connaît de 2000 à 4000 espèces, dont beaucoup sont des représentants abondants et très productifs du phytoplancton marin ; d'autres vivent dans l'eau douce. Les dinoflagellates ont une particularité : leurs flagelles battent à l'intérieur de deux sillons. Un sillon entoure l'organisme comme une ceinture, tandis que le second est perpendiculaire au premier. Le battement des flagelles dans leurs sillons respectifs fait que les dinoflagellates tournent comme une toupie quand ils se déplacent. Le flagelle circulaire a la forme d'un ruban. Il existe également de nombreux dinoflagellates non mobiles, mais ils procurent normalement des cellules reproductrices possédant des flagelles logés dans des sillons, qui permettent d'en déduire leurs relations avec les autres dinoflagellates.

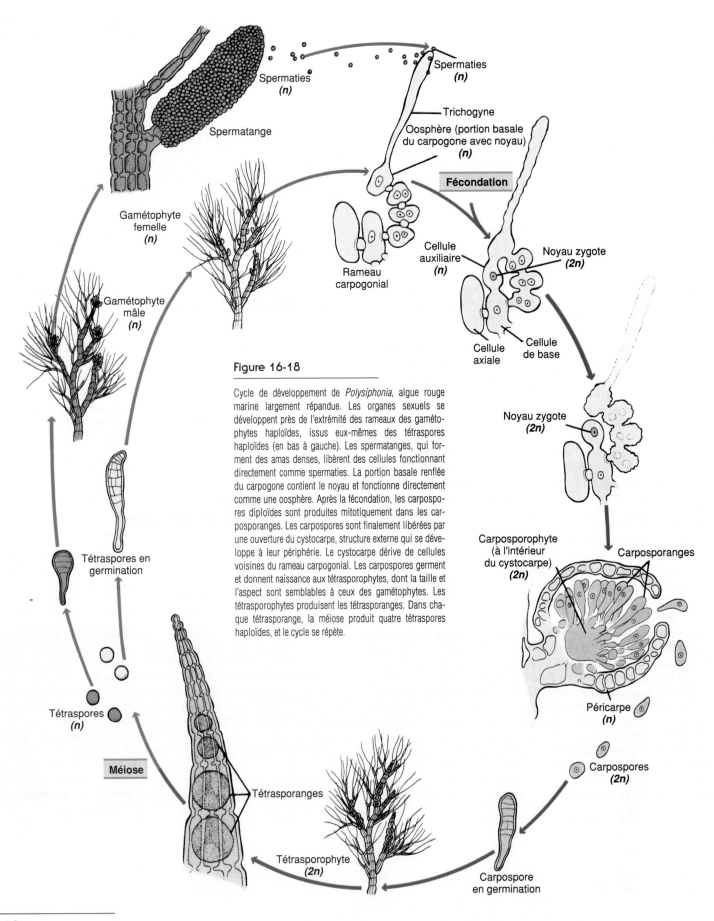

Spermaties **(n)**

Spermaties **(n)**

Spermatange

Trichogyne

Oosphère (portion basale du carpogone avec noyau) **(n)**

Fécondation

Gamétophyte femelle **(n)**

Gamétophyte mâle **(n)**

Rameau carpogonial

Cellule auxiliaire **(n)**

Noyau zygote **(2n)**

Cellule axiale

Cellule de base

Noyau zygote **(2n)**

Tétraspores en germination

Carposporophyte (à l'intérieur du cystocarpe) **(2n)**

Carposporanges

Figure 16-18

Cycle de développement de *Polysiphonia*, algue rouge marine largement répandue. Les organes sexuels se développent près de l'extrémité des rameaux des gamétophytes haploïdes, issus eux-mêmes des tétraspores haploïdes (en bas à gauche). Les spermatanges, qui forment des amas denses, libèrent des cellules fonctionnant directement comme spermaties. La portion basale renflée du carpogone contient le noyau et fonctionne directement comme une oosphère. Après la fécondation, les carpospores diploïdes sont produites mitotiquement dans les carposporanges. Les carpospores sont finalement libérées par une ouverture du cystocarpe, structure externe qui se développe à leur périphérie. Le cystocarpe dérive de cellules voisines du rameau carpogonial. Les carpospores germent et donnent naissance aux tétrasporophytes, dont la taille et l'aspect sont semblables à ceux des gamétophytes. Les tétrasporophytes produisent les tétrasporanges. Dans chaque tétrasporange, la méiose produit quatre tétraspores haploïdes, et le cycle se répète.

Péricarpe **(n)**

Carpospores **(2n)**

Tétraspores **(n)**

Méiose

Tétrasporanges

Tétrasporophyte **(2n)**

Carpospore en germination

Figure 16-19

La « carapace » de certains dinoflagellates est composée de plaques de cellulose logées dans des vésicules à l'intérieur de la membrane plasmique. Les vésicules des genres qui semblent ne pas posséder de carapace peuvent contenir ou non des plaques de cellulose.

Bien qu'ils ne soient pas les seuls dans ce cas, les dinoflagellates ont la particularité de posséder des chromosomes condensés de façon permanente. Antérieurement, on considérait que ce caractère, ainsi que certains aspects inhabituels de la mitose, montraient que les dinoflagellates étaient assez primitifs. L'opinion actuelle est que les dinoflagellates sont au contraire un groupe de protistes très évolué. Leur mode principal de reproduction passe par une division cellulaire longitudinale, chaque cellule fille recevant un des flagelles et une portion de la paroi, ou thèque. Chaque cellule fille reconstitue ensuite les parties manquantes par une séquence d'étapes très complexe.

Beaucoup de dinoflagellates ont un aspect curieux ; leur thèque formée de plaques rigides de cellulose qui rappelle souvent un casque étrange ou une partie de cote de mailles ancienne (Figures 16-19 et 16-20). Les plaques de cellulose de la paroi sont situées dans des vésicules, immédiatement à l'intérieur de la membrane externe de la cellule. Les dinoflagellates océaniques ont souvent de grandes plaques thécales en forme de voiles complexes qui interviennent dans la flottaison. D'autres dinoflagellates ont des plaques cellulosiques très minces ou nulle et paraissent donc ne pas avoir de thèque.

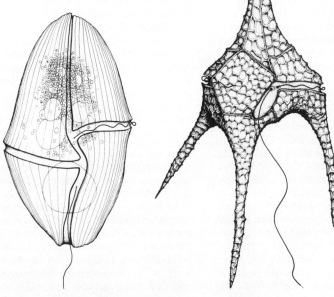

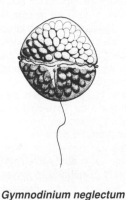

Gymnodium costatum   **Ceratium**   **Exuviaella**   **Gymnodinium neglectum**

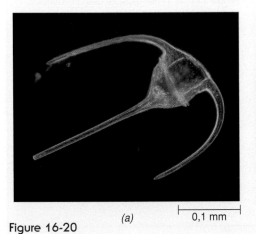
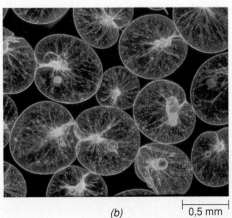
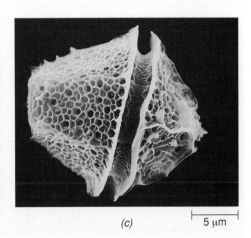

(a)   0,1 mm   (b)   0,5 mm   (c)   5 μm

Figure 16-20

Dinoflagellates. **(a)** *Ceratium tripos* : dinoflagellate à carapace. **(b)** *Noctiluca scintillans* : dinoflagellate marin biolumescent. **(c)** *Gonyaulax polyedra* : dinoflagellate responsable de marées rouges spectaculaires le long des côtes de Californie du sud.

MARÉES ROUGES/FLEURS TOXIQUES

Fin août 1987, la côte occidentale de la Floride a été ravagée par une importante marée rouge — une de plus parmi les dizaines qui ont été dénombrées au cours des 150 dernières années. Des centaines de milliers de poissons morts couvraient les plages et le tourisme a perdu des millions de dollars. L'organisme responsable de la plupart des marées rouges dans le Golfe du Mexique et des conséquences qui en découlent, est le dinoflagellate *Gymnodinium breve*. Après une période de reproduction rapide du dinoflagellate, il s'est formé une fleur d'eau toxique dans laquelle *G.breve* était tellement abondant que la mer était colorée en brun-rougeâtre. Parmi les facteurs de l'environnement qui favorisent ces fleurs, on peut trouver les températures élevées en surface, une faible salinité (souvent au cours des périodes pluvieuses) et le calme de la mer. Un temps pluvieux suivi d'une période ensoleillée est donc souvent associé au déclenchement des marées rouges.

Deux mois plus tard, *D.breve* envahissait les estuaires le long de la côte de Caroline du Nord, régions où il n'avait jamais été observé auparavant. Les dinoflagellates sont devenus tellement abondants que les eaux étaient jaunâtres et que l'industrie touristique de cette région a été compromise. On a signalé au moins 41 cas de troubles respiratoires, gastro-intestinaux ou neurologiques chez des nageurs — troubles toujours associés aux toxines produites par la fleur d'eau des dinoflagellates. On pense que *Gymnodinium* s'est déplacé vers le nord par le Gulf Stream depuis la Floride ; avec lui sont arrivées des bandes d'un poisson appelé menhaden (sorte de hareng), qui consomme les dinoflagellates en grandes quantités. Les dauphins souffleurs consomment le menhaden, et la moitié au moins de la population des dauphins de

l'Atlantique occidental a disparu. Le poisson n'avait pas souffert de la présence des dinoflagellates toxiques présents dans son tube digestif, mais les dauphins avaient été empoisonnés en consommant le poisson. Affaiblis, les dauphins ont été victimes de maladies bactériennes et virales.

Les marées rouges ont existé de tout temps. On trouve des mentions de leur existence dans l'ancien testament et dans l'iliade d'Homère. On pense cependant que leur fréquence et leur étendue s'accroissent sur l'ensemble du globe. Il s'en est produit deux fois plus en 1990 qu'en 1970. Le écologistes ne peuvent assurer s'il s'agit d'un stade d'un cycle naturel ou du début d'une grave épidémie globale. L'augmentation de la fréquence des marées rouges est en relation avec l'eutrophisation des eaux côtières provenant du lessivage, dû à la prolifération de la population humaine, à l'utilisation intensive des engrais et aux élevages.

Le dernier dinoflagellate producteur de toxine identifié est *Pfiesteria pisticida* (voir page 366), qui a provoqué une mortalité massive des poissons dans les rivières Neuse et Pamlico, en Caroline du Nord. Les toxines produites par *Pfiesteria* sont assez puissantes pour provoquer des lésions et des saignements chez les poissons. Les personnes qui travaillent sur ces toxines doivent être particulièrement prudentes : on a signalé que ces toxines provoquent des nausées, des vomissements, des maux de tête, des brûlures aux yeux, des pertes de mémoire, des difficultés respiratoires, des mouvements d'humeur et des difficultés d'élocution. *Pfiesteria* est le premier dinoflagellate producteur de toxines connu qui possède de muliples stades de développement (au moins 24) : flagellé, amiboïde, enkysté, ainsi que les

formes de transition entre eux (voir figure 16-22).

D'autres dinoflagellates sont responsables ailleurs de la formation de marées rouges. *Gonyaulax tamarensis* en est la cause le long de la côte atlantique du nord-est et des provinces maritimes du Canada au sud de la Nouvelle-Angleterre, tandis que *Gymnodinium catenella* provoque parfois des marées rouges le long de la côte pacifique, de l'Alaska à la Californie, *Ptichodiscus brevis* dans le Golfe du Mexique et *Protogonyaulax tamarensis* en Mer du Nord, au large des côtes anglaises du Northumberland. Plus de 40 espèces de dinoflagellates produisent des toxines létales pour les oiseaux et les mammifères, rendent les mollusques toxiques ou provoquent, chez les poissons tropicaux, une maladie endémique appelée ciguatera. Les poisons produits par certains dinoflagellates, comme *G.catenella*, sont des toxines extrêmement nocives pour les nerfs. On connaît relativement bien la nature chimique et l'activité biologique de la plupart de ces toxines.

Lors de l'ingestion de dinoflagellates et d'autres organismes toxiques, des mollusques tels que les moules et les bénitiers accumulent et concentrent les toxines. Suivant l'organisme consommé, ils deviennent eux-mêmes dangereusement toxiques pour les personnes qui les consomment. On interrompt souvent les récoltes en été le long des côtes atlantiques. Des empoisonnements surviennent régulièrement suite à la consommation de moules, de coquilles Saint-Jacques, d'huîtres ou de bénitiers de certaines régions. Les recherches sur *Pfiesteria piscicida* ont montré que les dinoflagellates peuvent infecter l'homme non seulement par l'intermédiaire des mollusques, mais aussi par voie directe.

Gymnodinium breve, le dinoflagellate dépourvu de carapace responsable de marées rouges subites le long de la côte occidentale de la Floride. Le flagelle transversal, courbe, est logé dans un sillon qui fait le tour de l'organisme. Son flagelle longitudinal, dont une partie seulement est visible, s'étend depuis le centre de l'organisme jusqu'à la partie inférieure gauche. Le sillon apical, au sommet, est un caractère d'identification de *Gymnodinium*.

Beaucoup de dinoflagellates ingèrent des particules alimentaires solides ou absorbent des substances organiques en solution

Environ la moitié de tous les dinoflagellates sont dépourvus d'appareil photosynthétique et se nourrissent donc soit en ingérant des particules alimentaires solides, soit en absorbant des composés organiques en solution. De nombreux dinoflagellates pigmentés — et donc photosynthétiques — et de plus fortement protégés, peuvent même se nourrir de cette façon. Certains dinoflagellates émettent, pour se nourrir, une protubérance tubulaire, appelée pédoncule, qui peut aspirer des matières organiques dans la cellule. Le pédoncule se rétracte dans la cellule après la fin du repas.

La plupart des dinoflagellates pigmentés contiennent normalement les chlorophylles *a* et *c*, généralement masquées par des caroténoïdes tels que la **péridinine**, apparentée à la fucoxanthine, pigment accessoire caractéristique des chrysophytes (voir chapitre 17). La présence de péridinine renforce l'hypothèse selon laquelle les chloroplastes de beaucoup de dinoflagellates dérivent de chrysophytes ingérés par endosymbiose, comme on l'a vu au chapitre 13. D'autres dinoflagellates ont des plastes verts ou bleu-vert, provenant d'algues vertes ou de cryptophycées ingérées. Les matières de réserve carbonées des dinoflagellates sont formées d'amidon, emmagasiné dans le cytoplasme.

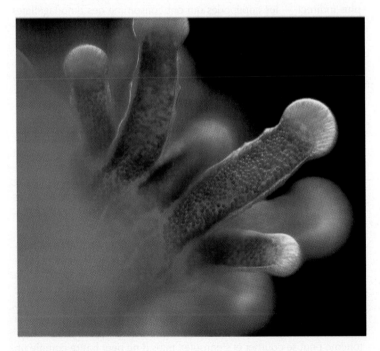

Figure 16-21

Des zooxanthelles, forme symbiotique des dinoflagellates, vues ici dans un tentacule de corail. Ces symbiontes sont responsables de la plus grande part de la productivité des récifs coralliens.

Des dinoflagellates pigmentés se retrouvent comme symbiontes dans de nombreux autres types d'organismes, comme des éponges, méduses, anémones de mer, tuniciers, coraux, pieuvres et calmars, gastéropodes, turbellariés et certains protistes. Chez les bénitiers de la famille des *Tridachnidae*, la face dorsale des lobes internes du manteau peut prendre une teinte brun-chocolat suite à la présence de dinoflagellates symbiotiques. En cas de symbiose, les dinoflagellates perdent les plaques protectrices et se présentent comme des cellules sphériques dorées appelées zooxanthelles (Figure 16-21).

Les zooxanthelles sont les principaux responsables de la productivité photosynthétique permettant la croissance des récifs coralliens dans les eaux tropicales, notoirement pauvres en éléments nutritifs. Les tissus coralliens peuvent contenir jusqu'à 30.000 dinoflagellates symbiotiques par millimètre cube, principalement dans les cellules qui bordent le système digestif des polypes coralliens. Les acides aminés produits par les polypes stimulent la production, par les dinoflagellates, de glycérol au lieu d'amidon. Le glycérol est directement utilisé pour la respiration du corail. Les dinoflagellates ayant besoin de lumière pour la photosynthèse, les coraux qui en contiennent se développent principalement à moins de 60 mètres de profondeur dans l'océan. Les variations morphologiques du corail sont souvent en relation avec la manière dont les différentes dispositions géométriques permettent de capter la lumière. Cette disposition rappelle les différents modes de ramification utilisés par les arbres pour exposer au maximum leurs feuilles à la lumière solaire.

En périodes de disette alimentaire, les dinoflagellates forment des cystes quiescents

Lorsque les conditions ne permettent pas à la population de poursuivre sa croissance, par exemple en cas de disette alimentaire, les dinoflagellates peuvent produire des cystes quiescents non mobiles qui s'entassent au fond du lac ou de l'océan, où ils peuvent rester viables pendant des années. Les courants océaniques peuvent transporter ces cystes benthiques (« du fond de l'eau ») en des endroits variés. Lorsque les conditions deviennent favorables, les cystes peuvent germer et rendre vie à une population de cellules mobiles. La production des cystes, leur déplacement et leur germination expliquent beaucoup de facettes de l'écologie et de la géographie des fleurs d'eau toxiques des dinoflagellates. Ils expliquent pourquoi ces fleurs d'eau ne se produisent pas nécessairement chaque année au même endroit et pourquoi elles paraissent liées à la pollution de l'océan par les eaux usées et les rejets agricoles. Ils expliquent en outre pourquoi les fleurs paraissent se déplacer d'un endroit à l'autre suivant les années.

On a découvert la reproduction sexuée chez certaines espèces de dinoflagellates. Leurs zygotes forment des parois cellulaires ornementées spécifiques, épaisses, chimiquement inertes, qui rappellent certains fossiles d'acritarches anciens (Figure 16-1). Les cycles de développement des dinoflagellates peuvent être très complexes et impliquer de multiples formes, dont certaines ressemblent à des amibes. Comme chez certaines algues rouges, il est possible, en cultivant les organismes en laboratoire, de montrer que des protistes morphologiquement différents peuvent faire partie du cycle de dévelopement d'une même espèce. Il est important de comprendre ces cycles pour élucider le rôle du phytoplancton, y compris les dinoflagellates, dans les réseaux alimentaires et la production de fleurs toxiques.

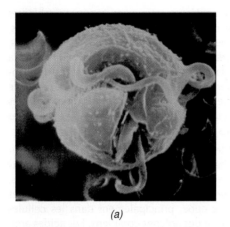

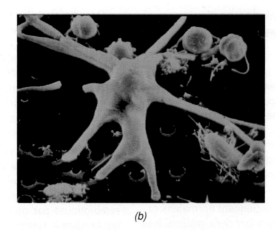

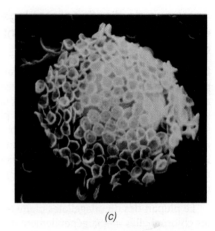

(a)   (b)   (c)

Figure 16-22

Trois stades connus du cycle de développement complexe du dinoflagellate *Pfiesteria piscicida*. **(a)** Cellule biflagellée montrant les flagelles et le pédoncule, qui sert à l'alimentation. **(b)**

Un des stades amiboïdes, les plus importants du cycle de développement. **(c)** Un stade d'enkystement amiboïde. Le cyste biflagellé peut passer à un stade amiboïde en quelques minutes.

On appelé *Pfiesteria piscicida* un « prédateur embusqué », parce qu'il libère une toxine qui tue les poissons et il consomme ensuite leurs tissus décomposés.

Beaucoup de dinoflagellates produisent des substances toxiques ou bioluminescentes

Environ 20 % des dinoflagellates connus produisent une ou plusieurs substances très toxiques de grand intérêt économique et écologique (voir l'encadré de la page 364). Les toxines des dinoflagellates peuvent représenter une protection contre la prédation, mais un dinoflagellate récemment découvert au moins, *Pfiesteria piscidina*, utilise sa toxine mortelle dans une stratégie d'alimentation « ni vu ni connu » (Figure 16-22). Un poisson, le mehaden par exemple, stimule la germination des cystes benthiques de *Pfiesteria* en cellules mobiles ; ces cellules produisent une toxine qui paralyse le système respiratoire du poisson et provoque sa mort par asphyxie. Au cours de sa décomposition, les dinoflagellates allongent leurs pédoncules et se nourrissent en grand nombre et très rapidement de petits fragments de la chair du poisson. Dès que la nourriture a été consommée, les dinoflagellates fantômes reviennent bien vite à leur stade enkysté benthique peu décelable, parfois après deux heures seulement. En conséquence, on ne peut pas toujours identifier la cause d'une disparition massive des poissons à moins de prélever des échantillons d'eau tout au début de l'hécatombe. L'eutrophisation des océans est la cause de ces hécatombes : un excès de phosphore dans l'eau stimule au moins une étape du développement de *Pfiesteria*.

Les dinoflagellates marins sont également bien connus pour leur aptitude à la bioluminescence (Figure 16-20b). Ils sont à l'origine d'un agréable pétillement de l'océan qui s'observe souvent la nuit quand l'eau est agitée par des bateaux ou des nageurs. Quand les cellules de dinoflagellates sont perturbées, elles réagissent par une série de réactions biochimiques bien connues où interviennent la luciférine et l'enzyme luciférase ; comme chez les lucioles et d'autres organismes, cette réaction produit un bref éclair lumineux (voir chapitre 28). On pense que la bioluminescence sert de protection contre des préda-

teurs tels que les copépodes, petits crustacés qui sont les composants les plus nombreux du zooplancton. Suivant une hypothèse, les éclairs lumineux des dinoflagellates effrayent les prédateurs occupés à s'alimenter et les dérangent. Une autre hypothèse suggère un processus plus indirect — les copépodes qui ont consommé des dinoflagellates luminescents deviennent plus visibles pour les poissons qui s'en nourrissent.

Les haptophytes : embranchement des *Haptophyta*

L'embranchement des haptophytes comprend des composants fort disparates du phytoplancton marin principalement, mais on connaît quelques formes d'eau douce et de terre ferme. L'embranchement renferme des flagellés unicellulaires ou coloniaux, des cellules isolées et des colonies non mobiles. On connaît environ 300 espèces réparties dans 80 genres, mais on découvre sans cesse de nouvelles espèces. Les espèces d'haptophytes sont surtout diversifiées sous les tropiques.

La caractéristique la plus typique des algues haptophytes est l'**haptonème** (du grec *haptein*, « fixer », en relation avec le sens du toucher). L'haptonème est une structure filiforme qui s'étend au départ de la cellule en même temps que deux flagelles de longueur identique (Figure 16-23). Sa structure est différente de celle d'un flagelle. Bien qu'il existe des microtubules dans l'haptonème, on ne trouve pas la disposition 9 + 2 caractéristique des flagelles et cils eucaryotes. L'haptonème peut se courber et s'enrouler, mais il ne peut battre comme un flagelle. Dans certains cas, il permet à la cellule d'haptophyte d'attraper des particules de nourriture et il fonctionne un peu comme une canne à pêche. Dans d'autres cas, il semble aider les cellules à déceler et éviter les obstacles.

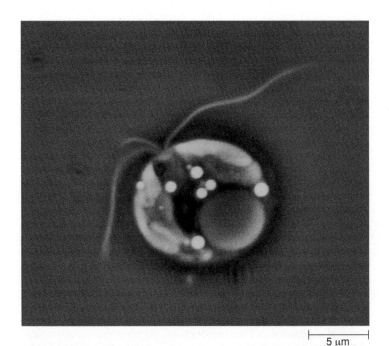

Figure 16-23

L'haptophyte *Prymnesium parvum*. La plupart des haptophytes ont deux flagelles lisses presqu'égaux. Beaucoup possèdent en outre un haptonème (le plus petit appendice visible ici), capable de se courber et de s'enrouler, mais pas de battre comme les flagelles.

Une autre caractéristique des haptophytes est la présence de petites écailles plates à la surface de la cellule (Figure 16-24). Ces écailles sont composées de matière organique, éventuellement calcifiée. On parle de **coccolithes** pour désigner ces écailles calcifiées, et les 12 familles d'organismes au moins qui sont décorées de coccolithes sont connues sous le nom de coccolithophorides. Il y a deux sortes de coccolithes. Ceux qui sont produits à l'intérieur de la cellule — dans les vésicules de Golgi — sont transportées vers l'extérieur. Les coccolithes de l'autre type sont synthétisés en dehors de la cellule. Les coccolithes forment la base d'une séquence continue de fossiles qui remonte à leur première apparition à la fin du triassique, il y a environ 230 millions d'années.

La plupart des haptophytes sont photosynthétiques ; ils possèdent la chlorophylle *a* et une variante de la chlorophylle *c*. On connaît au moins un représentant non photosynthétique. Certains possèdent un pigment accessoire, la fucoxanthine, qu'ils partagent avec les chrysophytes et les diatomées (voir chapitre 17). D'autres haptophytes n'ont pas de fucoxanthine.

Comme chez les cryptophycées, les plastes des haptophytes sont entourés d'un réticulum endoplasmique chloroplastique qui est en continuité avec l'enveloppe nucléaire. De même que chez les cryptophycées, le réticulum endoplasmique chloroplastique apporte la preuve que les plastes proviennent d'une endosymbiose secondaire. La reproduction sexuée et une alternance de générations hétéromorphes sont présentes chez les haptophytes, mais le niveau chromosomique et l'histoire du développement de nombreuses formes sont encore inconnus.

Les haptophytes marins sont des composants importants des réseaux alimentaires, ils interviennent à la fois comme producteurs et, même si la plupart sont autotrophes, comme consommateurs. Comme consommateurs, ils s'attaquent à de petites particules telles que les cyanobactéries, ou absorbent le carbone organique en solution. Ils représentent un moyen de transport important, vers les profondeurs de l'océan, du carbone organique et des deux-tiers du carbonate de calcium. De plus, ils produisent des quantités importantes d'oxydes de soufre qui joue un rôle dans les pluies acides (page 350). Le stade colonial gélatineux de *Phaeocystis* occupe une place prépondérante dans le phytoplancton de la banquise et il contribue pour environ 10 % à la production des composés sulfurés de l'atmosphère produits par le phytoplancton. En outre, sa gélatine est une source importante de carbone organique pour l'eau de mer. Dans tous les océans, particulièrement à des latitudes moyennes, *Emiliania huxleyi* peut former des fleurs couvrant des milliers de kilomètres carrés. Les deux genres d'haptophytes *Chrysochromulina* et *Prymnesium* sont bien connus pour la formation de fleurs toxiques tuant les poissons et d'autres organismes marins.

Dans le chapitre qui suit, nous tournerons notre attention vers les autres embranchements de protistes traditionnellement étudiés par les botanistes. L'accent se portera principalement vers les algues vertes, dont certrains représentants sont plus proches des ancêtres des bryophytes et des plantes vasculaires que tout autre organisme vivant.

Figure 16-24

Algues haptophytes. **(a)** *Emiliania huxleyi* est un coccolithophoride. On estime qu'il existe 300 espèces de ce groupe d'algues extrêmement petites ; celle-ci est la plus répandue et la plus abondante. Les écailles en forme de plaques couvrant les cellules des coccolithophorides sont composées de carbonate de calcium. **(b)** Micrographie en fluorescence d'une jeune colonie de *Phaeocystis*, colorée à l'acridine orange. Les cellules sont enrobées dans un mucilage polysaccharidique. Dans les océans tempérés, comme la Mer du Nord, des fleurs massives de *Phaecystis* obstruent les filets de pêche et sont rejetées sur le rivage, où elles produisent des tas de mousse épais de plusieurs mètres.

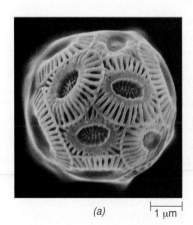

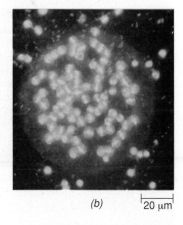

(a)   1 µm   (b)   20 µm

RÉSUMÉ

Le règne des protistes comprend des organismes autotrophes et hétérotrophes divers

Les protistes sont des organismes eucaryotes qui ne sont pas inclus dans les règnes des champignons, des plantes ou des animaux. Dans cet ouvrage, on traite des organismes photosynthétiques (autotrophes), qui sont les algues, aussi bien que des hétérotrophes autrefois considérés comme des champignons. Ces derniers comprennent les *Myxomycota* et les *Dictyosteliomycota,* ainsi que les *Oomycota,* qui seront traités dans le chapitre suivant.

Les algues comprennent des protistes photosynthétiques, ainsi que des formes apparentées incolores. Ce sont des éléments importants des réseaux alimentaires aquatiques et, avec les cyanobactéries, elles constituent le phytoplancton. Les algues jouent également un rôle important dans les cycles globaux du carbone et du soufre.

Le plasmode des Myxomycota est une masse « nue » de protoplasme

Les myxomycètes plasmodiaux de l'embranchement des *Myxomycota* peuvent être représentés par des masses de protoplasme multinucléées qui se déplacent, des plasmodes, qui sont habituellement diploïdes. Ces plasmodes forment généralement des sporanges qui produisent des spores. La méiose se déroule dans chaque spore et trois noyaux produits dégénèrent, ne laissant qu'un noyau haploïde par spore. En conditions favorables, les spores germent et donnent des amibes qui peuvent former des flagelles. Ces amibes ou cellules flagellées peuvent fonctionner comme gamètes. La fusion des gamètes est suivie souvent, mais pas toujours, de la formation d'un plasmode.

Le pseudoplasmode des Dictyosteliomycota est un rassemblement de myxamibes

Les myxomycètes cellulaires, qui forment l'embranchement des *Dictyosteliomycota,* constituent un groupe d'organismes amiboïdes qui se réunissent à un stade de leur cycle de développement pour former des pseudoplasmodes. L'AMP cyclique joue un rôle essentiel dans la réunion des myxamibes individuelles en pseudoplasmodes ; elles sont soumises à des étapes complexes de différenciation et à une mort cellulaire programmée : c'est pourquoi ces organismes sont utilisés comme modèles pour les recherches dans ce domaine. On ne connaît pas de cellules ciliées. La reproduction par spores asexuées est fréquente. La reproduction sexuée passe par la formation de zygotes pourvus d'une paroi, appelés macrocystes. Contrairement aux champignons, mais comme beaucoup d'autres protistes, les myxomycètes plasmodiaux et cellulaires ingèrent des particules de nourriture.

Les algues se nourrissent de diverses manières

Bien que beaucoup d'algues soient capables d'effectuer la photosynthèse, l'ingestion et l'utilisation de substances organiques dissoutes sont également fréquentes. Les particules organiques sont utilisées dans l'alimentation au moins par certains euglénoïdes, cryptophycées, dinoflagellates et haptophytes. On considère la phagocytose comme le moyen qui a probablement permis aux ancêtres des formes pigmentées de ces groupes d'algues d'acquérir leurs chloroplastes.

Les euglénoïdes (embranchement des Euglénophyta) se rencontrent surtout dans l'eau douce et sont unicellulaires

Un tiers environ des euglénoïdes sont photosynthétiques et possèdent des chloroplastes avec les chlorophylles *a* et *b,* ainsi que plusieurs caroténoïdes. Les plastes ne stockent pas d'amidon, mais des granules d'un polysaccharide spécial, le paramylon, sont emmagasinés dans le cytoplasme. Les euglénoïdes n'ont pas de paroi cellulaire, mais ils possèdent une série de bandes protéiques disposées en hélice, appelée pellicule, qui se situe immédiatement sous la membrane plasmique. Les cellules contiennent une vacuole contractile et portent des flagelles. On ne connaît pas de reproduction sexuée chez les euglénoïdes.

Les cryptophycées (embranchement des Cryptophyta) et les dinoflagellates (Dinophyta) se rencontrent habituellement dans des habitats marins et d'eau douce

Les cryptophycées sont des flagellates unicellulaires qui semblent provenir de la fusion de deux cellules eucaryotes différentes, une hétérotrophe et l'autre photosynthétique. En plus des chlorophylles *a* et *c* et de caroténoïdes, certains chloroplastes de cryptophycées contiennent soit la phycocyanine, soit la phycoérythrine, pigments hydrosolubles qui, à part cela, ne sont connus que chez les cyanobactéries et les algues rouges.

Les dinoflagellates sont unicellulaires et possèdent deux flagelles. Beaucoup ont une apparence curieuse ; ils ont une paroi (thèque) formée de plaques cellulosiques rigides. D'autres dinoflagellates ont des plaques cellulosiques très minces ou nulles. Environ la moitié des dinoflagellates sont photosynthétiques, ils possèdent les chlorophylles *a* et *c,* généralement masquées par des pigments caroténoïdes, comme la péridinine. Certains dinoflagellates marins produisent des substances toxiques et/ou des marées rouges nocives. D'autres dinoflagellates marins sont des endosymbiontes des cellules coralliennes qui édifient les récifs, auxquelles ils fournissent une alimentation.

Les algues rouges (embranchement des Rhodophyta) constituent un groupe important, particulièrement fréquent dans les mers chaudes

Les algues rouges sont généralement fixées à un substrat, et certaines se développent à grande profondeur (jusqu'à 268 mètres). Les chloroplastes contiennent des phycobilines, qui masquent la couleur de la chlorophylle *a* et donnent aux algues rouges leur coloration caractéristique. Par leur biochimie et leur structure, les chloroplastes des algues rouges ressemblent beaucoup aux cyanobactéries, dont ils dérivent très probablement. Les algues rouges sont remarquables par leurs cycles de développement complexes, impliquant souvent une alternance entre trois générations — gamétophyte, carposporophyte et tétrasporophyte. Les algues rouges sont aussi une source de glucides utiles et précieux, comme l'agar et le carragheen.

Les haptophytes (embranchement des Haptophyta) se retrouvent principalement dans le phytoplancton marin

Le caractère le plus typique des haptophytes est l'haptonème, structure filiforme qui semble aider la cellule à sentir et éviter les obstacles ou à capturer les particules alimentaires. La plupart des haptophytes sont photosynthétiques, ils contiennent les chlorophylles *a* et *c.* Ils sont écologiquement importants, à l'échelle du globe, dans les cycles du carbone et du soufre.

MOTS CLÉS

QUESTIONS

1. Expliquez pouquoi le phytoplancton est la « grande prairie de la mer. »

2. Au moyen d'un schéma simple et annoté, expliquez les relations entre structure et fonction chez *Euglena*.

3. Expliquez comment chacun des organismes suivants s'adapte à des périodes défavorables, par exemple lorsque l'alimentation devient rare et l'eau insuffisamment disponible : les myxomycètes plasmodiaux, les myxomycètes cellulaires, les dinoflagellates.

4. Quel est l'intérêt, pour les algues rouges, d'une génération carposporophytique diploïde ?

5. Qu'y a-t-il de commun entre des organismes comme *Gymnodinium breve*, *Pfiesteria piscicida* et *Gonyaulax tamarensis* ?

17

Les protistes II : hétérokontées et algues vertes

Figure 17-1

Les organismes photosynthétiques multicellulaires se sont fixés aux côtes rocheuses au début de leur évolution. Ces laminaires, observées à marée basse sur les rochers de Botanic Beach, sur l'Ile Vancouver, en Colombie Britannique, sont des algues brunes (*Phaeophyta*), un groupe où le structure multicellulaire a évolué indépendamment de celle des autres groupes d'organismes.

SOMMAIRE

Les algues sont des éléments d'importance capitale pour les écosystèmes aquatiques : elles produisent de l'oxygène et servent de nourriture pour les animaux aquatiques. Dans ce chapitre, nous poursuivons l'étude des algues. Nous considérons d'abord les hétérokontées, qui comprennent des organismes possédant deux flagelles de longueur et de structure différentes ; ils renferment quatre embranchements. Parmi les hétérokontées, trois embranchements d'algues sont principalement photosynthétiques ; un autre embranchement est entièrement hétérotrophe, les oomycètes.

Nous nous tournerons ensuite vers les algues vertes — l'embranchement des chlorophytes — dont les cellules mobiles possèdent des flagelles de même longueur et de même structure. Dans cet embranchement, des organismes représentant pratiquement tous les types possibles existent ; ils ont des formes unicellulaires, coloniales, filamenteuses et lamellaires. Les chlorophytes revêtent une grande importance pour l'évolution parce que certaines formes ancestrales sont supposées avoir donné naissance aux bryophytes et aux plantes vasculaires, annonçant ainsi les chapitres suivants de cet ouvrage.

POINTS DE REPÈRE

Quand vous terminerez la lecture de ce chapitre, vous devriez pouvoir répondre aux questions suivantes :

* *Qu'y a-t-il de commun à tous les embranchements d'hétérokontées ?*

* *Quelles sont les différences entre les oomycètes et les autres hétérokontées ? Citez des maladies des plantes importantes provoquées par des oomycètes.*

* *Qu'y a-t-il de particulier aux parois cellulaires des diatomées ? Quelles en sont les conséquences pour le cycle de développement des diatomées au cours des générations ?*

* *Quels sont les caractères fondamentaux des algues brunes ?*

* *Sur quelles caractéristiques les botanistes se sont-ils basés pour conclure que les algues vertes représentent le groupe de protistes dont l'évolution a donné naissance aux plantes ?*

* *En quoi le mode de division cellulaire des Chlorophyceae diffère-t-il de celui des autres classes d'algues vertes ?*

La pleine mer, les côtes et la terre ferme constituent les trois zones de notre biosphère. De ces trois zones, la mer et les côtes sont les plus anciennes. Les algues y jouent un rôle comparable à celui des plantes sur la terre ferme, monde beaucoup plus récent. Souvent, les algues dominent aussi les habitats d'eau douce — mares, rivières et lacs — où leur contribution à la productivité de ces écosystèmes peut être prépondérante. Dans tous leurs milieux d'élection, les algues jouent un rôle écologique comparable à celui des plantes dans les habitats terrestres.

Le long des rivages rocheux, on peut trouver des algues plus grandes et plus complexes, telles que les algues rouges décrites au chapitre précédent, ainsi que des algues brunes et vertes. La répartition des algues en étages bien distincts en fonction de la tolérance des espèces à la durée d'émersion peut aisément être observée à marée basse (Figure 17-1). Les algues de cette zone intertidale sont soumises, deux fois par jour, à d'importantes fluctuations d'humidité, de température, de salinité et de lumière, en plus du choc des vagues et de l'effet abrasif de l'eau en mouvement. Les algues des régions polaires doivent endurer des mois d'obscurité en-dessous de la banquise. Les algues marines sont également la proie de quantité d'herbivores et de pathogènes microbiens. Leur adaptation à ces défis physiques et biologiques se reflète dans la complexité de leur biochimie, de leurs structures et de leurs cycles de développement.

De grandes algues brunes sont ancrées au large, au-delà de la zone des vagues ; elles forment des forêts qui offrent un abri à une grande diversité de poissons et d'invertébrés dont certains interviennent dans l'alimentation humaine. Beaucoup de grands carnivores, comme les loutres de mer et les thons, trouvent nourriture et abri dans ces massifs d'algues brunes, tels que ceux qui bordent les côtes californiennes. Ces algues elles-mêmes, avec quelques espèces d'algues rouges, sont récoltées pour l'extraction de produits industriels (voir « Les algues et l'homme », page 380).

Dans ce chapitre, nous poursuivons notre étude des protistes par l'examen des algues vertes et des algues brunes, ainsi que de trois groupes de protistes très proches de ces dernières. Chez les algues vertes, on trouve les plus petits eucaryotes connus : unicellulaires ou coloniaux, ils font partie du phytoplancton. On y trouve aussi des formes filamenteuses fixées, des formes foliacées macroscopiques et des ensembles organisés de cellules, ainsi que des espèces cénocytiques (multinucléées). Les algues brunes ont une structure plus complexe que les algues vertes. En général, elles sont fixées à un substrat et l'on rencontre tous les intermédiaires entre les filaments ramifiés microscopiques et les algues géantes de 50 mètres de long. Les chrysophytes et les diatomées renferment de nombreux types unicellulaires et coloniaux du phytoplancton marin et d'eau douce. Les oomycètes, que l'on pensait autrefois apparentés aux champignons, sont considérés aujourd'hui comme proches des chrysophytes, des diatomées et des algues brunes. Les oomycètes sont microscopiques et hétérotrophes ; on les rencontre dans des stations aquatiques aussi bien que terrestres. Les ressemblances et différences entre ces groupes de protistes sont résumées au tableau 17-1.

Les hétérokontées

Les cytologistes utilisant le microscope électronique ont depuis longtemps suspecté une relation étroite entre les oomycètes, les chrysophytes, les diatomées, les algues brunes et d'autres groupes (dont il n'est pas question dans cet ouvrage), en raison de la présence générale de flagelles semblables dans tous ces embranchements. Ces organismes sont connus sous le nom d'**hétérokontées** (ce qui signifie « flagelles différents »), parce que leurs flagelles sont différents quant à leur longueur et leur ornementation. Il y a deux flagelles : l'un est long et garni de poils caractéristiques (plumeux), l'autre est plus court et lisse, comme on le voit à la figure 3-28. L'analyse des séquences moléculaires a confirmé l'hypothèse, basée à l'origine sur la seule présence de ces flagelles particuliers, que les oomycètes, les chrysophytes, les diatomées et les algues brunes sont effectivement étroitement apparentés.

Les recherches moléculaires ont en outre montré que : (1) les hétérokontées ressemblant aux champignons (y compris les oomycètes), se sont séparées relativement tôt ; (2) les hétérokontées pigmentées dérivent d'un seul et même ancêtre ; (3) les formes pigmentées se sont séparées précocement en deux lignées : une de ces lignées comprend les diatomées et l'autre, le reste des hétérokontées pigmentées.

Les Oomycètes : embranchement des *Oomycota*

L'embranchement des *Oomycota*, avec environ 700 espèces, est un groupe très spécial, généralement dénommé oomycètes. Comme celles des dinoflagellates et de beaucoup d'algues vertes, les parois cellulaires de ces organismes sont formées en grande partie de cellulose ou de polymères similaires. Les oomycètes ont des structures diverses, variant de la cellule isolée aux formes filamenteuses cénocytiques très ramifiées. Ces dernières ressemblent aux hyphes typiques des champignons, raison pour laquelle les oomycètes ont été antérieurement classés dans les champignons.

La plupart des oomycètes ont une reproduction sexuée et asexuée. Ils se reproduisent asexuellement par des zoospores mobiles dont les deux flagelles sont caractéristiques des hétérokontées — l'un en pinceau, trait caractéristique, et l'autre lisse. La reproduction sexuée est oogame, ce qui signifie que le gamète femelle est une oosphère relativement volumineuse, non ciliée, et que le gamète mâle est sensiblement plus petit et flagellé (Figure 17-2).

TABLEAU 17.1

Résumé comparatif des caractéristiques des protistes II

Embranchement	Nombre d'espèces	Pigments photosynthétiques	Glucides de réserve	Flagelles	Composition de la paroi cellulaire	Habitat
Oomycetes (y compris les champignons aquatiques)	700	Aucun	Glycogène	2; dans les zoospores et les gamètes mâles seulement; apicaux ou latéraux; 1 plumeux (deux rangées de poils) à l'avant, 1 lisse à l'arrière	Cellulose ou produits proches de la cellulose	Mer, eau douce et terrestre (eau nécessaire)
Bacillariophyta (diatomées)	100.000	Aucun, ou chlorophylles *a* et *c*; caroténoïdes, principalement fucoxanthine	Chrysolaminarine	Aucun ou 1; seulement chez les gamètes mâles des centrales; apical; plumeux (deux rangées de poils)	Silice	Mer et eau douce
Chrysophyta (chrysophytes)	1000	Aucun, ou chlorophylles *a* et *c*; caroténoïdes, principalement fucoxanthine	Chrysolaminarine	Aucun ou 2; apicaux; plumeux (deux rangées de poils) à l'avant, lisse à l'arrière	Pas de paroi, ou écailles de silice ou fibrilles cellulosiques	Surtout eau douce, quelques espèces marines
Phaeophyta (algues brunes)	1500	Chlorophylles *a* et *c*, caroténoïdes, principalement fucoxanthine	Laminarine, mannitol (transporté)	2; uniquement dans les cellules reproductrices; latéraux; plumeux (deux rangées de poils) à l'avant, lisse à l'arrière	Cellulose enrobée dans une matrice d'algine mucilagineuse; parfois des plasmodesmes	Presque toutes marines; principalement tempérées et polaires; préfèrent les eaux océaniques froides
Chlorophyta (algues vertes)	17.000	Chlorophylles *a* et *b*; caroténoïdes	Amidon	Aucun ou 2 (ou plus); apicaux ou subapicaux; égaux ou inégaux; lisses (parfois avec poils)	Glycoprotéines, polysaccharides autres que cellulose; parfois plasmodesmes	Principalement aquatiques, eau douce ou mer; beaucoup avec relations symbiotiques

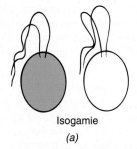

Isogamie

(a)

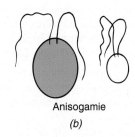

Anisogamie

(b)

Figure 17-2

Types de reproduction sexuée, d'après la forme des gamètes. **(a)** isogamie — les gamètes sont équivalents aux points de vue taille et forme. **(b)** Anisogamie — un gamète, appelé mâle par convention, est plus petit que l'autre. **(c)** Oogamie — un gamète, généralement le plus volumineux, est non mobile et femelle.

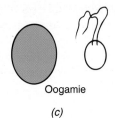

Oogamie

(c)

L'oogamie est également le mode de reproduction caractéristique de certaines algues brunes et d'algues vertes dont il est question dans ce chapitre, des bryophytes et des plantes vasculaires, ainsi que des algues rouges déjà décrites au chapitre 16.

Chez les oomycètes, une structure, appelée **oogone**, produit une ou un grand nombre d'oosphères, tandis que l'**anthéridie** contient de nombreux noyaux mâles (Figure 17-3). La fécondation produit un zygote à paroi épaisse, l'**oospore**, d'où découle le nom de l'embranchement. L'oospore correspond à un stade de repos et peut endurer des conditions de stress. La germination se produit lorsque les conditions s'améliorent. D'autres hétérokontées, de même que beaucoup d'algues vertes qui vivent dans les mêmes habitats, passent également par des stades de repos directement après la reproduction sexuée.

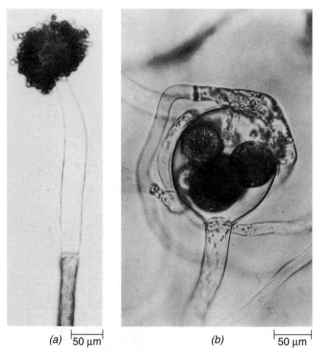

(a) 50 µm   (b)   50 µm

Figure 17-3

Achlya ambisexualis est un oomycète qui se reproduit sexuellement et asexuellement. **(a)** Sporange vide produisant, peu après son ouverture, des zoospores enkystées caractéristiques d'*Achlya*. **(b)** Organes sexuels, montrant des tubes de fécondation qui sortent de l'anthéridie et traversent la paroi de l'oogone pour aboutir aux oosphères. La fécondation aboutit à la formation de zygotes à paroi épaisse, les oospores.

Les champignons aquatiques sont des oomycètes

Un groupe important d'oomycètes, dénommés champignons aquatiques, est abondant dans les eaux douces, d'où on peut aisément les isoler. La plupart sont saprophytes et vivent sur des restes de plantes et d'animaux morts, mais quelques-uns sont parasites et provoquent des maladies chez les poissons et dans leurs pontes.

Chez certains champignons aquatiques, comme *Saprolegnia* (Figure 17-4), la reproduction sexuée s'effectue à partir d'organes mâles et femelles provenant d'un même individu ; en d'autres termes, ces organismes sont **homothalliques**. D'autres champignons aquatiques, comme certaines espèces d'*Achlya* (Figure 17-3), sont **hétérothalliques** — les organes sexuels mâles et femelles sont portés par des individus différents ou, s'ils appartiennent à un même individu, celui-ci est génétiquement incapable de s'autoféconder. Les *Saprolegnia*, comme les *Achlya*, ont une reproduction sexuée et une reproduction asexuée.

Certains oomycètes sont des agents pathogènes importants pour les plantes

Un autre groupe d'oomycètes est essentiellement terrestre mais, en présence d'eau, il produit encore des zoospores mobiles. Dans ce groupe — l'ordre des *Peronosporales* — on trouve plusieurs formes économiquement importantes. L'une d'entre elles est *Plasmopara viticola*, qui provoque le mildiou de la vigne. Cette maladie fut accidentellement introduite en France à la fin des années 1870 sur un porte-greffe importé des États-Unis pour sa résistance à d'autres maladies. Le mildiou menaça aussitôt l'ensemble de la viticulture française. Le hasard et des observations soigneuses ont finalement permis de le contrôler. Les propriétaires des vignobles du Médoc avaient l'habitude de répandre un mélange désagréable de sulfate de cuivre et de chaux sur les vignes du bord des routes pour décourager les maraudeurs. Un professeur de l'Université de Bordeaux qui étudiait le problème du mildiou observa que les plantes traitées ne présentaient pas les symptômes de la maladie. Après avoir pris l'avis des vignerons, il mit au point son propre mélange de réactifs — la bouillie bordelaise — dont l'usage se généralisa en 1882. La bouillie bordelaise fut le premier produit chimique utilisé pour le contrôle d'une maladie des plantes.

Un autre membre économiquement important de ce groupe est le genre *Phytophthora* (ce qui signifie « destructeur de plantes »). *Phytophthora*, avec environ 35 espèces, est un agent phytopathogène particulièrement nocif qui provoque des dégâts très répandus chez de nombreuses plantes cultivées, comme le cacaoyer, les ananas, les tomates, l'hévéa, les papayers, les oignons, les fraisiers, les pommiers, le soja, le tabac et les citrus. Une espèce très répandue de ce genre, *Phytophthora cinnamomi*, qui vit dans le sol, a tué ou rendu improductifs des millions d'avocatiers, principalement dans le sud de la Californie. Il a aussi anéanti des dizaines de milliers d'hectares de précieuses forêts d'eucalyptus en Australie. Les zoospores de *P. cinnamomi* sont attirées vers les plantes qu'elles infectent, par des substances émises par les racines. Cet oomycète produit également des spores résistantes capables de survivre jusqu'à six ans dans le sol humide. Des tentatives de sélection à grande échelle sont actuellement en cours sur les avocatiers et d'autres plantes sensibles afin d'obtenir des souches résistantes.

L'espèce la mieux connue du genre est cependant *Phytophthora infestans* (Figure 17-5), responsable du mildiou de la pomme de terre, qui a entraîné la grande famine de 1846-1847 en Irlande. La population de l'Irlande, qui était passée de 4,5 millions d'habitants en 1800 à environ 8,5 millions en 1845, est retombée à 6,5 millions en 1851 suite à la famine. Environ 800.000 personnes sont mortes de faim et une partie importante de la population a émigré, particulièrement vers les États-Unis. Pratiquement toute les cultures de pomme de terre d'Irlande ont péri en une semaine pendant l'été 1846. Ce fut un désastre pour les paysans irlandais, dont la base de l'alimentation était la pomme de terre. Chaque adulte en consommait quotidiennement de 4 et 6 kilos, quantité nécessaire pour apporter les protéines indispensables à la vie. Aujourd'hui encore, *Phytophthora infestans* reste une maladie sérieuse de la pomme de terre.

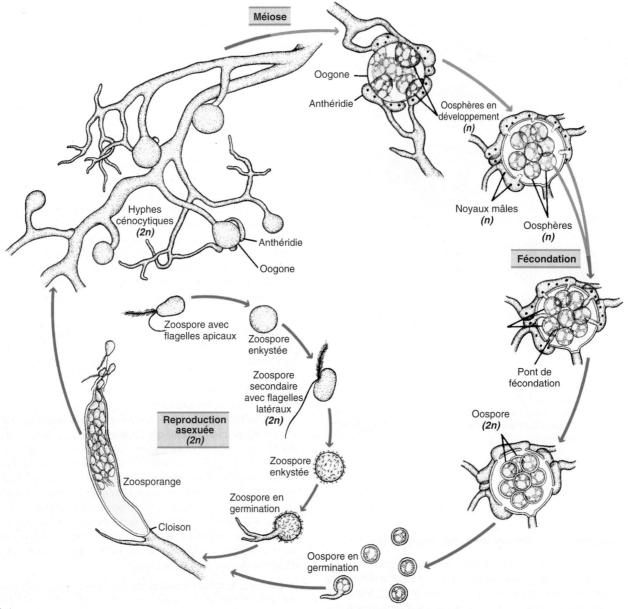

Méiose

Oogone

Anthéridie

Oosphères en développement *(n)*

Noyaux mâles *(n)*

Oosphères *(n)*

Fécondation

Hyphes cénocytiques *(2n)*

Anthéridie

Oogone

Pont de fécondation

Oospore *(2n)*

Zoospore avec flagelles apicaux

Zoospore enkystée

Zoospore secondaire avec flagelles latéraux *(2n)*

Reproduction asexuée *(2n)*

Zoospore enkystée

Zoosporange

Zoospore en germination

Cloison

Oospore en germination

Figure 17-4

Cycle de développement de *Saprolegnia*, un oomycète. Le mycélium de ce champignon aquatique est diploïde. La reproduction est principalement asexuée (en-dessous à gauche) Les zoospores biciliées libérées par un sporange, appelé zoosporange parce qu'il produit des zoospores, nagent un certain temps avant de s'enkyster. Chacune donne finalement une zoospore secondaire, qui s'enkyste à son tour puis germe en un nouveau mycélium.

Au cours de la reproduction sexuée, les oogones et les anthéridies se différencient, chez cette espèce, sur les mêmes hyphes (au-dessus à gauche). Les oogones sont des cellules plus grandes dans lesquelles sont produites plusieurs oosphères sphériques. Les anthéridies se développent à partir de l'extrémité d'autres filaments du même individu et produisent de nombreux noyaux mâles. À la fécondation, les anthéridies s'allongent vers les oogones et produisent des tubes de fécondation qui pénètrent dans l'oogone, comme chez l'*Achlya* de la figure 17-3b.

Les noyaux mâles passent par les tubes de fécondation pour arriver aux noyaux femelles et s'y fusionner. Chaque fusion nucléaire produit un zygote à paroi épaisse, l'oospore. À la germination, l'oospore se développe en une hyphe qui produira finalement un zoosporange, et le cycle se répète.

Il faut également mentionner le genre *Pythium*, dont les espèces peuplent les sols du monde entier. Les espèces de *Pythium* sont les principaux responsables de la **fonte des semis**. Elles s'attaquent à des plantes économiquement importantes très variées et peuvent causer des dégâts très sérieux aux gazons des terrains de golf et de football. Certaines espèces de *Pythium* détériorent et font pourrir les semences dans les cultures et peuvent détruire les plantules avant leur sortie du sol (fonte des semis avant la levée) ou par la suite (fonte des semis après émergence). Dans ce dernier cas, les jeunes plantules pourrissent au niveau du sol, puis elles se flétrissent. Il s'agit d'un problème spécifique des cultures en serres, où les semis se font en populations denses. Beaucoup de jardiniers amateurs sont confrontés à ce problème au printemps lorsqu'ils renouvellent leurs parterres de fleurs avec des annuelles récemment acquises.

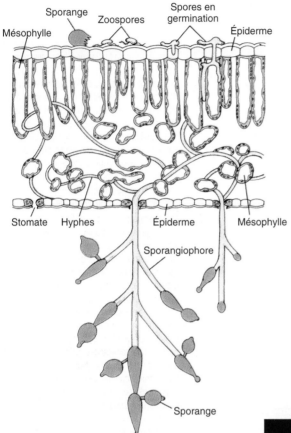

Figure 17-5

Phytophthora infestans, responsable du mildiou de la pomme de terre. Les cellules de la feuille de pomme de terre sont représentées en vert. En présence d'eau et à basse température, deux possibilités se présentent. Les zoospores peuvent être libérées des sporanges et nager jusqu'à l'endroit où elles germeront (comme on le montre ici), ou les sporanges peuvent germer directement à travers un tube germinatif.

Les diatomées : embranchement des *Bacillariophyta*

Les diatomées sont des organismes unicellulaires ou coloniaux qui constituent une partie extrêmement importante du phytoplancton (Figure 17-6). On a estimé que les diatomées du plancton marin représentent jusqu'à 25 % de la production primaire totale sur la terre. Les diatomées, particulièrement les très petites formes, constituent la biomasse la plus importante et confèrent la plus grande biodiversité au phytoplancton des eaux polaires. Les diatomées sont la principale source de nourriture animale dans les habitats marins et d'eaux douces. Des espèces telles que *Thalassiosira pseudonana* sont souvent utilisées dans l'alimentation des cultures marines (ou mariculture) de bivalves à haut intérêt économique comme les huîtres. Les diatomées fournissent aux animaux des substances essentielles : glucides, acides gras, stérols et vitamines.

On évalue le nombre de diatomées à 250 genres et 100.000 espèces vivantes, et beaucoup de phycologistes estiment que leur nombre est peut-être beaucoup plus élevé. Il existe également des milliers d'espèces éteintes, connues grâce aux restes des parois cellulaires silicifiées. Les premières diatomées sont apparues il y a quelque 250 millions d'années. Leurs fossiles sont devenus abondants il y a environ 100 millions d'années, au cours du crétacé. Beaucoup d'espèces fossiles sont identiques à celles qui vivent encore aujourd'hui, ce qui montre une permanence peu fréquente au cours des périodes géologiques.

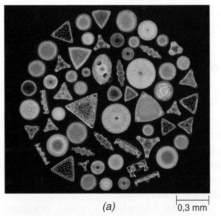

(a) 0,3 mm

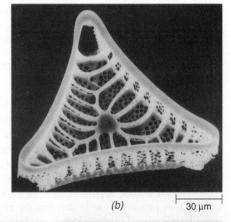

(b) 30 µm

Figure 17-6

Diatomées. **(a)** Choix de diatomées marines observées au microscope optique. **(b)** Micrographie électronique à balayage d'une demi-frustule d'*Entogonia*. **(c)** *Licmophora flagellata*, une diatomée pennale pédonculée, vue au microscope optique. **(d)** Micrographie au microscope électronique à balayage de *Cyclotella meneghiniana*, diatomée centrale des eaux saumâtres.

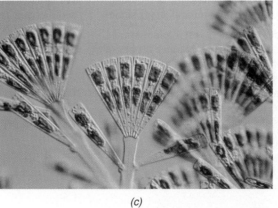

(c)

(c) 5 µm

Il existe souvent un nombre énorme d'individus concentrés sur des surfaces réduites. On peut trouver par exemple de 30 à 50 millions d'individus du genre d'eau douce *Achnanthes* sur un centimètre carré de rocher dans une rivière d'Amérique du Nord. De nombreuses espèces peuvent aussi se rassembler. Dans deux petits échantillons de vase provenant de l'océan près de Beaufort, en Caroline du Nord, on a par exemple identifié 369 espèces de diatomées. La plupart des diatomées se rencontrent dans le plancton, mais certaines espèces se cantonnent au fond des océans ou se développent à la surface d'autres algues ou de plantes submergées.

Les parois des diatomées sont formées de deux valves

Les diatomées diffèrent des chrysophytes par l'absence de flagelles, sauf chez les gamètes mâles. Les parois, appelées frustules, sont composées de silice opaline polymérisée ($SiO_2.nH_2O$) et formées de deux moitiés emboîtées. Les deux parties s'adaptent comme une boîte de Pétri. La microscopie électronique a révélé que les fines ornementations visibles sur les frustules des diatomées sont en réalité formées d'un grand nombre de minuscules dépressions, pores ou voies de passage, dont certains relient le protoplasme vivant à l'intérieur de la frustule au milieu extérieur (Figure 17-6b, d). On peut distinguer les espèces par l'ornementation différente des frustules. Dans de nombreux cas, les deux moitiés de la frustule montrent exactement le même dessin, mais il peut parfois être différent.

En se basant sur la symétrie, on a reconnu deux types de diatomées : les **pennales,** avec une symétrie bilatérale (Figure 17-6c) et les **centrales,** avec une symétrie radiale (Figure 17-6d). Les centrales, dont le rapport surface/volume est supérieur à celui des pennales et peuvent donc flotter plus aisément, sont plus abondantes que les pennales dans les grands lacs et les habitats marins.

Les diatomées se reproduisent surtout par voie asexuée, par cytocinèse

Lors d'une division cellulaire, chaque cellule fille reçoit une moitié de la frustule de la cellule mère et synthétise une nouvelle moitié (Figure 17-7). Une des deux nouvelles cellules est par conséquent un peu plus petite que la cellule mère et, après une longue série de divisions cellulaires, la taille moyenne des diatomées dans la population aura souvent diminué. Dans certaines populations de diatomées, une reproduction sexuée apparaît quand la taille atteint un seuil critique. Les cellules provenant de la division du zygote recouvrent normalement la taille maximum de l'espèce. Dans d'autres cas, la reproduction sexuée est déclenchée par des modifications du milieu physique.

Le cycle de développement des diatomées est diplophasique, comme celui des animaux et de certaines algues marines brunes et vertes que nous étudierons plus loin dans ce chapitre. Chez les diatomées centrales, la reproduction sexuée est oogame. Les gamètes mâles, qui peuvent avoir un seul flagelle plumeux, sont les seules cellules ciliées observées au cours de tout le cycle de développement des diatomées. Chez les pennales, la reproduction sexuée est iso-

Figure 17-7

Cycle de développement complet d'une diatomée centrale. La reproduction des diatomées est principalement asexuée et se fait par division cellulaire. Les parois cellulaires, ou frustules, de toutes les diatomées sont composées de deux parties emboîtées. Lors de la division cellulaire, les cellules filles (en bas, à gauche) reçoivent une moitié de la frustule parentale (en bas, à droite) et élaborent une nouvelle demi-frustule. La moitié préexistante est toujours la partie la plus grande de la paroi silicifiée et la nouvelle moitié s'insère à l'intérieur. Dans chaque nouvelle paire, une des cellules filles est donc plus petite que la cellule mère.

Chez certaines espèces, les frustules sont extensibles et peuvent s'agrandir en raison de la croissance du protoplasme qui se trouve à l'intérieur. Chez d'autres espèces, cependant, les frustules sont plus rigides. Dans une population, la taille moyenne des cellules diminue donc au cours des divisions cellulaires successives. Quand les individus de ces espèces n'ont plus qu'environ 30 % du diamètre maximum, la reproduction sexuée peut débuter (au-dessus). Certaines cellules fonctionnent comme gamétanges mâles et produisent des anthérozoïdes après la méiose. D'autres cellules fonctionnent comme gamétanges femelles. Dans ceux-ci, deux ou trois des quatre cellules filles produites à la méiose ne sont pas fonctionnelles, de telle sorte que chaque cellule ne produit qu'une ou deux oosphères. Il s'agit d'un cycle diplophasique (méiose gamétique ; voir figure 9-3b). Après la fécondation, l'auxospore, ou zygote, s'accroît jusqu'à atteindre la taille maximum caractérsitique de l'espèce. Les parois formées par l'auxospore sont souvent différentes de celles des cellules de la même espèce qui se reproduisent asexuellement. Quand l'auxospore est mûre, elle se divise asexuellement et produit de nouvelles demi-frustules avec l'ornementation complexe caractéristique des cellules à reproduction asexuée.

game, et aucun des deux gamètes, ni mâle, ni femelle, n'a de flagelle. Les deux types de reproduction sexuée laissent des frustules vides qui sédimentent rapidement. Les chercheurs ont constaté que la reproduction sexuée massive des diatomées marines peut aboutir à la formation de sédiments de silice dans les océans méridionaux.

Des conditions défavorables, comme des concentrations réduites en éléments minéraux, peuvent entraîner la formation de stades de repos chez les diatomées marines littorales ou benthiques. Les cellules au repos ont des frustules épaisses qui leur permettent de couler facilement par le fond si elles ne s'y trouvent déjà. Si les conditions

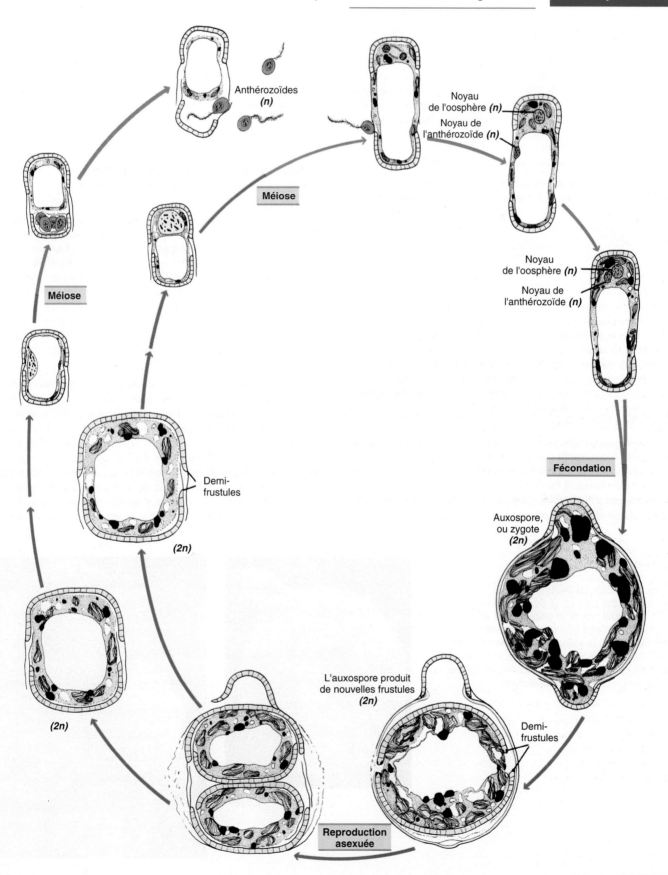

Anthérozoïdes **(n)**

Noyau
de l'oosphère **(n)**
Noyau de
l'anthérozoïde **(n)**

Méiose

Noyau
de l'oosphère **(n)**
Noyau de
l'anthérozoïde **(n)**

Méiose

Demi-
frustules

(2n)

Fécondation

Auxospore,
ou zygote
(2n)

(2n)

L'auxospore produit
de nouvelles frustules
(2n)

Demi-
frustules

**Reproduction
asexuée**

alimentaires s'améliorent, ces cellules pourront germer. L'abondance des diatomées est souvent maximale au printemps et en automne, lorsque les couches profondes des océans remontent à la surface et que le vent remanie la stratification des lacs. Ces processus remettent en suspension une quantité de silice suffisante pour permettre le développement des diatomées. Quand la silice s'épuise, les fleurs de diatomées font place à une autre forme dominante de phytoplancton qui n'a pas besoin de silice. Les diatomées peuvent « fleurir » en hiver sous la couverture de glace des lacs parce que les animaux herbivores ne se nourrissent pas activement pendant la saison froide.

Les frustules siliceuses des diatomées se sont accumulées dans les sédiments des océans pendant des millions d'années, formant une substance fine et friable, les diatomites. Cette substance est utilisée comme abrasif pour le polissage de l'argent et comme matière filtrante et isolante. Dans les champs pétrolifères de Santa Maria, en Californie, il existe un dépôt souterrain de diatomites épais de 900 mètres et, près de Lompoc, également en Californie, plus de 270.000 tonnes sont extraites chaque années pour des usages industriels.

Les structures les plus apparentes, dans le protoplaste des diatomées, sont des plastes brunâtres, qui contiennent les chlorophylles *a* et *c*, ainsi que la **fucoxanthine**, caroténoïde brun doré. On observe généralement deux grands plastes dans les cellules des diatomées pennales, alors que les centrales possèdent de nombreux plastes discoïdes. Les substances de réserve des diatomées comprennent des lipides et un polysaccharide soluble dans l'eau, la **chrysolaminarine,** qui est stockée dans les vacuoles. La chrysolaminarine ressemble à la laminarine des algues brunes.

Bien que la plupart des espèces de diatomées soient autotrophes, certaines sont hétérotrophes et absorbent le carbone organique en solution. Ces espèces hétérotrophes sont principalement des pennales vivant au fond de la mer à faible profondeur. De rares diatomées sont des hétérotrophes obligés. Elles n'ont pas de chlorophylle et sont donc incapables de produire leur propre alimentation par photosynthèse.

D'autre part, certaines diatomées, dépourvues de leurs frustules caractéristiques, vivent en symbiose dans de grands protozoaires marins (de l'ordre des foraminifères) et leur fournissent du carbone organique. Certaines diatomées sont associées à la production d'une neurotoxine, l'acide domoïque, qui provoque, chez l'homme, un empoisonnement accompagné d'amnésie, contracté en consommant des mollusques.

Les chrysophytes : embranchement des *Chrysophyta*

Les chrysophytes sont surtout des organismes unicellulaires ou coloniaux, abondants dans les eaux douces et salées du monde entier (Figure 17-8). Il existe des formes plasmodiales, filamenteuses ou massives, et environ 1000 espèces sont connues. Certains chrysophytes sont incolores, tandis que les autres possèdent les chlorophylles *a* et *c*, dont la couleur est en grande partie masquée par l'abondance de la fucoxanthine. La couleur dorée de ce pigment est à l'origine du nom « chrysophyte » (du grec *chrysos*, « or » et *phyton*, « plante »). Les cellules pigmentées contiennent un ou deux gros chloroplastes. Comme chez les diatomées, le glucide de réserve est la chrysolaminarine. Il est stocké dans une vacuole qui se situe habituellement à la partie postérieure de la cellule.

On sait que plusieurs chrysophytes ingèrent des bactéries et d'autres particules organiques. Une cellule individuelle de *Dinobryon*, colonie mobile pigmentée d'eau douce, peut consommer environ 36 bactéries en une heure. *Dinobryon* et les chrysophytes qui lui sont apparentés sont les principaux consommateurs de bactéries dans certains lacs froids d'Amérique du Nord. *Poterioochromonas* peut ingérer des cellules d'algues mobiles d'un diamètre deux à trois fois supérieur au sien. Sa cellule peut devenir jusqu'à 30 fois plus volumineuse pour contenir la nourriture qu'elle a consommée. Une autre forme voisine, *Uroglena americana*, semble devoir se nourrir de

Figure 17-8

Chrysophytes représentatifs. **(a)** Micrographie au microscope électronique à balayage d'un cyste mûr de *Dinobryon cylindricum*. Le prolongement en crochet possède un orifice par où la cellule amibienne émerge quand elle est prête à germer. L'ornementation est représentée par les épines de surface. **(b)** Micrographie au microscope électronique à balayage des écailles siliceuses et des flagelles dans une colonie de cellules de *Synura*. Les écailles sont disposées très régulièrement en rangées spiralées chevauchantes.

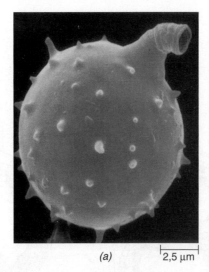

(a) ⊢ 2,5 µm

(b) ⊢ 5 µm

proies pour se procurer ses phospholipides essentiels. Ces formes constituent parfois l'élément principal du phytoplancton dans les lacs tempérés à faible contenu nutritif (oligotrophes). La capacité de consommer des particules organiques peut constituer un avantage dans ces conditions de déficit alimentaire.

Chez certains chrysophytes, les parois sont formées de fibrilles cellulosiques entremêlées parfois imprégnées de minéraux. Chez d'autres, la paroi n'existe pas et certains ressemblent beaucoup à des amibes munies de plastes. Dans un groupe, appelé les synurophytes, d'après le nom du genre colonial mobile *Synura* (Figure 17-8b), les espèces sont couvertes d'écailles siliceuses ornementées qui se chevauchent. Ces écailles sont produites dans des vésicules à l'intérieur de la cellule et transportées au dehors. La présence d'une enveloppe écailleuse ne permet pas à ces algues de se nourrir de particules. Dans les lacs froids et acides, leurs écailles peuvent persister dans les sédiments et apporter ainsi des indications utiles sur les conditions écologiques antérieures.

La reproduction de la plupart des chrysophytes est asexuée et implique la formation de zoospores chez certaines formes. On connaît également une reproduction sexuée chez certaines espèces. Des cystes de repos caractéristiques se forment souvent à la fin de la saison de croissance. Parfois, mais pas toujours, les cystes sont le résultat d'une reproduction sexuée. Dans certains groupes, ils contiennent de la silice qui, comme les écailles silicifiées, peut sédimenter et donner des indications utiles sur les conditions écologiques passées.

Les chrysophytes marins *Heterosigma* et *Aureococcus* provoquent des « marées brunes » toxiques qui ont causé plusieurs millions de dollars de dégâts dans les élevages de mollusques et de saumons. Certains chrysophytes d'eau douce peuvent aussi former des fleurs d'eau et on leur reproche des goûts et des odeurs désagréables de l'eau potable provoqués par l'excrétion de substances organiques.

Les algues brunes : embranchement des *Phaeophyta*

Les algues brunes, groupe presqu'entièrement marin, comprend les algues les plus visibles des mers tempérées boréales et polaires. Bien qu'il n'en existe qu'environ 1500 espèces, les algues brunes sont prépondérantes sur les côtes rocheuses de toutes les régions fraîches du globe (Figure 17-9). Chacun connaît les rochers littoraux recouverts d'espèces d'algues brunes de l'ordre des *Fucales*. Parmi les plus grandes algues brunes de l'ordre des *Laminariales*, beaucoup couvrent de grandes étendues au large. Dans l'eau claire, les algues brunes prospèrent depuis le niveau des basses eaux jusqu'à une profondeur de 20 à 30 mètres. Sur les côtes en pente douce, elles peuvent s'étendre sur 5 à 10 kilomètres à partir du littoral.

(a)

Figure 17-9

Algues brunes. **(a)** Une laminariale *(Durvillea antarctica)*, exposée à marée basse sur une côte rocheuse de Nouvelle-Zélande. **(b)** Détail de *Laminaria*, montrant les crampons, les stipes et la base de plusieurs frondes. **(c)** *Fucus vesiculosus* recouvre densément de nombreuses côtes rocheuses découvertes à marée basse. En situation immergée, les vésicules aérifères des limbes les soulèvent vers la lumière. Le taux de photosynthèse des algues marines fréquemment découvertes est de une à sept fois plus élevé dans l'air que dans l'eau, alors qu'il est plus élevé dans l'eau pour celles qui sont rarement découvertes. Ces différences expliquent en partie la distribution verticale des algues dans les zones intercotidales.

(b)

(c)

LES ALGUES ET L'HOMME

Dans différentes parties du monde, spécialement en Extrême Orient, les populations consomment des algues rouges et des algues brunes. Les laminaires (« kombu ») sont régulièrement utilisées comme légumes en Chine et au Japon. Elles sont parfois cultivées, mais sont principalement récoltées à partir des populations naturelles. *Porphyra* (« nori ») est une algue rouge consommée par de nombreux habitants du Pacifique Nord et cultivée depuis des siècles au Japon, en Corée et en Chine (page 359). Diverses autres algues rouges sont consommées dans les îles du Pacifique, ainsi que sur les côtes de l'Atlantique Nord. Les algues marines n'ont généralement pas une grande valeur nutritive comme source de glucides, parce que l'homme, comme la majorité des autres animaux, ne possède pas les enzymes nécessaires à la dégradation de la plupart des matériaux des parois cellulaires, comme la cellulose et la matrice intercellulaire surtout protéique. Les algues fournissent cependant des sels essentiels, ainsi qu'un certain nombre de vitamines importantes et d'oligo-éléments : elles constituent donc des aliments complémentaires de valeur. Certaines algues vertes, comme *Ulva*, sont aussi consommées en salade.

Dans beaucoup de régions tempérées de l'hémisphère nord, les laminariales sont récoltées pour leurs cendres, qui sont riches en sels de sodium et de potassium et sont valorisées dans des processus industriels. Les laminaires sont également récoltées localement et utilisées directement comme engrais.

Les alginates constituent un ensemble de substances dérivées des laminariales, comme *Macrocystis* ; elles sont utilisées sur une grande échelle comme agents émulsifiants et stabilisateurs des colloïdes dans les industries de l'alimentation, du textile, des cosmétiques, du papier, ainsi que dans la soudure et en pharmacie. Au large de la côte occidentale des États-Unis, les champs de *Macrocystis* peuvent être moissonnés plusieurs fois par an en les fauchant dans les eaux superficielles.

Une des applications commerciales directes les plus utiles de toutes les algues est la préparation de l'agar, qui provient des matières mucilagineuses extraites des parois cellulaires de plusieurs genres d'algues rouges. L'agar est utilisé pour la fabrication des capsules contenant les vitamines et les médicaments, ainsi que du matériau utilisé pour les empreintes dentaires, ou encore comme base pour les cosmétiques et milieu de culture pour les bactéries et autres microorganismes. L'agarose purifiée est le gel le plus utilisé pour les électrophorèses en recherche biochimique. L'agar est également utilisé pour éviter la déshydratation des produits de boulangerie, dans la préparation des gelées et desserts prêts à l'emploi et pour la conservation temporaire de la viande et du poisson en régions tropicales. L'agar est produit dans de nombreuses régions du monde, mais le Japon en est le principal fabricant. Le carragheen est un colloïde voisin également dérivé des algues : on le préfère à l'agar pour la stabilisation des émulsions, comme les peintures, les cosmétiques et les produits laitiers. Aux Philippines, les cultures industrielles de l'algue rouge *Eucheuma* sont une source commerciale de carragheen.

(b)

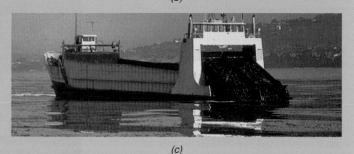

(a)

(c)

(a) Forêt d'une laminariale géante *(Macrocystis pyrifera)* au large des côtes californiennes. **(b)** Récolte manuelle de l'algue *Nudaria* sur des cordes immergées, au Japon. **(c)** Une moissonneuse d'algues au travail dans les eaux littorales de Californie. Les barres de coupe situées à l'arrière du bateau sont abaissées à trois mètres sous la surface de l'eau et le bateau recule en coupant la cime des algues. La récolte est transportée par des convoyeurs à courroie jusqu'à un réservoir à bord du bateau.

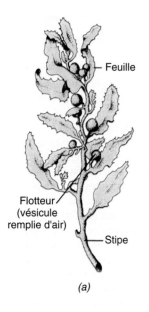

- Feuille
- Flotteur (vésicule remplie d'air)
- Stipe

(a)

(b)

Figure 17-10

(a) La structure de l'algue brune *Sargassum* est complexe. *Sargassum*, comme *Fucus*, appartient à l'ordre des fucales et son cycle de développement est le même que celui qui est représenté à la figure 17-14. **(b)** Deux espèces de ce genre, qui n'ont pas de reproduction sexuée, forment les grandes masses qui flottent librement dans la Mer des Sargasses.

Même sous les tropiques, où les algues brunes sont moins fréquentes, il existe d'immenses masses flottantes de *Sargassum* (Figure 17-10) dans la Mer des Sargasses (qui doit son nom à l'abondance de cette algue), dans l'Océan Atlantique, au nord-est des Îles Caraïbes par exemple. Le développement de *Sargassum muticum* et d'autres algues brunes peut devenir une nuisance, quand elles ont été introduites accidentellement et interfèrent dans le déroulement de la mariculture. *Sargassum* peut également entrer en compétition et prendre la place d'espèces de *Laminariales* et de *Fucales* considérées comme des éléments essentiels de leurs écosystèmes.

La forme de base des algues brunes est un thalle

Bien qu'elles constituent un groupe monophylétique, les algues brunes ont une taille qui va depuis des formes microscopiques jusqu'aux plus grandes de toutes les algues marines, atteignant une longueur de 60 mètres et un poids de plus de 300 kilos. La forme de base des algues brunes est le **thalle** — un organisme végétatif simple, relativement indifférencié. La complexité du thalle est variable : elle va de simples filaments ramifiés (Figure 17-11) à des assemblages de filaments en pseudoparenchyme, c'est-à-dire ressemblant à ce type de tissu, ou encore à des tissus authentiques (Figure 17-12). Comme chez beaucoup d'algues vertes et de plantes, les cellules contiguës sont typiquement reliées par des plasmodesmes. Contrairement aux plasmodesmes des plantes, ceux des algues brunes ne semblent pas avoir de desmotubules unissant le réticulum endoplasmique de cellules voisines (voir page 87).

Par le passé, les algues brunes étaient partagées en ordres basés sur la structure du thalle. Cependant, les recherches moléculaires et cellulaires récentes ont montré que l'organisation du thalle n'est pas un bon critère pour mettre en évidence les affinités entre les algues brunes. Des espèces étroitement apparentées peuvent avoir une organisation du thalle assez différente et des genres très éloignés peuvent montrer une structure en apparence semblable. Une morphologie semblable chez des espèces non apparentées peut constituer une réponse à des pressions sélectives identiques. Ce phénomène, qui se retrouve chez les algues vertes et les angiospermes, est l'évolution convergente (voir page 266).

La fucoxanthine est le pigment qui donne aux algues brunes leur couleur caractéristique

Les algues brunes contiennent normalement de nombreux plastes disciformes d'un brun doré qui ressemblent, par leur biochimie et leur structure, aux plastes des chrysophytes et des diatomées, qui partagent probablement une origine commune avec elles. En plus des chlorophylles *a* et *c*, les chloroplastes des algues brunes contiennent encore divers caroténoïdes, en particulier une grande quantité d'une xanthophylle, la fucoxanthine, qui donne aux algues de cet embranchement leur couleur caractéristique brun foncé ou vert-olive. Les matières de réserve des algues brunes sont formées de laminarine, glucide emmagasiné dans les vacuoles. Les analyses moléculaires suggèrent l'existence de deux lignées principales chez les algues brunes : celles dont les plastes contiennent des pyrénoïdes où se forme

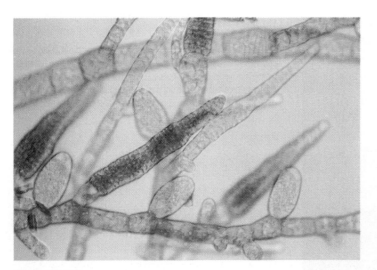

Figure 17-11

Ectocarpus est une algue brune composée de filaments simples ramifiés. Cette micrographie d'*E.siliculosus* montre des sporanges uniloculaires (les structures courtes, arrondies, peu colorées) et des sporanges pluriloculaires (structures plus allongées et plus colorées), développés sur des sporophytes. La méiose se déroule dans les sporanges uniloculaires et donne des zoospores haploïdes. Des zoospores diploïdes sont produites dans les sporanges pluriloculaires. On trouve *Ectocarpus* dans les eaux et estuaires peu profonds du monde entier, depuis les eaux froides de l'Arctique et de l'Antarctique jusqu'aux tropiques.

l'amidon, comme les *Ectocarpus* (Figure 17-11), et celles qui ne possèdent pas de pyrénoïdes, comme les *Laminaria* et les formes voisines. Ces deux groupes diffèrent aussi nettement par la structure de leurs anthérozoïdes. On ne rencontre l'oogamie et le cycle de développement hétéromorphe que dans le groupe dépourvu de pyrénoïdes.

Les laminaires sont les algues les plus différenciées

Les grandes algues, comme les laminaires, sont différenciées en plusieurs parties : crampon, stipe et limbe, avec une zone méristématique localisée entre le limbe et le stipe (Figure 17-9b). Le mode de croissance lié à ce type d'activité méristématique est particulièrement important dans l'utilisation commerciale des *Macrocystis*, qui sont récoltés le long de la côte californienne. Lorsque la récolte par des bateaux disposant de faucheuses se limite aux limbes âgés proches de la surface, les *Macrocystis* peuvent en régénérer de nouveaux. Les algues brunes géantes, comme les *Macrocystis* et les *Nereocystis*, peuvent dépasser 60 mètres de longueur. Leur croissance est très rapide, de sorte qu'il est possible de faire des récoltes importantes. Un des plus importants produits dérivés de ces algues est une matière mucilagineuse intercellulaire, l'**algine**, qui est un important stabilisateur et émulsifiant de certains aliments et des peintures ; elle sert aussi au surfaçage du papier. L'algine, associée à la cellulose des assises internes de la paroi cellulaire, donne aux algues la flexibilité et la résistance qui leur permet de supporter les contraintes mécaniques imposées par les vagues et les courants. L'algine permet aussi de limiter la dessiccation quand les algues sont émergées à marée basse, elle améliore la flottabilité et favorise l'élimination de organismes qui tentent de coloniser les limbes.

La structure interne des laminaires est complexe. Certaines possèdent, au centre du stipe, des cellules allongées modifiées en vue de la conduction des aliments. Ces cellules rappellent les cellules conductrices du phloème des plantes vasculaires, entre autres par la présence de plaques criblées (Figure 17-12b). Ces cellules sont capables de conduire rapidement — à des vitesses atteignant 60 centimètres par heure — les matières nutritives depuis les limbes situés en surface jusqu'aux régions peu éclairées du stipe et du crampon situées bien plus bas. Chez beaucoup d'algues relativement épaisses, il existe un transport latéral allant des assises photosynthétiques externes vers les cellules internes. Le mannitol est le principal glucide transporté, en même temps que des acides aminés.

Figure 17-12

Certaines algues brunes, comme *Macrocystis integrifolia*, ont développé des tubes criblés comparables à ceux du phloème des plantes vasculaires. **(a)** Coupe longitudinale d'une portion de stipe montrant des tubes criblés : les éléments relativement larges visibles au milieu de la micrographie. Les cellules qui forment les tubes criblés sont séparées à leurs extrémités par des plaques criblées qui apparaissent ici comme de minces parois transversales. **(b)** Coupe transversale montrant une plaque criblée.

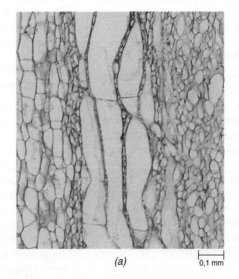

(a)   0,1 mm

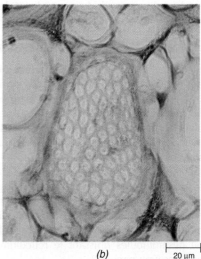

(b)   20 µm

Le *Fucus* (Figure 17-9c), l'algue des rochers, est une algue brune ramifiée dichotomiquement, munie de vésicules aérifères près de l'extrémité des rameaux. À l'exception de cette particularité, le mode de différenciation des *Fucus* ressemble à celui des laminaires. *Sargassum* (Figure 17-10) est apparenté aux *Fucus*. Certaines espèces de sargasses restent fixées, tandis que, chez d'autres, les individus forment des masses flottantes dont les crampons ont disparu. Les deux formes coexistent chez certaines espèces. Chez *Fucus* et *Sargassum*, ainsi que chez d'autres algues brunes, la croissance résulte des divisions successives d'une seule cellule apicale et non pas, comme chez les laminaires, d'un méristème situé à l'intérieur de l'organisme, comme chez les laminaires.

Le cycle de développement de la plupart des algues brunes implique une alternance de phases

Le cycle de développement de la plupart des algues brunes implique une alternance de générations, et donc une méiose sporique (voir figure 9-3c). Le gamétophyte de algues brunes les plus primitives, comme *Ectocarpus*, développe des structures reproductrices multicellulaires appelées **gamétanges pluriloculaires**. Ceux-ci peuvent fonctionner comme gamétanges mâles ou femelles ou produire des spores ciliées haploïdes qui donnent naissance à de nouveaux gamétophytes. Les sporophytes diploïdes produisent des **sporanges pluriloculaires** et des **sporanges uniloculaire**s (Figure 17-11). Les sporanges pluriloculaires donnent des zoospores diploïdes produisant de nouveaux sporophytes. La méiose se déroule dans les sporanges uniloculaires et donne des zoospores haploïdes qui germent en gamétophytes. Les sporanges uniloculaires, avec l'algine et les plasmodesmes, sont des caractéristiques propres aux algues brunes.

Chez *Ectocarpus*, le gamétophyte et le sporophyte ont la même taille et le même aspect (ils sont isomorphes). Chez beaucoup d'algues brunes de plus grande taille, comme les laminariales, il y a une alternance de générations hétéromorphes — un grand sporophyte et un gamétophyte microscopique, comme chez les *Laminaria* (Figure 17-13). Chez *Laminaria*, les sporanges uniloculaires apparaissent à la surface des lames adultes. La moitié des zoospores produites par les sporanges peuvent se développer en gamétophytes mâles et la moitié en gamétophytes femelles. D'après une hypothèse, les gamétanges pluriloculaires nés sur ces gamétophytes se sont modifiés au cours de l'évolution en anthéridies et en oogones unicellulaires. Les anthéridies libèrent chacune un seul anthérozoïde et chaque oogone contient une seule oosphère. L'oosphère fécondée de *Laminaria* reste fixée au gamétophyte femelle et se développe en un nouveau sporophyte. Dans plusieurs genres d'algues brunes, les gamètes femelles attirent les gamètes mâles par des substances organiques.

Fucus et ses proches parents ont un cycle de développement diplophasique (voir figures 9-3b et 17-14), comme les diatomées et certaines algues vertes marines. Comprendre la manière dont les pressions évolutives ont provoqué l'apparition des cycles diplophasiques chez ces protistes peut nous éclairer sur l'origine du cycle diplophasique dans notre propre lignée de métazoaires (du grec *meta*, « entre » et

zoion, « animal »). Les *Fucus* et d'autres algues brunes peuvent contenir de grandes quantités de substances phénoliques désagréables pour les herbivores. D'autres algues brunes ont tendance à produire des terpènes qui ont le même effet (page 33). Dans certains cas, ces substances ont aussi des activités antimicrobiennnes et antitumorales, ce qui encourage des recherches sur leur usage éventuel en médecine humaine.

Les algues vertes : embranchement des *Chlorophyta*

Les algues vertes, qui comprennent au moins 17.000 espèces, ont une structure et un cycle de développement très diversifiés. Bien que la plupart soient aquatiques, on en trouve dans des habitats très divers, à la surface de la neige (Figure 17-15), sur les troncs d'arbres, dans le sol et en association symbiotique dans des lichens, avec des protozoaires d'eau douce, des éponges et des célentérés. Certaines espèces d'algues vertes — dans les genres unicellulaires *Chlamydomonas* et *Chloromonas* par exemple, qui se développent à la surface de la neige, et *Trentepohlia*, algue filamenteuse des rochers, des troncs et des branches d'arbres — produisent de grandes quantités de caroténoïdes qui servent d'écran contre la lumière intense. Ces pigments accessoires donnent aux algues une couleur orange, rouge ou rouille. La plupart des algues vertes se rencontrent dans l'eau douce, mais un certain nombre de groupes sont marins. Beaucoup sont microscopiques, bien que certaines espèces marines aient une grande taille. Par exemple, *Codium magnum*, au Mexique, peut atteindre une épaisseur de 25 centimètres et une longueur de plus de 8 mètres.

Les chlorophytes partagent avec les plantes plusieurs caractères importants. Ils possèdent les chlorophylles *a* et *b* et leurs matières de réserve, composées d'amidon, sont situées à l'intérieur de plastes. Les algues vertes et les plantes sont les deux seuls groupes à se comporter de cette façon. Certaines algues vertes, mais pas toutes, ressemblent aux plantes par la présence de parois cellulaires rigides composées de cellulose, hémicelluloses et substances pectiques. En outre, la structure microsocopique des cellules reproductrices ciliées de certaines algues vertes ressemble à celle des anthérozoïdes de plantes. Bien d'autres caractères biochimiques, comme la production de phytochrome (voir chapitre 29) dans deux genres au moins d'algues vertes, montrent qu'il existe une parenté très étroite entre les deux groupes. Toutes ces raisons font penser que les plantes dérivent des algues vertes.

Les études moléculaires et cellulaires poursuivies sur les algues vertes ont montré que deux lignées multicellulaires au moins ont évolué séparément à partir de flagellates unicellulaires. Chaque lignée comprend un mélange hétérogène de types morphologiques. On peut y trouver des formes unicellulaires, des colonies, des filaments non ramifiés, des filaments ramifiés et d'autres formes.

Les systèmes traditionnels de classification répartissent les algues vertes en fonction de leur structure externe. On regroupe les flagellates unicellulaires, les formes filamenteuses, et ainsi de suite. Comme

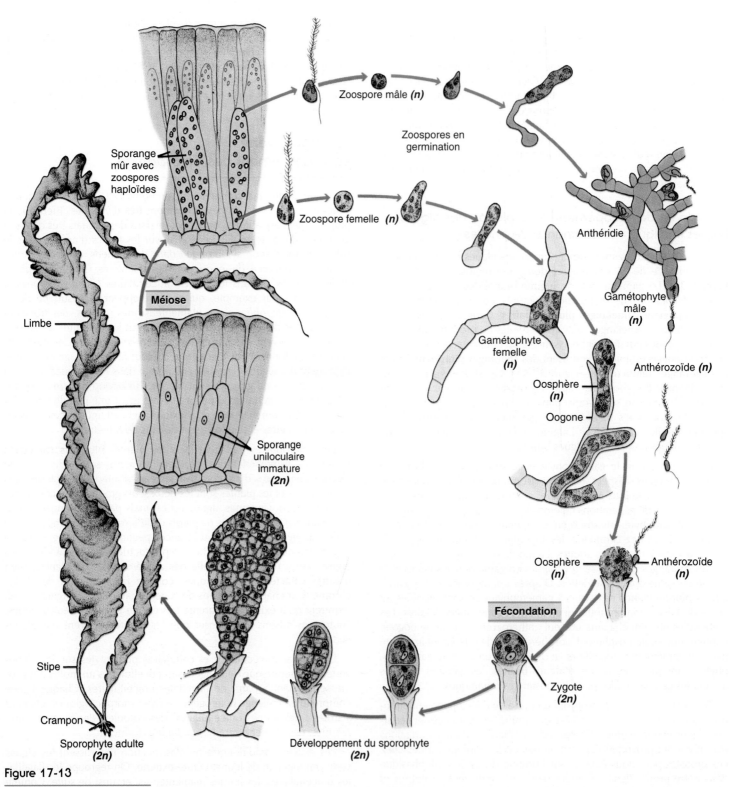

Figure 17-13

Cycle de développement de *Laminaria*, qui est un exemple de méiose sporique (alternance de phases). Comme chez beaucoup d'algues brunes, il existe, chez *Laminaria*, une alternance de générations hétéromorphes avec prédominance du sporophyte. Les zoospores haploïdes mobiles sont produites dans des sporanges à la suite de la méiose (au-dessus à gauche). Ces zoospores se développent en gamétophytes filamenteux microscopiques qui produisent à leur tour des anthérozoïdes mobiles et des oosphères immobiles. Chez certaines autres algues brunes, le sporophyte et le gamétophyte sont souvent semblables ; elles ont une alternance de générations isomorphes.

384

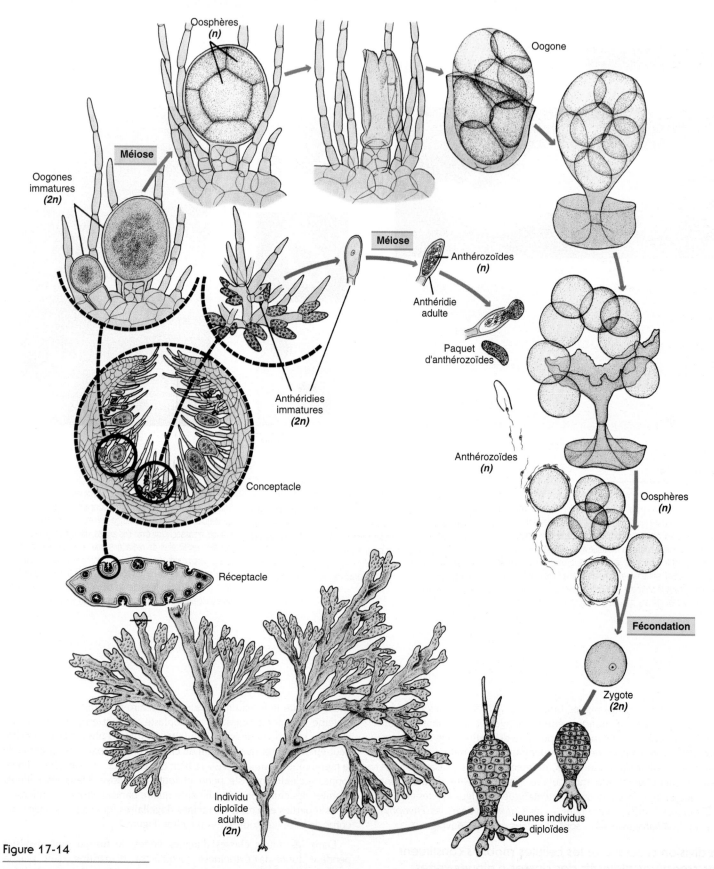

Figure 17-14

Chez *Fucus*, les gamétanges sont formés dans des cavités spécialisées, les conceptacles, qui sont produits dans des zones fertiles appelées réceptacles aux extrémités des rameaux des individus diploïdes (en-dessous à gauche). Il existe deux types de gamétanges — les oogones et les anthéridies. La méiose est aussitôt suivie de mitoses qui donnent naissance à 8 oosphères par oogone et à 64 anthérozoïdes par anthéridie. Finalement, les oosphères et les anthérozoïdes sont libérés dans l'eau, où se déroule la fécondation. La méiose est gamétique et le zygote se développe directement en un nouvel individu diploïde.

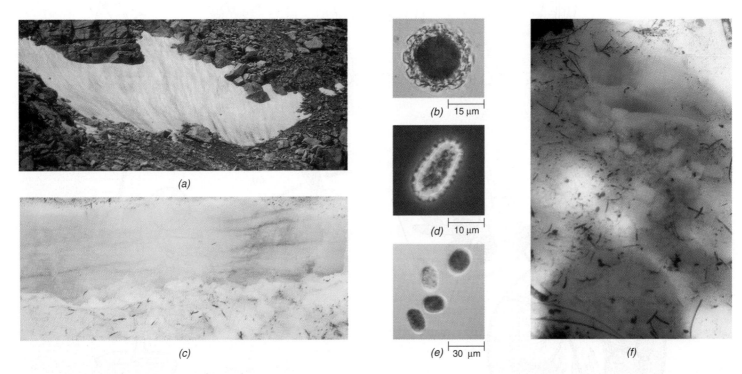

Figure 17-15

Algues des neiges. Ces algues sont particulières en raison de leur tolérance aux températures extrêmes, à l'acidité, aux fortes insolations et à une concentration minimale en éléments minéraux nécessaires à leur croissance. **(a)** Dans de nombreuses régions du globe, du nord du Mexique à l'Alaska, la présence de grandes quantités d'algues des neiges produit une « neige rouge » en été. Cette photographie a été prise près de la Beartooth Pass, dans le Montana. **(b)** Zygote au repos de l'algue des neiges *Chlamydomonas nivalis*. La couleur rouge provient des

caroténoïdes qui protègent la chlorophylle dans le zygote.

(c) La neige verte se trouve juste sous la surface, généralement au voisinage de la cime des arbres des forêts alpines. Elle est fréquente, depuis le sud de l'Arizona jusqu'au nord de l'Alaska et du Québec. Cette photographie a été prise à la Cayuse Pass, dans le Parc National du Mont Rainier, dans l'État de Washington. **(d)** Zygote au repos de *Chlamydomonas brevispina*, trouvé dans la neige verte.

(e) Trois zygotes au repos de *Chloromonas granulosa*, d'un orange brillant ; cette algue est responsable de la neige orange. Le zygote jaune devient orange en murissant. **(f)** La neige orange, en association avec des arbres, dans les régions alpines boisées, reçoit plus de radiations que la neige verte et moins que la neige rouge. La neige orange est moins fréquente que les deux autres types de neiges colorées ; on la trouve depuis l'Arizona et le Nouveau-Mexique jusqu'en Alaska. Cette photographie a été prise à la Williams Mountain, en Arizona.

on l'a vu déjà chez les algues brunes, les affinités réelles entre les algues ne peuvent pas toujours être reconnues en se basant sur leur structure externe. Il est cependant possible de mettre en évidence ces relations par des recherches ultrastructurales sur la mitose, la cytocinèse et les cellules reproductrices, de même qu'en se basant sur des ressemblances au niveau moléculaire. Ces nouvelles données ont conduit à un réajustement de la systématique des algues vertes en plusieurs classes ; trois d'entre elles — les *Chlorophyceae*, les *Ulvophyceae* et les *Charophyceae* — sont discutées dans cet ouvrage.

La division cellulaire et les cellules mobiles constituent des caractères distinctifs des classes d'algues vertes

Les espèces de la principale classe d'algues vertes, celle des chlorophycées d'eau douce, ont un type particulier de cytocinèse impliquant un **phycoplaste** (Figure 17-16). Chez ces algues, les noyaux fils se rappro-

chent lorsque le fuseau mitotique temporaire disparaît, et un nouveau système de microtubules, le phycoplaste, se met en place parallèlement au plan de la division cellulaire. Le rôle du phycoplaste consiste peut-être à assurer que le **sillon de clivage** produit par l'invagination de la membrane plasmique passera bien entre les deux noyaux fils. L'enveloppe nucléaire persiste pendant toute la mitose. Dans les cellules mobiles des chlorophycées, il existe quatre bandes étroites de microtubules réparties en croix, les **racines flagellaires**, qui sont associées aux corps de base (centrioles) des flagelles (Figure 17-17).

Dans les autres classes d'algues vertes, le fuseau peut persister pendant toute la cytocinèse jusqu'à sa disparition, soit par la formation d'un sillon, soit par la croissance d'une plaque cellulaire. La plaque cellulaire prend naissance dans la région centrale de la cellule et s'agrandit de façon centrifuge jusqu'à sa marge. Certaines algues de la classe des charophycées produisent un nouveau système

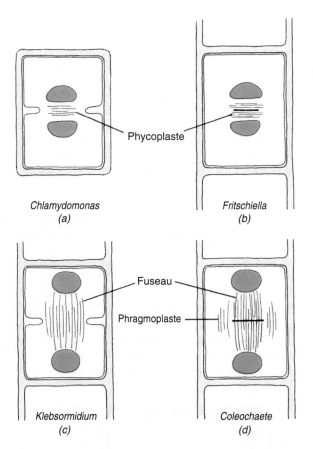

Chlamydomonas
(a)

Fritschiella
(b)

Phycoplaste

Fuseau

Phragmoplaste

Klebsormidium
(c)

Coleochaete
(d)

Figure 17-16

La cytocinèse dans deux classes de l'embranchement des chlorophytes. **(a), (b)** Dans la classe des chlorophycées, le fuseau mitotique disparaît et les noyaux fils, relativement proches l'un de l'autre, sont séparés par un phycoplaste. Chez *Chlamydomonas*, la cytocinèse se fait par étranglement, alors que, chez *Fritschiella*, il se forme une plaque cellulaire. **(c)** Chez les charophycées les plus simples, comme *Klebsormidium*, le fuseau mitotique persiste et les noyaux fils sont relativement écartés. La cytocinèse se fait par étranglement. **(d)** Les charophytes évolués, comme *Coleochaete* et *Chara*, ont un phragmoplaste semblable à celui des plantes, et la cytocinèse produit une plaque cellulaire comme chez les plantes. Les ulvophycées ont un fuseau persistant comme les charophycées, mais elles ne possèdent ni phragmoplaste, ni plaque cellulaire.

de microtubules au cours de la cytocinèse, le **phragmoplaste**, qui est pratiquement identique à celui des plantes. Les microtubules du phragmo-plaste sont orientés perpendiculairement au plan de la division cellulaire (Figure 17-16).

Les cellules ciliées des charophycées sont différentes de celles des autres classes : elles possèdent un système asymétrique d'enracinement du flagelle par des microtubules (Figure 17-18). Le système d'enracinement flagellaire a pour rôle de maintenir le flagelle en place. Très souvent, une structure multiassiale est associée à une des racines flagellaires. Le type de racine flagellaire est souvent un caractère taxonomique important. Le système présent chez les charophycées, avec sa structure multiassiale, ressemble beaucoup à celui des anthérozoïdes des bryophytes et d'autres plantes vasculaires. C'est pour ces raisons, et pour d'autres encore, comme les similitudes biochimiques et moléculaires, que l'on considère les charophycées

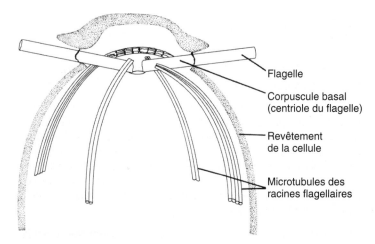

Flagelle

Corpuscule basal
(centriole du flagelle)

Revêtement
de la cellule

Microtubules des
racines flagellaires

Figure 17-17

Dessin montrant la disposition croisée des quatre bandes de microtubules appelées racines flagellaires. Ces racines flagellaires sont associées aux corpuscules de base des flagelles (centrioles) et sont caractéristiques des algues vertes de la classe des chlorophycées.

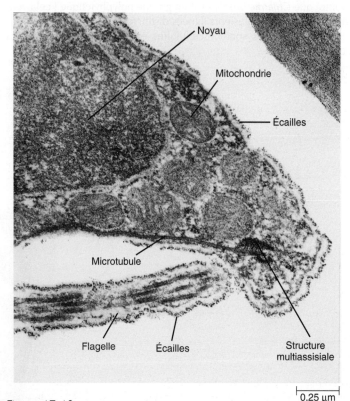

Noyau

Mitochondrie

Écailles

Microtubule

Flagelle   Écailles   Structure
multiassiale

0,25 µm

Figure 17-18

Micrographie électronique de la partie antérieure d'un anthérozoïde mobile de l'algue verte *Coleochaete* (classe des charophycées). On voit ici la structure multiassiale, associée au système racinaire du flagelle, à la base de celui-ci. La structure multiassiale est aussi caractéristique des anthérozoïdes des bryophytes et de certaines plantes vasculaires : c'est un des caractères qui relient ces plantes et les charophycées, leurs ancêtres. On voit qu'une couche de microtubules descend de la structure multiassiale vers la partie postérieure de la cellule et sert de cytosquelette à ces cellules par ailleurs dépourvues de paroi. Les membranes flagellaire et plasmique sont couvertes d'une couche de petites écailles.

comme le groupe d'algues vertes le plus proche de l'ancêtre des bryophytes et des plantes vasculaires.

La classe des *Chlorophyceae* (chlorophytes) comprend surtout des espèces d'eau douce

La classe des chlorophycées comprend des algues unicellulaires ciliées et non ciliées, des algues coloniales mobiles et non mobiles, des algues filamenteuses et des algues formées de lames cellulaires aplaties. Les membres de cette classe vivent principalement dans les eaux douces, bien qu'il existe quelques espèces unicellulaires planctoniques dans les eaux marines littorales. Quelques chlorophycées sont essentiellement terrestres et occupent des habitats tels que la neige (Figure 17-15), le sol ou le bois.

Chlamydomonas est un exemple de chlorophycée unicellulaire mobile. *Chlamydomonas* est une algue verte commune dans l'eau douce (Figure 17-19) ; c'est une forme unicellulaire munie de deux flagelles égaux ; elle est fréquemment utilisée comme modèle pour les travaux moléculaires sur les gènes contrôlant la photosynthèse et d'autres processus cellulaires. Les analyses moléculaires ont montré que *Chlamydomonas* est un groupe polyphylétique ; cela veut dire qu'on y trouve plusieurs lignées distinctes qui se ressemblent toutes du fait qu'elles sont unicellulaires et possèdent deux flagelles égaux.

Les chloroplastes de *Chlamydomonas* possèdent un stigma rouge photosensible qui permet la détection de la lumière ; il est semblable à celui de nombreux autres flagellates verts et des zoospores d'algues vertes multicellulaires. Le chloroplaste contient aussi un pyrénoïde, généralement entouré d'une carapace d'amidon. Les mêmes pyrénoïdes se retrouvent chez beaucoup d'autres espèces d'algues vertes. Le protoplaste uninucléé est entouré d'une mince paroi glycoprotéique (glucide-protéine), à l'intérieur de laquelle se trouve la membrane plasmique. Il n'y a pas de cellulose dans la paroi cellulaire de *Chamydomonas*. À l'extrémité antérieure de la cellule se trouvent deux vacuoles pulsatiles qui collectent l'eau en excès et l'expulsent finalement de la cellule.

Chlamydomonas se reproduit par voie sexuée et asexuée. Au cours de la reproduction asexuée, le noyau haploïde se divise généralement par mitoses pour donner jusqu'à 16 cellules filles à l'intérieur de la paroi de la cellule mère. Chaque cellule sécrète une paroi individuelle et développe des flagelles. Ces cellules sécrètent une enzyme qui décompose la paroi parentale, et les cellules filles peuvent alors s'échapper, bien que certaines d'entre elles, complètement différenciées, restent souvent quelque temps dans la paroi de la cellule mère.

Chez *Chlamydomonas*, la reproduction sexuée implique la fusion d'individus de types sexuels différents (Figure 17-20). La transformation des cellules végétatives en gamètes est induite par une déficience en azote. Les gamètes, qui ressemblent aux cellules végétatives, se

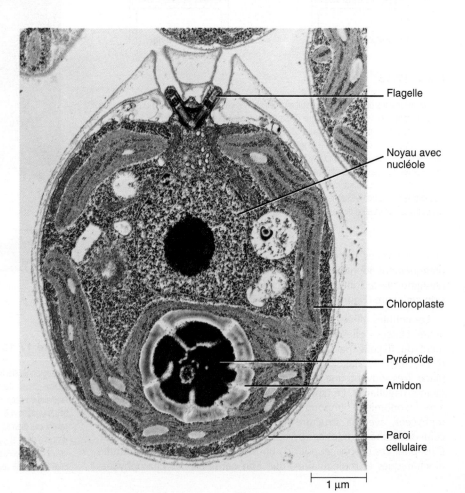

Figure 17-19

Chlamydomonas est une algue verte unicellulaire. Le stigma n'a pas été conservé dans cette cellule, et seule la base des flagelles est visible dans cette micrographie. Le noyau de ce flagellate uninucléé contient un gros nucléole. Une gaine d'amidon entoure le pyrénoïde, situé dans le chloroplaste.

Flagelle

Noyau avec nucléole

Chloroplaste

Pyrénoïde

Amidon

Paroi cellulaire

1 µm

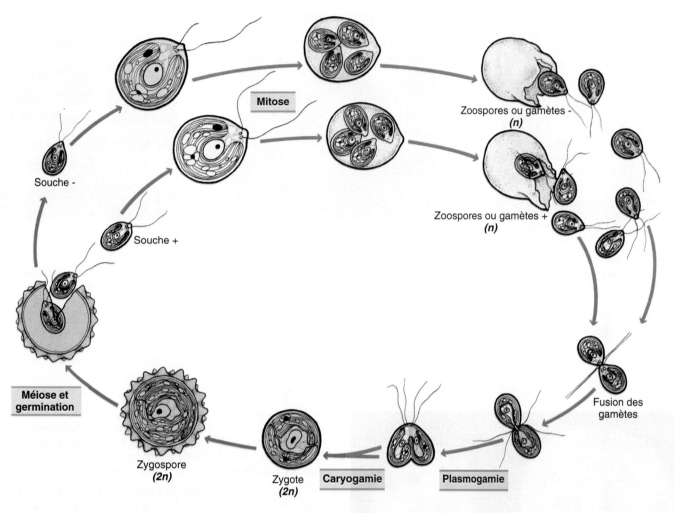

Mitose

Souche -

Souche +

Zoospores ou gamètes -
(n)

Zoospores ou gamètes +
(n)

Fusion des
gamètes

**Méiose et
germination**

Zygospore
(2n)

Zygote
(2n)

Caryogamie

Plasmogamie

Figure 17-20

Cycle de développement de *Chlamydomonas*. La reproduction sexuée se déroule lorsque deux gamètes appartenant à des types sexués différents se rencontrent, s'unissant d'abord par la membrane de leurs flagelles, puis par un filament protoplamique plus mince — le pont de conjugaison (en-dessous à droite). Les protoplastes des deux cellules fusionnent complètement, puis leurs noyaux s'unissent (caryogamie). Une paroi épaisse se forme ensuite autour du zygote diploïde ; on parle à ce moment d'une zygospore. Après une période de dormance, la méiose se déroule, suivie de la germination, et quatre cellules haploïdes en sortent. La reproduction asexuée des individus haploïdes par division cellulaire est le mode de reproduction le plus fréquent

rassemblent d'abord en groupes. Dans ces groupes, ils s'apparient et s'accouplent, en commençant par la membrane de leurs flagelles, puis par un mince filament de protoplasme — le tube de conjugaison — qui les relie par la base des flagelles. Dès la formation de cette liaison protoplasmique, les flagelles se libèrent et une des paires propulse dans l'eau les gamètes partiellement fusionnés. Les protoplastes des deux gamètes fusionnent complètement (plasmogamie) ; suit alors la fusion de leurs noyaux (caryogamie) et la production du zygote. Aussitôt, les quatre flagelles se raccourcissent et finissent par disparaître, et une paroi épaisse se forme autour du zygote diploïde. Ce zygote résistant, à paroi épaisse, ou zygospore, passe ensuite par une période de repos. La méiose se déroule à la fin de la période de dormance et aboutit à la production de quatre cellules haploïdes qui développent deux flagelles et une paroi cellulaire.

Ces cellules peuvent soit se diviser asexuellement soit s'unir à une cellule d'une autre lignée sexuelle pour donner un nouveau zygote. Le cycle de développement de *Chlamydomonas* est donc haplophasique et la méiose est zygotique (Figure 9-3c).

Volvox est la chlorophycée coloniale mobile la plus spectaculaire. Dans la classe des chlorophycées, il existe aussi des colonies de formes et de tailles diverses qui rassemblent des cellules ciliées semblables à *Chlamydomonas*. *Gonium, Pandorina, Eudorina* et *Volvox* sont des exemples de ces colonies (Figures 17-21 et 17-22). Comme *Chlamydomonas*, *Volvox* a fait l'objet de nombreuses recherches en laboratoire. *Chlamydomonas* et *Volvox* sont tous deux haploïdes, à l'exception de leurs zygotes. Les gènes mutants ne sont pas masqués par des allèles dominants, et la détection des mutations qui affectent

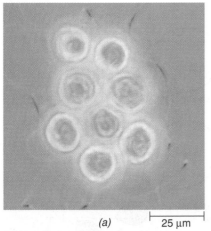

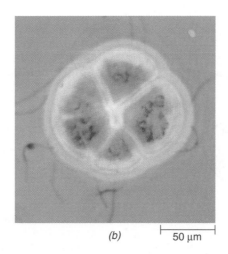

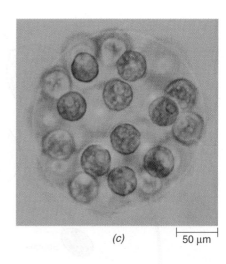

(a)   25 µm   (b)   50 µm   (c)   50 µm

Figure 17-21

Chlorophycées coloniales. **(a)** *Gonium*, **(b)** *Pandorina*, **(c)** *Eudorina*. Chez ces algues, des cellules semblables à celles de *Chlamydomonas* adhèrent dans une matrice gélatineuse pour former des colonies multicellulaires propulsées par le battement de flagelles des cellules individuelles. Les cellules sont plus ou moins spécialisées dans les différents genres.

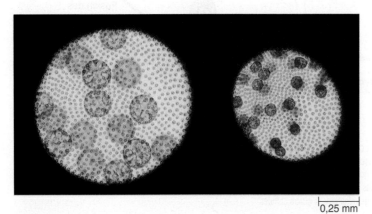

0,25 mm

Figure 17-22

Deux sphéroïdes (individus) de *Volvox carteri*. Les quelque 2000 petites cellules situées en périphérie des sphéroïdes sont des cellules somatiques semblables aux *Chlamydomonas*. Dans les colonies adultes de *V.carteri*, les cellules somatiques ne sont pas interconnectées comme elles le sont chez d'autres espèces du genre. Quelques cellules sont capables de se reproduire, soit sexuellement, soit asexuellement. Le sphéroïde de gauche est asexué. Les mitoses se sont déjà déroulées, produisant 16 jeunes sphéroïdes qui vont finalement se créer un passage par digestion pour sortir de la colonie mère et s'éloigner.

Le sphéroïde de droite est sexué. Après un choc thermique, un sphéroïde femelle produit des individus sexués qui contiennent des oosphères et un sphéroïde mâle produit des individus sexués mâles chargés d'anthérozoïdes. Les zygotes provenant de la fécondation sont résistants à la chaleur et à la dessiccation.

le développement est facile. Des centaines de souches mutantes montrant des déficiences héréditaires au niveau du développement ont été isolées et sont étudiées pour élucider comment des gènes spécifiques contrôlent la photosynthèse, la reproduction sexuée, les différenciation des cellules et d'autres processus cellulaires.

Volvox est formé d'une sphère creuse, le sphéroïde, avec une seule assise de 500 à 60.000 cellules végétatives biciliées, dont la fonction principale est la photosynthèse, et un petit nombre de cellules reproductrices plus volumineuses, non ciliées. Les cellules spécialisées dans la reproduction subissent une série de mitoses et forment des sphéroïdes jeunes qui « éclosent » du sphéroïde parental en libérant une enzyme qui dissout la matrice parentale transparente. Il est intéressant de noter qu'au début du développement des sphéroïdes, tous les flagelles sont orientés vers le creux central, de telle sorte que la colonie doit s'invaginer pour devenir mobile.

Chez *Volvox*, la reproduction sexuée est toujours oogame (Figure 17-2) Chez toutes les espèces étudiées, elle est synchronisée, à l'intérieur d'une population de colonies, par une molécule inductrice, une glycoprotéine d'un poids moléculaire d'environ 30.000. Cette molécule inductrice est produite par un sphéroïde qui est lui-même devenu sexué grâce à un mécanisme différent, jusqu'à présent mal connu. Une colonie mâle de *V.carteri* peut produire suffisamment d'inducteur pour induire la reproduction sexuée dans un demi-milliard d'autres colonies.

Il existe également des formes unicellulaires non mobiles dans la classe des chlorophycées. Une de ces formes, *Chlorococcum*, est très fréquente dans la flore microbienne du sol (Figure 17-23). Il existe un très grand nombre de genres d'algues unicellulaires du sol qui

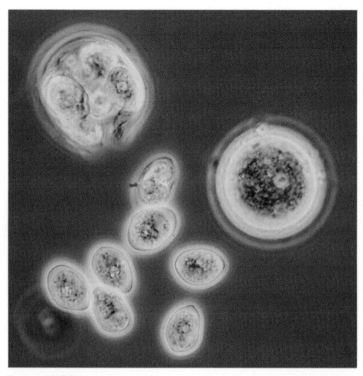

Figure 17-23

Chlorococcum echinozygotum. En haut à gauche se trouve une cellule remplie de zoospores asexuées, qui ont été produites mitotiquement à l'intérieur de la cellule. Les cellules plus petites du centre sont des zoospores biciliées (on ne voit pas les flagelles). Une cellule végétative non mobile se trouve en haut à droite.

Figure 17-24

(a) Portion colorée d'*Hydrodictyon*, chorophycée coloniale. **(b)** portion d'*Hydrodictyon reticulatum* à plus fort grossissement.

ressemblent superficiellement aux *Chlrosoccum*, mais s'en distinguent par des caractères cellulaires, reproducteurs et moléculaires. *Chlorococcum* et les formes voisines se reproduisent asexuellement par des zoospores biflagellées libérées par la cellule mère. Pour la reproduction sexuée, des gamètes ciliés sont libérés et fusionnent deux à deux pour produire des zygotes. Le cycle de développement est haplophasique (la méiose est zygotique), comme chez toutes les chlorophycées.

Certaines chlorophycées sont des colonies non mobiles. Parmi les formes coloniales non mobiles de chlorophycées, on trouve *Hydrodictyon* (Figure 17-24). En conditions favorables, il forme des fleurs d'eau massives à la surface des mares, lacs et rivières calmes. Chaque colonie est formée de nombreuses grandes cellules cylindriques formant elles-mêmes un grand cylindre creux en forme de dentelle. À maturité, chaque cellule contient une grande vacuole centrale et un cytoplasme pariétal contenant des noyaux et un grand chloroplaste réticulé à nombreux pyrénoïdes. *Hydrodictyon* se reproduit asexuellement en produisant un grand nombre de zoospores uninucléées biciliées dans chaque cellule du réseau. Les zoospores ne sont pas libérées des cellules parentales mais, chose assez étonnante, elles se réunissent spontanément en figures géométriques par quatre à neuf (le plus souvent six) à l'intérieur de la cellule parentale cylindrique. Les zoospores perdent ensuite leurs flagelles et deviennent les cellules composant des réseaux fils miniatures. Ceux-ci se libèrent finalement de la cellule mère et grandissent pour donner les grands réseaux adultes grâce à une énorme croissance des cellules. Quand on voit ce mode de reproduction, il est aisé de comprendre comment *Hydrodictyon* peut former en nature des fleurs aussi remarquables. La reproduction sexuée d'*Hydrodictyon* est isogame et le cycle de dévelop-pement est haplophasique comme chez toutes les chlorophycées qui se reproduisent sexuellement.

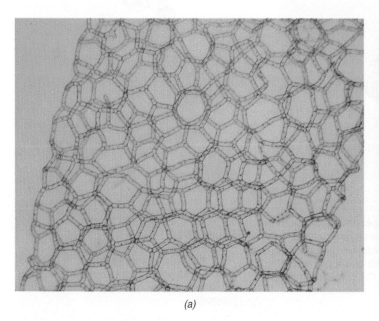

(a)

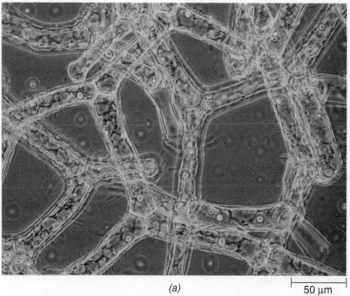

(a)

50 µm

Il existe aussi des chlorophycées filamenteuses et parenchymateuses. Oedogonium est un exemple de forme filamenteuse non ramifiée de chlorophycée. Les filaments commencent leur développement en se fixant à des supports immergés par un crampon, mais une croissance active peut ensuite provoquer leur libération et former des fleurs flottantes de taille appréciable dans les lacs. Le mode de division cellulaire d'*Oedogonium* aboutit à la formation de « bourrelets », qui sont des cicatrices annulaires caractéristiques (Figure 17-25). Ces cicatrices représentent donc le nombre de divisions subies par une même cellule.

Chez *Oedogonium*, la reproduction asexuée se fait par zoospores, chaque cellule produisant une seule zoospore. Celle-ci possède une couronne d'environ 120 flagelles. La reproduction sexuée est oogame (Figure 17-26). L'anthéridie produit deux anthérozoïdes multiciliés et l'oogone une seule oosphère. Comme les algues brunes, *Oedogonium* utilise des substances hydrosolubles attractives pour attirer les anthérozoïdes vers les oosphères. Le cycle est haplophasique, comme chez toutes les chlorophycées.

C'est chez les chlorophycées filamenteuses ramifiées et parenchymateuses que se trouvent les algues dont les structures sont les plus complexes de toute la classe. Leurs cellules peuvent être spécialisées en raison de leur fonction ou de la position particulière qu'elles occupent dans l'organisme et, comme les cellules des plantes, elles sont parfois reliées entre elles par des plasmodesmes. *Stigeoclonium* est formé de filaments ramifiés (Figure 17-27) et *Fritschiella* possède des rhizoïdes souterrains — ensemble parenchymateux prostré situé près de la surface du sol — et deux types de rameaux dressés (Figure 17-28). *Fritschiella* fréquente des surfaces humides, comme les troncs d'arbres, les murs humides et la surface des feuilles.

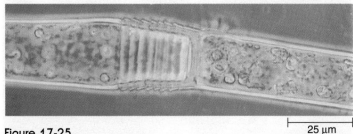

Figure 17-25   25 µm

Oedogonium, chlorophycée filamenteuse non ramifiée. La coupe d'un filament végétatif montre les cicatrices annulaires.

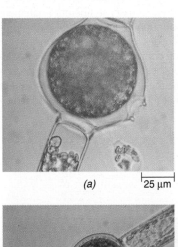

(a)   25 µm

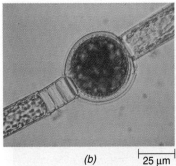

(b)   25 µm

Figure 17-26

La reproduction sexuée d'*Oedogonium* est oogame. Chaque oogone produit une seule oosphère, tandis que l'anthéridie libère deux anthérozoïdes multiciliés. **(a)** Un oogone d'*Oedogonium cardiacum*, avec une oosphère ronde, volumineuse et, en-dessous à droite, un anthérozoïde. **(b)** Oogone d'*Oedogonium foveolatum* avec un jeune zygote et, à gauche, une série d'anthéridies vides.

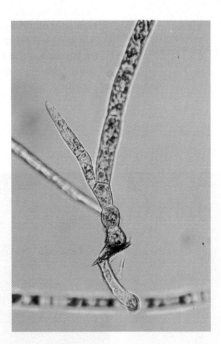

Figure 17-27

On avait d'abord considéré *Stigeoclonium*, *Chlorophyceae* en forme de filament ramifié, comme faisant partie du genre *Ulothrix* (*Ulvophyceae*). Ce jeune individu commence tout juste à se ramifier, il possède un crampon foncé et un rhizoïde qui descend à partir d'un endroit situé immédiatement au-dessus du crampon.

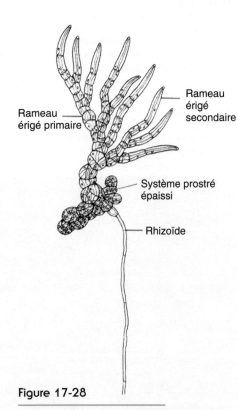

Rameau érigé primaire

Rameau érigé secondaire

Système prostré épaissi

Rhizoïde

Figure 17-28

Fritschiella, chlorophycée terrestre. Au cours de son adaptation à un habitat terrestre, certaines caractéristiques typiques des plantes sont apparues de manière indépendante chez *Fritschiella.*.

La classe des *Ulvophyceae* (ulvophytes) comprend surtout des espèces marines

Les ulvophytes sont principalement marins, mais quelques espèces importantes se trouvent dans les eaux douces, où elles se sont installées à une époque antérieure après avoir quitté leur habitat marin. Ces algues peuvent être filamenteuses ou formées de feuillets cellulaires, ou encore être macroscopiques et multinucléées. Les ulvophytes ont une mitose incluse, avec une enveloppe nucléaire persistante ; le fuseau persiste pendant la cytocinèse.

Les cellules ciliées des ulvophytes sont écailleuses ou nues comme celles des charophytes mais, contrairement aux charophytes mobiles, les ulvophytes possèdent une symétrie presque radiale et des flagelles apicaux, dirigés vers l'avant comme ceux des chlorophytes. Les cellules ciliées des ulvophycées peuvent avoir deux, quatre ou de nombreux flagelles, comme celles des chlorophycées. Celles des charophycées sont toujours biciliées. Les ulvophytes sont les seules algues vertes possédant une alternance de générations et une méiose sporique, ou un cycle de développement diplophasique à méiose gamétique.

Une lignée d'ulvophycées comprend des algues filamenteuses à grandes cellules cloisonnées multinucléées. Un des genres de ce groupe, *Cladophora* (Figure 17-29) est très répandu dans les eaux salées aussi bien que dans les eaux douces, où il forme souvent des fleurs d'eau gênantes. Ses filaments se développent souvent en tapis épais qui flottent librement ou sont fixées à des rochers ou à la végétation. Les filaments s'allongent et se ramifient à proximité de leurs extrémités. Chaque cellule contient de nombreux noyaux et un seul chloroplaste pariétal réticulé portant un grand nombre de pyrénoïdes où se forme l'amidon. Les espèces marines de *Chladophora* ont une alternance de générations isomorphes. La plupart des espèces d'eau douce, par contre, n'ont pas d'alternance de générations : elles ont probablement perdu ce caractère au cours de leur passage de la mer aux eaux douces.

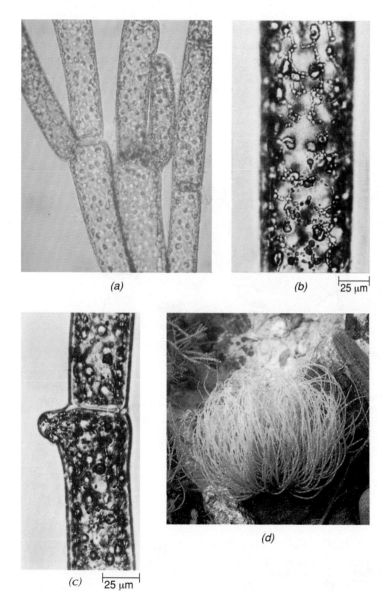

(a)

(b) $\overline{25\ \mu m}$

(c) $\overline{25\ \mu m}$

(d)

Figure 17-29

Cladophora, qui appartient à la classe des ulvophycées, est un genre fréquent dans les stations marines et d'eau douce. Les espèces marines ont, comme la plupart des ulvophycées, une alternance de générations, contrairement aux espèces d'eau douce. **(a)** Filaments ramifiés de *Cladophora*. **(b)** Partie d'une cellule individuelle, montrant le chloroplaste réticulé. **(c)** Début d'une ramification à l'extrémité apicale d'une cellule. **(d)** Individu de *Cladophora* se développant dans une rivière à faible courant en Californie.

Figure 17-30

La laitue de mer, *Ulva*, est une ulvacée commune vivant sur les rochers, les pilotis et d'autres endroits semblables dans les eaux peu profondes du globe.

Un deuxième mode de croissance chez les ulvophycées est celui d'*Ulva*, ou laitue de mer (Figure 17-30). Cette algue familière est commune le long des côtes tempérées du monde entier. Les individus d'*Ulva* sont formés d'un thalle plat, luisant, biassisial, dont la longueur peut exceptionnellement dépasser un mètre. Le thalle est fixé au substrat par un crampon provenant de l'expansion des cellules de la base. Chaque cellule du thalle contient un noyau et un chloroplaste. *Ulva* est anisogame (Figure 17-2) et elle a un cycle à alternance de générations isomorphes comme beaucoup d'autres ulvophycées (Figure 17-31).

Les algues marines siphonées, caractérisées par de très grandes cellules cénocytiques ramifiées, rarement cloisonnées, appartiennent à d'autres lignées évolutives d'ulvophycées (Figure 17-32). Ces algues,

très diverses, se développent par des divisions nucléaires successives sans formation simultanée de parois cellulaires. Les parois n'apparaissent qu'au cours des stades reproducteurs.

Codium, cité page 383, fait partie de ce groupe. C'est une masse spongieuse de filaments cénocytiques densément entremêlés (Figure 17-32a). Certaines souches de *Codium fragile* peuvent être très envahissantes et le développement de cette algue marine devient gênant quand elle prolifère dans les eaux calmes de la zone tempérée. *Ventricaria* (ou *Valonia*) est fréquente dans les eaux tropicales ; on l'a beaucoup utilisée pour les recherches sur les parois cellulaires et dans des expériences de physiologie nécessitant de grandes quantités de cytoplasme. *Ventricaria* semble unicellulaire, mais il s'agit en fait d'une grande vésicule multinucléée fixée au substrat par plusieurs

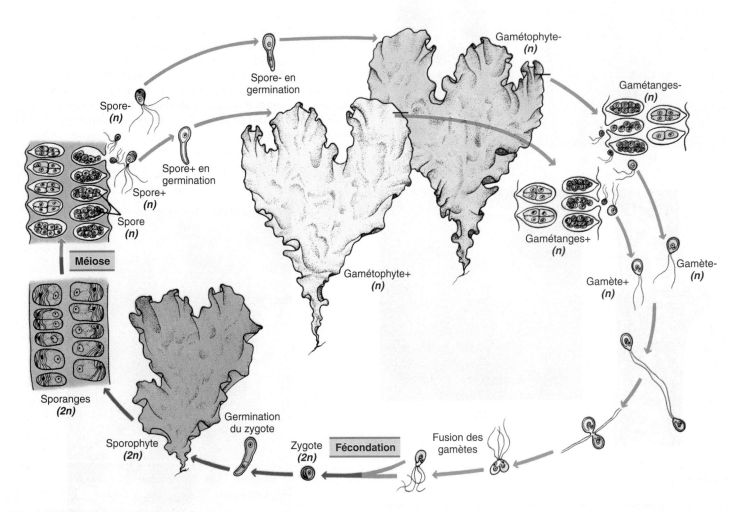

Figure 17-31

Chez la salade de mer, *Ulva*, on peut observer un mode de reproduction impliquant une alternance de générations, une des générations produisant des spores (à gauche) et l'autre des gamètes (à droite). Le gamétophyte haploïde *(n)* produit des isogamètes haploïdes et les gamètes fusionnent pour donner un zygote diploïde *(2n)*. Celui-ci se développe en un sporophyte multicellulaire dont les cellules sont diploïdes. Le sporophyte produit des spores après la méiose. Les spores haploïdes donnent des gamétophytes haploïdes et le cycle se répète.

(a)

(b)

(c)

(d)

Figure 17-32

Quatre genres d'algues vertes siphonées de la classe des ulvophycées. **(a)** Espèce de *Codium* abondante le long de la côte Atlantique des États-Unis. **(b)** *Ventricaria*, commune dans les eaux tropicales ; les individus ont souvent la taille d'un œuf de poule. **(c)** *Acetabularia*, algue verte siphonée en forme de champignon. L'algue verte siphonée à l'arrière-plan est est un *Dasycladus*. Cette photographie a été prise aux Bahamas. **(d)** *Halimeda*, algue verte siphonée souvent dominante sur les récifs des mers chaudes du globe. Cette algue produit des substances d'un goût désagréable qui évitent son attaque par les poissons et autres herbivores marins.

rhizoïdes (Figure 17-32b). Elle atteint la taille d'un œuf de poule. Une autre algue verte siphonée bien connue est *Acetabularia* (Figure 17-32c), utilisée souvent dans les recherches sur les bases génétiques de la différenciation. Les algues vertes siphonées sont principalement diploïdes. Les gamètes sont les seules cellules haploïdes du cycle de développement.

Les chloroplastes de certaines algues vertes siphonées, comme *Codium*, sont récoltés par les limaces de mer (nudibranches), mollusques marins dépourvus de coquille (Figure 17-33). Ces animaux consomment les algues et les chloroplastes persistent dans les cellules qui délimitent la chambre respiratoire de l'animal. En présence de lumière, ces chloroplastes effectuent la photosynthèse avec une effi-

cacité telle qu'on a signalé des individus du nudibranche *Phacobranchus ocellatus* qui libèrent plus d'oxygène qu'ils n'en consomment.

Halimeda et les genres voisins d'algues vertes siphonées sont remarquables par leurs parois cellulaires calcifiées. Après leur mort et leur décomposition, ces algues jouent un rôle important dans la production du sable blanc carbonaté si caractéristique des eaux tropicales. Plusieurs genres d'algues, y compris *Halimeda* (Figure 17-32d), contiennent des métabolites secondaires qui limitent fortement la prédation par les poissons herbivores. Les frondes d'*Halimeda* s'étendent et grandissent rapidement durant la nuit, fabriquant des substances toxiques écartant les herbivores, principalement actifs pendant le jour.

Figure 17-33

Placobranchus, une limace de mer. Les tissus de cet animal contiennent des chloroplastes provenant de la consommation de certaines algues vertes. **(a)** Les structures en forme d'ailes, appelées parapodes, sont normalement repliées au-dessus du dos de l'animal, masquant les tissus qui contiennent les chloroplastes. **(b)** Quand les parapodes s'écartent, cependant, les tissus internes verts deviennent visibles. Les chloroplastes ont une efficacité photosynthétique telle que, sur un cycle jour/nuit de 24 heures d'éclairement et d'obscurité, l'animal produit plus d'oxygène qu'il n'en consomme.

(a) ⊢—⊣ 1 cm   *(b)*

Pendant l'heure qui suit le lever du soleil, les frondes passent du blanc au vert parce que les chloroplastes migrent des portions inférieures du thalle vers le haut et commencent à effectuer rapidement la photosynthèse.

Certains membres de la classe des *Charophyceae* (les charophytes) ressemblent beaucoup aux plantes

Les charophycées sont constituées de genres unicellulaires, coloniaux, filamenteux et parenchymateux. Des similitudes fondamentales, tant structurales que biochimiques et génétiques, les rapprochent les unes des autres ainsi que des plantes : on peut citer la présence de cellules ciliées asymétriques, dont certaines possèdent des structures multiassisiales caractéristiques (Figure 17-18). Parmi les autres ressemblances, on peut mentionner la dégradation de l'enveloppe nucléaire au cours de la mitose, la persistance des fuseaux ou des phragmoplastes à la cytocinèse, la présence du phytochrome et d'autres caractères moléculaires.

Spirogyra (Figure 17-34) est un genre bien connu de charophycée filamenteuse non ramifiée qui forme souvent des masses fottantes mousseuses ou visqueuses dans les pièces d'eau douce. Chaque filament est entouré d'une gaine hygroscopique. Le nom de *Spirogyra* rappelle la disposition hélicoïdale du ou des chloroplastes rubanés, dotés de nombreux pyrénoïdes, présents dans chaque cellule uninucléée. *Spirogyra* se reproduit asexuellement par division cellulaire et fragmentation. Il n'existe de cellules ciliées à aucun stade du cycle de développement mais, comme on l'a signalé antérieurement, on trouve des cellules reproductrices ciliées chez d'autres genres de charophycées. Chez *Spirogyra,* un pont de conjugaison se forme entre deux filaments au cours de la reproduction sexuée. Le contenu des deux cellules réunies par le pont fonctionnent comme isogamètes. La fécondation peut se produire à l'intérieur du pont, ou l'un des gamètes peut migrer dans l'autre filament, et y réaliser la fécondation. Les zygotes s'entourent de parois épaisses contenant de la **sporopollénine**. Cette substance de protection est le biopolymère le plus résistant que l'on connaisse. La sporopollénine permet aux zygotes de résister à des conditions rigoureuses pendant de longues périodes

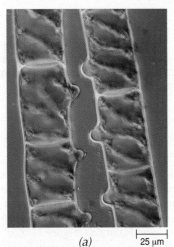 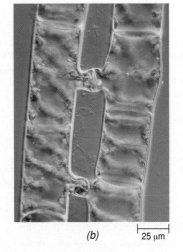 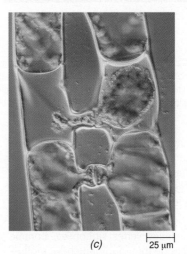 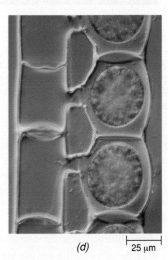

(a) ⊢—⊣ 25 µm   *(b)* ⊢—⊣ 25 µm   *(c)* ⊢—⊣ 25 µm   *(d)* ⊢—⊣ 25 µm

Figure 17-34

Reproduction sexuée chez *Spirogyra.* **(a), (b)** Formation de ponts de conjugaison entre cellules de filaments contigus. **(c)** Le contenu des cellules de la souche - (à gauche) passe par ces ponts pour entrer dans la souche +. **(d)** La fécondation s'effectue dans ces cellules. Le zygote développe une paroi cellulaire épaisse et résistante : c'est une zygospore. Les filaments végétatifs de *Spirogyra* sont haploïdes et la méiose se déroule au cours de la germination des zygospores, comme chez toutes les charophycées.

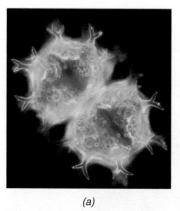
(a)

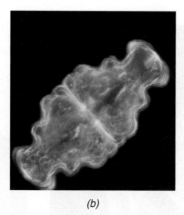
(b)

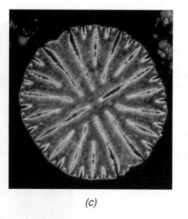
(c)

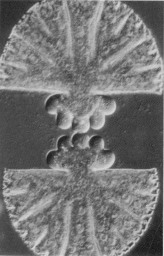
(d)

Figure 17-35

Desmidiales Le groupe des desmidiales réunit des milliers d'espèces de charophycées unicellulaires d'eau douce. Beaucoup de desmidiales possèdent une constriction qui est à l'origine de leur forme très caractéristique. **(a)** *Xanthidium armatum.* **(b)** *Euastrum affine.* **(c)** *Micrasterias radiosa.* **(d)** Division cellulaire chez *Micrasterias thomasiana.* La petite moitié de chaque individu fils va s'aggrandir jusqu'à atteindre la taille de la plus grande pour former une desmidiale de taille normale.

avant de germer lorsque les conditions s'améliorent. Le cycle de développement est haplophasique (méiose zygotique) comme chez toutes les charophycées.

Les desmidiales constituent un groupe important d'algues d'eau douce apparentées aux *Spirogyra.* Comme les *Spirogyra,* elles sont dépourvues de cellules ciliées. Certaines desmidiales sont filamenteuses, mais la plupart sont unicellulaires. La plupart des cellules de desmidiales sont composées de deux parties, ou demi-cellules, réunies par une étroite constriction — l'isthme — (Figure 17-35). La division cellulaire et la reproduction sexuée des desmidiales sont très semblables à celles des *Spirogyra.* Il existe des milliers d'espèces de desmidiales. Elles sont particulièrement abondantes et diversifiées dans les tourbières basses et dans les étangs pauvres en éléments minéraux. Certaines sont associées à des bactéries particulières, peut-être symbiotiques, qui vivent dans les gaines mucilagineuses.

Les Coleochaetales et les Charales ont des caractères qui rappellent les plantes. Deux ordres de charophycées, les *Coleochaetales* et les *Charales,* ressemblent aux plantes plus étroitement que les autres charophytes par des détails de leur division cellulaire et de leur reproduction sexuée. Ces ordres possèdent un phragmoplaste microtubulaire semblable à celui des plantes, qui fonctionne durant la cytocinèse. Comme les plantes, ils sont oogames, et leur anthérozoïde est semblable, par son ultrastructure, à celui des bryophytes ; Les plantes dérivent probablement de charophycées disparues qui, par beaucoup d'aspects, ressembaient à des coléochétales et charales.

Dans l'ordre des *Coleochaetales,* il existe des genres filamenteux et d'autres en forme de disque qui s'accroissent par des divisions dans des cellules apicales ou périphériques (Figure 17-36a). *Coleochaete,* qui se développe sur des rochers submergés ou des plantes d'eau douce, possède des cellules uninucléées contenant chacune un grand chloroplaste dans lequel est inclus un pyrénoïde. On trouve des chloroplastes et des pyrénoïdes très semblables chez certaines anthocérotes, un groupe de bryophytes qui sera abordé au chapitre 18. *Coleochaete,* comme bon nombre de charophytes, se reproduit asexuellement par des zoospores qui sont produites individuellement à l'intérieur des cellules. La reproduction sexuée est oogame. Les zygotes restent fixés au thalle parental et stimulent la croisance d'une assise cellulaire qui les recouvre (Figure 17-36b). Dans une espèce au moins, ces cellules parentales ont des invaginations pariétales

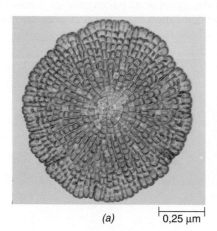
(a) |— 0,25 µm

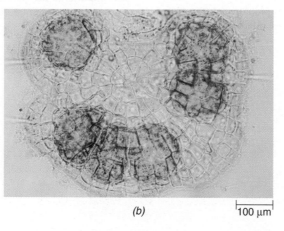
(b) |—100 µm

Figure 17-36

(a) On touve *Coleochaete* sur les rochers et sur les tiges d'angiospermes aquatiques dans les lacs peu profonds. **(b)** Les individus de cette espèce de *Coleochaete* se composent d'un disque parenchymateux, généralement épais d'une seule assise cellulaire. Les grandes cellules sont des zygotes, protégés par un revêtement cellulaire. Les cellules en forme de poils qui s'écartent du disque sont engainées à leur base ; *Coleochaete* signifie « poil engainé ». On pense que ces poils découragent les animaux aquatiques qui voudraient se nourrir de l'algue.

Figure 17-37

(a) *Chara* (classe des charophytes) pousse dans les eaux peu profondes des lacs tempérés. (b) *Chara* avec des gamétanges. La structure du haut est une oogone et celle du bas est une anthéridie.

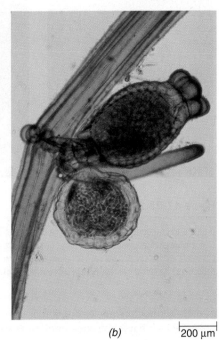

(a)   (b)   ⊢200 μm⊣

semblables à celles que l'on trouve dans la zone de contact entre le gamétophyte et le sporophyte chez les bryophytes et chez d'autres plantes (voir chapitre 18). On pense que ces cellules spécialisées, appelées cellules de transfert, interviennent dans le transfert des aliments entre le gamétophyte et le sporophyte. Les invaginations pariétales donnent une idée de la manière dont le cycle de développement particulier et la génération sporophytique des plantes ont évolué chez les ancêtres, depuis longtemps disparus, des plantes modernes.

L'ordre des *Charales* comprend environ 250 espèces vivantes d'algues vertes distinctes que l'on trouve principalement dans l'eau douce, ou parfois dans les eaux saumâtres. Les formes modernes, comme *Chara* (Figure 17-37), possèdent des parois cellulaires très calcifiées. Grâce à la calcification des structures reproductrices caractéristiques d'anciennes formes apparentées, il existe de bons dépôts fossiles qui remontent jusqu'au silurien supérieur (environ 410 millions d'années).

Les charales, comme les *Coleochaete* et les plantes, ont une croissance apicale. De plus, le thalle des charales est différencié en régions nodales et internodales. L'organisation anatomique des régions nodales ressemble au parenchyme des plantes, de même que le type de plasmodesme. Des verticilles de rameaux partent des régions nodales. Chez certaines espèces, des files de cellules recouvrent l'axe filamenteux central et donnent au thalle plus d'épaisseur et de rigidité. Les anthérozoïdes des charales sont produits dans des anthéridies multicellulaires plus complexes que celles de tous les autres groupes de protistes. Les oosphères se forment dans des oogones entourées de plusieurs longues cellules tubulaires torsadées. Ces cellules occupent une place analogue à celle des gamétanges caractéristiques des cryptogames et elles peuvent remplir le même rôle. Les anthérozoïdes sont les seules cellules ciliées du cycle de développement des charales ; ils ressemblent beaucoup à ceux des bryophytes. On pense que la germination des zygotes débute par la méiose, bien que ce soit difficile à vérifier parce que les zygotes sont entourés de parois très épaisses contenant de la sporopollénine. La sporopollénine constitue aussi une part importante des parois des spores et du pollen chez les plantes et c'est à sa présence que l'on doit l'abondance de ces cellules dans les dépôts fossiles.

RÉSUMÉ

Les hétérokontées possèdent un long flagelle plumeux et un petit flagelle lisse

Les algues brunes (embranchement des *Phaeophyta*) sont étroitement apparentées à divers protistes microscopiques, comme les oomycètes (embranchement des *Oomycota*), les diatomées (embranchement des *Bacillariophyta*) et les chrysophytes (embranchement des *Chrysophyta*). Le terme hétérokontées désigne l'ensemble de ces organismes parce qu'ils sont caractérisés par la présence de deux flagelles de longueur et d'ornementation différentes.

L'embranchement des Oomycota *comprend des hétérotrophes aquatiques et terrestres qui produisent des oospores à paroi épaisse*

Les oomycètes renferment des formes qui vont de la cellule isolée au filament cénocytique très ramifié. Les parois cellulaires sont formées en grande partie de cellulose ou de polymères semblables. Le reproduction asexuée utilise des zoospores. La reproduction sexuée implique une grosse oosphère immobile et un petit gamète mâle mobile. Citons trois types partiellement terrestres de cet embranchement : *Phytophthora* est un pathogène très nocif responsable de maladies des plantes, comme le mildiou de la pomme de terre, *Plasmopara viticola* provoque le mildiou de la vigne et *Pithium* est à l'origine de la fonte des semis.

Les diatomées font partie de l'embranchement des Bacillariophyta

Les diatomées sont des organismes unicellulaires ou coloniaux vivant dans les eaux douces aussi bien qu'en mer. Elles constituent une partie importante du phytoplancton et sont caractérisées par des parois cellulaires siliceuses bipartites.

Les chrysophytes appartiennent à l'embranchement des Chrysophyta

Les chrysophytes sont des organismes incolores ou de couleur dorée, unicellulaires ou coloniaux, abondants dans les eaux douces et les océans du globe. Certaines chrysophytes se nourrissent de bactéries et d'autres particules organiques, alors que d'autres en sont incapables parce qu'elles sont revêtues d'écailles siliceuses chevauchantes.

Les algues brunes représentent l'embranchement des Phaeophyta

Les algues brunes renferment les algues marines les plus grandes et les plus complexes : elles sont les plus apparentes dans les eaux tempérées, boréales et polaires. Chez de nombreuses formes, l'algue est nettement différenciée en crampon, stipe et limbe. Certaines possèdent des tissus conducteurs d'éléments nutritifs dont la complexité approche celle des plantes vasculaires. Les grandes laminaires forment des forêts marines de grande valeur écologique, et elles constituent une source de polysaccharides industriels importants. Le cycle de développement de la plupart des algues brunes implique une alternance de générations.

Les Chlorophyceae, *les* Ulvophyceae *et les* Charophyceae *sont des classes de l'embranchement des* Chlorophyta

Les algues vertes renferment, en plus de formes marines, des formes d'eau douce et terrestres très diverses. La division cellulaire, la structure des cellules reproductrices et d'autres critères permettent d'identifier plusieurs classes d'algues vertes. Les *Ulvophyceae* sont principalement marines et il existe une alternance de générations chez certaines formes. Les *Chlorophyceae* sont surtout des espèces d'eau douce et deux genres de ce groupe, *Chlamydomonas* et *Volvox*, sont fréquemment utilisés comme modèles en laboratoire. Les *Chlorophyceae* ont un type de cytocinèse particulier — le fuseau mitotique disparaît en télophase et un phycoplaste se développe parallèlement au plan de la division cellulaire. Les *Charophyceae* d'eau douce sont les algues vertes les plus proches des bryophytes et des plantes vasculaires. Le genre actuel *Coleochaete* et l'ordre des charales sont particulièrement proches de l'ancêtre des plantes par la division cellulaire, la reproduction et d'autres caractéristiques.

MOTS CLÉS

algine p. 382

anthéridie p. 372

centrale p. 376

chrysolaminarine p. 378

fonte des semis p. 374

frustules p. 376

fucoxanthine p. 378

gamétanges pluriloculaires p. 383

hétérokontées p. 371

hétérothallique p. 373

homothallique p. 373

mannitol p. 382

oogone p. 372

oospore p. 372

pennale p. 376

phragmoplaste p. 387

phycoplaste p. 386

racines flagellaires p. 386

sillon de clivage p. 386

sporanges pluriloculaires p. 383

sporanges uniloculaires p. 383

sporopollénine p. 396

thalle p. 381

QUESTIONS

1. Quelle sont les différences entre les termes suivants : oogone/anthéridie, homothallique/hétérothallique, pennales/centrales, phycoplaste/phragmoplaste.

2. Quelles sont les maladies des plantes provoquées par les oomycètes suivants : *Plasmopara viticola*, *Phytophthora infestans* et *Pythium* sp. ?

3. On peut définir les diatomées comme « les algues qui vivent dans des serres ». Expliquez.

4. Quel sont les pigments que possèdent en commun les diatomées, les chrysophytes et les algues brunes ? Lequel de ces pigments est responsable de la couleur de ces algues ?

5. Les laminariales sont les algues dont les thalles sont les plus différenciés. De quelle manière ?

6. Le cycle de développement des *Fucus* est, d'une certaine façon, semblable au nôtre. expliquez.

7. Comment peut-on distinguer les trois classes de *Chlorophyta* : *Chlorophyceae*, *Ulvophyceae* et *Charophyceae* ?

8. Quels sont les caractères des espèces actuelles de *Coleochaete* et de l'ordre des *Charales* qui les rapprochent étroitement de l'ancêtre des plantes ?

18

Les bryophytes

Figure 18-1

Population dense de la mousse *Fissidens* sur des rochers calcaires dans une chute d'eau. Cette photographie a été prise dans une réserve naturelle juste à l'ouest de Yalta, en Crimée (Ukraine).

SOMMAIRE

Avec les bryophytes — hépatiques, anthocérotes et mousses — nous franchissons un seuil important dans l'évolution en passant de l'eau à la terre ferme. Ce passage postule la solution de divers problèmes — dont le plus crucial était d'éviter la dessiccation. Les gamètes des bryophytes sont contenus dans des structures protectrices pluricellulaires — une anthéridie entoure les anthérozoïdes et une archégone entoure l'oosphère. Il reste cependant un vestige de leurs ancêtres aquatiques en ce sens que les anthérozoïdes doivent encore nager dans l'eau pour atteindre l'oosphère. Nous verrons que la fécondation se déroule à l'intérieur de l'archégone et que l'embryon qui en résulte est nourri et protégé par la plante mère. Lors de son développement, l'embryon (le jeune sporophyte) ne devient jamais indépendant de sa mère (le gamétophyte) : en réalité, une des caractéristiques des bryophytes est le fait que le gamétophyte a une existence indépendante et qu'il est presque toujours plus développé que le sporophyte. La méiose se déroule rapidement dans le sporophyte et les spores produites sont disséminées dans l'environnement, où elles germent et donnent naissance à de nouveaux gamétophytes.

POINTS DE REPÈRE

Quand vous terminerez la lecture de ce chapitre, vous devriez pouvoir répondre aux questions suivantes :

* *Quelles sont les caractéristiques générales des bryophytes ? En d'autres termes, quelles sont les conditions pour être une bryophyte ?*

* *Quels sont les trois embranchements de bryophytes ? Quelles sont leurs ressemblances et leurs différences ?*

* *Comment se déroule la reproduction sexuée chez les bryophytes ? Quelles sont, chez la plupart des bryophytes, les principales parties du sporophyte qui en résulte ?*

* *Comment peut-on distinguer les trois types d'hépatiques les uns des autres ?*

* *Quels sont les caractères qui distinguent les anthocérotes ?*

* *Quels sont les caractères qui distinguent les trois classes de mousses ?*

Les bryophytes — hépatiques, anthocérotes et mousses — sont de petites plantes « feuillées » ou aplaties qui croissent le plus souvent dans des stations humides des forêts tempérées et tropicales ou le long des cours d'eau et dans les endroits mouilleux (Figure 18-1). Les bryophytes ne se cantonnent cependant pas à ces habitats. On trouve beaucoup d'espèces de mousses dans des déserts relativement secs, et plusieurs d'entre elles peuvent former des masses de grande taille sur

Figure 18-2

Tortula obtusissima est une mousse de terrain sec, vivant sur un rocher calcaire et dans ses environs, sur le plateau central du Mexique. N'ayant pas de racines, les plantes puisent directement leur eau dans le milieu ambiant sous forme de rosée ou de pluie. Elles peuvent se réhydrater complètement après une dessiccation totale en moins de cinq minutes.

des rochers secs dénudés pouvant s'échauffer fortement (Figure 18-2). Les mousses occupent souvent le terrain à l'exclusion de toute autre plante sur de grandes surfaces au nord du cercle arctique. Ce sont aussi les plantes dominantes des pentes rocheuses au-dessus de la limite des arbres en montagne, et un nombre important de mousses sont capables de supporter de longues périodes de froid rigoureux sur le continent antarctique (Figure 18-3). Quelques bryophytes sont aquatiques et l'on en trouve même sur des roches mouillées par les embruns de l'océan, bien qu'aucune ne soit réellement marine.

Les bryophytes apportent une contribution significative à la biodiversité des plantes et elles sont aussi importantes dans certaines parties du monde en raison des grandes quantités de carbone qu'elles stockent : elles jouent ainsi un rôle important dans le cycle global du carbone (page 150). Des arguments de plus en plus nombreux permettent de penser que les premières plantes ressemblaient beaucoup aux bryophytes actuelles ou éteintes ; aujourd'hui encore, avec les lichens, les bryophytes sont les premiers colonisateurs efficaces des roches et du sol dénudés. Comme les lichens, certaines bryophytes sont remarquablement sensibles à la pollution atmosphérique et elles sont souvent absentes ou représentées seulement par quelques espèces dans les zones très polluées.

Relations entre les bryophytes et les autres groupes

À bien des égards, les bryophytes forment une transition entre les algues vertes de la classe des charophycées (voir chapitre 17) et les plantes vasculaires, dont il est question aux chapitres 19 à 22. Dans le chapitre précédent, nous avons considéré un certain nombre de critères communs aux charophytes et aux plantes. Dans les deux groupes, on trouve des chloroplastes avec des grana bien développés, et tous

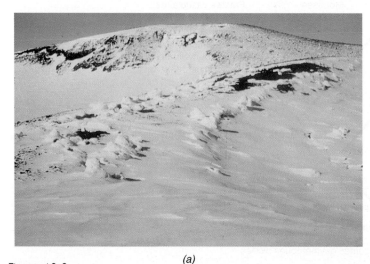

(a)   (b)

Figure 18-3

(a) Vers 3000 mètres d'altitude, sur le Mont Melbourne, dans l'Antarctique, les températures estivales sont généralement comprises entre -10°C et -30°C. Dans ce milieu incroyablement rigoureux, des botanistes néo-zélandais ou découvert des plages d'une mousse du genre *Campylopus* **(b)**, croissant sur les zones dénudées visibles sur la photo, où la température peut atteindre 30°C en raison de l'activité volcanique. La croissance de *Campylopus* à cet endroit montre le potentiel de dissémination remarquable des mousses, en même temps que leur faculté de survivre dans des conditions rigoureuses.

deux ont des cellules mobiles asymétriques : leurs flagelles sont issus d'un flanc de la cellule plutôt que de son extrémité. Au cours de leur cycle de développement, l'enveloppe nucléaire disparaît à la mitose chez les charophytes et les plantes et des phragmoplastes se forment durant la division du cytoplasme (cytocinèse). En outre, on se souviendra que les *Charales* et *Coleochaete* paraissent plus proches des plantes que les autres charophytes. Chez les *Coleochaete*, les zygotes sont retenus dans le thalle maternel et, au moins chez une espèce, les cellules recouvrant les zygotes développent des invaginations pariétales. Ces cellules de couverture fonctionnent apparemment comme des cellules de transfert et interviennent dans le transport des sucres vers les zygotes. Comme les *Coleochaete*, toutes les plantes sont oogames : une oosphère est fécondée par un anthérozoïde.

Les bryophytes et les plantes vasculaires ont en commun plusieurs caractères qui les distinguent des charophytes : (1) la présence d'une assise protectrice, ou enveloppe stérile, dans les gamétanges mâles et femelles, appelés respectivement **anthéridies** et **archégones** ; (2) la rétention, à l'intérieur de l'archégone ou du gamétophyte femelle, du zygote et de l'embryon multicellulaire en développement, le jeune sporophyte ; (3) la présence d'un sporophyte diploïde multicellulaire permettant d'accroître le nombre de méioses et le nombre de spores résultant d'une même fécondation ; (4) des sporanges pluricellulaires formés d'une enveloppe stérile et d'un tissu **sporogène** interne ; (5)

des spores dont les parois contiennent de la **sporopollénine**, résistante à la dégradation et à la dessiccation. On ne trouve, chez les charophytes, aucun de ces caractères qui sont communs aux bryophytes et aux plantes vasculaires et qui sont corrélés à la vie des plantes sur la terre ferme.

Les bryophytes actuelles ne disposent pas des tissus destinés à la conduction de l'eau et des aliments, le xylème et le phloème (tissus conducteurs), qui existent chez les plantes vasculaires. Bien que certaines bryophytes possèdent des tissus conducteurs spécialisés, les parois cellulaires ne sont pas lignifiées comme celles des plantes vasculaires. Il existe aussi des différences entre les cycles de développement des bryophytes et des plantes vasculaires, malgré l'existence, dans les deux cas, d'une alternance hétéromorphe entre gamétophyte et sporophyte. Chez les bryophytes, le gamétophyte est dominant et indépendant, le sporophyte est petit, il reste attaché de façon permanente au gamétophyte parental et il en dépend pour son alimentation. Au contraire, le sporophyte des plantes vasculaires est la génération dominante et il devient aussi finalement indépendant. De plus, le sporophyte des bryophytes n'est pas ramifié et il ne porte qu'un seul sporange, tandis que les sporophytes des plantes vasculaires actuelles sont ramifiés et portent beaucoup plus de sporanges. Les sporophytes des plantes vasculaires produisent donc beaucoup plus de spores que ceux des bryophytes.

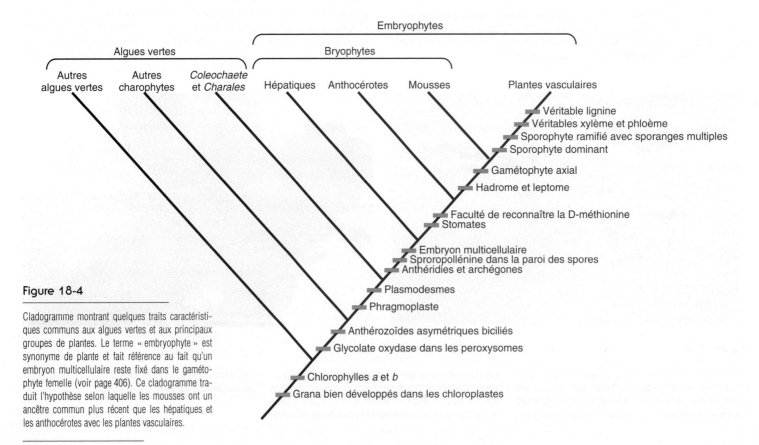

Figure 18-4

Cladogramme montrant quelques traits caractéristiques communs aux algues vertes et aux principaux groupes de plantes. Le terme « embryophyte » est synonyme de plante et fait référence au fait qu'un embryon multicellulaire reste fixé dans le gamétophyte femelle (voir page 406). Ce cladogramme traduit l'hypothèse selon laquelle les mousses ont un ancêtre commun plus récent que les hépatiques et les anthocérotes avec les plantes vasculaires.

Dans le passé, les rapports entre bryophytes et plantes vasculaires ont fait l'objet de controverses. Aujourd'hui cependant, grâce à l'étude des séquences nucléotidiques et des fossiles récemment découverts, ainsi que de certains caractères morphologiques classiques, on a pu démontrer que les bryophytes sont les plus anciens groupes de plantes encore en vie parmi ceux qui ont divergé au sein de la lignée monophylétique des plantes (Figure 18-4). Les bryophytes modernes peuvent donc fournir de précieuses indications sur la nature des premières plantes et sur le processus d'évolution des plantes vasculaires. En comparant la structure et la reproduction des bryophytes actuelles à celles des plantes vasculaires fossiles et modernes, il est possible de comprendre comment les caractères des plantes vasculaires ont pu évoluer.

Structure et reproduction comparées des bryophytes

Certaines bryophytes, plus précisément les anthocérotes et certaines hépatiques, sont décrites comme « thalloïdes » parce que leur gamétophyte, généralement plat et ramifié dichotomiquement, est un thalle. Les thalles ne sont pas différenciés en racines, feuilles et tiges. Ils sont généralement assez minces, ce qui facilite l'entrée de l'eau et du CO$_2$. Certains gamétophytes de bryophytes possèdent, à leur face supérieure, des adaptations permettant d'accroître la perméabilité au CO$_2$ tout en réduisant les pertes d'eau. Les pores situés à la surface de l'hépatique *Marchantia* en sont un exemple (Figure 18-5). On dit que les gamétophytes de certaines hépatiques (les hépatiques à feuilles) et ceux des mousses sont différenciés en « feuilles » et « tiges », mais on peut discuter le fait de savoir s'il s'agit de vraies feuilles et de vraies tiges, parce qu'elles sont produites par des gamétophytes et qu'elles ne possèdent ni xylème, ni phloème. Cependant, le thalle de certaines

hépatiques et des mousses contient bien des files de cellules centrales qui paraissent avoir une fonction conductrice. Ces cellules sont peut-être les précurseurs des tissus conducteurs lignifiés du xylème et du phloème. Les termes « feuille » et « tige » sont généralement utilisés pour désigner les structure correspondantes des gamétophytes des hépatiques à feuilles et des mousses, et cet usage sera conservé dans cet ouvrage.

Des assises superficielles qui rappellent les cuticules, souvent présentes à la surface des vraies feuilles et tiges des plantes vasculaires, sont également fréquentes à la surface de certaines bryophytes. La cuticule des sporophytes est étroitement associée à la présence de stomates, dont la fonction principale est le contrôle des échanges gazeux. Les pores qui s'observent dans certains gamétophytes de bryophytes, comme ceux de *Marchantia*, sont considérés comme analogues des stomates (Figure 18-5). La biochimie et l'évolution de la cuticule des bryophytes sont cependant mal connues, surtout en raison de la difficulté plus grande de prélever cette cuticule pour analyse chimique.

Les gamétophytes des bryophytes à thalle et à feuilles sont généralement fixés au substrat, le sol par exemple, par des **rhizoïdes** (Figure 18-5). Les rhizoïdes des mousses sont pluricellulaires et formés d'une rangée linéaire de cellules, alors que ceux des anthocérotes et des hépatiques sont unicellulaires. Les rhizoïdes des bryophytes ne servent généralement qu'à l'ancrage des plantes, puisque l'eau et des ions inorganiques sont normalement absorbés directement et rapidement par toute la surface du gamétophyte. Les mousses, en particulier, possèdent souvent des poils spéciaux et d'autres adaptations structurales qui participent au transport externe de l'eau et à son absorption par les feuilles et les tiges. De plus, les bryophytes abritent souvent des champignons ou des cyanobactéries symbiotiques qui peuvent faciliter l'entrée des éléments minéraux. Il n'existe pas d'organes comparables à des racines chez les bryophytes.

Figure 18-5

Pores superficiels de *Marchantia*, une hépatique à thalle. **(a)** Coupe transversale du gamétophyte de *Marchantia*. De nombreuses cellules à chloroplastes sont visibles dans les assises superficielles et, en-dessous d'elles, il existe plusieurs assises de cellules incolores, ainsi que des rhizoïdes qui fixent la plante au substrat. Les pores permettent les échanges de gaz dans les chambres aérifères qui découpent l'assise supérieure chlorophyllienne en hexagones. Les cellules spécialisées qui entourent les pores sont généralement disposées en quatre ou cinq rangées de quatre cellules, et l'ensemble de la structure a la forme d'un tonnelet. Quand il fait sec, les cellules de la rangée inférieure, qui s'avancent normalement dans la chambre, se juxtaposent et ralentissent la perte d'eau, tandis que, s'il fait humide, elles s'écartent. Les pores ont donc le même rôle que les stomates des plantes vasculaires. **(b)** Micrographie au microscope électronique à balayage d'un pore à la face dorsale d'un gamétophyte de *Marchantia*.

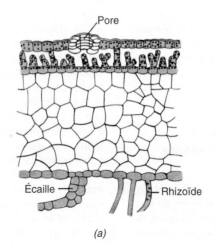

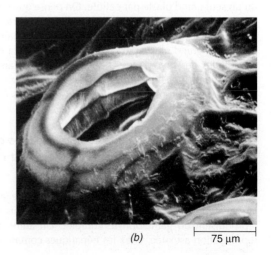

(a)   *(b)*   75 μm

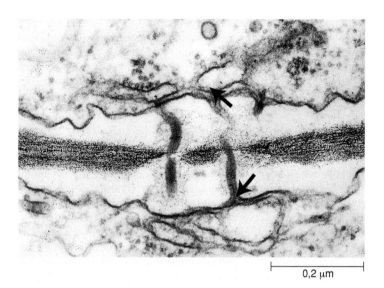

0,2 μm

Figure 18-6

Vue longitudinale de plasmodesmes chez l'hépatique *Monoclea gottschei*. Notez (flèches) que le desmotubule du plasmodesme de droite est en continuité avec le réticulum endoplasmique du cytosol.

Dans les tissus des bryophytes, les cellules sont reliées entre elles par des plasmodesmes. Les plasmodesmes des bryophytes sont semblables à ceux des plantes vasculaires par la présence d'un élément interne, le desmotubule (Figure 18-6). Le desmotubule dérive d'une portion du réticulum endoplasmique qui s'est fait piéger par le développement des plaques cellulaires au cours de la cytocinèse (voir figure 8-11). Certaines charophycées possèdent également des plasmodesmes, mais on ne sait pas encore jusqu'à quel point ils ressemblent à ceux des bryophytes et s'ils représentent les précurseurs des plasmodesmes de plantes (page 398). Les cellules de la plupart des bryophytes ressemblent à celles des plantes vasculaires par la présence de nombreux petits plastes discoïdes. Toutes les cellules de certaines espèces d'anthocérotes et les cellules apicales et/ou reproductrices de nombreuses autres bryophytes, par contre, n'ont qu'un seul grand plaste par cellule. On pense que ce caractère est une relique de leur évolution à partir d'algues vertes ancestrales qui, comme les *Coleochaete* modernes, ne contenaient probablement qu'un seul grand plaste par cellule. Au cours de la division cellulaire, les cellules des bryophytes et des plantes vasculaires produisent des bandes préprophasiques formées de microtubules qui définissent la position de la future paroi cellulaire. Ces bandes n'existent pas chez les charophytes.

Les anthérozoïdes sont les seules cellules ciliées des bryophytes, et la présence d'eau est nécessaire pour atteindre l'oosphère.

Beaucoup de bryophytes peuvent se reproduire asexuellement par fragmentation (multiplication végétative) : de petits fragments de tissu reproduisent un gamétophyte complet. Un autre mode fréquent de reproduction asexuée, chez les hépatiques comme chez les mousses,

est la production de **gemmules** — massifs multicellulaires qui donnent naissance à de nouveaux gamétophytes (voir figure 18-15). À la différence des charophytes, qui peuvent produire des zoospores ciliées pour se reproduire asexuellement, les anthérozoïdes sont les seules cellules des bryophytes munies de flagelles. La perte de la faculté de former des zoospores, vraisemblablement moins utile sur terre que dans l'eau, est probablement corrélée à l'absence de centrioles dans les fuseaux des bryophytes et des autres plantes (page 158). Chez certaines hépatiques et anthocérotes, la mitose montre des caractéristiques intermédiaires entre celles des charophytes et celles des plantes vasculaires : on peut donc penser qu'il s'agit de stades évolutifs menant à la disparition des centrioles dans la mitose des plantes.

La reproduction sexuée des bryophytes implique la production d'anthéridies et d'archégones, souvent sur des gamétophytes mâles ou femelles distincts. Chez certaines espèces, on sait que le sexe est contrôlé, lors de la méiose, par la répartition de chromosomes sexuels distincts. En fait, c'est chez les bryophytes que les chromosomes sexuels des plantes ont été découverts en premier lieu. L'anthéridie sphérique ou allongée est généralement stipitée et formée d'une enveloppe stérile uniassisiale entourant de nombreuses **cellules spermatogènes** (Figure 18-7a). On dit que l'assise cellulaire pariétale est « stérile » parce qu'elle ne peut produire des anthérozoïdes. Chaque cellule spermatogène donne un seul anthérozoïde bicilié qui doit nager pour atteindre l'oosphère, située à l'intérieur d'un archégone. L'eau liquide est donc nécessaire pour la fécondation des bryophytes.

L'archégone des bryophytes a la forme d'une bouteille, avec un long col et une portion de base renflée, le **ventre**, qui contient une seule oosphère (Figure 18-7b). Les cellules du col et de la partie ventrale constitue l'assise protectrice stérile de l'archégone. Les cellules situées au centre du col, les **cellules de canal**, se dégradent quand l'oosphère arrive à maturité, laissant un tube plein de liquide dans lequel l'anthérozoïde nage jusqu'à l'oosphère. Durant ce laps de temps, des substances chimiques attirant les anthérozoïdes sont émises. Après la fécondation, le zygote reste à l'intérieur de l'archégone, où il est nourri par les sucres, acides aminés et probablement d'autres substances en provenance du gamétophyte femelle. Pour désigner ce mode d'alimentation, on parle de matrotrophie (« alimentation venant de la mère »). Ainsi alimenté, le zygote subit une succession de divisions mitotiques qui forment l'embryon pluricellulaire (Figure 18-8) ; celui-ci se développera finalement en sporophyte adulte (Figure 18-9). Il n'y a pas de connexions par plasmodesmes entre les cellules contiguës des deux générations. Le transport des substances nutritives est donc apoplastique — c'est-à-dire que les substances se déplacent le long des parois cellulaires. Ce transport est facilité par un **placenta** qui se trouve à l'interface entre le sporophyte et le gamétophyte mère (Figure 18-10) et a donc une fonction analogue à celle du placenta des mammifères. Le placenta des bryophytes est composé de cellules de transfert possédant un labyrinthe très développé d'invaginations très ramifiées des parois cellulaires augmentant énormément la surface de la membrane plasmique au travers de laquelle les substances nutritives sont transportées activement. On trouve les mêmes cellules de transfert à l'interface gamétophyte-sporophyte chez d'autres plantes vasculaires (par exemple chez *Arabidopsis* et le soja) et à la connexion haploïde-diploïde chez *Coleochaete* (page 397). L'existence de cellules placentaires chez

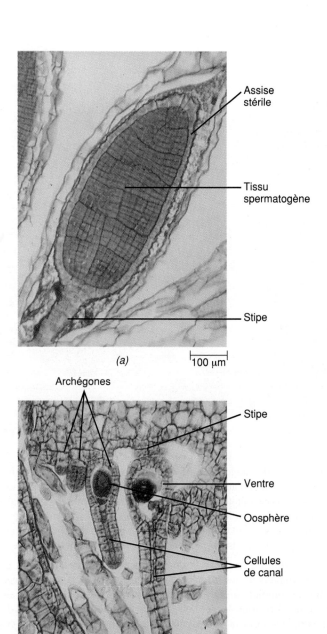

Figure 18-7

Gamétange de *Marchantia*, une hépatique. **(a)** Une anthéridie en développement, formée d'un stipe et d'une enveloppe stérile — ne produisant pas d'anthérozoïdes — entourant le tissu spermatogène. Ce tissu spermatogène se transforme en cellules spermatogènes produisant chacune un anthérozoïde propulsé par deux flagelles.

(b) Archégones à différents stades de développement. Une oosphère se trouve dans la partie ventrale, portion renflée à la base de l'archégone en forme de bouteille. Quand l'oosphère est mûre, les cellules de canal se désintègrent, ménageant un canal rempli de liquide par où l'anthérozoïde bicilié, attiré par une substance chimique, nage jusqu'à l'oosphère. Chez *Marchantia*, les archégones et les anthéridies se forment sur des gamétophytes distincts.

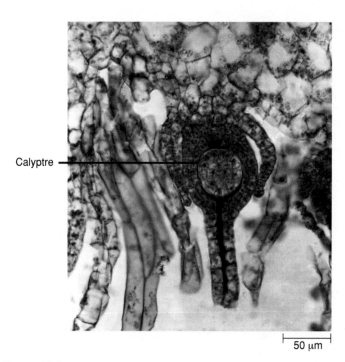

Figure 18-8

Début du développpement de l'embryon, ou jeune sporophyte, de *Marchantia*. Le jeune sporophyte n'est encore ici qu'une masse sphérique de cellules à l'intérieur du ventre qui s'est agrandi.

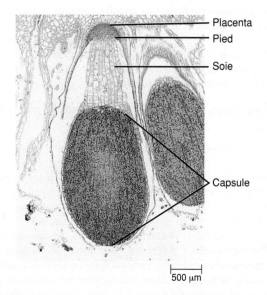

Figure 18-9

Sporophyte de *Marchantia* presque adulte. À ce stade du développement, le pied, la soie et la capsule (sporange) sont distincts. Le placenta se trouve à l'interface entre le pied et le gamétophyte ; il est formé des cellules de transfert du sporophyte comme du gamétophyte.

Figure 18-10

Jonction gamétophyte-sporophyte (placenta) chez l'hépatique *Carpos monocarpos*. D'importantes invaginations de la paroi se forment dans une seule assise de cellules de transfert (les trois cellules supérieures). Il existe plusieurs couches de cellules de transfert dans le gamétophyte (coin inférieur gauche), mais les invaginations de leurs parois ne sont pas aussi ramifiées que dans l'assise sporophytique. Il existe de nombreux chloroplastes et mitochondries dans les cellules placentaires des deux générations.

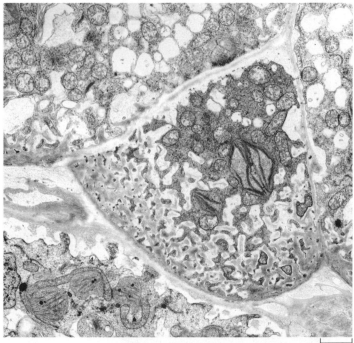

1 µm

Coleochaete suggère que la matrotrophie était déjà apparue chez les ancêtres charophytes des plantes.

Au cours du développement de l'embryon des bryophytes, les cellules ventrales de l'archégone se divisent parallèlement à la croissance du jeune sporophyte. On appelle **calyptre** la partie ventrale agrandie de l'archégone. À maturité, le sporophyte de la plupart des bryophytes se compose d'un **pied**, qui reste enfermé dans l'archégone, d'une **soie,** ou pédoncule, et d'une **capsule**, ou **sporange** (Figure 18-9). Les cellules de transfert situés à la jonction entre le pied et l'archégone constituent le placenta.

« Embryophytes » peut être utilisé comme synonyme de « plantes »

L'existence d'un embryon multicellulaire matrotrophe dans tous les groupes de plantes, des bryophytes aux angiospermes, est à l'origine du terme **embryophytes,** utilisé comme synonyme de plantes (Figure 18-4). L'avantage de la matromorphie et du placenta chez les plantes est qu'ils alimentent le développement d'un sporophyte diploïde multicellulaire dont chaque cellule est génétiquement équivalente à l'oosphère fécondée. Ces cellules peuvent produire de nombreuses spores haploïdes génétiquement différentes, lors de la méiose dans le sporange. Ces dispositifs ont sans doute procuré un sérieux avantage aux premières plantes qui ont entamé l'occupation du terrain. La production d'un grand nombre de spores à la suite d'une seule fécondation peut aussi avoir compensé les faibles taux de fécondation en cas de pénurie d'eau. On estime que la génération sporophytique des plantes s'est développée à partir d'un zygote semblable à celui des charophytes, dans lequel la méiose a été retardée au moins jusqu'après le

déroulement de quelques mitoses. Le sporophyte peut produire un nombre de spores d'autant plus grand qu'il est plus développé et donc que les divisions mitotiques sont plus nombreuses entre la fécondation et la méiose. Tout au long de l'évolution des plantes, se manifeste une tendance à l'augmentation de la taille des sporophytes, qui deviennent de plus en plus grands par rapport à la génération gamétophytique.

L'épiderme du sporophyte des anthocérotes et des mousses possède normalement des stomates — limités par deux cellules de garde — qui ressemblent à ceux des plantes vasculaires. Ils semblent avoir les mêmes fonctions. L'une d'elles est de faciliter l'entrée du CO_2 dans le sporophyte pour la photosynthèse. Une autre fonction est la création d'un courant d'eau et de nourriture entre le sporophyte et le gamétophyte, courant induit par l'élimination de vapeur d'eau à travers les stomates et, bien sûr, les stomates ralentissent la perte d'eau lorsqu'ils sont fermés. Les sporophytes des hépatiques, généralement plus petits et plus éphémères que ceux des mousses et des anthocérotes, n'ont pas de stomates. Les parois cellulaires de l'épiderme des sporophytes des mousses et des hépatiques sont imprégnées de substances phénoliques résistantes à la décomposition, ce qui peut assurer une protection aux spores en développement. Celles du sporophyte des anthocérotes sont recouvertes d'une cuticule protectrice.

Les parois imprégnées de sporopollénine des spores de bryophytes sont utiles pour la survie

Comme celles de toutes les autres plantes, les spores des bryophytes sont entourées d'une paroi résistante imprégnée de sporopollénine, le biopolymère le plus résistant à la décomposition et aux produits chimiques qui soit connu. Les parois contenant de la sporopollénine permettent aux spores des bryophytes d'être disséminées sans risques dans l'air d'un site humide à l'autre. Les spores des charophytes, qui sont habituellement dispersées dans l'eau, ne sont pas entourées d'une paroi de sporopollénine. Les zygotes des charophytes sont par contre entourés de sporopollénine et peuvent donc supporter une exposition à l'air et l'attaque de microorganismes tout en restant viables pendant de longues périodes. On suppose que les spores entourées de sporopollénine des plantes dérivent des zygotes des charophytes à la suite d'une modification de la période où la sporopollénine se dépose.

Les spores des bryophytes germent et donnent des stades juvéniles qui, chez les mousses, s'appellent des **protonémas** (du grec *protos*, « premier » et *nema*, « filament »). Les gamétophytes et gamétanges se développent à partir des protonémas. Les protonémas sont présents chez toutes les mousses ; on en trouve aussi chez certaines hépatiques, mais pas chez les anthocérotes.

Les bryophytes sont classées en trois embranchements : *Hepatophyta* (les hépatiques), *Anthocerophyta* (les anthocérotes) et *Bryophyta* (les mousses). Il existe en outre une bryophyte énigmatique appelées *Takakia* (Figure 18-11). Dans le passé, *Takakia* a été classée dans les hépatiques, mais on la considère aujourd'hui comme une mousse très isolée. La séquence qui a présidé à la divergence évolutive de ces quatre groupes est controversée. Un certain désaccord persiste quant à savoir quel est le groupe qui a divergé le premier de ses ancêtres et quel autre est le plus évolué et le plus proche des plantes vasculaires. Grâce à une meilleure connaissance des séquences moléculaires et à l'intégration des données fossiles, il semble pourtant très vraisembla-

ble que les hépatiques se sont séparées les premières et que les mousses sont plus proches des plantes vasculaires.

Les hépatiques : embranchement des *Hepatophyta*

Les hépatiques regroupent environ 6000 espèces de plantes généralement de petite taille et peu spectaculaires, bien qu'elles puissent former des masses assez volumineuses dans des habitats favorables, comme le sol ou les rochers humides et ombragés, les troncs ou les branches d'arbres. Quelques espèces d'hépatiques vivent dans l'eau. Le nom d'« hépatique » date du XIXᵉ siècle lorsqu'on pensait que ces plantes pouvaient être utilisées pour le traitement des maladies du foie, du fait que, dans certains genres, le gamétophyte est en forme de foie. Selon la « Doctrine des signatures » du Moyen Age, l'apparence extérieure d'un organisme montre qu'il possède des propriétés particulières.

La plupart des gamétophytes d'hépatiques se développent directement à partir des spores, mais certains genres produisent d'abord des filaments de cellules ressemblant aux protonémas, à partir desquels le gamétophyte adulte se développe. La croissance des gamétophytes à partir d'un méristème apical est continue. Il existe trois types d'hépatiques que l'on peut distinguer sur la base de leur structure et réunir en deux clades (page 267). Un clade réunit les hépatiques à thalle complexe, avec des tissus internes différenciés. L'autre clade rassemble les hépatiques à feuilles et les thalles simples, composés de rubans de tissu relativement indifférencié.

Dans les hépatiques à thalle complexe se trouvent *Riccia, Ricciocarpus* et *Marchantia*

Les hépatiques à thalle peuvent se rencontrer sur les rives humides et ombragées des ruisseaux et dans d'autres habitats appropriés, comme les pots à fleurs dans les serres froides. Le thalle, épais d'environ 30 cellules au niveau de la nervure centrale et de 10 dans les parties plus minces, est nettement différencié en une portion chlorophyllienne supérieure (dorsale) mince et une portion inférieure (ventrale) plus épaisse, incolore (Figure 18-5a). La face inférieure porte des rhizoïdes, ainsi que des rangées d'écailles. La face supérieure est souvent divisée en régions surélevées présentant chacune un grand pore qui communique avec une chambre aérifère sous-jacente (Figure 18-5b).

La structure du sporophyte de *Riccia* et *Ricciocarpus* est une des plus simple parmi les hépatiques (Figure 18-12). *Ricciocarpus*, qui pousse dans l'eau ou sur le sol humide, est monoïque — c'est-à-dire que les organes des deux sexes se développent sur la même plante. Certaines espèces de *Riccia* sont aquatiques, mais la plupart sont terrestres. Les gamétophytes de *Riccia* peuvent être monoïques ou dioïques. Chez *Riccia*, comme chez *Ricciocarpus*, les sporophytes sont profondément enfoncés dans les gamétophytes ramifiés dichotomiquement et ils se réduisent pratiquement à un sporange. Il n'existe pas de mécanisme spécial de dissémination des spores dans ces sporophytes. Les spores sont disséminées quand la portion du gamétophyte qui contient des sporanges mûrs meurt et se décompose.

Figure 18-11

Takakia ceratophylla, bryophyte dont on ne connaissait que les gamétophytes inhabituels pendant de nombreuses années. À gauche se trouve un gamétophyte femelle auquel est attaché un sporophyte immature ; à droite se trouve un gamétophyte mâle avec des anthéridies oranges.

Figure 18-12

Riccia, une des hépatiques les plus simples. **(a)** Le mode de ramification des gamétophytes de *Riccia* est dichotomique : l'axe principal et les suivants bifurquent en deux branches. **(b)** Le sporophyte, inclus dans le gamétophyte, ne comporte qu'une capsule sphérique.

(a)

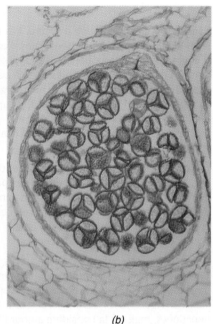

(b)

Une des hépatiques les plus familière est *Marchantia*, genre très répandu qui croît sur le sol et les rochers humides (Figure 13-15b). Ses gamétophytes ramifiés dichotomiquement sont plus grands que ceux de *Riccia* et *Ricciocarpus*. Contrairement à ces deux genres, où les organes sexuels sont répartis sur la face dorsale du thalle, les gamétanges de *Marchantia* apparaissent sur des structures spécialisées appelées **gamétophores**.

Les gamétophytes de *Marchantia* sont unisexués et il est facile de reconnaître les gamétophytes mâles et femelles à leurs gamétophores. Les anthéridies naissent sur des gamétophores discoïdes appelés **anthéridiophores**, tandis que les archégones apparaissent sur des gamétophores en forme de parapluie, les **archégoniophores** (Figure 18-13). Chez *Marchantia*, la génération sporophytique se compose d'un pied, d'une courte soie et d'une capsule (Figure 18-9).

Outre les spores, le sporange mûr contient des cellules allongées, les **élatères,** qui possèdent des épaississements pariétaux hygroscopiques hélicoïdaux (Figure 18-14). Les parois des élatères sont sensibles aux moindres modifications de l'humidité et, après la déhiscence de la capsule en plusieurs segments pétaliformes, les élatères facilitent la dispersion des spores par leurs mouvements de torsion.

La fragmentation est le principal moyen asexué de reproduction des hépatiques, mais un autre mécanisme fréquent est la production de propagules. Chez *Marchantia*, celles-ci sont produites dans des structures spéciales en forme de coupes, les **corbeilles à propagules** — situées à la face dorsale (supérieure) des gamétophytes (Figure 18-15). Les propagules sont principalement dispersées par les gouttes de pluie.

Le cycle de développement de *Marchantia* est illustré à la figure 18-17 (pages 410 et 411).

(a)

Figure 18-13

Gamétophytes de *Marchantia*. Les anthéridies **(a)** et les archégones **(b)** sont portés au-dessus du thalle par des stipes — les anthéridiophores et les archégoniophores.

(b)

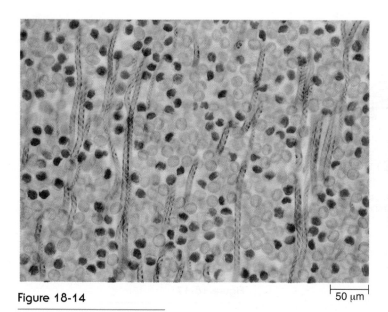

Figure 18-14

|50 μm|

Spores mûres (sphères rouges) et élatères (bandes vertes) dans une capsule de *Marchantia*.

La structure et la disposition des feuilles sont caractéristiques chez les hépatiques à feuilles

Les hépatiques à feuilles sont un groupe très diversifié qui comprend plus de 4000 des 6000 espèces de l'embranchement (Figure 18-16). Elles sont particulièrement abondantes dans les régions tropicales et subtropicales caractérisées par une pluviosité abondante ou une humidité atmosphérique élevée : elles se développent sur les feuilles et les écorces d'arbres, ainsi que sur d'autres surfaces végétales (Figure 18-18, page 412). Beaucoup d'espèces tropicales n'ont probablement pas encore été décrites. Les hépatiques à feuilles sont souvent abondamment ramifiées et forment de petits coussinets.

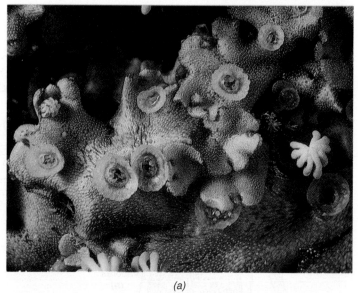

(a)

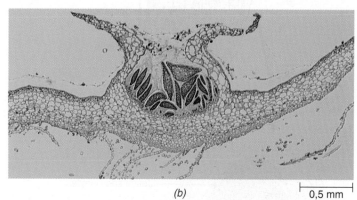

(b)

|0,5 mm|

Figure 18-15

Corbeilles à propagules. **(a)** Gamétophytes de *Marchantia*, avec les propagules dans les corbeilles. Les propagules apparaissent comme des fragments de tissu plus ou moins sphériques. Elles sont expulsées par la pluie et peuvent alors se développer en nouveaux gamétophytes génétiquement identiques à la plante mère dont ils dérivent par mitoses. **(b)** Coupe longitudinale d'une corbeille à propagules. Les propagules sont les structures foncées, plus ou moins lenticulaires.

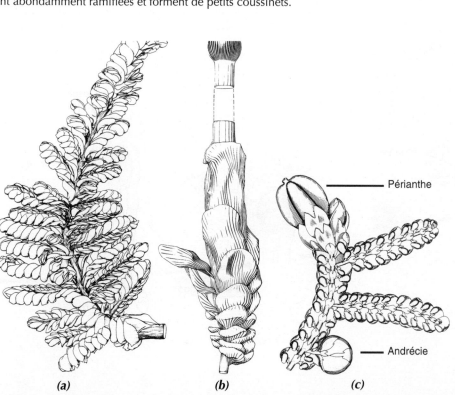

Périanthe

Andrécie

(a)   *(b)*   *(c)*

Figure 18-16

Hépatiques à feuilles. **(a)** *Clasmatocolea puccionana*, montrant la disposition caractéristique des feuilles. **(b)** Extrémité d'un rameau de *Clasmatocolea humilis*. On voit la capsule et la longue soie du sporophyte. **(c)** Portion d'un rameau de *Frullania* montrant la disposition caractéristique des feuilles. Les anthéridies sont à l'intérieur de l'andrécie. L'archégone et le sporophyte en développement se trouvent dans le périanthe.

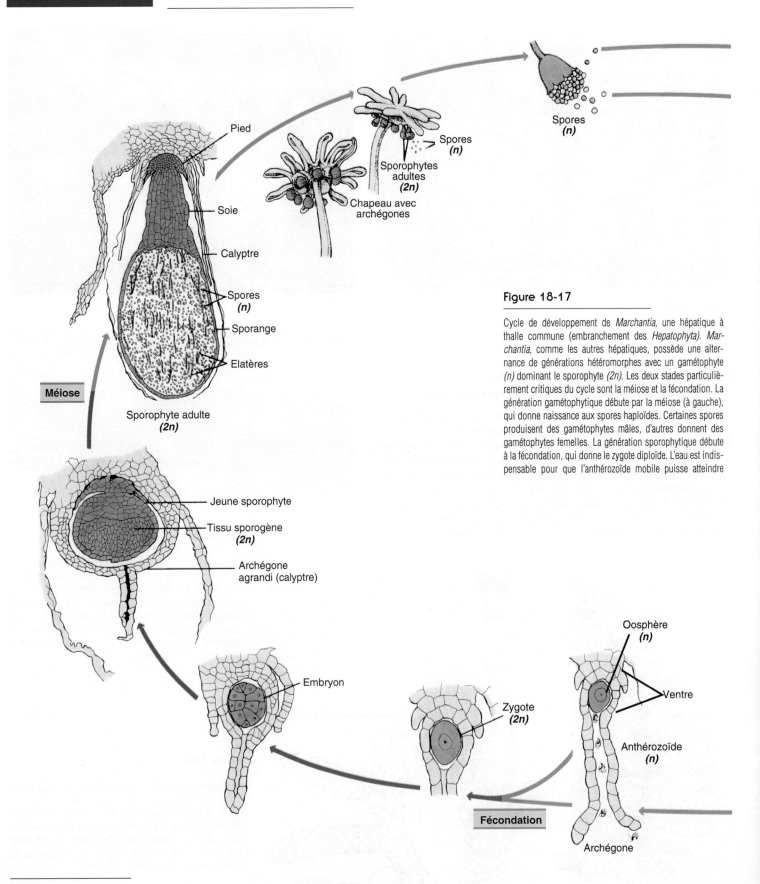

Pied

Soie

Calyptre

Spores
(n)

Sporange

Elatères

Méiose

Sporophyte adulte
(2n)

Spores
(n)

Sporophytes
adultes
(2n)

Chapeau avec
archégones

Spores
(n)

Jeune sporophyte

Tissu sporogène
(2n)

Archégone
agrandi (calyptre)

Embryon

Zygote
(2n)

Oosphère
(n)

Ventre

Anthérozoïde
(n)

Archégone

Fécondation

Figure 18-17

Cycle de développement de *Marchantia*, une hépatique à thalle commune (embranchement des *Hepatophyta*). *Marchantia*, comme les autres hépatiques, possède une alternance de générations hétéromorphes avec un gamétophyte *(n)* dominant le sporophyte *(2n)*. Les deux stades particulièrement critiques du cycle sont la méiose et la fécondation. La génération gamétophytique débute par la méiose (à gauche), qui donne naissance aux spores haploïdes. Certaines spores produisent des gamétophytes mâles, d'autres donnent des gamétophytes femelles. La génération sporophytique débute à la fécondation, qui donne le zygote diploïde. L'eau est indispensable pour que l'anthérozoïde mobile puisse atteindre

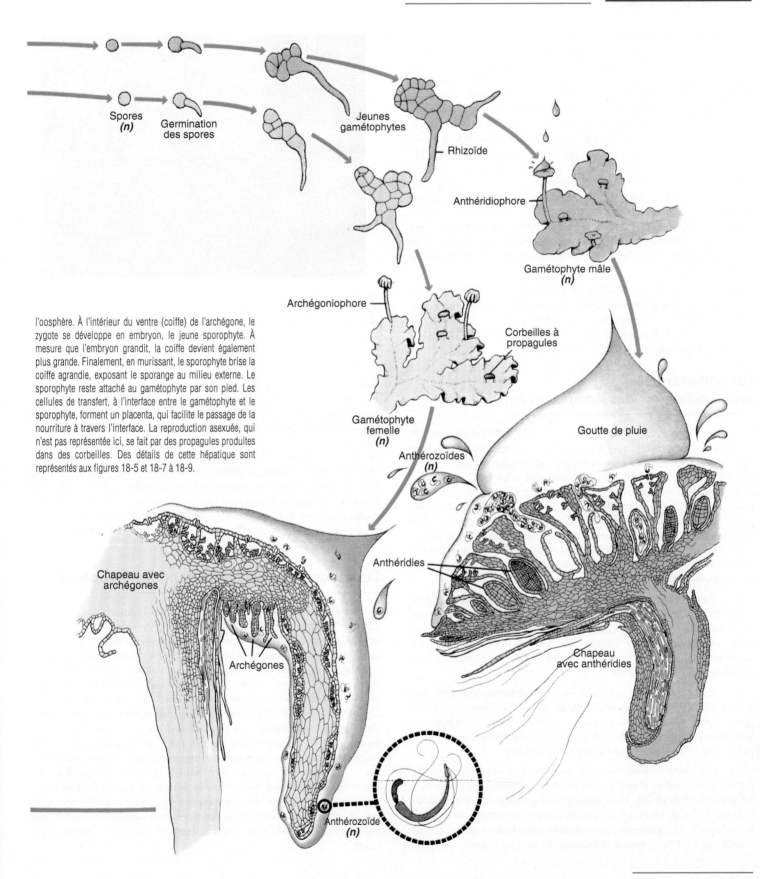

Spores *(n)*

Germination des spores

Jeunes gamétophytes

Rhizoïde

Anthéridiophore

Gamétophyte mâle *(n)*

Archégoniophore

Corbeilles à propagules

Gamétophyte femelle *(n)*

Goutte de pluie

Anthérozoïdes *(n)*

Anthéridies

Chapeau avec archégones

Archégones

Chapeau avec anthéridies

Anthérozoïde *(n)*

l'oosphère. À l'intérieur du ventre (coiffe) de l'archégone, le zygote se développe en embryon, le jeune sporophyte. À mesure que l'embryon grandit, la coiffe devient également plus grande. Finalement, en mûrissant, le sporophyte brise la coiffe agrandie, exposant le sporange au milieu externe. Le sporophyte reste attaché au gamétophyte par son pied. Les cellules de transfert, à l'interface entre le gamétophyte et le sporophyte, forment un placenta, qui facilite le passage de la nourriture à travers l'interface. La reproduction asexuée, qui n'est pas représentée ici, se fait par des propagules produites dans des corbeilles. Des détails de cette hépatique sont représentés aux figures 18-5 et 18-7 à 18-9.

Les feuilles des hépatiques, comme celles des mousses, ne comportent généralement qu'une seule assise de cellules indifférenciées. On peut distinguer les hépatiques des mousses par la disposition des feuilles : celles des mousses sont généralement toutes de même taille et sont disposées en spirale le long de la tige, tandis que la plupart des hépatiques possèdent deux rangées de feuilles de même taille et une troisième rangée de feuilles plus petites à la face inférieure du gamétophyte. La plupart des feuilles de mousses sont disposées tout autour de la tige, mais elles sont parfois aplaties en un plan, comme chez beaucoup d'hépatiques. De plus, les feuilles de mousses ont parfois une « nervure centrale » épaissie, mais cette structure n'existe pas chez les hépatiques. Les feuilles des mousses sont le plus souvent entières, au contraire des feuilles d'hépatiques, qui peuvent être profondément lobées ou découpées. Chez *Frullania*, une hépatique commune qui se développe sur les écorces, les feuilles sont formées d'un grand lobe dorsal et d'un petit lobe ventral en forme de casque (Figure 18-16c).

Chez les hépatiques à feuilles, les anthéridies se forment généralement sur un court rameau latéral portant des feuilles modifiées, appelé **andrécie**. Le sporophyte en développement, de même que l'archégone dont il provient, est typiquement entouré d'une gaine tubulaire, le **périanthe** (Figure 18-16c).

Les anthocérotes : embranchement des *Anthocerophyta*

Les anthocérotes constituent un petit embranchement d'environ 100 espèces. Il comprend six genres parmi lesquelles les espèces du genre *Anthoceros* sont les mieux connues. Les gamétophytes d'anthocérotes (Figure 18-19a) ressemblent à première vue à ceux des hépatiques à thalle, mais de nombreux caractères indiquent que leur parenté est relativement distante. Les cellules de la plupart des espèces par exemple ont un seul grand chloroplaste avec un pyrénoïde, comme chez l'algue verte *Coleochaete*. Certaines espèces d'anthocérotes possèdent de nombreux petits chloroplastes sans pyrénoïdes mais, même chez elles, la cellule apicale ne contient qu'un chloroplaste rappelant la condition ancestrale (page 404).

Les gamétophytes d'anthocérotes présentent souvent la forme d'une rosette, et la ramification dichotomique est souvent peu nette. Ils mesurent environ 1 à 2 centimètres de diamètre. *Anthoceros* possède de grandes cavités internes souvent occupées par des cyanobactéries du genre *Nostoc* qui fixent l'azote et le mettent à la disposition des plantes hôtes.

Les gamétophytes de certaines espèces d'*Anthoceros* sont unisexués, alors que d'autres sont bisexués. Les anthéridies et les archégones sont enfoncés dans la surface dorsale du gamétophyte, les anthéridies étant réunies dans des cavités. De nombreux sporophytes peuvent se développer sur un même gamétophyte.

Le sporophyte d'*Anthoceros* est une structure allongée verticale, formée d'un pied et d'une longue capsule cylindrique, ou sporange (Figures 18-19 et 18-20). Les sporophytes d'anthocérotes sont caractérisés par le fait qu'en début de développement, un méristème apparaît entre le pied et le sporange. Ce méristème basal reste actif tant que les conditions sont favorables à la croissance. Par conséquent, l'allonge-

Figure 18-18

Hépatique à feuilles croissant sur la feuille d'un arbre sempervirent dans la forêt ombrophile du bassin amazonien, près de Manaos, au Brésil.

ment du sporophyte se poursuit durant une longue période. Il est vert et possède plusieurs assises de cellules photosynthétiques. Il est également revêtu d'une cuticule et muni de stomates. La présence de stomates sur le sporophyte des anthocérotes et des mousses est considérée comme la preuve d'une véritable affinité phylogénique avec les plantes vasculaires. La maturation des spores et, finalement, la déhiscence du sporange, débute au sommet et se poursuit vers la base, à mesure que les spores arrivent à maturité (Figure 18-19b). Entre les spores, on trouve des structures stériles, allongées, souvent multicellulaires, qui rappellent les élatères des hépatiques. À la déhiscence, le sporange se fend longitudinalement en deux moitiés rubanées.

Les mousses : embranchement des *Bryophyta*

De nombreux organismes sont désignés sous le nom de « mousses » dans le langage courant. C'est ainsi qu'en Amérique du Nord, on appelle *reindeer moss* (« mousse des rennes ») une espèce de lichen ; *scale moss* est une hépatique à feuilles, *club moss* (le lycopode) et *Spanish moss* (« mousse espagnole ») sont des plantes vasculaires ; *sea moss* et *Irish moss* (« mousse de mer » et « d'Irlande ») sont des algues. Les mousses véritables appartiennent à l'embranchement des *Bryophyta*, qui comprend trois classes, *Sphagnidae* (les sphaignes), *Andreaeidae* et *Bryidae* (souvent considérées comme les « vraies mousses »). Ces groupes sont bien distincts les uns des autres et de nombreux caractères importants les séparent. Les données moléculaires et d'autres informations font penser que les sphaignes et les andréales ont d'abord divergé de la principale lignée évolutive des mousses. La classe des *Bryidae* renferme la grande majorité des espèces. Il en existe au moins 9500 espèces et de nouvelles formes sont constamment découvertes, particulièrement dans les régions tropicales.

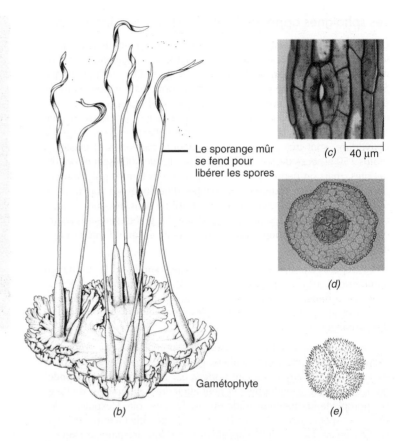

Le sporange mûr
se fend pour
libérer les spores

(c) |—— 40 μm

(d)

Gamétophyte

(b)   (e)

(a)

Figure 18-19

Anthoceros, un anthocérote. **(a)** Gamétophyte auquel sont attachés des sporophytes allongés. **(b)** À maturité, le sporange se fend et les spores sont libérées. **(c)** Un stomate ; les stomates sont abondant sur les sporophytes des anthocérotes, qui sont verts et photosynthétiques. **(d)** Spores en développement, visibles au centre d'une coupe transversale de sporange. **(e)** Spores mûres encore réunies en une tétrade, un groupe de quatre spores — trois sont visibles ici — provenant d'un sporocyte à la suite de la méiose.

Figure 18-20

Anthoceros. **(a)** Coupe longitudinale de la partie inférieure d'un sporophyte, montrant son pied enfoncé dans le tissu du gamétophyte. **(b)** Coupe longitudinale d'une partie de sporange, montrant les tétrades de spores entourées de structures semblables à des élatères. Le cordon central, dans la partie inférieure du sporange, est composé d'un tissu pouvant servir à la conduction.

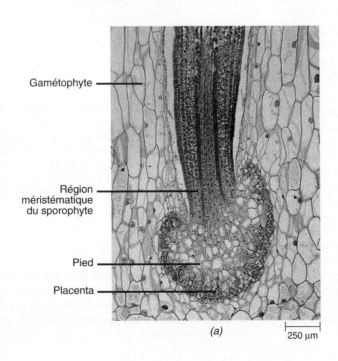

Gamétophyte

Région
méristématique
du sporophyte

Pied

Placenta

(a) |—— 250 μm

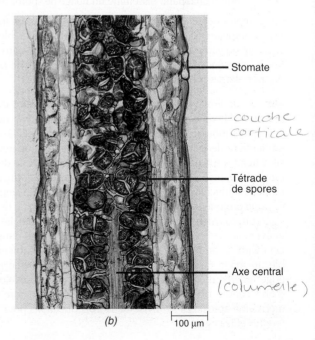

Stomate

couche
corticale

Tétrade
de spores

Axe central
(columelle)

(b) |—— 100 μm

Les sphaignes appartiennent à la classe des *Sphagnidae*

La classe des *Sphagnidae* est de nos jours formée essentiellement par le genre *Sphagnum*. Les caractères distinctifs de ses gamétophytes, de même que la comparaison des séquences d'ADN, indiquent que *Sphagnum* s'est séparé précocement de la principale lignée évolutive des mousses. On ne connaît pas l'époque où il est apparu, mais les fossiles de l'ordre des *Protosphagnales*, représenté par plusieurs genres au permien (il y a environ 290 millions d'années ; voir page de couverture) sont très proches des *Sphagnum* modernes. Il existe au moins 150 espèces de *Sphagnum* vivants. Plus de 300 espèces ont été décrites, mais on pense que beaucoup sont des formes polymorphes dont les structures montrent de petites différences en fonction du milieu où elles vivent. *Sphagnum* est distribué dans des zones humides du monde entier, comme par exemple les grandes régions marécageuses de l'hémisphère nord, et il présente un grand intérêt commercial et écologique.

La reproduction sexuée des sphaignes implique la formation d'anthéridies et d'archégones aux extrémités de rameaux spéciaux situés au sommet du gamétophyte. La fécondation se déroule à la fin de l'hiver et, quatre mois plus tard, les spores mûres sont expulsées des sporanges.

Par rapport aux autres mousses, les sporophytes des sphaignes (Figure 18-21a) sont très particuliers. Les capsules, rouges à brun-noir, sont presque sphériques et sont portées par un stipe, le **pseudopode**, qui fait partie du gamétophyte et peut atteindre 3 millimètres de long. Le sporophyte lui-même possède une très courte soie. L'expulsion des spores est spectaculaire (Figure 18-21c). Un **opercule** en forme de couvercle, séparé du reste de la capsule par un sillon circulaire, est situé à son sommet. Quand la capsule arrive à maturité et se dessèche, ses tissus internes se contractent et la pression de l'air à l'intérieur s'élève jusqu'à plusieurs bars, valeur comparable à celle des pneus d'une semi-remorque. L'opercule est finalement éjecté avec un bruit audible et le gaz, en s'échappant, dissémine un nuage de spores de la capsule.

La reproduction sexuée par fragmentation est très fréquente. De jeunes rameaux, des morceaux de tige et les feuilles blessées qui se séparent du gamétophyte peuvent régénérer de nouveaux gamétophytes. En conséquence, les sphaignes peuvent former de cette manière des populations denses et étendues.

Trois caractéristiques distinguent les sphaignes des autres mousses. Les différences les plus nettes séparant la classe des sphaignes des autres mousses sont leur protonéma inhabituel, la morphologie particulière de leur gamétophyte et le mécanisme operculaire explosif. Chez les sphaignes, le protonéma — premier stade de développement du gamétophyte — n'est pas un réseau étendu de filaments ramifiés multicellulaires comme chez la plupart des autres mousses. Chaque protonéma est formé d'une plaque uniassisiale de cellules qui s'accroît aux dépens d'un méristème marginal dont les cellules ne peuvent se diviser que dans deux directions situées dans un plan. À cet égard, le protonéma des sphaignes est remarquablement semblable au thalle discoïde de *Coleochaete* (page 397). Le gamétophyte érigé émerge d'une structure en bourgeon qui se développe à partir d'une cellule marginale (Figure 18-22). Cette structure possède un méristème apical qui se divise dans trois directions pour produire les feuilles et les tiges.

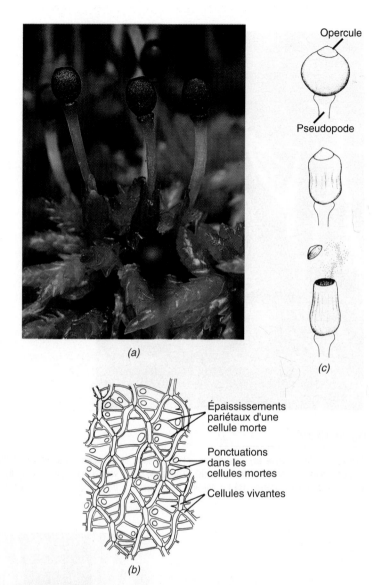

(a)

(b)

(c)

Figure 18-21

Une sphaigne (*Sphagnum*). **(a)** Un gamétophyte et les nombreux gamétophytes qui y sont fixés. Certaines capsules, les deux qui se trouvent à l'avant par exemple, ont déjà libéré leurs spores. **(b)** Structure d'une feuille. Les grandes cellules mortes sont entourées de cellules vivantes plus petites, riches en chloroplastes. **(c)** Déhiscence d'une capsule. Quand la capsule sèche, elle se contracte et, de sphérique, elle devient cylindrique. Ce changement de forme provoque la compression du gaz enfermé dans la capsule. Quand la pression du gaz comprimé atteint environ 5 bars, elle provoque l'expulsion brutale de l'opercule et libère un nuage de spores.

Les tiges des gamétophytes de sphaigne portent des groupes de rameaux, souvent cinq par nœud, en touffes plus denses à proximité du sommet des tiges, donnant à l'extrémité une forme de brosse. Les rameaux, comme les tiges, portent des feuilles, mais les feuilles caulinaires ne contiennent que peu ou pas de chlorophylle, alors que la

Figure 18-22

Jeune gamétophyte feuillé de *Sphagnum*.

plupart des feuilles raméales sont vertes. Les feuilles sont uniassisiales et la disposition particulière des cellules est différente de celle de toutes les autres mousses. Chaque feuille comprend de grandes cellules mortes dont les parois possèdent des épaississements circulaires, entourées de cellules vivantes étroites, vertes ou occasionnellement rouges, qui contiennent des plastes discoïdes (Figure 18-21b). Les parois des cellules foliaires mortes et celles des cellules superficielles de la tige sont perforées, de telle sorte qu'elles peuvent se remplir rapidement d'eau. C'est ainsi que la capacité de rétention d'eau des sphaignes atteint 20 fois leur poids sec. En comparaison, le coton n'absorbe que de quatre à six fois son poids sec. Les parois des cellules vivantes et mortes des sphaignes sont imprégnées de composés phénoliques résistants à la décomposition et elles ont des propriétés antiseptiques. En outre, les sphaignes contribuent à l'acidité de leur propre environnement en libérant des ions H+ ; au centre des tourbières, le pH est souvent inférieur à 4 — ce qui est très rare pour un milieu naturel.

En raison de leur capacité d'absorption et de leurs propriétés antiseptiques, les sphaignes ont été utilisées localement comme tissu absorbant et, depuis les années 1880 jusqu'à la première guerre mondiale, comme pansements pour les blessures et les brûlures dans plusieurs pays d'Europe. Les sphaignes sont encore largement employées en horticulture pour emballer les racines des plantes, comme milieu de culture et pour amender le sol. Les jardiniers mélangent les sphaignes au sol pour augmenter sa capacité de rétention d'eau et pour l'acidifier. La récolte et le traitement à ces fins des sphaignes des tourbières représentent une valeur industrielle se chiffrant à des millions de dollars ; ils ont un impact écologique parce qu'ils peuvent entraî-

ner une grave dégradation de certaines zones humides. En raison de leur intérêt écologique, des efforts sont faits pour mettre au point des techniques de régénération des tourbières.

L'écologie des sphaignes revêt une importance mondiale.

L'étendue des tourbières dominées par les sphaignes atteint plus d'un pour-cent de la surface terrestre : c'est une surface énorme qui représente environ la moitié de celle des États-Unis. Le genre *Sphagnum* est donc un des plus abondants au monde. Les tourbières ont une importance particulière pour le cycle global du carbone parce que la tourbe stocke d'énormes quantités (environ 400 milliards de tonnes au total) de carbone organique qui n'est que lentement décomposé en CO_2 par les microorganismes. La tourbe se forme par accumulation et compression des mousses elles-mêmes, ainsi que des laîches, des roseaux, des graminées et d'autres plantes qui vivent avec elles. En Irlande et dans d'autres régions nordiques, la tourbe séchée

(a)

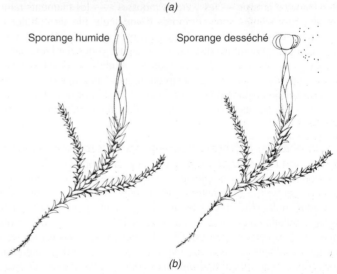

Sporange humide　　　　　Sporange desséché

(b)

Figure 18-23

(a) *Andreaea rothii* en développement sur un rocher granitique dans le Devon, en Angleterre. **(b)** Le sporange (ou capsule) d'*Andreaea* se contracte et se fend en séchant, permettant la dissémination des spores quand il fait sec.

est brûlée et largement utilisée comme combustible domestique et industriel. Les écologistes craignent que le réchauffement global provoqué par l'augmentation de la teneur en CO_2 et autres gaz dans l'atmosphère — due en grande partie aux activités humaines — conduise à l'oxydation du carbone des tourbières. Cela augmenterait encore la teneur en CO_2 et la température globale.

Les andréaeales (classe des *Andreaeidae*)

Le genre *Andreaea* comprend une centaine d'espèces de petites mousses d'un vert noirâtre ou brun-rouge foncé formant des touffes sur les rochers (Figure 18-23) ; elles sont aussi spéciales que les sphaignes dans leur domaine On trouve les *Andreaea* dans les régions montagneuses et arctiques, souvent sur des rochers granitiques. Un second genre, *Andreaeobryum,* est limité au nord-ouest du Canada et aux régions voisines de l'Alaska : il vit principalement sur les roches calcaires. Dans ce groupe, le protonéma est particulier : il possède au moins deux rangées de cellules et non une seule comme chez la plupart des autres mousses. Les rhizoïdes aussi sont inhabituels et formés de deux rangées de cellules. Les petites capsules sont marquées de quatre rangées verticales de cellules plus fragiles le long desquelles la capsule se fend. La capsule reste intacte au-dessus et en-dessous de ces fentes de déhiscence. Les quatre valves ainsi produites sont très sensibles à l'humidité de l'air environnant et s'ouvrent quant il est sec — dans ces conditions, les spores peuvent être transportées à grande distance par le vent — et se ferment quand il est humide. Ce mécanisme de dissémination des spores par des fentes de la capsule est différent de ce qui existe chez toutes les autres mousses (Figure 18-23). Des données récentes indiquent que *Takakia* (page 407) est étroitement apparenté à *Andreaea* et à *Andreaeobryum.*

Les « vraies mousses » (classe des *Bryidae*)

La plupart des espèces de mousses se trouvent dans la classe des *Bryidae*. Dans ce groupe — les « vraies mousses » — les filaments ramifiés des protonémas sont composés d'une seule file de cellules et rappellent les algues vertes filamenteuses (Figure 18-24). On peut cependant en général les distinguer des algues vertes par leurs parois transversales obliques. Les gamétophytes feuillés se développent à partir de petits bourgeons sur les protonémas. Chez quelques genres de mousses, le protonéma est persistant et il est le principal agent de la photosynthèse, alors que les tiges feuillées du gamétophyte restent minuscules.

De nombreuses mousses possèdent des tissus spécialisés pour la conduction de l'eau et de la sève. Les gamétophytes des mousses, dont le niveau de complexité est variable, peuvent avoir une taille comprise entre 0,5 millimètre et 50 centimètres. Tous possèdent des rhizoïdes multicellulaires et les feuilles ne sont épaisses que d'une assise cellulaire en général, sauf au niveau de la nervure médiane (qui manque dans certains genres). Chez beaucoup de mousses, les tiges des gamétophytes et des sporophytes possèdent un cordon central de tissu conducteur appelé **hadrome**. Les cellules conductrices de l'eau sont des **hydroïdes** (Figure 18-25). Les hydroïdes sont des cellules allongées, à parois terminales inclinées, minces et très perméables à l'eau ; elles sont, de ce fait, des voies préférentielles pour le passage de l'eau et des sels minéraux. Les hydroïdes ressemblent aux trachéides des plantes vasculaires du fait qu'ils sont, comme elles, dépourvus

Figure 18-24

Une « vraie mousse ». Protonémas d'une mousse avec une structure en forme de bourgeon qui va se développer en sporophyte. Les protonémas sont le premier stade de la génération gamétophytique chez les mousses et certaines hépatiques. Ils ressemblent souvent à des algues vertes filamenteuses.

de protoplaste à maturité (voir chapitre 24). Contrairement aux trachéides cependant, les hydroïdes ne possèdent pas d'épaississements pariétaux spécialisés, lignifiés. Dans certains genres de mousses, des cellules conductrices de la sève élaborée, appelées **leptoïdes,** entourent le cordon d'hydroïdes (Figure 18-25). Le tissu conducteur de sève élaborée est le **leptome**. Les leptoïdes sont allongés et présentent certaines ressemblances structurales et développementales avec les éléments criblés des cryptogames vasculaires (voir page 427). À maturité, les deux types de cellules ont des parois terminales inclinées percées de petits pores et des protoplastes vivants qui contiennent des noyaux dégénérés. Les cellules conductrices des mousses — les hydroïdes et les leptoïdes — ressemblent apparemment à ceux de certaines plantes fossiles, les **protrachéophytes,** qui constituent peut-être une étape intermédiaire dans l'évolution des plantes vasculaires, ou **trachéophytes** (voir page 434).

La reproduction sexuée des mousses est semblable à celle des autres bryophytes. La reproduction sexuée des mousses est semblable à celle des hépatiques et des anthocérotes : elle implique la production de gamétanges mâles et femelles (Figure 18-26), un sporophyte non ramifié matrotrophe et des mécanismes spécialisés de dissémination des spores (voir le cycle de développement des mousses à la figure 18-27, pages 418 et 419).

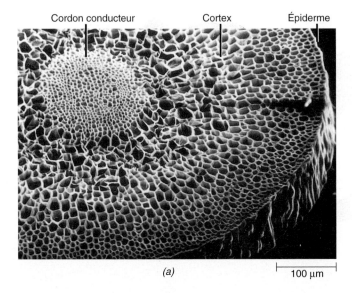

Cordon conducteur   Cortex   Épiderme

(a)

100 µm

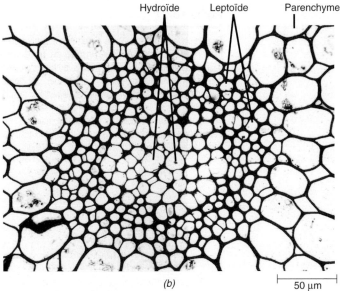

Hydroïde   Leptoïde   Parenchyme

(b)

50 µm

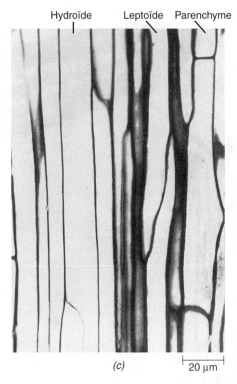

Hydroïde   Leptoïde   Parenchyme

(c)

20 µm

Figure 18-25

Cordons conducteurs dans la soie (ou pédoncule) d'un sporophyte d'une mousse, *Dawsonia superba*. **(a)** Organisation générale de la soie observée en coupe transversale au microscope électronique à balayage. **(b)** Coupe transversale montrant la colonne centrale d'hydroïdes qui conduisent l'eau, entourée d'une gaine de leptoïdes, qui conduisent la sève élaborée, et du cylindre cortical parenchymatueux. **(c)** Coupe longitudinale d'une partie du cordon central montrant (de la gauche vers la droite), des hydroïdes, des leptoïdes et le parenchyme.

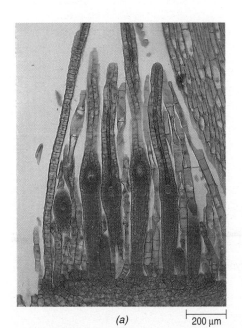

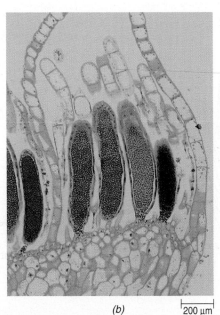

paraphyse

Figure 18-26

Gamétange de *Mnium*, une mousse dioïque. **(a)** Coupe longitudinale dans un réceptacle femelle montrant les archégones, colorés en rose, entourés par des structures stériles appelées paraphyses. **(b)** Coupe longitudinale dans un réceptacle mâle montrant les anthéridies entourées de paraphyses.

(a)   200 µm   *(b)*   200 µm

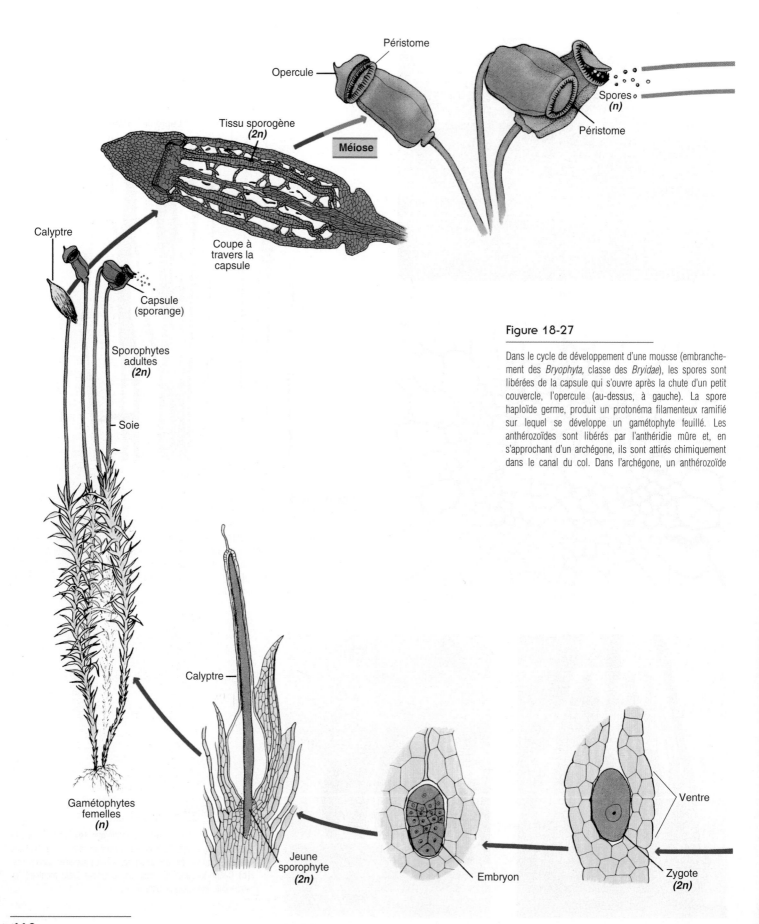

Péristome

Opercule

Spores
(n)

Péristome

Tissu sporogène
(2n)

Méiose

Calyptre

Coupe à
travers la
capsule

Capsule
(sporange)

Sporophytes
adultes
(2n)

Soie

Figure 18-27

Dans le cycle de développement d'une mousse (embranchement des *Bryophyta,* classe des *Bryidae*), les spores sont
libérées de la capsule qui s'ouvre après la chute d'un petit
couvercle, l'opercule (au-dessus, à gauche). La spore
haploïde germe, produit un protonéma filamenteux ramifié
sur lequel se développe un gamétophyte feuillé. Les
anthérozoïdes sont libérés par l'anthéridie mûre et, en
s'approchant d'un archégone, ils sont attirés chimiquement
dans le canal du col. Dans l'archégone, un anthérozoïde

Calyptre

Gamétophytes
femelles
(n)

Jeune
sporophyte
(2n)

Embryon

Ventre

Zygote
(2n)

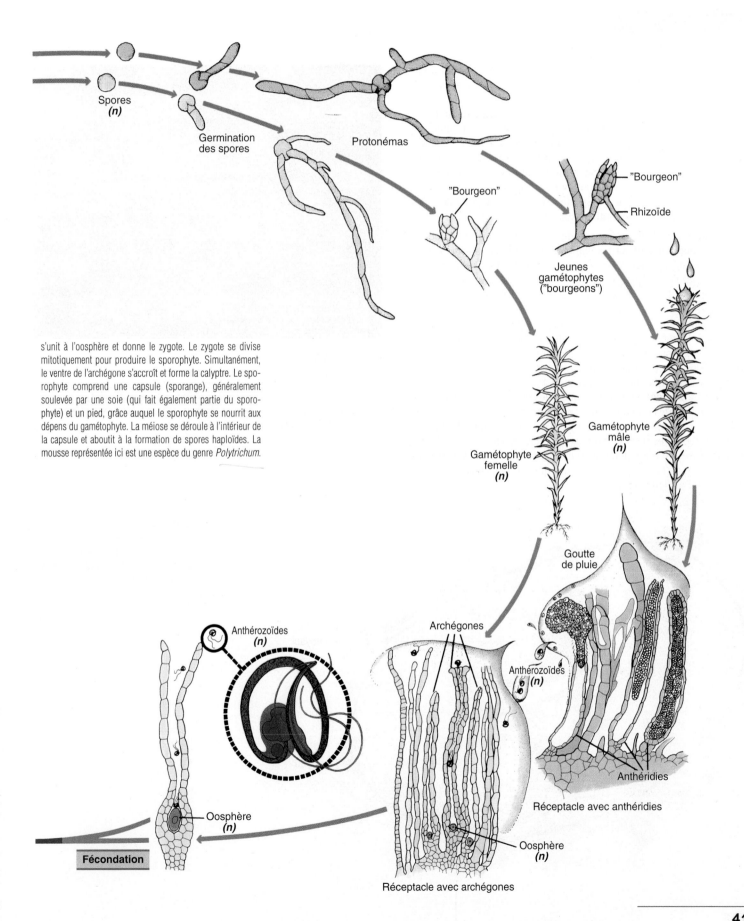

Spores
(n)

Germination
des spores

Protonémas

"Bourgeon"

"Bourgeon"

Rhizoïde

Jeunes
gamétophytes
("bourgeons")

s'unit à l'oosphère et donne le zygote. Le zygote se divise mitotiquement pour produire le sporophyte. Simultanément, le ventre de l'archégone s'accroît et forme la calyptre. Le sporophyte comprend une capsule (sporange), généralement soulevée par une soie (qui fait également partie du sporophyte) et un pied, grâce auquel le sporophyte se nourrit aux dépens du gamétophyte. La méiose se déroule à l'intérieur de la capsule et aboutit à la formation de spores haploïdes. La mousse représentée ici est une espèce du genre *Polytrichum*.

Gamétophyte
mâle
(n)

Gamétophyte
femelle
(n)

Goutte
de pluie

Anthérozoïdes
(n)

Archégones

Anthérozoïdes
(n)

Anthéridies

Réceptacle avec anthéridies

Oosphère
(n)

Oosphère
(n)

Fécondation

Réceptacle avec archégones

Les gamétanges sont produits par des gamétophytes feuillés adultes, soit à l'extrémité de l'axe principal, soit sur un rameau latéral. Dans certains genres, les gamétophytes sont unisexués (Figure 18-26), alors que dans d'autres, les archégones et les anthéridies apparaissent sur la même plante. Les anthéridies sont souvent réunies à l'intérieur de structures feuillées (Figure 18-28) qui forment un involucre cupuliforme. Les anthérozoïdes provenant d'une ou plusieurs anthéridies sont libérés dans une goutte d'eau se trouvant dans cet involucre et sont ensuite dispersés par les gouttes de pluie qui y tombent. Les insectes peuvent également transporter, d'une plante à l'autre, des gouttes d'eau contenant des anthérozoïdes.

Les sporophytes de mousses, comme ceux des anthocérotes et des hépatiques, apparaissent sur les gamétophytes, qu'ils parasitent. À la base de la soie, un pied court est inséré dans les tissus du gamétophyte ; les cellules du pied et du gamétophyte contigu fonctionnent comme cellules de transfert dans le placenta. Chez *Polytrichum*, on a montré que des sucres simples passent à travers la zone de jonction entre les générations. Les capsules, ou sporanges, mettent généralement de 6 à 18 mois pour arriver à maturité chez les espèces tempérées et sont généralement portées par une soie, ce qui facilite la dispersion des spores. Certaines mousses produisent des sporanges de couleur vive qui attirent les insectes. La longueur des soies peut atteindre 15 à 20 centimètres chez quelques espèces, mais elles peuvent être très courtes ou entièrement absentes chez d'autres. Les soies de nombreux sporophytes possèdent un cordon central d'hydroïdes entouré de leptoïdes dans certains genres (Figure 18-25). L'épiderme des sporophytes est normalement pourvu de stomates. Certains stomates de mousses ne sont cependant bordés que par une seule cellule de garde annulaire (Figure 18-29).

Figure 18-28

Gamétophyte feuillé mâle de la mousse *Polytrichum piliferum*, montrant les anthéridies mûres rassemblées dans un réceptacle cupuliforme. Les anthérozoïdes sont libérés dans des gouttes d'eau retenues dans ces réceptacles et dispersés par la pluie ; ils peuvent éventuellement atteindre des archégones sur d'autres gamétophytes (Figure 18-27).

Figure 18-29

Stomate unicellulaire complètement développé de la mousse *Funaria hygrometrica*. Le stomate possède une seule cellule de garde binucléée, la paroi qui délimite le pore au milieu de la cellule ne s'étendant pas jusqu'aux extrémités de celle-ci.

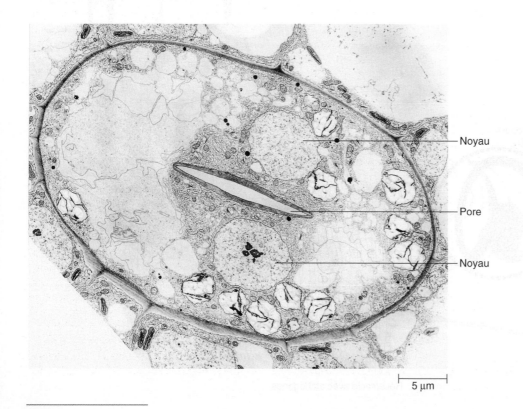

— Noyau

— Pore

— Noyau

5 μm

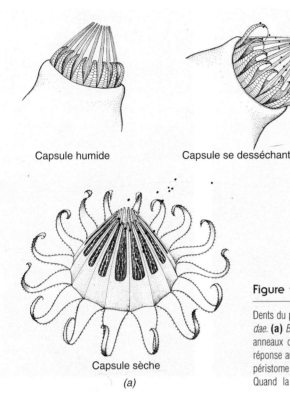

Capsule humide

Capsule se desséchant

Capsule sèche

(a)

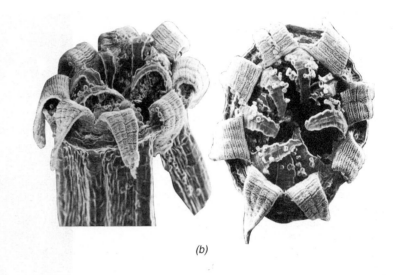

(b)

Figure 18-30

Dents du péristome chez des mousses de la classe des *Bryidae*. **(a)** *Brachythecium* possède un péristome formé de deux anneaux de dents qui s'ouvrent pour libérer les spores en réponse aux changements d'humidité. Les dents externes du péristome s'emboîtent dans les internes quand il fait humide. Quand la capsule se dessèche, les dents externes sont rejetées vers l'extérieur et permettent la dispersion des spores par le vent. **(b)** Micrographie au microscope électronique à balayage des dents du péristome de deux capsules d'*Orthotrichum*, montrant les dents internes courbées vers l'intérieur et les externes courbées vers l'extérieur quand il fait sec.

Les cellules des sporophytes jeunes et en cours de maturation contiennent généralement des chloroplastes et effectuent la photosynthèse. Quand il est mûr, cependant, le sporophyte n'est plus capable de réaliser la photosynthèse et il devient jaune, puis orange, et finalement brun. La calyptre, ou coiffe, qui dérive de l'archégone, est souvent soulevée avec la capsule par l'allongement de la soie. Avant la dispersion des spores, la calyptre protectrice tombe et l'opercule de la capsule s'écarte, mettant à jour un anneau de dents, le **péristome** — qui entoure l'ouverture (Figure 18-30). Les dents du péristome sont produites par la rupture, suivant une zone de moindre résistance, d'une assise cellulaire proche de l'extrémité de la capsule. Chez la plupart des mousses, les dents se recourbent lentement quand l'air est relativement sec et se redressent à nouveau quand il est humide. Les mouvements des dents exposent les spores, qui sont progressivement libérées. Une capsule dissémine jusqu'à 50 millions de spores haploïdes, chacune capable de donner naissance à un nouveau gamétophyte. Le péristome est une caractéristique de la classe de *Bryidae* et n'existe pas dans les deux autres classes de mousses. Les caractères spécifiques du péristome des différents groupes sont utilisés pour la classification et l'identification des mousses.

La reproduction asexuée passe généralement par une fragmentation, étant donné que toutes les parties du gamétophyte sont pratiquement capables de se régénérer. Cependant, certaines mousses produisent des structures spécialisées pour leur reproduction asexuée.

Les mousses se développent en formant des gazons ou des structures pennées. Deux types de croissance sont répandus chez les *Bryidae* (Figure 18-31). Chez les mousses en « gazon », les gamétophytes sont érigés et peu ramifiés ; ils portent généralement des sporophytes terminaux. Dans le second type, les gamétophytes sont très ramifiés et montrent une structure pennée, les plantes sont rampantes et les sporophytes apparaissent latéralement. Ce second type de développement se rencontre souvent chez les mousses qui pendent en masse aux branches d'arbres dans les forêts pluviales et dans les forêts tropicales ombrophiles. Ces organismes, qui se développent sur d'autres sans les parasiter, sont des **épiphytes**. Les arbres fournissent toute une gamme de micro-habitats occupés par des espèces de mousses et d'autres bryophytes. Parmi ces micro-habitats, on retrouve les contreforts à la base des arbres et les racines échasses, les fissures et les crêtes de l'écorce, les surfaces irrégulières des rameaux, les dépressions à la base des branches et la surface des feuilles.

Un certain nombre de genres et d'espèces de mousses sont étroitement endémiques, c'est-à-dire confinés à des zones géographiques très réduites. Beaucoup d'espèces endémiques sont épiphytes dans les régions tempérées de haute altitude et dans les forêts ombrophiles tropicales, où la biodiversité des bryophytes est mal connue. Les bryophytes ont également des relations importantes, mais mal connues, avec divers invertébrés, dont certains vivent, se reproduisent et se nourrissent préférentiellement dans les mousses. Certains spécialistes craignent que la prolifération des populations humaines n'altère de façon drastique les environnements naturels et ne conduise à une disparition à grande échelle des espèces de bryophytes et des animaux qui leur sont associés avant même que beaucoup de ces organismes n'aient été décrits.

Figure 18-31

Les deux types végétatifs trouvés dans les gamétophytes de différents genres de mousses de la classe des *Bryidae*. **(a)** Forme en gazon : les gamétophytes sont dressés et peu ramifiés, comme ici chez *Polytrichum juniperinum*. On peut voir les sporophytes se dressant au-dessus des gamétophytes. Chacun comprend une capsule au sommet d'une longue soie mince. **(b)** Forme pennée, avec des tapis de gamétophytes rampants : on voit ici *Thuidium abietinum*.

(a)
(b)

TABLEAU RÉSUMÉ
Résumé comparatif des caractéristiques des embranchements de bryophytes

EMBRANCHEMENT	NOMBRE D'ESPÈCES	CARACTÈRES GÉNÉRAUX DU GAMÉTOPHYTE	CARACTÉRISTIQUES DU SPOROPHYTE	HABITATS
Hepatophyta (hépatiques)	6000	Génération dominante et autonome; genres à thalle et à feuilles; pores chez certaines formes à thalle; rhizoïdes unicellulaires; la plupart des cellules ont de nombreux chloroplastes; beaucoup produisent des propagules; parfois un stade protonéma; croissance par méristème apical	Petit et dépendant du gamétophyte pour son alimentation; non ramifié; pratiquement réduit au sporange dans certains genres et formé d'un pied, d'une soie courte et du sporange chez d'autres; substances phénoliques dans les parois des cellules épidermiques; pas de stomates	Principalement tempérés et tropicaux humides; quelques-uns aquatiques; souvent épiphytes
Anthocerophyta (anthocérotes)	100	Génération dominante et autonome; thalle; rhizoïdes unicellulaires; la plupart ont un seul chloroplaste par cellule	Petit et dépendant du gamétophyte pour son alimentation; non ramifié; formé d'un pied et d'un long sporange cylindrique, avec un méristème entre le pied et le sporange; cuticule; stomates; pas de tissus conducteurs spécialisés	Tempérés et tropicaux humides
Bryophyta (mousses)	9500	Génération dominante et autonome; feuillé; rhizoïdes multicellulaires; la plupart des cellules ont de nombreux chloroplastes; beaucoup produisent des gemmules; stade protonéma croissant par méristème marginal suivi d'une croissance par méristème apical chez *Sphagnum*; croissance par méristème apical seulement chez les *Bryidae*; certaines espèces ont des leptoïdes et des hydroïdes non lignifiés	Petit et dépendant du gamétophyte pour son alimentation; non ramifié; formé d'un pied, d'une longue soie et d'un sporange chez les *Bryidae*; produits phénoliques dans les parois des cellules épidermiques; certaines espèces ont des leptoïdes et des hydroides non lignifiés	Principalement tempérés et tropicaux humides; parfois arctiques et antarctiques; beaucoup dans des habitats secs; quelquefois aquatiques

RÉSUMÉ

L'ancêtre le plus vraisemblable des plantes est une charophycée

Les plantes, désignées dans leur ensemble sous le nom d'embryophytes semblent provenir d'une algue verte charophyte. Les deux groupes ont en commun beaucoup de caractères qui leur sont propres, comme un phragmoplaste et une plaque cellulaire à la cytocinèse. Il existe des arguments probants, moléculaires et autres, suggérant que les plantes dérivent d'un seul ancêtre commun et que ce sont les bryophytes qui se sont séparées les premières de la lignée évolutive principale des plantes. Les premières plantes ressemblaient probablement à plusieurs égards aux bryophytes modernes. Toutes partagent des thalles formés de tissus dérivés d'un méristème apical, un cycle de développement comprenant une alternance de générations hétéromorphes, des gamétanges enveloppés d'une paroi protectrice, des embryons matrotrophes et des spores contenant de la sporopollénine dans la paroi.

Les bryophytes comprennent les hépatiques, les anthocérotes et les mousses

Les bryophytes comprennent trois embranchements de petites plantes à structure relativement simple. Leurs gamétophytes sont toujours indépendants des sporophytes pour leur alimentation, tandis que les sporophytes sont fixés de façon permanente aux gamétophytes et les parasitent, au moins au début du développement embryonnaire. Le gamétophyte est donc la génération dominante. Les organes sexués mâles et femelles, anthéridies et archégones, possèdent tous deux des assises cellulaires protectrices. Les archégones renferment une seule oosphère, tandis que les anthéridies produisent de nombreux anthérozoïdes. Les anthérozoïdes biflagellés nagent librement et ont besoin d'eau pour arriver à l'oosphère. Le sporophyte est généralement différencié en un pied, une soie et une capsule ou sporange. Les sporophytes en cours de maturation des anthocérotes et des mousses sont verts et leur alimentation dépend moins de leur gamétophyte que celle des hépatiques, qui restent généralement sous la dépendance complète de leur gamétophyte.

Les bryophytes diffèrent les uns des autres par la présence ou l'absence de stomates, de tissus conducteurs et par les types de méristèmes

Les hépatiques (embranchement des *Hepatophyta*) diffèrent des mousses et des anthocérotes par l'absence de stomates. Les anthocérotes (embranchement des *Anthocerophyta*) ont un méristème basal particulier et ne possèdent pas de tissu conducteur. Les mousses (embranchement des *Bryophyta*) ont un tissu conducteur spécialisé et des stomates semblables à ceux des plantes vasculaires. Quand il est présent, le tissu conducteur des mousses est formé d'hydroïdes, pour le transport de l'eau, et de leptoïdes, pour le transport de la sève organique.

Les bryophytes ont une importance écologique

Les bryophytes sont particulièrement abondantes dans les forêts pluviales tempérées et dans les forêts ombrophiles tropicales. Les sphaignes occupent plus d'un pour-cent de la surface terrestre, elles ont une importance économique et jouent un rôle essentiel dans le cycle global du carbone.

MOTS CLÉS

anthéridies p. 402

archégones p. 402

calyptre (coiffe) p. 406

capsule ou sporange p. 406

cellules de canal p. 404

cellules spermatogènes p. 404

corbeilles à propagules p. 408

élatères p. 408

embryophytes p. 406

gamétophores p. 408

hadrome p. 416

hydroïdes p. 416

leptoïdes p. 416

leptome p. 416

matrotrophie p. 404

opercule p. 414

péristome p. 421

pied p. 406

placenta p. 404

propagules p. 404

protonéma p. 407

rhizoïdes p. 403

soie p. 406

sporopollénine p. 402

trachéophytes p. 416

ventre p. 404

QUESTIONS

1. En vous servant d'un schéma simple annoté, représentez un cycle de développement général de bryophyte. Expliquez pourquoi on parle d'une alternance de générations hétéromorphes.

2. Sur quels arguments repose l'hypothèse selon laquelle un charophyte est l'ancêtre des plantes ?

3. Les bryophytes ont en commun un certain nombre de caractères qui les distinguent des charophytes et qui sont des adaptations à leur vie terrestre. Quels sont ces caractères ?

4. À votre avis, quelles sont les bryophytes dont le sporophyte est le plus développé ? Lesquelles ont le gamétophyte le plus développé ? Dans chaque cas donnez les raisons motivant votre réponse.

5. En vous référant au cladogramme de la figure 18-4, quel est le groupe de bryophytes le plus proche des plantes vasculaires ? Quels sont les caractères communs aux plantes vasculaires qui manquent chez les bryophytes ?

6. Décrivez les modifications structurales liées à l'absorption de l'eau chez les *Sphagnum*. Pourquoi les sphaignes ont-elles une telle importance écologique ?

19

Les cryptogames vasculaires

SOMMAIRE

Dans ce chapitre, nous parlerons non seulement des fougères, mais aussi de leurs proches parents. Tous ont en commun deux caractéristiques : ils n'ont pas de graines, mais possèdent des tissus conducteurs, le xylème et le phloème, qui transportent l'eau, les minéraux et les sucres à travers la plante. Grâce à ces tissus, les plantes vasculaires peuvent atteindre une plus grande taille que les bryophytes dont nous avons parlé au chapitre précédent. Nous verrons dans les trois chapitres suivants que les plantes vasculaires sont actuellement les plantes prédominantes sur la terre.

À partir des restes fossiles, il est possible de reconstituer les principales étapes de l'évolution du groupe. Les premières plantes vasculaires ne comportaient que des tiges mais, à partir de cet humble début, nous pouvons retracer l'évolution des racines, de même que celle des feuilles, depuis de simples structures écailleuses jusqu'aux grandes frondes complexes. Parallèlement à ces adaptations, des modifications sont apparues dans les types de spores produites, dans la disposition des tissus conducteurs et dans la taille du gamétophyte — modifications qui sont toutes très importantes dans l'histoire qui va se poursuivre aux chapitres suivants.

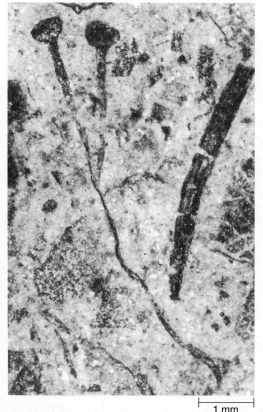

├─ 1 mm ─┤

Figure 19-1

Cooksonia, la plus ancienne plante vasculaire connue, était composée d'axes ramifiés dichotomiquement. Ce fossile, découvert dans l'État de New York, date du silurien supérieur (414-408 millions d'années avant notre ère). Ses tiges aériennes aphylles atteignaient 6,5 centimètres de long et se terminaient par des sporanges. Ces petites plantes vivaient probablement dans des milieux humides comme les terrasses vaseuses.

POINTS DE REPÈRES

Quand vous terminerez la lecture de ce chapitre, vous devriez pouvoir répondre aux questions suivantes :

* *Quelles sont les « étapes charnières », au début de l'histoire de l'évolution des plantes, qui ont contribué au succès des plantes vasculaires dans la conquête de la terre ferme ?*

* *Comment peut-on expliquer l'origine évolutive des microphylles et des mégaphylles ? Quels sont les groupes de cryptogames vasculaires qui possèdent des microphylles ? Lesquels ont des mégaphylles ?*

* *Qu'entend-on par isosporie et hétérosporie ? Quelle est la taille relative des gamétophytes produits par les plantes isosporées et hétérosporées ?*

* *Quelles sont les caractéristiques des embranchements suivants de cryptogames vasculaires : Rhiniophyta, Zosterophyllophyta, Lycophyta, Trimerophytophyta, Sphenophyta et Pterophyta ? Quels sont les embranchements exclusivement fossiles ?*

* *En fonction de leur structure et de leur mode de développement, quelles sont les différences entre eusporanges et leptosporanges ? Quelles sont les fougères eusporangiates ? Lesquelles sont leptosporangiates ?*

Comme tous les être vivants, les plantes ont des ancêtres aquatiques. L'histoire de l'évolution des plantes est donc indissociablement liée à leur occupation progressive de la terre et à leur indépendance croissante à l'égard de l'eau pour la reproduction. Dans ce chapitre, nous allons d'abord parler des caractères généraux des plantes vasculaires — caractères qui sont liés à leur vie sur la terre ferme — et décrire ensuite les caractères des cryptogames vasculaires, qui partagent les caractères les plus généraux. Ce chapitre traitera de l'histoire des lycopodes, des prêles, des fougères et d'autres groupes de plantes vasculaires qui ont conservé certains caractères primitifs des plus anciens représentants de ce vaste groupe de végétaux.

L'évolution des plantes vasculaires

Dans le chapitre précédent, nous avons noté que les bryophytes et les plantes vasculaires ont en commun un certain nombre de caractères importants et, qu'ensemble, ces deux groupes de plantes — qui tous deux possèdent des embryons multicellulaires — forment une lignée monophylétique, celle des embryophytes. On retiendra l'hypothèse que l'origine ultime de cette lignée peut remonter à un organisme ressemblant à *Coleochaete*. Les bryophytes, comme les plantes vasculaires, ont un cycle de développement fondamentalement semblable — une alternance de générations hétéromorphes — dans lequel le gamétophyte et le sporophyte sont différents. Un caractère important des bryophytes est cependant la dominance du gamétophyte, alors que, chez les plantes vasculaires, c'est le sporophyte qui domine (Figure 19-1). La conquête de la terre ferme par les bryophytes fut donc entreprise en favorisant la génération produisant les gamètes, qui exige un milieu aqueux pour permettre à ses anthérozoïdes mobiles de nager jusqu'aux oosphères. Le fait que l'eau soit nécessaire explique sans doute la petite taille et l'allure prostrée de la plupart des gamétophytes de bryophytes.

Relativement tôt au cours de l'histoire des plantes, l'évolution du xylème et du phloème, systèmes efficaces de transport des liquides, a résolu le problème du mouvement de l'eau et de la nourriture à travers la plante — sérieux problème pour tout organisme de grande taille croissant sur la terre ferme. La synthèse de la lignine et son incorporation aux parois des cellules participant au soutien et à la conduction de l'eau furent également une étape charnière dans l'évolution des plantes. On suppose que les premières plantes pouvaient rester dressées grâce à la seule pression de turgescence, ce qui limitait non seulement leurs milieux de développement, mais aussi leur taille. La lignine augmente la rigidité des parois et permet au sporophyte vascularisé — qui représente la génération dominante chez les plantes vasculaires — d'atteindre une taille élevée. Les plantes vasculaires sont également caractérisées par la capacité de se ramifier abondamment grâce à l'activité des méristèmes localisés au sommet des tiges et des branches. Chez les bryophytes, par contre, l'augmentation de la longueur du sporophyte est subapicale ; cela signifie que la croissance se produit sous le sommet de la tige. En outre, les sporophytes des bryophytes ne sont pas ramifiés et ils ne produisent qu'un seul sporange. Les sporophytes ramifiés des plantes vasculaires au contraire produisent de nombreux sporanges. Représentez-vous un pin — un seul individu — avec ses nombreuses branches et ses nombreux cônes, contenant chacun un grand nombre de sporanges, et, en-dessous de lui, un tapis de gamétophytes de mousses — de nombreux individus — portant chacun un seul sporophyte non ramifié surmonté d'un unique sporange.

La structure des parties souterraines et aériennes des sporophytes des premières plantes vasculaires était fort semblable mais, avec le temps, ces plantes ont donné naissance à des structures plus spécialisées et plus différenciées. Les plantes primitives étaient formées d'une part de racines qui participaient à leur ancrage et à l'absorption de l'eau et des minéraux et, d'autre part, de tiges et de feuilles, système bien adapté aux exigences de la vie sur la terre ferme — c'est-à-dire l'utilisation de l'énergie solaire, du dioxyde de carbone atmosphérique et de l'eau. Dans le même temps, la génération gamétophytique devenait progressivement plus petite, mieux protégée et dépendant du sporophyte pour son alimentation. Les graines sont finalement apparues dans une lignée évolutive. Les **graines** sont des structures qui procurent son alimentation au sporophyte embryonnaire et qui le protègent en outre contre les rigueurs de l'environnement terrestre — elles lui permettent donc de supporter des conditions défavorables. Les cryptogames vasculaires n'ont évidemment pas de graines. En outre, les gamétophytes de la plupart de ces plantes sont indépendants, comme ceux des bryophytes, et la présence d'eau est nécessaire pour permettre aux anthérozoïdes mobiles de nager jusqu'aux oosphères.

En raison de leurs adaptations à la vie sur la terre ferme, les plantes vasculaires ont été une réussite écologique et elles sont devenues prépondérantes dans les habitats terrestres. Elles étaient déjà nombreuses et diversifiées au dévonien (de 408 à 362 millions d'années avant notre ère ; voir la première page de couverture). (Figure 19-2). Neuf embranchements possèdent des représentants actuellement en vie. Plusieurs autres embranchements ne comportent que des plantes vasculaires disparues. Dans ce chapitre, nous allons décrire un certain nombre de caractères des plantes vasculaires et parler des sept embranchements de cryptogames, dont trois sont éteints. Dans les chapitres 20 à 22, nous parlerons des spermatophytes, qui comptent cinq embranchements d'organismes actuels.

Organisation de la plante vasculaire

Les sporophytes des premières plantes vasculaires étaient constitués d'axes ramifiés dichotomiquement (à ramifications par paires) sans racines ni feuilles. La spécialisation liée à l'évolution a entraîné l'apparition de différences morphologiques et physiologiques entre les différentes parties de l'organisme et abouti à la différenciation des racines, des tiges et des feuilles — qui sont les organes de la plante

Figure 19-2

Au dévonien inférieur, de 408 à 387 millions d'années avant notre ère, des petites plantes érigées aphylles, avec un système conducteur simple, se sont développées sur la terre ferme. On suppose que ces pionniers étaient des plantes semblables à des bryophytes ; on les voit ici près de l'eau, au centre : ils ont envahi la terre ferme au cours de l'ordovicien (de 510 à 439 mil-

lions d'années avant notre ère). Les colonisateurs vasculaires représentés sont, de la gauche vers le centre, les minuscules *Cooksonia*, avec leurs sporanges arrondis, *Zosterophyllum*, à sporanges groupés, et *Aglaophyton*, à sporanges solitaires allongés. Au cours du dévonien moyen (de 387 à 374 millions d'années avant notre ère), des plantes plus grandes et plus com-

plexes se sont installées. Celles que l'on voit ici à droite sont, à partir du fond, *Psilophyton*, robuste trimérophyte à nombreux rameaux stériles et fertiles, et deux lycophytes à microphylles simples, *Drepanophycus* et *Protolepidodendron*.

(Figure 19-3). L'ensemble des racines constitue le **système racinaire**, qui ancre la plante dans le sol et absorbe l'eau et les sels minéraux. Les tiges et les feuilles forment ensemble le **système aérien**, les tiges amenant les organes photosynthétiques spécialisés — les feuilles — vers la lumière solaire. Le système conducteur conduit l'eau et les minéraux aux feuilles et les produits de la photosynthèse des feuilles aux autres parties de la plante.

Les différents types de cellules de la plante sont groupés en tissus, et les tissus eux-mêmes sont organisés en systèmes encore plus importants, les organes. Trois types de tissus : protecteur, conducteur et fondamental, se retrouvent dans tous les organes de la plante, ils sont continus d'un organe à l'autre et traduisent l'unité de base de l'organisme végétal. Les **tissus de revêtement** constituent la couverture

externe, protectrice, de la plante. Les **tissus conducteurs** sont formés de **xylème** et de **phloème** ; ils sont entourés par les **tissus fondamentaux** (Figure 19-3). Les principales différences structurales entre la racine, la tige et la feuille reposent sur la répartition relative des tissus conducteurs et fondamentaux, comme nous le verrons au paragraphe 5.

La croissance primaire dépend de l'allongement des racines et des tiges ; la croissance secondaire consiste en une augmentation de leur épaisseur

Par définition, la **croissance primaire** est celle qui est relativement proche des extrémités des racines et des tiges. Elle débute dans les méristèmes apicaux et elle entraîne surtout l'allongement de

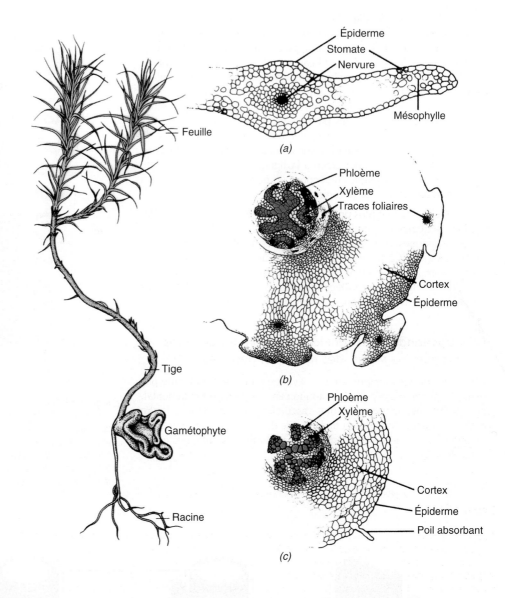

Figure 19-3

Schéma d'un jeune sporophyte de lycopode *(Lycopodium lagopus)*, encore attaché à son gamétophyte souterrain. Les tissus de revêtement, conducteur et fondamental sont représentés dans les coupes transversales de la feuille **(a)**, de la tige **(b)** et de la racine **(c)**. Dans les trois organes, le système de tissu de revêtement est représenté par l'épiderme et le système conducteur, formé de xylème et de phloème, est dans le tissu fondamental. Le tissu fondamental de la feuille — une microphylle chez *Lycopodium* — est représenté par le mésophylle et, dans la tige et la racine, par le cylindre cortical qui entoure un cordon massif de tissu conducteur, la protostèle. La fonction de la feuille est la photosynthèse, la tige sert de support aux feuilles et le rôle de la racine est l'absorption et l'ancrage.

l'organisme — souvent la croissance de la plante en hauteur. Les tissus produits par la croissance primaire sont les **tissus primaires**, et la partie de la plante formée de ces tissus constitue la **structure anatomique primaire**. Les plantes vasculaires primitives, de même que de nombreuses plantes actuelles, sont entièrement constituées de tissus primaires.

Outre la croissance primaire, beaucoup de plantes développent une croissance supplémentaire qui épaissit la tige et la racine ; c'est la **croissance secondaire.** Elle est le résultat de l'activité de méristèmes latéraux dont un, le **cambium vasculaire,** produit les **tissus conducteurs secondaires** : le xylème secondaire et le phloème secondaire (voir figure 27-6). La production de tissus conducteurs secondaires est généralement complétée par l'activité d'un second méristème latéral, le **phellogène,** qui produit un **périderme**, composé principalement de tissu cortical. Le périderme remplace l'épiderme comme tissu protecteur de la plante. Les tissus conducteurs secondaires et le périderme

forment la **structure anatomique secondaire**. La croissance secondaire est apparue au cours du dévonien moyen, il y a environ 380 millions d'années, chez plusieurs groupes distincts de plantes vasculaires.

Les trachéides et les éléments de vaisseaux sont les cellules conductrices du xylème

Les **éléments criblés,** cellules conductrices du phloème, possèdent des parois minces et ils s'affaissent souvent quand ils sont morts, de telle sorte qu'ils sont rarement bien conservés dans les fossiles. Par contre, les cellules conductrices du xylème possèdent des épaississements pariétaux lignifiés caractéristiques (Figure 19-4) et ils sont souvent bien conservés dans les fossiles. L'architecture des parois cellulaires des éléments conducteurs fournit des indices permettant de mettre en évidence les relations phylogénétiques entre les divers groupes de plantes vasculaires.

427

Chez les plantes fossiles du silurien et du dévonien, les éléments conducteurs du xylème sont des cellules allongées aux extrémités finement pointues. Ces éléments, appelés **trachéides**, furent le premier type de cellules conduisant l'eau à évoluer ; c'est le seul type de cellules conduisant l'eau que l'on rencontre chez la plupart des plantes vasculaires à l'exception des angiospermes et d'un groupe particulier de gymnospermes, les *Gnetophyta* (voir page 490). Les trachéides sont non seulement des voies permettant le passage de l'eau et des minéraux, mais elles procurent également un support aux tiges de beaucoup de plantes modernes. Les cellules conductrices de l'eau sont rigides, principalement grâce à la lignine de leurs parois. Cette rigidité a permis aux plantes d'acquérir un port érigé et finalement, à certaines d'entre elles, de devenir des arbres.

Les trachéides sont plus primitives (moins spécialisées) que les **éléments vasculaires** — principales cellules conductrices de l'eau chez les angiospermes. Les éléments vasculaires semblent avoir évolué indépendamment à partir des trachéides dans plusieurs groupes de plantes vasculaires. C'est un très bon exemple d'évolution convergente — développement indépendant de structures semblables chez des organismes non apparentés ou de parenté éloignée (voir l'essai de la page 266).

Les tissus conducteurs sont localisés dans les cylindres conducteurs, ou stèles, des racines et des tiges

Les tissus conducteurs primaires — xylème primaire et phloème primaire — accompagnés d'une colonne centrale de tissu fondamental, ou **moelle**, chez certaines plantes vasculaires, constituent le cylindre central, ou **stèle,** de la tige et de la racine de la structure primaire. On reconnaît plusieurs types de stèles : la protostèle, la siphonostèle et l'eustèle (Figure 19-5).

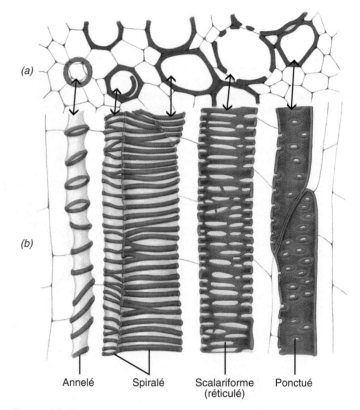

Annelé   Spiralé   Scalariforme (réticulé)   Ponctué

Figure 19-4

Les éléments des vaisseaux, cellules conductrices du xylème. Portion de tige d'aristoloche *(Aristolochia)* en coupe transversale **(a)** et longitudinale **(b)**, montrant quelques types différents d'épaississements pariétaux observés dans les vaisseaux. Les types d'épaississements diffèrent quand on passe, de la gauche à la droite, des éléments formés au début du développement de la plante à ceux qui se sont formés plus tard.

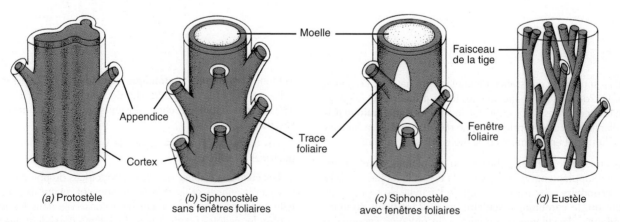

(a) Protostèle   (b) Siphonostèle sans fenêtres foliaires   (c) Siphonostèle avec fenêtres foliaires   (d) Eustèle

Figure 19-5

Les stèles. **(a)** Une protostèle, montrant les traces divergentes des appendices (feuilles ou primordiums de feuilles), précurseurs des feuilles au cours de l'évolution. **(b)** Siphonostèle sans fenêtres foliaires ; les traces vasculaires menant aux feuilles s'écartent simplement du cylindre fermé. Ce type de stèle se rencontre entre autres chez *Selaginella*. **(c)** Siphonostèle avec fenêtres foliaires, fréquente chez les fougères. **(d)** Eustèle, présente chez presque toutes les spermatophytes. Les siphonostèles et les eustèles paraissent avoir évolué indépendamment des protostèles.

La **protostèle** — type le plus simple et le plus ancien — est un cylindre massif de tissu conducteur dans lequel le phloème entoure le xylème ou est dispersé dans celui-ci (Figure 19-3 et 19-5a). On la trouve dans des groupes fossiles de cryptogames vasculaires qui sont discutés ci-dessous, ainsi que chez les *Psilophyta* et les *Lycophyta* (composés principalement des lycopodes) et dans les tiges jeunes des certains autres groupes actuels. En outre, c'est le type de stèle que l'on trouve dans la plupart des racines.

La **siphonostèle** — type de stèle rencontré dans les tiges de la plupart des cryptogames vasculaires — est caractérisée par une moelle centrale entourée par le tissu conducteur (Figure 19-5b). Le phloème peut se former exclusivement soit à l'extérieur, soit des deux côtés du cylindre xylémien. Dans les siphonostèles des fougères, le point de départ des faisceaux conducteurs conduisant aux feuilles à partir de la tige — les **traces foliaires** — est généralement marqué par des ouvertures dans la siphonostème — les **fenêtres foliaires** — (comme à la figure 19-5c). Ces fenêtres foliaires sont remplies de cellules parenchymateuses semblables à celles qui se trouvent à l'intérieur et à l'extérieur du tissu conducteur de la siphonostèle. Bien que les traces foliaires des spermatophytes soient associées à des zones parenchymateuses qui rappellent les fenêtres foliaires, ces régions ne sont généralement pas considérées comme homologues des fenêtres foliaires des fougères. Chez les spermatophytes, nous désignerons donc ces régions comme des **fenêtres de traces foliaires**.

Si le cylindre conducteur primaire est formé d'un système de faisceaux séparés entourant une moelle, comme c'est le cas chez presque toutes les spermatophytes, on parle d'une **eustèle** (Figure 19-5d). Les études comparatives des plantes vasculaires vivantes et fossiles font penser que l'eustèle des spermatophytes a évolué directement au départ d'une protostèle et qu'elle est d'abord apparue chez les progymnospermes, groupe de plantes sporifères dont il sera question au chapitre 20 (pages 470-472). Il est clair que les siphonostèles ont évolué indépendamment à partir des protostèles. On en déduit qu'aucun groupe de cryptogames vasculaires actuellement vivants ne peut être l'ancêtre des spermatophytes actuelles.

L'évolution des racines et des feuilles a suivi des voies différentes

Bien que les fossiles donnent peu d'informations sur l'origine des racines telles que nous les connaissons aujourd'hui, elles doivent avoir évolué à partir des parties inférieures, souvent souterraines, de l'axe d'anciennes plantes vasculaires. Dans l'ensemble, les racines sont des structures relativement simples qui semblent avoir conservé beaucoup de caractères structuraux ancestraux absents dans les tiges des plantes modernes.

Les feuilles sont les principaux appendices latéraux de la tige. Quelle que soit leur taille ou leur structure adulte, elles prennent naissance sous forme de protubérances (les primordiums foliaires) à partir du méristème apical de la tige. En termes d'évolution, il existe deux types fondamentalement distincts de feuilles — les microphylles et les mégaphylles.

Les **microphylles** sont en général des feuilles relativement petites ne contenant qu'un seul faisceau conducteur (Figure 19-6a). On les trouve normalement sur les tiges qui possèdent des protostèles et elles sont caractéristiques des lycophytes. Les traces foliaires conduisant aux microphylles ne sont pas associées à des fenêtres, et il n'y a généralement qu'une nervure par feuille. Bien que le terme *microphylle* signifie « petite feuille », certaines espèces d'*Isoetes* ont des feuilles relativement longues (voir figure 19-19). En fait, certaines lycophytes du carbonifère et du permien ont des microphylles d'un mètre de long au moins.

Suivant des théories différentes, les microphylles ont pu évoluer comme des excroissances latérales superficielles de la tige (Figure 19-7a) ou à partir de sporanges devenus stériles chez des lycophytes ancestraux. Selon une autre hypothèse, les microphylles ont débuté comme de petites excroissances écailleuses ou épineuses, appelées énations, dépourvues de tissu conducteur. Progressivement, des traces foliaires se sont développées et, au début, elles n'ont pas dépassé la base de l'énation. Finalement, les traces foliaires se sont allongées à l'intérieur de l'énation et ont donné naissance à la microphylle primitive.

Comme leur nom l'indique, la plupart des mégaphylles sont plus grandes que les microphylles. À quelques exceptions près, on les trouve sur des tiges qui possèdent soit des siphonostèles, soit des eustèles. Les traces foliaires conduisant aux mégaphylles à partir des siphonosèmes et des eustèles sont associées respectivement à des fenêtres foliaires et à des fenêtres de traces foliaires (Figure 19-6b). Contrairement aux microphylles, le **limbe** de la plupart des mégaphylles possède un système complexe de nervures ramifiées.

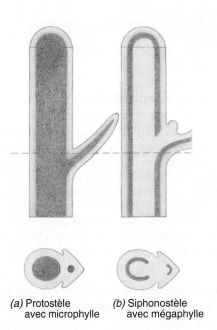

(a) Protostèle
avec microphylle

(b) Siphonostèle
avec mégaphylle

Figure 19-6

Microphylles et mégaphylles. Coupes longitudinales et transversales dans **(a)** une tige avec une protostèle et une microphylle et **(b)** une tige avec une siphonostèle et une mégaphylle, mettant en évidence les nœuds, où les feuilles sont fixées. Remarquez la présence d'une moelle et d'une fenêtre foliaire dans la tige à siphonostèle et leur absence dans la tige à protostèle. Les microphylles sont caractéristiques des lycophytes, alors que les mégaphylles se retrouvent chez toutes les autres plantes vasculaires.

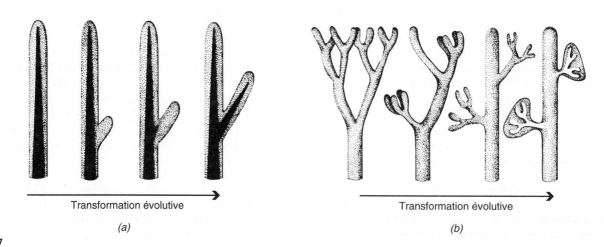

Transformation évolutive

(a)

Transformation évolutive

(b)

Figure 19-7

Evolution des microphylles et des mégaphylles. **(a)** Selon une théorie généralement acceptée, les microphylles ont évolué à partir d'excroissances, appelées énations, produites par l'axe principal de la plante. **(b)** Les mégaphylles ont évolué par la fusion de groupes de rameaux.

Il semble vraisemblable que les mégaphylles ont évolué à partir de systèmes de rameaux en passant par une série d'étapes semblables à celles qui sont représentées à la figure 19-7b. Les premières plantes avaient un axe aphylle, ramifié dichotomiquement, sans distinction entre l'axe et les mégaphylles. Une ramification inégale a donné des rameaux plus agressifs « surpassant » les plus faibles. Les rameaux latéraux secondaires surpassés sont à l'origine des feuilles et les parties plus agressives sont devenues des axes semblables aux tiges. À la suite de cette étape, les rameaux latéraux se sont étalés et aplatis. L'étape finale fut la fusion, la formation d'un « réseau » à partir de rameaux latéraux séparés, réseau qui a donné un limbe primitif.

Les systèmes de reproduction

Comme on l'a signalé plus haut, toutes les plantes vasculaires sont oogames — elles possèdent des oosphères volumineuses non mobiles et de petits anthérozoïdes qui nagent ou sont transportés jusqu'à l'oosphère. En outre, toutes les plantes vasculaires ont une alternance de générations hétéromorphes dans laquelle le sporophyte, stade dominant du cycle de développement, est plus grand et de structure beaucoup plus complexe que celle du gamétophyte (Figure 19-8). L'oogamie est visiblement favorisée chez les plantes, puisqu'un seul type de gamètes doit traverser un milieu hostile à l'extérieur de la plante.

Les plantes isosporées ne produisent qu'un type de spore, alors que les plantes hétérosporées en produisent deux

Les premières plantes vasculaires ne produisaient qu'un seul type de spores après la méiose ; on dit que ces plantes vasculaires sont **isosporées**. Parmi les plantes vasculaires actuelles, on trouve l'isosporie chez les psilotophytes, les sphénophytes (prêles), certaines lycophytes et presque toutes les fougères. À la germination, ces spores peuvent produire des gamétophytes bisexués — c'est-à-dire des gamétophytes qui

portent simultanément des anthéridies et des archégones. Les recherches ont cependant montré que les gamétophytes des espèces diploïdes de fougères isosporées sont fonctionnellement unisexués. Si, par exemple, un anthérozoïde d'un gamétophyte bisexué fécondait une oosphère du même gamétophyte, le sporophyte produit serait homozygote pour tous ses gènes. Les recherches génétiques montrent cependant que les sporophytes de la plupart des fougères sont hétérozygotes et ne peuvent donc provenir d'une autofécondation. Même lorsqu'on a isolé des gamétophytes bisexués d'espèces diploïdes et tenté d'opérer des autofécondations, aucun sporophyte n'a été produit.

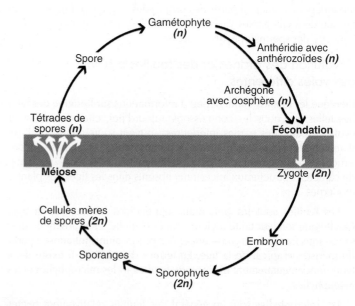

Figure 19-8

Cycle de développement général d'une plante vasculaire, où le sporophyte est le stade dominant.

Plutôt que de féconder leurs propres oosphères, les anthérozoïdes provenant des gamétophytes bisexués fécondent donc normalement des oosphères de gamétophytes voisins, génétiquement différents. De plus, dans la plupart des populations naturelles, bien que tous les gamétophytes puissent produire des anthéridies et des archégones, ces deux types d'organes reproducteurs n'arrivent pas en même temps à maturité.

L'**hétérosporie** — production de deux types de spores dans deux sporanges différents — se retrouve chez certaines lycophytes, chez quelques fougères et chez toutes les spermatophytes. L'hétérosporie est apparue plusieurs fois dans des groupes non apparentés au cours de l'évolution des plantes vasculaires. Elle était fréquente dès le dévonien : la trace la plus ancienne remonte à 370 millions d'années environ. Les deux types de spores sont appelés **microspores** et **mégaspores** ; elles sont produites dans des **microsporanges** et des **mégasporanges**. On distingue les deux types de spores par leur fonction, mais pas nécessairement par leur taille relative. Les microspores donnent des gamétophytes mâles (microgamétophytes) et les mégaspores produisent des gamétophytes femelles (mégagamétophytes). La taille de ces deux sortes de gamétophytes est très réduite en comparaison de celle des gamétophytes des plantes vasculaires isosporées. Une autre différence est est le fait que, chez les plantes hétérosporées, les gamétophytes se développent à l'intérieur de la paroi de la spore (développement endosporique), alors que, chez les isosporées, les gamétophytes se développent en dehors de cette paroi (développement exosporique).

Au cours de l'évolution, les gamétophytes des plantes vasculaires se sont réduits et simplifiés

Les gamétophytes relativement grands des plantes isosporées sont indépendants du sporophyte pour leur alimentation, bien que les gamétophytes souterrains de certaines espèces — de même que ceux de *Psilotum* (voir figure 19-22) et de plusieurs genres de lycopodes (*Lycopodiaceae*) — soient hétérotrophes et que leur alimentation dépende de champignons endomycorhiziens. Les autres genres de lycopodes, comme la plupart des fougères et les prêles, possèdent des gamétophytes photosynthétiques autonomes. Par contre, les gamétophytes de nombreuses plantes vasculaires hétérosporées et, en particulier, ceux des spermatophytes, dépendent du sporophyte pour leur alimentation.

Bien qu'au cours des premiers stades de l'évolution des plantes au départ de précurseurs ressemblant à *Coleochaete*, on ait assisté à une augmentation de la complexité et à une modification à la fois du gamétophyte et du sporophyte, une tendance inverse s'est manifestée par la suite, allant vers la réduction de la taille et de l'organisation du gamétophyte, pour arriver finalement à celui des angiospermes, le plus réduit de tous (voir page 503). Le mégagamétophyte mûr des angiospermes ne comporte en général que sept cellules, dont l'une est l'oosphère. À maturité, le microgamétophyte ne possède que trois cellules, dont deux sont des gamètes mâles. Les archégones et les anthéridies, que l'on retrouve chez toutes les cryptogames vasculaires, ont apparemment été perdues dans la lignée qui aboutit aux angiospermes. À part quelques-unes, toutes les gymnospermes, qui seront étudiées dans le chapitre suivant, produisent des archégones, mais elles n'ont pas d'anthéridies. Chez les cryptogames vasculaires, les anthérozoïdes mobiles nagent dans l'eau jusqu'à l'archégone. Ces plantes doivent donc occuper des habitats où l'eau abonde, au moins occasionnellement. Chez les angiospermes et chez la plupart des gymnospermes, les microgamétophytes immatures complets (**grains de pollen**) sont transférés au voisinage du mégagamétophyte. Ce transport des grains de pollen est la **pollinisation**. La germinaiton des grains de pollen produit des structures particulières, les **tubes polliniques**, dans lesquels des anthérozoïdes mobiles nagent (chez les cycadales et *Ginkgo*), ou bien des gamètes mâles non mobiles (chez les conifères et les gnétales) sont amenés à l'oosphère et assurent la fécondation.

Les embranchements de cryptogames vasculaires

Plusieurs groupes de cryptogames vasculaires ont eu leur apogée au cours du dévonien ; on y a reconnu les trois plus importants : les *Rhyniophyta*, les *Zosterophyllophyta* et les *Trimerophytophyta*. Ces trois groupes ont disparu vers la fin du dévonien, il y a 360 millions d'années. Ces trois embranchements comprenaient des plantes sans graines, de structure relativement simple. On parlera au chapitre 20 d'un quatrième embranchement de cryptogames vasculaires, les *Progymnospermophyta*, ou progymnospermes, parce que c'est dans ce groupe que se trouvait peut-être l'ancêtre des spermatophytes, des gymnospermes comme des angiospermes (Figure 19-9). En plus de ces embranchements disparus, nous parlerons dans ce chapitre des *Psilotophyta*, des *Lycophyta*, des *Sphenophyta* et des *Pterophyta*, les quatre embranchements de cryptogames vasculaires comprenant des représentants vivants.

On peut interpréter le mode de diversification général des plantes comme une prépondérance croissante et séquentielle de quatre ensembles principaux de plantes qui ont en grande partie remplacé les groupes prépondérants qui les précédaient. De nombreuses espèces ont évolué dans chacun des ensembles qui devenaient dominants. Les grands groupes en cause sont les suivants :

1. Les premières plantes vasculaires — caractérisées par une taille relativement faible et une morphologie simple et probablement primitive. Parmi ces plantes se trouvaient les rhyniophytes, les zostérophyllophytes et les trimérophytes (Figure 19-10), qui ont dominé du silurien moyen au dévonien moyen, depuis 425 jusqu'à 370 millions d'années (Figure 19-2).

2. Les fougères, les lycophytes, les sphénophytes, les progymnospermes. Ces groupes plus complexes furent dominants à partir du dévonien supérieur et pendant tout le carbonifère (voir figures 19-11 et 20-1), entre 375 et 290 millions d'années (voir « L'âge des plantes du charbon », pages 456 et 457).

3. Les spermatophytes sont apparues au dévonien supérieur, il y a au moins 380 millions d'années, et ils ont évolué en lignées nombreuses pendant le permien. Les gymnospermes ont dominé les flores terrestres pendant la plus grande partie du mésozoïque jusqu'il y a environ 100 millions d'années.

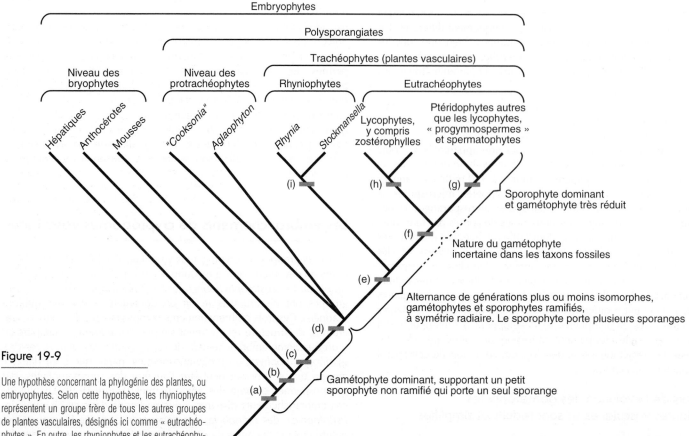

Figure 19-9

Une hypothèse concernant la phylogénie des plantes, ou embryophytes. Selon cette hypothèse, les rhyniophytes représentent un groupe frère de tous les autres groupes de plantes vasculaires, désignés ici comme « eutrachéophytes ». En outre, les rhyniophytes et les eutrachéophytes forment ensemble le groupe monophylétique appelé ici « trachéophytes », ou plantes vasculaires. Le clivage fondamental entre les lycophytes et les zostérophylles d'une part, et les autres plantes vasculaires d'autre part, est confirmé par des données morphologiques et moléculaires.

Les caractères sont les suivants : **(a)** Embryophytes : embryons multicellulaires, anthéridies et archégones, cuticule, bande préprophasique de microtubules. **(b)** Clade des anthocérotes-mousses et trachéophytes : capacité de reconnaître la D-méthionine, stomates. **(c)** Clade des mousses et polysporangiates : gamétophyte axial, gamétanges terminaux, sporophyte persistant et anatomiquement différencié. **(d)** Polysporangiates : sporophyte ramifié à sporanges multiples, sporophyte dominant, alternance de générations plus ou moins isomorphes. **(e)** Trachéophytes : trachéides à épaississements pariétaux internes annulaires ou spiralés. **(f)** Eutrachéophytes : trachéides caractéristiques des zostérophylles et des lycophytes, comparables aux éléments juvéniles de certains cryptogames vasculaires modernes. **(g)** Clade excluant les lycophytes : vaisseaux conducteurs ponctués, déhiscence longitudinale des sporanges, sporanges disposés en groupes terminaux. **(h)** Clade des lycophytes : sporanges réniformes, sporanges latéraux sur de courts pédicelles. **(i)** Rhyniophytes : assise isolante à la base du sporange, sporange fixé directement à l'axe principal ou terminal sur une branche courte.

4. Les angiospermes sont apparues dans les dépôts fossiles d'il y a environ 130 millions d'années. Cet embranchement est devenu abondant dans la plupart des régions du globe en 30 à 40 millions d'années et il est resté prépondérant depuis lors.

Embranchement des *Rhyniophyta*

Les plus anciennes plantes vasculaires connues avec précision font partie de l'embranchement des *Rhyniophyta*, un groupe qui remonte au silurien moyen, il y au moins 425 millions d'années. Le groupe a disparu au dévonien moyen (il y a environ 380 millions d'années). Les premières plantes vasculaires devaient leur ressembler ; leurs restes sont plus anciens d'au moins 15 millions d'années. Les rhyniophytes étaient des plantes sans graines, formées d'axes, ou tiges, simples, ramifiés dichotomiquement, portant des sporanges terminaux. Ils n'étaient pas différenciés en racines, tiges et feuilles et ils étaient isosporés. Le nom de cet embranchement découle de l'abondante représentation de fossiles de ces plantes primitives dans les silex, à proximité du village de Rhynie, en Ecosse.

Rhynia gwynne-vaughanii est une des premières rhyniophytes décrites. C'était probablement une plante des marais, composée d'un système aérien érigé, ramifié dichotomiquement et fixé par un rhizome (tige souterraine) ramifié dichotomiquement, muni de des rhizoïdes.

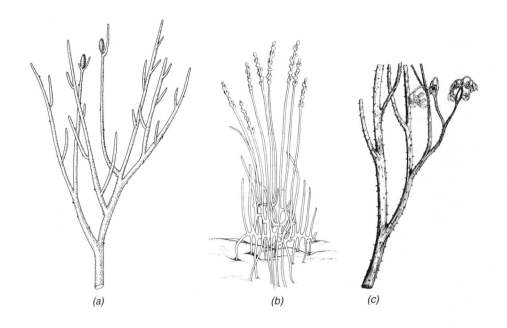

(a)   (b)   (c)

R.gwynne-vaughanii est caractérisé, entre autres, par de nombreux rameaux latéraux portés par des axes dichotomiques (Figure 19-10a) et des rameaux courts portant souvent des sporanges. L'ensemble du système aérien, haut d'environ 18 centimètres, était couvert d'une cuticule et portait des stomates. N'ayant pas de feuilles, les axes aériens étaient les organes photosynthétiques.

La structure interne de R.gwynne-vaughanii était semblable à celle de beaucoup de plantes vasculaires actuelles.

Figure 19-10

Premières plantes vasculaires. **(a)** *Rhynia gwynne-vaughanii* est un rhyniophyte, une des plus simples plantes vasculaires connues. L'axe était aphylle et ramifié dichotomiquement, portant de nombreuses branches latérales. Les sporanges étaient situés à l'extrémité de certains rameaux terminaux dressés, généralement dépassés par des branches latérales. **(b)** Chez *Zosterophyllum* et d'autres zostérophyllophytes, les sporanges, généralement réniformes, se formaient latéralement sur les tiges suivant une spirale ou sur deux rangs. Ils s'ouvraient par des fentes nettes situées près de la marge externe. Les zostérophyllophytes étaient plus grands que les rhyniophytes mais, comme ceux-ci, ils étaient des plantes à ramification principalement dichotomique et à surface nue, épineuse ou denticulée. **(c)** Les trimérophytes étaient des plantes plus grandes, avec une ramification plus complexe, généralement différenciées en un axe central vigoureux et des branches latérales plus petites. Les branches latérales étaient ramifiées dichotomiquement et portaient souvent des masses terminales de sporanges disposés en paires et rétrécis aux deux extrémités. Les genres les mieux connus de ce groupe sont *Psilophyton* et *Trimerophyton*. On voit ici une reconstitution de *Psilophyton princeps*. La taille des individus de *R.gwynne-vaughanii* atteignait 18 centimètres environ, alors que celle des trimérophytes dépassait 1 mètre. Voir aussi figure 19-2.

Figure 19-11

Reconstitution d'une forêt marécageuse du carbonifère. Voir aussi figure 20-1.

Une seule assise de cellules superficielles — l'épiderme — entourait le tissu photosynthétique cortical et un faisceau massif de xylème entouré d'une ou deux assises de cellules de type phloémien. Les trachéides étaient différentes de celles de la plupart des plantes vasculaires et, malgré la présence d'épaississements internes, elles ressemblaient aux cellules conductrices de l'eau chez les mousses.

La plante appelée d'abord *Rhynia major* est probablement la mieux connue de toutes celles qui ont été découvertes dans les silex de Rhynie (Figure 19-12). Plus robuste que *R. gwynne-vaughanii*, et haute d'environ 50 centimètres, cette plante était composée d'un important système de rhizomes ramifiés dichotomiquement produisant un petit nombre de tiges verticales ramifiées dichotomiquement. Tous les axes se terminaient par des sporanges. Pendant plus de 60 ans, *R. major* fut considéré comme une plante vasculaire. On a montré par la suite que les cellules formant le faisceau central de tissu conducteur ne possédaient pas les épaississements pariétaux caractéristiques des trachéides. Ces cellules ne sont pas des trachéides, mais sont plus proches des hydroïdes des mousses actuelles. Pour cette raison, on a exclu cette plante fossile du genre *Rhynia* et on l'a attribuée à un nouveau genre, *Aglaophyton*. *Aglaophyton major*, avec ses axes ramifiés et ses nombreux sporanges, représente peut-être un stade intermédiaire — un protrachéophyte — dans l'évolution des plantes vasculaires ; il ne devrait probablement pas être conservé dans l'embranchement des rhyniophytes.

Cooksonia, un rhyniophyte qui aurait habité des terrasses vaseuses, a le privilège d'être la plus ancienne des plantes vasculaires connues (Figures 1-7 et 19-1). On a touvé des exemplaires de *Cooksonia* au Pays de Galles, en Écosse, en Bohème, au Canada et aux États-Unis. *Cooksonia* est la plante vasculaire la plus petite et la plus simple découverte dans les dépôts fossiles. Ses tiges aériennes minces, sans feuilles, atteignent environ 6,5 centimètres de haut et sont terminées par des sporanges globuleux. On a identifié des trachéides dans la partie centrale des axes de *Cooksonia pertoni* du dévonien inférieur. Des plantes dont la forme rappelle *C. pertoni* se retrouvent au silurien supérieur, mais la présence de tissus vasculaires y est discutable. Il est possible que le le genre *Cooksonia* renferme des plantes fossiles simples diversement apparentées. On peut rapprocher certaines d'entre elles du protrachéophyte *Aglaophyton*, mais d'autres sont presque certainement de véritables plantes vasculaires. *Cooksonia* a disparu au dévonien inférieur, il y a environ 390 millions d'années.

Les arguments réunis à partir des silex de Rhynie et du dévonien inférieur d'Allemagne indiquent que les gamétophytes de plantes telles que *Aglaophyton* et, par déduction, de *Rhynia* et de *Cooksonia* (entre autres) étaient relativement grands et ramifiés. Ces gamétophytes possédaient apparemment des cellules conductrices d'eau, une cuticule et des stomates. Certaines de ces plantes avaient donc une alternance de générations isomorphes, avec un sporophyte et un gamétophyte essentiellement semblables, sauf en ce qui concerne les sporanges et les gamétanges.

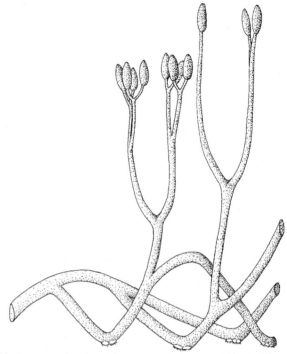

Figure 19-12

Aglaophyton major, d'abord connu sous le nom de *Rhynia major*, lorsqu'on le considérait comme une plante vasculaire. Le faisceau central de tissu conducteur ne possède pas de trachéides, mais contient des cellules semblables aux hydroïdes des mousses. *Aglaophyton major* représente peut-être un stade intermédiaire de l'évolution des plantes vasculaires, un protrachéophyte.

Embranchement des *Zosterphyllophyta*

On a découvret des fossiles d'un deuxième embranchement disparu de cryptogames vasculaires — les *Zosterophyllophyta* — dans des couches du dévonien inférieur au supérieur, de 408 à 370 millions d'années environ avant notre ère. Comme les rhyniophytes, les zostérophyllophytes, ou zostérophylles, étaient aphylles et ramifiés dichotomiquement. Les tiges aériennes étaient recouvertes d'une cuticule, mais seules les supérieures possédaient des stomates : les branches inférieures étaient donc peut-être enfoncées dans la vase. Chez *Zosterophyllum*, on a supposé que les branches inférieures produisaient souvent des rameaux latéraux ramifiés en deux parties, l'une se développant vers le haut, l'autre vers le bas (Figure 19-10b). Les rameaux orientés vers le bas ont peut-être joué le rôle de racines, permettant à la plante de s'étendre vers l'extérieur à partir du centre en lui servant de support. Les zostérophylles doivent leur nom à leur ressemblance générale avec les *Zostera* actuels, angiospermes marines ressemblant superficiellement à des graminées.

À la différence de ceux des rhyniophytes, les sporanges globuleux ou réniformes des zostérophylles étaient portés latéralement par de courts pédoncules. Ces plantes étaient isosporées. La structure interne des zostérophylles était essentiellement la même que celle des rhyniophytes sauf que, chez les zostérophylles, les premières cellules à se différencier dans le xylème étaient localisées à la périphérie du faisceau et que les dernières se trouvaient au centre. Ce mode de différenciation centripète est à l'opposé de la différenciation centrifuge des rhyniophytes.

Les zostérophylles furent presque certainement les ancêtres des lycophytes. Les sporanges des zostérophylles et des premières lycophytes sont très semblables et, dans les deux groupes, ils apparaissent aussi latéralement. Dans les deux embranchements, le xylème se différencie également par voie centripète

Embranchement des *Lycophyta*

Les 10 à 15 genres et environ 1000 espèces actuelles de *Lycophyta* constituent une lignée évolutive qui remonte au dévonien. Les lycophytes dérivent presque certainement des premières zostérophylles (Figure 19-9). Il existe un certain nombre d'ordres de lycophytes et, dans trois ordres disparus au moins, il y avait des arbres plus ou moins grands. Les trois ordres actuels de lycophytes ne comprennent cependant que des plantes herbacées et une seule famille. Tous les lycophytes, vivants et fossiles, possèdent des microphylles, et ce type de feuille, de forme assez constante, est bien caractéristique de l'embran-

chement. Les lycophytes ligneux faisaient partie des espèces dominantes des forêts qui ont produit le charbon, au carbonifère (voir pages 456 et 457). La plupart des lignées de lycophytes ligneux — celles qui possédaient une croissance secondaire — se sont éteintes avant la fin du paléozoïque, il y a 248 millions d'années.

Les lycopodes, famille des *Lycopodiaceae*

Les lycophytes actuels les plus familiers sont sans doute les lycopodes, de la famille des *Lycopodiaceae* (voir figure 19-15c). À part deux genres, tous les lycophytes vivants appartiennent à cette famille, et la plupart des espèces étaient jadis regroupées dans le genre collectif « *Lycopodium* ». Sept de ces genres sont représentés aux États-Unis et au Canada, mais la plupart des quelque 400 espèces de la famille sont tropicales. Les limites taxonomiques des genres surtout représentés en régions tropicales sont mal connues, et il est possible qu'on y distingue finalement jusqu'à 15 genres. Les lycopodiacées sont répandues des régions arctiques aux tropiques, mais elles constituent rarement des éléments spectaculaires d'une formation végétale. La plupart des espèces tropicales, dont beaucoup appartiennent au genre *Phlegmariurus,* sont épiphytes et donc rarement observées, mais plusieurs espèces tempérées forment des tapis bien visibles sur le sol forestier. Comme elles sont sempervirentes, on les voit surtout en hiver.

Le sporophyte de la plupart des genres de lycopodiacées se compose d'un rhizome ramifié d'où partent les branches aériennes et les racines (figure 19-14, pages 436 et 437). Les tiges, comme les racines, sont protostéliques (Figure 19-13). Les microphylles des lycopodiacées sont généralement disposées en spirale, mais elles paraissent

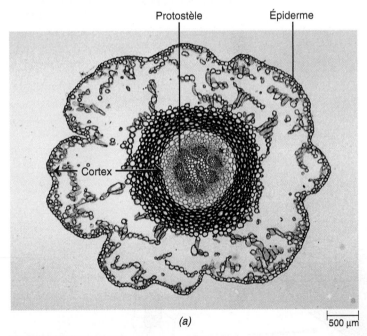

Protostèle   Épiderme

Cortex

(a)   500 µm

Phloème   Xylème

(b)   100 µm

Figure 19-13

La tige et la racine des *Lycopodiaceae* sont protostéliques. **(a)** Coupe transversale de la tige de *Diphasium complanatum* montrant les tissus différenciés. Remarquez les grands espaces aérifères dans le cylindre cortical, entourant la protostèle centrale. **(b)** Détail de la protostèle de *D.complanatum*, montrant le xylème et le phloème. Voir aussi figure 19-3.

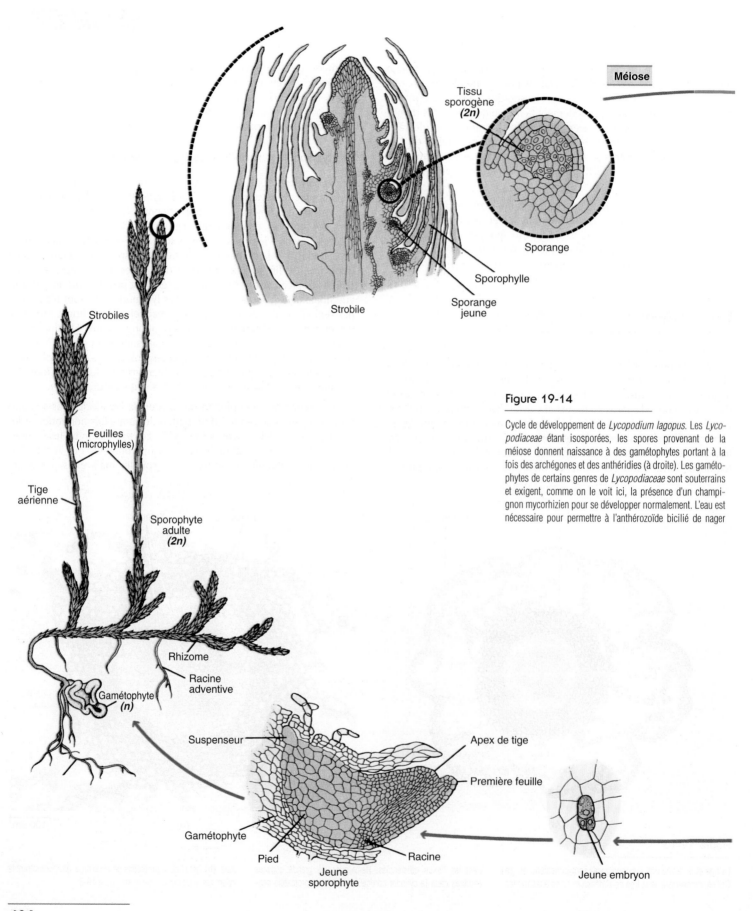

Méiose

Tissu sporogène (2n)

Sporange

Sporophylle

Sporange jeune

Strobile

Strobiles

Feuilles (microphylles)

Tige aérienne

Sporophyte adulte (2n)

Rhizome

Racine adventive

Gamétophyte (n)

Suspenseur

Apex de tige

Première feuille

Gamétophyte

Pied

Racine

Jeune sporophyte

Jeune embryon

Figure 19-14

Cycle de développement de *Lycopodium lagopus*. Les *Lycopodiaceae* étant isosporées, les spores provenant de la méiose donnent naissance à des gamétophytes portant à la fois des archégones et des anthéridies (à droite). Les gamétophytes de certains genres de *Lycopodiaceae* sont souterrains et exigent, comme on le voit ici, la présence d'un champignon mycorhizien pour se développer normalement. L'eau est nécessaire pour permettre à l'anthérozoïde bicilié de nager

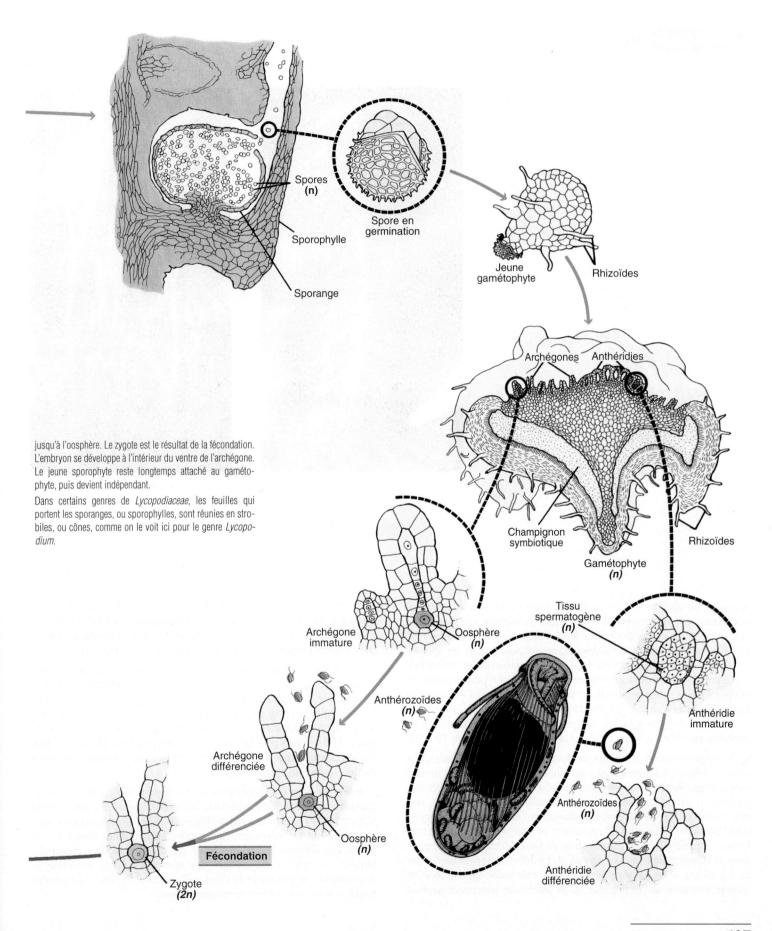

Spores
(n)

Spore en
germination

Jeune
gamétophyte

Rhizoïdes

Sporophylle

Sporange

jusqu'à l'oosphère. Le zygote est le résultat de la fécondation. L'embryon se développe à l'intérieur du ventre de l'archégone. Le jeune sporophyte reste longtemps attaché au gamétophyte, puis devient indépendant.

Dans certains genres de *Lycopodiaceae*, les feuilles qui portent les sporanges, ou sporophylles, sont réunies en strobiles, ou cônes, comme on le voit ici pour le genre *Lycopodium*.

Archégones   Anthéridies

Champignon
symbiotique

Rhizoïdes

Gamétophyte
(n)

Tissu
spermatogène
(n)

Archégone
immature

Oosphère
(n)

Anthéridie
immature

Anthérozoïdes
(n)

Archégone
différenciée

Oosphère
(n)

Anthérozoïdes
(n)

Fécondation

Anthéridie
différenciée

Zygote
(2n)

437

Figure 19-15

Sporophylles et strobiles. **(a)** *Huperzia lucidula* est un représentant des genres de *Lycopodiaceae* dépourvus de strobiles différenciés. Les sporanges (petites structures jaunes le long de la tige) apparaissent à l'aisselle des microphylles fertiles, les sporophylles. Des séries de sporophylles fertiles alternent avec des séries de microphylles stériles. **(b)** Les rameaux de *Lycopodium lagopus* se terminent par des sporophylles groupées en strobiles.

(a)

(b)

opposées ou verticillées chez certaines espèces du groupe. Les lycopodiacées sont isosporées ; les sporanges se forment isolément à la face supérieure de microphylles fertiles appelées **sporophylles** : ce sont des feuilles modifiées ou des organes foliacés portant les sporanges. Chez *Huperzia* (Figure 19-15a) et *Phlegmariurus*, les sporophylles ressemblent aux microphylles ordinaires et sont réparties parmi les feuilles stériles. Chez les autres genres de Lycopodiacées existant aux États-Unis et au Canada, comme *Diphasiatrum* (voir figure 13-15c) et *Lycopodium*, les sporophylles, non photosynthétiques, sont réunies en **strobiles**, ou cônes, à l'extrémité des rameaux aériens (Figure 19-15b).

À leur germination, les spores des lycopodiacées donnent naissance à des gamétophytes bisexués qui, suivant le genre, sont soit des masses vertes, irrégulièrement lobées (*Lycopodiella, Palhinhaea* et *Pseudolycopodiella*, parmi les genres existant aux États-Unis et au Canada), soit des structures mycorhiziennes souterraines, non photosynthétiques (*Diphasiastrum, Huperzia, Lycopodium* et *Phlegmariurus*, aux États-Unis et Canada). Dans un gamétophyte de lycopodiacée, le développement et la maturation des archégones et des anthéridies peut demander de 6 à 15 ans, et les gamétophytes peuvent même donner une série de sporophytes dans les archégones qu'ils produisent successivement au cours de leur développement. Bien que les gamétophytes soient bisexués, on sait que les taux d'autofécondation sont très faibles, au moins chez certaines espèces de lycophytes. Les fécondations sont le plus souvent croisées entre les gamétophytes de ces espèces.

L'eau est indispensable à la fécondation des lycopodiacées. L'anthérozoïde bicilié nage dans l'eau jusqu'à l'archégone. Après la fécondation, le zygote se développe en un embryon qui s'accroît dans le ventre de l'archégone. Le jeune sporophyte peut rester fixé longtemps au gamétophyte, mais il devient finalement indépendant. La figure 19-14 représente le cycle de développement de *Lycopodium lagopus*, une lycopodiacée caractérisée par un gamétophyte mycorhizien souterrain et un strobile.

Parmi les genres de lycopodiacées existant aux États-Unis et au Canada, *Huperzia* (Figure 19-15a) comprend 7 espèces, *Lycopodium* (Figure 19-14) 5, *Diphasiastrum* (Figure 13-15c) 11 et *Lycopodiella* 6. Ces genres, et les autres genres actuellement reconnus chez les lycopodiacées, diffèrent les uns des autres par divers caractères morphologiques tels que la disposition des sporophylles, la présence de rhizomes et l'organisation de l'appareil végétatif, la nature du gamétophyte et le nombre chromosomique de base.

(a)

(b)

(c)

(d)

Figure 19-16

Espèces représentatives de *Selaginella*. **(a)** *Selaginella lepidophylla*, la plante de la résurrection : elle se dessèche complètement en l'absence d'eau mais reprend rapidement vie après la pluie. Cette plante a été trouvée dans le Parc National de Big Bend, au Texas. **(b)** *Selaginella rupestris*, avec des strobiles. **(c)** *Selaginella kraussiana*, plante prostrée, rampante. On peut voir les racines adventives provenant des tiges. **(d)** *Selaginella willdenovii*, des tropiques de l'Ancien Monde. Espèce sciaphile, elle grimpe jusqu'à 7 mètres et possède des feuilles bleuâtres à reflet métallique. Remarquez le rhizome bien net.

La sélaginelle, famille des *Selaginellaceae*

Parmi les genres actuels de lycophytes, *Selaginella* est le genre unique de la famille des sélaginellacées et c'est celui qui réunit le plus grand nombre d'espèces, environ 700. La plupart d'entre elles ont une distribution tropicale. Beaucoup vivent dans des endroits humides, bien que certaines habitent les déserts et passent par une période de repos pendant la période la plus sèche de l'année. Parmi ces dernières, on trouve ce que l'on appelle la plante de la résurrection, *Selaginella lepidophylla*, du Texas, du Nouveau-Mexique et du Mexique (Figure 19-16a).

Le sporophyte herbacé des sélaginelles est fondamentalement semblable à celui de certaines lycopodiacées du fait qu'il porte des microphylles et que ses sporophylles sont disposées en strobiles (Figure 19-16b). Contrairement aux lycopodiacées cependant, les sélaginelles ont une petite excroissance, appelée **ligule,** près de la base de la face supérieure des microphylles et des sporophylles (Figure 19-17). La tige et la racine sont protostéliques (Figure 19-18).

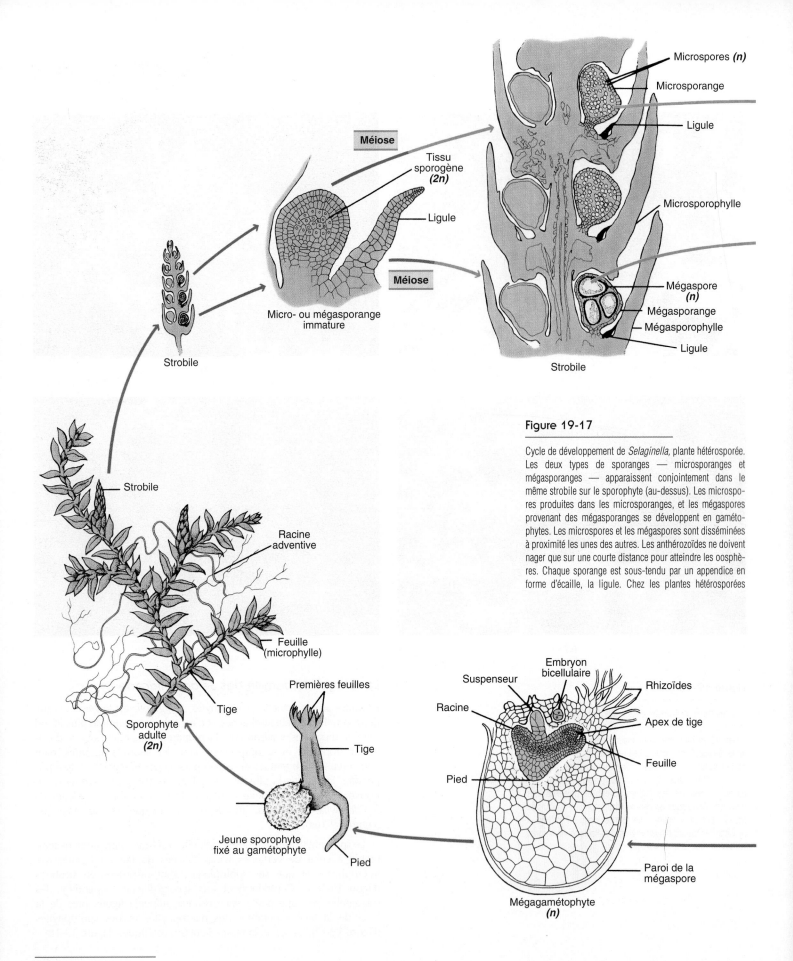

Méiose

Tissu sporogène *(2n)*

Ligule

Méiose

Strobile

Micro- ou mégasporange immature

Microspores *(n)*

Microsporange

Ligule

Microsporophylle

Mégaspore *(n)*

Mégasporange

Mégasporophylle

Ligule

Strobile

Figure 19-17

Cycle de développement de *Selaginella*, plante hétérosporée. Les deux types de sporanges — microsporanges et mégasporanges — apparaissent conjointement dans le même strobile sur le sporophyte (au-dessus). Les microspores produites dans les microsporanges, et les mégaspores provenant des mégasporanges se développent en gamétophytes. Les microspores et les mégaspores sont disséminées à proximité les unes des autres. Les anthérozoïdes ne doivent nager que sur une courte distance pour atteindre les oosphères. Chaque sporange est sous-tendu par un appendice en forme d'écaille, la ligule. Chez les plantes hétérosporées

Strobile

Racine adventive

Feuille (microphylle)

Tige

Sporophyte adulte *(2n)*

Premières feuilles

Tige

Pied

Jeune sporophyte fixé au gamétophyte

Embryon bicellulaire

Suspenseur

Racine

Pied

Rhizoïdes

Apex de tige

Feuille

Paroi de la mégaspore

Mégagamétophyte *(n)*

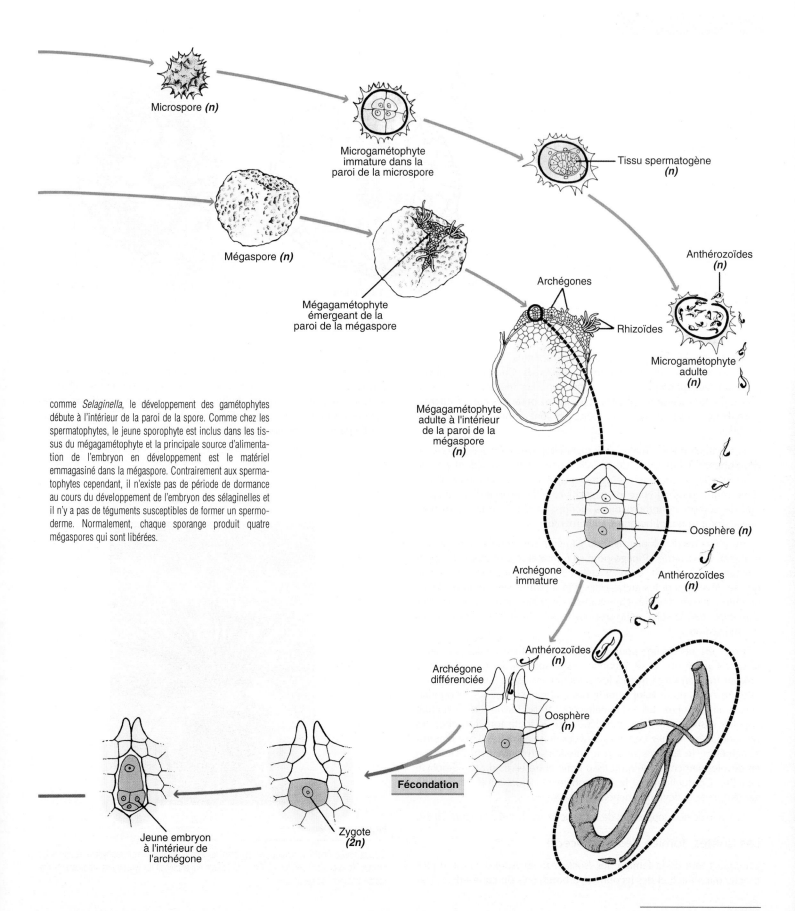

Microspore *(n)*

Microgamétophyte
immature dans la
paroi de la microspore

Tissu spermatogène
(n)

Mégaspore *(n)*

Mégagamétophyte
émergeant de la
paroi de la mégaspore

Archégones

Anthérozoïdes
(n)

Rhizoïdes

Microgamétophyte
adulte
(n)

comme *Selaginella*, le développement des gamétophytes débute à l'intérieur de la paroi de la spore. Comme chez les spermatophytes, le jeune sporophyte est inclus dans les tissus du mégagamétophyte et la principale source d'alimentation de l'embryon en développement est le matériel emmagasiné dans la mégaspore. Contrairement aux spermatophytes cependant, il n'existe pas de période de dormance au cours du développement de l'embryon des sélaginelles et il n'y a pas de téguments susceptibles de former un spermoderme. Normalement, chaque sporange produit quatre mégaspores qui sont libérées.

Mégagamétophyte
adulte à l'intérieur
de la paroi de la
mégaspore
(n)

Oosphère *(n)*

Archégone
immature

Anthérozoïdes
(n)

Anthérozoïdes
(n)

Archégone
différenciée

Oosphère
(n)

Fécondation

Jeune embryon
à l'intérieur de
l'archégone

Zygote
(2n)

Figure 19-18

Protostèle de sélaginelle. **(a)** Coupe transversale de tige montrant les tissus différenciés. La protostèle est suspendue au milieu de la tige creuse par des cellules corticales allongées (cellules endodermiques), appelées trabécules. On ne voit ici qu'une partie de chaque trabécule. **(b)** Détail de protostèle.

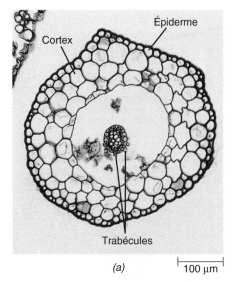
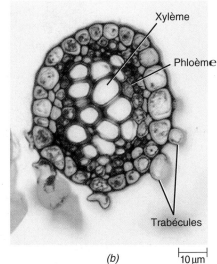

(a)   ⊢─────⊣ 100 μm   *(b)*   ⊢──⊣ 10 μm

Alors que les lycopodiacées sont isosporées, la sélaginelle est hétérosporée, avec des gamétophytes unisexués. Chaque sporophylle porte un seul sporange à sa face supérieure. Les mégasporanges sont portés par les **mégasporophylles** et les microsporanges par les **microsporophylles**. Les deux types de sporanges sont réunis dans les mêmes strobiles.

Les gamétophytes mâles (microgamétophytes) de sélaginelle se développent à l'intérieur de la microspore et ne possèdent pas de chlorophylle. À maturité, le gamétophyte mâle se compose d'une seule cellule prothallienne, ou végétative, et d'une anthéridie qui produit de nombreux anthérozoïdes biciliés. La paroi de la microspore doit se rompre pour libérer les anthérozoïdes.

Au cours du développement du gamétophyte femelle (mégagamétophyte), la paroi de la mégaspore se rompt et le gamétophyte apparaît dans l'ouverture. C'est dans cette portion du gamétophyte femelle que se développent les archégones. On a parfois signalé la présence de chloroplastes dans les gamétophytes femelles, mais la plupart des gamétophytes de sélaginelle se nourrissent aux dépens des réserves des mégaspores.

L'eau est nécessaire pour permettre aux anthérozoïdes de nager jusqu'à l'archégone et de féconder les oosphères. La fécondation se produit fréquemment quand les gamétophytes sont tombés du strobile. Au cours du développement des embryons, chez les lycopodiacées comme chez les sélaginellacées, il se forme une structure appelée **suspenseur**. Bien que dépourvu de toute fonction chez les lycopodiacées et chez certaines espèces de sélaginelles, chez d'autres sélaginelles, le suspenseur sert à enfoncer profondément l'embryon en développement au sein du tissu riche en réserves du gamétophyte femelle. Graduellement, le sporophyte en croissance émerge du gamétophyte et devient indépendant.

Le cycle de développement de *Selaginella* est illustré à la figure 19-17.

Les Isoètes, famille des *Isoetaceae*

L'unique genre de la famille des *Isoetaceae* est *Isoetes*. C'est le plus proche parent actuel des lycophytes arborescents du carbonifère (voir page 456). Les plantes d'isoètes peuvent être aquatiques ou se développer dans des mares qui s'assèchent à certaines saisons. Le sporophyte des isoètes est formé d'une courte tige souterraine charnue (corme) qui porte des microphylles raides à sa partie supérieure et des racines à sa partie inférieure (Figure 19-19). Chez les isoètes, chaque feuille peut être une sporophylle.

Figure 19-19

Isoetes storkii. Photo du sporophyte montrant les feuilles tubulaires (microphylles), la tige et les racines. *Isoetes* est le dernier survivant du groupe qui englobait les lycophytes arborescents des marais houillers du carbonifère.

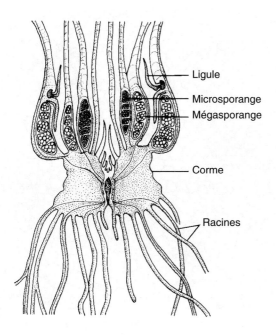

Figure 19-20

Coupe verticale schématique d'une plante d'*Isoetes*. Les feuilles se forment à la face supérieure et les racines à la face inférieure d'une courte tige souterraine charnue, le corme. Certaines feuilles (mégasporophylles) portent des mégasporanges et d'autres (microsporophylles) des microsporanges. Les microsporophylles sont plus proches du centre de la plante.

Comme *Selaginella*, *Isoetes* est hétérosporé. Les mégasporanges se forment à la base des mégasporophylles et les microsporanges à la base des microsporophylles, qui ressemblent aux premières, mais sont plus proches du centre de la plante (Figure 19-20). Une ligule est présente juste au-dessus du sporange de chaque sporophylle.

Une caractéristique typique des isoètes est la présence d'un cambium spécialisé qui ajoute des tissus secondaires au corme. Vers l'extérieur, le cambium ne produit que du tissu parenchymateux tandis que, vers l'intérieur, il produit un tissu conducteur particulier formé d'éléments criblés, de cellules parenchymateuses et de trachéides en proportions variables.

Certaines espèces d'*Isoetes* (attribuées par certains à un autre genre, *Stylites*), vivant à haute altitude sous les tropiques, ont un caractère qui leur est propre : elles se procurent le carbone nécessaire à la photosynthèse dans les sédiments où elles vivent plutôt que dans l'atmosphère. Les feuilles de ces plantes n'ont pas de stomates, possèdent une cuticule épaisse et n'ont pratiquement pas d'échanges gazeux avec l'atmosphère. Comme au moins certains autres isoètes, dont les plantes se dessèchent pendant une partie de l'année, ces espèces ont une photosynthèse CAM (page 147).

Embranchement des *Trimerophytophyta*

L'embranchement des *Trimerophytophyta*, qui a sans doute évolué directement à partir des rhyniophytes, renferme très vraisemblablement des plantes dont les relations phylogénétiques sont diverses ; il représente probablement la souche ancestrale dont dérivent les fougères, les progymnospermes et peut-être aussi les prêles. Les trimérophytes, plus grands et plus complexes que les rhyniophytes et les zostérophyllophytes (Figure 19-10c) sont apparus pour la première fois au dévonien inférieur, il y a environ 395 millions d'années, et se sont éteints à la fin du dévonien moyen, quelque 20 millions d'années plus tard — c'est une durée de vie relativement courte.

Bien que généralement plus grands et plus spécialisés dans l'évolution que les rhyniophtes, les trimérophytes n'avaient pas encore de feuilles. La ramification était cependant plus complexe, avec un axe principal produisant un système de branches qui se divisaient dichotomiquement plusieurs fois. Les trimérophytes, comme les rhyniophytes et les zostérophyllophytes, étaient isosporés. Certains de leurs plus petits rameaux se terminaient par des sporanges allongés, tandis que d'autres étaient entièrement végétatifs. À côté de leur système de ramification plus complexe, les trimérophytes avaient un cordon conducteur plus massif que celui des rhyniophytes. Avec une large bande de cellules à parois épaisses dans le cortex, le gros faisceau conducteur était probablement capable de soutenir des plantes assez grandes, hautes de plus d'un mètre. Comme chez les rhyniophytes, le xylème des trimérophytes se différenciait par voie centrifuge. Le nom de l'embranchement vient des mots grecs *tri- meros* et *phyton*, qui signifient « plante tripartite », en raison de l'organisation des branches secondaires en trois rangées dans le genre *Trimerophyton*.

Embranchement des *Psilophyta*

L'embranchement des *Psilophyta* comprend deux genres actuels, *Psilotum* et *Tmesipteris*. La distribution de *Psilotum* est tropicale et subtropicale. Aux États-Unis, on le trouve en Alabama, Arizona, Floride, Hawaii, Louisiane, Caroline du Nord et Texas, ainsi qu'à Porto-Rico, et c'est une mauvaise herbe banale dans les serres. La distribution de *Tmesipteris* est limitée à l'Australie, la Nouvelle-Calédonie, la Nouvelle-Zélande et d'autres régions du Pacifique Sud. Bien que les plantes des deux genres soient très simples et ressemblent aux rhyniophytes par certains aspects de leur structure de base, elles représentent vraisemblablement une lignée proche des fougères actuelles qui a divergé précocement. Leur structure simple semble résulter d'une régression à partir d'ancêtre plus complexes.

Parmi les plantes vasculaires actuelles, *Psilotum* est unique, par le fait qu'il ne possède ni racines, ni feuilles. Le sporophyte comporte une portion aérienne ramifiée dichotomiquement, avec de petites excroissances écailleuses, et une portion souterraine ramifiée, ou un système de rhizomes avec de nombreux rhizoïdes (voir le sporophyte

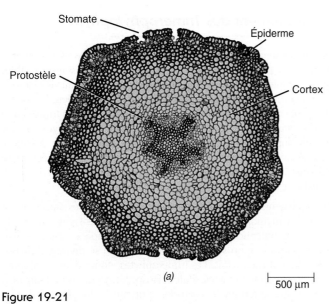

Stomate

Épiderme

Protostèle

Cortex

(a)

500 μm

Phloème   Xylème

(b)

100 μm

Figure 19-21

Psilotum nudum. **(a)** Coupe transversale de la tige, montrant les tissus différenciés. **(b)** détail de la protostèle, montrant le xylème et le phloème.

adulte à gauche de la figure 19-24). Un champignon symbiotique — un zygomycète endomycorhizien (page 341) — est présent dans les cellules corticales externes des rhizomes. *Psilotum* possède une protostèle (Figure 19-21).

Psilotum est isosporé, les spores sont produites dans des sporanges généralement réunis par groupes de trois aux extrémités de courts rameaux latéraux. À la germination, les spores donnent naissance à des gamétophytes bisexués qui ressemblent à des portions de rhizome (Figure 19-22).

Figure 19-22

(a) Gamétophyte souterrain de *Psilotum nudum*. Les gamétophytes des psilophytes sont bisexués ; cela signifie qu'ils portent en même temps des anthéridies et des archégones. **(b)** *Psilotum nudum* se développant sur une coulée de lave de 1955 sur l'île de Hawaii. Les sporanges jaunes sont bien visibles.

(a)

(b)

Figure 19-23

(a) *Tmesipteris parva* sur le stipe d'une fougère arborescente, *Cyathea australis*, en Nouvelle Galles du Sud (Australie). **(b)** *Tmesipteris lanceolata*, en Nouvelle Calédonie (Pacifique Sud).

(a)

(b)

Comme le rhizome, le gamétophyte souterrain renferme un champignon symbiotique. Certains gamétophytes possèdent en outre un tissu conducteur. Les anthérozoïdes de *Psilotum* sont multiciliés et ils doivent disposer d'eau pour nager vers l'oosphère. Au départ, le sporophyte est fixé au gamétophyte par un pied, structure qui absorbe les aliments fournis par le gamétophyte. Finalement, le sporophyte se détache du pied, qui reste enfoncé dans le gamétophyte. Le cycle de développement de *Psilotum* est illustré à la figure 19-24 (pages 446 et 447).

Tmesipteris est épiphyte sur les troncs des fougères et d'autres plantes (Figure 19-23), ainsi que dans les crevasses des rochers. Les appendices foliacés de *Tmesipteris* sont plus grands que les excroissances sclariformes de *Psilotum* mais, pour le reste, *Tmesipteris* est essentiellement semblable à *Psilotum*.

Embranchement des *Sphenophyta*

Comme les *Lycophyta,* les *Sphenophyta* remontent au dévonien. Les sphénophytes ont atteint leur abondance et leur diversité maximales pendant le paléozoïque, il y a environ 300 millions d'années. Pendant le dévonien supérieur et le carbonifère, ils étaient représentés par les calamites (voir page 456), groupe d'arbres atteignant au moins 18 mètres de haut, avec un tronc pouvant dépasser 45 centimètres de diamètre. Aujourd'hui, les sphénophytes sont représentés par un seul genre herbacé, *Equisetum* (Figure 19-25), avec 15 espèces. *Equisetum* est pratiquement identique à *Equisetites*, plante apparue il y a quelque 300 millions d'années, au carbonifère : ce genre est donc peut-être le plus ancien sur la terre.

Les *Equisetum*, ou prêles, sont connus sous le nom populaire de « queues de cheval » ; ils sont fréquents dans les endroits humides, près des cours d'eau et à la lisière des bois. Les prêles se reconnaissent facilement à leur tige nettement articulée et à leur texture rugueuse. Les petites feuilles écailleuses, ou microphylles, forment des verticilles aux nœuds. Quand ils existent, les rameaux sont insérés latéralement sur les nœuds et alternent avec les feuilles. Les entrenœuds (portions de tiges entre nœuds successifs) sont cannelés et les cannelures sont rigides et renforcées par les dépôts siliceux des cellules épidermiques. On a utilisé les prêles pour récurer les pots et poëles, en particulier à l'époque coloniale. Les racines sont adventives et se développent aux nœuds des rhizomes, qui représentent un important moyen de propagation végétative.

Les tiges aériennes d'*Equisetum* se développent à partir de ramifications des rhizomes souterrains ; les plantes peuvent disparaître pendant les saisons défavorables, mais les rhizomes sont vivaces. L'anatomie de la tige aérienne est complexe (Figure 19-26). À maturité, ses entrenœuds possèdent une moelle creuse entourée d'un anneau de canaux plus petits, appelés canaux carinaux. Chacun de ces petits canaux est associé à un cordon de xylème et de phloème.

445

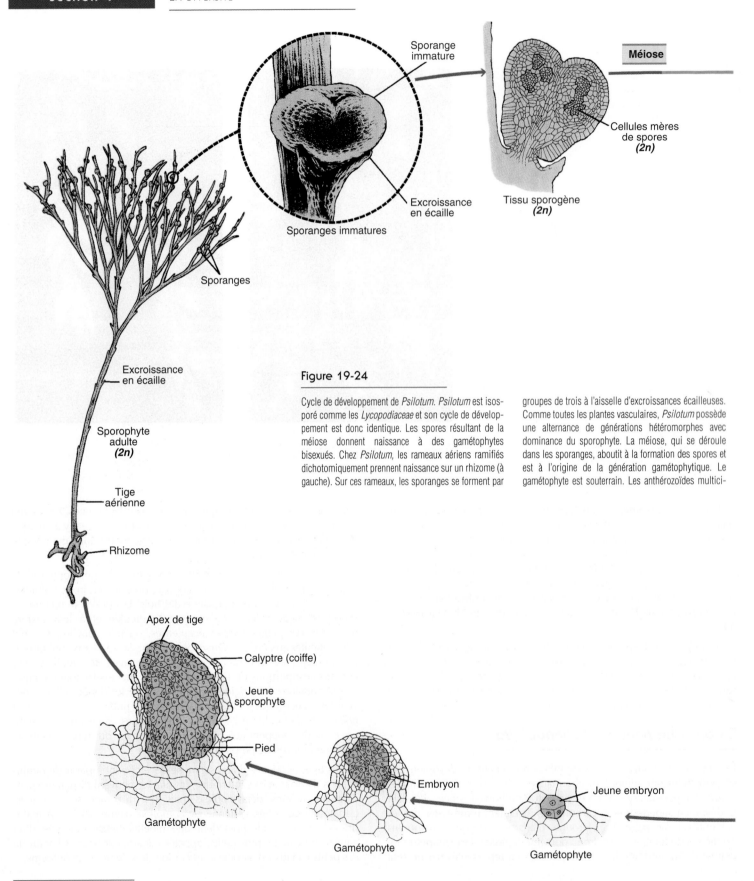

Méiose

Sporange immature

Excroissance en écaille

Sporanges immatures

Sporanges

Cellules mères de spores *(2n)*

Tissu sporogène *(2n)*

Excroissance en écaille

Sporophyte adulte *(2n)*

Tige aérienne

Rhizome

Figure 19-24

Cycle de développement de *Psilotum. Psilotum* est isosporé comme les *Lycopodiaceae* et son cycle de développement est donc identique. Les spores résultant de la méiose donnent naissance à des gamétophytes bisexués. Chez *Psilotum*, les rameaux aériens ramifiés dichotomiquement prennent naissance sur un rhizome (à gauche). Sur ces rameaux, les sporanges se forment par groupes de trois à l'aisselle d'excroissances écailleuses. Comme toutes les plantes vasculaires, *Psilotum* possède une alternance de générations hétéromorphes avec dominance du sporophyte. La méiose, qui se déroule dans les sporanges, aboutit à la formation des spores et est à l'origine de la génération gamétophytique. Le gamétophyte est souterrain. Les anthérozoïdes multici-

Apex de tige

Calyptre (coiffe)

Jeune sporophyte

Pied

Gamétophyte

Embryon

Gamétophyte

Jeune embryon

Gamétophyte

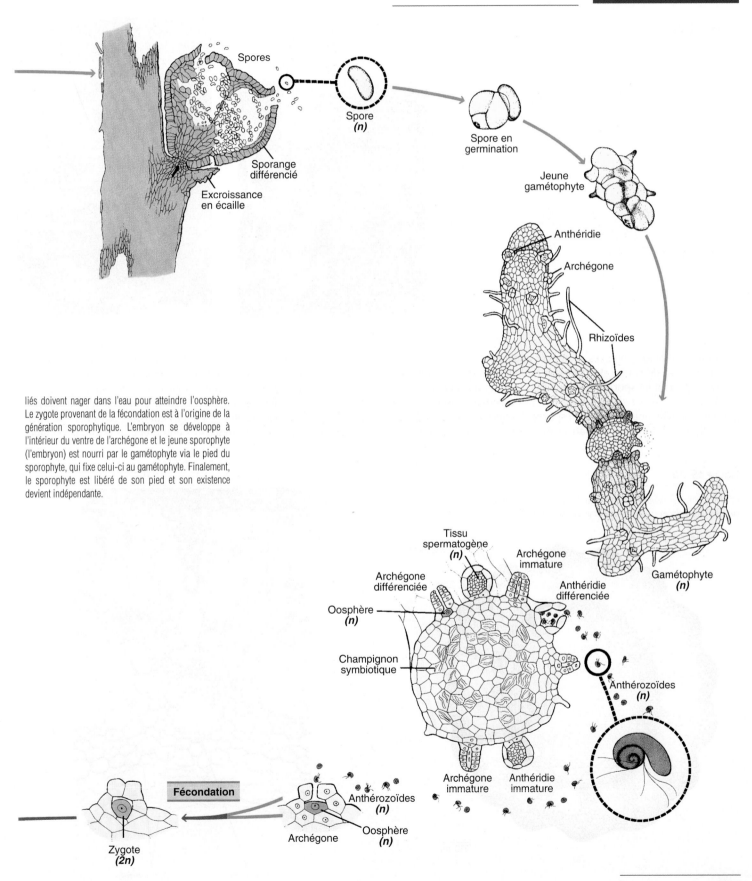

Spores

Spore
(n)

Spore en
germination

Sporange
différencié

Excroissance
en écaille

Jeune
gamétophyte

Anthéridie

Archégone

Rhizoïdes

liés doivent nager dans l'eau pour atteindre l'oosphère.
Le zygote provenant de la fécondation est à l'origine de la
génération sporophytique. L'embryon se développe à
l'intérieur du ventre de l'archégone et le jeune sporophyte
(l'embryon) est nourri par le gamétophyte via le pied du
sporophyte, qui fixe celui-ci au gamétophyte. Finalement,
le sporophyte est libéré de son pied et son existence
devient indépendante.

Tissu
spermatogène
(n)

Archégone
immature

Archégone
différenciée

Anthéridie
différenciée

Oosphère
(n)

Champignon
symbiotique

Gamétophyte
(n)

Anthérozoïdes
(n)

Archégone
immature

Anthéridie
immature

Fécondation

Anthérozoïdes
(n)

Oosphère
(n)

Archégone

Zygote
(2n)

Figure 19-25

Equisetum **(a)** Espèce d'*Equisetum* où les tiges fertiles et stériles sont séparées. Les tiges fertiles sont pratiquement dépourvues de chlorophylle et sont très différentes des tiges végétatives. Les tiges fertiles se terminent par un strobile. Notez les verticilles de feuilles scalariformes aux noeuds. **(b)** Tiges végétatives ramifiées d'*Equisetum arvense*.

(a)   *(b)*

Equisetum est isosporé. Les sporanges apparaissent par groupes de 5 à 10 au bord de petites structures en ombelle, les **sporangiophores** (rameaux portant les sporanges) réunies en strobiles à l'apex de la tige (Figures 19-25a et 19-29). Les tiges fertiles de certaines espèces sont peu chlorophylliennes. Chez ces espèces, les tiges fertiles sont nettement distinctes des tiges végétatives et apparaissent souvent plus tôt au début du printemps (Figure 19-25). Chez d'autres espèces d'*Equisetum*, les strobiles apparaissent au sommet des tiges végétatives (voir figure 13-15d). Quand les spores sont mûres, les sporanges se contractent et se fendent le long de leur surface interne, libérant de nombreuses spores. Des élatères — bandes épaissies provenant de l'assise externe de la paroi de la spore — s'enroulent quand il fait humide et

Figure 19-26

Anatomie de la tige d'*Equisetum*. **(a)** Coupe transversale de tige montrant les tissus différenciés. **(b)** Détail d'un faisceau vasculaire montrant le xylème et le phloème.

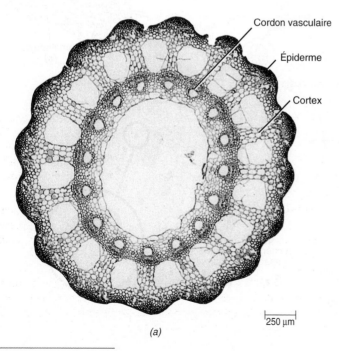

Cordon vasculaire

Épiderme

Cortex

250 µm

(a)

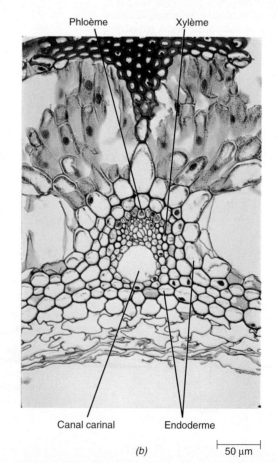

Phloème   Xylème

Canal carinal   Endoderme

50 µm

(b)

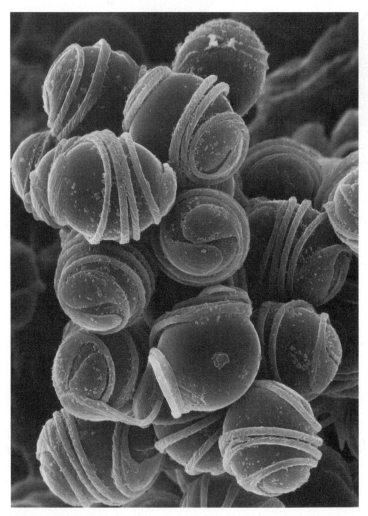

Figure 19-27

Spores de la prêle *Equisetum arvense* observées au microscope électronique à balayage. On voit des spores humides étroitement entourées d'élatères, bandes épaissies attachées aux parois des spores. Quand les spores se dessèchent, les élatères se déroulent et facilitent la dispersion des spores depuis l'intérieur du sporange.

se déroulent quand il fait sec, jouant ainsi un rôle dans la dispersion des spores (Figures 19-27 et 19-29). Elles sont totalement différentes des élatères qui interviennent dans la dispersion des spores chez *Marchantia*. Chez cette hépatique, les élatères sont des cellules allongées portant des épaississements pariétaux disposés en hélices (voir figure 18-14).

Les gamétophytes d'*Equisetum* sont verts et indépendants, d'un diamètre variant de quelques millimètres à un, ou même 3 à 3,5 centimètres chez certaines espèces. Les gamétophytes s'installent de préférence dans la vase récemment inondée et riche en éléments nutritifs. Leur maturité sexuelle est atteinte après trois à cinq semaines et ils sont soit bisexués, soit mâles (Figure 19-28). Dans les gamétophytes

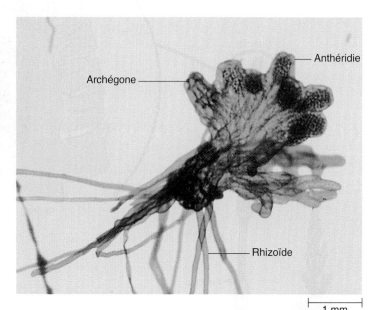

Figure 19-28

Gamétophyte monoïque d'*Equisetum*, montrant des gamétanges mâles et femelles, les anthéridies et les archégones. On peut voir des rhizoïdes s'étalant depuis la surface inférieure du gamétophyte.

bisexués, les archégones se développent avant les anthéridies ; ce type de développement augmente la probabilité d'une fécondation croisée. Les anthérozoïdes sont multiciliés et doivent disposer d'eau pour nager vers les oosphères. Les oosphères de plusieurs archégones d'un même gamétophyte peuvent être fécondées et se développer en embryons, ou jeunes sporophytes.

Le cycle de développement d'*Equisetum* est illustré à la figure 19-29 (pages 450 et 451).

Embranchement des *Pterophyta*

Les fougères sont bien représentées dans les dépôts fossiles depuis le carbonifère jusqu'à nos jours (voir pages 456 et 457 et figure 20-1). Aujourd'hui, les fougères comptent environ 11.000 espèces ; elles constituent le groupe de plantes le plus important et le plus diversifié aux points de vue forme et mode de vie en dehors des angiospermes (Figure 19-30).

La diversité des fougères est la plus grande dans les régions tropicales, où l'on rencontre environ les trois-quarts des espèces. Les espèces de fougères sont non seulement nombreuses dans ces régions, mais elles sont abondantes dans de nombreuses associations végétales. On ne rencontre qu'environ 380 espèces de fougères aux États-Unis et au Canada, alors qu'il en existe un millier dans un petit pays tropical comme le Costa-Rica, en Amérique Centrale. Un tiers environ de toutes les espèces de fougères tropicales sont des épiphytes vivant sur les troncs ou les branches d'arbres (Figure 19-30).

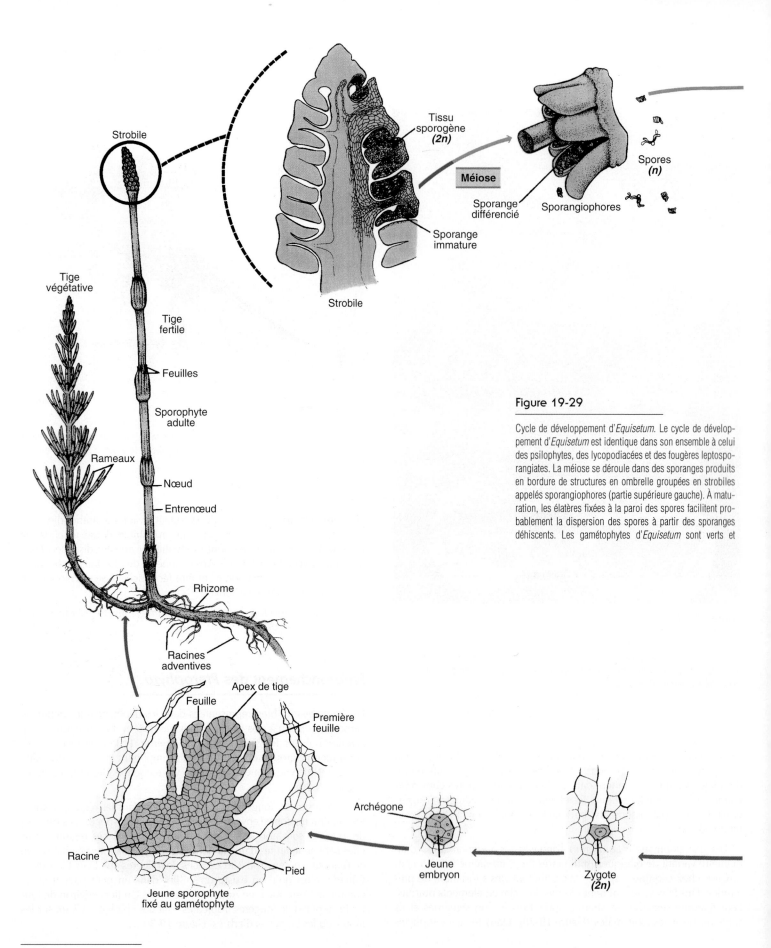

Strobile

Tissu
sporogène
(2n)

Méiose

Spores
(n)

Sporange
différencié

Sporangiophores

Sporange
immature

Strobile

Tige
végétative

Tige
fertile

Feuilles

Sporophyte
adulte

Rameaux

Nœud

Entrenœud

Rhizome

Racines
adventives

Apex de tige

Feuille

Première
feuille

Archégone

Racine

Pied

Jeune
embryon

Zygote
(2n)

Jeune sporophyte
fixé au gamétophyte

Figure 19-29

Cycle de développement d'*Equisetum*. Le cycle de développement d'*Equisetum* est identique dans son ensemble à celui
des psilophytes, des lycopodiacées et des fougères leptosporangiates. La méiose se déroule dans des sporanges produits
en bordure de structures en ombrelle groupées en strobiles
appelés sporangiophores (partie supérieure gauche). À maturation, les élatères fixées à la paroi des spores facilitent probablement la dispersion des spores à partir des sporanges
déhiscents. Les gamétophytes d'*Equisetum* sont verts et

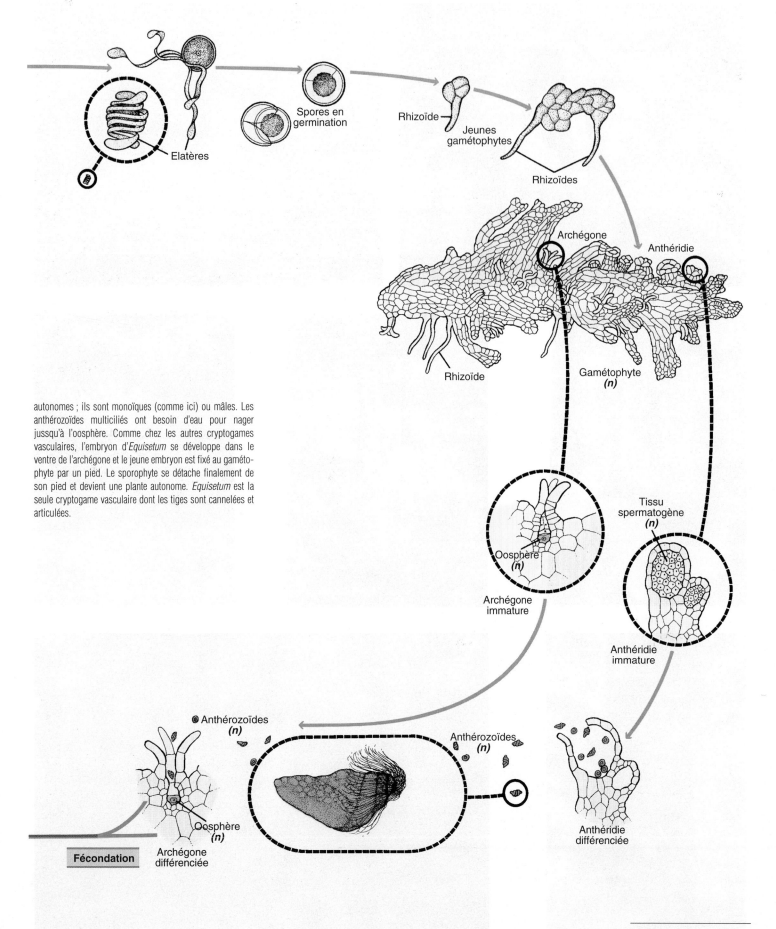

Elatères

Spores en
germination

Rhizoïde

Jeunes
gamétophytes

Rhizoïdes

Archégone

Anthéridie

Rhizoïde

Gamétophyte
(n)

autonomes ; ils sont monoïques (comme ici) ou mâles. Les anthérozoïdes multiciliés ont besoin d'eau pour nager jussqu'à l'oosphère. Comme chez les autres cryptogames vasculaires, l'embryon d'*Equisetum* se développe dans le ventre de l'archégone et le jeune embryon est fixé au gamétophyte par un pied. Le sporophyte se détache finalement de son pied et devient une plante autonome. *Equisetum* est la seule cryptogame vasculaire dont les tiges sont cannelées et articulées.

Tissu
spermatogène
(n)

Oosphère
(n)

Archégone
immature

Anthéridie
immature

Anthérozoïdes
(n)

Anthérozoïdes
(n)

Oosphère
(n)

Fécondation

Archégone
différenciée

Anthéridie
différenciée

(a)

(b)

(c)

(d)

(e)

(f)

(g)

Figure 19-30

Diversité des fougères, illustrée par quelques genres de l'ordre principal, celui des *Filicales*. **(a)** *Lindsaea*, sur le volcan Barba, au Costa-Rica. **(b)** Une fougère arborescente, *Cyathea*, à Monteverde, Costa-Rica. **(c)** *Plagiogyria*, à feuilles fertiles et végétatives séparées, volcan Poas, Costa-Rica. **(d)** *Elaphoglossum*, à feuilles entières épaisses, près de Cuzco, Pérou. **(e)** *Asplenium septentrionale*, petite fougère que l'on rencontre dans tout l'hémisphère nord, sur un sol métallifère près d'une mine de plomb et d'argent, dans le Pays de Galles. **(f)** *Pleopeltis polypodioides* épiphyte sur un tronc de genévrier en Arkansas. **(g)** Espèce d'*Hymenophyllum*, de la famille des hyménophyllacées, qui doivent leur nom à leurs feuilles délicates. Les hyménophyllacées vivent surtout en épiphytes dans les forêts ombrophiles équatoriales ou dans les régions tempérées humides.

Certaines fougères sont très petites et leurs feuilles sont indivises. *Lygodium*, une fougère grimpante, possède des feuilles à long rachis (le prolongement du pétiole) volubile, qui peut atteindre au moins 30 mètres de long. Certaines fougères arborescentes (Figure 19-30b), du genre *Cyathea* par exemple, peuvent atteindre des tailles de plus de 24 mètres et elles possèdent des feuilles longues d'au moins 5 mètres. Bien que le stipe de ces fougères arborescentes puisse dépasser 30 centimètres de diamètre, leurs tissus ont une origine exclusivement primaire. Cette épaisseur est due en grande partie au manteau fibreux des racines ; la tige elle-même ne mesure que quatre à six centimètres de diamètre. Le genre herbacé *Botrychium* (voir figure 19-32a) est la seule fougère actuelle où l'on connaît un cambium.

En ce qui concerne la structure et le mode de développement de leurs sporanges, on peut répartir les fougères entre **eusporangiates** et **leptosporangiates** (Figure 19-31). La distinction entre ces deux types de sporanges est importante pour la compréhension des affinités entre les plantes vasculaires. Dans un **eusporange**, les cellules mères, ou initiales, sont situées à la surface du tissu dont dérive le sporange (Figure 19-31a). Ces initiales se divisent en formant des parois parallèles à la surface, ce qui aboutit à la formation d'une série interne et d'une série externe de cellules. Après de nouvelles divisions dans les deux plans, l'assise cellulaire externe forme la paroi pluriassisiale du sporange. L'assise interne donne naissance à une masse de cellules

Figure 19-31

Développement et structure des deux principaux types de sporanges de fougères. **(a)** L'eusporange est produit par les initiales, une série de cellules mères superficielles. Ce sporange développe une paroi épaisse de deux assises au moins (bien que les assises pariétales internes puissent être écrasées à maturité) et un grand nombre de spores. **(b)** Le leptosporange provient d'une seule cellule initiale qui produit d'abord un stipe, puis une capsule. Le leptosporange donne un nombre relativement limité de spores.

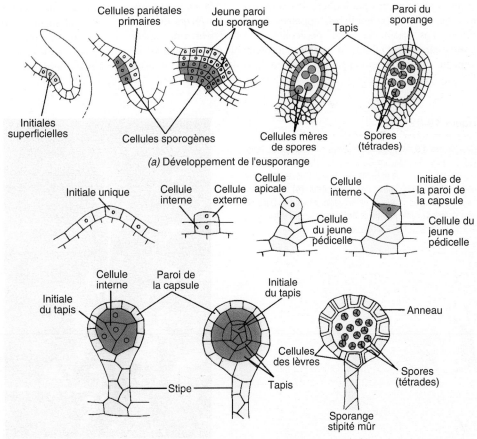

(a) Développement de l'eusporange

(b) Développement du leptosporange

irrégulièrement orientées dont dérivent finalement les cellules mères de spores. Dans beaucoup d'eusporanges, les assises pariétales internes sont étirées et écrasées au cours de leur développement, de telle sorte qu'à maturité, on peut croire que les parois sont formées d'une seule assise cellulaire. Les eusporanges sont plus volumineux que les leptosporanges et contiennent beaucoup plus de spores : ils sont caractéristiques de toutes les plantes vasculaires — y compris celles que nous avons considérées jusqu'ici — à l'exception des fougères leptosporangiates.

Alors que les eusporanges ont une origine multicellulaire, les **leptosporanges** proviennent d'une cellule initiale superficielle, qui se divise transversalement ou obliquement (Figure 19-31b). Des deux cellules provenant de cette division, l'interne peut, soit donner les cellules qui produiront la plus grande partie du pédicelle du sporange, soit, et c'est le cas le plus fréquent, rester inactive et ne jouer aucun rôle dans le développeemnt du sporange. À la suite de divisions précisément orientées, la cellule externe donne finalement naissance à un sporange pédicellé complexe, avec une capsule globuleuse qui possède une paroi uniassiale. À l'intérieur de cette paroi se trouve une structure nourricière biassisiale appelée le **tapis**. La masse interne du leptosporange se différencie finalement en cellules mères de spores qui subissent la méiose et donnent chacune quatre spores. Après avoir alimenté les jeunes cellules en division dans le sporange, le tapis produit, autour des spores, un dépôt en forme de crêtes, d'épines et d'autres ornementations superficielles souvent caractéristiques de familles et de genres particuliers. Les spores sont libérées par la rupture de cellules particulières, appelées *cellules des lèvres* du sporange. Les sporanges sont pédicellés et possèdent une assise particulière de cellules à parois inégalement épaissies appelée **anneau**. Quand le sporange se dessèche, la contraction de l'anneau provoque une déchirure au milieu de la capsule. L'explosion brusque et l'évagination de l'anneau provoquent une expulsion violente des spores. Chez les eusporangiates, les pédicelles sont plus massifs et, malgré l'existence possible de lignes de déhiscence préformées, il n'y a pas d'anneau ni de projection des spores.

La plupart des fougères actuelles sont isosporées ; l'hétérosporie n'est présente que dans deux ordres de fougères aquatiques actuelles (voir figure 19-39), dont il sera question ci-dessous. Quelques fougères éteintes étaient également hétérosporées.

Nous allons à présent considérer des exemples de trois types très différents de fougères : (1) les *Ophioglossales* et les *Marattiales*, deux ordres qui représentent les eusporangiates, (2) les *Filicales*, fougères leptosporangiates isosporées, et (3) les fougères aquatiques, les ordres des *Marsileales* et des *Salviniales*, fougères leptosporangiates hétérosporées.

Les *Ophioglossales* et les *Marattiales* sont deux ordres de fougères eusporangiates

Des trois genres d'*Ophioglossales*, *Botrychium* (Figure 19-32a) et *Ophioglossum* (Figure 19-32b) sont les plus répandus dans les régions tempérées nord. Dans ces deux genres, la tige produit normalement une seule feuille chaque année. La feuille se compose de deux parties : (1) une portion végétative, le limbe, profondément divisée chez *Botrychium* et entière chez la plupart des espèces d'*Ophioglossum*, et (2) un segment fertile. Chez *Botrychium*, le segment fertile est découpé comme la partie végétative et porte deux rangées d'eusporanges sur les segments externes. Chez *Ophioglossum*, la portion fertile est entière et porte deux rangées d'eusporanges enfermés.

Figure 19-32

Deux genres d'*Ophioglossales* présentes en Amérique du Nord. **(a)** *Botrychium parallelum*. Dans le genre *Botrychium*, la partie végétative inférieure de la feuille est divisée. C'est le seul genre de fougère qui produit un cambium vasculaire. **(b)** Chez *Ophioglossum*, la partie inférieure de la feuille est entière. Dans les deux genres, la partie supérieure de la feuille, érigée et fertile, est très différente de la partie végétative.

(a)

(b)

Les gamétophytes de *Botrychium* et d'*Ophioglossum* sont des structures souterraines, tubéreuses, allongées, munis de nombreux rhizoïdes ; ils possèdent des champignons endophytes et ressemblent aux gamétophytes des *Psilophyta*. Chez *Botrychium*, les gamétophytes ont habituellement une crête dorsale où les anthéridies sont enfermées, tandis que les archégones sont généralement situées le long de la crête. Les ophioglossales se distinguent nettement des autres fougères actuelles par la nature de leurs gamétophytes, la structure de leurs feuilles et plusieurs autres détails anatomiques ; elles représentent visiblement un groupe divergent et distinct. Malheureusement, ce groupe n'a pas laissé de dépôts fossiles démonstratifs d'un âge supérieur à 50 millions d'années. Une espèce, *Ophioglossum reticulatum*, possède le nombre chromosomique le plus élevé connu de tous les végétaux, avec environ 1260 chromosomes somatiques.

Un seul autre ordre de fougères possède des eusporanges, ce sont les *Marattiales* : cet ordre tropical est un groupe ancien, dont on connaît des fossiles qui remontent au carbonifère. Les espèces de cet ordre ressemblent plus aux groupes habituels de fougères que les ophioglossales. *Psaronius*, la fougère arborescente disparue illustrée à la figure 20-1, appartenait à cet ordre. Les six genres actuels de *Marattiales* comprennent environ 200 espèces.

Les *Filicales* sont un ordre de fougères leptosporangiates isosporées

La grande majorité des fougères familières appartiennent à l'ordre important des *Filicales*, avec au moins 10.500 espèces. On y reconnaît quelque 35 familles et 320 genres. Les filicales diffèrent des ophioglossales et des marattiales par le fait qu'elles sont leptosporangiates, et des fougères aquatiques, dont nous allons parler plus loin, parce qu'elles sont isosporées. À part les ophioglossales et les marattiales, toutes les fougères sont en fait des leptosporangiates et très peu possèdent les gamétophytes souterrains à champignons endophytes caractéristiques des ophioglossales et des marattiales. Il est évident que les leptosporanges et les autres caractéristiques typiques de la plupart des fougères constituent des caractères spécialisés, puisqu'on ne les retrouve nulle part ailleurs chez les plantes vasculaires, y compris chez les ophioglossales et les marattiales, qui possèdent beaucoup de caractères en commun avec d'autres groupes de plantes anciennes.

Dans les régions tempérées, la plupart des fougères des jardins et des bois possèdent des rhizomes siphonostéliques (Figure 19-33) produisant chaque année de nouvelles feuilles. L'embryon des fougères produit une vraie racine, mais celle-ci avorte rapidement, et les nouvelles racines sont adventives — cela signifie qu'elles proviennent du rhizome, près de la base des feuilles. Les feuilles, ou **frondes**, sont des mégaphylles et représentent la partie la plus apparente du sporophyte. Leur rapport surface/volume élevé leur permet de capter la lumière solaire beaucoup plus efficacement que les microphylles des lycophytes. Les fougères sont les seules cryptogames vasculaires à posséder des mégaphylles bien développées. Les frondes sont généralement composées ; cela signifie que le limbe est divisé en folioles, ou **pennes**, fixées au **rachis**, qui est le prolongement du pétiole. Chez presque toutes les fougères, les jeunes feuilles sont enroulées en crosse (circinées) (Figure 19-34). Ce type de développement foliaire est appelé

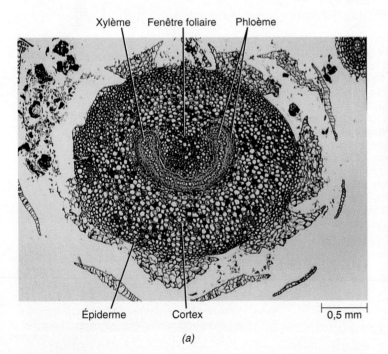

Xylème   Fenêtre foliaire   Phloème

Épiderme   Cortex   0,5 mm

(a)

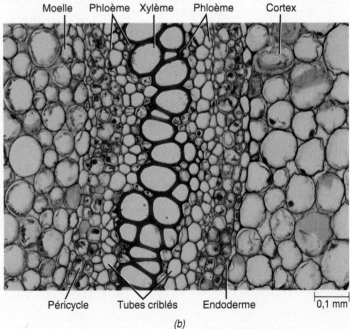

Moelle   Phloème   Xylème   Phloème   Cortex

Péricycle   Tubes criblés   Endoderme   0,1 mm

(b)

Figure 19-33

Anatomie du rhizome de fougère. **(a)** Coupe transversale d'un rhizome d'*Adiantum* montrant la siphonostèle. Notez la large fenêtre foliaire. **(b)** Coupe transversale dans une partie de la région conductrice de la fougère arborescente *Dicksonia*. Le phloème se compose principalement de tubes criblés ; le xylème ne comprend que des trachéides.

LES PLANTES DE L'ÉPOQUE DU CHARBON

La quantité de dioxyde de carbone utilisée annuellement par la photosynthèse atteint environ 100 milliards de tonnes, soit environ un dixième de la quantité totale de ce gaz présente dans l'atmosphère. La quantité de dioxyde de carbone récupérée après l'oxydation de ces matières vivantes est à peu près la même ; elle n'en diffère que d'une part pour 10.000. Ce très faible déséquilibre est provoqué par l'enfouissement d'organismes dans les sédiments ou dans la vase en conditions anaérobies et leur décomposition incomplète. Cette accumulation de matériel végétal partiellement décomposé forme la tourbe (page 415). La tourbe peut finalement être recouverte par des roches sédimentaires et donc soumise à une pression. En fonction du temps, de la température et d'autres facteurs, la tourbe peut être comprimée en charbon tendre ou dur faisant partie des combustibles fossiles.

La formation des combustibles fossiles a été plus rapide au cours de certaines périodes géologiques. Le carbonifère fut une de ces époques ; il a débuté il y a environ 362 millions d'années pour se terminer 290 millions d'années avant notre ère (voir figures 19-11 et 20-1). Les terres étaient basses, couvertes par des mers peu profondes ou des marais et, dans les parties qui constituent actuellement les régions tempérées d'Europe et d'Amérique du Nord, la période de végétation pouvait s'étendre sur toute l'année. À l'époque, ces régions étaient tropicales ou subtropicales, l'équateur passant par les Appalaches, le nord de l'Europe et l'Ukraine. Cinq groupes de plantes dominaient les zones marécageuses, et trois étaient des cryptogames vasculaires — les lycophytes, les sphénophytes (calamites) et les fougères. Les deux autres étaient des spermatophytes du type gymnosperme — les ptéridospermes *(Pteridospermales)* et les cordaïtes *(Cordaitales)*.

Les lycophytes arborescents

Pendant la plus grande partie du carbonifère supérieur (pennsylvanien), les lycophytes arborescents dominaient les marais ou le char-

bon s'est formé. La plupart de ces plantes atteignaient de 10 à 35 mètres de hauteur et étaient peu ramifiées **(a)**. Vers la fin de la croissance, le tronc se ramifiait dichotomiquement. Les ramifications successives donnaient des branches de plus en plus petites jusqu'à ce que, finalement, les extrémités des rameaux deviennent incapables de poursuivre leur croissance. Les branches portaient de longues microphylles. La rigidité des lycophytes arborescents était en grande partie assurée par un périderme massif entourant une quantité relativement faible de xylème.

Comme *Selaginella* et *Isoetes*, les lycophytes arborescents étaient hétérosporés et leurs sporophylles étaient rassemblées en cônes. Certains de ces arbres produisaient des structures analogues aux graines.

Quand les marais ont commencé à s'assécher et quand le climat de l'Euramérique a commencé à se modifier à la fin du carbonifère, les lycophytes arborescents ont disparu du jour au lendemain, à l'échelle des temps géologiques. Le seul parent vivant de ce groupe qui persiste de nos jours est le genre *Isoetes*. Au carbonifère, il existait des lycophytes herbacés pratiquement semblables aux *Lycopodium* et aux *Selaginella* et des représentants de certains d'entre eux sont survécu jusqu'à présent ; il en reste de 10 à 15 genres.

Les calamites

Les calamites, prêles géantes, étaient des plantes arborescentes, atteignant au moins 18 mètres de haut (voir figure 20-1). Comme les *Equisetum*, les calamites étaient formés d'une partie aérienne ramifiée et d'un rhizome souterrain. Les feuilles et les rameaux étaient de plus verticillés aux nœuds. Les tiges étaient même remarquablement semblables à celles des *Equisetum*, sauf que les calamites avaient un xylème secondaire, ce qui explique le plus grand diamètre des tiges (troncs atteignant 30 centimètres de diamètre). Les ressemblances entre les calamites et les *Equisetum* actuels sont telles qu'ils sont actuellement considérés comme appartenant à un même ordre.

(a)

(a) Les scientifiques pensent que, dès sa stabilisation par ses axes ramifiés superficiels, semblables à des racines, le lycophyte arborescent croissait rapidement vers le haut. Ses axes stigmariens souterrains produisaient des radicelles disposées en spirale : on les voit ici comme de minces protubérances qui émergent du sol de la forêt. De gauche à droite : une jeune plante feuillée, une plante plus développée en forme de perche et un adulte géant de 35 mètres. **(b)** Un des groupes de gymnospermes les plus intéressants est celui des ptéridospermes, vaste groupe artificiel de plantes séminifères primitives apparues au dévonien supérieur et qui ont prospéré pendant quelque 125 millions d'années. Les fossiles de ces plantes bizarres sont fréquents dans les dépôts du carbonifère et sont bien connus des paléontologues depuis un siècle au moins. Leur appareil végétatif était tellement semblable à celui des fougères qu'elles furent réunies à ces dernières pendant de très nombreuses années. Ce dessin est

(b)

(c)

une reconstitution de *Medullosa noei*, une ptéridosperme du carbonifère. La plante atteignait environ 5 mètres de haut. **(c)** Extrémité d'une jeune branche de *Cordaites*, plante primitive proche des conifères, montrant de longues feuilles rubanées

Les appendices fertiles des calamites, ou sporangiophores, étaient réunis en cônes. La plupart étaient isosporés, mais quelques prêles géantes étaient hétérosporées. Comme la plupart des lycophytes arborescents, les prêles géantes ont commencé à décliner vers la fin du paléozoïque, mais elles ont persisté sous une forme très réduite pendant tout le mésozoïque et le tertiaire. Les prêles ne sont plus représentées aujourd'hui que par un seul genre, *Equisetum*.

Les fougères

De nombreuses fougères des dépôts fossiles peuvent se rattacher à des familles primitives de fougères actuelles. L'« époque des fougères » du carbonifère supérieur était dominée par des fougères arborescentes comme *Psaronius*, une *Marattiale* — un groupe eusporangiate. Atteignant 8 mètres, *Psaronius* avait une stèle se prolongeant jusqu'à l'apex ; la stèle était couverte à la base par des racines adventives qui assuraient le soutien principal de la plante. La tige de *Psaronius* se terminait par bouquet de grandes feuilles composées pennées (voir figure 20-1).

Les spermatophytes

Les deux derniers groupes de plantes qui dominaient les régions basses d'Euramérique étaient les ptéridospermes, ou fougères à graines, et les cordaïtes. Les plantes fossiles habituellement groupées dans les ptéridospermes avaient probablement des relations phylogénétiques différentes. Les fossiles de ptéridospermes sont fréquents dans les roches du carbonifère **(b)**. Leurs grandes frondes composées pennées ressemblaient tellement aux fougères que ces plantes ont longtemps été considérées comme telles. En 1905, F.W.Oliver et D.H.Scott prouvèrent qu'elles portaient des graines et qu'il s'agissait donc de gymnospermes. Beaucoup d'espèces étaient de petites plantes buissonnantes ou rampantes.

D'autres ptéridospermes probables étaient de grands arbres ligneux. Leurs frondes étaient portées au sommet de troncs, ou stipes, portant les microsporanges et les graines qui s'y développaient. Les ptéridospermes ont survécu pendant le mésozoïque.

Les cordaïtes avaient une large répartition pendant le carbonifère, aussi bien dans les marais que dans des milieux plus secs. Certaines plantes de cet ordre étaient des buissons, mais beaucoup étaient de grands arbres très ramifiés (15 à 30 mètres) qui formaient peut-être des forêts étendues. Leurs longues feuilles rubanées (jusqu'à 1 mètre) étaient disposées en spirale au sommet des jeunes branches **(c)**. Le centre de la tige était occupé par une large moelle et un cambium produisait un cylindre complet de xylème secondaire. Le système racinaire, situé à la base de la plante, développait également un xylème secondaire. Les plantes portaient des cônes producteurs de pollen et des structures coniques séminifères sur des branches séparées. Les cordaïtes ont persisté pendant le permien (286 à 248 millions d'années), période plus sèche et plus fraîche qui a succédé au carbonifère, mais elles semblent avoir disparu au début du mésozoïque.

En conclusion

Les plantes qui ont dominé les marais à charbon tropicaux du carbonifère en Euramérique — les lycophytes arborescents — se sont éteintes durant le paléozoïque supérieur, époque à climat tropical de plus en plus aride. Seules les formes herbacées des lycophytes et des prêles arborescentes du carbonifère ont persisté aujourd'hui, en même temps que plusieurs groupes de fougères apparus pendant le carbonifère. Les ptéridospermes, comme les cordaïtes, ont disparu. Un seul groupe de gymnospermes du carbonifère, les conifères (groupe secondaire à cette époque) a survécu et a continué à produire de nouvelles formes au cours du permien. On reparlera en détail des conifères actuels au chapitre 20.

Figure 19-34

Crosse de *Matteucia struthiopteris*. Les crosses de cette fougères sont récoltées à grande échelle dans les régions d'altitude de la Nouvelle Angleterre et du Nouveau Brunswick ; elles sont commercialisées à l'état frais, en conserve ou congelées. Ces crosses, qui ont un peu le goût de l'asperge, doivent être récoltées quand elles ont moins de 15 centimètres de haut. Les crosses de nombreuses fougères sont considérées comme toxiques. *Matteucia* est la fougère la plus cultivée au pied des maisons dans l'est des États-Unis et du Canada.

(a)   *(b)*

(c)   *(d)*

Figure 19-35

Les sores sont des groupes de sporanges situés à la face inférieure des feuilles. **(a)** Chez *Dennstaedtia punctilobula* et les autres fougères du genre, les sores sont nus. **(b)** Chez la fougère aigle (*Pteridium aquilinum*), représentée ici, de même que chez la capillaire (*Adiantum*), les sores sont situés sur la marge du limbe foliaire, recourbé au-dessus d'eux. **(c)** Chez *Dryopteris marginalis*, les sores, également localisés près du bord du limbe foliaire, sont entièrement couverts par des indusies réniformes. **(d)** Chez *Onoclea sensibilis*, les sores sont enveloppés dans les lobes globulaires des pennes (folioles) et ne sont donc pas visibles. Après l'hiver, les lobes se séparent lentement et les spores sont libérées au début du printemps, souvent sur la neige.

préfoliaison circinée. Le déroulement de la crosse provient d'une croissance plus rapide de la face interne de la feuille au dépens de sa face externe au début du développement : il est contrôlé par l'auxine (page 671) produite dans les jeunes pennes du côté interne de la crosse. Ce type de préfoliaison protège l'extrémité embryonnaire délicate de la feuille pendant son développement. Les crosses et les rhizomes sont généralement revêtus soit de poils, soit d'écailles, qui sont tous deux des productions épidermiques ; les caractères de ces structures sont importants dans la classification des fougères.

Les sporanges des filicales, toujours isosporés, se forment sur les marges ou à la face inférieure des feuilles, sur des feuilles modifiées à cet effet ou sur des axes distincts. Les sporanges sont généralement groupés en amas appelés **sores** (Figures 19-35 et 19-36) qui forment des lignes, des taches ou de larges plages jaunes, oranges, brunâtres ou noirâtres à la face inférieure des frondes. Chez beaucoup de genres, les jeunes sores sont recouverts par des replis spécialisés de la feuille, les **indusies**, qui peuvent se contracter quand les sporanges sont mûrs et prêts à libérer leurs spores. La forme du sore, sa position et la présence ou l'absence d'indusie sont des caractères importants dans la taxonomie des fougères.

Les spores des filicales donnent naissance à des gamétophytes bisexués indépendants que l'on trouve souvent dans les endroits humides, comme le bord des pots dans les serres. Le gamétophyte typique se développe rapidement en un **prothalle**, structure aplatie, cordiforme, possédant de nombreux rhizoïdes au centre de sa face inférieure. Les anthéridies et les archégones se développent sur la face

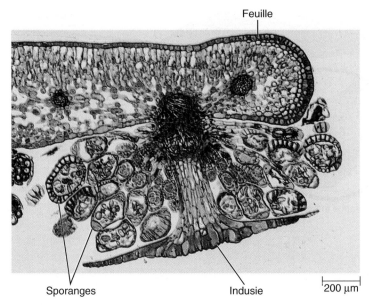

Feuille

Sporanges

Indusie

200 μm

Figure 19-36

Cyrtomium falcatum, fougère isosporée. Coupe transversale de feuille montrant un sore à la face inférieure. Les sporanges sont à des stades de développement différents et sont protégés par une indusie en ombrelle.

ventrale du prothalle. Les anthéridies se trouvent en général parmi les rhizoïdes, alors que les archégones apparaissent près de l'échancrure, à la partie antérieure du gamétophyte. L'ordre d'apparition des gamétanges est déterminé génétiquement et peut être contrôlé par des substances chimiques spéciales produites par les gamétophytes. Le moment où apparaissent les gamétanges peut avoir une influence sur le mode prépondérant de reproduction, soit autogame, soit allogame. La présence d'eau est nécessaire pour permettre aux anthérozoïdes multiciliés de nager jusqu'aux oosphères.

Au début de son développement, l'embryon, ou jeune sporophyte, puise son alimentation dans le gamétophyte par l'intermédiaire d'un pied. Le développement est rapide et le sporophyte devient bientôt une plante indépendante, tandis que le gamétophyte se flétrit.

Le cycle de développement d'une filicale est représenté à la figure 19-38 (pages 460 et 461).

Normalement, le sporophyte est le stade pérenne des fougères et le petit gamétophyte thalloïde est éphémère. La persistance de gamétophytes rubanés ou filamenteux, ne produisant jamais de sporophytes, est curieuse : c'est pourtant le cas de certaines espèces de fougères, par exemple de trois genres comprenant six espèces tropicales découvertes dans le sud des Appalaches. Ils semblent persister indéfiniment sans jamais produire de sporophytes. En outre, on n'a encore jamais réussi à induire la formation de sporophytes en laboratoire (Figure 19-37). Ces gamétophytes se reproduisent par des bourgeons adventifs appelés gemmules qui tombent sur le sol, sont disséminées

Figure 19-37

Chez certaines fougères vivant dans des régions très dispersées du globe, les gamétophytes se reproduisent asexuellement et sont persistants ; il ne se forme pas de sporophytes, ni sur le terrain, ni en laboratoire. Ces photographies montrent deux des trois genres de fougères connues pour ce comportement, dans l'est des États-Unis. **(a)** Habitat typique des gamétophytes persistants de *Vittaria* et de *Trichomanes*, à Ash Vace, dans le comté de Hocking, Ohio. **(b)** Gamétophytes de *Trichomanes*, dans le comté de Lancaster, Pennsylvanie. **(c)** Gamétophytes de *Vittaria*, dans le comté de Franklin, Alabama.

(a)

(b)

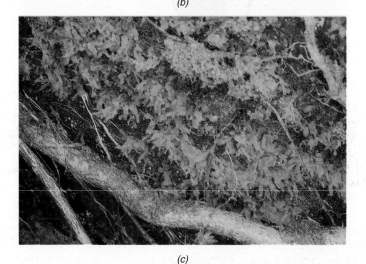

(c)

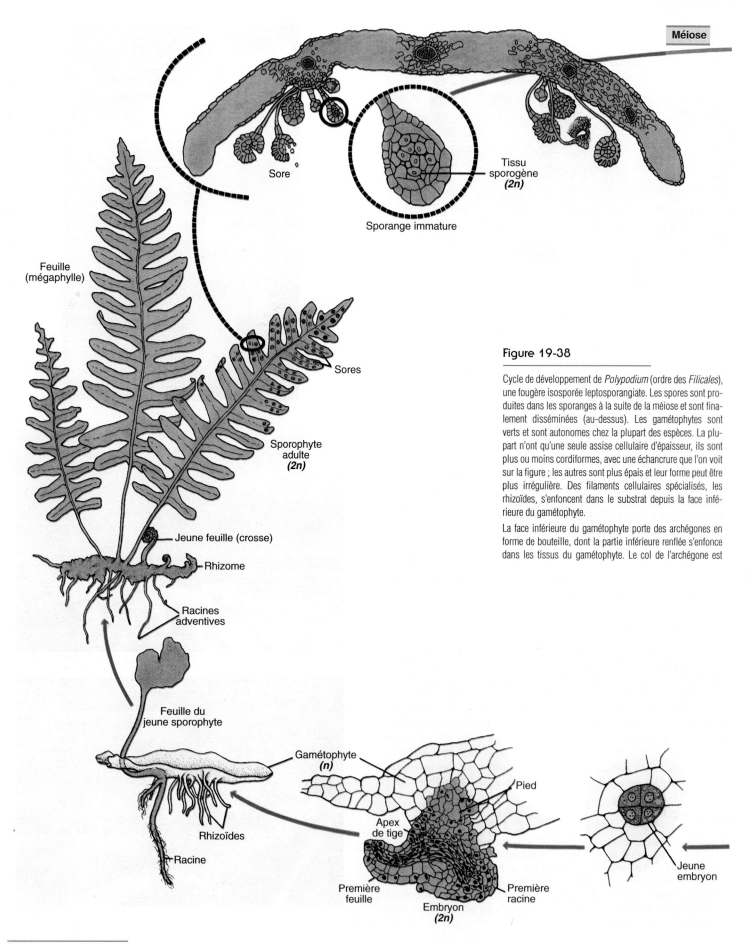

Sore

Tissu
sporogène
(2n)

Sporange immature

Feuille
(mégaphylle)

Sores

Sporophyte
adulte
(2n)

Jeune feuille (crosse)

Rhizome

Racines
adventives

Figure 19-38

Cycle de développement de *Polypodium* (ordre des *Filicales*), une fougère isosporée leptosporangiate. Les spores sont produites dans les sporanges à la suite de la méiose et sont finalement disséminées (au-dessus). Les gamétophytes sont verts et sont autonomes chez la plupart des espèces. La plupart n'ont qu'une seule assise cellulaire d'épaisseur, ils sont plus ou moins cordiformes, avec une échancrure que l'on voit sur la figure ; les autres sont plus épais et leur forme peut être plus irrégulière. Des filaments cellulaires spécialisés, les rhizoïdes, s'enfoncent dans le substrat depuis la face inférieure du gamétophyte.

La face inférieure du gamétophyte porte des archégones en forme de bouteille, dont la partie inférieure renflée s'enfonce dans les tissus du gamétophyte. Le col de l'archégone est

Feuille du
jeune sporophyte

Gamétophyte
(n)

Pied

Apex
de tige

Rhizoïdes

Racine

Première
feuille

Embryon
(2n)

Première
racine

Jeune
embryon

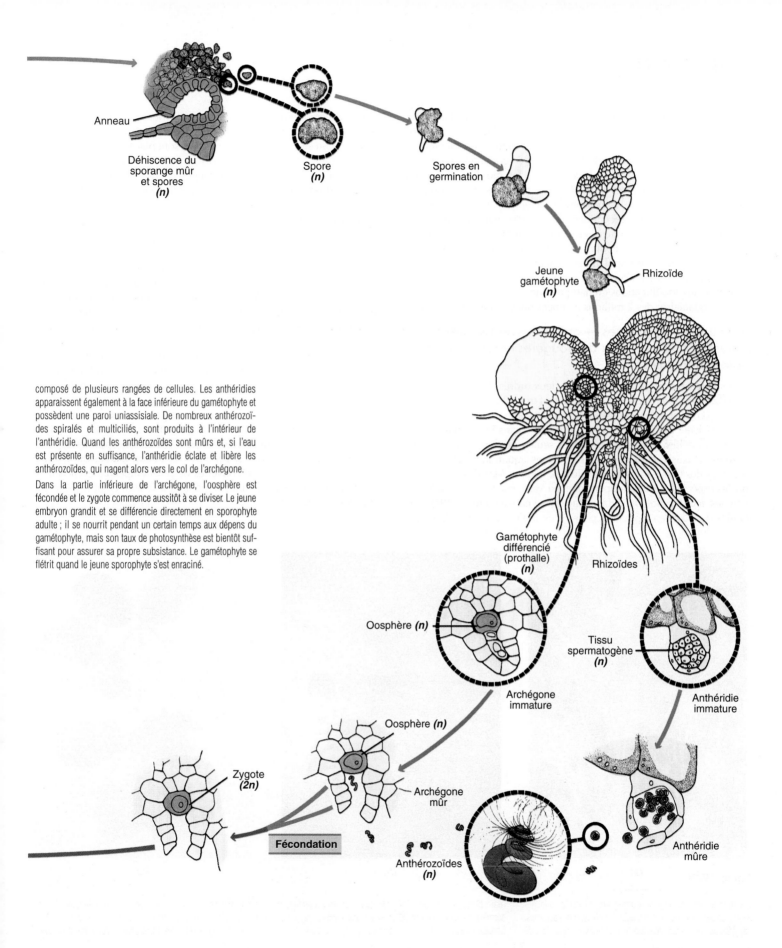

Anneau

Déhiscence du
sporange mûr
et spores
(n)

Spore
(n)

Spores en
germination

Jeune
gamétophyte
(n)

Rhizoïde

composé de plusieurs rangées de cellules. Les anthéridies apparaissent également à la face inférieure du gamétophyte et possèdent une paroi uniassisiale. De nombreux anthérozoïdes spiralés et multiciliés, sont produits à l'intérieur de l'anthéridie. Quand les anthérozoïdes sont mûrs et, si l'eau est présente en suffisance, l'anthéridie éclate et libère les anthérozoïdes, qui nagent alors vers le col de l'archégone.

Dans la partie inférieure de l'archégone, l'oosphère est fécondée et le zygote commence aussitôt à se diviser. Le jeune embryon grandit et se différencie directement en sporophyte adulte ; il se nourrit pendant un certain temps aux dépens du gamétophyte, mais son taux de photosynthèse est bientôt suffisant pour assurer sa propre subsistance. Le gamétophyte se flétrit quand le jeune sporophyte s'est enraciné.

Gamétophyte
différencié
(prothalle)
(n)

Rhizoïdes

Oosphère *(n)*

Tissu
spermatogène
(n)

Archégone
immature

Anthéridie
immature

Oosphère *(n)*

Zygote
(2n)

Archégone
mûr

Fécondation

Anthérozoïdes
(n)

Anthéridie
mûre

et donnent de nouvelles colonies. Ces fougères semblent différentes des autres espèces appartenant aux genres correspondants et qui produisent des sporophytes ; elles montrent en outre des différences enzymatiques : on devrait donc les considérer comme des espèces distinctes. Cette situation est fréquente chez les mousses et l'on en découvre chez les fougères plus qu'on ne l'avait pensé à l'origine. L'âge des populations de gamétophytes pérennes, indépendants, de *Trichomanes speciosum*, récemment découvertes dans les Elbstandsteingebirge (chaîne de montagnes séparant l'Allemagne de la République Tchèque) est estimé à plus de 1000 ans. Il est possible qu'il s'agisse de reliques de populations anciennes qui comprenaient des sporophytes et des gamétophytes. Les sporophytes ont peut-être disparu suite aux modifications climatiques survenues au cours des époques interglaciaires des 2 millions d'années qui viennent de s'écouler.

Les fougères aquatiques — ordres des *Marsileales* et des *Salviniales* — sont des fougères hétérosporées leptosporangiates

Les fougères aquatiques comprennent deux ordres, les *Marsileales* et les *Salviniales*. Bien que leur structure soit très différente, des indices récents, basés sur des analyses moléculaires, montrent que les deux ordres dérivent d'un même ancêtre terrestre. Toutes les fougères aquatiques sont hétérosporées et ce sont les seules fougères hétérosporées vivantes. Il existe cinq genres de fougères aquatiques. Les minces rhizomes des trois genres de marsiléales, comme *Marsilea* (avec environ 50 espèces), se développent dans la vase, sur le sol humide, ou bien les feuilles flottent à la surface de l'eau (Figure 19-39a). Les feuilles de *Marsilea* rappellent celles d'un trèfle à quatre feuilles. Les

sporocarpes sont des structures reproductrices réniformes, résistantes à la sécheresse, capables de rester en vie même après 100 ans de conservation au sec ; ils germent quand ils sont placées dans l'eau et produisent des chapelets de sores portant chacun des séries de mégasporanges et de microsporanges (Figure 19-39b). Les gamétophytes extrêmement spécialisés et l'hétérosporie des marsiléales sont les principaux caractères qui motivent la création d'un ordre distinct pour ces fougères.

Les deux genres de *Salviniales*, *Azolla* (voir figure 30-11) et *Salvinia* (Figure 19-39c) sont de petites plantes flottant à la surface de l'eau. Tous deux produisent leurs sporanges dans des sporocarpes dont la structure est toute différente de ceux des *Marsileales*. Chez *Azolla*, les minces feuilles agglomérées, bilobées, apparaissent sur des tiges minces. Une poche creusée dans le lobe foliaire supérieur, photosynthétique, est occupée par des colonies d'une cyanobactérie, *Anabaena azollae*. Le petit lobe foliaire inférieur est souvent presqu'incolore. En raison des capacités fixatrices d'azote de l'*Anabaena*, *Azolla* est importante pour le maintien de la fertilité des rizières et de certains écosystèmes naturels. Les feuilles entières de *Salvinia*, qui atteignent 2 centimètres de long, sont groupées par trois sur le rhizome flottant. Une des trois feuilles pend sous la surface de l'eau ; elle est très découpée et ressemble à une masse de racines blanchâtres. Cependant, ces « racines » portent les sporanges, ce qui montre bien que ce sont des feuilles. Les deux feuilles supérieures, qui flottent sur l'eau, sont couvertes de poils empêchant leur surface d'être mouillée, et les feuilles remontent à la surface après une submersion temporaire.

Figure 19-39   *(a)*   *(b)*   *(c)*

Fougères aquatiques. Les deux ordres très différents de fougères aquatiques sont les seules fougères hétérosporées actuelles. **(a)** *Marsilea polycarpa*, avec ses feuilles flottant à la surface de l'eau, photographiée au Vénézuéla. **(b)** *Marsilea*, montrant la germination d'un sporocarpe émettant des chaînes de sores. Chaque sore contient une série de mégasporanges et de microsporanges. **(c)** *Salvinia*, avec deux feuilles flottantes et une feuille submergée pennatifide. Ces deux genres représentent respectivement l'ordre des *Marsileales* et celui des *Salviniales*

RÉSUMÉ

Les plantes vasculaires sont caractérisées par l'existence de tissus conducteurs, xylème et phloème, et d'une alternance de générations hétéromorphes dans laquelle le sporophyte est dominant et complexe ; il représente le stade nutritionnellement indépendant.

Les tissus vasculaires primaires sont organisés en trois types de stèles

Beaucoup de plantes vasculaires sont formées uniquement de tissus primaires. Actuellement, la structure secondaire n'existe que chez les spermatophytes, bien qu'elle ait existé antérieurement chez plusieurs groupes fossiles de cryptogames vasculaires non apparentés. Il existe trois dispositions de base des tissus vasculaires primaires et des tissus fondamentaux qui leur sont associés : (1) la protostèle, composée d'un axe plein de tissu vasculaire, (2) la siphonostèle, qui possède une moelle entourée par le tissu vasculaire, (3) l'eustèle, formée d'une moelle entourée d'un système de faisceaux vasculaires séparés les uns des autres par le tissu fondamental.

Les racines et les feuilles ont évolué différemment

Les racines ont évolué à partir des portions souterraines de la plante primitive. Les feuilles sont apparues à plusieurs reprises. Les microphylles, feuilles uninervées dont les traces foliaires ne sont pas associées à des

TABLEAU RÉSUMÉ

Comparaison de quelques caractéristiques importantes des cryptogames vasculaires

EMBRANCHEMENT	RAMIFICATION DICHOTOMIQUE	DIFFÉRENCIATION EN RACINES, TIGES ET FEUILLES	ISOSPORES OU HÉTÉROSPORÉS	TYPE DE FEUILLES	TYPE DE STÈLE	SPORANGES	CARACTÈRES DIVERS
Rhyniophyta (rhyniophytes)	Souvent	Tige seulement	Isosporés	Aucune	Protostèle	Terminaux	Uniquement fossiles; ancêtres probables des trimérophytes
Zosterophyllophyta (zostérophyllophytes)	Souvent	Tige seulement	Beaucoup d'isosporés; quelques hétérosporés	Aucune	Protostèle	Latéraux	Uniquement fossiles; très proches des lycophytes
Lycophyta (lycophytes)	Certains sont plus ou moins dichotomiques	Oui	*Lycopodiaceae* isosporées, *Selaginellaceae* et *Isoetaceae* hétérosporées	Microphylles	La plupart avec protostèle ou protostèle modifiée	Sur ou aux aisselles des sporophylles	Les *Selaginellaceae* et les *Isoetaceae* ont des ligules; beaucoup de formes éteintes
Trimerophytophyta (trimérophytes)	La plupart ne le sont pas	Tige seulement	Isosporés	Aucune	Protostèle	Terminaux sur dichotomies ultimes	Uniquement fossiles; ancêtres probables des fougères, des progymnospermes et peut-être des prêles
Psilophyta (psilophytes)	Oui	Tige seulement	Isosporés	Aucune	Protostèle	Latéraux	Ressemblent aux rhyniophytes par la forme et la structure; seuls genres modernes : *Psilotum* et *Tmesipteris*
Sphenophyta (sphénophytes)	Non	Oui	Isosporés; certains fossiles hétérosporés	Microphylle par réduction	Siphonostèle ressemblant à une eustèle	Sur sporangiophores en strobiles	Représentées aujourd'hui par un seul genre, *Equisetum* (prêles)
Pterophyta (fougères)	Non	Oui	Tous isosporés, sauf *Marsileales* et *Salviniales*, qui sont hétérosporées	Mégaphylle	Protostèle chez certains; Siphonostèle ou types complexes chez d'autres	Sur sporophylles; parfois groupés en sores	*Ophioglossales* et *Marattiales* : eusporangiates; *Filicales*, *Marsileales* et *Salviniales* : leptosporangiates

fenêtres foliaires, ont évolué soit à partir d'excroissances de la tige, soit à partir de sporanges stériles. On les rencontre associées aux protostèles et elles sont caractéristiques des lycophytes. Les mégaphylles sont de feuilles qui possèdent un système complexe de nervures ; elles ont évolué à partir d'ensembles de rameaux. Elles sont associées aux siphonostèles et aux eustèles. Dans les siphonostèles des fougères, les traces foliaires sont associées à des fenêtres foliaires.

Les plantes vasculaires peuvent être isosporées ou hétérosporées

Les plantes vasculaires isosporées ne produisent qu'une sorte de spores qui peuvent donner naissance à un gamétophyte bisexué. Les plantes hétérosporées produisent des microspores et des mégaspores qui germent et donnent naissance respectivement à des gamétophytes mâles et femelles. La taille des gamétophytes des plantes hétérosporées est très réduite, en comparaison de celle des plantes isosporées. L'hétérosporie est apparue plusieurs fois au cours de l'histoire évolutive des plantes vasculaires. Une tendance évolutive persistante et de longue durée a abouti à une réduction de la taille et de la complexité du gamétophyte ; elle est arrivée à son maximum chez les angiospermes. Les cryptogames vasculaires possèdent des archégones et des anthéridies. Presque toutes les gymnospermes possèdent encore des archégones, mais aussi bien les archégones que les anthéridies ont disparu chez toutes les angiospermes.

Il existe une alternance de générations hétéromorphes chez les cryptogames vasculaires

Tous les cycles de développement des plantes vasculaires sont des variantes d'un même type à alternance de générations hétéromorphes impliquant un sporophyte dominant et indépendant. Les gamétophytes des espèces isosporées sont indépendants du sporophyte pour leur alimentation. Bien que potentiellement bisexués, ces gamétophytes sont fonctionnellement unisexués. Les gamétophytes des espèces isosporées sont unisexués, de taille très réduite et, à l'exception de quelques genres de fougères hétérosporées, leur alimentation dépend des réserves nutritives du sporophyte. Toutes les cryptogames vasculaires possèdent des anthérozoïdes mobiles et la présence d'eau est nécessaire pour permettre à l'anthérozoïde de nager jusqu'à l'oosphère.

Les fossiles les plus anciens de plantes vasculaires appartiennent à l'embranchement des Rhyniophyta

Les plantes vasculaires remontent à 430 millions d'années au moins ; les premières pour lesquelles nous disposons de nombreux détails structuraux appartiennent à l'embranchement des *Rhyniophyta*, dont les fossiles les plus anciens datent du silurien moyen, il y a environ 425 millions d'années. Certains fossiles, jadis considérés comme étant des rhyniophytes, possèdent des cellules conductrices ressemblant plus aux hydroïdes des bryophytes qu'aux trachéides. Ces plantes, qui possèdent des axes ramifiés et des sporanges multiples, représentent peut-être un stade intermédiaire de l'évolution des plantes vasculaires. On les appelle protrachéophytes. Les rhyniophytes et d'autres organismes contemporains étaient formés d'axes simples, ramifiés dichotomiquement, dépourvus de racines et de feuilles. Au cours de l'évolution, des différences morphologiques et physiologiques sont apparues entre les diverses parties de la plante, conduisant à la différenciation de la racine, de la tige et de la feuille.

Les plantes vasculaires actuelles sont classées en quatre embranchements

Les embranchements de cryptogames vasculaires sont les *Lycophyta* (avec *Lycopodium*, *Selaginella* et *Isoetes*), les *Psilophyta* (*Psilotum* et *Tmesipteris*), les *Sphenophyta* (*Equisetum*) et les *Pterophyta* (fougères). La plupart de ces plantes sont isosporées, mais l'hétérosporie existe chez *Selaginella*, *Isoetes* et chez les fougères aquatiques (*Salviniales* et *Marsileales*).

On pense que les *Lycophyta* ont évolué à partir des *Zosterphyllophyta*, embranchement de plantes vasculaires entièrement éteint. Les *Trimerophytophyta*, autre embranchement de plantes vasculaires entièrement disparu, réunit apparemment l'ensemble des ancêtres des fougères, des progymnospermes et peut-être aussi des sphénophytes.

Les psilophytes diffèrent des autres plantes vasculaires actuelles par l'absence de feuilles (à l'exception peut-être de *Tmesipteris*) et de racines. Ils sont caractérisés par des microphylles. Les autres embranchements possèdent des mégaphylles.

Deux ordres de fougères (*Ophioglossales* et *Marattiales*) possèdent des eusporanges, comme les autres cryptogames vasculaires. Dans les eusporanges, les parois sont épaisses de plusieurs assises cellulaires et plusieurs cellules interviennent dans les premiers stades du développement du sporange. Les autres fougères — les *Filicales* et les deux ordres de fougères aquatiques — produisent des leptosporanges, structures spécialisées dans lesquelles la paroi est formée d'une seule assise de cellules et qui se développent au départ d'une seule cellule initiale.

Deux des quatre embranchements de cryptogames vasculaires possédant des représentants actuels, les lycophytes et les sphénophytes, remontent au dévonien. Parmi les cryptogames vasculaires, seules les fougères, dont les premiers fossiles apparaisssent au carbonifère, possèdent encore de nos jours un grand nombre d'espèces : on en compte environ 11.000.

Cinq groupes de plantes vasculaires ont dominé les régions marécageuses au carbonifère (l'âge du charbon), et trois d'entre eux étaient des cryptogames vasculaires — les lycophytes, les sphénophytes et les fougères. Les deux autres étaient des gymnospermes — les ptéridospermes et les cordaïtes.

MOTS CLÉS

QUESTIONS

1. Quels sont les caractères structuraux fondamentaux communs aux *Rhyniophyta,* aux *Zosterophyllophyta* et aux *Trimerophytophyta* ?

2. Les éléments des vaisseaux et l'hétérosporie qui existent dans plusieurs groupes non apparentés de plantes vasculaires représentent d'excellents exemples d'évolution convergente. Expliquez.

3. En vous servant de schémas simples et annotés, décrivez la structure des trois types fondamentaux de stèles.

4. Comparez le cycle de développement d'une mousse à celui d'une fougère leptosporangiate isosporée.

5. Qu'est-ce que le charbon. Comment s'est-il formé ? Quelles plantes sont intervenues dans sa formation ?

6. On dit souvent que les bryophytes sont les « amphibiens du règne végétal », mais on pourrait dire la même chose des cryptogames vasculaires. Pouvez-vous expliquer pourquoi ?

7. Quelle est l'origine évolutive probable des *Lycophyta* ? Quelles sont les arguments en faveur de cette hypothèse ?

Figure 20-1

Au carbonifère supérieur, les marécages tropicaux étaient domi-
nés par plusieurs genres de lycophytes arborescents géants formant, à l'état adulte, un dôme forestier clair peuplé d'arbres à
ramifications diffuses, que l'on voit ici à l'arrière-plan. Ces
arbres avaient des troncs massifs (en particulier à l'avant-plan, à
gauche) stabilisés dans la vase du marécage par de longs axes
stigmariens produisant de nombreuses radicelles peut-être
photosynthétiques. On note également des lycophytes de petite
taille avec cônes, au centre de l'avant-plan. Les surfaces

inondées et marécageuses convenaient à d'autres types de lycophytes, comme les *Chaloneria* non ramifiés (avant-plan centre
et droite) et à des sortes de prêles, comme le *Sphenophyllum*
arbustif (coin droite au fond) et le *Pseudocalamites* en sapin de
Noël (à l'extrême droite).

Le sol moins humide ou un peu surélevé, comme on le voit ici à
gauche, était propice à une végétation mélangée, où l'on remarque les premiers conifères, des fougères couvrant le sol, de
grandes fougères arborescentes et des ptéridospermes. Parmi

les spermatophytes, on trouvait, de l'avant à l'arrière, *Cordaixy-
lon*, buisson proche des conifères, à feuilles rubanées, *Callisto-
phyton*, ptéridosperme rampante poussant à la base du grand
lycophyte arborescent et *Psaronius*, une des premières fougères
arborescente (à l'arrière-plan à gauche). On voit aussi des plantes robustes comme la ptéridosperme *Medullosa* en forme
d'ombrelle dressée dans les endroits plus ensoleillés et plus
perturbés dégagés par une trouée due à l'inondation (plan
moyen et arrière-plan).

Les gymnospermes 20

SOMMAIRE

Dans ce chapitre, nous allons étudier les gymnospermes, série de lignées évolutives de plantes qui produisent des graines, où l'on trouve des arbres aussi communs que le pin, l'épicéa, le sapin, le tsuga et le cèdre. Ces arbres sont des conifères, principale source de bois de charpente et de pâte à papier. On y rencontre aussi les arbres les plus grands et les plus vieux.

Nous entamerons notre voyage parmi les gymnospermes en parlant de l'origine évolutive de l'ovule, structure qui deviendra la graine. Une merveilleuse nouveauté, la graine — composée du spermoderme, d'un embryon et de matières de réserve — a pris la place de la spore comme unité de dispersion et donné aux spermatophytes un énorme avantage sur les cryptogames vasculaires. Comme leur nom l'indique (le mot grec *gymnos* signifie « nu » et *sperma* veut dire « graine »), les graines des gymnospermes ne profitent pas de la protection d'une enveloppe telle que la paroi du fruit qui entoure les graines des angiospermes, ou plantes à fleurs.

Un autre avantage majeur que possèdent les gymnospermes et les angiospermes est leur indépendance à l'égard de l'eau pour le transport de l'anthérozoïde vers l'oosphère. Chez les gymnospermes, le gamétophyte mâle partiellement développé — le grain de pollen — est transporté mécaniquement au voisinage du gamétophyte femelle, à l'intérieur de l'ovule ; il produit ensuite un tube pollinique. Sans être à l'origine un organe transporteur d'anthérozoïdes, le tube pollinique a finalement évolué pour convoyer des anthérozoïdes non mobiles à l'intérieur de l'ovule jusqu'aux oosphères du gamétophyte femelle.

POINTS DE REPÈRE

Quand vour terminerez la lecture de ce chapitre, vous devriez pouvoir répondre aux questions suivantes :

- *Qu'est-ce qu'une graine, et pourqoi l'évolution de la graine fut-elle une innovation tellement importante pour les plantes ?*
- *De quel groupe de plantes les spermatophytes sont-ils supposés provenir ? Pourquoi ?*
- *Quelles sont les différences dans les mécanismes utilisés par les anthérozoïdes pour atteindre les oosphères chez les gymnospermes et les cryptogames vasculaires ?*
- *Quels sont les caractères distinctifs des quatre embranchements de gymnospermes actuels ?*
- *En quoi les gnétophytes ressemblent-ils aux angiospermes ?*

Une des nouveautés les plus importantes apparues au cours de l'évolution des plantes vasculaires fut la graine. Les graines représentent un des principaux facteurs responsables de la prédominance des spermatophytes dans la flore actuelle — prédominance qui s'est progressivement accrue au cours d'une période de plusieurs centaines de millions d'années. La raison est simple : la graine possède une plus grande valeur de survie. La protection assurée par la graine à l'embryon qu'elle contient et les réserves alimentaires disponibles pour l'embryon aux stades critiques de la germination et de l'enracinement, procurent aux spermatophytes un avantage sélectif important sur leurs proches parents et leurs ancêtres sporogènes, c'est-à-dire sur les plantes qui disséminent leurs spores.

L'évolution de la graine

Tous les spermatophytes sont hétérosporés, ils produisent des mégaspores et des microspores qui donnent respectivement des mégagamétophytes et de microgamétophytes — mais cette caractéristique n'est pas propre aux spermatophytes. Ainsi que nous l'avons vu au

chapitre 19, certaines cryptogames vasculaires sont également hétérosporées. La production de graines est toutefois une forme particulièrement poussée d'hétérosporie qui s'est modifiée pour produire un ovule, structure qui se développe en graine. En effet, une **graine** est simplement un ovule adulte contenant un embryon. L'ovule immature comprend un mégasporange entouré d'une ou plusieurs couches supplémentaires de tissu, les **téguments** (Figure 20-2).

Plusieurs étapes ont conduit à l'évolution d'un ovule : (1) la rétention des mégaspores à l'intérieur du mégasporange, charnu et appellé **nucelle** chez les spermatophytes — autrement dit, le mégasporange ne libère plus les spores ; (2) réduction à une seule du nombre de cellules mères de mégaspores dans les mégasporanges ; (3) survie d'une seule des quatre mégaspores provenant de chaque cellule mère : il ne reste qu'une seule mégaspore fonctionnelle dans le mégasporange ; (4) formation d'un mégasporophyte très réduit à l'intérieur de l'unique mégaspore fonctionnelle — c'est-à-dire formation d'un gamétophyte endosporique (à l'intérieur de la paroi) qui n'est plus autonome — l'ensemble restant à l'intérieur du mégasporange ; (5) développement de l'embryon, le jeune sporophyte, à l'intérieur du mégagamétophyte, toujours à l'intérieur du mégasporange ; (6) formation d'un tégument qui enveloppe complètement le mégasporange et ne laisse qu'une ouverture apicale appelée **micropyle** ; (7) modification du sommet du mégasporange en vue de la réception des microspores ou grains de pollen. Parallèlement à ces étapes, il y a un changement fondamental de l'unité de dispersion qui n'est plus la mégaspore, mais la graine ; celle-ci est le mégasporange entouré de son tégument et contenant à l'intérieur l'embryon mûr.

Les dépôts fossiles fournissent des informations sur l'évolution de l'ovule

L'ordre de succession exact de ces étapes n'est pas connu parce que les données fossiles ne sont pas complètes. Ces modifications se sont cependant produites relativement tôt dans l'histoire des plantes vasculaires, car les ovules les plus anciens datent du dévonien supérieur (il y a environ 365 millions d'années). Un des premiers spermatophytes est *Elkinsia polymorpha* (Figure 20-3). Les ovules d'*Elkinsia* étaient formés d'un nucelle et de quatre ou cinq lobes tégumentaires peu fusionnés ou libres, ce qui a poussé certains paléobotanistes à appeler ces structures des « préovules ». Les lobes tégumentaires étaient incurvés à leur extrémité et formaient un anneau autour de l'apex du nucelle. Cet apex était transformé en une structure en tonnelet destinée à recevoir le pollen. Les ovules étaient entourés de structures stériles ramifiées dichotomiquement appelées cupules.

Archaeosperma arnoldii est un spermatophyte un peu plus récent, du dévonien supérieur (Figure 20-4). Seule la portion apicale du tégument d'*Archaeosperma* était divisée en lobes, formant ainsi un micropyle rudimentaire. Les téguments des ovules semblent avoir évolué par la fusion progressive des lobes tégumentaires jusqu'à ce qu'il ne reste qu'une seule ouverture, le micropyle (Figure 20-5).

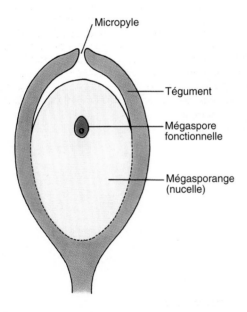

Figure 20-2

Coupe longitudinale d'un ovule formé d'un mégasporange (nucelle) entouré d'un tégument avec une ouverture, le micropyle, à son apex. Une seule mégaspore fonctionnelle persiste à l'intérieur du mégasporange (qui n'est pas disséminé) et donnera naissance à un mégagamétophyte qui reste dans le mégasporange. Après la fécondation, l'ovule mûrit en graine et deviendra l'unité de dissémination.

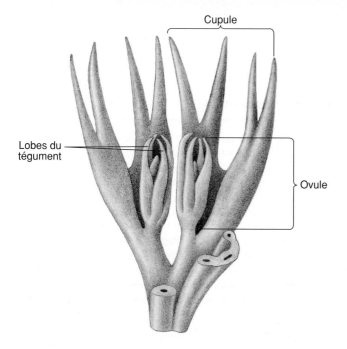

Cupule

Lobes du tégument

Ovule

Figure 20-3

Reconstitution d'un rameau fertile d'une plante du dévonien supérieur, *Elkinsia polymorpha,* montrant ses ovules. Chaque ovule est surmonté d'une structure stérile ramifiée dichotomiquement, appelée cupule. Notez les lobes plus ou moins libres du tégument.

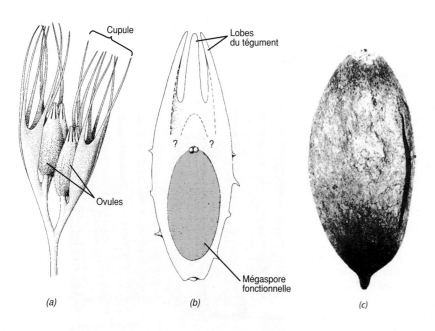

Cupule

Lobes du tégument

Ovules

Mégaspore fonctionnelle

(a)

(b)

(c)

Figure 20-4

(a) Reconstitution d'un rameau fertile d'*Archaeosperma arnoldii,* plante du dévonien supérieur, montrant quatre ovules. Les cupules qui entourent partiellement les ovules contiennent deux ovules en forme de bouteille, longs d'environ 4 millimètres. La partie apicale des téguments est lobée. **(b)** Dessin d'un ovule, montrant la position d'une tétrade de mégaspores. On remarque les trois mégaspores avortées au-dessus de la mégaspore fonctionnelle. Les lobes du tégument forment un micropyle rudimentaire. Les points d'interrogation indiquent la position supposée du nucelle. **(c)** Une mégaspore. Ce fossile, du pennsylvanien, est la structure la plus ancienne connue semblable à une graine — son âge est d'environ 360 millions d'années.

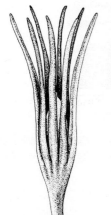

Genomosperma kidstonii
(a)

Genomosperma latens
(b)

Eurystoma angulare
(c)

Stamnostoma huttonense
(d)

Figure 20-5

Structures semblables à des graines de quelques plantes paléozoïques, montrant des stades potentiels de l'évolution du tégument. **(a)** Chez *Genomosperma kidstonii* (le mot grec *genomein* signifie « à venir » et *sperma* veut dire « graine »), huit protubérances digitées proviennent de la base du mégasporange et sont entièrement libres. **(b)** Chez *Genomosperma latens,* les lobes tégumentaires sont soudés à partir de la base du mégasporange sur environ un tiers de leur longueur. **(c)** Chez *Eurystoma angulare,* la fusion est presque complète, alors que, **(d)** chez *Stamnostoma huttonense,* elle est complète, le micropyle seul restant ouvert au sommet.

Une graine comprend un embryon, des matières de réserve et un spermoderme

Chez les spermatophytes actuels, l'ovule comprend un nucelle entouré d'un ou deux téguments avec un micropyle. Chez la plupart des gymnospermes, quand les ovules sont prêts pour la fécondation, le nucelle contient un mégagamétophyte formé d'un tissu nourricier et d'archégones. Après la fécondation, les téguments se développent en **spermoderme** et la graine est ainsi formée. Chez la plupart des spermatophytes actuels, un embryon se développe à l'intérieur de la graine avant sa dispersion. Toutes les graines contiennent en outre des matières de réserve.

Cinq embranchement de spermatophytes sont encore représentés aujourdhui

Les spermatophytes sont apparus au dévonien supérieur, il y a au moins 365 millions d'années. Au cours des 50 millions d'années qui ont suivi sont apparues des plantes très diverses portant des graines : beaucoup sont réunies dans ce que l'on appelle les ptéridospermes (fougères à graines), alors que les autres sont considérées comme des cordaïtes et des conifères (voir « Les plantes de l'époque du charbon », pages 456 et 457).

Tous les spermatophytes possèdent normalement des mégaphylles (feuilles généralement grandes, à plusieurs ou très nombreuses nervures, mais transformées en aiguilles ou en écailles dans certains groupes) ; elles comprennent cinq embranchements comptant des représentants actuels : les *Cycadophyta,* les *Ginkgophyta,* les *Coniferophyta,* les *Gnetophyta* et les *Anthophyta.* Les angiospermes, ou plantes à fleurs, forment l'embranchement des *Anthophyta* et les quatre autres embranchements sont souvent réunis sous le nom de gymnospermes.

Les plus anciens fossiles d'angiospermes n'ont qu'environ 135 millions d'années, ils datent du début du crétacé. Bien que les angiospermes — qui sont de loin les plantes vasculaires les plus réussies à notre époque — soient en réalité peut-être un peu plus anciennes que les estimations basées sur notre connaissance actuelle des fossiles pourrait le faire croire, ce sont encore de nouveaux arrivés dans le vaste tableau représentant l'évolution des plantes vasculaires. En raison de la taille et de l'importance du groupe, les angiospermes seront traitées en détail dans les chapitres 21 et 22.

Les gymnospermes ne représentent pas une lignée évolutive unique comparable à celle des angiospermes. Il s'agit plutôt d'une série de lignées évolutives de spermatophytes ne possèdant pas les caractères distinctifs des angiospermes. Bien qu'il n'existe plus actuellement qu'environ 720 espèces de gymnospermes — à comparer aux quelque 235.000 espèces d'angiospermes — certaines d'entre elles sont souvent dominantes sur de vastes étendues.

Avant d'engager notre discussion sur les spermatophytes, nous allons rapidement examiner un autre groupe de cryptogames vasculaires — les progymnospermes. Il en sera traité ici, plutôt qu'au chapitre 19, parce que ce sont probablement les ancêtres des spermatophytes.

Les progymnospermes

Il existait, à la fin du paléozoïque, un groupe de plantes appelées progymnospermes (embranchement des *Progymnospermophyta*), dont les caractères sont intermériaires entre ceux des cryptogames vasculaires trimérophytes et ceux des spermatophytes. Les progymnospermes se reproduisaient par dissémination de leurs spores ; leur xylème secondaire (bois) était pourtant remarquablement semblable à celui des conifères actuels (Figure 20-6). Les progymnospermes étaient les seules plantes ligneuses du dévonien dotées également d'un phloème secondaire. Comme les fougères paléozoïques, elles ont probablement évolué à partir de trimérophytes plus anciens (voir figure 19-10c), dont ils diffèrent principalement par un système plus élaboré et plus différencié de ramification et, en conséquence, par un système vasculaire plus complexe.

Chez les progymnospermes, le progrès évolutif le plus important par rapport aux trimérophytes et aux fougères est la présence d'un *cambium bifacial* — c'est-à-dire un cambium qui produit en même temps un xylème secondaire et un phloème secondaire. Les cambiums de ce type sont caractéristiques des spermatophytes et semblent avoir évolué en premier lieu chez les progymnospermes.

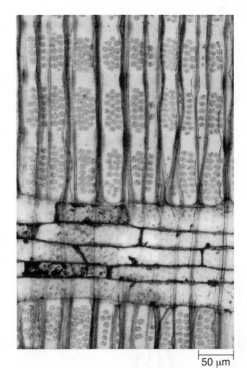

50 µm

Figure 20-6

Vue radiale du xylème secondaire, ou bois, d'une progymnosperme, *Callixylon newberryi.* Ce bois fossile, avec ses séries régulières de trachéides ponctuées, ressemble beaucoup au bois de certains conifères.

Figure 20-7

Reconstitution d'une partie du système raméal de *Triloboxylon ashlandicum*, une progymnosperme du type *Aneurophyton*. L'axe principal porte des rameaux végétatifs au sommet et à la base et, entre les deux, des organes fertiles portant des sporanges

Figure 20-8

Reconstitution d'une progymnosperme, *Archaeopteris*, commune dans les dépôts fossiles de l'est de l'Amérique du Nord. Les spécimens d'*Archaeopteris* atteignaient ou dépassaient 20 mètres de haut, et certains semblent avoir formé des forêts.

Figure 20-9

Reconstitution d'un ensemble de branches latérales en forme de fronde chez la progymnosperme *Archaeopteris macilenta*. On peut voir des feuilles fertiles portant des sporanges en cours de maturation (colorés en brun) sur les rameaux primaires du centre.

Un type de progymnospermes, *Aneurophyton*, vivant au dévonien, de 362 à 380 millions d'années environ avant notre ère, était caractérisé par une ramification tridimensionnelle complexe (Figure 20-7) et possédait un cylindre de tissu conducteur plein, une protostèle. À bien des égards, ces progymnospermes ressemblaient à des trimérophytes plus complexes, mais aussi à certaines des premières ptéridospermes ; c'est pourquoi certains paléobotanistes ont supposé que le système de ramification des progymnospermes du type *Aneurophyton* pourrait être le précurseur des feuilles de type fougère des premières ptéridospermes.

Un second type important de progymnospermes, *Archaeopteris*, est également apparu au dévonien, il y a environ 370 millions d'années et il a persisté pendant le mississipien, il y a environ 340 millions d'années (Figure 20-8). Dans ce groupe, le système de branches latérales est disposé dans un plan et porte des structures laminaires considérées comme des feuilles (Figure 20-9). Une eustèle — une répartition des tissus conducteurs en faisceaux indépendants autour

d'une moelle — semble avoir évolué dans ce groupe de progymnospermes : ce caractère marque une ressemblance étroite avec les spermatophytes actuels (page 429). Les grandes branches des progymnospermes de type *Archaeopteris* possédaient une moelle. Bien que la plupart des progymnospermes soient isosporées, certaines espèces d'*Archaopteris* étaient hétérosporées

Les troncs fossiles d'*Archaeopteris*, appelés *Callixylon*, pouvaient dépasser un mètre de diamètre et 10 mètres de long : certaines espèces au moins de ce groupe étaient donc de grands arbres. Elles semblent avoir formé des forêts étendues dans certaines régions. Comme le suggère la reconstitution de la figure 20-8, leur type de ramification faisait peut-être ressembler les individus d'*Archaeopteris* aux conifères.

Au cours des dernières décennies, de plus en plus d'arguments se sont accumulées, indiquant que les spermatophytes ont évolué à partir des progymnospermes suite à l'apparition de la graine chez ce groupe, qui semble aujourd'hui avoir été l'ancêtre commun de tous

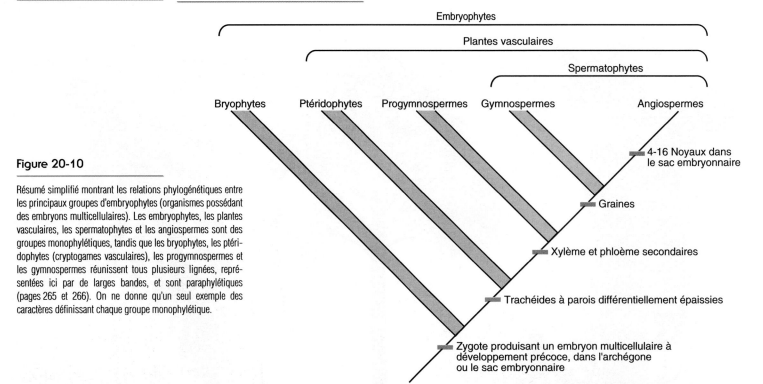

Figure 20-10

Résumé simplifié montrant les relations phylogénétiques entre les principaux groupes d'embryophytes (organismes possédant des embryons multicellulaires). Les embryophytes, les plantes vasculaires, les spermatophytes et les angiospermes sont des groupes monophylétiques, tandis que les bryophytes, les ptéridophytes (cryptogames vasculaires), les progymnospermes et les gymnospermes réunissent tous plusieurs lignées, représentées ici par de larges bandes, et sont paraphylétiques (pages 265 et 266). On ne donne qu'un seul exemple des caractères définissant chaque groupe monophylétique.

les spermatophytes (Figure 20-10). Il reste cependant de nombreux de problèmes à résoudre avant d'arriver à une meilleure compréhensioin de l'évolution initiale des spermatophytes.

Les gymnospermes éteintes

On a introduit et illustré, au chapitre 19 (pages 456 et 457), deux groupes de gymnospermes éteintes — les ptéridospermes (embranchement des *Pteridospermophyta)* et les *Cordaitales*, plantes primitives ressemblant aux conifères. Les ptéridospermes, ou fougères à graines, constituent un groupe très diversifié et très peu naturel qui a vécu du dévonien au jurassique. On passe de minces plantes ramifiées portant des ovules, du dévonien supérieur, comme *Elkinsia* et *Archaeosperma* aux plantes du carbonifère, comme *Medullosa*, qui avaient l'apparence de fougères arborescentes (voir figure 20-1). Plusieurs groupes de plantes mésozoïques éteintes sont aussi parfois placées dans les ptéridospermes. On ne saisit pas encore parfaitement quelles sont les relations entre ces différents groupes de ptéridospermes et les gymnospermes actuelles.

Un autre groupe de gymnospermes éteintes — les cycadoïdes, ou *Bennettitales* — réunit des plantes à feuilles de palmier, ressemblant un peu aux cycadales actuelles (Figure 20-11a ; voir page 486). Les bennettitales forment un groupe énigmatique de gymnospermes mésozoïques qui a disparu des dépôts fossiles pendant le crétacé. Certains paléobotanistes pensent que les bennettitales font peut-être partie de la même lignée évolutive que les angiospermes. En fait, on ne sait pas encore exactement quelle est leur posiiton phylogénétique. Les bennettitales étaient les contemporains des cycadales éteintes et les deux groupes ont produit des feuilles très semblables pendant la plus grande partie du mésozoïque. Au niveau de la reproduction, cependant, les bennettitales différaient des cycadales par plusieurs

points, comme la présence de structures reproductrices rappelant les fleurs, structures hermaphrodites chez certaines espèces (Figure 20-11b).

Les gymnospermes actuelles

Il existe quatre embranchements comptant des représentants vivants : les *Cycadophyta* (cycadales), les *Ginkgophyta* (ginkgo), les *Coniferophyta* (conifères) et les *Gnetophyta* (gnétophytes). Le terme *gymnosperme*, qui signifie littéralement « graine nue », met l'accent sur une des principales caractéristiques des plantes de ces quatre embranchements — le fait que leurs ovules et graines sont exposés à la surface de sporophylles ou de structures semblables.

À quelques exceptions près, le gamétophyte femelle des gymnospermes produit plusieurs archégones. Plusieurs oosphères peuvent donc être fécondées et plusieurs embryons peuvent débuter leur développement à l'intérieur d'un même ovule — ce phénomène est la **polyembryonie**. Le plus souvent cependant, un seul embryon survit et, en conséquence, assez peu de graines complètement développées renferment plusieurs embryons.

Chez les cryptogames vasculaires, l'eau est nécessaire pour permettre aux anthérozoïdes ciliés mobiles d'atteindre les oosphères et de les féconder. Chez les gymnospermes, cependant, l'eau n'est pas le moyen de transport obligatoire des anthérozoïdes vers les oosphères. Le gamétophyte mâle partiellement développé, ou **grain de pollen**, est transporté, dans sa totalité (habituellement passivement par le vent) jusqu'à proximité d'un gamétophyte femelle se trouvant à l'intérieur d'un ovule. Ce processus est la **pollinisation**. Après la pollinisation, le gamétophyte mâle endosporique produit une excroissance tubulaire,

(a)

Figure 20-11

Les *Bennettitales.* **(a)** Reconstitution de *Wielandiella,* une gymnosperme éteinte du triassique. Le système de ramification de *Wielandiella* est dichotomique. Un seul strobile, ou cône, apparaît à chaque bifurcation. **(b)** Reconstitution schématique d'un strobile bisporangié, ou bisexué, de *Williamsoniella coronata,* du jurassique. Le strobile comprend un réceptacle central d'ovules entouré d'un verticille de microsporophylles portant les microsporanges qui contiennent les microspores ; celles-ci se développent en gamétophytes mâles (grains de pollen). Des bractées poilues entourent les organes reproducteurs.

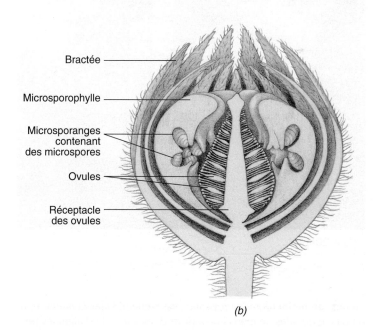

(b)

le **tube pollinique**. Les gamétophytes mâles des gymnospermes et des autres spermatophytes ne produisent pas d'anthéridies.

Chez les conifères et les gnétophytes, les anthérozoïdes ne sont pas mobiles, et les tubes polliniques les amènent directement aux archégones. Chez les cycadales et *Ginkgo*, la fécondation est intermédiaire entre ce qui existe chez les fougères et les autres cryptogames, des anthérozoïdes nageant librement, sont présents, ce que l'on ne rencontre plus chez les autres spermatophytes. Les gamétophytes mâles de cycadales et de *Ginkgo* produisent un tube pollinique, mais celui-ci ne pénètre pas dans l'archégone (Figure 20-12). Il ressemble plutôt à un suçoir et il peut croître pendant plusieurs mois dans le tissu du nucelle, où il semble participer à l'absorption des aliments. Finalement, le grain de pollen se rompt à proximité de l'archégone, libérant des anthérozoïdes multiciliés capables de nager (voir figure 20-39). Les anthérozoïdes nagent alors vers un archégone et l'un d'eux féconde l'oosphère.

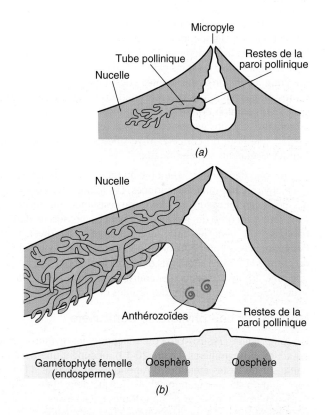

Figure 20-12

Développement du gamétophyte mâle de *Ginkgo biloba.* **(a)** Au début de son développement, le tube pollinique s'accroît par son extrémité et commence à former une structure haustoriale très ramifiée. Le tube pollinique de *Ginkgo* se développe entre les cellules du nucelle. **(b)** À la fin de son développement, la partie basale du tube pollinique s'accroît en une sorte de sac qui renferme les deux anthérozoïdes multiciliés. Par la suite, sa partie basale se rompt et libère les deux anthérozoïdes, qui nagent ensuite vers les oosphères logées dans les archégones du gamétophyte femelle.

Chez les conifères, les gnétophytes et les angiospermes, le tube pollinique amène les gamètes mâles jusqu'à l'oosphère. Grâce à cette innovation, les spermatophytes ne dépendent plus de la présence d'eau libre pour assurer la fécondation — une nécessité chez toutes les cryptogames. La présence de tubes polliniques haustoriens chez *Ginkgo* et les cycadales suggère que l'évolution du tube pollinique était à l'origine destinée à absorber des aliments et permettre au gamétophyte mâle de produire les anthérozoïdes au cours de sa croissance au sein de l'ovule. Dans cette perspective, le transport de gamètes mâles non mobiles par un tube pollinique se développant directement jusqu'à une oosphère peut être considéré comme la dernière modification évolutive d'une structure produite initialement avec un autre objectif.

L'embranchement des *Coniferophyta*

Avec quelque 50 genres et 550 espèces, les *Coniferophyta* représentent de loin l'embranchement de gymnospermes actuelles le mieux représenté, le plus répandu et le plus important d'un point de vue écologique. La plante vasculaire la plus haute, le séquoia (*Sequoia sempervirens*), des côtes de Californie et du sud-ouest de l'Orégon, est un conifère. Les séquoias atteignent une hauteur de 117 mètres et le diamètre du tronc dépasse 11 mètres. Les conifères, où l'on trouve également les pins, ls sapins et les épicéas, ont une grande valeur économique. Leurs forêts imposantes constituent une des plus importantes ressources naturelles de vastes régions de la zone tempérées nord (voir « Des emplois contre des chouettes », au chapitrre 33). Au début du tertiaire, certains genres étaient plus répandus qu'aujourd'hui et il existait une flore de conifères diversifiée sur d'énormes surfaces de tous les continents septentrionaux.

L'histoire des conifères remonte au moins au carbonifère supérieur, il y a environ 300 millions d'années. Les feuilles des conifères modernes possèdent plusieurs caractères de résistance à la sécheresse pouvant leur procurer de meilleures chances de survie dans certains habitats ; on peut les faire correspondre à la diversification de l'embranchement au cours de la période relativement sèche et froide du permien ((290-245 millions d'années avant notre ère). À cette époque, une aridité croissante généralisée a pu favoriser des adaptations structurales telles que celles des feuilles des conifères.

Les pins ont une phyllotaxie particulière

Les pins (genre *Pinus*), où l'on rencontre les gymnospermes sans doute les plus familières (Figure 20-13), occupent une position dominante sur de vastes étendues d'Amérique du Nord et d'Eurasie et ils sont cultivés sur une grande échelle jusque dans l'hémisphère sud. Il existe environ 90 espèces de pins, toutes caractérisées par une phyllotaxie (disposition des feuilles) unique chez les conifères actuels. Dans les plantules de pin, les feuilles en forme d'aiguilles sont disposées en spirale et insérées isolément sur la tige (Figure 20-14). Après une ou deux années de croissance, le pin commence à produire ses feuilles en fascicules contenant un nombre spécifique de feuilles (aiguilles) — entre une et huit suivant l'espèce (Figure 20-15). Les fascicules, enveloppés à la base par une série de feuilles courtes en forme d'écailles, sont en réalité des rameaux courts dont l'activité du méristème apical est arrêtée. Un groupe d'aiguilles de pin est donc morphologiquement

Figure 20-13

Pinus palustris, en Caroline du Nord.

un rameau **défini** (dont la croissance est limitée). Dans certaines conditions anormales, le méristème apical d'un fascicule d'aiguilles peut se réactiver et développer une nouvelle tige dont la croissance est **indéfinie** ; parfois même, il peut produire des racines et reproduire un arbre complet (Figure 20-16).

Comme celles de beaucoup d'autres conifères, les aiguilles des pins sont extrêmement bien adaptées à la croissance dans des conditions déficitaires en eau (Figure 20-17). Une cuticule épaisse recouvre l'épiderme qui surmonte à son tour une ou plusieurs assises de cellules denses, à paroi épaisse — l'hypoderme. Les stomates sont enfoncés sous la surface de la feuille. Le mésophylle, ou tissu fondamental de la feuille, est formé de cellules parenchymateuses dont la paroi se développe vers l'intérieur en forme de crêtes apparentes, augmentant ainsi leur surface. Deux ou plusieurs canaux résinifères pénètrent souvent dans le mésophylle. Un faisceau conducteur ou deux faisceaux placés côte à côte sont situés au centre de la feuille. Les faisceaux conducteurs, composés de xylème et de phloème, sont entourés d'un tissu de transfusion composé de cellules parenchymateuses vivantes et

(a)

(b)

Figure 20-14

(a) Plantules de *Pinus palustris*, en Géorgie, montrant les longues aiguilles en fascicules de trois. **(b)** Plantule de pin pignon, *Pinus edulis*, montrant les feuilles juvéniles disposées en spirale et un jeune système racinaire pivotant. Les feuilles adultes de cette espèce sont groupés par deux.

Figure 20-15

Pin aristé, *Pinus longaeva*, dans les Montagnes Blanches de Californie. Rameau montrant des fascicules de cinq feuilles, un cône femelle mûr à droite et un jeune cône femelle à gauche. Les aiguilles de cette espèce peuvent rester fonctionnelles jusqu'à 45 ans. C'est aussi l'arbre qui a la durée de vie la plus longue (voir figure 27-28).

Figure 20-16

Pins de Monterey *(Pinus radiata)* d'un an développés à partir de fascicules d'aiguilles enracinés. Cette expérience montre qu'un fascicule d'aiguilles de pin est en réalité un rameau court dans lequel l'activité du méristème apical est suspendue, mais peut être réactivée.

de courtes trachéides mortes. On suppose que le tissu de transfusion transporte les matériaux entre le mésophylle et les faisceaux conducteurs. Une assise unique de cellules, appelée endoderme, entoure le tissu de transfusion et le sépare du mésophylle.

La plupart des espèces de pins gardent leurs aiguilles pendant deux à quatre ans et l'équilibre photosynthétique global d'une plante dépend de l'état de santé des aiguilles produites au cours de plusieurs années. Chez le spin aristé *(Pinus longaeva)*, l'arbre qui peut atteindre l'âge le plus avancé (Figure 20-15), les aiguilles persistent jusqu'à 45 ans et demeurent continuellement actives pour la photosynthèse. Du fait qu'elles fonctionnent pendant plusieurs saisons, les feuilles des pins et des autres arbres sempervirents peuvent être soumises aux

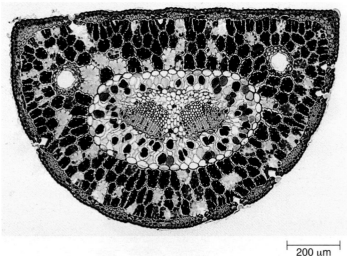

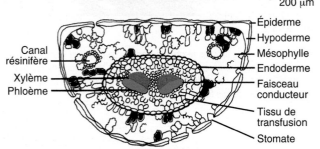

Figure 20-17

Pinus. Coupe transversale d'une aiguille, montrant les tissus adultes.

dommages dus à la sécheresse, au gel ou à la pollution de l'air beaucoup plus longtemps que les feuilles des arbres décidus, remplacées chaque année.

Dans les tiges des pins et des autres conifères, la croissance secondaire annuelle débute précocement et amène à la production de quantités importantes de xylème secondaire, le bois (Figure 20-18). Le xylème secondaire est produit du côté interne du cambium et le phloème secondaire se forme vers l'extérieur. Le xylème des conifères est surtout composé de trachéides, tandis que le phloème est formé de cellules criblées, cellules conductrices typiques de la sève élaborée chez les gymnospermes (voir page 590). Ces deux types de tissus sont traversés par d'étroits rayons. Au début de la croissance secondaire, l'épiderme est remplacé par un périderme provenant de l'assise externe de cellules corticales. À mesure que la croissance secondaire se poursuit, d'autres péridermes sont produits à la suite de divisions cellulaires actives à plus grande profondeur dans l'écorce.

Le cycle de développement des pins s'étend sur une période de deux ans. La compréhension de l'exposé sur la reproduction des pins sera facilitée en se référant au cycle de développement représenté à la figure 20-22 (pages 478 et 479).

Les microsporanges et les mégasporanges des pins et de la plupart des autres conifères se forment sur le même arbre, dans des cônes, ou strobiles, séparés. En général, les cônes mâles (qui donnent le pollen) se forment sur les branches inférieures de l'arbre et les cônes femelles (avec les ovules) apparaissent sur les branches supérieures. Chez

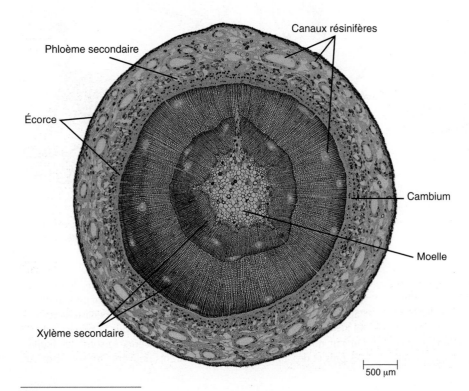

Figure 20-18

Pinus. Coupe transversale d'une tige, montrant le xylème secondaire et le phloème secondaire séparés par le cambium. Tous les tissus situés à l'extérieur du cambium, y compris le phloème, font partie de l'écorce.

certains pins, ils se forment sur la même branche et les cônes femelles sont plus proches du sommet du rameau. Comme le pollen n'est normalement pas aspiré vers le haut, les cônes femelles sont généralement pollinisés par le pollen d'un autre arbre, ce qui favorise l'allogamie.

Les cônes mâles des pins sont relativement petits, généralement longs de 1 à 2 centimètres (Figure 20-19). Les microsporophylles (Figure 20-20) sont disposées en spirale et de consistance plus ou moins membraneuses. Chacune porte deux microsporanges à sa face inférieure. Le jeune microsporange contient de nombreux **microsporocytes**, ou **cellules mères de microspores**. Au début du printemps, les microsporocytes subissent la méiose et chacun produit quatre microspores haploïdes. Chaque microspore se développe en un grain de pollen ailé, composé de deux **cellules prothalliennes,** d'une **cellule générative** et d'une **cellule de tube** (Figure 20-21). Ce grain de pollen quadricellulaire est le jeune gamétophyte mâle. C'est à ce stade que les grains de pollen sont disséminés en quantités énormes ; certains sont portés par le vent et parviennent aux cônes femelles.

Figure 20-19

Le pin de Monterey, *Pinus radiata.* Cônes mâles libérant le pollen, qui est disséminé par le vent. Une partie du pollen arrive à proximité des ovules d'un cône femelle et germe ensuite, produisant des tubes polliniques et aboutissant finalement à la fécondation.

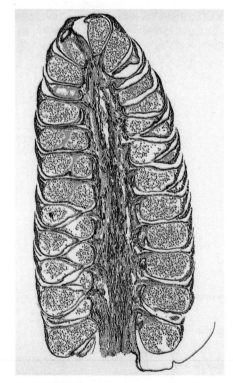

Figure 20-20

Pinus. Coupe longitudinale d'un cône mâle (staminé), montrant les microsporophylles et les microsporanges qui contiennent des grains de pollen mûrs.

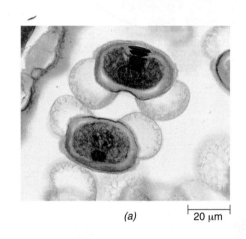

(a)   20 µm

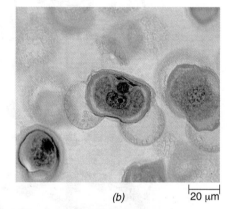

(b)   20 µm

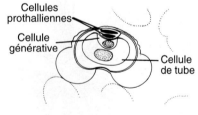

Cellules prothalliennes

Cellule générative

Cellule de tube

(c)   10 µm

Figure 20-21

*Pinus.***(a)** Grains de pollen contenant les gamétophytes mâles immatures. Le gamétophyte comprend deux cellules prothalliennes, une cellule générative relativement petite et une cellule de tube relativement grande. **(b)** Grain de pollen un peu plus âgé. Ici, les cellules prothalliennes, qui ne semblent pas avoir de fonction précise, sont dégénérées. **(c)** Micrographie au microscope électronique à balayage d'un grain de pollen de pin avec ses deux ailes en vessie. Quand le grain de pollen germe, le tube pollinique émerge à la partie inférieure du grain, entre les ailes.

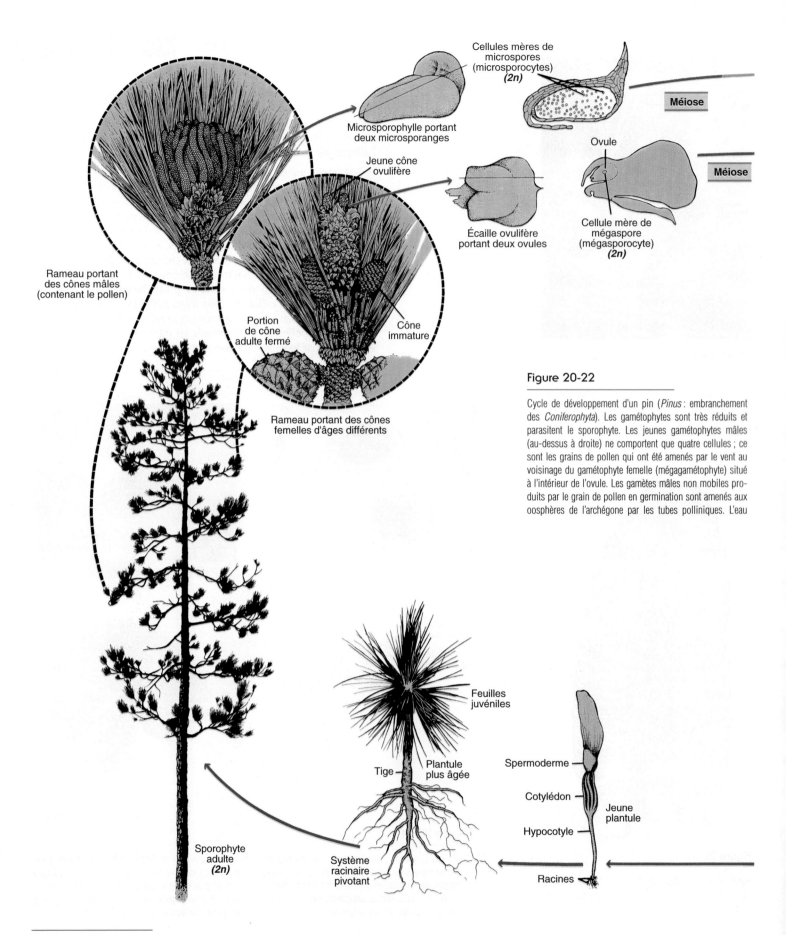

Cellules mères de microspores (microsporocytes) **(2n)**

Microsporophylle portant deux microsporanges

Méiose

Jeune cône ovulifère

Ovule

Méiose

Écaille ovulifère portant deux ovules

Cellule mère de mégaspore (mégasporocyte) **(2n)**

Rameau portant des cônes mâles (contenant le pollen)

Portion de cône adulte fermé

Cône immature

Rameau portant des cônes femelles d'âges différents

Figure 20-22

Cycle de développement d'un pin (*Pinus* : embranchement des *Coniferophyta*). Les gamétophytes sont très réduits et parasitent le sporophyte. Les jeunes gamétophytes mâles (au-dessus à droite) ne comportent que quatre cellules ; ce sont les grains de pollen qui ont été amenés par le vent au voisinage du gamétophyte femelle (mégagamétophyte) situé à l'intérieur de l'ovule. Les gamètes mâles non mobiles produits par le grain de pollen en germination sont amenés aux oosphères de l'archégone par les tubes polliniques. L'eau

Feuilles juvéniles

Tige

Plantule plus âgée

Spermoderme

Cotylédon

Jeune plantule

Hypocotyle

Sporophyte adulte **(2n)**

Système racinaire pivotant

Racines

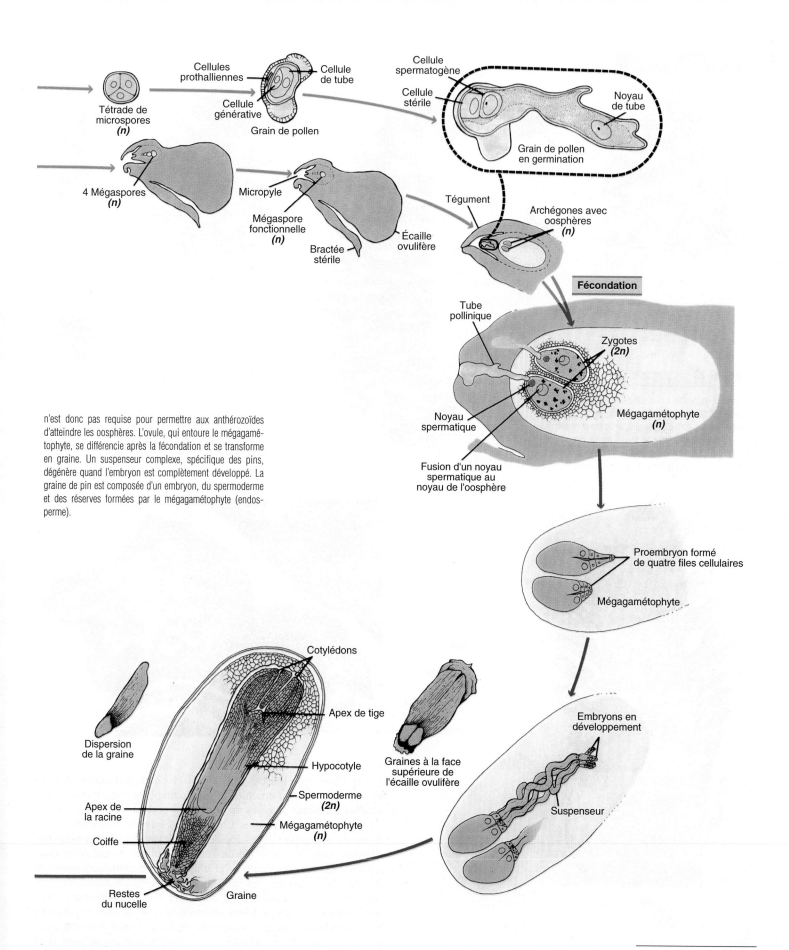

Tétrade de
microspores
(n)

Cellules
prothalliennes

Cellule
de tube

Cellule
générative

Grain de pollen

Cellule
spermatogène

Cellule
stérile

Noyau
de tube

Grain de pollen
en germination

4 Mégaspores
(n)

Micropyle

Mégaspore
fonctionnelle
(n)

Bractée
stérile

Écaille
ovulifère

Tégument

Archégones avec
oosphères
(n)

Fécondation

Tube
pollinique

Zygotes
(2n)

Noyau
spermatique

Mégagamétophyte
(n)

Fusion d'un noyau
spermatique au
noyau de l'oosphère

n'est donc pas requise pour permettre aux anthérozoïdes d'atteindre les oosphères. L'ovule, qui entoure le mégagamétophyte, se différencie après la fécondation et se transforme en graine. Un suspenseur complexe, spécifique des pins, dégénère quand l'embryon est complètement développé. La graine de pin est composée d'un embryon, du spermoderme et des réserves formées par le mégagamétophyte (endosperme).

Proembryon formé
de quatre files cellulaires

Mégagamétophyte

Cotylédons

Dispersion
de la graine

Apex de tige

Hypocotyle

Apex de
la racine

Spermoderme
(2n)

Coiffe

Mégagamétophyte
(n)

Restes
du nucelle

Graine

Graines à la face
supérieure de
l'écaille ovulifère

Embryons en
développement

Suspenseur

(a)

25 mm

(b)

(e)

(d)

(c)

(f)

Figure 20-23 ▲

Taille relative de quelques cônes femelles de pins. **(a)** *Pinus sabiniana*. **(b)** Un pin pignon, *Pinus edulis*, de face et de profil. Le graines comestibles, sans aile, de ce pin et de certains autres, sont appelées « noix de pin ». **(c)** Le pin à sucre, *Pinus lambertiana*. **(d)** *Pinus ponderosa*. **(e)** Le pin Weymouth, *Pinus strobus*. **(f)** *Pinus resinosa*.

Figure 20-24 ▼

Pinus. **(a)** Coupe longitudinale d'un jeune cône femelle montrant sa structure complexe. **(b)** Détail d'une partie du cône. Notez le mégasporocyte (cellule mère de mégaspore) enveloppé par le nucelle (Voir aussi le cycle de développement du pin, figure 20-22).

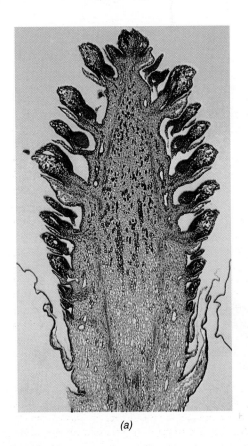

(a)

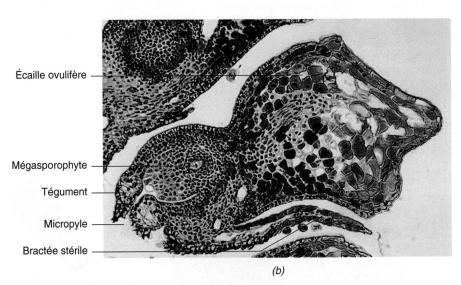

Écaille ovulifère

Mégasporophyte

Tégument

Micropyle

Bractée stérile

(b)

Les cônes femelles des pins sont beaucoup plus grands que les cônes mâles et leur structure est plus complexe (Figure 20-23). Les **écailles ovulifères** (écailles du cône), qui portent les ovules, ne sont pas de simples mégaphylles. Ce sont plutôt des systèmes déterminés de rameaux courts modifiés appelés **complexes d'écailles séminifères**. Chaque complexe est formé de l'écaille ovulifère — qui porte deux ovules à sa face supérieure — et d'une bractée stérile sous-tendante (Figure 20-24). Les écailles sont disposées en spirale autour de l'axe du cône (Le cône ovulifère est donc une structure composée, alors que le cône staminé est une structure simple, les microsporanges étant directement attachés aux microphylles.) Chaque ovule se compose d'un nucelle multicellulaire (le mégasporange) entouré d'un

Figure 20-25

Cônes femelles rouges de *Pinus contorta* au sommet d'un grand rameau central à la fin du printemps de leur première année, époque de la pollinisation. Des cônes femelles d'un an sont visibles à la base de cette branche. Les cônes mâles oranges, qui portent le pollen, sont rassemblés autour de rameaux plus courts.

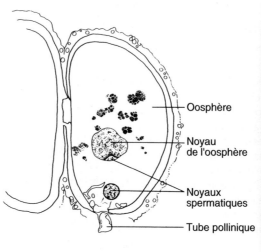

- Oosphère
- Noyau de l'oosphère
- Noyaux spermatiques
- Tube pollinique

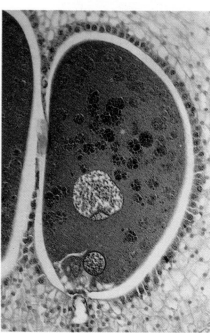

100 µm

Figure 20-26

Pinus. Fécondation : union d'un noyau spermatique au noyau de l'oosphère. Le second noyau spermatique (en-dessous) n'est pas fonctionnel ; il va finalement dégénérer.

tégument massif présentant une ouverture, le micropyle, face à l'axe du cône (Figure 20-24). Le mégasporange contient un seul **mégasporocyte**, ou **cellule mère de mégaspore**, qui subit finalement la méiose et donne naissance à une série linéaire de quatre mégaspores. Une seule de ces mégaspores est cependant fonctionnelle, les trois plus proches du micropyle dégénérant rapidement.

La pollinisation des pins s'effectue au printemps (Figure 20-25). À ce stade, les écailles du cône ovulifère sont bien écartées. Quand les grains de pollen tombent sur les écailles, beaucoup adhèrent aux gouttes de pollinisation exsudées par les canaux micropylaires de l'extrémité ouverte des ovules. En s'évaporant, les gouttes se contractent et entraînent les grains de pollen dans le canal micropylaire au contact du nucelle. À son extrémité micropylaire, le nucelle est partiellement flétrit. Les grains de pollen arrivent dans cette cavité peu profonde. Après la pollinisation, les écailles se referment et contribuent à la protection des ovules en développement. Peu après son arrivée au contact du nucelle, le grain de pollen germe et produit un tube pollinique. À ce moment, la méiose n'a pas encore eu lieu dans le mégasporange.

Un mois environ après la pollinisation, les quatre mégaspores sont produites, mais une seule se développe en mégagamétophyte. Le développement de celui-ci est lent. Il ne débute souvent pas avant les six mois qui suivent la pollinisation et même alors, il peut encore s'écouler six mois avant qu'il soit achevé. Pendant les premiers stades

du développement du mégagamétophyte, les parois cellulaires ne se forment pas immédiatement après les mitoses. Environ 13 mois après la pollinisation, alors que le gamétophyte femelle contient quelque 2000 noyaux libres, les parois cellulaires commencent à se former. Puis, à peu près 15 mois après la pollinisation, des archégones, généralement au nombre de deux ou trois, se différencient à l'extrémité micropylaire du mégagamétophyte, et tout est prêt pour la fécondation.

Environ 12 mois plus tôt, le grain de pollen germait, produisant un tube pollinique qui frayait lentement son chemin par digestion des tissus du nucelle en direction du mégagamétophyte en développement. Un an environ après la pollinisation, la cellule génératrice du gamétophyte mâle quadricellulaire se divise et donne deux sortes de cellules — une cellule végétative (cellule de pied) et une **cellule génératrice** (cellule de corps). Par la suite, avant l'arrivée du tube pollinique au gamétophyte femelle, la cellule génératrice se divise en deux gamètes mâles. Le gamétophyte mâle, ou grain de pollen germé, est maintenant arrivé à maturité. Rappelez-vous que les spermatophytes ne produisent pas d'anthéridies.

Environ 15 mois après la pollinisation, le tube pollinique atteint l'oosphère d'un archégone, où il décharge la plus grande partie de son cytoplasme et ses deux noyaux gamètes dans le cytoplasme de l'oosphère (Figure 20-26). Un des noyaux mâles s'unit au noyau de l'oosphère et l'autre dégénère. Les oosphères de tous les archégones sont normalement fécondées et commencent à se développer en embryons (phénomène de polyembryonie). Un seul embryon se développe en général complètement, mais 3 à 4 % des graines de pin contiennent plusieurs embryon et donnent deux ou trois plantules à la germination.

Au début de l'embryogenèse, quatre rangées de cellules sont produites près de l'extrémité inférieure de l'archégone. Les quatre cellules de la rangée supérieure (la rangée la plus proche de l'extrémité micropylaire de l'ovule) commencent à produire chacune un embryon. Simultanément, les quatre cellules de la rangée situées juste en-dessous, qui sont les cellules du suspenseur, s'allongent fortement et introduisent les quatre embryons en développement à l'intérieur du gamétophyte femelle à travers la paroi de l'archégone. On rencontre donc ici un second type de polyembryonie dans le cycle de développement du pin. Ici aussi, cependant, un seul embryon se développe en général complètement. Durant l'embryogenèse, le tégument se différencie en spermoderme.

La structure de la graine des conifères est remarquable, c'est en effet une combinaison de deux générations sporophytiques diploïdes différentes — le spermoderme (et les restes du nucelle) d'une part et l'embryon d'autre part — et d'une génération gamétophytique haploïde (l'endosperme) (Figure 20-27). Le gamétophyte joue le rôle de réserve alimentaire, ou tissu nourricier. L'embryon se compose d'un axe hypocotyle-racine, avec une coiffe radiculaire d'un côté et un méristème apical et plusieurs (généralement huit) cotylédons, ou feuilles séminales, de l'autre. Le tégument est formé de trois assises, dont la médiane est indurée et constitue un revêtement pour la graine.

Les graines de pin sont souvent disséminées à l'automne de la seconde année qui suit l'apparition des cônes et la pollinisation. À maturité, les écailles du cône s'écartent : les graines ailées de la plupart des espèces planent dans l'air et sont parfois transportées par le vent à des distances considérables. Dans certaines espèces de pins, comme *Pinus contorta*, les écailles ne s'écartent pas tant que les cônes n'ont pas été soumis à une chaleur extrême (voir « Le grand incendie du Yellowstone », au chapitre 32). Quand un incendie de forêt parcourt superficiellement le massif de pins et brûle les arbres parentaux, les cônes résistants au feu ne sont atteints qu'en surface. Ils s'ouvrent, libèrent les graines accumulées pendant de nombreuses années et régénèrent l'espèce. Chez d'autres espèces de pins, comme *Pinus flexilis*, *Pinus albicaulis* et les pins pignons de l'ouest de l'Amérique du Nord, ainsi que chez quelques espèces semblables d'Eurasie, les gaines volumineuses, sans aile, sont récoltées, transportées et stockées pour leur consommation ultérieure par de grands oiseaux ressemblant aux corneilles, les casse-noix. Ces oiseaux perdent beaucoup de graines et participent ainsi à la dispersion des pins.

Le cycle de développement des pins est résumé à la figure 20-22.

Il existe d'autres conifères importants à travers le monde

Bien que les autres conifères ne possèdent pas les aiguilles goupées des pins et puissent aussi en différer par plusieurs petits détails de leur système de reproduction, les conifères actuels forment un groupe assez homogène. Chez la plupart d'entre eux, en dehors des pins, le cycle de reproduction ne demande qu'un an ; cela signifie que les graines sont produites l'année où les ovules sont pollinisés. Chez ces conifères, le temps qui s'écoule entre la pollinisation et la fécondation va généralement de trois jours à trois ou quatre semaines, au lieu de 15 mois environ chez les pins.

Figure 20-27

Pinus. Coupe longitudinale d'une graine. Le spermoderme protecteur durci (qui a été enlevé) et l'embryon représentent les deux générations sporophytiques successives (2n), avec, entre eux, le gamétophyte (endosperme). Le reste du nucelle (mégasporange) forme une pellicule autour du gamétophyte.

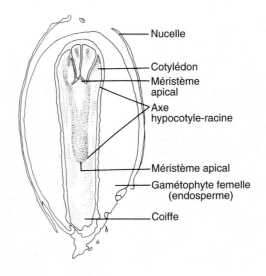

Nucelle
Cotylédon
Méristème apical
Axe hypocotyle-racine
Méristème apical
Gamétophyte femelle (endosperme)
Coiffe

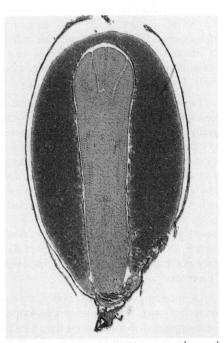

500 μm

(a)

(b)

Parmi les autres genres importants de conifères, on rencontre les sapins (*Abies*, figure 20-28a), les mélèzes (*Larix*, figure 20-28b), les épicéas (*Picea*), les tsugas (*Tsuga*), les douglas (*Pseudotsuga*), les cyprès (*Cupressus*, figure 20-29) et les genévriers (*Juniperus*, Figure 20-30), souvent appelés à tort « cèdres » en Amérique du Nord. Chez les ifs (famille des *Taxaceae*), les ovules ne se forment pas dans des cônes, mais ils sont solitaires et entourés d'une structure cupuliforme charnue — l'**arille** (Figure 20-31a).

Un des groupes les plus intéressants de conifères est la famille des *Araucariaceae*, dont les espèces n'existent actuellement, à l'état naturel, que dans l'hémisphère austral. Jusqu'il y a peu, on connaissait l'existence de deux genres survivants seulement — *Agathis* et *Araucaria* — (voir l'encadré, page 488). Une espèce d'*Araucaria*, appelée aux États-Unis pin de Panama, est un des meilleurs bois d'Amérique du Sud. Certaines espèces d'*Araucaria*, comme *A. araucana* du Chili et le « pin de l'Ile Norfolk » (*Araucaria heterophylla*) sont souvent cultivées dans les régions à climat tempéré doux (Figure 20-32). Les plantules d'*A.heterophylla* sont également souvent cultivées comme plantes d'intérieur.

Un autre groupe intéressant de conifères est la famille des *Taxodiaceae*. On a découvert du bois de taxodiacées au triasique et un certain nombre de fossiles (feuilles et cônes) datent du jurassique moyen (de 165 à 185 millions d'années avant notre ère). Les *Taxodiaceae* sont représentées aujourd'hui par des espèces à aire géographique très disjointe ; ce sont les reliques de populations beaucoup plus répandues au tertiaire (Figure 20-33). Une des plus remarquable est le séquoia de la chaîne côtière, *Sequoia sempervirens,* le plus grand des arbres vivants. Le célèbre séquoia géant, *Sequoiadendron giganteum* (Figure 20-34), qui forme des massifs spectaculaires disséminés le long du versant occidental de la Sierra Nevada de Californie, et le cyprès chauve *(Taxodium)*, du sud-ouest des États-Unis et du Mexique (Figure 20-35) appartiennent aussi à cette famille.

Figure 20-28

Deux genres de la famille du pin *(Pinaceae)*. **(a)** Cônes femelles d'*Abies balsamea*. Les cônes de droite, longs de 5 à 10 centimètres, ne tombent pas au sol entiers comme ceux des pins. Ces cônes se brisent et se détachent par fragments en libérant les graines ailées alors qu'ils sont encore fixés sur l'arbre. **(b)** Le mélèze d'Europe *(Larix decidua)*. Les aiguilles du mélèze, qui apparaissent isolément sur des rameaux courts et des rameaux longs, sont disposées en spirale. Contrairement à la plupart des conifères, les mélèzes sont décidus : ils perdent leurs feuilles au terme de chaque période de végétation.

Figure 20-29

Dans les cônes subglobuleux des cyprès, les écailles sont groupées les unes contre les autres, comme chez ce *Cupressus goveniana*. Les petits arbres de cette espèce - 6 mètres de haut seulement pour les adultes — sont extrêmement localisés : on ne les trouve que près de Monterey, en Californie.

Figure 20-30 ▲

Le genévrier commun *(Juniperus communis)* possède des cônes femelles sphériques comme ceux des cyprès, mais leurs écailles sont charnues et soudées. Les « baies » de genévrier donnent au gin son goût et son arôme caractéristiques.

Figure 20-32 ▶

Araucaria heterophylla

Figure 20-31　　　　　*(a)*　　　　　　　　　　　　　　　　　　*(b)*

Chez les conifères de la famille de l'if *(Taxaceae)* les graines sont entourées d'une coupe charnue — l'arille. Les arilles attirent les oiseaux et d'autres animaux, qui les consomment et dispersent ainsi les graines **(a)** Les espèces du genre *Taxus*, les ifs — qui se retrouvent dans tout l'hémisphère nord — produisent des structures ovulées rouges. **(b)** Sporophylles et microsporanges de cônes mâles d'un if. Les cônes mâles et femelles se trouvent sur des individus distincts. Les graines et les feuilles des ifs contiennent une substance toxique et sont une cause importante d'empoisonnement chez les enfants aux États-Unis, bien que les décès soient extrêmement rares.

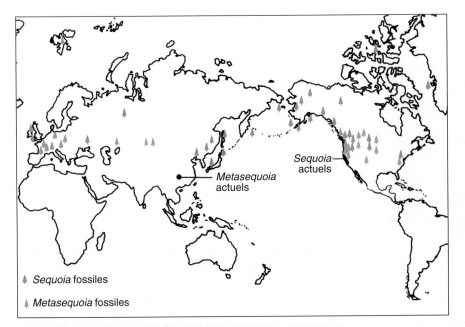

Figure 20-33

Rameau fossile de *Metasequoia*, vieux d'environ 50 millions d'années. La carte représente la distribution géographique de quelques taxodiacées actuelles et fossiles.

Carte :
Sequoia actuels
Metasequoia actuels
▲ *Sequoia* fossiles
▲ *Metasequoia* fossiles

Figure 20-34

Les séquoias géants *(Sequoiadendron giganteum)*, sur le versant occidental de la Sierra Nevada, en Californie, sont les gymnospermes les plus volumineux. Le plus grand spécimen, le Général Sherman, est haut de plus de 80 mètres et son poids est estimé à 2500 tonnes au moins. En comparaison, le plus grand animal vivant, la baleine bleue, fait piètre figure : sa longueur dépasse rarement 35 mètres et son poids 180 tonnes.

Figure 20-35

Le cyprès chauve *(Taxodium distichum)* est une espèce décidue de la famille des séquoias qui vit dans les marécages du sud-est des États-Unis. Comme le mélèze, c'est un des rares conifères qui perd ses feuilles (en réalité des rameaux feuillés) à la fin de chaque saison de croissance. Sur cette photo d'automne, la couleur des feuilles a commencé à changer. La « mousse espagnole » *(Tillandsia usneoides)*, en réalité une angiosperme de la famille de l'ananas, pend en masse aux branches de ces arbres.

Figure 20-36

Metasequoia glyptostroboides. Cet arbre vivant, dans la provine de Hubei, en Chine centrale, est vieux de plus de 400 ans.

Comme la plupart des genres actuels de *Taxodiaceae*, *Metasequoia* était beaucoup plus répandu au tertiaire (Figure 20-36). *Metasequoia* était largement distribué dans toute l'Eurasie et c'était le conifère le plus abondant en Amérique du Nord occidentale et arctique depuis la fin du crétacé jusqu'au miocène (environ 90 à 15 millions d'années avant notre ère). Il a survécu au Japon et en Sibérie orientale jusqu'il y a un million d'années. Le genre *Metasequoia* fut d'abord décrit à partir de matériel fossile par le paléobotaniste japonais Shigeru Miki en 1941 (Figure 20-33a). Trois ans plus tard, le forestier chinois Tsang Wang, du bureau Central de Recherche Forestière de Chine, visita le village de Mo-tao-chi, dans la province du Sichuan, aux confins centre-sud de la Chine. Il y découvrit un arbre énorme, d'une espèce qu'il n'avait jamais vue auparavant. Les habitants de la région avaient construit un temple autour de la base du tronc. Tsang récolta des échantillons d'aiguilles et de cônes de l'arbre et l'étude de ces échantillons montra que le *Metasequoia* fossile était « revenu à la vie ». En 1948, le paléobotaniste Ralph Chaney, de l'Université de Californie à Berkeley, conduisit une expédition le long du fleuve Yangtze et à travers trois chaînes de montagnes où vivaient ces séquoias, dernière relique d'une forêt de *Metasequoia* autrefois étendue. En 1980, il existait encore environ 8000 à 10.000 arbres dans la vallée des *Metasequoia*, dont 5000 avaient des diamètres supérieurs à 20 centimètres. Malheureusement, les arbres ne s'y reproduisaient pas parce que les graines étaient récoltées pour être mises en culture et qu'un milieu hospitalier au développement des plantules faisait défaut. On a toutefois distribué des milliers de graines, et l'on peut maintenant voir ce « fossile vivant » dans les parcs et les jardins du monde entier.

Les autres embranchements de gymnospermes actuelles : *Cycadophyta*, *Ginkgophyta* et *Gnetophyta*

Les cycadales, embranchement des *Cycadophyta*

Les autres groupes de gymnospermes actuelles sont très variés et ne se ressemblent guère. On y trouve les cycadales, ou embranchement des *Cycadophyta* : ces plantes rappellent les palmiers et se rencontrent principalement dans les régions tropicales et subtropicales. Elles sont apparues il y a au moins 250 millions d'années, au permien, elles étaient si nombreuses pendant le mésozoïque, en raison aussi d'une ressemblance superficielle avec les *Bennettitales*, qu'on appelle souvent cette période l'« époque des cycadales et des dinosaures ». Les cycadales actuelles comptent 11 genres et quelque 140 espèces. *Zamia pumila*, fréquente dans les bois sur les sables de Floride, est la seule cycadales indigène aux États-Unis (Figure 20-37).

La plupart des cycadales sont des plantes d'assez grande taille ; certaines atteignent au moins 18 mètres de haut. Beaucoup possèdent un véritable stipe densément recouvert par les bases des feuilles tombées. Les feuilles fonctionnelles forment typiquement une touffe au sommet du stipe, les faisant ressembler aux palmiers (le nom vulgaire de certaines cycadales est effectivement « palmier sagou »). Contrairement aux palmiers, cependant, les cycadales possèdent une véritable croissance secondaire, bien que très lente, aux dépens d'un cambium ; la portion centrale de leur stipe est composée d'une moelle très développée. Les cycadales ont souvent des propriétés très toxiques ; elles produisent des neurotoxines et des substances carcinogènes abondantes. Elles hébergent des cyanobactéries et contribuent efficacement à la fixation de l'azote dans les zones où on les rencontre.

Les structures reproductrices des cycadales sont des feuilles plus ou moins réduites portant des sporanges, lâchement ou étroitement

Figure 20-37

Pieds mâles et femelles de *Zamia pumila*, la seule espèce de cycadales indigène aux États-Unis. Les tiges sont en grande partie ou totalement souterraines et, avec les matières de réserve de leurs racines, elles étaient utilisées par les indiens d'Amérique dans l'alimentation et comme source d'amidon. Les deux grands cônes gris à l'avant plan sont des cônes femelles, les cônes bruns plus petits sont mâles.

réunies en sortes de cônes aux environs de l'apex de la plante. Les espèces sont dioïques (Figure 20-38). Les tubes polliniques formés par les gamétophytes mâles ne sont normalement pas ramifiés ou le sont modérément. Chez la plupart des cycadales, la croissance du tube pollinique entraîne une destruction importante du tissu nucellaire. Avant la fécondation, la portion basale du gamétophyte mâle se dilate et s'allonge, amenant les anthérozoïdes au voisinage des oosphères. Cette portion se rompt ensuite et les anthérozoïdes multiciliés libérés nagent vers les oosphères (Figure 20-39). Chaque gamétophyte mâle produit deux anthérozoïdes.

Le rôle des insectes dans la pollinisation des cycadales est particulièrement intéressant. Plusieurs groupes de coléoptères sont souvent associés aux cônes mâles, et moins souvent aux cônes femelles chez plusieurs genres de cycadales. Des charançons (famille des curculionides) du genre *Rhopalotria*, par exemple, passent toute leur existence sur et dans les cônes mâles de *Zamia* et visitent également les cônes femelles. Des coléoptères autres que les charançons se nourrissent de pollen ; ils ont certainement accompagné les cycadales pendant toute leur histoire. Il semble raisonnable de penser que des relations ont existé entre des représentants des deux groupes durant une longue période. Il est moins certain que l'anémophilie joue un rôle important dans la pollinisation des cycadales, bien que ce soit une opinion généralement répandue.

(a)   *(b)*

Figure 20-38

(a) *Encephalartos ferox*, une cycadale indigène en Afrique. On voit ici un pied femelle avec des cônes ovulifères. **(b)** Pied femelle de *Cycas siamensis*. Plusieurs mégasporophylles ont été enlevées pour montrer les graines à la face supérieure des autres mégasporophylles.

Figure 20-39

Chez les cycadales et *Ginkgo*, la reproduction sexuée est particulière, par le fait qu'elle combine des anthérozoïdes mobiles et des tubes polliniques. **(a)** Les anthérozoïdes de cycadales, que l'on voit ici, nagent au moyen de flagelles dont le nombre est estimé à 40.000. **(b)** Les anthérozoïdes sont amenés à proximité des oosphères de l'ovule par un tube pollinique (voir figure 20-12).

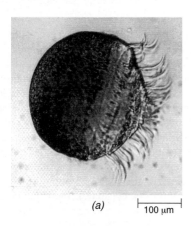

(a)   100 µm

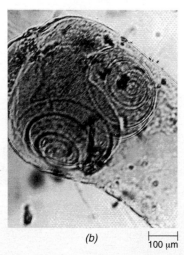

(b)   100 µm

Ginkgo biloba est le seul représentant actuel de l'embranchement des *Ginkgophyta*

Ginkgo biloba, l'arbre aux quarante écus, se reconnaît facilement à ses feuilles en éventail et à nervures ramifiées dichotomiquement (Figure 20-40). C'est un arbre intéressant et imposant, mais à croissance lente ; il peut atteindre 30 mètres de haut au moins. Les feuilles des éperons, rameaux courts à croissance lente, sont plus ou moins entières, alors que celles des rameaux allongés et des plantules sont souvent profondément lobées. Contrairement à la plupart des autres gymnospermes, *Ginkgo* perd ses feuilles, qui prennent une belle couleur dorée avant de tomber en automne.

WOLLEMIA NOBILIS : UN FOSSILE VIVANT RÉCEMMENT DÉCOUVERT

Alors que la diminution de la diversité biologique est un des problèmes environnementaux actuels les plus importants, il est remarquable de découvrir des populations survivantes d'une lignée évolutive que l'on pensait éteinte depuis longtemps. C'est encore plus extraordinaire lorsque la découverte concerne un arbre de plus de 40 mètres ayant survécu dans des gorges gréseuses profondes à moins de 150 kilomètres de Sidney, la plus grande ville d'Australie.

Le « pin de Wollemi » fut découvert fin 1994 et appelé *Wollemia nobilis,* pour rappeler le nom du Wollemi National Park où on le rencontre, ainsi que celui de David Noble, le conservateur qui l'a découvert, en même temps que la taille des arbres. C'est une des espèces végétales les plus rares au monde, car on n'en connaît que moins de 40 individus, répartis en deux petits massifs. Cette espèce appartient aux *Araucariaceae*, une famille primitive de conifères.

Les *Araucariaceae* ont eu une distribution cosmopolite et leur diversité était maximale pendant le jurassique et le crétacé, il y de 200 à 65 millions d'années, mais elles ont disparu de l'hémisphère nord à la fin du crétacé, à peu près en même temps que les dinosaures. Les deux autres genres d'*Araucariaceae* qui ont survécu, *Araucaria* et *Agathis*, sont distribués dans l'hémisphère austral, dans des régions qui faisaient autrefois partie de l'ancien super-continent du Gondwana.

Wollemia est caractérisé par des feuilles adultes disposées en quatre rangées, des feuilles juvéniles très différentes des feuilles adultes, un type d'écorce particulier et des cônes situés à l'extrémité des rameaux du même arbre — les femelles sur les branches supérieures et les mâles plus bas. Les graines ne sont pas ailées. Des bourgeons axillaires non développés enfouis sous l'écorce peuvent rester longtemps dormants avant de se développer finalement en nouveaux axes latéraux ou en rejets provenant de la base. Ces bourgeons augmentent les chances de survivre à des cataclysmes environnementaux comme une tempête, un incendie ou un éboulement de rochers.

Les botanistes des Royal Botanic Gardens de Sidney étudient les caractéristiques de *Wollemia* et comparent les séquences d'ADN de ses gènes à celles des groupes apparentés, tandis que les expérimentateurs en horticulture étudient sa reproduction par graines, par boutures et en culture de tissus. En raison de la rareté et de la beauté de l'arbre, les chercheurs souhaitent propager *Wollemia* et faire en sorte qu'il puisse être cultivé aussi largement que possible, d'abord dans les autres jardins botaniques pour sa conservation, et finalement pour l'horticulture. Il faudra cependant des années de recherche avant qu'il soit disponible à grande échelle.

Les comparaisons avec des fossiles ont porté sur des détails caractéristiques de l'épiderme foliaire et du pollen, parce que ces structures sont souvent les parties les mieux conservées des fossiles végétaux. Ces recherches ont confirmé qu'un type de pollen trouvé en Australie méridionale, en Nouvelle-Zélande et dans l'Antarctique, et que l'on pensait appartenir à une famille toute différente, représente en réalité la lignée évolutive de *Wollemia*. Ce type particulier de pollen, très répandu de 94 à 30 millions d'années avant notre ère, a fortement régressé à peu près à l'époque où les forêts pluviales ont reculé en Australie. Certaines plantes ont apparemment pu subsister, car des pollens fossiles récents ont été découverts dans des forages pétroliers en mer sur le plateau continental australien, dans des dépôts qui n'ont que 2 millions d'années.

L'ADN de ce troisième genre actuel d'*Araucariaceae*, *Wollemia*, a permis d'étudier les relations phylogénétiques et de clarifier certains aspects de l'évolution d'*Araucaria* et *Agathis*, ainsi que leurs rapports avec les autres conifères. Les séquences géniques confirment que son plus proche parent est *Agathis*, mais qu'il est préférable de le considérer comme un genre distinct.

Wollemia est un témoin des changements floristiques survenus au cours de l'histoire à l'échelle du globe. Cette plante fait partie d'une famille végétale ancienne, c'est un exemple de lignée qui a survécu à l'extinction de nombreux groupes végétaux et animaux au crétacé supérieur. La distribution des *Araucariaceae* et Australie et en Amérique du Sud est également le reflet des contacts anciens qui ont existé entre les masses continentales australes. Les habitats occupés par *Wollemia* — et son extrême rareté — sont une illustration récente de la manière dont les angiospermes ont occupé de vastes surfaces dominées à l'origine par les conifères.

Du fait de sa rareté, *Wollemia* doit être préservé et sa survie montre l'importance des parcs nationaux pour la conservation de la biodiversité. Son habitat est une forêt pluviale d'arbres sempervirents à larges feuilles comme *Ceratopetalum* et *Doryphora*, au-dessus de laquelle il dresse sa haute taille : c'est un exemple de forêt pluviale fournissant des milieux stables permettant la conservation d'espèces où persistent de nombreuses caractéristiques de groupes végétaux anciens.

(c)

(a)

(d)

(b)

(e)

(a) Grands arbres de *Wollemia nobilis*, dans une gorge gréseuse profonde. **(b)** Cônes femelles globulaires et petits cônes mâles bruns. **(c)** Cône femelle et rameau avec les feuilles disposées en quatre rangées. **(d)** Les feuilles adultes de *Wollemia* ressemblent beaucoup aux feuilles fossiles d'*Araucariaceae* de dépôts jurassiques d'Australie orientale. **(e)** Écailles de cônes et graines de *Wollemia* placées à côté d'une écaille de cône fossile du même dépôt jurassique.

Ginkgo biloba est l'unique survivant d'un genre qui a peu varié depuis plus de 150 millions d'années, et c'est la seule espèce survivante de l'embranchement des *Ginkgophyta*. Cette espèce rappelle d'autres genres de gymnospermes qui remontent au permien inférieur, il y a 270 millions d'années. Il n'existe probablement plus, dans le monde, de station sauvage de *Ginkgo*, mais l'arbre a été conservé au voisinage des temples en Chine et au Japon. Introduit dans d'autres parties du monde, il occupe une place importante dans les parcs et les jardins des régions tempérées depuis deux siècles. *Ginkgo* est particulièrement résistant à la pollution atmosphérique et donc fréquemment cultivé dans les parcs urbains et le long des avenues.

De même que les cycadales, *Ginkgo* est dioïque. Les ovules de *Ginkgo* apparaissent par paires à l'extrémité de courts pédoncules et produisent, en mûrissant en automne, des graines entourées d'une enveloppe charnue (Figure 20-40b). Quand elle pourrit, la chair de l'enveloppe de la graine de *Ginkgo* répand une odeur fétide qui provient surtout de la présence des acides butanoïque et hexanoïque. Ce sont les mêmes acides gras que l'on retrouve dans le beurre rance et le fromage romano. Le noyau de la graine (l'endosperme et l'embryon) a cependant un goût de poisson et constitue une friandise appréciée en Chine et au Japon.

Chez *Ginkgo*, la fécondation ne peut s'opérer à l'intérieur des ovules qu'après leur chute de l'arbre. Comme chez les cycadales, le gamétophyte mâle produit un système très ramifié de suçoirs qui se développe à partir d'un tube pollinique simple au départ (voir figure 20-12). La croissance du tube pollinique dans le nucelle est strictement extracellulaire, sans dommage apparent pour les cellules nucellaires voisines. Finalement, la partie basale de ce système se développe en une sorte de sac qui, à maturité, contient deux anthérozoïdes multiciliés volumineux (Figure 20-12b). La rupture de la portion sacciforme du tube pollinique libère ces anthérozoïdes qui nagent vers les oosphères à l'intérieur du gamétophyte femelle de l'ovule.

L'embranchement des *Gnetophyta* comprend des espèces dont les caractères ressemblent à ceux des angiospermes

Les gnétophytes réunissent trois genres et environ 70 espèces actuels de gymnospermes très particulières : *Gnetum, Ephedra* et *Welwitschia*. Il existe environ 30 espèces de *Gnetum* : ce sont des arbustes ou des lianes à grandes feuilles coriaces ressemblant beaucoup à celles des dicotylées (Figure 20-41). On les trouve surtout dans les régions tropicales humides.

Parmi les quelque 35 espèces d'*Ephedra,* la plupart sont des arbustes très ramifiés à petites feuilles écailleuses insignifiantes (Figure 20-42). Avec leurs petites feuilles et leurs tiges qui paraissent articulées, les *Ephedra* ressemblent superficiellement aux *Equisetum*. La plupart des espèces d'*Ephedra* vivent dans des régions arides ou désertiques du globe.

(a)

(b)

Figure 20-40

(a) L'arbre aux quarante écus, *Ginkgo biloba.* Le nom anglais de cet arbre — maidenhair tree — découle de la ressemblance de ses feuilles avec celles d'une fougère, « maidenhair fern » (cheveux de Vénus). **(b)** Feuilles de *Ginkgo* et graines charnues attachées à des rameaux courts.

(a)

(b)

(c)

Figure 20-41

Les grandes feuilles coriaces du gnétophyte tropical, *Gnetum*, ressemblent à celles de certaines dicotylées. Les espèces de *Gnetum* forment des arbustes ou des lianes ligneuses dans les forêts tropicales et subtropicales. **(a)**

Groupes de cônes femelles et feuilles de *Gnetum gnemon*. **(b)** Groupes de cônes mâles et feuilles et **(c)** graines charnues avec feuilles de *Gnetum*, photographiées dans le bassin de l'Amazone, au sud du Vénézuéla.

(a)

(b)

(d)

(c)

Figure 20-42

Ephedra est le seul des trois genres actuels de *Gnetophyta* trouvé aux États-Unis. **(a)** Buisson mâle d'*Ephedra viridis*, en Californie. C'est un arbuste ramifié dont les feuilles sont en écaille, comme chez les autres espèces du genre. **(b)** Strobile mâle d'*E. viridis*. Notez les feuilles en écaille sur la tige. **(c)** *Ephedra trifurcata*, en Arizona, portant des strobiles mâles. (d) Plante femelle d'*E. viridis* portant des graines.

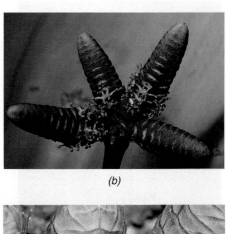

(b)

(c)

(a)

Figure 20-43

Le gnétophyte *Welwitschia mirabilis*, que l'on ne trouve que dans le désert du Namib, en Namibie et dans les régions voisines d'Afrique australe. *Welwitschia* ne produit que deux feuilles qui poursuivent leur croissance pendant toute la vie de la plante. Au cours de leur croissance, les feuilles dégénèrent à leur extrémité et se fendent longitudi- nalement ; les vieilles plantes semblent de ce fait avoir de nombreuses feuilles. **(a)** Grande plante séminifère. **(b)** Strobiles mâles. **(c)** Strobiles ovulifères ; l'insecte est un charançon, qui suce la sève du strobile. *Welwitschia* est dioïque (voir page 501).

Welwitschia est probablement la plante vasculaire la plus étrange (Figure 20-43). La majeure partie de la plante est enterrée dans le sol sableux. La partie visible comporte un disque concave massif, ligneux, ne produisant que deux feuilles rubanées qui se fendent lon- gitudinalement avec l'âge. Les rameaux qui portent les cônes provien- nent d'un tissu méristématique bordant le disque. *Welwitschia* vit dans le désert côtier d'Afrique australe, en Angola, Namibie et Afrique du Sud.

Bien que les genres de gnétophytes soient clairement apparentés et que leur réunion dans un même embranchement soit justifiée, ils sont morphologiquement très différents. Ces genres possèdent cependant beaucoup de caractères qui rappellent les angiospermes, comme la ressemblance de leurs strobiles avec certaines inflorescences d'angiospermes, la présence de vaisseaux très semblables dans leur xylème et l'absence d'archégones chez *Gnetum* et *Welwitschia*. Bien que ces deux derniers caractères soient identiques à ceux des angios- permes, l'opinion récente privilégie une évolution indépendante des gnétophytes et des angiospermes.

De nouveaux arguments, basés sur des comparaisons morphologi- ques soigneuses et sur des analyses moléculaires, sont récemment venu confirmé l'idée selon laquelle les gnétophytes sont le groupe de gymnospermes le plus étroitement apparenté aux angiospermes. En 1990, on a signalé que la double fécondation — impliquant la fusion d'un second noyau mâle et avec un noyau du gamétophyte femelle — est également fréquente chez *Ephedra*. Cette double fécondation, considérée jusqu'alors comme propre aux angiospermes, aurait donc pu exister chez l'ancêtre commun aux angiospermes et aux gnétophy- tes. Contrairement aux angiospermes cependant, où la double fécondation produit, en plus d'un embryon, un tissu distinct qui l'ali- mente, appelé albumen, la seconde fécondation chez *Ephedra* (ainsi que chez *Gnetum*) produit des embryons supplémentaires. Chez *Ephedra* et *Gnetum*, comme c'est le cas pour toutes les gymnosper- mes, un endosperme haploïde volumineux nourrit l'embryon qui se développe à l'intérieur de la graine. Aucun gnétophyte vivant ne pour- rait cependant être l'ancêtre d'une angiosperme — les trois genres actuels de gnétophytes possèdent chacun des structures propres très spécialisées. Il est cependant intéressant de constater que des structu- res reproductrices de certaines espèces au moins de ces trois genres de gnétophytes produisent du nectar et sont visitées par les insectes. La pollinisation par le vent est visiblement importante — au moins chez *Ephedra* — mais les insectes jouent également un rôle dans la pollinisation de ces plantes.

RÉSUMÉ

Les spermatophytes réunissent cinq embranchements comprenant encore des représentants vivants. L'un d'eux, celui des angiospermes (embranchement des *Anthophyta*) est une réussite spectaculaire ; il se distingue par un ensemble de caractères particuliers. Les quatre autres, qui ne possèdent pas ces spécialisations, sont généralement réunis sous le nom de gymnospermes.

La graine se développe à partir d'un ovule

Outre qu'ils produisent des graines, les spermatophytes portent des mégaphylles. Plusieurs conditions doivent être remplies pour pouvoir aboutir à la graine : l'hétérosporie, la persistance d'une mégaspore unique, le développement de l'embryon, ou jeune sporophyte, à l'intérieur du mégagamétophyte et les téguments. Toutes les graines sont formées d'un spermoderme dérivé du ou des téguments(s), d'un embryon et de matières de réserve. Chez les gymnospermes, les réserves proviennent du gamétophyte femelle haploïde (endosperme).

Les spermatophytes dérivent très probablement des progymnospermes

Les structures les plus anciennes qui ressemblent aux graines se rencontrent dans des dépôts dévoniens, vieux d'environ 350 millions d'années. Les ancêtres probables des gymnospermes et des angiospermes sont les progymnospermes, groupe éteint de cryptogames vasculaires paléozoïques. Parmi les principaux groupes éteints de gymnospermes, on trouve les ptéridospermes (embranchement des *Pteridospermophyta*), groupe hétérogène et peu naturel, et les cycadoïdes, ou *Bennettitales*, dont les feuilles sont semblables à celles des cycadales, mais dont les structures reproductrices sont très différentes.

Toutes les gymnospermes possèdent le même cycle de développement de base

Il existe encore actuellement quatre embranchements de gymnospermes : les *Cycadophyta*, les *Ginkgophyta*, les *Coniferophyta* et les *Gnetophyta*. Leurs cycles de développement sont essentiellement semblables : une alternance de générations hétéromorphe avec de grands sporophytes indépendants et des gamétophytes très réduits. Les ovules (mégasporanges avec téguments) sont produits à la surface de mégasporophylles ou de structures analogues. À maturité, le gamétophyte femelle de la plupart des gymnospermes est une structure multicellulaire portant plusieurs archégones. Le gamétophyte mâle se développe à l'intérieur du grain de pollen. Il n'y a pas d'anthéridies chez aucun spermatophyte. Chez les gymnospermes, les gamètes mâles, ou anthérozoïdes, dérivent directement de la cellule spermatogène. Sauf chez les cycadales et *Ginkgo*, qui ont des anthérozoïdes ciliés, les gamètes mâles des spermatophytes ne sont pas mobiles.

La pollinisation et le développement du tube pollinique éliminent la nécessité d'un milieu liquide pour que l'anthérozoïde atteigne l'oosphère

Chez les spermatophytes, l'eau n'est pas nécessaire pour permettre aux gamètes mâles d'atteindre les oosphères. Les gamètes mâles sont transportés vers les oosphères par la pollinisation, combinée à la production

TABLEAU RÉSUMÉ

Comparaison des principaux caractères des embranchements de gymnospermes possédant des représentants vivants

EMBRANCHEMENT	GENRE(S) REPRÉSENTATIF(S)	TYPE D'ÉLÉMENT(S) VASCULAIRE(S)	ANTHÉROZOÏDES MOBILES ?	TUBE POLLINIQUE : VÉRITABLE TRANSPORTEUR DES ANTHÉROZOÏDES ?	TYPE DE FEUILLES PRODUITES	CARACTÈRES DIVERS
Cycadophyta (cycadales)	*Cycas* et *Zamia*	Trachéides	Oui	Non	Palmier	Cônes femelles et mâles simples, sur plantes séparées
Ginkgophyta (ginkgo)	Ginkgo	Trachéides	Oui	Non	En éventail	Plantes dioïques ; graines à enveloppe charnue
Coniferophyta (conifères)	*Abies, Picea, Pinus* et *Tsuga*	Trachéides	Non	Oui	Surtout en aiguille ou en écaille	Plantes monoïques ; cônes femelles composés ; aiguilles de pin fasciculées
Gnetophyta (gnétophytes)	*Ephedra, Gnetum* et *Welwitschia*	Trachéides et vaisseaux	Non	Oui	*Ephedra* : petites feuilles en écailles ; *Gnetum* : feuilles coriaces, opposées. *Welwitschia* : possèdent deux très grandes feuilles rubanées	Cônes femelles et mâles composés ; sur des plantes séparées, sauf chez certaines espèces d'*Ephedra* ; plusieurs caractères d'angiospermes ; feuilles opposées

d'un tube pollinique. Chez les gymnospermes, la pollinisation est le transfert du pollen du microsporange au mégasporange (le nucelle). La fécondation a lieu lorsqu'un gamète mâle du gamétophyte (le grain de pollen germé) s'unit à l'oosphère, située dans un archégone chez la plupart ds gymnospermes. Le second gamète mâle n'a pas de fonction apparente (sauf peut-être chez *Gnetum* et *Ephedra*) et dégénère. Chez les spermatophytes, l'ovule se développe en graine après la fécondation.

Il existe quatre embranchements de gymnospermes comptant des représentants actuels

Les conifères (embranchement des *Coniferophyta*) sont, parmi les gymnospermes actuelles, l'embranchement le plus grand et le plus répandu, avec environ 50 genres et 550 espèces. Ils dominent de nombreuses formations végétales répandues dans le monde, avec les pins, les sapins, les épicéas et d'autres arbres familiers formant les grandes forêts septentrionales. Les cycadales actuelles (embranchement des *Cycadophyta*) comprennent 11 genres et environ 140 espèces principalement tropicales, mais qui s'éloignent de l'équateur dans certaines régions chaudes. Les cycadales ressemblent à des palmiers, avec des stipes et une croissance secondaire très peu active. Il existe une seule espèce vivante de l'embranchement des *Ginkgophyta (Ginkgo biloba)* et on ne la connaît qu'en culture. Les trois genres de l'embranchement des *Gnetophyta* sont les parents les plus proches des angiospermes (embranchement des *Anthophyta*).

MOTS CLÉS

arille p. 483

cellule de tube p. 477

cellule générative p. 477

cellule spermatogène p. 481

cellule stérile p. 481

cellules prothalliennes p. 477

complexe d'écaille séminifère p. 480

défini p. 474

écailles ovulifères p. 480

grain de pollen p. 472

graine p. 468`

indéfini p. 474

mégasporocytes, ou cellules mères de mégaspores p. 481

micropyle p. 468

microsporocytes, ou cellules mères de microspores p. 477

nucelle p. 468

pollinisation p. 472

polyembryonie p. 472

spermoderme p. 470`

tégument p. 468

tube pollinique p. 472

QUESTIONS

1. Une des avancées évolutives les plus importantes chez les progymnospermes est la présence d'un cambium bifacial. Qu'est ce qu'un cambium bifacial et où le trouve-t-on en dehors des progymnospermes ?

2. Quelles sont les ressemblances entre les *Bennettitales*, ou cycadoïdes, et les cycadales ? Quelles sont les différences ?

3. La polyembryonie peut survenir deux fois dans le cycle de développement des pins. Expliquez.

4. Dessinez et annotez les composants de ce qui suit : un ovule de pin avec un mégagamétophyte mûr ; un microgamétophyte adulte de pin (grain de pollen germé avec les gamètes mâles) et une graine mûre de pin.

5. Chez les cycadales et *Ginkgo,* il existe des arguments permettant de dire que les premiers tubes polliniques étaient des structures haustoriennes et non pas de véritables transporteurs d'anthérozoïdes. Expliquez.

SOMMAIRE

De toutes les plantes, les angiospermes — les plantes à fleurs — sont celles qui ont l'influence la plus directe sur notre existence. Les graines, les fruits charnus et les légumes que nous consommons viennent des angiospermes ; le coton et le lin des vêtements que nous portons proviennent également des angiospermes.

La caractéristique la plus évidente d'une angiosperme est, bien entendu, la fleur. La fleur contient les organes reproducteurs de la plante et son importance est donc primordiale non seulement pour assurer une descendance, mais aussi pour l'évolution de l'espèce elle-même. Ce chapitre met l'accent en premier lieu sur la structure de base de la fleur. L'attention se portera ensuite sur la différenciation des gamétophytes mâle et femelle et sur l'étude de la pollinisation et de la fécondation, processus qui possèdent des caractéristiques propres aux angiospermes. Dans le cadre de la reproduction, il nous restera finalement à parler de la transformation de l'ovule en graine et de l'évolution en fruit de l'ovaire qui l'entoure. Le chapitre se terminera par une comparaison entre la fécondation croisée et l'autofécondation, en passant en revue les différentes stratégies apparues au cours de l'évolution pour promouvoir le succès de la reproduction des angiospermes.

Figure 21-1

Eucalyptus géant *(Eucalyptus jacksonii)*, dans la Vallée des Géants en Australie du sud-ouest. Notez la taille de l'homme au pied de la base brûlée de cette énorme angiosperme.

POINTS DE REPÈRE

Quand vous terminerez la lecture de ce chapitre, vous devriez pouvoir répondre aux questions suivantes :

- *Qu'est-ce qu'une fleur et quelles sont ses principales parties ?*
- *Citez quelques variations qui se manifestent dans la structure de la fleur.*
- *Comment les angiospermes produisent-elles les microgamétophytes (gamétophytes mâles) ? Quelles sont les ressemblances et les différences entre ces processus et ceux qui aboutissent aux mégagamétophytes (gamétophytes femelles) ?*
- *Quelle est la structure (la composition) du gamétophyte mâle adulte des angiospermes ? Du gamétophyte femelle ?*
- *Qu'entend-on par « double fécondation » chez les angiospermes et quels sont les conséquences de ce phénomène ?*
- *Citez quelques conditions favorisant la fécondation croisée chez les angiospermes ; dans quelles circonstances l'autopollinisation peut-elle être plus avantageuse que la fécondation croisée ?*

Les angiospermes — les plantes à fleurs — façonnent l'aspect quotidien de la végétation contemporaine. Les arbres, les buissons, les pelouses, les jardins, les champs de blé et de maïs, les fleurs sauvages, les fruits et les légumes sur l'étal des épiceries, les taches de couleur à la vitrine du fleuriste, le géranium à une sortie de secours, les lentilles d'eau et les nénuphars, les zostères et d'autres plantes marines, les cactus saguaro et les figuiers de Barbarie — où que vous soyez, les plantes à fleurs sont présentes.

La diversité dans l'embranchement des *Anthophyta*

Les angiospermes constituent l'embranchement des *Anthophyta*, avec quelque 235.000 espèces ; c'est donc, et de loin, l'embranchement le plus vaste parmi les organismes photosynthétiques. Les angiospermes sont extrêmement diversifiées par leurs caractères végétatifs. Leur taille varie depuis les espèces arborescentes d'*Eucalyptus* qui dépassent largement 100 mètres de haut, avec des troncs de près de 20 mètres de circonférence (Figure 21-1), jusqu'aux petites lentilles d'eau, plantes flottantes peu différenciées qui atteignent à peine 1 millimètre de long (Figure 21-2). Certaines angiospermes sont des lianes s'élevant au sommet des cimes de la forêt ombrophile équatoriale, alors que d'autres sont des épiphytes sur les branches de ces cimes. Beaucoup d'angiospermes, comme les cactus, sont adaptés à vivre dans des régions extrêmement arides. Depuis plus de 100 millions d'années, les angiospermes ont été prépondérantes à la surface du globe.

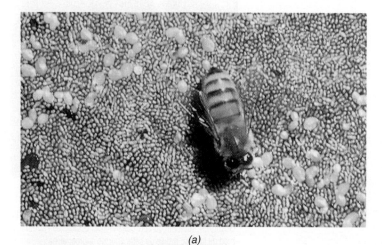

(a)

(b)

Les angiospermes constituent un groupe de spermatophytes qui possèdent des caractéristiques spéciales acquises au cours de leur évolution : les fleurs, les fruits et certaines particularités de leur cycle de développement les différencient des autres plantes. Dans ce chapitre, ces caractères seront mis en évidence et évalués de manière critique ; dans le chapitre suivant, on envisagera l'évolution des angiospermes. Dans la section 5, nous étudierons plus en détail la structure et le développement de l'appareil végétatif des angiospermes (le sporophyte).

Les angiospermes possèdent en commun un tel nombre de caractères inexistants chez les autres plantes qu'elles dérivent sans aucun doute d'un ancêtre commun unique (c'est un groupe monophylétique). Les recherches récentes, basées sur une interprétation plus adéquate des fossiles, ainsi que sur des méthodes analytiques mieux adaptées et des comparaisons des séquences d'acides nucléiques, ont abouti à une identification plus claire des principales lignées évolutives existant chez les angiospermes. Le groupe est divisé en deux grandes classes, les *Monocotyledones* (monocotylées), avec environ 65.000 espèces (Figure 21-3) et les *Dicotyledones* (dicotylées), avec environ 165.000 espèces (Figure 21-4). Les monocotylées ont des caractères bien distincts et l'on y trouve des plantes familières comme les graminées, les lis, les iris, les orchidées, les massettes et les palmiers. Les dicotylées sont plus diversifiées et comprennent tous les arbres et les arbustes familiers (en dehors des conifères), ainsi que de nombreuses plantes herbacées (plantes non ligneuses). On mentionnera, au chapitre 22, d'autres groupes d'angiospermes archaïques qui ne sont ni des monocotylées, ni des dicotylées. Ces plantes ont d'abord été réunies aux dicotylées, mais nous savons maintenant qu'il s'agissait d'un système de classification artificiel exagérant les caractères distinctifs des monocotylées par rapport aux autres angiospermes.

(c)

Figure 21-2

Les lentilles d'eau (famille des *Lemnaceae*) sont les plus petites des angiospermes. **(a)** Abeille au repos sur une couche dense de trois espèces de lentilles d'eau. Les plantes les plus grandes sont celles de *Lemna gibba*, de 2 à 3 millimètres de long ; les plus petites appartiennent à deux espèces de *Wolfia* ne dépassant pas 1 millimètre. **(b)** Plante en fleur de *Wolfia borealis* avec un stigmate circulaire concave et, juste au-dessus, une minuscule anthère, tous deux émergeant d'une cavité centrale. L'ensemble de la plante ne dépasse pas 1 millimètre de long. **(c)** Plante en fleur de *Lemna gibba* ; deux étamines et un style sortent d'une poche à la face supérieure de la plante.

(a)

(b)

(c)

Figure 21-3

Monocotylées. **(a)** Espèce de la famille des palmiers, un cocotier *(Cocos nucifera)*, à Tehuantepec (Oaxaca, Mexique). La noix de coco est une drupe et non une noix (voir chapitre 22). **(b)** Fleurs et fruits de bananier *(Musa x paradisiaca)*. La fleur du bananier possède un ovaire infère et le sommet du fruit porte un large cicatrice laissé par la chute des pièces florales. **(c)** Le riz *(Oryza sativa)* est une espèce de la famille des graminées.

(a)

(b)

(c)

Figure 21-4

Dicotylées **(a)** Le cactus saguaro *(Carnegiea gigantea)*. La famille des cactus, avec environ 2000 espèces, est presqu'entièrement limitée au Nouveau Monde. Les tiges épaisses et charnues, qui emmagasinent l'eau, contiennent des chloroplastes et ont relayé l'activité photosynthétique des feuilles. **(b)** L'hépatique à feuille rondes *(Hepatica americana)*, fleurit dans les forêts décidues au début du printemps. Les fleurs n'ont pas de pétales, mais possèdent de six à dix tépales et un nombre élevé d'étamines et de carpelles disposés en spirale. **(c)** Le pavot de Californie *(Eschscholzia californica)* est la fleur emblématique de l'état de Californie et est protégé par la loi.

TABLEAU 21.1

Principales différences entre monocotylées et dicotylées

Caractéristiques	Dicotylées	Monocotylées
Parties florales	Par quatre ou cinq (généralement)	Par trois (généralement)
Pollen	Triaperturé (avec trois pores ou fentes)	Monoaperturé (avec un pore ou fente)
Cotylédons	Deux	Un
Nervation des feuilles	Généralement réticulée	Généralement parallèle
Faisceaux conducteurs primaires de la tige	En anneau	Disposition complexe
Véritable structure secondaire, avec cambium vasculaire	Souvent présente	Rare

(a)

Les principales caractéristiques des monocotylées et des dicotylées sont données au tableau 21-1.

En ce qui concerne leur mode d'alimentation, pratiquement toutes les angiospemres sont autonomes, mais il existe aussi des formes parasites et myco-hétérotrophes (Figure 21-5). Il existe environ 2800 espèces de dicotylées parasites, comme les guis (voir figure 22-44), les cuscutes (Figure 21-5a) et *Rafflesia* (Figure 21-5b). Les angiospermes parasites produisent des organes d'absorption spécialisés, appelés suçoirs (haustories) qui pénètrent dans les tissus de leurs hôtes. Les myco-hétérotrophes, au contraire, ont des relations obligatoires avec des champignons mycorhiziens qui sont également associés à une angiosperme photosynthétique verte. Le champignon forme un pont qui transfère des glucides de la plante photosynthétique au myco-hétérotrophe ; *Monotropa* (Figure 21-5c) en est un exemple.

(b)

La fleur

La fleur est une tige à croissance définie (de durée limitée) qui porte des sporophylles — feuilles portant des sporanges (Figure 21-6). Le terme « angiosperme » découle des mots grecs *angeion*, qui signifie

Figure 21-5

Angiospermes parasites et myco-hétérotrophes. Ces plantes n'ont que peu ou pas de chlorophylle ; elles se nourrissent grâce à la photosynthèse d'autres plantes. **(a)** Une cuscute *(Cuscuta salina)*, parasite orange vif ou jaune. La cuscute fait partie de la famille du liseron *(Convolvulaceae)*. **(b)** La fleur la plus grande au monde, *Rafflesia arnoldii*, sur le Mont Sago, à Sumatra. Les plantes de ce genre parasitent les racines d'espèces de la famille de la vigne *(Vitaceae)*. **(c)** *Monotropa uniflora* est une myco-hétérotrophe qui trouve sa nourriture dans les racines d'autres plantes par l'intermédiaire d'hyphes fongiques associées à ses racines. Il existe plus de 3000 espèces d'angiospermes parasites réparties dans 17 familles.

(c)

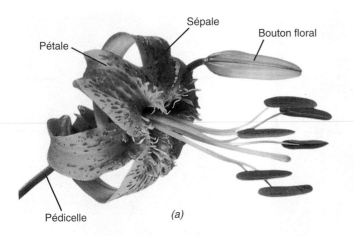

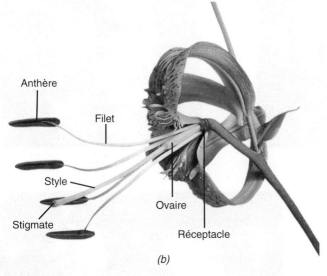

Figure 21-6

Pièces florales d'un lis *(Lilium henryi)*. **(a)** Fleur complète. Dans certaines fleurs, comme celles des lis, les sépales et les pétales sont semblables, et l'on peut appeler tépales toutes ces pièces du périanthe. Notez que les tépales externes (sépales) sont insérés sur le réceptacle sous les tépales internes (pétales). **(b)** On a enlevé deux tépales et deux étamines pour montrer l'ovaire. Le gynécée est formé de l'ovaire, du style et du stigmate. L'étamine se compose du filet et de l'anthère. Notez que, dans la fleur de lis, les sépales, les pétales et les étamines sont insérés sur le réceptacle en-dessous de l'ovaire ; celui-ci est composé de trois carpelles soudés. On dit que cette fleur est hypogyne.

« vaisseau » et *sperma*, « graine ». La structure fondamentale de la fleur est le carpelle — le « vaisseau ». Le **carpelle** contient les ovules, qui se développent en graines après la fécondation.

Les fleurs peuvent être réunies de diverses manières en ensembles appelés **inflorescences** (Figures 21-7 et 21-8). Une inflorescence ou une fleur isolée est portée par un **pédoncule**, tandis que le support d'une fleur individuelle dans une inflorescence est un **pédicelle**. La portion de l'axe floral où les pièces de la fleur sont insérées s'appelle le **réceptacle**.

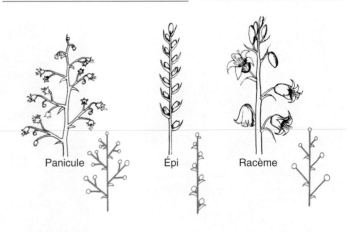

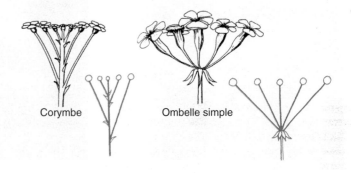

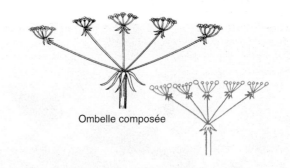

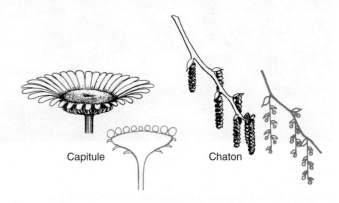

Figure 21-7

Dessins de quelques types fréquents d'inflorescences d'angiospermes, avec schémas simplifiés (en couleur).

(a)

(b)

(c)

(d)

(e)

Figure 21-8

Inflorescences de **(a)** *Dodecatheon meadia*, **(b)** linaire *(Linaria vulgaris)*, **(c)** lupin *(Lupinus diffusus)*, **(d)** *Mertensia virginica* et **(e)** *Cicuta maculata*. En utilisant la figure 21-7, pouvez-vous identifier les types d'inflorescences représentés ?

La fleur comprend des pièces stériles et fertiles (reproductrices) insérées sur le réceptacle

La plupart des fleurs possèdent deux verticilles d'appendices stériles, les **sépales** et les **pétales,** insérés sur le réceptacle en-dessous des parties fertiles de la fleur, les **étamines** et les **carpelles.** Ensemble, les sépales constituent le **calice** et les pétales forment la **corolle.** Les sépales et les pétales ont essentiellement une structure de feuille. Les sépales sont souvent verts et assez épais ; les pétales ont une couleur vive et sont plus minces bien que, dans beaucoup de fleurs, les deux verticilles (un verticille est un cycle de pièces florales de même type) aient la même couleur et la même texture. Le calice (les sépales) et la corolle (les pétales) forment ensemble le **périanthe.**

Les étamines — dont l'ensemble est l'**androcée** (« maison de l'homme ») — sont des microsporophylles. Chez la plupart des angiospermes, l'étamine est formée d'un axe mince, le **filet,** qui porte une **anthère** bilobée composée de quatre microsporanges, ou **sacs polliniques,** réunis en deux paires — c'est une caractéristique des angiospermes.

Les carpelles — qui forment ensemble le gynécée (« maison des femmes ») — sont des mégasporophylles repliées longitudinalement, qui renferment un ou plusieurs ovules. Une fleur peut avoir un ou plusieurs carpelles, qui peuvent être soit séparés, soit soudés, partiellement ou totalement. Parfois, le carpelle isolé ou le groupe de carpelles fusionnés est dénommé **pistil.** Le terme « pistil » a la même origine que « pestel » (pilon), l'instrument qui a la même forme et que le pharmacien utilise pour réduire des produits en poudre dans un mortier.

Dans la plupart des fleurs, les carpelles individuels ou groupes de carpelles soudés sont différenciés en une portion inférieure, l'**ovaire,** qui entoure les ovules, une partie intermédiaire, le **style,** dans lequel les tubes polliniques se développent, et une partie supérieure, le **stigmate,** qui reçoit le pollen. Dans certaines fleurs, il n'y a pas de style distinct. Si les carpelles sont soudés, le style peut être commun, ou chaque carpelle peut conserver un style séparé. L'ovaire commun à ces carpelles fusionnés est généralement (mais pas toujours) divisé en deux ou plusieurs **loges** — chambres de l'ovaire qui contiennent les ovules. Le nombre de loges est généralement lié au nombre de carpelles du gynécée.

Les ovules sont fixés à la paroi de l'ovaire au niveau du placenta

La partie de l'ovaire où se forment les ovules et où ils restent fixés jusqu'à maturité est appelée **placenta.** La disposition des placentas — la **placentation** — et, par conséquent, celle des ovules, varient beaucoup dans les différents groupes d'angiospermes (Figure 21-9). Chez certains, la placentation est *pariétale,* c'est-à-dire que les ovules se forment sur la paroi de l'ovaire ou sur des expansions de celle-ci. Dans d'autres fleurs, les ovules se forment sur une colonne au centre d'un ovaire cloisonné avec autant de loges que de carpelles. C'est une placentation *axile.* Dans d'autres encore, la placentation est *centrale libre,* les ovules se formant sur une colonne centrale de tissu sans con-

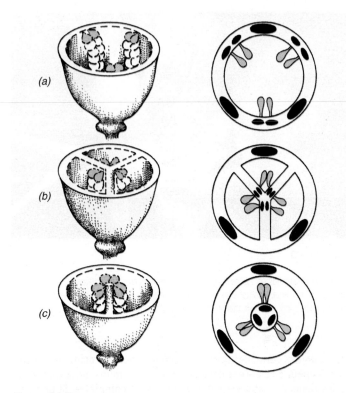

Figure 21-9

Types de placentation ; les ovules sont représentés en couleur. **(a)** Pariétale. **(b)** Axile. **(c)** Centrale libre. On n'a pas représenté les placentations basilaire et apicale, avec un seul ovule à la base ou au sommet d'un ovaire uniloculaire. Les faisceaux conducteurs sont représentés par des structures pleines dans les parois ovariques.

tact avec les divisions de la paroi ovarique. Finalement, dans certaines fleurs, un seul ovule se trouve à la base ou au sommet d'un ovaire uniloculaire. On parle alors de placentation *basilaire* ou *apicale.* Ces différences sont importantes dans la classification des angiospermes.

La structure des fleurs est très variable

La plupart des fleurs possèdent à la fois des étamines et des carpelles : on dit que ces fleurs sont **hermaphrodites** (parfaites). Si les étamines ou les carpelles sont absents, la fleur est **unisexuée** (imparfaite) et, selon l'organe présent, on dit que la fleur est **staminée** (mâle) ou **pistillée** (carpellée ou femelle) (Figure 21-10). S'il existe des fleurs staminées et pistillées sur la même plante, comme chez le maïs (voir figure 22-32a, b) et les chênes, on dit que l'espèce est **monoïque** (des mots grecs *monos,* « seul » et *oikos,* « maison »). Si les fleurs staminées et pistillées se trouvent sur des plantes séparées, on dit que l'espèce est **dioïque** (« deux maisons »), comme chez les saules et le chanvre *(Cannabis sativa).*

Figure 21-10

Fleurs mâles et femelles de *Lithocarpus densiflora*, de la famille des *Fagaceae*. La plupart des espèces de cette famille, y compris les chênes eux-mêmes *(Quercus)* sont monoïques : les fleurs mâles et femelles sont séparées, mais portées par le même arbre.

Chacun des verticilles floraux — sépales, pétales, étamines ou carpelles — peut être absent dans les fleurs de certains groupes. On dit que les fleurs à quatre verticilles floraux sont **complètes.** Si un verticille est absent, la fleur est **incomplète**. Une fleur unisexuée est donc aussi incomplète, mais toutes les fleurs incomplètes ne sont pas unisexuées.

Les pièces florales peuvent être disposées en spirale sur un réceptacle plus ou moins allongé ou les parties homologues — par exemple les pétales — peuvent être insérées sur un verticille. Les pièces peuvent être soudées à d'autres pièces du même verticille *(connées),* ou d'autres verticilles *(adnées)*. Un exemple de pièces adnées est celui

des étamines soudées à la corolle. Quand les pièces florales d'un même verticille ne sont pas soudées, on peut utiliser les préfixes *apo-* (signifiant « séparé ») ou *poly-* pour décrire cette situation. Quand les pièces sont connées, on utilise *syn--* ou *sym-* (« ensemble »). Dans un calice aposépale ou polysépale, par exemple, les sépales sont indépendants ; dans un calice synsépale, ils sont soudés.

Outre cette variation dans la disposition des pièces florales (spiralée ou verticillée), le niveau d'insertion des sépales, pétales et étamines sur l'axe floral peut varier par rapport à celui de l'ovaire (Figure 21-11). Si les sépales, pétales et étamines sont insérés sur le réceptacle en-dessous de l'ovaire, comme c'est le cas chez le lis, on dit que l'ovaire est **supère** (Figure 21-6). Dans d'autres fleurs, les sépales, pétales et étamines paraissent insérés à proximité du sommet de l'ovaire, qui est alors **infère**. Chez certaines sortes de plantes, il existe aussi des situations intermédiaires, où l'ovaire est semi-infère.

Le périanthe et les étamines peuvent avoir plusieurs types d'insertion : ils sont **hypogynes** s'ils sont situés sur le réceptacle en-dessous de l'ovaire et libres de celui-ci et du calice (Figure 21-6), **épigynes** s'ils partent du sommet de l'ovaire (Figure 21-12) ou **périgynes** si les étamines et les pétales sont adnés à la base du calice, formant ainsi un tube court (hypanthium) qui part de la base de l'ovaire (Figure 21-13).

Enfin mention doit être faite de la symétrie dans la structure florale. Dans certaines fleurs, les pièces des différents verticilles ont la même forme, elles rayonnent à partir du centre de la fleur et sont à égale distance les unes des autres ; elles ont une symétrie radiaire. On dit que ces fleurs — par exemple les tulipes — sont régulières, ou **actinomorphes** (de la racine grecque *aktin-*, « rayon »). Dans d'autres fleurs, une ou plusieurs pièces d'un verticille sont différentes des autres et ces fleurs ont généralement une symétrie bilatérale. On dit que les fleurs à symétrie bilatérale — par exemple la gueule de lion — sont irrégulières, ou **zygomorphes**, (du grec *zygon*, « couple », ou « paire »). Certaines fleurs actinomorphes ont une répartition irrégulière des couleurs qui en donne une image semblable à celle des fleurs zygomorphes.

Figure 21-11

Types de fleurs dans des familles communes de dicotylées, montrant les différentes position de l'ovaire. **(a)** Chez les *Ranunculaceae* (famille des renoncules), par exemple, les sépales, pétales et étamines sont insérés sous l'ovaire et il n'y a pas de soudure ; on dit que ces fleurs sont hypogynes. **(b)** Par contre, beaucoup de *Rosaceae*, comme les cerisiers, ont aussi un ovaire supère, mais les sépales, pétales et étamines sont soudés en un prolongement du réceptacle appelé hypanthium. On dit que ces fleurs sont périgynes. **(c)** Les fleurs d'autres plantes, par exemple des *Apiaceae* (famille de la carotte), ont un ovaire infère : les sépales, pétales et étamines paraissent insérés au-dessus de l'ovaire. On dit que ces fleurs sont épigynes.

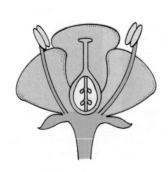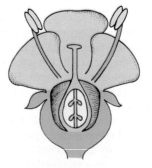

(a) Fleur hypogyne   *(b)* Fleur périgyne   *(c)* Fleur épigyne

(a)

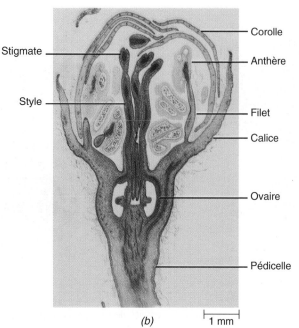

Stigmate

Style

Corolle

Anthère

Filet

Calice

Ovaire

Pédicelle

(b)

1 mm

Figure 21-12

Les fleurs du pommier *(Malus sylvestris)*, **(a)** et **(b)**, sont épigynes — leurs sépales, pétales et étamines paraissent provenir du sommet de l'ovaire. En **(b)**, la fleur est presque ouverte, mais les étamines ne sont pas encore redressées.

Cycle de développement des angiospermes

La taille du gamétophyte des angiospermes est très réduite — plus que chez toutes les autres plantes hétérosporées, y compris les autres spermatophytes (gymnospermes). Le microgamétophyte adulte ne comporte que trois cellules. Le mégagamétophyte adulte (sac embryonnaire), qui passe toute son existence à l'intérieur des tissus du sporophyte, plus précisément de l'ovule, est formé de sept cellules seulement chez la plupart des angiospermes. Il n'y a ni anthéridies, ni archégones. La pollinisation est indirecte ; cela signifie que le pollen est déposé sur le stigmate, après quoi le tube pollinique s'accroît à travers ou à la surface des tissus du carpelle pour amener deux noyaux spermatiques non mobiles au gamétophyte femelle. Après la fécondation, l'ovule se développe en une graine qui reste enfermée dans l'ovaire. Dans le même temps, l'ovaire (et parfois d'autres structures qui lui sont associées) se développe en fruit.

(a)

Figure 21-13

Les fleurs du cerisier *(Prunus)*, **(a)** et **(b)** sont périgynes — leurs sépales (calice), pétales (corolle) et étamines sont insérés sur un hypanthium. En **(b)**, les filets des étamines sont courbés et réunis dans l'hypanthium parce que la fleur n'est pas encore ouverte.

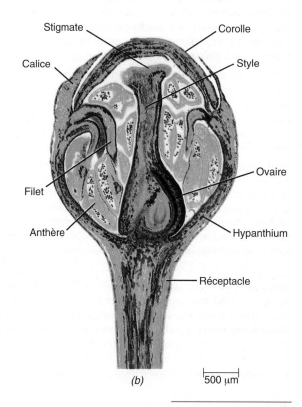

Stigmate

Calice

Filet

Anthère

Corolle

Style

Ovaire

Hypanthium

Réceptacle

(b)

500 μm

503

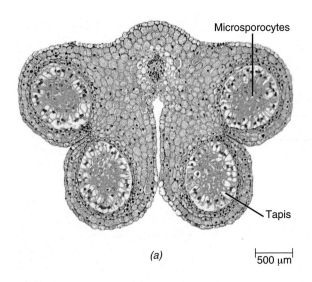

Microsporocytes

Tapis

(a)

500 µm

(b)

500 µm

Figure 21-14

Deux coupes transversales d'anthères de lis *(Lilium)* ; **(a)** Anthère immature, montrant les quatre sacs polliniques conte- nant les microsporocytes entourés du tapis nourricier. **(b)** Anthère mûre contenant les grains de pollen. On voit que les cloisons séparant les sacs polliniques voisins se rompent au cours de la déhiscence.

La différenciation des noyaux spermatiques est l'aboutissement de la microsporogenèse et de la microgamétogenèse

Deux processus distincts — la microsporogenèse et la microgamétogenèse — aboutissent à la formation du microgamétophyte. La microsporogenèse produit les microspores (grains de pollen unicellulaires) à l'intérieur des microsporanges, ou sacs polliniques, de l'anthère. La microgamétogenèse est le développement du microgamétophyte à l'intérieur du grain de pollen jusqu'au stade tricellulaire.

Au début de son développement, l'anthère est composée d'une masse homogène de cellules, à l'exception d'un épiderme partiellement différencié. Finalement, quatre groupes de cellules fertiles, ou **sporogènes**, apparaissent au sein de l'anthère. Chaque groupe est entouré de plusieurs assises de cellules stériles. Les cellules stériles vont donner la paroi du sac pollinique comprenant des cellules nourricières qui alimentent les microspores en développement. Les cellules nourricières constituent le **tapis**, qui est l'assise interne de la paroi du sac pollinique (Figure 21-14a). Les cellules sporogènes deviennent des microsporocytes (cellules mères de pollen) qui subissent la méiose. Chaque microsporocyte diploïde donne naissance à une tétrade de microspores haploïdes. La microsporogenèse se termine par la formation de microspores unicellulaires.

Pendant la méiose, chaque division nucléaire peut être immédiatement suivie de la formation d'une paroi cellulaire, ou bien les quatre protoplastes des microspores peuvent être séparés simultanément par des parois à l'issue de la seconde division méiotique. La première situation est fréquente chez les monocotylées, la seconde chez les dicotylées. Les principaux caractères des grains de pollen vont se manifester par la suite (Figure 21-15). Les grains de pollen développent une paroi externe résistante, l'**exine**, et une paroi interne, l'**intine**. L'exine est composée d'une substance résistante, la **sporo-pollénine** (page 406) qui dérive apparemment surtout du tapis. Ce polymère est présent dans les parois des spores de toutes les plantes. L'intine, composée de cellulose et de pectine, est synthétisée par les protoplastes des microspores.

Chez les angiospermes, la microgamétogenèse est constante et débute quand la microspore se divise par une mitose donnant deux cellules à l'intérieur de la paroi originelle de la microspore. Cette division produit une grande **cellule de tube** et une petite **cellule générative** qui se déplace vers l'intérieur du grain de pollen. Ce grain de pollen bicellulaire constitue un microgamétophyte immature. Dans les deux tiers environ des espèces d'angiospermes, les grains de pollen sont libérés de l'anthère à ce stade bicellulaire (Figure 21-16). Chez les autres, le noyau génératif se divise avant la libération des grains de pollen et donne naissance à deux gamètes mâles, ou cellules spermatiques (Figure 21-17). Selon les groupes, les grains de pollen peuvent contenir de l'amidon ou des lipides : ils peuvent servir de nourriture à certains animaux.

Comme les spores des cryptogames, les graines de pollen varient considérablement en taille et en forme : leur diamètre peut aller de moins de 20 à plus de 250 micromètres. Il existe également des différences dans le nombre et la disposition des apertures par où le tube pollinique germera finalement. Ces apertures peuvent être allongées (sillons), circulaire (pores) ou intermédiaires. On peut identifier la plupart des familles, beaucoup de genres et un assez grand nombre d'espèces uniquement d'après leurs grains de pollen, en se basant sur des critères tels que la taille, le nombre et le type d'apertures et l'ornementation de l'exine. Contrairement à des organes de plus grande taille — comme les feuilles, les fleurs et les fruits — les grains de pollen sont très bien représentés dans les dépôts fossiles en raison de leur exine dure et très résistante. L'étude du pollen fossile peut donner des

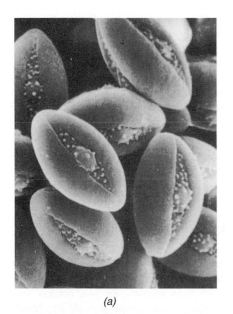

(a)

(b)   100 μm

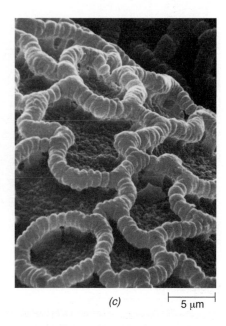

(c)   5 μm

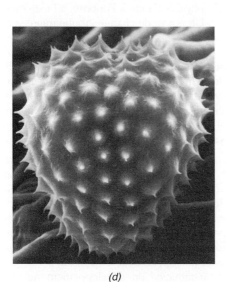

(d)

Figure 21-15

La paroi du grain de pollen est destinée à protéger le gamétophyte mâle pendant son voyage, souvent périlleux, de l'anthère jusqu'au stigmate. L'assise externe, ou exine, est surtout composée de sporopollénine, substance qui semble être un polymère composé principalement de caroténoïdes. L'exine possède une dureté et une résistance remarquable ; elle est souvent finement ornementée.

Sur ces micrographies au microscope électronique à balayage, on voit que l'ornementation du grain de pollen est nettement dif-férente suivant les espèces. **(a)** Grains de pollen de marronnier *(Aesculus hippocastanum)*. Le pore germinatif est visible dans le sillon. **(b)** Grain de pollen d'un lis *(Lilium longiflorum)*. **(c)** Détail de la surface d'un grain de pollen de lis *(L.longiflorum)*. **(d)** Grain de pollen d'*Ambrosia psylostachya*. Ce pollen est important parce qu'il est une cause importante de rhume des foins (voir l'encadré de la page 508). Les grains de pollen épineux, comme ceux-ci, sont fréquents chez les *Asteraceae*, famille à laquelle appartient *Ambrosia*.

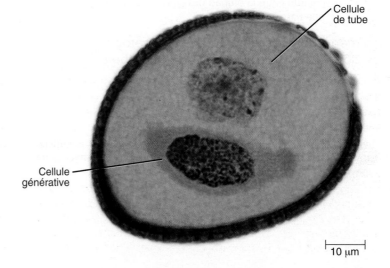

Cellule
de tube

Cellule
générative

10 μm

Figure 21-16

Grain de pollen mûr de *Lilium*, contenant un gamétophyte mâle bicellulaire. La cellule générative fusiforme subira une mitose après la germination du grain de pollen. La grande cellule de tube, qui englobe la cellule générative, produira le tube pollinique. La structure arrondie située au-dessus de la cellule générative est le noyau de la cellule de tube.

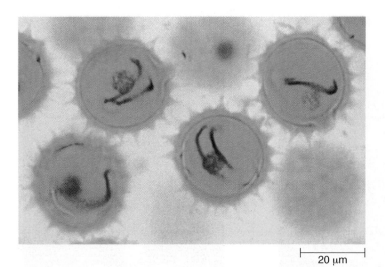

├────── 20 μm ──────┤

Figure 21-17

Grains de pollen mûrs — gamétophytes mâles tricellulaires — de *Silphium (Asteraceae)*. Avant la pollinisation, les grains de pollen contiennent deux cellules spermatiques filamenteuses suspendues dans le cytoplasme de la grande cellule de tube. Le pollen de *Silphium* est disséminé au stade tricellulaire, alors que celui de *Lilium*, représenté à la figure 21-16, l'est au stade bicellulaire.

informations précieuses sur les différents types de plantes et de formations végétales, et donc sur les climats des époques révolues.

Contrairement aux spores de la plupart des cryptogames, qui proviennent également de la méiose, les grains de pollen subissent leur mitose à l'intérieur du sac pollinique où ils ont été produits. Les grains de pollen contiennent donc deux ou trois noyaux au moment de leur dissémination, alors que la plupart des spores n'en ont qu'un. De plus, les spores germent par une suture caractéristique en forme d'Y, alors que les grains de pollen germent au niveau de leurs apertures. La structure caractéristique et la disposition de ces apertures permet de faire la distinction entre la plupart des types de grains de pollen et les spores sur une base morphologique.

La mégasporogenèse et la mégagamétogenèse se clôturent par la production d'une oosphère et des noyaux polaires

Deux processus distincts — la mégasporogenèse et la mégagamétogenèse — conduisent à la formation du mégagamétophyte. La mégasporogenèse produit la mégaspore à l'intérieur du nucelle (le mégasporange) ; elle se déroule à l'intérieur de l'ovule. La mégagamétogenèse est le développement de la mégaspore en mégagamétophyte (le gamétophyte femelle ou sac embryonnaire).

L'ovule est une structure relativement complexe, formée d'un pied — le **funicule** — qui porte un nucelle entouré d'un ou deux téguments. Suivant les espèces, les placentas, qui sont les régions ovulifères de la paroi ovarique, peuvent porter d'un seul à un grand nombre d'ovules (Figure 21-9). Au début, l'ovule en développement n'est représenté que par le nucelle, mais s'y ajoute rapidement une ou deux enveloppes qui sont les téguments, ménageant une petite ouverture à une extrémité de l'ovule, le **micropyle** (Figure 21-18).

Au début du développement de l'ovule, un seul mégasporocyte apparaît dans le nucelle (Figure 21-18a). Le mégasporocyte diploïde subit la méiose (Figure 21-18b) pour former quatre mégaspores haploïdes, généralement disposées en tétrade linéaire. La mégasporogenèse est ainsi terminée. Chez beaucoup de spermatophytes, trois des quatre mégaspores dégénèrent. La plus éloignée du micropyle survit et se développe en mégagamétophyte.

La mégaspore fonctionnelle commence bientôt à s'accroître aux dépens du nucelle et son noyau se divise par une mitose. Les deux noyaux produits subissent une nouvelle mitose, ainsi que les quatre noyaux suivants. À l'issue des trois mitoses, les huit noyaux sont répartis en deux groupes de quatre, un groupe près de l'extrémité micropylaire du mégagamétophyte et l'autre à l'opposé, à l'extrémité **chalazienne** (Figure 21-18c). Un noyau de chaque groupe migre vers le centre de la cellule octonucléée ; ces deux noyaux sont appelés **noyaux polaires**. Les trois noyaux qui restent à l'extrémité micropylaire s'organisent en **organe reproducteur** formé d'une **oosphère** et de deux cellules éphémères, les **synergides**. Des parois apparaissent également autour des trois noyaux restés à l'extrémité chalazienne et forment les **antipodes**. La **cellule centrale** contient les deux noyaux polaires. La structure à huit noyaux et sept cellules est le gamétophyte femelle mûr, ou **sac embryonnaire**.

Le mode de développement du sac embryonnaire qui vient d'être décrit est le plus fréquent. Il en existe d'autres chez un tiers environ des angiospermes. En fait, il existe un mode de différenciation inhabituel chez *Lilium*, qui est le genre illustré à la figure 21-18. Dans ce cas, il ne se forme pas de parois pendant la mégasporogenèse et les quatre noyaux des mégaspores interviennent dans la formation du sac embryonnaire. Trois noyaux migrent du côté de la chalaze, tandis que le dernier se place du côté du micropyle. Cette disposition 3 + 1 correspond au *premier stade tétranucléé* du développement du sac embryonnaire. Les événements ultérieurs sont très différents aux deux pôles du sac embryonnaire. Du côté du micropyle, l'unique noyau haploïde subit une mitose qui donne deux noyaux haploïdes. Du côté de la chalaze, les fuseaux mitotiques des trois lots de chromosomes s'unissent et la mitose donne deux noyaux triploïdes ($3n$). Ces deux événements aboutissent à un *second stade tétranucléé*, avec deux noyaux haploïdes à l'extrémité micropylaire du sac embryonnaire et deux triploïdes à l'extrémité chalazienne. Le développement du sac embryonnaire se poursuit ensuite comme on l'a vu pour le mode habituel, où la production du sac embryonnaire n'implique qu'un seul stade tétranucléé.

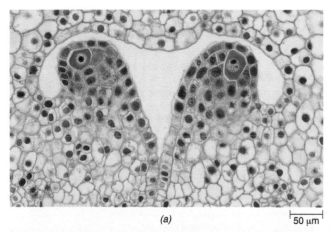

(a) 50 µm

Figure 21-18

Lilium. Quelques stades du développement d'un ovule et d'un sac embryonnaire. **(a)** Deux jeunes ovules contenant un seul grand mégasporocyte entouré par le nucelle. Le développement des téguments n'a pas encore débuté. **(b)** L'ovule a maintenant produit les téguments et un micropyle. Le mégasporocyte se trouve en première prophase méiotique. **(c)** Ovule avec un sac embryonnaire à huit noyaux (six de ces noyaux seulement sont visibles, quatre à l'extrémité micropylaire et deux à l'autre bout, du côté de la chalaze). Les noyaux polaires n'ont pas encore migré au centre du sac. Le funicule est le pied de l'ovule.

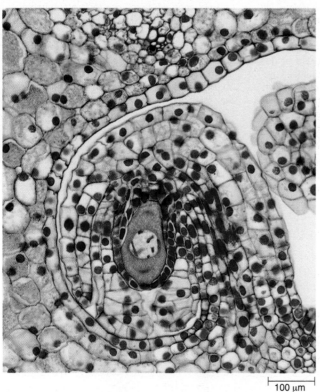

100 µm

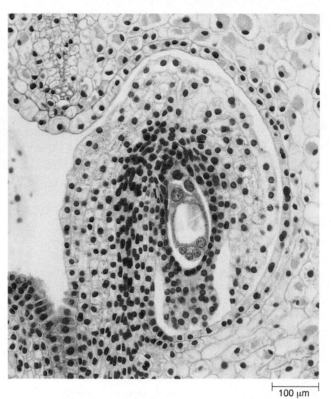

100 µm

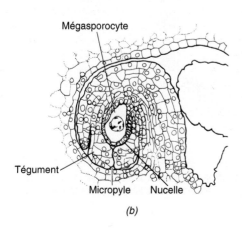

Mégasporocyte

Tégument

Micropyle   Nucelle

(b)

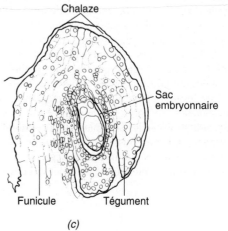

Chalaze

Sac embryonnaire

Funicule   Tégument

(c)

La pollinisation et la double fécondation sont des caractéristiques exclusives des angiospermes

Lors de la **déhiscence** des anthères — c'est-à-dire à la dissémination de leur contenu — les grains de pollen arrivent aux stigmates par des moyens divers (voir chapitre 22). Ce mécanisme de transfert est la **pollinisation**. Dès qu'ils sont au contact du stigmate, les grains de pollen absorbent l'eau présente à sa surface et, une fois hydratés, ils peuvent germer et former un tube pollinique. Si la cellule générative ne s'est pas encore divisée, elle le fait bientôt et produit deux cellules spermatiques. Le grain de pollen germé, avec son noyau de tube et deux cellules spermatiques, constitue le microgamétophyte adulte (Figure 21-19).

La structure et la physiologie du stigmate et du style sont adaptées à la germination du grain de pollen et à la croissance du tube pollinique. La surface de beaucoup de stigmates est essentiellement composée d'un tissu glandulaire, le **tissu stigmatique,** qui sécrète une solution sucrée. Le tissu stigmatique est relié à l'ovule par un **tissu de transmission**, qui trace le chemin à suivre par les tubes polliniques dans le style. Certains styles ont un canal ouvert tapissé par le tissu de transmission. Dans ce cas, les tubes polliniques se développent soit le long des cellules superficielles, soit entre celles-ci. Chez la plupart des angiospermes, cependant, les styles sont pleins et possèdent un ou plusieurs faisceaux de tissu de transmission allant du stigmate aux ovules. Suivant les espèces, les tubes polliniques se développent soit entre les cellules de ce tissu, soit à l'intérieur de leurs parois épaissies.

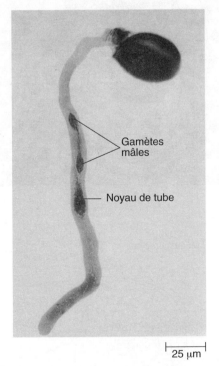

Gamètes mâles

Noyau de tube

25 µm

Figure 21-19

Microgamétophyte, ou gamétophyte mâle adulte du sceau de Salomon *(Polygonatum)*. On peut voir les deux cellules spermatiques et le noyau de tube dans le tube pollinique.

Le plus souvent, le tube pollinique entre dans l'ovule par le micropyle et pénètre dans une des synergides proches de l'oosphère. La synergide commence à dégénérer peu après la pollinisation, mais avant l'arrivée du tube pollinique au sac embryonnaire. Les deux cellules spermatiques et le noyau de tube sont alors libérés dans la synergide par un pore qui s'ouvre près de l'extrémité du tube pollinique. Finalement, un noyau spermatique pénètre dans l'oosphère et l'autre dans la cellule centrale, où il s'unit aux deux noyaux polaires (Figure 21-20). Souvenez-vous que, chez la plupart des gymnospermes, un seul des deux anthérozoïdes s'unit à l'oosphère et l'autre dégénère. La participation des deux cellules mâles à ce processus — l'union du premier à l'oosphère et de l'autre aux noyaux polaires — est la **double fécondation**. Il représente un caractère particulier des angiospermes, qui ne se retrouve ailleurs que chez *Ephedra* et *Gnetum* (embranchement des *Gnetophyta*). Chez les angiospermes où la formation du sac embryonnaire suit la voie habituelle, la fusion d'un noyau spermatique aux deux noyaux polaires, appelée **triple fusion,** donne un **noyau primaire d'albumen** triploïde ($3n$). Chez *Lilium*, représenté aux figures 21-18 et 21-20, où l'un des noyaux polaires est triploïde et l'autre haploïde, la triple fusion aboutit à un noyau primaire pentaploïde ($5n$). Il existe d'autres situations dans divers groupes d'angiospermes. Dans tous les cas, le noyau de tube dégénère au cours de la double fécondation et la deuxième synergide, ainsi que les antipodes, dégénèrent également à peu près au moment de la fécondation ou au début du développement du sac embryonnaire.

Notre compréhension de l'origine de la double fécondation et de l'albumen, caractéristiques longtemps considérées comme spécifique aux angiospermes, a beaucoup progressé ces derniers temps. Ces progrès reposent sur la découverte d'une double fécondation rudimentaire chez *Ephedra* et *Gnetum,* deux genres de l'embranchement des *Gnetophyta* qui sont les plus proches parents actuels des angiospermes (pages 490-492). L'existence régulière d'une double fécondation chez *Ephedra* et *Gnetum*, semblable à celle des angiospermes, suggère qu'une double fécondation rudimentaire existait déjà chez leur ancêtre commun. À l'origine cependant, le produit de la seconde fécondation était diploïde et produisait un embryon supplémentaire. Après la séparation de la lignée évolutive des angiospermes, l'embryon supplémentaire semble s'être modifié pour devenir un albumen triploïde nourricier. On peut donc considérer l'albumen comme dérivant d'un second embryon modifié, au cours de l'évolution, de manière à remplir une fonction nouvelle.

L'ovule se développe en graine et l'ovaire en fruit

La double fécondation déclenche plusieurs processus qui conduisent au développement de la graine et du fruit : le noyau endospermique primaire se divise et produit l'**albumen** (ou endosperme triploïde), le tégument se développe en spermoderme et la paroi ovarique, avec les structures annexes, donne le fruit.

Figure 21-20

La double fécondation chez *Lilium*. On peut voir l'union du noyau spermatique et de l'oosphère — la « vraie » fécondation — dans le bas de la micrographie. La triple fusion de l'autre noyau spermatique et des deux noyaux polaires a lieu plus haut. Les trois noyaux des antipodes sont visibles à l'extrémité chalazienne du sac embryonnaire, à l'opposé du micropyle

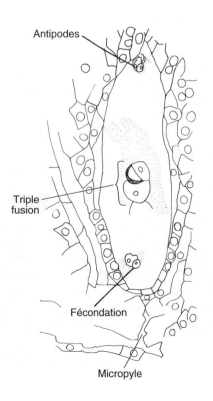

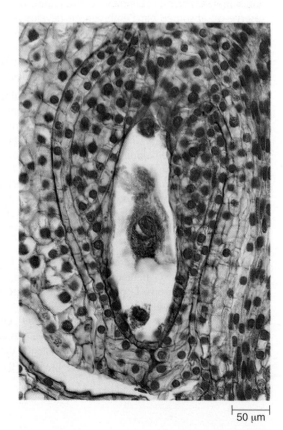

50 μm

Contrairement à l'embryogenèse (développement de l'embryon) de la majorité des gymnospermes, qui débute par un stade à noyaux libres, celle des angiospermes ressemble à celle des cryptogames vasculaires, du fait que la première division nucléaire du zygote s'accompagne de la formation d'une paroi cellulaire. Pendant les premiers stades de leur développement, les embryons des monocotylées subissent des séries de divisions nucléaires semblables à celles des autres angiospermes, et l'embryon devient une petite sphère de cellules. C'est au cours de la formation des cotylédons que les embryons de monocotylées se distinguent, en n'en formant qu'un seul. Les embryons des autres angiospermes produisent deux cotylédons. Les détails de l'embryogenèse des angiospermes sont donnés au chapitre 23.

Le développement de l'albumen débute par la division mitotique du noyau primaire et généralement avant la première division du zygote. Chez certaines angiospermes, la formation des parois cellulaires est précédée par un nombre variable de divisions de noyaux libres ; il se produit donc un albumen de type nucléaire. Chez d'autres espèces, les mitoses initiales et les suivantes sont suivies d'une cytocinèse : il se forme ainsi un albumen de type cellulaire. Bien que l'albumen puisse se développer de différentes façons, la fonction des tissus produits reste identique : fournir l'alimentation indispensable à l'embryon en développement et, souvent aussi, à la jeune plantule. Dans les graines de nombreux groupes d'angiospermes, le nucelle prolifère en tissu de réserve appelé **périsperme**. Certaines graines peuvent renfermer un périsperme et un albumen, par exemple chez la betterave *(Beta)*. Chez beaucoup de dicotylées et certaines monocotylées, cependant, la plus grande partie de ces tissus de réserve est absorbée par l'embryon en développement avant que la graine n'entre en dormance, comme chez les pois et les haricots. Les embryons de ces graines produisent généralement des cotylédons charnus qui emmagasinent les réserves. Les principales matières de réserve des graines sont des glucides, des protéines et des lipides.

L'origine des réserves est différente dans les graines des angiospermes et des gymnospermes. Dans les quatre embranchements de gymnospermes, les réserves proviennent du gamétophyte femelle (endosperme haploïde). Chez les angiospermes, elles proviennent, au moins à l'origine, de l'albumen (endosperme triploïde) qui n'est ni un tissu gamétophytique, ni un tissu sporophytique. Une autre différence intéressante est le fait que le tissu nourricier est produit après la fécondation chez les angiospermes et *Gnetum*, alors que, dans la graine des autres plantes, il se forme au moins en partie (chez les conifères) ou totalement (chez les autres gymnospermes) *avant* la fécondation.

Tandis que l'ovule se développe en graine, l'ovaire (et parfois d'autres parties de la fleur ou de l'inflorescence) se différencie en fruit. Pendant ce temps, la paroi de l'ovaire, ou **péricarpe**, s'épaissit souvent et se différencie en assises distinctes — exocarpe (assise externe), mésocarpe (assise intermédiaire) et endocarpe (assise interne), ou seulement exocarpe et endocarpe. Ces assises sont généralement plus visibles dans les fruits charnus que dans les fruits secs. On donnera plus de détails sur les fruits au chapitre 22.

Un cycle de développement d'angiosperme est résumé à la figure 21-23 (pages 512 et 513).

Divers facteurs favorisent l'allogamie chez les angiospermes

L'allogamie (fécondation croisée) a une importance primordiale pour tous les organismes eucaryotes (pages 242-243). Chez les plantes, l'allogamie est possible par la pollinisation croisée d'individus de la même espèce. Si l'on tient compte de cette relation, il n'est donc pas étonnant que les angiospermes aient acquis, par évolution, divers mécanismes qui favorisent le transfert de pollen d'un individu à l'autre.

Chez les plantes dioïques, comme les saules, les fleurs mâles et femelles se trouvent sur des pieds séparés. Chez ces arbres, le pollen doit transiter d'un individu à l'autre pour assurer la fécondation et l'allogamie est donc inévitable. Chez les espèces monoïques, comme les chênes, les bouleaux et les *Ambrosia*, il existe des fleurs staminées et pistillées distinctes, mais elles sont réunies sur le même individu. Leur isolement physique augmente la probabilité pour que le vent ou un vecteur animal transporte le pollen d'un individu à un autre avant son dépôt sur un stigmate réceptif. La maturation des deux types de fleurs à des moments différents augmente encore les chances de fécondation croisée.

Les gymnospermes sont également monoïques ou dioïques, ce qui montre que cette condition est importante pour les croisements. C'est le cas des *Ginkgo*, cycadales et genévriers (conifères du genre *Juniperus*). Chez toutes les gymnospermes actuelles, les structures qui produisent les ovules et le pollen sont séparées dans l'espace, par exemple sur des cônes différents.

Un autre moyen mis en œuvre par les angiospermes pour favoriser la fécondation croisée est la **dichogamie** : dans ce cas, les étamines et les carpelles arrivent à maturité à des moments différents — bien qu'ils se trouvent dans la même fleur. Lorsque les étamines d'une fleur arrivent à maturité avant que les stigmates soient réceptifs, on dit que la plante est **protandre** (voir figure 21-24a) et, si les stigmates sont réceptifs avant la maturité des étamines, on dit qu'elle est **protogyne**. Ces facteurs font qu'à tout moment, une fleur peut être effectivement soit mâle, soit femelle. La dichogamie est fort répandue chez les angiospermes (Figure 21-21).

Une autre stratégie qui permet l'allogamie chez les plantes est la séparation physique des étamines et du ou des stigmates(s) d'une fleur (Figure 21-22). De cette façon, le pollen provenant des étamines d'une fleur arrivera rarement au(x) stigmate(s) de cette fleur, même si les étamines et les stigmates arrivent à maturité en même temps. Dans ces conditions, la probabilité pour le pollen d'être disséminé vers une autre fleur augmente beaucoup.

L'autoincompatibilité génétique est également fréquente chez les angiospermes : certaines espèces, et souvent la plupart d'entre elles chez presque toutes les familles de plantes sont génétiquement autoincompatibles. Si une plante est génétiquement autoincompatible,

Figure 21-21   *(a)*   *(b)*

Ces fleurs d'épilobe, *Chamaenerion angustifolium*, illustrent la dichogamie : les étamines et les carpelles d'une même fleur arrivent à maturité à des moments différents. **(a)** Fleurs au stade mâle, produisant du pollen. **(b)** Fleurs au stade femelle. Les fleurs de l'épilobe s'ouvrent à partir de la base d'une longue inflorescence. Dès qu'une fleur s'ouvre, les anthères commen-cent à libérer leur pollen. Deux jours plus tard environ, le style, d'abord recourbé latéralement, revient au centre de la fleur, les stigmates s'ouvrent et la fleur devient femelle. À ce moment, les anthères se sont vidées de leur pollen. Les fleurs inférieures de l'inflorescence, qui sont ouvertes depuis quelques jours, sont donc toujours femelles, alors que les supérieures sont mâles. Les fleurs inférieures possèdent plus de nectar et les abeilles vont d'abord à la base de l'inflorescence quand elles arrivent à une nouvelle plante, puis elles remontent. Elles apportent ainsi d'abord du pollen aux fleurs femelles et, en montant, elles prélèvent une nouvelle quantité de pollen sur les fleurs mâles avant de s'en aller.

la fécondation sera obligatoirement croisée même si ses étamines et ses stigmates sont régulièrement en contact et arrivent à maturité en même temps. Il existe deux systèmes fondamentaux d'autoincompatibilité génétique dans différents groupes d'angiospermes.

Dans le système le plus fréquent, l'*autoincompatibilité gaméto-phytique*, que l'on rencontre chez des plantes économiquement importantes comme les graminées *(Poaceae)* et les légumineuses *(Fabaceae)*, le comportement du pollen est déterminé par son propre génotype (haploïde). Si l'ADN du grain de pollen porte, à son locus d'autoincompatibilité, un allèle qui correspond à celui de l'un des deux locus correspondants dans le style ou le stigmate diploïde, le tube pollinique ne pourra pénétrer dans le stigmate ou transiter par le style. Si le grain de pollen porte, à ce locus, un allèle différent de ceux qui sont présents dans le tissu stigmatique, le tube pollinique émergeant du grain de pollen sera accepté.

Dans l'autoincompatibilité sporophytique, qui existe dans les familles du chou *(Brassicaceae)* et du tournesol *(Asteraceae)*, le comportement du grain de pollen est déterminé par le génotype de la plante qui le produit, et non par les allèles présents dans le grain de pollen lui-même. Autrement dit, le système de contrôle est basé sur la reconnaissance entre deux types de tissus diploïdes. Comme dans l'autoincompatibilité gamétophytique, c'est le type d'« adéquation » au locus d'incompatibilité qui détermine l'acceptation ou le rejet.

Figure 21-22

Cette fleur de lis *(Lilium longiflorum)* illustre la grande distance séparant le stigmate des anthères, caractéristique de nombreuses espèces.

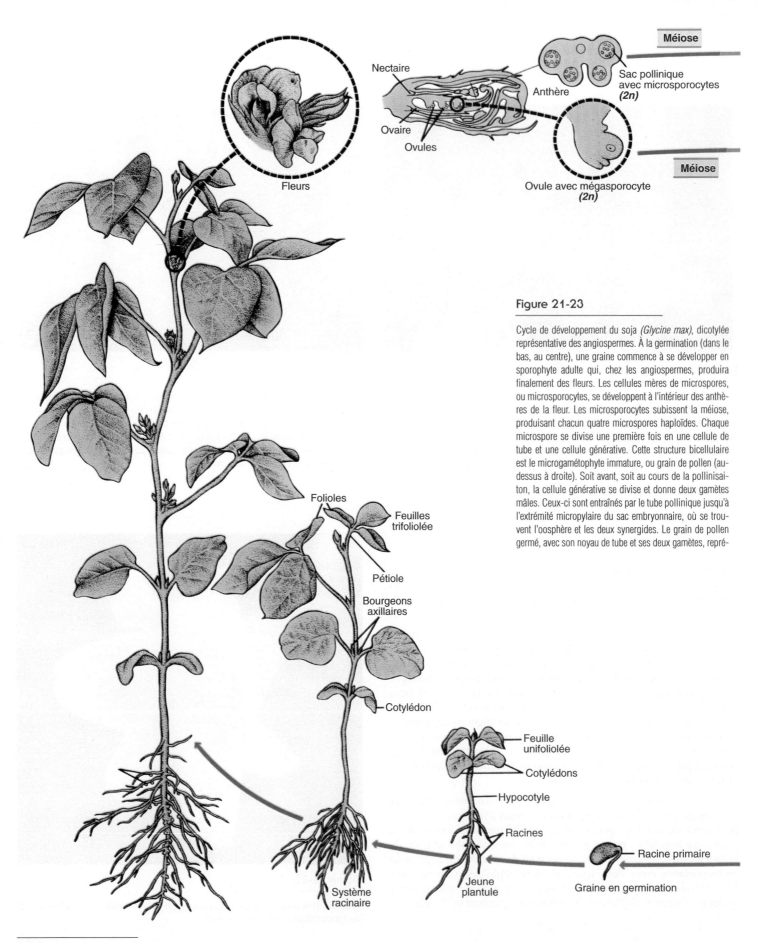

Nectaire

Ovaire

Ovules

Fleurs

Anthère

Sac pollinique
avec microsporocytes
(2n)

Ovule avec mégasporocyte
(2n)

Figure 21-23

Cycle de développement du soja *(Glycine max)*, dicotylée représentative des angiospermes. À la germination (dans le bas, au centre), une graine commence à se développer en sporophyte adulte qui, chez les angiospermes, produira finalement des fleurs. Les cellules mères de microspores, ou microsporocytes, se développent à l'intérieur des anthères de la fleur. Les microsporocytes subissent la méiose, produisant chacun quatre microspores haploïdes. Chaque microspore se divise une première fois en une cellule de tube et une cellule générative. Cette structure bicellulaire est le microgamétophyte immature, ou grain de pollen (au-dessus à droite). Soit avant, soit au cours de la pollinisaiton, la cellule générative se divise et donne deux gamètes mâles. Ceux-ci sont entraînés par le tube pollinique jusqu'à l'extrémité micropylaire du sac embryonnaire, où se trouvent l'oosphère et les deux synergides. Le grain de pollen germé, avec son noyau de tube et ses deux gamètes, repré-

Folioles

Feuilles trifoliolée

Pétiole

Bourgeons axillaires

Cotylédon

Feuille unifoliolée

Cotylédons

Hypocotyle

Racines

Racine primaire

Système racinaire

Jeune plantule

Graine en germination

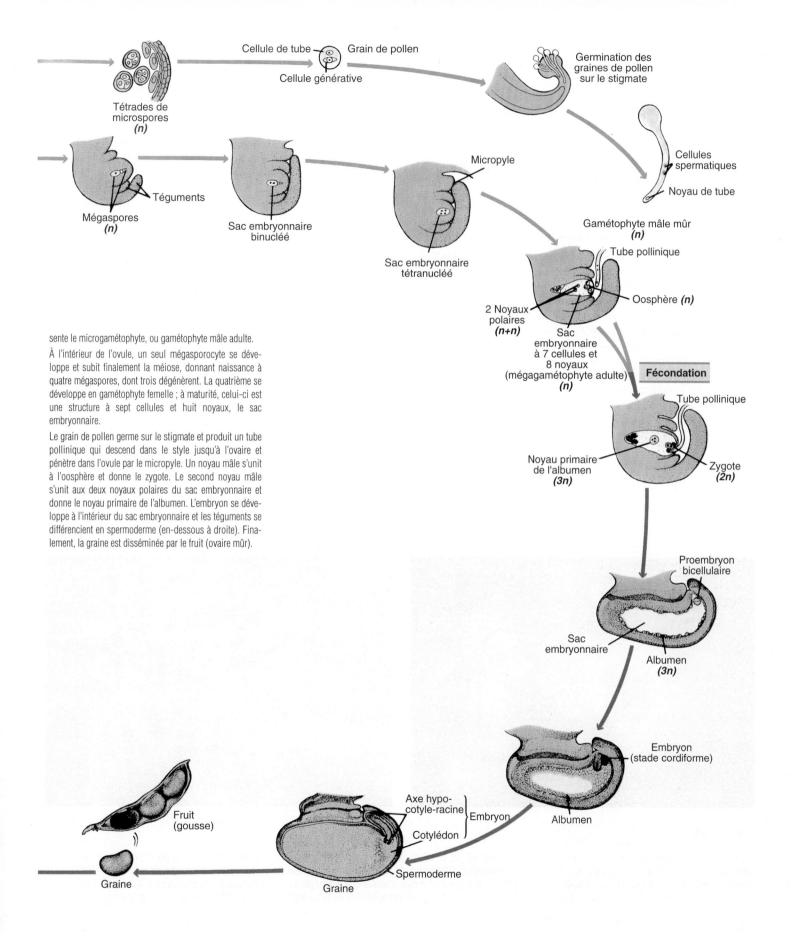

Tétrades de microspores **(n)**

Cellule de tube — Grain de pollen

Cellule générative

Germination des graines de pollen sur le stigmate

Téguments

Mégaspores **(n)**

Sac embryonnaire binucléé

Micropyle

Sac embryonnaire tétranucléé

Cellules spermatiques

Noyau de tube

Gamétophyte mâle mûr **(n)**

Tube pollinique

2 Noyaux polaires **(n+n)**

Oosphère **(n)**

Sac embryonnaire à 7 cellules et 8 noyaux (mégagamétophyte adulte) **(n)**

Fécondation

Tube pollinique

Noyau primaire de l'albumen **(3n)**

Zygote **(2n)**

Proembryon bicellulaire

Sac embryonnaire

Albumen **(3n)**

Embryon (stade cordiforme)

Albumen

Axe hypo-cotyle-racine

Embryon

Cotylédon

Spermoderme

Fruit (gousse)

Graine

Graine

sente le microgamétophyte, ou gamétophyte mâle adulte.

À l'intérieur de l'ovule, un seul mégasporocyte se développe et subit finalement la méiose, donnant naissance à quatre mégaspores, dont trois dégénèrent. La quatrième se développe en gamétophyte femelle ; à maturité, celui-ci est une structure à sept cellules et huit noyaux, le sac embryonnaire.

Le grain de pollen germe sur le stigmate et produit un tube pollinique qui descend dans le style jusqu'à l'ovaire et pénètre dans l'ovule par le micropyle. Un noyau mâle s'unit à l'oosphère et donne le zygote. Le second noyau mâle s'unit aux deux noyaux polaires du sac embryonnaire et donne le noyau primaire de l'albumen. L'embryon se développe à l'intérieur du sac embryonnaire et les téguments se différencient en spermoderme (en-dessous à droite). Finalement, la graine est disséminée par le fruit (ovaire mûr).

513

Beaucoup d'angiospermes se reproduisent par autopollinisation

Au chapitre 22, nous étudierons une série de relations spécifiques entre les plantes et les animaux qui favorisent un transport efficace du pollen d'une fleur à l'autre. Chez la plupart des spermatophytes, en dehors des angiospermes, le pollen est disséminé par le vent ; c'est aussi le cas d'un certain nombre d'angiospermes. Chez les angiospermes vivant sous l'eau, le pollen est disséminé soit dans l'eau, soit à sa surface. Tous ces mécanismes aboutissent à une fécondation croisée.

De nombreuses angiospermes ont cependant adopté l'autopollinisation comme mode habituel de reproduction, en dépit des avantages de la fécondation croisée. En régions tempérées, par exemple, plus de la moitié des angiospermes sont autopollinisées (autogames). Les plantes autogames ont généralement des fleurs plus petites et moins visibles que les allogames (Figure 21-24) — elles n'ont en effet pas besoin d'attirer les animaux pollinisateurs. Chez certaines plantes autogames, la pollinisation a lieu dans le bouton, qui peut ensuite s'épanouir, mais pas nécesairement. Souvent, le bouton se détache et abandonne sur le rameau l'ovaire qui mûrit. Chez d'autres, la pollini-sation n'a lieu qu'après l'ouverture du bouton — bien qu'alors le pollen puisse aussi être transporté par des animaux pollinisateurs.

Le grand nombre d'angiospermes régulièrement autopollinisées montre que, dans certaines circonstances, l'autopollinisation est avantageuse. Dans les populations de plantes autopollinisées, la proportion d'individus génétiquement semblables est normalement plus élevée que dans celles où l'allogamie prédomine. Dans une population autogame, il est possible qu'en fonction de leur génotype, beaucoup d'individus, sinon tous, soient bien adaptés à un habitat particulier : c'est le cas, par exemple, des espaces ouverts, perturbés, où prolifèrent les mauvaises herbes, souvent autogames. Un second avantage de l'autogamie, assez évident, est l'indépendance à l'égard des animaux ou d'autres vecteurs du pollen. Quoi qu'il arrive, même en cas de conditions défavorables ou d'une sécheresse extrême, les plantes autopollinisées produiront des graines. Ce second avantage explique pourquoi les plantes autopollinisées sont souvent bien représentées dans les endroits où les animaux pollinisateurs peuvent être rares, par exemple sur les hautes montagnes ou dans les régions arctiques.

(a)

(b)

Figure 21-24

Ces deux plantes herbacées annuelles sont des espèces du genre *Clarkia (Onagraceae)*. Elles vivent au pied des collines de Californie et une comparaison soigneuse de leurs acides nucléiques montre qu'elles sont étroitement apparentées. **(a)** *Clarkia cylindrica* est une espèce allogame, bien que génétiquement autocompatible. Elle est protandre, les huit anthères s'ouvrant et libérant leur pollen environ deux jours avant que le stigmate soit réceptif. De plus, on peut voir que le stigmate est très éloigné des anthères dans la fleur. **(b)** *C.heterandra* est très différente : c'est une espèce autocompatible, dont les fleurs sont beaucoup plus petites et plus pâles. Cette espèce n'a que quatre étamines et leurs anthères libèrent leur pollen directement sur le stigmate.

RÉSUMÉ

Les angiospermes, ou plantes à fleurs, forment l'embranchement des Anthophyta

Les deux principales classes de cet embranchement sont les *Monocotyledones* (65.000 espèces) et les *Dicotyledones* (165.000 espèces). Les angiospermes diffèrent des autres spermatophytes par divers caractères particuliers, comme la présence d'albumen dans leurs graines, le fait que leurs ovules soient enfermés à l'intérieur de mégasporophylles (les carpelles) et la fleur, avec ses structures reproductrices caractéristiques : les carpelles et les microsporophylles, ou étamines.

La fleur est une tige à croissance définie portant des sporophylles

Les fleurs peuvent avoir quatre verticilles d'appendices différents. De l'extérieur à l'intérieur, ce sont les sépales (qui forment ensemble le calice), les pétales (la corolle), les étamines (l'androcée) et les carpelles (le gynécée). Les sépales et les pétales sont stériles : les sépales sont souvent verts et ils ont un rôle protecteur, recouvrant la fleur dans le bouton ; les pétales sont souvent colorés et interviennent pour attirer les insectes. L'étamine est généralement divisée en un axe, le filet, et une anthère contenant quatre sacs polliniques (deux paires). Les carpelles sont généralement différenciés en une partie inférieure renflée, l'ovaire, et une partie supérieure plus mince, le style, qui se termine par un stigmate réceptif. Il est possible qu'un ou plusieurs verticilles manque dans les fleurs de certains types de plantes.

Chez les angiospermes, la pollinisation est suivie d'une double fécondation

Chez les angiospermes, la pollinisation est le transfert du pollen de l'anthère au stigmate. Les gamètes mâles, ou notaux spermatiques, sont transportés par le grain de pollen, qui est un gamétophyte mâle immature. Au moment de sa dissémination, ce gamétophyte contient deux ou trois cellules. Au départ, il existe une cellule de tube et une cellule générative, celle-ci se divisant en deux cellules spermatiques avant ou après la dissémination. Le gamétophyte femelle des angiospermes est appelé sac embryonnaire. Chez de nombreuses angiospermes, les sacs embryonnaires possèdent huit noyaux à maturité, dont l'un est celui de l'oosphère (le nombre de cellules peut varier pour des groupes différents). Les deux gamètes mâles interviennent dans la fécondation des angiospermes (double fécondation). L'un s'unit à l'oosphère et donne un zygote diploïde. L'autre s'unit aux deux noyaux polaires et donne naissance au noyau primaire de l'albumen, produisant un type particulier de tissu nutritif, l'albumen, qui peut être absorbé par l'embryon avant la maturation de la graine ou persister dans la graine mûre. Les angiospermes partagent la double fécondation avec les gnétophytes *Ephedra* et *Gnetum* mais, chez ces gymnospermes, le processus aboutit à la production de deux embryons.

L'ovule se développe en graine et l'ovaire en fruit

Les ovaires (accompagnés parfois d'autres pièces florales) se développent en fruits entourant les graines. Avec la fleur dont il dérive, le fruit est une caractéristique des angiospermes.

Divers facteurs favorisent l'allogamie chez les angiospermes

Chez les angiospermes, l'allogamie est favorisée par la dioécie : les fleurs mâles et femelles sont sur des individus différents, et par la monoécie : les fleurs mâles et femelles sont sur le même individu. L'allogamie est également favorisée par la dichogamie ; dans ce cas, les étamines et les carpelles d'une même fleur arrivent à maturité à des moments différents ; elle peut l'être aussi simplement par une séparation physique de ces organes dans une même fleur. L'autoincompatibilité génétique, fréquente chez les angiospermes, empêche l'autofécondation même si les étamines et les stigmates arrivent à maturité en même temps et entrent en contact.

Beaucoup d'angiospermes se reproduisent par autopollinisation

L'autopollinisation, qui aboutit à la production d'individus génétiquement uniformes, est caractéristique de beaucoup d'angiospermes, y compris la moitié des espèces des régions tempérées. Il est évident que, dans certaines conditions écologiques, elle est plus favorable que l'allogamie.

MOTS CLÉS

actinomorphe, régulière, ou à symétrie radiaire p. 502

albumen p. 509

anthère p. 501

antipodes p. 506

appareil reproducteur p. 506

carpelle p. 499

cellule centrale p. 506

cellule de tube p. 504

cellule générative p. 504

chalaze p. 506

dichogamie p. 510

dioïque p. 501

épigyne p. 502

étamines p. 501

exine p. 504

filet p. 501

funicule p. 506

hypogyne p. 502

inflorescence p. 499

intine p. 504

loge p. 501

monoïque p. 501

noyau primaire de l'albumen p. 509

noyaux polaires p. 506

pédicelle p. 499

pédoncule p. 499

périgyne p. 502

périsperme p. 510

pétales p. 501

placenta p. 501

placentation p. 501

réceptacle p. 499

sac embryonnaire p. 506

sac pollinique p. 501

sépales p. 501

synergides p. 506

tapis p. 504

tissu de transmission p. 508

tissu stigmatique p. 508

zygomorphe, irrégulière, ou à symétrie bilatérale p. 502

QUESTIONS

1. Quelles sont les différences entre les termes suivants : calice/corolle/périanthe, stigmate/style/ovaire, complète/incomplète, parfaite/imparfaite, androcée/gynécée.

2. Faites un dessin annoté aussi complet que possible d'une fleur hypogyne dans laquelle aucune pièce florale n'est soudée.

3. Une fleur imparfaite est automatiquement incomplète, mais toutes les fleurs incomplètes ne sont pas imparfaites. Expliquez.

4. Faites un dessin annoté aussi complet que possible d'un gamétophyte mâle mûr (grain de pollen germé) et d'un gamétophyte femelle mûr (sac embryonnaire) d'angiosperme. Comparez ces gamétophytes à ceux du pin.

5. La double fécondation, suivie de la production d'un albumen, est caractéristique des angiospermes. Quelles sont les différences entre la double fécondation chez les gnétophytes *Ephedra* et *Gnetum* et chez les angiospermes ?

6. Chez certaines angiospermes, la production du pollen dans les anthères précède ou suit le développement complet du carpelle de la même fleur (dichogamie). Quelles sont les conséquences de ces décalages dans le temps ?

L'évolution des angiospermes 22

SOMMAIRE

Si l'on veut prendre en compte les progrès de l'évolution que nous avons suivis aux chapitres précédents, on reconnaîtra aisément que les mécanismes mis en œuvre par les gamètes mâles pour atteindre l'oosphère ont un intérêt primordial. Chez les bryophytes et les cryptogames vasculaires, les anthérozoïdes doivent nager pour atteindre les oosphères, alors que, chez les gymnospermes, les jeunes gamétophytes mâles, ou grains de pollen, sont le plus souvent transportés par le vent jusqu'à proximité immédiate des gamétophytes femelles. Ils y germent et produisent les tubes polliniques et les cellules spermatiques. C'est pourquoi, chez les gymnospermes, l'eau n'est plus nécessaire pour permettre aux anthérozoïdes d'arriver aux oosphères; dans deux groupes, les conifères et les gnétophytes, les tubes polliniques sont de véritables transporteurs de cellules spermatiques, amenant plus ou moins directement ces cellules non mobiles aux oosphères. Cependant, les gymnospermes dépendent pour une large part du vent pour leur pollinisation. Au contraire, l'évolution a donné aux angiospermes un ensemble de caractères qui mobilisent des pollinisateurs très divers — plus particulièrement des insectes — assurant une pollinisation croisée et une spécialisation évolutive très poussées.

Dans ce chapitre, nous allons explorer les angiospermes et tenter de découvrir les motifs de leur suprématie dans la végétation mondiale. C'est une histoire merveilleuse et sans égale. Commençons par envisager l'origine des angiospermes.

Figure 22-1

La fleur la plus ancienne au monde. Empreinte de *Bevhalstia pebja* dans une roche du crétacé inférieur (âgée de 130 millions d'années environ) du Surrey, en Angleterre. Cette plante mesurait environ 25 centimètres de haut et vivait probablement dans l'eau. Elle associe une allure de fougère à des structures reproductrices ressemblant à de petites fleurs. La largeur réelle de la fleur est d'environ 7 mm.

POINTS DE REPÈRE

Quans vous terminerez la lecture de ce chapitre, vous devriez pouvoir répondre aux questions suivantes :

- *Quelles sont les hypothèses actuelles concernant l'origine des angiospermes et quelles sont les relations présumées entre dicotylées, magnoliidées ligneuses et paléoherbes ?*

- *À quoi ressemblaient le périanthe (sépales et pétales), les étamines et les carpelles des premières angiospermes ? Quelles sont les quatre principales tendances évolutives des fleurs ?*

- *Quel est le caractère qui a évolué chez les angiospermes pour leur permettre une mobilité orientée lors de la recherche d'un partenaire ?*

- *Quelles sont les différences entre les fleurs pollinisées par les coléoptères, les hyménoptères, les diptères, les oiseaux et les chauves-souris ?*

- *Citez quelques adaptations des fruits en relation avec les agents participant à leur dissémination.*

- *Comment les métabolites secondaires ont-ils apparemment influencé l'évolution des angiospermes ?*

Dans une lettre à un ami, Charles Darwin fit un jour allusion à l'apparition apparemment soudaine des angiospermes dans les dépôts fossiles en le qualifiant d'« abominable mystère ». Dans les couches fossilifères anciennes, datant d'environ 400 millions d'années, apparaissent des plantes vasculaires simples, comme les rhyniophytes et les trimérophytes. Au dévonien et au carbonifère, on assiste ensuite à une prolifération de fougères, lycophytes, sphénophytes et progymnospermes qui ont occupé une position dominante jusqu'il y a environ 300 millions d'années. Les spermatophytes les plus anciens ont fait leur première apparition au dévonien supérieur et ont abouti aux flores mésozoïques dominées par les gymnospermes. Finalement, au début du crétacé, il y a au moins 130 millions d'années (Figure 22-1), les angiospermes apparaissent dans les dépôts fossiles et elles sont arrivées à dominer progressivement la végétation du monde il y a environ 90 millions d'années. Beaucoup de familles et certains genres modernes de cet embranchement étaient déjà présents il y a quelque 75 millions d'années (Figure 22-2).

En dépit de leur apparition relativement tardive dans les dépôts fossiles, pourquoi les angiospermes sont-elles arrivées à une prédominance mondiale et pourquoi continuent-elles à se diversifier de façon aussi spectaculaire ? Dans ce chapitre, nous allons tenter de répondre à cette question, en centrant le débat sur les relations évolutives des angiospermes, sur leur origine et leur diversification, sur l'évolution de la fleur, sur l'évolution des fruits et sur le rôle de certaines substances chimiques dans l'évolution des angiospermes. Ces cinq points illustreront les motifs qui expliquent le succès évolutif de ce groupe.

Relations évolutives des angiospermes

Depuis l'époque de Darwin, les scientifiques ont tenté de comprendre l'origine des angiospermes. Une tentative a été faite de rechercher leurs ancêtres potentiels dans les dépôts fossiles. On a surtout mis l'accent sur une estimation de la manière plus ou moins aisée dont les structures ovulifères de diverses gymnospermes pouvaient se transformer en carpelles. Des analyses phylogénétiques (cladistiques) récentes basées sur des données fossiles, morphologiques et moléculaires, ont rendu vigueur aux tentatives faites en vue d'identifier et de définir les grandes groupes naturels de spermatophytes et d'élucider leurs relations mutuelles.

Les analyses phylogénétiques récentes ont abouti à un résultat particulièrement remarquable : elles ont conforté l'hypothèse ancienne qui considère les *Bennettitales* (page 472) et les gnétophytes (page 490) comme les spermatophytes les plus proches des angiospermes. On a proposé le terme « anthophytes » (à ne pas confondre avec le terme *Anthophyta* se référant ici à l'embranchement des angiospermes) pour désigner collectivement les *Bennettitales*, les gnétophytes et les angiospermes. Il met en évidence l'existence de structures reproductrices semblables aux fleurs chez ces trois groupes de spermatophytes. On a proposé deux hypothèses contradictoires pour expliquer les relations phylogénétiques entre les anthophytes. La pemière considère que les gnétophytes sont monophylétiques ; les ressemblances entre les caractères spécialisés de *Gnetum* (Figure 20-41), de *Welwitschia* (Figure 20-43) et des angiospermes sont interprétées comme des exemples d'évolution convergente (Figure 22-3a). La seconde hypothèse considère les gnétophytes comme paraphylétiques, *Gnetum* et *Welwitschia* étant des groupes frères des angiospermes (Figure 22-3b). Selon cette dernière hypothèse, les caractères dérivés de *Gnetum*, de *Welwitschia* et des angiospermes sont considérés comme homologues.

La première apparition des *Bennettitales* et des gnétophytes, datée du triasique, il y a quelque 225 millions d'années, est significative. Il faut, semble-t-il, la prendre en compte pour établir l'époque de la

(a)

(b)

Figure 22-2

Fossiles d'angiospermes du crétacé supérieur (environ 70 millions d'années avant notre ère) du Wyoming. **(a)** Feuille d'un palmier éventail, *Sabalites montana*, espèce disparue et parent éloigné des palmettos *(Sabal palmetto)* du sud-est des États-Unis. **(b)** Feuille d'un représentant éteint de la famille des platanes *(Platanaceae)*.

Figure 22-3

Deux hypothèses s'affrontent pour expliquer les relations phylogénétiques entre les anthophytes. **(a)** Selon la première, les *Gnetales* sont monophylétiques et les spécialisations similaires de *Gnetum*, de *Welwitschia* et des angiospermes sont considérées comme une évolution convergente. Cette hypothèse est en accord avec les données moléculaires actuelles provenant de *rbc*L (la séquence du gène chloroplastique codant la grande sous-unité de Rubisco) et de l'ARN ribosomique. **(b)** Selon une autre hypothèse, les *Gnetales* sont paraphylétiques, *Gnetum* et *Welwitschia* étant les groupes frères des angiospermes. Cette hypothèse considère les ressemblances dérivées de *Gnetum*, de *Welwitschia* et des angiospermes comme homologues.

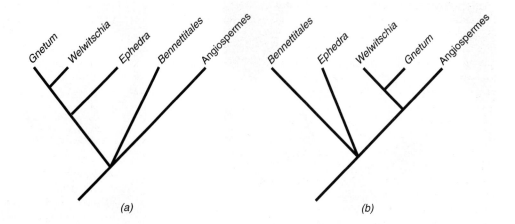

(a)   (b)

Origine et diversification des angiospermes

première apparition des angiospermes — c'est-à-dire pour proposer éventuellement une apparition antérieure.

Origine et diversification des angiospermes

Les caractéristiques exclusives des angiospermes sont les suivantes : des fleurs, des carpelles fermés, une double fécondation aboutissant à la production d'un albumen, un microgamétophyte trinucléé, un mégagamétophyte octonucléé, des étamines possédant deux paires de sacs polliniques, ainsi que la présence de tubes criblés et de cellules compagnes dans le phloème (voir chapitre 24). Ces similitudes indiquent clairement que cet embranchement dérive d'un ancêtre unique. Cet ancêtre commun à toutes les angiospermes dériverait en dernier ressort d'un spermatophyte dépourvu de fleurs, de carpelles clos et de fruits. Les plus anciens fossiles d'angiospermes connus, identifiables avec certitude, sont des fleurs et des grains de pollen du crétacé inférieur, dont l'âge atteint 130 millions d'années (Figure 22-1). Des hypothèses curieuses ont été formulées : des fossiles beaucoup plus anciens — dont l'âge pourrait atteindre 200 millions d'années — pourraient avoir possédé certains caractères des angiospermes, mais pas tous. Actuellement, l'interprétation de ces fossiles reste une énigme et il semble plus probable que l'embranchement soit en réalité apparu au crétacé inférieur (ou peut-être tout à la fin du jurassique supérieur).

À quoi ressemblaient les premières angiospermes ? Comme chez les gymnospermes, leur pollen possédait certainement une seule aperture, comme celui que l'on trouve chez les monocotylées et d'autres groupes d'angiospermes, ainsi que chez les cycadales, *Ginkgo* et d'autres groupes. On peut donc considérer qu'il s'agit là d'un caractère ancestral conservé au cours de l'évolution. Si l'on se base sur ce caractère, il n'est donc pas légitime d'affirmer que les angiospermes à pollen monoaperturé ont un ancêtre commun différent de celui des autres.

Les magnoliidées sont à la fois les ancêtres des monocotylées et des dicotylées

Au chapitre 21, nous avons parlé des deux grandes classes d'angiospermes, les monocotylées et les dicotylées : elles comprennent à elles deux 97 % des espèces de l'embranchement. Leur unique cotylédon et un certain nombre d'autres caractères indiquent clairement que les monocotylées ont un ancêtre commun. C'est également vrai pour les dicotylées, qui possèdent un caractère dérivé typique, le pollen triaperturé (du pollen à trois sillons ou pores, et des types polliniques dérivés du groupe triaperturé). Dans les 3 % des angiospermes actuelles restantes, les **magnoliidées**, on trouve les plantes dont les caractères sont les plus primitifs. Ces ancêtres des monocotylées et des dicotylées ont traditionnellement été réunies aux dicotylées, mais cette solution est aussi illogique que leur réunion aux monocotylées. Les relations évolutives des magnoliidées ne sont pas encore bien connues.

Bien que traditionnellement considérées comme des dicotylées, toutes les magnoliidées possèdent, comme les monocotylées, un pollen avec une seule aperture ou une modification de ce type. Une caractéristique du groupe est l'existence de cellules huileuses produisant des huiles essentielles (contenant de l'éther), qui sont à l'origine de l'odeur de la muscade, du poivre et du laurier. Parmi les magnoliidées, on distingue un groupe auquel on a donné le nom informel de **magnoliidées ligneuses**. Ces plantes ont des fleurs hermaphrodites robustes et de grande taille, à nombreuses pièces disposées en spirale sur un axe allongé, comme chez les *Magnolia* (Figure 22-4). Vingt familles au moins de ce groupe comptent des représentants actuels. Les plus familières sont les familles du magnolia (*Magnoliaceae*), du laurier (*Lauraceae*) et les *Calycanthaceae*.

Archaeanthus linnenbergeri est un des nombreux fossiles de magnoliidées ligneuses : c'est probablement un parent très proche des *Magnolia* actuels et du tulipier (*Liriodendron*) (Figure 22-5). Les fleurs robustes d'*Archaeanthus* possédaient un axe allongé et 100 à 300

(a)

(b)

(c)

Figure 22-4

Fleurs et fruits de magnolia *(Magnolia grandiflora)*, une magnoliidée ligneuse. Le réceptacle conique porte de nombreux carpelles disposés en spirale et terminés par un style recourbé. Sous les styles, en **(a)** et **(b)**, se trouvent les étamines blanc-crême. **(a)** Les étamines n'ont pas encore émis leur pollen, alors que les stigmates sont réceptifs. Autrement dit, l'espèce est protogyne. **(b)** Axe floral, le second jour de la floraison : les stigmates ne sont plus réceptifs et les étamines émettent leur pollen. **(c)** Fruit, avec les carpelles et les graines rouge vif, portées par un stipe mince.

(a)

(b)

Figure 22-5

Archaeanthus linnenbergeri, angiosperme fossile ressemblant superficiellement aux magnolias actuels. **(a)** Axe reproducteur fossile. **(b)** Feuille fossile. **(c)** Reconstitution d'un rameau floral. **(d)** Reconstitution d'un rameau fructifère. Les reconstitutions sont basées sur les recherches de David Dilcher, de l'Université de Floride, et de Peter Crane, du Field Museum of Natural History à Chicago ; elles ont été dessinées par Megan Rohn. Les recherches minutieuses de Dilcher, Crane et d'autres encore ont donné beaucoup d'informations sur la nature des premières angiospermes et de leurs fleurs.

520

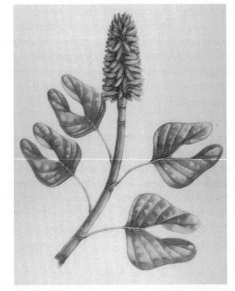

(c)

(d)

Figure 22-6

Aristolochia grandiflora. Les *Aristolochiaceae* constituent une des rares familles actuelles de paléoherbes.

carpelles disposés en spirale, chacun produisant finalement de 10 à 18 graines. Il y avait trois pièces externes de périanthe et de six à neuf internes ; les étamines étaient nombreuses et disposées en spirale. *Archaeanthus*, qui habitait ce qui était alors les plaines côtières tropicales du Kansas, était probablement décidu et il semble que c'était un petit arbre ou un arbuste.

En dehors des magnoliidées ligneuses, le reste des magnoliidées constitue un assemblage très varié désigné collectivement par le nom de **paléoherbes**. Ce sont surtout des plantes herbacées à petites fleurs et à pièces florales souvent assez peu nombreuses ; leurs fleurs sont souvent unisexuées. Contrairement à la grande majorité des magnoliidées ligneuses, beaucoup de paléoherbes ont les carpelles soudés. Parmi les paléoherbes actuelles, on trouve des familles telles que les *Piperaceae*, famille du poivrier, les *Aristolochiaceae* (Figure 22-6) et les *Nymphaeaceae*, ou nénuphars. Plusieurs fossiles très anciens, comme ceux de la figure 22-7, sont aussi des paléoherbes, mais il est important de rappeler que ce groupe réunit en fait toutes les angiospermes qui ne sont pas des monocotylées, ni des dicotylées, ni des magnoliidées ligneuses. Il s'agit donc, du point de vue de l'évolution, d'une sorte de « fourre-tout » rassemblant des angiospermes qui montrent des caractères primitifs.

Les monocotylées dérivent d'ancêtres qui ressemblaient peut-être aux *Aristolochiaceae* ou aux *Piperaceae*, si l'on en juge par les données biochimiques et morphologiques. En toute hypothèse, leurs ancêtres n'étaient assurément pas des magnoliidées ligneuses. Bien que les fossiles de monocotylées primitives soient rares, les premiers représentants de cette classe semblent dériver d'une des nombreuses lignées différentes de paléoherbes, il y a probablement plus de 120 millions d'années. Les principales lignées évolutives de monocotylées existaient déjà il y a au moins 70 millions d'années, avant la fin du crétacé.

Figure 22-7

Une des toutes premières angiospermes, vieille d'environ 120 millions d'années, provenant de dépôts fossiles proches de Melbourne, en Australie. Ce fossile, découvert en 1990, représente probablement une plante herbacée vivant peut-être dans un endroit marécageux. Les feuilles sont entières, les fleurs femelles sont sous-tendues par des bractées. Cette paléoherbe fossile ressemble aux *Piperaceae* actuelles.

5 mm

521

La nature des ancêtres des dicotylées est moins claire, mais les recherches se poursuivent activement. Le pollen triaperturé qui caractérise les représentants de cette classe apparaît dans les fossiles durant le crétacé inférieur, il y a environ 127 millions d'années ou peut-être un peu plus tôt. Le groupe s'est fortement diversifié au cours des 30 à 40 millions d'années qui ont suivi, au crétacé moyen. On se base souvent sur les caractéristiques de la fleur de *Magnolia* pour montrer quels pouvaient être les caractères d'une fleur d'angiosperme primitive. Il semble cependant clair aujourd'hui que la fleur de *Magnolia*, avec ses nombreuses grandes pièces disposées en spirale, représente en réalité une spécialisation précoce. Les fleurs de l'ancêtre commun des angiospermes, et peut-être aussi des dicotylées, semble avoir été relativement petites, simples, peut-être vertes et assez peu attirantes, avec des sépales et pétales peu différenciés. Ces caractères sont typiques de certains fossiles du crétacé inférieur, ainsi que de certaines plantes actuelles.

Les angiospermes se sont rapidement répandues à travers le monde

L'apparition et la diversificaion rapide des dicotylées et des monocotylées a conduit à une domination croissance des angiospermes à travers le monde au cours des 35 millions d'années du crétacé supérieur (100-65 millions d'années avant notre ère). Il y a environ 90 millions d'années, plusieurs ordres et familles actuels d'angiospermes étaient déjà présents (Figures 22-2 et 22-8), et les angiospermes dominaient déjà l'hémisphère nord. Au cours des 10 millions d'années suivantes, elles ont également étendu leur prééminence dans l'hémisphère sud.

Les premières angiospermes possédaient de nombreuses adaptations qui les rendaient particulièrement résistantes à la sécheresse et au froid. C'était le cas des feuilles coriaces, de taille souvent réduite, des éléments vasculaires (cellules conduisant l'eau avec efficacité) et d'un spermoderme dur et résistant assurant la protection du jeune embryon contre la dessiccation. On ne retrouve pas ces caractères chez toutes les angiospermes et ils ne se limitent pas aux seules angiospermes, mais ils ont certainement joué un rôle majeur dans le succès de cet embranchement. Le début de l'évolution du caractère décidu (la perte saisonnière des feuilles), qui permet aux plantes ligneuses de perdre leurs feuilles et de rester jusqu'à un certain point physiologiquement inactives durant les périodes de sécheresse, de chaleur et de froid extrêmes, a peut-être également contribué au succès évolutif du groupe — particulièrement au cours des 50 derniers millions d'années, où le climat de la terre a subi des modifications importantes.

Plusieurs autres facteurs semblent avoir joué un rôle important dans le succès initial et permanent des angiospermes et nous en détaillerons certains dans ce chapitre. L'évolution des tubes criblés a peut-être amélioré le transport des sucres à travers la plante par le phloème ; de même, dans le xylème, les vaisseaux sont plus efficaces que les trachéides. La précision des systèmes de pollinisation et la spécialisation des mécanismes de dissémination des graines sont peut-être encore plus importants : ils caractérisent aujourd'hui les angiospermes les plus évoluées et ils ont permis aux individus de se disperser largement dans de nombreux habitats différents. On envisagera aussi l'énorme diversité chimique des angiospermes, qui est à l'origine de nombreux types de défenses contre les maladies et les herbivores ; son rôle a vraisemblablement été très important. Ces

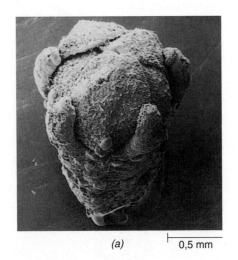

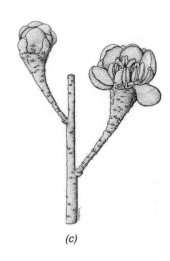

(a)　0,5 mm

(b)　0,2 mm

(c)

Figure 22-8

Silvianthemum suecicum, angiosperme relativement spécialisée du crétacé supérieur du sud de la Suède (il y a 80 millions d'années). Extrêmement bien conservées sous forme de charbon de bois fossile à la suite des incendies de forêts de l'époque, ces fleurs sont petites, parfaites, et leur symétrie est radiaire, avec cinq sépales et cinq pétales libres, trois carpelles soudés, un disque nectarifère et de nombreuses petites graines. De même que deux autres genres qui l'accompagnaient, *Silvianthemum* rappelle un peu les *Saxifragaceae*, plus particulièrement certaines formes ligneuses proches de cette famille. **(a)**, **(b)** Deux images de fleurs fossiles. **(c)** Reconstitution d'une fleur et d'un bouton. Else Marie Friis et ses collaborateurs ont apporté une contribution précieuse à la connaissance des angiospermes fossiles.

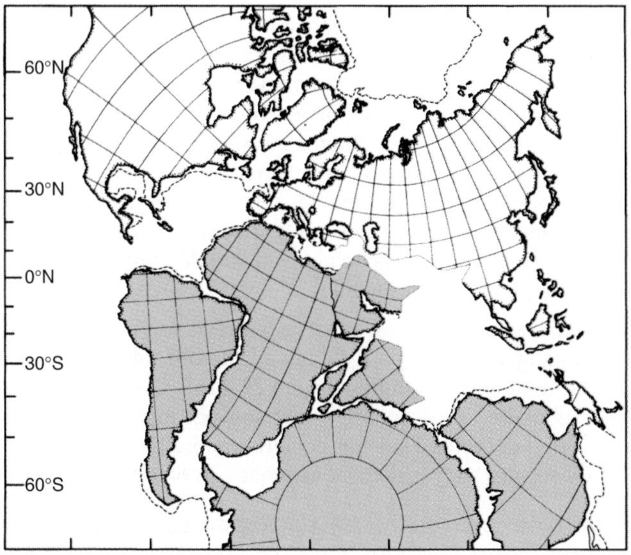

continents, à peu près à l'époque où les angiospermes deviennent abondantes dans les fossiles du monde entier, le climat du globe a beaucoup changé. C'était particulièrement le cas dans ces régions équatoriales, dont le climat est devenu plus tempéré, avec des extrêmes de température et d'humidité moins importants. Les angiospermes du groupe des magnoliidées — celles dont les caractères sont les plus archaïques — ont survécu en plus grand nombre et sont mieux représentées aujourd'hui dans les régions à climat relativement uniforme et chaud, comme en Asie du Sud-Est et dans le Pacifique Sud.

Figure 22-9

Situation des masses continentales du globe à l'époque de l'apparition des premières angiospermes dans les dépôts fossiles (il y a quelque 130 millions d'années). Au crétacé moyen, il y a environ 100 millions d'années, l'Amérique du Sud était encore directement reliée à l'Afrique, à Madagascar et à l'Inde et, via l'Antarctique, à l'Australie. L'ensemble de ces masses continentales, représentées en couleur, formaient le supercontinent du Gondwana.

caractères, et d'autres encore, font que, comparées aux autres plantes, les angiospermes sont écologiquement adaptables et se reproduisent avec rapidité et efficacité.

Il y a environ 30 millions d'années, époque où les premières angiospermes incontestées apparaissent dans les dépôts fossiles, l'Afrique et l'Amérique du Sud étaient directement unies entre elles, ainsi qu'à l'Antarctique, l'Inde et l'Australie en un vaste supercontinent austral appelé **Gondwana** (Figure 22-9). L'Afrique et l'Amérique du Sud ont commencé à se séparer aux alentours de cette époque pour former l'Océan Atlantique Sud, mais leurs régions tropicales ne se sont pas écartées complètement avant une époque qui se situe il y a quelque 90 millions d'années. L'Inde a entamé son mouvement vers le nord à peu près à la même époque, pour commencer sa rencontre avec l'Asie il y a environ 65 millions d'années, en soulevant l'Himalaya par la même occasion. La séparation de l'Australie et de l'Antarctique a débuté il y a environ 55 millions d'années, mais elle n'a été complète que plus récemment (Figure 22-10).

Dans les régions du centre du Gondwana occidental, constituées par les continents actuels d'Amérique du Sud et d'Afrique, les habitats étaient arides ou légèrement humides. Dans ces conditions, les angiospermes et d'autres types d'organismes ont été obligés de produire de nouvelles formes. Lors de la séparation finale de ces deux

Figure 22-10

Cette forêt de *Nothofagus menziesii*, de la région de Fiordland, dans l'Île du Sud de Nouvelle-Zélande, est une relique de la forêt tempérée fraîche qui s'étendait du sud de l'Amérique du Sud à l'Australie et la Nouvelle-Zélande en passant par l'Antarctique pendant une période probablement comprise entre environ 80 et 30 millions d'années avant notre ère. Des écarts de plus en plus grands sont apparus entre les masses continentales pendant toute cette période.

L'évolution de la fleur

À quoi ressemblaient les fleurs des premières angiospermes ? Nous ne le savons évidemment pas par observation directe, mais nous pouvons imaginer leur nature à partir de ce que nous connaissons de certaines plantes vivantes et des fossiles. En général, dans les fleurs des plantes primitives, on trouvait un nombre et une disposition des pièces florales fort variables. La plupart des familles d'angiospermes actuelles montrent une tendance à la stabilité d'un modèle floral dont la structure fondamentale ne varie guère à l'intérieur de la famille. On envisagera des spécialisations évolutives à partir de ces modèles fondamentaux dans les paragraphes suivants qui vont traiter des différents verticilles de la fleur de l'extérieur vers l'intérieur en passant du périanthe à l'androcée et aux carpelles.

L'étude des pièces florales peut apporter des réponses aux questions posées par l'évolution des angiospermes

Le périanthe des premières angiospermes ne comportait pas de sépales et pétales distincts. Le périanthe des premières angiospermes, s'il était présent, n'était pas nettement différencié en calice et corolle. Les sépales et les pétales étaient soit identiques, soit montraient une transition graduelle, comme chez les magnolias et les nénuphars modernes. Chez certaines angiospermes, comme les nénuphars, les pétales semblent dériver de sépales. En d'autres termes, on peut considérer les pétales comme des feuilles modifiées qui se sont spécialisées pour attirer les pollinisateurs. Chez beaucoup d'angiospermes cependant, les pétales dérivent probablement d'étamines qui ont perdu leurs anthères — ils ont été « stérilisés » — et se sont alors transformés spécifiquement en fonction de leur nouveau rôle. La plupart des pétales, comme les étamines, ne sont pourvus que d'un seul faisceau conducteur. Au contraire, les sépales ont normalement le même nombre de faisceaux conducteurs que les feuilles de la plante (souvent trois au moins). Lorsque les sépales et les pétales se ressemblent, les faisceaux conducteurs qui les parcourent sont généralement ramifiés de façon telle qu'ils ne peuvent être dénombrés en comptant les nervures parcourant les feuilles.

La soudure des pétales est apparue plusieurs fois au cours de l'évolution des angiospermes, pour aboutir à la corolle tubulaire caractéristique de nombreuses familles (Figure 22-11c). Quand il existe une corolle tubulaire, les étamines y sont souvent insérées et paraissent provenir de la corolle. Dans un certain nombre de familles très évoluées, les sépales sont également fusionnés en un tube.

Les étamines des premières angiospermes étaient variables dans leurs structures et leurs fonctions. Les étamines de certaines familles de magnoliidées ligneuses sont larges, colorées et souvent parfumées : elles interviennent visiblement pour attirer les pollinisateurs. Chez d'autres angiospermes archaïques, les étamines sont relativement petites et souvent verdâtres, mais elles peuvent aussi être charnues. Beaucoup d'angiospermes actuelles, par contre, ont des étamines dont les filets sont généralement minces et les anthères ter-

(a)

(b)

Figure 22-11

Exemples de fleurs spécialisées. **(a)** *Chimaphila umbellata :* les sépales (non visibles) et les pétales ne sont qu'au nombre de cinq, il y a dix étamines et les cinq carpelles sont soudés en un gynécée syncarpe à stigmate unique. **(b)** Le lotus des Indes, *Nelumbo lutea :* les sépales indifférenciés et les nombreux pétales et étamines sont disposés en spirale ; les carpelles sont enfoncés dans un réceptacle aplati. **(c)** Un chèvrefeuille, *Lonicera hispidula :* l'ovaire est infère et possède deux ou trois loges ; les sépales sont réduits à de petites dents au sommet de l'ovaire. Les pétales sont soudés en tube dans cette fleur zygomorphe (symétrie bilatérale) et les cinq étamines qui sortent du tube sont fixées à sa face interne. Le style est plus long que les

minales épaisses. (voir, par exemple, les figures 21-6 et 21-22). Les structures et les fonctions des étamines des monocotylées et des dicotylées semblent en général moins diversifiées que celles des magnoliidées.

Dans certaines fleurs spécialisées, les étamines sont soudées. Leurs filets soudés peuvent alors soit former des structures en colonne, par exemple dans les familles du pois, du melon, de la mauve (Figure 22-11d) et du tournesol, soit être soudés à la corolle, comme dans les familles du phlox, du muflier et de la menthe.

Dans certaines familles végétales, certaines étamines sont secondairement devenues stériles : elles ont perdu leurs anthères et se sont transformées en structures spécialisées, comme les nectaires. Les nectaires sont des glandes qui sécrètent du **nectar,** liquide sucré attirant les pollinisateurs et leur fournissant une alimentation. La plupart des nectaires ne sont pas des étamines modifiées, mais ont une origine différente. Au cours de l'évolution de la fleur des angiospermes, la stérilisation des étamines a également joué un rôle important dans l'évolution des pétales, comme on l'a signalé plus haut.

Les carpelles de beaucoup d'angiospermes primitives n'étaient pas spécialisés. Plusieurs magnoliidées ligneuses possèdent des carpelles non spécialisés et parfois semblables à des feuilles, sans surfaces adaptées à la capture des grains de pollen comparables aux stigmates spécialisés de la plupart des angiospermes modernes. Les carpelles de nombreuses magnoliidées ligneuses et d'autres plantes qui ont conservé des caractères archaïques sont libres et non soudées

ensemble comme chez la plupart des angiospermes contemporaines. Chez quelques magnoliidées ligneuses actuelles, les carpelles sont incomplètement clos, bien que la pollinisation soit toujours indirecte — le pollen n'entre pas directement en contact avec les ovules. Dans la grande majorité des angiospermes vivantes, les carpelles sont fermés (c'est de là que vient le nom de l'embranchement) et nettement différenciés en stigmate, style et ovaire. La disposition des ovules est beaucoup plus variée parmi les groupes contemporains d'angiospermes, où leur nombre est souvent plus réduit que dans les familles moins spécialisées et plus archaïques de l'embranchement.

On reconnaît, dans les fleurs, quatre tendances évolutives évidentes

La pollinisation par les insectes a très probablement déclenché l'évolution initiale des angiospermes, d'une part en permettant l'isolement de petites populations et, d'autre part, en favorisant, par la pollinisation indirecte, la compétition entre les nombreux grains de pollen traversant le tissu du stigmate. Les fleurs des premiers représentants de l'embranchement étaient probablement hermaphrodites, mais des fleurs unisexuées sont apparues très tôt dans de nombreuses familles différentes. Le périanthe indifférencié des premières angiospermes a bientôt donné naissance à des pétales et à des sépales distincts. Tandis que les angiospermes continuaient à évoluer et que leurs relations avec des pollinisateurs spécialisés devenaient de plus en plus étroites, le nombre et la disposition des pièces florales se sont progressivement

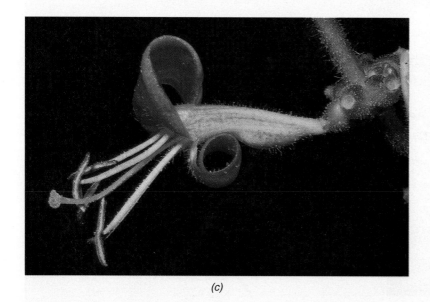

(c)

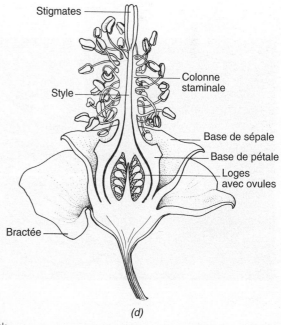

(d)

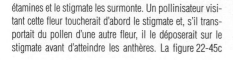
étamines et le stigmate les surmonte. Un pollinisateur visitant cette fleur toucherait d'abord le stigmate et, s'il transportait du pollen d'une autre fleur, il le déposerait sur le stigmate avant d'atteindre les anthères. La figure 22-45c montre les fruits de cette espèce. **(d)** Coupe longitudinale schématique d'une fleur de cotonnier *(Gossypium)*, de la famille des malvacées, après élimination des sépales et des pétales : on voit la colonne d'étamines soudées entourant le style.

UNE PLANTE AQUATIQUE AMBIGUE

Les recherches récentes sur les relations évolutives d'une angiosperme aquatique assez particulière, *Ceratophyllum* **(a)** a créé la surprise. Il y a moins d'une dizaine d'année, les recherches approfondies menées par le botaniste Donald Les, de l'Université du Connecticut, auquel nous devons le contenu de cet encadré, ont encore épaissi le mystère de l'évolution des angiospermes lorsqu'il a proposé une nouvelle hypothèse sur la nature des *Ceratophyllum*. Cet étrange petit genre a toujours fait l'objet de controverses entre les taxonomistes qui tentaient de définir ses relations de filiation.

Ceratophyllum est une plante très spécialisée et totalement dépourvue de racines (même dans l'embryon) ; sa morphologie et son anatomie sont extrêmt rudimentaires, elle vit et se reproduit entièrement sous l'eau (même la pollinisation s'effectue sous la surface de l'eau). Et pourtant un certain nombre de ses caractères floraux et végétatifs sont considérés comme primitifs pour une angiosperme par les botanistes. Pendant de nombreuses années, des systématiciens ont considéré *Ceratophyllum* comme une variante très modifiée des nénuphars, principalement en raison de sa vie aquatique. Une évaluation plus critique des caractères montre cependant, dans l'opinion de Les, que *Ceratophyllum* n'est étroitement apparenté ni aux nénuphars

(Nymphaeaceae), ni au lotus des Indes *(Nelumboaceae)*. Les recherches de Les sur les caractères morphologiques et anatomiques de *Ceratophyllum* montrent qu'en fait il pourrait être un fossile vivant issu des lignées évolutives d'angiospermes les plus archaïques et qu'on ne peut guère le rapprocher d'aucun groupe d'angiospermes actuelles.

On ne comprend pas à première vue comment une plante aquatique herbacée rudimentaire, à fleurs très simples et pollinisation aquatique, pourrait représenter une angiosperme primitive. Mais on a peut-être négligé la possibilité d'une très grande ancienneté de *Ceratophyllum*, qui aurait accumulé des caractères inhabituels pendant une très longue période et qui ne représenterait plus à présent qu'une pâle image de son ancêtre lointain. Beaucoup de ses caractères, comme l'unisexualité, l'absence de vaisseaux, de périanthe et d'exine pollinique, ainsi que la présence d'un tégument unique et de tubes polliniques ramifiés ne sont pas exceptionnels chez une ancienne angiosperme, mais on peut également les interpréter comme des adaptations récentes à la vie aquatique. Il est possible que *Ceratophyllum* soit devenu aquatique il y a longtemps — même si on pense généralement que les plantes aquatiques modernes sont dérivées récemment d'ancêtres terrestres. En réalité des fruits fossiles du crétacé

inférieur semblables à ceux de *Ceratophyllum* et datant de 115 millions d'années environ, figurent parmi les traces les plus anciennes d'organes reproducteurs d'angiospermes.

On a récemment étudié les séquences de bases de l'ADN de *Ceratophyllum*. À la grande surprise de nombreux chercheurs qui critiquaient l'hypothèse originelle de Les, plusieurs analyses des séquences du gène *rbc*L localisé dans le chloroplaste (gène codant la grande sous-unité de la diphosphate carboxylase/hydrogénase, ou Rubisco) ont montré que *Ceratophyllum* fait vraisemblablement partie des groupes à l'origine de toutes les angiospermes **(b)**. À la lumière de ces nouvelles découvertes, il est également intéressant de constater que *Ceratophyllum* possède des fleurs rudimentaires, considérées par les botanistes comme caractéristiques des premières paléoherbes. Bien que l'analyse des données ne soit pas simple, surtout en raison de la nature unique des *Ceratophyllum*, d'autres recherches moléculaires tendent à confirmer les résultats obtenus avec *rbc*L. *Ceratophyllum* illustre bien le fait que les descendants actuels des lignées évolutives anciennes possèdent presque toujours une mosaïque de caractères à la fois archaïques et spécialisés et que, dans leur ensemble, ils peuvent n'avoir qu'un lointain rapport avec les plantes ancestrales dont ils dérivent.

(a)

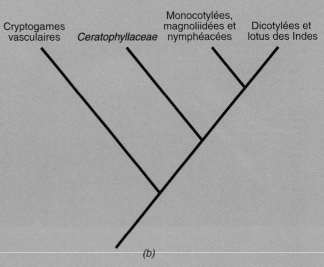

(b)

(a) Une tige de *Ceratophyllum* montrant la fleur pistillée simple, nue, de cette curieuse angiosperme aquatique. **(b)** Cladogramme établi à partir de la séquence du gène *rbc*L situant *Ceratophyllum* à l'origine des angiospermes.

figés en un petit nombre de schémas généraux. Les quatre tendances évolutives suivantes sont évidentes (Figure 22-11) :

1. Partant d'un nombre de pièces florales indéfini, faible ou élevé, les fleurs ont évolué vers un nombre de pièces défini plus réduit.

2. Le nombre de verticilles floraux s'est réduit de quatre dans les fleurs primitives, à trois, deux, et parfois un seul dans les familles les plus évoluées. L'axe floral s'est raccourci, de sorte que la disposition spiralée initiale a disparu. Les pièces florales se sont souvent soudées entre elles.

3. L'ovaire est devenu infère plutôt que supère, et le périanthe s'est différencié en calice et corolle.

4. La symétrie radiaire, ou actinomorphie, des premières fleurs a évolué vers la symétrie bilatérale, ou zygomorphie, chez les plus évoluées.

Les *Asteraceae* et les *Orchidaceae* sont des exemples de familles spécialisées

Parmi les familles dont les fleurs sont les plus spécialisées, on compte les *Asteraceae (Compositae)*, qui sont des dicotylées, et les *Orchidaceae*, monocotylées. Ce sont les deux familles d'angiospermes qui renferment le plus grand nombre d'espèces.

Les fleurs des Asteraceae *sont goupées en capitule dense.* Chez les *Asteraceae* (les composées), les fleurs épigynes sont relativement petites et étroitement groupées en capitule. Les minuscules fleurs ont un ovaire infère composé de deux carpelles soudés en une loge contenant un seul ovule (Figure 22-12).

Dans les fleurs des composées, les étamines sont réduites à cinq et généralement soudées les unes aux autres (coalescentes) et à la corolle (adnées). Les pétales, également au nombre de cinq, sont soudés entre eux et à l'ovaire, et les sépales sont absents ou réduits à une

Figure 22-12

Composées (famille des *Asteraceae*). **(a)** Schéma montrant l'organisation du capitule d'un représentant de cette famille. La situation des fleurs tubulées et ligulées dépend de leur disposition dans le capitule, qui fonctionne comme une seule grande fleur afin d'attirer les pollinisateurs. **(b)** Un chardon, *Cirsium pastoris*. Il n'existe que des fleurs tubulées dans cette tribu. Cette espèce possède des fleurs d'un rouge vif, elle est régulièrement visitée par les colibris, qui sont ses principaux pollinisateurs. **(c)** *Agoseris*, proche parent du pissenlit *(Taraxacum).* Dans les inflorescences de la tribu des *Cichorieae* (groupe de composées comprenant le pissenlit et les genres voisins), il n'y a pas de fleurs tubulées, mais les fleurs marginales sont généralement plus grandes. **(d)** Le tournesol, *Helianthus annuus*.

série de soies ou d'écailles formant le **pappus**. Le pappus participe souvent à la dissémination par le vent, par exemple chez le pissenlit, représentant bien connu des *Asteraceae* (Figure 22-12c ; voir aussi figures 22-41 et 22-42). Chez d'autres espèces de la famille, comme les *Bidens*, le pappus peut être barbelé et permet au fruit de s'accrocher à un animal de passage, augmentant ainsi ses chances de dissémination. Chez beaucoup d'*Asteraceae*, il existe deux types de fleurs dans le capitule : (1) les fleurs tubulées, ou fleurs du disque, dans la partie centrale de l'inflorescence et (2) les fleurs ligulées, disposées à la périphérie. Les fleurs ligulées sont souvent femelles, mais parfois aussi complètement stériles. Chez certaines *Asteraceae*, comme les tournesols, les pâquerettes et *Rudbeckia hirta*, la corolle soudée, à symétrie bilatérale (zygomorphe) des fleurs ligulées forme un long « pétale » rubané.

En général le capitule des composées ressemble à une grande fleur isolée. Mais, contrairement à la plupart des fleurs isolées, le capitule arrive à maturité pendant plusieurs jours, les fleurs individuelles s'ouvrant les unes après les autres suivant une séquence spiralée. Il en résulte que les ovules d'un même capitule peuvent être fécondés par des pollinisateurs différents. L'efficacité du système dans une stratégie évolutive, est attestée par le nombre élevé des individus d'*Asteraceae*, ainsi que par leur grande diversité : avec quelque 22.000 espèces, c'est numériquement la seconde famille d'angiospermes.

Les Orchidaceae sont la plus grande famille d'angiospermes.

Un autre diagramme floral réussi est celui des orchidées (Orchidaceae) ; contrairement aux composées, ce sont des monocotylées. Il existe probablement 24.000 espèces d'orchidées au moins, ce qui en fait la plus vaste famille d'angiospermes. Contrairement aux composées, cependant, les individus des espèces d'orchidées sont rarement très abondants. La majorité des espèces sont tropicales : 140 seulement sont indigènes aux États-Unis et au Canada, par exemple. Chez les orchidées, les trois carpelles sont soudés et, comme chez les composées, l'ovaire est infère (Figure 22-13). Contrairement aux composées cependant, l'ovaire contient plusieurs milliers d'ovules minuscules. Par conséquent, chaque pollinisation peut donner un nombre énorme de graines. Il n'y a généralement qu'une étamine (il y en a deux dans la sous-famille du sabot de Vénus) et cette étamine est soudée d'une manière caractéristique au style et au stigmate en une seule structure complexe — le **gynostème**. Tout le contenu de l'anthère est dispersé en une fois — par la **pollinie** (voir figure 22-25b). Les trois pétales des orchidées sont modifiés, les deux latéraux formant des ailes et le troisième est un **labelle** en forme de coupe sou-

(a)

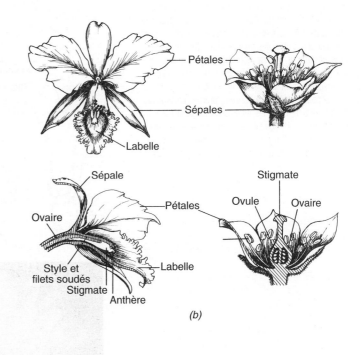

(b)

Figure 22-13

Orchidées (famille des *Orchidaceae*). **(a)** Orchidée du genre *Cattleya*. Cette famille est une des plus spécialisées parmi les monocotylées. **(b)** Comparaison des pièces florales d'une orchidée, à gauche, à celles d'une fleur à symétrie radiaire, à droite. Le labelle est un pétale modifié servant de plate-forme d'atterrissage pour les insectes.

Figure 22-14   (a)   (b)

Rhizanthella, orchidée d'Australie Occidentale, est une plante saprophyte dont le développement est totalement souterrain. Les crevasses qui se forment dans le sol en saison sèche font apparaître les fleurs, qui ne dépassent jamais le niveau du sol. **(a)** Après l'élimination des feuilles et des débris, on voit, du haut, les bractées séparées de *Rhizanthella*, par où arrivent les pollinisateurs (diptères) de la plante. **(b)** Ensemble de fleurs de *Rhizanthella*, entourées de bractées protectrices.

vent très grande et très visible. Les sépales, également au nombre de trois, sont souvent colorés et ressemblent aux pétales. La fleur est toujours zygomorphe et son aspect est curieux.

La taille des fleurs d'orchidées varie depuis celle d'une tête d'épingle chez certaines espèces jusqu'à un diamètre dépassant 20 centimètres chez d'autres. Il existe des espèces saprophytes dans plusieurs genres. Deux espèces australiennes se développent entièrement sous terre, leurs fleurs apparaissant dans des crevasses du sol, où elles sont pollinisées par des diptères (Figure 22-14). Pour la production commerciale des orchidées, les plantes sont clonées par division de tissus méristématiques, et il est possible de produire rapidement et efficacement des milliers de plantes identiques (voir chapitre 28). Il existe plus de 60.000 hybrides d'orchidées enregistrés, dont beaucoup dérivent de deux ou plusieurs genres. Les « gousses » des orchidées du genre *Vanilla* sont la source naturelle de l'arôme bien connu qu'est la vanille (Figure 22-15).

Figure 22-15

La vanille *(Vanilla)*, genre d'orchidée qui produit l'arôme du même nom. Utilisée par les Aztèques qui habitaient le Mexique actuel, la vanille est principalement cultivée à Madagascar et dans d'autres îles de l'Océan Indien occidental, ainsi que dans d'autres régions de l'Ancien Monde. La vanille est extraite de ses gousses fermentées et séchées. Le chocolat est un mélange d'un extrait de la cabosse du cacaoyer et de vanille. L'arôme synthétique de la vanille (vanilline) représente actuellement 95 % de la vanille consommée. **(a)** Fleurs de vanille *(Vanilla planifolia)*. **(b)** Pollinisation manuelle de plantes de vanille au Mexique. Cette technique est utilisée, même pour les plantes sauvages, afin d'assurer une bonne récolte des gousses dont on extrait ensuite la vanille.

(a)   (b)

Les animaux sont des agents responsables de l'évolution des fleurs

Contrairement à la plupart des animaux, les plantes ne peuvent se déplacer pour trouver leur nourriture ou un abri, ni pour rechercher un partenaire. En général, elles doivent satisfaire leurs besoins par une adaptation de leur développement et en produisant des structures adéquates. Au cours de leur évolution, beaucoup d'angiospermes ont cependant acquis un ensemble de caractères qui leur procure en fait une mobilité orientée vers la recherche d'un partenaire. Cet ensemble de caractères se développe dans la fleur. En attirant, grâce à leurs fleurs, les insectes et d'autres animaux et en contrôlant leur comportement en faveur d'une pollinisation croisée préférentielle (et donc en faveur de l'allogamie), les angiospermes ont transcendé leur fixation par les racines. En ce sens, elles sont devenues aussi mobiles que les animaux. Comment y sont-elles arrivées ?

Les fleurs et les insectes ont coévolué. La pollinisation des premiers spermatophytes était passive. De grandes quantités de pollen étaient dispersées par le vent et n'arrivaient à proximité des ovules que par hasard. Les ovules, qui se développaient sur des feuilles ou dans des cônes, émettaient des gouttes collantes de sève par leur micropyle. Le rôle de ces gouttes était d'accueillir les grains de pollen et de les amener au micropyle. Comme chez la plupart des cycadales (page 486) et des gnétophytes modernes, les insectes qui se nourrissaient du pollen et d'autres parties de la fleur ont pris l'habitude de

fréquenter ces sources de nourriture nouvellement découvertes et donc à transporter le pollen de plante en plante. Ce système est plus efficace que la pollinisation passive par le vent. Il permet une plus grande précision de la pollinisation et utilise beaucoup moins de grains de pollen.

Plus les fleurs étaient attirantes pour les insectes (Figure 22-16), plus souvent elles étaient visitées et plus elles pouvaient produire de graines. Toute modification du phénotype augmentant la fréquence ou l'efficacité de ces visites apportait un avantage sélectif. Plusieurs développements évolutifs en ont découlé. Les plantes dont les fleurs représentaient pour leurs pollinisateurs une source particulière de nourriture possédaient par exemple un avantage sélectif. À côté de pièces florales comestibles, du pollen et du liquide visqueux entourant les ovules, les plantes ont développé des nectaires floraux. Comme on l'a signalé antérieurement, les nectaires sécrètent un nectar sucré et nutritif, qui représente une source d'énergie pour les insectes et d'autres animaux.

L'attraction des insectes vers les ovules nus de ces plantes avait parfois pour conséquence leur destruction partielle. L'évolution d'un carpelle fermé a donc donné un avantage reproductif, et donc sélectif, à certains spermatophytes — les ancêtres des angiospermes. D'autres modifications de la forme de la fleur, comme l'adoption d'un ovaire infère, ont également pu réduire les risques de consommation des ovules par les insectes et d'autres animaux, leur procurant ainsi un avantage reproductif supplémentaire.

(a)

(b)

Figure 22-16

(a) Un longicorne (famille des *Cerambycidae*) chargé de pollen, visitant une fleur de la famille du lis *(Liliaceae)*, dans les montagnes du nord-est de l'Arizona. **(b)** Carapace d'un coléoptère provenant du même étage géologique qu'*Archaeanthus*, angiosperme éteinte, qui vivait il y a de 95 à 98 millions d'années (Figure 22-5). L'évolution des angiospermes est, pour une grande part, l'histoire des relations de plus en plus spécialisés entre les fleurs et les insectes qui les pollinisent ; les coléoptères y ont joué un rôle important.

Figure 22-17

Coléoptères visitant les fleurs. **(a)** *Asclera ruficornis*, un coléoptère se nourrissant de pollen, dans la fleur ouverte, cupuliforme, d'une hépatique *(Hepatica americana)*, au printemps, dans les forêts de l'est d'Amérique du Nord. Les insectes adultes de toutes les espèces de cette famille (les *Oedemeridae*) se nourrissent uniquement de pollen. **(b)** Un scarabée du groupe des cétoines, *Eupoecila australasiae*, visitant une fleur d'*Angophora woodsiana*, près de Brisbane, en Australie. Les cétoines possèdent des pièces buccales membraneuses qui peuvent aspirer le nectar.

(a)

(b)

Une autre évolution importante fut l'apparition de la fleur hermaphrodite. La présence de carpelles et d'étamines dans une même fleur (à comparer, par exemple, aux cônes des conifères actuels produisant séparément les microsporanges et les mégasporanges) apportait un avantage sélectif en améliorant l'efficacité de chaque visite du pollinisateur, celui-ci pouvant simultanément prélever et déposer du pollen à chaque arrêt.

Dans la première partie du tertiaire, il y a 40 à 60 millions d'années, les groupes d'insectes spécialisés dans la visite des fleurs, comme les abeilles et les papillons, devinrent encore plus abondants et variés ; ils avaient évolué en même temps que les angiospermes pendant environ 50 millions d'années avant cette époque. La diversification accrue de ces groupes d'insectes était directement liée à la diversité croissante des angiospermes. À leur tour, les insectes ont eu une influence profonde sur le cours de l'évolution des angiospermes et ont beaucoup contribué à leur diversification.

Si une espèce végétale particulière est pollinisée par une seule ou par quelques espèces de visiteurs seulement, la sélection favorise les spécialisations adaptées à ces visiteurs. De nombreuses modifications apparues dans les fleurs ont favorisé la fidélité d'un type spécifique de visiteur à ce type particulier de fleur. Dans les pages qui suivent, quelques modifications particulières des fleurs apparues au cours de leur évolution en réponse à des pollinisateurs spécifiques seront décrites.

Les fleurs pollinisées par les coléoptères ont typiquement une couleur terne, mais une forte odeur. Beaucoup d'espèces modernes d'angiospermes sont pollinisées uniquement ou principalement par des coléoptères (Figure 22-17). Les fleurs pollinisées par ces insectes sont soit de grande taille ou solitaires, comme celles des magnolias, certains lis, les pavots de Californie et les églantiers, soit plus petites et réunies en inflorescences denses, comme celles des cornouillers, des sureaux, des spirées et de nombreuses espèces d'ombellifères *(Apiaceae)* (Figure 22-16a). Des représentants de quelque 16 familles de coléoptères sont des visiteurs assidus de fleurs, bien qu'en général, ces insectes trouvent la plus grande partie de leur nourriture ailleurs, comme dans les sèves, les fruits, les excréments et les cadavres. Chez les coléoptères, le sens de l'odorat est beaucoup plus développé que la vue, et les fleurs qu'ils pollinisent ont généralement une

couleur blanche ou terne et des odeurs fortes (Figure 22-18). Ces odeurs sont habituellement fruitées, épicées ou rappellent des émanations nauséabondes provenant de fermentations. Elles diffèrent donc des odeurs plus douces des fleurs pollinisées par les abeilles et les papillons, nocturnes ou diurnes. Certaines fleurs pollinisées par les coléoptères sécrètent un nectar consommé par ces insectes. Chez d'autres, les coléoptères rongent directement les pétales ou des structures alimentaires spécialisées (bourrelets ou amas de cellules à la surface de différentes pièces florales) et ils consomment également le pollen. Beaucoup de fleurs pollinisées par les coléoptères ont un ovaire infère et les ovules sont enfoncés profondément dans les tissus floraux, hors d'atteinte des mandibules des insectes responsables de leur pollinisation.

Figure 22-18

Les fleurs malodorantes et souvent de couleur terne de nombreuses espèces d'*Asclepiadaceae*, comme celle de cette plante succulente africaine, *Stapelia schinzii*, sont pollinisées par des mouches à viande.

Figure 22-19

Les hyménoptères ont acquis une spécialisation aussi poussée que les fleurs auxquelles ils ont été associés au cours de leur évolution. Leurs pièces buccales se sont soudées en un tube suceur entourant la langue. Le premier segment des trois paires de pattes possède une touffe de soies à sa face interne. Ceux des deux premières paires sont des brosses à pollen qui rassemblent le pollen adhérant au corps velu de l'insecte. Sur la troisième paire de pattes, les soies forment des peignes à pollen qui collectent le pollen de ces brosses et de l'abdomen. Ces peignes amènent ensuite le pollen dans des corbeilles à pollen, cavités bordées de poils, situées sur le segment supérieur de la troisième paire de pattes. On voit ici une abeille *(Apis mellifera)* butinant une fleur de romarin *(Rosmarinus officinalis)*. Dans la fleur de romarin, les étamines et le stigmate sortent au sommet de la lèvre supérieure et assurent ainsi le contact avec les dos velu des hyménoptères visiteurs dont la taille est appropriée. On peut voir ici les anthères déposant des grains de pollen de teinte blanche sur l'insecte.

Les fleurs pollinisées par les hyménoptères sont généralement bleues ou jaunes et possèdent des signaux de reconnaissance.

Les hyménoptères représentent le groupe le plus important d'animaux pollinisateurs ; ils sont responsables de la pollinisation d'un plus grand nombre d'espèces végétales que tous les autres groupes animaux réunis. Les familles modernes d'hyménoptères existent depuis 80 millions d'années au moins, et elles se sont diversifiées depuis lors parallèlement au rayonnement adaptatif des angiospermes. Les insectes mâles et femelles se nourrissent de nectar et les femelles récoltent en outre le pollen pour alimenter les larves. Les pièces buccales, les poils du corps et d'autres appendices des hyménoptères sont spécialement adaptés pour la récolte et le transport du nectar et du pollen (Figure 22-19). Karl von Frisch et d'autres chercheurs étudiant le comportement des insectes ont montré que les hyménoptères peuvent apprendre rapidement à reconnaître les couleurs, les odeurs et les formes. La portion du spectre lumineux visible de la plupart des insectes est quelque peu différente de celle qui est visible à l'homme. Contrairement à l'homme, les hyménoptères perçoivent l'ultraviolet comme une couleur distincte ; ils ne perçoivent par contre pas le rouge, qui a donc tendance à se confondre avec l'arrière-plan.

De nombreuses espèces d'hyménoptères — particulièrement les abeilles solitaires, qui représentent la majorité des espèces de ce groupe (Figure 22-20) — sont très sélectives quand elles visitent les fleurs, limitant leurs visites à une ou quelques espèces végétales. Cette sélectivité augmente encore l'efficacité d'une espèce donnée d'abeille — ou d'une abeille individuelle — si elle ne visite les fleurs que d'une seule espèce. En relation avec cette spécialisation, les espèces d'hyménoptères dont le régime alimentaire est très sélectif possèdent souvent aussi des caractères morphologiques et des adaptations physiologiques évidentes, comme des soies raides situées dans leur système collecteur de pollen (si elles visitent des plantes produisant des grains de pollen volumineux) ou des pièces buccales allongées (si le nectar doit être prélevé sur des plantes à long tube floral). Lorsqu'ils sont à ce point sélectifs et s'ils possèdent des caractères morphologiques et comportementaux leur permettant d'assurer exclusivité la pollinisation, ces insectes exercent une forte pression sélective qui induit la spécialisation des plantes visitées. On parle de **coévolution** lorsque deux ou plusieurs espèces exercent des pressions sélectives mutuelles entraînant des modifications évolutives. Il existe quelque 20.000 espèces d'hyménoptères et la plupart visitent les fleurs pour se nourrir.

Les fleurs à hyménoptères — c'est-à-dire celles qui ont coévolué avec les abeilles — possèdent des pétales voyants, de couleur vive, généralement bleue ou jaune. Elles ont également des caractères distinctifs qui permettent aux hyménoptères de les identifier sans erreur. Parmi ces caractères, il peut y avoir des « signaux indicateurs », des marques spécifiques indiquant la position du nectar (Figure 22-21). Les fleurs visitées par les hyménoptères ne sont jamais d'un rouge pur, et des techniques photographiques spéciales ont montré qu'elles possèdent souvent des marques distinctives normalement invisibles à l'homme (Figure 22-22).

Dans les fleurs à hyménoptères, le nectar est habituellement situé à la base du tube de la corolle et il n'est accessible qu'à des organes spécialisés, comme les pièces buccales des hyménoptères, mais pas aux mandibules broyeuses des coléoptères par exemple. Les fleurs visitées par les hyménoptères possèdent également en général l'un ou l'autre type de « plate-forme d'atterrissage » (Figures 22-13 et 22-21).

Figure 22-20

Hyménoptère de la famille des *Halictidae* récoltant du pollen dans les étamines d'une fleur de cactus *(Echinocereus)* en Basse Californie (Mexique). Les grandes structures au centre de la fleur sont les stigmates.

Figure 22-21

Les « guides à pollen » des fleurs de digitale *(Digitalis purpurea)* sont des marques spécifiques guidant les insectes visiteurs. La lèvre inférieure de la corolle gamopétale sert de plate-forme d'atterrissage, comme c'est souvent le cas chez les espèces pollinisées par les hyménoptères.

Figure 22-22   *(a)*   *(b)*

La perception des couleurs est un peu différente de celle de l'homme chez la plupart des insectes. Pour un hyménoptère, par exemple, la lumière ultraviolette (invisible à l'homme) est perçue comme une couleur distincte. Ces photographies montrent une fleur de populage *(Caltha palustris)* **(a)** en lumière naturelle, toute la fleur est jaune : c'est ainsi que nous la voyons, et **(b)** en lumière ultraviolette. Les parties claires en **(b)** réfléchissent les rayonnements jaunes et ultraviolets, qui se combinent pour produire une couleur dénommée « pourpre de l'abeille », alors que les portions sombres de la fleur absorbant les ultraviolets apparaissent à l'abeille d'un jaune pur (voir page 543).

(a)

(b)

Figure 22-23

Les bourdons *(Bombus)*. Ces hyménoptères sociaux sont des pollinisateurs fréquents de nombreux genres de plantes dans toutes les parties fraîches de l'hémisphère nord ; ils ont été introduits dans certaines régions où ils n'existaient pas à l'état naturel, afin d'assurer la pollinisation de plantes telles que le trèfle blanc *(Trifolium repens).* **(a)** Bourdon récoltant le pollen d'une fleur de pavot de Californie *(Eschscholzia californica).* **(b)** Partie d'un nid souterrain d'une colonie de bourdons, montrant les cellules où les larves achèvent leur développement. Les bourdons approvisionnent ces cellules en pollen et régurgitent le nectar qu'ils butinent dans les fleurs. Bien qu'une colonie puisse visiter des fleurs très diverses au cours d'une saison, chaque individu se limite souvent à une espèce végétale au cours d'un voyage.

Figure 22-24

Les fleurs en forme d'abeille de cette orchidée, *Ophrys speculum,* attirent les hyménoptères mâles qui sont trompés par la ressemblance de la fleur avec les insectes femelles, avec lesquels ils tentent de copuler et, ce faisant, ils prélèvent souvent un sac pollinique (pollinie) qu'ils peuvent ensuite transférer à une autre fleur de la même espèce. Cette orchidée a été photographiée en Sardaigne.

Les bourdons figurent parmi les pollinisateurs les plus fréquents de la zone tempérée nord (Figure 22-23). Ce sont des hyménoptères sociaux vivant en colonies. Les reines (femelles sexuées) hivernent et, quand elles sortent au printemps, elles pondent leurs œufs pour fonder une nouvelle colonie. Les bourdons ne peuvent voler tant que leurs muscles alaires n'atteignent pas une température d'environ 32°C. Pour conserver cette température, ils doivent constamment butiner des fleurs abondamment pourvues en nectar. De nombreuses plantes des régions froides d'Amérique du Nord et d'Eurasie, comme les lupins, les pieds d'alouette et les épilobes (voir figure 21-21) sont régulièrement pollinisées par les bourdons dans toute leur aire de distribution.

Certaines fleurs plus évoluées, en particulier les orchidées, ont développé des voies de passage et des pièges complexes qui forcent les hyménoptères qui les visitent à suivre un chemin particulier pour entrer et sortir de la fleur.

Ces adaptations garantissent que l'anthère et le stigmate entrent en contact avec un endroit particulier du corps de l'insecte en suivant une séquence appropriée (Figure 22-19).

Les orchidées du genre *Ophrys* ont adopté une stratégie de pollinisation encore plus curieuse. La fleur ressemble à une abeille, une guêpe ou une mouche femelle (Figure 22-24). Les mâles de ces espèces d'insectes éclosent au début du printemps, avant les femelles. Les orchidées fleurissent également au début du printemps et les insectes mâles tentent alors de copuler avec la fleur d'orchidée. Au cours de cette visite « sexuelle », une pollinie peut se déposer sur le corps de l'insecte. Quand l'insecte visite une autre fleur de la même espèce, la pollinie peut être déposée sur les sillons du stigmate spécialement adaptés et assurer ainsi la pollinisation de la fleur.

D'autres fleurs, possédant des caractères différents, sont pollinisées par divers types de diptères, y compris des moustiques. Ces insectes se nourrissent de nectar, mais ne récoltent pas le pollen et ne stockent pas de nourriture pour leurs larves. Les figures 22-18 et 22-25 montrent des exemples de fleurs pollinisées par des moustiques et des mouches.

Les fleurs pollinisées par les papillons nocturnes et diurnes ont souvent une corolle en forme de tube allongé. Les fleurs qui ont coévolué avec les papillons diurnes (plus actifs durant le jour que pendant la nuit) ressemblent beaucoup à celles qui sont visitées par les hyménoptères. C'est surtout parce que les lépidoptères et les hyménoptères sont guidées vers les fleurs par la même combinaison de signes et d'odeurs (Figure 22-26). Certaines espèces de papillons sont cependant capables de détecter le rouge comme une couleur distincte, et certaines fleurs pollinisées par les papillons sont rouges ou oranges.

(a)

(c)

(b)

Figure 22-25

Pollinisation par les moustiques et par d'autres diptères. **(a)** Certaines orchidées à petites fleurs, comme cet *Habenaria elegans*, à fleurs blanches ou vertes passant inaperçues, sont visitées et pollinisées par des moustiques dans les régions tempérées de l'hémisphère nord et dans l'Arctique. Les moustiques recherchent le nectar des fleurs. **(b)** Moustique femelle du genre *Aedes* portant sur sa tête une pollinie d'orchidée. D'autres orchidées à petites fleurs, comme celles du genre *Spiranthes*, sont pollinisées par des hyménoptères. **(c)** Une mouche dans une fleur de liliacée *(Zygadenus fremontii)*. Remarquez les nectaires jaunes apparents.

Figure 22-26

Le papillon cuivré *(Lycaena gorgon)* suçant le nectar des fleurs d'une marguerite. Au repos, les longues pièces buccales suceuses des papillons sont relevées en spirale et elles se déroulent pour les repas. Leur longueur varie suivant les espèces. Longues de quelques millimètres seulement chez certaines petites espèces, elles atteignent 1 à 2 centimètres chez beaucoup de papillons diurnes, 2 à 8 centimètres chez certains sphinx de la zone tempérée nord et jusqu'à 25 centimètres chez quelques espèces de sphinx tropicaux.

Le type de fleur pollinisée par les papillons de nuit — chez plusieurs espèces de tabac *(Nicotiana)* par exemple — est de couleur blanche ou pâle, elle a un parfum violent et une odeur douce et pénétrante, souvent émise après le coucher du soleil. Les espèces à fleurs jaunes d'*Oenothera* (voir figure 10-11b) et les amaryllis à fleurs roses *(Amaryllis belladonna)* sont des exemples bien connus de plantes pollinisées par les papillons de nuit.

Le nectaire d'une fleur pollinisée par les papillons diurnes ou nocturnes est souvent situé à la base d'un long tube corollin ou d'un éperon et n'est généraement accessible qu'aux longues pièces buccales suceuses de ces insectes. Les sphinx, par exemple, ne pénètrent généralement pas dans les fleurs comme les abeilles, mais volettent sur place au-dessus d'elles en insérant leurs longues pièces buccales dans le tube de la fleur. Par conséquent, les fleurs adaptées aux sphinx ne possèdent pas les plates-formes d'atterrissage, ni les pièges et les adaptations structurales internes élaborées que l'on rencontre chez certaines fleurs adaptées aux hyménoptères. La plupart des relations entre les papillons de nuit et les fleurs impliquent normalement des espèces de petite taille, ou mites, qui ne dépensent pas autant d'énergie que les sphinx. Les fleurs sur lesquelles se promènent les mites sont souvent de taille plus réduite que celles pollinisées par les sphinx et leurs tubes floraux sont plus courts. La figure 22-27 représente une des relations les plus spécialisés entre une mite et une fleur.

Figure 22-27

La mite des yuccas *(Tegeticula yucasella)* raclant le pollen dans une fleur de yucca. L'insecte femelle visite les fleurs blanc crème pendant la nuit, récolte le pollen et le rassemble en une petite boule qu'il transporte vers une autre fleur dans ses pièces buccales spécialisées. Dans la fleur suivante, l'insecte perce la paroi de l'ovaire à l'aide de son long ovopositeur et pond une série d'œufs parmi les ovules. Il entasse ensuite la masse visqueuse de pollen dans les ouvertures du stigmate. Les larves et les graines se développent simultanément, les larves se nourrissant aux dépens des graines en développement. Lorsque les larves sont complètement développées, elles se creusent un chemin à travers la paroi ovarique et gagnent le sol, où elles persistent sous forme de pupes jusqu'à la floraison suivante des yuccas. On estime que 20 % seulement des graines sont généralement consommées par les larves de *Tegeticula*.

Figure 22-28

Colibri mâle *(Calypte anna)* et une fleur de *Mimulus cardinalis*, dans le sud de la Californie. Remarquez le pollen sur le front de l'oiseau, en contact avec le stigmate de la fleur.

Les fleurs pollinisées par les oiseaux produisent de grandes quantités de nectar, elles sont souvent rouges et inodores. Certains oiseaux visitent régulièrement les fleurs pour se nourrir du nectar, de pièces florales et d'insectes habitant les fleurs. Beaucoup de ces oiseaux interviennent également dans la pollinisation. En Amérique du Nord et du Sud, les principaux oiseaux pollinisateurs sont les colibris (Figure 22-28). Dans d'autres régions du monde, les fleurs sont régulièrement visitées par des représentants d'autres familles spécialisées d'oiseaux (Figure 22-29).

Les fleurs pollinisées par les oiseaux possèdent un nectar copieux et fluide (le nectar dégouline en fait de certaines fleurs à la maturité du pollen), mais elles ont généralement peu de parfum parce que le sens de l'odorat des oiseaux est peu développé. Les oiseaux ont cependant un sens aigu de la couleur, proche du nôtre. Il n'est donc pas étonnant que la plupart des fleurs pollinisées par les oiseaux soient brillamment colorées, principalement en rouge ou en jaune (Figure 22-12b). Parmi les fleurs pollinisées par les oiseaux, on trouve l'ancolie rouge (Figure 22-30a) le fuchsia, la fleur de la passion écarlate, l'eucalyptus, l'hibiscus, le poinsettia (Figure 22-30, c) et de nombreuses espèces de cactacées, de musacées et d'orchidées. Ces fleurs sont normalement de grande taille ou font partie de grandes inflorescences ; ces caractères sont importants parce qu'ils sont corrélés avec une stimulation visuelle évidente et indiquent la présence possible de grandes quantités de nectar.

Figure 22-29

Un oiseau *(Anthreptes collarii)* perché sur les fleurs d' « oiseau du paradis » *(Strelitzia reginae)* et y recherchant le nectar, en Afrique du Sud.

(a)

(b)

(c)

Figure 22-30

Exemples de fleurs pollinisées par les oiseaux. **(a)** Ancolie *(Aquilegia canadensis)*. Certaines pièces du périanthe sont transformées en cornets remplis de nectar. Les colibris volettent devant les fleurs pendantes et atteignent leur nectar au vol. Le nectar des ancolies est inaccessible à la plupart des autres animaux. **(b)**, **(c)** Poinsettias *(Euphorbia pulcherrima)*. Les fleurs de cette plante familière, originaire du Mexique, sont petites, verdâtres et réunies en inflorescences, mais chaque groupe de fleurs possède un grand nectaire jaune d'où s'écoule un abondant nectar. En **(b)**, on voit des fourmis qui butinent ce nectar. Les feuilles supérieures modifiées, de couleur rouge vif, attirent les colibris vers les inflorescences.

Les oiseaux et les autres animaux pollinisateurs limitent généralement leurs visites aux fleurs d'une seule espèce, au moins pendant une courte période de temps. Ce n'est cependant pas le seul facteur favorable à l'allogamie. Il ne faut pas que le pollinisateur limite ses visites à une seule fleur ou aux fleurs d'une seule plante. Lorsque les fleurs sont régulièrement visitées par des animaux de grande taille, qui dépensent beaucoup d'énergie — comme les oiseaux, les sphinx ou les chauves-souris — les fleurs doivent produire beaucoup de nectar pour satisfaire aux besoins énergétiques des animaux et les encourager à revenir. Par contre, si des animaux dépensant peu d'énergie, comme les petits hyménoptères et coléoptères, ont à leur disposition une quantité importante de nectar, ils auront tendance à rester dans une seule fleur. S'y trouvant bien, ces visiteurs ne se déplaceront pas sur les fleurs d'autres plantes où ils pourraient effectuer une pollinisation croisée. Par conséquent, les espèces régulièrement pollinisées par des animaux à forte consommation d'énergie, comme les colibris, ont tendance à produire des fleurs dont le nectar se trouve dans des tubes profonds ou à d'autres endroits inaccessibles aux animaux plus petits à faible consommation d'énergie. De plus, la couleur rouge est un signal pour les oiseaux, mais pas pour la plupart des insectes. Comme nous-mêmes, les oiseaux ne réagissent guère aux indices olfactifs. Les fleurs rouges inodores n'ont donc pas tendance à attirer les insectes. Cette adaptation est un avantage, eu égard à l'abondante production de nectar par ces fleurs.

Les fleurs pollinisées par les chauves-souris produisent beaucoup de nectar, ont des couleurs ternes et des odeurs fortes. On rencontre des chauves-souris fréquentant les fleurs dans les régions tropicales de l'Ancien et du Nouveau Monde, et pour plus de 250 espèces — un quart environ du nombre total de chauves-souris — une partie du régime se compose de nectar, de fruits ou de pollen. Ces espèces ont un museau mince et allongé et une langue longue et extensible, parfois terminée en brosse ; leurs dents antérieures sont en outre souvent réduites ou absentes.

Les fleurs visitées par les chauves-souris ressemblent souvent beaucoup à celles qui sont visitées par les oiseaux : elles sont grandes, robustes, et produisent beaucoup de nectar (Figure 22-31). Comme les chauves-souris ont des mœurs nocturnes, les fleurs visitées ont normalement une couleur terne et beaucoup ne s'ouvrent que la nuit. De nombreuses fleurs pollinisées par les chauves-souris sont tubulaires ou possèdent d'autres moyens de protéger leur nectar. Certaines de ces fleurs — ainsi que les fruits, régulièrement disséminés par les chauves-souris — pendent à l'extrémité de longs pédoncules en-dessous le feuillage, endroit où les chauves-souris peuvent plus facilement se déplacer D'autres fleurs pollinisées par ces animaux se forment sur les troncs des arbres. Les chauves-souris sont attirées vers

Figure 22-31

En enfonçant sa tête à l'intérieur de la corolle tubulaire d'un cactus *(Stenocereus thurberi)*, cette chauve-souris, *Leptonycteris curasoae*, peut laper le nectar à l'aide de sa longue langue soyeuse. Une partie du pollen adhérant à la face et au cou de l'animal est transférée à la fleur qu'il visitera ensuite. Cette espèce de chauve-souris est une des plus spécialisées parmi celles qui se nourrissent de nectar ; elle migre du Mexique central et méridional vers les déserts du sud-ouest des États-Unis à la fin du printemps et au début de l'été. Elle s'y nourrit du nectar et du pollen de ce cactus, du saguaro, ainsi que des fleurs d'agave.

les fleurs surtout par leur sens de l'odorat. Les fleurs qu'elles pollinisent sont donc caractérisées soit par de très fortes odeurs de fermentation ou de fruits, soit par des senteurs musquées qui rappellent celles qu'émettent les chauves-souris pour s'attirer mutuellement. Les chauves-souris volent d'arbre en arbre, consommant le pollen et d'autres parties des fleurs, en transportant le pollen de fleur en fleur sur leur pelage. Au moins 130 genres d'angiospermes ont leurs fleurs pollinisées et/ou leurs graines disséminées par les chauves-souris. Parmi les angiospermes pollinisées par ces animaux, certaines sont des plantes importantes d'un point de vue économique, comme les bananiers, les manguiers, le kapokier et le sisal.

Certaines chauves-souris utilisent le pollen comme partie importante des protéines de leur régime. On a constaté que le pollen des fleurs qu'elles visitent possède des teneurs en protéines significativement supérieures à celles des fleurs pollinisées par les insectes : c'est un autre exemple de coévolution.

Les fleurs anémophiles ne produisent pas de nectar, elles ont des couleurs ternes et sont relativement inodores. Il y un siècle environ, les botanistes considéraient les angiospermes anémophiles (pollinisées par le vent) comme les représentants les plus primitifs de l'embranchement. Ils supposaient que les autres types d'angiospermes avaient évolué à partir d'elles. Les conifères — considérés à l'époque par certains comme les ancêtres directs des angiospermes — possèdent des cônes unisexués de petite taille, de couleur terne, inodores, et ils sont pollinisés par le vent. Les nombreux exemples de fleurs anémophiles ont de même des couleurs ternes, elles sont relativement inodores et ne produisent pas de nectar. Les pétales de ces fleurs sont petits ou absents et les sexes sont souvent séparés sur la même plante. L'étude d'autres caractères de ces angiospermes anémophiles — en particulier de leur bois spécialisé et de leur pollen — a cependant convaincu la majorité des botanistes qu'elles n'ont pas évolué à partir des conifères, mais à partir d'autres angiospermes entomophiles.

Selon l'opinion récente, les angiospermes anémophiles sont apparues indépendamment à partir de plusieurs ancêtres. Elles sont le mieux représentées dans les régions tempérées et sont relativement rares sous les tropiques. Dans les climats tempérés, de nombreux arbres d'une même espèce croissent souvent à faible distance les uns des autres et la dispersion du pollen par le vent est facilitée au début du printemps par l'absence de feuilles. Dans les régions tropicales par contre, le nombre d'espèces d'arbres dans une même région est très élevé et les individus d'une même espèce sont souvent très distants les uns des autres. Dans beaucoup de formations végétales tropicales en outre, les arbres sont sempervirents et la dissémination du pollen par le vent est plus difficile que dans les forêts décidues tempérées en l'absence des feuilles. Dans ces conditions, la pollinisation par les insectes et d'autres animaux capables de retrouver d'autres individus de la même espèce végétale, à des distances parfois relativement grandes (20 kilomètres au moins, dans certains cas), est bien plus efficace que la pollinisation par le vent.

Ne dépendant pas des insectes pour transporter leur pollen, les angiospermes anémophiles ne dépensent pas leur énergie à produire de la nourriture pour les insectes visiteurs en compensation. La pollinisation par le vent est toutefois très peu efficace et elle ne réussit que si un grand nombre d'individus de la même espèce sont suffisamment

(c)

(a)   (b)

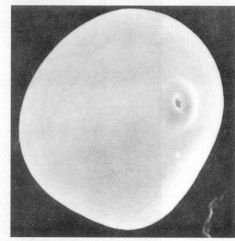

(d)

Figure 22-32

Contrairement à la majorité des angiospermes, les grami-nées possèdent des fleurs anémophiles. Le maïs *(Zea mays)* possède **(a)** des inflorescences (panicules) mâles et **(b)** des inflorescences femelles, dont s'échappent les longs stigmates (les « soies » des épis de maïs), situées plus bas sur la tige. **(c)** Les stigmates des graminées sont généralement étalés et plumeux, ce qui augmente l'effica-cité de la capture du pollen émis par des anthères pendan-tes et agitées par le vent, que l'on voit ici chez une graminée du genre *Agropyron*. **(d)** Micrographie au microscope électronique à balayage d'un grain de pollen de maïs, montrant la paroi pollinique lisse que l'on trouve chez la plupart des plantes pollinisées par le vent, ainsi que l'aperture unique caractéristique des monocotylées.

rapprochés. Pratiquement tout le pollen transporté par le vent retombe sur le sol à moins de 100 mètres de la plante d'origine. Si les individus sont trop distants, le grain de pollen n'aura donc qu'une faible chance d'atteindre un stigmate réceptif. Beaucoup de plantes anémophiles sont soit dioïques (les fleurs mâles et femelles sont sur des plantes dif-férentes), comme les saules, soit monoïques (il existe des fleurs mâles et femelles sur la même plante), comme les chênes (voir figure 21-10), soit génétiquement autoincompatibles, comme beaucoup de grami-nées (page 511). Même si leur pollen se déplace un peu au hasard, ces plantes ont déjà mis au point des mécanismes qui maintiennent l'allogamie à un niveau élevé.

Les fleurs anémophiles possèdent généralement des étamines bien exposées, capables de libérer facilement leur pollen dans le vent. Chez certaines espèces, les anthères sont suspendues à de longs filets et pendent en-dehors de la fleur (Figures 22-32 et 22-33). Les grains de pollen abondants, généralement lisses et de petite taille, n'adhè-rent pas entre eux comme ceux des espèces entomophiles. Les grands stigmates sont normalement bien dégagés et ils possèdent souvent des ramifications plumeuses facilitant l'interception des grains de pollen portés par le vent. Chez la plupart des plantes anémophiles, l'ovaire ne contient qu'un seul ovule (et leurs fruit n'auront donc qu'une graine), parce que chaque pollinisation nécessite la rencontre entre un grain de pollen et un stigmate pour aboutir à la fécondation d'un ovule. De cette façon, chaque fleur de chêne ne produit qu'un gland et chaque fleur de graminée un seul grain. En compensation, peut-être, ces plantes possèdent des fleurs très petites et ont tendance à en réunir un grand nombre dans leurs inflorescences (Figures 22-32 à 22-34).

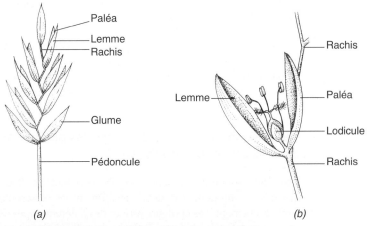

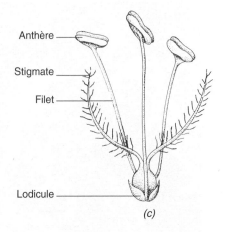

(a)　　　　(b)　　　　(c)

Figure 22-33

Les fleurs des graminées sont généralement groupées en inflorescences (épillets). **(a)** À la floraison, une paire de bractées écailleuses — les glumes — s'entr'ouvrent et exposent un axe central allongé, le rachis, qui porte une ou plusieurs fleurs (plus ou moins nombreuses suivant les espèces). **(b)** Chaque fleur est enveloppée par ses deux glumelles, la lemme et la paléole (paléa). **(c)** La dilatation des glumellules (lodicules) — petits organes arrondis situés à la base du carpelle — écarte les glumelles et expose les parties internes de la fleur au moment de l'anthèse. Les étamines, généralement au nombre de trois, possèdent des filets minces et de longues anthères ; les stigmates sont généralement longs et plumeux, d'où leur efficacité pour l'interception du pollen transporté par le vent.

Figure 22-34

La plupart des arbres les plus répandus dans les régions tempérées sont anémogames. Les fleurs mâles du bouleau à papier (*Betula papyrifera*) seront portées par des chatons pendants, à axe grêle et flexible, long de plusieurs centimètres. Les chatons sont agités par le vent et dispersent ainsi le pollen à maturité.

Certaines angiospermes nageantes sont pollinisées par l'eau.

Quelques angiospermes — environ 79 familles et 380 genres — sont des plantes aquatiques submergées, vivant en mer ou dans l'eau douce. Dans 18 de ces genres, le pollen est transporté sous l'eau ou flotte en surface d'une plante à l'autre. Chez certaines de ces plantes, les grains de pollen sont soit filiformes, ce qui augmente leurs chances de rencontrer des stigmates réceptifs, soit réunis en chaînes, avec les mêmes conséquences (Figure 22-35a). Le pollen filiforme de certains genres aquatiques se distingue par l'absence d'exine. Dans d'autres genres de plantes aquatiques submergées, le pollen est disséminé à la surface de l'eau. Chez *Valisneria*, par exemple, qui vit dans les eaux douces, la fleur mâle toute entière est libérée sous l'eau et flotte à la surface, où ses trois étamines se dressent et fonctionnent comme une voile. En flottant juste sous la zone de tension superficielle à la surface

541

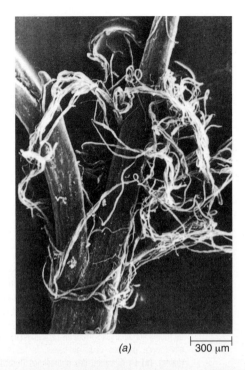

(a)   300 µm

(b)

Figure 22-35

Systèmes particuliers de pollinisation chez des angiospermes aquatiques submergées. **(a)** Les stigmates minces et ramifiés de cette plante marine, *Amphibolis*, observés au microscope électronique à balayage, ont capturé de nombreux grains de pollen filamenteux libérés par les plantes mâles. **(b)** Les minuscules fleurs mâles de *Vallisneria* flottent dans la dépression creusée dans la zone de tension superficielle entourant la fleur femelle beaucoup plus grande. Les grains de pollen volumineux sont visibles sur les fleurs mâles.

de l'eau, la fleur femelle crée une petite dépression dans laquelle glissent les fleurs mâles (Figure 22-35b).

Contrairement à ces plantes dotées de systèmes de pollinisation très spécialisés, visiblement très évolués, la plupart des angiospermes aquatiques sont soit anémophiles, soit entomophiles comme leurs ancêtres terrestres. Leurs fleurs s'épanouissent au-dessus de la surface de l'eau.

Les flavonoïdes sont les pigments les plus importants pour la coloration des fleurs

La couleur est un des caractères les plus apparents des fleurs d'angiospermes — elle permet d'identifier aisément les représentants de cet embranchement. Les couleurs variées des différents types de fleurs ont évolué en fonction de leurs systèmes de pollinisation et ce sont généralement, comme nous venons de le voir, des signaux destinés à des animaux particuliers.

Les pigments responsables des couleurs des fleurs d'angiospermes existent généralement aussi chez d'autres plantes vasculaires. C'est leur concentration dans les fleurs, et particulièrement dans leur corolle, qui est caractéristique des angiospermes. Il est étonnant que toutes les couleurs des fleurs proviennent d'un nombre limité de pigments. Beaucoup de fleurs rouges, oranges ou jaunes doivent leur coloration à la présence de caroténoïdes semblables à ceux qui se trouvent dans les feuilles (ainsi que chez toutes les plantes, chez les algues vertes et chez certains autres organismes). Les pigments les plus importants pour la coloration des fleurs sont cependant les **flavonoïdes**, substances formées de deux cycles à six carbones reliés par une unité à trois carbones. Il existe probablement des flavonoïdes chez toutes les angiospermes et leur présence est sporadique dans d'autres groupes de plantes. Dans les feuilles, les flavonoïdes absorbent les rayons ultraviolets lointains, dangereux pour les acides nucléiques et les protéines. Ils laissent sélectivement passer la lumière dans les bandes bleu-violet et rouge, importantes pour la photosynthèse.

Les pigments d'une des principales classes de flavonoïdes, les anthocyanes, occupent la première place parmi les responsables de la couleur des fleurs (Figure 22-36). La plupart des pigments végétaux rouges et bleus sont des anthocyanes ; elles sont hydrosolubles et se rencontrent dans les vacuoles. Au contraire, les caroténoïdes sont solubles dans les huiles et sont situés dans les plastes. La couleur d'un pigment anthocyanique dépend de l'acidité du liquide vacuolaire. La cyanidine, par exemple, est rouge en solution acide, violette en solution neutre et bleue en solution alcaline. Dans certaines fleurs, la couleur des fleurs change après la pollinisation, en général en raison de la production de grandes quantités d'anthocyanes, et elles deviennent ainsi moins visibles pour les insectes.

Un autre groupe de flavonoïdes, celui des **flavonols**, est très fréquent dans les feuilles, ainsi que dans beaucoup de fleurs. Certains de ces composés sont presque ou complètement incolores, mais ils peuvent contribuer à la coloration ivoire ou blanchâtre de certaines fleurs.

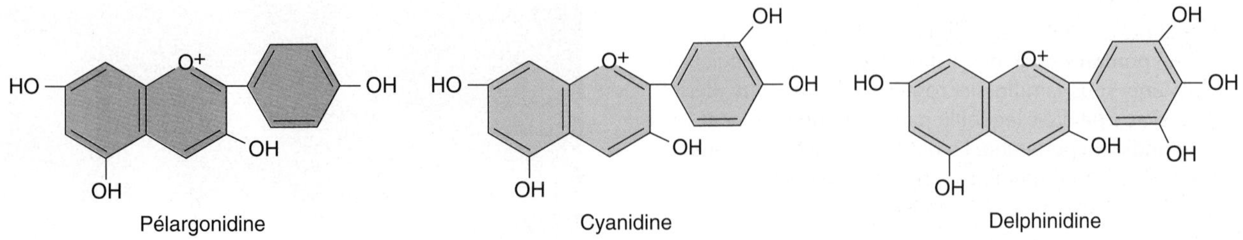

Figure 22-36

Trois anthocyanes, pigments de base responsables de la coloration de nombreuses fleurs d'angiospermes : la pélargonidine (rouge), la cyanidine (violette) et la delphinidine (bleue). Les flavonols jaunes ou ivoire et les caroténoïdes rouges, oranges ou jaunes sont des substances apparentées. Les bétacyanines (bétalaïnes) sont des pigments rouges qui n'existent que dans un seul groupe de dicotylées. Les mélanges de ces différents pigments, ainsi que les modifications du pH cellulaire, sont responsables de toute la gamme de couleurs des angiospermes. Les changements de couleur des fleurs sont des « signaux » pour les pollinisateurs : ils les informent des fleurs qui viennent de s'ouvrir et qui ont donc plus de chance de leur offrir de la nourriture.

Chez toutes les angiospermes, les colorations caractéristiques sont la conséquence de mélanges différents de flavonoïdes et de caroténoïdes (et des modifications du pH cellulaire) mais aussi de différences structurales, en particulier de la réflectance des pièces florales. Les couleurs vives des feuilles d'automne sont dues à la transformation de grandes quantités de flavonols incolores en anthocyanes lorsque la chlorophylle se dégrade. Dans les fleurs complètement jaunes du populage (*Caltha palustris*), la partie externe du périanthe qui réfléchit les ultraviolets est colorée par des caroténoïdes, alors que la partie interne qui absorbe les ultraviolets est jaune à nos yeux en raison de la présence d'un chalcone jaune, un flavonoïde. Pour une abeille ou tout autre insecte, la partie externe de la fleur apparaît comme un mélange de jaune et d'ultraviolet, couleur appelée « pourpre de l'abeille », alors que la partie interne apparaît d'un jaune pur (Figure 22-22). Dans la plupart des fleurs, mais pas dans toutes, la réflexion les ultraviolets est lié à la présence de caroténoïdes, et les figures produites par les ultraviolets seront donc plus fréquentes dans les fleurs jaunes que dans les autres.

Dans les familles des chénopodes, des cactus et des pourpiers, ainsi que chez d'autres *Chenopodiales (Centrospermae)*, les pigments rougeâtres ne sont pas des anthocyanes, ni même des flavonoïdes, mais un groupe de composés aromatiques plus complexes, les **bétacyanines** (ou bétalaïnes). Les bractées rouges de *Bougainvillea* et la coloration rouge des betteraves sont dues à la présence de bétacyanines. Il n'existe pas d'anthocyanes chez ces plantes, et les familles caractérisées par la présence de bétacyanines sont étroitement apparentées entre elles.

L'évolution des fruits

De même que les fleurs ont évolué en fonction de leur pollinisation par des types différents d'animaux et d'autres agents, les fruits ont également évolué vers l'efficacité des différents modes de dissémination. Comme la pollinisation, la dissémination des fruits est un aspect fondamental du rayonnement adaptatif des angiospermes. Avant d'envisager le sujet en détail, cependant, il est nécessaire de donner quelques informations fondamentales sur la structure du fruit.

Un fruit est un ovaire mûr, mais il peut comprendre éventuellement d'autres parties de la fleur. Un fruit qui contient d'autres parties de la fleur que l'ovaire est appelé un **faux fruit.** Bien que tous les fruit contiennent généralement des graines, certains — les **fruits parthénocarpiques** — peuvent se développer sans production de graines. Les variétés cultivées de bananier sont des exemples de cet état exceptionnel.

On distingue généralement des fruits simples, multiples ou composés, suivant la disposition des carpelles dont dérive le fruit. Les **fruits simples** se développent à partir d'un carpelle ou de plusieurs carpelles soudés. Les **fruits apocarpes**, ou composés, comme ceux des magnolias, des framboisiers et des fraisiers, sont formés de plusieurs carpelles d'un même gynécée. Ils sont formés de plusieurs fruits simples ; on peut en voir un exemple dans le fruit de magnolia de la figure 22-4c. Les **fruits multiples** proviennent du gynécée de plusieurs fleurs. L'ananas est un exemple de fruit multiple formé par une inflorescence comprenant un grand nombre d'ovaires séparés à l'origine, soudés à l'axe qui portait les fleurs (les autres pièces florales sont écrasées entre les ovaires agrandis).

Les fruits simples sont de loin les plus diversifiés. Quand ils sont mûrs, ils peuvent être mous et charnus, secs et ligneux, ou minces comme une feuille de papier. Il existe trois sortes principales de fruits charnus — les baies, les drupes et les pommes. Dans les **baies** — les tomates, les dattes et les raisins, par exemple — il peut exister un ou plusieurs carpelles, chacun contenant normalement plusieurs graines. La partie interne du péricarpe est charnue. Les **drupes** peuvent également comporter un ou plusieurs carpelles, mais chaque carpelle ne contient généralement qu'une seule graine. La partie interne du fruit est dure et adhère généralement à la graine. Les pêches, les cerises, les olives et les prunes sont des drupes familières. Les noix de coco sont des drupes dont la partie externe n'est pas charnue, mais fibreuse ; dans les régions tempérées, nous ne voyons cependant en général que la graine de coco avec l'endocarpe dur qui y adhère (Figure 22-37). Les **pommes** sont des fruits charnus très spécialisés caractéristiques d'une sous-famille de rosacées. La pomme dérive d'un ovaire infère syncarpe dans lequel la partie charnue provient surtout de la base agrandie du périanthe. La partie interne d'une pomme, l'endocarpe, ressemble à une membrane rigide, que chacun connaît pour avoir mangé des pommes et des poires, les deux exemples les plus communs de ce type de fruit.

Les fruits secs simples sont déhiscents (Figures 22-38 et 22-39) ou indéhiscents (Figure 22-40). Dans les **fruits déhiscents**, les tissus de la paroi ovarique (le péricarpe) s'ouvrent à maturité et libèrent les graines. Dans les **fruits indéhiscents**, les graines restent par contre dans le fruit quand il est tombé de la plante.

Il existe plusieurs sortes de fruits simples déhiscents. Le **follicule** dérive d'un carpelle isolé qui s'ouvre par une fente à maturité, comme chez l'ancolie et les *Asclepias* (Figure 22-38a). Les follicules sont également caractéristiques d'une plante du crétacé moyen, aujourd'hui disparue, *Archaeanthus* (Figure 22-5) ; on en trouve aussi chez les magnolias (Figure 22-4c). Dans la famille du pois *(Fabaceae)*, le fruit typique est une **gousse.** Les gousses rappellent les follicules, mais elles s'ouvrent par deux fentes (Figure 22-39). Dans la famille du chou *(Brassicaceae)*, le fruit est une **silique,** il est formé de deux carpelles soudés. À maturité, les deux valves du fruit s'écartent et les graines restent attachées à une portion centrale persistante (Figure 22-38c). Le fruit sec simple déhiscent le plus commun est la **capsule**, formée d'un ovaire pluricarpellaire chez des plantes qui possèdent un ovaire supère ou infère. Les capsules disséminent leurs graines de différentes façons. Dans la famille du pavot *(Papaveraceae)*, les graines sont souvent libérées par des fentes longitudinales de la capsule mais, chez certaines espèces, elles sont disséminées par des pores proches du sommet de la capsule (Figure 33-38b).

On trouve des fruits secs simples indéhiscents dans beaucoup de familles différentes. Le plus commun est l'**akène**, petit fruit contenant une seule graine libre dans la cavité sauf au niveau de sa fixation par

(a)

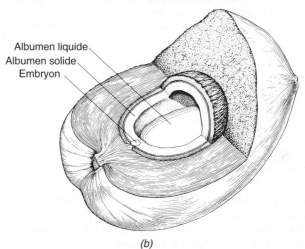

Albumen liquide
Albumen solide
Embryon

(b)

Figure 22-37

Le cocotier *(Cocos nucifera)* est très répandu le long des côtes marines du monde entier parce que ses fruits sont capables de flotter longtemps et de germer ensuite lorsqu'ils arrivent sur terre. **(a)** Noix de coco en germination sur une plage de Floride. **(b)** Schéma d'un fruit de cocotier. Le lait de coco est un albumen liquide. Les parois se forment autour des noyaux dans l'albumen liquide, qui durcit au moment de la germination. Dans le commerce, les enveloppes externes sont généralement éliminées pour le transport et, en conséquence, on ne voit en général, dans les régions tempérées, que l'endocarpe durci qui entoure la graine.

(a)

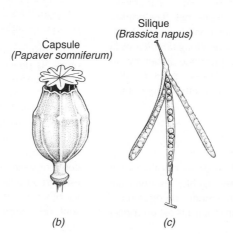

Capsule
(Papaver somniferum)

Silique
(Brassica napus)

(b)   (c)

Figure 22-38

Fruits déhiscents. **(a)** Déhiscence des follicules d'un *Asclepias*. **(b)** Chez certaines *Papaveraceae*, comme les pavots *(Papaver)*, la capsule libère ses graines par des pores situés près du sommet du fruit. **(c)** Les crucifères *(Brassicaceae)* possèdent un fruit caractéristique, appelé silique, dans lequel les graines se forment sur un septum central, entouré de deux valves caduques à maturité.

(a)   *(b)*

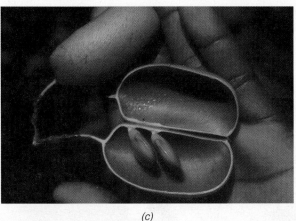

(c)

Figure 22-39

La gousse est un fruit généralement déhiscent, typique de la famille des *Fabaceae* (appelée également *Leguminosae*). Avec quelque 18.000 espèces, les *Fabaceae* constituent une des plus grandes familles d'angiospermes. De nombreux représentants de la famille sont capables de fixer l'azote atmosphérique grâce à la présence de bactéries du genre *Rhizobium* qui produisent des nodules sur leurs racines (voir chapitre 30). Pour cette raison, ces plantes sont souvent les premières à coloniser les sols assez peu fertiles, en régions tropicales par exemple, et elles peuvent s'y développer rapidement. Les graines de nombreuses plantes de cette famille, comme les pois, les haricots et les lentilles, sont des aliments importants. **(a)** Gousses du pois cultivé, *Pisum sativum*. **(b)** Gousses d'*Albizzia polyphylla*, qui vit à Madagascar. Chaque graine se trouve dans une loge distincte du fruit. **(c)** Gousse de *Griffonia simplicifolia*, arbuste d'Afrique de l'Ouest. Les deux valves de la gousse ont été séparées et montrent les deux graines à l'intérieur.

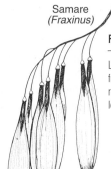

Samare
(Fraxinus)

Figure 22-40

La samare est un fruit indéhiscent ailé, caractéristique des frênes *(Fraxinus)* et des ormes *(Ulmus)* ; la graine unique y reste enfermée à maturité. Les samares sont disséminées par le vent.

le funicule. Les akènes sont typiques de la famille des renoncules *(Ranunculaceae)* et de celle du sarrasin *(Polygonaceae)*. Les akènes ailés, comme ceux que l'on trouve chez les ormes et les frênes, s'appellent des **samares** (Figure 22-40). Le fruit des graminées *(Poaceae)* ressemble à un akène : c'est un **caryopse**, ou grain ; dans le caryopse, le spermoderme est étroitement soudé à la paroi du fruit. Chez les *Asteraceae,* le fruit est un akène complexe dérivé d'un ovaire infère ; techniquement, on l'appelle une **cypsela** (voir figure 22-42). Les glands et les noisettes sont des exemples de noix, qui ressemblent aux akènes, mais possèdent une paroi dure et dérivent d'un ovaire à plusieurs carpelles. Finalement, dans les familles de la carotte *(Apiaceae)* et des érables *(Aceraceae)*, et dans certains autres groupes non apparentés, le fruit est **schizocarpe,** il se divise à maturité en une ou plusieurs parties contenant une graine (Figure 22-41a).

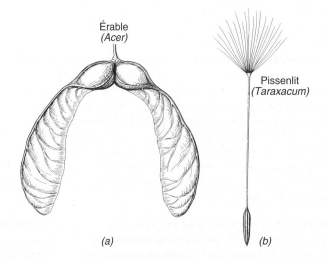

Érable
(Acer)

Pissenlit
(Taraxacum)

(a)   *(b)*

Figure 22-41

Fruits disséminés par le vent. **(a)** chez les érables *(Acer)*, chaque moitié du fruit schizocarpe possède une aile allongée. **(b)** Les fruits du pissenlit *(Taraxacum)* et de nombreuses autres composées possèdent un calice modifié, appelé pappus, qui adhère à l'akène mûr et peut former une structure plumeuse favorisant la dispersion par le vent.

Les fruits et les graines ont évolué parallèlement aux agents de dispersion

De même que les fleurs ont évolué en fonction des caractéristiques des pollinisateurs qui les visitent régulièrement, les fruits ont également évolué en fonction des agents qui interviennent dans leur dissémination. Dans ces deux systèmes de coévolution, de nombreuses modifications liées à des agents de dissémination différents sont apparues à l'intérieur de certaines familles ; on y observe également de nombreux cas d'évolution convergente conduisant à des structures d'aspect semblable avec les mêmes fonctions. Nous allons passer en revue certaines adaptations des fruits, en relation avec les agents qui les dispersent.

Chez beaucoup de plantes, les fruits et les graines sont transportés par le vent. Les fruits ou les graines de certaines plantes sont disséminés par le vent (Figures 22-38a, 22-40, 22-41). Les graines, fines comme la poussière, de toutes les espèces d'orchidées sont, par exemple, disséminées par le vent. D'autres fruits possèdent des ailes, parfois dérivées de pièces florales, qui leur permettent d'être emportée par le vent à une certaine distance. Dans les schizocarpes d'érable, par exemple, chaque carpelle produit une longue aile (Figure 22-41a). Les deux carpelles se détachent et tombent à maturité. Beaucoup d'espèces d'*Asteraceae* — les pissenlits par exemple — produisent un pappus plumeux qui facilite l'envol des fruits légers. (Figures 22-41b et 22-42). Chez certaines plantes, c'est la graine elle-même, plutôt que le fruit, qui porte une aile ou une aigrette. La graine de la linaire *(Linaria vulgaris)* est ailée, celles des épilobes *(Chamaenerion)* et des *Asclepias* (Figure 22-38a), portent une aigrette. Chez les saules et les peupliers (famille des *Salicaceae*), le spermoderme est couvert de poils laineux Chez les *Salsola*, la plante entière (ou une partie de celle-ci) est poussée par le vent et disperse ses graines au cours de ses déplacements (Figure 22-43).

D'autres plantes projettent leurs graines. Chez l'impatiente *(Impatiens),* les valves de la capsule se séparent brusquement et projettent leurs graines à une certaine distance. Chez *Hamamelis*, l'endocarpe se contracte quand le fruit se dessèche et expulse les graines avec une telle violence qu'elles vont parfois jusqu'à 15 mètres de la plante. Un autre exemple d'autodispersion est représenté à la figure 22-44. Contrairement à ces modes actifs de dissémination, les graines ou les fruits de nombreuses plantes tombent simplement sur le sol et sont dispersés plus ou moins passivement (ou sporadiquement, par exemple par la pluie ou les inondations).

Les fruits et les graines capables de flotter sont dispersés par l'eau. Les fruits et les graines de nombreuses plantes, en particulier de celles qui poussent dans ou près de pièces d'eau, sont adaptées à la flottaison, soit parce que certaines parties du fruit emprisonnent de l'air, soit parce que le fruit contient un tissu pourvu de grands espaces aérifères. Certains fruits sont particulièrement bien adaptés à la dissémination par les courants marins. La noix de coco en est un exemple remarquable (Figure 22-37) ; c'est pour cette raison que pratiquement tous les atolls récents du Pacifique acquièrent rapidement leurs propres cocotiers.

Figure 22-42

Les petits fruits indéhiscents familiers des pissenlits sont des akènes pourvus d'un calice transformé, plumeux (le pappus) et sont disséminés par le vent. Cette photographie montre des capitules fructifiés du genre *Agoseris*, proche parent des pissenlits.

Figure 22-43

Chez ces salsolas, la plante entière est déracinée, elle est poussée par le vent à travers la campagne et disperse ses graines à la suite des chocs. Le nombre de ces plantes amenées par le vent à Mobridge, dans le Dakota du Sud, le 8 novembre 1989 était tel que la ville entière en fut envahie. Les salsolas sont originaires d'Eurasie, mais ils ont été introduits comme mauvaises herbes en Amérique du Nord et ailleurs.

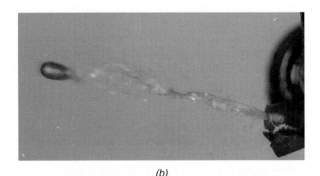

(a)

(b)

Figure 22-44

Le gui nain *(Arceuthobium)* est un parasite des dicotylées ; il est la cause de sérieuses pertes dans les forêts de l'ouest des États-Unis. **(a)** Plante se développant sur une branche de pin dans l'ouest des États-Unis. **(b)** Expulsion d'une graine. Une pression hydrostatique élevée prend naissance dans le fruit et projette les graines latéralement jusqu'à 15 mètres. La vitesse initiale des graines atteint environ 100 kilomètres par heure. C'est entre autres par ce moyen que les graines sont disséminées d'arbre en arbre ; elles sont également visqueuses et peuvent être transportées d'un arbre à l'autre sur des distances beaucoup plus grandes en adhérant aux pattes ou aux plumes des oiseaux.

La pluie est également un moyen de dissémination fréquent des fruits et des graines ; elle est particulièrement importante pour les plantes vivant sur les collines et les flancs des montagnes.

Les fruits et les graines charnus ou ou pourvus de dispositifs d'adhérence sont dispersés par les animaux. Il est évident que l'évolution de fruits charnus sucrés et souvent très colorés a participé à la coévolution des animaux et des angiospermes. La plupart des fruits dont la plus grande partie du péricarpe est charnue — les bananes, cerises, framboises, cornouilles, raisins — sont consommés par des vertébrés. Quand ces fruits sont consommés par des oiseaux ou des mammifères, les graines qu'ils contiennent sont disséminées après être passés sans dommage par le tube digestif ou, chez les oiseaux, après avoir été régurgitées à une certaine distance de l'endroit où ils avaient été ingérées (Figure 22-45). Une digestion partielle favorise parfois la germination des graines en entamant leur spermoderme.

(a)

(b)

(c)

Figure 22-45

Les graines des fruits charnus sont généralement dispersées par des vertébrés qui consomment les fruits et regurgitent les graines ou les transmettent par leurs fèces. Voici des exemples de fruits dispersés par des vertébrés. **(a)** La fraise *(Fragaria)* est un exemple de fruit apocarpe. Les akènes se forment à la surface du réceptacle charnu. Avant maturité, les fraises sont vertes, comme beaucoup de fruits disséminés par les oiseaux ou les mamifères, mais elles rougissent lorsque les graines sont mûres et donc prêtes à être disséminées. **(b)** À maturité, les baies de nombreux cactus, comme cet *Opuntia*, du le sud du Mexique, sont visibles de loin. **(c)** Baies d'un chèvrefeuille, *Lonicera hispidula*. Ces baies se développent à partir d'ovaires infères et les bases soudées des verticilles externes de la fleur en font donc partie. La figure 22-11c montre une fleur de cette espèce.

Au cours de leur maturation, les fruits charnus subissent une série de modifications typiques induites par une hormone, l'éthylène, dont il sera question au chapitre 28. Parmi ces modifications, citons une augmentation de la teneur en sucre, un ramollissement du fruit provoqué par la dégradation de substances pectiques et souvent une modification de la couleur, qui passe d'un vert neutre, comme celui des feuilles, au rouge vif (Figure 22-45a), au jaune, au bleu ou au noir. Les graines de certaines plantes, surtout chez des espèces tropicales, possèdent des appendices charnus, ou arilles, qui ont les couleurs brillantes typiques des fruits charnus : comme ceux-ci, elles sont disséminées par les vertébrés. Les arilles des ifs (*Taxus* ; voir figure 20-31) ne sont pas homologues des structures appelées arilles chez les angiospermes, parce qu'elles sont produites par la graine, et non par le fruit. Elles jouent cependant un rôle identique dans la dissémination des graines.

Avant leur maturité, les fruits sont souvent verts ou d'une teinte neutre, passant inaperçus parmi les feuilles vertes de la plante et ainsi quelque peu cachés aux yeux des oiseaux, des mammifères et des insectes. Ils peuvent aussi avoir un goût désagréable — comme les cerises *(Prunus)* vertes, qui ont un fort goût acide — les animaux évitent ainsi de les consommer avant la maturité des graines. Le changement de couleur qui accompagne la maturation sont des « signaux » donnés par la plante pour signaler que le fruit est prêt à la consommation — les graines sont mûres et prêtes à la dispersion (Figure 22-45). Ce n'est pas une coïncidence que la couleur rouge soit si fréquente chez les fruits mûrs. Les fruits rouges sont invisibles pour les insectes parce qu'ils se confondent dans l'arrière plan des feuilles vertes. Les insectes sont trop petits pour disséminer efficacement les graines volumineuses des fruits charnus et leur dissimulation constitue donc un avantage pour ces plantes. En même temps, les fruits rouges sont très visibles pour les vertébrés qui les consomment et participent à la dissémination de leurs graines mûres.

Certaines angiospermes possèdent des fruits ou des graines disséminées grâce à leur adhérence au pelage ou aux plumes (Figure 22-46). Ces fruits et graines possèdent des crochets, des barbes, des épines, des poils ou des revêtements visqueux qui permettent leur transport, souvent sur de longues distances, par les animaux auxquels ils sont attachés.

Les fourmis sont également des agents importants de la dissémination des graines chez certaines plantes (Figure 22-47). Ces plantes ont mis au point une adaptation spéciale à la surface de leurs graines, appelée éléosome : c'est un appendice pigmenté charnu contenant des lipides, des protéines, de l'amidon, des sucres et des vitamines. Les fourmis ramènent généralement ces graines à leurs nids, où les éléosomes sont consommés par d'autres ouvrières ou par les larves, tandis que les graines restent intactes. Les graines germent facilement sur place et les plantules s'installent souvent sous la protection de leurs prédateurs et bénéficient peut-être aussi d'un environnement plus riche. Dans certaines formations végétales, comme la strate herbacée des forêts décidues du centre et de l'est des États-Unis, un tiers des espèces peuvent être ainsi disséminées par les fourmis. Parmi ces plantes, on trouve des espèces aussi familières aux États-Unis que *Claytonia virginiana*, *Dicentra cucullaria*, *Sanguinaria canadensis*, de

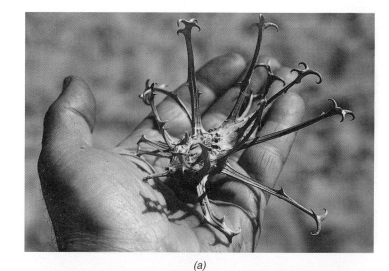

(a)

(b)

Figure 22-46

(a) Les fruits d'une plante africaine, *Harpagophytum*, appartenant à la famille du sésame *(Pedaliaceae)* sont équipés de crochets en hameçon qui s'accrochent au pelage des pattes des grands mammifères. C'est ainsi que les fruits sont disséminés. **(b)** Inflorescences mûres de lampourde *(Xanthium)*, qui s'attachent aux animaux de passage et sont ainsi dispersées. Dans ce cas, l'inflorescence entière est disséminée, et non seulement les fruits isolés, comme chez *Harpagophytum*. La lampourde appartient à la famille des *Asteraceae*.

nombreuses espèces de violettes *(Viola)* et de *Trillium* (voir Figure 1-6b).

La coévolution biochimique

Les *métabolites secondaires*, comme on les appelle (page 32) sont également importants pour l'évolution des angiospermes. Considérés à une certaine époque comme des produits de déchet, ils représentent un ensemble de substances diverses, comme les alcaloïdes, les quinones, les huiles essentielles (avec les terpénoïdes), les glycosides (y compris des substances cyanogènes et des saponines), les flavonoïdes et même les raphides (cristaux d'oxalate de calcium en forme d'aiguilles). On peut caractériser des familles entières ou des groupes de familles d'angiospermes par la présence de certaines de ces substances (Figure 22-48).

Dans la nature, ces substances chimiques paraissent jouer un rôle essentiel en réduisant l'appétabilité des plantes qui en contiennent ou en les rendant même repoussantes pour les animaux (Figure 22-49). Lorsqu'une famille végétale produit un groupe particulier de métabolites secondaires, ses espèces ne peuvent être consommées que par certaines familles d'insectes. La famille des crucifères *(Brassicaceae)*, par exemple, est caractérisée par la présence des glycosides de l'huile

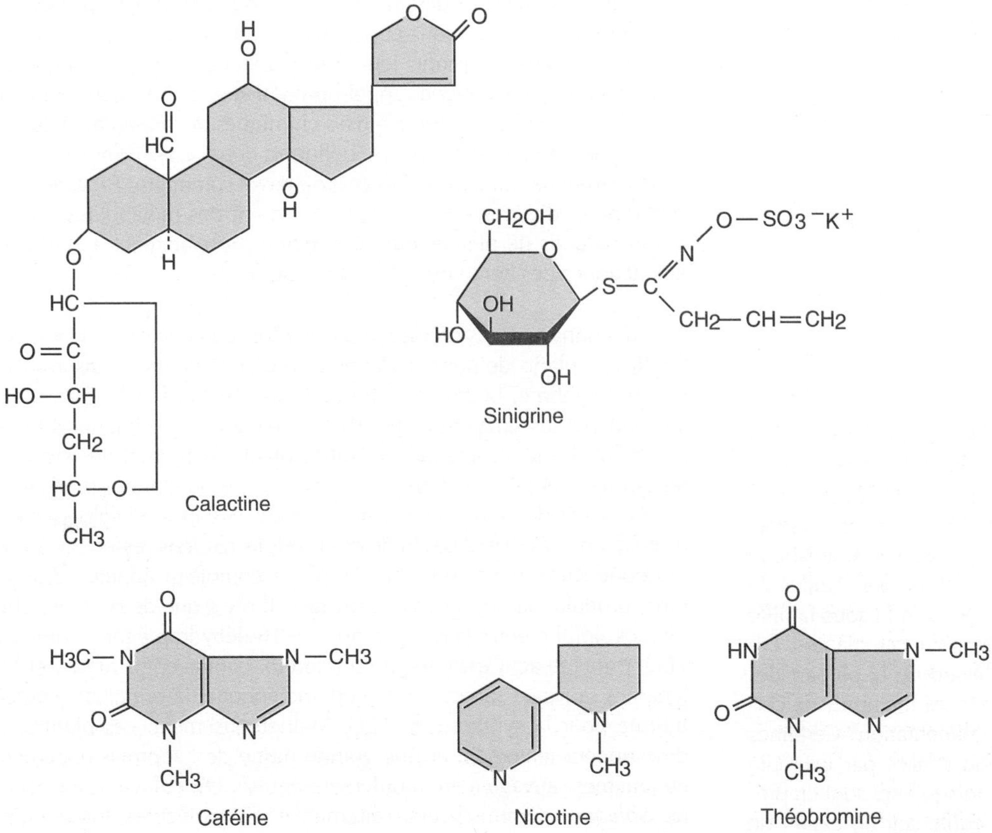

Figure 22-47

Fourmi *(Rhytidoponera metallica)* ramenant une graine d'acacia vers son nid, dans la brousse australienne. Remarquez le grand éléosome jaune.

Figure 22-48

Métabolites secondaires : la sinigrine, de la moutarde noire, *Brassica nigra* ; la calactine, glycoside cardiotonique d'*Asclepias curassavica* ; la nicotine du tabac, *Nicotiana tabacum (Solanaceae)* ; la caféine, de *Coffea arabica (Rubiaceae)* ; la théobromine, alcaloïde important du café, du thé *(Thea sinensis)* et du cacao *(Theobroma cacao)*. La nicotine, la caféine et la théobromine appartiennent à des classes différentes d'alcaloïdes, composés cycliques contenant de l'azote ; ils peuvent avoir une activité physiologique violente chez les vertébrés.

Calactine

Sinigrine

Caféine

Nicotine

Théobromine

Figure 22-49

Toxicodendron radicans produit un métabolites secondaire, le 3-pentadécanediényl catéchol, qui provoque une irritation et une éruption de la peau chez de nombreuses personnes. La pression sélective exercée par les herbivotes est probablement à l'origine de la faculté de produire cet alcool. La plante se reconnaît facilement à ses feuilles composées trifoliolées caractéristiques.

de moutarde et d'une enzyme qui dégrade ces glycosides en dégageant les odeurs âcres caractéristiques du chou, du raifort et de la moutarde. La plupart des insectes phytophages évitent les plantes de cette famille et ne s'en nourrissent pas, même en cas de disette. Cependant, certains groupes de punaises et de coléoptères, ainsi que les chenilles de certaines mites ne se nourrissent que des feuilles de crucifères. Les chenilles de la plupart des espèces de la sous-famille des *Pierinae* se nourrissent aussi exclusivement sur ces plantes. Les mêmes substances qui sont des répulsifs à l'égard de la plupart des groupes d'insectes herbivores stimulent souvent les membres de certains autres groupes très sélectifs dans leur alimentation. Certaines chenilles de mites qui se nourrissent de chou sortent par exemple leurs pièces buccales et se préparent au repas lorsqu'elles sont en présence d'une gelée d'agar ou de papier filtre contenant un extrait de ces plantes.

La faculté de synthétiser ces glycosides de l'huile de moutarde et de les garder à l'intérieur de leurs tissus est à l'évidence une étape évolutive importante qui protège les plantes de la famille des crucifères de la plupart des herbivores. Du point de vue des herbivores, ces plantes représentent une source de nourriture encore inexploitée pour tout groupe d'insectes potentiellement capable de supporter ou de dégrader les poisons élaborés par la plante. Dans l'évolution des papillons du groupe des piérides, la principale étape a probablement été franchie quand leurs ancêtres sont devenus capables de se nourrir des crucifères en décomposant leurs molécules toxiques.

Les insectes herbivores qui ont des habitudes alimentaires très sélectives à l'égard de plantes contenant des métabolites secondaires particuliers ont souvent des couleurs vives. Cette coloration est un signal avertissant leurs prédateurs que leur organisme contient des substances toxiques et qu'ils ne sont donc pas comestibles. Parmi les insectes qui se nourrissent en été sur un *Asclepias,* on peut trouver, par exemple, des chrysomélides (coléoptères) d'un vert vif, des cérambycides et des punaises rouge vif, ainsi que des papillons monarque orange et noir (voir figure 2-28). Les asclépiadacées sont très riches en alcaloïdes et glycosides, cardiotoniques très toxiques pour les vertébrés, qui sont les principaux prédateurs potentiels de ces insectes. Si un oiseau mange un papillon monarque, il souffrira de troubles gastriques graves et de vomissements, et le prédateur évitera par la suite toute proie portant un dessin orange et noir rappelant celui du monarque. D'autres insectes, comme le papillon vice-roi (qui possède également un dessin orange et noir) ont acquis, par évolution, les mêmes colorations et dessins. Ils échappent ainsi à la prédation en mettant à profit leur ressemblance avec le monarque vénéneux. Ce phénomène, appelé **mimétisme**, est, en dernière analyse, une conséquence des défenses chimiques de la plante. Différentes drogues et substances psychédéliques, comme les principes actifs de la marijuana *(Cannabis sativa)* et du pavot somnifère *(Papaver somniferum)*, et d'autres encore, sont également des métabolites secondaires naturels de plantes qui contribuent probablement à échapper aux attaques des herbivores (Figure 22-50).

On connaît des systèmes encore plus complexes. Lorsque les feuilles de plants de pomme de terre ou de tomate sont consommées par le doryphore, la concentration en inhibiteurs de protéinases, qui agissent sur les enzymes digestifs du coléoptère, augmente rapidement dans les tissus attaqués. D'autres plantes élaborent des molécules qui ressemblent aux hormones des insectes ou d'autres prédateurs et interfèrent de cette façon avec la croissance et le développement normaux de ces derniers. Un de ces produits naturels ressemble à une hormone humaine : c'est une molécule complexe appelée diosgénine, produite par les ignames sauvages. Il n'y a que deux étapes chimiques simples entre la diosgénine et le 16-déhydroprégnénolone, ou 16D, principe actif essentiel de nombreux contraceptifs oraux, et les ignames sauvages furent, à une certaine époque, la principale source utilisée pour la synthèse du 16D. Malheureusement, ces plantes se développent lentement et une grande partie de l'approvisionnement en ignames sauvage a été rapidement épuisé. On cultive des espèces de *Solanum* comme source alternative de molécules susceptibles d'être transformées facilement en 16D.

(a)   (b)

(c)   (d)

Figure 22-50

Plantes produisant des substances hallucinogènes et médicinales. **(a)** La mescaline du cactus peyote *(Lophophora williamsii)* est utilisée dans des cérémonies rituelles par beaucoup d'indiens du nord du Mexique et du sud-est des États-Unis. **(b)** Le tétrahydrocannabinol (THC) est la molécule active la plus importante du marijuana *(Cannabis sativa).* **(c)** La quinine est un médicament très efficace utilisé dans le traitement et la prévention de la malaria ; elle provient d'arbres et d'arbustes tropicaux du genre *Cinchona*. **(d)** La cocaïne est une drogue dont la consommation abusive s'est récemment développée à un niveau sans précédent ; elle provient du coca *(Erythroxylon coca),* arbuste cultivé dans le nord-ouest de l'Amérique du Sud. On voit ici une Péruvienne récoltant des feuilles de coca en culture. Les métabolites secondaires produits par ces plantes les protègent vraisemblablement des dégâts provoqués par les insectes, mais ils ont également une activité physiologique violente chez les vertébrés, y compris chez l'homme.

Comme on l'a signalé plus haut, les systèmes mis en œuvre pour la pollinisation des fleurs et la dissémination des fruits ont impliqué des mécanismes de coévolution dans lesquels des facteurs potentiellement très variables ont évolué non pas une seule, mais plusieurs fois à l'intérieur d'une famille ou même d'un genre. L'ensemble des formes qui en résulte confère aux angiospermes des systèmes de pollinisation et de dispersion des fruits extrêmement divers. En ce qui concerne les relations biochimiques cependant, les étapes évolutives paraissent avoir été fondamentales et définitives : on peut caractériser des familles entières de plantes par des caractères biochimiques et les mettre en relation avec les principaux groupes d'insectes herbivores. Ces relations biochimiques semblent avoir joué un rôle clé dans le succès des angiospermes, qui possèdent un éventail beaucoup plus diversifié de métabolites secondaires que tous les autres groupes d'organismes.

RÉSUMÉ

On suppose que les plus proches parents des angiospermes sont les Bennettitales et les gnétophytes

Les ancêtres des angiospermes ont été longtemps un sujet fort débattu, que l'on a tenté d'élucider par des analyses phylogénétiques. Ces méthodes ont montré que les spermatophytes constituent une lignée évolutive, ou clade, et que les *Bennettitales* et les gnétophytes sont les spermatophytes les plus étroitement apparentés aux angiospermes. Les trois groupes possèdent des structures reproductrices semblables aux fleurs et sont désignés ensemble comme des « anthophytes ». Seules les angiospermes appartiennent toutefois à l'embranchement des *Anthophyta*.

Plusieurs facteurs permettent d'expliquer le succès planétaire des angiospermes

Les fossiles les plus anciens attribués de façon certaine aux angiospermes datent du crétacé inférieur, il y a environ 130 millions d'années : on y inclut des fleurs et du pollen. Les angiospermes ont commencé à dominer l'ensemble de la planète il y a 80 à 90 millions d'années. Parmi les raisons possibles de leur succès, on peut citer diverses adaptations entraînant la résistance à la sécheresse, comme l'apparition des feuilles caduques, de même que l'évolution de mécanismes efficaces et souvent spécialisés de pollinisation et de dissémination des graines. Le principal rayonnement des angiospermes se situe à l'époque ou les continents austraux étaient réunis dans le vaste ensemble du Gondwawa, qui s'est subdivisé progressivement au cours de l'histoire de l'embranchement.

Les magnoliidées, qui sont les proches parents actuels des premières angiospermes, se divisent en deux groupes

Les magnoliidées ligneuses possèdent de grandes fleurs robustes et hermaphrodites, à pièces florales nombreuses disposées en spirale. Les autres magnoliidées, ou paléoherbes, possèdent des pièces florales relativement peu nombreuses et souvent des fleurs unisexuées. Ces deux groupes, qui représentent ensemble quelque 3 % des espèces actuelles d'angiospermes, sont caractérisées par un pollen à un seul pore (ou sillon), semblable à celui des monocotylées, ensemble comprenant environ 22 % des angiospermes actuelles. Les dicotylées, dont le pollen est triaperturé (pores ou sillons), rassemblent les trois quarts environ des espèces d'angiospermes ; c'est un groupe extrêmement efficace.

Les quatre verticilles de pièces florales ont évolué de différentes manières

Les fleurs typiques d'angiospermes sont composées de quatre verticilles. Le verticille externe est composé de sépales, feuilles spécialisées qui protègent le bouton floral. Les pétales de la plupart des angiospermes ont par contre évolué à partir d'étamines qui ont perdu leurs anthères au cours du temps. Les étamines et leurs anthères, comportant deux paires de sacs polliniques, sont une des caractéristiques propre aux angiospermes. Au cours de l'évolution, la différenciation entre l'anthère robuste et le mince filet semble s'être accentuée. Les carpelles sont des structures semblables aux feuilles ; ils se sont transformés au cours de l'évolution de manière en envelopper les ovules. Chez la plupart des plantes, ils se sont spécialisés et différenciés en un ovaire basal renflé, un style plus mince et un stigmate réceptif terminal. La disparition de certains verticilles floraux et les soudures de pièces dans les verticilles et entre eux ont abouti à l'évolution de types floraux spécialisés, souvent caractéristiques de certaines familles.

Les angiospermes sont pollinisées par divers agents

Les pollinisation par les insectes est fondamentale chez les angiospermes, et les premiers pollinisateurs étaient vraisemblablement des coléoptères. La fermeture du carpelle au cours de l'évolution a pu contribuer à la protection des ovules à l'égard des insectes visiteurs. Les interactions avec des groupes d'insectes pollinisateurs plus spécialisés semblent avoir évolué à un stade ultérieur de l'histoire des angiospermes ; les guêpes, les mouches, les papillons diurnes et nocturnes ont tous laissé des traces dans la morphologie florale de certaines angiospermes. Les hyménoptères sont cependant les insectes les plus spécialisés et les plus constants dans la visite des fleurs et ils ont probablement eu l'influence la plus forte sur leur évolution. Chaque groupe d'insectes pollinisateurs est associé à un ensemble spécifique de caractères floraux liés à sa vue ou à son odorat. Certaines angiospermes sont devenues anémogames, elles répandent de grandes quantités de petits grains de pollen non collants et possèdent des stigmates bien développés, souvent plumeux, adaptés à la récolte du pollen flottant dans l'air. Les plantes pollinisées par l'eau possèdent soit des grains de pollen filiformes qui nagent jusqu'aux fleurs submergées, soit différents moyens de transport du pollen sous l'eau ou à sa surface.

Différents facteurs peuvent affecter les relations entre la plante et le pollinisateur

Les fleurs régulièrement visitées par des animaux à grande consommation d'énergie, comme les les colibris, les sphinx et les chauves-souris, doivent produire de grandes quantités de nectar. Ces sources de nectar doivent pourtant être protégées et dissimulées aux autres visiteurs potentiels exigeant moins d'énergie. Ces visiteurs pourraient se satisfaire du nectar d'une seule fleur (ou de fleurs d'une seule plante) et donc ne pas visiter d'autres individus de la même espèce et réaliser une pollinisation croisée. L'efficacité de la pollinisation par le vent est maximale quand les plantes sont rassemblées en groupes importants au même endroit, alors que les insectes, les oiseaux et les chauves-souris peuvent transporter le pollen sur de grandes distances.

Les couleurs des fleurs sont déterminées principalement par des caroténoïdes et des flavonoïdes

Les caroténoïdes sont des pigments jaunes liposolubles localisés dans les chloroplastes qui fonctionnent dans la photosynthèse comme pigments accessoires. Les flavonoïdes sont des molécules cycliques hydrosolubles localisées dans la vacuole. Les anthocyanes sont des pigments bleus ou rouges : elles constituent une catégorie essentielle de flavonoïdes ; elles sont particulièrement importantes pour la coloration des fleurs et d'autres parties de la plante.

Les fruits sont en fait des ovaires mûrs

Les fruits sont tout aussi diversifiés que les fleurs dont ils dérivent ; on peut les classer soit en fonction de leur morphologie, en termes de structure et de différenciation, soit par leur fonction en termes de mode de dissémination. Les fruits sont en fait des ovaires mûrs mais, si d'autres pièces florales participent à l'achèvement de leur structure, on dit que ce sont de faux fruits. Les fruits simples dérivent d'un carpelle ou d'un groupe de carpelles soudés, les fruits apocarpes ou composés proviennent des carpelles libres d'une fleur et les fruits multiples dérivent des carpelles soudés d'un nombre plus ou moins grand de fleurs. Les fruits déhiscents s'ouvrent pour libérer les graines, les fruits indéhiscents restent clos.

Les fruits et les graines sont disséminés par le vent, l'eau ou les animaux

Les fruits et les graines portés par le vent sont légers ; ils possèdent souvent des ailes ou des aigrettes de poils qui facilitent leur dissémination. Les fruits de certains plantes explosent pour disséminer leurs graines. Certains fruits ou graines sont transportés par l'eau : ils doivent pour cela flotter et posséder une enveloppe résistante à l'eau. D'autres sont disséminés par des oiseaux ou des mammifères ; ils possèdent souvent un péricarpe charnu ou encore des crochets, des épines ou d'autres dispositifs permettant d'adhérer au pelage des animaux ou au plumage des oiseaux. Les fourmis disséminent les graines et les fruits de nombreuses plantes ; ces diaspores possèdent habituellement un appendice huileux, ou éléosome, consommé par les fourmis.

Les métabolites secondaires sont importants pour l'évolution des angiospermes

La coévolution biochimique a constitué un facteur important du succès évolutif et de la diversification des angiospermes. Certains groupes d'angiospermes ont développé des métabolites secondaires, comme les alcaloïdes, qui les protègent du broutage par les herbivores. Certains herbivores (généralement caractérisés par un régime très spécialisé) sont cependant capables de se nourrir de ces plantes et ils leur sont régulièrement associés. Les compétiteurs potentiels sont exclus de ces mêmes plantes en raison de leur incapacité à accepter les toxines. Ce modèle montre qu'un mode de coévolution par paliers est intervenu et il semble probable que les premières angiospermes pouvaient déjà être protégées par la production de substances chimiques toxiques pour les herbivores.

MOTS CLÉS

QUESTIONS

1. Quel est le concept impliqué dans le terme « anthophyte » (à ne pas confondre avec *Anthophyta*) ?

2. Quels sont les caractères propres aux *Anthophyta* (angiospermes) qui montrent que cet embranchement dérive d'un seul ancêtre commun unique ?

3. Au point de vue de l'évolution, les pétales semblent avoir deux origines différentes. Quelles sont-elles ?

4. Expliquez ce que l'on entend par coévolution, et donnez deux exemples différents impliquant des insectes et des fleurs.

5. Pourquoi les angiospermes anémophiles sont-elles mieux représentées dans les régions tempérées et relativement rares sous les tropiques ?

6. Quels sont les différences entre fruits simples, apocarpes et multiples ? Donnez un exemple de chacun.

Section 5

LES ANGIOSPERMES :
STRUCTURE ET DÉVELOPPEMENT DE LA PLANTE

Débourrage de la pousse aérienne de pecan (*Carya ovata.*) Durant l'hiver, cette pousse était fortement contractée à l'intérieur d'un bourgeon terminal. Au débourrage du bourgeon, ses écailles protectrices (dans le bas) se sont écartées et recourbées. Après le développement de la pousse, un nouveau bourgeon se formera et passera par une période de dormance avant de pouvoir s'épanouir et recommencer le cycle.

Développement précoce de la plante

23

SOMMAIRE

Selon le point de vue que vous adoptez, vous êtes le témoin du début, du milieu et de la fin d'un processus lorsque vous voyez une plante émerger du sol. Pour un jardinier, l'émergence de la plantule est le premier signe visible de la vie — un présage de fleur, de fruit ou de feuille : c'est son objectif. Mais nous savons, depuis le chapitre 21, que la vie de la nouvelle plante débute bien plus tôt, avec la fusion du noyau mâle et de l'oosphère, qui produit le zygote à l'intérieur du sac embryonnaire. Pour le botaniste, l'émergence de la plantule est donc plutôt une étape intermédiaire dans le développement de la plante. Dans ce chapitre, nous adopterons encore une troisième perspective : l'émergence de la plantule est le point final du développement embryonnaire.

Le développement embryonnaire débute dès que le zygote se divise ; les deux cellules filles représentent les deux premières cellules du jeune embryon. Dans ce chapitre, nous allons suivre la progression de l'embryon à travers une séquence d'étapes qui lui permettront finalement d'aboutir à une structure embryonnaire adulte, constituée de tissus et d'organes répartis de manière spécifique à l'intérieur de la graine.

Le jardinier sait que la radicelle et la tigelle ne pourront sortir de la graine que si celle-ci jouit de conditions ambiantes favorables tant pour l'humidité que pour la température et la présence d'oxygène. Même si ces conditions sont remplies, certaines graines ne pourront encore germer parce que des facteurs internes s'y opposent. Nous parlerons d'abord des facteurs qui affectent la germination et la dormance des graines, pour décrire ensuite la levée de la jeune plantule.

POINTS DE REPÈRE

Quand vous terminerez la lecture de ce chapitre, vous devriez pouvoir répondre aux questions suivantes :

- *En quoi la polarité est-elle importante pour le développement embryonnaire des plantes ?*

- *Quels sont les trois méristèmes primaires des plantes et quels sont les tissus qui en dérivent ?*

- *Quelle est la séquence de stades par où passe le développement de l'embryon chez les dicotylées ? En quoi diffère-t-il de celui des monocotylées ?*

- *Comment les mutations ont-elles contribué à la compréhension du développement de l'embryon ?*

- *Quelles sont les parties principales d'un embryon de dicotylée, ou de monocotylée ? Quelles sont les structures supplémentaires existant dans les embryons des graminées ?*

Dans la section précédente, nous avons retracé le long développement évolutif des angiospermes qui a débuté chez leur ancêtre présumé, une algue verte multicellulaire relativement complexe. Comme nous l'avons souligné, les axes ramifiés des premières plantes vasculaires étaient les précurseurs des tiges et des racines des plantes vasculaires modernes.

Dans cette section, nous nous intéresserons à la structure et au développement de la plante chez les angiospermes, résultat de cette longue période de spécialisation évolutive. Ce chapitre débute par la formation de l'embryon, ou **embryogenèse**. L'embryogenèse détermine l'organisation générale de la plante suivant deux plans simultanés : un **plan apex-base** qui suit l'axe principal, et un **plan radial** formé de systèmes de tissus disposés concentriquement (Figure 23-1). L'embryogenèse s'accompagne de la différenciation de la graine. La graine, avec son embryon mûr, ses réserves et son enveloppe protectrice, confère des avantages sélectifs importants qui n'existent pas chez les plantes dépourvues de graines : grâce à celles-ci, la plante est mieux armée pour survivre à des conditions d'environnement défavorables et la dissémination de l'espèce est facilitée.

En observant le développement de la plante, il faut garder à l'esprit l'évolution des plantes vasculaires déjà explorée dans la section précédente. Les biologistes du développement et de l'évolution attachent une importance particulière à l'étude des schémas de développement. Des progrès importants ont été possibles grâce à l'étude de gènes très conservés — gènes dont les séquences d'ADN sont les mêmes chez des organismes très éloignés — contrôlant les voies clés du développement. La plus grande part des connaissances en ce domaine trouve son origine dans l'étude des mutations qui perturbent le développement normal de l'embryon.

Développement de l'embryon

Les premiers stades de l'embryogenèse sont fort semblables chez les magnoliidées, les dicotylées et les monocotylées (Figures 23-2 et 23-3). Le développement de l'embryon débute par la division du zygote à l'intérieur du sac embryonnaire de l'ovule. Chez la plupart des angiospermes, la première division est asymétrique et transversale par rapport au grand axe de l'ovule (Figures 23-2a et 23-3a). Dès cette division, la **polarité** de l'embryon est définie. Le pôle supérieur (chalazien), composé d'une petite *cellule apicale*, est à l'origine de la plus grande partie de l'embryon adulte. Le pôle inférieur (micropylaire), composé d'une grande *cellule de base,* produit un **suspenseur** en forme de pied, qui fixe l'embryon au micropyle, ouverture par où le tube pollinique pénètre dans l'ovule.

La polarité est un élément essentiel de l'élaboration d'un plan biologique. Ce terme découle d'une analogie avec un aimant qui possède des pôles positif et négatif. « Polarité » signifie simplement que, quel que soit l'objet envisagé — que ce soit une plante, un animal, un organe, une cellule ou une molécule — il possède une extrémité différente de l'autre. La polarité des tiges des plantes est une notion familière et bien connue. Chez les plantes propagées par boutures, par exemple, les racines se formeront à l'extrémité inférieure de la tige, les feuilles et les bourgeons à l'autre extrémité.

L'établissement de la polarité est une première étape essentielle dans le développement de tous les organismes supérieurs, parce

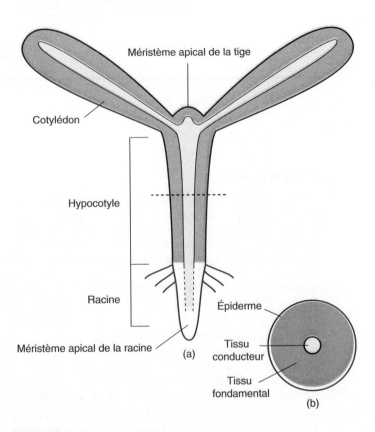

Figure 23-1

Dessin schématique d'une plantule d'*Arabidopsis thaliana*. **(a)** Le plan apex-base consiste en un axe se terminant par une pousse à une extrémité et une pointe de racine à l'autre. **(b)** Une coupe transversale dans l'hypocotyle montre le plan radial, comprenant les trois systèmes de tissus, représentés par l'épiderme, le tissu fondamental et le tissu conducteur.

qu'elle fixe leur **axe** structural, la « colonne vertébrale » sur laquelle viendront se disposer les appendices latéraux. Chez certaines angiospermes, la polarité se manifeste déjà dans l'oosphère et le zygote, le noyau et la majorité des organites étant situés dans la partie supérieure de la cellule, alors que la partie inférieure est dominée par une grande vacuole.

Grâce à une suite ordonnée de divisions, l'embryon se différencie finalement en une structure pratiquement sphérique — l'**embryon proprement dit** — et en un suspenseur (Figures 23-2d et 23-3b, c). Avant ce stade, l'embryon en développement est souvent considéré comme **proembryon**.

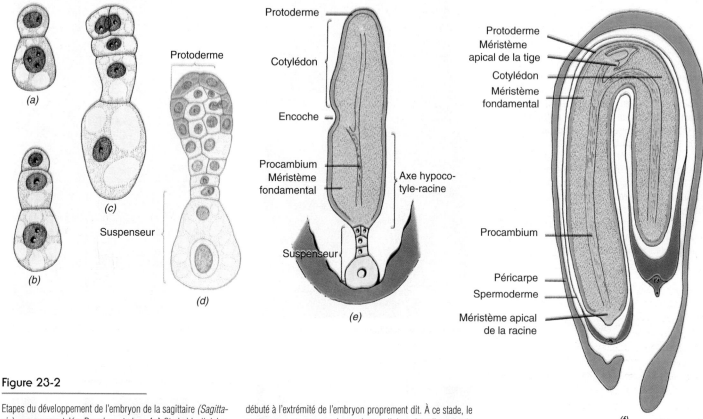

Figure 23-2

Etapes du développement de l'embryon de la sagittaire *(Sagittaria)*, une monocotylée. Premiers stades : **(a)** Stade bicellulaire, après la division transversale du zygote. **(b)** Proembryon tricellulaire. **(c)** Mise à part la grande cellule basale, le proembryon a maintenant atteint le stade quadricellulaire. À la suite de séries de divisions, les quatre cellules vont contribuer à la formation de l'embryon proprement dit. **(d)** La formation du protoderme a débuté à l'extrémité de l'embryon proprement dit. À ce stade, le suspenseur ne comprend que deux cellules, dont l'une est la grande cellule basale. Stades ultérieurs : **(e)** Une dépression, ou encoche (site du futur méristème apical de la pousse) s'est formée à la base du cotylédon en développement. **(f)** Le cotylédon se recourbe et l'embryon est proche de la maturité. Le suspenseur a disparu.

Le protoderme, le procambium et le méristème fondamental sont les méristèmes primaires

Au début de sa formation, l'embryon proprement dit se compose d'une masse de cellules relativement indifférenciées. Très tôt cependant, des modifications de la structure interne de l'embryon proprement dit aboutissent au développement initial des tissus de la plante. Le futur épiderme, ou **protoderme,** se forme par divisions périclines — divisions parallèles à la surface — dans les cellules superficielles de l'embryon proprement dit (Figures 23-2d et 23-3c). Par la suite, des divisions verticales dans l'embryon proprement dit aboutissent à une première distinction entre le **procambium** et le **méristème fondamental** (Figure 23-3d, e). Le méristème fondamental, précurseur du **tissu fondamental,** entoure le procambium, précurseur des tissus conducteurs, xylème et phloème. Le protoderme, le méristème fondamental et le procambium — les **méristèmes primaires**, ou tissus méristématiques primaires — progressent vers les autres régions de l'embryon tandis que l'embryogenèse se poursuit (Figures 23-2e, f et 23-3 e, f).

Les embryons passent habituellement par une séquence de stades de développement

Le stade de développement embryonnaire qui précède la différenciation des cotylédons — c'est-à-dire quand l'embryon proprement dit est sphérique — est souvent désigné comme le *stade globulaire*. Le développement des cotylédons, premières feuilles de la plante, peut débuter soit pendant, soit après le moment où le procambium devient distinct. En poursuivant son développement, l'embryon globulaire des dicotylées prend graduellement une forme bilobée, ou cordiforme, et ce stade est souvent appelé le *stade cordiforme* (Figure 23-3d). L'embryon globulaire des monocotylées, qui produit un seul cotylédon, devient cylindrique (Figure 23-2e). C'est au cours du passage du stade globulaire à l'émergence du ou des cotylédon(s) qu'apparaît le plan apex-base de l'embryon : l'axe se divise en un méristème de tige, le(s) cotylédon(s), l'hypocotyle (axe situé sous les cotylédons) et la radicule, munie de son méristème.

Figure 23-3

Stades de développement de l'embryon de la bourse-à-pasteur *(Capsella bursa-pastoris)*, une dicotylée. **(a)** Stade bicellulaire, après la division transversale du zygote en une cellule apicale et une basale. **(b)** Proembryon à six cellules. Le suspenseur est maintenant distinct des deux cellules terminales, qui vont donner l'embryon proprement dit. L'albumen alimente l'embryon en développement. **(c)** L'embryon proprement dit est globulaire et possède un protoderme, qui donnera l'épiderme. La grande cellule inférieure est la cellule basale du suspenseur. **(d)** Embryon au stade cordiforme, lorsque les cotylédons, premières feuilles de la plante, commencent à s'allonger. **(e)** Embryon au stade torpille. Chez *Capsella*, l'embryon se recourbe. Le méristème fondamental, précurseur du tissu fondamental, entoure le procambium qui se différenciera en tissus conducteurs, xylème et phloème. **(f)** Embryon mûr. La partie de l'embryon située sour les cotylédons est l'hypocotyle. À la partie inférieure de l'hypocotyle se trouve la racine embryonnaire ou radicule.

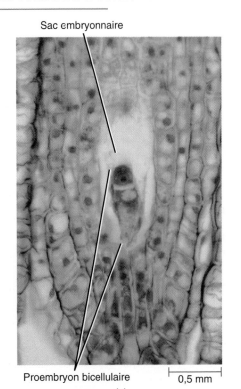

Sac embryonnaire

Proembryon bicellulaire | 0,5 mm

(a)

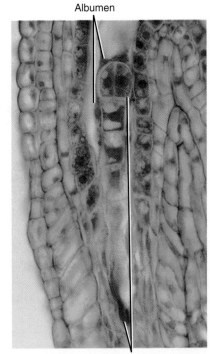

Albumen

Suspenseur avec une grande cellule basale

(b)

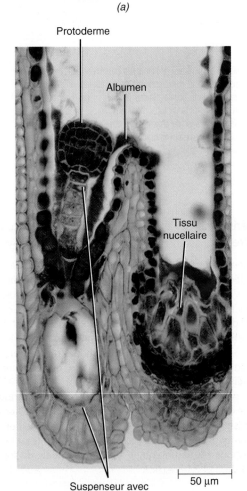

Protoderme

Albumen

Tissu nucellaire

50 μm

Suspenseur avec une grande cellule basale

(c)

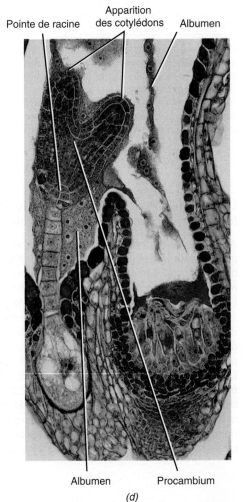

Pointe de racine   Apparition des cotylédons   Albumen

Albumen   Procambium

(d)

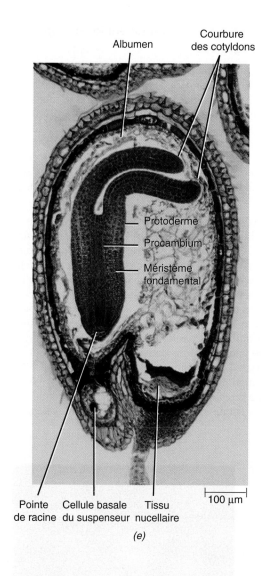

Albumen

Courbure
des cotyldons

Protoderme

Procambium

Méristème
fondamental

Pointe   Cellule basale   Tissu
de racine   du suspenseur   nucellaire

(e)

100 µm

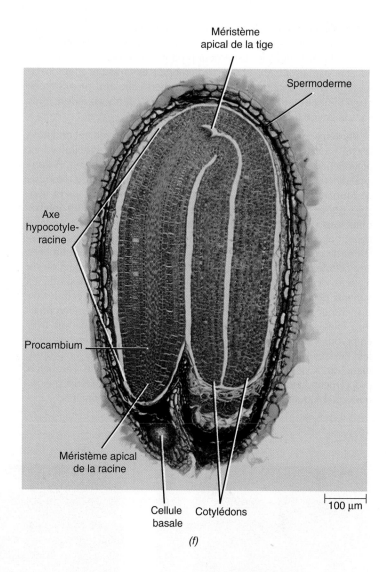

Méristème
apical de la tige

Spermoderme

Axe
hypocotyle-
racine

Procambium

Méristème apical
de la racine

Cellule   Cotylédons
basale

(f)

100 µm

À mesure que le développement de l'embryon se poursuit, le(s) cotylédon(s) et l'axe s'allongent (étape du développement embryonnaire appelé stade *torpille*), et les méristèmes primaires s'allongent avec eux (Figures 23-2f et 23-3e). Au cours de l'élongation, l'embryon peut rester droit ou se recourber. L'unique cotylédon des monocotylées devient souvent tellement volumineux par rapport au reste de l'embryon qu'il constitue sa structure principale (voir figure 23-7c).

Au cours des premiers stades de l'embryogenèse, les divisions cellulaires se déroulent dans l'ensemble du jeune sporophyte. L'addition de nouvelles cellules se limite toutefois aux méristèmes apicaux de la partie aérienne et de la radicule au cours du développement de l'embryon. Comme nous l'avons vu précédemment (page 8), il existe des méristèmes apicaux aux extrémités de toutes les tiges et de toutes les racines ; ils sont composés de cellules capables de divisions répétées. Dans les embryons des magnoliidées et des dicotylées, le méristème apical de la tige se forme entre les deux cotylédons

(Figure 23-3f). Chez les monocotylées, par contre, ce méristème se forme à côté du cotylédon et il est entièrement entouré par une expansion foliacée provenant de la base de ce dernier (Figure 23-2f). Les méristèmes apicaux des tiges, comme ceux des racines, sont des organes très importants parce qu'ils sont à l'origine de pratiquement toutes les nouvelles cellules responsables du développement de la plantule et de la plante adulte.

Le suspenseur intervient comme support dans le développement de l'embryon proprement dit

Le suspenseur de l'embryon d'une cryptogame vasculaire telle *Selaginella* (page 442) et celui du pin (page 482) interviennent principalement pour enfoncer l'embryon en développement à l'intérieur des tissus nourriciers. Dans le passé, on a cru que le suspenseur des angiospermes jouait le même rôle. Nous savons cependant à l'heure actuelle qu'il est métaboliquement actif. Il contribue au

559

développement initial de l'embryon proprement dit en lui fournissant des aliments et des régulateurs de croissance, particulièrement des gibbérellines. Parfois, le suspenseur produit des substances protéiques qui sont par la suite absorbées par l'embryon en croissance rapide. Le suspenseur est éphémère et subit une mort cellulaire programmée (page 576) au stade torpille de l'embryogenèse. Il n'y en a donc plus dans la graine mûre. (Figure 23-2f).

Plusieurs arguments indiquent que l'embryon proprement dit limite la croissance et la différenciation du suspenseur, dont les cellules sont potentiellement capables de donner naissance à un embryon. À l'origine de ces arguments se trouvent de plusieurs mutants d'*Arabidopsis* ne formant pas d'embryon complet, comme *raspberry*1, *sus* et *twn*, chez qui le développement de l'embryon proprement dit est inhibé. Chez tous ces mutants, l'inhibition du développement embryonnaire aboutit directement à la prolifération des cellules du suspenseur. Certaines de ces cellules acquièrent des capacités normalement limitées aux cellules de l'embryon proprement dit, comme la production de matières de réserves. Les mutants *twn* sont les plus frappants parmi les mutants d'*Arabidopsis* de ce type. Chez ces mutants, les cellules du suspenseur se transforment et acquièrent des caractères embryonnaires ; elles sont à l'origine de graines contenant deux, parfois trois embryons viables (Figure 23-4). Les résultats de ces recherches révèlent l'existence d'interactions entre le suspenseur et l'embryon proprement dit. Une hypothèse a vu le jour selon laquelle l'embryon proprement dit transmet au suspenseur des signaux inhibiteurs spécifiques qui bloquent la transformation en cellules embryonnaires.

On a identifié des gènes qui déterminent les principales étapes de l'embryogenèse

La description du développement de l'embryon nous montre comment se met en place le plan primaire de la plante, mais elle ne nous apprend pas grand chose sur les mécanismes sous-jacents. Comme on peut le lire dans l'encadré sur *Arabidopsis thaliana*, page 228, on passe systématiquement au crible de grandes populations de cette plante après un traitement mutagène afin de déceler les mutations qui ont un effet sur le développement. Il est possible d'identifier de cette manière les gènes contrôlant le développement de la plante, ce qui constitue une première étape dans la compréhension du fonctionnement des gènes.

L'application de cette méthode a donné des résultats très prometteurs dans l'identification des gènes responsables des principaux stades de l'embryogenèse d'*Arabidopsis* (Une méthode permettant d'induire des mutations qui modifient l'embryogenèse chez *Arabidopsis* est illustrée à la figure 23-5.) On a de cette façon identifié jusqu'ici plus de 50 gènes différents contrôlant la mise en place du schéma embryonnaire. Certains de ces gènes de régulation affectent le plan apex-base de l'embryon et de la plantule. Les mutations de ces gènes peuvent faire avorter différentes parties de ce plan (Figure 23-6). Un autre groupe de gène intervient pour déterminer le plan radial de la différenciation des tissus. Les mutations d'un de ces gènes empêchent par exemple la formation du protoderme. Un autre groupe de gènes encore intervient dans la régulation des modifications de la forme des cellules qui donnent à l'embryon et à la plantule leur forme allongée caractéristique.

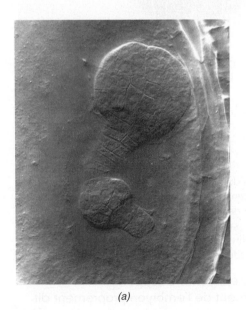

(a)

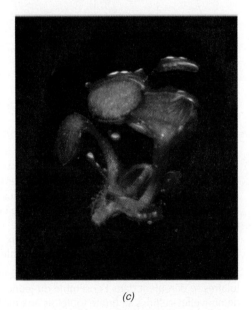

(c)

(b)

Figure 23-4

Développement d'embryons jumeaux chez le mutant *twn* d'*Arabidopsis thaliana*, une dicotylée. **(a)** On peut voir un embryon secondaire qui se développe aux dépens du suspenseur de l'embryon primaire plus grand. Les deux embryons sont au stade globulaire. **(b)** Les cotylédons de l'embryon primaire sont partiellement différenciés. Le développement des cotylédons débute dans l'embryon secondaire. **(c)** Plantules jumelles provenant d'une graine germée. La plantule de gauche ressemble au type sauvage (non mutant). L'autre possède un seul grand cotylédon.

Graines traitées
par le mutagène

Plantules

Secteur mutant
du méristème

Siliques de:

Secteur mutant

Secteur non mutant

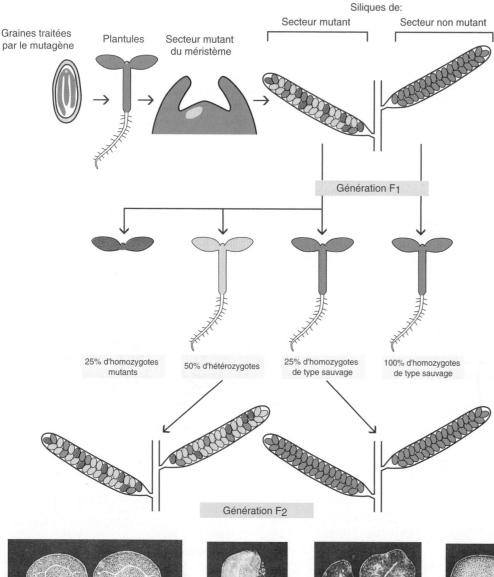

Génération F₁

Figure 23-5

Procédure permettant d'identifier les mutants d'*Arabidopsis*. Une grande population de graines est traitée par un agent mutagène chimique, l'éthyle méthanesulfonate. Les mutations aléatoires dans les cellules du méristème apical de la partie aérienne de l'embryon produisent des secteurs mutants dans la plante adulte. Les fleurs provenant de ces secteurs vont donner naissance à des graines (F₁) hétérozygotes pour un gène mutant particulier. L'autofécondation de la plante F₁ donnera une descendance F₂ avec une ségrégation 1/2/1 (1/4 d'homozygotes du type sauvage pour 1/2 hétérozygotes et 1/4 d'homozygotes mutants). Les conséquences phénotypiques des mutations récessives pourront donc être observées dans la génération F₂ des populations traitées par le mutagène et sélectionnées pour des recherches ultérieures.

25% d'homozygotes
mutants

50% d'hétérozygotes

25% d'homozygotes
de type sauvage

100% d'homozygotes
de type sauvage

Génération F₂

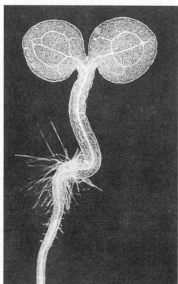

(a) type sauvage

(b) gurke

(c) fackel

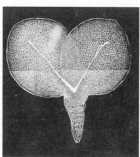

(d) monopteros

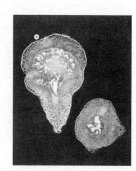

(e) gnom

Figure 23-6

Plantules mutantes d'*Arabidopsis*. **(a)** Plantule normale (type sauvage) à comparer à quatre types de mutants auxquels manquent des parties importantes de la structure de la plantule. Les plantules montrées ici sont dépourvues **(b)** d'un méristème apical de tige et de cotylédons, **(c)** d'hypocotyle, de telle sorte que le méristème et les cotylédons sont directement fixés à la racine, **(d)** de racine et **(e)** des parties apicales et basales — il ne reste de la tige que l'épiderme, le tissu fondamental et le tissu conducteur. Les plantules ont été « éclaircies » de manière à mettre en évidence leur tissu conducteur.

L'embryon et la graine à maturité

Pendant tout le développement de l'embryon, un flux continu de molécules nutritives passe de la plante mère aux tissus de l'ovule, aboutissant à l'accumulation de matières de réserve à l'intérieur de l'albumen, du périsperme (tissu nucellaire) ou des cotylédons de la graine en développement. Le pied, ou **funicule**, reliant l'ovule à la paroi de l'ovaire se détache finalement de l'ovule, et ce dernier s'alimente à partir de ce moment en milieu fermé. La graine se dessèche enfin en perdant son eau dans le milieu ambiant et le spermoderme dérivé des téguments se durcit, enfermant l'embryon et les réserves dans une « armure protectrice ».

À maturité, l'embryon des angiospermes comporte un axe portant un ou deux cotylédons (Figures 23-2f, 23-3f et 23-7) suivant qu'il s'agit d'une monocotylée, d'une magnoliidée ou d'une dicotylée.

Aux deux extrémités de l'axe embryonnaire se trouvent les méristèmes apicaux de la pousse aérienne et de la radicule. Dans certains embryons, Il n'existe qu'un simple méristème apical au-dessus du (des) cotylédon(s) (Figures 23-2f, 23-3f et 23-7b, c). Dans d'autres, une pousse embryonnaire, formée d'un axe appelé **épicotyle**, ainsi que d'une ou plusieurs jeunes feuilles (plumule) et d'un méristème apical (gemmule), se trouve au-dessus (épi-) du ou des cotylédon(s). L'ensemble de cette pousse embryonnaire est appelée **tigelle** (Figures 23-7a, d et 23-8).

L'axe situé sous (hypo-) les cotylédons est appelé **hypocotyle**. À l'extrémité inférieure de l'hypocotyle se trouve la racine embryonnaire, ou radicule, avec les caractères typiques des racines (Figure 23-8b). Chez beaucoup de plantes, cependant, la partie inférieure de l'axe ne comprend guère plus qu'un méristème apical recouvert d'une coiffe. S'il n'est pas possible de distinguer la radicule dans l'embryon,

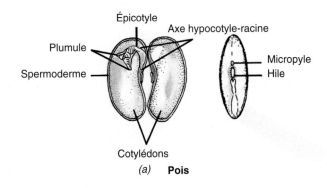

(a) **Pois**

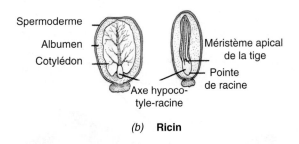

(b) **Ricin**

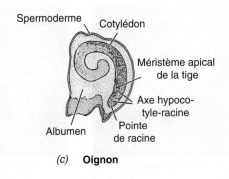

(c) **Oignon**

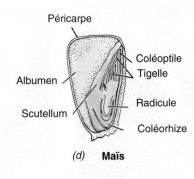

(d) **Maïs**

Figure 23-7

Graines de quelques dicotylées et monocotylées communes. **(a)** Graines de haricot (Phaseolus vulgaris), une dicotylée, à cotylédons ouverts et en vue externe. L'embryon de haricot possède une tigelle située au-dessus des cotylédons ; elle est composée d'une courte tige (l'épicotyle), d'une paire de vraies feuilles et d'un méristème apical. Le méristème apical se trouve entre les vraies feuilles et est invisible sur le schéma. Les cotylédons charnus contiennent les matières de réserve. **(b)** Graine de ricin (Ricinus communis), autre dicotylée, ouverte pour montrer l'embryon de face et de profil. L'embryon de ricin ne possède qu'un méristème apical au-dessus des cotylédons. Les réserves sont situées dans l'albumen. Embryons de deux monocotylées, **(c)** l'oignon (Allium cepa) et **(d)** le maïs (Zea mays) en vue longitudinale. Dans l'embryon d'oignon, le méristème apical de la pousse aérienne est situé latéralement à la base du cotylédon, qui est beaucoup plus volumineux que le reste de l'embryon. L'embryon de maïs possède un scutellum (cotylédon) et une racine, ou radicule, bien développés. Dans les deux graines, les réserves sont situées dans l'albumen.

LE BLÉ : LE PAIN ET LE SON

Comme toutes les graminées, le blé tendre *(Triticum aestivum)* est une monocotylée et son fruit — le caryopse, ou grain — contient une seule graine. L'albumen et l'embryon sont entourés d'assises protectrices composées du péricarpe et des restes du spermoderme. Plus de 80 % du volume du grain de blé se compose d'un albumen amylacé. L'assise externe de l'albumen, appelée couche d'aleurone, contient les réserves lipidiques et protéiques. La couche d'aleurone entoure aussi bien l'albumen amylacé que l'embryon.

La farine blanche provient de l'albumen amylacé. Au cours de la mouture du blé, on élimine le son — formé par les assises de l'enveloppe et de la couche d'aleurone. Il représente environ 14 % du grain. En fait, le son diminue quelque peu la valeur alimentaire du grain de blé. De nature principalement cellulosique, il ne peut être digéré par l'homme et il a tendance à accélérer le passage des aliments par le tube digestif et donc à réduire ainsi leur absorption. L'embryon (le « germe de blé »), qui représente environ 3 % du grain, est également éli-

miné au cours de l'usinage, parce que sa haute teneur en huile réduirait la durée de conservation de la farine. Le son et les germes de blé, qui contiennent la plus grande partie des vitamines, sont de plus en plus utilisés dans l'alimentation humaine, ainsi que dans celle des animaux domestiques.

Au cours de ces dernières années, le son d'avoine *(Avena sativa)* a pris une part croissante dans l'alimentation des personnes soucieuses de leur santé un peu partout dans le monde. Les recherches ont montré que l'addition de son d'avoine aux aliments à faible teneur en graisse pouvait réduire le taux de cholestérol du sang. Il semble que les fibres hydrosolubles du son d'avoine forment, dans l'intestin grêle, un gel qui piège le cholestérol et empêche sa réabsorption dans le flux sanguin. Au lieu d'être absorbé, le cholestérol piégé est éliminé de l'organisme avec les autres déchets. Le cholestérol est également réduit par les fibres hydrosolubles que l'on trouve dans le son de riz *(Oryza sativa)* et d'orge *(Hordeum vulgare)*.

l'axe situé sous les cotylédons s'appelle l'axe hypocotyle-racine (Figures 23-2a, 23-3f et 23-7a, b, c).

Dans l'exposé concernant le développement de la graine des angiospermes, au chapitre 21, on a noté que, chez de nombreuses dicotylées, la plus grande partie au moins de l'albumen et du périsperme, s'il est présent, est absorbée au cours du développement de l'embryon (page 510). Les embryons de ces graines produisent de grands cotylédons charnus, qui accumulent les réserves destinées à l'alimentation de l'embryon lors de la reprise de sa croissance. Le tournesol, la noix, le pois et le haricot (Figure 23-7a) sont des exemples bien connus de graines possédant des cotylédons de grande taille, mais pas d'albumen. Chez les dicotylées où l'albumen est abondant, comme le ricin, les cotylédons sont minces et membraneux (Figure 23-7b). Ces cotylédons servent à extraire de l'albumen les aliments mis en réserve, lors de la reprise de croissance de l'embryon.

Chez les monocotylées, l'unique cotylédon ne fonctionne pas seulement comme organe de réserve ou pour effectuer la photosynthèse : il a également une fonction d'absorption (Figure 23-7c, d). Enfermé dans l'albumen, il absorbe les réserves après leur digestion enzymatique. Les réserves digérées sont ensuite transportées par le cotylédon

jusqu'au régions embryonnaires en croissance. Les embryons de monocotylées les plus différenciés sont ceux des graminées (Figures 23-7d et 23-8). L'embryon de graminée complètement différencié possède un cotylédon massif, le **scutellum**. Comme les cotylédons de la plupart des monocotylées, le scutellum intervient dans l'absorption des réserves de l'albumen. Il est fixé latéralement à l'axe de l'embryon, dont une extrémité se termine par une radicule et l'autre par une tigelle. La radicule et la tigelle sont entourées de structures protectrices appelées respectivement **coléorhize** et **coléoptile** (Figures 23-7d et 23-8).

Toutes les graines sont enveloppées dans un spermoderme qui dérive du ou des tégument(s) de l'ovule et assure une protection à l'embryon. Le spermoderme est généralement beaucoup plus mince que les téguments dont il provient. Il peut être mince et sec et avoir une texture papyracée mais, dans beaucoup de graines, il est très dur et imperméable à l'eau.

Le micropyle est souvent visible sous la forme d'un petit pore à la surface du spermoderme. Il est fréquemment associé à une cicatrice, appelée hile (Figure 23-7a) laissée sur le spermoderme lorsque la graine s'est séparée du funicule.

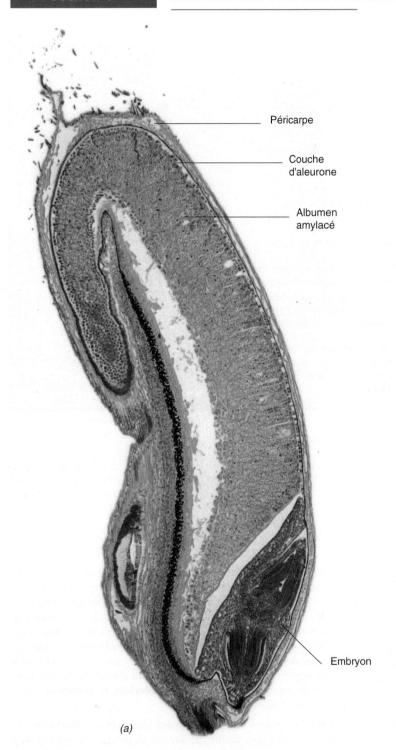

Péricarpe

Couche d'aleurone

Albumen amylacé

Embryon

(a)

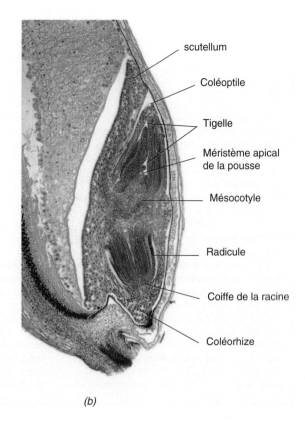

scutellum

Coléoptile

Tigelle

Méristème apical de la pousse

Mésocotyle

Radicule

Coiffe de la racine

Coléorhize

(b)

Figure 23-8

Coupe longitudinale dans un grain de blé mûr *(Triticum aestivum)*, une monocotylée. **(a)** L'albumen amylacé est entouré d'une couche d'aleurone contenant des protéines. Les assises de l'enveloppe du grain de blé sont composées en ordre principal du péricarpe, la paroi de l'ovaire à maturité. Le spermoderme, soudé au péricarpe, dégénère au cours du développement du grain. **(b)** Détail de l'embryon mûr de blé, montrant le grand cotylédon, appelé scutellum. La coléorhize et le coléoptile engaînent respectivement la radicule et la plumule. Le mésocotyle est la partie de l'axe de l'embryon située entre le point d'insertion du scutellum et celui du coléoptile.

Conditions de germination de la graine

La croissance de l'embryon s'arrête généralement pendant la maturation et la dissémination de la graine. La reprise de la croissance de l'embryon, ou germination de la graine, est soumise à de nombreux facteurs, autant externes qu'internes. Trois facteurs externes, ou environnementaux, sont particulièrement importants : l'eau, l'oxygène et la température. Les graines de petite taille, comme celles de la laitue *(Lactuca sativa)* et celles de nombreuses mauvaises herbes, doivent en outre être exposées à la lumière pour germer (voir page 713).

La plupart des graines mûres sont extrêmement sèches, elles ne contiennent habituellement que 5 à 20 % d'eau. La germination n'est donc pas possible tant que la graine ne s'est pas imbibée par l'eau nécessaire aux activités métaboliques. Les enzymes déjà présentes dans la graine sont activées et de nouvelles enzymes sont synthétisées afin de digérer et d'utiliser les réserves accumulées dans les cellules de la graine au cours du développement de l'embryon (voir page 681). Les mêmes cellules qui avaient d'abord synthétisé des quantités considérables de matières de réserve inversent complètement leur métabolisme à ce stade et digèrent les aliments emmagasinés. La croissance des cellules et leur division débutent dans l'embryon et obéissent aux schémas caractéristiques de l'espèce. La croissance ultérieure nécessite un apport continu d'eau et de substances nutritives. À mesure qu'elle s'imbibe d'eau, la graine gonfle et une pression considérable peut s'y développer (voir l'encadré « Imbibition », page 80).

Durant les premiers stades de la germination, la décomposition du glucose peut être entièrement anaérobie mais, dès que le spermoderme est rompu, la graine passe à la respiration, et l'oxygène devient nécessaire. Si le sol est gorgé d'eau, la quantité d'oxygène disponible pour la graine peut être insuffisante pour permettre la respiration aérobie et la graine ne pourra se développer en plantule.

Bien que beaucoup de graines puissent germer dans une gamme de températures relativement large, elles ne le font généralement pas au-dessus ni en-dessous d'un seuil propre à chaque espèce. Dans de nombreux cas, le minimum est de 0 à 5°C, le maximum de 45 à 48°C et l'optimum de 25 à 30°C.

Les graines dormantes ne germent pas, même si les conditions externes sont favorables

Même en présence de conditions externes favorables, certaines graines ne germent pas. On dit qu'elles sont **dormantes**. Les causes les plus fréquentes de dormance sont l'immaturité physiologique de l'embryon et l'imperméabilité du spermoderme à l'eau et parfois à l'oxygène. Avant de germer, certaines graines physiologiquement immatures doivent subir une série de modifications enzymatiques et biochimiques qui constituent une **post-maturation**. En régions tempérées, la post-maturation est déclenchée par les basses températures hivernales. La nécessité d'une période de post-maturation empêche ainsi la germination de la graine pendant la mauvaise saison hivernale, période où la plantule aurait peu de chance de survivre.

La dormance est très imporante pour la survie de la plante. Comme dans le cas de la post-maturation, elle constitue un moyen d'assurer des conditions favorables à la croissance de la plantule lors de la germination. Certaines graines doivent passer par le tube digestif des oiseaux ou des mammifères avant de germer, ce qui permet une dissémination plus large de l'espèce. Les graines de certaines plantes des déserts ne germeront qu'après lessivage par la pluie des inhibiteurs de germination présents dans leur spermoderme ; cette adaptation garantit que la graine ne germera qu'aux rares époques où la pluie assure une quantité d'eau suffisante pour permettre au jeune plant d'atteindre la maturité. Le spermoderme de certaines graines doit être blessé mécaniquement, par exemple en roulant sur le gravier au fond d'un torrent. D'autres graines encore gardent leur dormance à l'intérieur de cônes ou de fruits jusqu'à leur libération par la chaleur d'un incendie. La végétation de type méditerranéen des formations de chaparrals, dominée par des *Arctostaphylos*, ne peut persister à long terme que

Figure 23-9

Arctostaphylos viscida, dans le chaparral de Californie. Les graines de cette plante peuvent rester viables dans le sol pendant des années. La scarificaion, ou l'attaque du spermoderme par le feu ou par d'autres moyens est nécessaire pour lever la dormance et induire la germination.

grâce aux incendies périodiques, parce que la germination des graines de ces plantes est induite par le feu (Figure 23-9). Finalement, les graines des plantes de lumière des forêts ne peuvent germer sans que le couvert du dôme n'ait été éclairci par un chablis ou une autre perturbation naturelle. Les plantes disposent donc de stratégies de germination étroitement liées aux conditions écologiques qui règnent dans leurs habitats. (Voir chapitre 29, page 713, pour une discussion plus approfondie sur la dormance des graines.)

Figure 23-10

Stades de la germination de quelques dicotylées communes. Chez **(a)** le haricot *(Phaseolus vulgaris)*, comme **(b)** chez le ricin *(Ricinus communis)*, la germinaion est épigée : elle se déroule au-dessus du sol. Au cours de la germinaton, les cotylédons sont amenés au-dessus du sol par l'allongement de l'hypocotyle. On voit que, dans ces deux plantules, l'hypo-cotyle se recourbe en crochet, il se redresse ensuite en poussant les cotylédons et la plumule pour les amener au-dessus du sol. **(c)** La germination de la graine de pois *(Pisum sativum)* est au contraire hypogée : elle a lieu sous la surface du sol. Les cotylédons restent sous terre et l'hypocotyle ne s'allonge pas. Dans la germination hypogée, dont la plantule de pois est un exemple, c'est l'épicotyle qui s'allonge et forme un crochet amenant la plumule au-dessus de la surface du sol en se redressant.

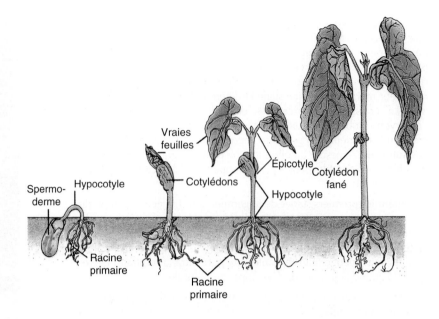

(a) **Haricot**

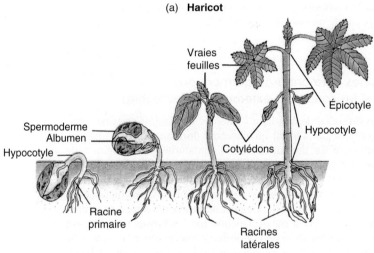

(b) **Ricin**

De l'embryon à la plante adulte

Le premier organe qui émerge de la plupart des graines à la germina-tion est la radicule, ou racine embryonnaire, qui permet à la jeune plantule de se fixer au sol et d'absorber l'eau. Au cours de sa crois-sance, cette **racine primaire**, ou racine principale, produit des **racines latérales**, ou racines secondaires. Celles-ci peuvent à leur tour donner d'autres racines latérales. Chez les monocotylées, la racine primaire est souvent éphémère et le système racinaire de la plante adulte se développe à partir de **racines adventives** provenant des nœuds (par-ties de la tige où les feuilles sont insérées) et produisent ensuite des racines secondaires. (« Adventives » s'applique aux structures qui se forment à des endroits inhabituels, comme les racines qui proviennent de tiges ou de feuilles plutôt que d'autres racines.)

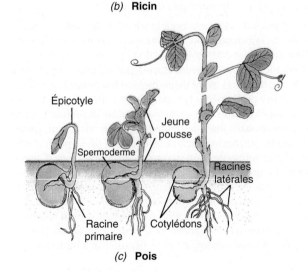

(c) **Pois**

La germination des graines peut être épigée ou hypogée

La manière dont la pousse émerge de la graine lors de la germination varie suivant les espèces. Après l'émergence de la radicule de la graine de haricot *(Phaseolus vulgaris)* par exemple, l'hypocotyle s'allonge et se recourbe en crosse (Figure 23-10a). L'extrémité fragile de la jeune pousse est ainsi protégée en étant tirée à travers le sol plutôt que poussée. Quand la partie recourbée, ou *crochet*, atteint la surface du sol, elle se redresse et soulève les cotylédons et la plumule. On dit qu'il s'agir d'une germination **épigée** lorsque les cotylédons sont amenés au-dessus du niveau du sol. Au cours de la germination et du développement ultérieur de la plantule, les réserves des cotylédons sont digérées et les produits sont transportés vers les régions en croissance de la jeune plante. La taille des cotylédons diminue progressivement, ils se dessèchent et finissent par tomber. À ce moment, la plantule est devenue *autonome*, elle ne dépend plus des réserves de la graine pour se nourrir. La plantule est maintenant un organisme photosynthétique autotrophe.

Dans l'ensemble, la germination de la graine de ricin *(Ricinus communis)* (Figure 23-10b) est semblable à celle du haricot sauf que, chez le ricin, les réserves sont localisées dans l'albumen. Lorsque le crochet se redresse, l'albumen, et souvent aussi le spermoderme, sont amenés au-dessus du sol en même temps que les cotylédons et la plumule. Pendant ce temps, les réserves de l'albumen ont été digérées et sont absorbées par les cotylédons et transportées vers les parties en croissance de la plante. Chez le haricot comme chez le ricin, les cotylédons verdissent quand ils sont exposés à la lumière, mais il n'ont pas de fonction photosynthétique importante. Chez certaines plantes, comme le potiron *(Cucurbita maxima)*, les cotylédons deviennent des organes photosynthétiques importants.

Chez le pois *(Pisum sativum)*, la structure qui s'allonge et forme le crochet est l'épicotyle. Quand il se redresse, la plumule est soulevée au-dessus de la surface du sol. Les cotylédons restent dans le sol (Figure 23-10c), où ils finissent par se décomposer quand les réserves destinées à la croissance de la plantule sont épuisées. On parle de germination **hypogée** lorsque les cotylédons restent sous la surface du sol.

Dans la plupart des graines de monocotylées, les matières de réserve sont situées dans l'albumen (Figure 23-7c, d). Dans quelques graines relativement simples de monocotylées, comme celles de l'oignon *(Allium cepa)*, c'est l'unique cotylédon tubulaire qui émerge de la graine et forme le crochet (Figure 23-11a). Quand le cotylédon se redresse, il soulève le spermoderme avec son albumen. Au cours de cette période, la majeure partie de l'alimentation de l'embryon est soustraite à l'albumen par l'intermédiaire du cotylédon. En outre, le cotylédon vert de l'oignon fonctionne comme une feuille photosynthétique et sa contribution à l'alimentation de la plantule en

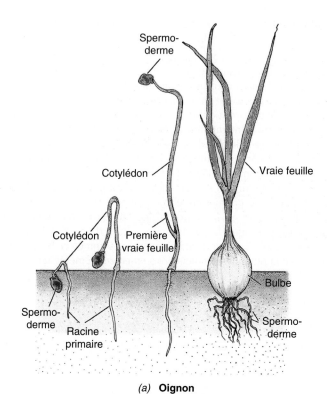

(a) **Oignon**

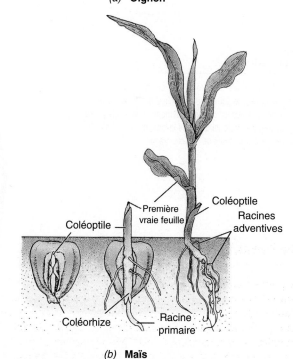

(b) **Maïs**

Figure 23-11

Stades de la germination de deux monocotylées communes : **(a)** l'oignon *(Allium cepa)* et **(b)** le maïs *(Zea mays)*. La germination de la graine d'oignon est épigée, celle de maïs est hypogée.

567

développement n'est pas négligeable. La plumule, engaînée par la base du cotylédon, s'allonge et émerge au dehors.

Le dernier exemple de développement d'une plantule est celui du maïs *(Zea mays),* monocotylée dont l'embryon est très différencié (Figure 23-12). La coléorhize entourant la radicule est la première structure qui traverse le péricarpe du caryopse, provenant de la différenciation de la paroi de l'ovaire. (Chez le maïs, les téguments dégénèrent pendant la maturation de la graine et du fruit et c'est donc le péricarpe qui joue le rôle du « spermoderme. ») La coléorhize est suivie de la radicule, ou racine primaire, qui s'allonge très rapidement et traverse la coléorhize (Figure 23-11b). Quand la racine primaire est sortie, le coléoptile qui entoure la tigelle est poussé vers le haut par l'allongement du premier entrenœud, appelé *mésocotyle* (Figure 23-8b). (L'entrenœud est la partie de tige comprise entre deux nœuds successifs ; voir figure 1-10.) Lorsque la base du coléoptile atteint la surface du sol, il se fend latéralement au sommet et les premières feuilles de la plumule commencent à émerger. En même temps que la racine primaire, deux ou plusieurs racines séminales adventives, provenant du nœud cotylédonaire (région de l'axe où est inséré le cotylédon), traversent le péricarpe et se courbent ensuite vers le bas (Figure 23-12).

Quelle que soit la façon dont la pousse émerge de la graine, l'activité de son méristème apical aboutit à la production d'une séquence régulière de feuilles, nœuds et entrenœuds. Les méristèmes apicaux qui se développent aux aisselles foliaires (dans l'angle délimité par les feuilles et les tiges) produisent des bourgeons axillaires qui peuvent à leur tour donner de nouveaux rameaux axillaires.

Le temps qui s'écoule entre la germination à l'établissement de la plantule comme organisme indépendant est le stade le plus crucial pour l'existence de la plante. C'est durant cette période qu'elle est la plus vulnérable aux attaques de nombreux insectes nuisibles et des champignons parasites ; c'est alors également qu'un stress hydrique peut devenir rapidement fatal.

Figure 23-12

Coupe longitudinale du grain mûr de maïs *(Zea mays).* L'embryon possède souvent deux racines séminales adventives au moins. La coupe ci-contre en montre une (flèche). Ces racines sont d'abord orientées vers le haut, mais elles s'inclinent vers le bas au cours de leur croissance.

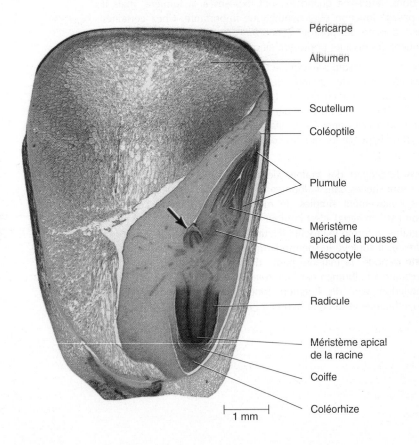

Péricarpe

Albumen

Scutellum

Coléoptile

Plumule

Méristème apical de la pousse

Mésocotyle

Radicule

Méristème apical de la racine

Coiffe

Coléorhize

1 mm

RÉSUMÉ

L'organisation générale de la plante s'établit au cours de l'embryogenèse suivant un plan apex-base et un plan radial

La pousse aérienne et la racine de la jeune plante dérivent du zygote ; elles constituent dès le départ une structure continue. La polarité de l'embryon est établie par la division asymétrique du zygote. Grâce à une séquence bien ordonnée de divisions, l'embryon se différencie en un suspenseur et un embryon proprement dit dans lequel se forment finalement les méristèmes primaires — précurseurs des tissus épidermique, fondamental et conducteur — et le plan radial. Au cours de la transition entre les stades globulaire et cordiforme de l'embryogenèse, le plan apex-base de l'embryon devient apparent. Le développement des cotylédons peut débuter soit pendant, soit après l'apparition du procambium. À mesure que l'embryon se développe, l'apport de nouvelles cellules se limite progressivement aux méristèmes apicaux.

Des mutations perturbent le développement embryonnaire normal

Le suspenseur de l'embryon des angiospermes a une activité métabolique et contribue au développement initial de l'embryon proprement dit. Chez certains mutants d'*Arabidopsis* ne formant pas d'embryons, les cellules du suspenseur produisent parfois des embryons secondaires. D'autres mutations affectent le plan apex-base de l'embryon et de la plantule, ce qui se traduit par l'absence de parties importantes de la plante.

L'embryon mûr comprend un axe hypocotyle-racine et un ou deux cotylédons

La graine des angiospermes comprend un embryon, un spermoderme et des réserves. Lorsqu'il est complètement développé, l'embryon est essentiellement formé d'un axe hypocotyle-racine portant un ou deux cotylédons et d'un méristème apical du côté de la tigelle et d'un autre à l'extrémité de la radicule. Les cotylédons de la plupart des dicotylées sont charnus et contiennent les matières de réserve de la graine. Chez d'autres dicotylées cependant, et chez la plupart des monocotylées, les réserves sont situées dans l'albumen et les cotylédons ont pour fonction d'absorber les substances partiellement digérées provenant de ces réserves. Ces substances seront ensuite transportées vers les régions de l'embryon en croissance.

Une graine dormante n'entrera pas en germination, même si les conditions extérieures sont favorables

La germination de la graine — reprise de croissance de l'embryon — dépend de facteurs du milieu, comme l'eau, l'oxygène et la température. Beaucoup de graines doivent passer par une période de dormance avant de pouvoir germer. La dormance est très importante pour la survie de la plante parce qu'elle permet d'assurer des conditions propices à la croissance de la plantule lors de la germination.

Après l'émergence de la racine et de la pousse, la plantule s'établit

La racine est la première structure qui émerge de la plupart des graines à la germination ; elle permet à la plantule de se fixer dans le sol et d'absorber l'eau. La manière dont la pousse émerge de la graine diffère suivant les espèces. Chez de nombreuses magnoliidées et dicotylées, l'hypocotyle ou l'épicotyle forme un coude, ou crochet. Lorsque le crochet se redresse au-dessus du sol, il entraîne la jeune pousse, la protégeant ainsi des dégâts qui pourraient lui être infligés si elle devait traverser la terre.

MOTS CLÉS

axe hypocotyle-racine p. 563

coléoptile p. 563

coléorhize p. 563

dormance p. 565

embryon proprement dit p. 556

épicotyle p. 562

épigé p. 567

funicule p. 562

germination p. 564

hile p. 563

hypocotyle p. 562

hypogé p. 567

méristème fondamental p. 557

méristèmes primaires p. 557

plan apex-base p. 556

plan radial p. 556

polarité p. 556

procambium p. 557

proembryon p. 556

protoderme p. 557

racine primaire p. 566

racines adventives p. 566

racines latérales (secondaires) p. 566

radicule p. 562

scutellum p. 563

spermoderme p. 563

suspenseur p. 556

tigelle p. 562

tissu fondamental p. 557

QUESTIONS

1. Quelles sont les différences entre les termes suivants : proembryon/embryon proprement dit/suspenseur ; stade globulaire/stade cordiforme/stade torpille ; épicotyle/plumule ; axe hypocotyle-racine/radicule ; coléorhize/coléoptile.

2. Expliquez ce que l'on entend par le plan apex-base et le plan radial de la plante.

3. Quel est le rôle du suspenseur chez les angiospermes et quels sont les arguments en faveur de l'absence d'activité embryonnaire dans les cellules du suspenseur ?

4. Expliquez comment la mutagenèse permet de produire des mutations affectant l'embryogenèse.

5. Quel est le rôle, s'il existe, de la dormance des graines chez la plante ?

6. Suggérez une explication à l'émergence précoce de la radicule lors de la germination de la graine.

7. Comment peut-on définir la dormance des graines ? Quels sont les besoins de la germination ?

8. Décrivez comment les jeunes pousses émergent de la graine à la germination. Qu'entend-on par germination épigée et hypogée ?

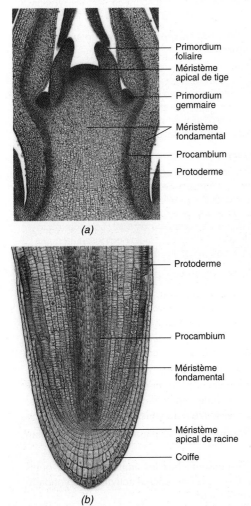

Primordium
foliaire

Méristème
apical de tige

Primordium
gemmaire

Méristème
fondamental

Procambium

Protoderme

(a)

Protoderme

Procambium

Méristème
fondamental

Méristème
apical de racine

Coiffe

(b)

Figure 24-1

Méristèmes apicaux de tige et de racine. **(a)** Coupe longitudinale dans l'extrémité d'une tige de lilas *(Syringa vulgaris)* montrant le méristème apical de la tige et les primordiums foliaires et gemmaires. **(b)** Pointe de racine de radis *(Raphanus sativus)* en coupe longitudinale, montrant le méristème apical de la racine recouvert par une coiffe. Remarquez les files de cellules à l'arrière du méristème apical.

Le protoderme, le procambium et le méristème fondamental sont les tissus partiellement différenciés désignés comme méristèmes primaires.

24

Les cellules et les tissus de la plante

SOMMAIRE

Dans le chapitre précédent, nous avons vu comment se forme le plan de base de la plante au cours du développement de l'embryon à l'intérieur de la graine et comment la jeune plantule apparaît grâce à l'activité des méristèmes apicaux. Nous poursuivrons ce thème dans ce chapitre par une étude des méristèmes apicaux et de leur rôle dans la transformation de la plantule en une plante adulte. Vous verrez que les méristèmes apicaux ont deux fonctions essentielles. Tout d'abord, puisqu'ils sont le siège principal des divisions cellulaires, ils sont, en dernier ressort, responsables de l'élongation de la tige et de la racine. En second lieu, ils produisent des cellules qui constitueront finalement les tissus adultes de la structure primaire de la plante.

Pour comprendre le fonctionnement des méristèmes apicaux, nous devons considérer les modifications qui surviennent dans le temps et dans l'espace. Lorsque les cellules du méristème se divisent, elles produisent d'autres cellules méristématiques, ainsi que des cellules-filles qui s'accumulent, s'allongent et poussent les méristèmes vers l'avant. Ces cellules filles qui sont « abandonnées » par les méristèmes commencent alors à se modifier — elles se différencient — d'abord partiellement (méristèmes primaires), et ensuite pour constituer les tissus adultes de la plante.

Plus avant dans ce chapitre, on décrira ces tissus adultes et les types de cellules qui les composent. Ces données vont trouver toute leur importance dans les chapitres suivants quand il s'agira d'appréhender la structure interne des racines, des tiges et des feuilles. Ces organes sont composés des mêmes tissus fondamentaux disposés de différentes manières.

POINTS DE REPÈRE

Quand vous terminerez la lecture de ce chapitre, vous devriez pouvoir répondre aux questions suivantes :

* *Quel est le rôle des méristèmes apicaux et quelle est leur composition ?*
* *Quels sont les trois processus qui se succèdent au cours du développement des plantes et comment se recouvrent-ils ?*
* *Quels sont les trois systèmes histologiques de la plante et quels sont les tissus qui les composent ?*
* *Quelles sont les différences entre parenchyme, collenchyme et sclérenchyme ? Quelles en sont les fonctions ?*
* *Quelles sont les principales cellules conductrices du xylème et du phloème ? Quels sont les caractères typiques de chaque type cellulaire ?*
* *Quels sont les rôles de l'épiderme ?*

Ainsi que nous l'avons vu au chapitre précédent, l'embryogenèse est à l'origine de l'axe apex-base de la plante, avec le méristème apical de la tige à une extrémité et le méristème apical de la racine à l'autre. Au cours de l'embryogenèse, le plan radial des systèmes de tissus est également déterminé. L'embryogenèse ne représente cependant que le début du développement de la plante. Ce dernier a lieu principalement après l'embryogenèse, grâce à l'activité des **méristèmes**. Ces tissus, formés de cellules restant jeunes indéfiniment, conservent la capacité de se diviser longtemps après la fin de l'embryogenèse. Dès la germination de la graine, les méristèmes apicaux de la tige et de la racine produisent les cellules qui donneront ensuite naissance aux racines, aux tiges, aux feuilles et aux fleurs de la plante adulte.

Les méristèmes apicaux et leurs dérivés

Les **méristèmes apicaux** sont situés aux extrémités des racines et des tiges et leur rôle est primordial dans la croissance de la plante (Figure 24-1). Le terme « méristème apical » s'applique à un ensemble de cellules comprenant les initiales et leur descendance immédiate. Les initiales sont des cellules qui se divisent en deux cellules filles dont l'une reste une initiale du méristème, tandis que l'autre devient une nouvelle cellule végétative de la plante, ou cellule **dérivée**. Les cellules dérivées peuvent encore se diviser à proximité de la pointe de la racine ou de la tige avant de se différencier. Les divisions ne se limitent cependant pas aux initiales et aux cellules qui en dérivent immédiatement. Par exemple, ce que l'on appelle les méristèmes primaires — protoderme, procambium et méristème fondamental — apparaisent au cours de l'embryogenèse et s'étendent dans toute la plante grâce à l'activité des méristèmes apicaux. Ces méristèmes primaires sont des tissus partiellement différenciés qui restent encore quelque temps méristématiques avant d'entamer leur différenciation en cellules spécialisées dans les tissus primaires (Figure 24-2). Ce mode de croissance, qui implique l'extension de la plante et la production des tissus primaires, est appelée **croissance primaire**, et la partie de la plante formée de ces tissus est la **structure primaire** (page 427). On décrira en détail les méristèmes apicaux de la tige et de la racine aux chapitres 25 et 26, et il sera question, au chapitre 27, de la croissance secondaire, responsable de l'élargissement de la tige et de la racine.

L'existence des méristèmes, qui prolongent la croissance de la plante pendant toute sa vie, souligne une des différences fondamentales entre les plantes et les animaux. Les oiseaux et les mammifères, par exemple, cessent de croître à la fin de leur croissance bien que,

dans certains tissus qui se renouvellent, comme la peau et l'épithélium intestinal, des cellules continuent à se diviser. La croissance des plantes se poursuit au contraire pendant toute la durée de leur existence. Cette croissance illimitée ou prolongée des méristèmes apicaux est dite **indéfinie**.

La croissance des plantes est, jusqu'à un certain point, la contrepartie de la mobilité des animaux. Les plantes »se déplacent » en allongeant leurs racines et leurs tiges, ce qui implique des changements de taille et de forme. Suite à ces changements, la plante modifie son rapport avec l'environnement, en se tournant par exemple vers la lumière et en allongeant ses racines en direction de l'eau. La succession des étapes de croissance des plantes correspond donc grossièrement à tout une série d'actions motrices chez les animaux, en particulier à celles qui sont liées à la recherche de nourriture et d'eau. Chez les plantes, en fait, la croissance assure de nombreuses fonctions que nous réunissons sous le terme de « comportement » chez les animaux.

Croissance, morphogenèse et différenciation

Le **développement** — ensemble de tous les événements qui conduisent progressivement à l'édification de l'organisme — implique trois processus qui se superposent la croissance, la morphogenèse et la différenciation. Le développement est une réponse aux instructions contenues dans l'information génétique que l'organisme reçoit de ses parents. Le développement progresse cependant suivant une voie tributaire, dans une large mesure, de facteurs de milieu spécifiques aux plantes tels que la durée du jour, la longueur d'onde de la lumière et son intensité, ainsi que la pesanteur (voir chapitre 29).

La **croissance** est une augmentation irréversible de la taille ; elle provient de l'effet conjoint de la division des cellules et de l'augmentation de leur taille (voir chapitre 3). La division cellulaire elle-même ne constitue pas une croissance. Elle peut simplement augmenter le nombre de cellules sans accroître le volume global de la structure. L'apport de nouvelles cellules à l'organisme par les divisions cellulaires du méristème augmente sa capacité de croissance, mais la plus grande partie du gain en volume provient de l'élongation cellulaire.

La morphologie de la plante et son organisation interne sont fortement influencées à la fois par la multiplication des cellules et par l'augmentation de leur taille. Les cellules se divisent puis s'accroissent suivant des plans qui, pour une large part, déterminent l'aspect et la morphologie des différentes parties de la plante. Les racines, par exemple, ont normalement une forme cylindrique parce que la plupart des cellules dérivées du méristème apical se divisent transversalement,

Figure 24-2

Schéma résumant l'origine, à partir du méristème apical, des méristèmes primaires qui donneront naissance aux systèmes de tissus de la structure primaire.

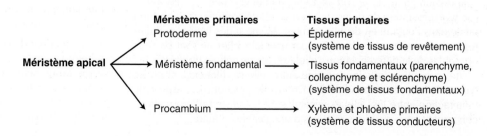

Méristèmes primaires	Tissus primaires
Protoderme	Épiderme (système de tissus de revêtement)
Méristème apical → Méristème fondamental	Tissus fondamentaux (parenchyme, collenchyme et sclérenchyme) (système de tissus fondamentaux)
Procambium	Xylème et phloème primaires (système de tissus conducteurs)

Figure 24-3

Schéma montrant l'origine de quelques types de cellules à partir d'une cellule méristématique du procambium ou du cambium. La cellule méristématique dessinée ici (au centre), avec son unique vacuole centrale, est représentative du cambium. Les cellules procambiales possèdent normalement plusieurs petites vacuoles. On a représenté ici quatre types différents de cellules. Les cellules méristématiques ou leurs précurseurs ont la même composition génétique. Les différents types cellulaires se différencient les uns des autres parce que des lots de gènes différents s'expriment dans chacun d'eux.

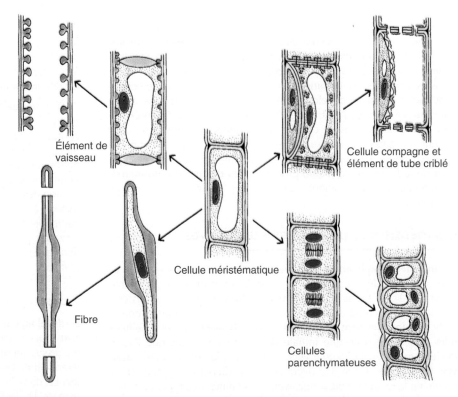

Élément de vaisseau

Cellule compagne et élément de tube criblé

Cellule méristématique

Fibre

Cellules parenchymateuses

suivant un plan perpendiculaire au grand axe de la racine. Il en résulte de longues files, ou lignées cellulaires (Figure 24-1b) qui continuent à s'allonger parallèlement au grand axe de la racine. La réalisation d'une configuration particulière est appelée **morphogenèse**.

La **différenciation** — processus par lequel des cellules possédant une information génétique identique deviennent différentes les unes des autres et des cellules méristématiques dont elles proviennent (Figure 24-3) — débute souvent alors que la croissance de la cellule n'est pas encore terminée. La différenciation cellulaire est soumise au contrôle de l'expression génique. Les différents types de cellules et de tissus synthétisent des protéines différentes parce que les lots de gènes qui s'expriment dans ces cellules et tissus ne sont pas les mêmes que dans les autres. Les cellules des fibres et du collenchyme, par exemple, sont des cellules de soutien, mais les parois des cellules fibreuses sont habituellement rigides, alors que celles du collenchyme sont souples. Au cours de son développement, la fibre synthétise les enzymes responsables de la production de lignine qui confère la rigidité à ses parois. Par contre, la cellule de collenchyme synthétise les enzymes responsables de la production de pectines qui sont à l'origine de la plasticité de ses parois.

Bien que la différenciation cellulaire dépende du contrôle de l'expression génique, le sort de toute cellule végétale — c'est-à-dire son type particulier de différenciation — est déterminé par sa position finale dans l'organe en développement. Même si des lignées cellulaires sont distinctes, dans la racine par exemple, elles ne sont pas responsables de la différenciation cellulaire. Si une cellule indifférenciée quitte sa position initiale pour une autre, elle se différenciera en un type cellulaire correspondant à sa nouvelle position. Un aspect de l'interaction entre les cellules végétales est le transfert d'informations concernant leurs positions relatives d'une cellule à l'autre.

Organisation interne de la plante

Les cellules, unités fondamentales des organismes, s'associent de différentes manières pour former de vastes ensembles cohérents appelés tissus. Les principaux tissus des plantes vasculaires sont en outre réunis en unités plus grandes en fonction de leur continuité dans l'ensemble de la plante. Ces unités plus grandes, ou **systèmes de tissus,** se reconnaissent aisément, souvent à l'œil nu. Il existe trois systèmes de tissus et leur présence dans la racine, la tige et la feuille traduit à la fois la similitude fondamentale entre les organes de la plante et la continuité de l'organisme. Les trois systèmes sont (1) les **tissus de revêtement,** (2) les **tissus conducteurs** et (3) les **tissus fondamentaux**. Comme signalé au chapitre 23, les systèmes de tissus apparaissent au cours du développement de l'embryon, et leurs précurseurs y sont représentés par les méristèmes primaires — respectivement le protoderme, le procambium et le méristème fondamental (Figure 24-2).

Les tissus fondamentaux sont de trois types — le parenchyme, le collenchyme et le sclérenchyme. Le parenchyme est de loin le tissu fondamental le plus commun. Les tissus conducteurs comprennent le xylème et le phloème. Les tissus de revêtement sont représentés par l'épiderme, enveloppe protectrice externe de la structure primaire, puis par le périderme dans les parties de l'organisme qui possèdent un épaississement secondaire (page 427).

À l'intérieur de la plante, les différents tissus sont répartis selon des schémas caractéristiques qui dépendent de l'organe de la plante concerné ou du taxon auquel elle appartient, ou des deux à la fois. Ces schémas sont fondamentalement les mêmes dans les différentes parties de la plante en ce sens que les tissus conducteurs sont toujours enveloppés par le tissu fondamental, le tissu de revêtement formant

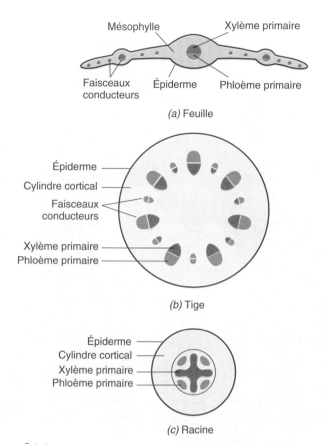

(a) Feuille

Mésophylle

Xylème primaire

Faisceaux conducteurs

Épiderme

Phloème primaire

Épiderme

Cylindre cortical

Faisceaux conducteurs

Xylème primaire

Phloème primaire

(b) Tige

Épiderme

Cylindre cortical

Xylème primaire

Phloème primaire

(c) Racine

Figure 24-4

Schémas représentant la répartition des tissus conducteur et fondamental dans les feuilles, les tiges et les racines de dicotylées. **(a)** Dans la feuille, le tissu fondamental est représenté dans le mésophylle, spécialisé en fonction de la photosynthèse. Les faisceaux conducteurs sont entourés par le mésophylle ; ils comprennent le xylème primaire, pour le transport de l'eau, et le phloème primaire, pour le transport des sucres. **(b)** Dans la tige, le tissu fondamental est représenté par la moelle et le cylindre cortical et, **(c)** dans la racine, par le cylindre cortical seulement. L'épiderme recouvre les trois parties de la plante.

l'assise externe. Les principales différences de répartition dépendent pour une grande part de la distribution relative des tissus conducteur et fondamental (Figure 24-4). Dans la tige des dicotylées, par exemple, le système conducteur peut former un ensemble de faisceaux interconnectés entouré par le tissu fondamental. La région située à l'intérieur des faisceaux est appelée moelle et la région externe est le cylindre cortical. Dans la racine de la même plante, les tissus conducteurs peuvent former un cylindre plein (cylindre conducteur, ou stèle) entouré par un cylindre cortical. Dans la feuille, le système conducteur forme normalement un ensemble de faisceaux (nervures) situé à l'intérieur d'un tissu fondamental photosynthétique (le mésophylle).

On peut définir les tissus comme des ensembles de cellules possédant la même structure et/ou la même fonction. Les tissus composés d'un seul type de cellules sont des **tissus simples**, ceux qui comportent deux ou plusieurs types cellulaires sont des **tissus composés**. Les tissus fondamentaux — parenchyme, collenchyme et sclérenchyme — sont des tissus simples ; le xylème, le phloème et l'épiderme sont des tissus composés.

Les tissus fondamentaux

La fonction du tissu parenchymateux peut être la photosynthèse, le stockage des matières de réserve et/ou la sécrétion

Dans la structure primaire, les **cellules parenchymateuses** forment généralement des ensembles continus — le **tissu parenchymateux** — situé dans la région corticale (Figure 24-5) et la moelle des tiges et des racines, dans le mésophylle des feuilles (voir figure 24-28) et dans la chair des fruits. En outre, les cellules parenchymateuses forment des files verticales dans les tissus conducteurs primaires et secondaires, ainsi que des files horizontales, appelées **rayons**, dans les tissus conducteurs secondaires (voir chapitre 27).

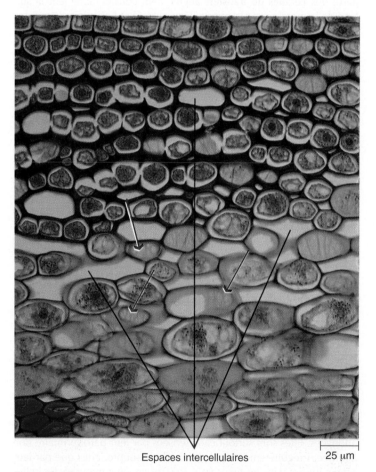

Espaces intercellulaires

25 µm

Figure 24-5

Cellules parenchymateuses (en-dessous) et collenchymateuses à parois cellulaires irrégulièrement épaissies (au-dessus), dans une coupe transversale du cortex d'une tige de sureau (Sambucus canadensis). Dans certaines cellules parenchymateuses, on voit un réseau de stries sur les parois vues de face. Les zones claires à l'intérieur du réseau sont des ponctuations primaires (flèches), parties amincies de la paroi. Les protoplastes des cellules collenchymateuses sont plasmolysées et donc détachées de la paroi. Les zones claires entre les cellules sont des espaces intercellulaires.

Étant normalement vivantes à maturité, les cellules parenchymateuses sont capables de se diviser ; bien que leurs parois soient souvent primaires, certaines possèdent également des parois secondaires. En raison de la persistance de leurs propriétés méristématiques, les cellules parenchymateuses qui ne possèdent que des parois primaires jouent un rôle important dans la régénération des tissus et la cicatrisation des blessures. Les structures adventives, comme les racines produites par les boutures, apparaissent dans ces cellules (page 556). Les fonctions de ces cellules parenchymateuses, telles que la photosynthèse, le stockage des matières de réserve et la sécrétion — supposent l'existence de protoplastes vivants. Ces cellules peuvent en outre jouer un rôle dans le déplacement de l'eau et le transport des substances nutritives chez les plantes.

Les cellules de transfert sont des cellules parenchymateuses possédant des invaginations de la paroi. Les invaginations de la paroi des **cellules de transfert** augmentent considérablement la surface de la membrane plasmique (Figure 24-6) et l'on suppose que ces cellules interviennent dans le transport des solutés sur de faibles distances. La présence de cellules de transfert est généralement associée à l'existence d'importants flux de solutés — soit vers l'intérieur (absorption), soit vers l'extérieur (excrétion) — à travers la membrane plasmique.

Les cellules de transfert sont extrêmement fréquentes et leur fonction est probablement la même dans tout l'organisme. Elles sont associées au xylème et au phloème dans les petites nervures des cotylédons et les feuilles de nombreuses dicotylées herbacées. Elles sont également associées au xylème et au phloème des traces foliaires au niveau des nœuds, chez les dicotylées comme chez les monocotylées. On en trouve en outre dans différents tissus des organes reproducteurs (placentas, sacs embryonnaires, albumen) et dans diverses structures glandulaires (nectaires, glandes, glandes à sel, glandes des plantes carnivores) où existent d'importants transferts de solutés sur de faibles distances.

Le collenchyme est un tissu de soutien des jeunes organes en croissance

Comme les cellules parenchymateuses, les **cellules collenchymateuses** adultes sont vivantes (Figures 24-5, 24-7 et 24-8). Le **collenchyme** forme souvent des amas séparés ou des cylindres continus sous l'épiderme des tiges et des pétioles. On le trouve également en bordure des nervures dans les feuilles de dicotylées. (Les « fils »que l'on trouve à la face externe des pétioles de céleri sont presqu'entièrement formés de collenchyme.) Les cellules collenchymateuses sont habituellement allongées. Elles sont surtout caractérisées par leur paroi primaire non lignifiée, irrégulièrement épaissie, molle et souple, ainsi que par leur aspect luisant dans les tissus frais. Restant en vie à maturité, les cellules collenchymateuses continuent à produire des parois épaisses et souples alors que l'organe poursuit sa croissance ; c'est pourquoi ces cellules sont particulièrement bien adaptées au soutien des jeunes organes en développement.

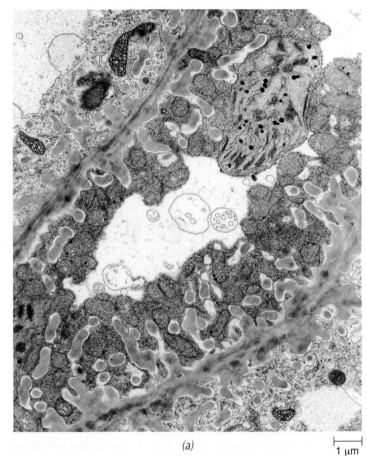

(a)   ⊢—— 1 µm

Figure 24-6

Coupe transversale dans une partie du phloème d'une petite nervure de feuille de *Sonchus* (laiteron), montrant des cellules de transfert avec leurs nombreuses invaginations pariétales.

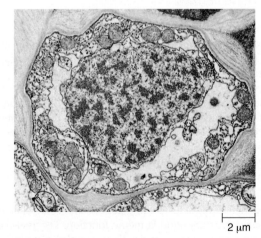

⊢—— 2 µm

Figure 24-7

Micrographie électronique d'une cellule collenchymateuse d'un filet staminal de blé *(Triticum aestivum)*. Remarquez le contenu protoplasmique et l'épaississement inégal de la paroi de cette cellule.

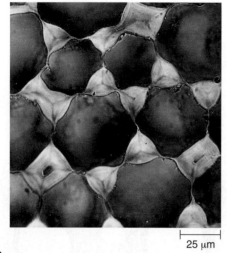

Figure 24-8

Coupe transversale dans le tissu collenchymateux d'un pétiole de rhubarbe *(Rheum rhabarbarum)*. Dans un tissu frais comme celui-ci, les parois cellulaires inégalement épaissies du collenchyme ont un aspect luisant.

Le sclérenchyme renforce et soutient les parties de la plante qui ne s'allongent plus

Les **cellules sclérenchymateuses** peuvent soit former des massifs continus — un **sclérenchyme** — soit être isolées ou réunies en petits groupes parmi d'autres cellules. Elles peuvent se former dans toutes les structures primaires et secondaires et sont souvent dépourvues de protoplaste à maturité. Le terme « sclérenchyme » dérive du grec *skleros*, qui signifie « dur », et la principale caractéristique des cellules sclérenchymateuses est leur paroi secondaire épaisse, souvent lignifiée. Grâce à ces parois, les cellules sclérenchymateuses sont des éléments de soutien importants pour les parties de la plante qui ont cessé de s'allonger (voir la description de la paroi secondaire à la page 64).

On peut reconnaître deux types de cellules sclérenchymateuses : les **fibres** et les **scléréides**. Les fibres sont en général des cellules longues et minces, fréquentes dans les faisceaux conducteurs (Figure 24-

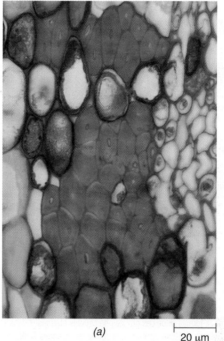

(a) 20 µm   *(b)* 25 µm

Figure 24-9

Fibres du phloème primaire de la tige d'un tilleul *(Tilia americana)* observées en coupes transversale **(a)** et longitudinale **(b)**. Les parois secondaires de ces longues fibres à parois épaisses possèdent des ponctuations assez peu apparentes. On ne voit ici qu'une partie de la longueur de ces fibres en **(b)**.

9). Les fibres commerciales — comme celles du chanvre, du jute et du lin — proviennent de tiges de dicotylées. D'autres fibres économiquement importantes, comme le chanvre de manille, sont extraites de feuilles de monocotylées. La longueur des fibres varie entre 0,8 et 6 millimètres chez le jute, 5 et 55 millimètres chez le chanvre, 9 et 70 millimètres chez le lin. Les scléréides ont une forme variable et sont souvent ramifiés (Figure 24-10) mais, comparés à la plupart des

Figure 24-10

Scléréides ramifiés d'une feuille de nénuphar *(Nymphaea odorata)*, une magnoliidée, observée **(a)** en lumière ordinaire et **(b)** en lumière polarisée. De nombreux petits cristaux angulaires d'oxalate de calcium sont incrustés dans les parois de ce scléréide.

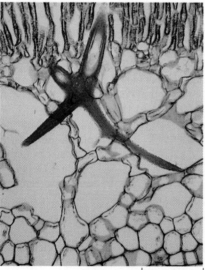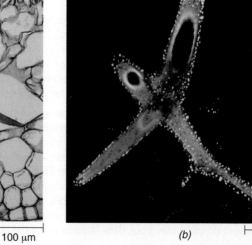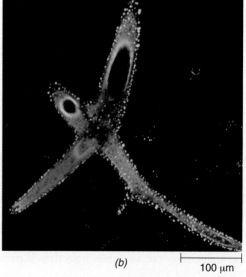

(a) 100 µm   *(b)* 100 µm

25 µm

Figure 24-11

Scléréides (cellules pierreuses) du tissu frais de poire *(Pyrus communis)*. Les parois secondaires contiennent des ponctuations simples très visibles, avec de nombreuses ramifications appelées ponctuations ramifiées. Au cours de la formation de ces groupes de cellules pierreuses dans la chair de la poire, les cellules se divisent de façon concentrique autour de quelques scléréides déjà présents. Après leur apparition, les nouvelles cellules se différencient en cellules pierreuses, augmentant la taille du groupe.

fibres, ce sont des cellules relativement courtes. Les scléréides peuvent être isolés ou réunis en groupes dans tout le tissu fondamental. Ils constituent le spermoderme de nombreuses graines, l'écaille des noix et le noyau (endocarpe) des fruits à noyau ; ils sont également responsables de la présence de concrétions pierreuses typiques dans les poires (Figure 24-11).

Les tissus conducteurs

Le xylème est le principal tissu conducteur de l'eau chez les plantes vasculaires

Le xylème, principal tissu conducteur de l'eau, contribue également au transport des sels minéraux, au soutien et au stockage des matières de réserve. Avec le phloème, le xylème forme un système continu de tissu conducteur réparti dans toute la plante (Figure 24-12). Dans la structure primaire, le xylème dérive du procambium. Au cours de la croissance secondaire, il provient du cambium (voir chapitre 27).

Les principales cellules conductrices du xylème sont appelées **éléments xylémiens,** dont il existe deux types, les **trachéides** et les **éléments de vaisseaux.** Tous deux sont des cellules allongées possédant une paroi secondaire et dépourvues de protoplaste à maturité ; leur paroi peut comporter des *ponctuations* (Figure 24-13a à d ; voir page 66 pour la structure des ponctuations). Contrairement aux trachéides, les éléments de vaisseaux possèdent des *perforations* : ce sont des zones dépourvues de parois primaires et secondaires. Les perforations sont de véritables trous dans la paroi cellulaire. La partie

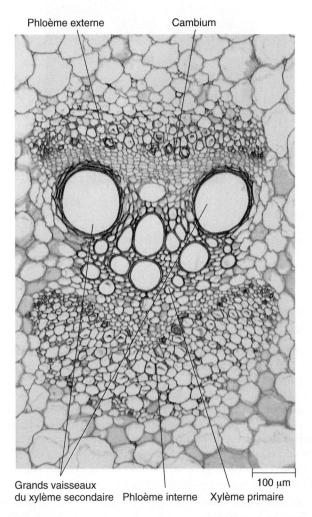

Phloème externe   Cambium

Grands vaisseaux
du xylème secondaire   Phloème interne   Xylème primaire

100 µm

Figure 24-12

Coupe transversale dans un faisceau conducteur de potiron *(Cucurbita maxima)*, espèce souvent choisie pour étudier le phloème. Dans ces faisceaux, on trouve du phloème à l'extérieur et à l'intérieur du xylème. Un cambium se développe normalement entre le phloème externe et le xylème, mais pas entre le phloème interne et le xylème. Ici, Le cambium a produit du phloème secondaire (deux à trois assises cellulaires) à l'extérieur et du xylème secondaire vers l'intérieur. Le xylème secondaire est surtout représenté par les deux grands vaisseaux. Tout le phloème interne fait partie de la structure primaire.

de la paroi qui possède une ou plusieurs perforations s'appelle une **plaque perforée** (Figure 24-14). Il existe généralement des perforations aux extrémités des éléments vasculaires lorsqu'ils se rejoignent bout-à-bout pour former les longues colonnes continues que sont les **vaisseaux** (Figure 24-15).

La trachéide est le teul type de cellule conductrice de l'eau chez la plupart des cryptogames vasculaires et des gymnospermes. Par contre, le xylème de la grande majorité des angiospermes contient à la fois des éléments de vaisseaux et des trachéides. La trachéide ne possède pas de perforations : elle est de ce fait moins spécialiée que l'élément de vaisseau, principale cellule conductrice de l'eau chez les

Perforations

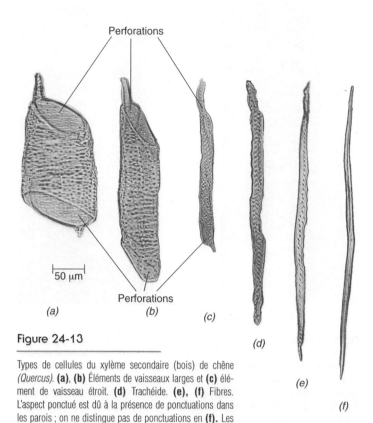

50 μm

Perforations

(a)　　　　*(b)*　　　　*(c)*

(d)

(e)

(f)

Figure 24-13

Types de cellules du xylème secondaire (bois) de chêne *(Quercus)*. **(a)**, **(b)** Éléments de vaisseaux larges et **(c)** élément de vaisseau étroit. **(d)** Trachéide. **(e)**, **(f)** Fibres. L'aspect ponctué est dû à la présence de ponctuations dans les parois ; on ne distingue pas de ponctuations en **(f)**. Les ponctuations sont des zones dépourvues de paroi secondaire. Seuls les éléments de vaisseaux possèdent des perforations, zones dépourvues à la fois de parois primaire et secondaire (voir figure 24-14).

angiospermes. Les éléments de vaisseaux semblent avoir évolué indépendamment dans plusieurs groupes de plantes vasculaires.

On considère généralement que le transport de l'eau est plus efficace par les éléments de vaisseaux que par les trachéides parce que l'eau peut passer d'un élément à l'autre par les perforations sans pratiquement rencontrer d'obstacle. Le système ouvert des éléments de vaisseaux offre cependant moins de sécurité à la plante que les trachéides. Le courant d'eau passant entre deux trachéides traverse les membranes des ponctuations doubles — minces parois cellulaires primaires modifiées — (page 66). Bien que les membranes poreuses des ponctuations n'opposent qu'une résistance assez faible au courant d'eau qui les traverse, elles peuvent arrêter les moindres bulles d'air (voir chapitre 31). Les bulles qui se forment dans une trachéide — par exemple au printemps lors des périodes successives de gel et de dégel de l'eau dans le xylème — restent donc limitées à cette seule trachéide et l'interruption du courant d'eau qui en découle est ainsi limité. Dans un élément de vaisseau, les bulles d'air peuvent par contre interrompre le courant d'eau sur toute la longueur du vaisseau. Les vaisseaux larges sont plus efficaces que les vaisseaux étroits pour conduire l'eau, mais ils ont également tendance à être plus longs et moins à l'abri des accidents que les vaisseaux étroits.

Les épaississements secondaires des éléments conducteurs du xylème primaire sont très variés. Pendant l'élongation des racines, des tiges et des feuilles, par exemple, les parois secondaires de beaucoup d'éléments de vaisseaux du protoxylème (*proto-* signifiant « premier »), se déposent sous forme d'anneaux ou de spires (Figure 24-16). Ces épaississements annulaires ou spiralés permettent aux

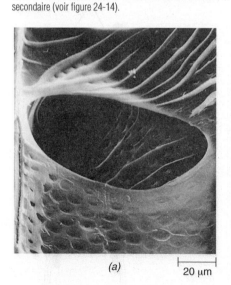

(a)　　　20 μm

(b)　　　20 μm

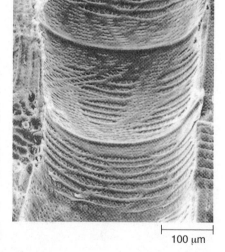

100 μm

Figure 24-14

Plaques perforées. Micrographies au microscope électronique à balayage des parois terminales perforées d'éléments de vaisseaux du xylème secondaire. **(a)** Plaque perforée simple, avec une seule grande perforation, entre deux éléments de vaisseaux de tilleul *(Tilia americana)*. **(b)** Plaque perforée scalariforme, rappelant les barreaux d'une échelle, entre des éléments de vaisseaux de l'aulne rouge *(Alnus rubra)*. On peut distinguer des ponctuations dans la paroi en-dessous de la plaque perforée en **(a)** et dans certaines parties de la paroi en **(b)**.

Figure 24-15

Micrographie au microscope électronique à balayage montrant des portions de trois éléments d'un vaisseau dans le xylème secondaire du chêne rouge **(Quercus rubra)**. Remarquez les anneaux sur les parois terminales entre les éléments de vaisseaux disposés bout-à-bout.

577

cellules de s'étirer et de s'allonger, mais elles sont souvent écrasées au cours de l'élongation de l'organe. Dans le xylème primaire, la nature de l'épaississement de la paroi est profondément influencé par l'importance de l'élongation. Si l'élongation est limitée, ce sont des éléments ponctués qui se forment, plutôt que des éléments extensibles. Si l'élongation est importante par contre, de nombreux éléments annelés ou spiralés se formeront. Dans le xylème primaire tardif (le métaxylème ; *meta-* signifiant « après »), ainsi que dans le xylème secondaire, les parois secondaires des trachéides et des éléments de vaisseaux recouvrent complètement les parois primaires, sauf au niveau des membranes des ponctuations et des perforations des éléments xylémiens (Figure 24-13a à d). Ces parois sont par conséquent rigides et ne peuvent être étirées.

La figure 24-17 illustre quelques étapes de la différenciation d'un élément de vaisseau pourvu d'épaississements spiralés. La différenciation des éléments xylémiens est un exemple d'apoptose (du grec *apo*, qui signifie « loin de » et *ptosis*, « chute »), ou mort cellulaire programmée. L'apoptose est l'aboutissement des processus programmés génétiquement qui se terminent par la mort de la cellule. Dans le cas des éléments conducteurs, elle aboutit à l'élimination totale du protoplaste. Les parois cellulaires persistent, sauf au niveau des perforations des éléments de vaisseaux, et il en résulte des conduits ininterrompus

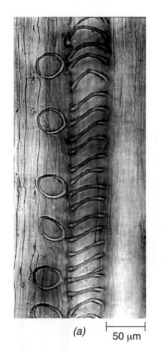

(a) |50 μm| *(b)* |50 μm|

Figure 24-16

Portions d'éléments conducteurs du protoxylème (xylème primaire le plus ancien). chez le ricin *(Ricinus communis)*. **(a)** Épaississements cellulaires annelés (en forme d'anneaux à gauche) et spiralés dans des éléments partiellement étirés. **(b)** Épaississement doublement spiralé dans des éléments étirés. L'élément de gauche a été fortement étiré et les spires des hélices se sont écartées.

Paroi primaire renflée au niveau de la perforation   Épaississements de la paroi secondaire   Dégénérescence de la paroi primaire   Perforation

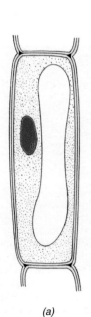
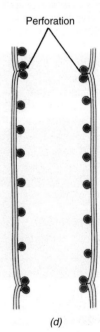

Dégénérescence du noyau

Tonoplaste

(a)   *(b)*   *(c)*   *(d)*

Figure 24-17

Schéma illustrant le développement d'un élément de vaisseau. **(a)** Jeune élément très vacuolisé, sans paroi secondaire. **(b)** La cellule s'est élargie, la paroi secondaire — spiralée quand on la voit en trois dimensions — a commencé à se déposer et la paroi primaire s'est épaissie au niveau d'une perforation. **(c)** Le dépôt de la paroi secondaire est terminé et la cellule est partiellement lysée. Le noyau dégénère, le tonoplaste est rompu et la paroi est en partie désintégrée au niveau de la perforation. **(d)** La cellule est arrivée à maturité, elle ne possède plus de protoplaste et elle est ouverte aux deux extrémités.

TABLEAU 24.1

Types de cellules du xylème et du phloème

Types cellulaires	Fonction principale
XYLÈME	
Éléments conducteurs	Transport de l'eau et des minéraux
Trachéides	
Éléments de vaisseaux	
Fibres	Soutien, parfois stockage
Parenchyme	Stockage
PHLOÈME	
Éléments criblés	Transport à longue distance de la sève élaborée
Cellules criblées (avec cellules albumineuses)	
Éléments de tubes criblés (avec cellules compagnes)	
Sclérenchyme	Soutien, parfois stockage
Fibres	
Scléréides	
Parenchyme	Stockage

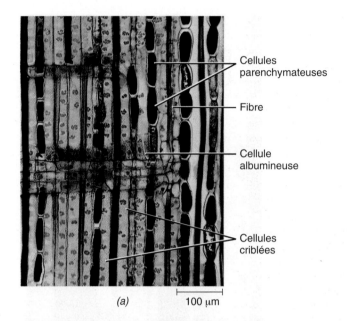

(a)   100 µm

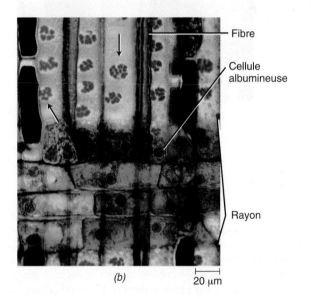

(b)   20 µm

Figure 24-18

Cellules criblées **(a)** Coupe longitudinale (radiale) dans le phloème secondaire d'un if *(Taxus canadensis)*, un conifère, montrant, orientés verticalement, des cellules criblées, des cordons de parenchyme et des fibres. On distingue des portions de deux rayons horizontaux traversant les cellules verticales. Les cellules albumineuses (voir page 582) sont des cellules parenchymateuses spécialisées typiquement associées aux cellules criblées (flèches) des gymnospermes. **(b)** Détail d'une portion de phloème secondaire de l'if, montrant des plages criblées avec de la callose (colorée en bleu) sur les parois des cellules criblées, et des cellules albumineuses, qui forment ici la rangée supérieure de cellules du rayon. Notez l'absence de plaques criblées dans les cellules criblées.

destinés au transport de l'eau et des substances en solution (voir chapitre 31).

En plus des trachéides et des éléments de vaisseaux, le tissu xylémien comprend des cellules parenchymateuses qui emmagasinent différentes substances. Le parenchyme xylémien se présente souvent en cordons verticaux. Dans le xylème secondaire, on le trouve également sous forme de rayons. Il existe aussi des fibres dans le xylème (Figure 23-13e, f). Beaucoup de ces fibres restent vivantes à maturité ; elles ont une double fonction de réserve et de soutien. Il existe en outre parfois des scléréides dans le xylème. Le tableau 24-1 donne la liste des types cellulaires présents dans le xylème et de leurs principales fonctions.

Le phloème est le principal tissu conducteur de la sève organique des plantes vasculaires

Le **phloème**, qui conduit la sève organique aux différentes parties de la plante, peut avoir une origine primaire ou secondaire (Figure 24-12). Comme pour le xylème primaire, le phloème formé initialement (le protophloème) est souvent étiré et détruit au cours de l'élongation de l'organe.

Les principales cellules conductrices du phloème sont les **éléments criblés** : il en existe de deux types, les **cellules criblées** (Figure 24-18) et les **éléments des tubes criblés** (Figures 24-19 à 24-21). Le terme « crible » se réfère aux ensembles de pores, ou **plages criblées**, qui relient entre eux les protoplastes d'éléments criblés voisins. Dans les

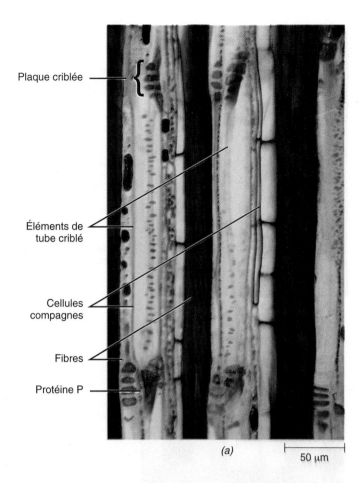

Plaque criblée

Éléments de tube criblé

Cellules compagnes

Fibres

Protéine P

(a)

50 µm

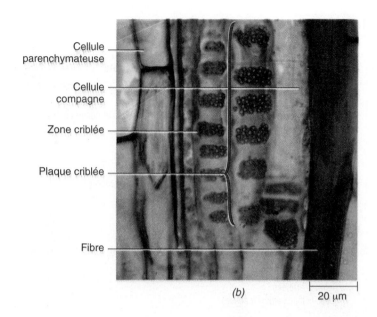

Cellule parenchymateuse

Cellule compagne

Zone criblée

Plaque criblée

Fibre

(b)

20 µm

Figure 24-19

Éléments de tubes criblés. **(a)** Coupe longitudinale (radiale) dans le phloème secondaire de tilleul *(Tilia americana)*, montrant les éléments de tubes criblés avec des plaques criblées et des groupes bien visibles de fibres à parois épaisses. Les cellules compagnes (voir page 582) sont des cellules parenchymateuses spécialisées typiquement associées aux éléments de tubes criblés. La protéine P est un composant caractéristique des éléments de tubes criblés chez les magnoliidées et les dicotylées ; elle s'est accumulée au niveau des plaques criblées de ces éléments. **(b)** Détail de plaques criblées composées dans les éléments de tubes criblés de tilleul : on les appelle ainsi parce qu'elles sont formées de deux ou plusieurs zones criblées. Chacune de ces zones est composée de pores bordés de cylindres de callose, colorée en bleu dans cette coupe.

cellules criblées, les pores sont étroits et la structure des zones criblées est assez uniforme sur toutes les parois. La plupart des zones criblées sont réunies au niveau des extrémités superposées des cellules criblées longues et minces (Figure 24-18a). Dans les éléments de tubes criblés par contre, les zones criblées ont des pores plus grands sur certaines parois que dans d'autres régions de la même cellule. La partie de la paroi qui possède des plages criblées à grands pores s'appelle une **plaque criblée** (Figures 24-19 à 24-21). On peut trouver des plaques criblées sur toutes les parois, mais elles sont généralement situées aux extrémités. Les éléments de tubes criblés sont placés bout-à-bout en séries longitudinales appelées **tubes criblés**. Une des principales différences entre les deux types d'éléments criblés est donc la présence de plaques criblées dans les éléments de tubes criblés et leur absence dans les cellules criblées.

La cellule criblée est moins spécialisée que l'élément de tube criblé. C'est le seul type de cellule conductrice de la sève élaborée chez les gymnospermes, alors qu'il n'existe que des éléments de tubes criblés chez les angiospermes. Les éléments criblés des cryptogames vasculaires ont une structure variable : on parle simplement d'« éléments criblés ».

Les parois des éléments criblés sont généralement considérées comme primaires. Dans les coupes de tissu phloémien, les pores des zones criblées sont en général obturés ou tapissés par une substance pariétale, la callose, polysaccharide composé de chaînes spiralées de glucose (Figures 24-18 et 24-19). La plus grande partie, sinon toute la callose qui se trouve dans les pores des éléments conducteurs criblés est un artefact apparu au cours de la préparation du tissu pour la microscopie. On parle de « callose de blessure » pour désigner cette callose, ainsi que toute autre callose provenant d'une blessure provoquée par une cause naturelle. De la callose se dépose en outre normalement dans les zones et les plaques criblées des éléments criblés vieillissants : on parle alors de « callose définitive ».

Contrairement aux éléments des trachées, les éléments criblés conservent un protoplaste vivant à maturité (Figure 24-20). Le protoplaste des éléments criblés adultes diffère cependant de celui des autres cellules vivantes de la plante. Au cours de la différenciation des éléments criblés, il se modifie profondément : on observe principalement une dégénérescence du noyau et du tonoplaste, ou membrane vacuolaire.

Figure 24-20

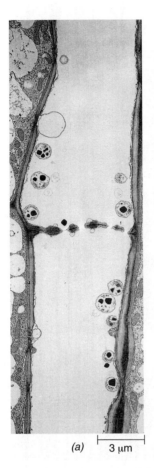
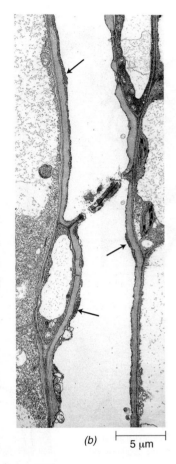

Micrographies électroniques de portions d'éléments de tubes criblés différenciés dans les tiges de maïs et de potiron. **(a)** Coupe longitudinale de portions de deux éléments de tubes criblés adultes et plaque criblée de maïs *(Zea mays)*. Les pores de la plaque criblée sont ouverts. Les nombreux petits organites arrondis contenant des inclusions protéiques denses sont des plastes. Comme ceux de la plupart des monocotylées, les éléments de tubes criblés du maïs sont dépourvus de protéine P. **(b)** Même coupe longitudinale de portions de deux éléments de tubes criblés du potiron *(Cucurbita maxima)*. Comme ceux des autres dicotylées, les éléments de tubes criblés de potiron contiennent la protéine P. Dans ces éléments, la protéine P est répartie le long de la paroi (flèches) et les pores de la plaque criblée sont ouverts. En-dessous à gauche et au-dessus à droite, on voit des cellules compagnes. **(c)** Une plaque criblée vue de face : elle sépare deux éléments de tubes criblés de potiron. Comme en **(b)**, les pores des plaques criblées sont ouverts, partiellement tapissés de protéine P (flèches).

(a)   3 µm

(b)   5 µm

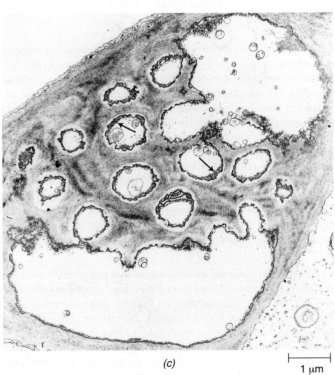

(c)   1 µm

La différenciation des éléments criblés aboutit également à la perte des ribosomes, du système de Golgi et du cytosquelette. À maturité, tout ce qui reste du protoplaste des éléments criblés est réparti le long de la paroi. Ces restes sont la membrane plasmique, un réseau de réticulum endoplasmique lisse — assez abondant dans les cellules criblées, en particulier dans les zones criblées — de même que quelques plastes et mitochondries. Contrairement donc au protoplaste des éléments xylémiens, qui dégénère entièrement au cours de la différenciation, celui des éléments criblés se dégrade sélectivement. Nous verrons que, pour jouer son rôle dans le transport de la sève organique, l'élément criblé doit rester vivant, mais il doit en même temps libérer un passage pour le déplacement de l'eau et des substances dissoutes (voir chapitre 31). De nombreux virus trouvent également dans le tube criblé un chemin qui convient parfaitement à leurs déplacements rapides à travers toute la plante (voir chapitre 14).

Chez les magnoliidées et les dicotylées (ainsi que chez certaines monocotylées), les protoplastes des éléments des tubes criblés sont caractérisés par la présence d'une substance protéique jadis appelée « mucus » et connue aujourd'hui sous le nom de **protéine P** (le « P » signifie phloème). À l'origine, dans le jeune élément de tube criblé, la protéine P se présente sous forme de corpuscules, les corpuscules de

Éléments immatures de tube criblé

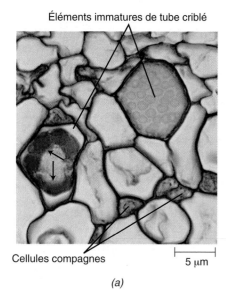

Cellules compagnes

5 μm

(a)

Éléments différenciés de tube criblé

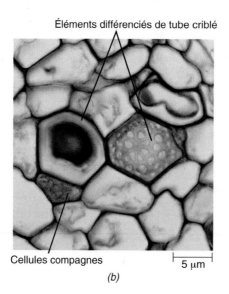

Cellules compagnes

5 μm

(b)

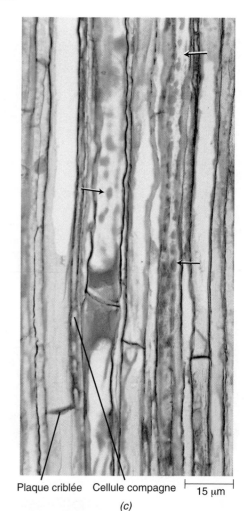

Plaque criblée   Cellule compagne   15 μm

(c)

Figure 24-21

Photographies d'éléments de tubes criblés immatures et différenciés dans le phloème de la tige de potiron *(Cucurbita maxima)*. **(a)** Coupe transversale montrant deux éléments de tubes criblés immatures. On peut voir des corpuscules de protéine P (flèches) dans l'élément de gauche, une plaque criblée immature au-dessus à droite. Les plaques criblées du potiron sont des plaques simples (avec une zone criblée par plaque). Les petites cellules à contenu dense sont des cellu-

les compagnes. **(b)** Coupe transversale montrant deux éléments de tubes criblés à maturité. On voit un bouchon de mucilage dans l'élément de gauche ; une plaque criblée adulte se trouve dans celle de droite. Les petites cellules denses sont des cellules compagnes. **(c)** Coupe longitudinale montrant des éléments de tubes criblés immatures et à maturité. Les flèches montrent des corpuscules de protéine P dans les cellules immatures.

protéine P (Figure 24-21a). Au cours des derniers stades de la différenciation, ces corpuscules s'allongent et se désagrègent et la protéine P, de même que d'autres éléments qui persistent dans la cellule adulte, se répartissent le long des parois. Dans les coupes de tissu phloémien, on trouve en général des « bouchons de mucus », composés de protéine P, près des plaques criblées (Figure 24-21b). On ne trouve pas ces bouchons dans les cellules intactes : ils proviennent d'un reflux du contenu des tubes criblés blessés au moment où le tissu a été sectionné. Dans les éléments de tubes criblés mûrs intacts, les pores des plaques criblées sont bordés de protéine P, mais ils ne sont pas obturés (Figure 14-20b, c). Le rôle de la protéine P n'a pas encore été élucidé. Certains botanistes pensent cependant que le rôle de cette protéine, comme celui de la callose de blessure, consiste à obturer les pores des plaques criblées en cas de blessure, empêchant ainsi la perte du contenu des tubes criblés. La figure 24-22 représente quelques stades de la différenciation d'un éléments de tube criblé à protéine P.

Les éléments de tubes criblés sont normalement associés à des cellules parenchymateuses spécialisées appelées **cellules compagnes** (Figures 24-20b et 24-21), qui possèdent tous les composants habituels des cellules végétales vivantes, y compris le noyau. Les éléments de tube criblé et les cellules compagnes associées se développent en parallèle (elles dérivent de la même cellule mère) et possèdent de

nombreuses connexions cytoplasmiques. Ces connexions comportent typiquement un petit pore du côté de l'élément de tube criblé et des plasmodesmes très ramifiés du côté de la cellule compagne (Figure 24-23). En raison de leurs nombreuses connexions par plasmodesmes avec les éléments de tubes criblés et de leurs ressemblances ultrastructurales avec les cellules sécrétrices (vaste population de ribosomes et nombreuses mitochondries), on pense que le rôle des cellules compagnes consiste à fournir diverses substances aux éléments de tubes criblés. Etant donné l'absence de noyau dans l'élément de tube criblé adulte, on peut s'attendre à trouver, parmi ces substances, des molécules d'information, des protéines et l'ATP nécessaire à la survie de l'élément de tube criblé. La cellule compagne constitue un système de survie pour l'élément de tube criblé. On étudiera en détail le mécanisme de transport par le phloème au chapitre 31.

Les cellules criblées des gymnospermes sont typiquement associées à des cellules parenchymateuses spécialisées appelées **cellules albumineuses** (Figure 24-18b). Bien qu'elles ne dérivent généralement pas de la même cellule mère que la cellule criblée associée, on pense que ces cellules jouent le même rôle que les cellules compagnes. Comme celles-ci, les cellules albumineuses possèdent un noyau et les autres composants cytoplasmiques des cellules vivantes. Lorsque les éléments criblés meurent, les cellules compagnes ou albumineuses associées meurent

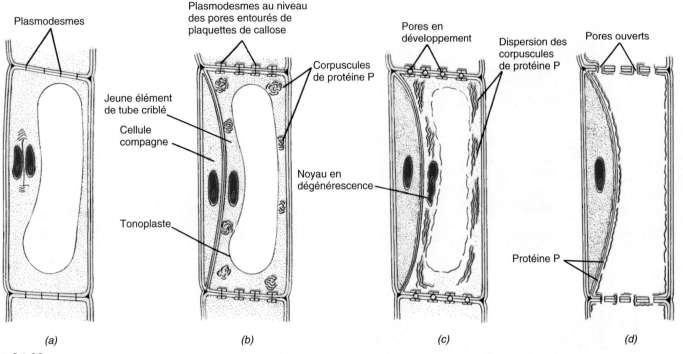

(a)　　　　　　　*(b)*　　　　　　　*(c)*　　　　　　　*(d)*

Figure 24-22

Différenciation d'un élément de tube criblé. **(a)** La cellule mère de l'élément se divise. **(b)** La division a produit un jeune élément de tube criblé et une cellule compagne. Un ou plusieurs corpuscules de protéine P se forment dans le cytoplasme, qui est séparé de la vacuole par le tonoplaste. La paroi du jeune élément de tube criblé s'est épaissie et les sites des futurs pores de la plaque criblée sont représentés par des plasmodesmes. Les plasmodesmes sont maintenant entourés par une plaquette de callose de chaque côté de la paroi. **(c)** Le noyau dégénère, le tonoplaste se rompt et les corpuscules de protéine P se désagrègent dans le cytoplasme tapissant la paroi. Simultanément, les plasmodesmes des plaques criblées commencent à s'élargir en pores. **(d)** À maturité, l'élément de tube criblé a perdu son noyau et sa vacuole. Tout ce qui reste du protoplaste, y compris la protéine P, tapisse les parois, et les pores de la plaque criblée sont ouverts. Les plaquettes de callose ont disparu pendant l'élargissement des pores. Le réticulum endoplasmique lisse, des mitochondries et des plastes sont également présents dans l'élément de tube criblé à maturité, mais ils ne sont pas représentés dans cette figure.

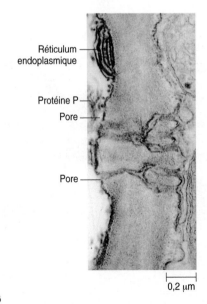

0,2 µm

Figure 24-23

Micrographie électronique montrant les connexions par pores et plasmodesmes entre une cellule compagne (à droite) et un élément de tube criblé (à gauche) dans une feuille de peuplier *(Populus deltoides)*. Les plasmodesmes ramifiés dans la paroi de la cellule compagne sont connectés à un petit pore de la paroi de l'élément de tube criblé.

également ; c'est une indication supplémentaire de l'interdépendance des éléments criblés et de leurs cellules compagnes ou albumineuses.

Il existe d'autres cellules parenchymateuses dans les phloèmes primaire et secondaire (Figures 24-18 et 24-19). Elles jouent un rôle important dans le stockage de différentes substances. On peut également y trouver des fibres (Figures 24-18 et 24-19) et des scléréides. Le tableau 24-1 donne la liste des types cellulaires du phloème et de leurs principales fonctions, en même temps que celle du xylème.

Les tissus de revêtement

L'épiderme est l'assise cellulaire externe de la structure anatomique primaire

L'**épiderme** représente le système de tissu de revêtement des feuilles, des pièces florales, des fruits et des graines, ainsi que des tiges et des racines jusqu'au moment où leur croissance secondaire est devenue importante. Les fonctions et la structure des cellules épidermiques sont assez variables. En plus des cellules relativement peu spécialisées qui forment la plus grande partie de l'épiderme, on y trouve les **cellules de garde** des stomates (Figures 24-24 à 24-27), et de nombreux types d'appendices, ou **trichomes** (Figures 24-26, 24-28 et 24-29), ainsi que d'autres types de cellules spécialisées.

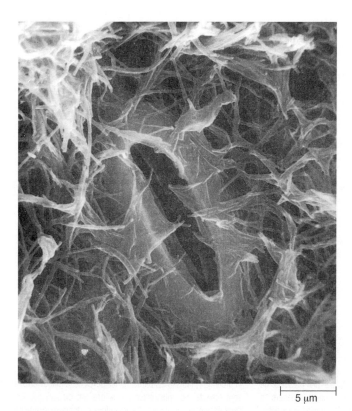

Figure 24-24

Vue superficielle de l'épiderme inférieur d'une feuille d'*Eucalyptus globulus*, photographié au microscope électronique à balayage. On peut voir ici un seul stomate — bordé par deux cellules de garde — et de nombreux filaments de la couche de cire épicuticulaire.

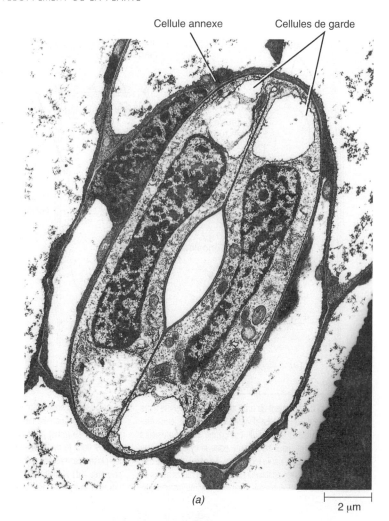

Cellule annexe   Cellules de garde

(a)

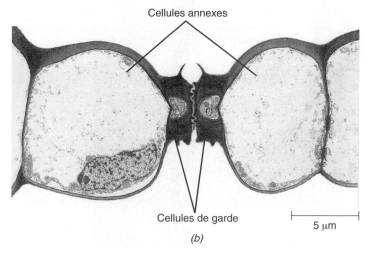

Cellules annexes

Cellules de garde

(b)

Figure 24-25

Micrographie électronique de stomates de maïs *(Zea mays)*. **(a)** Coupe parallèle à la surface de la feuille, montrant l'ostiole ouvert entre les jeunes cellules de garde, dont les parois ne sont pas encore épaissies, et deux cellules annexes. **(b)** Coupe transversale dans un stomate fermé. Chaque cellule de garde à parois épaisses est fixée à une cellule annexe. L'intérieur de la feuille est situé vers le bas.

Les cellules épidermiques forment un ensemble compact qui procure aux organes de la plante une protection mécanique efficace. Dans les parties aériennes, leurs parois sont couvertes d'une cuticule qui réduit les pertes d'eau. La cuticule est principalement composée de cutine et de cire (page 25). Chez de nombreuses plantes, la cire est extrudée à la surface de la cuticule sous forme de feuillets lisses, de bâtonnets ou de filaments dressés à la surface : c'est ce que l'on appelle la cire épicuticulaire (Figure 24-24 ; voir également figure 2-12). Cette cire est à l'origine de la pruine blanchâtre ou bleuâtre de la surface de certaines feuilles et de certains fruits.

À la surface des parties aériennes de la plante, on remarque, parmi les cellules épidermiques étroitement imbriquées et dépourvues de chloroplastes, les cellules de garde des stomates, riches en chloroplastes (Figures 24-24 à 24-27). Les stomates contrôlent les échanges gazeux, y compris ceux de la vapeur d'eau, entre la plante et le milieu ambiant. (Le terme « stomate » s'applique normalement au pore et aux cellules de garde. Il sera question du mécanisme d'ouverture et de fermeture des stomates au chapitre 31.) Bien qu'il existe des stomates dans toutes les parties aériennes, ils sont plus abondants dans les feuilles. Les cellules de garde sont souvent associées à des cellules

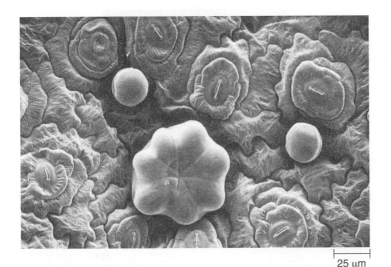

Figure 24-26

Micrographie électronique à balayage de l'épiderme inférieur d'une feuille de *Plectranthus* vu de face. On peut voir plusieurs stomates — les cellules de garde — flanqués chacun de deux cellules annexes arquées. On voit également deux sortes de trichomes.

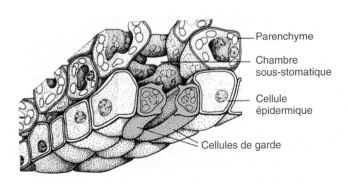

Figure 24-27

Dessin d'un stomate mûr montrant ses relations avec l'épiderme et les cellules sous-jacentes. Les parois proximales de l'ostiole des cellules stomatiques sont généralement plus épaisses que les parois distales. Au cours de leur différenciaiton, les stomates peuvent s'élever ou s'enfoncer sous la surface de l'épiderme. Il existe souvent un grand espace aérifère, ou chambre sous-stomatique, immédiatement sous le stomate. Contrairement aux autres cellules épidermiques, les cellules de garde contiennent des chloroplastes.

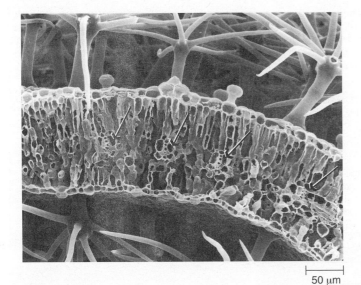

Figure 24-28

Trichomes. Coupe transversale dans une feuille de bouillon blanc *(Verbascum thapsus)*, photographiée au microscope électronique à balayage. Les feuilles et les tiges de bouillon blanc paraissent densément laineuses en raison de la présence d'un grand nombre de trichomes très ramifiés comme ceux que l'on voit ici sur les deux faces de la feuille. Il existe également des poils glandulaires courts et non ramifiés. Le tissu fondamental de la feuille est constitué par le mésophylle qui est traversé par de nombreux faisceaux conducteurs, les nervures (flèches).

épidermiques de forme particulière. On les appelle des *cellules annexes* (Figures 24-25 et 25-26).

Les trichomes ont différentes fonctions. Les poils absorbants des racines facilitent l'absorption de l'eau et des sels minéraux du sol. Les recherches sur les plantes vivant dans des milieux arides montrent que l'augmentation de la pubescence des feuilles confère une plus grande réflectance des rayons solaires, abaisse en conséquence la température des feuilles et réduit la perte d'eau. De nombreuses plantes « aériennes », comme les broméliacées épiphytes, se servent des trichomes foliaires pour absorber l'eau et les minéraux. Au contraire, chez les *Atriplex* vivant dans un sol salin, les trichomes sécrètent le sel à partir des tissus foliaires, protégeant ainsi la plante d'une accumulation de substances toxiques. Les trichomes peuvent également procurer une défense contre les insectes. On a constaté chez plusieurs espèces une étroite corrélation entre la densité de l'indument et la résistance aux attaques d'insectes. Les poils crochus de certaines espèces empalent les insectes et leurs larves, et les trichomes des plantes carnivores jouent un rôle important dans la capture des insectes (voir chapitre 30). Les poils glandulaires (sécréteurs) peuvent constituer une défense chimique.

Le développement des trichomes sur l'épiderme d'*Arabidopsis* a fourni un sujet de choix pour étudier le contrôle du sort et de la différenciation des cellules chez les plantes (Figure 24-29). On a identifié des gènes impliqués dans le développement des trichomes sur la partie aérienne d'*Arabidopsis* et d'autres mutants affectant le développement ont pu être utilisés au cours des analyses. On a identifié deux gènes, *GL*1 (*GLABROUS* 1) et *TTG* (*TRANSPARENT TESTA GLABRA*) indispensables pour déclencher développement des trichomes. Le gène *GL1* semble agir localement, plutôt qu'à distance : cela montre que l'expression accrue de *GL1* intervient précocement pour déclencher le développement d'un trichome à partir d'une cellule du protoderme. Au contraire, *TTG* semble avoir une influence inhibitrice sur les cellules protodermiques voisines et empêcher leur transformation en trichomes. On a également attribué un rôle au gène *TTG* dans le sort réservé aux cellules épidermiques de la racine (voir chapitre 25) ; les mutants *ttg* ne possèdent pas de trichomes sur leurs parties aériennes, mais les poils absorbants y sont plus nombreux. Le gène mutant est symbolisé par des lettres minuscules.

Le périderme est le tissu protecteur secondaire

Un **périderme** remplace généralement l'épiderme dans les tiges et les racines qui développent une croissance secondaire. Les cellules du périderme forment généralement des tissus compacts, mais certaines

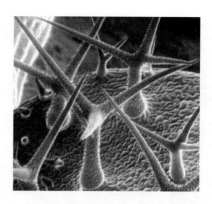

Figure 24-29

Micrographie électronique à balayage de trichomes ramifiés à la surface de la feuille d'*Arabidopsis thaliana*. On a identifié, par analyse génétique, deux gènes indispensables au développement des trichomes chez *Arabidopsis*.

TABLEAU RÉSUMÉ

Tissus et types de cellules

TISSU	TYPE DE CELLULE	CARACTÉRISTIQUES	LOCALISATION	FONCTION
Tissus de revêtement	Épiderme	Cellules indifférenciées ; cellules de garde et cellules des trichomes ; cellules sclérenchymateuses	Assise cellulaire externe de la structure primaire de la plante	Protection mécanique ; réduit les pertes d'eau (cuticule) ; aération des tissus internes par les stomates
	Périderme	Cellules de liège ; cellules de phellogène ; cellules parenchymateuses du phelloderme ; scléréides	Périderme initial sous l'épiderme ; des péridermes se forment ensuite plus profondément dans l'écorce	Remplace l'épiderme comme tissu de protection dans les racines et les tiges ; aération des tissus internes par les lenticelles
Tissus fondamentaux	Tissu parenchymateux	Parenchyme	Forme : souvent polyédrique ; variable Paroi cellulaire : primaire, ou primaire et secondaire ; peut être lignifiée, subérisée ou cutinisée Vivant à maturité	Dans toute la plante : tissu parenchymateux du cylindre cortical, moelle et rayons médullaires, dans le xylème et le phloème	Processus métaboliques comme la respiration, la digestion et la photosynthèse ; stockage et conduction ; cicatrisation et régénération
	Tissu collenchymateux	Collenchyme	Forme : allongée Paroi cellulaire : épaississement inégaux, seulement primaire - non lignifiée Vivant à maturité	À la périphérie (sous l'épiderme) dans les jeunes tiges en cours d'élongation ; souvent sous forme d'un cylindre de tissu ou seulement de plages dans les nervures de certaines feuilles	Soutien pour la structure primaire
	Tissu sclérenchymateux	Fibre	Forme : généralement très longue Paroi cellulaire : primaire et secondaire épaisse - souvent lignifiée Souvent (pas toujours) mort à maturité	Parfois dans le cortex des tiges ; le plus souvent associée au xylème et au phloème ; dans les feuilles des monocotylées	Soutien ; stockage
		Scléréide	Forme : variable ; généralement plus court que la fibre Paroi cellulaire : primaire et secondaire épaisse - généralement lignifiée Peut être vivant ou mort à maturité	Dans toute la plante	Mécanique ; protection

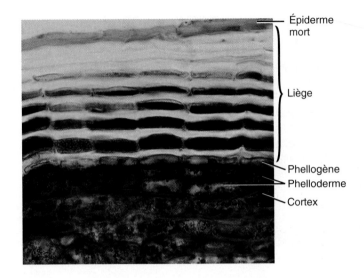

Épiderme
mort

Liège

Phellogène
Phelloderme
Cortex

Figure 24-30

Coupe transversale du périderme de la tige de pommier *(Malus sylvestris).* Le périderme que l'on voit ici est principalement formé de cellules de liège produites en files radiales vers l'extérieur (en haut) par le phellogène. Une ou deux assises de phelloderme se trouvent sous le phellogène.

parties — les lenticelles — sont disposées de façon lâche et permettent une aération des tissus internes des racines et des tiges. Le périderme est surtout composé d'un **liège** protecteur qui n'est pas vivant et dont les parois sont fortement subérisées à maturité ; le périderme comprend en outre le **phellogène**, ou *méristème cortical*, et le **phelloderme**, qui est un tissu parenchymateux vivant (Figure 24-30). Le phellogène produit le liège vers l'extérieur et le phelloderme vers l'intérieur. L'origine de ce méristème est variable suivant les espèces et les régions de la plante. On étudiera le périderme en détail au chapitre 27.

TISSU		TYPE DE CELLULE	CARACTÉRISTIQUES	LOCALISATION	FONCTION
Tissus conducteurs	Xylème	Trachéide	Forme allongée et acuminée Paroi cellulaire : primaire et secondaire ; lignifiée ; possède des ponctuations, mais pas de perforations Morte à maturité	Xylème	Principal élément de conduction de l'eau chez les gymnospermes et les cryptogames vasculaires ; existe également chez les angiospermes
		Élément de vaisseau	Forme allongée, généralement moins que les trachéides ; plusieurs éléments bout-à-bout forment un vaisseau Paroi cellulaire : primaire et secondaire ; lignifiée ; possède des ponctuations et des perforations Mort à maturité	Xylème	Principal élément de conduction de l'eau chez les angiospermes
	Phloème	Cellule criblée	Forme : allongée et acuminée Paroi cellulaire : primaire chez la plupart des espèces ; avec zones criblées ; callose souvent associée à la paroi et aux pores Vivante à maturité ; avec ou sans restes du noyau à maturité ; pas de distinction entre vacuole et cytoplasme ; contient de grandes quantités de réticulum endoplasmique tubulaire ; pas de protéine P.	Phloème	Élément conducteur de la sève organique chez les gymnospermes
		Cellule albumineuse	Forme : généralement allongée Paroi cellulaire : primaire Vivante à maturité ; associée à la cellule criblée, mais ne provient généralement pas de la même cellule mère ; reliée par de nombreux plasmodesmes à la cellule criblée	Phloème	Semble jouer un rôle dans la délivrance de substances à la cellule criblée, comme les molécules d'information et l'ATP
		Élément de tube criblé	Forme allongée Paroi cellulaire : primaire, avec plages criblées ; pores beaucoup plus grands dans les parois des extrémités que dans les latérales - la partie terminale est la plaque criblée ; callose souvent associée aux parois et aux pores Vivant à maturité ; pas de noyau à maturité ou seulement des restes de noyau ; chez les magnoliidées, les dicotylées et certaines monocotylées, contient une substance protéique, la protéine P ; une série verticale d'éléments de tube criblé constitue un tube criblé	Phloème	Élément conducteur de la sève organique chez les angiospermes
		Cellule compagne	Forme : variable, généralement allongée Paroi cellulaire : primaire Vivante à maturité ; étroitement associée à un élément de tube criblé ; dérive de la même cellule mère que celle-ci ; reliée par de nombreux plasmodesmes à l'élément de tube criblé	Phloème	Jouerait un rôle dans la délivrance de substances à l'élément de tube criblé, comme les molécules d'information et l'ATP

RÉSUMÉ

La croissance primaire est le résultat de l'activité des méristèmes apicaux

Après l'embryogenèse, la croissance dépend en ordre principal de l'activité des méristèmes, composés des initiales et des cellules qui en dérivent immédiatement. Les méristèmes apicaux interviennent surtout dans l'élongation des racines et des tiges. Cette croissance, également appelée croissance primaire, aboutit à la production des tissus primaires qui constituent la structure primaire de la plante.

Le développement implique trois processus qui se chevauchent : la croissance, la morphogenèse et la différenciation

La croissance est une augmentation irréversible de la taille ; elle est principalement due à une élongation des cellules. La morphogenèse est

l'acquisition d'une forme spécifique et la différenciation est le processus qui permet à des cellules génétiquement identiques de devenir différentes les unes des autres en raison d'une expression génique différenciée.

Les plantes vasculaires sont composées de trois systèmes de tissus

Les systèmes de tissus — de revêtement, conducteur et fondamental, qui existent dans la racine, la tige et la feuille — traduisent les ressemblances fondamentales entre les organes végétaux et la continuité de l'ensemble de la plante. Le tableau résumé présente une synthèse des tissus végétaux et de leurs types de cellules.

MOTS CLÉS

apoptose p. 578

cellule albumineuse p. 582

cellule compagne p. 582

cellule criblée p. 579

cellule de transfert p. 574

cellules de garde p. 583

collenchyme p. 574

croissance indéfinie p. 571

croissance p. 571

croissance primaire p. 571

dérivées p. 571

développement p. 571

différenciation p. 572

élément criblé p. 579

élément de tube criblé p. 579

élément de vaisseau p. 576

élément xylémien p. 576

épiderme p. 583

fibre p. 575

initiales p. 571

méristème apical p. 571

méristème p. 571

morphogenèse p. 572

parenchyme p. 573

périderme p. 586

phloème p. 579

plaque criblée p. 580

plaque perforée p. 576

protéine P p. 581

scléréide p. 575

sclérenchyme p. 575

stomate p. 584

structure primaire p. 571

système de tissus de revêtement p. 572

système de tissus fondamentaux p. 572

système de tissus p. 572

système de tissus vasculaires p. 572

tissu composé p. 573

tissu simple p. 573

trachéide p. 576

trichome p. 583

tube criblé p. 580

vaisseau p. 576

xylème p. 576

zone criblée p. 579

QUESTIONS

1. Quelles sont les différences entre les termes suivants : cellule de collenchyme/cellule de sclérenchyme ; trachéide/élément de vaisseau ; plaque perforée/élément de tube criblé ; callose/protéine P ?

2. Qu'entend-on par croissance ?

3. On dit que la croissance des méristèmes apicaux est indéfinie : expliquez.

4. Quelle est la différence entre tissus simples et tissus composés ? donnez des exemples.

5. Quelles sont les différences entre les scléréides et les fibres ?

6. Quels sont les rapports entre un élément de tube criblé et sa cellule compagne ?

La racine :
structure et développement

25

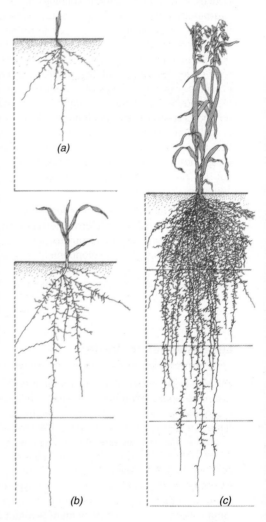

SOMMAIRE

Pour la majorité des personnes, la beauté d'une plante ne réside pas dans ses racines — mais c'est peut-être injustifié. La plupart des racines se trouvant sous terre et n'étant donc pas faciles à observer, nous avons tendance à les ignorer ou du moins à les considérer comme une simple partie de l'ensemble. Nous verrons cependant dans ce chapitre que les systèmes racinaires jouent non seulement plusieurs rôles essentiels à la survie de la plante, mais qu'ils sont en outre généralement plus développés que ses parties aériennes.

Ce chapitre débute par un exposé des différents types de systèmes racinaires. On envisagera ensuite les modèles de croissance des racines, y compris la structure et le fonctionnement du méristème apical, le rôle de la coiffe et la présence de trois zones principales de croissance — qui contribuent toutes à l'édification des tissus de la racine adulte.

Ces tissus seront ensuite étudiés en détail et nous pourrons mettre en pratique ce que nous avons appris dans les chapitres précédents à propos des systèmes histologiques de base. Bien que les mêmes systèmes de tissus se retrouvent dans toute la plante, nous verrons que ceux des racines possèdent des caractéristiques structurales typiques.

Beaucoup de racines sont douées d'une croissance secondaire en plus de leur croissance primaire. La dernière partie de ce chapitre décrira donc les processus liés à l'activité du cambium et du phellogène et la façon dont ils modifient la structure primaire de la racine. Le chapitre se terminera par la description de différentes spécialisations des racines, telles que le stockage par les racines charnues et l'aération par les racines aérifères.

POINTS DE REPÈRE

Quand vous terminerez la lecture de ce chapitre, vous devriez pouvoir répondre aux questions suivantes :

- *Quels sont les deux principaux types de systèmes racinaires et comment diffèrent-ils l'un de l'autre par leur origine et leur structure ?*
- *Quels sont les fonctions de la coiffe et quelles modifications subit-elle au cours de l'élongation de la racine ?*
- *Quels sont les deux types principaux d'organisation apicale et comment diffèrent-ils l'un de l'autre ?*
- *Quels tissus trouve-t-on dans une racine à l'issue de la croissance primaire et comment sont-ils disposés ?*
- *Quelles sont les conséquences de la croissance secondaire sur la structure primaire de la racine ?*
- *Pourquoi dit-on que les racines secondaires sont endogènes ?*

Figure 25-1

Dessins de plantes d'avoine *(Avena sativa)* montrant la taille relative des systèmes racinaire et aérien **(a)** 31, **(b)** 45 et **(c)** 80 jours après le semis. L'avoine, une monocotylée, possède un système racinaire fasciculé. Les racines interviennent principalement dans la fixation et l'absorption. Les intervalles verticaux mesurent 1 pied (environ 30,5 centimètres).

La première structure qui émerge de la graine à la germination est la racine embryonnaire qui permet à la plantule en développement de se fixer au sol et d'absorber l'eau. Cela traduit les deux fonctions essentielles des racine, l'**ancrage** et l'**absorption** (Figure 25-1). Deux autres fonctions sont liées aux racines : le **stockage** et la **conduction**. La plupart des racines sont d'importants organes de stockage et certaines, comme celles des carottes, des betteraves sucrières et des patates douces, sont spécifiquement adaptées au stockage des réserves. Les substances nutritives synthétisées dans les parties aériennes photosynthétiques de la plante migrent, par le phloème, jusqu'aux tissus de stockage de la racine. Ces substances peuvent être utilisées finalement par la racine elle-même, mais, le plus souvent, les réserves sont digérées et les produits sont réexpédiés aux parties aériennes par le phloème. Chez les plantes bisannuelles, dont le cycle de développement couvre deux années, comme la betterave sucrière et la carotte, d'importantes réserves s'accumulent dans les régions de stockage de la racine pendant la première année. Ces réserves sont ensuite utilisées au cours de la seconde année pour produire les fleurs, les fruits et les graines. L'eau et les sels minéraux, ou ions inorganiques, absorbés par les racines transitent par le xylème pour arriver aux parties aériennes de la plante.

Les hormones (en particulier les cytokinines et les gibbérellines) synthétisées dans les régions méristématiques des racines sont transportées par le xylème jusqu'aux parties aériennes, où elles stimulent la croissance et le développement (voir chapitre 28). Les racines synthétisent également toute une série de métabolites secondaires, comme la nicotine, qui arrive finalement aux feuilles de la plante de tabac (voir chapitre 2).

Les systèmes racinaires

La première racine de la plante provient de l'embryon : elle est généralement appelée **racine primaire**. Chez les gymnospermes, les magnoliidées et les dicotylées, la racine primaire, ou **racine pivotante**, ou encore racine principale, s'enfonce directement dans le sol et produit des **racines latérales**, ou secondaires. Les plus anciennes racines latérales se trouvent près de la base de la racine primaire (à la jonction entre la racine et la tige), et les plus jeunes sont produites au voisinage de la pointe de la racine. Ce type de système racinaire — formé à l'origine d'une racine primaire bien développée et de ses ramifications — est un **enracinement pivotant** (Figure 25-2a).

Chez les monocotylées, la racine primaire est généralement éphémère. Au contraire, le système racinaire principal de la plante se développe surtout à partir de racines adventives provenant de la tige. Ces racines adventives et leurs racines latérales produisent un **enracinement fasciculé**, dans lequel il n'existe pas de racine plus développée que les autres (Figures 25-1 et 25-2b). Les systèmes pivotants descendent généralement plus profondément dans le sol que les systèmes fasciculés. L'enracinement fasciculé, à développement superficiel et forte adhérence aux particules du sol, convient particulièrement bien aux plantes utilisées pour couvrir le sol et le protéger de l'érosion.

L'extension d'un système racinaire — c'est-à-dire la profondeur qu'il atteint et la distance latérale qu'il parcourt dans le sol — dépend de plusieurs facteurs, comme l'humidité, la température et des propriétés du sol. La plus grande part de ce que l'on appelle les « racines nourricières » (les minces racines qui interviennent activement dans l'absorption de l'eau et des sels minéraux) se disperse généralement à moins d'un mètre de profondeur. Chez beaucoup d'arbres, la plupart de ces racines sont confinées dans l'horizon superficiel de 15 centimètres, normalement le plus riche en matière organique. Certains arbres, comme les épicéas, les hêtres et les peupliers, ne produisent que rarement des racines pivotantes profondes alors que d'autres, comme les chênes et beaucoup de pins, enfoncent souvent leurs racines assez profondément, ce qui rend hasardeuse leur transplantation. Un buisson du désert, *Prosopis juliflora*, atteint une profondeur record des racines, qui ont été retrouvées à 53,3 mètres dans une mine à ciel ouvert près de Tucson, en Arizona. Au cours du creusement du canal de Suez, en Egypte, on a trouvé des racines de *Tamarix* et d'*Acacia* à une profondeur de 30 mètres. L'extension latérale des racines dépasse en général — souvent de quatre à sept mètres — le diamètre de la couronne de l'arbre. Le système racinaire du maïs (*Zea mays*) atteint souvent une profondeur d'environ 1,5 mètre et s'étend à un mètre environ tout autour de la plante. Les racines de luzerne (*Medicago sativa*) peuvent descendre jusqu'à 6 mètres de profondeur au moins.

Une étude des plus soigneuses de l'extension comparée des systèmes souterrain et aérien a été menée sur une plante de seigle (*Secale cereale*) de quatre mois. La superficie totale du système racinaire, poils absorbants compris, atteignait 639 mètres carrés, soit 130 fois la surface du système aérien. Fait plus étonnant encore, les racines n'occupaient qu'un volume de six litres de sol.

La plante maintient un équilibre entre sa partie aérienne et son système racinaire

Dans une plante en croissance, un équilibre se maintient entre la surface totale capable d'élaborer la matière organique (la surface de photosynthèse) et la surface disponible pour l'absorption de l'eau et des sels minéraux. Dans les plantules, la surface totale capable d'absorber l'eau et les minéraux excède en général notablement la surface de photosynthèse. Le rapport des surfaces entre les racines et la partie aérienne décroît cependant avec l'âge de la plante.

Si des dommages affectent notablement la surface d'absorption des racines, la croissance de la partie aérienne est ralentie par le manque d'eau, de minéraux et d'hormones fournis par les racines. La réduction de la taille du système aérien limite à son tour la croissance des racines en diminuant la quantité de glucides et d'hormones fournie par la partie aérienne. Dans la nature, les racines nourricières sont souvent blessées ou tuées par divers agents, comme les températures extrêmes, le soulèvement provoqué par le gel ou l'action d'une partie de la microfaune du sol comprenant les nématodes et les collemboles qui affectionnent ces racines riches en eau. Lorsque des racines blessées meurent, elles sont rapidement remplacées par d'autres ; les fluctuations de la population de racines et de leur densité dans le sol sont donc aussi dynamiques que celles des feuilles et des jeunes tiges

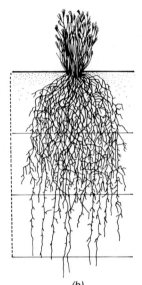

Figure 25-2

Deux types de systèmes racinaires représentés par deux plantes des prairies. **(a)** Système pivotant de *Liatris punctata*, une dicotylée. **(b)** Système fasciculé d'*Aristida purpurea*, une monocotylée. Les intervalles verticaux représentent un pied (environ 30,5 centimètres). Les systèmes pivotants pénètrent en général plus profondément dans le sol que les systèmes fasciculés.

(b)

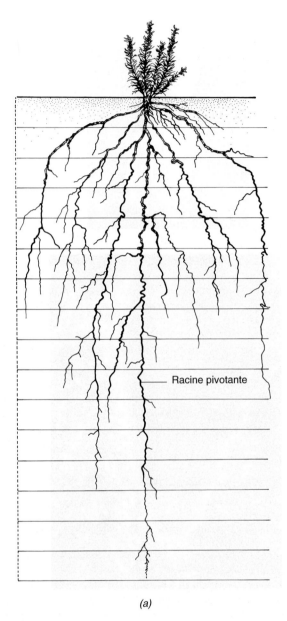

Racine pivotante

(a)

dans la partie aérienne. Même si les plantes sont transplantées avec soin, l'équilibre entre la partie aérienne et la racine est toujours perturbé. La plupart des minces racines nourricières sont détruites quand on extrait la plante du sol. L'élagage de la partie aérienne favorise le rétablissement de l'équilibre entre les deux systèmes ; il en va de même lors du rempotage dans un plus grand espace d'une plante dont les racines sont trop serrées.

Origine et croissance des tissus primaires

La croissance de nombreuses racines est apparemment un processus continu qui ne s'arrête qu'en conditions défavorables, par exemple en cas de sécheresse et de basse température. Au cours de leur croissance dans le sol, les racines suivent le chemin offrant la moindre résistance et occupent souvent les espaces laissés libres par d'autres racines mortes et décomposées.

La pointe des racines est couverte par une coiffe produisant du mucigel

La **coiffe** est une masse de parenchyme en forme de dé à coudre protégeant le méristème apical sous-jacent et favorisant la pénétration de la racine dans le sol (Figures 25-3 à 25-6). À mesure que la racine s'allonge et que sa coiffe est poussée en avant, les cellules périphériques de la coiffe se détachent. Ces cellules détruites et la coiffe en croissance sont couvertes d'une gaine mucilagineuse, ou **mucigel**, qui lubrifie la racine au cours de son passage dans le sol (Figure 25-4). À mesure que les cellules de la coiffe sont détruites, le méristème apical en produit d'autres. La longévité (de leur origine à leur destruction) des cellules de la coiffe varie de quatre à neuf jours, en fonction de la longueur de l'organe et de l'espèce.

La substance mucilagineuse du mucigel est un polysaccharide très hydraté, probablement une pectine, sécrétée par les cellules externes de la coiffe. Elle s'accumule dans des vésicules de Golgi, qui fusionnent à la membrane plasmique, puis libèrent le mucilage dans la paroi cellulaire. Le mucilage peut alors migrer vers l'extérieur.

Non seulement la coiffe protège la racine et facilite sa pénétration dans le sol, mais elle joue en outre un rôle important en contrôlant la réaction de la racine à la pesanteur (géotropisme). Dans la coiffe, la pesanteur est perçue au niveau de la colonne centrale de cellules, la **columelle**, où se trouvent des amyloplastes contenant de l'amidon. Beaucoup de botanistes pensent que les amyloplastes fonctionnent comme détecteurs de la pesanteur (voir chapitre 29).

L'organisation apicale des racines peut être ouverte ou fermée

À part la coiffe, le caractère structural le plus frappant de l'apex de la racine est la disposition des files longitudinales, ou lignées cellulaires, qui dérivent du méristème apical. Le méristème apical comporte un

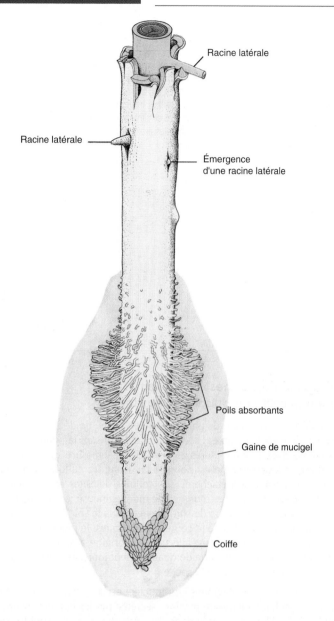

Figure 25-3

Portion de racine de dicotylée montrant les relations spatiales entre la coiffe et la région pilifère et (en haut) les sites d'émergence des racines latérales, formées en profondeur, à l'intérieur de la racine principale. Les nouveaux poils absorbants apparaissent immédiatement à l'arrière de la zone d'élongation, à peu près au même rythme que disparaissent les poils âgés. La pointe de la racine est recouverte d'une gaine de mucigel qui la lubrifie au cours de son passage dans le sol.

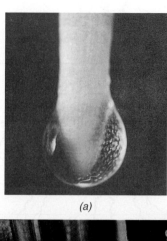

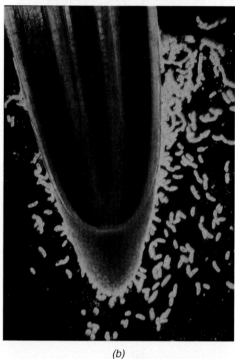

Figure 25-4

(a) Mucigel sur la coiffe d'une racine de maïs *(Zea mays)*, contenant les cellules exfoliées de la coiffe. **(b)** Image en fond noir d'une racine vivante montrant un « nuage » de cellules détachées de la coiffe en suspension dans la gaine de mucigel (non visible sur la photo).

nombre relativement restreint de petites cellules polygonales — les initiales et les cellules qui en dérivent immédiatement (page 571) — contenant un cytoplasme dense et des noyaux volumineux (Figures 25-5 et 25-6). L'organisation et le nombre d'assises d'initiales dans les méristèmes apicaux des racines sont tous deux assez variables.

On distingue deux types principaux d'organisation apicale chez les angiospermes. Dans le premier, la coiffe, le cylindre conducteur et le cylindre cortical dérivent d'assises cellulaires bien individualisées et indépendantes du méristème apical, l'épiderme ayant la même ori-

gine que la coiffe ou que le cylindre cortical (Figure 25-5). Ce premier type d'organisation apicale de la racine est désigné comme le « type fermé » et l'on considère que chacune des trois régions — coiffe, cylindre conducteur et cylindre cortical — posséde ses propres initiales. Dans le second type d'organisation, toutes les régions, ou du moins le cortex et la coiffe, convergent vers un seul groupe de cellules (Figure 25-6). Ce type d'organisation est le « type ouvert » : toutes les régions possèdent des initiales communes.

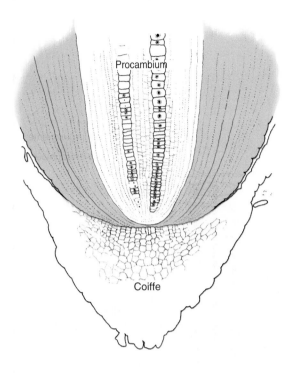

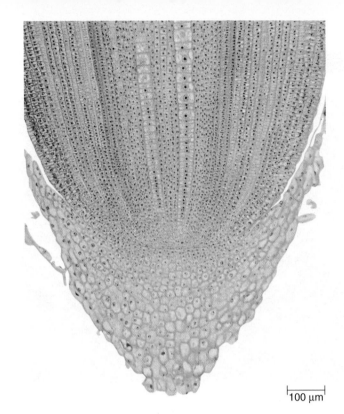

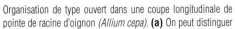

Figure 25-5

Organisation de type fermé, dans un méristème apical de racine de maïs *(Zea mays)*, en coupe longitudinale. Remarquez les trois assises distinctes d'initiales. L'assise inférieure donne naissance à la coiffe, l'intermédiaire au protoderme et au méristème fondamental, ou cylindre cortical, et la supérieure au procambium, ou cylindre central. Comparez l'organisation de ce méristème apical à celui de la racine d'oignon de la figure 25-6b.

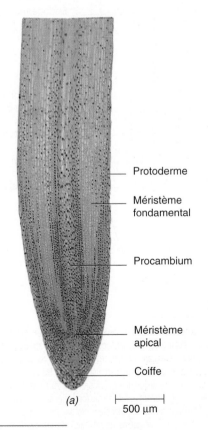

Protoderme

Méristème fondamental

Procambium

Méristème apical

Coiffe

(a)

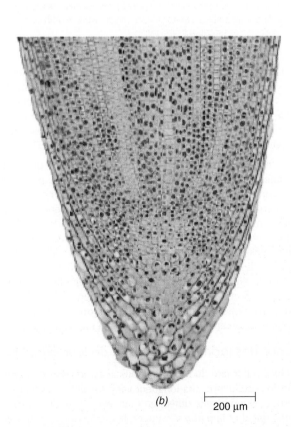

(b)

Figure 25-6

Organisation de type ouvert dans une coupe longitudinale de pointe de racine d'oignon *(Allium cepa)*. **(a)** On peut distinguer les méristèmes primaires — protoderme, procambium et méristème fondamental — à proximité du méristème apical. **(b)** Détail du méristème apical. Comparez l'organisation de ce méristème apical à celui de la racine de maïs de la figure 25-5.

Figure 25-7   50 µm

Centre quiescent (entouré de traits interrompus) dans une coupe transversale du méristème apical de racine de maïs *(Zea mays)*. Pour préparer cette autoradiographie, on a administré à la
pointe de racine, durant un jour, de la thymidine (précurseur de l'ADN) marquée par le tritium
(^{3}H), isotope radioactif de l'hydrogène. Dans les cellules à divisions rapides entourant le centre
quiescent, la substance radioactive s'est aussitôt incorporée à l'ADN nucléaire. L'émulsion photographique recouvrant la coupe a été exposée aux rayonnements provenant de l'ADN marqué, produisant ainsi des grains foncés sur cette autoradiographie.

Bien que la partie du méristème apical de la racine où se trouvent
les initiales se divise activement au début du développement, les
mitoses y deviennent plus rares au cours de la croissance ultérieure de
la racine. La plupart des divisions cellulaires ont lieu alors à courte
distance des initiales quiescentes. On appelle **centre quiescent** la
région relativement inactive du méristème apical (Figure 25-7).

Comme l'indique le terme « relativement », le centre quiescent
n'est pas totalement dépourvu de divisions en conditions normales.
En outre, ce centre est capable de repeupler les régions méristématiques voisines en cas de traumatisme. Au cours d'une expérience, on a
par exemple constaté que des centres quiescents isolés de maïs *(Zea
mays)*, cultivés en milieu stérile, pouvaient donner naissance à des
racines complètes sans passer par la formation d'un cal. Dans un
autre travail sur des racines de maïs, on a constaté une corrélation
frappante entre la taille du centre quiescent et la complexité du système conducteur primaire de la racine. Ces recherches, et d'autres
encore, font penser que le centre quiescent peut jouer un rôle essentiel dans l'organisation et le développement de la racine.

La croissance des racines se situe près de leur extrémité

La région située à l'arrière du méristème apical est le siège de la plupart des divisions cellulaires ; sa longueur varie suivant les espèces et,
pour une espèce donnée, elle diffère en outre avec l'âge de la racine.
Le méristème apical et la partie voisine de la racine où se produisent
les divisions cellulaires forment ensemble la **zone de division cellulaire** (Figure 25-8).

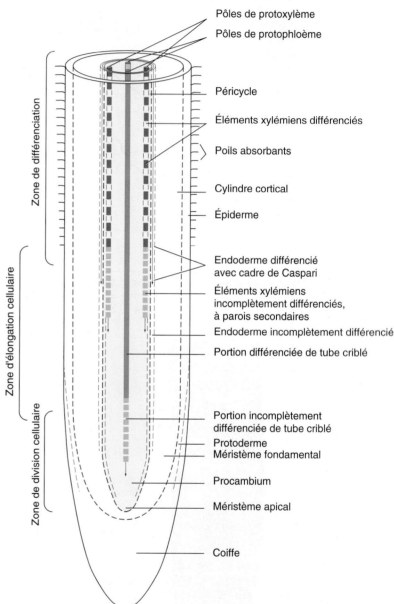

Figure 25-8

Schéma illustrant les premiers stades du développement primaire d'une pointe de racine. La zone
de division cellulaire s'étend sur une distance importante à l'arrière du méristème apical. Cette
zone chevauche la zone d'élongation et d'accroissement des cellules et également celle de différenciation. À des distances variables du méristème apical, les cellules s'accroissent et se développent en un type cellulaire spécifique qui dépend de leur position dans la racine. Les trois
méristèmes primaires — protoderme, méristème fondamental et procambium — sont individua-
lisés à proximité du méristème apical. Les éléments de tubes criblés du protophloème se différencient avant (plus près du méristème apical) ceux du protoxylème. L'endoderme (avec les
cadres de Caspari), est complètement différencié avant le protoxylème et le développement des
poils absorbants.

Au-delà de cette zone, mais sans limite précise, se trouve la **zone d'élongation**, dont la longueur n'excède généralement pas quelques millimètres (Figure 25-8). L'allongement de la racine provient en majeure partie de l'élongation des cellules de cette région. Au-delà de cette zone, la racine ne s'allonge plus. L'allongement de la racine se produit donc à proximité de la pointe et provient d'une poussée constante à travers le sol d'une portion très limitée de racine.

La zone d'élongation est suivie d'une zone de **différenciation** ; c'est dans cette zone que la plupart des cellules des tissus primaires se différencient (Figure 25-8). Les poils absorbants se forment également dans cette région, qui s'appelle aussi la zone pilifère (Figure 25-3). Si des poils absorbants se formaient dans la zone d'élongation, il est évident qu'ils seraient rapidement cisaillés par l'action abrasive des particules du sol, au cours de la poussée en profondeur de la racine.

Il est important de noter que les transitions entre les différentes régions de la racine sont graduelles. Ces zones ne sont pas nettement délimitées. Certaines cellules commencent à s'allonger et à se différencier dans la zone de division cellulaire et d'autres complètent leur différenciation dans la zone d'élongation. Les premiers éléments du phloème et du xylème sont par exemple complètement différenciés dans la région d'élongation et sont souvent étirés et détruits au cours de l'allongement de la racine. On peut voir à la figure 25-8 que les premiers éléments du phloème (tubes criblés du protophloème) achèvent leur différenciation plus près de la pointe de la racine que les premiers éléments du xylème (éléments du protoxylème) : cela signifie que les substances nutritives transportées par les tubes criblés sont indispensables à la croissance de la racine.

On peut distinguer le protoderme, le méristème fondamental et le procambium à proximité immédiate du méristème apical (Figures 25-

6 et 25-8) : ce sont les méristèmes primaires qui vont se différencier respectivement en épiderme, cylindre cortical et tissus conducteurs primaires (voir chapitre 23).

La structure primaire

Comparée à celle de la tige, la structure interne de la racine est en général relativement simple. Ce fait est dû pour une grande part à l'absence de feuilles et, par conséquent, de nœuds et d'entrenœuds (Figure 1-10). La disposition des tissus primaires diffère donc très peu suivant le niveau de la racine.

On peut aisément distinguer les trois systèmes de tissus au cours de la croissance primaire de la racine — l'épiderme (système de tissus de revêtement), le cylindre cortical (système de tissus fondamentaux) et le cylindre central (système de tissus conducteurs). Dans la plupart des racines, les tissus conducteurs forment un cylindre plein, mais il existe un cylindre creux entourant une moelle chez certaines monocotylées (voir figures 25-10 et 25-11).

L'épiderme des jeunes racines absorbe l'eau et les minéraux

Les **poils absorbants** facilitent l'absorption de l'eau et des minéraux par les racines ; ces extensions tubulaires des cellules épidermiques augmentent considérablement la surface d'absorption de la racine (Figure 25-9). À l'occasion d'un travail de recherche sur une plante de seigle de quatre mois, on a constaté que la plante possédait environ 14 milliards de poils absorbants, avec une surface totale d'absorption de 401 mètres carrés. Placés bout-à-bout, ces poils feraient bien plus de 10.000 kilomètres de long.

Figure 25-9

Poils absorbants. **(a)** Plantule de radis *(Raphanus sativus)*. Remarquez le spermoderme déporté latéralement, l'hypocotyle recourbé et la racine primaire produisant de nombreux poils absorbants. L'eau et les sels minéraux pénètrent principalement par les poils absorbants qui se forment immédiatement à l'arrière de la pointe de la racine. **(b)** Racine d'une plantule de graminée *(Agrostis tenuis)*. Les poils absorbants peuvent atteindre une longueur de 1,3 centimètre et achever leur développement en quelques heures. Les poils ont une durée de vie relativement courte mais de nouveaux poils apparaissent à mesure que les anciens meurent tant que la croissance de la racine se poursuit.

(a)

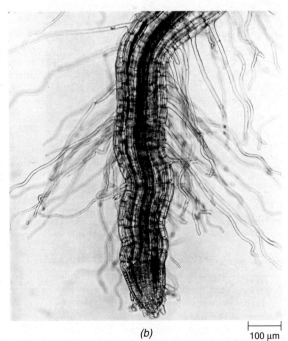

(b)   100 µm

Les poils absorbants ont une durée de vie relativement courte et sont pratiquement confinés dans la zone de différenciation. De nouveaux poils absorbants se forment juste en-dessous de la zone d'élongation (Figure 25-8) à une vitesse qui correspond à peu près à l'allure à laquelle disparaissent les poils âgés à l'extrémité supérieure de la région pilifère. À mesure que la pointe de la racine pénètre dans le sol, de nouveaux poils absorbants se développent et procurent à la racine des surfaces permettant d'absorber de nouvelles quantités d'eau et de sels minéraux (ions inorganiques). (voir au chapitre 31 un exposé sur l'absorption de l'eau et des ions inorganiques par les racines.) Ce sont évidemment les racines jeunes et en croissance — les racines nourricières — qui interviennent dans l'absorption de l'eau et des minéraux. C'est la raison pour laquelle il faut prendre grand soin de prélever une motte de terre suffisante avec le système racinaire lors des transplantations. Si la plante n'est qu'arrachée du sol, la plupart des racines nourricières resteront sur place et la plante ne survivra probablement pas.

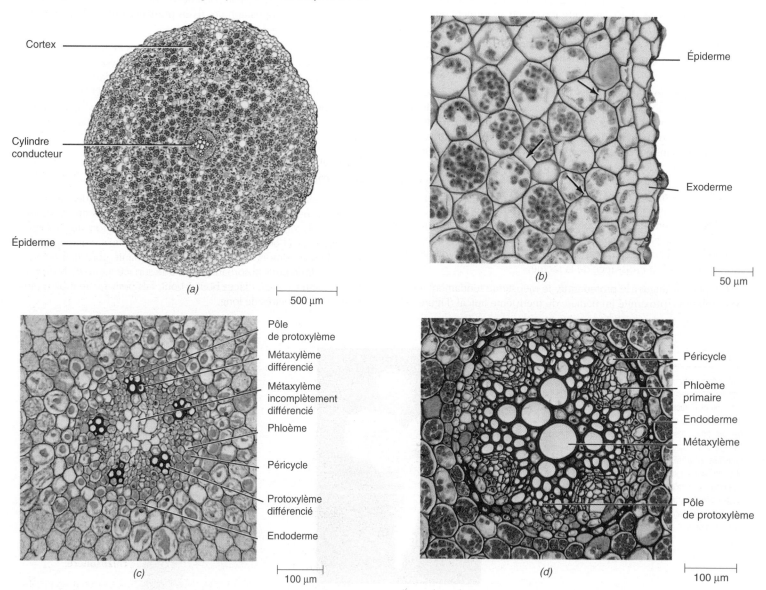

Figure 25-10

Coupes transversales dans la racine d'un bouton d'or *(Ranunculus)*. **(a)** Vue générale d'une racine adulte. **(b)** Détail de la partie extérieure d'une racine adulte. Dans cette racine, l'épiderme est mort et l'exoderme, assise externe du cortex, a pris sa place comme assise protectrice. Notez les espaces intercellulaires (flèches) entre les cellules corticales à l'intérieur de l'exoderme compact. Les espaces intercellulaires sont indispensables pour l'aération des cellules des racines. **(c)** Détail d'un cylindre conducteur incomplètement différencié. Notez les espaces intercellulaires parmi les cellules du cylindre cortical. **(d)** Détail d'un cylindre conducteur différencié. On distingue de nombreux grains d'amidon dans les cellules du cylindre cortical. Remarquez que, dans cette coupe, la racine est tétrarche (avec quatre lames vasculaires) alors qu'elle est pentarche (cinq lames) en **(c)**. Le nombre de lames du xylème primaire varie souvent le long de l'axe de la racine.

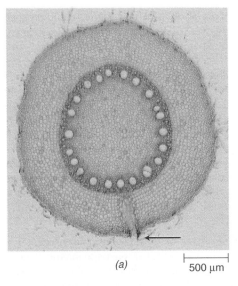

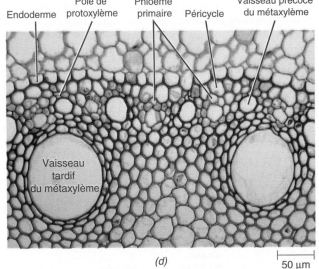

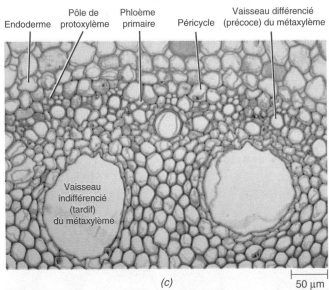

(a)   500 µm

(b)   100 µm

Endoderme   Pôle de protoxylème   Phloème primaire   Péricycle   Vaisseau différencié (précoce) du métaxylème

Vaisseau indifférencié (tardif) du métaxylème

(c)   50 µm

Endoderme   Pôle de protoxylème   Phloème primaire   Péricycle   Vaisseau précoce du métaxylème

Vaisseau tardif du métaxylème

(d)   50 µm

Figure 25-11

Coupes transversales dans la racine de maïs *(Zea mays)*. **(a)** Vue générale d'une racine adulte. La flèche indique le point de départ d'une racine latérale. Le cylindre conducteur est bien visible avec sa moelle. **(b)** Détail de la partie externe d'une racine adulte montrant l'épiderme avec les poils absorbants et une partie du cylindre cortical. L'assise externe de cellules corticales est différenciée en exoderme compact. Notez les espaces intercellulaires (flèches) entre les cellules corticales. **(c)** Détail d'un cylindre conducteur incomplètement différencié. **(d)** Détail d'un cylindre conducteur complètement différencié.

On a mis en évidence une mince cuticule sur l'épiderme de la partie absorbante de certaines racines. Dans d'autres racines, les parois des cellules épidermiques paraissent contenir de la subérine. Les parois des cellules épidermiques offrent néanmoins peu de résistance au passage de l'eau et des sels minéraux vers la racine. Le mucigel recouvrant leur surface permet aux racines d'établir un contact plus étroit avec les particules du sol et peut augmenter la disponibilité des ions minéraux. On a montré que le mucigel procure un environnement favorable aux bactéries fixatrices d'azote (voir chapitre 30). Il peut aussi protéger la racine de la dessiccation pendant une courte période. La couche de terre fixée à la racine par le mucigel et les poils absorbants contient divers microorganismes, ainsi que les cellules détachées de la coiffe. Cette couche s'appelle la **rhizosphère**.

Des associations symbiotiques bénéfiques aux partenaires — les mycorhizes — existent entre des champignons et les racines de la plupart des plantes vasculaires (voir chapitre 15). Le réseau d'hyphes du champignon peut s'étendre bien au-delà de la mycorhize et permet à la plante d'exploiter l'eau et les substances nutritives d'un volume de sol beaucoup plus grand que celui qui est accessible aux poils absorbants. Les poils absorbants ne développent généralement pas d'ectomycorhizes.

Le cylindre cortical contient le système de tissus fondamentaux dans la plupart des racines

En coupe transversale, on constate que la plus grande partie de la structure primaire des racines est généralement occupée par le cylindre cortical (Figure 25-10a). Les plastes des cellules corticales stockent souvent de l'amidon, mais sont généralement dépourvus de chlorophylle. Lorsque la croissance secondaire est importante — comme chez les gymnospermes, ainsi que chez de nombreuses magnoliidées et dicotylées — le cylindre cortical disparaît rapidement. Dans ces racines, les cellules corticales restent parenchymateuses. Chez les monocotylées au contraire, le cylindre cortical persiste pendant toute la durée de vie de la racine et beaucoup de cellules corticales développent des parois secondaires qui se lignifient.

Quel que soit le niveau de différenciation, le tissu cortical contient de nombreux espaces intercellulaires — des espaces aérifères indispensables à l'aération des cellules de la racine (Figures 25-10 et 25-11). Les cellules corticales sont en contact en de nombreux endroits et leurs protoplastes sont reliés par des plasmodesmes. Les substances qui transitent par le cylindre cortical peuvent suivre une voie symplastique, en passant d'un protoplaste à l'autre par les plasmodesmes, ou une voie apoplastique via les parois cellulaires, ou les deux. (On parle du concept du symplaste et de l'apoplaste page 87 et de la pénétration de l'eau et des minéraux dans les racines au chapitre 31.)

Contrairement au reste du cylindre cortical, l'assise interne est compacte et dépourvue d'espaces aérifères (méats). Cette assise, l'**endoderme** (Figures 25-10 et 25-11) est caractérisée par la présence de **cadres de Caspari** sur ses parois anticlines (parois radiales et transversales, perpendiculaires à la surface de la racine). Le cadre de Caspari n'est pas tant un épaississement pariétal mais plutôt une portion intégrale de la paroi primaire et de la lamelle mitoyenne imprégnée de subérine et parfois de lignine. La subérine et la lignine imprègnent les espaces de la paroi normalement occupés par l'eau, rendant ainsi imperméables ces régions de la paroi. La membrane plasmique des cellules de l'endoderme adhère assez fermement au cadre de Caspari (Figures 25-12 et 25-13). L'endoderme étant compact et les cadres de Caspari imperméables à l'eau et aux ions, le déplacement apoplastique de l'eau et des solutés à travers l'endoderme est bloqué. Toutes les substances qui entrent dans le cylindre conducteur ou qui en sortent doivent donc transiter par les protoplastes des cellules endodermiques. Pour cela, elles doivent soit traverser les membranes plasmiques de ces cellules, soit se déplacer symplastiquement en passant par les nombreux plasmodesmes reliant les cellules de l'endoderme aux protoplastes des cellules voisines, dans le cylindre cortical et le cylindre conducteur.

Comme on l'a signalé plus haut, dans les racines qui possèdent une croissance secondaire, le cylindre cortical et son assise interne, l'endoderme, disparaissent rapidement. Bien qu'elles puissent encore absorber l'eau et les minéraux du sol, les racines plus âgées servent surtout au transport de ces substances absorbées par les racines plus jeunes auxquelles elles sont connectées. Lorsque la croissance s'arrête, les racines deviennent sénescentes, elles meurent et se décomposent. Lorsque la croissance est vigoureuse, les racines sont remplacées au fur et à mesure de leur disparition. Dans les racines âgées qui conservent leur cylindre cortical, une lamelle de subérine, composée de couches successives de subérine et de cire, finit par se déposer sur la face interne de toutes les parois de l'endoderme. De la cellulose se dépose ensuite ; elle peut finalement être lignifiée (Figures 25-14 et 25-15). Ces modifications de l'endoderme débutent en face des faisceaux de phloème et s'étendent ensuite vers le protoxylème (Figure 25-10d).

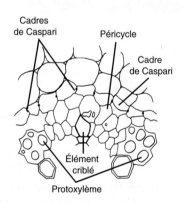

Figure 25-12

Image à fort grossissement d'une partie d'une racine jeune de renoncule *(Ranunculus)* montrant les cadres de Caspari dans les cellules de l'endoderme. Remarquez que les protoplastes plamolysés des cellules endodermiques adhèrent aux cadres.

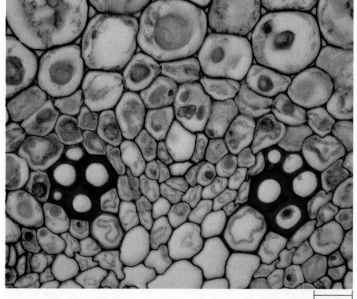

25 µm

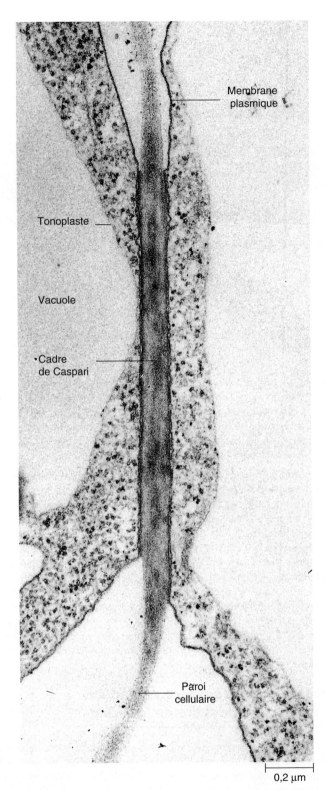

Figure 25-13

Coupe transversale dans une paroi anticline séparant deux cellules endodermiques de la racine du liseron des champs *(Convolvulus arvensis)*. La région où se trouve le cadre de Caspari est plus colorée que le reste de la paroi. Notez la ferme adhérence de la membrane plasmique (plasmalemme) à la paroi à proximité du cadre de Caspari dans chacune des deux cellules plasmolysées.

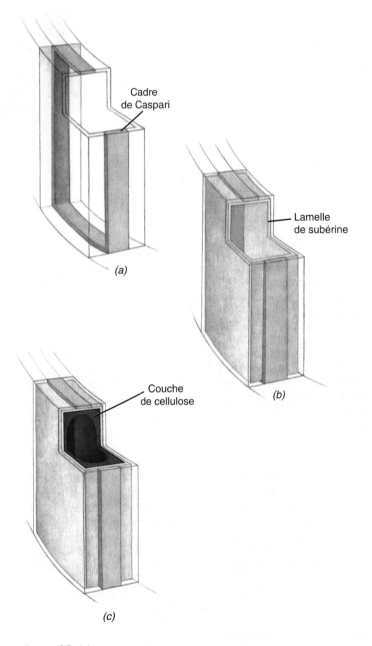

Figure 25-14

Schémas en trois dimensions montrant trois étapes du développement d'une cellule de l'endoderme dans une racine restée au stade primaire. **(a)** Au début, la cellule endodermique est caractérisée par la présence d'un cadre de Caspari sur ses parois anticlines. **(b)** Une lamelle de subérine se dépose ensuite sur toutes les parois internes. **(c)** La lamelle de subérine est finalement couverte, vers l'intérieur, par une épaisse couche de cellulose, souvent lignifiée. L'extérieur de la racine se trouve à gauche dans les trois schémas.

Figure 25-15

Micrographie électronique d'une coupe à travers la paroi cellulaire séparant deux cellules racinaires contiguës de citrouille *(Cucurbita pepo)*. À ce stade tardif de la différenciation de l'endoderme, les lamelles de subérine sont recouvertes par des couches de cellulose des deux côtés de la paroi primaire. Notez les bandes successivement claires et foncées dans les lamelles de subérine, qui seraient formées respectivement de cire et de subérine.

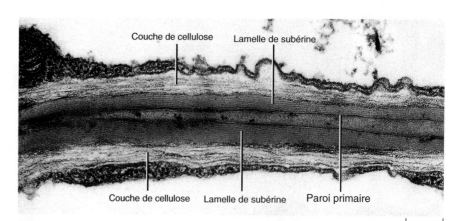

Couche de cellulose   Lamelle de subérine

Couche de cellulose   Lamelle de subérine   Paroi primaire

0,2 µm

En face du protoxylème, certaines cellules endodermiques peuvent conserver longtemps leurs parois minces et garder leurs cadres de Caspari : ce sont des **cellules de passage**. Ces cellules persistent chez certaines espèces alors que, chez d'autres, elles finissent par se subériser et accumuler des dépôts de cellulose. Il existe une interprétation erronée de l'endoderme selon laquelle le développement des lamelles de subérine empêche le passage des substances à travers cette assise. Il n'en n'est rien. Tant que les cellules endodermiques restent vivantes, leurs plasmodesmes sont intacts et offrent une voie symplastique au déplacement de l'eau et des sels minéraux. L'absorption de l'eau et des minéraux par les racines peut se poursuivre bien au-delà de la zone pilifère.

Chez beaucoup d'angiospermes, les racines possèdent une seconde assise cellulaire compacte munie de cadres de Caspari. Cette assise, appelée **exoderme**, se différencie à partir d'une ou plusieurs assises superficielles du cylindre cortical. Au développement des cadres de Caspari succède rapidement un dépôt de lamelles de subérine et, au moins chez certaines espèces, d'une couche de cellulose supplémentaire. Les parois cellulaires subérisées de l'exoderme semblent réduire les pertes d'eau de la racine vers le sol et constituent une défense contre les attaques des microorganismes (voir chapitre 31 pour un exposé plus détaillé sur le rôle de l'exoderme et de l'endoderme dans le déplacement de l'eau et des solutés dans la racine.)

Le cylindre central comprend les tissus conducteurs primaires et le péricycle

Le **cylindre central** de la racine comprend les tissus conducteurs primaires et une ou plusieurs assises de cellules non conductrices, le **péricycle**, qui entoure complètement les tissus conducteurs (Figures 25-10 et 25-11). On estime que le péricycle fait partie du cylindre central parce que, comme les tissus conducteurs, il dérive du procambium. Dans la racine jeune, le péricycle est composé de cellules parenchymateuses à parois primaires mais, quand la racine vieillit, ses cellules peuvent former des parois secondaires (Figure 25-11d).

Les fonctions du péricycle sont importantes. Chez la plupart des spermatophytes, les racines latérales prennent naissance dans le péricycle. Lorsqu'il existe une croissance secondaire, le péricycle participe à la formation du cambium en face du protoxylème et il donne généralement naissance au premier phellogène. Le péricycle prolifère souvent — cela signifie qu'il forme de nouvelles assises.

Dans la plupart des racines, le milieu du cylindre central est occupé par un massif de xylème primaire d'où partent des lames vasculaires qui rayonnent vers le péricycle (Figure 25-10). Les faisceaux de phloème primaire sont logés entre ces lames de xylème. Ne possédant pas de moelle, le cylindre conducteur de ces racines est de toute évidence une protostèle (page 429).

Le nombre de lames dans le xylème primaire varie d'une espèce à l'autre et parfois même le long de l'axe d'une même racine. S'il y a deux lames, on dit que la racine est diarche ; elle est triarche s'il y en a trois, tétrarche pour quatre (Figure 25-10) et polyarche s'il y en a beaucoup (Figure 25-11). Les premiers *(proto-)* éléments xylémiens qui se différencient dans les racines sont localisés près du péricycle et les pointes des lames vasculaires sont souvent appelées **pôles protoxylémiens** (Figures 25-10 et 25-11). Le **métaxylème** (*meta-* signifiant « après ») occupe les parties internes des lames et le centre du cylindre central et se différencie après le proxylème. Chez certaines monocotylées (par exemple chez le maïs), les racines possèdent une moelle (Figure 25-11) considérée par certains botanistes comme faisant partie du cylindre central parce que, dans leur opinion, elle dérive du procambium.

Influence de la croissance secondaire sur la structure primaire de la racine

Ainsi que nous l'avons signalé, la croissance secondaire des racines et des tiges est la production (1) des tissus conducteurs secondaires — le xylème et le phloème secondaires — à partir du cambium et (2) du périderme, principalement composé de liège, à partir du phellogène. Les racines des monocotylées n'ont généralement pas de croissance secondaire et sont donc uniquement formées de tissus primaires. D'autre part, la croissance secondaire est nulle ou minime dans les racines de nombreuses dicotylées herbacées et leur structure reste en grande partie primaire. (Voir la discussion sur le cambium au chapitre 27.)

Lorsqu'il existe une croissance secondaire, l'apparition du cambium débute par des divisions des cellules procambiales restées méristématiques et localisées entre le xylème primaire et le phloème primaire dans des portions de la racine qui ont cessé de s'allonger. En fonction du nombre de faisceaux de phloème présents, une activité cambiale débute donc plus ou moins simultanément dans deux ou plusieurs régions indépendantes de la racine (Figure 25-16). Peu après, les cellules du péricycle situées en face des pôles de protoxylème se divisent également et les cellules filles internes provenant de ces divisions rejoignent le cambium. À ce moment, le cambium entoure complètement le xylème.

Aussitôt formé, le cambium opposé aux massifs de phloème commence à produire du xylème secondaire vers l'intérieur, de telle sorte que le massifs de phloème primaire sont extraits des encoches entre les lames de xylème primaire. En se divisant activement, le cambium qui fait face aux pôles du protoxylème se divise activement, il devient circulaire et le phloème primaire s'écarte du xylème primaire (Figure 25-16).

Figure 25-16

Développement de la racine chez une dicotylée ligneuse. **(a)** Premier stade du développement primaire, montrant les méristèmes primaires. **(b)** À la fin de la croissance primaire, on voit les tissus primaires et le procambium entre les xylème et phloème primaires. **(c)** Origine du cambium. Dans la racine triarche représentée, l'activité cambiale a débuté indépendamment dans trois zones du procambium situées entre les trois cordons de phloème primaire et le xylème primaire. Les cellules du péricycle opposées aux trois pôles de protoxylème participent également à la formation du cambium. Le cambium récemment formé aux dépens du procambium a déjà produit du xylème secondaire. **(d)** Après la production d'un peu de phloème secondaire et d'un complément de xylème secondaire, qui éloigne encore plus le phloème primaire du xylème primaire. Le périderme n'est pas encore formé. **(e)** Après la formation d'une plus grande quantité de xylème et de phloème secondaires, ainsi que du périderme. **(f)** À la fin de la première année de croissance, montrant les conséquences de la croissance secondaire — entre autres de la formation du périderme — sur la structure primaire. De **(d)** à **(f)**, les traits radiaux représentent les rayons.

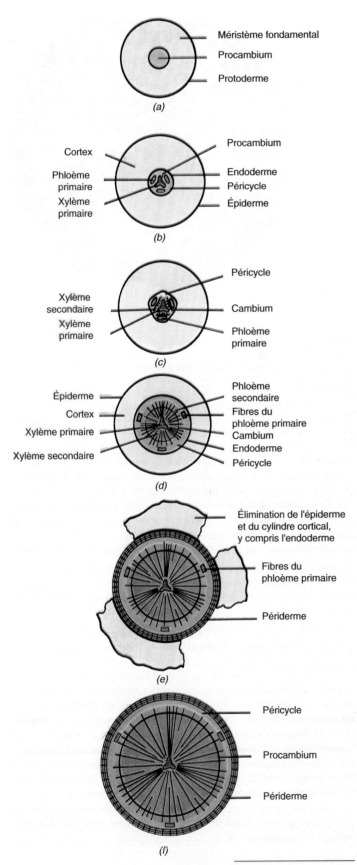

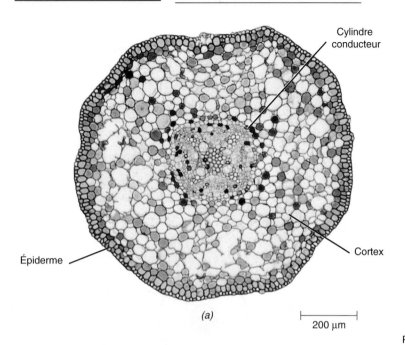

Cylindre conducteur

Épiderme

Cortex

(a)

200 µm

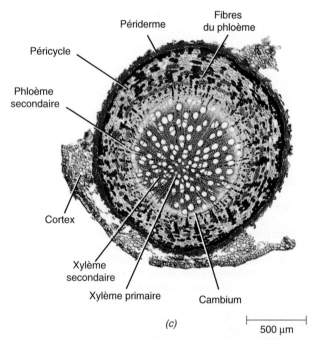

Xylème primaire

Phloème primaire

Cortex

Péricycle

Endoderme

50 µm

(b)

Périderme

Fibres du phloème

Péricycle

Phloème secondaire

Cortex

Xylème secondaire

Xylème primaire

Cambium

(c)

500 µm

Figure 25-17

Coupes transversales de racines de saule *(Salix)*, en cours de lignification. **(a)** Vue générale de la racine vers la fin de la croissance primaire. **(b)** Détail du cylindre conducteur primaire. **(c)** Vue générale de la racine à la fin de la première année de croissance, montrant les conséquences de la croissance secondaire sur la structure primaire.

Après une série de divisions vers l'intérieur et vers l'extérieur, le cambium apporte de nouvelles assises de xylème et de phloème secondaires à la racine (Figures 25-16 et 25-17). Les files de cellules parenchymateuses qui traversent radialement ces tissus secondaires forment des rayons. Dans certaines racines, le cambium qui provient du péricycle forme de larges rayons, tandis que des rayons plus étroits se forment dans d'autres parties des tissus conducteurs secondaires.

Avec l'augmentation de l'épaisseur des xylème et phloème secondaires, le phloème primaire est écrasé ou éliminé. Seules les fibres peuvent constituer des traces visibles du phloème primaire dans les racines à croissance secondaire.

Dans la plupart des racines ligneuses, une couche protectrice d'origine secondaire — le périderme — remplace l'épiderme pour revêtir cette portion de la racine. L'apparition du périderme suit généralement la différenciation du xylème et du phloème secondaires. Le nombre d'assises du péricycle augmente radialement à la suite de la division de ses cellules. Un cylindre complet de **phellogène** (cambium cortical) dérivé de la partie externe du péricycle en division produit du **liège** du côté externe et du **phelloderme** vers l'intérieur. L'ensemble de ces trois tissus — liège, phellogène et phelloderme — constitue le périderme. Le reste des cellules du péricycle peut produire un tissu semblable à ceux du cylindre cortical. Certaines régions du périderme permettent les échanges gazeux entre la racine et l'atmosphère du sol. Ce sont les lenticelles, portions spongieuses du périderme, qui possèdent de nombreux espaces intercellulaires permettant le passage de l'air.

Avec la formation du premier périderme, le cylindre cortical (y compris l'endoderme) et l'épiderme sont isolés du reste de la racine, ils finissent par mourir et sont éliminés. Au bout de la première année de croissance, les tissus suivants se succèdent dans une racine lignifiée (de l'extérieur vers l'intérieur) : éventuellement des restes de l'épiderme et du cylindre cortical, le périderme, le péricycle, le phloème primaire (fibres et cellules à parois minces écrasées), le phloème secondaire, le cambium, le xylème secondaire et le xylème primaire (Figures 25-16f et 25-17c).

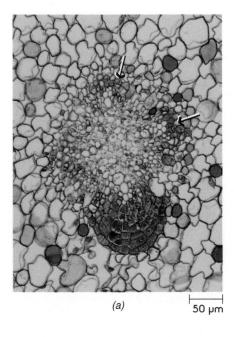

(a)   50 µm

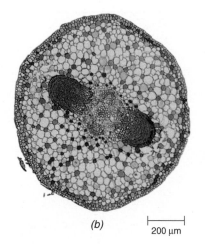

(b)   200 µm

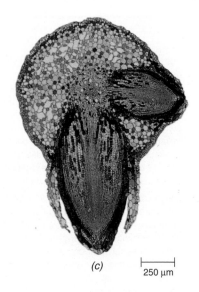

(c)   250 µm

Figure 25-18

Trois stades du développement des racines latérales chez un saule *(Salix)*. **(a)** Un primordium de racine est présent (en bas) et deux autres s'ébauchent dans la région du péricycle (flèches). Le cylindre conducteur est encore très jeune. **(b)**

Deux primordiums de racines pénétrant dans le cylindre cortical. **(c)** Une racine latérale est arrivée à l'extérieur de la racine et l'autre est prête à en sortir.

Origine des racines latérales

Chez la plupart des angiospermes, les racines latérales prennent naissance dans le péricycle. On dit qu'elles sont endogènes parce qu'elles trouvent leur origine en profondeur, à l'intérieur de la racine mère (Figures 25-3 et 25-18).

Les divisions du péricycle qui sont à l'origine des racines latérales ont lieu à l'arrière de la zone d'élongation, dans des tissus racinaires partiellement ou totalement différenciés. Dans les racines d'angiospermes, le péricycle et l'endoderme contribuent souvent tous deux à la production d'un nouveau primordium de racine, même si, très souvent, les cellules dérivées de l'endoderme ont une faible durée de vie. En s'accroissant, la jeune racine latérale, ou **primordium racinaire**, poursuit son chemin à travers le cylindre cortical (Figure 25-18), en digérant éventuellement par des enzymes les cellules corticales se trouvant sur son chemin. Encore très jeune, le primordium racinaire différencie une coiffe et un méristème apical, et les premiers méristèmes font leur apparition. À l'origine, les cylindres centraux de la racine latérale et de la racine principale ne sont pas connectés. Ils se rejoignent plus tard, grâce à la différenciation, en xylème et phloème, des cellules dérivées du parenchyme qui les séparent.

Racines aériennes et pneumatophores

Les racines aériennes sont des racines adventives produites par des structures situées au-dessus du sol. Chez certaines plantes, elles jouent le rôle de **racines échasses**, comme chez le maïs (Figure 25-

19). Lorsqu'elles arrivent au contact du sol, elles se ramifient et participent également à l'absorption de l'eau et des sels minéraux. Des racines échasses apparaissent sur les troncs et les branches de nombreux arbres tropicaux, comme le palétuvier *(Rhizophora mangle)*, et le banian *(Ficus benghalensis)* ainsi que sur le stipe de certains palmiers. D'autres racines aériennes, chez le lierre *(Hedera helix)* par exemple, s'accrochent aux murs ou à d'autres supports et servent à soutenir la tige grimpante.

Figure 25-19

Les racines échasses du maïs *(Zea mays)* sont un type de racines adventives.

À LA RECHERCHE DE L'ORIGINE DU DÉVELOPPEMENT DES ORGANES

Les recherches récentes sur le développement des organes se sont concentrées principalement sur la racine d'*Arabidopsis thaliana*. Les deux principales raisons de ce choix sont la structure simple de la racine d'*Arabidopsis* et la culture aisée de la plante en boîtes de Pétri sur milieu gélosé. Lorsque les boîtes sont dressées verticalement, les racines se développent à la surface du milieu solide et il est facile d'observer des anomalies dues à des mutations.

L'organisation de la racine adulte d'*Arabidopsis* est pratiquement la même que celle de la racine embryonnaire apparaissant au stade cordiforme de l'embryogenèse (Figure 23-3d). Le plan radial est le suivant : une assise externe de cellules épidermiques, une région intermédiaire composée d'une assise de cellules corticales parenchymateuses et d'une assise endodermique, et une région interne (le cylindre conducteur ou stèle) composée du péricycle et du tissu conducteur. Les deux assises corticales comprennent toujours chacune huit cellules. Il existe deux types de cellules épidermiques : celles qui produisent des poils absorbants et celles qui n'en produisent pas. Les cellules à poils absorbants sont toujours situées en face des parois radiales séparant deux cellules corticales et les cellules qui ne s'allongent pas sont toujours situées directement en face des cellules corticales.

L'organisation du méristème apical de la racine d'*Arabidopsis* est de type fermé, avec trois assises d'initiales (Figure 25-5). L'assise inférieure comprend les initiales de la coiffe de la columelle, celles des flancs de la coiffe et celles de l'épiderme. L'assise intermédiaire comprend les initiales du cylindre cortical (cellules corticales du parenchyme et de l'endoderme) et la supérieure, les initales du cylindre central (péricycle et tissu conducteur). Au centre de l'assise intermédiaire se trouve un groupe de quatre cellules qui se divisent rarement : c'est le centre quiescent de la racine.

On a identifié de nombreux mutants concernant les racines chez *Arabidopsis*. On a étudié le contrôle du sort des cellules de l'épiderme avec une attention particulière. Dans une expérience, on a constaté que le gène *TTG (TRANSPARENT TESTA GLABRA)* est nécessaire pour déterminer la destinée d'une cellule épidermique et son schéma futur. La position normale des cellules épidermiques les unes par rapport aux autres — celles qui donnent des poils absorbants en face des parois radiales entre cellules corticales et les autres vis-à-vis de ces cellules — n'est pas respectée chez les

mutants *ttg*. (Remarquez que la forme mutée du gène est symbolisée par des lettres minuscules.) Chez ces mutants, quelle que soit leur position, les cellules épidermiques se différencient en poils absorbants qui ne se distinguent pas des poils produits normalement. Dans les coupes transversales de la région adulte de la racine du mutant, le nombre de rangées (lignées) de cellules épidermiques et corticales est le même que dans la racine de type sauvage. Dans l'ensemble, les résultats de ce travail montrent que la mutation *ttg* modifie le contrôle exercé par la position relative de la cellule sur la différenciation en poils absorbants sans affecter la formation de ces poils ni la structure de la racine adulte. Dans les racines de type sauvage, le gène *TTG* semble soit émettre, soit répondre à des signaux de positionnement qui font que les jeunes cellules épidermiques situées directement en face des cellules corticales ne se différencient pas en poils absorbants.

Des expériences d'ablation par laser ont clairement prouvé que le sort des cellules du méristème d'*Arabidopsis* est avant tout contrôlé par des interactions entre cellules voisines, plutôt que par l'appartenance à une lignée cellulaire (comme conséquence de l'organisation du méristème apical). Au cours de ces expériences, on a éliminé des cellules

La racine d'*Arabidopsis thaliana*. **(a)** Coupe transversale de racine avant le développement des poils absorbants, montrant les cellules épidermiques externes, les cellules corticales intermédiaires et le cylindre conducteur central. Remarquez que les cellules épidermiques destinées à produire les poils absorbants se trouvent en face des parois radiales des cellules corticales, tandis que celles qui n'en produisent pas sont situées directement contre les cellules corticales.

Cellule non allongée en poil
Assise corticale endodermique
Protoxylème
(a)
Protophloème
Procambium
Péricycle
Assise corticale parenchymateuse
Cellule de poil absorbant

(b) Coupe longitudinale d'une pointe de racine montrant les relations entre les différentes assises, ou régions, de la racine, et les rangées d'initiales du méristème apical.

(c) Racines de plantules du type sauvage d'*Arabidopsis thaliana* montrant la fréquence normale et la disposition des poils absorbants. **(d)** Racines de plantules d'un mutant *ttg* produisant un nombre supplémentaire de poils absorbants.

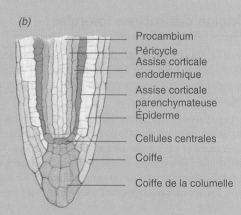

(b)
Procambium
Péricycle
Assise corticale endodermique
Assise corticale parenchymateuse
Épiderme
Cellules centrales
Coiffe
Coiffe de la columelle

spécifiques par traitement au laser et observé les conséquences pour les cellules voisines. Quand les cellules du centre quiescent étaient éliminées, par exemple, elles étaient remplacées par des cellules dérivées du cylindre conducteur (procambium) qui se déplaçaient vers la coiffe. Ces nouvelles cellules devenaient ensuite semblables à celles de la coiffe. Des initiales corticales ont été remplacées par des cellules du péricycle qui, par la suite, changeaient leur destination et se comportaient comme des initales du cylindre cortical. L'ablation d'une seule cellule fille d'une initiale du

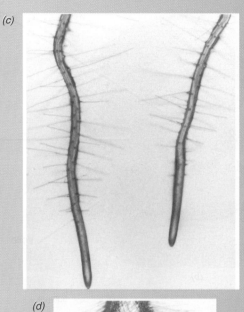

(c)

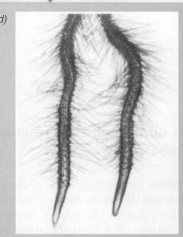

(d)

cylindre cortical n'avait pas d'influence sur les divisions ultérieures de cette initiale, qui était en contact avec les autres cellules filles provenant des initiales corticales voisines. Si toutes les cellules filles du cortex voisines d'une initiale étaient éliminées cependant, cette initiale était incapable de produire des files de cellules corticales parenchymateuses et endodermiques. Il semble que les initiales du cortex, et peut-être toutes les initiales, dépendent d'une information de position provenant de cellules filles plus différenciées se trouvant dans la même assise. Autrement dit, les initiales du méritème apical de la racine ne semblent pas posséder une information intrinsèque définissant leur sort. Cette constatation est en contradiction avec l'opinion traditionnelle qui considère les méristèmes comme des machines autonomes ayant la capacité de produire par elles-mêmes des plans de différenciation.

Figure 25-20

Pneumatophores (racines aérifères) de *Laguncularia racemosa* sortant de la vase de la mangrove à proximité de la base d'un tronc.

Les racines ont besoin d'oxygène pour respirer ; c'est pourquoi la plupart des plantes ne peuvent survivre dans un sol gorgé d'eau et donc dépourvu d'air. Chez certains arbres vivant dans des milieux marécageux, des extrémités de racines émergent de l'eau. Ainsi, ces racines ne servent pas uniquement à l'ancrage, mais elles contribuent également à l'aération du système racinaire. Le système racinaire de deux arbres des mangroves *(Avicennia germinans* et *Laguncularia racemosa)* par exemple produisent des racines secondaires douées d'un géotropisme négatif appelées pneumatophores ou racines aérifères, qui émergent de la vase et assurent ainsi l'aération nécessaire (Figure 25-20).

Chez les épiphytes — plantes vivant sur d'autres plantes, mais sans les parasiter, on rencontre de nombreuses spécialisations des racines. L'épiderme de la racine des orchidées épiphytes, par exemple, est épais de plusieurs assises (Figure 25-21) et, chez certaines espèces, c'est le seul tissu photosynthétique de la plante. Cet épiderme multiassisial, appelé voile, ou velamen, offre au cylindre cortical une protection mécanique et réduit les pertes d'eau. Le voile peut également contribuer à l'absorption de l'eau.

(a)

Figure 25-21

(a) Racines aériennes d'une orchidée épiphyte *(Oncidium sphacelatum)*. (b) Coupe transversale dans une racine d'orchidée montrant l'épiderme multiple, ou voile.

Cylindre conducteur

Cortex

Voile

(b)

500 μm

Parmi les épiphytes, *Dischidia rafflesiana*, la « plante pot de fleur » se caractérise par une spécialisation très particulière. Certaines feuilles sont succulentes et aplaties, alors que d'autres forment des cavités — les « pots de fleur » — qui récoltent les détritus et l'eau de pluie (Figure 25-22). Des colonies de fourmis peuvent vivre dans les cavités et contribuer à l'alimentation de la plante en azote. Les racines qui se forment au nœud situé au-dessus de la feuille modifiée grandissent dans le pot et y absorbent l'eau et les sels minéraux.

(a)

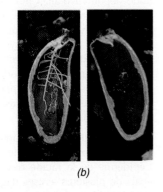

(b)

Figure 25-22

Racines aériennes de l'épiphyte *Dischidia rafflesiana*, la « plante pot de fleur ». (a) Feuille modifiée en « pot de fleur » (ascidie) qui récolte les détritus et l'eau de pluie. (b) Ascidie ouverte montrant les racines qui se sont développées à l'intérieur.

Adaptations au stockage des réserves : les racines tubéreuses

La plupart des racines sont des organes de stockage et, chez certaines plantes, elles sont spécialisées en vue de cette fonction. Ces racines sont tubéreuses en raison de l'abondance du parenchyme amylifère irrigué par un tissu conducteur. Certaines racines de stockage, comme celle de la carotte *(Daucus carota)* n'ont pas un développement très différent de celui des racines non tubéreuses, sauf pour la prolifération des cellules parenchymateuses dans le xylème et le phloème secondaires. La racine de la patate douce *(Ipomoea batatas)* se développe comme celle de la carotte, mais des cellules cambiales supplémentaires apparaissent à l'intérieur du xylème secondaire autour de vaisseaux individuels ou de groupes de vaisseaux (Figure 25-23). Ces cambiums supplémentaires produisent de nouveaux éléments vasculaires autour des vaisseaux et quelques tubes criblés vers l'extérieur, mais surtout des cellules de parenchyme de réserve dans les deux sens. Chez la betterave sucrière *(Beta vulgaris)*, l'épaississement de la racine provient surtout du développement de cambiums surnuméraires autour du cambium originel (Figure 25-24). Ces couches concentriques de cambium, qui ressemblent superficiellement aux anneaux de croissance des racines et des tiges ligneuses, produisent un xylème formé principalement de parenchyme vers l'intérieur et du phloème vers l'extérieur. La portion supérieure de la plupart des racines charnues se développe à partir de l'hypocotyle.

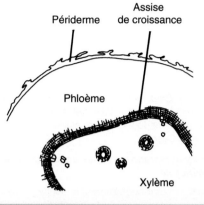

Périderme   Assise
de croissance

Phloème

Assise
de croissance

Xylème

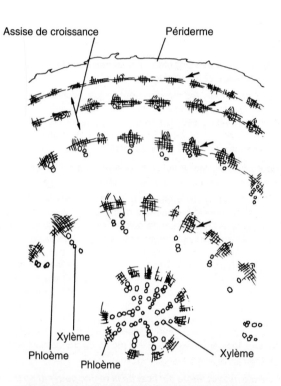

Assise de croissance   Périderme

Xylème

Phloème   Phloème

Xylème

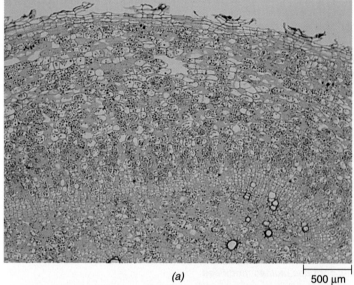

(a)

500 µm

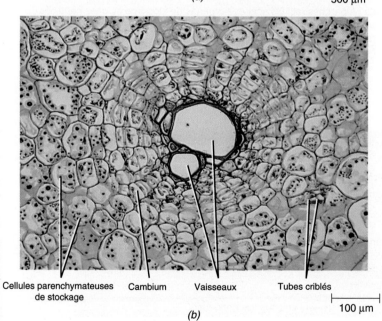

Cellules parenchymateuses   Cambium   Vaisseaux   Tubes criblés
de stockage

(b)

100 µm

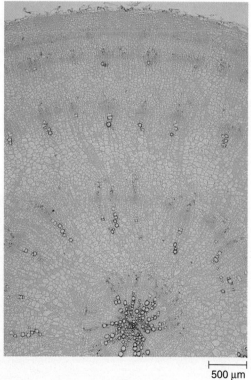

500 µm

Figure 25-23

Coupes transversales dans la racine de patate douce *(Ipomoea batatas)*. **(a)** Vue générale. **(b)** Détail du xylème montrant le cambium autour des vaisseaux. La plus grande partie du xylème et du phloème se compose de cellules parenchymateuses de réserve.

Figure 25-24

Coupe transversale d'une racine de betterave sucrière *(Beta vulgaris)* montrant des cambiums surnuméraires indiqués par des flèches sur le schéma. Le cambium originel ne produit que relativement peu de xylème et de phloème secondaires (au centre de la racine).

607

RÉSUMÉ

Les racines sont des organes spécialisés dans l'ancrage, l'absorption, le stockage et la conduction

Les gymnospermes, les magnoliidées et les dicotylées produisent souvent des systèmes racinaires pivotants, alors que ceux des monocotylées sont fasciculés. L'étendue du système racinaire dépend de nombreux facteurs, mais la grande masse des racines nourricières se trouve à moins d'un mètre de profondeur.

On peut grossièrement diviser la pointe de la racine en zones de division, d'élongation et de différenciation cellulaire

Le méristème apical de la plupart des racines possède un centre quiescent ; l'activité méristématique (les divisions cellulaires) se concentre en majeure partie à faible distance des initiales apicales. En plus de cette zone de division cellulaire, on peut reconnaître deux autres régions dans les racines en croissance — la zone d'élongation et la zone de différenciation. Au cours de la croissance primaire, le méristème apical donne naissance aux trois méristèmes primaires — le protoderme, le méristème fondamental et le procambium — qui se différencient respectivement en épiderme, cylindre cortical et cylindre conducteur. Le méristème apical produit en outre la coiffe, qui le protège et facilite la pénétration de la racine dans le sol. Elle permet également à la racine d'établir un contact intime avec les particules du sol et crée un environnement favorable aux microorganismes utiles.

L'épiderme et le cylindre cortical de la racine peuvent se transformer avec l'âge

De nombreuses cellules épidermiques de la racine se développent en poils absorbants qui augmentent fortement la surface d'absorption de la racine. Sauf dans l'endoderme, le cylindre cortical possède de nombreux espaces intercellulaires. Les cellules de l'endoderme sont disposées de façon compacte et forment la limite interne du cylindre cortical ; elles possèdent des cadres de Caspari sur leurs parois anticlines. Pour cette raison, toutes les substances circulant entre le cylindre cortical et le cylindre central conducteur doivent transiter par les protoplastes des cellules endodermiques. Chez beaucoup d'angiospermes, les racines possèdent en outre un exoderme qui constitue la limite externe du cylindre cortical et est également formé d'une assise compacte de cellules munies de cadres de Caspari.

Le cylindre central comprend les tissus conducteurs primaires entouré par le péricycle

Le xylème primaire occupe normalement le centre du cylindre conducteur et forme des lames vasculaires rayonnantes alternant avec des cordons de phloème primaire. Les racines latérales proviennent du péricycle et se frayent un chemin vers l'extérieur à travers le cylindre cortical et l'épiderme.

La croissance secondaire des racines implique à la fois le cambium et le phellogène

La croissance secondaire entraîne la destruction de la structure primaire : les cordons de phloème primaire sont séparés du xylème primaire par la formation des tissus conducteurs secondaires à partir du cambium. Dans les racines, le cambium dérive en partie du procambium resté indifférencié entre les cordons de xylème primaire et de phloème primaire et en partie du péricycle situé en face des lames vasculaires primaires. Dans la plupart des racines ligneuses, le phellogène du premier périderme provient du péricycle. Il en résulte que la production du périderme isole et finalement sépare le cylindre cortical et l'épiderme du reste de la racine. La figure 25-25 résume le développement d'une dicotylée ligneuse, en partant du méristème apical pour arriver aux tissus secondaires produits au cours de la première année de croissance.

Les racines aériennes, les pneumatophores et les racines tubéreuses sont des racines modifiées

La plupart des racines sont des organes de stockage et, chez certaines plantes, comme les carottes, la patate douce et la betterave sucrière, les racines sont spécialisées pour cette fonction. Les racines tubéreuses possèdent un parenchyme abondant traversé par le tissu conducteur.

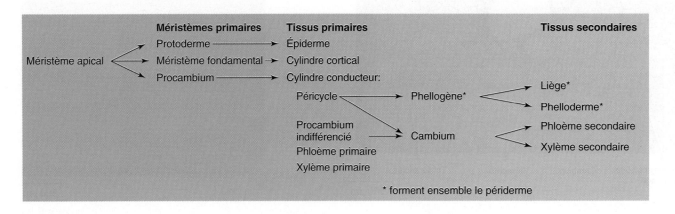

Figure 25-25

Résumé du développeemnt de la racine d'une dicotylée ligneuse au cours de sa première année de croissance.

MOTS CLÉS

cadre de Caspari p. 598

cambium p. 602

cellules de passage p. 600

centre quiescent p. 594

coiffe p. 591

columelle p. 591

cylindre central (conducteur) p. 600

endoderme p. 598

enracinement fasciculé p. 590

enracinement pivotant p. 590

exoderme p. 600

liège p. 602

métaxylème p. 600

mucigel p. 591

péricycle p. 600

phelloderme p. 602

pneumatophores p. 605

poils absorbants p. 595

pôles de protoxylème p. 600

primordium de racine p. 603

racine pivotante p. 590

racine primaire p. 590

racines aériennes p. 605

racines échasses p. 603

racines latérales p. 590

rhizosphère p. 597

structure primaire p. 595

système racinaire p. 590

zone d'élongation p. 595

zone de différenciaion p. 595

zone de division cellulaire p. 594

QUESTIONS

1. Quelles sont les différences entre les termes suivants : cellules endodermiques/cellules de passage, endoderme/exoderme, protoxylème/métaxylème, protophloème/métaphloème, racines aériennes/pneumatophores ?

2. Quelles sont les principales fonctions des racines ?

3. Expliquez la nécessité de maintenir un équilibre entre la partie aérienne et les racines de la plante.

4. Que est l'intérêt du mucigel pour la racine ?

5. « Au cours de son allongement, une portion très limitée de la racine est constamment poussée à travers le sol. » expliquez.

6. Comment les cadres de Caspari des cellules endodermiques interviennent-ils dans le passage de l'eau et des solutés à travers l'endoderme ?

7. D'un point de vue structural, quelles sont les principales différences entre la structure primaire des racines des monocotylées et des autres angiospermes ?

8. Quelles sont les caractéristiques structurales communes à toutes les racines tubéreuses ?

26 La tige feuillée : structure primaire et développement

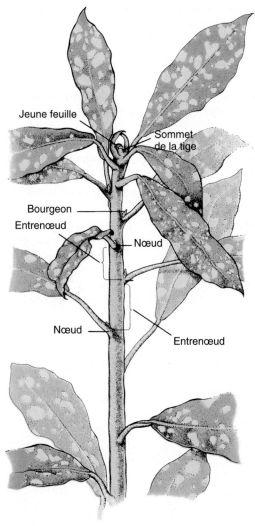

Jeune feuille

Sommet de la tige

Bourgeon

Entrenœud

Nœud

Nœud

Entrenœud

Figure 26-1

Portion d'une pousse de 'croton'. Les feuilles de 'croton', une dico-tylée, sont tachetées en raison de l'existence de clones différents, certaines cellules étant incapables de produire de la chlorophylle ; la phyllotaxie est spiralée. Au sommet de la tige, les feuilles sont rapprochées les unes des autres au point qu'il n'est plus possible de distinguer les nœuds et les entrenœuds le long de la tige. L'élongation de la tige entre les différentes feuilles insérées sur les nœuds entraîne l'allongement des entrenœuds.

SOMMAIRE

Avant de commencer à traiter de la pousse, ou tige feuillée — terme qui désigne en même temps la tige et ses feuilles — il est utile de rappeler que des plantes vasculaires primitives comme les rhyniophytes étaient uniquement formées de tiges. Comme nous l'avons vu au chapitre 19, on considère que ces axes ont été à l'origine du développement des feuilles et ont donc précédé la tige feuillée elle-même. Ce point de vue évolutif souligne la relation intime qui existe entre la tige et la feuille et nous aide à mieux comprendre la répartition des tissus dans la tige feuillée des plantes contemporaines.

Nous verrons que les tissus primaires de la tige feuillée dérivent du méristème apical. Ce chapitre débutera donc par un aperçu de la structure et du fonctionnement de l'apex de la tige et de la formation des méristèmes primaires. Nous examinerons ensuite la structure primaire de la tige, ainsi que ses variantes, en choisissant quelques exemples spécifiques.

Notre attention se portera ensuite sur l'autre partie de la pousse — la feuille — en commençant par une brève introduction montrant que les tissus vasculaires de la feuille sont en fait des expansions des tissus vasculaires de la tige. Une comparaison de l'anatomie des feuilles des monocotylées et des autres angiospermes sera suivie d'une discussion sur le développement de la feuille, d'un aperçu concernant la chute des feuilles et le développement des pièces florales — qui sont en fait des feuilles modifiées, transformées en sépales, pétales, étamines et carpelles. Le chapitre se terminera par l'étude de quelques modifications familières des feuilles et des tiges, comme les tubercules, les bulbes et les tiges succulentes des cactus.

POINTS DE REPÈRE

Quand vous terminerez la lecture de ce chapitre, vous devriez pouvoir répondre aux questions suivantes :

- *Quelle est la structure du méristème apical de la tige et quelles sont les relations entre ses différentes parties et les méristèmes primaires de la tige feuillée ?*
- *Quels sont les trois types principaux d'organisation rencontrés dans la structure primaire des tiges d'angiospermes ?*
- *Qu'entend-on par traces foliaires et comment peuvent-elles traduire la relation étroite qui existe entre la tige et la feuille ? Quelles sont les hypothèses proposées pour expliquer la répartition des feuilles sur les tiges ?*
- *Quelles sont les différences de structure entre les feuilles des monocotylées et celles des autres angiospermes ?*

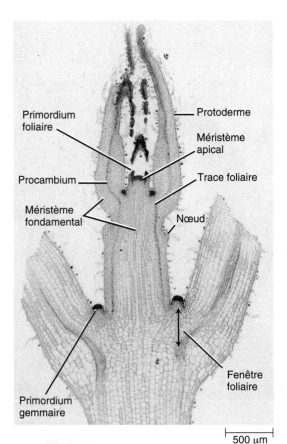

Figure 26-2

Coupe longitudinale dans le sommet de la tige d'une plante d'appartement familière, *Coleus blumei*, une dicotylée. Les feuilles de *Coleus* sont opposées au niveau des nœuds et chaque paire est perpendiculaire à la précédente (phyllotaxie décussée) ; les feuilles du nœud marqué dans la figure sont donc perpendiculaires au plan de la coupe. (Voir l'exposé sur les traces foliaires, les fenêtres foliaires et la phyllotaxie aux pages 622-624.)

La partie aérienne de la plante, composée de la tige et de ses feuilles, est celle qui nous est la plus familière. Son origine remonte au développement de l'embryon, où elle est représentée par une tigelle formée d'un épicotyle (partie située au-dessus des cotylédons), d'une ou plusieurs jeunes feuilles et d'un méristème apical, ou seulement d'un méristème apical. Nous allons voir que la structure de la tige est plus complexe que celle de la racine. Contrairement à la racine, elle comporte des nœuds et des entrenœuds, une ou plusieurs feuilles étant insérées à chaque nœud (Figures 26-1 et 26-2). Alors que l'apex de la tige produit des feuilles et des bourgeons axillaires

qui se développent ensuite en rameaux latéraux, l'extrémité de la racine ne produit pas d'organes latéraux. (Vous vous souviendrez que les racines latérales apparaissent dans la zone de différenciation.) À chaque nœud, un ou plusieurs faisceaux du cylindre conducteur de la tige s'écartent vers l'extérieur et pénètrent dans la feuille, laissant, dans le cylindre conducteur, une ou plusieurs fenêtres situées face à la feuille. Il n'existe pas de fenêtres dans les cylindres conducteurs (protostèles) des racines.

Les deux principales fonctions de la tige sont le **soutien** et la **conduction**. Les feuilles — principaux organes photosynthétiques de la plante — sont portées par la tige, qui les dispose de manière recevoir à la lumière. Les substances élaborées par les feuilles sont transportées dans les tiges, par le phloème, vers les sites d'utilisation, comme les régions en développement et les organes de stockage, y compris ceux de la tige elle-même. En même temps, l'eau et les minéraux sont transportés vers le haut par le xylème des racines jusqu'aux feuilles en passant par la tige.

Origine et croissance des tissus primaires de la tige

Le méristème apical de la tige est une structure dynamique qui ne se contente pas d'ajouter des cellules à la structure primaire de la plante : elle produit en outre de façon répétée des primordiums de feuilles et de bourgeons, pour aboutir à une succession d'unités répétitives appelées **phytomères** (Figure 26-3). Les **primordiums foliaires** se développent en feuilles et les **primordiums gemmaires** en rameaux latéraux. Contrairement au méristème apical de la racine, protégé par sa coiffe, celui de la

Figure 26-3

Le méristème apical d'une tige feuillée de dicotylée est protégé par les jeunes feuilles enroulées à son sommet (coupe longitudinale). L'activité du méristème, qui produit de façon répétée des primordiums de feuilles et de bourgeons, aboutit à une succession d'unités appelées phytomères. Chaque phytomère est composé d'un nœud avec la feuille qui y est insérée, de l'entrenœud situé sous la feuille et du bourgeon qui se trouve à la base de l'entrenœud. Les limites des phytomères sont marquées par des traits interrompus. Remarquez que les entrenœuds sont de plus en plus allongés quand on s'éloigne du méristème apical. L'élongation des entrenœuds est le principal facteur responsable de l'allongement de la tige.

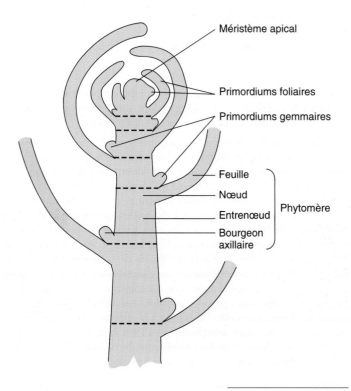

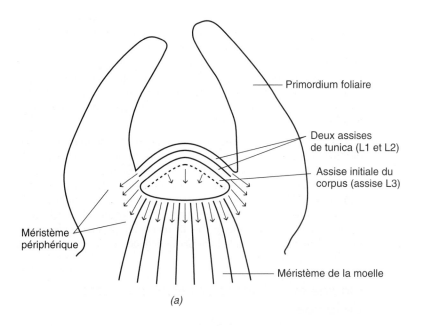

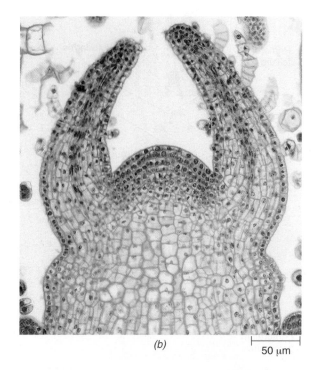

(b)   50 μm

Figure 26-4

Organisation tunica-corpus. **(a)**, **(b)** Détail de l'apex caulinaire de *Coleus blumei*. *Coleus* possède une tunica biassisiale, représentée par les assises L1 et L2 du méristème
apical. L'assise initiale du corpus est représenté par L3. Le
corpus correspond à la zone centrale de cellules mères.
(c) Divisions anticlines et périclines. Les divisions cellulaires sont presque exclusivement anticlines dans les assises
de la tunica. Celles de l'assise initiale du corpus sont anticlines et périclines. Grâce aux divisions périclines, les cellules
de l'assise initiale ajoutent des cellules au corpus.

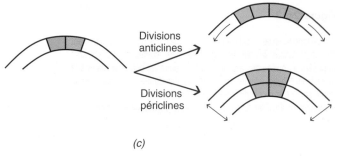

(c)

tige ne possède aucune protection spécialisée comparable au cours de
la croissance végétative. Il est cependant souvent enveloppé par la
courbure des jeunes feuilles qui assure sa protection.

L'apex de la tige possède une organisation de type **tunica-corpus**
(Figure 26-4) chez la plupart ds angiospermes. Ces deux régions — la
tunica et le corpus — se distinguent par l'orientation des divisions cellulaires qui s'y déroulent. La tunica est formée par l'assise externe de
cellules qui se divisent de façon **anticline**, c'est-à-dire suivant des
plans perpendiculaires à la surface du méristème (Figure 26-4c). Ces
divisions contribuent à la croissance en surface du méristème sans
augmenter le nombre d'assises cellulaires. Le corpus est composé
d'un massif cellulaire situé sous les assises de la tunica. Dans le corpus, les cellules se divisent suivant des plans variés qui accroissent le
volume de la tige en développement. Le corpus et chaque assise de la
tunica possèdent leurs propres initiales. Les initiales du corpus se
situent en-dessous de celles de la tunica et apportent de nouvelles cellules par des divisions **périclines,** parallèles à la surface de l'apex
(Figure 26-4c). Ainsi, dans tout méristème, le nombre d'assises d'initiales est égal au nombre d'assises de la tunica plus un.

Le nombre d'assises de la tunica varie suivant les espèces. Chez la
plupart des angiospermes, l'apex possède trois assises cellulaires
superposées : deux de tunica et l'assise initiale du corpus. Ces trois
assises cellulaires sont souvent symbolisées par L1, L2 et L3, L1 étant
l'assise superficielle et L3 l'interne (Figure 26-4a). Bien que les divisions soient presque exclusivement anticlines dans l'assise L1, certaines cellules se divisent occasionnellement par voie péricline. Dans
cette éventualité, la cellule fille interne s'intègre à l'assise L2 et s'y différencie comme si elle dérivait de cette assise. Des déplacements
semblables peuvent se produire entre des cellules dérivées des assises
L2 et L3, avec les mêmes conséquences. C'est un nouvel argument
confirmant que la différenciation cellulaire n'est pas liée à la lignée
cellulaire, mais plutôt à sa position finale dans l'organe en développement (voir l'encadré de la page 604).

Dans l'apex de la tige de nombreuses angiospermes, la masse du
corpus correspond à une zone de cellules très vacuolisées, la **zone
centrale de cellules mères**. Cette zone est entourée par le **méristème
périphérique**, ou zone périphérique, qui dérive en partie du la tunica
(assises L1 et L2) et en partie du corpus, ou zone centrale de cellules

(a)

(b)

(c)

(d)

mères, dont on peut retracer l'origine jusqu'à l'assise L3 (Figure 26-4). Vu en trois dimensions, le méristème périphérique forme un anneau entourant la zone centrale de cellules mères. À l'intérieur de cet anneau, et immédiatement sous la zone centrale, se trouve le **méristème médullaire**. Les divisions cellulaires sont relativement rares dans la zone centrale de cellules mères : à cet égard, cette zone rappelle le centre quiescent du méristème apical de la racine. La zone périphérique est par contre très active d'un point de vue mitotique.

Quels sont les rapports entre ces zones et les méristèmes primaires de la tige feuillée ? Le protoderme provient toujours de la tunica externe (L1), tandis que le procambium et une partie du méristème fondamental (le cylindre cortical et parfois une partie de la moelle) dérivent du méristème périphérique. Le reste du méristème fondamental (la totalité ou la majeure partie de la moelle) est produit par le méristème médullaire.

Bien que les tissus primaires de la tige passent par des périodes de croissance semblables à celles de la racine, il n'est pas possible de diviser la tige dans le sens de sa longueur en zones de divisions cellulaires, élongation et différenciation comme pour les racines. Pendant sa croissance active, le méristème apical de la tige donne naissance à des primordiums foliaires à un rythme tel qu'à l'origine, les nœuds et entrenœuds ne peuvent être distingués. Lorsque la croissance débute entre les niveaux d'insertion des feuilles, les portions allongées de la tige deviennent des entrenœuds et l'on peut identifier comme des nœuds les endroits où les feuilles sont insérées (Figures 26-1 et 26-5). L'élongation des entrenœuds est donc le principal facteur responsable de l'allongement de la tige, et de nombreux entrenœuds peuvent être impliqués simultanément.

Figure 26-5

Étapes de la croissance du bourgeon terminal et de deux bourgeons latéraux de marronnier *(Aesculus hippocastanum)*. **(a)** Les jeunes tiges feuillées sont étroitement enfermées dans les bourgeons et protégées par des écailles qui sont des feuilles fortement modifiées produites à la fin de la saison de croissance précédente. **(b)** Les bourgeons s'ouvrent et laissent apparaître leurs feuilles rudimentaires les plus anciennes. **(c)** L'élongation des entrenœuds a séparé les nœuds. Le bourgeon terminal du marronnier est mixte, il contient à la fois des feuilles et des fleurs, mais les fleurs ne sont pas visibles ici. Les bourgeons latéraux ne produisent que des feuilles. **(d)** Détail de la partie inférieure des jeunes tiges feuillées ; les écailles des bourgeons sont séparées et recourbées.

L'activité méristématique responsable de l'élongation de l'entrenœud peut être assez uniforme sur toute sa longueur. Chez certaines espèces, elle implique une vague qui progresse vers le sommet à partir de la base de l'entrenœud tandis que, chez d'autres, chez les graminées par exemple, elle est limitée à la base. Une zone méristématique localisée dans l'entrenœud en cours d'élongation s'appelle un **méristème intercalaire** (région méristématique se trouvant entre deux régions plus différenciées). Certains éléments des xylème et phloème primaires — plus précisément le protoxylème et le protophloème — se différencient à l'intérieur du méristème intercalaire et relient les régions plus différenciées de la tige se trouvant au-dessus et en-dessous du méristème.

L'épaississement de la tige au cours de la croissance primaire implique simultanément des divisions longitudinales (périclines) et l'accroissement des cellules. Chez les plantes qui possèdent une croissance secondaire, cet épaississement est modéré. Les monocotylées ne possèdent généralement pas de croissance secondaire mais, chez quelques-unes, chez les palmiers par exemple, la croissance primaire en diamètre est très importante. Cette croissance se déroule si près du méristème apical que l'apex semble inséré sur un plateau ou même dans une dépression (Figure 26-6). L'activité de l'apex proprement dit n'est pas importante, mais les divisions cellulaires sont très fréquentes directement en-dessous de lui. Le méristème responsable de la brusque expansion de la région apicale en une large couronne est situé sous la base des jeunes feuilles. Dans cette région méristématique, des divisions cellulaires localisées aboutissent à la formation de cordons procambiaux. Cette zone où se forme le procambium est connue sous le nom de **cône méristématique**. La masse méristématique responsable de l'épaississement est localisée sous le cône, mais le tissu fondamental situé entre les cordons procambiaux et le cône contribuent également à l'épaississement.

Le méristème apical de la tige donne naissance aux mêmes méristèmes primaires que ceux de la racine : protoderme, procambium et méristème fondamental (Figure 26-2). Ces méristèmes primaires se développent à leur tour pour produire les tissus différenciés de la structure primaire de la plante, respectivement l'épiderme, les tissus conducteurs primaires et le tissu fondamental.

Structure primaire de la tige

La structure primaire de la tige est très variable chez les spermatophytes, mais on peut distinguer trois types fondamentaux d'organisation : (1) Chez certains conifères, magnoliidées et dicotylées, le système conducteur de l'entrenœud prend la forme d'un cylindre plus ou moins continu à l'intérieur du tissu fondamental (Figure 26-7a). (2) Chez d'autres, les tissus conducteurs primaires forment un cylindre de cordons, ou faisceaux, séparés les uns des autres par du tissu fondamental (Figure 26-7b). (3) Dans la tige de la plupart des monocotylées et de certaines dicotylées herbacées (non ligneuses), la disposition des cordons procambiaux et des faisceaux conducteurs est plus complexe. En coupe transversale, les faisceaux forment plusieurs anneaux ou paraissent dispersés dans toute l'épaisseur du tissu fondamental. Dans ce dernier cas, il est souvent impossible de distinguer un cylindre cortical et une moelle dans le tissu fondamental (Figure 26-7c).

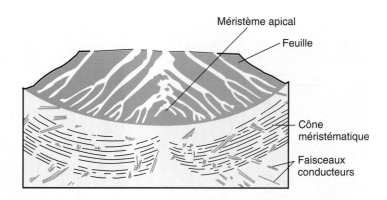

Figure 26-6

Schéma montrant l'anatomie du sommet, ou plateau, d'une monocotylée à tige épaisse dépourvue de croissance secondaire, comme un palmier. L'épaississement est dû à une activité méristématique localisée sous la base des jeunes feuilles. Le méristème apical et les primordiums foliaires les plus jeunes ont une taille habituelle, mais ils paraissent enfoncés sous les larges tissus caulinaires. La zone où se forme le procambium est appelée cône méristématique.

Dans la discussion qui suit, nous prendrons la tige de tilleul *(Tilia americana)* comme exemple du premier type d'organisation. Le second type sera illustré par les tiges d'un sureau *(Sambucus canadensis)*, de la luzerne *(Medicago sativa)* et d'une renoncule *(Ranunculus)*, et le troisième, par la tige du maïs *(Zea mays)*. Le tilleul et le sureau sont également des exemples de tiges caractérisées par une croissance secondaire importante (On y reviendra pour traiter de la croissance secondaire, au chapitre 27.) Par contre, la croissance secondaire est limitée dans la tige de la luzerne et elle est absente dans celles de la renoncule (dicotylée) et du maïs (monocotylée).

Les tissus conducteurs primaires de la tige du tilleul forment un cylindre à peu près continu

La figure 26-8 montre la tige de tilleul *(Tilia)*, avec ce qui apparaît comme un cylindre continu de tissus conducteurs primaires. En réalité, ce cylindre est composé de faisceaux séparés les uns des autres par des portions très étroites et presque invisibles de parenchyme fondamental. Ces portions parenchymateuses, appelées **parenchyme interfasciculaire** (ou rayons médullaires) établissent une connexion entre le cortex et la moelle.

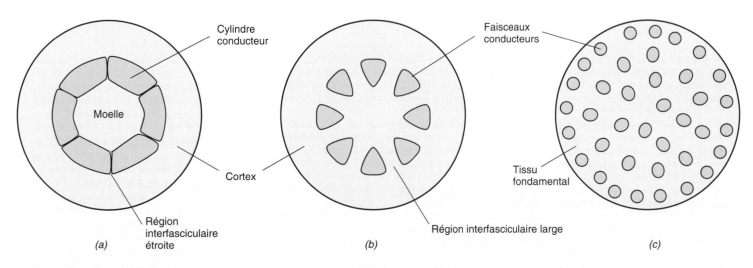

Figure 26-7

Coupes transversales illustrant les trois types d'organisation de base de la structure primaire des tiges. **(a)** Le système conduc-teur forme un cylindre continu creux entourant la moelle. **(b)** Les cordons conducteurs indépendants forment un seul cylindre autour de la moelle. **(c)** Les faisceaux conducteurs sont dispersés dans toute la profondeur du tissu fondamental.

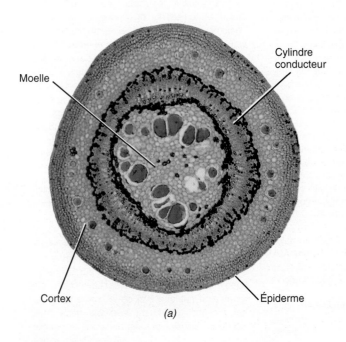

(a)

200 µm

Figure 26-8

(a) Coupe transversale dans une tige de tilleul *(Tilia ameri-cana)* au début du stade primaire de la croissance. Les tissus conducteurs forment un cylindre creux continu divisant le tissu fondamental en moelle et cylindre cortical. **(b)** Détail d'une partie de la même tige de tilleul.

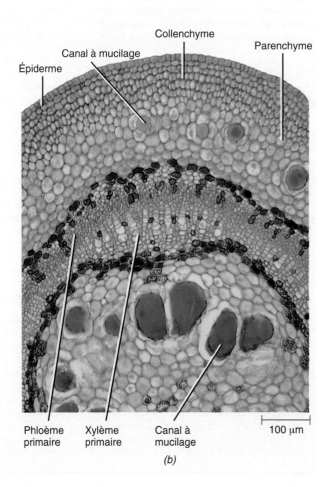

(b)

LES PLANTES, LA POLLUTION DE L'AIR ET LES PLUIES ACIDES

De même que nos poumons, la feuille ne peut fonctionner que si elle a la faculté d'échanger des gaz avec l'atmosphère ambiante. Par conséquent, comme le poumon, c'est un organe extrêmement sensible à la pollution atmosphérique.

La pollution de l'air est multiforme. Certains polluants sont des particules. Celles-ci peuvent être organiques, comme celles qui se trouvent dans la fumée provenant de la combustion des combustibles fossiles et des immondices, ou inorganiques, comme les poussières des fours à ciment et des fonderies, ainsi que les dérivés du plomb libérés par la combustion de l'essence au plomb. Ces particules sont un élément essentiel du smog et réduisent la quantité de lumière atteignant la surface de la terre ; elles peuvent également avoir des effets négatifs directs sur les plantes. Elles peuvent obstruer les stomates et inhiber leur fonctionnement ; elles peuvent aussi — c'est en particulier le cas des particules métalliques — intoxiquer les plantes.

Les fluorures, qui polluent l'atmosphère en tant que déchets de la fabrication des phosphates, de l'acier, de l'aluminium et d'autres produits industriels, agissent comme agents toxiques cumulatifs : ils pénètrent dans la feuille par les stomates et provoquent l'affaissement des tissus foliaires, apparemment en bloquant les enzymes qui interviennent dans la synthèse de la cellulose. En Floride, des milliers d'hectares de citrus ont été endommagés par les fluorures libérés par les usines d'engrais phosphatés.

Le traitement de minerais contenant du soufre produit du dioxyde de soufre :

$$2CuS + 3O_2 \rightarrow 2CuO + 2SO_2$$

Le dioxyde de soufre a un goût aigre-doux désagréable ; c'est un cas particulier parmi les polluants atmosphérique du fait qu'on peut le percevoir au goût à des concentrations inférieures à celles de son odeur. Les oxydes de soufre sont également produits par la combustion de combustibles fossiles contenant du soufre. Dans l'air humide, les oxydes de soufre réagissent avec l'eau pour former des gouttelettes d'acide sulfurique très corrosif, H_2SO_4, que l'on trouve dans les pluies acides. Dans plusieurs régions des États-Unis, l'émission de dioxyde de soufre combiné aux métaux a été une cause de désertification étendue. Dès 1905, on a établi des contrôles de la pollution atmosphérique dans les régions entourant les fonderies de cuivre du Tennessee mais ces régions, jadis couvertes d'une forêt luxuriante, restent encore dénudées de nos jours. Non seulement toute la végétation a été détruite, mais l'acide a lessivé les éléments nutritifs du sol. De même, dans une région de fonderies de cuivre de la vallée du Sacramento, en Californie, toute la végétation a

été détruite sur une surface de 260 kilomètres carrés et la croissance des végétaux a été fortement affectée sur 320 autres kilomètres carrés.

Le type de pollution atmosphérique le plus courant pour les habitants de Californie est le smog photochimique, provenant de l'action de la lumière solaire sur les gaz d'échappement des véhicules automobiles. La région de Los Angeles est l'endroit idéal pour la formation du smog photochimique parce que le mode de vie dans cette région est fortement lié à l'utilisation de la voiture et parce que les montagnes situées au nord et à l'est forment une « cuvette » empêchant la dispersion des réactifs. Non seulement de nombreuses espèces de plantes ne peuvent survivre dans la ville elle-même (comme c'est le cas dans beaucoup d'autres villes du monde), mais le smog provenant de la cuvette de Los Angeles provoque des dégâts aux cultures à des distances atteignant 160 kilomètres.

Un des principaux réactifs du smog photochimique est le dioxyde d'azote, NO_2, produit par tous les types de combustion aérobies (l'air sec contient 77 % d'azote) ; on le trouve donc dans les gaz d'échappement des voitures. Sous l'influence de la lumière, NO_2 est scindé en NO (oxyde d'azote) et en oxygène atomique. Celui-ci est extrêmement réactif et produit de l'ozone en réagissant avec l'oxygène moléculaire, O_2.

Les mêmes composants, alimentés par les rayons ultraviolets, se produisent dans les couches élevées de l'atmosphère et forment le bouclier d'ozone décrit à la page 6. Les étincelles électriques peuvent également produire l'ozone et c'est de là que provient l'odeur « de propreté » après un orage. L'ozone est une substance très toxique. Chez les plantes, il endommage les cellules palissadiques à parois minces et semble affecter la perméabilité des membranes des cellules et de leurs chloroplastes. Un autre composant du smog photochimique est le PAN (peroxyacétyl nitrate, $C_2H_3O_5N$). Sa toxicité est plusieurs fois supérieure à celle de l'ozone, mais sa concentration est normalement beaucoup plus faible. La photosynthèse est réduite de 66 % à une concentration de 0,25 PPM (parties pour un million) de smog photochimique

On s'intéresse beaucoup actuellement aux effets néfastes des pluies acides sur l'environnement. En conditions normales, le pH de la pluie est de 5,6 dans les régions non polluées. Avec la combustion des combustibles fossiles et l'utilisation de minerais sulfurés, les grandes quantités d'oxydes de soufre émises dans l'atmosphère réagissent avec l'eau pour produire des acides forts (surtout les acides sulfurique et nitrique). La pluie et la neige qui se forment dans les régions polluées ont un pH

inférieur à 5,6. Le phénomène des « précipitations acides » (d'un pH inférieur à 5,6) est aujourd'hui répandu et sévit sur de vastes zones d'Europe occidentale, de l'est des États-Unis et du sud-est du Canada, où le pH annuel moyen des précipitations va de 4 à 4,5. De plus, la pluie devient souvent beaucoup plus acide à l'occasion d'orages locaux. En Écosse, en Norvège et en Islande, on a signalé des pluies acides avec des pH respectifs de 2,4, 2,7 et 3,5. La tendance à la réduction des problèmes locaux de pollution par la construction de hautes cheminées dans les fonderies et les installations industrielles a entraîné des problèmes régionaux. Les polluants émis par les hautes cheminées sont transportés par l'atmosphère sur de grandes distances. On pense par exemple que plus de 75 % du soufre des pluies tombant sur les pays scandinaves proviennent des Iles Britanniques et de l'Europe centrale.

On ne connaît pas bien les effets des pluies acides sur la végétation, mais on les étudie actuellement dans tout l'hémisphère nord. On a montré qu'elles réduisent la croissance des essences forestières en Suède. On a montré également que les pluies acides artificielles provoquent des dégâts aux feuilles et empêchent la germination des graines. En quelques années seulement, les dégâts observés dans les forêts d'Allemagne de l'Ouest sont passés de quelques pour-cent seulement à plus de 50 %. Cela suggère que les plantes peuvent tolérer les polluants jusqu'à un certain niveau ; cependant, lorsque ce seuil est atteint, une faible augmentation de certains polluants peut entraîner des modifications rapides.

Les conséquences les plus évidentes des pluies acides se sont manifestées sur les populations de poissons, pratiquement éliminées des lacs acidifiés dans plusieurs parties du globe. On a supposé que la toxicité à l'égard des poissons est en fait une conséquence des concentrations accrues en aluminium et ne doit pas être attribuée directement à l'eau acide. L'aluminium, qui représente quelque 5 % de la croûte terrestre, est presque totalement insoluble dans l'eau neutre ou alcaline et n'est donc pas disponible pour les organismes. Du fait des pluies acides cependant, les concentrations en ions aluminium dissous peuvent s'accroître dans certains lacs et atteindre des niveaux toxiques pour les poissons et autres organismes aquatiques. La solubilité d'autres métaux toxiques, comme le plomb, le cadmium et le mercure, augmente également beaucoup lorsque le pH diminue.

(a) Les dégâts provoqués par le dioxyde de soufre à une feuille de *Rubus* montrent des tissus foliaires détériorés entourés par des tissus sains. **(b)** Les dégâts provoqués par l'ozone à une feuille de tabac *(Nicotiana tabacum)* apparaissent comme des points ou de petites taches de tissu mort à la face supérieure de la feuille. Si les dommages sont plus graves, les taches se rassemblent en lésions plus grandes, apparentes sur les deux faces de la feuille. **(c)** Les pluies acides sont la conséquence d'une réaction des oxydes de soufre et d'azote avec l'eau atmosphérique, qui produit de l'acide sulfurique et de l'acide nitrique.

(a)

(b)

2. Transport

3. Transformation

NO, NO$_2$

SO$_2$

1. Emissions

4. Précipitation

5. Écosystèmes sensibles

(c)

Comme dans la plupart des tiges, l'épiderme est une assise cellulaire unique recouverte d'une cuticule. L'épiderme de la tige possède généralement beaucoup moins de stomates que l'épiderme foliaire.

Le cylindre cortical est composé de collenchyme et de parenchyme. Le collenchyme comprend plusieurs assises qui assurent le soutien de la jeune tige et forment un cylindre continu sous l'épiderme. Le reste du cortex est composé de cellules parenchymateuses contenant des chloroplastes lorsqu'elles sont différenciées. L'assise interne de cellules corticales, dont le contenu est très coloré, forme une frontière nette entre le cortex et le cylindre conducteur primaire.

Dans la plupart des tiges, comme dans celle du tilleul, le phloème primaire se développe à partir des cellules externes du procambium et le xylème primaire à partir des cellules internes. Toutes les cellules procambiales ne se différencient cependant pas en tissus primaires. Une assise unique de cellules située entre le xylème primaire et le phloème primaire reste méristématique et deviendra le cambium fasciculaire. Le tilleul est également un exemple de tige ligneuse — produisant une quantité importante de bois, ou xylème secondaire, au cours de sa croissance ultérieure. Lorsque l'élongation des entrenœuds de la tige est terminée, des fibres se développent dans le phloème primaire : ce sont les **fibres du phloème primaire** (voir figure 27-9).

La limite interne du xylème primaire du tilleul est bien marquée par une ou deux assises de cellules médullaires à contenu très coloré. La moelle comprend principalement des cellules parenchymateuses et beaucoup de grands canaux remplis de mucilage (glucide de consistance visqueuse). Les mêmes canaux se forment dans le cortex (Figure 26-8). Avec l'élargissement des cellules du cortex et de la moelle, de nombreux espaces intercellulaires se développent entre elles ; ces espaces aérifères, ou méats, sont indispensables pour permettre les échanges gazeux avec l'atmosphère. Les cellules parenchymateuses du cortex et de la moelle emmagasinent des substances diverses.

Les tissus conducteurs primaires de la tige de sureau forment un système de cordons séparés

Dans la tige de sureau *(Sambucus)*, les régions interfasciculaires — appelées également **rayons médullaires** — sont relativement larges ; de ce fait, les cordons procambiaux et les faisceaux conducteurs primaires forment, autour de la moelle, un système de cordons séparés. L'épiderme, le cortex et la moelle sont disposés comme chez le tilleul. C'est pourquoi la description de la tige de sureau qui va suivre permettra de mieux comprendre le développement des tissus conducteurs primaires dans les tiges.

La figure 26-9a montre trois cordons procambiaux dans lesquels la différenciation des tissus conducteurs primaires vient de débuter. Le cordon de gauche est un peu plus âgé que les deux autres situés à droite et contient au moins un élément criblé et un élément vasculaire différenciés. Remarquez que le premier élément criblé apparaît dans la partie externe du cordon procambial (près du cortex) et que le premier élément vasculaire différencié apparaît à l'intérieur (près de la moelle). La comparaison des figures 26-9a et 26-9c, montre que les éléments criblés récemment différenciés sont plus proches du centre de la tige et que le xylème se différencie dans le sens inverse.

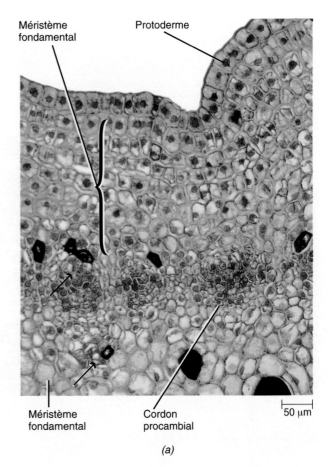

Méristème fondamental   Protoderme

Méristème fondamental   Cordon procambial

50 µm

(a)

Figure 26-9

Coupes transversales dans une tige de sureau *(Sambucus canadensis)* au stade primaire de croissance. **(a)** Tige très

Les éléments du xylème primaire et du phloème primaire formés en premier lieu (le protoxylème et le protophloème) sont étirés au cours de l'élongation de l'entrenœud et fréquemment écrasés. Comme dans la tige de tilleul, des fibres se développent dans le phloème primaire après l'élongation de l'entrenœud (voir figure 27-8).

Comme chez le tilleul, la tige de sureau se lignifie. Chez le tilleul, la plus grande partie du cambium est fasciculaire et provient des cellules procambiales situées entre les xylème et phloème primaires puisque les rayons interfasciculaires sont très étroits. Chez le sureau, où les régions interfasciculaires sont relativement larges, une partie importante du cambium se développe aux dépens du parenchyme interfasciculaire.

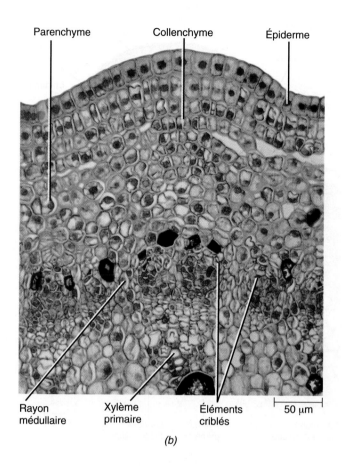

Parenchyme   Collenchyme   Épiderme

Rayon médullaire   Xylème primaire   Éléments criblés   50 µm

(b)

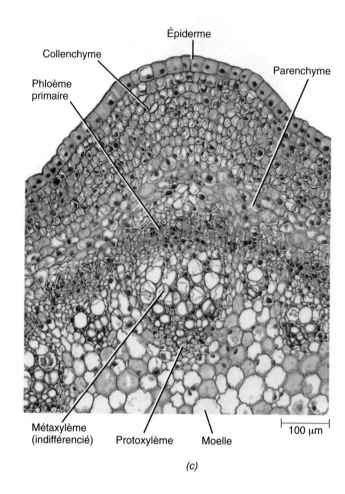

Épiderme

Collenchyme

Phloème primaire

Parenchyme

Métaxylème (indifférencié)   Protoxylème   Moelle   100 µm

(c)

jeune montrant le protoderme, le méristème fondamental et trois cordons procambiaux indépendants. Le cordon procambial de gauche renferme un seul élément criblé différencié (flèche du dessus) et un élément de vaisseau différencié (flèche du bas). **(b)** Tissus primaires à un stade de développement plus avancé. **(c)** Tige au terme de la croissance primaire. Les cambiums fasciculaire et interfasciculaire ne sont pas encore formés. (Pour les stades ultérieurs de la croissance dans la tige plus âgée, voir les figures 27-7, 27-8 et 27-10.)

Les tiges de la luzerne et de la renoncule sont herbacées

La croissance secondaire est nulle ou peu importante dans la tige de nombreuses dicotylées : ces tiges ne sont pas ligneuses, mais **herbacées** (voir chapitre 27). On peut trouver des exemples de tiges de dicotylées herbacées chez la luzerne *(Medicago sativa)* et les renoncules *(Ranunculus)*.

La luzerne est un exemple de dicotylée herbacée qui manifeste une certaine croissance secondaire (Figure 26-10). La structure et le développement des tissus primaires de la tige de la luzerne sont semblables à ceux du sureau et des autres angiospermes ligneuses. Les faisceaux conducteurs sont séparés par de larges rayons interfasciculaires et entourent une moelle très développée. L'origine du cambium est en partie fasciculaire (procambium) et en partie interfasciculaire (parenchyme interfasciculaire). Au cours de la croissance secondaire, les tissus conducteurs secondaires se forment principalement à partir des cellules cambiales dérivées du procambium. Le cambium interfasciculaire ne donne généralement que des cellules sclérenchymateuses du côté du xylème.

La tige de renoncule est un exemple extrême du type herbacée et ses faisceaux conducteurs ressemblent à ceux de nombreuses monocotylées. Il ne reste pas de procambium après la différenciation des tissus conducteurs primaires ; c'est pourquoi les faisceaux ne produisent jamais de cambium et ne peuvent poursuivre leur croissance. On dit que les faisceaux sont **fermés** lorsque, comme chez les renoncules (Figure 26-11) et les monocotylées, toutes les cellules procambiales se différencient et que la croissance ne peut s'y poursuivre. Les faisceaux conducteurs fermés sont en général complètement enveloppés par

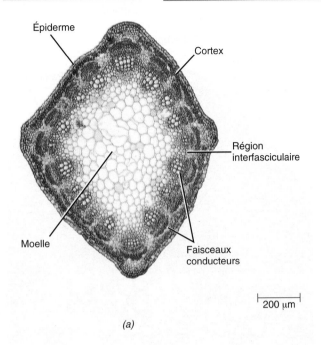

Épiderme

Cortex

Région
interfasciculaire

Moelle

Faisceaux
conducteurs

200 µm

(a)

Figure 26-10

(a) Coupe transversale dans une tige de luzerne *(Medicago sativa)*, dicotylée à faisceaux conducteurs indépendants. **(b)** Détail d'une partie de la même tige de luzerne.

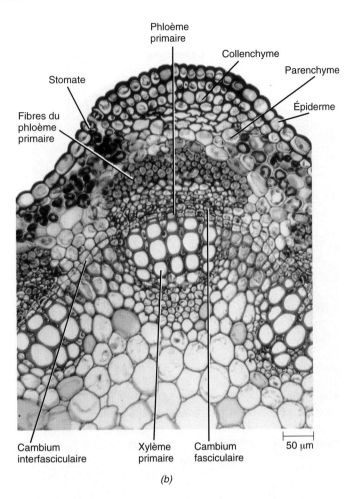

Phloème
primaire

Collenchyme

Parenchyme

Épiderme

Stomate

Fibres du
phloème
primaire

Cambium
interfasciculaire

Xylème
primaire

Cambium
fasciculaire

50 µm

(b)

Figure 26-11

Faisceau conducteur fermé. Coupe transversale d'un faisceau conducteur de renoncule *(Ranunculus)*, une dicotylée herbacée. Les faisceaux conducteurs de la renoncule sont fermés ; c'est-à-dire que toutes les cellules du procambium se différencient, empêchant toute croissance secondaire. Les xylème et phloème primaires sont entourés d'une gaine fasciculaire formée de cellules sclérenchymateuses à parois épaissies. Comparez ce faisceau au faisceau différencié de maïs représenté à la figure 26-13c).

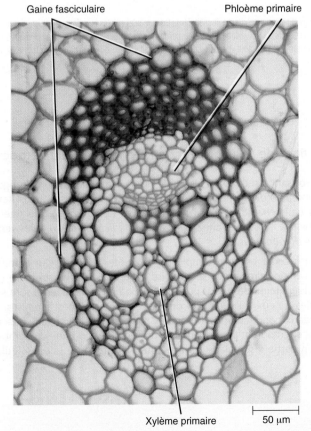

Gaine fasciculaire

Phloème primaire

Xylème primaire

50 µm

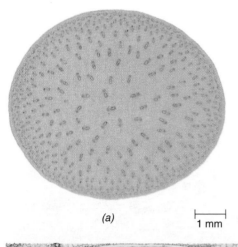

(a) 1 mm

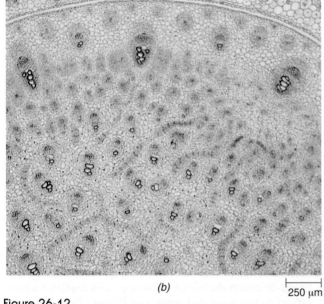

(b) 250 µm

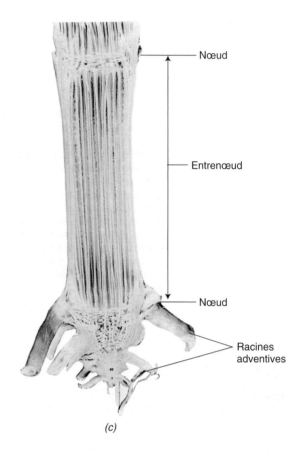

Nœud

Entrenœud

Nœud

Racines
adventives

(c)

Figure 26-12

Tige de maïs *(Zea mays)*. **(a)** Coupe transversale de la région internodale montrant un grand nombre de faisceaux conducteurs dispersés dans toute la profondeur du tissu fondamental. **(b)** Coupe transversale de la région nodale d'une jeune tige de maïs montrant des cordons procambiaux horizontaux qui relient les faisceaux verticaux. **(c)** Tige adulte fendue longitudinale-ment ; on a éliminé le tissu fondamental pour mettre en évidence le système conducteur.

une gaine composée de cellules sclérenchymateuses. On dit que les faisceaux sont **ouverts** s'ils produisent un cambium. Chez la plupart des dicotylées, les faisceaux vasculaires sont ouverts ; ils produisent une certaine quantité de tissus conducteurs secondaires.

Dans les coupes transversales de la tige de *Zea*, les faisceaux conducteurs sont dispersés

La tige herbacée de maïs *(Zea mays)* est un exemple de tige de mono-cotylée où les faisceaux conducteurs paraissent dispersés dans tout le tissu fondamental en coupe transversale (Figure 26-12). Comme chez les autres monocotylées, les faisceaux du maïs sont fermés.

La figure 26-13 montre trois stades du développement d'un fais-ceau conducteur de maïs. Comme dans les tiges de dicotylées, le phloème se développe à partir des cellules externes du cordon pro-cambial et le xylème à partir des cellules internes. Comme on l'a vu antérieurement, le phloème et le xylème se différencient également en sens opposés. Les premiers éléments du phloème et du xylème (le protophloème et le protoxylème) sont étirés et écrasés au cours de l'élongation de l'entrenœud. Il se forme de la sorte un très grand espace, appelé lacune protoxylémienne, du côté xylémien du fais-ceau (Figure 26-13c). Le faisceau conducteur différencié contient deux grands vaisseaux de xylème et le phloème (métaphloème) est composé d'éléments de tubes criblés et de cellules compagnes. L'ensemble du faisceau est inclus dans une gaine de cellules scléren-chymateuses.

Figure 26-13

Trois étapes de la différenciation des faisceaux conducteurs de maïs *(Zea mays)* observés dans des coupes transversales de la tige. **(a)** Les éléments protophloémiens et deux éléments du protoxylème sont différenciés. **(b)** Les éléments criblés du protophloème sont maintenant écrasés et la plus grande partie du métaphloème est différenciée. Trois éléments de protoxylème sont différenciés et deux éléments vasculaires du métaxylème sont presque complètement développés. **(c)** Faisceau conducteur différencié entouré d'une gaine de cellules sclérenchymateuses à parois épaissies. Le métaphloème est composé seulement d'éléments de tubes criblés et de cellules compagnes. La partie du faisceau occupée auparavant par les éléments du protoxylème est maintenant occupée par un vaste espace intercellulaire, la lacune protoxylémienne. Notez les restes des épaississements pariétaux des éléments protoxylémiens détruits à la périphérie de la lacune aérifère.

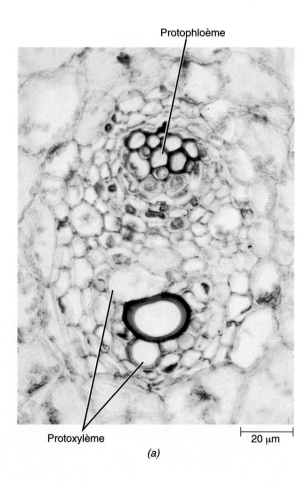

Protophloème

Protoxylème

20 μm

(a)

Relations entre les tissus conducteurs de la tige et de la feuille

La disposition des faisceaux conducteurs de la tige est le reflet des étroites relations structurales et développementales existant entre la tige et ses feuilles. Le terme « tige feuillée » n'est pas simplement un terme collectif destiné à désigner ces deux organes végétatifs ; il exprime également leur intime association au niveau de leur position et de leur développement.

Les cordons procambiaux de la tige se forment en-deçà du méristème apical, immédiatement sous les primordiums foliaires en développement et ils sont parfois situés en-dessous les sites des futurs primordiums, avant même que ceux-ci ne soient apparents. À mesure que les primordiums foliaires s'allongent, les faisceaux procambiaux s'y différencient de la base vers le haut. Dès le début, le système procambial de la feuille est en continuité avec celui de la tige.

À chaque nœud, un ou plusieurs faisceaux conducteurs quittent le cylindre de la tige, traversent le cortex et pénètrent dans la feuille ou dans les feuilles qui y sont insérées (Figure 26-14). On appelle **traces foliaires** les prolongements du système conducteur de la tige qui se dirigent vers les feuilles ; **les fenêtres foliaires** sont les larges ouver-tures dans le tissu fondamental du cylindre conducteur situées au-dessus des points de départ des traces foliaires vers les feuilles. La trace foliaire s'étend de son point de liaison à un faisceau de la tige — un **faisceau caulinaire** — à son entrée dans la feuille. Une ou plusieurs traces foliaires peuvent relier le système conducteur d'une même feuille à celui de la tige. Le nombre d'entrenœuds traversés par les traces foliaires avant de pénétrer dans la feuille varie et la longueur des traces varie donc également.

Si l'on suit les faisceaux caulinaires soit vers le haut, soit vers le bas, on voit qu'ils sont associés à plusieurs traces foliaires. On appelle *sympode* un faisceau caulinaire et les traces foliaires qui lui sont associées (Figure 26-14). Dans certaines tiges, il existe des connexions entre certains ou entre tous les sympodes tandis que, dans d'autres, tous les sympodes sont des unités du système conducteur indépendantes les unes des autres. Quoi qu'il en soit, la disposition du système conducteur dans la tige est liée au mode d'insertion des feuilles. Des bourgeons se développent souvent à l'aisselle des feuilles, et leur système conducteur est relié à celui de la tige principale par des **traces raméales**. À chaque nœud, des traces foliaires et raméales (souvent deux par bourgeon) s'écartent donc de la tige principale (Figure 26-15).

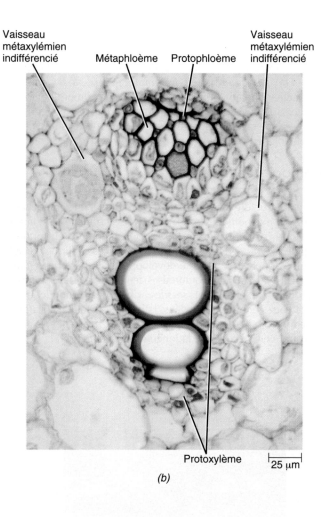

Vaisseau métaxylémien indifférencié   Métaphloème   Protophloème   Vaisseau métaxylémien indifférencié

Protoxylème

25 µm

(b)

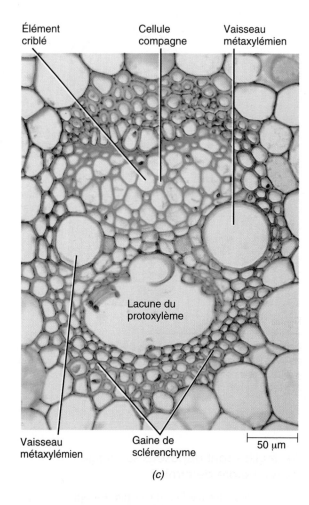

Élément criblé   Cellule compagne   Vaisseau métaxylémien

Lacune du protoxylème

Vaisseau métaxylémien   Gaine de sclérenchyme   50 µm

(c)

Figure 26-14

Schémas représentant le système conducteur primaire d'une tige d'orme *(Ulmus)*, une dicotylée. **(a)** Coupe transversale de la tige montrant les faisceaux conducteurs séparés qui entourent la moelle. **(b)** Représentation longitudinale montrant le cylindre conducteur coupé au niveau de la trace foliaire 5 en **(a)** et étalé dans un plan. La coupe transversale **(a)** correspond à la partie supérieure de **(b).** Dans les deux dessins, les chiffres représentent les traces foliaires. Trois traces foliaires — une médiane et deux latérales — relient le système conducteur de la tige à celui de la feuille. On appelle sympode l'ensemble composé d'un faisceau de la tige et des traces foliaires qui lui sont associées.

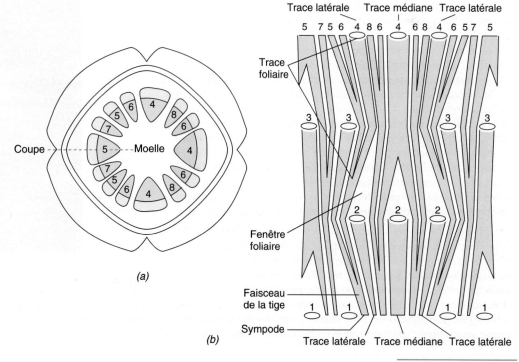

Coupe ----> <---- Moelle

(a)

Trace latérale   Trace médiane   Trace latérale

5 7 5 6   4 8 6   4   6 8   4 6 5 7   5

Trace foliaire

3   3   3   3

2   2   2

Fenêtre foliaire

Faisceau de la tige   1   1   1   1

Sympode

Trace latérale   Trace médiane   Trace latérale

(b)

623

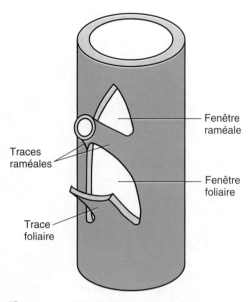

Figure 26-15

Relation entre les traces raméales et foliaires et le système conducteur de la tige principale. En réalité, les traces raméales sont des traces foliaires — les traces des premières feuilles du bourgeon ou de la branche latérale. Chez les magnoliidées et les dicotylées, il existe normalement deux traces raméales par bourgeon.

Les feuilles sont disposées sur la tige dans un ordre déterminé

La disposition des feuilles sur la tige est appelée la **phyllotaxie**. Le type le plus fréquent est la phyllotaxie spiralée, ou **alterne**, comportant une feuille à chaque nœud et les points d'insertion formant une spirale autour de la tige. Les chênes *(Quercus)*, le 'croton' (Figure 26-1) et le mûrier *(Morus alba)* (voir figure 26-17a) par exemple, possèdent des feuilles alternes. Chez d'autres plantes qui ne possèdent qu'une seule feuille par nœud, les feuilles sont disposées sur deux rangées opposées, par exemple chez les graminées. On dit que cette phyllotaxie est **distique**. Chez certaines plantes, il existe une paire de feuille à chaque nœud et la phyllotaxie est **opposée**, comme chez les érables *(Acer)* et les chèvrefeuilles *(Lonicera)*. Si chaque paire forme un angle droit avec la précédente, on dit que la disposition est **décussée**. La famille des labiées *(Labiatae)*, comprenant les *Coleus* (Figure 26-2) est un exemple typique de la phyllotaxie décussée. Les plantes à phyllotaxie **verticillée**, comme *Veronicastrum virginicum*, possèdent au moins trois feuilles à chaque nœud (voir figure 26-17b).

Le mécanisme responsable de la disposition des feuilles a fait l'objet de nombreuses recherches expérimentales. Les résultats de ces recherches ont mené à plusieurs hypothèses, comme l'*hypothèse du champ de phyllotaxie*. Selon cette hypothèse, dès qu'un primordium foliaire est initié, il est entouré d'un champ physiologique dans lequel il n'est pas possible qu'un nouveau primordium foliaire apparaisse. Un nouveau primordium ne peut entamer son développement que lorsque sa position d'origine se situe en dehors de champs existants.

L'intensité des champs décroît avec l'âge du primordium et ceux qui sont le plus éloignés de la pointe de la tige sont les moins intenses.

Une autre explication de la répartition des feuilles sur la tige est l'*hypothèse de la première place disponible*. Selon cette hypothèse, le principal facteur limitant l'initiation d'un nouveau primordium foliaire est l'espace. Un nouveau primordium apparaît dans le premier espace disponible — c'est-à-dire lorsqu'il existe une place suffisamment étendue et éloignée de l'apex.

Morphologie de la feuille

La forme et la structure interne des feuilles montrent une grande variation. Chez les magnoliidées et les dicotylées, la feuille se compose souvent d'une partie élargie, le **limbe**, et d'une partie en forme de stipe, le **pétiole** (voir figure 26-17). Des appendices en forme d'écaille ou de feuille appelées *stipules* se développent à la base de certaines feuilles (Figure 26-16). De nombreuses feuilles sont dépourvues de pétiole : on dit qu'elles sont *sessiles*. Chez beaucoup de monocotylées et chez certaines dicotylées, la base de la feuille s'élargit en une **gaine** qui embrasse la tige (Figure 26-18b). Chez certaines graminées, la gaine s'étend sur toute la longueur d'un entrenœud.

Figure 26-16

Feuille composée pennée de pois *(Pisum sativum)*. Remarquez les stipules à la base de la feuille et les minces vrilles à son extrémité. Dans la feuille de pois, les stipules sont souvent plus grandes que les folioles.

Figure 26-17

Exemples de feuilles simples. **(a)** Le mûrier *(Morus alba)*. **(b)** *Veronicastrum virginicum*. **(c)** L'érable à sucre *(Acer saccharum)*. **(d)** L'érable argenté *(Acer saccharinum)*. **(e)** Le chêne rouge d'Amérique *(Quercus rubra)*. Notez la disposition alterne des feuilles chez le mûrier et la disposition verticillée chez *Veronicastrum*. Les feuilles sont opposées chez les érables et alternes chez le chêne, mais une seule feuille est visible pour chacun de ces arbres.

Figure 26-18

Les feuilles sessiles (sans pétiole) sont fréquentes chez les dicotylées, comme *Moricandia,* une crucifère **(a)**, mais elles sont particulièrement caractéristiques des graminées et d'autres monocotylées. **(b)** Chez le maïs *(Zea mays)*, une monocotylée, la base de la feuille forme une gaine autour de la tige. On voit la ligule, mince languette de tissu qui dépasse le dessus de la gaine. L'orientation parallèle des nervures est apparente dans la portion visible du limbe.

(a)

(b)

625

LE DIMORPHISME FOLIAIRE CHEZ LES PLANTES AQUATIQUES

Dans leur environnement naturel, les feuilles des angiospermes aquatiques peuvent se développer en deux formes distinctes (voir figure 10-16). Sous l'eau, elles donnent des structures étroites et souvent laciniées (formes immergées) et, au-dessus de la surface de l'eau, elles produisent des feuilles d'aspect assez ordinaire (formes aériennes). Il est possible de forcer les jeunes feuilles à produire la forme qui n'est pas typique d'un environnement donné en leur appliquant divers traitements.

Au cours d'une étude sur la plante aquatique *Callitriche heterophylla*, on a constaté qu'une hormone végétale, l'acide gibbérellique, induisait la formation de feuilles « aquatiques » sur des tiges croissant à l'air libre (pousses émergées). Une autre hormone végétale, l'acide abscissique (voir chapitre 28), provoquait la formation de feuilles « terrestres » sur les tiges submergées. Les températures élevées ou l'adjonction à l'eau de mannitol, un polyalcool, entraînent également la production de feuilles « terrestres » sur les tiges submergées.

Dans la nature, la pression de turgescence des cellules dans les feuilles submergées (forme aquatique) est relativement élevée, alors que celle des feuilles émergées (forme terrestre) est relativement faible. Les valeurs plus faibles dans les feuilles émergées peuvent provenir en partie des pertes de vapeur d'eau par transpiration par les nombreux stomates présents à la surface des feuilles. Les pressions de turgescence supérieures des feuilles immergées en

développement correspondent à la présence de cellules épidermiques allongées dans les feuilles différenciées.

L'acide gibbérellique provoque l'allongement des cellules des feuilles aériennes, apparemment en augmentant la plasticité de la paroi cellulaire, entraînant une plus grande pénétration de l'eau et, par là même, une augmentation de la pression de turgescence. À maturité, ces feuilles ont toutes les caractéristiques des formes submergées typiques, y compris les cellules épidermiques allongées. La plus faible expansion des cellules dans les pousses immergées exposées à l'acide abscissique ou aux températures élevées ne semble pas provenir d'une réduction de la turgescence ; il s'agit plutôt d'une perte de souplesse des parois des cellules traitées empêchant l'expansion des cellules en dépit d'une turgescence élevée. Le développement des tiges submergées dans une solution de mannitol produit des pressions de turgescence semblables à celles des témoins émergés et la production de feuilles à cellules épidermiques courtes.

Les résultats de ces expériences font penser que le niveau relatif de pression de turgescence dans les cellules conditionne la taille finale et la forme de la feuille de *Callitriche heterophylla*. La présence ou l'abscence d'eau autour de la feuille en développement est donc la principale cause de l'adaptation de la feuille à vivre au-dessus ou en-dessous du niveau de l'eau.

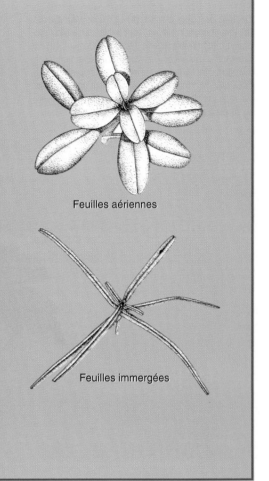

Feuilles aériennes

Feuilles immergées

Les feuilles des magnoliidées et des dicotylées sont soit simples, soit composées. Dans les **feuilles simples**, le limbe n'est pas divisé en parties distinctes, mais il peut être profondément lobé (Figure 26-17). Le limbe des **feuilles composées** est divisé en folioles qui possèdent généralement chacune un petit pétiole (appelé pétiolule). On peut reconnaître deux types de feuilles composées : les feuilles composées pennées et les feuilles composées palmées (Figure 26-19). Dans les feuilles composées pennées, les folioles sont situées des deux côtés d'un axe, le **rachis**, comme les barbes d'une plume. (Le rachis est un prolongement du pétiole.) Les folioles d'une feuille composée palmée divergent au sommet du pétiole et le rachis est absent.

Les folioles ressemblant à des feuilles simples, il est parfois difficile de déterminer si un limbe est celui d'une foliole ou d'une feuille. Deux critères permettent de distinguer les folioles des feuilles : (1) On trouve des bourgeons à l'aisselle des feuilles — qu'elles soient simples ou composées — mais pas à l'aisselle des folioles et (2) Les feuilles divergent de la tige dans des plans différents alors que les folioles d'une feuille se trouvent dans un même plan.

Structure de la feuille

La structure des feuilles d'angiospermes diffère beaucoup en fonction de l'habitat et la quantité d'eau disponible est un facteur particulièrement important dans la détermination de leur forme et de leur structure. En fonction de leurs besoins et de leurs adaptations à l'égard de l'eau, on désigne souvent les plantes comme des **mésophytes** (plantes qui recherchent un milieu ni trop humide, ni trop sec), des **hydrophytes** (celles qui exigent de grands apports d'eau ou qui sont totalement ou partiellement submergées) et des **xérophytes** (plantes adaptées aux milieux arides). Ces distinctions ne sont cependant pas rigoureuses et les feuilles montrent souvent une combinaison de caractères propres à des types écologiques différents. Quelle que soit leur forme, les feuilles adultes des angiospermes sont des organes spécialisés en vue de la photosynthèse et, comme les racines et les tiges, elles comportent des systèmes de tissus de revêtement, fondamentaux et conducteurs.

Figure 26-19

Quelques exemples de feuilles composées. On voit une feuille composée palmée en **(a)** ; toutes les autres sont composées pennées. **(a)** Un marronnier *(Aesculus pavia)*. **(b)** Le noyer d'Amérique *(Carya ovata)*. **(c)** Un frêne *(Fraxinus pennsylvanica* var.*subintegerrima)*. **(d)** Le robinier *(Robinia pseudoacacia)*. **(e)** *Gleditsia triacanthos*. Chez cette dernière plante, chaque foliole est subdivisée en folioles plus petites : la feuille est donc doublement pennée, ou bipennée ; deux feuilles sont représentées.

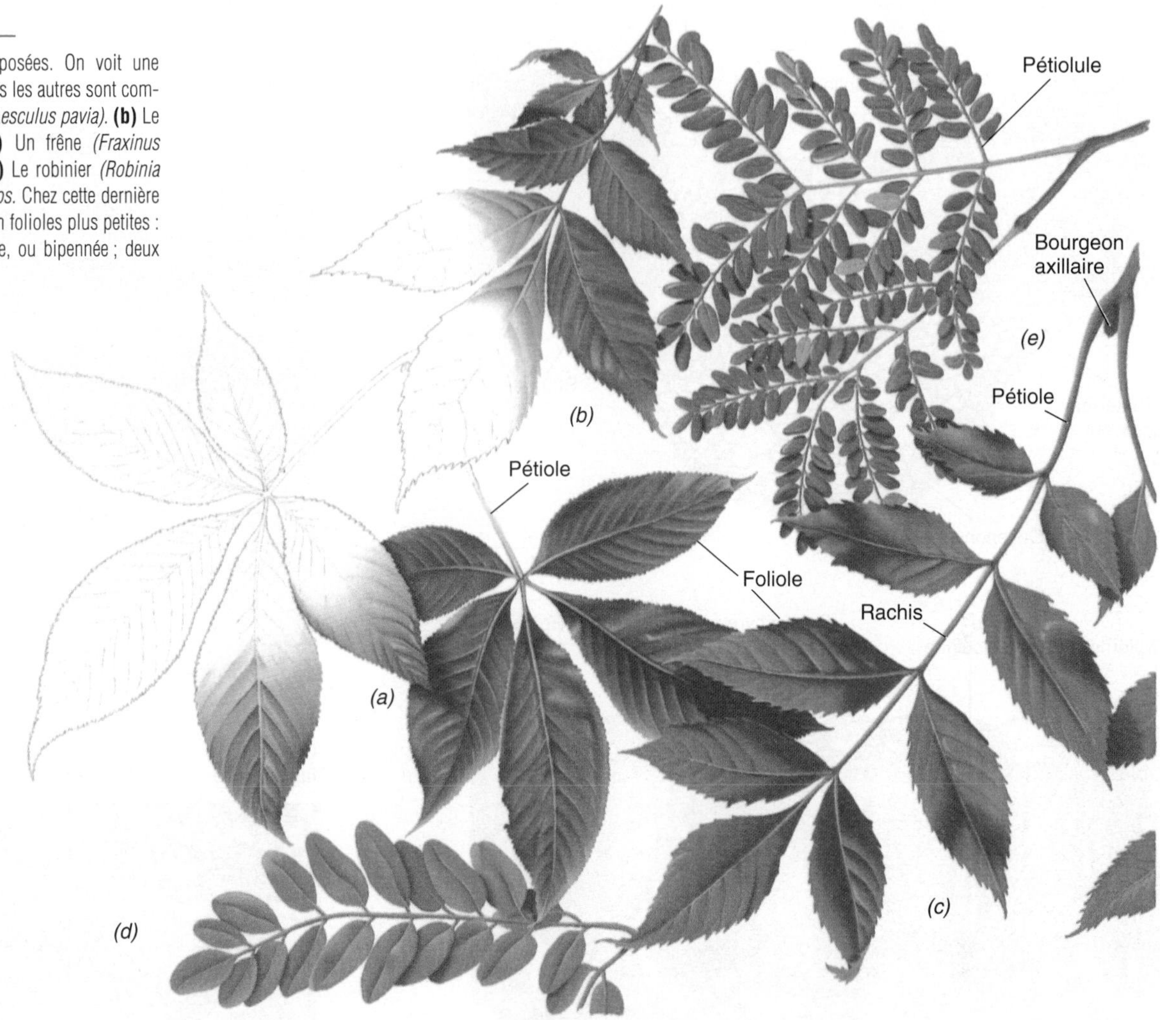

Pétiolule

Bourgeon axillaire

(e)

Pétiole

(b)

Pétiole

Foliole

Rachis

(a)

(d)

(c)

La structure compacte de l'épiderme maintient la rigidité de la feuille

Comme dans la tige, la plupart des cellules épidermiques de la feuille sont disposées de façon compacte et sont recouvertes d'une cuticule qui limite les pertes d'eau (page 25). Il peut exister des stomates sur les deux faces de la feuille ou d'un côté seulement, soit à la face supérieure, soit, plus souvent, à la face inférieure (Figure 26-20). Dans les feuilles des hydrophytes flottant à la surface de l'eau, les stomates peuvent se limiter à l'épiderme supérieur (Figure 26-21) ; les feuilles submergées des hydrophytes sont en général totalement dépourvues de stomates. Les feuilles des xérophytes possèdent généralement plus de stomates que celles des autres plantes. Ces nombreux stomates permettent probablement des échanges gazeux plus intenses au cours des périodes relativement rares où l'eau est disponible. Chez de nombreuses xérophytes, les stomates sont enfoncés dans des dépressions

de la face inférieure des feuilles (Figures 26-22 et 26-23). Les dépressions peuvent également renfermer de nombreux poils épidermiques. Ces deux caractères réunis peuvent réduire les pertes d'eau par la feuille. On peut trouver des poils épidermiques sur l'une ou l'autre des faces de la feuille ou sur les deux. Des revêtements épais de poils et les résines sécrétées par certains poils peuvent également ralentir la perte d'eau par les feuilles.

Dans les feuilles des magnoliidées et des dicotylées, les stomates sont généralement dispersés sur toute la surface (Figure 26-24a) et leur développement est hétérogène — c'est-à-dire que l'on trouve côte-à-côte des stomates jeunes et des stomates différenciés sur des feuilles en développement. Chez la plupart des monocotylées, les stomates sont disposés en rangées parallèles au grand axe de la feuille (Figure 26-24b). Leur différenciation débute au sommet de la feuille et progresse vers la base.

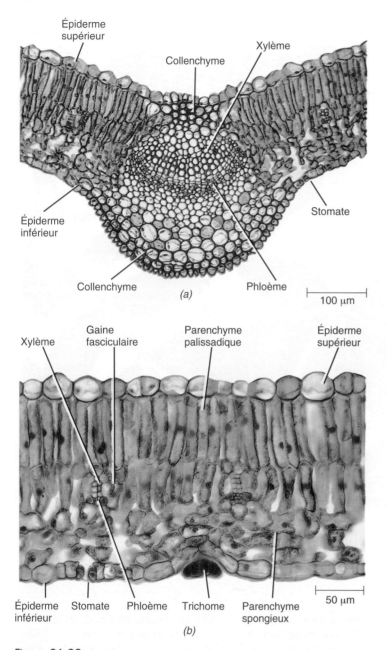

(a)

100 μm

(b)

50 μm

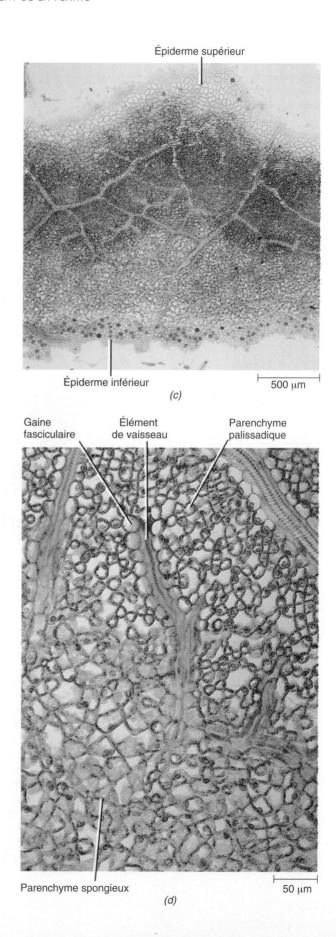

Épiderme supérieur

Épiderme inférieur

500 μm

(c)

Gaine fasciculaire — Élément de vaisseau — Parenchyme palissadique

Parenchyme spongieux

(d)

50 μm

Figure 26-20

Coupes dans la feuille de lilas *(Syringa vulgaris)*. **(a)** Coupe transversale passant par la nervure médiane. **(b)** Coupe transversale dans une portion du limbe. On peut également y voir deux petites nervures (nervures secondaires). **(c)** Coupe tangentielle de la feuille. En principe, une coupe tangentielle est parallèle à l'épiderme. En pratique, elle est plus ou moins oblique et passe de l'épiderme supérieur à l'épiderme inférieur. De cette façon, on peut voir une partie de l'épiderme supérieur dans la zone claire visible dans le haut de cette micrographie et une partie de l'épiderme inférieur dans le bas. Notez le grand nombre de stomates dans l'épiderme inférieur, dont on voit les nombreuses cellules de garde. (Les parties sombres sont des trichomes.) La nervation du lilas est réticulée. **(d)**, **(e)** Agrandissements de portions de **(c)**. **(d)** Parenchymes palissadique et spongieux et une extrémité de nervure entourée d'une gaine fasciculaire ; certains éléments conducteurs ont été sectionnés. **(e)** Portion d'épiderme inférieur avec deux trichomes (poils épidermiques) et plusieurs stomates.

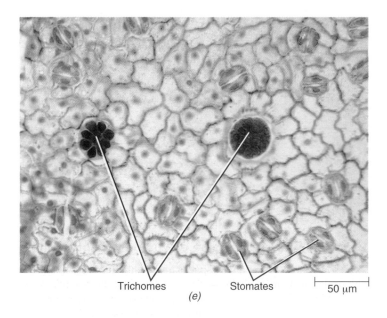

Trichomes   (e)   Stomates   50 μm

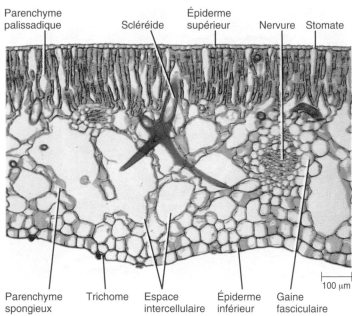

Parenchyme palissadique   Scléréide   Épiderme supérieur   Nervure   Stomate

Parenchyme spongieux   Trichome   Espace intercellulaire   Épiderme inférieur   Gaine fasciculaire

Figure 26-21

Coupe transversale d'une feuille de nénuphar *(Nymphaea odorata)*, une magnoliidée flottant à la surface de l'eau et ne possédant des stomates qu'à la face supérieure. Comme chez la plupart des hydrophytes, le tissu conducteur de *Nymphaea* est fort rudimentaire, surtout en ce qui concerne son xylème. Le parenchyme palissadique comporte plusieurs assises surmontant le parenchyme spongieux. On remarque les larges espaces intercellulaires qui favorisent la flottaison de la feuille.

Figure 26-22

Coupe transversale d'une feuille de laurier-rose *(Nerium oleander)*. La structure de la feuille montre que cette plante est un xérophyte. Notez la cuticule très épaisse recouvrant l'épiderme multiassisial des deux côtés de la feuille. Les stomates et les trichomes ne se rencontrent que dans les sillons de l'épiderme inférieur, appelées cryptes stomatiques.

Cuticule   Nervure   Épiderme supérieur multiple   Prolongement de la gaine fasciculaire   Parenchyme palissadique

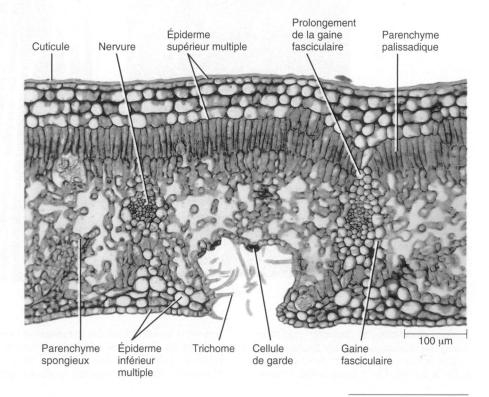

Parenchyme spongieux   Épiderme inférieur multiple   Trichome   Cellule de garde   Gaine fasciculaire   100 μm

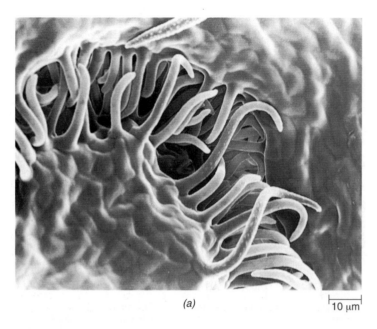

(a) |‾‾| 10 μm

Figure 26-23

Crypte stomatique. Micrographie au microscope électronique à balayage d'une crypte stomatique de l'épiderme inférieur de laurier-rose *(Nerium oleander)*. **(a)** Image à faible grossissement d'une crypte montrant de nombreux trichomes bordant la crypte. **(b)** À plus fort grossissement, on voit un des stomates (flèche) : on n'en trouve que dans les cryptes.

(b) |‾‾| 5 μm

Le mésophylle est spécialisé en vue de la photosynthèse

Avec son volume important d'espaces intercellulaires et ses nombreux chloroplastes, le **mésophylle** — tissu fondamental de la feuille — est particulièrement bien adapté à la photosynthèse. Les espaces intercellulaires sont en relation avec l'atmosphère externe par les stomates, permettant ainsi des échanges gazeux rapides et garantissant une photosynthèse efficace. Chez les mésophytes, le mésophylle est souvent différencié en **parenchyme palissadique** et en **parenchyme spongieux**. Les cellules du tissu palissadique sont cylindriques et leur grand axe est perpendiculaire à l'épiderme ; les cellules du parenchyme spongieux ont une forme irrégulière (Figure 26-20b, d). Bien que le

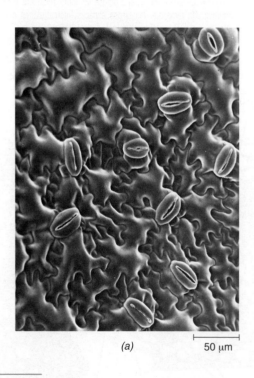

(a) |‾‾| 50 μm

(b) |‾‾| 25 μm

Figure 26-24

Stomates photographiés au microscope électronique à balayage. **(a)** Feuille de pomme de terre *(Solanum tuberosum)* montrant la répartition aléatoire des stomates, typique des feuilles de dicotylées. Chez la pomme de terre, les cellules de garde sont en forme de croissant et ne sont pas associées à des cellules annexes. **(b)** Feuille de maïs *(Zea mays)* montrant la disposition parallèle des stomates, typique des feuilles de monocotylées. Chez le maïs, chaque paire de cellules de garde est associée à deux cellules annexes, une de chaque côté du stomate.

parenchyme palissadique paraisse plus dense que le parenchyme spongieux, la plupart des parois verticales de ses cellules sont en contact avec les espaces intercellulaires et, dans certaines feuilles, la surface totale de ses cellules peut être de deux à quatre fois supérieure à celle des cellules spongieuses. Les chloroplastes sont également plus nombreux dans les cellules palissadiques que dans les cellules spongieuses. Le parenchyme palissadique semble donc être le principal responsable de la photosynthèse dans la feuille.

Le parenchyme palissadique se trouve généralement du côté supérieur de la feuille et le parenchyme spongieux du côté inférieur (Figure 26-20). Chez certaines plantes, en particulier chez beaucoup de xérophytes, il existe souvent du parenchyme palissadique des deux côtés de la feuille. Chez certaines plantes — par exemple chez le maïs (voir figure 7-25) et d'autres graminées (voir figures 26-26 à 26-28) — toutes les cellules du mésophylle ont plus ou moins la même forme, sans distinction entre parenchymes palissadique et spongieux.

Les faisceaux conducteurs sont répartis dans tout le mésophylle

Le mésophylle est traversé de part en part par de nombreux faisceaux conducteurs, ou **nervures,** reliés au système conducteur de la tige. Chez la plupart des magnoliidées et des dicotylées, les nervures sont ramifiées, les plus importantes se divisant en nervures de plus en plus minces. Cette répartition des nervures est une **nervation réticulée** (Figure 26-25). La plus importante est souvent la nervure médiane, ou principale, qui suit le grand axe de la feuille. Avec les tissus fondamentaux qui lui sont associés, la nervure médiane constitue la côte médiane de ces feuilles (Figure 26-20a). Au contraire, la plupart des feuilles de monocotylées possèdent de nombreuses nervures d'importance à peu près égale qui se prolongent sur toute leur longueur. On parle de **nervation parallèle** pour désigner cette disposition des nervures. (Figure 26-18b). Quand les nervures sont parallèles, elles sont reliées entre elles par des nervures plus petites formant un réseau complexe.

Dans les nervures, il existe du xylème et du phloème, en général d'origine exclusivement primaire. La nervure médiane et parfois d'autres nervures importantes montrent cependant une croissance secondaire limitée chez certaines magnoliidées et dicotylées. Aux extrémités des nervures des feuilles de magnoliidées et de dicotylées, les éléments xylémiens s'allongent souvent plus loin que ceux du phloème mais, chez certaines plantes, le xylème et le phloème atteignent les extrémités des nervures. Le xylème se trouve normalement du côté supérieur de la nervure et le phloème vers la face inférieure (Figure 26-20a, b).

Les petites nervures de la feuille qui forment un réseau dans le mésophylle, sont appelées **nervures secondaires** ou nervilles, alors que les plus grosses, accompagnées d'épaississements (surtout développés à la face inférieure) sont appelées **nervures principales**. Les nervures secondaires jouent le rôle principal dans la collecte des substances organiques produites par la photosynthèse dans le mésophylle. À mesure que leur taille s'accroît, les nervures deviennent plus indépendantes du mésophylle et sont de plus en plus entourées par les tissus non photosynthétiques des côtes. Avec l'augmentation de leur taille, leur fonction principale se modifie donc progressivement, passant de la collecte des produits de la photosynthèse à leur transport en-dehors de la feuille.

Les tissus conducteurs des nervures ne sont que rarement en contact avec les espaces intercellulaires du mésophylle. Les plus grosses nervures sont entourées de cellules parenchymateuses contenant peu de chloroplastes, alors que les plus petites sont généralement enveloppées par une ou plusieurs assises compactes de cellules formant

Figure 26-25

Feuille de peuplier *(Populus deltoides)* après éclaircissement (la chlorophylle a été éliminée), à deux grossissements différents. La feuille de peuplier montre la nervation réticulée caractéristique des dicotylées. Les petites zones de mésophylle délimitées par les nervures sont appelées aréoles. Aucune cellule du mésophylle n'est éloignée d'une nervure. L'eau et les sels minéraux en solution sont amenés vers la feuille par le xylème ; les molécules organiques produites dans la feuille par la photosynthèse sont exportées par le phloème.

10 mm

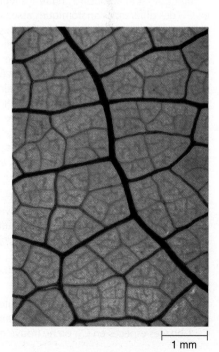

1 mm

une **gaine fasciculaire** (Figures 26-20b, d à 26-22). Les cellules de cette gaine ressemblent à celles du mésophylle au sein duquel se trouvent les petites nervures. Les gaines se prolongent jusqu'aux extrémités des nervures, de telle sorte qu'à aucun endroit, les tissus vasculaires ne sont en contact avec les espaces intercellulaires : tout ce qui pénètre dans ces tissus et tout ce qui en sort passe donc nécessairement par la gaine (Figure 26-20d). La gaine fasciculaire occupe ainsi une position semblable à celle de l'endoderme dans la racine et peut contrôler de la même manière l'entrée et la sortie des substances des tissus conducteurs.

Dans de nombreuses feuilles, les gaines fasciculaires sont reliées à l'épiderme supérieur ou inférieur, ou aux deux, par des ensembles de cellules qui ressemblent à celles de la gaine (Figure 26-22). Ces ensembles s'appellent les **extensions des gaines fasciculaires.** Non seulement elles apportent un support mécanique à la feuille, mais elles semblent également conduire de l'eau depuis le xylème jusqu'à l'épiderme.

L'épiderme lui-même renforce notablement la feuille en raison de sa structure compacte et de sa cuticule. Il peut en outre exister du collenchyme ou du sclérenchyme sous l'épiderme des nervures principales dans les feuilles des magnoliidées et des dicotylées, qui sont ainsi rendues plus rigides. Dans les feuilles des monocotylées, les nervures peuvent être bordées de fibres. Du collenchyme (ou des fibres) peut également border les feuilles des magnoliidées et des dicotylées (chez les monocotylées).

Les feuilles des graminées

Après la découverte de la voie photosynthétique en C_4 chez la canne à sucre (page 144), on a consacré de nombreuses études à l'anatomie comparée des feuilles de graminées en relation avec les voies photosynthétiques. On a constaté, entre les feuilles des graminées en C_3 et en C_4, des différences anatomiques assez constantes. Dans les feuilles des graminées en C_4, les cellules du mésophylle et de la gaine fasciculaire forment par exemple deux assises concentriques typiques autour des faisceaux observés en coupe transversale (Figure 26-26). La gaine fasciculaire compacte des espèces en C_4 est formée de cellules parenchymateuses très grandes, contenant des chloroplastes volumineux et bien apparents. Cette disposition concentrique des assises du mésophylle et de la gaine fasciculaire des plantes en C_4 est appelée *anatomie de Kranz* (terme allemand pour « couronne »). Nous avons parlé de la signification de l'anatomie de Kranz en relation avec la photosynthèse en C_4 aux pages 144 à 146.

Dans les feuilles des graminées en C_3 par contre, les cellules du mésophylle et de la gaine fasciculaire ne sont pas disposées de manière concentrique. Les cellules relativement petites des gaines fasciculaires parenchymateuses de ces plantes possèdent en outre des chloroplastes assez petits et, à faible grossissement, elles paraissent vides et transparentes. Les espèces en C_3 possèdent en outre souvent une gaine interne à parois plus ou moins épaisses (que l'on appelle gaine de mestome) (Figure 26-27).

L'intervalle entre deux gaines fasciculaires voisines constitue une autre différence entre les structures foliaires des graminées en C_3 et C_4. Chez les espèces en C_4, on ne trouve que deux ou trois cellules de

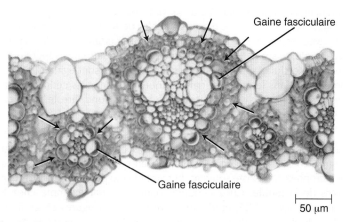

Gaine fasciculaire

Gaine fasciculaire

50 μm

Figure 26-26

Coupe transversale d'une feuille de canne à sucre *(Saccharum officinarum)*. La structure anatomique habituelle chez les graminées en C_4 montre les cellules du mésophylle (flèches) disposées radialement autour des gaines fasciculaires formées de grandes cellules contenant de nombreux chloroplastes de grande taille (Voir également la coupe de feuille de maïs de la figure 7-25.)

mésophylle entre deux gaines fasciculaires voisines. Chez les espèces en C_3, il y en a par contre plus de quatre (en moyenne 12 pour les espèces étudiées).

Les feuilles des plantes en C_4 exportent généralement plus vite et plus complètement les produits de la photosynthèse que les plantes en C_3. On ne connaît pas les raisons de ces différences, mais on a supposé que les distances différentes séparant les cellules du mésophylle de celles du phloème des faisceaux conducteurs peuvent influencer la vitesse et l'efficacité du transfert des produits de la photosynthèse vers les tubes criblés.

L'épiderme des graminées est composé de divers types de cellules. La plupart des cellules épidermiques sont étroites et allongées. Certaines sont particulièrement grandes : ce sont les **cellules bulliformes**, ou cellules motrices, disposées en rangées longitudinales : on pense qu'elles interviennent dans le repliement ou l'enroulement d'une part, l'ouverture ou le déroulement des feuilles qui obéissent aux modifications du potentiel hydrique d'autre part (Figure 26-28). En cas de perte excessive d'eau, les cellules bulliformes deviennent flasques et la feuille se replie ou s'enroule. L'épiderme possède également des petites cellules de garde à parois épaisses associées à des cellules annexes (Figure 26-24b ; voir aussi figure 24-25).

Développement de la feuille

Nous connaissons surtout le développement de la feuille grâce à l'analyse clonale, qui consiste à marquer les cellules individuelles du méristème et à suivre leur descendance, leur clones, dans les lignées

Figure 26-27

Coupe transversale d'une feuille de blé *(Triticum aestivum)*. Comme c'est normalement le cas chez les graminées en C$_3$, les cellules du mésophylle ne sont pas disposées radialement autour des gaines fasciculaires. Chez le blé, ces gaines comportent deux assises cellulaires : une enveloppe externe formée de cellules parenchymateuses à parois relativement minces et une assise interne, la gaine de mestome, formée de cellules à parois épaisses.

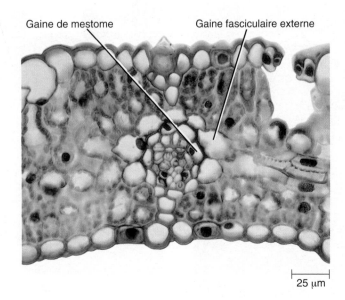

Gaine de mestome   Gaine fasciculaire externe

25 μm

Figure 26-28

Coupes transversales dans une feuille de pâturin annuel *(Poa annua)*, plante en C$_3$. Portions de feuilles repliée **(a)** et étalée **(b)** comprenant la nervure principale. Dans les feuilles de graminées, le mésophylle n'est pas différencié en parenchyme palissadique et parenchyme spongieux. Il existe souvent des massifs de sclérenchyme au-dessus et en-dessous des nervures. L'épiderme de la feuille des graminées possède des cellules bulliformes — grandes cellules épidermiques qui paraissent jouer un rôle dans le repliement et l'étalement (enroulement et déroulement) des feuilles. Dans la feuille de *Poa* représentée en **(a)**, les cellules bulliformes situées dans l'épiderme supérieur sont partiellement affaissées et la feuille est enroulée. Une augmentation de la turgescence des cellules bulliformes entraînerait probablement l'étalement de la feuille **(b)**.

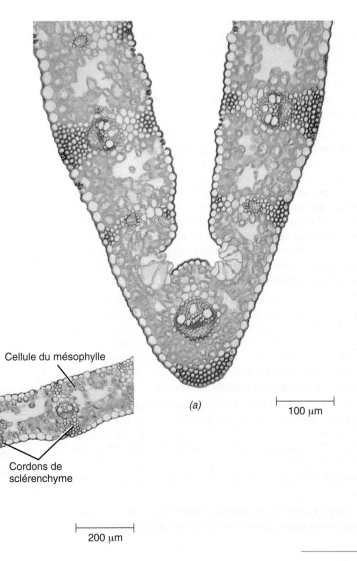

Épiderme supérieur

Cellule bulliforme

Cellule du mésophylle

Stomate

Cordons de sclérenchyme

Nervure médiane

(b)

(a)

100 μm

200 μm

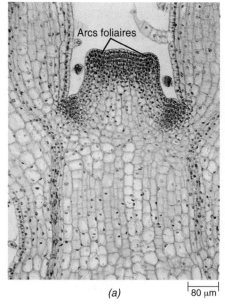

Arcs foliaires

(a)   80 μm

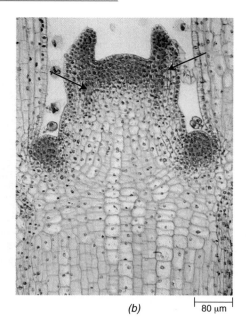

(b)   80 μm

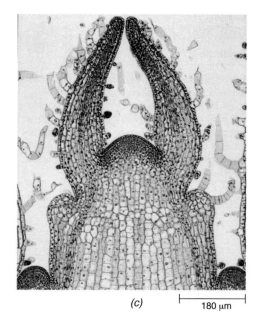

(c)   180 μm

Figure 26-29

Stades précoces du développement foliaire chez *Coleus blumei*, observés dans des coupes longitudinales du bourgeon apical. Les feuilles de *Coleus* sont opposées décussées (Figure 26-2). **(a)** On peut voir deux petites bosses, ou protubérances foliaires, opposées l'une à l'autre, sur les bords du méristème apical. On peut remarquer en outre un primordium gemmaire à l'aisselle des deux jeunes feuilles sous-jacentes. **(b)** Deux primordiums foliaires dressés se sont développés à partir des protubérances. Remarquez les cordons procambiaux (flèches) qui s'allongent dans les primordiums foliaires. Les primordiums gemmaires sous-jacents sont plus développés qu'en **(a)**. **(c)** Au cours de l'élongation des primordiums foliaires, les cordons procambiaux, en continuité avec le procambium de la trace foliaire de la tige, poursuivent leur développement à l'intérieur des feuilles. Des trichomes, ou poils épidermiques, se développent très tôt à partir de certaines cellules du protoderme, dès avant sa différenciation en épiderme.

cellulaires des régions différenciées de la plante. Ces méristèmes sont appelés des *chimères* — méristèmes formés d'assises ou de secteurs dont la composition génétique des cellules est différente. On a souvent utilisé comme marqueurs les gènes responsables de la production des anthocyanes et de la synthèse de la chlorophylle. Beaucoup de plantes à feuilles panachées, comme les 'crotons' (Figure 26-1) et certaines variétés cultivées de lierre et de géranium, sont des chimères vert-blanc. Les portions foliaires de teinte jaune ou blanche sont produites par des cellules mutantes dont les gènes codant la synthèse de la chlorophylle sont inactifs. Ces mutations existent à l'état spontané et il est possible de les induire par les rayons X ou par des mutagènes chimiques.

L'analyse clonale a montré que des groupes de cellules situées à la périphérie du méristème apical sont à l'origine des primordiums foliaires. Ces groupes de cellules s'étendent sur les trois assises du méristème — L1, L2 et L3 (Figure 26-4a) — et comprennnent de 5 à 10 cellules environ par assise chez *Arabidopsis* et jusqu'à 50 ou 100 cellules chez le tabac, le cotonnier et le maïs. Ces cellules sont désignées comme les **cellules fondatrices** de la feuille.

Le premier indice structural de l'initiation foliaire est une modification de l'orientation des divisions et un allongement des cellules fondatrices. Le résultat en est la formation d'une saillie, ou *arc foliaire* (Figure 26-29a). La croissance se poursuivant, l'arc se développe en *primordium foliaire*, généralement plus plat du côté du méristème apical (qui sera la face supérieure de la feuille) que du côté opposé (Figure 26-29b).

Peu après l'émergence du primordium foliaire à partir de l'arc, une bande bien individualisée et dense de cellules se développe de chaque côté du primordium (le long des marges). La formation du limbe débute dans ces étroites bandes marginales, tandis que la région centrale du primordium se différencie en nervure médiane ou en rachis (Figure 26-30). Les différentes formes des feuilles sont déterminées par un développement du primordium plus ou moins important dans le plan du limbe.

Lorsque les feuilles possèdent deux assises de tunica, l'assise L1 donne naissance à l'épiderme et les assises L2 et L3 interviennent dans la genèse des tissus internes. L'expansion et l'allongement de la feuille sont principalement dus à une *croissance intercalaire*, c'est-à-dire à la multiplication et à l'élongation des cellules de l'ensemble du limbe, l'élongation étant le facteur principal. Des différences dans le rythme des divisions et dans l'élongation des cellules dans les différentes assises du limbe aboutissent à l'apparition de nombreux espaces intercellulaires et du mésophylle caractéristique de la feuille. La croissance de la feuille s'arrête normalement d'abord à l'extrémité pour se terminer vers la base. Comparée à celle de la tige, la croissance de la plupart des feuilles est de courte durée. On dit que le mode de croissance limité de la feuille et des apex floraux est *défini*, en comparaison de la croissance illimitée, ou *indéfinie*, des méristèmes de l'apex de la tige.

Le développement du système conducteur dans une feuille de magnoliidée ou de dicotylée débute par la différenciation du procambium de la future nervure médiane. Ce procambium progresse vers le haut à partir du procambium de la trace foliaire (Figure 26-29c). Toutes les nervures principales se développent vers le haut et/ou vers l'extérieur, en direction de la marge de la feuille ; elles restent en continuité

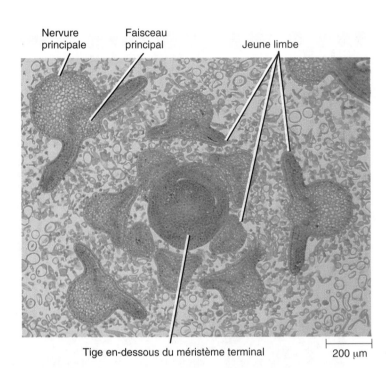

Figure 26-30

Coupe transversale, sous le méristème apical, de feuilles en cours de développement chez le tabac *(Nicotiana tabacum)*, groupées autour du sommet de la tige feuillée. Les feuilles les plus jeunes sont les plus proches de l'axe. À l'origine, le primordium foliaire n'est pas différencié en nervure médiane et limbe. On peut voir ici les premiers stades de différenciation du limbe et de la nervure. (Des fragments de nombreux trichomes entourent les feuilles en cours de développement.)

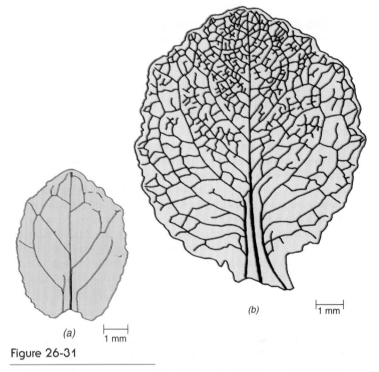

Figure 26-31

Schémas illustrant deux étapes du développement du système conducteur dans une feuille de laitue *(Lactuca sativa)*. **(a)** Alors que les nervures principales, les plus importantes, se développent vers l'extrémité du limbe, **(b)** les nervures secondaires, plus minces, se différencient du sommet vers la base. L'extrémité de la feuille est donc la première région à posséder un système complet de nervures.

avec le procambium de la nervure médiane (Figure 26-31a). Le réseau de nervures secondaires commence à se former à la pointe de la feuille (Figure 26-31b) et se développe du sommet vers la base en maintenant sa continuité avec des nervures plus épaisses. La pointe de la feuille est ainsi la première région qui possède un système complet de nervures. Ce mode de développement correspond à la différenciation de l'ensemble de la feuille, qui progresse de l'extrémité vers la base.

Le développement de la feuille des monocotylées diffère de celui des autres angiospermes par plusieurs aspects. Chez des graminées comme le maïs et l'orge, par exemple, la zone de croissance progresse rapidement à partir des bords du primordium foliaire en développement et entoure complètement l'apex de la tige. À mesure que le primordium s'allonge, il acquiert progressivement la forme d'un capuchon (Figure 26-32). Le développement ultérieur du limbe progresse de façon linéaire, l'augmentation du nombre de cellules résultant de l'activité d'un méristème intercalaire basal. L'élongation du limbe se limite à une courte région située au-dessus de la zone de division cellulaire, les parties supérieures du limbe devenant de plus en plus différenciées. La croissance de la gaine débute relativement tard, elle est décalée dans le temps par rapport au développement du limbe. La limite entre le limbe et la gaine n'apparaît qu'au moment où la ligule, mince prolongement de la gaine, commence à se développer (Figure 26-18b).

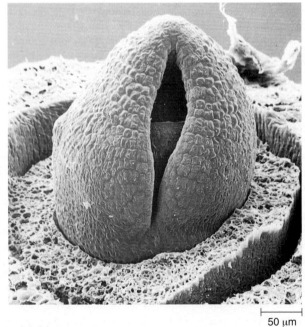

Figure 26-32

Micrographie au microscope électronique à balayage d'une feuille d'orge *(Hordeum vulgare)* en cours de développement : c'est une monocotylée. À ce stade, le jeune limbe est en forme de capuchon. On peut apercevoir l'apex de la tige par l'ouverture en fente du capuchon.

Feuilles d'ombre et de lumière

Les facteurs environnementaux, particulièrement la lumière, peuvent avoir une grande importance sur la taille et l'épaisseur des feuilles. Chez de nombreuses espèces, les feuilles qui se développent en pleine lumière — appelées *feuilles de lumière* — sont plus petites et plus épaisses que les *feuilles d'ombre*, qui se développent à faible intensité lumineuse (Figure 26-33). La plus grande épaisseur des feuilles de lumière est surtout la conséquence d'un développement plus important du parenchyme palissadique. Le système conducteur de ces feuilles est plus développé et les parois des cellules épidermiques sont plus épaisses que dans les feuilles d'ombre. Le rapport entre la surface interne du mésophylle et la surface du limbe foliaire est en outre beaucoup plus élevé dans les feuilles de lumière. En raison de ces différences, l'activité photosynthétique est semblable dans les deux types de feuilles à faible intensité lumineuse, mais les feuilles d'ombre ne sont pas adaptées aux hautes intensités et leur activité photosynthétique maximale est donc beaucoup plus faible dans ces conditions.

Étant donné que l'intensité lumineuse varie beaucoup au sein de la couronne des arbres, on peut y retrouver les formes extrêmes de feuilles d'ombre et de lumière. On peut également rencontrer des feuilles d'ombre et de lumière dans les arbustes et les plantes herbacées. On peut induire leur différenciation en cultivant les plantes à des intensités lumineuses fortes ou faibles.

L'abscission de la feuille

Chez de nombreuses plantes, la chute normale de la feuille de la tige — l'abscission — est précédée par des modifications structurales et chimiques près de la base du pétiole. Ces modifications aboutissent à la formation d'une **zone d'abscission** (Figure 26-34). Chez les angiospermes ligneuses, on peut distinguer deux assises dans la zone d'abscission : une assise de séparation (abscission) et une assise de protection. L'assise de séparation est composée de cellules relativement courtes ; elle est fragile parce que les parois cellulaires sont minces. Avant l'abscission, certains ions et molécules réutilisables reviennent dans la tige : c'est le cas des ions magnésium, des acides aminés (dérivés des protéines) et des sucres (certains provenant de l'amidon). Des enzymes provoquent ensuite la rupture des parois cellulaires de l'assise de séparation. Les modifications de la paroi cellulaire consistent en une altération de la lamelle mitoyenne et l'hydrolyse des parois cellulosiques elles-mêmes. Des divisions peuvent précéder la séparation effective. Si des divisions se produisent, les nouvelles parois cellulaires sont particulièrement affectées par le processus de dégradation. Sous l'assise de séparation se forme une assise protectrice composée de cellules fortement subérisées qui isole davantage la feuille du reste de la plante avant sa chute. Des thylles peuvent se former dans les éléments de vaisseaux avant l'abscission (voir page 665).

La feuille n'est finalement plus reliée à la plante que par quelques cordons de tissu conducteur qui peuvent être rompus par l'élongation des cellules parenchymateuses de l'assise de séparation. Après la chute de la feuille, on peut observer sur la tige l'assise protectrice :

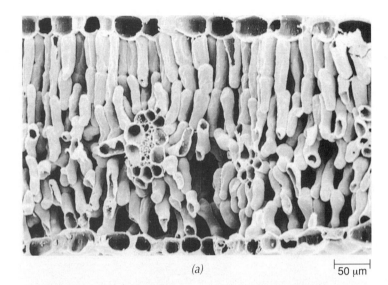

(a) 50 μm

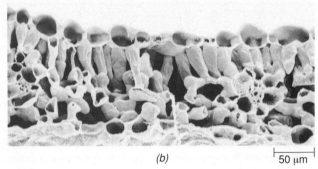

(b) 50 μm

Figure 26-33

Micrographies électroniques montrant les nervures latérales de feuilles de lumière **(a)** et d'ombre **(b)** de *Thermopsis montana*, une papilionacée *(Fabaceae)*. Remarquez que la feuille de lumière est nettement plus épaisse que la feuille d'ombre, principalement en raison du développement plus important de son parenchyme palissadique.

c'est la **cicatrice foliaire** (voir figure 27-17). On traitera, au chapitre 28, des facteurs hormonaux liés à l'abscission.

Transition entre les systèmes conducteurs de la racine et de la tige

On a vu dans les chapitres précédents que la distinction entre les organes végétatifs est basée en premier lieu sur la répartition relative des tissus conducteurs et fondamentaux. Dans les racines des dicotylées par exemple, les tissus conducteurs forment généralement un cylindre continu entouré par le cylindre cortical. En outre, les cordons de phloème primaire alternent avec les lames radiales du xylème primaire. Dans la tige au contraire, les tissus conducteurs forment souvent un cylindre de cordons individuels entourant une moelle, le phloème étant situé vers l'extérieur et le xylème vers l'intérieur des

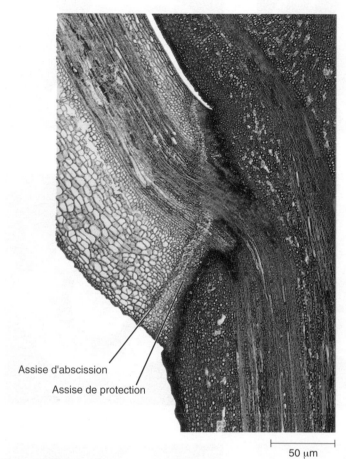

Figure 26-34

Zone d'abscission d'une feuille d'érable *(Acer)*, en coupe longitudinale passant par la base du pétiole.

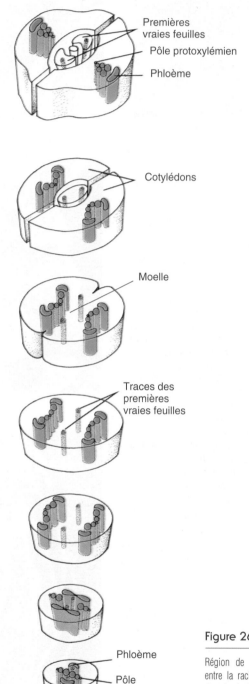

faisceaux. Il est évident que, dans l'une ou l'autre région de la plante, le type de structure existant dans la racine doit se transformer pour aboutir à celui de la tige. Ce changement est progressif et la portion de l'axe de la plante où il se produit est la **zone de transition**.

Ainsi que nous l'avons vu au chapitre 23, la tige et la racine apparaissent comme une structure unique et continue au cours du développement de l'embryon. En conséquence, la transition du système conducteur se produit dans l'axe de l'embryon ou de la jeune plantule. Cette transition débute au cours de l'apparition du système procambial de l'embryon et il se termine avec la différenciation des tissus procambiaux répartis de façon variable dans la plantule. Le système conducteur reste continu entre la tige et la racine pendant toute la vie de la plante.

La structure de la région de transition peut être très complexe et elle présente de nombreuses variantes chez les différentes espèces de plantes. Chez la plupart des gymnospermes, des magnoliidées et des dicotylées, la transition se situe à l'intérieur du système conducteur reliant la racine aux cotylédons. La figure 26-35 montre un type de transition fréquent chez les dicotylées. Remarquez la structure diarche

Figure 26-35

Région de transition — connexion entre la racine et les cotylédons — dans la plantule d'une dicotylée possédant une racine diarche, c'est-à-dire à deux pôles de protoxylème. Dans la racine, le système conducteur primaire est représenté par un seul cylindre. Dans l'axe hypocotyle-racine, il se ramifie et diverge en direction des cotylédons, tandis que le xylème et le phloème se réorientent le long de l'axe.

637

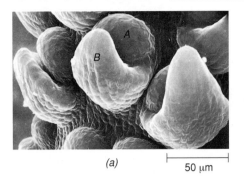

(a)   50 µm

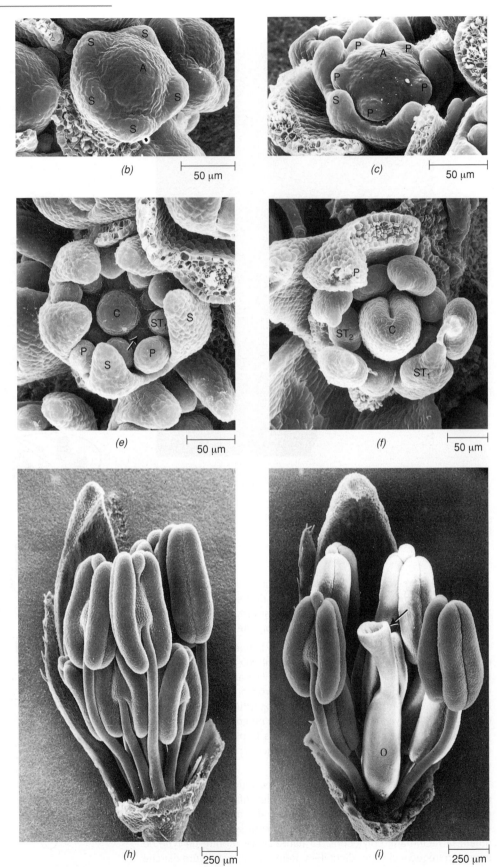

Figure 26-36

Micrographies au microscope électronique à balayage montrant certains stades du développement d'une fleur hermaphrodite de *Neptunia pubescens*, légumineuse à symétrie radiale et pièces florales en verticilles. **(a)** Apex floral (A) à l'aisselle d'une bractée (B). **(b)** Cinq primordiums de sépales (S) sont apparus autour de l'apex floral. **(c)** Cinq primordiums de pétales (P) sont visibles autour de l'apex floral ; ils alternent avec les sépales (S). Au cours de leur développement, les sépales vont former le tube du calice. **(d)** Apparition de cinq primordiums d'étamines (deux sont indiqués par des flèches) autour de l'apex floral ; ils alternent avec les pétales (P). **(e)** Apparition d'un second verticille d'étamines (flèches) alternant avec le premier (ST_1). Le carpelle (C) est apparu au centre de l'apex floral. Toutes les pièces florales sont ainsi présentes. **(f)** Le carpelle a formé une fente qui deviendra la cavité ovarique. Dans le premier verticille (externe), les étamines (ST_1) commencent à se différencier en anthères et filets. (ST_2 représente le second verticille, ou verticille interne d'étamines.) **(g)** Le carpelle commence à se différencier en style et ovaire. **(h)** Fleur plus développée, dont on voit les deux verticilles d'étamines. **(i)** Fleur plus avancée dont on a enlevé des étamines pour montrer le carpelle avec un ovaire (O), un style et un stigmate (flèche) différenciés. On a enlevé la pointe des bractées sous-tendantes dans les figures **(b)** à **(i)**. De **(f)** à **(i)**, on a en outre enlevé les sépales et les pétales.

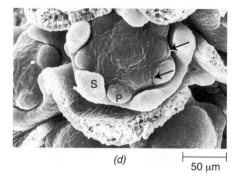

(d)　50 μm

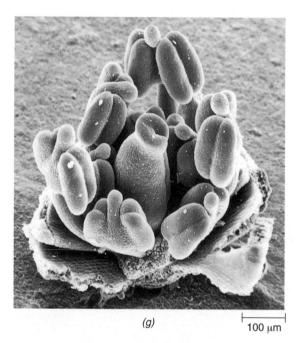

(g)　100 μm

de la tige et de la plante entière. Le mode de croissance de l'apex reproducteur étant défini, la floraison d'une plante annuelle indique que la plante arrive au terme de son cycle de développement. Par contre, la floraison des plantes pérennes peut se répéter chaque année ou même plus fréquemment. On sait que différents facteurs environnementaux, comme la longueur du jour et la température, interviennent pour induire la floraison (voir chapitre 29).

La transition de l'apex végétatif à l'apex floral est souvent précédée d'une élongation des entrenœuds et du développement précoce des bourgeons latéraux situés sous l'apex de la tige. L'activité mitotique augmente notablement dans l'apex lui-même, dont la taille et l'organisation se modifient : l'apex, de taille relativement limitée, caractérisé par son organisation en tunica et corpus, s'élargit en forme de dôme.

Le déclenchement et les premiers stades du développement des sépales, des pétales, des étamines et des carpelles rappellent beaucoup ceux des feuilles, à partir desquelles ces organes ont évolué. L'initiation des pièces florales débute généralement par les sépales, suivis des pétales, puis des étamines, et finalement des carpelles (Figure 26-36). Les pièces florales peuvent apparaître dans un ordre différent dans certaines fleurs, mais elles sont toujours disposées de la même manière les unes par rapport aux autres. Elles peuvent rester séparées au cours de leur développement ou se souder entre elles dans les verticilles (connation) ou entre verticilles (adnation).

On a traité de la structure de base de la fleur et de certaines de ses variantes aux chapitres 21 et 22.

Quelques gènes de régulation déterminent l'identité des organes de la fleur d'*Arabidopsis*

Notre connaissance du contrôle génétique du développement floral a beaucoup progressé au cours des dernières années grâce à l'étude de mutations qui modifient l'identité des pièces, ou organes floraux. Ces mutations, responsables de l'apparition d'organes anormaux à des endroits aberrants, sont appelées **mutations homéotiques**. Il y a longtemps que les horticulteurs ont sélectionné et propagé des mutations qui produisent des fleurs « doubles », comme les variétés de roses cultivées aujourd'hui dans la plupart des jardins. Alors que la rose sauvage ne possède que cinq pétales, les roses doubles en ont au moins 20 : c'est la conséquence de mutations homéotiques qui ont remplacé les étamines de la rose sauvage par des pétales. Les mutations des **gènes homéotiques** floraux — gènes qui affectent l'identité des organes floraux — ont surtout été étudiés chez le muflier (*Antirrhinum majus*) et *Arabidopsis thaliana* (Figure 26-37).

Chez *Arabidopsis*, l'étude des mutants homéotiques a permis d'identifier trois classes de gènes — représentés par A, B et C — qui sont indispensables au développement normal et à l'ordre habituel d'apparition des organes floraux dans les fleurs. Les trois classes de gènes s'expriment dans des zones du méristème floral qui se chevauchent, en ce sens que chaque classe agit sur deux verticilles contigus et qu'elle est en partie responsable de l'identité des organes de ces deux verticilles (Figure 26-38). Les gènes de la classe A fonctionnent dans les deux premiers verticilles (sépales et pétales), ceux de la classe B dans le second et le troisième (pétales et étamines) et ceux de la classe C dans le troisième et le quatrième (étamines et carpelles).

(avec deux pôles de protoxylème) de la racine, la ramification et la réorientation des xylème et phloème primaires qui aboutissent à la formation de la moelle dans la partie supérieure de l'axe, et les traces des premières feuilles de l'épicotyle.

Développement de la fleur

Le développement de la fleur ou de l'inflorescence clôture l'activité méristématique de l'apex de la tige. Au cours de la transition florale, cet apex subit une série de modifications physiologiques et structurales qui le transforment en apex reproducteur. Par conséquent, on peut considérer la floraison comme un stade du développement de l'apex

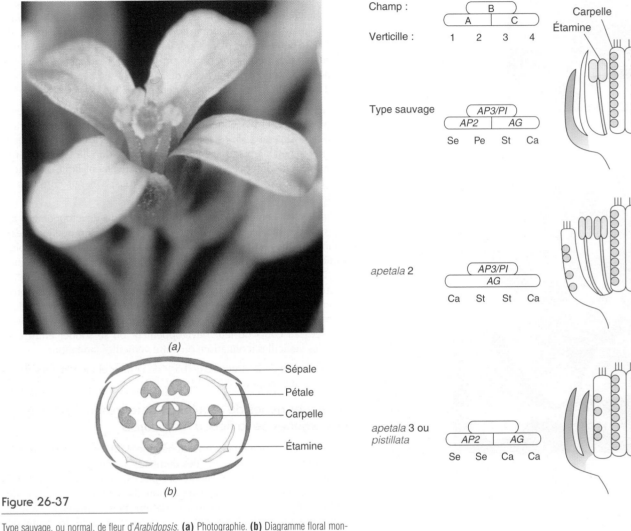

Figure 26-37

Type sauvage, ou normal, de fleur d'*Arabidopsis*. **(a)** Photographie. **(b)** Diagramme floral montrant le plan de base de la fleur. La fleur possède quatre sépales, quatre pétales, six étamines et un seul pistil (gynécée syncarpe) composé de deux carpelles soudés.

APETALA2 est un exemple de gène de la classe A : chez le mutant *apetala 2*, les sépales sont transformés en carpelles et les pétales en étamines. On a identifié deux gènes de la classe B — *APETALA3* et *PISTALLATA* ; chez chacun des mutants (*apetala3* et *pistillata*), les pétales sont transformés en sépales et les étamines en carpelles. *AGA-MOUS* est un exemple de gène de la classe C. Chez le mutant *aga-mous*, les étamines sont transformées en pétales et les carpelles sont absents. À l'emplacement des carpelles absents, les cellules se comportent comme si elles appartenaient à un méristème floral et produisent des séries supplémentaires de sépales et de pétales à l'intérieur des précédents. Le développement de type *agamous* peut se poursuivre indéfiniment. La figure 26-39 montre plusieurs fleurs d'*Arabidopsis* caractérisées par des mutations homéotiques.

On a trouvé les mêmes types de mutations homéotiques et de gènes de régulation chez le muflier, qui est phylogénétiquement très

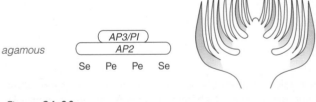

Figure 26-38

Modèle illustrant comment l'identité des organes floraux d'*Arabidopsis* est déterminée par trois classes de gènes homéotiques. Chaque classe affecte deux verticilles d'organes. Dans les fleurs de type sauvage (normal), le gène *APETALA2* (*AP2*) donne sa spécificité au champ A, les gènes *APETALA3* (*AP3*) et *PISTILLATA* (*PI*) déterminent le champ B et le gène *AGAMOUS* (*AG*) détermine le champ C, comme indiqué dans les cadres. L'absence de lettres dans un cadre indique l'effet d'une mutation particulière (nommée à gauche). Pour la production des sépales et des pétales, par exemple, les gènes *AP3* et *AP2* doivent tous deux être présents, bien qu'*AP3* lui-même ne possède pas l'information génétique requise pour la production des sépales. Si donc le gène mutant *ap2* s'exprime, ni les sépales, ni les pétales ne se différencieront, même en présence du gène *AP3*. Le phénotype des fleurs de type sauvage et celui des mutants sont représentés à droite. Se, sépale ; Pe, pétale ; St, étamine ; Ca, carpelle.

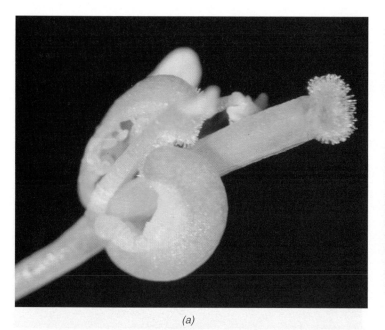

(a)

(b)

(c)

Figure 26-39

Fleurs d'*Arabidopsis* montrant des mutations homéotiques.
(a) Chez *apetala2*, les sépales sont remplacés par des carpelles et les pétales par des étamines. **(b)** Chez *agamous*, les
étamines sont remplacées par des pétales et le site des carpelles est occupé par un méristème floral. **(c)** Chez un triple
mutant, dont les trois classes de gènes sont modifiés, tous
les organes floraux sont transformés en feuilles, les précurseurs des organes floraux au cours de l'évolution.

éloigné d'*Arabidopsis*. Les mécanismes fondamentaux contrôlant
l'identité des organes dans les fleurs en développement semblent
donc semblables chez les deux espèces, en dépit de différences de
taille notables.

Modifications des tiges et des feuilles

Les tiges et les feuilles peuvent subir des modifications et leurs fonctions peuvent très différentes de celles que l'on attribue d'habitude à
ces deux organes aériens. Une des modifications les plus fréquentes
est la formation de **vrilles**, qui interviennent comme organes de soutien. Certaines vrilles sont des tiges modifiées. Chez les vignes-vierges
(*Parthenocissus tricuspidata* et *P.quinquefolia*), elles produisent des
disques adhésifs à leur extrémité. Les vrilles de la vigne (*Vitis*)
(Figure 26-40) sont des tiges modifiées qui s'enroulent autour des supports ; ces vrilles portent parfois de petites feuilles ou des fleurs. La
plupart des vrilles sont cependant des feuilles modifiées. Chez les
légumineuses, comme le pois (*Pisum sativum*), les vrilles constituent
la portion terminale de la feuille composée pennée (Figure 26-16).

Figure 26-40

Les vrilles de la vigne *(Vitis)* sont des tiges modifiées.

On appelle **cladodes** les tiges modifiées qui ont la forme et ressemblent beaucoup à des feuilles. Les rameaux foliacés de l'asperge *(Asparagus officinalis)* sont un exemple bien connu de cladodes (Figure 26-41). Les tiges aériennes épaisses et charnues de l'asperge sont les parties comestibles de la plante. Les petites écailles à la surface des asperges sont de vraies feuilles. Si l'on permet aux plantes d'asperge se poursuivre leur croissance, des cladodes vont se développer aux aisselles des petites écailles et jouer le rôle d'organes photosynthétiques. Chez certains cactus, les rameaux ressemblent à des feuilles, mais ce sont en réalité des cladodes (Figure 26-42). Comme on l'a signalé plus haut, les vraies feuilles possèdent habituellement des bourgeons à leur aisselle, tandis que les cladodes n'en ont pas. Ce caractère permet de distinguer les feuilles des cladodes.

Chez certaines plantes, les feuilles sont transformées en épines dures, sèches et non photosynthétiques. Certaines épines sont des rameaux modifiés qui se développent à l'aisselle des feuilles (Figure 26-43). « Aiguillon » est un autre terme souvent utilisé dans le

Figure 26-41

Les minces rameaux de l'asperge cultivée *(Asparagus officinalis)* rappellent des feuilles. Ces tiges modifiées sont appelées cladodes.

même sens qu'épine. Un aiguillon n'est cependant ni une tige ni une feuille, mais une petite excroissance plus ou moins piquante et aiguë du cortex et de l'épiderme. Ces deux structures — épines et aiguillons — peuvent servir de défense et limiter la prédation par les herbivores. Il existe une interaction particulière entre une plante et un herbivore : les épines d'*Acacia cornigera* abritent des fourmis qui éliminent les autres insectes qui tentent de se nourrir de la plante (voir page 775).

On trouve des feuilles modifiées ou spécialisées particulièrement spectaculaires chez les plantes carnivores : *Sarracenia*, *Drosera* et *Dionaea*, qui capturent les insectes et les digèrent grâce aux enzymes qu'elles sécrètent. Les substances alimentaires produites sont ensuite absorbées par la plante (voir l'encadré de la page 737).

Certaines tiges et feuilles sont des organes de stockage spécialisés

Tout comme les racines, les tiges peuvent servir au stockage des matières de réserve. Le type le mieux connu de ces tiges spécialisées est probablement le **tubercule**, dont un exemple est la pomme de terre *(Solanum tuberosum)*. Les tubercules de pomme de terre se développent à l'extrémité de **stolons** (tiges minces s'allongeant à la surface du sol) de plantes provenant de graines. Lorsque la propagation se fait à l'aide de fragments de tubercules — souvent appelés « semences » — les tubercules apparaissent à l'extrémité de longs et minces **rhizomes,** ou tiges souterraines (Figure 26-44). En dehors du tissu conducteur, pratiquement toute la masse du tubercule située à l'intérieur du périderme (la « pelure ») se compose de parenchyme de réserve. Les « yeux » de la pomme de terre sont des nœuds situés dans

Figure 26-42

Les rameaux du cactus non épineux *Epiphyllum* ressemblent à des feuilles, mais ce sont en fait des tiges ramifiées appelées cladodes.

Figure 26-43

(a) Les épines de ce *Ferocactus melocactiformis* sont des feuilles modifiées : elles se forment au niveau d'écailles gemmaires. **(b)** Ces épines sont des rameaux modifiés d'une aubépine *(Crataegus)* ; elles se développent à l'aisselle des feuilles.

(a)

(b)

des dépressions qui contiennent plusieurs bourgeons. Chaque « semence » doit posséder au moins un œil. La dépression constitue l'aisselle d'une feuille en forme d'écaille. Ces feuilles réduites sont disposées en spirale sur le tubercule comme les feuilles sur les tiges aériennes.

Un **bulbe** est un bourgeon volumineux composé d'une petite tige conique sur laquelle sont insérées de nombreuses feuilles modifiées. Les feuilles sont en forme d'écailles et les matières de réserve sont stockées dans leur base épaissie. Des racines adventives apparaissent à la base de la tige. L'oignon (Figure 26-45a) et le lis sont des exemples familiers de plantes bulbeuses.

Bien que superficiellement semblables aux bulbes, les **cormes** sont essentiellement composés d'une tige épaisse et charnue. Leurs feuilles sont généralement minces et beaucoup plus petites que celles des bulbes ; en conséquence, les substances de réserve du corme seront emmagasinées dans la tige charnue. Plusieurs plantes bien connues, comme le glaïeul (Figure 26-45b), le crocus et le cyclamen, produisent des cormes.

Le chou-rave *(Brassica oleracea* var.*caulocarpa)* est un exemple de plante comestible dont la tige charnue contient les substances de réserve. La tige, courte et épaisse, est située au-dessus du sol et porte plusieurs feuilles à base élargie (Figure 26-45c). Le chou commun *(Brassica oleracea* var.*capitata)* est très proche du chou-rave. On appelle « tête » du chou la tige courte qui porte de nombreuses feuilles épaisses se recouvrant mutuellement. En plus du bourgeon terminal, plusieurs bourgeons axillaires peuvent se développer à l'intérieur de la tête.

Les pétioles de certaines plantes deviennent relativement épais et charnus. Le céleri *(Apium graveolens)* et la rhubarbe *(Rheum rhabarbarum)* en sont des exemples familiers.

Figure 26-44

Pomme de terre *(Solanum tuberosum)* produisant des tubercules insérés sur un rhizome, ou tige souterraine.

Figure 26-45

Exemples de feuilles ou de tiges modifiées. **(a)** Bulbe d'oignon *(Allium cepa)* composé d'une tige conique sur laquelle sont insérées des feuilles en forme d'écailles contenant les matières de réserve. Les feuilles font partie de l'oignon que nous consommons. **(b)** Corme de glaïeul *(Gladiolus grandiflorus)* : tige charnue portant de petites feuilles minces. **(c)** Tige charnue, contenant les matières de réserve chez le chou-rave *(Brassica oleracea* var.*caulocarpa).*

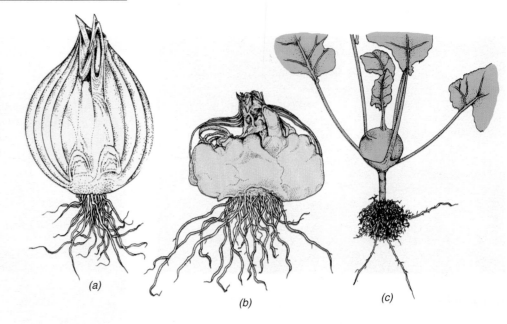

(a)

(b)

(c)

Certaines tiges et feuilles spécialisées emmagasinent l'eau

Les plantes succulentes possèdent des tissus spécialisés en vue du stockage de l'eau. La plupart de ces plantes — par exemple les cactus des déserts américains et les euphorbes des déserts africains qui leur ressemblent (voir « L'évolution convergente », page 266), ainsi que les agaves — vivent généralement dans des régions arides, où leur survie dépend de la faculté d'emmagasiner de l'eau. Les tiges charnues et vertes des cactus sont à la fois des organes de photosynthèse et de stockage. Le tissu qui contient les réserves d'eau est formé de grandes cellules parenchymateuses à parois minces dépourvues de chloroplastes.

Chez les agaves, les feuilles sont succulentes. Comme dans les tiges succulentes, l'eau est emmagasinée dans un tissu formé de cellules parenchymateuses non-photosynthétiques. On trouve d'autres exemples de plantes à feuilles succulentes chez *Mesembryanthemum crystallinum,* les orpins *(Sedum)* et certaines espèces de *Peperomia.* Chez *Mesembryanthemum,* le stockage de l'eau est assuré par de grandes cellules épidermiques pourvues d'appendices (trichomes) appelés vésicules aqueuses, qui ressemblent à première vue à des billes de glace. Les cellules aqueuses de la feuille de *Peperomia* font partie d'un épiderme multiassisial formé par des divisions périclines des cellules du protoderme (Figure 26-46).

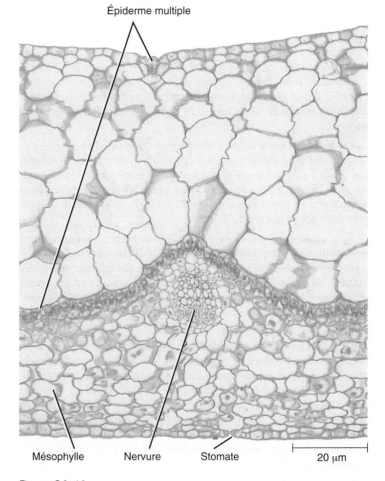

Épiderme multiple

Mésophylle   Nervure   Stomate   20 µm

Figure 26-46

Coupe transversale dans le limbe foliaire de *Peperomia.* On suppose que l'épiderme multiple très épais, visible à la face supérieure, fonctionne comme réservoir d'eau.

RÉSUMÉ

Le méristème apical de la tige donne naissance aux primordiums foliaires, aux primordiums gemmaires et aux tissus primaires de la tige

L'apex végétatif de la plupart des angiospermes est organisé en tunica et corpus : il est composé d'une ou plusieurs assises cellulaires périphériques (la tunica) et d'un massif interne de cellules (le corpus). L'apex comporte généralement trois assises cellulaires superposées — deux assises de tunica et l'assise initiale du corpus — représentées par L1, L2 et L3. Bien que les tissus primaires de la tige passent par des périodes de croissance semblables à celles de la racine, on ne peut diviser la tige en régions de division, d'élongation et de différenciation des cellules comme dans les racines. L'allongement de la tige provient surtout d'une élongation internodale.

Trois types d'organisation de base existent dans la structure primaire des tiges

Comme celui de la racine, le méristème apical de la tige donne naissance au protoderme, au procambium et au méristème fondamental, qui se développent en tissus primaires. Il existe trois types principaux de structure primaire de la tige, eu égard à la répartition des tissus fondamentaux et des tissus conducteurs primaires : les tissus primaires peuvent produire (1) un cylindre plus ou moins continu à l'intérieur du tissu fondamental, (2) un cylindre formé de cordons indépendants ou (3) un système de cordons qui paraissent dispersés dans tout le tissu fondamental. Quel que soit le type d'organisation, le phloème se trouve normalement à l'extérieur du xylème.

La structure et le développement de la tige et de la feuille sont étroitement interdépendants

Le terme « tige feuillée » n'est pas seulement un terme collectif qui représente la tige et ses feuilles : il exprime en outre leur intime association physique et développementale. Des groupes de cellules, appelées cellules fondatrices, situés à la périphérie de l'apex de la tige, sont à l'origine des primordiums foliaires et leur position se reflète dans la disposition du système conducteur de la tige. À chaque nœud, une ou plusieurs traces foliaires divergent de la tige et pénètrent dans la ou les feuilles du nœud. Les cordons procambiaux dont proviennent les traces foliaires se développent immédiatement en-dessous des futurs primordiums foliaires avant même leur apparition. On a proposé plusieurs hypothèses pour expliquer le mécanisme responsable de la disposition des feuilles, ou phyllotaxie, par exemple l'hypothèse du champ et celle du premier espace disponible.

La structure foliaire varie surtout en fonction de l'habitat

Chez les magnoliidées et les dicotylées, les feuilles sont généralement composées d'un limbe et d'un pétiole. Le limbe des feuilles composées est divisé en folioles, tandis que celui des feuilles simples ne l'est pas. Les stomates sont généralement plus nombreux à la face inférieure des feuilles qu'à leur face supérieure. Le tissu fondamental de la feuille, ou mésophylle, est différencié en parenchyme palissadique et parenchyme spongieux. Le mésophylle est traversé de part en part par des espaces aérifères (méats) et par des nervures formées de xylème et de phloème entourés d'une gaine fasciculaire parenchymateuse. Le xylème se trouve le plus souvent du côté supérieur de la nervure et le phloème du côté inférieur.

Il est possible de distinguer la plupart des graminées en C₃ de celles en C₄ en se basant sur l'anatomie des feuilles

Chez la plupart des monocotylées, en particulier chez les graminées, la feuille est formée d'un limbe et d'une gaine entourant la tige. L'anatomie foliaire est assez différente chez les graminées en C_3 et en C_4. La principale différence est la présence d'une anatomie de Kranz chez les graminées en C_4 et son absence chez les graminées en C_3. Dans l'anatomie de Kranz, les cellules du mésophylle et celles de la gaine fasciculaire forment deux assises concentriques autour des faisceaux conducteurs.

La croissance des feuilles est définie et celle des tiges est indéfinie

Les feuilles ont une croissance définie ; cela signifie que leur développement a une durée limitée. La croissance des apex des tiges qui produisent les feuilles peut par contre être indéfinie. Chez de nombreuses espèces, les feuilles sont plus petites et plus épaisses lorsqu'elles se développent sous une lumière intense que sous une faible luminosité. Les premières sont les feuilles de lumière, les secondes les feuilles d'ombre.

La chute d'une feuille d'un rameau par abscission est un processus complexe

Chez de nombreuses plantes, la production d'une zone d'abscission précède la chute des feuilles ; cette zone, située à la base du pétiole, est composée d'une assise de séparation et d'une assise de protection. Après la chute de la feuille, l'assise de protection est représentée sur la tige par la cicatrice foliaire.

La racine et la tige sont reliées par la région de transition

La répartition du tissu conducteur et du tissu fondamental de la racine se modifie pour aboutir à celle de la tige dans une région de l'axe de l'embryon et de la jeune plantule appelée région de transition. Chez la plupart des gymnospermes, des magnoliidées et des dicotylées, la région de transition se situe à l'intérieur du cylindre conducteur qui relie la racine aux cotylédons.

Une fleur est l'extrémité d'une tige à croissance définie qui porte des feuilles modifiées

Chez beaucoup d'espèces, l'apex de la tige feuillée se transforme directement en apex reproducteur au moment de la floraison. L'initiation des pièces florales débute généralement par les sépales, qui sont suivis par les pétales, puis par les étamines et enfin par les carpelles. Des mutations homéotiques peuvent entraîner la formation de pièces florales inhabituelles à un endroit anormal.

Les tiges peuvent emmagasiner des substances de réserve ou de l'eau

Comme les racines, les tiges peuvent se spécialiser dans le stockage des substances de réserve. Les tubercules, les bulbes et les cormes sont des exemples de tiges charnues. Les plantes succulentes accumulent l'eau. Chez les plantes succulentes, le tissu où l'eau s'accumule est formé de grandes cellules parenchymateuses. Les tiges et/ou les feuilles peuvent être succulentes.

MOTS CLÉS

abscission p. 636

analyse clonale p. 632

bulbe p. 643

cellules bulliformes p. 632

cellules fondatrices p. 634

cicatrice foliaire p. 636

cladode p. 642

cône méristématique p. 614

corme p. 643

extension des gaines fasciculaires p. 632

faisceau caulinaire p. 622

faisceau conducteur fermé p. 619

faisceau conducteur ouvert p. 621

fenêtre foliaire p. 622

feuille composée p. 626

feuille simple p. 626

fibre du phloème primaire p. 618

gaine fasciculaire p. 632

gaine p. 624

herbacé p. 619

hydrophyte p. 626

limbe p. 624

méristème intercalaire p. 614

méristème médullaire p. 613

méristème périphérique p. 613

mésophylle p. 630

mésophyte p. 626

mutation homéotique p. 639

nervation parallèle p. 631

nervation réticulée p. 631

nervure p. 631

nervure principale p. 631

nervure secondaire ou nerville p. 631

parenchyme interfasciculaire p. 614

parenchyme palissadique p. 630

parenchyme spongieux p. 630

pétiole p. 624

phyllotaxie p. 624

phytomère p. 611

primordium foliaire p. 611

primordium gemmaire p. 611

rachis p. 626

rayon médullaire p. 618

région de transition p. 637

rhizome p. 642

stolon p. 642

tige feuillée p. 611

trace foliaire p. 622

trace raméale p. 622

tubercule p. 642

tunica-corpus p. 612

vrille p. 641

xérophyte p. 626

zone centrale de cellules mères p. 612

zone d'abscission p. 636

QUESTIONS

1. Faites la distinction entre les termes suivants : primordiums foliaires/primordiums gemmaires, trace foliaire/fenêtre foliaire, feuille simple/feuille composée, assise de séparation/assise de protection, faisceau conducteur ouvert/faisceau conducteur fermé.

2. En vous aidant de schémas annotés simples, comparez la structure d'une racine à celle d'une tige de dicotylée à la fin de la croissance primaire. Supposez que la racine soit triarche et que le cylindre conducteur de la tige se compose d'un ensemble de faisceaux indépendants.

3. Quelles peuvent être les différentes répartitions des stomates sur les feuilles des mésophytes, des hydrophytes et des xérophytes ?

4. Expliquez pourquoi le mésophylle est particulièrement bien adapté à la photosynthèse.

5. Quels sont les rôles principaux des nervures principales et secondaires des feuilles ?

6. Quelles sont les différences d'anatomie foliaire entre les graminées en C_3 et en C_4 ?

7. Quelles sont les différences de structure entre les feuilles de lumière et les feuilles d'ombre ?

8. Quelles sont les adaptations des tiges et des feuilles en vue d'assurer le stockage des matières de réserve et de l'eau ?

9. Quelles sont les principales étapes de l'initiation et du développement d'une feuille ?

10. Comment les mutations ont-elles contribué à notre compréhension du contrôle génétique du développement floral ?

La croissance secondaire 27
dans les tiges

SOMMAIRE

Parlez de bois ou d'écorce et la plupart de vos interlocuteurs penseront à des bûches brûlant dans un âtre ou à des noms gravés dans un tronc. Pour le botaniste, cependant, le bois et l'écorce sont l'expression de la croissance secondaire — ils montrent que la plante s'est développée en épaisseur plutôt qu'en hauteur.

Ce chapitre est centré sur le bois et l'écorce, ainsi que sur les méristèmes qui les produisent. Contrairement à la croissance primaire produite par les méristèmes apicaux, la croissance secondaire découle de l'activité de méristèmes latéraux : le cambium et le phellogène. Nous verrons que le bois est un des tissus produits par le cambium et que l'épaississement de la tige et de la racine doit être attribué principalement à l'accumulation de tissu lignifié. Chez beaucoup de plantes ligneuses, la production de bois est telle que l'épiderme s'étire et se crevasse, ce qui ouvre la porte aux insectes, aux microorganismes et à d'autres pathogènes. Auparavant cependant, le phellogène prend naissance et produit des cellules de liège imperméables qui isolent la tige et la racine de leur environnement. L'écorce représente l'ensemble des tissus situés en-dehors du cambium ; le liège et le phellogène sont en général les principaux composants de l'écorce.

Après une introduction concernant les plantes annuelles, bisannuelles et pérennes, la première partie de ce chapitre étudie la structure et la fonction du cambium, du phellogène et des tissus qu'ils produisent. La seconde partie concerne le bois lui-même : les différents types de bois, les cernes de croissance et quelques caractéristiques externes du bois.

Figure 27-1

Aspect estival d'un individu solitaire de pecan *(Carya ovata)*. Les plantes sont capables d'atteindre cette taille parce que leurs racines et leurs troncs peuvent s'accroître en largeur grâce à une croissance secondaire. La plus grande partie des tissus produits de cette manière est formée de xylème secondaire, ou bois, dont la fonction n'est pas seulement la conduction de l'eau et des sels minéraux jusqu'aux extrémités de la tige, mais qui apporte également un soutien considérable aux racines et aux troncs.

POINTS DE REPÈRE

Quand vous terminerez la lecture de ce chapitre, vous devriez pouvoir répondre aux questions suivantes :

* *Quelles sont les différences entre plantes annuelles, bisannuelles et pérennes ?*
* *Quels types de cellules rencontre-t-on dans le cambium et comment ces cellules fonctionnent-elles ?*
* *Quelles sont les conséquences de la croissance secondaire pour la structure primaire de la tige ?*
* *Quels sont les tissus produits par le phellogène et quelle est la fonction du périderme ?*
* *Qu'entend-on par écorce ? Quels changements subit-elle au cours de la vie d'une plante ligneuse ?*
* *Qu'entend-on par bois ? Quelles sont les différences entre le bois des conifères et celui des angiospermes ?*

Chez beaucoup de plantes — en fait chez la plupart des monocotylées et chez certaines dicotylées herbacées, comme la renoncule (*Ranunculus*) — la croissance d'un organe cesse avec la différenciation des tissus primaires. À l'opposé, chez les gymnospermes, ainsi que chez les magnoliidées et les dicotylées ligneuses, le diamètre des racines et des tiges continue à s'accroître dans des régions qui ne s'allongent plus (Figure 27-1). L'accroissement du diamètre, ou de la circonférence, de la plante — autrement dit sa croissance secondaire — résulte de l'activité de deux **méristèmes latéraux** : le **cambium** et le **phellogène**.

La croissance secondaire est faible ou nulle dans les tiges des plantes herbacées. Dans les régions tempérées, l'ensemble de la plante chez certaines espèces, ou sa partie aérienne chez d'autres, ne vit que pendant une seule saison. Les plantes ligneuses — les arbres et les arbustes — peuvent vivre plusieurs années. Au début de chaque saison de croissance, la croissance primaire reprend et de nouveaux tissus secondaires s'ajoutent aux parties plus anciennes de la plante suite à une réactivation des méristèmes latéraux. Bien que généralement dépourvues de croissance secondaire, certaines monocotylées (comme les palmiers) peuvent produire des stipes épais grâce à leur seule croissance primaire (page 614). Il existe une sorte de croissance secondaire chez certains palmiers : on parle de croissance secondaire diffuse ; elle prend place dans des régions âgées de la tige, à une distance considérable de l'apex. À ces endroits, les cellules parenchymateuses du tissu fondamental poursuivent longtemps leurs divisions et leur élongation, tandis que les espaces intercellulaires s'accroissent dans la même proportion.

Plantes annuelles, bisannuelles et vivaces

En fonction de leurs cycles de croissance saisonniers, on classe souvent les plantes en annuelles, bisannuelles et pérennes. Chez les plantes **annuelles** — qui renferment de nombreuses mauvaises herbes, des fleurs sauvages, des plantes ornementales et des légumes — la totalité du cycle, de la graine aux organes végétatifs, et ensuite jusqu'à la floraison et de nouveau à la graine, se déroule sur une seule saison, qui peut durer quelques semaines seulement. L'intervalle séparant deux saisons successives est comblé par la dormance de la graine.

Chez les plantes **bisannuelles**, deux saisons sont nécessaires pour passer de la germination à la production des graines. La première saison produit une racine, une courte tige et une rosette de feuilles restant au niveau du sol. Au cours de la seconde saison, le cycle de développement s'achève par la floraison, la fructification, la production des graines et la mort de la plante. Dans les régions tempérées, les plantes annuelles et bisannuelles deviennent rarement ligneuses, même si leurs tiges et leurs racines peuvent subir une croissance secondaire limitée.

Chez les plantes **vivaces** (pérennes), les structures végétatives s'accroissent d'année en année. Les plantes pérennes herbacées passent les saisons défavorables sous forme de racines, rhizomes, bulbes ou tubercules souterrains. Les plantes pérennes ligneuses, lianes, arbustes et arbres, survivent au-dessus du sol, mais leur croissance

cesse généralement pendant les saisons défavorables. Les plantes pérennes ligneuses ne fleurissent qu'à l'âge adulte, ce qui peut prendre de nombreuses années. Le marronnier (*Aesculus hippocastanum*) ne fleurit par exemple qu'après 25 ans environ. *Puya raimondii*, proche parent de l'ananas, est susceptible d'atteindre 10 mètres de haut et vit dans les Andes ; il lui faut environ 150 ans avant de fleurir. De nombreuses plantes ligneuses des régions tempérées sont décidues, elles perdent simultanément toutes leurs feuilles et en donnent de nouvelles à partir des bourgeons lorsque le temps devient à nouveau favorable à la croissance. Chez les arbres et arbustes sempervirents, des feuilles tombent constamment et sont remplacées, mais toutes ne tombent pas en même temps.

Le cambium

À la différence des initiales polygonales des méristèmes apicaux, qui possèdent un cytoplasme dense et des noyaux volumineux, les cellules méristématiques du cambium sont très vacuolisées. Il en existe de deux types : les **initiales fusiformes**, qui sont orientées verticalement, sont plusieurs fois plus longues que larges et les **initiales des rayons**, disposées horizontalement, qui sont peu allongées et presque carrées (Figures 27-2 et 27-3). En coupe transversale, les initiales fusiformes paraissent aplaties ou parallélipipédiques.

Les xylème et phloème secondaires proviennent de divisions périclines des initiales du cambium et des cellules qui en dérivent immédiatement. En d'autres termes, la plaque cellulaire qui se forme lors de la division des initiales du cambium est parallèle à la surface de la racine ou de la tige (Figure 27-4a). Si la cellule qui dérive d'une initiale cambiale se trouve du côté externe de la racine ou de la tige, elle devient finalement une cellule phloémienne ; si elle est produite vers l'intérieur, elle devient une cellule xylémienne. Une longue rangée cellulaire radiale continue est produite de cette façon ; à partir de l'initiale cambiale, elle se prolonge vers l'extérieur dans le phloème et vers l'intérieur dans le xylème (Figure 27-5).

Le grand axe des cellules xylémiennes et phloémiennes provenant des initiales fusiformes est orienté verticalement ; ces cellules constituent ce que l'on appelle le **système axial** de tissus conducteurs secondaires. Les initiales des rayons produisent les cellules qui composent les **rayons ligneux** (médullaires), ou **système radial** (Figure 27-5). Formés essentiellement de cellules parenchymateuses, les rayons ligneux sont plus ou moins longs. C'est par eux que passent les substances nutritives qui vont du phloème secondaire au xylème secondaire et l'eau qui va du xylème secondaire au phloème secondaire. Les rayons servent également au stockage de produits tels que l'amidon, les protéines et les lipides ; ils peuvent en outre synthétiser certains métabolites secondaires.

On utilise le terme « cambium libéroligneux » dans un sens restreint pour désigner exclusivement les initiales cambiales, dont il n'existe qu'un exemplaire par file radiale. Il est cependant difficile, voire impossible, de distinguer les initiales des cellules qui en dérivent directement et qui restent longtemps méristématiques avant de se différencier.

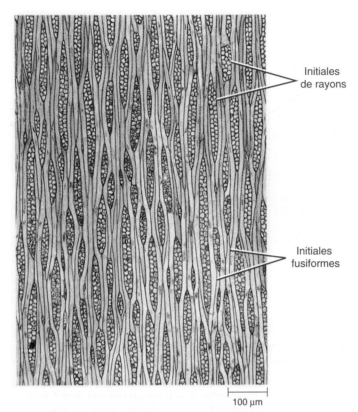

Figure 27-2

Cambium de pommier *(Malus sylvestris)*, en coupe tangentielle. Les coupes tangentielles sont tranchées perpendiculairement aux rayons, que l'on voit donc ainsi en coupe transversale (voir figure 27-12). Ce cambium, dont les initiales fusiformes ne sont pas disposées en rangées horizontales sur les surfaces tangentielles, est qualifié de non-étagé. Les initiales fusiformes du pommier mesurent en moyenne 0,53 millimètre de long.

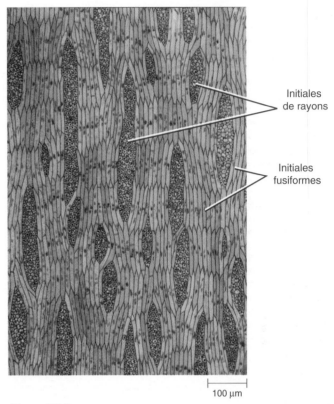

Figure 27-3

Cambium de robinier *(Robinia pseudoacacia)* en coupe tangentielle (voir figure 27-12). Ce type de cambium, dont les initiales fusiformes sont disposées en rangées horizontales sur les surfaces tangentielles, est qualifié d'étagé. Les initiales fusiformes du robinier mesurent en moyenne 0,17 millimètre de long.

Même en hiver, lorsque le cambium est au repos et inactif, on peut trouver plusieurs assises de cellules indifférenciées semblables entre le xylème et le phloème. C'est pourquoi certains botanistes utilisent le terme « cambium » dans un sens élargi pour désigner les initiales et leurs descendants immédiats, qui ne s'en distinguent pas. D'autres parlent de **zone cambiale** pour désigner cette région qui comprend les cellules initiales et celles qui en dérivent.

À mesure que le cambium ajoute des cellules au xylème secondaire, le diamètre du cylindre xylémien augmente, le cambium est repoussé vers l'extérieur et sa circonférence augmente donc. Pour s'adapter à cette plus grande circonférence, le nombre de cellules cambiales doit augmenter par division anticline des initiales (Figure 27-4b). En même temps que le nombre d'initiales fusiformes augmente, de nouvelles initiales de rayons s'y ajoutent, de telle sorte que le rapport entre cellules fusiformes et cellules de rayons reste relativement constant dans les tissus conducteurs secondaires. Il est évident que les modifications du développement qui se produisent dans le cambium sont excessivement complexes.

Dans les régions tempérées, le cambium reste au repos durant l'hiver et reprend son activité au printemps. Au cours de cette réactivation, les cellules cambiales s'imbibent, s'accroissent radialement

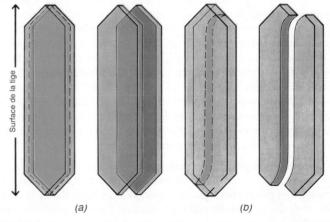

Figure 27-4

Divisions pé¬riclines et anticlines des initiales fusiformes. **(a)** Les divisions périclines interviennent dans la production des cellules du xylème et du phloème secondaires et aboutissent à la formation de rangées cellulaires radiales (voir figure 27-5). Si la division d'une initiale est péricline, les deux cellules filles sont placées l'une devant ou derrière l'autre. **(b)** Les divisions anticlines interviennent dans la multiplication des initiales fusiformes. Si la division d'une initiale est anticline, les deux cellules filles sont placées côte-à-côte.

Figure 27-5

Schéma montrant les relations entre le cambium et les tissus qui en dérivent — le xylème secondaire et le phloème secondaire. Les cellules les plus foncées sont les dernières produites. Le cambium est composé de deux types de cellules — les initiales fusiformes et les initiales des rayons — qui sont respectivement à l'origine du système axial et du système radial. La disposition des initiales du cambium détermine l'organisation des tissus conducteurs secondaires.

Lorsque les initiales du cambium produisent du xylème et du phloème secondaires, elles se divisent par voie péricline. Après la division d'une initiale, une des cellules filles (l'initiale) reste méristématique et l'autre (la cellule dérivée) se transforme finalement en une ou plusieurs cellules de tissu conducteur. Les cellules produites du côté interne du cambium deviennent des éléments du xylème et celles qui sont produites vers l'extérieur deviennent des éléments du phloème. Les initiales des rayons se divisent et produisent les rayons ligneux, orientés perpendiculairement aux cellules dérivées des initiales fusiformes. En raison de la production continue de xylème secondaire, le cambium et le phloème secondaires sont repoussés vers l'extérieur. Les schémas représentent, de gauche à droite, des étapes successives de la différenciation.

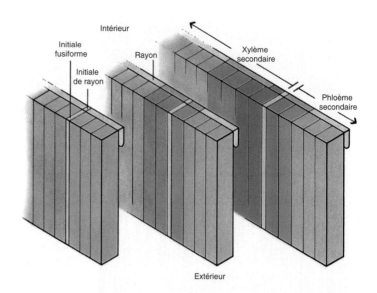

Conséquences de la croissance secondaire sur la structure primaire de la tige

On a vu au chapitre 26 que le cambium de la tige dérive du procambium resté indifférencié entre le xylème primaire et le phloème primaire, ainsi que du parenchyme des régions interfasciculaires (situé entre les faisceaux). La partie du cambium localisée à l'intérieur des faisceaux conducteurs est appelé **cambium fasciculaire**, tandis que celle formée aux dépens des régions interfasciculaires, ou rayons ligneux, est le **cambium interfasciculaire**. Contrairement à celui de la racine, le cambium de la tige a une forme circulaire dès son origine.

Dans les tiges ligneuses, la production des xylème et phloème secondaires aboutit à la formation d'un cylindre de tissus conducteurs secondaires, cylindre traversé par les rayons (Figure 27-6). Chaque année, la production du xylème secondaire dans la tige est souvent beaucoup plus abondante que celle du phloème secondaire ; la situation est semblable dans la racine. Suite à la croissance secondaire, le phloème primaire est repoussé vers l'extérieur et ses cellules à parois minces sont détruites. Seules les fibres à parois épaisses du phloème primaire restent intactes, pour autant qu'elles existent (voir figure 27-8). Voir aux pages 600 à 602 un exposé sur la croissance secondaire dans les racines.

Les figures 27-7 et 27-8 montrent une tige de sureau (*Sambucus canadensis*) à deux stades de croissance secondaire. (La croissance primaire de la tige de *Sambucus* est décrite aux pages 618 et 619.) Dans la tige représentée à la figure 27-7, la quantité de xylème et de phloème secondaires est encore faible. La figure 27-8 montre une tige à la fin de la première année de croissance ; la quantité de xylème et de phloème secondaires y est beaucoup plus importante. Les cellules à parois épaisses situées en-dehors du phloème secondaire sont les fibres du phloème primaire. Les cellules à parois minces — éléments de tubes criblés et cellules compagnes — ne sont plus décelables.

et commencent à se diviser dans un sens péricline. Au cours de leur expansion, les parois radiales des cellules cambiales s'amincissent de telle sorte que l'écorce (tous les tissus situés en-dehors du cambium) peut se détacher aisément de la tige. De nouvelles couches de xylème et de phloème secondaires se déposent au cours de la période de croissance. La réactivation du cambium est déclenchée par le débourrement des bourgeons et la reprise de leur croissance. L'auxine, hormone produite par les bourgeons en croissance, descend dans les tiges et stimule la reprise de l'activité cambiale. D'autres facteurs encore participent à la réactivation du cambium et à la poursuite de sa croissance normale (voir chapitre 28).

Chez certaines plantes, les cellules cambiales se divisent de façon plus ou moins continue et les éléments du xylème et du phloème se différencient progressivement. On rencontre ce type d'activité cambiale chez des plantes des régions tropicales. L'activité cambiale n'est cependant pas continue chez toutes les plantes tropicales. En Inde, 75 % environ des arbres de la forêt ombrophile possèdent une activité cambiale continue. Ce pourcentage tombe à 43 % dans la forêt ombrophile du bassin de l'Amazone et à 15 % seulement dans celle de Malaisie.

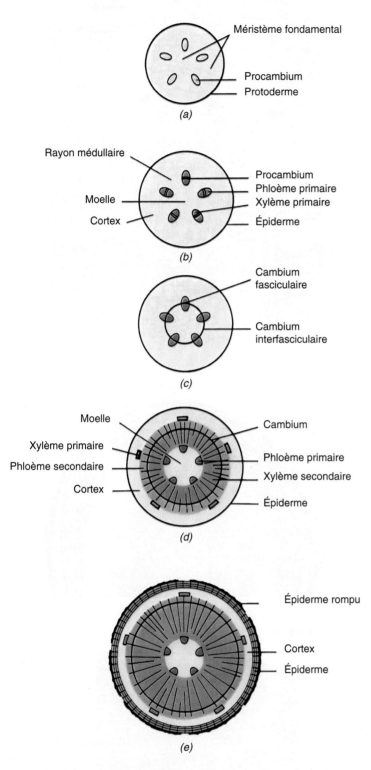

Figure 27-6

Développement de la tige chez une angiosperme ligneuse. **(a)** Premier stade du développement primaire, montrant les méristèmes primaires. **(b)** Fin de la croissance primaire. **(c)** Au moment de l'apparition du cambium. **(d)** Après la production d'une petite quantité de xylème et de phloème secondaires. **(e)** Fin de la première année de croissance, montrant les conséquences de la croissance secondaire — entre autres la formation du périderme — sur la structure primaire de la plante. En **(d)** et **(e)**, les traits radiaux représentent les rayons ligneux. (Comparez au développement de la racine représenté à la figure 25-16.)

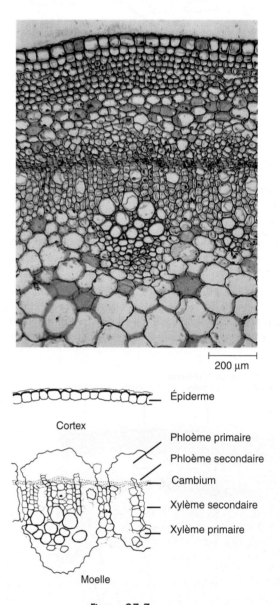

200 µm

Figure 27-7

Coupe transversale d'une tige de sureau *(Sambucus canadensis)* après un début de croissance secondaire. Aucun phellogène n'est encore formé.

Elles ont disparu au cours du développement des fibres du phloème primaire.

La figure 27-9 montre des tiges de tilleul *(Tilia americana)* à l'âge de un, deux et trois ans. Au chapitre 26, la tige de *Tilia* a servi d'exemple d'un système conducteur primaire en forme de cylindre presque complet (voir figure 26-8), les faisceaux conducteurs étant séparés les uns des autres par des régions interfasciculaires, ou rayons médullaires, très étroits. L'origine de la plus grande partie du cambium de la tige de *Tilia* est donc fasciculaire. Certains rayons du phloème secondaire s'élargissent à la périphérie à mesure que la

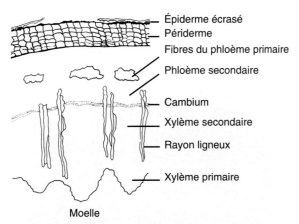

- Épiderme écrasé
- Périderme
- Fibres du phloème primaire
- Phloème secondaire
- Cambium
- Xylème secondaire
- Rayon ligneux
- Xylème primaire

Moelle

Figure 27-8

Coupe transversale dans une tige de Sureau *(Sambucus canadensis)* à la fin de la première année de croissance.

circonférence de la tige augmente (Figure 27-9a). C'est en particulier de cette manière que les tissus extérieurs au cambium peuvent s'adapter à l'élargissement du cœur de xylème.

Les cambiums et les tissus secondaires de la racine et de la tige sont en continuité les uns avec les autres. Par contre, il n'existe pas, dans la structure secondaire, de région de transition semblable à celle que l'on a observée dans la structure primaire de la plante (page 637).

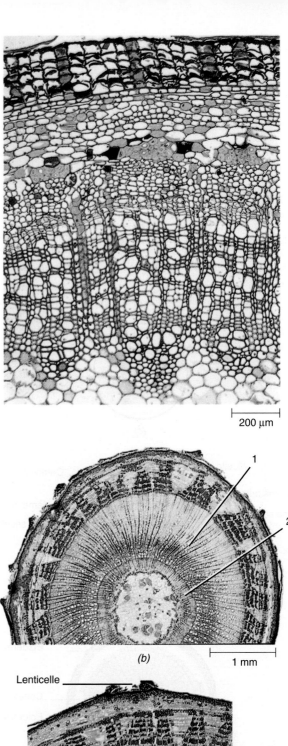

200 µm

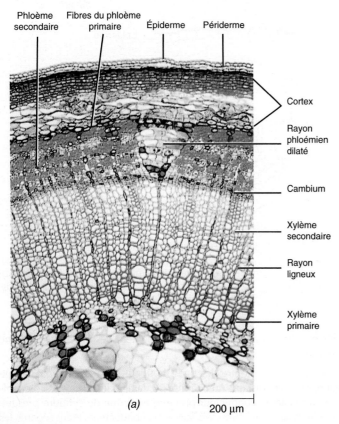

- Phloème secondaire
- Fibres du phloème primaire
- Épiderme
- Périderme
- Cortex
- Rayon phloémien dilaté
- Cambium
- Xylème secondaire
- Rayon ligneux
- Xylème primaire

(a)

200 µm

Figure 27-9

Coupe transversale dans des tiges de tilleul *(Tilia americana)*. **(a)** Tige d'un an. **(b)** Tige de deux ans. **(c)** Tige de trois ans. Les chiffres indiquent les cernes de croissance du xylème secondaire. Notez l'épaisseur différente de ces anneaux selon les années.

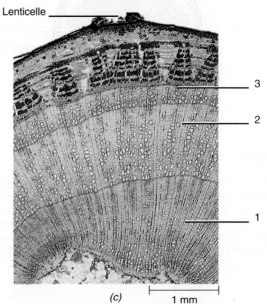

(b)

1 mm

Lenticelle

3

2

1

(c)

1 mm

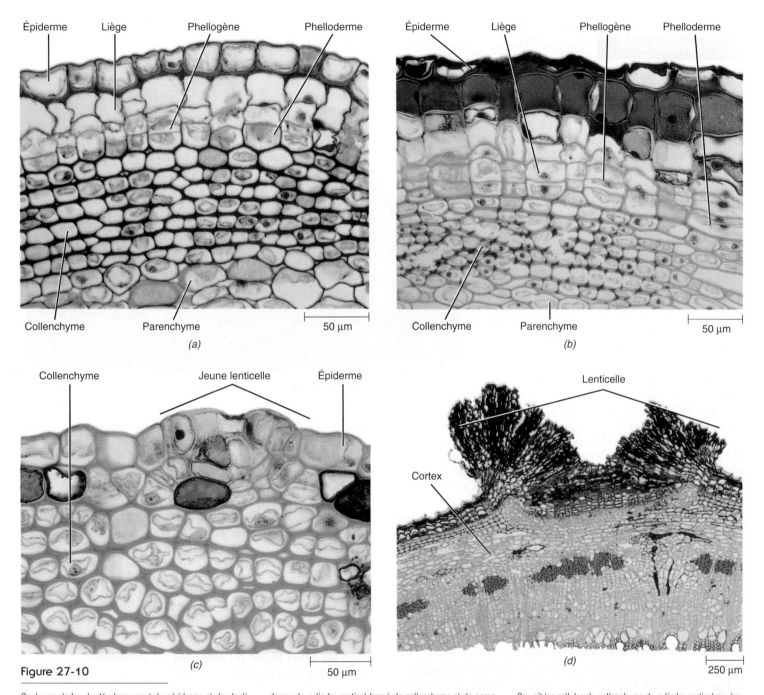

Épiderme   Liège   Phellogène   Phelloderme

Collenchyme   Parenchyme   50 µm

(a)

Épiderme   Liège   Phellogène   Phelloderme

Collenchyme   Parenchyme   50 µm

(b)

Collenchyme   Jeune lenticelle   Épiderme

(c)   50 µm

Lenticelle

Cortex

(d)   250 µm

Figure 27-10

Quelques stades du développement du périderme et des lenti-celles chez le sureau *(Sambucus canadensis)* en coupes trans-versales. **(a)** On voit, sous l'épiderme, le jeune périderme, avec phellogène, liège et phelloderme. Le périderme a séparé l'épi-derme du cylindre cortical formé de collenchyme et de paren-chyme. **(b)** Périderme à un stade de développement plus avancé : la couche de liège est plus épaisse. Remarquez la dégénérescence de l'épiderme. **(c)** Naissance d'une lenticelle. On voit les cellules du collenchyme du cylindre cortical en-des-sous de la lenticelle en cours de développement. **(d)** Lenticelle bien développée. Le phelloderme de *Sambucus* est générale-ment formé d'une seule assise cellulaire.

Le périderme est le tissu de revêtement de la structure secondaire

Dans la plupart des tiges et des racines ligneuses, le périderme com-mence généralement à se différencier après le début du développe-ment du xylème et du phloème secondaires. Le **périderme** prend le relai de l'épiderme comme enveloppe protectrice dans ces régions de la plante. Au point de vue structural, il est composé de trois parties : le **phellogène**, méristème qui est à l'origine du périderme, le **liège**, tissu protecteur produit vers l'extérieur par le phellogène, et le **phello-derme**, tissu parenchymateux vivant produit vers l'intérieur par le phellogène (Figure 27-10).

Chez la plupart des plantes ligneuses, le premier périderme de la tige apparaît habituellement au cours de la première année de crois-sance ; il dérive le plus souvent du parenchyme sous-épidermique, parfois de l'épiderme lui-même. Chez certaines espèces, il se forme plus profondément dans la tige, généralement dans le phloème pri-maire.

Les divisions répétées du phellogène produisent des rangées radia-les compactes de cellules dont la plupart sont des cellules de liège

Figure 27-11

Lenticelle dans une coupe transversale de la tige d'aristoloche *(Aristolochia)*. Contrairement à celui de *Sambucus*, le phelloderme d'*Aristolochia* est pluriassisial.

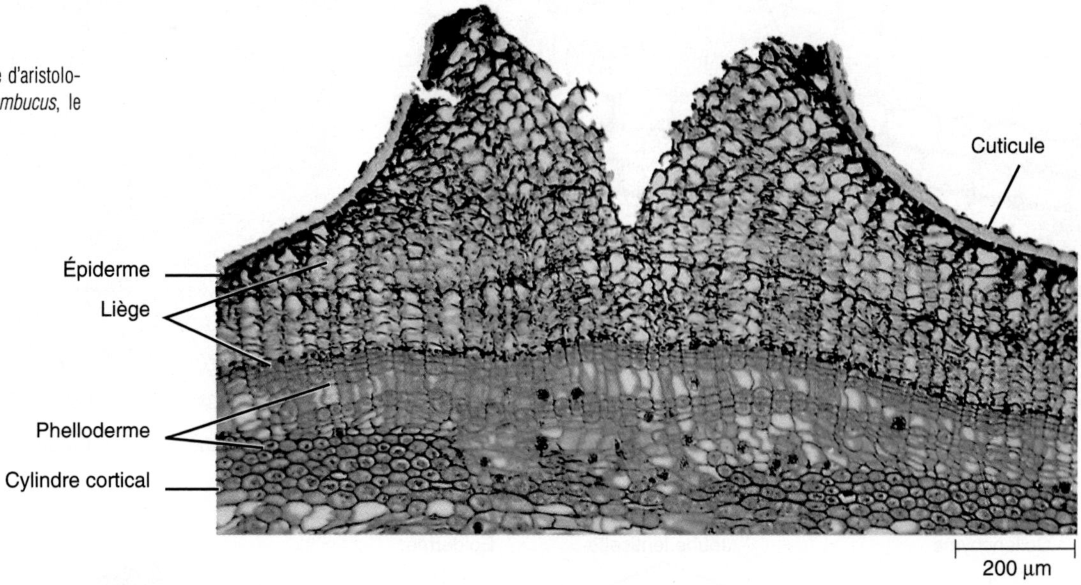

Cuticule

Épiderme

Liège

Phelloderme

Cylindre cortical

200 µm

(Figures 27-10 et 27-11). Au cours de leur différenciation, la face interne des parois de ces cellules est tapissée de lamelles de subérine, composées de couches superposées de subérine et de cire, qui rendent le tissu complètement imperméable à l'eau et aux gaz. Les parois de ces cellules peuvent en outre se lignifier. À maturité, les cellules du liège sont mortes.

Les cellules du phelloderme sont vivantes à maturité, elles ne possèdent pas de lamelles de subérine et ressemblent aux cellules parenchymateuses corticales. On peut distinguer les cellules du phelloderme des cellules corticales par leur localisation dans les files radiales du périderme : elles y sont plus internes (Figure 27-11). Le premier périderme de la tige se formant en général dans l'assise externe de cellules corticales, le cylindre cortical de la tige n'est pas détruit au cours de la première année, comme dans les racines ligneuses (Figures 27-6 et 27-8 ; comparez aux figures 25-16 et 25-17c), bien que l'épiderme se dessèche et s'exfolie.

À la fin de la première année, on rencontre les tissus suivants dans la tige : les restes de l'épiderme, le périderme, le cylindre cortical, le phloème primaire (fibres et cellules à parois minces écrasées), le phloème secondaire, le cambium, le xylème secondaire, le xylème primaire et la moelle (Figure 27-6). (Comparez cette liste à celle des tissus présents dans la racine ligneuse à la fin de la première année, page 602).

Les lenticelles permettent les échanges gazeux à travers le périderme

Dans le texte qui précède, nous avons fait remarquer que les cellules subérisées du liège forment un tissu compact qui constitue un obstacle imperméable à l'eau et aux gaz. Comme tous les tissus métaboliquement actifs, les tissus internes de la tige doivent cependant échanger des gaz avec l'atmosphère ambiante, exactement comme les tissus internes de la racine doivent échanger des gaz avec les espaces aérifères séparant les particules du sol. Dans les tiges et les racines

pourvues de périderme, ces échanges gazeux indispensables passent à travers les **lenticelles** (Figures 27-10c et 27-11), portions du périderme parcourues par de nombreux espaces intercellulaires.

Les lenticelles commencent à se former au cours du développement du premier périderme (Figure 27-10) et, dans la tige, elles apparaissent généralement en-dessous d'un stomate ou d'un groupe de stomates. À la surface de la tige ou de la racine, les lenticelles se reconnaissent comme des plages bombées, circulaires, ovales ou allongées (voir la figure 27-17). Elles se forment également sur certains fruits — les petites taches visibles à la surface des pommes et des poires, par exemple, sont des lenticelles. À mesure que les racines et les tiges vieillissent, les lenticelles poursuivent leur développement au fond de crevasses de l'écorce, dans des péridermes nouvellement formés.

Tous les tissus situés à l'extérieur du cambium font partie de l'écorce

Les termes « périderme », « écorce » et « liège » sont souvent utilisés l'un pour l'autre dans le langage courant. Nous avons vu que le liège est une des trois parties du périderme ; c'est un tissu secondaire qui remplace l'épiderme dans la majorité des racines et des tiges ligneuses. Le terme **écorce** s'applique à l'ensemble des tissus situés à l'extérieur du cambium, y compris le ou les périderme(s), quand il en existe (Figures 27-12 et 27-13). Dès que le cambium apparaît, avant la formation du phloème secondaire, l'écorce consiste exclusivement en tissus primaires. Au terme de la première année de croissance, l'écorce comprend tous les tissus primaires encore présents, le phloème secondaire, le périderme et tous les tissus morts persistant à l'extérieur du périderme.

Au cours de chaque saison de croissance, le cambium ajoute du phloème secondaire à l'écorce, en même temps que du xylème secondaire, ou bois, au cœur de la tige ou de la racine.

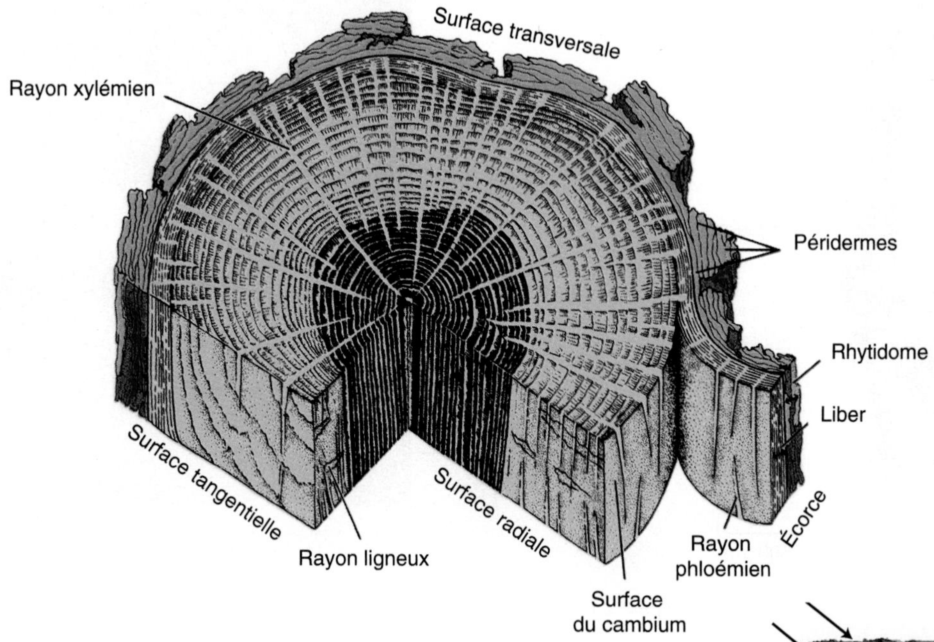

Figure 27-12

Schéma représentant un segment de tige du chêne rouge d'Amérique *(Quercus rubra)* montrant des surfaces transversale, tangentielle et radiale. La zone sombre du centre est le bois de cœur. La partie claire du bois est l'aubier.

Surface transversale

Rayon xylémien

Péridermes

Rhytidome

Liber

Écorce

Surface tangentielle

Surface radiale

Rayon ligneux

Rayon phloémien

Surface du cambium

Le cambium produit généralement moins de phloème que de xylème. De plus, les cellules à parois minces (éléments criblés et divers types de cellules parenchymateuses) du phloème secondaire ancien sont habituellement écrasées (Figures 27-14 à 27-16). L'ancien phloème secondaire est finalement éloigné du reste du phloème par la production de nouveaux péridermes et il finit par s'exfolier. En conséquence, l'accumulation de phloème secondaire dans la tige ou la racine est toujours beaucoup moindre que celle du xylème secondaire, qui continue à s'accumuler d'année en année.

À mesure que le diamètre de la tige ou de la racine s'accroît, les tissus les plus âgés de l'écorce sont soumis à des tensions considérables. Chez certaines plantes, la déchirure de ces tissus provoque la formation de grandes lacunes. Les cellules parenchymateuses du système axial et des rayons se divisent souvent et s'agrandissent. De cette façon, le phloème secondaire âgé s'adapte pendant un certain temps à l'augmentation de la circonférence de la tige ou de la racine. Nous avons déjà noté, dans la tige de *Tilia,* que certains rayons, appelés rayons dilatés, s'élargissent quand la tige s'épaissit (Figure 27-9a).

Le premier périderme formé peut s'accommoder pendant quelques années de l'augmentation de la circonférence de la tige ou de la racine, son phellogène passant par des périodes d'activité et d'inactivité qui ne correspondent pas nécessairement aux périodes d'activité du cambium. Dans les tiges du pommier *(Malus sylvestris)* et du poirier *(Pyrus communis)*, l'activité du premier phellogène peut persister pendant 20 ans. Dans la plupart des racines et des tiges ligneuses, de nouveaux péridermes se forment à mesure que la circonférence de l'axe s'accroît. Après le premier périderme, d'autres apparaissent ensuite de plus en plus profondément dans l'écorce (Figures 27-12 et 27-13) aux dépens de cellules parenchymateuses d'un phloème qui ne participe plus activement au transport de la sève élaborée. Ces cellules parenchymateuses redeviennent méristématiques et se transforment en nouveaux phellogènes.

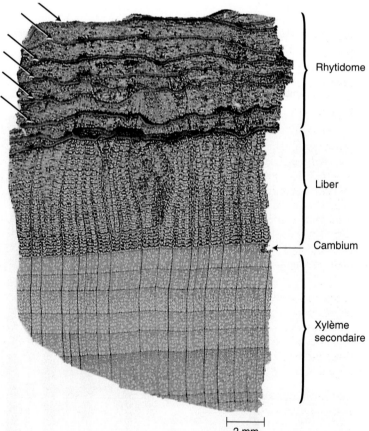

Rhytidome

Liber

Cambium

Xylème secondaire

2 mm

Figure 27-13

Coupe transversale de l'écorce et d'une partie du xylème secondaire d'une tige âgée de tilleul *(Tilia americana)*. On voit plusieurs péridermes traversant le rhytidome, généralement plus sombres, dans le tiers supérieur de la coupe. Sous le rhytidome se trouve le liber, bien distinct du xylème secondaire moins coloré, visible dans le tiers inférieur de la coupe.

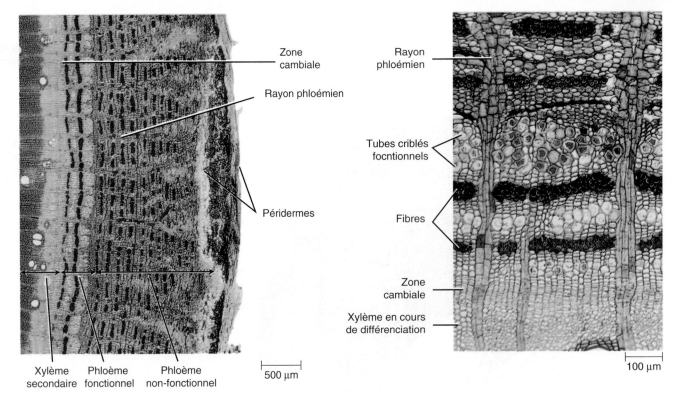

Figure 27-14

Coupe transversale de l'écorce d'une tige de robinier *(Robinia pseudoacacia)* : elle est formée presque exclusivement de phloème non fonctionnel.

Figure 27-15

Coupe transversale du phloème secondaire de robinier *(Robinia pseudoacacia)* montrant du phloème en grande partie fonctionnel. Les tubes criblés (indiqués par les flèches) du phloème non-fonctionnel sont écrasés.

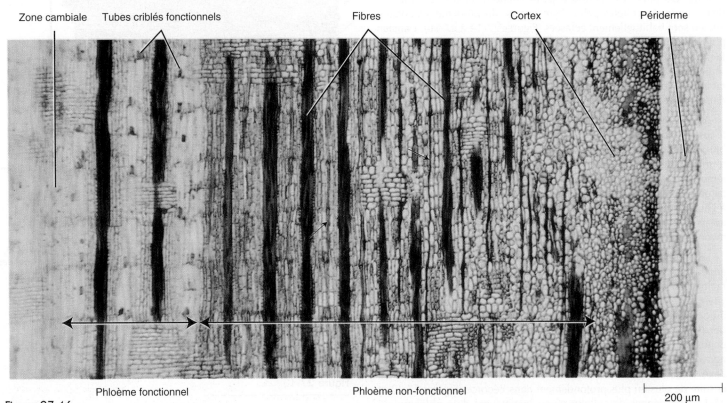

Figure 27-16

Coupe radiale de l'écorce du robinier *(Robinia pseudoacacia)*. La plus grande partie de la coupe comprend du phloème non-fonctionnel dont les tubes criblés sont écrasés (flèches). Chez le robinier, le phloème fonctionnel se limite à la production de l'année en cours, qui devient non-fonctionnel à la fin de l'automne, lorsque ses tubes criblés sont écrasés.

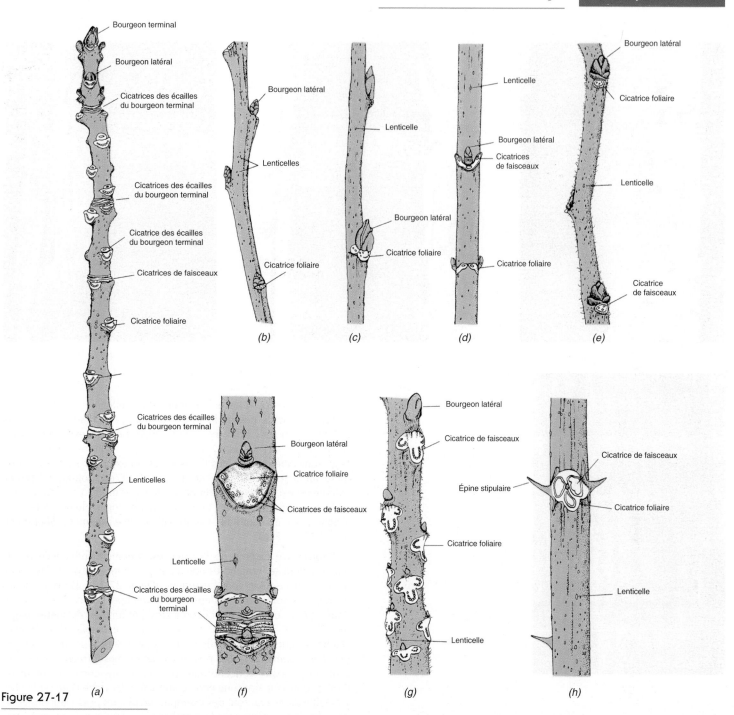

Figure 27-17

Caractéristiques externes des tiges ligneuses. L'examen des rameaux de plantes ligneuses décidues permet d'identifier maints caractères importants du développement et de la structure de la tige. Les structures les plus apparentes sur les rameaux sont les bourgeons. Ces derniers sont situés au sommet — les bourgeons terminaux — ou à l'aisselle des feuilles — les bourgeons latéraux, ou axillaires. Il existe en outre des bourgeons annexes chez certaines espèces. Généralement présents par paires, les bourgeons annexes sont situés des deux côtés des bourgeons latéraux. Chez certaines espèces, ils restent dormants si le bourgeon latéral auquel ils sont asso-ciés se développe normalement. Chez d'autres, ils produisent des fleurs et le bourgeon axillaire forme une pousse feuillée.

Après la chute des feuilles, on peut voir des cicatrices foliaires, avec les traces de leurs faisceaux, sous les bourgeons latéraux. La cicatrice provient de l'assise protectrice de la zone d'abscission. Les traces des faisceaux sont les extrémités des faisceaux conducteurs qui s'étendaient de la trace foliaire au pétiole avant l'abscission, et qui ont été brisés.

Des groupes de cicatrices d'écailles des bourgeons terminaux représentent la trace des bourgeons terminaux précédents ; on peut s'en servir pour déterminer l'âge des portions de tige, tant qu'ils n'ont pas été masqués par la croissance secondaire. La portion de tige séparant deux groupes de ces cicatrices représente la croissance d'une année. Les lenticelles apparaissent comme des zones légèrement bombées à la surface de la tige. **(a)** Frêne *(Fraxinus pennsylvanica* var.*subintegerrima).* **(b)** Chêne blanc *(Quercus alba).* **(c)** Tilleul *(Tilia americana).* **(d)** Érable *(Acer negundo).* **(e)** Orme d'Amérique *(Ulmus americana).* **(f)** Marronnier *(Aesculus hippocastanum).* **(g)** Noyer *(Juglans cinerea).* **(h)** Robinier *(Robinia pseudoacacia).*

(a)

(b)

(c)

(d)

Figure 27-18

Écorce de quatre espèces d'arbres. **(a)** Écorce mince et caduque du bouleau à papier *(Betula papyrifera)*. Les lignes horizontales à la surface de l'écorce sont des lenticelles. **(b)** Ecorce hirsute de pecan *(Carya ovata)*. **(c)** Écorce écailleuse du platane *(Platanus occidentalis)*. **(d)** Ecorce très crevassée du chêne blanc *(Quercus alba)*.

Tous les tissus situés à l'extérieur du phellogène le plus interne — tous les tissus des péridermes, ainsi que les tissus corticaux et phloémiens qui s'y trouvent — constituent l'*écorce externe* ou *rhytidome* (Figures 27-12 et 27-13). Lorsque les cellules subérisées du liège sont différenciées, les tissus situés à l'extérieur sont coupés de toute alimentation en eau et nutriments. C'est pourquoi l'écorce externe est exclusivement composée de tissus morts. La partie vivante de l'écorce, qui se trouve à l'intérieur du phellogène le plus interne et s'étend jusqu'au cambium, est appelée *écorce interne* ou *liber* (Figures 27-12 et 27-13).

L'apparence externe de l'écorce est fortement influencée par la manière dont se forment les nouveaux péridermes et par les types de tissus qu'ils isolent vers l'extérieur (Figure 27-18). Dans certaines écorces, les nouveaux péridermes se développent en couches discontinues qui se superposent ; l'écorce ainsi produite est écailleuse (Figures 27-12 et 27-13). On rencontre par exemple des écorces écailleuses sur les tiges relativement jeunes des pins *(Pinus)* et du poirier *(Pyrus communis)*. Les nouveaux péridermes forment moins souvent des anneaux concentriques plus ou moins continus autour de l'axe, produisant alors une écorce annulaire. La vigne *(Vitis)* et le chèvrefeuille *(Lonicera)* sont des exemples de plantes possédant des écorces annulaires. L'écorce de nombreuses plantes est intermédiaire entre les formes écailleuse et annulaire.

Le liège du commerce est obtenu à partir de l'écorce du chêne-liège, *Quercus suber*, originaire de la région méditerranéenne (Figure 27-19). Le premier phellogène de cet arbre se forme dans l'épiderme et le liège qu'il produit n'a guère de valeur commerciale. Quand l'arbre atteint environ 20 ans, le périderme originel est éliminé et un nouveau phellogène se forme dans le cortex, quelques millimètres sous le niveau où se trouvait le premier. Le liège produit par le nouveau phellogène s'épaissit très rapidement et, environ 10 ans plus

Figure 27-19

Récolte du liège marchand sur le tronc du chêne-liège *(Quercus suber)*. L'intérêt commercial du liège est dû à son imperméabilité aux liquides et aux gaz, ainsi qu'à sa résistance, son élasticité et sa légèreté.

tard, il est assez épais pour pouvoir être prélevé de l'arbre. Un nouveau phellogène se forme à nouveau sous le précédent et le liège peut à nouveau être récolté après 10 ans. Après plusieurs récoltes, de nouveaux phellogènes se développent dans le phloème secondaire. Cette façon de faire peut se répéter à des intervalles d'environ 10 ans, jusqu'à ce que l'arbre atteigne ou dépasse 150 ans. Les taches et les longues stries foncées qui s'observent à la surface du liège du commerce sont des lenticelles.

Dans les racines et les tiges les plus lignifiées, le transport de la sève élaborée repose en fait sur une quantité très faible de phloème secondaire. Chez la plupart des espèces, seul le cerne de croissance du phloème secondaire de l'année en cours intervient dans le transport actif de la sève à longue distance dans la tige. La durée de vie des éléments des tubes criblés est en effet très courte (voir chapitre 24) ; la plupart meurent à la fin de l'année où ils se sont différenciés à partir du cambium. Chez certaines plantes, comme le robinier *(Robinia pseudoacacia)*, les éléments criblés se dégradent et sont écrasés relativement tôt après leur mort (Figures 27-14 à 27-16).

La portion du liber participant activement au transport de la sève organique est appelée **phloème fonctionnel**. Bien que les éléments criblés situés en-dehors de ce phloème soient morts, les cellules parenchymateuses du phloème (parenchyme axial) et celles des rayons peuvent rester en vie et continuer à fonctionner pendant plusieurs années comme cellules de réserve. Cette portion du liber est le **phloème non fonctionnel**. Seul le rhytidome se compose exclusivement de tissus morts (Figures 27-14 et 27-16).

Le bois, ou xylème secondaire

Si l'on fait abstraction de leur utilisation dans l'alimentation, aucun tissu végétal n'a joué un rôle aussi essentiel à la survie de l'homme au cours de son histoire que le **bois**, ou xylème secondaire (voir tableau 27-1). On fait souvent la distinction entre bois de **feuillus** et bois de **résineux**. Les feuillus (« hardwoods ») proviennent d'angiospermes (magnoliidées et dicotylées) et les résineux (« softwoods »), de conifères. La structure de ces deux sortes de bois est fondamentalement différente, mais les qualificatifs « durs » et « tendres », utilisés en anglais, ne représentent pas fidèlement la densité relative (poids par unité de volume) ni la dureté du bois. Un des bois les plus légers et les plus tendres est par exemple le balsa *(Ochroma lagopus)*, une dicotylée tropicale. D'autre part, les bois de certains conifères, comme celui d'un pin *(Pinus elliotii)* sont plus durs que certains bois « durs ». Bien que ce chapitre concerne surtout la croissance secondaire des angiospermes, nous parlerons en même temps des bois résineux et feuillus pour des raisons pratiques.

Le bois de conifères ne possède pas de vaisseaux

La structure du bois de conifère est relativement simple, comparée à celle de la plupart des angiospermes. Les principales caractéristiques du bois de conifère sont l'absence de vaisseaux (voir la discussion concernant les éléments des trachées au chapitre 24) et la quantité relativement faible de parenchyme axial, ou ligneux. Les longues trachéides effilées représentent le principal type cellulaire du système axial. Dans certains genres, comme *Pinus*, les seules cellules parenchymateuses de ce système sont associées aux **lacunes résinifères**. Ces lacunes sont des espaces intercellulaires relativement grands, tapissés de cellules parenchymateuses à parois minces, qui sécrètent la résine dans les lacunes. Chez les *Pinus*, les lacunes résinifères se retrouvent aussi bien dans le système axial que dans les rayons (Figures 27-20 et 27-21). Les blessures, les pressions et les lésions provoquées par le froid et le vent peuvent stimuler la formation des lacunes résinifères dans le bois des conifères ; c'est pourquoi certains chercheurs pensent que toutes les lacunes résinifères proviennent d'un traumatisme. La résine semble protéger la plante contre les attaques des champignons responsables de pourritures et contre les insectes parasites de l'écorce.

Les parois radiales des trachéides des conifères sont caractérisées par de grandes ponctuations circulaires aréolées. Les ponctuations sont plus abondantes aux extrémités des cellules, où elles font face à d'autres trachéides (Figures 27-20 à 27-22). Les paires de ponctuations (page 66) reliant les trachéides des conifères sont caractérisées par la présence d'un **torus** : il s'agit d'une portion centrale épaissie de

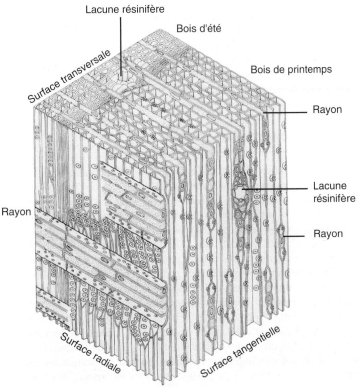

Figure 27-20

Schéma montrant les différentes faces du xylème secondaire du pin de Weymouth *(Pinus strobus)*, un conifère. À l'exception des cellules parenchymateuses associées aux lacunes résinifères, le système axial ne comporte que des trachéides. Les rayons n'ont qu'une cellule d'épaisseur, sauf ceux qui contiennent des lacunes résinifères. (Les bois de printemps et d'été sont décrits à la page 665).

la membrane de la ponctuation (Figure 27-23), principalement composée de la lamelle mitoyenne et des deux parois primaires. Il est un peu plus grand que les ouvertures, ou apertures, des bords de la ponctuation (Figure 27-22). La membrane de la ponctuation est flexible et, dans certaines conditions, le torus peut obturer une des apertures et empêcher le passage de l'eau ou des gaz à travers la paire de ponctuations. On a longtemps cru que la présence des torus se limitait à certains genres de gymnospermes, mais on en a signalé récemment dans les paires de ponctuations aréolées des trachéides et éléments de vaisseaux de plusieurs genres de dicotylées.

Le schéma de la figure 27-20 représente le bois du pin de Weymouth *(Pinus strobus)* en trois dimensions à partir des trois coupes de la figure 27-21. Dans les coupes transversales perpendiculaires au grand axe de la racine ou de la tige, les trachéides sont anguleuses ou plus ou moins carrées et l'on voit les rayons traversant tout le bois (Figure 27-21a). On a deux sortes de coupes longitudinales — radiales et tangentielles. Les coupes radiales sont parallèles aux rayons, et ceux-ci y apparaissent comme des plages de cellules orientées perpendiculairement aux trachéides du système axial allongées verticalement (Figures 27-21b et 27-22d). Les coupes tangentielles sont perpendiculaires aux rayons, dont elles montrent la largeur et la hauteur. Chez *Pinus,* l'épaisseur des rayons est réduite à une seule cellule, sauf s'ils contiennent des lacunes résinifères (Figure 27-21c), et leur hauteur s'échelonne d'une à plus de 15 cellules. La figure 27-22 montre des détails du bois de pin de Weymouth.

Figure 27-21

Bois de pin de Weymouth *(Pinus strobus)*, un conifère, en coupes transversale **(a)**, radiale **(b)** et tangentielle **(c)**. (La masse spécifique de ce pin est de 0,34 ; voir page 668.)

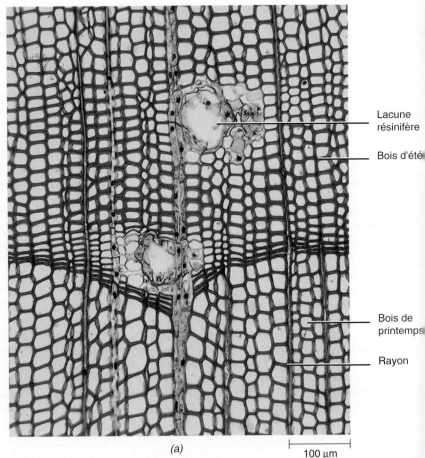

(a)

100 μm

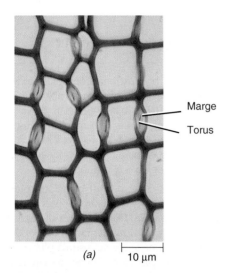

Marge
Torus

(a) ⊢ 10 μm

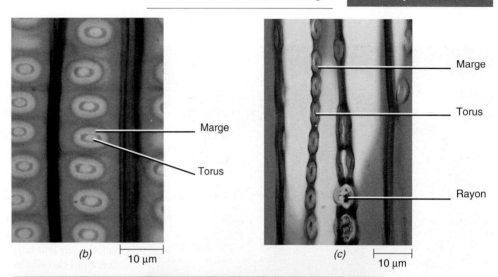

Marge

Torus

(b) ⊢ 10 μm

Marge

Torus

Rayon

(c) ⊢ 10 μm

Figure 27-22

Détails du bois de pin de Weymouth *(Pinus strobus)*. **(a)** Coupe transversale montrant des doubles ponctuations aréolées dans les parois radiales des trachéides. **(b)** Coupe radiale montrant de face les doubles ponctuations aréolées dans les parois des trachéides. **(c)** Coupe tangentielle montrant les doubles ponctuations aréolées des trachéides. **(d)** Coupe radiale montrant un rayon. Les rayons du pin et des autres conifères sont composés de trachéides et de cellules parenchymateuses. On voit que les trachéides se trouvent au sommet et à la base du rayon et les cellules parenchymateuses au milieu. Remarquez les ponctuations aréolées des trachéides des rayons. Au-dessus du parenchyme du rayon, on voit deux doubles ponctuations aréolées contiguës.

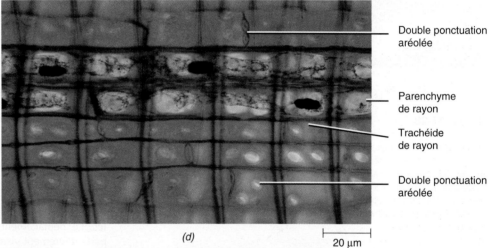

Double ponctuation aréolée

Parenchyme de rayon

Trachéide de rayon

Double ponctuation aréolée

(d) ⊢ 20 μm

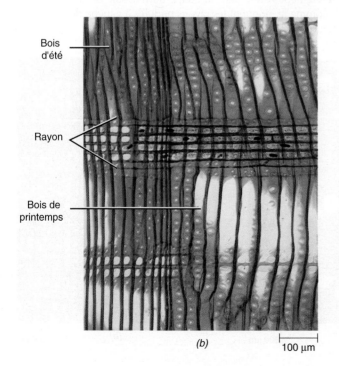

Bois d'été

Rayon

Bois de printemps

(b) ⊢ 100 μm

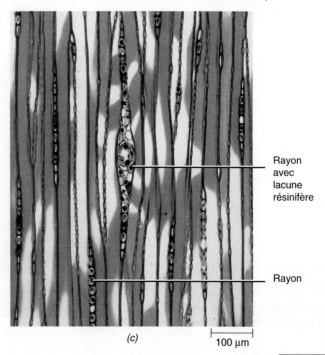

Rayon avec lacune résinifère

Rayon

(c) ⊢ 100 μm

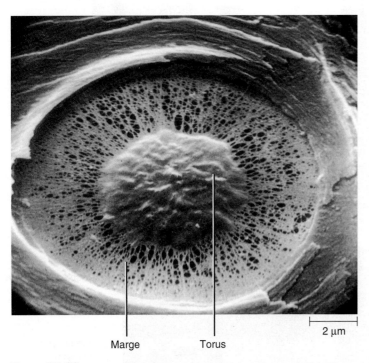

Marge   Torus

⊢——⊣ 2 µm

Figure 27-23

Micrographie au microscope électronique à balayage d'une membrane interne de double ponctuation aréolée dans une trachéide de pin de Weymouth *(Pinus strobus)*. La partie épaissie de la membrane est le torus, imperméable à l'eau. La portion entourant le torus, appelée marge, est très poreuse et permet le passage de l'eau et des ions d'une trachéide à l'autre.

Le bois des angiospermes contient normalement des vaisseaux

Chez les angiospermes, la structure du bois est beaucoup plus variée que chez les conifères, en partie en raison du plus grand nombre de types cellulaires représentés dans le système axial : éléments de vaisseaux, trachéides, plusieurs types de fibres et cellules parenchymateuses (Figures 27-24 et 27-25 ; voir également les figures 24-13 et 27-26). La présence d'éléments de vaisseaux permet en particulier de distinguer les bois d'angiospermes et de conifères, à quelques exceptions près.

Les rayons des bois d'angiospermes sont souvent beaucoup plus grands que chez les conifères, où ils sont généralement épais d'une cellule et hauts de 20 cellules au maximum. Dans les bois d'angiospermes, les rayons peuvent comprendre une ou un grand nombre de cellules sur leur largeur et, en hauteur, une seule ou jusqu'à plusieurs centaines de cellules. Dans certains cas, par exemple chez les chênes, on peut distinguer les grands rayons à l'œil nu (Figure 27-12). Les grands rayons du chêne rouge d'Amérique *(Quercus rubra)* représentés à la figure 27-25c sont larges de 12 à 30 cellules et hauts de plusieurs centaines de cellules. En plus de ces grands rayons, le bois de chêne possède de nombreux autres rayons larges seulement d'une cellule. Chez le chêne rouge, les rayons représentent en moyenne 21 % environ du volume du bois. Pour l'ensemble des bois de feuillus, cette proportion atteint environ 17 %, alors que la moyenne est d'environ 8 % pour les bois de résineux.

Comme chez les conifères, les coupes transversales dans les bois d'angiospermes montrent des files radiales de cellules dans les systèmes axial et radial dérivés des initiales du cambium (Figures 27-24 et 27-25a). Les files ne sont cependant pas toujours aussi régulières que dans le bois de conifère parce que la croissance des vaisseaux et l'allongement des fibres ont tendance à déplacer beaucoup de cellules. Le déplacement des rayons par les éléments de vaisseaux est particulièrement visible dans la coupe transversale du bois de chêne rouge, comme le montrent les rayons ondulés à gauche des vaisseaux de la figure 27-25a.

Figure 27-24

Cernes annuels de bois, en coupe transversale. **(a)** Chêne rouge d'Amérique *(Quercus rubra)*. Les larges vaisseaux du bois à porosité annelée du chêne rouge se rencontrent dans le bois de printemps. Les lignes foncées sont les rayons ligneux. **(b)** Tulipier de Virginie *(Liriodendron tulipifera)*, un bois à porosité diffuse.

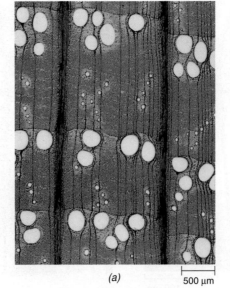

(a)   ⊢——⊣ 500 µm

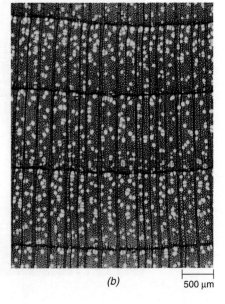

(b)   ⊢——⊣ 500 µm

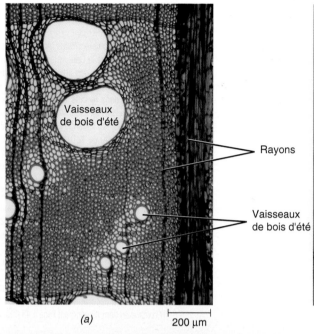

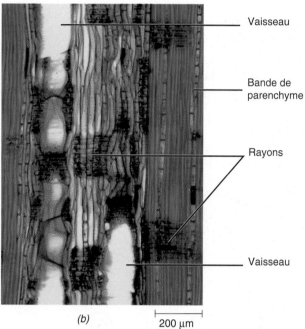

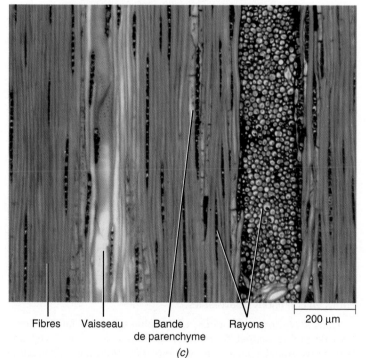

Fibres   Vaisseau   Bande   Rayons
                      de parenchyme

(c)

Figure 27-26

Micrographie au microscope électronique à balayage d'une section de bois d'orme américain *(Ulmus americana)*, montrant ses trois faces. En la comparant aux figures 27-20, 27-24 et 27-25, vous devriez pouvoir identifier les différentes faces. C'est un bois à porosité semi-annelée dont les vaisseaux d'été sont disposés en bandes ondulées ; c'est une caractéristique des ormes. Essayez d'identifier les vaisseaux du bois de printemps et du bois d'été, ainsi que les rayons, sur les trois faces. La partie dense du bois est principalement composée de fibres. Il existe également des cellules parenchymateuses axiales, mais elles ne sont pas visibles à ce grossissement (la masse spécifique du bois de l'orme d'Amérique est de 0,46.)

Figure 27-25

Bois de chêne rouge d'Amérique *(Quercus rubra)* en coupes transversale **(a)**, radiale **(b)** et tangentielle **(c)**. (La masse spécifique du bois de chêne rouge est de 0,57.)

Les cernes de croissance sont produits par l'activité saisonnière du cambium

L'activité périodique du cambium, liée aux saisons dans les régions tempérées, est à l'origine de **anneaux** ou **cernes de croissance**, dans le xylème secondaire et dans le phloème secondaire (ce type de croissance n'est pas toujours facile à distinguer dans le phloème). Lorsqu'un anneau correspond à la croissance d'une saison, on parle d'un **cerne annuel** (Figure 27-27). Des modifications brutales de la quantité d'eau disponible ou d'autres facteurs du milieu peuvent entraîner la production de plusieurs anneaux de croissance en un an : on parle alors de *faux cernes annuels*. Il est donc possible d'estimer l'âge d'une section de tige ligneuse âgée en comptant les cernes de

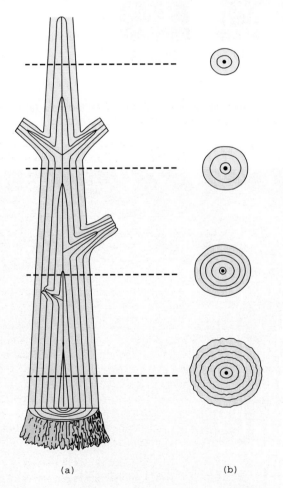

(a)   (b)

Figure 27-27

Chaque cerne annuel du bois représente la croissance d'une année. Le nombre d'anneaux varie avec la distance par rapport au sol : la partie la plus âgée du tronc est au niveau du sol. **(a)** Schéma d'une coupe médiane longitudinale d'un tronc d'arbre et **(b)** coupes transversales à quatre niveaux différents. Dès que la croissance secondaire a débuté dans une portion de la tige (ou de la racine), cette portion ne s'allonge plus.

Figure 27-28

(a) Pin à cône épineux *(Pinus longaeva)* dans les Montagnes Blanches, à l'est de la Californie. Ces pins, qui vivent près de la limite altitudinale des arbres, sont les arbres vivants les plus âgés ; l'un d'eux a atteint l'âge de 4900 ans. **(b)** Coupe transversale dans le bois de *Pinus longaeva* montrant des cernes annuels d'épaisseur variable. Cette coupe débute il y a environ 6260 ans ; la bande ombrée représente les trente ans qui séparent 4240 de 4210 avant J.-C. Grâce à la superposition des cernes d'arbres morts, on a pu déterminer l'importance relative de précipitations passées jusqu'à quelque 8200 ans.

En dépit de son âge avancé, le pin âgé de 4900 ans pourrait ne pas être l'organisme le plus vieux du monde. Il y a quelques années, en fait, l'âge d'un groupe de buissons de *Larrea divaricata*, provenant apparemment tous de la même graine, avait été estimé à 12.000 ans. On a donné à ce groupe de buissons, qui vit dans le désert de Mojave à 250 kilomètres au nord-ouest de Los Angeles, le nom de « clone royal » (voir figure 33-14). Plus récemment, un groupe de botanistes de Tasmanie a découvert un buisson de *Lomatia tasmanica (Proteaceae)* dont ils estiment l'âge à 43.000 ans.

croissance, mais l'estimation peut être inexacte en présence de faux cernes annuels. Lorsque l'activité cambiale est continue, par exemple dans les forêts ombrophiles équatoriales, les cernes de croissance peuvent être totalement absents. Il est donc difficile d'apprécier l'âge de ces arbres.

L'épaisseur des cernes de croissance individuels peut varier considérablement d'une année à l'autre en fonction de facteurs de l'environnement comme la lumière, la température, la pluviosité, l'eau du sol et la durée de la période de croissance. L'épaisseur d'un cerne représente assez précisément la pluviosité de l'année. Les cernes sont larges quand les conditions sont favorables — c'est-à-dire pendant les périodes où les pluies sont abondantes et bien réparties ; ils sont étroits en conditions défavorables.

Dans les régions semi-arides, où les pluies sont très faibles, l'examen de l'arbre permet de mesurer le niveau des pluies avec une bonne précision. Le pin à cônes épineux *(Pinus longaeva)*, de la partie occidentale du Grand Bassin, en est un excellent exemple (Figure 27-28). Tous les anneaux de croissance sont différents et leur étude relate une histoire qui remonte à des milliers d'années. L'exemplaire vivant le plus âgé de cette espèce a 4900 ans. Les dendrochronologistes — scientifiques qui font des recherches historiques basés sur les cernes de croissance des arbres — ont pu combiner des échantillons de bois provenant d'arbres vivants et morts ; ils ont ainsi construit une séquence continue de cernes qui remonte à 8200 ans. On a également constaté que l'épaisseur des cernes de croissance du pin à cônes épineux aux hautes altitudes (à la limite de la végétation arbores-

(a)

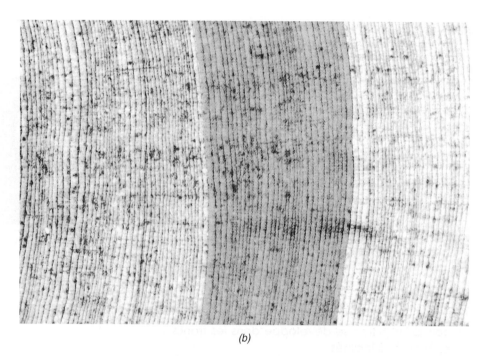

(b)

est étroitement liée aux modifications de la température, qui ont une influence décisive sur la durée de la période de la végétation dans les climats alpins. L'épaisseur moyenne des anneaux de ces arbres est le reflet fidèle des températures et des conditions climatiques du passé. Dans les Montagnes Blanches de Californie, par exemple, les étés furent relativement chauds de 3500 à 1300 avant notre ère et la limite des arbres se trouvait alors environ 150 mètres plus haut qu'aujourd'hui. Les étés sont devenus plus frais de 1300 à 200 avant J.-C.

Pour distinguer les couches de croissance dans le bois, on se base sur la différence de densité du bois produit entre le début et la fin de la période de croissance (Figures 27-21, 27-24 et 27-25). Le **bois de printemps** est moins dense (les cellules sont plus grandes et les parois proportionnellement plus minces) que le **bois d'été** (dont les cellules sont plus petites et les parois proportionnellement plus épaisses). Dans un cerne particulier, le passage du bois de printemps au bois d'été peut être progressif et presqu'imperceptible. La transition est par contre brutale et facile à distinguer à la limite entre le bois d'été d'un anneau et le bois du printemps suivant.

Dans certains bois d'angiospermes, les différences de taille entre les vaisseaux, ou pores, des bois de printemps et d'été sont très marquées, les pores étant nettement plus grands dans le premier que dans le second. (Le terme « pore » est utilisé par les anatomistes du bois pour désigner un vaisseau observé en coupe transversale.) On dit que ces bois ont une **porosité annelée** (Figures 27-24a et 27-25a). Dans d'autres, la distribution et le diamètre des pores sont assez uniformes dans l'ensemble de l'anneau de croissance. On dit que ces bois ont une **porosité diffuse** (Figure 27-24b). Dans les bois à porosité annelée, la quasi-totalité de l'eau est transportée par l'assise de croissance la plus externe, à des vitesses environ dix fois plus grandes que dans les bois à porosité diffuse.

Contrairement à l'aubier, le bois de cœur n'intervient pas dans la conduction

En vieillissant, le bois perd progressivement ses fonctions de conduction et de stockage. Il se modifie cependant souvent d'abord de façon visible ; ces modifications impliquent la disparition des matières de réserve et une imprégnation par diverses substances (comme des huiles, des gommes, des résines et des tannins) qui le colorent et le rendent parfois aromatique. Ce bois, souvent plus foncé, non conducteur, est appelé **bois de cœur**, ou **duramen**, alors que le bois généralement plus clair, qui transporte la sève, est l'**aubier** (Figure 27-12). On suppose que la production du bois de cœur permet d'extraire des régions en cours de croissance des métabolites secondaires qui pourraient avoir une influence inhibitrice ou même être toxiques pour les cellules vivantes. L'accumulation de ces substances dans le bois de cœur entraîne la mort des cellules vivantes dont il était formé.

Les proportions respectives d'aubier et de bois de cœur et la différence d'aspect entre les deux bois varient beaucoup d'une espèce à l'autre. Certains arbres, comme l'érable (*Acer*), le bouleau (*Betula*) et le frêne (*Fraxinus*) possèdent un aubier épais ; l'aubier est mince chez d'autres, par exemple chez le robinier (*Robinia*), le catalpa (*Catalpa*) et l'if (*Taxus*). Chez d'autres arbres encore, comme les peupliers (*Populus*), les saules (*Salix*) et les sapins (*Abies*), il n'existe pas de distinction nette entre l'aubier et le bois de cœur.

Dans beaucoup de bois, des thylles se forment dans les vaisseaux non fonctionnels (Figure 27-29). Les thylles sont des excroissances en forme de ballonnets ; ils proviennent de cellules parenchymateuses axiales ou radiales et traversent la paroi d'un vaisseau en passant par les ponctuations. Ils peuvent obturer complètement le vaisseau. Les thylles sont souvent induits prématurément et artificiellement par des agents pathogènes ; ils peuvent constituer un mécanisme de défense empêchant la dissémination du pathogène dans l'ensemble de la plante via le xylème.

Figure 27-29

Les thylles sont des excroissances de cellules parenchymateuses qui obturent partiellement ou totalement la lumière d'un vaisseau. Coupes transversale **(a)** et longitudinale **(b)** montrant des thylles dans des vaisseaux de chêne blanc *(Quercus alba)* observés au microscope optique.

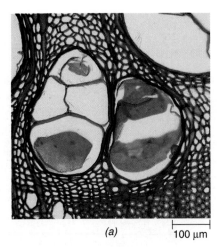

(a)   100 µm

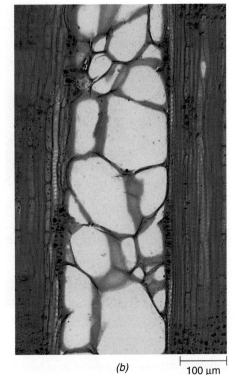

(b)   100 µm

Le bois de réaction se développe dans les troncs et les branches inclinés

La production du **bois de réaction** est sensée résulter de la tendance d'une branche ou d'un tronc à contrebalancer la force induite par sa position inclinée. Chez les conifères, le bois de réaction se développe à la partie inférieure de la portion inclinée ; on parle alors de *bois de compression*. Il se forme à sa partie supérieure chez les angiospermes, et l'on parle alors de *bois de tension*.

Le bois de compression provient d'une activité accrue du cambium localisé à la partie inférieure de la tige courbée et il se caractérise par la formation de cernes de croissance excentriques. Les cernes sont généralement beaucoup plus épais du côté inférieur que du côté supérieur (Figure 27-30). Le bois de compression renforce ainsi le tronc ou la branche en les développant ou en les poussant vers le haut. Le bois de compression est plus riche en lignine et plus pauvre en cellulose que le bois normal et son retrait au séchage est souvent au moins dix fois plus au élevé que celui du bois normal (Le retrait du bois normal ne dépasse généralement pas 0,1 à 0,3%). La différence de retrait au séchage du bois de compression et du bois normal est souvent la cause de la courbure ou de la torsion des planches.

Le bois de tension provient d'une activité accrue du cambium à la partie supérieure de la branche ou du tronc et, comme pour le bois de compression, on le reconnaît à la présence de cernes de croissance excentriques. Pour renforcer la tige, le bois de tension doit exercer une traction ; d'où le terme « bois de tension ». Un examen microscopique de coupes du bois est nécessaire pour identifier le bois de tension avec précision. D'un point de vue anatomique, sa principale caractéristique est la présence de fibres gélatineuses — fibres peu ou pas lignifiées dans lesquelles une partie de la paroi secondaire a un aspect gélatineux. Le retrait longitudinal du bois de tension dépasse rarement 1 %, mais les planches qui en possèdent se déforment au séchage. Si les grumes sont sciées quand elles sont encore vertes, le bois de tension provoque des déchirures dans les faisceaux de fibres et donne aux planches un aspect laineux.

Figure 27-30

Bois de réaction chez un conifère. Coupe transversale dans le tronc d'un pin *(Pinus* sp.) montrant le bois de compression, dont les anneaux de croissance sont plus épais du côté inférieur.

L'apparence extérieure du bois est très variable

L'aspect du bois dépend de plusieurs facteurs, comme la couleur, le grain, la texture et le dessin. Certaines de ces caractéristiques ne sont pas seulement utiles pour identifier les différentes sortes de bois, mais elles sont également à la base de leur valeur décorative.

La **couleur** du bois est variable aussi bien entre différentes sortes de bois qu'au sein d'une espèce. La couleur du bois de cœur peut être importante pour l'identification d'un bois particulier et elle contribue à son attrait esthétique. Le bois de cœur d'une belle couleur chocolat ou brun pourpre du noyer noir *(Juglans nigra)* et le bois rouge-brun du cerisier noir *(Prunus serotina)* sont des exemples de matériaux appréciés de longue date pour les meubles de haute qualité.

Le **fil** du bois se réfère à l'orientation des éléments du xylème, ou des composants axiaux — fibres, trachéides, cellules parenchymateuses et éléments de vaisseaux — considérés dans leur ensemble. L'orientation des composants axiaux est la conséquence de l'orientation des initiales fusiformes qui les ont produits. Si tous les éléments sont parallèles à l'axe longitudinal d'un morceau de bois, on dit que le fil est *droit*. Si l'orientation ne correspond pas à l'axe longitudinal de la pièce, on dit que le fil du bois est *tordu*. On parle de bois à *fibres torses* lorsque les éléments d'un tronc d'arbre ont une orientation spiralée et semblent torsadés après l'enlèvement de l'écorce (Figure 27-31). Si l'orientation de la spirale s'inverse à des intervalles plus ou moins réguliers sur un même rayon, on dit que les fibres sont *entrecroisées*.

Le **grain** du bois concerne la taille relative et la diversité des éléments à l'intérieur des zones de croissance. Un grain *grossier* peut provenir de la présence de bandes étendues de vaisseaux volumineux et de rayons larges, comme dans certains bois composés d'anneaux poreux ; le grain est *fin* si les vaisseaux sont petits et les rayons étroits. Le grain est *uniforme* si toutes les cellules ont la même taille — il n'y a pas de différence apparente entre les bois de printemps et d'été. Le grain est *hétérogène* si les bois de printemps et d'été sont différents dans les anneaux de croissance.

Le **dessin** concerne l'ornementation des surfaces longitudinales du bois. Dans un sens plus restreint, le terme « dessin » s'applique aux bois plus décoratifs, comme l'érable ondé, recherché pour le mobilier et l'ébénisterie. Le dessin dépend du fil et du grain, ainsi que de l'orientation de la surface au sciage.

Par rapport au rayon du tronc, il existe deux manières différentes de le débiter en planches (Figure 27-32). Dans le premier cas, le bois est tranché de telle manière que les faces de la planche soient plus ou moins parallèles au plan tangentiel-longitudinal du tronc. On dit que les planches sciées tangentiellement sont débitées « **sur dosse** ». Dans les sciages sur dosse, les cernes de croissance apparaissent comme des bandes ondulées présentant des dessins agréablement variés. On les utilise pour les panneaux décoratifs, mais ils peuvent se déformer si les planches sont plus épaisses. Dans l'autre mode de sciage, le tronc est scié longitudinalement en passant par le centre. Les planches sciées radialement sont débitées « **sur quartier** ». Dans ce type de bois, les anneaux de croissance sont représentés par des lignes parallèles qui courent tout au long de la planche, les rayons leur étant perpendiculaires. Les sciages sur quartier s'avèrent généralement meilleurs pour la plupart des utilisations du fait que les surfaces radia-

Figure 27-31

Tronc mort de chêne *(Quercus alba)* dont l'écorce est tombée, montrant le fil tordu du bois.

les ont des caractéristiques plus uniformes pour le travail et la finition et que les planches ne se déforment pas. Ce type de sciage demande cependant plus de temps et produit souvent plus de déchets que le sciage sur dosse.

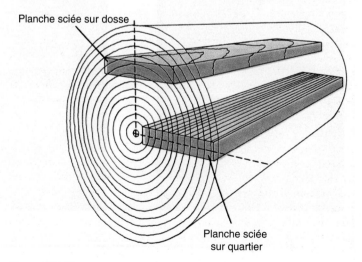

Planche sciée sur dosse

Planche sciée sur quartier

Figure 27-32

Planches sciées sur dosse et sur quartier. Dans les planches sciées sur dosse, les cernes de croissance sont à peu près parallèles aux larges faces de la planche. Dans les planches sciées sur quartier, ils sont plus ou moins parallèles aux larges faces.

LA VÉRITÉ SUR LES NŒUDS

Un grand nombre de branches se développent habituellement sur le tronc des jeunes arbres et pourtant aucune ne s'observe la plupart du temps à la partie inférieure du tronc des arbres plus âgés. Que deviennent les branches des jeunes troncs d'arbres ? En supposant qu'elles persistent sur l'arbre, elles sont enfouies dans le tronc au cours de son développement et forment des nœuds.

Les branches proviennent des bourgeons et, tant qu'elles sont en vie, elles s'allongent et s'épaississent périodiquement, exactement comme le tronc dans lequel elles sont enfer-

mées. Le cambium de la branche vivante est en continuité avec celui du tronc. Pendant les périodes d'activité cambiale, du bois nouveau s'ajoute donc sous la forme d'une couche continue dans la branche et dans le tronc, fixant fermement le nœud au bois du tronc (a). On dit que ces nœuds sont solides (c). Ils peuvent rester en place lors du sciage du tronc.

Quand une branche meurt, elle cesse de croître et elle est enrobée, avec son écorce, dans le bois du tronc qui poursuit son développement. Etant donné que son cambium ne fonctionne plus, il n'existe plus, à partir de ce point,

de continuité entre la branche et le tronc (b). La branche morte peut perdre son écorce mais, si elle reste sur le tronc, elle sera enrobée dans le bois et formera un nœud. Ces nœuds sont des nœuds libres ; ils peuvent tomber du bois scié (d), (e). Le bois des branches mortes se modifie parfois, des substances sont produites et rendent les nœuds extrêmement durs et le bois très difficile à travailler à la main. D'autre part, les bois qui possèdent des nœuds apparents, comme le pin noueux, sont appréciés pour leur valeur décorative.

Coupes radiales d'un bois contenant des nœuds **(a)** Tronc avec un nœud solide. Le cambium et les anneaux de croissance sont continus entre le bois et nœud. **(b)** Le tronc après la mort de la branche. Le trait interrompu de gauche recoupe la région où le nœud est solide. Celle de droite passe par la zone du nœud libre

Portions différentes d'un même nœud dans le bois de pin de Weymouth *(Pinus strobus)* : **(c)** nœud libre ; **(d)** nœud solide ; **(e)** le nœud libre a été enlevé du bois.

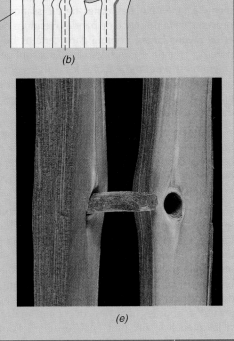

(a)   *(b)*

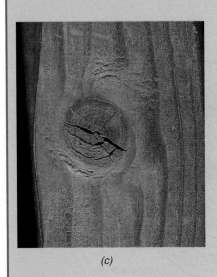

(c)

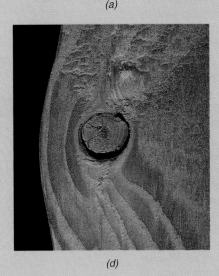

(d)

(e)

La densité et la masse spécifique du bois donnent de bonnes indications sur sa résistance. La densité du bois est le seul critère de résistance important ; on peut l'utiliser pour prévoir des caractéristiques telles que la dureté, la résistance au cloutage et la facilité d'usinage. Les bois denses ont un retrait plus important et se dilatent

généralement plus que les bois légers. En outre, les bois les plus denses constituent un meilleur combustible.

La masse spécifique d'une substance est le rapport entre son poids et celui d'un volume équivalent d'eau. Dans le cas du bois, le poids sec

TABLEAU 27.1
Utilisations des bois communs d'Amérique du Nord

Bois feuillus

Aulne rouge *(Alnus rubra)* - feuillu principal du nord-ouest. Utilisé pour le mobilier, principalement les sièges ; châssis, portes et autres sciages, contreplaqué ; charbon de bois ; importante source de pâte à papier.

Frêne *(Fraxinus americana)* - manches, en particulier les plus longs (pelles, bêches, rateaux) en raison de son fil droit, de sa résistance, de son poids modéré et d'autres qualités ; presque toutes les battes de baseball ; rames, pagaies, cadres des raquettes de tennis, crosses de hockey, meubles de cuisine ; jouets et boisellerie.

Tilleul *(Tilia americana)* - panneaux de contreplaqué utilisés pour les fonds de tiroirs et autres parties cachées des meubles ; copeaux d''emballage ; châssis, portes et autres sciages ; touches de piano, caisses et palettes ; cassettes et cercueils.

Hêtre *(Fagus americana)* - un des trois plus importants feuillus du nord, les autres étant le bouleau et l'érable à sucre. Utilisé pour les sciages plats, surtout les parquets ; panneaux ; bois de feu ; distillation du bois pour la production d'acide acétique, méthanol et autres substances chimiques ; meubles de cuisine ; jouets et boisellerie.

Bouleau *(Betula alleghanensis)* - panneaux ; meubles ; jouets et boisellerie ; instruments de musique ; caisses et paniers.

Cerisier noir *(Prunus serotina)* - très beau bois d'ébénisterie ; meubles précieux ; blocs d'imprimerie auxquels sont fixés les électrotypes ; mécanismes de piano ; boiseries d'intérieur ; panneaux ; poignées ; jouets et boisellerie.

Peuplier *(Populus deltoides)* - pâte à papier de haute qualité destiné aux livres et périodiques ; parties cachées des meubles ; copeaux d'emballage ; casiers et caisses pour produits alimentaires ; caisses et palettes.

Orme *(Ulmus* spp.)* - possède des fibres entrecroisées ; il est par conséquent difficile à fendre. Utilisé pour les douves de tonneaux et les caisses ; panneaux pour le transport des fruits et légumes et boîtes à fromage rondes ; parties courbées des meubles ; boiseries d'intérieur.

Pecan, pacanier *(Carya cordiformis)* - manches d'outils, en particulier pour cognées, pioches et marteaux ; échelles ; mobilier ; sciages ; apprécié pour le fumage ; bois de feu de première qualité.

Robinier *(Robinia pseudoacacia)* - bois de mine ; traverses de chemin de fer ; piquets de clôture ; bois de construction, lorsque la résistance et la solidité sont requises.

Érable à sucre *(Acer saccharum)* - panneaux ; traverses de chemin de fer ; bois de feu ; mobilier ; parquets, particulièrement les pistes de bowling et de danse ; jouets et boisellerie ; instruments de musique.

Chênes *(Quercus rubra* et *Q.alba)* - traverses de chemin de fer ; panneaux ; parquets, châssis, portes et autres sciages ; bois de feu ; construction navale ; cassettes et cercueils ; tonneaux de chêne blanc pour le vieillissement du vin et du whisky.

Plaqueminier *(Diospyros virginiana)* - tête des clubs de golf ; boîtes et caisses ; poignées.

Platane *(Platanus occidentalis)* - possède des fibres entrecroisées. Utilisé en panneaux ; caisserie ; boiseries et panneaux d'intérieur ; parquets ; étals de boucher ; parties cachées du mobilier.

Noyer *(Juglans nigra)* - le bois d'ébénisterie le plus précieux des États-Unis continentaux ; placages extérieurs des contreplaqués utilisés en ébénisterie ; utilisé en bois massif pour les tables et chaises de haute qualité ; le meilleur bois pour les crosses de fusil ; coffrets et cercueils.

Tulipier de Virginie *(Liriodendron tulipifera)* - panneaux de contreplaqué utilisés en finition d'intérieur, meubles et ébénisterie ; pâte à papier ; caisses et palettes ; châssis, portes et autres sciages.

Résineux

« Cèdre » *(Thuja plicata)* - bois le plus utilisé pour les bardeaux ; perches et poteaux ; construction navale, charpente de serres, panneaux de couverture extérieure ; châssis et portes ; sciages et finition intérieure ; coffrets et cercueils.

Douglas *(Pseudotsuga menziesii)* - Les forêts de l'ouest des États-Unis sont composées pour 50 % de douglas, qui produit à lui seul plus de bois que toute autre espèce indigène. Utilisé dans la construction, y compris les panneaux de contreplaqué ; traverses de chemin de fer ; bois de mine ; pâte à papier ; caisses et palettes ; construction navale.

Tsuga *(Tsuga canadensis)* - pâte à papier ; construction en général ; boîtes et caisses ; châssis et portes ; meubles de cuisine ; tannins pour le tannage du cuir.

Pins *(Pinus taeda)* - finition intérieure, charpentes et châssis ; lambris, poutres et support de parquets.

(Pinus ponderosa) - caisses et palettes ; châssis, portes et autres sciages ; construction ; bois tourné (pilastres, rampes, colonnes d'entrée) ; perches ; jouets ; coffrets et cercueils.

(Pinus elliottii) - pâte à papier ; bois lourds ; traverses de chemin de fer ; panneaux ; térébenthine et colophane ; boîtes ; paniers et caisses.

(Pinus lambertiana) - caisses et palettes ; châssis, portes et autres sciages ; enseignes ; touches de piano et tuyaux d'orgues.

(Pinus monticola) - allumettes ; caisserie, construction ; châssis, portes et autres sciages ; âme des contreplaqués, surtout utilisés en dessus de table.

Séquoia *(Sequoia sempervirens)* - nombreuses utilisations en construction ; construction navale ; mobilier de jardin ; bardeaux et lattis ; cassettes et cercueils.

Épicéa *(Picea rubens)* - principalement utilisé pour la pâte à papier ; caisse de résonnance pour instruments de musique ; pagaies et rames ; montants d'échelles ; construction navale ; caisses et palettes.

est utilisé pour déterminer sa masse spécifique :

$$\text{Masse spécifique} = \frac{\text{masse du bois séché à l'étuve}}{\text{masse du volume d'eau déplacé}}$$

La masse spécifique d'une substance ligneuse pleine sèche (c'est-à-dire de matière sèche composée uniquement de parois cellulaires) est d'environ 1,5 chez toutes les plantes. La différence de masse spécifique entre les bois dépend donc de la proportion de matière pariétale par rapport à la lumière (espace entouré par la paroi cellulaire).

Les fibres ont une importance particulière dans la détermination de la masse spécifique. Si les parois sont épaisses et les lumières étroites, la masse spécifique est élevée. Inversement, la masse spécifique sera plus faible si les fibres ont des parois minces et une lumière large. La présence de nombreux vaisseaux à parois minces tend également à réduire la masse spécifique.

La *densité* s'exprime par une masse par unité de volume, c'est-à-dire en grammes par centimètre cube. L'eau a une densité de 1 g/cm^3. Un bois pesant 0,5 g/cm^3 est donc deux fois moins dense que l'eau et sa masse spécifique est de 0,5. D'après le *Guinness Book of World Records,* le bois de fer noir *(Olea capensis)* d'Afrique du Sud est le bois le plus lourd (1,49 g/cm^3) et *Aeschynomene hispida* de Cuba est le plus léger (0,044 g/cm^3). Leurs masses spécifiques respectives sont donc de 1,49 et 0,044. La masse spécifique de la plupart des bois utilisés industriellement est comprise entre 0,35 et 0,65.

On trouvera, dans le tableau 27-1 les usages de quelques bois communs d'Amérique du Nord.

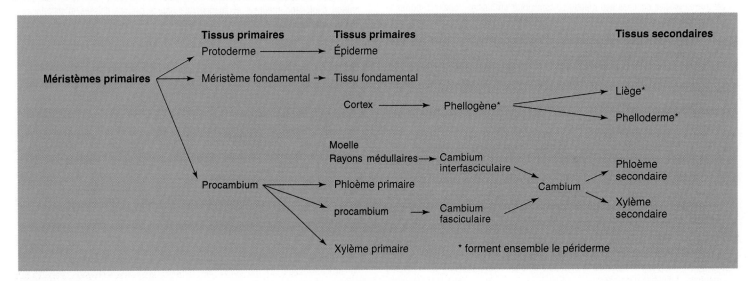

Figure 27-33

Développement de la tige d'une angiosperme ligneuse au cours de sa première année de croissance. (Comparez ce résumé à celui du développement de la racine, figure 25-25).

RÉSUMÉ

La croissance secondaire entraîne un accroissement en largeur des tiges et des racines

Il existe une croissance secondaire (accroissement en largeur des parties de plante dont l'élongation est terminée) chez toutes les gymnospermes et chez la plupart des angiospermes en dehors des monocotylées ; elle implique l'activité des deux méristèmes latéraux — le cambium et le phellogène. Les plantes herbacées peuvent ne manifester qu'une croissance secondaire faible ou nulle, tandis que les plantes ligneuses — les arbres et les arbustes — peuvent poursuivre leur accroissement en largeur pendant de nombreuses années. La figure 27-33 donne un résumé du développement de la tige d'une plante ligneuse, débutant dans le méristème apical et se terminant avec les tissus secondaires apparus au cours de la première année de croissance. Comparez-la au résumé présenté à la figure 25-25 pour le développement de la racine.

Le cambium contient deux types d'initiales — les initiales fusiformes et les initiales des rayons

À la suite de divisions périclines, les initiales fusiformes donnent naissance aux éléments du système axial et les initiales des rayons produisent les cellules des rayons, qui composent le système radial. La circonférence du cambium s'accroît par des divisions anticlines des initiales.

Le phellogène produit le tissu protecteur de la structure secondaire de la plante

Dans la plupart des tiges, le premier phellogène dérive d'une assise cellulaire située immédiatement sous l'épiderme. Le phellogène produit du liège vers l'extérieur et du phelloderme vers l'intérieur. Le périderme est l'ensemble du phellogène, du liège et du phelloderme. La majeure partie du périderme est composée de cellules disposées de façon compacte ; certaines portions isolées, appelées lenticelles, possèdent cependant de nombreux espaces intercellulaires et jouent un rôle important dans les échanges de gaz au travers du périderme.

L'écorce comprend tous les tissus situés en-dehors du cambium

Dans les racines et les tiges âgées, la majeure partie du phloème n'est plus fonctionnelle. Les éléments criblés ont une durée de vie limitée et seule la portion produite en cours d'année contient généralement des éléments criblés participant à la conduction. Après la formation du premier périderme, d'autres ensembles identiques prennent naissance plus profondément dans l'écorce, à partir de cellules parenchymateuses du phloème non fonctionnel.

Le xylème secondaire est le bois

On distingue les bois feuillus et résineux. Tous les résineux proviennent de conifères et les feuillus sont ceux des angiospermes (magnoliidées et dicotylées ligneuses). Les bois de conifères, plus simples que ceux des angiospermes, sont composés de trachéides et de cellules parenchymateuses. Certains possèdent des lacunes résinifères. Les bois d'angiospermes peuvent comporter une combinaison d'une partie au moins des types cellulaires suivants : éléments de vaisseaux, trachéides, différents types de fibres et cellules parenchymateuses.

Les cernes de croissance sont la conséquence de l'activité saisonnière du cambium

Les épaisseurs de croissance correspondant à chaque développement annuel sont appelés cernes, ou anneaux annuels. Il est possible de distinguer les cernes de croissance en se basant sur la différence de densité entre le bois d'été d'un anneau et le bois de printemps du suivant. La densité et la masse spécifique donnent une bonne idée de la résistance du bois. Chez beaucoup de plantes, le bois de cœur, qui n'a plus de fonction conductrice, est nettement distinct de l'aubier resté actif.

Le bois de réaction se développe en réponse à la force induite par l'inclinaison d'une branche ou d'une tige.

Le bois de réaction se développe souvent du côté inférieur des troncs et des branches chez les conifères et à leur partie supérieure chez les angiospermes ; sa production renforce le tronc ou la branche. On parle d'un bois de compression chez les conifères et d'un bois de tension chez les angiospermes.

MOTS CLÉS

QUESTIONS

1. Faites la distinction entre les termes suivants : système axial/système radial ; cambium fasciculaire/cambium interfasciculaire ; rhytidome/liber ; phloème fonctionnel/phloème non fonctionnel.

2. En vous aidant de schémas simples et légendés, comparez la structure d'une racine et d'une tige ligneuses de dicotylée à la fin de la première année de croissance. La racine est supposée triarche et le système conducteur primaire de la tige est composé de faisceaux libéroligneux indépendants.

3. Si un clou est enfoncé dans un arbre à 1,5 mètre au-dessus du sol et que l'arbre grandit ensuite en moyenne de 60 centimètres par an, à quelle hauteur environ se trouvera le clou dix ans plus tard. Expliquez votre réponse.

4. Quel est le caractère structural du bois responsable de la distinction entre les cernes de croissance ?

5. Quelle est l'importance des lenticelles pour la plante ?

6. Les termes bois feuillus (« bois durs » en anglais) et bois résineux (bois tendres) n'expriment pas de façon correcte le degré de densité ou de résistance du bois. Expliquez.

7. Il n'est pas toujours possible d'estimer l'âge d'un tronc d'arbre en comptant les cernes annuels. Pourquoi ?

8. Quelle est la « fonction » du bois de cœur d'un arbre ?

9. Citez quelques caractères apparents qui peuvent servir à identifier différents types de bois.

10. Que représentent les nœuds ?

Section 6

PHYSIOLOGIE DES ANGIOSPERMES

Les feuilles vertes de la vigne représentée ci-dessus effectuent la photosynthèse et constituent ainsi son principal producteur de sucres, dont les premiers destinataires sont ses fruits, les raisins. Le jus sucré des raisins peut être extrait, gardé en conditions anaérobies en présence de levure et transformé en vin par fermentation du glucose en éthanol. Les vrilles de la vigne sont des tiges modifiées qui s'enroulent autour de tous les supports qu'elles touchent : ce phénomène est appelé thigmotropisme.

Régulation de la croissance et du développement : les hormones végétales

28

SOMMAIRE

Au cours du développement des plantes, les événements quotidiens deviennent extraordinaires et ce qui est banal nous apparaît miraculeux. Nous trouvons normal que les tiges grandissent, que les fruits mûrissent, que les feuilles tombent et que les graines germent. Mais si nous cherchons à comprendre les mécanismes qui se cachent derrière ces événements, nous découvrons des processus tellement complexes, subtils et précis que nous ne pouvons guère en saisir les détails. Les hormones sont au cœur même de la croissance et du développement des plantes ; ce sont de petites molécules organiques fonctionnant comme signaux chimiques spécifiques entre les cellules. Elles peuvent contrôler la croissance et le développement entre autres grâce à une amplification de leurs effets. Cela signifie qu'une seule molécule d'hormone peut déclencher la prolifération de nombreuses autres molécules qui vont à leur tour modifiier le développement de la cellule. Les hormones interviennent pratiquement dans tous les aspects de la croissance et du développement de la plante.

Ce chapitre débutera par l'étude des cinq groupes principaux d'hormones végétales, en envisageant leur découverte, leurs principaux effets et leurs applications pratiques. Viendra ensuite une discussion des principaux mécanismes moléculaires connus par lesquels les hormones modifient la croissance et le développement. Le chapitre se clôturera par un paragraphe concernant les différentes techniques de laboratoire utilisées pour la manipulation des cellules et des tissus végétaux en vue d'applications pratiques.

POINTS DE REPÈRE

Quand vous terminerez la lecture de ce chapitre, vous devriez pouvoir répondre aux questions suivantes :

- *Quels sont les cinq groupes principaux d'hormones végétales ? Pourquoi faut-il considérer les hormones comme des substances régulatrices plutôt que stimulatrices ?*
- *Quels sont les sites de biosynthèse de chaque groupe principal d'hormones végétales ?*
- *Énumérez quelques actions de chacun des principaux groupes d'hormones végétales.*
- *Quelle est la relation entre la découverte des cytokinines et le développement des cultures de tissus ?*
- *Citez quelques modes d'action des hormones végétales au niveau moléculaire.*
- *Citez quelques techniques utilisées en biotechnologie des plantes destinées à manipuler leur potentiel génétique.*

Pour sa croissance, une plante a besoin de la lumière solaire, du dioxyde de carbone de l'atmosphère et de l'eau et des sels minéraux du sol, en particulier de composés azotés. On a vu, dans la section 5, que la plante ne se contente pas d'accroître sa masse et son volume lorsqu'elle grandit. Elle se différencie, se développe et prend forme en produisant toute une gamme de cellules, de tissus et d'organes. La plupart des détails concernant la régulation de ces processus restent inconnus. Il est clair cependant que le développement normal de la plante dépend de l'action combinée de plusieurs facteurs internes et externes. Les principaux facteurs internes contrôlant la croissance et le développement des plantes sont de nature chimique : ils feront l'objet de ce chapitre. Certains facteurs externes — comme la lumière, la température, la longueur du jour et la pesanteur — affectant la croissance des plantes seront abordés au chapitre 29.

Les hormones végétales, ou phytohormones, sont des substances organiques qui jouent un rôle essentiel dans la régulation de la crois-sance. Certaines sont produites dans un tissu et transportées vers un autre, où elles génèrent des réactions physiologiques spécifiques. D'autres hormones agissent à l'intérieur du tissu qui les produit. Dans les deux cas, ces signaux chimiques transmettent une information concernant le stade de développement ou la physiologie des cellules, des tissus et parfois même d'organes situés à longue distance. Les hormones sont actives à très faibles concentrations. Dans la tige d'ananas (Ananas comosus) par exemple, on ne trouve que 6 microgrammes d'une hormone végétale commune, l'acide indole-acétique, par kilogramme de tissu végétal. Un physiologiste a eu l'idée de calculer que le rapport entre le poids de l'hormone et celui de la tige feuillée peut être comparé au poids d'une aiguille dans 20 tonnes de foin.

Le terme **hormone** dérive du grec *hormein*, qui signifie « mettre en mouvement ». Il est cependant clair actuellement que certaines hormones ont des effets inhibiteurs. D'autre part, plutôt que de considérer les hormones comme des stimulateurs, il vaut mieux les considérer

TABLEAU 28.1

Nature, localisation et effets des hormones végétales

Hormone(s)	Nature chimique	Sites de biosynthèse	Transport	Effets
Auxines	L'acide indole-3-acétique est la principale auxine naturelle. Elle est surtout synthétisée à partir du tryptophane.	Principalement dans les primordiums foliaires et les jeunes feuilles, ainsi que dans les graines en développement.	L'AIA est transporté de cellule en cellule et le transport est unidirectionnel (polaire).	Dominance apicale ; réponses aux tropismes ; différenciation du tissu conducteur ; promotion de l'activité cambiale ; induction des racines adventives sur les boutures ; inhibition de l'abscission des feuilles et des fruits ; stimulation de la synthèse d'éthylène ; inhibition ou promotion (chez l'ananas) de la floraison ; stimulation du développement des fruits.
Cytokinines	Composés phényl-urée dérivés de N^6-adénine. La zéatine est la cytokinine la plus commune chez les plantes.	Principalement dans les pointes de racines.	Les cytokinines sont transportées par le xylème des racines jusqu'aux tiges feuillées.	Division cellulaire ; favorise la formation de tiges feuillées dans les cultures de tissus ; retarde la sénescence des feuilles ; l'application de cytokinine peut libérer les bourgeons latéraux de la dominance apicale.
Ethylène	Le gaz éthylène (C_2H_4) est synthétisé à partir de méthionine. C'est le seul hydrocarbure possédant un effet prononcé chez les plantes.	Dans la plupart des tissus ; en réponse aux stress, particulièrement dans les tissus en cours de sénescence et de maturation.	Étant un gaz, l'éthylène se déplace par diffusion à partir de son site de synthèse.	Maturation des fruits (en particulier chez les fruits climatériques tels que les pommes, les bananes et les avocats) ; sénescence des feuilles et des fleurs ; abscission des feuilles et des fruits.
Acide abscissique	« Acide abscissique » est un nom mal choisi pour cette substance qui n'a pas grand chose à voir avec l'abscission. L'acide abscissique est synthétisé à partir d'acide mévalonique.	Dans les feuilles adultes, particulièrement en réponse au stress hydrique. Peut être synthétisé dans les graines.	L'ABA est exporté à partir des feuilles par le phloème.	Fermeture des stomates ; induction du transport des produits de la photosynthèse des feuilles vers les graines en développement ; induction de la synthèse des protéines de réserve dans les graines ; embryogenèse ; peut affecter l'induction et le maintien de la dormance dans les graines et les bourgeons de certaines espèces.
Gibbérellines	L'acide gibbérellique (GA_3), produit par des champignons, est le plus commun. GA_1 est probablement la gibbérelline la plus importante chez les plantes. Les GA sont synthétisées à partir d'acide mévalonique.	Dans les tissus jeunes de la tige et les graines en développement. Sa synthèse dans les racines n'est pas certaine.	Les GA sont probablement transportés par le xylème et le phloème.	Élongation excessive des tiges par stimulation de la division et de l'élongation des cellules, aboutissant à des plantes géantes ; induction de la germination des graines ; stimulation de la floraison chez les plantes à jours longs et plantes bisannuelles ; régulation de la production des enzymes dans les graines des céréales.

comme des régulateurs chimiques. Ce terme aussi doit cependant être précisé, car la réponse à un régulateur particulier ne dépend pas seulement de sa structure chimique, mais également de la manière dont il est « perçu » par le tissu cible. Une même hormone peut induire des réponses différentes dans des tissus différents ou à des étapes différentes du développement d'un même tissu. Les tissus peuvent exiger des quantités différentes d'hormones : on parle alors de différences de **sensibilité**. De cette manière, les systèmes végétaux peuvent faire varier l'intensité des signaux hormonaux en modifiant les concentrations d'hormones ou leur sensibilité aux hormones déjà présentes.

Traditionnellement, cinq classes d'hormones végétales ont retenu l'intérêt : les auxines, les cytokinines, l'éthylène, l'acide abscissique et les gibbérellines (Tableau 28-1). On a constaté plus récemment que les plantes disposent encore d'autres signaux chimiques (Tableaux 28-2). Les brassinolides — molécules organiques complexes apparentées aux stéroïdes animaux — semblent nécessaires à la croissance normale de la plupart des tissus végétaux. L'acide salicylique, dont la structure est semblable à celle de l'aspirine (voir figure 2-31) interviendrait dans des réactions de défense contre les agents pathogènes. On sait aujourd'hui que les jasmonates — substances volatiles connues depuis longtemps parmi les composants des parfums — participent à la régulation du développeemnt des plantes. On sait depuis peu que la tomate *(Lycopersicon esculentum)* utilise un petit peptide, la systémine, comme signal à longue distance pour activer les défenses chimiques à l'égard des herbivores : il est donc possible que les plantes disposent d'un répertoire de signaux chimiques internes beaucoup plus riche qu'on ne le croyait auparavant.

Nous débuterons par les auxines parce qu'il s'agit de la première substance identifiée comme hormone végétale.

Les auxines

Parmi les premières expériences publiées sur les régulateurs de croissance, on peut citer celles qui ont été réalisées par Charles Darwin et son fils Francis et décrites dans « *The power of movement in plants* », publié en 1881. Les Darwin avaient d'abord observé systématiquement la courbure des plantes en direction de la lumière (le phototropisme, voir au chapitre 29) en utilisant des plantules de l'alpiste des Canaries *(Phalaris canariensis)* et d'avoine *(Avena sativa)*. Ils avaient remarqué l'absence de courbure quand la partie supérieur du *coléoptile* (gaine protectrice recouvrant les plantules des graminées) était recouverte d'un cylindre en métal ou en verre noirci (ou d'un segment de plume d'oie noirci) et éclairée latéralement. Si cependant l'extrémité du coléoptile était recouverte d'un cylindre de verre transparent (ou d'un segment de plume d'oie naturel), la courbure se produisait. À partir de ces expériences, les Darwin arrivèrent à la conclusion que « si les plantules sont soumises sans contrainte à une lumière latérale, une influence est transmise de la partie supérieure vers la base et provoque la courbure de cette dernière. » Nous savons aujourd'hui que cette courbure est la conséquence d'une élongation différente des cellules (voir chapitre 29).

Tableau 28.2
Régulateurs de croissance récemment découverts chez les plantes

Régulateur(s)	Nature chimique	Effets
Brassinolides	Stéroïdes	Stimulent la division et l'élongation des cellules ; les mutations d'*Arabidopsis* qui bloquent la synthèse des brassinolides produisent des plantes naines.
Acide salicylique	Composé phénolé	Active les gènes de défense à l'égard des pathogènes.
Jasmonates	Dérivés volatils d'acides gras	Contrôlent la germination des graines, la croissance des racines, l'accumulation des protéines de réserve et la synthèse des protéines de défense.
Systémine	Petit peptide	Produit dans les tissus après leur blessure ; peut induire le fonctionnement des gènes de défense dans des tissus éloignés.

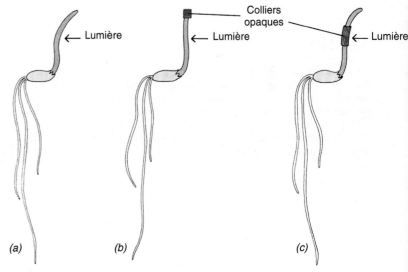

Colliers opaques

← Lumière   ← Lumière   ← Lumière

(a)   *(b)*   *(c)*

Figure 28-1

Expériences des Darwin. **(a)** Les plantules se recourbent normalement en direction de la lumière. **(b)** La courbure ne se manifestait pas si la pointe de la plantule était recouverte d'un collier opaque. (Elle se manifestait si la pointe de la plantule était recouverte d'un collier transparent.) **(c)** La réponse à la lumière était normale lorsqu'un collier opaque était placé sous la pointe. À la suite de ces expériences, les Darwin sont arrivés à la conclusion que la lumière est à l'origine d'une « influence » provoquant la courbure, transmise de l'extrémité de la plantule vers une zone inférieure où la courbure se manifeste normalement.

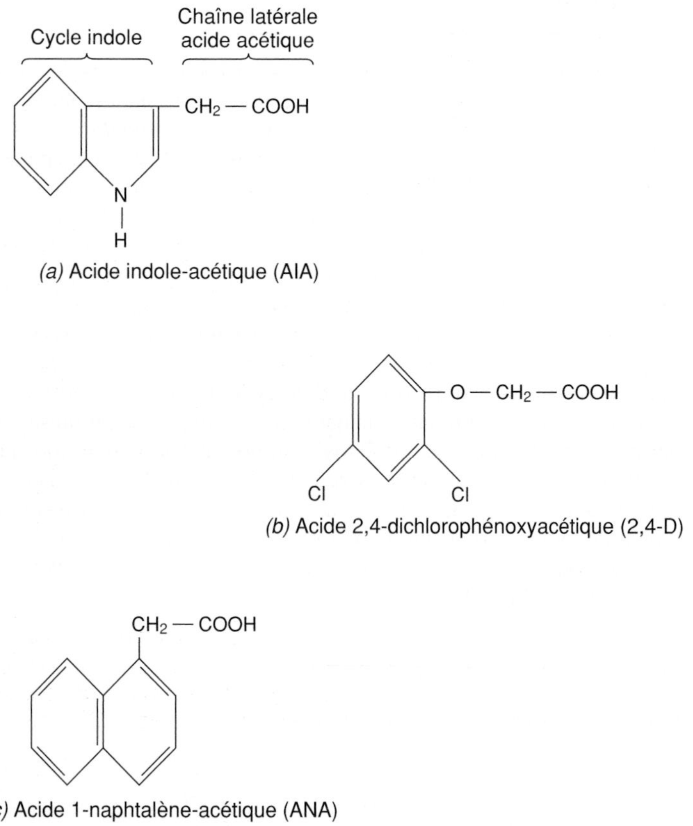

Cycle indole | Chaîne latérale acide acétique

(a) Acide indole-acétique (AIA)

O — CH₂ — COOH

Cl   Cl

(b) Acide 2,4-dichlorophénoxyacétique (2,4-D)

CH₂ — COOH

(c) Acide 1-naphtalène-acétique (ANA)

Figure 28-2

Les auxines. **(a)** L'acide indole-acétique (AIA) est la principale auxine naturelle. **(b)** L'acide dichlorophénoxyacétique (2,4-D) est une auxine de synthèse largement utilisée comme herbicide. **(c)** L'acide naphtalène-acétique (ANA) est une autre auxine synthétique souvent utilisée pour induire la formation de racines adventives dans les boutures et pour limiter la chute des fruits chez les plantes d'intérêt économique. Contrairement à l'AIA, les auxines synthétiques sont difficilement dégradées par les enzymes et les microorganismes naturels et sont donc plus intéressantes pour des applications industrielles.

En 1926, le physiologiste des plantes Frits W. Went réussit à isoler cette « influence » à partir de pointes de coléoptiles d'avoine (*Avena sativa*). Went appela cette substance chimique **auxine**, du grec *auxein*, qui signifie « grandir. »

À la figure 28-2, on voit que la principale auxine naturelle, l'acide indole-acétique (AIA) ressemble beaucoup à un acide aminé, le tryptophane (voir figure 2-15c). Comme le tryptophane, l'AIA est syn-

thétisé à partir de l'indole et certains indices montrent que les plantes peuvent produire l'AIA directement à partir du tryptophane. On a cependant découvert récemment des mutants d'*Arabidopsis* incapables de synthétiser le tryptophane, mais capables de produire l'AIA. Il semble donc que les plantes possèdent plusieurs voies permettant la synthèse de ce régulateur de croissance végétal essentiel. L'auxine est produite dans la pointe du coléoptile des graminées et plus généralement dans les extrémités des tiges. On l'a trouvée dans des pointes de racines, mais tout porte à croire qu'elle n'y est pas produite, mais amenée par le cylindre central. Elle est synthétisée dans les primordiums foliaires et les jeunes feuilles, et on la rencontre également dans les fleurs, les fruits et les graines.

Le transport des auxines est polaire

Dans les tiges comme dans les racines, le déplacement de l'auxine est lent : environ un centimètre par heure seulement. D'autre part, son transport est **polaire**, ou unidirectionnel (Figure 28-3) : il va toujours vers la base **(basipète)** dans les tiges et les feuilles et vers la pointe **(acropète)** dans les racines. Contrairement aux sucres et aux autres solutés, l'auxine n'est pas transportée par les tubes criblés du phloème ou les vaisseaux du xylème, mais par les cellules parenchymateuses du phloème et par celles qui entourent les faisceaux conducteurs. Ces cellules parenchymateuses semblent posséder des transporteurs spécialisés qui font sortir les molécules d'auxine exclusivement par les extrémités basales de ces cellules (Figure 28-3b). L'auxine pouvant diffuser passivement dans les cellules, l'activité de ces transporteurs crée un flux descendant à l'intérieur des tissus. Dans les parties de la plante douées d'une croissance secondaire, l'auxine est en outre transportée par les cellules proches du cambium.

L'auxine joue un rôle dans la différenciation du tissu conducteur

Le gradient d'auxine induit par son transport basipète influence la différenciation du tissu conducteur de la tige au cours de son élongation. Lorsqu'une tige de concombre (*Cucumis sativus*) ou d'une autre dicotylée herbacée est blessée de manière à sectionner et éliminer une partie des faisceaux conducteurs, de nouveaux tissus conducteurs vont se former à partir de cellules de la moelle et relier les faisceaux sectionnés. Cependant, si les feuilles et les bourgeons situés au-dessus de la blessure sont éliminés, la production de nouvelles cellules est retardée. L'application d'AIA sur la tige immédiatement au-dessus de la blessure déclenche la production d'un nouveau tissu conducteur (Figure 28-4). L'auxine joue de même un rôle important pour relier les traces foliaires en développement aux faisceaux de la tige.

Des recherches plus récentes sur des cellules isolées du mésophylle de *Zinnia elegans* ont montré que l'auxine et la cytokinine étaient indispensables à la différenciation des éléments de vaisseaux. De nombreuses cellules de mésophylle isolées se sont différenciées directement en éléments de vaisseaux sans synthèse d'ADN ni cytocinèse. La division cellulaire n'était donc pas un prérequis pour la différenciation. Les résultats de toutes ces études montrent la subtilité du fonctionnement des régulateurs de croissance. Ils soulignent également un fait essentiel : les régulateurs de croissance agissent rarement seuls mais opèrent plutôt de concert avec d'autres régulateurs internes de la croissance et du développement.

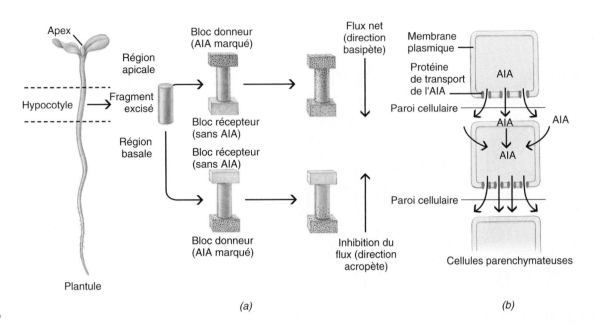

(a)   *(b)*

Figure 28-3

Transport des auxines. **(a)** Preuve expérimentale du transport orienté de l'auxine dans la tige, représentée ici par un segment d'hypocotyle de plantule. Ces segments sont placés entre deux blocs d'agar. Le bloc donneur contient une auxine marquée par radioactivité. L'importance du transport est estimée par l'accumulation de la radioactivité dans le bloc récepteur après un temps donné. Le déplacement basipète est beaucoup plus rapide que le mouvement acropète. **(b)** Mécanisme du transport orienté de l'auxine. L'auxine circule à l'intérieur des cellules en traversant la membrane plasmique sur toute sa surface, mais elle en sort grâce à des protéines de transport localisées exclusivement à la base de chaque cellule parenchymateuse.

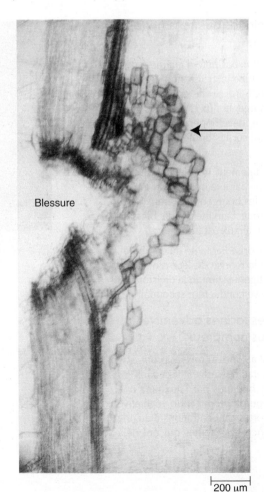

200 µm

Figure 28-4

Coupe longitudinale montrant la régénération du tissu vasculaire (xylème) sept jours environ après une blessure subie par un jeune entrenœud de concombre *(Cucumis sativus)* dont on a éliminé les feuilles et les bourgeons. L'AIA (à 0,1% dans la lanoline) a été appliqué à la partie supérieure de l'entrenœud immédiatement après la blessure. La photographie montre un exemple typique de différenciation du xylème induite par le déplacement basipète de l'auxine.

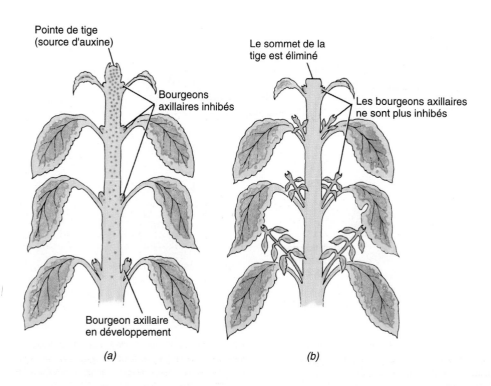

Pointe de tige
(source d'auxine)

Bourgeons
axillaires inhibés

Bourgeon axillaire
en développement

(a)

Le sommet de la
tige est éliminé

Les bourgeons axillaires
ne sont plus inhibés

(b)

Figure 28-5

Dominance apicale chez *Coleus*. **(a)** L'auxine produite dans la pointe de la tige descend et inhibe le développement des bourgeons axillaires. À mesure que la distance entre la pointe de la tige et les bourgeons axillaires augmente — et que la concentration en auxine diminue — les bourgeons sont progressivement libérés de l'inhibition. **(b)** Si la pointe de la tige est éliminée, empêchant ainsi toute nouvelle production d'auxine, les bourgeons axillaires ne sont plus inhibés et commencent à se développer activement.

L'auxine envoie des signaux chimiques qui transmettent des informations à longue distance

Chez beaucoup d'espèces de plantes, le flux basipète d'auxine provenant du bourgeon apical en croissance inhibe la croissance des bourgeons axillaires (latéraux) (voir figure 26-3). Si la croissance est interrompue au niveau du sommet de la tige, le flux d'auxine décroît et les tiges latérales commencent à se développer (Figure 28-5). L'influence inhibitrice du bourgeon apical sur les bourgeons latéraux est la **dominance apicale**.

Il est possible de prouver expérimentalement le rôle de l'auxine dans la dominance apicale. Si l'on élimine par exemple le sommet de la tige d'un haricot *(Phaseolus vulgaris)*, les bourgeons latéraux commencent à se développer. Si l'on applique l'auxine sur la blessure cependant, la croissance des bourgeons latéraux est inhibée.

Chez les plantes ligneuses, l'auxine favorise l'activité du cambium. Au débourrage des bourgeons et lors de la reprise de leur croissance au printemps, l'auxine descend dans les tiges et stimule la division des cellules cambiales et la production du tissu conducteur secondaire.

L'auxine favorise la production des racines adventives et le développement de fruits plus nombreux

La première application pratique de l'auxine a mis à profit son influence bénéfique sur l'initiation des racines adventives dans les boutures (Figure 28-6). Le traitement des boutures par l'auxine a une importance pratique, particulièrement pour la propagation végétative des plantes ligneuses. (L'application de fortes concentrations d'auxine inhibe cependant en général la croissance des racines qui ont déjà commencé à se développer.)

Figure 28-6

Développement des racines adventives. Le pétiole de gauche a d'abord été placé pendant dix jours dans une solution d'auxine synthétique, l'acide naphtalène-acétique (ANA). Le pétiole de la feuille de droite a été mis dans l'eau pure. Notez la croissance des racines adventives sur le pétiole traité à l'hormone.

(a)   (b)   (c)

Figure 28-7

L'auxine, produite par les embryons en développement, favorise le développement des fruits charnus. **(a)** Fraise normale *(Fraga-* *ria ananassa)*, **(b)** fraise (réceptacle) dont toutes les graines ont été éliminées et **(c)** fraise dont on a éliminé une bande horizon- tale de graines. La fraise se serait développée normalement si une pâte contenant l'hormone avait été appliquée à **(b)**.

L'auxine intervient également dans la fructification. Si la fleur n'est pas pollinisée et en l'absence de fécondation, le fruit ne se développe normalement pas. Chez certaines plantes, une seule oosphère fécondée suffit au développement d'un fruit normal mais, chez d'autres, comme les pommes et les melons, où les graines sont nombreuses, plusieurs oosphères doivent être fécondées pour que la paroi ovarique se différencie et devienne charnue. Le traitement des pièces florales femelles (carpelles) de certaines espèces par l'auxine permet d'obtenir des fruits parthénocarpiques (du grec *parthenos*, qui signifie vierge) qui se développent en l'absence de fécondation — par exemple des tomates, des concombres et des aubergines sans graines. La plupart de ces fruits dépourvus de graines conservent cependant des ovules non différenciés.

Les graines en cours de développement sont une source d'auxine. Si l'on élimine toutes le graines au cours du développement du fruit apocarpe du fraisier *(Fragaria ananassa)*, le réceptacle cessera également de croître (En fait, ce sont des petits akènes — fruits monospermes — qui sont éliminés chez le fraisier. La fraise est en réalité un réceptacle charnu.) Si on laisse un petit cercle d'akènes, le réceptacle forme une ceinture bombée dans la zone occupée par les graines (Figure 28-7). L'application d'auxine sur le réceptacle après l'élimination des graines permet à la croissance de se poursuivre normalement.

On utilise des auxines de synthèse pour l'élimination des mauvaises herbes

On a utilisé sur une grande échelle des auxines de synthèse comme l'acide 2,4-dichlorophénoxyacétique (2,4-D) (Figure 28-2) pour le contrôle des mauvaises herbes sur les terres cultivées. D'un point de vue économique, il s'agit de la principale application pratique des régulateurs de croissance chez les plantes. On ne sait pas de façon précise comment ces herbicides tuent les mauvaises herbes. Le 2,4-D n'est pas dégradé dans les plantes aussi rapidement que les auxines naturelles et les concentrations artificiellement élevées de substances auxiniques qui en résultent contribuent certainement à la létalité. Le mécanisme qui entraîne l'élimination de *certaines* mauvaises herbes seulement par les herbicides est également très mal connu. La sélectivité de ces substances à l'égard des plantes à larges feuilles est due en partie à l'absorption plus importante et au transport plus rapide des herbicides dans les mauvaises herbes à larges feuilles que chez les graminées.

On s'est beaucoup intéressé à l'Agent Orange, l'herbicide qui a été le plus fréquemment utilisé comme défoliant au cours de la guerre du Vietnam. L'Agent Orange est un mélange d'esters *n*-butyle du 2,4-D et d'une autre auxine de synthèse, l'acide 2,4,5-trichlorophénoxyacétique (2,4,5-T). Il contient en outre la dioxine 2,3,7,8-TCDD, un contaminant du 2,4,5-T dont la toxicité a été démontrée chez les animaux de laboratoire et chez l'homme. Chez l'homme, le 2,3,7,8-TCDD provoque le chloracné, lésion grave de la peau au niveau de la tête et de la partie supérieure du corps ; d'après les indices positifs provenant d'essais sur les animaux, il est en outre probablement carcinogène pour l'homme. La fabrication et l'utilisation du 2,4,5-T sont interdites aux États-Unis.

Les cytokinines

En 1941, Johannes van Overbeek découvrit que le lait de coco *(Cocos nucifera)* (qui est un albumen liquide) contenait un facteur de croissance puissant, différent de tout ce que l'on connaissait à l'époque. Ce ou ces facteurs accéléraient considérablement le développement des embyrons végétaux et favorisaient la croissance des tissus et des cellules isolés cultivés in vitro. La découverte de van Overbeek eut deux conséquences : elle donna une impulsion aux recherches sur les tissus isolés de plantes et elle déclencha la recherche d'un autre groupe important de régulateurs de croissance chez les plantes.

Le milieu de base utilisé pour les cultures de tissus végétaux comprend un sucre, des vitamines et différents sels minéraux. Au début des années 1950, Folke Skoog et ses collaborateurs montrèrent qu'un fragment de tige de tabac *(Nicotiana tabacum)* pouvait se développer un certain temps sur ce milieu, mais que sa croissance ralentissait rapidement avant de s'arrêter. Il semblait qu'un stimulus présent dans la tige au départ favorisait la croissance et qu'il s'épuisait par la suite. L'addition d'AIA n'avait pas d'effet. Après l'addition de lait de coco au milieu, les cellules commençaient toutefois à se diviser et la tige de tabac reprenait sa croissance.

Skoog et ses collaborateurs se mirent à l'œuvre afin d'identifier le facteur de croissance du lait de coco. Après bien des années d'effort, ils obtinrent une purification très poussée d'un facteur de croissance, mais ils ne réussirent pas à l'isoler. Changeant alors de méthode, ils testèrent diverses substances dérivées des purines — principalement des acides nucléiques — avec l'espoir de trouver une nouvelle source du facteur de croissance. C'est ainsi que Carlos O. Miller fut amené à découvrir un produit de la dégradation de l'ADN contenant une substance très active dans la promotion de la division cellulaire.

Par la suite, Miller, Skoog et leurs collaborateurs parvinrent à isoler le facteur de croissance à partir d'une préparation d'ADN et à élucider sa nature chimique. Ils appelèrent cette substance *kinétine* et le groupe de régulateurs de croissance auquel elle appartient reçu le nom de **cytokinines** en raison du rôle qu'ils jouent dans la cytocinèse, ou division cellulaire. La figure 28-8 montre que la kinétine ressemble à l'adénine, la base purique qui avait été la clé de sa découverte. La kinétine n'est probablement pas produite naturellement dans les plantes ; c'est une molécule relativement simple et les biochimistes ont bientôt été capables de synthétiser un certain nombre de substances apparentées qui se comportaient comme des cytokinines. Finalement, on a isolé une cytokinine naturelle à partir de grains de maïs *(Zea mays)* ; on l'appele *zéatine* et c'est la plus active des cytokinines naturelles.

On a aujourd'hui isolé des cytokinines à partir de nombreuses espèces différentes de spermatophytes : on les trouve principalement dans les tissus où les divisions cellulaires sont fréquentes, comme les graines, les fruits et les feuilles, ainsi que dans les pointes de racines. On en a trouvé aussi dans le liquide qui s'écoule des blessures, lors de la taille, de crevasses ou d'autres lésions chez de nombreux types de plantes. On a aussi identifié des cytokinines chez deux cryptogames vasculaires, une prêle *(Equisetum arvense)* et une fougère, *Dryopteris crassirhizoma*.

Bien que les applications pratiques des cytokinines ne soient pas aussi étendues que celles de l'auxine, leur importance a été grande dans l'étude du développement des plantes. Les cytokinines sont essentielles pour les cultures de tissus et extrêmement importantes en biotechnologie (voir page 693). Le traitement des bourgeons latéraux par une cytokinine déclenche souvent leur développement, même en présence d'auxine, et modifie ainsi la dominance apicale.

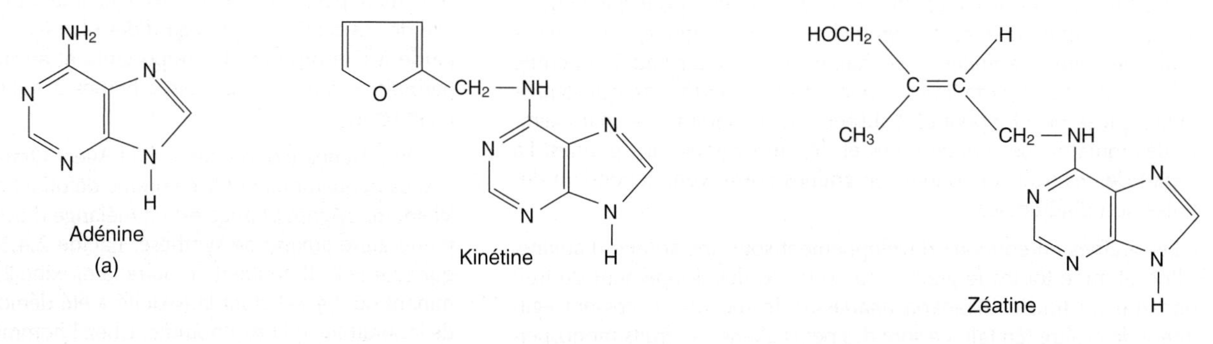

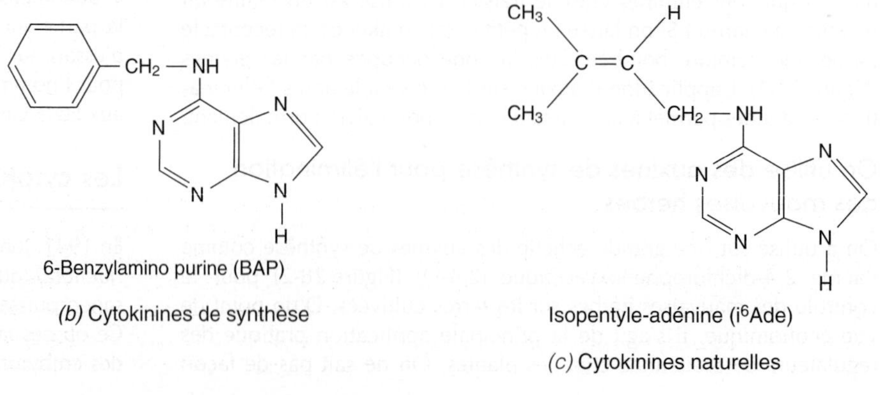

Figure 28-8

Les cytokinines. Notez les ressemblances entre l'adénine **(a)** et ces quatre cytokinines. **(b)** La kinétine et la benzylaminopurine (BAP) sont les cytokinines le plus fréquemment utilisées. **(c)** La zéatine et l'isopentyle-adénine (i^{6}Ade) ont été isolées de plantes.

Adénine (a)

Kinétine

Zéatine

6-Benzylamino purine (BAP)

(b) Cytokinines de synthèse

Isopentyle-adénine (i^{6}Ade)

(c) Cytokinines naturelles

Le rapport cytokinine/auxine régularise la production des racines et des tiges dans les cultures de tissus

Deux voies s'ouvrent apparemment à la cellule végétale indifférenciée : ou bien elle peut grandir, se diviser, grandir et se diviser à nouveau, ou bien elle peut s'allonger sans se diviser. La cellule qui se divise de façon répétée reste essentiellement indifférenciée, méristématique, alors que celle qui s'allonge finira par se différencier. Dans les expériences sur les tissus caulinaires de tabac, l'addition d'AIA aux cultures de tissus entraîne une rapide élongation cellulaire et la production de cellules géantes. La kinétine seule n'a que peu ou pas d'effet. Mais l'AIA associé à la kinétine entraîne rapidement des divisions cellulaires et aboutit à la formation d'un grand nombre de cellules relativement petites et indifférenciées. Autrement dit, les cellules restent méristématiques en présence de certaines concentrations combinées de cytokinine et d'auxine.

En présence d'une forte concentration en auxine, le tissu du cal (indifférencié) donne souvent naissance à des racines. Dans les cals de moelle de tabac, les concentrations relatives en auxine et kinétine déterminent la formation soit de racines, soit de bourgeons (Figure 28-9a). Des racines se forment pour les fortes concentrations en auxine et, aux hautes concentrations en kinétine, ce sont des bourgeons. Si l'auxine et la kinétine sont à peu près à la même concentration, le cal continue de produire des cellules indifférenciées (Figure 28-9b).

Les cytokinines retardent la sénescence des feuilles

Chez la plupart des espèces végétales, les feuilles commencent à jaunir dès qu'elles tombent de la plante. Ce jaunissement, dû à la perte de chlorophylle, peut être retardé par les cytokinines. Les feuilles de *Xanthium strumarium* par exemple jaunissent en dix jours environ si elles sont excisées et posées sur l'eau. En présence de kinétine dans l'eau (10 milligrammes par litre), la feuille garde sa couleur verte et une fraîcheur apparente. Si l'on étend une solution contenant de la kinétine sur des portions limitées de la feuille, ces plages restent vertes, alors que le reste de la feuille jaunit. De plus, si les feuilles traitées contiennent des acides aminés radioactifs, on peut constater que ceux-ci migrent vers les zones traitées par la cytokinine. Une autre démonstartion frappante de l'action des cytokinines sur la longévité des feuilles est donné à la figure 28-30.

Concentration en AIA (mg/l)

(a)

(b)

Figure 28-9

Développement des cals. **(a)** apparition de tiges feuillées et de racines à partir d'un tissu indifférencié — un cal — de carotte *(Daucus carota)* après traitement par une auxine et une cytokinine. En fonction du rapport entre l'auxine et la cytokinine, les cals de différentes plantes vont soit poursuivre leur croissance indifférenciée, soit produire des racines, soit donner des bourgeons et des tiges feuillées.

(b) Des cals de tabac *(Nicotiana tabacum)* cultivés sur agar en présence de différentes concentrations en kinétine sont soumis à des teneurs progressives en AIA. La croissance et la différenciation des organes sont modifiées. On constate une très faible croissance en l'absence d'AIA ou de kinétine (en haut à gauche). Les teneurs les plus élevées en AIA seul (rangées supérieures) favorisent la différenciation des racines, mais elles empêchent la

formation de bourgeons. Les teneurs moyennes ou élevées en kinétine, combinées à de faibles concentrations en AIA, empêchent le développement des racines, mais favorisent proportionnellement l'apparition des bourgeons (rangées moyennes et inférieures, à gauche). Lorsque les concentrations en kinétine et en AIA sont élevées, les cals restent indifférenciés (rangées moyennes et inférieures, à droite).

On peut considérer la sénescence des feuilles détachées comme une conséquence de la présence limitée de cytokinines. Cette interprétation soulève une question importante et encore sans réponse : dans quelle(s) partie(s) de la plante les cytokinines sont-elles synthétisées ? Comme on l'a signalé antérieurement, les cytokinines sont surtout abondantes dans les cellules en division active des graines, des fruits et des feuilles, ainsi que des pointes de racines. Il n'est cependant pas prouvé qu'elles sont synthétisées dans ces organes car il est possible qu'elles y soient transportées à partir d'autres sites. Sur la base de différents arguments, il est presque certain que les pointes de racines interviennent dans leur synthèse. On admet généralement que les cytokinines synthétisées dans les pointes de racines sont transportées ensuite par le xylème vers toutes les autres parties de la plante.

L'éthylène

Bien avant la découverte de l'auxine, on savait que l'éthylène a une action sur les plantes. L'histoire « botanique » de l'éthylène, hydrocarbure simple ($H_2C=CH_2$) remonte aux années 1800, à l'époque où les rues des villes étaient éclairées par des lampes au gaz. En Allemagne, on avait constaté que le gaz d'éclairage s'échappant des conduites provoquait une défoliaison des arbres des avenues.

En 1901, Dimitri Neljubov prouva que l'éthylène était le composant actif du gaz d'éclairage. Il remarqua que les plantules de pois exposées au gaz se développaient horizontalement. Les différents composants du gaz d'éclairage furent testés individuellement et tous se montrèrent inactifs à l'exception de l'éthylène, qui provoquait une réaction pour des concentrations dans l'air ne dépassant pas 0,06 partie par million (ppm). À la suite des découvertes de Neljubov, on se rendit compte que l'éthylène exerce une influence essentielle sur beaucoup, sinon sur tous les aspects de la croissance et du développement des plantes, par exemple sur la croissance de la plupart des tissus, la maturation des fruits, l'abscission des fruits et des feuilles, ainsi que sur la sénescence.

La biosynthèse de l'éthylène débute par un acide aminé, la méthionine, qui réagit avec l'ATP pour produire un composé dénommé S-adénosine-méthionine, ou SAM (Figure 28-10). La SAM est ensuite scindée en deux molécules différentes, dont l'une est l'ACC (1-aminocyclopropane-1-acide carboxylique). Les enzymes du tonoplaste transforment ensuite l'ACC en éthylène, CO_2 et ion ammonium. La production d'ACC semble être l'étape affectée par les traitements (par exemple par les concentrations élevées en auxine, les dégâts dus à la pollution, les blessures) qui stimulent la production d'éthylène.

L'éthylène peut inhiber ou favoriser l'élongation cellulaire

Chez la plupart des espèces végétales, l'éthylène a un effet inhibiteur sur l'accroissement des cellules. La triple réponse des plantules de pois en est un exemple classique. Le traitement par l'éthylène de plantules de pois cultivées à l'obscurité (étiolées) aboutit (1) à une réduction de la croissance en longueur, (2) à un accroissement en largeur plus important des épicotyles et des racines et (3) à l'orientation horizontale des épicotyles observée par Neljubov il y a déjà un siècle (Figure 28-11). L'éthylène induit d'autre part une croissance rapide de

la tige chez certaines plantes semi-aquatiques. Chez les variétés de riz d'eau profonde ou flottantes, la submersion des jeunes plantes durant la mousson déclenche une biosynthèse accrue d'éthylène. L'élongation internodale induite par l'éthylène qui en résulte permet aux plantes de riz de s'adapter à la montée des eaux. Dans certains cas, le riz est même récolté en bateau. Une autre réponse induite par l'éthylène lors de la submersion des plantes mésophytiques est un développement accru des espaces aérifères dans les parties submergées. Ces espaces, ou lacunes aérifères, proviennent d'une dégénérescence des tissus du parenchyme cortical induite par l'éthylène.

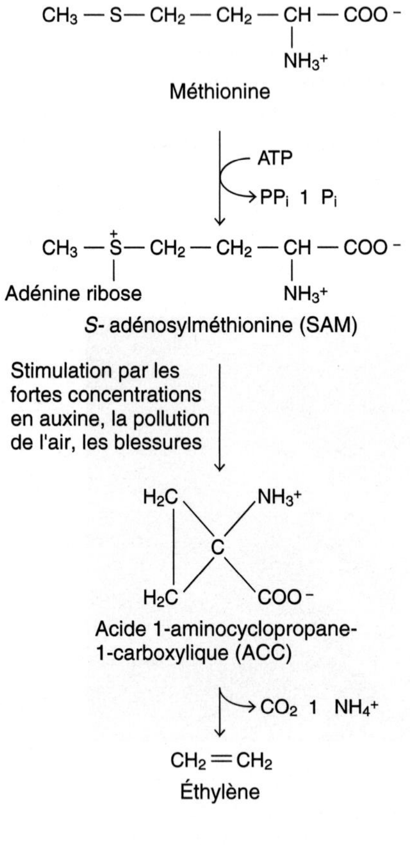

Figure 28-10

Biosynthèse de l'éthylène à partir de la méthionine, son précurseur dans les tissus de plantes supérieures. L'acide 1-aminocyclopropane-1-carboxylique (ACC) est le précurseur immédiat de l'éthylène. L'enzyme qui catalyse la transformation de la SAM en ACC est l'ACC synthétase.

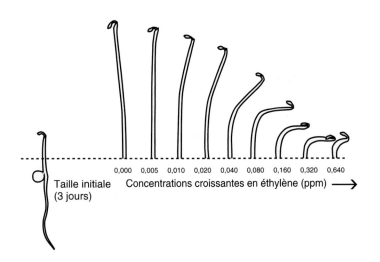

Figure 28-11

Triple réponse des plantules de pois à l'éthylène. On voit l'influence de concentrations croissantes en éthylène sur la croissance de plantules de pois *(Pisum sativum)* cultivées à l'obscurité. On parle d'une réponse triple pour désigner une moindre élongation de l'épicotyle, un épaississement de la tige et une modification de son orientation, qui passe de la verticale à l'horizontale.

L'éthylène joue un rôle dans la maturation des fruits

La maturation du fruit implique un certain nombre de modifications. Dans les fruits charnus, la chlorophylle est dégradée et d'autres pigments peuvent se former et modifier la couleur du fruit. Simultanément, les portions charnues deviennent tendres à la suite d'une digestion enzymatique de la pectine, principal composant de la lamelle mitoyenne de la paroi cellulaire. Au cours de cette même période, les amidons et les acides organiques ou, chez l'avocat *(Persea americana)*, les huiles, par exemple, sont métabolisées en sucres. En raison de ces transformations, les fruits acquièrent un goût agréable, ils deviennent plus visibles et plus donc attractifs pour les animaux qui les consomment et disséminent ainsi les graines.

Au cours de la maturation de nombreux fruits — comme les tomates, les avocats, les pommes et les poires — une consommation accrue d'oxygène traduit une forte augmentation de la respiration cellulaire. On parle d'un stade **climatérique** et l'on dit que ces fruits sont climatériques. (Les fruits dont la maturation est graduelle, comme ceux des citrus, les raisins et les fraises sont non-climatériques.)

Dans les fruits climatériques, ces processus de maturation sont précédés par une augmentation de la synthèse d'éthylène qui est souvent à leur origine. L'influence de l'éthylène sur la maturation des fruits est importante en agriculture. Ce gaz est surtout utilisé pour induire la maturation des tomates récoltées vertes et stockées en l'absence d'éthylène jusqu'à leur commercialisation. On se sert également d'éthylène pour accélérer la maturation des noix et des raisins. Les biotechnologistes sont actuellement capables de modifier génétiquement aussi bien la synthèse de l'éthylène que la sensibilité à

cette substance par les techniques de transfert de gènes (voir figure 28-30).

L'éthylène favorise l'abscission, tandis que l'auxine l'empêche

L'éthylène favorise l'**abscission**, ou chute des feuilles, des fleurs et des fruits chez différentes espèces végétales. Dans les feuilles, il déclenche sans doute l'activité des enzymes responsables de la dissolution des parois cellulaires liée à l'abscission (page 636). On utilise industriellement l'éthylène pour accélérer la chute des cerises, des mûres, des raisins et des myrtilles et permettre ainsi la récolte mécanique. On l'utilise également pour l'éclaircissage dans les vergers industriels de pruniers et de pêchers.

Dans de nombreux systèmes, l'abscission est contrôlée par une interaction entre l'éthylène et l'auxine. Alors que l'éthylène la déclenche, l'auxine réduit apparemment la sensibilité des cellules de la zone d'abscission à l'éthylène et empêche ainsi la chute des organes. Cette propriété de l'auxine a également trouvé des applications pratiques. Le traitement par l'auxine empêche par exemple la chute des fruits des agrumes avant le moment de la récolte. Dans certains cas, les concentrations élevées en auxine stimulent en fait l'abscission, mais on pense que cet effet est dû à une stimulation de la production d'éthylène par l'auxine.

L'éthylène semble jouer un rôle dans l'expression du sexe chez les cucurbitacées

L'éthylène semble jouer un rôle primordial dans la détermination du sexe des fleurs chez certaines plantes monoïques (plantes qui portent des fleurs mâles et femelles sur le même individu). Chez les cucurbitacées (famille des *Cucurbitaceae* ; concombre, courge) par exemple, les teneurs élevées en gibbérellines (voir ci-dessous) favorisent l'apparition de fleurs mâles et les traitements par l'éthylène celle des fleurs femelles. Des recherches effectuées sur les concombres *(Cucumis sativus)* ont montré que les boutons femelles produisaient des quantités plus importantes d'éthylène que les boutons mâles. En outre, les concombres cultivés en jours courts, qui favorisent la formation des fleurs femelles, ont produit plus d'éthylène que ceux qui étaient cultivés en jours longs (voir chapitre 29). Chez les cucurbitacées, l'éthylène semble donc participer à la régulation de l'expression du sexe et il est lié à la différenciation en fleurs femelles.

L'acide abscissique

Dans certaines circonstances, la survie de la plante dépend de sa capacité de réduire sa croissance et ses activités de reproduction. En 1949, Paul F. Wareing a constaté que les bourgeons dormants du frêne et des pommes de terre contenaient de grandes quantités d'un inhibiteur de la croissance qu'il appela *dormine*. Au cours des années 1960, Frederick T. Addicott signala la découverte, dans des feuilles et des fruits, d'une substance capable d'accélérer l'abscission, qu'il appela *abscissine*. On se rendit compte bientôt que l'abscissine et la dormine avaient la même structure chimique. On désigne aujourd'hui cette substance sous le nom d'**acide abscissique**, ou ABA (Figure 28-12). C'est un nom mal choisi, car on sait maintenant que cette substance n'a pas d'influence directe sur l'abscission.

L'acide abscissique inhibe la germination des graines et induit la fermeture des stomates

Les teneurs en acide abscissique augmentent au cours du développement des graines chez de nombreuses espèces végétales. Cette augmentation stimule la production des protéines de réserve de la graine ; elle est également responsable d'un blocage de la germination prématurée. La levée de dormance de nombreuses graines est liée à une diminution des teneurs en ABA. Chez le maïs, on connaît des mutants monogéniques incapables de synthétiser l'ABA ou peu sensibles à l'hormone. En conséquence, les embryons mutants ne sont pas capables d'entrer en dormance et ils germent directement dans l'épi. On dit que ces mutants sont vivipares (Figure 28-13).

L'acide abscissique induit la fermeture des stomates chez la plupart des espèces (voir page 692 et chapitre 31). Sa synthèse étant stimulée par un déficit en eau (stress hydrique), il est très vraisemblable que l'ABA intervient dans la régulation de la transpiration par les stomates. Une expérience confirme ce point de vue : l'application d'ABA à de minces couches d'épiderme prélevées sur les feuilles de différentes plantes entraîne en quelques minutes la fermeture des stomates. De

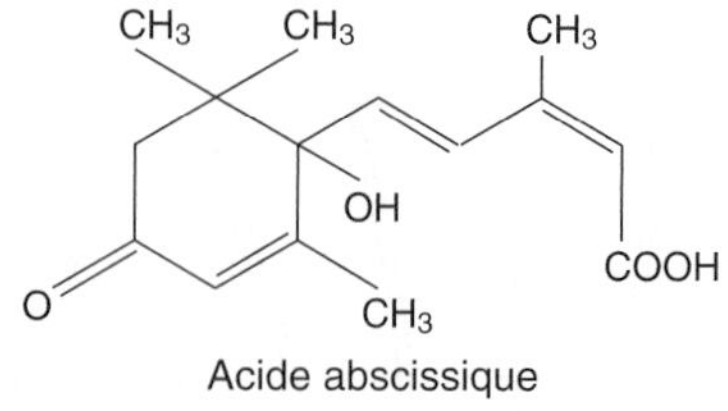

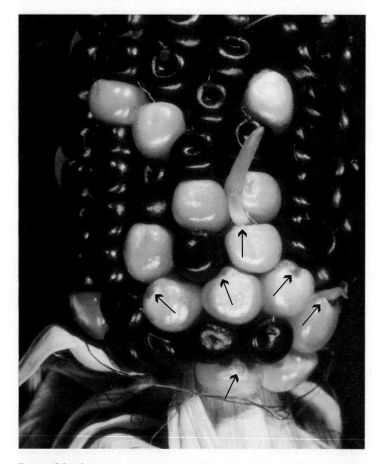

Figure 28-13

Mutants *viviparous*-1 (*vp*1) de maïs *(Zea mays)*. Le gène *vp*1 réduit la sensibilité des embryons mutants à l'ABA. Pour cette raison, le développement des embryons mutants n'est pas inhibé et les graines germent précocement sur la plante (flèches).

Acide abscissique

Figure 28-12

L'acide abscissique. Les applications exogènes d'acide abscissique peuvent inhiber la croissance des plantes, mais cet acide paraît également fonctionner comme promoteur (dans la synthèse des protéines de réserve des graines par exemple).

plus, les mutants incapables de synthétiser l'ABA ont tendance à la fanaison et ne peuvent se développer normalement que dans une atmosphère très humide.

Les gibbérellines

Les débuts de l'histoire des gibbérellines est à mettre exclusivement à l'actif des chercheurs japonais. En 1926, année où Went isolait l'auxine des pointes du coléoptile d'avoine *(Avena)*, E.Kurosawa étudiait au Japon une maladie du riz *(Oryza sativa)* « la maladie de la plantule folle » : elle provoquait une croissance rapide des plantes qui devenaient pâles et prenaient un aspect maladif, puis avaient tendance à verser. Kurosawa découvrit que ces symptômes était dus à une substance produite par un champignon parasite des plantules, *Gibberella fujikuroi*.

La gibbérelline fut nommée et isolée en 1934 par les chimistes T.Yabuta et Y.Sumiki. Cette découverte trouva peu d'écho dans le monde occidental jusqu'après la fin de la seconde guerre mondiale. En 1956, J.MacMillan, en Angleterre, réussit pour la première fois à isoler la gibbérelline à partir d'une plante (la graine du haricot, *Phaseolus vulgaris*). Depuis lors, on a identifié des gibbérellines provenant de nombreuses espèces végétales et l'on croit actuellement que toutes les plantes en possèdent. Elles sont présentes en quantités variables dans toutes les parties de la plante, mais les concentrations les plus élevées se rencontrent dans les graines immatures. On a maintenant isolé et identifié chimiquement plus de 84 gibbérellines. Leur structure diffère peu (Figure 28-14), de même que leur activité biologique. De tout le groupe, la GA_3 (connu sous le nom d'acide gibbérellique) est le mieux connu : il est également produit par le champignon *Gibberella fujikuroi*.

Les gibbérellines ont des effets drastiques sur l'élongation des tiges et des feuilles des plantes intactes en stimulant la division et l'élongation des cellules.

L'application de gibbérelline peut augmenter la taille des mutants nains

La façon la plus claire de mettre en évidence le rôle des gibbérellines sur la croissance de la tige consiste à appliquer ces hormones à une série de mutants nains (Figure 28-15). Traitées par les gibbérellines, ces plantes ne se distinguent plus des individus non mutants, de taille normale : cela montre que ces mutants sont incapables de synthétiser

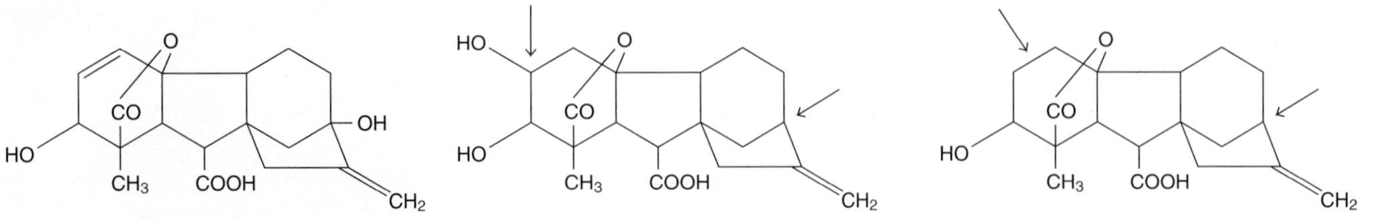

Acide gibbérellique (GA3)

GA₁₃

GA₄

Figure 28-14

Les gibbérellines. Parmi plus de 84 gibbérellines isolées à partir de sources naturelles, on a représenté trois molécules. GA₃ (l'acide gibbérellique) est la plus abondante chez les champignons et elle est biologiquement active dans de nombreux tests. Les flèches indiquent les endroits où se situent les modifications de structure mineures qui distinguent les deux autres gibbérellines, GA₄ et GA₁₃.

Figure 28-15

Effets des gibbérellines sur des mutants nains. Un cultivar nain de haricot *(Phaseolus vulgaris)* a été traité par la gibbérelline (à droite) pour obtenir une croissance normale. La plante de gauche n'a pas été traitée et sert de témoin.

la gibbérelline et que cette hormone est nécessaire à la croissance des tissus. Chez le maïs par exemple, on a identifié quatre types différents de mutants nains : chacun est déficient au niveau d'une étape spécifique de la voie biosynthétique des gibbérellines. Les travaux sur la biochimie des hormones chez ces mutants ont conduit à une conclusion très importante. Même si des plantes de maïs possèdent au moins neuf gibbérellines, seule la molécule finale de la voie métabolique, G_1, peut avoir un effet direct. Les neuf autres doivent être métabolisées plus avant pour induire une réponse (voir l'encadré page 228).

Les gibbérellines interviennent à différents niveaux dans la levée de dormance des graines et dans leur germination

Les graines de beaucoup de plantes doivent passer par une période de dormance avant de pouvoir germer. Dans certains cas, il n'est pas possible de lever la dormance (voir chapitre 29) sans une exposition au froid ou à la lumière. Chez beaucoup d'espèces, comme la laitue, le tabac et l'avoine sauvage, les gibbérellines peuvent suppléer au froid ou à la lumière nécessaires à la levée de dormance et déclencher la croissance de l'embryon et l'émergence de la plantule. Plus précisément, les gibbérellines favorisent l'élongation cellulaire et permettent ainsi à la radicule de traverser le spermoderme ou la paroi du fruit qui empêchent la croissance. Cet effet des gibbérellines a au moins une application pratique. L'acide gibbérellique accélère la germination des graines et assure ainsi une germination uniforme pour le maltage de l'orge en brasserie.

Dans les graines d'orge *(Hordeum vulgare)* et d'autres graminées, une assise spécialisée de cellules d'albumen, appelée couche d'**aleurone** (voir figure 23-8) se trouve immédiatement à l'intérieur du spermoderme. Ses cellules sont riches en protéines. Lorsque débute la germination des graines (déclenchée par l'absorption d'eau), l'embryon libère des gibbérellines qui diffusent dans les cellules d'aleurone et y stimulent la synthèse d'enzymes hydrolytiques. Une de ces enzymes est l'α-amylase, qui hydrolyse l'amidon. Les enzymes digèrent les réserves alimentaires de l'albumen amylacé. Ces matières de réserve sont absorbées par le scutellum sous forme de sucres, acides

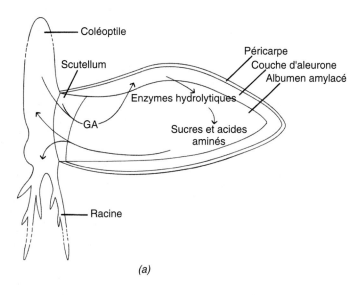

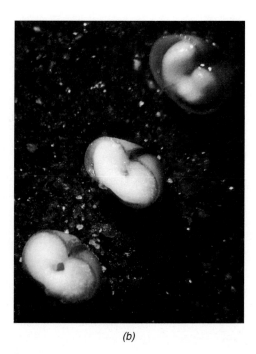

(a)

(b)

Figure 28-16

Action de la gibbérelline sur les grains d'orge. **(a)** La gibbérel-line (GA) produite par l'embryon migre dans la couche d'aleurone et stimule la synthèse d'enzymes hydrolytiques. Ces enzymes sont libérées dans l'albumen amylacé et dégradent ses réserves en sucres et acides aminés solubles et diffusibles. Les sucres et les acides aminés sont ensuite absorbés par le scutellum (cotylédon) et transportés vers la tigelle et la radicule pour assurer leur développement. **(b)** Ces trois caryopses ont été fendus en deux et les embryons ont été prélevés. Vingt-quatre heures avant que soit prise la photographie, le caryopse situé en bas à gauche a été traité par de l'eau pure, celui du centre par une solution contenant une partie de gibbérelline pour un milliard et celui du haut à droite par une solution de 100 parties pour un milliard. La digestion du tissu de réserve amylacé a déjà débuté dans les grains traités.

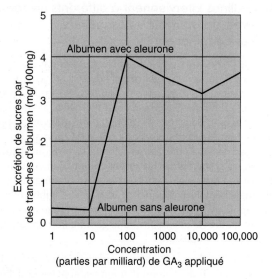

Figure 28-17

Un traitement par l'acide gibbérellique (GA_3) induit la libéra-tion de sucre par l'albumen. Ce diagramme montre que les sucres ne sont produits que si la couche d'aleurone est pré-sente. C'est en fait la couche d'aleurone qui est la source d'α-amylase, enzyme qui digère l'amidon de l'albumen.

aminés et acides nucléiques et transportées ensuite aux zones de croissance de l'embryon (Figures 28-16 et 28-17).

Les gibbérellines peuvent provoquer la montaison et affecter le développement des fruits

Certaines plantes, par exemple les choux (*Brassica oleracea* var.*capitata*) et les carottes (*Daucus carota*), forment des rosettes avant de fleurir. (Dans une rosette, les feuilles se développent, mais les entrenœuds qui les séparent ne s'allongent pas.) Chez ces plantes, la floraison peut être induite par une exposition aux jours longs, au froid (comme chez les plantes bisannuelles) ou aux deux. Après une expo-sition appropriée, les tiges s'allongent — phénomène appelé *montai-son* — et les plantes fleurissent (Figure 28-18). L'application de gibbérelline à ces plantes entraîne la montaison et la floraison sans exposition au froid ou aux jours longs. La montaison s'explique par une augmentation du nombre de cellules et par leur élongation. On peut donc utiliser la gibbérelline pour obtenir une production précoce de graines chez les plantes bisannuelles.

Comme l'auxine, les gibbérellines peuvent entraîner le développe-ment de fruits parthénocarpiques, par exemple des pommes, des gro-seilles, des concombres et des aubergines. Chez certaines espèces, les gibbérellines favorisent le développement des fruits, alors que l'auxine n'est pas efficace : c'est le cas des mandarines, des amandes et des pêches. La principale application commerciale des gibbérelli-nes est cependant la production des raisins de table. Aux Etats-Unis, de grandes quantités d'acide gibbérellique sont appliquées chaque

Figure 28-18

Dans cette rangée de choux *(Brassica oleracea* var. *capitata)*, la plante du centre est montée et a fleuri naturellement. On peut aussi induire artificiellement la montaison et la floraison par un traitement à la gibbérelline.

Figure 28-19

Effet de GA_3 sur la croissance du raisin Thompson Seedless, un cultivar de *Vitis vinifera*. La grappe de gauche n'a pas été traitée ; celle de droite a reçu un traitement par GA_3 : les raisins sont moins serrés et plus volumineux.

année aux raisins Thompson Seedless, un cultivar de *Vitis vinifera*. Le traitement donne des fruits plus volumineux et des grappes moins serrées (Figure 28-19).

Les bases moléculaires de l'action hormonale

Jusqu'à présent, nous avons parlé des hormones végétales en nous intéressant aux conséquences de leur application externe à divers systèmes végétaux. Nous allons à présent examiner un certain nombre de mécanismes moléculaires permettant à ces régulateurs chimiques d'influencer la croissance et le développement et d'entraîner des réponses rapides au niveau cellulaire.

On peut considérer le développement des organes (morphogenèse) comme une série coordonnée de divisions cellulaires suivie d'une élongation. La spécialisation des différents types de cellules de l'organe (différenciation) est la conséquence de l'expression sélective d'un ensemble particulier de gènes présents dans le génome de chaque cellule. Pour que ces processus cellulaires soient coordonnés au cours du développement, il est évident que les cellules individuelles doivent communiquer entre elles. Cette communication est le fait des hormones végétales, qui interviennent dans la coordination de la croissance et du développement en fonctionnant comme messagers chimiques entre les cellules. Les nombreux effets observables des hormones végétales sur le rythme des divisions des cellules, ainsi que sur le degré et l'orientation de leur élongation, apportent une confirmation partielle à cette hypothèse (Tableau 28-3). On dispose en outre d'un nombre croissant d'arguments montrant que les hormones végétales traditionnelles, aussi bien que celles qui ont été récemment découvertes, peuvent agir soit en stimulant, soit en réprimant des gènes nucléaires spécifiques. On constate en fait que beaucoup de réponses aux hormones sont la conséquence de cette expression différentielle des gènes.

TABLEAU 28.3
Influences hormonales sur les processus cellulaires

Hormone(s)	Taux de division cellulaire	Taux d'accroissement cellulaire	Sens de l'accroissement cellulaire	Différenciation (expression des gènes)
Auxines	+	+	Longitudinal	+
Cytokinines	+	Peu ou pas d'effet	Aucun	+
Ethylène	+ ou –	+ ou –	Latéral	+
Acide abscissique	–	–	Aucun	+
Gibbérellines	+	+	Longitudinal	+

Les hormones contrôlent l'expression de gènes spécifiques

La **totipotence** des cellules végétales — c'est-à-dire la capacité de ces cellules de donner naissance à des plantes entières — prouve avec certitude que tous les gènes présents dans le zygote se retrouvent également dans chaque cellule vivante de la plante adulte (voir l'encadré de la page 695). Dans toute cellule cependant, seuls certains gènes sélectionnés s'expriment et sont transcrits en ARNm, puis traduits en protéines. Les protéines spécifiques ainsi produites déterminent l'identité de la cellule. Ce sont des protéines, plus précisément des enzymes, qui catalysent la majorité des réactions chimiques de la cellule et ce sont également des protéines qui constituent ou produisent la plupart des éléments de structure à l'intérieur et autour de la cellule. La structure et le fonctionnement d'une cellule corticale de la racine et d'une cellule du mésophylle de la feuille sont donc différents parce qu'il existe entre elles des différences dans l'expression génique au cours de leur développement.

Les mécanismes moléculaires qui déclenchent et arrêtent les gènes individuels dans le noyau eucaryote ne sont pas entièrement connus. Un certain nombre de principes communs aux plantes et aux animaux commencent cependant à voir le jour (Figure 28-20). Un gène eucaryote est composé d'une *séquence codante*, responsable de la spécificité de la séquence d'acides aminés de la protéine codée par le gène, ainsi que de *séquences régulatrices*, qui sont des régions de l'ADN jouxtant la séquence codante et qui jouent un rôle régulateur dans la transcription du gène. Des protéines, appelées *facteurs de régulation de la transcription*, peuvent s'unir directement à des séquences spécifiques d'ADN à l'intérieur d'une séquence de régulation et activer ou réprimer ce gène particulier.

Les biologistes moléculaires des plantes étudient actuellement un certain nombre de gènes qui sont soit activés, soit réprimés par des facteurs tels que la lumière, les stress environnementaux (voir chapitre 29) et les hormones. Les recherches entreprises sur les effets antagonistes de la gibbérelline (GA) et de l'acide abscissique (ABA) sur la synthèse de l'α-amylase, enzyme qui dégrade l'amidon dans la couche d'aleurone des graines d'orge, sont un exemple classique de la manière dont les hormones contrôlent l'expression des gènes. Si des tissus d'aleurone sont incubés dans un milieu contenant des acides aminés radioactifs et différentes hormones, les acides aminés sont incorporés dans toutes les nouvelles protéines synthétisées au cours du traitement. On peut ensuite mettre en évidence et identifier ces protéines en les séparant en fonction de leur taille par électrophorèse sur gel (page 229), puis détecter les protéines radioactives en utilisant un film pour rayons X. Le traitement des tissus d'aleurone par le GA entraîne une plus grande abondance d'α-amylase. Cet effet est contrecarré par l'application simultanée d'ABA. L'ABA réprime donc l'expression du gène de l'α-amylase, alors que le GA l'active.

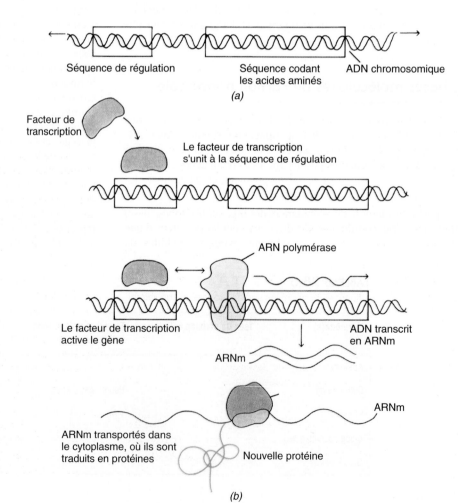

Figure 28-20

Régulation de l'expression génique. **(a)** Chaque gène nucléaire codant une protéine comporte une séquence codant les acides aminés et une séquence régulatrice qui lui est associée et détermine le moment où la séquence codante s'exprime (est transcrite an ARNm). La séquence régulatrice elle-même ne code pas de protéine. **(b)** Une protéine de fixation à l'ADN appelée facteur de transcription s'unit à la séquence régulatrice. Le facteur de transcription active le gène ; cela signifie que l'activité de l'ARN polymérase est stimulée et que l'ADN est transcrit sous forme d'ARNm. Les ARNm sont transférés au cytoplasme et traduits en protéine.

Séquence de régulation   Séquence codant les acides aminés   ADN chromosomique

(a)

Facteur de transcription

Le facteur de transcription s'unit à la séquence de régulation

ARN polymérase

Le facteur de transcription active le gène

ADN transcrit en ARNm

ARNm

ARNm

ARNm transportés dans le cytoplasme, où ils sont traduits en protéines

Nouvelle protéine

(b)

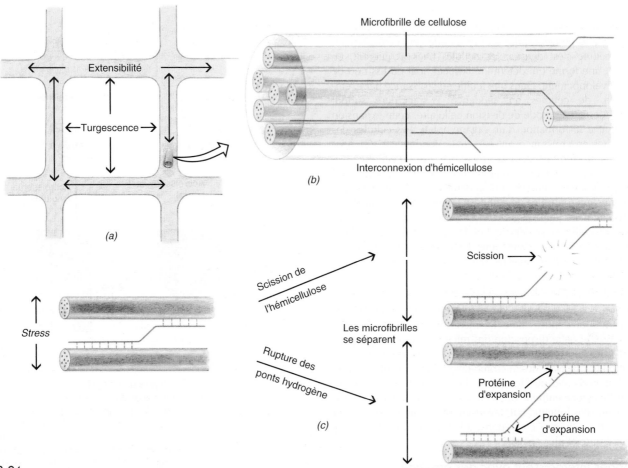

Microfibrille de cellulose

Extensibilité

Turgescence

Interconnexion d'hémicellulose

(b)

(a)

Scission

Scission de l'hémicellulose

Stress

Les microfibrilles se séparent

Rupture des ponts hydrogène

Protéine d'expansion

Protéine d'expansion

(c)

Figure 28-21

Régulation hormonale du taux d'accroissement cellulaire. **(a)** La pression de turgescence qui règne au sein de la cellule exerce une pression sur les parois cellulaires. **(b)** L'étirement de la paroi cellulaire est nécessaire pour permettre l'expansion cellulaire, mais il est limité par les interconnexions d'hémicellulose reliant les microfibrilles de cellulose. **(c)** Les hormones peuvent accroître les possibilités d'extension en stimulant un clivage réversible des interconnexions d'hémicellulose par la rupture des liaisons hydrogène entre les microfibrilles de cellulose et les ponts d'hémicellulose. La rupture des liaisons hydrogène est induite par une protéine de la paroi cellulaire appelée expansine. Ces modifications permettent aux microfibrilles de cellulose de se séparer les unes des autres, entraînant un accroissement irréversible de la paroi.

Les hormones peuvent contrôler le taux et l'orientation de l'accroissement des cellules

Les cellules végétales se développent à un rythme qui dépend de plusieurs facteurs comme leur position dans la plante, le type cellulaire et diverses influences environnementales. L'accroissement d'une cellule individuelle respecte un rythme contrôlé par (1) la pression de turgescence exercée par le contenu cellulaire contre la paroi (page 81) et (2) l'extensibilité de la paroi cellulaire (Figure 28-21 ; voir aussi page 66). L'extensibilité est une propriété physique de la paroi, c'est une mesure du degré dont la paroi peut s'étirer de façon permanente quand une force lui est appliquée. Le tableau 28-3 montre que les cinq groupes traditionnels d'hormones peuvent influencer le taux d'accroissement cellulaire. Dans la majorité des cas étudiés, les hormones affectent l'extensibilité de la paroi, mais elles n'ont guère d'influence sur la pression de turgescence. L'auxine et le GA stimulent la croissance des plantes en augmentant l'extensibilité des parois, tandis que l'ABA et l'éthylène inhibent la croissance en la réduisant.

La manière dont les hormones modifient l'extensibilité des parois cellulaires n'est pas parfaitement connue. Deux hypothèses sont actuellement privilégiées. Dans l'*hypothèse de la croissance acide*, les hormones — en particulier l'auxine — activent une enzyme pompe à protons dans la membrane plasmique. Les protons sont pompés du cytosol vers la paroi cellulaire. On suppose que la chute du pH qui en résulte entraîne un relâchement de la structure de la paroi, soit par rupture et reconstitution de polysaccharides non-cellulosiques reliant normalement les microfibrilles de cellulose, soit grâce à l'action d'une nouvelle catégorie de protéines appelées expansines, qui rompent les ponts hydrogène entre les polysaccharides de la paroi (Figure 28-21). Une autre hypothèse est basée sur des observations récentes : l'auxine active l'expression de gènes spécifiques dans les quelques minutes qui suivent son application. On suppose que les produits de ces gènes influencent la livraison de nouveaux matériaux de paroi et modifient par la même occasion l'extensibilité de la paroi cellulaire. Ces deux hypothèse ne s'excluent pas et il est possible que toutes deux contribuent à expliquer l'influence des hormones sur l'expansion cellulaire.

En plus de leur influence sur le taux d'accroissement cellulaire, les hormones végétales peuvent influencer le *sens* de cet accroissement. Dès qu'une cellule s'est divisée, les cellules filles acquièrent, en s'agrandissant, une forme qui détermine l'aspect final du tissu ou de l'organe en développement. Dans une feuille en croissance par exemple, beaucoup de cellules ont tendance à s'accroître surtout latéralement. Ajoutée au mode de division cellulaire, cette expansion latérale conduit à la formation d'un organe aplati. Les cellules des tissus caulinaires en croissance ont par contre tendance à s'étendre longitudinalement, aboutissant à la croissance « unidirectionnelle » caractéristique d'une tige en voie d'élongation. Ces orientations différentes de la croissance cellulaire sont apparemment déterminées par l'orientation des microfibrilles de cellulose au moment de leur dépôt dans la paroi cellulaire jeune (Figure 28-22 ; voir aussi page 59). Si les microfibrilles de cellulose se déposent de façon aléatoire, les cellules auront tendance à s'étendre dans toutes les directions. Si leur dépôt s'opère principalement dans un sens transversal, la croissance se fera plutôt en longueur (de même qu'il est bien plus facile de tendre un ressort dans un sens perpendiculaire à l'orientation des spires).

L'orientation des microfibrilles de cellulose semble contrôlée par celle des microtubules situés immédiatement sous la membrane plasmique (page 66), et cette disposition des microtubules est à son tour influencée par les hormones. Les gibbérellines favorisent par exemple une disposition transversale des microtubules et donc une plus grande croissance longitudinale, ou élongation. Inversement, un traitement des tiges par l'éthylène entraîne une certaine réorientation des microfibrilles dans un sens longitudinal, favorisant plutôt un accroissement latéral (radial) des cellules. Cette réponse à l'éthylène aboutit à former une tige plus courte et plus épaisse.

Les hormones interagissent avec des protéines spécifiques, appelées récepteurs, qui activent ensuite des voies de réponse particulières

Pour que les hormones végétales puissent agir comme signaux chimiques entre les cellules, les cellules cibles doivent posséder des mécanismes permettant (1) d'identifier l'hormone spécifique, (2) d'en mesurer la concentration, (3) de transférer cette information via les voies biochimiques et (4) de transformer l'information reçue en un ensemble complexe de modifications du développement. Les cellules reconnaissent les hormones végétales grâce à des protéines : ce sont les **récepteurs** hormonaux. Chaque protéine réceptrice possède un site de fixation spécifique à une hormone particulière. La fixation de l'hormone au récepteur déclenche dans la cellule une voie d'action particulière.

La figure 28-23 illustre différents moyens qui permettent à une hormone fixée à un récepteur d'activer les voies de réaction. La fixation d'une hormone à son récepteur entraîne un changement de conformation (de forme) de la protéine réceptrice. Ce changement modifie la structure de la protéine réceptrice et lui permet d'interagir avec d'autres composants de la cellule. Le récepteur activé peut par exemple interagir directement avec des séquences d'ADN régulatrices et

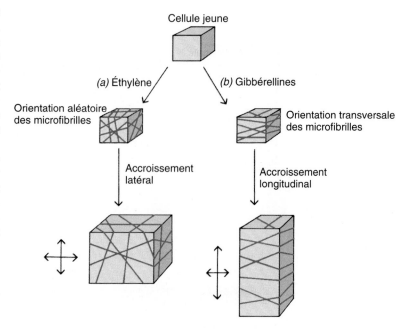

Figure 28-22

L'éthylène et l'acide gibbérellique ont des effets opposés sur l'orientation des microfibrilles de cellulose déposées au cours du développement de la paroi cellulaire. Cette orientation semble contrôlée par celle des microtubules localisés immédiatement sous la membrane plasmique. **(a)** L'éthylène provoque une certaine réorientation longitudinale des microtubules initialement disposés transversalement. Lorsque la cellule s'agrandit, l'accroissement est donc plus ou moins équivalent dans toutes les directions en raison de la disposition aléatoire des microfibrilles de cellulose. **(b)** Les gibbérellines, de leur côté, favorisent une orientation transversale des microtubules. La croissance de la cellule est principalement longitudinale parce que les microfibrilles de cellulose sont disposées transversalement.

stimuler la transcription de gènes spécifiques de réaction aux hormones. Chez les animaux, les hormones stéroïdes opèrent de cette manière. D'autres types de récepteurs hormonaux sont situés dans la membrane plasmique. Par leur interaction avec d'autres protéines membranaires, certains de ces récepteurs peuvent activer des pompes ioniques, comme la pompe à protons ; d'autres peuvent ouvrir des canaux ioniques dans la membrane (voir chapitre 4).

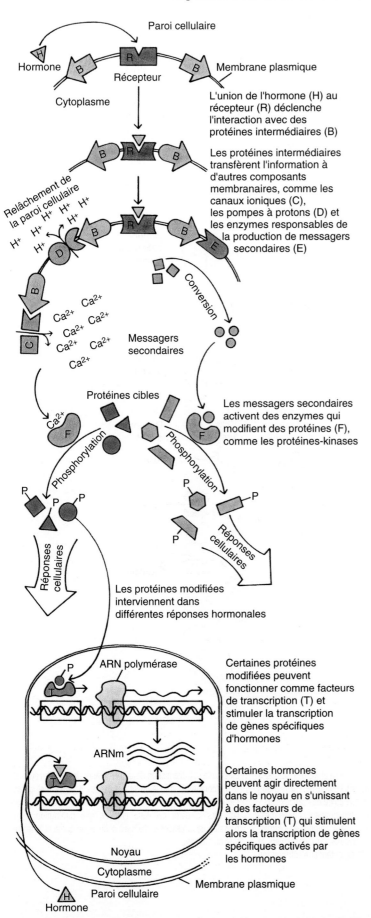

Figure 28-23

Voies de réaction aux hormones. Les hormones agissent en s'unissant à des protéines réceptrices. Les signaux hormonaux sont fréquemment amplifiés et descendent le long de voies biochimiques en passant par des composés intermédiaires appelés messagers secondaires. Des modifications de l'expression des gènes nucléaires interviennent dans beaucoup de réponses aux hormones végétales. Les hormones provoquent la mise en route ou l'arrêt de gènes spécifiques. Elles interviennent finalement dans la croissance des cellules en modifiant les propriétés structurales et chimiques de la paroi cellulaire. (Voir aussi la figure 28-20).

L'ion calcium est particulièrement intéressant pour le fonctionnement des hormones. Les teneurs en Ca^{2+} du cytoplasme sont en général très faibles. La stimulation hormonale des canaux à ions calcium entraîne une élévation temporaire de ces teneurs. La fixation du Ca^{2+} aux sites de fixation de certaines protéines modifie l'activité de celles-ci, de la même manière que les hormones activent les protéines réceptrices. Les *protéine-kinases* constituent un groupe d'enzymes susceptibles d'être activées par Ca^{2+} ou par d'autres « messagers secondaires ». Les protéine-kinases peuvent modifier les protéines « cibles » en transférant des groupements phosphate à certains de leurs acides aminés, modifiant ainsi leur activité.

Des messagers secondaires interviennent dans les réponses aux hormones. Des substances telles que le calcium, qui interviennent dans les réponses aux hormones, sont souvent considérées comme des messagers secondaires (Figure 28-23). Les messagers secondaires remplissent deux fonctions importantes : (1) ils interviennent dans le transfert de l'information depuis le complexe hormone-récepteur jusqu'aux protéines cibles et (2) ils amplifient le signal produit par l'hormone. L'activation du récepteur par un seul canal ionique libère des centaines d'ions calcium dans le cytosol. Chaque ion calcium peut à son tour activer une molécule de protéine-kinase et celle-ci peut phosphoryler de nombreuses molécules de la protéine cible. Des voies complexes de réponse impliquant des messagers secondaires contribuent également à la diversité des réponses possibles à une hormone donnée. Des cellules de différents types peuvent posséder le même récepteur dans la membrane plasmique mais répondre tout à fait différemment à une même hormone parce qu'elles contiennent un ensemble différent de protéine-kinases et de protéines cibles. (Voir la page 86 et la figure 4-17 pour un exposé plus détaillé sur la voie de transduction des signaux et sur le rôle des messagers secondaires.)

Le mouvement des stomates implique une voie spécifique de réponse aux hormones

Le contrôle du mouvement des stomates par l'ABA constitue une voie de réponse hormonale. Les stomates sont de petites ouvertures de l'épiderme entourées par deux cellules de garde dont la forme se modifie pour ouvrir et fermer l'ostiole. Le terme *stomate* (« bouche » en grec) désigne généralement l'ensemble de l'ostiole et des deux cel-

lules de garde. Le degré d'ouverture des stomates détermine en grande partie le niveau des échanges gazeux à travers l'épiderme. L'ouverture de l'ostiole est contrôlée par plusieurs signaux endogènes et environnementaux (voir chapitre 31). Tous ces signaux agissent sur la régulation de la teneur en eau, ou pression de turgescence, des cellules de garde (Figure 28-24). L'acide abscissique est un signal endogène particulièrement important pour le contrôle des mouvements des stomates.

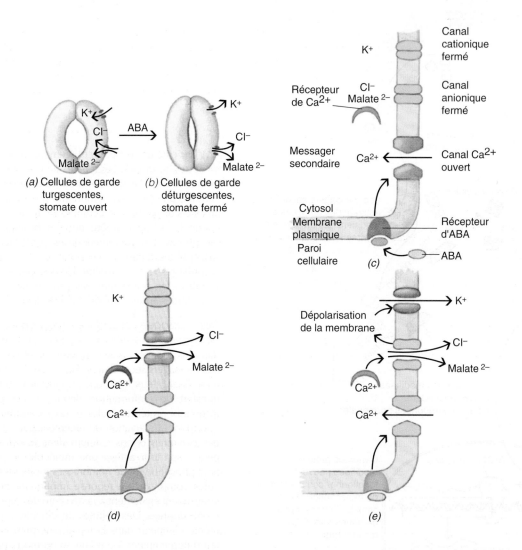

Figure 28-24

Régulation du mouvement des stomates. **(a)** La pression de turgescence liée à une concentration élevée en solutés dans les cellules de garde qui délimitent l'ostiole maintiennent celle-ci ouverte. **(b)** La perte de solutés induite par l'ABA réduit la pression de turgescence dans les cellules de garde et entraîne la fermeture de l'ostiole. Des canaux ioniques traversant la membrane plasmique des cellules de garde interviennent dans la suite des réactions aboutissant à la fermeture des stomates induite par l'AIA. Dans ce modèle **(c)** l'union de l'ABA à son récepteur dans la membrane plasmique ouvre des canaux Ca^{2+}. **(d)** Les Ca^{2+} libérés dans le cytosol fonctionnent comme messagers secondaires pour ouvrir des canaux anioniques permettant aux ions Cl⁻ et malate²⁻ de s'écouler du cytosol vers la membrane plasmique. **(e)** La chute de potentiel électrique qui en résulte (dépolarisation de la membrane) de part et d'autre de la membrane plasmique ouvre des canaux K⁺ et permet la libération de K⁺ dans la paroi cellulaire. Le flux de solutés du cytosol vers la paroi cellulaire entraîne une diminution de la pression de turgescence dans les cellules de garde et la fermeture du stomate.

On n'a pas encore identifié le récepteur de l'ABA, mais les réactions précises qui se déroulent dans les cellules au cours des quelques minutes qui suivent l'addition d'ABA aux protoplastes isolés de cellules de garde montrent que l'ABA induit des modifications rapides du potentiel osmotique de ces cellules. L'entrée de solutés dans les cellules de garde augmente le potentiel osmotique négatif de leur contenu et entraîne l'ouverture du stomate. (Souvenez-vous que le potentiel osmotique, qui est une valeur négative, est fonction de la concentration des solutés ; voir page 79.) Les solutés importants intervenant dans le potentiel osmotique des cellules de garde sont les ions Cl^- et K^+, qui sont activement pompés à l'intérieur des cellules, ainsi que le malate^{2-}, molécule organique à charge négative (anionique) synthétisée par les cellules de garde.

Les recherches basées sur la technique du « patch-clamp » (voir l'encadré de la page 83) montrent que des canaux spécifiques aux anions de la membrane plasmique de la cellule de garde s'ouvrent en réponse à l'ABA. Certaines expériences indiquent que les ions Ca^{2+} peuvent fonctionner comme messagers secondaires dans ce système. Dans ce schéma (Figure 28-24), l'ABA active les canaux Ca^{2+} de la membrane plasmique, ce qui entraîne un passage de Ca^{2+} de la paroi cellulaire dans le cytosol. Les Ca^{2+} provoquent ensuite l'ouverture de canaux anioniques dans la membrane plasmique par activation de protéine-kinases. L'ouverture des canaux anioniques entraîne un déplacement rapide d'anions, principalement Cl^- et malate^{2-} du cytosol vers la paroi cellulaire. La dépolarisation de la membrane plasmique qui en découle — c'est-à-dire la perte de différence de charge électrique de part et d'autre de la membrane — déclenche l'ouverture des canaux K^+. La conséquence en est un déplacement de K^+ du cytosol vers la paroi cellulaire. Ce rapide déplacement de Cl^-, malate^{2-} et K^+ réduit le potentiel osmotique négatif (potentiel hydrique supérieur) du cytosol et augmente celui de la paroi (potentiel hydrique inférieur). L'eau descend alors du potentiel hydrique supérieur du cytosol vers la paroi cellulaire, réduisant la turgescence des cellules de garde et fermant l'ostiole. En l'absence du signal ABA, les cellules de garde renvoient lentement les ions potassium et chlorure vers l'intérieur de la cellule grâce à un gradient protonique électrochimique actionné par une pompe à protons (H^+-ATPase) de la membrane plasmique. Un potentiel osmotique plus négatif est restauré dans les cellules de garde, l'eau pénètre dans les cellules par osmose et l'augmentation de la pression osmotique qui en résulte entraîne la réouverture de l'ostiole du stomate.

Biotechnologie des plantes

On peut faire remonter les origines de la biotechnologie des plantes, qui est l'application d'une série de techniques destinées à manipuler leur potentiel génétique, à la fin des années 1850 et 1860 et aux travaux des physiologistes allemands Julius von Sachs et W. Knop. Ce sont eux qui ont démontré la possibilité de cultiver dans l'eau de nombreuses espèces de plantes pourvu qu'on leur procure quelques éléments essentiels sous forme de sels dissous — en d'autres termes, de cultiver des plantes sans mettre leurs racines en terre — technique que nous appelons aujourd'hui *hydroponique*. Au milieu des années 1880, on savait que dix éléments chimiques au moins sont nécessaires pour une croissance normale des plantes. Aujourd'hui, 17 éléments sont généralement considérés comme essentiels pour la plupart des plantes (voir tableau 30-1).

L'utilisation des cultures hydroponiques et les efforts engagés pour étudier la nutrition minérale des plantes ont donné une impulsion aux recherches sur la croissance de portions de plantes dans des solutions nutritives. On a progressivement ajouté aux solutions nutritives des substances telles que le saccharose, différentes vitamines et d'autres molécules organiques pour tenter de maintenir la croissance. Ce n'est cependant qu'après la découverte des hormones végétales et grâce à la connaissance de leurs rôles dans le contrôle de la croissance et du développement des plantes que la culture des organes et des tissus est vraiment devenue possible.

La culture des tissus végétaux peut être utilisée pour la propagation clonale

On peut définir la culture de tissus végétaux comme un ensemble de méthodes permettant de produire un grand nombre de cellules dans un milieu stérile et contrôlé (Figure 28-25). À l'heure actuelle, le principal impact de la culture de tissu se situe dans le domaine de la multiplication des plantes : il s'agit d'une micropropagation, ou d'une propagation clonale, puisque les individus provenant d'une même cellule sont génétiquement identiques. Le but est de forcer des cellules individuelles à exprimer leur totipotence.

On a produit des hybrides somatiques par fusion de protoplastes. L'utilisation la plus élégante des cultures de tissus en biotechnologie a été la régénération de plantes à partir de protoplastes, c'est-à-dire de cellules dont les parois ont été éliminées par digestion enzymatique. La **fusion de protoplastes** est une technique consistant à provoquer la fusion de protoplastes de deux plantes différentes pour obtenir une cellule qui est un **hybride somatique**. On a utilisé le plus souvent des cellules de mésophylle, bien que toute cellule vivante dépourvue de paroi secondaire puisse convenir. Peu après l'élimination des parois et avant leur reconstitution, on provoque la fusion des protoplastes en ajoutant un agent approprié, comme le polyéthylène glycol, ou au moyen d'un choc électrique (électroporation ; voir page 699). Il faut ensuite cultiver les cellules hybrides sur un milieu nutritif solide pour provoquer la formation de cals. Si tout se passe correctement, le cal produira des embryons somatiques et les plantules peuvent ensuite être cultivées et donner des plantes adultes fertiles. Les plantes hybrides haploïdes, provenant du pollen ou de portions (explants) d'anthères, sont incapables de se reproduire par voie sexuée et doivent donc être propagées végétativement.

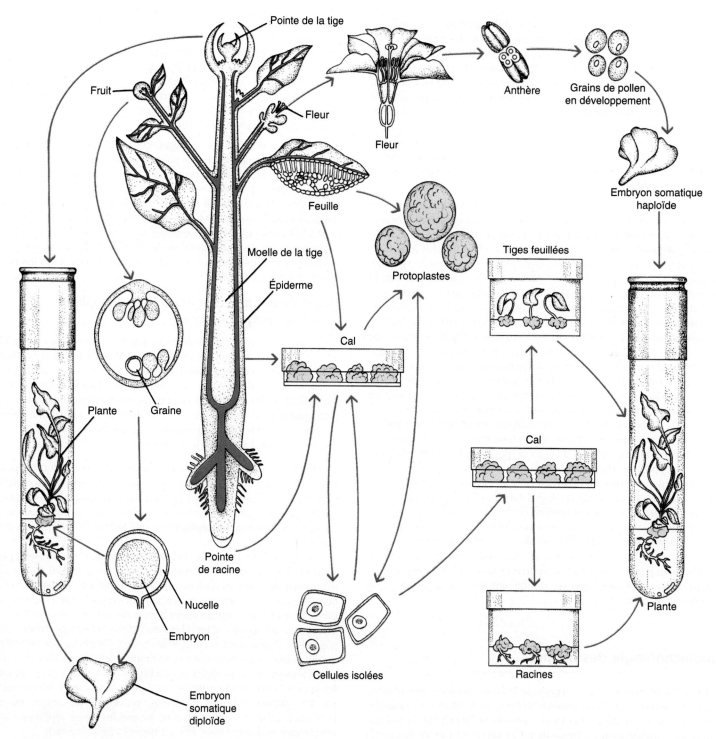

Pointe de la tige

Fruit

Fleur

Fleur

Anthère

Grains de pollen
en développement

Feuille

Embryon somatique
haploïde

Protoplastes

Tiges feuillées

Moelle de la tige

Épiderme

Cal

Plante

Graine

Cal

Pointe
de racine

Plante

Nucelle

Embryon

Cellules isolées

Racines

Embryon
somatique
diploïde

Figure 28-25

Culture de tissus végétaux. Toute cellule végétale — à l'exception de celles qui sont dépourvues de noyau ou sont entourées d'une paroi secondaire rigide — est théoriquement capable de régénérer la plante dont elle provient. On dit que cette cellule est totipotente. L'assemblage de cellules semblables produit des tissus, les tissus s'organisent en organes et un arrangement spécifique des organes constitue l'organisme. Il est possible de régénérer des plantes in vitro (dans un milieu artificiel) à partir d'explants d'organes (pointes de racines et de tiges, bourgeons, primordiums foliaires, embryons en cours de développement, écailles de bourgeons, etc.), d'explants de tissus (moelle, cylindre cortical, nucelle), de cellules (parenchyme, collenchyme, grains de pollen uninucléés ou binucléés) et de protoplastes. Ce schéma illustre quelques moyens mis en œuvre pour la micropropagation.

La totipotence

La possibilité de produire soit des racines, soit des tiges feuillées à partir des mêmes cellules de cals indifférenciés a d'importantes implications en génétique des plantes. Dès 1902, le botaniste allemand Gottlieb Haberlandt supposait que toutes les cellules végétales vivantes sont totipotentes — c'est-à-dire que chacune possède la capacité de se développer en une plante entière — mais il ne put jamais en faire la démonstration. En fait, plus d'un demi-siècle s'est écoulé avant que l'on prouve que cette hypothèse était essentiellement correcte. Haberlandt ne connaissait pas les substances que l'on devait fournir aux cellules, puisque les hormones végétales n'avaient pas encore été découvertes.

À la fin des années 1950, F.C.Steward isola de petits morceaux de tissu phloémien de racine de carotte *(Daucus carota)* et les plaça en milieu nutritif liquide dans un flacon rotatif. (Ces morceaux de tissu sont des explants.) Le milieu contenait du saccharose et les éléments nutritifs inorganiques nécessaires à la croissance des plantes (voir chapitre 30), certaines vitamines et du lait de coco, que Steward savait riche en facteurs de croissance végétaux — bien que la nature de ces substances ne soit pas connue à l'époque.

Dans le flacon rotatif, des cellules se séparaient en permanence de la masse cellulaire en développement et flottaient librement dans le milieu. Ces cellules individuelles étaient capables de croître et de se diviser. Après peu de temps, Steward constata que des racines s'étaient développées dans beaucoup de ces nouveaux groupes de cellules. S'ils restaient dans le milieu agité, les groupes de cellules ne poursuivaient pas leur différenciation mais, après leur transfert sur un mileu solide — il s'agissait d'agar dans cette expérience — certains groupes donnaient des tiges feuillées. Après leur mise en terre, les petites plantes développèrent des feuilles, elles fleurirent et donnèrent des graines. V. Vasil et A.C. Hildebrandt obtinrent les mêmes résultats quelques années plus tard avec des explants de moelle de tabac *(Nicotiana)* provenant de la tige vivante d'un hybride. Au lieu de lait de coco, le milieu utilisé par Vasil et Hildebrandt contenait de l'AIA et de la kinétine.

Ces résultats montraient que certaines cellules au moins du phloème différencié de la carotte et de la moelle de tabac contenaient tout le potentiel génétique nécessaire au développement complet d'une plante, mais ne l'exprimaient pas dans la plante vivante. Ces expériences montraient également que ces cellules différenciées pouvaient exprimer une partie de leur potentiel génétique antérieurement réprimé de manière à déclencher ces modes particuliers de développement. Les résultats de Steward, Vasil et Hildebrandt confirmaient l'hypothèse de Haberlandt sur la totipotence

---

On a produit plusieurs hybrides interspécifiques somatiques par fusion de protoplastes dans des genres comprenant le tabac, le pétunia, la pomme de terre et la carotte (Figure 28-26). La plupart des hybrides intergénériques étaient stériles, bien que la fusion de protoplastes de pomme de terre et tomate, deux genres de *Solanaceae,* ait donné des hybrides fertiles.

On a produit des plantes indemnes d'agents pathogènes par culture de méristèmes. La micropropagation n'est pas seulement un moyen permettant d'obtenir des copies identiques **(clones)** d'une plante ; elle permet également d'éviter un grand nombre de maladies des plantes. Ce résultat s'explique en partie par la décontamination des explants et par les conditions de stérilité respectées au cours de la micropropagation, mais principalement par l'application des techniques de culture de méristèmes et d'apex de tiges. On met en culture des explants très petits de méristèmes et d'apex de tiges dépourvus de tissus conducteurs différenciés. Ces explants sont souvent indemnes de virus parce que les particules virales, éventuellement présentes dans les éléments conducteurs sous les méristèmes, ne peuvent atteindre que très lentement les régions méristématiques des apex en passant de cellule en cellule. L'obtention de plantes indemnes de virus par culture de méristèmes a considérablement accru la productivité de plusieurs plantes de culture, comme les pommes de terre et la rhubarbe.

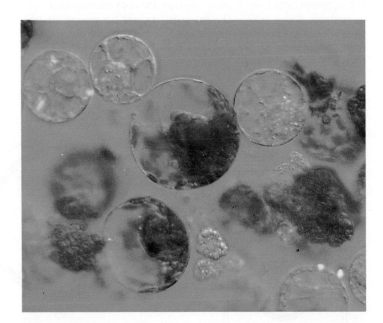

Figure 28-26

Protoplastes d'un tabac sauvage *(Nicotiana glauca)* (verts) et de tabac cultivé *(N.tabacum)* (clairs). Certains d'entre eux sont fusionnés et produisent des cellules hybrides. Un traitement adéquat permet aux cellules hybrides de régénérer des parois cellulaires, de se multiplier et de donner naissance à des plantes entières.

L'ingénierie génétique permet de manipuler le matériel génétique à des fins pratiques

L'**ingénierie génétique** est l'application de la technologie de l'ADN recombinant ; elle représente un des plus importants moyens d'amélioration des plantes pour l'avenir. Par rapport à la recombinaison du matériel génétique chez les hybrides naturels ou somatiques, elle présente un avantage du fait qu'elle permet d'insérer des gènes individuels dans les organismes d'une manière à la fois simple et précise. De plus, il n'est pas nécessaire que les espèces participant au transfert de gènes soient capables de se croiser entre elles.

Les **enzymes de restriction** (page 224) permettent aux chercheurs de scinder les génomes de grande taille en fragments définis qui peuvent être conservés et propagés dans des plasmides bactériens. (Voir un exposé sur la technologie de l'ADN recombinant au chapitre 11.)

Agrobacterium tumefaciens est un instrument naturel d'ingénierie génétique. L'organisme le plus populaire utilisé pour le transfert aux plantes de gènes étrangers est *Agrobacterium tumefaciens*, bactérie du sol qui infecte des dicotylées très diverses en pénétrant habituellement par les blessures. Chez les plantes, *Agrobacterium tumefaciens* induit la formation de tumeurs appelées « crown-galls » (Figure 28-27) en transférant une région spécifique, la **région T**, ou **ADN-T** d'un plasmide inducteur de tumeur (Ti) à l'ADN nucléaire de l'hôte.

Le **plasmide Ti** est un anneau fermé d'ADN comprenant une centaine de gènes (Figure 28-28). L'ADN-T est formé d'environ 20.000 paires de bases flanquées à chaque extrémité d'une séquence répétée de 25 paires de bases (Figure 28-28b). L'ADN-T porte un certain nombre de gènes dont l'un (le gène *O*) code une enzyme responsable de la synthèse d'une opine. D'autre part, *onc* est un groupe de trois gènes dont l'un code une enzyme catalysant la synthèse d'une cytokinine. La présence de gènes codant les enzymes impliquées dans la biosynthèse des hormones permet aux cellules hôtes de croître et de

Figure 28-27

Crown galls développés sur la tige de *Nicotiana glauca*.

se diviser de façon incontrôlée. Les opines sont des dérivés particuliers d'acides aminés utilisés par les bactéries comme sources de carbone et d'azote. Une autre région du plasmide Ti, la région *vir*, est indispensable au transfert mais n'est pas introduite dans l'ADN de l'hôte. *Agrobacterium tumefaciens* est donc un ingénieur génétique naturel. Il reprogramme les cellules végétales par le transfert au génome de l'hôte d'une information génétique nouvelle.

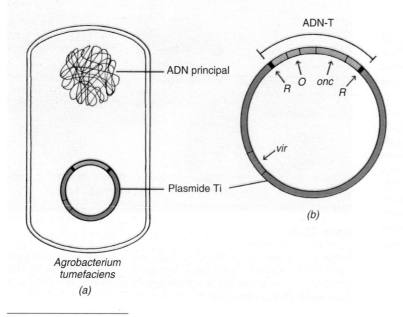

Figure 28-28

Le plasmide Ti **(a)** Schéma d'une cellule d'*Agrobacterium tumefaciens* montrant l'ADN principal (le « chromosome » bactérien) et le plasmide Ti. **(b)** Détail du plasmide Ti. *O* est le gène qui code une enzyme responsable de la synthèse d'une opine ; *onc* est un groupe de gènes codant les enzymes intervenant dans la biosynthèse des hormones végétales ; *R* représente des séquences de 25 paires de bases. Seul l'ADN compris entre les deux régions *R* est transféré au génome de la plante. Le groupe de gènes représenté par *vir* contrôle le transfert de la région T, ou ADN-T, au chromosome de l'hôte.

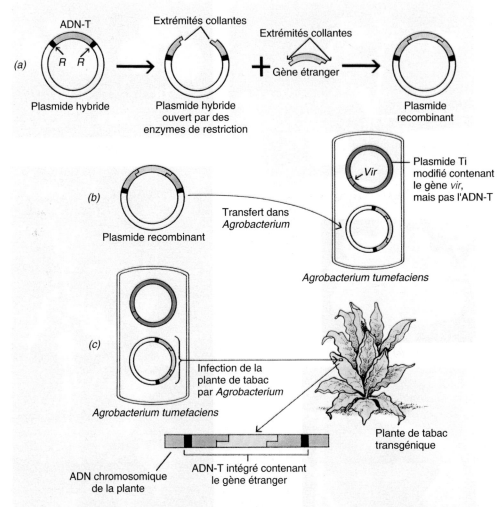

Figure 28-29

Méthode utilisant les plasmides d'*Agrobacterium tumefaciens* comme vecteurs dans le transfert d'ADN, ou de gènes. **(a)** Un plasmide hybride ne portant que l'ADN-T d'un plasmide Ti est ouvert par des enzymes de restriction et un gène étranger est inséré, donnant ainsi un plasmide recombinant. **(b)** Transfert du plasmide recombinant à une cellule d'*A.tumefaciens* dont l'ADN-T a été enlevé, aboutissant à un plasmide transformé. **(c)** On utilise un *A.tumefaciens* contenant le plasmide transformé pour infecter une plante. La région *vir* du plasmide Ti dépourvu d'ADN-T contrôle le transfert du gène étranger du plasmide recombinant aux chromosomes de la plante.

Avec son plasmide Ti, *Agrobacterium tumefaciens* est un outil très efficace d'ingénierie génétique chez les dicotylées. On peut éliminer les gènes inducteurs de tumeurs présents sur l'ADN-T et les remplacer par des gènes étrangers (Figure 28-29). L'infection d'une plante par un *Agrobacterium* contenant ces plasmides transformés aboutira au transfert des gènes étrangers au génome de la plante. Les **plantes transgéniques** (plantes contenant des gènes étrangers) obtenues avec l'aide des plasmides (page 282) vont transmettre ces gènes à leur descendance en respectant les lois de Mendel (Chapitre 10).

L'application de cette méthode au transfert de gènes utiles en agriculture a fait des progrès considérables. Parmi ces gènes, on trouve des gènes de résistance aux insectes, aux herbicides et aux virus. Dans certains cas, des gènes responsables de la résistance à un pathogène chez une plante sont identifiés et transférés à une espèce sensible à la maladie. Dans un cas extrême, un gène de la bactérie *Bacillus thuringiensis* (le gène *BT*) a été transféré aux plantes. Le gène *BT* code une toxine protéique qui s'attaque spécifiquement aux larves des lépidoptères (papillons et mites). La figure 28-30a montre que les plantes où s'exprime ce gène sont résistantes aux dégâts provoqués par les chenilles.

On a transformé des plantes pour la résistance à plusieurs herbicides, comme le glyphosate (commercialisé par Monsanto sous le nom

de roundup), qui agit en bloquant une seule enzyme indispensable aux plantes pour la synthèse des acides aminés aromatiques. Bien qu'extrêmement efficace et non toxique pour les animaux, le glyphosate tue toutes les plantes, y compris les espèces cultivées. On a trouvé un moyen efficace d'induire la résistance des plantes cultivées par transformation génétique grâce à l'identification d'une forme mutante de l'enzyme cible d'une bactérie, *Salmonella*, qui n'est pas bloquée par le glyphosate. Le transfert de ce gène mutant aux plantes cultivées, par l'intermédiaire du plasmide Ti, a donné des plantes résistantes à l'herbicide.

L'ingénierie génétique est utilisée pour manipuler la production des hormones. Les gènes qui interviennent dans la biosynthèse des hormones et dans leur reconnaissance étant identifiés, on utilise également l'ingénierie génétique pour modifier la croissance et le développement des plantes. Des formes génétiquement modifiées des enzymes responsables de la biosynthèse de l'éthylène ont par exemple été transférées aux tomates, avec pour conséquence une production réduite d'éthylène et une maturation des fruits fortement retardée (Figure 28-30b). Il est ensuite possible d'induire la maturation de ces fruits en les traitant par l'éthylène après leur arrivée sur le marché.

Figure 28-30

Exemples de la façon dont on peut transformer la croissance, le développement et la résistance aux maladies chez les plantes par manipulation génétique. **(a)** Le gène *BT* de *Bacillus thuringiensis* code une protéine toxique pour les lépidoptères. Lorsque ce gène est transféré aux plantes, les cellules végétales produisent la toxine et deviennent résistantes aux chenilles : on voit une plante de tomate *(Lycopersicon esculentum)* transformée (à gauche) et une plante témoin (à droite) après 4 jours d'exposition aux chenilles. **(b)** Après le transfert à la tomate d'une forme mutante du gène du récepteur d'éthylène *(etr1-1)* d'*Arabidopsis*, les fruits sont insensibles à l'éthylène. Les tomates de gauche ont conservé leur couleur dorée 100 jours après la cueillette alors que les fruits témoins de droite sont devenus rouge foncé et ont commencé à pourrir dans le même délai. **(c), (d)** Le transfert du gène *(etr1-1)* chez le pétunia (*Petunia hybrida* cv.Mitchell) a entraîné l'insensibilité des fleurs à l'éthylène et augmenté leur longévité. La fleur de la plante transgénique **(c)** reste ouverte 8 jours après la pollinisation, alors que la fleur d'une plante non transformée **(d)** est fanée après 3 jours. **(e)** La transformation des plantes de tabac *(Nicotiana tabacum)* par un gène codant une enzyme de la biosynthèse de la cytokinine qui ne s'exprime que dans les feuilles âgées a un effet drastique sur la sénescence des feuilles : on voit une plante transgénique (à gauche) et une plante non modifiée (à droite) 20 semaines après la transplantation des plantules dans le sol.

(a)

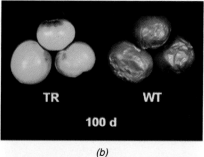
(b)

(c)

(d)

(e)

On a utilisé des formes mutantes du gène codant le récepteur de l'éthylène d'*Arabidopsis* afin de retarder la sénescence, ou fanaison, des fleurs (Figure 28-30c). Ce résultat est très intéressant pour le commerce des fleurs coupées.

L'ingénierie génétique a également été utilisée pour manipuler la production des cytokinines. La séquence d'un gène d'*Agrobacterium* codant une enzyme responsable de la synthèse d'une cytokinine a été unie à la séquence promotrice d'un gène d'*Arabidopsis* qui ne s'exprime que dans les feuilles sénescentes. Après le transfert de ce gène chimérique au tabac, la production de cytokinine dans les feuilles âgées a considérablement retardé leur sénescence (Figure 28-30d). Chez certaines plantes cultivées, cette sénescence retardée pourrait avoir un impact important sur les rendements.

L'ingénierie génétique est également utilisée pour améliorer la qualité des aliments. On a mis à profit des modifications des voies de biosynthèse des acides gras pour réduire la proportion des graisses saturées chez le soja (*Glycine max*) et le colza (*Brassica napus*). Des expériences sont également en cours pour modifier la teneur en amidon des pommes de terre (*Solanum tuberosum*) et la qualité nutritive

des protéines des grains de maïs. Les transferts de gènes sont encore utilisés pour produire des substances utiles que la plante est normalement incapable de fabriquer. Les possibilités sont nombreuses : elles vont de la production de protéines pour la pharmacie, comme les vaccins, jusqu'à la synthèse du polyhydroxybutanol, substance utilisée dans la fabrication des plastiques.

On utilise des gènes rapporteurs pour contrôler la présence d'autres gènes. Un des problèmes techniques rencontré lors des tentatives de transfert de gènes consiste à savoir si un gène particulier a été effectivement introduit dans la cellule hôte et, après le transfert, s'il contrôle bien la synthèse d'une protéine. Pour résoudre ce problème, on a mis au point des **gènes rapporteurs** qui sont transférés à la cellule végétale par *Agrobacterium*. Pour le contrôle des gènes, le gène rapporteur doit être lié à un promoteur. Si le promoteur est « ouvert », le gène rapporteur est activé. On utilise actuellement trois gènes rapporteurs : *GUS*, qui est le gène de la β–glucuronidase d'*Escherichia coli*, le gène de la luciférase, provenant soit des lucioles (*Photinus pyralis*), soit de la bactérie marine *Vibrio harveyi*, et le gène d'une protéine à fluorescence verte de méduse.

Au cours d'une expérience remarquable, des chercheurs de l'Université de Californie à San Diego ont inséré le gène de la luciférase de luciole dans l'ADN des cellules de tabac et régénéré des plantes à partir de ces cellules. Ils ont finalement obtenu une plante de tabac qui s'illuminait quand on lui fournissait la luciférine, substrat de la luciférase (Figure 28-31). Si le promoteur est « ouvert », le gène de la luciférase est activé et produit la luciférase ; en présence d'oxygène, la luciférine et l'ATP donnent une bioluminescence comme dans l'éclair d'une luciole.

Il y a des limites au transfert de gènes par Agrobacterium. En dépit de sa grande utilité pour le transfert de gènes étrangers à de nombreuses espèces végétales, *Agrobacterium* ne peut transformer les monocotylées en conditions naturelles. Ces dernières comprennent évidemment les céréales les plus importantes au niveau mondial : le blé, le riz, le maïs, l'orge et le sorgho. D'autre part, les techniques de culture des tissus et de micropropagation utilisées avec tant de succès chez les dicotylées s'appliquent avec difficulté aux monocotylées. Des efforts importants sont consentis dans le but de mettre au point des techniques de régénération des plantes à partir de protoplastes de monocotylées.

Par bonheur, deux nouvelles méthodes de transfert de gènes applicables aux monocotylées comme aux dicotylées ouvrent de nouvelles perspectives. L'une d'elles, déjà signalée rapidement auparavant, est l'**électroporation**. Cette méthode consiste à appliquer un choc électrique à tension élevée à une solution contenant des protoplastes et de l'ADN. Le choc électrique ouvre temporairement, dans la membrane plasmique, des pores par où l'ADN peut passer.

Dans la seconde méthode, appelée bombardement par particules, des microprojectiles (petites particules de tungstène) sont fortement accélérées et servent à introduire l'ARN ou l'ADN dans les cellules. L'acide nucléique est adsorbé à la surface des microprojectiles. Comparée aux autres, cette méthode a l'avantage de pouvoir s'appliquer à des tissus intacts. De plus, elle ne nécessite ni culture de cellules, ni prétraitement du tissu récepteur.

L'ingénierie génétique présente aussi bien des avantages que des risques. La technologie de l'ingénierie génétique ouvre aux biologistes des possibilités dont ils n'avaient jamais disposé auparavant — le transfert de caractères génétiques entre organismes très différents. Pour le biologiste, cela signifie qu'il est possible d'accroître le rendement des plantes cultivées en y introduisant des gènes qui améliorent leur résistance à différents pathogènes ou aux herbicides et qui augmentent leur tolérance à différents stress. Nous avons déjà donné des exemples concernant le contrôle des larves de lépidoptères et la résistance au glyphosate. On dispose déjà d'une souche « ice-minus » de la bactérie *Pseudomonas syringae* destinée à réduire la sensibilité au gel de certaines plantes cultivées et permettre ainsi un semis plus précoce. On tente également d'augmenter la quantité d'azote disponible, facteur limitant de la production, par le transfert des gènes responsables de la fixation azotée à des plantes telles que le blé et le maïs, qui ne fixent pas l'azote atmosphérique. En plus des bénéfices qui découlent d'une productivité accrue, des milliards de dollars pourraient être économisés sur le prix des engrais, des insecticides et des herbicides.

Nous devons cependant savoir que les avantages de l'ingénierie génétique ne vont pas sans risques. Certains agriculteurs accusent

Figure 28-31

On a inséré les gènes responsables de la production de l'enzyme luciférase dans des cellules isolées d'une plante normale de tabac *(Nicotiana tabacum)* en prenant comme vecteur le plasmide Ti d'*Agrobacterium tumefaciens*. Après le développement du cal indifférencié en plante complète, les cellules qui ont incorporé le gène de la luciférase dans leur ADN sont devenues luminescentes en présence de luciférine, d'ATP et d'oxygène.

l'ingénierie génétique et la biotechnologie non seulement de favoriser ce qu'ils considèrent comme un style « envahisseur et conquérant » de la production agricole et du contrôle des ennemis des cultures à une époque où l'on devrait plutôt mettre l'accent sur une **agriculture durable** en réduisant l'utilisation des produits chimiques et « veiller à travailler avec la nature plutôt qu'essayer de la conquérir ». Un argument est que l'accroissement du nombre de plantes résistantes aux herbicides peut encourager une utilisation accrue des herbicides plutôt que de la limiter et qu'il risque ainsi d'entraîner des problèmes d'environnement. Il existe également une possibilité de tranfert génétique entre organismes génétiquement transformés et sauvages dans l'environnement. L'impact de ce transfert dépendrait de la nature du caractère manipulé. Dans le cas d'un gène de résistance à un pathogène par exemple, une mauvaise herbe hybride pourrait devenir plus compétitive que les formes sauvages. En raison de ce genre de risque, beaucoup estiment indispensable une gestion plus soigneuse de l'ingénierie génétique.

Pour éviter de sérieux problèmes d'environnement, d'économie et de société, les plantes génétiquement transformées devraient devenir une arme au service d'une agriculture durable. En outre, des méthodes de contrôle biologique et des pratiques culturales améliorées sont également des éléments importants à mettre en œuvre pour compléter ces systèmes, qui ont un rôle essentiel à jouer dans l'alimentation d'un monde dont les ressources sont insuffisantes.

RÉSUMÉ

Les hormones végétales jouent un rôle essentiel dans la régulation de la croissance

Les hormones végétales sont des régulateurs chimiques qui induisent des réactions physiologiques et se montrent actives à des concentrations extrêmement faibles. Une même hormone peut induire des réactions différentes dans des tissus différents ou à des stades différents du développement d'un même tissu. Par tradition, cinq groupes de phytohormones (hormones végétales) ont surtout été envisagés — les auxines, les cytokinines, l'éthylène, l'acide abscissique et les gibbérellines — mais il est de plus en plus évident que les plantes utilisent encore d'autres signaux chimiques

Les auxines, l'acide indole-acétique (AIA) par exemple, sont transportées de manière orientée

L'auxine est produite dans les méristèmes apicaux et les pointes de coléoptiles. Elle est transportée unidirectionnellement, toujours vers la base de la plante, d'où elle contrôle l'allongement de la tige, principalement en favorisant l'élongation cellulaire. L'auxine joue également un rôle dans la différenciation des tissus conducteurs et elle déclenche les divisions cellulaires dans le cambium. Elle inhibe souvent la croissance des bourgeons latéraux et conserve ainsi la dominance apicale. Un taux d'auxine identique, qui favorise la croissance de la tige, peut inhiber la croissance du système racinaire principal. L'auxine favorise la formation des racines adventives sur les boutures et retarde l'abscission des feuilles, des fleurs et des fruits. Dans les fruits, l'auxine provenant des graines stimule le développement de la paroi ovarique.

Les cytokinines interviennent dans la cytocinèse

Les cytokinines sont des substances chimiques apparentées à certains composants des acides nucléiques. Elles sont plus abondantes dans les tissus où les cellules se divisent activement comme les graines, les fruits et les feuilles, mais elles peuvent y être amenés depuis les pointes de racines en passant par le xylème. Les cytokinines agissent de concert avec l'auxine pour induire les divisions cellulaires dans les cultures de tissus végétaux. Dans les cultures de moelle de tabac, une concentration élevée en auxine favorise la formation des racines, tandis qu'une haute concentration en cytokinines favorise la formation de bourgeons. Dans les plantes entières, les cytokinines favorisent la croissance des bourgeons latéraux : leur action est ainsi opposée à celle de l'auxine. Les cytokinines retardent la sénescence des feuilles en stimulant la synthèse des protéines.

L'éthylène est la seule hormone végétale gazeuse

L'éthylène, un hydrocarbure simple, exerce une influence majeure sur bon nombre, sinon sur tous les aspects liés à la croissance et au développement des plantes, y compris la croissance de la plupart des tissus, l'abscission des fruits et des feuilles, ainsi que la maturation des fruits. Chez la plupart des espèces végétales, l'éthylène a un effet inhibiteur sur l'accroissement cellulaire. Chez certaines espèces semi-aquatiques cependant, il induit une croissance rapide de la tige. L'éthylène semble jouer un rôle essentiel dans la détermination du sexe des fleurs chez certaines plantes monoïques.

L'acide abscissique induit la dormance et la fermeture des stomates

L'acide abscissique (ABA) est une hormone inhibitrice de la croissance qui se rencontre dans les bourgeons dormants et les fruits. Il stimule la production des protéines de la graine et la fermeture des stomates.

Grâce à la technique « patch clamp », les recherches montrent que les canaux à Ca^{2+} de la membrane plasmique des cellules de garde s'ouvrent en réponse à l'ABA et déclenchent ainsi une séquence d'événements qui abaissent la turgescence des cellules de garde et provoquent la fermeture des stomates.

Les gibbérellines stimulent la croissance des tiges et la germination des graines

Les gibbérellines contrôlent l'élongation des tiges et cette réaction est particulièrement claire chez les plantes naines. Les traitements par la gibbérelline y rétablissent une croissance normale. Les recherches sur les plantes naines de maïs montrent qu'en dépit de la présence normale d'au moins neuf gibbérellines dans les plantes de maïs, seul le produit final de la voie de synthèse influence directement la croissance. Chez de nombreuses espèces, les gibbérellines peuvent se substituer au froid ou à la lumière normalement requis pour lever la dormance des graines. Dans les graines d'orge et d'autres graminées, l'embryon libère des gibbérellines qui déclenchent la production d'α-amylase dans la couche d'aleurone de l'albumen. Cette enzyme dégrade l'amidon stocké dans l'albumen, libérant le sucre qui servira à l'alimentation de l'embryon et favorisera la germination. Alors que les gibbérellines activent le gène de l'α-amylase, l'acide abscissique réprime ce gène.

Les hormones s'unissent à des récepteurs spécifiques qui activent ensuite des voies particulières de réponse

Au niveau moléculaire, les hormones influencent les processus développementaux en réagissant avec des récepteurs dans la cellule végétale. Elles interviennent dans de nombreux processus en activant ou en réprimant des lots de gènes nucléaires. Au niveau cellulaire, les hormones influencent le niveau et la direction de l'accroissement des cellules et le taux de division. Elles produisent ces effets par l'intermédiaire de voies biochimiques cellulaires complexes impliquant souvent des messagers secondaires.

La biotechnologie des plantes implique l'utilisation des cultures de tissus

Les progrès des recherches sur les hormones et la biochimie de l'ADN ont permis de manipuler les plantes de manière spécifique. La culture de tissus est une des techniques les plus prometteuses en biotechnologie. Dans les cas les plus favorables, les cultures de tissus sont utilisées pour obtenir des plantes complètes à partir de cellules isolées génétiquement modifiées. La totipotence est la faculté des cellules individuelles à se développer en plantes entières.

L'ingénierie génétique implique la manipulation de gènes en vue d'applications pratiques

La technologie de l'ingénierie génétique (ou de l'ADN recombinant) est basée sur la possibilité de scinder les molécules d'ADN en fragments spécifiques avec précision et de recombiner ceux-ci pour obtenir de nouvelles combinaisons. Le plasmide Ti d'*Agrobacterium tumefaciens*, qui induit la formation de tumeurs (crown-gall), est utilisé comme vecteur pour l'introduction de gènes étrangers parmi les gènes de la plante. Les plantes transgéniques transmettent ensuite les gènes étrangers à leur descendance par voie mendélienne. En utilisant des gènes rapporteurs, il est possible de constater visuellement si les gènes apportés par le plasmide ont bien été transférés aux cellules végétales et s'ils s'expriment.

MOTS CLÉS

QUESTIONS

1. Les jardiniers amateurs pincent souvent les pointes de certaines tiges afin de favoriser une croissance plus dense, ou plus buissonnante. Expliquez pourquoi l'élimination de la pointe de la tige favorise cette croissance.

2. Qu'entend-on par fruit parthénocarpique ? Quelles sont les deux hormones végétales utilisées pour leur production ?

3. Comparez et/ou montrez les différences entre auxines et cytokinines pour ce qui suit : sites principaux de biosynthèse, polarité du transport, types de cellules ou tissus intervenant dans le transport, influence sur la division cellulaire, influence sur la production de racines et de tiges feuillées en culture de tissus.

4. En quoi l'éthylène est-il une hormone végétale particulière ?

5. Quels sont les rapports entre les teneurs en acide abscissique et les mutants vivipares ?

6. De quelle manière les gibbérellines sont-elles utiles pour la brasserie ?

7. Expliquez comment l'acide abscissique contrôle l'ouverture et la fermeture des stomates.

8. Expliquez comment le plasmide Ti d'*Agrobacterium* est utilisé pour produire des plantes transgéniques.

Facteurs externes et croissance des plantes

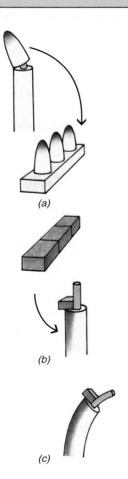

(a)

(b)

(c)

Figure 29-1

Expérience de Went. **(a)** Après avoir coupé des pointes de coléoptiles de germes d'avoine *(Avena sativa)*, il les a placées pendant une heure environ sur une plaque d'agar. **(b)** Il a ensuite découpé l'agar en petits blocs et placé un bloc latéralement sur chaque coléoptile décapité. **(c)** Les germes, maintenus à l'obscurité pendant toute l'expérience, se sont penchés du côté opposé à celui où se trouvait le bloc d'agar. À la suite de ce résultat, Went a conclu que l'« influence » responsable de la courbure des plantules était de nature chimique et qu'elle s'était accumulée du côté opposé à la lumière. Dans l'expérience de Went, les molécules d'auxine (en bleu) produites dans la pointe du coléoptile, passaient d'abord dans l'agar, puis de là dans un des côtés du germe.

SOMMAIRE

À certains points de vue, le comportement des plantes rappelle celui des animaux — elles peuvent estimer l'heure, se préparer à des conditions atmosphériques rigoureuses et répondre à des modifications de leur milieu. Cela n'a rien de surprenant dans une perspective évolutive. De ce point de vue, il est par exemple avantageux pour les plantes des régions tempérées de pouvoir détecter les changements de saisons afin de fleurir à temps pour que l'embryon soit protégé par un spermoderme avant l'arrivée de la neige. Il est tout aussi avantageux pour les graines de ne pas germer et pour les bourgeons de ne pas s'ouvrir prématurément — par exemple à l'occasion d'une journée anormalement douce au cœur de l'hiver.

Ce chapitre concerne les mécanismes mis en œuvre par les plantes pour répondre à leur mileu externe. Certains de ces mécanismes se rapportent à des phénomènes quotidiens. Pourquoi, par exemple, les racines poussent-elles vers le bas et les tiges vers le haut ? Pour quelle raison les vrilles s'enroulent-elles autour de la clôture et les feuilles de dionée se referment-elles sur leur proie ? D'autres aspects sont moins familiers : pourquoi, par exemple, les plantes cultivées en serre sont-elles souvent plus grandes et plus minces qu'à l'air libre ? Dans certains cas, les mécanismes en cause sont déclenchés par les hormones dont nous avons parlé au chapitre précédent. Les mécanismes restent le plus souvent imparfaitement connus.

En raison de son importance dans le cycle de développement, l'accent sera mis surtout, dans ce chapitre, sur la floraison, processus soumis à des interactions entre de nombreux phénomènes différents comme les rythmes circadiens et l'horloge biologique, le photopériodisme et la mesure de la durée du jour, ainsi qu'à des interactions entre les hormones.

POINTS DE REPÈRE

Quand vous terminerez la lecture de ce chapitre, vous devriez pouvoir répondre aux questions suivantes :

- *Qu'appelle-t-on tropisme ? Comment les plantes répondent-elles à la lumière ? À la pesanteur ?*

- *Pourquoi est-il important que les plantes puissent estimer l'« heure » ? Par quoi se caractérise l'horloge biologique des plantes ?*

- *Quels sont les effets de la durée du jour sur la floraison ?*

- *Qu'entend-on par phytochrome et quelle est son implication dans la floraison, la germination des graines et la croissance de la tige ?*

- *Qu'entend-on par dormance et quel est le rôle de l'environnement dans la levée de dormance des graines et des bourgeons ?*

Les organismes vivants doivent contrôler leurs activités en fonction du monde qui les entoure. En raison de leur mobilité, beaucoup d'animaux peuvent dans une certaine mesure adapter leurs activités — recherche de la nourriture ou d'un partenaire sexuel, recherche ou même construction d'un abri en cas de mauvais temps. Une plante est par contre immobilisée dès qu'elle a enfoncé sa première racine dans le sol. Les plantes sont toutefois capables de répondre et de s'adapter à des modifications très diverses de leur environnement externe. Cette capacité se manifeste principalement par des modifications du mode de croissance. Les interventions de l'environnement dans les programmes de développement des plantes sont responsables de la grande diversité morphologique d'individus génétiquement identiques.

Les tropismes

On parle de **tropisme** pour désigner une modification de la croissance causée par un stimulus extérieur ; il peut s'agir d'une inclinaison ou d'une courbure qui rapproche ou écarte une partie de la plante du stimulus déterminant le sens du mouvement. La réponse est *positive* si elle s'oriente vers le stimulus et *négative* si elle s'en écarte.

Le phototropisme est l'effet sur la croissance d'une lumière orientée

L'interaction la plus familière entre les plantes et le monde extérieur est peut-être la courbure vers la lumière des pointes de tiges en croissance (voir figure 28-1). Cette réaction de croissance, appelée aujourd'hui **phototropisme**, est due à une élongation — induite par l'auxine — des cellules situées sur la face non éclairée de l'apex. Quel est le rôle de la lumière dans le phototropisme ? On peut imaginer trois possibilités : (1) la lumière diminue la sensibilité à l'auxine des cellules placées à la lumière, (2) la lumière détruit l'auxine ou (3) la lumière dirige l'auxine vers la face de l'apex en croissance située à l'ombre.

Pour vérifier ces hypothèses, Winslow Briggs et ses collaborateurs ont effectué une série d'expériences basées sur les travaux antérieurs de Frits Went (Figure 29-1). Ces chercheurs ont montré tout d'abord que l'on dose la même quantité d'auxine dans les pointes de coléoptiles, aussi bien à la lumière qu'à l'obscurité. Lorsqu'une face a été exposée à la lumière cependant, la quantité d'auxine est plus importante du côté situé à l'ombre que du côté exposé à la lumière. Si l'on fend l'apex et si l'on place un obstacle, par exemple une mince lamelle de verre, entre les deux moitiés (les parties éclairées et à l'ombre), on n'observe plus de différence de répartition (Figure 29-2). Autrement dit, Briggs prouvait que l'auxine migre du côté éclairé vers le côté placé à l'ombre. Des expériences mettant en œuvre une auxine (acide indole-acétique ou AIA) marquée au ^{14}C ont montré que les différences quantitatives entre les deux faces étaient dues à une migration de l'auxine, et non à sa destruction. Ces expériences sont compatibles avec l'hypothèse qui attribue la courbure phototropique à une redistribution de l'auxine.

On suppose que la redistribution de l'auxine en réponse à la lumière est déclenchée par un photorécepteur, plus précisément par une protéine contenant un pigment capable d'absorber la lumière et de la transformer en une réaction biochimique (voir, page 690, un exposé sur les récepteurs et la transformation des signaux).

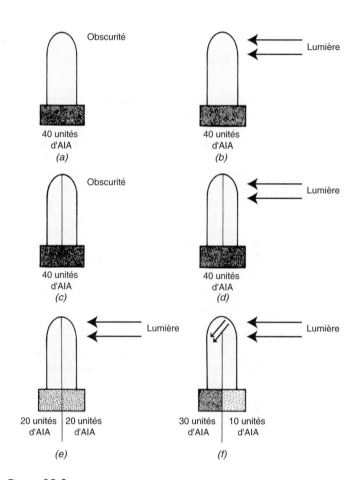

Figure 29-2

Expériences de Briggs et de ses collaborateurs montrant le déplacement latéral de l'AIA dans des pointes de coléoptiles de maïs éclairées latéralement. L'auxine est capable de diffuser : on la récolte dans des blocs d'agar. Les unités indiquent les quantités relatives d'AIA présentes dans chaque bloc. **(a)**, **(b)** Les blocs d'agar récoltent la même quantité d'AIA sous les coléoptiles intacts, qu'ils soient maintenus à l'obscurité ou éclairés. **(c)**, **(d)** Si les coléoptiles sont séparés en deux parties par une mince lamelle de verre, les blocs d'agar restant entiers, on récolte la même quantité d'AIA qu'en **(a)** et **(b)**. **(e)** Si les deux moitiés et les blocs d'agar sous-jacents sont complètement séparés, les quantités d'auxine récoltées sont identiques des côtés obscur et éclairé. **(f)** Si le sommet du coléoptile est incomplètement fendu, les autres conditions restant semblables à **(e)**, la quantité d'auxine diffusant à partir de la moitié ombragée est supérieure à celle qui provient de la partie éclairée. Ces résultats confirment l'hypothèse que l'éclairage unilatéral induit un déplacement latéral de l'AIA de la moitié éclairée du coléoptile vers la partie obscure.

La réaction de phototropisme est déclenchée par la lumière bleue (longueurs d'onde de 400 à 500 nanomètres). On a récemment utilisé des mutants d'*Arabidopsis* insensibles à la lumière bleue pour cloner les gènes codant les photorécepteurs. Ces protéines réceptrices sont apparentées à d'autres protéines bien connues qui s'unissent à des pigments appelés flavines. Les flavines absorbent principalement la lumière dans la bande du bleu, ce qui explique pourquoi la lumière bleue induit le plus efficacement les réponses phototropiques.

Le géotropisme est la réponse de la croissance à la pesanteur

Un autre tropisme bien connu est le **géotropisme** (ou gravitropisme), qui est une réponse à la pesanteur (Figure 29-3). Si l'on couche une plantule horizontalement, sa racine va se développer vers le bas (géotropisme positif) et la tige feuillée vers le haut (géotropisme négatif). La première explication de ce mécanisme faisait appel à une redistribution de l'auxine entre les faces supérieure et inférieure. Dans les tiges, une concentration plus élevée en auxine entraîne un accroissement plus rapide des cellules du côté inférieur de la tige et son redressement. Par contre, pour la racine, moins sensible à l'auxine, l'augmentation de la concentration du côté inférieur inhibe en fait l'accroissement des cellules et provoque une courbure des racines vers le bas parce que les cellules situées au-dessus s'accroissent plus rapidement que celles du bas.

On a prouvé expérimentalement cette hypothèse de la redistribution de l'auxine pour la tige feuillée principalement. On a identifié et cloné des gènes inductibles par l'auxine chez un certain nombre d'espèces. Certains de ces gènes ne sont activés par l'auxine que du côté de la tige où la croissance est accrue. On ne sait pas encore si cette activation de la transcription est due à une augmentation de la teneur en auxine ou à une sensibilité accrue du tissu à l'auxine déjà présente.

Dans de nombreux cas, en particulier chez les dicotylées, on n'a pas observé une redistribution massive de l'auxine. Il est possible que cette redistribution implique des tissus tellement proches que les mesures sont difficiles à réaliser. Si, comme on le suppose, la croissance des tiges dépend surtout de l'extensibilité des assises cellulaires épidermiques, son contrôle pourrait reposer sur des déplacements latéraux d'auxine sur une distance ne dépassant pas quelques assises cellulaires, entre le cylindre cortical et l'épiderme. Des modifications aussi faibles de la répartition de l'auxine seraient difficiles à déceler, mais elles pourraient avoir des conséquences importantes pour la croissance. On a récemment isolé et caractérisé le gène *AUX*1, dont le produit régularise le contrôle hormonal du géotropisme de la racine chez *Arabidopsis*. Les mutations du gène *AUX*1 donnent un phénotype où la racine résiste à l'auxine. Il en résulte une racine dépourvue de courbure géotropique. Ce gène s'exprime principalement dans les cellules épidermiques de la racine.

Les travaux récents montrent que le calcium joue un rôle important dans la réponse géotropique des tiges et des racines, et que cette réponse est induite par une protéine de fixation du calcium, la calmoduline (page 87). On a montré que le calcium migre vers la partie supérieure des tiges soumises à la pesanteur avant leur redressement et vers la partie inférieure des racines avant leur courbure vers le bas. Dans les racines intactes de maïs (*Zea mays*), le calcium pourrait agir dans l'épiderme.

La perception de la pesanteur est corrélée à la sédimentation des amyloplastes (plastes contenant de l'amidon) à l'intérieur de cellules particulières de la tige et de la racine. Dans les tiges, ces cellules sont souvent situées soit à proximité des faisceaux conducteurs, soit autour de ceux-ci. Dans les racines cependant, on les retrouve dans la coiffe, en particulier dans sa colonne centrale (columelle) (Figure 29-4). Lorsqu'une racine est placée horizontalement, les amyloplastes, qui

Figure 29-3

Réponse géotropique de la tige d'une jeune plante de tomate *(Lycopersicon esculentum).* **(a)** La plante a été inclinée horizontalement et est restée dans cette position ; **(b)** La plante a été placée la tête en bas et maintenue par un support métallique. La tige, droite à l'origine, s'est recourbée et s'est développée vers le haut dans les deux cas. Lorsqu'une plante est placée horizontalement et qu'on la fait tourner autour de son axe horizontal, il ne se produit pas de courbure (réponse géotropique) ; la plante continue à se développer horizontalement. Pouvez-vous expliquer la différence entre la plante que l'on fait tourner et celles qui sont représentées ici ?

(a)   (b)

Figure 29-4

Amyloplastes. **(a)** Micrographie d'une coupe longitudinale de la coiffe de la racine primaire de haricot, *Phaseolus vulgaris.* Les flèches montrent des amyloplastes (plastes contenant de l'amidon) qui se sont déposés à proximité des parois transversales de la colonne centrale de cellules (columelle) de la coiffe. **(b)** Micrographie électronique de cellules de la columelle d'une coiffe semblable à celle qui est représentée en **(a)**. Les amyloplastes (flèches) sont visibles au fond des cellules, près des parois transversales. On voit nettement les grains d'amidon à l'intérieur des amyloplastes.

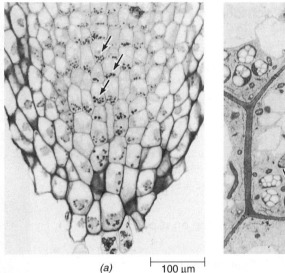

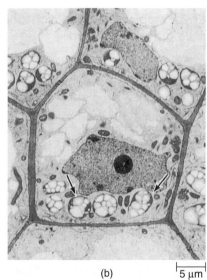

(a)   100 µm   *(b)*   5 µm

s'étaient déposés à proximité des parois transversales dans les racines verticales en croissance, glissent vers le bas et s'arrêtent près des parois précédemment verticales (Figure 29-5). Après quelques heures, la racine se recourbe vers le bas et les amyloplastes reprennent leur position initiale le long des parois transversales. Selon l'*hypothèse des grains d'amidon-statolithes,* les amyloplastes capables de sédimenter jouent le rôle des statolithes, ou senseurs gravimétriques. On n'a pas encore expliqué comment le déplacement des amyloplastes se traduit par une croissance différentielle.

L'*hypothèse de la pression hydrostatique* est une alternative à l'hypothèse statolithique : elle suppose que les cellules végétales détectent la pesanteur grâce à une perception de la pression hydrostatique exercée sur leur paroi par le protoplaste. Le mécanisme de perception serait capable de détecter les forces de tension et de pression appliquées par la masse du protoplaste sur les faces supérieure et inférieure d'une cellule. Une troisième hypothèse, celle du *contrôle cen-*

tral du plasmalemme, repose également sur la pression hydrostatique. Elle suppose que des canaux cationiques spécifiques au Ca^{2+}, réunis autour de centres de fixation de la membrane plasmique au cytosquelette et à la paroi cellulaire, s'ouvrent en réponse aux tensions manifestées au niveau de la membrane plasmique. Ces tensions seraient dues à des modifications de la répartition des forces (y compris celles qui sont liées à la pesanteur, exercées par le protoplaste, le cytosquelette ou la paroi cellulaire aux sites de fixation. L'ouverture des canaux à calcium provoquerait une augmentation transitoire de la teneur en Ca^{2+} du cytosol qui déclencherait une activation localisée de protéines régulatrices dépendantes de Ca^{2+}, comme la calmoduline et les protéine-kinases, qui interviennent dans les voies de transmission des signaux responsables de la réponse finale. En outre, une élévation locale du taux de Ca^{2+} du cytosol déclencherait une libération locale d'auxine par les cellules stimulées, établissant ainsi un gradient auxinique à travers l'organe stimulé par la pesanteur.

(a)

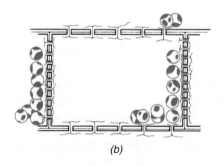

(b)

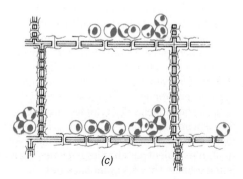

(c)

Figure 29-5

Réponse à la pesanteur des amyloplastes dans les cellules de la columelle de la coiffe. **(a)** Les amyloplastes se déposent normalement le long des parois transversales dans la coiffe d'une racine s'allongeant verticalement vers le bas. Si la racine est placée horizontalement, **(b)** et **(c)**, les amyloplastes glissent vers les parois normalement verticales, mais qui sont mainte-nant parallèles à la surface du sol. Ce déplacement des amyloplastes peut jouer un rôle important dans la perception de la pesanteur par les racines.

L'hydrotropisme est une croissance qui répond à un gradient d'humidité

Les racines répondent également aux différences d'humidité du sol en orientant leur croissance vers les régions à potentiel hydrique supérieur. Ce tropisme est l'**hydrotropisme**. Son étude a été difficile, entre autres parce que la réponse des racines au géotropisme est beaucoup plus forte que sa réaction au gradient d'humidité. Ce problème a été résolu par la découverte d'un mutant de pois *(Pisum sativum)* appelé *ageotropum*, qui ne réagit ni à la pesanteur, ni à la lumière. Les résultats des recherches sur *ageotropum* montrent que les cellules qui perçoivent le gradient d'humidité responsable de l'hydrotropisme positif sont situées dans la coiffe de la racine et que le calcium joue un rôle dans l'hydrotropisme de la racine.

Le thigmotropisme est une croissance en réponse à un contact

Un autre tropisme fréquent est le **thigmotropisme** (du grec *thigma*, qui signifie « toucher ») : c'est une réponse à un contact avec un objet solide. Un des exemples les plus commun de thigmotropisme est celui des vrilles qui, suivant les espèces, sont des feuilles ou des tiges modifiées (page 641). Les vrilles s'enroulent autour de tout objet avec lequel elles entrent en contact (Figure 29-6) et permettent ainsi à la plante de s'accrocher et de grimper. La réponse peut être rapide ; une vrille peut s'enrouler une ou plusieurs fois autour d'un support en moins d'une heure. Les cellules en contact avec le support se raccourcissent légèrement et celles qui se trouvent du côté opposé s'allongent.

Les recherches de M.J.Jaffe ont montré que les vrilles peuvent garder la « mémoire » d'une stimulation tactile. Si des vrilles de pois *(Pisum sativum)* par exemple, sont maintenues à l'obscurité pendant trois jours, et qu'on les frotte ensuite, elles ne s'enroulent pas, peut-être parce qu'elles ont besoin d'ATP. Mais, si elles sont éclairées dans les deux heures qui suivent le contact, elles réagissent en s'enroulant.

Les rythmes circadiens

Tout le monde sait que les fleurs de certaines plantes s'ouvrent le matin et se ferment le soir. De même, beaucoup de feuilles s'ouvrent au lever du jour et se referment la nuit (Figure 29-7). Dès 1729, le savant français Jean-Jacques de Mairan avait remarqué que ces mouvements diurnes se poursuivaient même si les plantes étaient placées dans la pénombre (Figure 29-8). Des travaux plus récents ont montré l'existence de rythmes quotidiens réguliers dans la photosynthèse, la production d'auxines et les divisions cellulaires et leur persistance dans un environnement constant. Ces cycles réguliers, d'environ 24 heures, sont appelés des **rythmes circadiens**, du latin *circa*, qui signifie « environ » et *dies*, « un jour ». Les exemples de rythmes circadiens se retrouvent partout chez les eucaryotes. On a cru longtemps qu'ils n'existaient pas chez les bactéries, mais on a récemment prouvé leur existence chez les cyanobactéries.

Figure 29-6

Thigmotropisme. Vrilles de cucurbitacée *(Cucumis anguria)*. L'enroulement provient d'une croissance différentielle à l'intérieur et à l'extérieur de la vrille.

Les rythmes circadiens sont contrôlés par des horloges biologiques

Ces rythmes sont-ils réellement internes — c'est-à-dire provoqués par des facteurs exclusivement localisés à l'intérieur de l'organisme — ou l'organisme lui-même reçoit-il par moment l'un ou l'autre stimulus externe ? La plupart des chercheurs conviennent que les rythmes sont endogènes — que leur contrôle est donc interne. On parle souvent d'**horloge biologique** pour désigner ce mécanisme d'ajustement des organismes.

(a)   *(b)*

Figure 29-7

Mouvement diurnes. Les feuilles de surelle *(Oxalis)* pendant la journée **(a)** et la nuit **(b)**. La fonction de ces mouvement de sommeil pourrait être d'empêcher l'absorption de la lumière de la lune par les feuilles pendant les nuits claires et de protéger ainsi les mécanismes de photopériodisme décrits plus bas. Une autre hypothèse proposée par Charles Darwin il y a plus d'un siècle est que le repliement des feuilles réduit les pertes de chaleur pendant la nuit.

Les horloges biologiques sont synchronisées par l'environnement

Dans des conditions d'environnement constantes, qui n'existent qu'en laboratoire, la période du rythme circadien est **autonome** — cela signifie que sa période naturelle (généralement entre 21 et 27 heures) n'a pas besoin d'être réajustée à chaque nouveau cycle. Elle se comporte comme un balancier autonome. Dans la nature, l'environnement agit comme facteur de synchronisation (ou *Zeitgeber*, terme allemand pour « donneur de temps »). En fait, l'environnement est responsable de la mise en phase du rythme circadien avec le cycle journalier lumière-obscurité de 24 heures. Si le rythme circadien d'une plante était supérieur ou inférieur à 24 heures, il serait rapidement déphasé par rapport au cycle lumière-obscurité de 24 heures. Un phénomène tel que la floraison, se déroulant généralement à la lumière, se situerait chaque jour à des moments différents, même pendant la période obscure. Les plantes doivent donc être resynchronisées — **ajustées** — dans le jour de 24 heures.

L'ajustement est le processus par lequel une répétition périodique de lumière et d'obscurité (ou tout autre cycle extérieur) maintient le

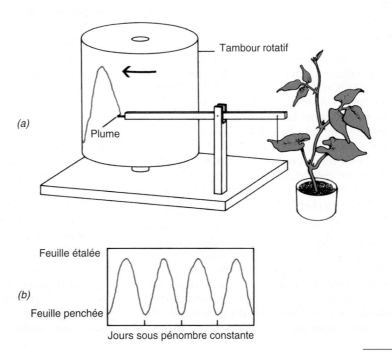

(a)

Figure 29-8

Les rythmes circadiens. Chez de nombreuses plantes, les feuilles s'étalent perpendiculairement à la tige et aux rayons solaires durant le jour et se dressent verticalement le long de la tige pendant la nuit. Il est possible d'enregistrer ces mouvements de sommeil sur un tambour rotatif à l'aide d'un système équilibré comportant une plume et un levier fixé à une feuille par un fil mince. **(a)** Chez beaucoup de plantes, comme le haricot *(Phaseolus vulgaris)*, ces mouvements se poursuivent pendant plusieurs jours, même en pénombre continue. **(b)** Enregistrement de ce rythme circadien, montrant sa persistance en pénombre constante.

Tambour rotatif

Plume

Feuille étalée

(b)

Feuille penchée

Jours sous pénombre constante

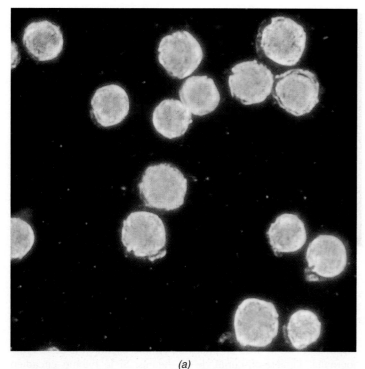

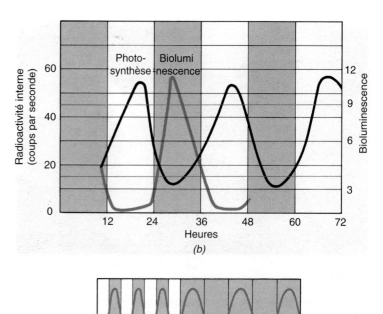

Figure 29-9

L'ajustement. **(a)** Micrographie du dinoflagellate *Gonyaulax polyedra*, algue marine unicellulaire. **(b)** Chez *G.polyedra*, trois fonctions obéissent à des rythmes circadiens indépendants : la bioluminescence, qui atteint son maximum au milieu de la nuit (courbe en rouge), la photosynthèse, avec un pic au milieu de la journée (courbe en noir) et la division cellulaire (non représen-tée), limitée aux heures qui précèdent immédiatement la levée du jour. Si l'on maintient *Gonyaulax* en pénombre continue, ces trois fonctions se poursuivent au même rythme pendant des jours et même des semaines, alors que de nombreuses divisions cellulaires se sont déroulées. **(c)** Comme beaucoup de rythmes circadiens, celui de la bioluminescence de *Gonyaulax* peut être modifié en changeant les cycles d'éclairement. Si les cultures de l'algue sont exposées par exemple à des alternances de périodes lumineuses et obscures de six heures chacune, la fonction s'ajuste au cycle imposé (à gauche). Si les cultures sont ensuite placées en lumière continue, les organismes reviennent à leur rythme originel d'environ 24 heures.

synchronisme d'un rythme circadien avec le cycle du facteur d'ajuste-ment. Les cycles lumière-obscurité et les cycles de température sont les principaux facteurs d'ajustement (Figure 29-9).

Il existe une autre caractéristique intéressante : ces rythmes ne sont pas automatiquement accélérés par une élévation de la température, bien que les activités biochimiques — et une horloge biologique interne doit avoir une base biochimique — soient plus rapides aux températures plus élevées. Certaines horloges sont un peu plus rapi-des lorsque la température monte, mais d'autres sont ralenties et beaucoup ne sont pas du tout modifiées. L'horloge biologique doit donc posséder en elle-même un mécanisme de régulation — un sys-tème rétroactif qui lui permet de s'adapter aux changements de tem-pérature. Un tel système compensant l'effet de la température aurait une grande importance chez les plantes.

Les analyses génétiques réalisées chez *Neurospora* ont permis de d'identifier certains composants de son horloge biologique, en parti-culier les gènes *fréquency, white collar-1* et *white collar-2*. On a mon-tré que les protéines codées par le gène *frequency* ont un effet rétroactif et inhibent leur propre transcription. (On a décrit des bou-cles de rétroinhibition semblables chez d'autres organismes.) *White collar-1* et *white collar-2*, qui codent tous deux des protéines de fixa-tion à l'ADN, fonctionnent apparemment comme activateurs de la transcription. Tous deux sont nécessaires à la réponse de *Neurospora* à la lumière.

On trouve chez les plantes un très bon exemple du contrôle par l'horloge biologique de l'expression de gènes spécifiques parmi les gènes qui codent les protéines de fixation des chlorophylles *a/b* (Cab) des complexes de collecte de la lumière. Une démonstration élégante a été faite en unissant un fragment du promoteur *CAB2* d'*Arabidopsis* à la région codante du gène de la luciférase *(Luc)* de la luciole : on obtient ainsi un gène rapporteur bioluminescent de l'activité trans-criptionnelle de *CAB* (page 698). Après le transfert de ce gène rappor-teur à des plantes d'*Arabidopsis*, on a pu mettre en évidence l'influence de l'horloge sur l'expression des gènes de fixation des chlorophylles *a/b (CAB)* en observant la bioluminescence due à l'acti-vité de la luciférase (Figure 29-10). Ce système de rapporteur a été appliqué au criblage des mutants qui affectent le mécanisme de l'hor-loge interne chez *Arabidopsis*.

Non seulement l'horloge biologique coordonne les activités quoti-diennes, mais son utilité principale est de permettre à la plante ou à l'animal de répondre aux changements annuels de la longueur du jour au cours de l'année par des mesures précises. Même au niveau des tropiques, de nombreuses plantes sont sensibles à la longueur du jour et sont capables d'utiliser ce signal pour synchroniser la floraison

Figure 29-10

Contrôle de l'expresion génique par une horlogre biologique. On voit une plantule d'*Arabidopsis* dans laquelle on a associé le gène de la luciférase de la luciole à la région promotrice du gène *CAB2*. L'expression du gène *CAB2*, contrôlée par la lumière et l'horloge biologique, est plus importante (rouge) dans les cotylédons et nulle (bleu) dans la racine.

Figure 29-11

La longueur relative du jour et de la nuit détermine le moment de la floraison chez les plantes. Les quatre courbes représentent les changements annuels de la longueur du jour dans quatre villes américaines situées à quatre latitudes différentes. Les traits horizontaux verts représentent la photopériode efficace de trois plantes de jours courts. La lampourde exige par exemple au maximum 16 heures de lumière. À Miami, San Francisco et Chicago, elle peut fleurir dès qu'elle s'est développée mais, à Winnipeg, les boutons n'apparaissent pas avant début août, si tardivement que les plantes seront probablement gelées avant la maturation des graines.

et d'autres activités à des caractères saisonniers comme les périodes d'humidité et de sécheresse. De cette façon, les modifications de l'environnement déclenchent des réponses qui permettent l'adaptation de la croissance, de la reproduction et d'autres activités de l'organisme.

Le photopériodisme

L'influence de la longueur du jour fut découverte il y a environ soixante-dix ans par deux chercheurs du Département de l'Agriculture des États-Unis, W.W. Garner et H.A. Allard ; ils avaient constaté que ni la variété de tabac *(Nicotiana tabacum)* Maryland Mammoth, ni la variété de soja *(Glycine max)* Biloxi ne pouvaient fleurir si la durée du jour était inférieure à une valeur critique. Garner et Allard qualifièrent ce phénomène de **photopériodisme**. Les plantes qui ne fleurissent que pour des longueurs de jour déterminées sont dites *photopériodiques*. Le photopériodisme est une réponse biologique à une modification du rapport entre la lumière et l'obscurité dans un cycle journalier de 24 heures. Bien que ce soit des recherches sur les plantes qui sont à l'origine du concept de photopériodisme, on a prouvé aujourd'hui son existence dans divers domaines de la biologie, par exemple dans le comportement sexuel d'animaux aussi divers que la pyrale du pommier, le ver des bourgeons de l'épicéa, les aphides, le ver de la pomme de terre, des poissons, des oiseaux et des mammifères.

La longueur du jour est un facteur essentiel qui détermine le moment de la floraison

Garner et Allard poursuivirent leurs tests et confirmèrent leur découverte chez de nombreuses autres espèces de plantes. Ils constatèrent l'existence de trois grandes catégories de plantes qu'ils appelèrent plantes de **jours courts**, plantes de **jours longs** et plantes **indifférentes**. Les plantes de jours courts fleurissent au début du printemps ou en automne ; elles doivent recevoir une durée du jour *inférieure* à une durée critique. La floraison de la lampourde (*Xanthium strumarium*) par exemple est induite par une durée maximale de 16 heures de lumière (Figures 29-11 et 29-12). Les chrysanthèmes (Figure 29-13a), les poinsettias, les fraisiers et les primevères sont également des plantes de jours courts.

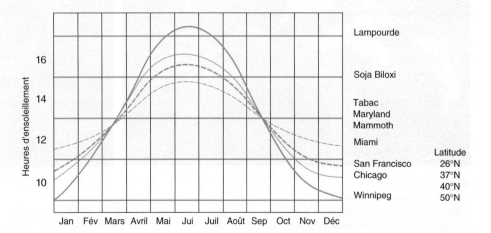

Figure 29-12

Les plantes de jours courts ne fleurissent que si la photopériode est inférieure à une valeur critique. La lampourde commune *(Xanthium strumarium)* est une plante de jours courts et demande moins de 16 heures de lumière pour fleurir. Les plantes de jours longs ne fleurissent que si la photopériode dépasse une valeur critique. La jusquiame *(Hyoscyamus niger)* est une plante de jours longs demandant au moins 10 heures de lumière pour fleurir (en fonction de la température). Si la période obscure est interrompue par un éclair de lumière, *Hyoscyamus* fleurira même si la période lumineuse journalière est inférieure à 10 heures. Cependant, un éclair lumineux donné pendant la période obscure a un effet opposé chez une plante de jours courts — il empêche sa floraison. Les rectangles du sommet indiquent la durée de lumière et d'obscurité dans un jour de 24 heures.

Heures

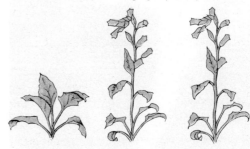

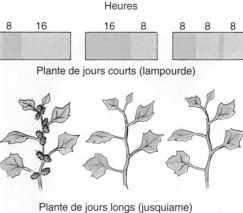

Plante de jours courts (lampourde)

Plante de jours longs (jusquiame)

Les plantes de jours longs, qui fleurissent principalement en été, ne fleuriront que si les périodes de lumière *sont supérieures* à une durée critique. L'épinard, certaines pommes de terre, certaines variétés de blé, la laitue et la jusquiame *(Hyoscyamus niger)* sont des exemples de plantes de jours longs (Figures 29-12 et 29-13b).

La lampourde et l'épinard fleuriront tous deux s'ils sont exposés à une période de 14 heures de lumière, mais une seule de ces plantes est considérée comme une espèce de jours courts. Le facteur important n'est pas la durée absolue de la photopériode, mais le fait qu'elle soit supérieure ou inférieure à un intervalle critique. Les plantes indif-

férentes fleurissent quelle que soit la durée du jour. C'est le cas du concombre, du tournesol, de certaines variétés de riz, du maïs et du pois.

Chez certaines espèces de plantes à large distribution nord-sud, on observe souvent des écotypes (variants adaptés aux conditions locales) à photopériode différente. Chez de nombreuses espèces de graminées des prairies qui sont réparties du sud du Canada au Texas par exemple, les écotypes septentrionaux fleurissent avant les méridionaux s'ils sont cultivés ensemble dans un même milieu. Les

(a) *(b)*

Figure 29-13

Exemples de plantes de jours courts **(a)** et de jours longs **(b)** cultivées toutes deux en jours courts (à gauche) et en jours longs (à droite). **(a)** Chrysanthème. **(b)** Épinard *(Spinacia oleracea)*. Notez que les plantes exposées aux jours longs possè-dent des tiges plus longues que celles cultivées en jours courts, qu'elles fleurissent ou non.

différentes populations sont adaptées avec précision aux exigences locales du régime jour-nuit.

La réponse à la photopériode peut être d'une précision remarquable. À 22,5°C, la jusquiame (plante de jours longs) fleurira si elle est exposée à des photopériodes de 10 heures et 20 minutes (Figure 29-12), mais pas à une photopériode de 10 heures. Les conditions de milieu affectent également le comportement photopériodique. À 28,5°C par exemple, la jusquiame exige 11,5 heures de lumière alors qu'à 15,5°C, 8,5 heures suffisent.

La réponse diffère suivant les espèces. Certaines plantes n'exigent qu'une seule exposition au cycle jour-nuit critique, tandis que d'autres, comme l'épinard, doivent y être exposées pendant plusieurs semaines. Chez de nombreuses plantes, il existe une corrélation entre le nombre de cycles d'induction et la rapidité de la floraison ou le nombre de fleurs formées. Certaines plantes doivent avoir atteint un certain niveau de maturité avant de pouvoir fleurir, alors que d'autres vont répondre à la photopériode appropriée dès le stade plantule. En vieillissant, certaines plantes finiront par fleurir même sans être exposées à la bonne photopériode, mais elles fleurissent beaucoup plus tôt si l'exposition est correcte.

Les plantes détectent la longueur du jour en mesurant la durée de la nuit

En 1938, Karl C. Hammer et James Bonner entamèrent une recherche sur le photopériodisme d'une plante de jours courts, la lampourde, qui exige pour fleurir un maximum de 16 heures de lumière sur un cycle de 24 heures. Cette plante est particulièrement utile pour l'expérimentation parce qu'une seule exposition en laboratoire à un cycle de jours courts induira la floraison deux semaines plus tard, même si la plante revient immédiatement à des jours longs. Hammer et Bonner ont montré que la lampourde perçoit la photopériode par le limbe foliaire. On ne peut induire la floraison chez une plante entièrement défoliée. Mais l'induction florale est possible dès qu'un huitième de la surface d'une feuille entièrement épanouie est exposée une seule fois à un jour court.

Au cours de ces recherches, où différentes conditions expérimentales ont été testées, Hammer et Bonner ont fait une découverte décisive et totalement inattendue. Si la période d'obscurité est interrompue, ne fut-ce que pendant une minute par la lumière d'une ampoule de 25 watts, la plante ne fleurit pas. L'interruption de la période lumineuse n'a absolument aucun effet sur la floraison. Des expériences ultérieures effectuées sur d'autres plantes de jours courts ont montré qu'elles aussi avaient besoin de périodes d'obscurité ininterrompues plutôt que de périodes ininterrompues de lumière.

La partie de la période obscure la plus sensible à une interruption par la lumière se situe au milieu de cette période. Si l'on donne, à une plante de jours courts comme la lampourde, une période de lumière de 8 heures, suivie d'une longue période d'obscurité, la plante passe par un stade de sensibilité croissante à une interruption par la lumière d'une durée d'environ 8 heures, suivie d'une période durant laquelle

l'effet d'une interruption lumineuse s'atténue. En réalité, la floraison est stimulée par une exposition d'une minute à la lumière après 16 heures d'obscurité.

En se basant sur les découvertes de Garner et Allard déjà décrites, les producteurs de chrysanthèmes ont constaté qu'ils pouvaient retarder la floraison des plantes de jours courts en allongeant la longueur du jour par un éclairage artificiel. Grâce aux nouvelles expériences de Hammer et Bonner, ils ont pu retarder la floraison simplement en donnant de la lumière pendant une courte période au milieu de la nuit.

Qu'en est-il des plantes de jours longs ? Elles aussi mesurent l'obscurité. Une plante de jours longs qui fleurira après un séjour de 16 heures à la lumière et de 8 heures à l'obscurité fleurira également avec 8 heures de lumière et 16 heures d'obscurité si l'obscurité est interrompue par une exposition d'une heure à la lumière.

Base chimique du photopériodisme

Un groupe de chercheurs de l'U.S. Department of Agriculture, à la station de recherche agricole de Beltsville, Maryland, a fourni des informations importantes sur le mécanisme de réponse des plantes aux rapports entre les périodes de lumière et d'obscurité. Ces informations découlaient d'un travail antérieur effectué sur des graines de laitue *(Lactuca sativa)*, qui ne germent qu'après avoir été exposées à la lumière. Ce besoin est normal pour beaucoup de petites graines qui doivent germer dans un sol léger et près de la surface du sol pour permettre au semis de lever. En étudiant le besoin en lumière des graines de laitues en germination, les premiers chercheurs avaient montré que la lumière rouge stimule la germination et qu'une lumière de longueur d'onde un peu supérieure (rouge lointain) l'inhibait, et même plus efficacement que l'absence de tout éclairage.

Hammer et Bonner avaient montré que l'interruption de la période obscure par un seul éclair d'une ampoule ordinaire empêche la floraison de la lampourde. Poursuivant dans la même direction, le groupe de Beltsville entama des expériences en utilisant des lumières de différentes longueurs d'onde pour des éclairs d'intensité et de durée variables. Ils constatèrent que la lumière rouge, d'une longueur d'onde de 660 nanomètres environ, était la plus efficace pour empêcher la floraison chez la lampourde et d'autres plantes de jours courts et pour déclencher la floraison chez les plantes de jours longs.

En utilisant les graines de laitue, le groupe de Beltsville découvrit que si un éclair de lumière rouge était suivi d'un éclair dans le rouge lointain, les graines ne germaient pas. La lumière rouge la plus efficace pour l'induction de la germination des graines de laitues était la même que celle qui intervenait dans le déclenchement de la floraison — environ 660 nanomètres. De plus, la lumière la plus efficace pour inhiber les effets de la lumière rouge avait une longueur d'onde de 730 nanomètres, dans la bande du rouge lointain. La séquence d'éclairs rouge et rouge lointain pouvait être répétée sans fin ; ce n'était pas le nombre d'éclairs qui comptait, mais la nature du dernier éclair.

Figure 29-14

La lumière et la germination des graines de laitue. **(a)** Graines exposées brièvement à la lumière rouge ; **(b)** graines exposées à la lumière rouge, puis au rouge lointain ; **(c)** graines exposées à une séquence rouge, rouge lointain, rouge ; **(d)** graines exposées à une séquence rouge, rouge lointain, rouge, rouge lointain. La germination des graines dépend de la longueur d'onde finale de la séquence d'expositions, le rouge favorisant la germination et le rouge lointain l'inhibant.

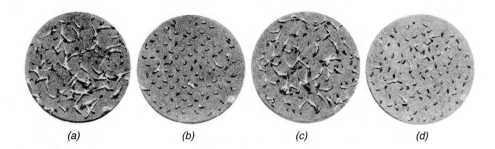

(a)   *(b)*   *(c)*   *(d)*

Si la séquence se clôturait par un éclair rouge, la plupart des graines germaient. Si elle se terminait par un éclair dans le rouge lointain, la plupart ne germaient pas (Figure 29-14).

Le phytochrome intervient dans le photopériodisme

Les photorécepteurs qui interviennent à la fois dans la floraison et dans la germination des graines de laitue sont présents sous deux formes différentes et interchangeables : P_r, qui absorbe la lumière rouge, et P_{fr}, qui absorbe le rouge lointain. Lorsqu'une molécule de P_r absorbe un photon de lumière d'une longueur d'onde de 660 nanomètres, elle se transforme en P_{fr} en quelques millisecondes ; quand une molécule de P_{fr} absorbe un photon de 730 nanomètres, elle reprend rapidement la forme P_r. Il s'agit de réactions de photoconversion. La forme P_{fr} a une activité biologique (elle déclenchera une réaction telle que la germination des graines), alors que P_r est inactive. Les photorécepteurs peuvent donc fonctionner comme commutateurs biologiques pour déclencher ou arrêter les réponses.

À partir de ces faits, il est facile d'interpréter les expériences réalisées sur la germination des graines de laitue. Puisque P_r absorbe plus

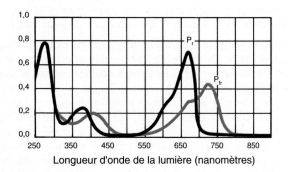

Longueur d'onde de la lumière (nanomètres)

Figure 29-15

Spectre d'absorption des deux formes du phytochrome, P_r et P_{fr}. Cette différence d'absorption permet d'isoler le photorécepteur.

efficacement la lumière rouge (Figure 29-15), cette lumière transformera une grande partie des molécule du récepteur en P_{fr} et induira ainsi la germination. La bande du rouge lointain absorbée ensuite par P_{fr} transformera à nouveau pratiquement toutes les molécules en P_r, supprimant ainsi l'effet de l'application antérieure de lumière rouge.

Qu'en est-il de la floraison dans les conditions naturelles jour-nuit ? Etant donné que la lumière blanche contient aussi bien les longueurs d'onde du rouge que du rouge lointain, les deux formes du photorécepteur sont exposées simultanément aux photons qui induisent leur photoconversion. Après quelques minutes d'éclairement, un équilibre s'établit : les vitesses de transformation de P_r en P_{fr} et de P_{fr} en P_r deviennent égales et le rapport entre les deux formes du photo-récepteur est constante (environ 60 % de P_{fr} au soleil de midi).

Si les plantes sont à l'obscurité, la teneur en P_{fr} décroît régulièrement pendant plusieurs heures. Si l'on rétablit une teneur élevée en P_{fr} par un éclair de lumière rouge au milieu de la période obscure (Figure 29-12), elle va inhiber la floraison des plantes de jours courts (c'est-à-dire « de nuits longues ») qui sinon auraient fleuri, et induire la floraison des plantes de jours longs (« de nuits courtes ») qui n'auraient pas fleuri. Dans les deux cas, l'effet de l'éclair rouge peut être supprimé par un éclair immédiat dans le rouge lointain, qui réta-blit P_r à partir de P_{fr}.

En 1959, Harry A. Borthwick et ses collaborateurs de Beltsville don-nèrent à ce photorécepteur le nom de **phytochrome**, et ils fournirent des preuves physiques décisives de son existence. Les principales caractéristiques du photorécepteur, telles qu'on les connaît aujourd'hui, sont résumées schématiquement à la figure 29-16).

On peut détecter la présence du phytochrome dans les tissus au moyen d'un spectrophotomètre. La quantité de phytochrome présente dans les plantes est beaucoup plus faible que celles de pig-ments tels que la chlorophylle. Pour déceler sa présence, on doit utili-ser un spectrophotomètre sensible à des modifications extrêmement faibles de l'absorbance de la lumière. On n'a disposé de ce genre d'appareil qu'environ sept ans après que l'existence du phytochrome eut été suggérée ; en fait, ce spectrophotomètre fut utilisé pour la pre-mière fois pour détecter et isoler le phytochrome.

Afin d'éviter toute interférence avec la chlorophylle, qui absorbe également la lumière d'environ 600 nanomètres, on a choisi, comme source de phytochrome, des plantules cultivées à l'obscurité (qui n'avaient pas encore produit de la chlorophylle).

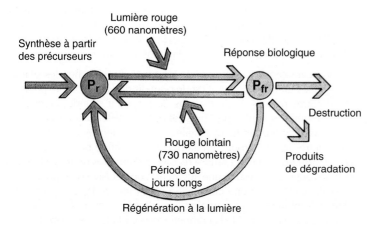

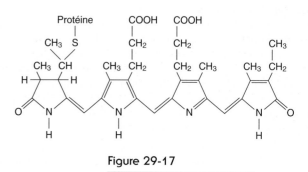

Figure 29-17

Forme P$_r$ du chromophore du phytochrome, montrant sa fixation à la partie protéique de la molécule.

Figure 29-16

Le phytochrome est continuellement synthétisé sous la forme P$_r$ à partir de ses précurseurs, les acides aminés, et il s'accumule sous cette forme dans les plantes cultivées à l'obscurité. P$_r$ se transforme en P$_{fr}$ lors d'une exposition à la lumière rouge présente dans la lumière solaire. P$_{fr}$ est la forme active qui induit une réponse biologique. P$_{fr}$ redevient P$_r$ par photoconversion en cas d'exposition au rouge lointain. À l'obscurité, P$_{fr}$ redevient P$_r$ (régénération à l'obscurité) ou est éliminé par un processus dénommé « destruction » qui prend plusieurs heures et implique probablement une hydrolyse par une protéase. Les trois voies possibles d'élimination de P$_{fr}$ permettent un renversement des réponses induites. Il faut cependant remarquer que le renversement à l'obscurité n'a été mis en évidence que chez les dicotylées, mais pas chez les monocotylées.

Figure 29-18

Les plantules cultivées à l'obscurité, comme le haricot de gauche, sont chétives et chlorotiques ; leurs entrenœuds sont plus longs et leurs feuilles plus petites que celles des plantes cultivées à la lumière, comme celles de droite. L'ensemble des caractères morphologiques des plantules cultivées à l'obscurité, que l'on appelle l'étiolement, ont des avantages pour la survie des plantules du fait qu'il augmentent leurs chances d'accéder à la lumière avant d'avoir épuisé leurs réserves énergétiques.

On a constaté que le pigment associé au phytochrome était bleu (pourquoi pouvait-on s'attendre à cette couleur ?) et l'on pouvait détecter la conversion caractéristique de P$_r$ en P$_{fr}$ in vitro par un léger changement réversible de couleur en réponse à la lumière rouge ou rouge lointain.

La molécule de phytochrome comprend deux parties distinctes : une portion qui absorbe la lumière (le chromophore) et une grande partie protéique (Figure 29-17). Le chromophore ressemble beaucoup aux phycobilines qui fonctionnent comme pigments annexes chez les cyanobactéries et les algues rouges. On a aujourd'hui isolé les gènes codant la portion protéique de plusieurs espèces et déduit la séquence des acides aminés à partir de la séquence nucléotidique. La plupart des plantes possèdent probablement plusieurs phytochromes différents codés par une famille de gènes qui ont divergé. On connaît cinq de ces gènes chez *Arabidopsis*.

Le phytochrome produit des actions très diverses chez les plantes. Beaucoup de graines germent à l'obscurité. L'axe des plantules s'allonge rapidement et soulève la tigelle (ou le coléoptile chez les graminées) au-dessus de l'obscurité du sol. Pendant ce premier stade de croissance, les feuilles ne s'accroissent pratiquement pas, évitant ainsi les obstacles au cours du passage de la tige feuillée dans la terre. Le sol n'est pas indispensable à ce type de développement ; toute plantule cultivée à l'obscurité s'allongera en une tige mince et aura de petites feuilles. Elle sera jaune ou incolore parce que ses plastes ne verdiront pas tant qu'ils ne seront pas exposés à la lumière. On dit que cette plantule est **étiolée** (Figure 29-18).

Lorsque l'extrémité de la plantule débouche à la lumière, une croissance normale prend le relais de la phase étiolée. Chez les dicotylées, le crochet se déroule, la croissance de la tige peut quelque peu se ralentir et les feuilles commencent à s'étaler (voir figure 23-10). Chez les graminées, le mésocotyle (portion de l'axe embryonnaire séparant le scutellum du coléoptile) cesse de grandir, la tige s'allonge et les feuilles s'ouvrent (voir figure 23-11). On parle de **réponses photomorphogéniques** pour désigner ces modifications de la croissance et du développement induites par la lumière.

Si, après avoir été cultivée à l'obscurité, une plantule de haricot reçoit de la lumière rouge pendant cinq minutes par jour par exemple, les effets de la lumière vont se manifester à partir du quatrième jour. Si l'exposition à la lumière rouge est suivie d'une exposition de cinq minutes au rouge lointain, aucun effet habituellement induit par le rouge n'apparaît (Figure 29-19). De même, dans les plantules de graminées, la croissance du mésocotyle est arrêtée par une exposition à la lumière rouge et cet effet est supprimé par le rouge lointain.

L'étude des mutants *long hypocotyl* d'*Arabiopsis* a éclairé le rôle des différents gènes des photorécepteurs dans la morphogenèse. Chez ces mutants, la lumière n'arrête pas l'élongation de l'hypocotyle : les gènes sauvages *HY* interviennent donc dans la perception de la lumière ou dans la réponse. Chez les mutants *hy*1 et *hy*2, la biosynthèse du phytochrome est bloquée. On connaît deux autres mutants, *hy*8 et *hy*3, correspondant à deux gènes différents, respectivement *PhyA* et *PhyB*. Les gènes sauvages *PHYA* et *PHYB* codent les portions protéiques de deux phytochromes différents, les phytochromes A et B. Chez le mutant *hy*8, dépourvu de phytochrome A, la réaction à la lumière rouge est plus faible, alors que la réponse au rouge lointain est réduite chez le mutant *hy*3, dépourvu du phytochrome B : on peut en déduire que les différentes formes du phytochrome ont des rôles différents comme photorécepteurs.

Chez un autre mutant, *hy*4, la faculté de répondre à la lumière bleue est bloquée. Le clonage du gène responsable de la mutation *hy*4 a montré qu'il s'agit d'un gène codant un récepteur de la lumière bleue. Cette découverte illustre la complexité des réponses à la lumière auxquelles participent plusieurs photorécepteurs spécifiques, responsables chacun d'un aspect différent de la morphogenèse.

Une caractéristique importante du phytochrome chez les plantes vivant dans un milieu naturel est de pouvoir détecter l'ombre produite par d'autres plantes. Les radiations de longueur d'onde inférieure à 700 nanomètres sont à peu près totalement réfléchies ou absorbées par la végétation, tandis que celles qui se situent entre 700 et 800 nanomètres (dans le rouge lointain) sont en grande partie transmises. Les plantes qui vivent à l'ombre reçoivent donc plus de rouge lointain que de rouge. Il en résulte une augmentation décisive du rapport entre P_r et P_{fr} (c'est-à-dire une conversion plus forte de P_{fr} en P_r) chez les plantes ombragées qui entraîne un allongement plus rapide des entrenœuds. En raison de la compétition pour la lumière dans le sous-bois des forêts, une plante est évidemment mieux adaptée si elle est capable d'évaluer le niveau d'éclairement et d'ajuster sa croissance en conséquence.

Les réactions réversibles au rouge et au rouge lointain interviennent également dans la production des anthocyanes, pigments rouges ou bleus présents dans les pommes, les radis et le chou. Elles interviennent également dans les modifications des chloroplastes et des autres plastes, ainsi que dans de très nombreuses autres réactions des plantes à tous les stades de leur vie.

Lorsqu'ils prouvèrent pour la première fois l'existence du phytochrome, les chercheurs supposaient que son fonctionnement pourrait apporter une explication au photopériodisme — c'est-à-dire que les réactions rouge/rouge lointain pourraient intervenir dans le mécanisme de mesure du temps, ou horloge biologique. On admet pourtant en général aujourd'hui que, dans le photopériodisme, l'interconversion de P_r et P_{fr} n'est pas le seul facteur responsable du contrôle de la mesure du temps. Une explication plus complexe doit être recherchée.

Figure 29-19

L'effet photomorphogénétique. Les trois plants de haricot ont reçu quotidiennement huit heures de lumière. Au début de chaque période obscure, le plant central a été exposé pendant cinq minutes au rouge lointain, qui favorise l'élongation. Le plant de droite a reçu la même exposition, suivie d'un traitement de cinq minutes par la lumière rouge, qui neutralise l'influence du rouge lointain. Le plant de gauche est le témoin ; son phytochrome est principalement sous la forme P_{fr} au début de la période obscure en raison de son exposition à la lumière du jour.

Contrôle hormonal de la floraison

À l'occasion de leurs premières observations sur la lampourde, Hammer et Bonner avaient montré que les feuilles « interprétaient » la lumière, ce qui entraînait la floraison du bouton. Une substance promotrice de la floraison semblait être transmise de la feuille au bouton. On a appelé cette substance hypothétique une hormone de floraison ou *stimulus floral*.

L'identification de l'hormone de floraison hypothétique reste vague

Les premières expériences sur le stimulus floral furent entreprises indépendamment dans plusieurs laboratoires dans les années 1930. Les premières expériences du physiologiste M.Kh.Chailakhyan précédèrent de quelques années seulement les premiers travaux sur la lampourde. Par des expériences sur la plante de jours courts *Chrysanthemum indicum*, ce chercheur montra que la plante fleurissait si la partie supérieure était défoliée et si les feuilles inférieures étaient exposées à une période d'induction de jours courts. Il n'obtenait par contre pas de floraison si la partie supérieure défoliée était maintenue en jours courts et la partie inférieure, avec ses feuilles, restait en jours longs. Ces résultats montraient, selon lui, que les feuilles produisent une hormone qui migre vers l'apex de la tige et initie la floraison. Chailakhyan appela cette hormone hypothétique *florigène*, le « producteur de fleurs ».

D'autres expériences ont montré que la floraison n'est pas induite si la feuille est éliminée immédiatement après la photoinduction. Mais, si on la laisse quelques heures sur la plante après la fin du cycle d'induction, on peut alors l'enlever sans affecter la floraison. L'hormone de floraison peut passer par une greffe d'une plante photoinduite à une plante non induite. Contrairement à l'auxine, qui peut traverser l'agar ou un tissu non vivant, le florigène ne peut cependant passer d'un tissu végétal à un autre que s'il y relié par un tissu vivant. Après l'annélation d'une branche, c'est-à-dire si l'on enlève une bande circulaire d'écorce, le florigène ne se déplace plus. Sur la base de ces résultats, on est arrivé à la conclusion que le florigène passe par le phloème, qui constitue le chemin suivi par la plupart des substances organiques chez les plantes.

Les gibbérellines peuvent induire la floraison chez certaines plantes

Ultérieurement, Anton Lang montra qu'un traitement par la gibbérelline pouvait faire fleurir plusieurs plantes de jours longs et des bisannuelles, comme le céleri et le chou, même lorsque les plantes étaient cultivées sous des photopériodes inadéquates (non inductrices). Cette découverte amena Chailakhyan à modifier son hypothèse et à imaginer que le florigène comprenait en réalité deux classes d'hormones, la gibbérelline et une *anthésine* non encore identifiée. Selon cette nouvelle hypothèse, les plantes de jours longs produisent de l'anthésine, mais pas de gibbérelline, pendant les photopériodes non inductrices.

Les traitements par la gibbérelline appliqués à ce moment peuvent entraîner la floraison. D'autre part, les plantes de jours courts produisent de la gibbérelline, mais ne synthétisent pas d'anthésine lorsqu'elles se développent en conditions non inductrices. L'idée que le florigène est une combinaison de gibbérelline et d'anthésine a été un stimulant important pour la recherche, mais elle ne peut expliquer une observation critique : les plantes de jours courts placées en conditions non inductrices (et produisant donc théoriquement de la gibbérelline), ne peuvent entraîner la floraison de greffons de plantes de jours longs également maintenues en conditions non inductives (et produisant théoriquement de l'anthésine).

Des inhibiteurs et des promoteurs peuvent intervenir dans le contrôle de la floraison

Chez certaines plantes — par exemple chez le soja *(Glycine max)* Biloxi — la plante greffée non-induite ne fleurit pas si l'on n'enlève pas ses feuilles. Il semble donc que les feuilles des plantes non induites produisent un inhibiteur. En effet, certains chercheurs sont arrivés à la conclusion que ce n'est pas une substance qui initie la floraison, mais plutôt une substance qui l'inhibe tant qu'elle n'est pas éliminée. Il existe actuellement des arguments sérieux suggérant que, chez certaines plantes au moins, des inhibiteurs et des promoteurs interviennent dans le contrôle de la floraison.

La meilleure preuve de l'existence de substances inductrices et inhibitrices de la floraison dans une même plante a été donnée par les recherches expérimentales de Lang, Chailakhyan et I.A.Frolova. Ces chercheurs ont choisi trois sortes de tabac pour leurs recherches : le cultivar indifférent à la photopériode Trabezond de *Nicotiana tabacum*, le cultivar de jours courts Maryland Mammoth et l'espèce de jours longs *Nicotiana silvestris*. Ils ont observé que la floraison du tabac indifférent était accélérée (en comparaison d'un témoin greffé sur une plante indifférente à la photopériode) par sa greffe sur une plante de jours longs en maintenant les greffons en jours longs aussi bien que par une greffe sur une plante de jours courts en maintenant les greffons en jours courts. Lorsque des plantes de jours longs greffées sur des plantes indifférentes étaient exposées à des jours courts, la floraison du récepteur indifférent était fortement inhibée (Figure 29-20). Par contre, lorsque des plantes de jours courts greffées sur des plantes indifférentes étaient exposées à des jours longs, la floraison n'était que peu ou pas retardée.

Ces résultats indiquent que les feuilles des plantes de jours longs sont capables de produire des substances inductrices de la floraison en jours longs et des substances inhibitrices en jours courts, et que les deux types de substances peuvent être transférés par greffe, indiquant ainsi que les deux substances sont transportées à travers la plante. Dans le cas du tabac de jours courts, les feuilles semblent ne produire que peu ou pas de substance inhibitrice lorsqu'elles sont exposées à des jours longs. Si ces substances sont produites par la plante de jours courts, elles retardent la floraison avec beaucoup moins d'efficacité que celles produites par les plantes de jours longs.

Figure 29-20

Preuve de l'existence de substances inductrices et inhibitrices de la floraison par greffage de *Nicotiana silvestris* (plante de jours longs) sur le cultivar Trabezond de *Nicotiana tabacum* (plante indifférente à la longueur du jour). En jours longs, la production des fleurs est accélérée par la greffe chez le tabac indifférent (à gauche). En jours courts, le tabac indifférent n'a pas fleuri au cours de la durée de l'expérience (de 90 à 94 jours).

Toutes les tentatives entreprises pour isoler soit le florigène, soit l'inhibiteur de la floraison sont restées jusqu'à présent sans succès.

Contrôle génétique de la floraison

Nous avons parlé plus haut dans ce chapitre du travail de Garner et Allard sur le tabac Maryland Mammoth qui a abouti à la découverte du photopériodisme. La variété Maryland Mammoth provenait d'une mutation spontanée qui avait transformé une variété de tabac indifférente à la longueur du jour en une plante de jours courts. Ce mutant était assez facile à identifier dans le champ où il est apparu parce qu'il ne fleurissait jamais pendant les longues journées d'été et devenait dès lors très vigoureux. Cette plante mutante fut transplantée du champ dans une serre où il fleurit au cours de l'hiver.

Garner et Allard ont testé de nombreuses hypothèses — par exemple une alimentation déficiente ou une faible intensité lumineuse — pour expliquer la floraison hivernale de ce mutant, avant d'arriver à la conclusion qu'il ne restait qu'une possibilité, la longueur du jour. Le test qu'ils appliquèrent pour vérifier cette hypothèse et qui aboutit à la découverte du photopériodisme consistait à recouvrir les plantes au champ, chaque après-midi, d'une tente opaque et ventilée pour reproduire les jours courts.

Notre compréhension du mécanisme de la floraison continue à progresser grâce à l'analyse des mutants affectant la date de floraison. *Arabidopsis thaliana* (pages 639 à 641) est une espèce utilisée pour l'étude génétique du contrôle de la floraison. *Arabidopsis* est une plante de jours longs et plusieurs mutations affectant le déclenchement de la floraison par cette photopériode ont été identifiées (Figure 29-21).

Certaines de ces mutations retardent la floraison des plantes. Ces mutants se comportent comme s'ils étaient incapables d'évaluer qu'ils subissent des photopériodes de jours longs (inductrices) (Figure 29-21). Il est donc vraisemblable que le rôle des protéines normales (de type sauvage) codées par ces gènes est de permettre la floraison en jours longs. Chez les mutants dépourvus de cette protéine, la floraison n'est pas déclenchée. Des mutations apparues dans d'autres gènes donnent des plantes qui fleurissent rapidement, quelle que soit la photopériode. Ces mutations permettent d'identifier des gènes dont le type sauvage a pour rôle d'empêcher la floraison au cours des photopériodes de jours courts (non inductrices). La découverte de gènes qui favorisent la floraison et d'autres qui la retardent ne doit pas nous étonner. De nombreux systèmes de régulation biologique sont contrôlés par des promoteurs et des inhibiteurs. On est évidemment tenté de supposer que les gènes affectant la réponse à la photopériode interviennent dans la production de promoteurs et d'inhibiteurs de la floraison tels que ceux qui ont été mis en évidence dans les expériences de greffe décrites ci-dessus.

D'autres mutations d'*Arabidopsis* ont permis d'identifier des gènes impliqués dans la transformation, ou transition, des apex végétatifs en apex floraux. *LEAFY* et *APETALA* sont deux de ces gènes. Lorsque ces gènes sont mutés, les fleurs sont remplacés par des sortes de tiges feuillées. Les mécanismes utilisés par les plantes pour contrôler l'époque de la floraison, comme la réponse à la photopériode, doivent, d'une manière ou d'une autre, aboutir à l'activation de gènes tels que *LEAFY*. De plus, chez certaines plantes génétiquement manipulées pour leur faire produire de façon permanente la protéine *LEAFY*, la floraison peut être très précoce, probablement parce les signaux normalement requis pour activer *LEAFY* sont contournés.

Figure 29-21

Plantes du type sauvage d'*Arabidopsis thaliana* et de mutants pour le moment de la floraison. **(a)** Plantes cultivées en conditions inductrices (jours longs). La plante de droite est le type sauvage et celle de gauche porte une mutation qui retarde la floraison. La floraison débute chez toutes les deux. L'appareil végétatif du mutant est beaucoup plus développé en raison du retard de la floraison. **(b)** Plantes cultivées en conditions non inductrices (jours courts). La plante de type sauvage est à droite et celle de gauche porte une mutation qui provoque une floraison précoce indépendante de la photopériode.

(a)

La dormance

Le rythme de croissance des plantes n'est pas uniforme. Pendant les saisons défavorables, la croissance se ralentit ou cesse complètement. Cette faculté permet aux plantes de survivre durant des périodes de sécheresse ou de basse température.

La **dormance** est un type particulier d'arrêt de croissance. Après des périodes de repos ordinaires, la croissance reprend lorsque la température se radoucit ou lorsque l'eau ou tout autre facteur limitant est à nouveau présent. Par contre, un bourgeon ou un embryon dormant ne peut être « activé » que par certains signaux de l'environnement, souvent très précis. Il s'agit d'une adaptation très importante pour la survie de la plante. Au printemps par exemple, les bourgeons s'ouvrent, les fleurs apparaissent et les graines germent — mais comment les plantes savent-elles que le printemps est arrivé ? Si la chaleur seule suffisait, toutes les plantes fleuriraient et toutes les plantules commenceraient à se développer chaque année durant les périodes chaudes de l'automne pour être simplement détruites par le gel de l'hiver. On pourrait dire la même chose à propos de toutes les périodes chaudes qui ponctuent souvent l'hiver. La graine ou le bourgeon en dormance ne réagit pas à ces conditions en apparence favorables en raison de l'existence d'inhibiteurs endogènes qu'il faut préalablement éliminer ou neutraliser pour mettre fin à la période de dormance. En opposition à cette « répugnance » à se développer trop tôt, les graines du commerce ont été sélectionnées artificiellement en fonction de leur faculté de germer rapidement dès qu'elles sont mises dans des conditions favorables, caractère qui serait très aléatoire pour des graines sauvages.

Les graines doivent recevoir des signaux spécifiques de leur environnement pour lever leur dormance

Les graines de la plupart des plantes vivant dans des régions caractérisées par des variations saisonnières importantes de température nécessitent une période de froid pour germer. Cette exigence est normalement satisfaite par les températures hivernales. Les graines de nombreuses plantes ornementales exigent également une période de froid. La dormance peut être levée et la germination est possible si les graines humides sont exposées à une température basse pendant une longue période (avec un optimum de 5°C pour la température et de

(b)

100 jours pour la durée). Cette technique horticole est appelée **stratification**. Beaucoup de graines doivent être séchées avant de germer (bien que certaines ne soient pas dormantes avant d'être séchées) ; elle ne peuvent de ce fait germer à l'intérieur du fruit de la plante mère. Certaines graines, comme celle de la laitue, doivent être exposées à la lumière, tandis que d'autres sont inhibées par la lumière.

Certaines graines ne germent pas dans la nature tant qu'elles n'ont pas été limées par le frottement des particules du sol. Cette abrasion attaque le spermoderme, permet l'entrée de l'eau et de l'oxygène dans la graine et, dans certains cas, élimine la source d'inhibiteurs.

Les légumineuses possèdent souvent un spermoderme dur qui empêche l'absorption de l'eau et la croissance de l'embryon.

Les graines de certaines plantes des déserts ne germent que s'il est tombé une quantité de pluie suffisante pour lessiver les substances inhibitrices présentes dans le spermoderme. La quantité d'eau de pluie nécessaire pour éliminer ces inhibiteurs de la germination est directement corrélée à la quantité d'eau nécessaire à l'installation de la plantule. L'abrasion ou la rupture du spermoderme (**scarification**) avec un couteau, une lime ou un papier sablé peut suffire à faire disparaître cette condition de « graine dure » ou éliminer l'inhibiteur et déclencher l'activité métabolique requise pour la germination. On peut également induire la germination en trempant les graines dans de l'alcool ou dans tout autre solvant des graisses (pour dissoudre les substances cireuses qui empêchent la pénétration de l'eau) ou dans des acides concentrés. Ces procédés sont largement utilisés en horticulture. (Voir aussi pages 564 et 565.)

Certaines graines peuvent rester longtemps viables à l'état dormant, ce qui leur permet de rester capables de germer durant de nombreuses années, des décades et même des siècles. La graine la plus vieille, dont l'âge était directement connu et que l'on a pu faire germer, est celle d'un lotus sacré *(Nelumbo nucifera)* découverte dans le lit d'un ancien lac à Pulantien, dans la province de Liaoning (Chine). La datation par le radiocarbone a donné à cette graine un âge de 1288 ans. Cette résistance est impressionnante, mais ce record est peut-être battu par des graines du lupin arctique *(Lupinus arcticus)*. Certaines de ces graines, trouvées dans un terrier gelé de lemming au Yukon avec les restes d'un animal dont l'âge a été estimé par le carbone à 10.000 ans au moins, ont germé dans les 48 heures. On n'a cependant pas déterminé l'âge des graines elles-mêmes.

Les botanistes s'intéressent de plus en plus aux facteurs impliqués dans la conservation de la viabilité des graines. Il est possible que divers systèmes enzymatiques fassent progressivement défaut dans les graines stockées, pour aboutir finalement à une perte totale de la viabilité. Comment pourrait-on prolonger la viabilité ? Ces questions sont intéressantes à l'échelle mondiale lors de l'installation des **banques de gènes** ; l'objectif de ces banques est la conservation des caractères génétiques présents dans les formes sauvages et les variétés anciennes de différentes plantes cultivées en vue de leur utilisation dans les programmes futurs d'amélioration. La nécessité de disposer de ces banques de gènes est la conséquence du remplacement progressif des variétés anciennes par de nouvelles et de la disparition des variétés remplacées, principalement par la destruction de leurs habitats. Beaucoup d'espèces sauvages risquent en outre de disparaître et les graines de ces plantes devraient pouvoir être conservées.

Dans les bourgeons, la dormance est précédée d'une acclimatation

La dormance des bourgeons est indispensable à la survie des plantes vivaces herbacées et ligneuses des régions tempérées exposées aux basses températures hivernales. Bien qu'ils ne s'allongent pas — c'est-à-dire qu'ils ne manifestent aucune croissance apparente — les bourgeons dormants peuvent avoir une activité méristématique durant plusieurs stades de la dormance.

Chez beaucoup d'arbres, la dormance des bourgeons débute au milieu de l'été, bien avant la chute automnale des feuilles. Le bourgeon dormant est une ébauche de tige feuillée composée d'un méristème apical, de nœuds et d'entrenœuds (non encore allongés) et de petites feuilles rudimentaires, ou primordiums foliaires, possédant à leur aisselle des bourgeons ou primordiums gemmaires, le tout enveloppé dans des *écailles de bourgeons* (Figure 29-22). Les écailles des bourgeons sont très importantes, parce qu'elles empêchent la dessiccation, limitent les échanges d'oxygène dans le bourgeon et les isolent contre les changements de température. On sait que des inhibiteurs de la croissance s'accumulent dans les écailles, de même que dans l'axe et les feuilles du bourgeon. À bien des égards, le rôle des écailles des bourgeons est ainsi semblable à celui du spermoderme de la graine.

À partir de l'arrêt de la croissance aboutissant à la dormance débute, pour les tissus végétaux, une série de modifications morphologiques et physiologiques préparant la plante en vue de l'hiver : c'est l'acclimatation. La diminution de la longueur du jour est le principal facteur responsable de l'induction de la dormance des bourgeons

0,5 mm

Figure 29-22

Coupe longitudinale d'un bourgeon axillaire dormant d'un érable *(Acer)*. Le bourgeon comprend une ébauche de tige feuillée enfermée dans des écailles.

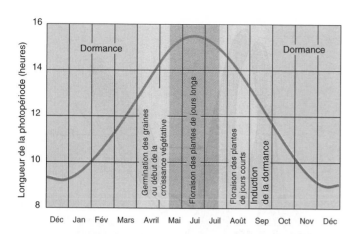

Figure 29-23

Relation entre la longueur du jour et le cycle de développement des plantes dans la zone tempérée nord.

(Figure 29-23). On trouve généralement plus d'inhibiteurs dans les feuilles et les bourgeons en période de jours courts qu'en jours longs. L'acclimatation au froid aboutit à une **résistance au froid** — qui permet à la plante de survivre au froid extrême et à la dessiccation résultant des conditions hivernales.

Comme pour les graines, le froid est nécessaire pour lever la dormance des bourgeons chez de nombreuses plantes. Si des branches d'arbres ou d'arbustes d'angiospermes sont coupées et rentrées en automne, elles ne fleuriront pas ; mais, si les mêmes branches restent à l'extérieur jusqu'à la fin de l'hiver ou au début du printemps, elles vont fleurir aux températures intérieures plus élevées. Les arbres fruitiers à feuilles caduques, comme le pommier, le châtaignier et le pêcher, ne peuvent être cultivés dans des régions sans hivers froids. De même, les bulbes des tulipes, des jacinthes et des narcisses peuvent être « forcés », c'est-à-dire poussés à fleurir à l'intérieur en hiver, mais ils doivent pour cela être d'abord restés à l'extérieur ou dans un local froid. Comme on l'a vu au chapitre 26, ces bulbes sont en réalité des bourgeons volumineux dont les feuilles sont modifiées en organes de réserve.

Le froid n'est pas toujours nécessaire pour lever la dormance. Chez la pomme de terre, par exemple, où les « yeux » sont des bourgeons dormants, la condition principale est la conservation au sec pendant deux mois au moins ; la température n'intervient pas. Chez de nombreuses plantes, en particulier des arbres, la dormance est levée par une réponse photopériodique, et les bourgeons dormants sont les organes récepteurs.

L'application de gibbérellines lève parfois la dormance. Un traitement par la gibbérelline peut par exemple induire le développement d'un bourgeon de pêcher qui est resté en-dessous de 8°C pendant 164 heures. Cela signifie-t-il que l'augmentation de la teneur en gibbérelline met fin à la dormance en conditions normales ? Pas nécessairement. La dormance peut être la conséquence d'un équilibre entre des inhibiteurs et des stimulateurs de la croissance. L'ajout d'un stimulateur de croissance, quel qu'il soit (ou l'élimination d'inhibiteurs tels que l'acide abscissique) peut modifier l'équilibre et permettre la croissance.

Le froid et le déclenchement de la floraison

Le froid peut modifier le déclenchement de la floraison. Si par exemple le seigle d'hiver *(Secale cereale)* est semé en automne, il germe en hiver et fleurit au cours de l'été suivant, 7 semaines après la reprise de la croissance. S'il est semé au printemps, il ne fleurit pas avant 14 semaines. En 1915, le physiologiste Gustav Gassner découvrit qu'il était possible d'influencer la floraison du seigle d'hiver et d'autres espèces de céréales en contrôlant la température des graines en germination. Si les graines étaient maintenues à des températures proches du point de congélation (1°C) au moment de la germination, le seigle d'hiver, même semé à la fin du printemps, fleurissait pendant l'été de la même année. Cette technique, appelée depuis lors **vernalisation** (du latin *vernus*, qui signifie « printanier ») est à présent une pratique courante en agriculture.

Même après la vernalisation, la plante doit être soumise à une photopériode appropriée, en général de jours longs. Le seigle d'hiver vernalisé se comporte comme une plante de jours longs typique et fleurit en réponse au jours longs de l'été. On peut trouver un exemple semblable chez une souche bisannuelle de jusquiame *(Hyoscyamus niger)*. La rosette de feuilles qui clôture la première année de croissance ne fleurit que si elle est exposée au froid. Après cette exposition, elle devient une plante de jours longs typique et répond au photopériodisme comme la forme annuelle.

Les exemples qui viennent d'être donnés montrent que le traitement par le froid modifie la réponse photopériodique chez certaines plantes. L'épinard est normalement une plante de jours longs et ne fleurit généralement que si les jours atteignent 14 heures. Si ses graines sont traitées au froid cependant, il fleurira pour des jours de 8 heures seulement. De même, le traitement au froid peut éliminer totalement la dépendance de la floraison du trèfle *Trifolium subterraneum* à l'égard de la photopériode.

Chez la jusquiame bisannuelle et la plupart des plantes bisannuelles de jours longs qui produisent des rosettes, le traitement par la gibbérelline peut remplacer le froid. Après l'application de gibbérelline, ces plantes s'allongent rapidement puis fleurissent. L'application de gibbérelline aux plantes de jours courts et aux plantes de jours longs qui ne forment pas de rosette a peu d'effet sur le déclenchement de la floraison (ou elle a un effet inhibiteur). Cependant, si la synthèse des gibbérellines est inhibée pendant son exposition à un cycle inducteur de la floraison, la plante ne fleurira pas sans addition de gibbérelline.

Les nasties ou mouvements nastiques

Chez les plantes, les **nasties**, ou mouvements nastiques, se produisent en réaction à un stimulus, mais leur direction est indépendante de la position de la source du stimulus. Les plus fréquents sont probablement les mouvements de sommeil. La **nyctinastie** (« fermeture nocturne », des mots grecs *nyx*, « nuit » et *nastos*, « fermé ») désigne les mouvements des feuilles, vers le haut et vers le bas, en réponse aux rythmes journaliers de lumière et d'obscurité. Les feuilles sont orientées verticalement pendant la nuit et horizontalement pendant le jour. Ces mouvements sont particulièrement fréquents chez les légumineuses.

La plupart des mouvements nyctinastiques des feuilles proviennent de changements de taille des cellules parenchymateuses dans des renflements articulés situés à la base de chaque feuille (ainsi qu'à la base de chaque foliole si la feuille est composée). Ce renflement (**pulvinus**) est un cylindre flexible au centre duquel est concentré le système conducteur. L'anatomie du pulvinus comprend une partie centrale de tissu conducteur entourée d'un volumineux cylindre cortical de cellules parenchymateuses à parois minces (Figure 29-24). Le mouvement est lié à des modifications de turgescence et aux contractions et dilatations qui en découlent dans le parenchyme fondamental sur les faces opposées du pulvinus. Les modifications de la turgescence des cellules qui se contractent ou se dilatent sont induites par des mécanismes semblables à ceux qui sont associés à la fermeture et à l'ouverture des cellules de garde (page 692) et soumises au contrôle de l'horloge biologique et du phytochrome.

Les mouvements thigmonastiques (séismonastiques) sont des nasties induites par une stimulation mécanique

La sensitive *(Mimosa pudica)*, dont les folioles, et parfois les feuilles entières, s'inclinent brusquement en réponse à un contact, une agitation ou une stimulation électrique ou thermique, est un exemple bien connu de mouvement stigmonastique (Figure 29-25). Comme pour les mouvements de sommeil (également présents chez *M.pudica*), cette réponse provient d'une modification brusque de la pression de turges-

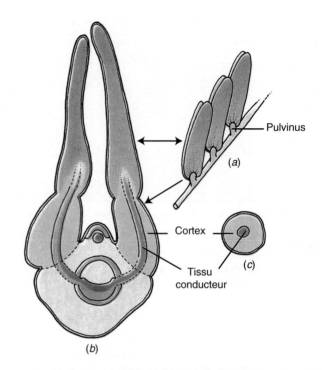

Figure 29-24

Représentation schématique des renflements moteurs de *Mimosa pudica*. **(a)** Portion de rachis montrant trois folioles possédant chacune un pulvinus à la base. **(b)** Coupe transversale dans un rachis et deux folioles refermées, montrant une vue longitudinale des pulvinus. **(c)** Coupe transversale dans un pulvinus montrant le cylindre conducteur central entouré du cylindre cortical, formé principalement de cellules parenchymateuses à parois minces.

Figure 29-25

Thigmonastie chez la sensitive *(Mimosa pudica)*. **(a)** Position normale des feuilles et des folioles. Les réponses au contact **(b)** sont la conséquence de modifications de la pression de turgescence dans certaines cellules des renflements moteurs (pulvinus) situés à la base des folioles. Il suffit qu'une seule foliole soit stimulée pour entraîner la réponse.

(a)　　　　　　　　　　　　　(b)

(a) *(b)*

Figure 29-26

Réponse de la dionée *(Dionaea muscipula)* à un contact. On voit une mouche imprudente, attirée par le nectar sécrété par la surface de la feuille avant **(a)** et après **(b)** sa fermeture. Chaque demi-feuille est équipée de trois poils sensitifs. Lorsqu'un insecte se promène sur une feuille, il touche les poils et déclenche la fermeture de la feuille-trappe. Les bords dentés s'engrainent, les demi-feuilles se ferment progressivement et l'insecte est comprimé contre les glandes digestives situées à la face interne du piège.

Le mécanisme de la trappe est tellement spécialisé qu'il peut faire la distinction entre une proie vivante et des objets inanimés comme des cailloux ou des brindilles tombant accidentellement sur la feuille : la feuille ne se fermera que si deux poils sont touchés successivement ou si un poil est touché deux fois.

cence dans des cellules particulières du pulvinus situé à la base de la foliole et de la feuille. Ces cellules perdent de l'eau à la suite d'une expulsion d'ions potassium des cellules vers l'apoplaste. L'accumulation des ions dans l'apoplaste semble être initiée par une diminution du potentiel hydrique déclenchée elle-même par une accumulation de saccharose apporté dans l'apoplaste par le phloème. La stimulation d'une seule foliole est suffisante ; le stimulus se transmet ensuite aux autres parties de la feuille et à toute la plante. Deux mécanismes distincts semblent intervenir dans la transmission du stimulus au sein de la plante de sensitive : l'un est électrique, l'autre chimique.

On attribue généralement le mécanisme responsable de la fermeture rapide (en une demi-seconde) des feuilles de la dionée carnivore *(Dionaea muscipula)* soit à une baisse brutale de la pression de turgescence dans l'épiderme supérieur qui devient flexible et provoque la courbure vers l'intérieur des lobes en forme de trappe, soit à un brusque relâchement de la rigidité des parois des cellules motrices induit par l'acidité, et à la dilatation qui en découle. Les recherches récentes remettent en question ces deux hypothèses et indiquent que le mouvement de fermeture de la trappe peut être dû à la pression de turgescence régnant dans l'assise de mésophylle située sous l'épiderme supérieur. Lorsque la trappe est ouverte, les cellules du mésophylle sont comprimées et le tissu est sous tension. La turgescence provoque une augmentation de la taille des cellules du mésophylle et entraîne la fermeture de la trappe sans avoir besoin d'un mécanisme de relâchement de la rigidité des parois. Les processus biochimiques associés à la fermeture de la trappe restent obscurs. Ils s'accompagnent cependant d'une augmentation importante des teneurs en ATP. La réponse au contact qui se manifeste dans le mécanisme de piégeage de la dionée est très spécialisé (Figure 29-26).

Influence globale des stimulus mécaniques sur la croissance et le développement des plantes : la thigmomorphogenèse

Outre les réponses spécialisées de certaines plantes — comme la sensitive et la dionée — au contact et à d'autres stimulus mécaniques, les plantes réagissent aussi aux stimulus mécaniques en modifiant leurs formes de croissance : ce phénomène est la **thigmomorphogenèse.** Les botanistes savent depuis longtemps que les plantes cultivées en serre ont tendance à être plus longues et plus chétives qu'à l'extérieur, mais c'est seulement dans les années 1970 que les travaux systématiques de M.F.Jaffe ont montré que le contact et la courbure réguliers des tiges réduisent leur élongation et stimulent leur croissance en épaisseur, produisant ainsi des plantes plus courtes et plus touffues. Dans les milieux naturels, les plantes sont évidemment soumises à ces stimulus venant du vent, des gouttes de pluie et du frottement des animaux et machines de passage. L'ondulation des plantes par le vent est un facteur important de thigmomorphogenèse.

Ainsi que nous l'avons vu au chapitre 28, ces formes de croissance sont provoquées par des modifications de l'expression génique. Les recherches sur *Arabidopsis thaliana* montrent que certains gènes dont l'expression est induite par le contact codent la calmoduline, protéine de fixation du calcium ; on peut donc supposer que Ca^{2+} joue un rôle dans la genèse des formes de croissance. (On considère que Ca^{2+} intervient dans la régulation de plusieurs processus chez les plantes, comme la mitose, la croissance polarisée des cellules, les courants cytoplasmiques, ainsi que les mouvements tropiques et nastiques.) Les plantes d'*Arabidopsis* stimulées par contact étaient visiblement plus courtes que les plantes non traitées (Figure 29-27).

Figure 29-27 ▲

Plantes d'*Arabidopsis* de six semaines. On a touché la plante de gauche deux fois par jour ; celle de droite est le témoin non traité. On parle de thigmomorphogenèse pour désigner l'inhibition de la croissance par le toucher ou par une autre stimulation mécanique n'entraînant pas de blessure et qui se traduit par une réduction de la taille et une forme plus trapue.

(a)

L'héliotropisme

Les feuilles et les fleurs de nombreuses plantes ont la faculté de changer de position pendant le jour et de s'orienter soit perpendiculairement, soit parallèlement aux rayons solaires directs. On parle d'**héliotropisme** (du grec *hélios*, pour « soleil ») pour désigner ce phénomène d'orientation par rapport au soleil (Figure 29-28). Contrairement au phototropisme des tiges, le mouvement des feuilles des plantes héliotropiques ne résulte pas d'une croissance asymétrique. Dans la plupart des cas, ces mouvements impliquent des renflements moteurs situés à la base des feuilles et/ou des folioles et, semble-t-il, des mécanismes semblables à ceux qui interviennent dans l'ouverture des stomates et les mouvements nyctinastiques. Certains pétioles paraissent avoir des articulations semblables aux pulvinus sur la totalité ou une grande partie de leur longueur. Le cotonnier, le soja, *Vigna sinensis*, le lupin et le tournesol sont des plantes communes douées de mouvements héliotropiques.

Il existe deux formes d'héliotropisme. Dans le premier (diahéliotropisme), le mouvement des feuilles oriente leur surface perpendiculairement aux rayons directs du soleil pendant la journée. Dans ces feuilles, la quantité de photons disponibles pour la photosynthèse et les taux photosynthétiques sont plus élevés, pour l'ensemble de la journée, que dans les feuilles qui ne possèdent pas ce système ou qui disposent du second type d'héliotropisme (Figure 29-29). Dans le second type, les plantes évitent activement la lumière solaire directe pendant les périodes de sécheresse en orientant leurs limbes foliaires parallèlement aux rayons solaires (parahéliotropisme). Cette orienta-

Figure 29-28 ▼

(a) Feuilles de lupin *(Lupinus arizonicus)* s'orientent de manière à suivre la trajectoire du soleil. Ce phénomène est l'héliotropisme. **(b)** Orientation en direction du soleil dans un champ de tournesols *(Helianthus annuus).*

(b)

tion réduit l'absorption des rayons solaires au lieu de la maximiser (Figure 29-29), ce qui diminue la température des feuilles et les pertes d'eau par transpiration et améliore ainsi la survie durant les périodes de sécheresse.

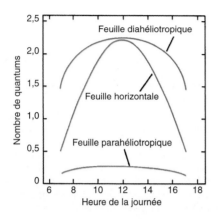

Figure 29-29

Deux types d'héliotropisme. Comparaison de l'effet des radiations solaires utiles à la photosynthèse entre 400 et 700 nanomètres atteignant une feuille diahéliotropique (perpendiculaire aux rayons du soleil), une feuille non héliotropique horizontale et une feuille parahéliotropique (parallèle aux rayons solaires) durant une journée.

TABLEAU RÉSUMÉ

Principaux types de mouvements ou de réponses de la croissance aux stimulus extérieurs chez les plantes

TYPE DE MOUVEMENT	DESCRIPTIONS ET EXEMPLES	MÉCANISMES ET/OU AUTRES CARACTÉRISTIQUES
Tropisme : croissance orientée en réponse à un stimulus extérieur	Phototropisme : croissance de la tige, du coléoptile ou du pétiole de la feuille en direction de la lumière	Peut être provoqué par une redistribution de l'auxine vers la face ombragée de l'organe sous l'influence de la lumière. L'auxine stimule alors l'élongation cellulaire sur cette face. On suppose que cette redistribution de l'auxine est déclenchée par un photorécepteur flavoprotéique.
	Géotropisme : croissance des racines vers le bas et des tiges feuillées vers le haut	Apparemment provoqué par une redistribution de l'auxine vers la partie inférieure de la tige et de la racine, induite par la pesanteur. L'augmentation de la teneur en auxine stimule l'élongation cellulaire dans les tiges et l'inhibe dans les racines. Trois hypothèses sont proposées pour expliquer la perception de la pesanteur : 1. Hypothèse des statolithes amylacés 2. Hypothèse de la pression hydrostatique 3. Hypothèse du contrôle central du plasmalemme.
	Hydrotropisme : croissance des racines en direction des régions à potentiel hydrique plus élevé	Les cellules perceptrices se trouvent dans la coiffe de la racine. Les ions calcium interviennent dans l'induction de l'hydrotropisme.
	Thigmotropisme : réponse au contact avec un objet solide	Responsable de l'enroulement des vrilles autour d'un support.
Nastie : mouvement en réponse à un stimulus extérieur, la direction du mouvement étant sans rapport avec celle du stimulus	Nyctinastie : mouvement de sommeil des feuilles	Provient de modifications de la turgescence dans les cellules du pulvinus. Est soumis au contrôle de l'horloge biologique et du phytochrome.
	Thigmonastie : mouvement induit par une stimulation mécanique, comme la fermeture des feuilles de la sensitive et de la dionée	Provient de modifications de la turgescence dans les cellules du pulvinus. Est contrôlée par l'accumulation de saccharose dans l'apoplaste, dont le potentiel hydrique diminue.
Thigmomorphogenèse : réponse de croissance sans relation avec la direction du stimulus extérieur	Un stimulus tel que le frottement ou le balancement des tiges inhibe leur élongation et stimule leur croissance latérale	Implique des modifications de l'expression des gènes codant des protéines apparentées à la calmoduline, protéine de fixation du calcium. Les ions calcium interviennent dans le mécanisme.
Héliotropisme : orientation en fonction du soleil	Les feuilles et les fleurs s'orientent spontanément dans la direction des rayons du soleil pendant la journée	Provient de modifications de la turgescence dans les cellules du pulvinus.

RÉSUMÉ

Les plantes possèdent diverses adaptations leur permettant de détecter des modifications de leur environnement et d'y réagir

Le phototropisme est l'orientation d'une tige en direction de la lumière. La croissance différentielle de la plantule est induite par une migration latérale d'une hormone de croissance, l'auxine, sous l'influence de la lumière. Le photorécepteur intervenant dans cette réponse est une protéine associée à un pigment qui absorbe la lumière bleue et transforme le signal en une réaction biochimique. Le géotropisme est la réponse d'une tige feuillée ou d'une racine à la pesanteur. Le déplacement de l'auxine vers le côté inférieur d'une tige ou d'une racine orientée horizontalement peut intervenir pour recourber la tige vers le haut et la racine vers le bas. Le calcium semble jouer un rôle important dans le géotropisme des tiges et des racines. Dans les racines, la pesanteur semble être perçue dans la colonne centrale de cellules de la coiffe. L'hydrotropisme est une croissance répondant à un gradient d'humidité. Les cellules sensibles à ce gradient semblent situées dans la coiffe. Le thigmotropisme est une réponse au contact d'un objet solide, comme l'enroulement des vrilles.

Des rythmes divers existent chez les organismes vivants

Les rythmes circadiens sont des cycles d'activité qui se répètent à des intervalles de 24 heures environ chez un organisme soumis à des conditions constantes d'environnement. Ces rythmes sont endogènes, ils ne sont pas provoqués par des facteurs environnementaux, mais par un mécanisme interne. Ce mécanisme, appelé horloge biologique, contrôle l'expression de gènes spécifiques.

Le photopériodisme est la réponse des organismes à des cycles de lumière et d'obscurité de 24 heures

Le photopériodisme contrôle le déclenchement de la floraison chez de nombreuses plantes. Certaines espèces, appelées plantes de jours longs, ne fleuriront que si les périodes de lumière dépassent une longueur critique. D'autres, les plantes de jours courts, ne fleurissent que si les périodes de lumière sont inférieures à une durée critique. Les plantes indifférentes fleurissent quelle que soit la photopériode. Des expériences ont montré que c'est la période obscure qui est le facteur critique, et non la période claire.

Le phytochrome intervient dans le photopériodisme

Le phytochrome, un photorécepteur fréquent dans les tissus végétaux, détecte les passages entre la lumière et l'obscurité. Ce photorécepteur peut être présent sous deux formes, P_r et P_{fr}. P_r absorbe la lumière rouge qui le transforme en P_{fr}. P_{fr} absorbe le rouge lointain et se transforme en P_r. P_{fr} est la forme active du photorécepteur ; il favorise la floraison chez les plantes de jours longs et l'empêche chez celles de jours courts, il déclenche la germination des graines de laitue et la croissance normale des plantules. La molécule de phytochrome est composée de deux par-

ties distinctes : une portion qui absorbe la lumière (le chromophore) et une partie protéique volumineuse.

Des inhibiteurs et des promoteurs peuvent tous deux intervenir dans le contrôle de la floraison

Que ce soit chez les plantes de jours longs ou de jours courts, le photopériodisme est perçu dans les feuilles, mais la réponse se manifeste dans le bourgeon. Bien qu'elle n'ait pas encore été isolée ni identifiée, une substance chimique se déplace par le phloème des feuilles au bourgeon, où elle induit la floraison. Il existe des arguments sérieux suggérant que, chez certaines plantes au moins, il existe des substances qui induisent la floraison et des substances qui l'inhibent. On a montré l'existence, chez *Arabidopsis*, de gènes qui favorisent la floraison et d'autres qui la retardent.

La dormance permet à la plante de supporter des déficits hydriques ainsi que des températures extrêmes

La dormance est un état spécial d'arrêt de croissance dans lequel des plantes entières, ou des organes tels que les graines ou les bourgeons, ne reprennent leur croissance qu'après avoir reçu des signaux particuliers leur parvenant du milieu. Ces signaux, où l'on retrouve l'exposition au froid, la sécheresse et une photopériode appropriée, empêchent la levée de dormance des tissus lorsque les conditions ne sont favorables qu'en apparence. La diminution de la longueur du jour est le principal facteur impliqué dans l'induction de la dormance des bourgeons. L'acclimatation au froid renforce la résistance, faculté pour la plante de supporter le froid rigoureux de l'hiver. La vernalisation est un traitement des graines par le froid qui entraîne la mise en route de la floraison chez les lignées d'hiver. Les hormones, le froid et la lumière interagissent pour modifier les réponses des plantes.

On trouve des nasties chez de nombreuses plantes

Chez les plantes, les nasties sont des mouvements qui répondent à un stimulus, mais dont la direction est indépendante de celle du stimulus. Les mouvements de sommeil, ou nyctastiques — mouvements qui font se redresser ou s'incliner les feuilles en réponse au rythme journalier de lumière et d'obscurité — sont bien connus. Le déclenchement de la fermeture des feuilles de dionée est une nastie induite par le contact (thigmonastie).

La thigmomorphogenèse et l'héliotropisme sont des phénomènes bien connus

Les plantes peuvent répondre à des stimulus mécaniques en modifiant leur morphologie. Ces plantes sont typiquement plus courtes et plus touffues que celles qui ne sont pas stimulées. En outre, les feuilles et les fleurs de nombreuses plantes suivent la trajectoire du soleil au cours de la journée soit pour accroître au maximum l'absorption des rayons solaires soit pour la réduire.

MOTS CLÉS

acclimatation p. 718

ajustement p. 707

banques de gènes p. 718

dormance p. 717

étiolement p. 713

géotropisme p. 704

héliotropisme p. 722

horloge biologique p. 706

hydrotropisme p. 706

mouvements nyctastiques p. 719

mouvements thigmonastiques p. 720

nasties ou mouvements nastiques p. 719

période autonome p. 707

photopériodisme p. 709

phototropisme p. 703

phytochrome p. 712

plante de jours longs p. 709

plantes de jours courts p. 709

plantes indifférentes à la photopériode p. 709

pulvinus p. 720

réponses photomorphogénétiques p. 714

résistance au froid p. 719

rythmes circadiens p. 706

scarification p. 718

stratification p. 717

thigmomorphogenèse p. 721

thigmotropisme p. 706`

tropisme p. 703

vernalisation p. 719

QUESTIONS

1. Quelles sont les différences entre l'hypothèse des statolithes amylacés, l'hypothèse de la pression hydrostatique et l'hypothèse du contrôle central du plasmalemme pour expliquer la perception de la pesanteur par les cellules végétales ?

2. Montrez les différences entre les termes suivants : rythmes circadiens/horloge biologique, phototropisme/photopériodisme, thigmotropisme/mouvement thigmonastiques.

3. Quels sont les arguments suggérant que des hormones — stimulatrices et inhibitrices — interviennent dans la floraison ?

4. « Les plantes perçoivent la longueur du jour en mesurant la durée de l'obscurité. » Expliquez.

5. Expliquez comment il est possible qu'une plante de jours longs et une plante de jours courts vivant au même endroit fleurissent le même jour.

6. Supposons que vous receviez une plante de chrysanthème en fleur en automne et que vous décidiez de la conserver à l'intérieur comme plante d'appartement. Quelles précautions devez-vous prendre pour être certain qu'elle refleurira ?

7. Les fleurs de certaines plantes s'ouvrent le matin et se ferment le soir. Planifiez et décrivez une expérience qui pourrait permettre de savoir si ces rythmes quotidiens sont contrôlés par l'horloge biologique de la plante ou par la présence ou l'absence de lumière ?

8. Quel est l'avantage de l'héliotropisme pour une plante ?

9. Quelles sont les différences entre les nasties et les tropismes ? Quels sont les mécanismes responsables des mouvements de sommeil et de la fermeture des feuilles des plantes carnivores ?

La nutrition des plantes et le sol

Figure 30-1

Nodules fixateurs d'azote sur les racines d'une plante de soja (*Glycine max*), une légumineuse. Ces nodules sont dus à une relation de symbiose entre la bactérie *Bradyrhizobium japonicum* et les cellules corticales de la racine.

SOMMAIRE

Pour l'homme de la rue, le sol n'est guère que de la terre. Pour la plante par contre, le sol est indispensable à la survie parce qu'il lui procure un support, de l'eau et une série d'éléments essentiels à sa croissance. Ce chapitre débutera par un exposé concernant ces éléments essentiels et mettra l'accent sur leurs rôles dans la cellule et sur les symptômes qui apparaissent lorsqu'ils ne sont pas présents en quantités suffisantes. Nous examinerons ensuite l'origine des sols et leur composition, ainsi que les facteurs qui influencent l'utilisation des éléments nutritifs et de l'eau. La dégradation des roches, par exemple, ne fournit pas seulement les éléments nécessaires aux plantes, mais elle produit également des particules de sol dont la taille et la charge électrique influencent la disponibilité des ions, de l'eau et de l'oxygène.

Les bactéries et les champignons sont aussi des composants importants du sol. Nous avons vu dans les chapitres précédents que ces microorganismes décomposent les plantes et les animaux morts et recyclent ainsi leurs constituants chimiques dans le milieu ambiant. Le reste de ce chapitre traitera de ce processus de recyclage et mettra l'accent sur les flux d'azote et de phosphore passant par les plantes, les animaux, les autres organismes et le milieu physique. On insistera particulièrement sur la fixation de l'azote — le processus de transformation de l'azote atmosphérique (N_2) en des formes chimiques utilisables par les plantes et les autres organismes.

Le chapitre se terminera par un exposé sur la façon dont l'homme a perturbé les cycles nutritonnels et sur les techniques mises en œuvre pour résoudre les problèmes découlant de ces perturbations.

POINTS DE REPÈRE

Quand vous terminerez la lecture de ce chapitre, vous devriez pouvoir répondre aux questions suivantes :

* *Quels sont les éléments essentiels à la croissance des plantes et quelles sont leurs fonctions ?*
* *Citez quelques symptômes fréquemment associés à des déficiences nutritionnelles et expliquez comment la mobilité d'une substance affecte les symptômes de carence.*
* *Quelles sont les sources de nutriments inorganiques utilisées par les plantes ?*
* *Pourquoi les cycles nutritionnels sont-ils tellement importants pour les plantes ? Quels sont les principaux constituants des cycles de l'azote et du phosphore ?*
* *De quelles façons l'homme a-t-il perturbé les cycles nutritionnels ? Comment la recherche sur la nutrition des plantes contribue-t-elle à la solution des problèmes posés par l'agriculture et l'horticulture ?*

Les plantes doivent trouver dans leur environnement les matériaux de base indispensables aux réactions biochimiques permettant à leurs cellules de s'organiser et de maintenir leur croissance. Le métabolisme et la croissance des plantes exigent non seulement de la lumière, mais également de l'eau et certains éléments chimiques. Au cours de leur évolution, le développement des plantes s'est surtout traduit par une spécialisation des structures et des fonctions permettant un accès efficace à ces matériaux et à leur distribution aux cellules vivantes dans tout l'organisme.

Comparées à celles des animaux, les exigences nutritionnelles des plantes sont relativement simples. Dans un milieu favorable, la plupart des plantes vertes sont capables d'utiliser l'énergie lumineuse pour transformer le CO_2 et H_2O en molécules organiques qui constituent leur source d'énergie. À partir des éléments nutritifs inorganiques du milieu ambiant, elles peuvent également synthétiser l'ensemble des acides aminés et des vitamines dont elles ont besoin.

La **nutrition des plantes** implique le prélèvement dans l'environnement des matériaux bruts nécessaires aux processus biologiques essentiels, leur distribution à l'intérieur de la plante et leur utilisation dans le métabolisme et la croissance.

On a identifié plus de 60 éléments chimiques dans les plantes, y compris l'or, l'argent, le plomb, le mercure, l'arsenic et l'uranium. Il est évident que les éléments présents ne sont pas tous indispensables. Jusqu'à un certain point, leur présence est un reflet de la composition du sol dans lequel la plante se développe. La plupart des éléments chimiques trouvés dans les plantes sont absorbés sous forme d'ions inorganiques aux dépens de la solution du sol.

Le rôle des poils absorbants et celui des hyphes fongiques des mycorhizes dans l'absorption des ions inorganiques sont décrits respectivement aux chapitres 31 et 15. Au chapitre 31, nous envisagerons les mécanismes d'absorption des ions par les racines et les voies suivies depuis la solution du sol jusqu'aux éléments des vaisseaux dans le cylindre conducteur de la racine.

Les éléments essentiels

Dès 1800, des chimistes et des biologistes avaient analysé les plantes et prouvé l'absorption de certains éléments chimiques présents dans le milieu ambiant. Les opinions divergeaient cependant quant au rôle des éléments absorbés, étaient-ils des impuretés ou des constituants nécessaires à des fonctions essentielles ? Au milieu des années 1880, on savait qu'au moins dix des éléments chimiques trouvés dans les plantes étaient nécessaires pour assurer une croissance normale. En l'absence de l'un ou l'autre de ces éléments, les plantes manifestaient une croissance anormale ou des symptômes de carence et elles étaient souvent incapables de se reproduire normalement. Ces dix éléments — le carbone, l'hydrogène, l'oxygène, le potassium, le calcium, le magnésium, l'azote, le phosphore, le soufre et le fer — ont été appelés les **éléments essentiels** pour la croissance des plantes. On peut aussi parler de minéraux essentiels ou de nutriments inorganiques essentiels.

Au début des années 1900, on a découvert que le manganèse était également un élément essentiel. Au cours des 50 années suivantes, grâce à l'amélioration des techniques qui ont permis d'éliminer les impuretés des milieux de culture, on a prouvé le rôle essentiel de cinq éléments supplémentaires — le zinc, le cuivre, le chlore, le bore et le molybdène, portant ainsi à 16 le nombre total d'éléments indispensables. De nombreux nutritionistes des plantes ont encore ajouté un dix-septième élément à la liste, le nickel.

On se base sur deux critères principaux pour juger si un élément est essentiel : (1) sa présence est nécessaire pour permettre à la plante de boucler son cycle de développement (c'est-à-dire produire une graine viable) et/ou (2) il fait partie d'une molécule ou d'un de ses constituants eux-mêmes indispensables, comme la magnésium dans la molécule de chlorophylle ou l'azote dans les protéines. De nombreux nutritionistes considèrent un troisième critère : l'apparition de symptômes de carence en l'absence de l'élément concerné, même si la plante est capable de former une graine viable.

On peut répartir les éléments essentiels en oligo-éléments et macroéléments

Les analyses chimiques constituent un moyen utile pour déterminer la nature et les quantités relatives des différents éléments essentiels nécessaires à la croissance normale d'espèces végétales différentes. On peut déterminer la nature et la concentration optimale des éléments essentiels en analysant des plantes saines. Les plantes ou portions de plantes fraîches sont chauffées à l'étuve pour éliminer l'eau et le matériel restant, ou **matière sèche**, est analysé.

Le tableau 30-1 donne la liste des 17 éléments généralement considérés comme essentiels pour toutes les plantes vasculaires et les concentrations internes approximatives considérées comme adéquates à une croissance et un développement normaux des plantes. Notez les grandes différences de concentration. Les huit premiers éléments sont appelés **oligo-éléments**, parce qu'ils ne sont nécessaires qu'en très petites quantités, sous forme de traces (concentrations n'excédant pas 100 mg/kg de matière sèche). Les neuf autres éléments sont appelés **macroéléments** parce que les quantités exigées sont plus importantes (concentrations de 1000 mg/kg de matière sèche au moins). Beaucoup d'ions s'accumulent à l'intérieur des cellules à des concentrations bien supérieures à celles de la solution du sol, et souvent en quantité bien supérieure au minimum requis. On a vu, au chapitre 4, que les cellules végétales doivent dépenser de l'énergie pour accumuler les solutés, c'est-à-dire pour les déplacer à l'encontre d'un gradient électrochimique.

Certaines espèces de plantes et certains groupes taxonomiques sont caractérisés par la présence de quantités anormalement élevées ou faibles d'éléments particuliers (Figure 30-2). Il en résulte que des plantes vivant dans le même milieu nutritif peuvent avoir des teneurs en éléments notablement différentes. Les dicotylées demandent en général des quantités plus élevées de calcium et de bore que les monocotylées. Ce type d'analyse est particulièrement utile en agriculture pour assurer une alimentation adéquate aux plantes et déterminer leurs besoins en engrais. Les analyses minérales permettent également

TABLEAU 30.1

Éléments essentiels à la majorité des plantes vasculaires et concentrations internes considérées comme adéquates

Élément	Symbole chimique	Forme disponible pour les plantes	Poids atomique	Concentration adéquate dans un tissu sec		Nombre d'atomes par rapport au molybdène
				mg/kg	%	
OLIGO-ÉLÉMENTS						
Molybdène	Mo	MoM_4^{2-}	95,95	0,1	0,00001	1
Nickel	Ni	Ni^{2+}	58,71	?	?	?
Cuivre	Cu	Cu^+, Cu^{2+}	63,54	6	0,0006	100
Zinc	Zn	Zn^{2+}	65,38	20	0,0020	300
Manganèse	Mn	Mn^{2+}	54,94	50	0,0050	1000
Bore	B	H_3BO_3	10,82	20	0,002	2000
Fer	Fe	Fe^{3+}, Fe^{I}	55,85	100	0,010	2000
Chlore	Cl	Cl^-	35,60	100	0,010	3000
MACROÉLÉMENTS						
Soufre	S	SO_4^{2-}	32,07	1000	0,1	30.000
Phosphore	P	$H_2PO_4^-, H_2PO_4^{2-}$	30,98	2000	0,2	60.000
Magnésium	Mg	Mg^{2+}	24,32	2000	0,2	80.000
Calcium	Ca	Ca^{2+}	40,08	5000	0,5	125.000
Potassium	K	K^+	39,10	10.000	1,0	250.000
Azote	N	NO_3^-, NH_4^+	14,01	15.000	1,5	1.000.000
Oxygène	O	O_2, H_2O, CO_2	16,00	450.000	45	30.000.000
Carbone	C	CO_2	12,01	450.000	45	35.000.000
Hydrogène	H	H_2O	1,01	60.000	6	60.000.000

D'après P.R.Stout, *Proceedings of the Ninth Annual California Fertilizer Conference*, pages 21-23 (1961).

Figure 30-2

Certaines plantes contiennent des éléments spécifiques en quantités importantes. **(a)** Les crucifères, par exemple la barbarée commune *(Barbarea vulgaris)* utilisent le soufre pour synthétiser les essences de moutarde qui donnent aux plantes leur goût piquant. Ces plantes étaient en culture à Ithaca, dans l'Etat de New-York. **(b)** Les prêles incorporent la silice à leurs parois cellulaires, ce qui rend les plantes indigestes pour la plupart des herbivores, mais utiles, en tout cas dans l'Amérique de l'époque coloniale, pour récurer les casseroles et les poëles. Ces axes végétatifs touffus d'*Equisetum telmateia* ont été photographiées en Californie.

(a)

(b)

de prévoir les carences alimentaires du bétail qui consomme des plantes spécifiques.

Les recherches en nutrition ont prouvé que certains éléments sont essentiels pour des groupes restreints de plantes ou pour des plantes vivant dans des conditions environnementales particulières. L'addition de cobalt au milieu de culture est bénéfique aux légumineuses, comme la luzerne *(Medicago sativa)*. Ce n'est cependant pas la luzerne qui a besoin de cobalt, mais les bactéries symbiotiques fixatrices d'azote associées à ses racines. Le sodium est relativement concentré chez beaucoup de plantes. On a constaté depuis longtemps qu'il peut compenser partiellement les besoins en potassium chez certaines espèces. Les recherches ont montré que le sodium lui-même est un élément essentiel chez d'autres espèces. Il semble par exemple nécessaire aux plantes en C_4 et à certaines halophytes (voir l'encadré de la page 744).

Fonctions des éléments essentiels

Bien que généralement classés en oligo-éléments et macroéléments, les éléments essentiels sont parfois répartis en deux groupes fonctionnels : ceux qui interviennent dans la structure d'une molécule importante et ceux qui ont un rôle dans l'activation des enzymes. La distinction entre ces deux fonctions n'est cependant pas nette. L'azote et le soufre sont par exemple des composants importants des protéines aussi bien que des coenzymes et le magnésium ne fait pas seulement partie de la molécule de chlorophylle, mais il est en outre un activateur de nombreuses enzymes. Tous les éléments ont des fonctions spécifiques bien connues (Tableau 30-1) qui ne peuvent être remplies en cas d'approvisionnement insuffisant. Les éléments doivent répondre à des besoins tellement importants et ils interviennent dans des processus tellement fondamentaux que leurs carences affectent des structures et des fonctions très diverses chez la plante.

Les symptômes de carence alimentaire dépendent de la ou des fonction(s) des éléments essentiels et de leur mobilité

La plupart des carences alimentaires affectant la tige feuillée sont faciles à observer et sont donc bien décrites. On y retrouve le rabougrissement des tiges et des feuilles, des nécroses localisées et le jaunissement des feuilles dû à l'arrêt ou au ralentissement de la production de chlorophylle (chlorose) (Figure 30-3). Les symptômes de carence ne dépendent pas seulement du rôle de l'élément essentiel dans la plante, mais aussi de sa mobilité à l'intérieur de la plante, c'est-à-dire de son transport plus ou moins aisé par le phloème entre les régions âgées et jeunes, plus particulièrement parmi les feuilles.

Prenons par exemple le magnésium, dont on sait qu'il constitue une partie essentielle de la molécule de chlorophylle. Sans magnésium, la chlorophylle ne peut être synthétisée et une chlorose apparaît. La chlorose des plantes carencées en magnésium se manifeste plus sévèrement dans les feuilles âgées que dans les feuilles plus jeunes. Les jeunes feuilles ont en effet la faculté de soutirer du magnésium aux plus âgées. Ce transfert de magnésium des feuilles âgées aux feuilles plus jeunes découle également de la mobilité du magnésium dans le phloème. Certains éléments se déplacent facilement par le phloème, on parle d'éléments mobiles. En plus du magnésium, d'autres éléments, comme le phosphore, le potassium et l'azote, sont aussi considérés comme des éléments mobiles. D'autres éléments, tels le bore, le fer et le calcium, sont relativement peu mobiles, tandis que la mobilité du cuivre, du manganèse, du molybdène, du soufre et du zinc est habituellement intermédiaire. Les symptômes de carence en éléments mobiles apparaissent plus tôt et sont surtout prononcés dans les feuilles âgées, alors que ceux des carences en éléments moins mobiles apparaissent d'abord dans les jeunes feuilles.

Figure 30-3

La chlorose est un manque ou une production réduite de chlorophylle provenant d'une carence minérale. **(a)** Carence en magnésium, élément mobile facilement transporté par le phloème chez le maïs *(Zea mays)*. Les feuilles âgées sont plus affectées que les jeunes feuilles, capables de transférer le magnésium à partir de feuilles plus âgées. **(b)** La carence en fer, élément peu mobile, produit des symptômes de chlorose dans les jeunes feuilles, comme ici chez le sorgho *(Sorghum bicolor)*.

(a)

(b)

TABLEAU 30.2
Les éléments essentiels : fonctions et symptômes de carence

Élément	Fonctions	Symptômes de carence
OLIGO-ÉLÉMENTS		
Molybdène	Nécessaire à la fixation de l'azote et à la réduction des nitrates	Chlorose entre les nervures apparaissant d'abord sur les feuilles âgées, puis progressant vers les plus jeunes ; chlorose suivie d'une nécrose progressive des zones situées entre les nervures, puis du reste des tissus.
Nickel	Partie essentielle d'une enzyme fonctionnant dans le métabolisme de l'azote	Plages nécrotiques à l'extérmité des feuilles.
Cuivre	Activateur ou composant de certaines enzymes intervenant dans les oxydations et réductions	Jeunes feuilles vert foncé, enroulées, déformées, montrant souvent des taches nécrosées.
Zinc	Activateur ou composant de nombreuses enzymes	Réduction de la taille des feuilles et de la longueur des entrenœuds ; marge des feuilles souvent décolorée ; chlorose entre les nervures ; les feuilles âgées sont surtout affectées.
Manganèse	Activateur de certaines enzymes ; nécessaires à l'intégrité de la membrane chloroplastique et pour la libération d'oxygène dans la photosynthèse	D'abord chlorose entre les nervures des feuilles âgées ou jeunes suivant les espèces, suivie ou associée à des taches nécrosées entre les nervures ; désorganisation des membranes des thylakoïdes des chloroplastes.
Bore	Intervient dans l'utilisation du Ca^{2+}, la synthèse des acides nucléiques et l'intégrité des membranes	Le premier symptôme est l'arrêt de l'élongation des pointes de racine ; jeunes feuilles vert pâle à la base ; les feuilles s'enroulent et les tiges dépérissent au niveau du bourgeon terminal.
Fer	Nécessaire à la synthèse de la chlorophylle ; composant des cytochromes et de la nitrogénase	Chlorose entre les nervures des jeunes feuilles ; tiges courtes et chétives.
Chlore	Intervient dans l'osmose et l'équilibre ionique ainsi que dans l'ouverture et la fermeture des stomates ; probablement indispensable aux réactions photosynthétiques produisant l'oxygène	Feuilles fanées portant des taches chlorotiques et nécrosées ; les feuilles deviennent souvent bronzées ; racines rabougries et épaissies à leur extrémité.
MACROÉLÉMENTS		
Soufre	Fait partie de certains acides aminés et protéines, ainsi que de la coenzyme A	Les jeunes feuilles ont des nervures et des plages entre nervures vert pâle.
Phosphore	Intervient dans les composés phosphatés transporteurs d'énergie (ATP et ADP), les acides nucléiques, plusieurs enzymes, les phospholipides	Plantes vert foncé, accumulant souvent des anthocyanes et devenant rouges ou pourpres ; tiges rabougries aux stades de développement plus avancés ; les feuilles âgées deviennent brun foncé et dépérissent.
Magnésium	Composant de la molécule de chlorophylle ; activateur de nombreuses enzymes	Feuilles tachetées ou chlorotiques ; peuvent devenir rougeâtres, parfois avec taches nécrosées ; pointe et marge des feuilles redressées ; les feuilles âgées sont les plus affectées ; tiges chétives.
Calcium	Composant des parois cellulaires ; cofacteur d'enzymes ; intervient dans la perméabilité des membranes cellulaires ; composant de la calmoduline, régulateur d'activités membranaires et enzymatiques	Les pointes des tiges et des racines meurent ; les pointes des feuilles sont d'abord recourbées, puis les extrémités et les marges dépérissent et donnent l'impression d'avoir été rognés.
Potassium	Intervient dans l'osmose et l'équilibre ionique, ainsi que dans l'ouverture et la fermeture des stomates ; activateur de nombreuses enzymes	Feuilles tachetées ou chlorotiques, petites taches de tissu nécrosé au sommet et sur les marges ; tiges fragiles et minces ; les feuilles les plus âgées sont surtout affectées.
Azote	Composant des acides aminés, des protéines, des nucléotides, des acides nucléiques, des chlorophylles et des coenzymes	Chlorose généralisée, particulièrement chez les feuilles âgées ; dans les cas graves, les feuilles deviennent entièrement jaunes, puis deviennent brunes en mourant ; certaines plantes montrent une coloration pourpre due à l'accumulation d'anthocyanes.

Le tableau 30-2 donne les symptômes les plus communs de carence en éléments essentiels. Ce tableau ne concerne pas les macroéléments carbone, oxygène et hydrogène qui proviennent principalement de CO_2 et H_2O au cours de la photosynthèse ; ils sont les principaux composants des molécules organiques de la plante.

Le sol

Le sol est le principal milieu nutritif pour les plantes. Les sols doivent fournir aux plantes non seulement un support physique mais aussi, et en permanence, des aliments inorganiques appropriés, ainsi que de l'eau en quantité suffisante et un milieu gazeux convenant au système racinaire. Il est donc indispensable de connaître l'origine des sols et leurs propriétés chimiques et physiques en rapport avec les besoins de la croissance des plantes pour planifier l'alimentation des plantes de culture.

Les éléments nutritifs utilisés par les plantes proviennent de la décomposition des roches

Les éléments nutritifs inorganiques utilisés par les plantes proviennent de l'atmosphère et de la décomposition des roches de la croûte terrestre. La planète terre est composée des 92 éléments naturels, souvent présents sous forme de minéraux. Les minéraux sont des composés inorganiques naturels généralement formés d'au moins deux éléments dans des proportions pondérales définies (voir appendice A). Le quartz (SiO_2), la calcite ($CaCO_3$) et la kaolinite ($Al_4Si_4O_{10}(OH)_8$) sont des exemples de minéraux.

La plupart des roches sont composées de plusieurs minéraux différents et se répartissent en trois groupes — endogènes, sédimentaires et métamorphiques — en relation avec leur origine et leur formation. Les roches *endogènes*, comme le granite, proviennent directement de la matière en fusion et la plupart sont apparues lors du refroidissement et de la solidification de la terre. À la suite de leur décomposition, les roches endogènes et d'autres types de roches peuvent se fragmenter en composants solubles et insolubles. Transportés par l'eau, le vent ou les glaciers, ces composants sont à l'origine de nouveaux dépôts — généralement au fond de l'eau — qui, avec le temps, se cimentent et se solidifient en roches *sédimentaires* comme le schiste, le grès et le calcaire. Le calcaire est riche en carbonates provenant des coquilles d'organismes lacustres ou marins. Bien qu'elles ne représentent qu'environ 5 % de la croûte terrestre, les roches sédimentaires sont très importantes parce qu'elles sont très répandues en surface ou à faible profondeur. Soumises aux températures et pressions extrêmes qui règnent à grande profondeur, les roches sédimentaires et endogènes peuvent se transformer en un troisième type — les roches *métamorphiques*. C'est ainsi que le grès se transforme en quartzite, le schiste en phyllade et le calcaire en marbre.

Les processus de décomposition, impliquant une dégradation physique et chimique des minéraux et des roches au niveau ou à proximité de la surface de la terre, produisent les matériaux inorganiques qui constituent les sols. La décomposition est due au gel et au dégel, à l'échauffement et au refroidissement, responsables de la dilatation et de la contraction des roches qui provoquent des fissures. L'eau et le vent emportent souvent les fragments sur de grandes distances et exercent une action abrasive qui use et réduit les fragments en particules

Figure 30-4

Le système racinaire fasciculé des graminées stabilise le sol.

plus petites. L'eau pénètre entre les particules et dissout les matériaux solubles. Elle se combine au dioxyde de carbone et aux impuretés de l'atmosphère, comme le dioxyde de soufre et les oxydes d'azote, pour produire des acides dilués qui participent à la dissolution des matériaux moins solubles dans l'eau pure. Le sol peut se former sur les lieux mêmes de la décomposition des roches, ou bien les matériaux sont transportés à distance par la pesanteur, le vent, l'eau ou les glaciers.

Les sols contiennent également des matières organiques. Si les conditions de lumière et de température le permettent, des bactéries, des champignons, des algues, des lichens, des bryophytes et de petites plantes vasculaires prennent pied sur ou parmi les roches et les minéraux décomposés. La croissance des racines produit également des fissures et la décomposition des plantes et des animaux qui leur sont associés complètent l'accumulation de matière organique. Des plantes de plus grande taille arrivent enfin, elles fixent le sol par leur système racinaire (Figure 30-4) et une nouvelle communauté s'installe.

Les sols sont composés de strates appelées horizons

L'examen d'une coupe verticale dans un sol montre des différences de couleur, de teneur en matière organique vivante et morte, de porosité, de structure et de degré de décomposition. Ces différences correspon-

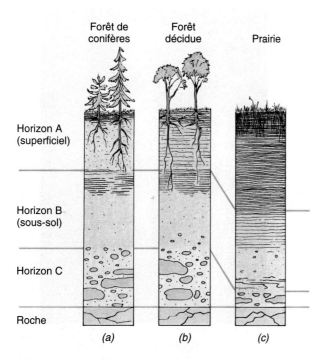

Figure 30-5

Schéma représentant les strates dans trois types principaux de sol. **(a)** Dans la forêt boréale de conifères, la litière est acide et lente à se décomposer ; l'accumulation d'humus est réduite, le sol est très acide et les minéraux sont lessivés. **(b)** Dans la forêt décidue des régions tempérées froides, la décomposition de la litière est un peu plus rapide, le lessivage est moins intense et le sol est plus fertile. Ces sols ont été mis en culture sur une grande échelle, mais il faut les améliorer par addition de chaux (pour réduire l'acidité) et d'engrais. **(c)** Dans les prairies, la majeure partie de la matière végétale qui se trouve au-dessus du sol meurt chaque année, ainsi qu'une bonne partie des racines ; de grandes quantités de matière organique retournent ainsi constamment au sol. En outre, les fines racines créent un réseau dense dans le sol. Le sol qui en résulte est très fertile, souvent de couleur foncée, avec un horizon supérieur pouvant dépasser un mètre d'épaisseur. Les sols naturels, en particulier les sols forestiers, possèdent souvent une couche de litière en décomposition au-dessus de l'horizon A. On appelle cette couche l'horizon 0.

dent généralement à une succession de strates de sol plus ou moins distinctes que les scientifiques appellent des **horizons**. On distingue au moins trois horizons — représentés par A, B et C — (Figure 30-5).

L'horizon A (ou sol de surface) est la partie supérieure du profil, où l'activité physique, chimique et biologique est la plus intense. Dans cet horizon A se trouve la majeure partie de la matière organique vivante et morte du sol. C'est dans cet horizon que s'accumule l'humus — mélange de teinte foncée des produits de dégradation des matières organiques en solution colloïdale. L'humus est vivant, du fait de la présence de populations de racines, d'insectes et d'autres petits arthropodes, de vers de terre, de protistes, de nématodes et d'organismes décomposeurs (Figure 30-6).

L'horizon B (sous-sol) est une zone de dépôt. L'oxyde de fer, les particules d'argile et de petites quantités de matière organique font partie des matériaux lessivés de l'horizon A vers l'horizon B par l'eau qui percole à travers le sol. L'horizon B contient beaucoup moins de matière organique et il est moins décomposé que l'horizon A qui le surmonte. L'activité humaine mélange souvent les horizons A et B par le labour, produisant un horizon Ap (« p » pour *plow*, charrue), qui se mélange à l'horizon B.

L'horizon C, ou matériel parental, est formé des roches et des minéraux fragmentés et décomposés qui se transforment en véritable sol dans les horizons supérieurs.

Les sols sont composés de matériaux solides et d'espaces libres

Les espaces libres qui séparent les particules du sol sont les pores du sol. Ils sont occupés par de l'air et de l'eau en proportions variables en fonction de l'humidité ambiante. L'eau du sol est surtout représentée par un film superficiel entourant les particules. La taille des fragments de roches et des minéraux du sol varie : on passe ainsi des grains de sable aisément visibles à l'œil nu aux particules d'argile trop petites pour être observées même au faible grossissement du microscope optique. On peut caractériser les particules du sol en fonction de leur taille de la façon suivante :

Particules	Diamètre (en microns)
Sable grossier	200-2000
Sable fin	20-200
Limon	2-20
Argile	Moins de 2

Les sols contiennent un mélange de particules de tailles différentes, et l'on peut distinguer plusieurs classes texturales en fonction des proportions des différentes particules présentes dans le mélange. Les sols sont sableux s'ils contiennent moins de 35 % d'argile et au moins 45 % de sable ; ils sont limoneux pour un maximum de 40 % d'argile et au moins 40 % de limon. Dans les **sols argileux**, les proportions de sable, de limon et d'argile sont idéales pour l'agriculture. Les particules de sable favorisent le drainage, tandis que les particules plus fines peuvent retenir une grande quantité d'éléments nutritifs.

La matière solide des sols se compose de matériaux inorganiques et organiques, dans des proportions qui diffèrent beaucoup suivant les sols. La partie organique comprend des restes d'organismes plus ou moins décomposés, une fraction très décomposée (l'humus) et toute une gamme de plantes et d'animaux vivants. On peut y retrouver des structures aussi volumineuses que des racines d'arbres, mais la partie vivante est dominée par les champignons, les bactéries et d'autres microorganismes.

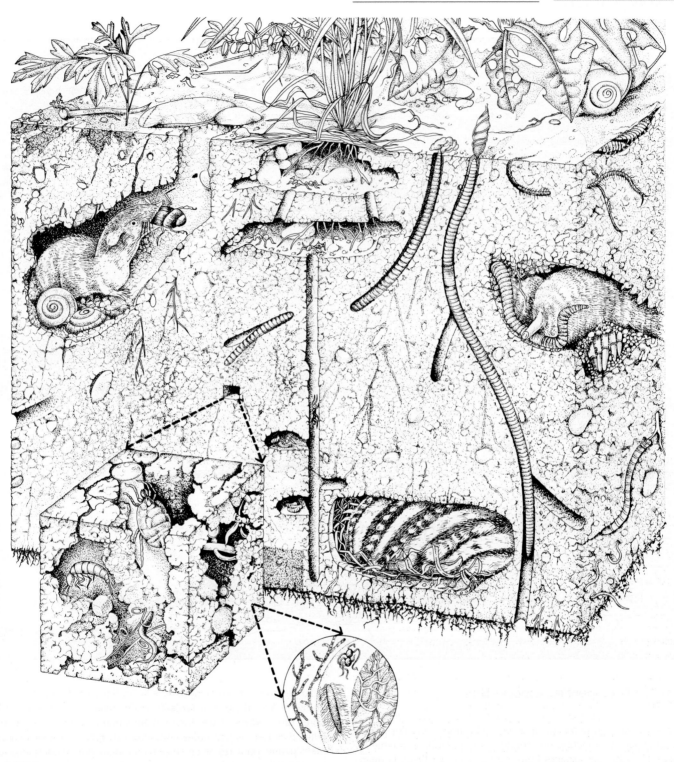

Figure 30-6

Les plantes se partagent le sol avec un très grand nombre d'organismes vivants qui vont des microorganismes jusqu'aux petits mammifères, comme les taupes, les musaraignes et les tamias. Une multitude d'animaux fouisseurs — surtout les fourmis et les vers de terre — aèrent le sol et augmentent sa capacité d'absorption de l'eau. Désignés par Aristote comme « les intestins de la terre », les vers de terre affinent les particules de sol par leur passage dans leur tube digestif. Ce sol affiné est ensuite déposé en surface sous forme de déjections. Sur un an, l'activité globale des vers de terre peut produire jusqu'à 500 tonnes de déjections par hectare. Ces déjections sont très fertiles : elles contiennent cinq fois plus d'azote que le sol avoisinant, sept fois plus de phosphore, 11 fois plus de potassium, trois fois plus de magnésium et deux fois plus de calcium. Les bactéries et les champignons sont les principaux responsables de la décomposition de la matière organique des sols.

LE CYCLE DE L'EAU

La quantité d'eau présente sur terre est stable et elle est recyclée sans fin. La majeure partie (98 %) de l'eau se trouve dans les océans, les lacs et les rivières. Des 2 % restants, une partie se retrouve sous forme de glace dans les régions polaires et les glaciers, ou bien dans le sol, sous forme de vapeur dans l'atmosphère ou encore dans les organismes vivants.

Le rayonnement solaire évapore l'eau des océans, des lacs et des rivières, de la surface des sols humides et des organismes vivants, la ramenant à l'atmosphère, d'où elle retombe sous forme de pluie. L'évaporation dépasse les précipitations au-dessus des océans, ce qui aboutit à un déplacement net de vapeur d'eau de l'océan vers la terre ferme sous l'action du vent. Plus de 90 % de l'eau perdue par les continents proviennent de la transpiration des plantes (on parle d'évapotranspiration pour désigner en même temps l'évaporation de l'eau du sol et la transpiration des plantes). Ce déplacement constant de l'eau des continents à l'atmosphère et son trajet inverse contituent le cycle de l'eau. Il est actionné par l'énergie solaire.

Une partie de l'eau de pluie percole à travers le sol pour atteindre une zone de saturation, où tous les pores et les crevasses des roches sont comblés d'eau. Sous cette zone de saturation se trouve la roche compacte où l'eau ne peut pénétrer. La surface supérieure de la zone de saturation est la nappe phréatique.

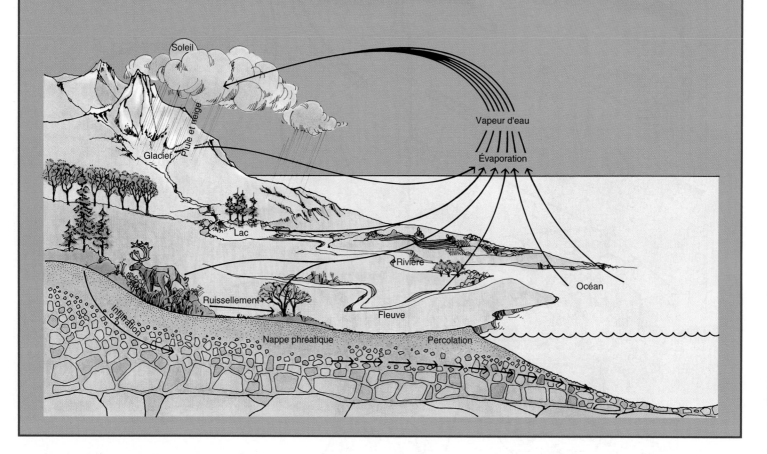

L'air et l'eau occupent les espaces libres

Cinquante pour-cent environ du volume total du sol est représenté par des espaces libres ou pores, occupés en proportions variables par de l'air et de l'eau, en fonction des conditions d'humidité ambiante. Si moins de la moitié des espaces libres est occupée par l'eau, la quantité d'oxygène disponible est suffisante pour la croissance des racines et d'autres activités biologiques.

Après une forte pluie ou un arrosage, les sols conservent une certaine quantité d'eau et restent mouillés même après l'élimination par gravité de l'eau lâchement retenue. Si le sol est composé de fragments volumineux, les pores et les espaces qui les séparent seront grands ; l'eau percolera rapidement dans le sol et il n'en restera guère dans les horizons A et B pour la croissance des plantes. En raison de leurs pores plus réduits et des forces d'attraction existant entre les molécules d'eau et les particules colloïdales d'argile (particules suffisamment petites pour rester en suspension, mais plus volumineuses que les particules en solution vraie), les sols argileux sont capables de conserver une quantité d'eau beaucoup plus grande malgré les forces de gravité. Les sols argileux peuvent retenir de trois à six fois plus d'eau que le même volume de sable ; les sols qui contiennent plus d'argile peuvent donc conserver une quantité plus grande d'eau disponible pour les plantes. La **capacité au champ** est le pourcentage d'eau qu'un sol peut retenir contre l'action des forces de gravité.

Si on laisse pousser indéfiniment une plante dans un échantillon de sol sans l'arroser, elle ne pourra finalement plus absorber assez rapidement l'eau nécessaire à ses besoins et elle se fanera. Si le flétrissement est sévère, les plantes ne pourront récupérer leur turgescence même si on les place ensuite dans un local humide. Le **point de flétrissement permanent** d'un sol est la proportion d'eau restant dans ce sol lorsque survient cette fanaison irréversible.

La figure 30-7 montre la relation entre la teneur en eau du sol et son potentiel de rétention dans des sols sablonneux, limoneux et argileux. On peut représenter les forces qui retiennent l'eau dans le sol par les mêmes termes (dans ce cas, le potentiel hydrique) que ceux qui sont utilisés pour l'entrée de l'eau dans les cellules et les tissus (voir pages 76-78). Le potentiel hydrique du sol diminue progressive-ment lorsque son humidité descend en-dessous de la capacité au champ. Les pédologues se sont mis d'accord pour considérer qu'un sol dont le potentiel hydrique atteint -1,5 mégapascal se trouve à son point, ou pourcentage, de flétrissement permanent.

Les échanges de cations sont importants parce que les ions échangeables sont disponibles pour les plantes et ne sont pas lessivés par l'eau

Les éléments inorganiques prélevés par les racines des plantes sont en solution dans le sol sous forme d'ions. La plupart des métaux produisent des ions chargés positivement, des cations, comme Ca^{2+}, K^+, Na^+, et Mg^{2+}. Les particules argileuses, de même que l'humus, peuvent disposer d'un excès de charges négatives à leurs surfaces colloïdales auxquelles les cations peuvent se fixer et éviter ainsi d'être lessivés par la percolation de l'eau du sol.

Ces cations faiblement fixés peuvent être remplacés par d'autres et donc être libérés dans la solution du sol, où ils sont disponibles pour la croissance des plantes. Ce processus est un **échange de cations**. Lorsque par exemple du CO_2 est libéré par la respiration des racines, il se dissout dans l'eau du sol pour donner de l'acide carbonique (H_2CO_3). Cet acide s'ionise ensuite pour donner des ions bicarbonate (HCO_3^-) et hydrogène (H^+). L'ion H^+ peut être échangé contre des cations minéraux de l'argile et de l'humus.

Les principaux ions négatifs, ou anions, du sol sont NO_3^-, SO_4^{2-}, HCO_3^- et OH^-. Les anions sont plus rapidement lessivés que les cations parce qu'ils ne se fixent pas aux particules d'argile. Le phosphate est une exception : il échappe au lessivage en formant des précipités insolubles. Le phosphate est spécifiquement adsorbé (maintenu à la surface) par les composés contenant du fer, de l'aluminium et du calcium.

L'acidité ou l'alcalinité du sol conditionne la disponibilité des sels minéraux pour la croissance des plantes. Le pH du sol est très variable et la marge de tolérance de nombreuses plantes est étroite. Dans les sols alcalins, certains cations sont précipités et des éléments tels que le fer, le manganèse, le cuivre et le zinc peuvent donc ne plus être disponibles pour les plantes. Les mycorhizes (voir chapitre 15) ont un rôle particulièrement important dans l'absorption et le transfert du phosphore chez la plupart des plantes, mais on pense qu'elles augmentent également l'absorption du manganèse, du cuivre et du zinc.

Les cycles des éléments nutritifs

Nous savons aujourd'hui que pratiquement toutes les plantes vasculaires exigent 17 éléments essentiels, ou nutriments inorganiques, pour pouvoir grandir et se développer normalement. La terre étant essentiellement un système fermé, ces éléments ne sont disponibles qu'en quantité limitée. La vie sur la terre dépend donc du recyclage de ces éléments. Les macroéléments comme les oligo-éléments sont recyclés par les plantes et les animaux, retournent au sol, sont dégradés et reviennent à nouveau aux plantes. Chaque élément passe par un cycle différent qui comprend de nombreux organismes et systèmes enzymatiques différents. Certains cycles, comme ceux du carbone, de l'oxygène, du soufre et de l'azote, qui existent dans l'atmosphère sous une forme gazeuse (comme éléments ou sous la forme de composés),

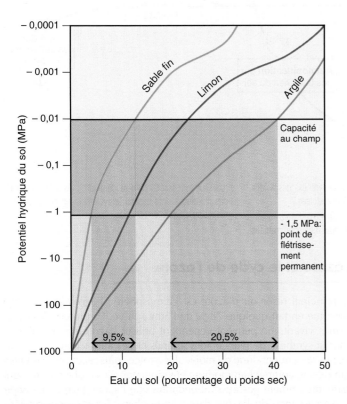

Figure 30-7

Rapport entre la teneur en eau du sol et le potentiel hydrique dans des sols sableux, limoneux et argileux. (Les courbes sont établies suivant une échelle logarithmique). Notez que si l'eau disponible pour les plantes dans un sol sableux fin ne représente qu'environ 9,5% du poids sec du sable, cette proportion est beaucoup plus élevée dans un sol argileux avec environ 20,5% du poids sec de l'argile. On considère qu'un sol dont le potentiel hydrique atteint -1,5 mégapascal (MPa) se situe à son point de flétrissement permanent.

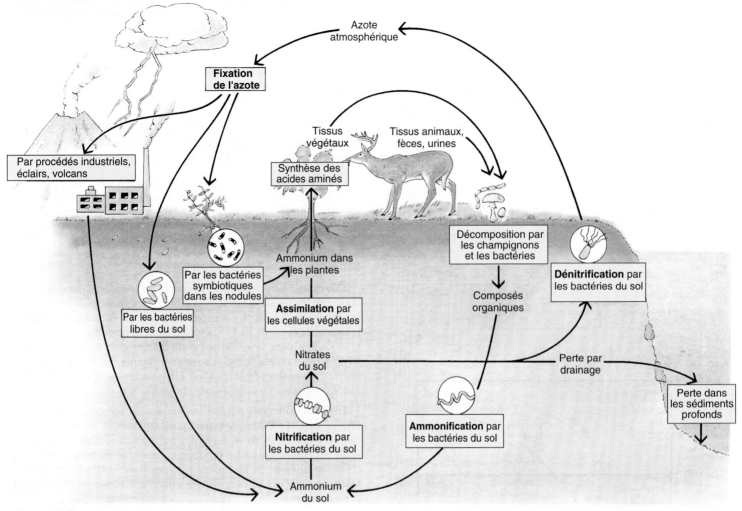

Figure 30-8

Cycle de l'azote dans un écosystème terrestre. Le principal réservoir d'azote est l'atmosphère, où il représente 78 % de l'air sec. Seuls quelques microorganismes, symbiotiques ou libres, sont capables de fixer l'azote gazeux dans des composés organiques utilisables par les plantes pour la synthèse des acides aminés et des autres molécules organiques azotées.

Le cycle de l'azote est semblable dans les écosystèmes aquatiques. Les organismes qui interviennent sont différents, mais les processus sont essentiellement identiques : les différentes réactions chimiques dont dépend le cycle sont effectuées par des groupes spécifiques de bactéries.

ont une importance pratiquement globale dans la nature. D'autres cycles, comme ceux du phosphore, du calcium, du potassium et des microéléments, absents sous forme gazeuse, sont en général plus localisés. Étant donné que les cycles des éléments nutritifs impliquent aussi bien des organismes vivants que leur environnement physique, on parle également de **cycles biogéochimiques**.

On dit que les cycles des éléments nutritifs « ont des fuites » parce que tous les nutriments qui retournent au sol ne peuvent être utilisés par les plantes. Certains sont perdus pour le système. L'érosion du sol élimine par exemple la couche superficielle riche en éléments nutritifs (particulièrement en phosphore et en azote) ; cette couche est emportée par les cours d'eau et se perd finalement dans l'océan. L'exportation d'éléments nutritifs (principalement l'azote et le potassium) avec la récolte, et les pertes dans l'atmosphère d'azote et de soufre par les gaz provenant de la combustion des plantes contribuent également aux pertes de nutriments. Le lessivage contribue en outre aux pertes des éléments solubles en tous genres, particulièrement du potassium, des nitrates et des sulfates.

L'azote et le cycle de l'azote

Le principal réservoir d'azote est l'atmosphère ; l'azote gazeux (N_2) constitue en fait quelque 78 % de l'atmosphère. La plupart des organismes vivants ne peuvent cependant utiliser l'azote atmosphérique pour la synthèse de leurs acides aminés et des autres composés azotés ; ils dépendent donc de molécules azotées plus réactives présentes dans le sol, comme l'ammonium et les nitrates. Ces molécules ne sont malheureusement pas aussi abondantes que l'azote gazeux. En dépit de l'abondance de l'azote dans l'atmosphère, les carences azotées dans le sol sont souvent le principal facteur limitant la croissance des plantes.

Le processus permettant à cette quantité limitée d'azote de circuler et de recirculer dans le monde vivant est appelé cycle de l'azote (Figure 30-8). Les trois principales étapes de ce cycle sont (1) l'ammonification, (2) la nitrification et (3) l'assimilation.

LES PLANTES CARNIVORES

Quelques plantes sont capables d'utiliser directement les protéines animales comme source d'azote. Ces plantes carnivores possèdent des adaptations spéciales qui sont utilisées pour attirer et capturer des insectes et d'autres animaux de très petite taille. Ces plantes digèrent les organismes capturés et absorbent les composés azotés qu'ils contiennent, ainsi que d'autres molécules organiques et minérales, comme le potassium et les phosphates. La plupart des plantes carnivores se rencontrent dans les marécages, milieu généralement très acide et donc peu propice au développement des bactéries de la nitrification. Les plantes carnivores possèdent différents moyens pour capturer leurs proies. L'utriculaire (*Utricularia vulgaris*) **(a)** est une plante aquatique flottante commune dont les pièges sont de petites vésicules pyriformes aplaties. Chaque

vésicule possède un orifice protégé par un opercule articulé. Le mécanisme de capture comporte quatre soies raides situées près du bord inférieur libre de l'opercule. Lorsqu'un petit animal se frotte à ces soies, les poils déclenchent le bord inférieur de l'opercule et l'ouvrent brutalement. L'eau s'engouffre alors dans la vésicule en emportant l'animal et l'opercule se referme derrière lui. Une série d'enzymes sécrétées par la paroi interne de la vésicule et par la population bactérienne qu'elle héberge digèrent l'animal. Les minéraux et les molécules organiques libérées traversent les parois cellulaires, tandis que l'exosquelette non digéré reste dans la vésicule.

Le rossolis (*Drosera rotundifolia*) **(b)** est une plante minuscule, de quelques centimètres de haut seulement, portant des poils en massue à

la face supérieure des feuilles. L'extrémité de ces poils glandulaires sécrète un liquide clair et visqueux, ou mucilage, qui attire des insectes, comme la libellule que l'on voit ici. Quand un insecte est pris dans le mucilage, les poils se recourbent vers l'intérieur et la feuille l'emprisonne. Les poils sécrètent au moins six enzymes qui, avec les enzymes produites par les bactéries, en particulier la chitinase, digèrent l'insecte. Les substances nutritives libérées par la proie se mêlent au mucilage qui est résorbé par les glandes qui ont sécrété les enzymes digestives. On retrouve les mêmes mécanismes de sécrétion chez d'autres plantes carnivores, comme la dionée (*Dionaea muscipula*) et la grassette (*Pinguicula vulgaris*).

(a)

(b)

(a) L'utriculaire commune *(Utricularia vulgaris)*. **(b)** Un rossolis *(Drosera rotundifolia)*.

L'ammonium est libéré par la décomposition des matières organiques

La majeure partie de l'azote du sol dérive de déchets organiques, qui se présentent comme des molécules complexes telles que les protéines, les acides aminés, les acides nucléiques et les nucléotides. Ces substances azotées sont en général rapidement décomposées en molécules plus simples par les bactéries saprophytes et divers champignons du sol. Ces organismes incorporent l'azote dans leurs acides aminés et leurs protéines et libèrent l'azote en excès sous forme d'ions ammonium (NO_4^-) par un processus connu sous le nom

d'**ammonification**, ou minéralisation de l'azote. En milieu alcalin, l'azote peut se transformer en ammoniac gazeux (NH_3). Cette dernière transformation ne se produit cependant en général que lors de la décomposition de grandes quantités de matières riches en azote, par exemple dans un tas de fumier ou de compost en contact avec l'atmosphère. Dans le sol, l'ammoniac produit par ammonification se dissout dans l'eau du sol, il s'y combine aux protons pour produire l'ion ammonium. Dans certains écosystèmes, cet ion n'est pas rapidement oxydé, mais il persiste dans le sol. Les plantes vivant dans ces sols sont capables d'absorber NH_4^+ et de l'utiliser pour la synthèse des protéines végétales.

Dans certains sols, les bactéries nitrificatrices transforment l'ammonium en nitrites, puis en nitrates

Plusieurs espèces de bactéries très répandues dans les sols sont capables d'oxyder l'ammoniac ou les ions ammonium. L'oxydation de l'ammonium, ou **nitrification**, est un processus qui libère de l'énergie et les bactéries utilisent cette énergie pour la réduction du dioxyde de carbone par une voie peu différente de celle qu'utilisent les autotrophes pour réduire le dioxyde de carbone avec l'aide de l'énergie lumineuse. Ces organismes sont désignés comme des autotrophes chimiosynthétiques (pour les distinguer des autotrophes photosynthétiques). La bactérie nitrificatrice chimiosynthétique *Nitrosomonas* est le principal responsable de l'oxydation de l'ammonium en ions nitrite (NO_2^-) :

$$2NH_4^+ + 3O_2 \rightarrow 2NO_2^- + 4H^+ + 2H_2O$$

Les nitrites sont toxiques pour les plantes, mais ils s'accumulent rarement dans le sol. *Nitrobacter*, autre genre de bactéries, oxyde les nitrites pour produire des ions nitrate (NO_3^-), avec une nouvelle libération d'énergie :

$$2NO_2^- + O_2 \rightarrow 2NO_3^-$$

En raison de la nitrification, c'est sous forme de nitrate que la plus grande partie de l'azote est absorbée par la plupart des plantes cultivées sur terre ferme, là où la nitrification est considérablement favorisée par la pratique oxydante du labour. La majeure partie des engrais azotés utilisés commercialement contiennent soit des ions ammonium (NH_4^+), soit de l'urée, qui se scinde en NH_4^+ dans le sol. NH_4^+ est transformé en NO_3^- par nitrification.

Le système sol-plante est le siège d'un cycle de l'azote ; il perd également de l'azote

La principale perte d'azote par le système sol-plante provient de la **dénitrification,** processus anaérobie au cours duquel le nitrate est réduit en molécules volatiles de l'azote, comme l'azote gazeux (N_2) et l'oxyde d'azote (N_2O), qui retournent ensuite à l'atmosphère. De nombreux microorganismes sont responsbles de ce processus. On a longtemps considéré que les faibles teneurs en oxygène nécessaires à la dénitrification étaient propres aux sols gorgés d'eau et à des habitats tels que les marais et tourbières. Les chercheurs admettent actuellement que ces conditions se rencontrent fréquemment dans les agrégats du sol, même sans excès d'eau. La dénitrification est par conséquent un processus pratiquement universel dans les sols. Un apport frais de matière organique facilement décomposable fournit l'énergie nécessaire aux bactéries dénitrifiantes et, si les autres conditions sont satisfaites, il favorise la dénitrification. L'absence de sources d'énergie permet aux nitrates de s'accumuler dans l'eau du sol et d'y atteindre des teneurs élevées.

Les écosystèmes perdent également de l'azote lors de la récolte des plantes, par l'érosion du sol, par la combustion des plantes et par le lessivage. Les nitrates et les nitrites, qui sont tous deux présents sous forme d'anions, sont particulièrement sensibles au lessivage par l'eau du sol qui percole dans la zone des racines.

La récupération de l'azote dans le cycle est due surtout à la fixation de l'azote atmosphérique

Si l'azote éliminé du sol n'était pas régulièrement remplacé, la vie tout entière disparaîtrait lentement de la terre. Le sol récupère principalement l'azote grâce à sa fixation. La quantité ajoutée par les précipitations et par la décomposition des roches est beaucoup moindre.

La fixation de l'azote est le processus qui aboutit à la réduction du N_2 atmosphérique en NH_4^+ et à sa mise à la disposition des composés organiques pour produire les acides aminés et les autres molécules organiques azotées. La fixation de l'azote, dont certaines bactéries seulement sont capables, est un processus dont dépendent tous les organismes vivants, exactement comme ils dépendent en dernière analyse de la photosynthèse pour leur énergie.

L'enzyme qui catalyse la fixation de l'azote est la **nitrogénase**. Elle est semblable chez tous les organismes où elle a été isolée. La nitrogénase contient du molybdène, du fer et du sulfure dans ses groupements prosthétiques ; ces éléments sont donc indispensables à la fixation de l'azote. La nitrogénase utilise également de grandes quantités d'ATP comme source d'énergie, ce qui fait de la fixation de l'azote un processus métabolique onéreux.

Il est possible de classer les bactéries fixatrices d'azote en fonction de leur mode d'alimentation : celles qui vivent à l'état libre (non symbiotiques) et celles qui vivent en symbiose avec certaines plantes vasculaires.

Les bactéries fixatrices d'azote les plus efficaces forment des associations symbiotiques avec les plantes

Parmi les deux catégories d'organismes fixant l'azote, les bactéries symbiotiques sont de loin les plus importantes si l'on tient compte des quantités totales d'azote fixé. Les plus communes sont *Rhizobium* et *Bradyrhizobium*, qui toutes deux pénètrent dans les racines de légumineuses, comme la luzerne (*Medicago sativa*), les trèfles (*Trifolium*), le pois (*Pisum sativum*), le soja (*Glycine max*) et les haricots (*Phaseolus*). Au sein de l'association symbiotique entre les bactéries et les légumineuses, les bactéries procurent aux plantes une forme d'azote utilisable pour la synthèse de leurs protéines. De son côté, la plante procure aux bactéries d'une part l'énergie indispensable à la fixation de l'azote et, d'autre part, les molécules carbonées nécessaires à la production de leurs propres molécules azotées.

On connaît depuis des siècles l'influence bénéfique pour le sol de la culture des légumineuses. Théophraste, qui vivait au troisième siècle avant le Christ, écrivait que les Grecs utilisaient des cultures de féverole (*Vicia faba*) pour enrichir les sols. En agriculture moderne, la rotation est une pratique courante : elle implique l'alternance d'une culture telle que le maïs avec une légumineuse, la luzerne par exemple, ou le maïs et le soja suivis du blé. Les légumineuses sont ensuite récoltées comme fourrage en abandonnant sur place leurs racines riches en azote ou, mieux encore, elles sont complètement enfouies par le labour. Une culture de luzerne enfouie dans le sol peut apporter de 300 à 350 kilogrammes d'azote par hectare. On estime au bas mot que 150 à 200 millions de tonnes d'azote fixé sont apportées chaque année à la surface de la terre par ces systèmes biologiques.

Les nodules sont produits par la racine de la plante hôte à la suite d'une infection par les bactéries. Les bactéries des genres *Rhizobium* et *Bradyrhizobium*, généralement groupées sous le nom de **rhizobiums,** pénètrent dans les poils absorbants des légumineuses encore au stade plantule. L'établissement de la symbiose fixatrice d'azote entre *Bradyrhizobium japonicum* et le soja *(Glycine max)* débute par la fixation des rhizobiums aux jeunes poils absorbants (Figure 30-9a). Les poils absorbants forment des ondulations serrées caractéristiques entourant les rhizobiums (Figure 30-9b). Les poils absorbants et les cellules corticales sous-jacentes sont alors envahies par des **filaments d'infection**, structures tubulaires provenant de l'invagination progressive des parois cellulaires des poils absorbants au niveau de la pénétration (Figure 30-9b, c). Un poil absorbant peut

être envahi par plusieurs rhizobiums et peut donc contenir plusieurs filaments d'infection (Figure 30-9b). La bactérie symbiotique induit également des divisions cellulaires dans des zones localisées du cylindre cortical, puis elle y pénètre grâce à la croissance et à la ramification du filament d'infection. Les rhizobiums se libèrent du filament d'infection et pénètrent dans des enveloppes dérivées de la membrane plasmique de la cellule hôte. Ils se développent en **bactéroïdes,** nom donné dès lors aux rhizobiums fixateurs d'azote en développement (Figure 30-9d). La prolifération des bactéroïdes enfermés dans leur membrane et des cellules corticales de la racine produit des excroissances tumorales appelées **nodules** (Figure 30-1). L'infection et la formation des nodules sont apparemment semblables dans les racines des autres légumineuses.

Les nodules racinaires des légumineuses sont composés d'un cortex relativement mince entourant une grande zone centrale contenant des cellules infectées et des cellules indemnes de bactéroïdes (Figure 30-10). Des faisceaux conducteurs partent du point de fixation du nodule à la racine et rayonnent dans le cortex interne. Chez le

Figure 30-9

Infection du soja par *Bradyrhizobium japonicum*. **(a)** Micrographie au microscope électronique à balayage montrant les rhizobiums (flèches) fixés à l'ébauche d'un poil absorbant. **(b)** Micrographie au microscope à interférence différentielle montrant un court poil absorbant ondulé contenant plusieurs filaments d'infection (flèches). **(c)** Micrographie électronique d'un filament d'infection contenant des rhizobiums. La membrane plasmique et la paroi cellulaire de la cellule se prolongent dans le filament d'infection. Chaque rhizobium est entouré d'un halo de polysaccharides de la capsule. **(d)** Micrographie électronique d'un groupe de bactéroïdes, entourés chacun d'une membrane dérivée de la cellule du nodule de la racine infectée. Remarquez la cellule non infectée contiguë (au-dessus) à la cellule infectée.

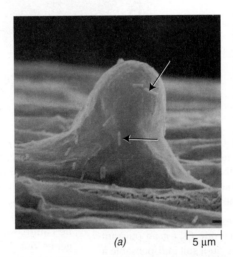

(a)　5 µm

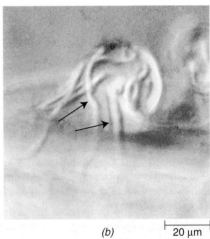

(b)　20 µm

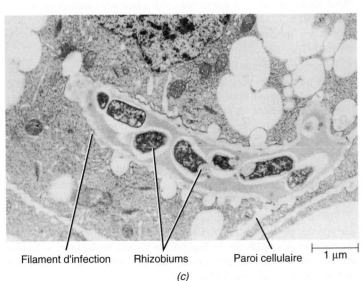

Filament d'infection　Rhizobiums　Paroi cellulaire　1 µm

(c)

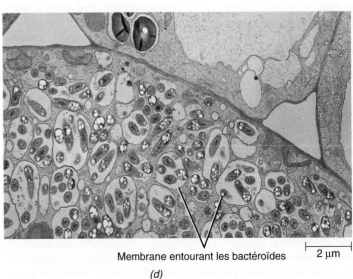

Membrane entourant les bactéroïdes　2 µm

(d)

Figure 30-10

Coupe dans un nodule d'une racine de soja complètement différencié. Parmi les cellules infectées très colorées de la zone centrale du nodule, on peut remarquer des cellules non infectées et vacuolisées. Le cortex du nodule, contenant des faisceaux conducteurs (flèches) et une assise de cellules sclérenchymateuses très colorées, entourent la zone centrale.

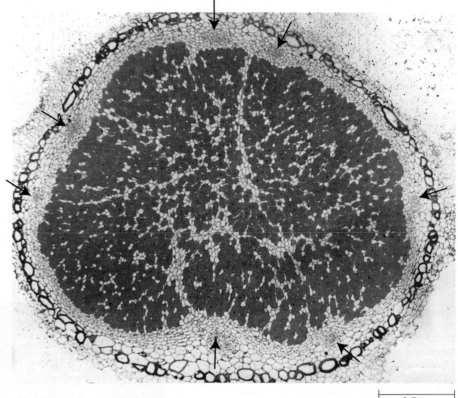

0,5 mm

soja, les cellules infectées, tout autant que celles qui ne le sont pas, peuvent jouer un rôle dans la production de dérivés de l'urée (uréures), qui constituent le produit final de la fixation de l'azote exporté du nodule vers la plante. D'autres légumineuses produisent d'autres dérivés azotés dont l'acide aminé asparagine est le plus fréquent.

La concentration en oxygène des cellules infectées par les bactéries doit être soigneusement contrôlée parce que O_2 est un puissant inhibiteur irréversible de la nitrogénase, bien qu'il soit indispensable à la respiration aérobie qui permet de répondre aux demandes importantes d'ATP de l'enzyme. L'oxygène est également nécessaire à d'autres activités métaboliques aussi bien des bactéries que des cellules végétales. Le contrôle d'O_2 est assuré pour une bonne part par la présence d'une protéine hème qui fixe l'oxygène, la **leghémoglobine** ; la concentration de cette substance est relativement élevée dans le cytosol des cellules infectées. Cette protéine, responsable de la couleur rose de la région centrale du nodule, est produite en partie par le bactéroïde (le hème) et en partie par la plante (la globine). On suppose que la leghémoglobine agit comme tampon de la concentration d'O_2 à l'intérieur du nodule et permet la respiration sans inhiber la nitrogénase. Elle participe en outre au transport de l'O_2 et facilite sa diffusion jusqu'aux bactéroïdes.

L'association entre la bactérie et la plante est très spécifique. La symbiose entre une espèce de *Rhizobium* ou de *Bradyrhizobium* et une légumineuse est tout à fait spécifique ; les bactéries qui envahissent et induisent la formation de nodules chez le trèfle *(Trifolium)*, par exemple, ne réagissent pas avec le soja *(Glycine)*. L'interaction entre

les partenaires de la symbiose implique des échanges complexes de signaux moléculaires qui contrôlent l'expression des gènes essentiels à l'infection et à la production des nodules. Deux groupes de gènes bactériens sont nécessaires à la formation de nodules fixateurs d'azote. Les gènes *nod* du premier groupe interviennent dans la réponse spécifique de l'hôte et dans la formation du nodule et ceux de l'autre, les gènes *nif*, interviennent dans la fixation de l'azote. Les gènes qui participent aux interactions symbiotiques sont généralement localisés dans un grand plasmide chez les espèces de *Rhizobium* et dans le chromosome des souches de *Bradyrhizobium*. On a récemment déterminé la séquence nucléotidique complète et le lot de gènes du plasmide d'une espèce de *Rhizobium* (NGR234).

La symbiose débute lorsque des flavonoïdes sécrétés par la légumineuse s'unissent au gène *nodD* du groupe bactérien *nod* et l'activent. Le produit du gène *nodD* induit ensuite l'expression d'autres gènes bactériens *nod* dont les produits sont nécessaires à des processus tels que l'enroulement des poils absorbants, la dégradation de la paroi cellulaire et la formation des filaments d'infection. En outre, les produits d'autres gènes bactériens *nod* activent des gènes de la plante appelés *Nod*. Ces gènes *Nod* codent des protéines cellulaires, appelées *nodulines*, nécessaires à la division des cellules corticales, ainsi qu'à la croissance et au fonctionnement des nodules.

On connaît mal le mécanisme de fixation initial des bactéries à la surface des poils absorbants. On a supposé une interaction entre les bactéries et des protéines de fixation aux sucres, les lectines, sécrétées par les racines des légumineuses, qui faciliterait leur fixation aux parois cellulaires des poils absorbants.

(a)

Figure 30-11

Symbiose *Azolla-Anabaena*. **(a)** *Azolla filiculoides*, fougère aquatique vivant en association symbiotique avec la cyanobactérie *Anabaena*. **(b)** On peut voir des filaments d'*Anabaena* (flèches) associés à un gamétophyte femelle (mégagamétophyte) qui s'est développé à partir d'une mégaspore d'*Azolla*.

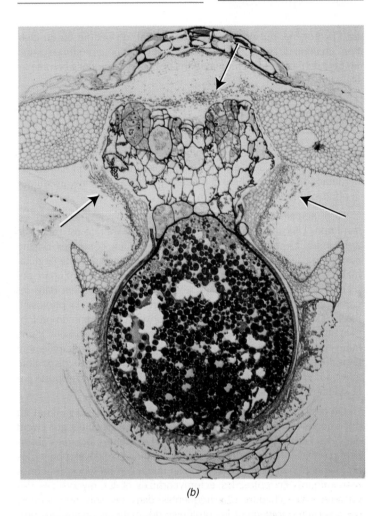

(b)

Les légumineuses ne participent pas à toutes les symbioses fixatrices d'azote. Les légumineuses constituent de loin le groupe le plus important de plantes participant à la fixation de l'azote avec des bactéries symbiotiques. Il existe cependant quelques symbioses fixatrices d'azote où interviennent d'autres plantes. Les aulnes *(Alnus)* forment par exemple des nodules qui sont induits et abritent non pas des *Rhizobium* ou des *Bradyrhyzobium* mais des actinomycètes fixateurs d'azote. Le piment royal *(Myrica gale)*, une fougère *(Comptonia)* et les *Ceanothus* produisent également des associations symbiotiques avec des actinomycètes (voir chapitre 14).

Une autre association symbiotique est économiquement très importante dans certaines parties du monde. *Azolla* est une petite fougère flottante, et *Anabaena* est une cyanobactérie fixatrice d'azote vivant dans les cavités des frondes d'*Azolla* (Figure 30-11). La symbiose entre *Azolla* et *Anabaena* est un cas unique parmi les symbioses fixatrices d'azote du fait que l'association persiste durant tout le cycle de développement de l'hôte. L'*Azolla* infecté par *Anabaena* peut apporter jusqu'à 50 kilogrammes d'azote par hectare. En Extrême-Orient par exemple, on laisse se développer des tapis d'*Azolla* dans les champs de riz (voir également la figure 14-14). Le riz ombrage finalement les *Azolla* et, à la mort de la fougère, l'azote libéré est utilisé par les plantes.

On trouve, dans le sol, des bactéries fixatrices d'azote non symbiotiques

Les bactéries non symbiotiques des genres *Azotobacter, Azotococcus, Beijerinckia* et *Clostridium* sont capables de fixer l'azote. Les trois premiers genres sont aérobies, alors que *Clostridium* est anaérobie. Les quatre genres sont des bactéries saprophytes fréquentes dans le sol ; l'oxydation de la matière organique est utilisée comme source d'énergie pour la fixation. On estime que ces bactéries apportent environ 7 kilos d'azote par hectare et par an. Un autre groupe important comprend de nombreuses bactéries photosynthétiques, par exemple les cyanobactéries.

La fixation industrielle de l'azote exige beaucoup d'énergie

Depuis la mise au point du processus en 1914, la production industrielle d'azote fixé s'est accrue progressivement pour atteindre actuellement environ 50 millions de tonnes par an. La plus grande partie de cet azote est utilisée comme engrais en agriculture. La fixation industrielle a malheureusement un coût énergétique élevé en termes de combustibles fossiles. Dans la plupart des techniques, N_2 réagit avec H_2 à des températures et pressions élevées en présence de catalyseurs métalliques pour produire l'ammoniac. L'élément coûteux en énergie est l'hydrogène, qui provient du gaz naturel, du pétrole ou du charbon. En dépit de son coût élevé, cette technique peut produire jusqu'à un tiers de l'azote fixé en un an dans des pays développés comme les Etats-Unis.

L'assimilation de l'azote

L'incoporation de l'azote inorganique (nitrates et ammoniac) dans des composés organiques est un des plus importants processus se déroulant dans la biosphère, à mettre à peu près au même niveau que la photosynthèse et la respiration.

La principale source d'azote utilisée par les plantes de culture est le nitrate. Dès son entrée dans une cellule, le nitrate est réduit en ammoniac, lui-même rapidement incorporé aux composés organiques en passant par la voie de la glutamine synthétase et de la glutamate synthétase représentée à la figure 30-12. Chez la plupart des plantes herbacées, ce processus se déroule principalement dans les chloroplastes des feuilles, en association étroite avec la photosynthèse. (De nombreux physiologistes le considèrent comme un prolongement de la photosynthèse.) Lorsque les racines disposent d'une faible quantitié de nitrate, sa réduction se déroule principalement dans les plastes des racines. L'azote organique devenu disponible grâce à la métabolisation des nitrates par les racines est transporté par le xylème, principalement sous forme d'acides aminés.

De plus en plus d'arguments indiquent que l'azote organique est une source essentielle et directe d'azote pour les plantes qui vivent dans des écosystèmes pauvres en azote. Les plantes arctiques absorbent par exemple facilement les acides aminés et se développent plus rapidement en présence d'azote organique qu'en présence de formes inorganiques. En outre, les ectomycorhizes et les mycorhizes des bruyères (voir chapitre 15), fréquentes dans les sols peu fertiles, décomposent rapidement les protéines des matières organiques présentes dans le sol. Elles absorbent ensuite les acides aminés et les transfèrent directement à la plante hôte sans minéralisation de l'azote en nitrate et ammoniac.

Le cycle du phosphore

Le cycle du phosphore (Figure 30-13) semble plus simple que celui de l'azote parce que les étapes sont moins nombreuses et ne dépendent pas de l'activité de groupes spécifiques de microorganismes. Le cycle du phosphore diffère également de celui de l'azote par le fait que le principal réservoir n'est pas l'atmosphère, mais la croûte terrestre. Il n'existe pas de gaz important contenant du phosphore. Etant donné que l'humus et les particules du sol fixent les phosphates (PO_4^{3-}) — seule forme inorganique importante de phosphore — son recyclage a tendance à être très localisé. Comme on l'a vu précédemment, la décomposition des roches et des minéraux sur de longues périodes est à l'origine de la majeure partie du phosphore présent dans la solution du sol.

Comparée à celle d'azote, la quantité de phosphore nécessaire aux plantes est relativement faible (Tableau 30-1). De tous les éléments dont la croûte terrestre est le principal réservoir, le phosphore est cependant celui qui a le plus de chance d'être le facteur limitant de la croissance des plantes. En Australie, par exemple, où les sols sont extrêmement dégradés et carencés en phosphore, la distribution et les limites des formations végétales naturelles sont souvent déterminées par la quantité de phosphate disponible dans le sol.

Le phosphore circule depuis les plantes jusqu'aux animaux et retourne au sol sous différentes formes organiques dans les déchets et les déjections. Ces formes organiques de phosphore sont transformées en phosphate inorganique grâce à l'activité des microorganismes et le phosphore est donc à nouveau disponible pour les plantes (Figure 30-13).

L'écosystème terrestre perd une partie de son phosphore par lessivage et par érosion mais, dans les milieux naturels, la décomposition des roches peut compenser ces pertes. Le phosphore perdu arrive finalement dans les océans, où il se retrouve dans les sédiments sous forme de précipités et dans les déchets des organismes. Dans le passé, l'utilisation du guano (dépôts de déjections d'oiseaux de mer) comme engrais a ramené une partie du phosphore de l'océan aux écosystèmes terrestres. La plus grande partie du phosphore des sédiments

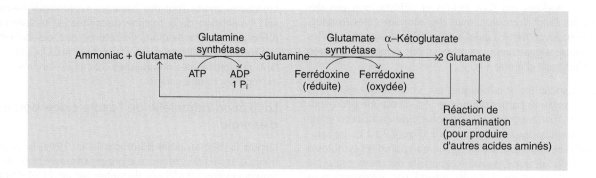

Figure 30-12

La voie (résumée) de la glutamine synthétase-glutamate synthétase dans les feuilles. L'incorporation de l'azote dans les composés organiques utilise l'ATP et la ferrédoxine à l'état réduit ; tous deux abondamment disponibles dans les cellules photosynthétiques. Des deux molécules de glutamate produites, l'une se combine à l'ammoniaque et réintègre le cycle, l'autre est transaminée et forme de nouveaux acides aminés. Dans la racine, la ferrédoxine est remplacée par NADH ou NADPH.

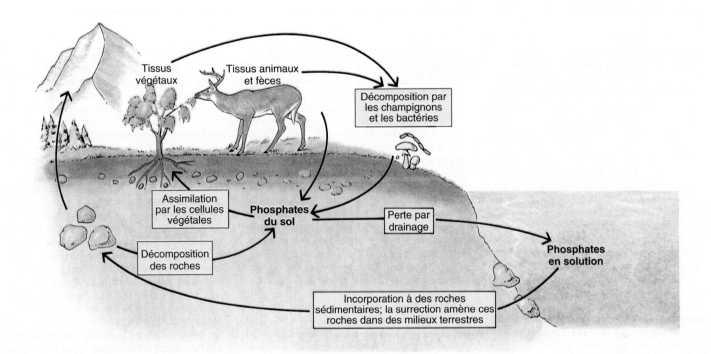

Figure 30-13

Le cycle du phosphore dans un écosystème terrestre. Le phosphore est indispensable à tous les organismes vivants en tant que composant des molécules de transport de l'énergie, comme l'ATP, et des nucléotides de l'ADN et de l'ARN. Comme les autres minéraux, il est libéré des tissus morts par l'activité d'organismes décomposeurs, repris dans le sol par les plantes et recyclé dans l'écosystème.

Dans un écosystème aquatique, le cycle du phosphore implique des organismes différents, mais il est, à bien des égards, semblable au cycle terrestre représenté ici. Dans les écosystèmes aquatiques cependant, une quantité importante de phosphore est incorporée aux coquilles et aux squelettes des organismes vivant dans l'eau. Ce phosphore, de même que les phosphates précipités dans l'eau, est ensuite incorporé aux roches

sédimentaires. Revenues à la surface de la terre à la suite de soulèvements géologiques, ces roches constituent le principal réservoir terrestre de phosphore.

profonds ne deviendra cependant disponible qu'à la faveur de soulèvements géologiques de grande ampleur. On applique des engrais phosphatés aux sols trop pauvres en phosphore disponible pour les plantes. Les dépôts de roches phosphatées sont extraits à grande échelle pour être utilisés comme engrais.

Impact de l'homme sur les cycles des éléments nutritifs et influence de la pollution

Le fonctionnement normal des cycles du phosphore, de l'azote et des autres éléments exige un transfert par étapes ordonnées afin d'éviter une accumulation ou une carence à l'un ou l'autre stade du cycle. Pendant des millions d'années, les organismes ont disposé de nutriments inorganiques essentiels en quantités adéquates grâce au fonctionnement normal de ces cycles. La nécessité de fournir une alimentation suffisante à une population humaine en croissance exponentielle a cependant entraîné, pour certains cycles, des conséquences dramatiques qui peuvent conduire avec le temps à l'accumulation ou à l'épuisement temporaire d'éléments nutritifs. L'exportation par

les récoltes et la progression de l'érosion ont par exemple accéléré les pertes de phosphore par les sols. Les apports de phosphore aux habitats aquatiques par les eaux usées et le drainage des champs cultivés ont provoqué un envahissement massif par des algues et des angiospermes, réduisant ainsi sérieusement l'intérêt récréatif des zones affectées. Pour cette raison, de nombreux états ont interdit l'usage des détergents à base de phosphore.

Le fonctionnement normal du cycle de l'azote, dont l'efficacité est relativement bonne, suppose un équilibre entre les processus de fixation, qui prélèvent l'azote du réservoir que constitue l'atmosphère, et de dénitrification, qui renvoient l'azote à l'atmosphère. Malheureusement, l'efficacité du cycle décline en raison de l'apport croissant d'azote fixé (nitrates) dans l'environnement par l'usage extensif des engrais du commerce. De plus, les marais et les terres humides, qui sont les principaux sites de dénitrification, sont détruits à un rythme alarmant pour être transformés en terrains à bâtir, terre agricoles et sites de déversage.

Les écosystèmes en général et plus particulièrement les sites aquatiques, subissent de graves dommages en raison des pluies acides.

LES HALOPHYTES : UNE RESSOURCE POUR L'AVENIR ?

Contrairement à la majorité des animaux, la plupart des plantes n'ont généralement pas besoin de sodium et, de plus, elles ne peuvent survivre dans les eaux saumâtres ou les sols salins. Dans ces milieux, la concentration de la solution entourant les racines est souvent supérieure à celle des cellules de la plante, et l'eau à tendance à sortir des racines par osmose. Même si la plante est capable d'absorber l'eau, elle est confrontée à un autre problème en raison de la forte teneur en ions sodium. Si la plante absorbe l'eau et élimine les ions sodium, la solution entourant les racines se charge encore plus en sel et augmente le risque de perte d'eau par les racines. Le sel peut finalement atteindre une concentration telle qu'il forme une croûte autour des racines et empêche en fait leur approvisionnement en l'eau. Un autre problème est lié au fait que les ions sodium peuvent pénétrer dans la plante préférentiellement aux ions potassium, privant ainsi la plante d'un élément essentiel et inhibant par la même occasion certains systèmes enzymatiques.

Certaines plantes — les halophytes — peuvent poursuivre leur croissance dans des milieux salins comme les déserts, les prés salés et les zones littorales. Toutes ces plantes ont acquis par évolution des mécanismes qui leur permettent de supporter des concentrations élevées en sodium et certaines d'entre elles semblent avoir besoin de sodium. Les adaptations des halophytes sont diverses. Une pompe sodium-potassium semble jouer un rôle majeur chez beaucoup d'halophytes en maintenant une faible concentration en sodium à l'intérieur des cellules tout en assurant un approvisionnement suffisant en ions potassium à la plante. Chez certaines espèces, la pompe fonctionne principalement dans les cellules des racines en pompant le sodium vers le milieu externe et le potassium vers la racine. On suppose que la présence d'ions calcium (Ca^{2+}) dans la solution du sol est indispensable au fonctionnement efficace de ce mécanisme.

D'autres halophytes absorbent le sodium par les racines, mais elles l'évacuent ensuite ou l'isolent du cytoplasme des cellules vivantes. Chez les salicornes *(Salicornia)*, une pompe sodium-potassium (ou une variante) fonctionne dans les membranes vacuolaires (tonoplastes) des cellules foliaires. Les ions sodium pénètrent dans les cellules, mais ils sont immédiatement pompés dans les vacuoles et isolés du cytoplasme. Chez ces plantes, la concentration en solutés est plus élevée dans les vacuoles que dans le milieu, établissant le potentiel osmotique indispensable à la pénétration de l'eau dans les racines. Dans d'autres genres, le sel est pompé dans les espaces intercellulaires des feuilles, puis excrété. Chez *Distichlis palmeri* (une graminée), le sel est excrété par des cellules spécialisées (pas les stomates) de la surface foliaire. Chez les *Atriplex*, il est concentré par des glandes spécialisées et pompé dans des vésicules. Les vésicules grandissent avec l'accumulation de sel et finissent par éclater. La pluie ou la marée lessive ensuite le sel.

On s'intéresse actuellement aux halophytes non seulement pour les enseignements qu'ils peuvent apporter sur les mécanismes d'osmorégulation des plantes, mais également en raison de leur intérêt possible comme plantes cultivées. Dans un monde où les besoins en nourriture augmentent sans cesse, de vastes régions sont inaccessibles à l'agriculture à cause de la salinité du sol. Il existe par exemple plus de 30.000 kilomètres de littoral désertique et quelque 400 millions d'hectares de déserts dont l'eau disponible est trop chargée en sel pour les plantes cultivées. En outre, environ 200.000 hectares de terres irriguées deviennent chaque année tellement salés que la poursuite de la culture y devient impossible. Lors de l'irrigation massive d'une région aride, comme c'est le cas de vastes zones dans l'ouest des Etats-Unis, le sel provenant des eaux d'irrigation s'accumule dans le sol. Cette accumulation est due à l'évaporation du sol et

à la transpiration des plantes, qui éliminent toutes deux une eau essentiellement pure et laissent tous les solutés en place. Après de nombreuses années, la concentration en sels augmente dans le sol pour atteindre finalement des niveaux que la plupart des plantes ne peuvent tolérer. On pense que les anciennes civilisations du Proche-Orient ont fini par disparaître parce que leurs champs fortement irrigués sont devenus tellement chargés en sels qu'ils n'ont plus été capables de produire la nourriture nécessaire.

Un moyen de prolonger la vie des cultures irriguées et de mettre en culture des régions actuellement désertiques serait la sélection de la tolérance à la salinité chez les plantes cultivées traditionnelles. Jusqu'à présent cependant, ces efforts n'ont guère rencontré de succès. Les chercheurs du Laboratoire de Recherches sur l'Environnement de l'Université d'Arizona ont choisi une approche qui semble plus prometteuse. Ils ont rassemblé des halophytes provenant de toutes les parties du monde et ils se sont engagés dans un vaste programme de recherche pour déterminer les conditions optimales de croissance, la production potentielle, la valeur nutritive et l'appétibilité des graines et des organes végétatifs des différentes espèces. Leurs résultats montrent que plusieurs espèces d'halophytes ont un grand avenir pour l'alimentation du bétail et peut-être aussi pour la consommation humaine.

(a) Les *Atriplex* font partie des halophytes qui sont étudiés pour devenir éventuellement des plantes cultivées. **(b)** Surface d'une feuille d'*Atriplex*. Le sel est pompé à partir des tissus foliaires par les fins stipes des poils vésiculeux dilatables.

Celles-ci sont la conséquence d'une interaction entre d'une part le dioxyde de soufre et les oxydes d'azote — provenant principalement de la combustion des combustibles fossiles — et, d'autre part, l'humidité atmosphérique, interaction qui aboutit à la formation des acides sulfurique et nitrique. Ces acides sont à l'origine d'une forte acidité de l'eau de pluie. Les pluies acides peuvent avoir des conséquences négatives sur les plantes, la décomposition des roches et des minéraux, la solubilité de métaux potentiellement toxiques dans l'environnement et même sur la santé humaine (Voir l'encadré des pages 616 et 617).

Les sols et l'agriculture

En conditions naturelles, les éléments présents dans le sol recirculent et sont remis à la disposition des plantes pour leur croissance. Ainsi que nous l'avons vu antérieurement, les particules d'argile et de matière organique chargées négativement sont capables de fixer des ions positifs tels que Ca^{2+}, Na^+, K^+ et Mg^{2+}. Ces ions sont ensuite remplacés par d'autres cations (échange de cations) et absorbés par les racines aux dépens de la solution du sol. Les cations nécessaires aux plantes sont en général présents en grandes quantités dans les sols

(a)

(b)

exemple, la plus grande partie du potassium est représentée par des formes qui ne sont ni échangeables ni disponibles pour les plantes. C'est également le cas du phosphore et de l'azote. Lorsque les écosystèmes naturels sont transformés en systèmes agricoles, il arrive souvent que les sols ne possèdent pas suffisamment de nutriments disponibles pour permettre une production commerciale, alors que les quantités présentes étaient suffisantes pour maintenir les formations végétales naturelles.

Les programmes destinés à compléter les quantités de nutriments disponibles pour les cultures agricoles et horticoles devraient être basées sur des analyses de sol, afin de pouvoir diagnostiquer les carences et prévoir la réponse à attendre d'une addition d'engrais et la dose à conseiller. L'azote, le phosphore et le potassium sont les trois éléments les plus fréquents dans les engrais du commerce. Les engrais ont généralement une formule indiquant le pourcentage de chacun de ces éléments. Un engrais 10-5-5, par exemple, contient 10 % d'azote (N), 5 % de phosphore (sous forme de pentoxyde, P_2O_5) et 5 % de potassium (sous forme d'oxyde, K_2O). Cette façon de signaler les teneurs en phosphore et en potassium dans l'engrais est une réminiscence historique datant de l'époque où les chimistes analytiques donnaient les résultats de toutes leurs analyses sous forme d'oxydes.

Bien qu'ils ne soient nécessaires qu'en quantités minimes, d'autres éléments inorganiques essentiels peuvent devenir des facteurs limitants dans des terres cultivées. L'expérience a montré que les carences les plus fréquentes concernent le fer, le soufre, le magnésium, le zinc et le bore.

La recherche en nutrition des plantes

Les recherches sur les éléments inorganiques essentiels pour les plantes cultivées — en particulier sur les quantités permettant d'obtenir une production optimale et sur la capacité des sols à fournir les nutriments — ont eu des conséquences pratiques importantes pour l'agriculture et l'horticulture. En raison de l'accroissement constant des besoins alimentaires à l'échelle du globe, ces recherches resteront sans aucun doute essentielles.

On recherche les moyens d'éviter les carences et les toxicités des sols

La modification et la manipulation des sols impliquant l'addition d'éléments nutritifs sous forme d'engrais, le relèvement du pH par addition de chaux ou l'élimination du sel en excès par lessivage ne sont pas les seuls moyens d'améliorer et de maintenir la production des cultures dans des sols médiocres. L'application des connaissances et des techniques d'amélioration variétale et de nutrition des plantes permet de sélectionner et de multiplier des cultivars d'espèces cultivées mieux adaptés aux milieux carencés en éléments nutritifs. La valeur de cette recherche est confirmée par la présence de plantes sauvages dans des milieux de composition très différente de celle des sols moyens utilisés en agriculture. On peut trouver des exemples de ces milieux médiocres dans les tourbières acides à sphaignes, où

fertiles, et une seule culture n'en prélève qu'une faible partie. Si cependant on exploite un champ par une longue série de cultures et si les éléments nutritifs sont constamment exportés de leurs cycles lors des récoltes, les formes suffisamment accessibles aux plantes de certains de ces cations peuvent faire défaut. Dans la plupart des sols, par

LE COMPOST

Le compostage, pratique aussi vieille que l'agriculture elle-même, est un moyen de plus en plus intéressant qui permet d'utiliser les déchets organiques en les transformant en engrais. Toutes les matières organiques peuvent être mises à profit : feuilles, déchets de cuisine, fumier, paille, produit de la tonte des pelouses, boues d'égout et sciures, associées aux populations de bactéries et d'autres microorganismes normalement présentes. En dehors de cela, l'oxygène et de l'humidité seuls sont nécessaires. Il n'est pas indispensable de broyer la matière organique, bien que cette pratique facilite l'accès aux microorganismes et accélère donc le processus.

Dans un tas de compost, le développement des micoorganismes devient de plus en plus rapide et reste en grande partie localisée parce que les couches externes de matière organique agissent comme isolant. Dans un tas volumineux (2 m × 2 m × 1,5 m par exemple), la température intérieure peut atteindre 70°C ; dans un tas plus petit, elle arrive à 40°C environ. Avec l'élévation de la température, la population de décomposeurs se modifie, les formes thermophiles et thermotolérantes prenant la place des organismes présents à l'origine. La matière organique provenant de la mort des formes originelles se retrouve dans le produit. Un effet secondaire utile de l'élévation de la température est la destruction de la plupart des bactéries pathogènes éventuellement présentes, par exemple dans les boues d'égout, ainsi que des cystes, des œufs et d'autres formes immatures de parasites des plantes et des animaux.

Avec le temps, le pH se modifie également dans le tas de compost. Le pH initial est en général légèrement acide, de 6,0 environ, comme le pH de la plupart des liquides végétaux. Pendant les premiers stades de la décomposition, la production d'acides organiques augmente l'acidité et le pH descend jusqu'à 4,5 ou 5,0. Le pH augmente cependant aussi avec l'élévation de la température et le compost atteint finalement des valeurs légèrement alcalines (7,5 à 8,5).

Un facteur important lors du compostage (comme dans tout processus de développement biologique) est le rapport entre le carbone et l'azote (C/N). Le rapport C/N optimal est d'environ 30/1 (en poids). Si ce rapport est trop élevé, le développement des microorganismes est plus lent ; s'il est inférieur, une partie de l'azote s'échappe sous forme d'ammoniac. Si le matériel composté est trop acide, on peut ajouter du calcaire (carbonate de calcium) pour rééquilibrer le pH ; si l'on en ajoute trop, les pertes d'azote augmenteront.

Les recherches effectuées par la municipalité de Berkeley, en Californie, ont montré que le compostage peut aboutir en deux semaines si les tas sont maintenus humides et aérés. En général, le processus demande cependant au moins trois mois durant l'hiver. L'addition au sol d'un compost incomplètement décomposé peut entraîner un déficit temporaire en azote soluble.

Le compostage peut être très utile pour le traitement des déchets parce qu'il réduit fortement la quantité de matière végétale. À Scarsdale (New York) par exemple, le compostage des feuilles a réduit de 80 % leur volume initial. Par la même occasion, il a donné un produit utile

permettant d'améliorer l'aération du sol et sa capacité de conserver l'eau. Les analyses chimiques ont cependant montré qu'un compost riche ne contient en général, en poids sec, qu'environ 1,5 à 3,5 % d'azote, 0,5 à 1,0 % de phosphore et 1,0 à 2,0 % de potassium, soit beaucoup moins que les engrais du commerce. Contrairement à ces derniers, on peut par contre trouver dans le compost la plupart des éléments dont les plantes ont besoin. Le compost permet de maintenir un équilibre constant entre les éléments nutritifs en les libérant progressivement par la poursuite de sa décomposition dans le sol.

Actuellement, le principal argument en faveur du compostage est le coût croissant de l'élimination des déchets et la difficulté de plus en plus grande de trouver des sites acceptables pour leur dépôt — sites qui n'ont pas d'impact négatif sur l'environnement et ne polluent pas les eaux. Il faudra malheureusement du temps pour que le compostage deviennent économiquement viable et puisse se substituer à la fabrication industrielle des engrais.

le pH descend parfois en-dessous de 4, et dans les terrils de mines, où les métaux potentiellement toxiques sont souvent très concentrés.

Les plantes capables supporter des concentrations élevées en métaux toxiques tels que le zinc, le nickel, le chrome et le plomb, ont été étudiées dans des programmes de replantation destinés à restaurer les sols proches d'anciennes fonderies, d'usines de raffinage des métaux et de centrales nucléaires. Les **hyperaccumulateurs** sont des plantes particulièrement intéressantes, qui concentrent des oligo-éléments, des métaux lourds ou des éléments radioactifs à des concentrations au moins 100 fois supérieures aux teneurs normales. L'intérêt pour les plantes d'accumuler ces substances est apparemment la production d'un feuillage toxique à l'égard de prédateurs tels que les chenilles, les champignons et les bactéries. Parmi les centaines de plantes testées, la moutarde d'Inde *(Brassica juncea)*, cultivée dans le monde entier pour ses graines oléagineuses, ainsi que le tabouret des bois *(Thlaspi caerulescens)* sont les plus prometteuses.

Un problème tout différent est l'obtention de plantes tolérantes à certains métaux. L'aluminium, le métal le plus commun dans les sols, est une source de problèmes en agriculture pour 30 à 40 % des terres arables du monde, surtout dans les régions tropicales, où les sols sont acides. Dans les sols non acides, l'aluminium est immobilisé dans des composés insolubles mais, dans les sols acides, il est absorbé par les racines et ralentit la croissance. L'aluminium a un effet direct sur la disponibilité du phosphate et il semble empêcher l'absorption du fer, en plus de son action toxique directe sur le métabolisme des plantes. On possède actuellement des plantes de tabac et de papayer génétiquement transformées dont les racines sécrètent de cinq à six fois plus d'acide citrique que celles des témoins. On a obtenu ce résultat par le transfert du gène bactérien de la citrate synthétase aux deux espèces. L'acide citrique sécrété se fixe à l'aluminium et empêche sa pénétration dans la racine. Les plantes produisant de l'acide citrique sont capables de se développer correctement dans des concentrations en aluminium dix fois supérieures à celles que les plantes témoins tolèrent. L'étape suivante sera le transfert du gène de la citrate synthétase à des plantes alimentaires telles que le riz et le maïs.

La fixation biologique de l'azote fait l'objet de manipulations destinées à améliorer son efficacité

La manipulation de la fixation biologique de l'azote offre également un potentiel énorme en ce qui concerne l'amélioration de l'efficacité dans l'utilisation de l'azote. Dans ce domaine, un volet de la recherche s'oriente vers l'amélioration de l'efficacité de l'association entre les légumineuses et les rhizobiums, grâce, par exemple, à un criblage génétique des légumineuses et des bactéries. Grâce à ce criblage, il serait possible d'identifier les combinaisons capables d'accroître la fixation d'azote dans des milieux spécifiques. On pourrait y arriver en améliorant l'efficacité photosynthétique des légumineuses, augmentant ainsi la quantité de glucides disponibles pour la fixation de l'azote et pour la croissance des bactéries. La fixation de l'azote exige cependant beaucoup d'énergie, de telle sorte que toute augmentation de la fixation doit se faire aux dépens de la productivité de la partie aérienne de la plante.

Une seconde approche est la mise au point d'associations supplémentaires et plus efficaces entre bactéries libres fixatrices d'azote et plantes supérieures. Au début des années 1970, on a découvert au Brésil plusieurs types de bactéries fixatrices d'azote vivant dans la rhizosphère (voir chapitre 25) en association avec les racines de certaines graminées tropicales. On a également signalé des associations semblables avec certaines des plantes alimentaires les plus importantes au niveau mondial, comme le maïs *(Zea mays)* et la canne à sucre *(Saccharum)*. Plus récemment, on a découvert trois nouvelles bactéries endophytes fixatrices d'azote, *Acetobacter diazotrophicus*, *Herbaspirillum seropedicae* et *Herbaspirillum rubrisubalbicans*, dans les tiges et les feuilles d'une canne à sucre qui pouvait couvrir plus de 60 % de ses besoins en azote par la fixation biologique.

L'ingénierie génétique sera probablement la voie de recherche la plus exaltante : on pourrait par exemple envisager la modification des gènes *nif* nécessaires à la fixation de l'azote et leur transfert à d'autres organismes (voir chapitre 28).

RÉSUMÉ

Les plantes ont besoin d'oligo-éléments et de macroéléments pour croître et se développer

La croissance normale de la plupart des plantes exige au total 17 éléments minéraux. Parmi eux, le carbone, l'hydrogène et l'azote proviennent de l'air et de l'eau. Les autres sont absorbés par les racines sous forme d'ions. Ces 17 éléments sont classés en oligo-éléments et macroéléments en fonction des quantités nécessaires. Les oligo-éléments sont le molybdène, le nickel, le cuivre, le zinc, le manganèse, le bore, le fer et le chlore. Les macroéléments sont le soufre, le phosphore, le magnésium, le calcium, le potassium, l'azote, l'hydrogène, le carbone et l'oxygène. Certains éléments inorganiques, comme le sodium et le cobalt, ne sont indispensables que chez certains organismes particuliers.

Les éléments minéraux ont plusieurs fonctions importantes dans les cellules

Les éléments minéraux contrôlent l'osmose et interviennent dans la perméabilité cellulaire. Certains font partie de la structure des cellules, de molécules métaboliques essentielles ou sont des activateurs ou des composants d'enzymes. Ces fonctions sont perturbées quand l'approvisionnement en éléments essentiels est inadéquat, provoquant des symptômes de carences nutritionnelles comme le rabougrissement des tiges et des feuilles, des nécroses localisées et le jaunissement des feuilles (chlorose).

Les sols fournissent un environnement à la fois chimique et physique pour la croissance des plantes

Les sols ont des propriétés chimiques et physiques critiques dont dépend leur capacité de fournir les éléments minéraux, l'eau et les autres facteurs nécessaires à une production végétale optimale. La décomposition des roches et des minéraux apporte les éléments minéraux aux sols. En plus des nutriments minéraux, les sols contiennent de la matière organique et des espaces libres occupés par de l'eau et des gaz en proportions variables. Dans tout sol, il existe au moins trois strates, ou horizons — représentés par A, B et C. L'horizon A renferme la proportion la plus forte de matière organique du sol, comprenant l'humus et de nombreux organismes vivants. Les sols argileux contiennent du sable, du limon et de l'argile dans des proportions idéales pour un sol agricole. L'azote, le phosphore et le potassium sont les facteurs limitants les plus fréquents de la croissance des plantes cultivées ; ils sont le plus souvent fournis sous forme d'engrais chimiques.

Les éléments nécessaires aux plantes sont recyclés à l'échelle locale et à un niveau global

Chaque élément inorganique essentiel participe à un cycle complexe, circulant parmi les organismes et des organismes au milieu physique. Du fait que les cycles des éléments impliquent aussi bien des organismes vivants que le milieu physique, on parle aussi de cycles biogéochimiques. Les cycles ont des pertes : tous les éléments qui retournent au sol ne sont pas remis à la disposition des plantes.

L'ammonification, la nitrification et la dénitrification sont des réactions du cycle de l'azote effectuées par les bactéries du sol

La circulation de l'azote dans le sol, à travers les plantes et les animaux, puis son retour au sol, font partie du cycle de l'azote. La plus grande partie de l'azote du sol provient de la matière organique morte d'origine végétale et animale. Ces substances sont décomposées par les organismes du sol. L'ammonification — libération d'ions ammonium (NH_4^+) à partir de composés azotés — est assurée par des bactéries et des champignons du sol. La nitrification est l'oxydation de l'ammoniac ou des ions ammonium en nitrites et nitrates. Un type de bactéries est responsable de l'oxydation en nitrite et un autre de l'oxydation du nitrite en nitrate. L'azote est absorbé par les plantes presque exclusivement sous forme de nitrates. Les principales pertes d'azote du sol sont dues à la dénitrification. De l'azote se perd également avec l'exportation des récoltes, l'érosion du sol, le feu et le lessivage.

La fixation de l'azote constitue un aspect essentiel du cycle de l'azote

Le sol est réapprovisionné en azote principalement par la fixation, processus au cours duquel N_2 est réduit en ammonium et peut être incorporé aux acides aminés et autres composés organiques azotés. Seules les bactéries sont capables de fixer biologiquement l'azote ; certaines (*Rhizobium* et *Bradyrhizobium*) sont des symbiontes des légumineuses, les autres sont des bactéries indépendantes et des actinomycètes participant à des symbioses avec quelques genres de plantes non-légumineuses. Les bactéries fixatrices d'azote les plus efficaces sont celles qui forment des associations symbiotiques avec des plantes dont les racines produisent des nodules après leur inoculation. En agriculture, les plantes sont récoltées et l'azote, ainsi que les autres éléments, ne

sont pas recyclés comme dans les écosystèmes naturels ; ces éléments doivent être restitués sous une forme organique ou inorganique.

Le cycle du phosphore reste très localisé

Le cycle du phosphore est différent de celui de l'azote en partie parce que le principal réservoir permettant le réapprovisionement en phosphore n'est par l'atmosphère, mais la croûte terrestre. La plus grande partie du phosphore présent dans la solution du sol provient de la décomposition des roches et des minéraux au cours de longues périodes. Le phosphore circule des plantes vers les animaux et revient au sol sous des formes organiques qui sont ensuite transformées en formes inorganiques par des microorganismes pour être remises à la disposiiton des plantes. La perte d'une partie du phosphore de l'écosystème terrestre par le lessivage et l'érosion est généralement compensée par la décomposition des roches.

Les activités humaines ont des conséquences dramatiques sur les cycles de certains éléments

La plupart des dommages dont souffrent les cycles des éléments sont liés à la nécessité de nourrir des populations humaines en croissance continue. L'exportation des récoltes et l'érosion croissante ont accéléré les pertes des sols en phosphore ; les principaux sites de dénitrification, marais et terres humides, sont détruits ; les milieux aquatiques sont soumis à des dommages à grande échelle en raison des pluies acides. Après leur mise en culture, les sols des écosystèmes naturels contiennent souvent trop peu d'éléments nutritifs pour assurer des rendements agricoles valables, alors que les quantités étaient suffisantes pour les formations végétales naturelles.

Les recherches en nutrition des plantes ont un intérêt primordial pour l'agriculture

La connaissance des techniques d'amélioration et de nutrition des plantes a permis de sélectionner et de développer des cultivars d'espèces cultivées mieux adaptés à la culture dans des milieux carencés en éléments nutritifs. Les hyperaccumulateurs, qui concentrent des éléments présents sous forme de traces, des métaux lourds ou des éléments radioactifs à des niveaux plusieurs fois supérieurs à la normale, ont pu être identifiés et utilisés pour restaurer les sols au voisinage d'anciennes fonderies, raffineries et usines nucléaires. On a soumis les légumineuses et les bactéries à des criblages génétiques afin de trouver des combinaisons susceptibles d'accroître la fixation d'azote dans des milieux particuliers. L'ingénierie génétique offre la possibilité de transférer d'un organisme à un autre les gènes nécessaires à la fixation de l'azote.

MOTS CLÉS

ammonification p. 737

bactéroïdes p. 739

capacité au champ p. 734

cycles biogéochimiques p. 736

cycles des éléments p. 735

dénitrification p. 738

échanges de cations p. 735

éléments essentiels p. 727

filaments d'infection p. 739

fixation de l'azote p. 738

horizons p. 732

hyperaccumulateurs p. 736

lectines p. 740

leghémoglobine p. 740

macroéléments p. 727

matière sèche p. 727

minéraux p. 731

nitrificaiton p. 738

nitrogénase p. 738

nodules p. 739

oligo-élements p. 727

point de flétrissement permanent p. 735

rhizobiums p. 739

sols argileux p. 732

QUESTIONS

1. Faites la distinction entre les termes suivants : oligo-éléments/macroéléments ; horizon A/horizon B/horizon C ; nécrose/chlorose ; roches endogènes/roches sédimentaires/roches métamorphiques ; ammonification/nitrification/dénitrification ; bactéries fixatrices d'azote symbiotiques/bactéries fixatrices d'azote non symbiotiques.

2. Quels sont les caractéristiques pour lesquelles les sols argileux sont les meilleurs pour l'agriculture ?

3. Comment la taille des interstices entourant les particules du sol at-elle une influence sur la quantité d'eau disponible pour les plantes ?

4. Pourquoi l'échange de cations est-il important pour les plantes ?

5. Expliquez la séquence des événements aboutissant à la formation des nodules sur les racines des légumineuses.

6. Quel est le rôle de la leghémoglobine dans les nodules des racines de légumineuses ?

31 Le mouvement de l'eau et des solutés dans les plantes

SOMMAIRE

Chez les plantes, le transport à grande distance de l'eau et des minéraux passe par les vaisseaux du xylème, qui s'étendent de la racine à la feuille. L'eau pénètre dans ces vaisseaux en provenance des cellules de la racine et elle en sort dans la feuille, où elle s'évapore à la surface des cellules du mésophylle dans les espaces intercellulaires. Lorsque les stomates sont ouverts, la vapeur d'eau diffuse des espaces intercellulaires saturés vers l'atmosphère : c'est la transpiration. L'eau perdue par transpiration est remplacée par celle qui est aspirée vers le haut depuis la racine par l'intermédiaire du xylème. Un aspect important du transport de l'eau est l'ouverture et la fermeture des stomates. C'est pourquoi ce chapitre mettra l'accent sur le mécanisme responsable des mouvements des stomates et sur l'influence de l'environnement.

Le transport des sucres se déroule dans les tubes criblés du phloème. Les sucres sont toujours transportés depuis la source jusqu'à leur destination finale (le puits), c'est-à-dire des régions où ils sont produits, en particulier les feuilles photosynthétiques, aux régions où ils sont métabolisés, comme les méristèmes apicaux, ou emmagasinés, comme les racines. Au niveau de la source, l'entrée des sucres dans les tubes criblés entraîne l'eau avec eux par osmose. Jusqu'à leur sortie — en même temps que l'eau — au niveau du puits, les sucres sont donc transportés suivant un gradient de pression de turgescence. Ce chapitre se terminera par une discussion des arguments qui militent en faveur de ce « mécanisme de flux sous pression » activé par l'osmose et des activités métaboliques nécessaires au transport des sucres.

Figure 31-1

Dessin d'une plante de tournesol provenant de la description par Stephen Hales des expériences qu'il réalisa au début des années 1700 sur le mouvement de l'eau dans la plante. Hales découvrit que la plus grande partie de l'eau absorbée par la plante était perdue par transpiration.

POINTS DE REPÈRE

Quand vous terminerez la lecture de ce chapitre, vous devriez pouvoir répondre aux questions suivantes :

- *En quoi consiste la transpiration et pourquoi la qualifie-t-on de « mal inévitable » ?*
- *Quel rôle jouent la turgescence et l'orientation des microfibrilles de cellulose dans les parois des cellules de garde dans l'ouverture et la fermeture des stomates ?*
- *Comment la théorie de la cohésion-tension peut-elle expliquer le mouvement de l'eau jusqu'au sommet des grands arbres ?*
- *Comment le mécanisme de flux sous pression induit par osmose peut-il expliquer le mouvement des sucres de leur origine à leur puits ?*
- *Quel est le mécanisme utilisé par les plantes qui chargent le phloème par l'apoplaste pour sécréter les sucres à l'intérieur des complexes tubes criblés-cellules compagnes ?*

Les aliments organiques et inorganiques, ainsi que l'eau, sont transportés dans toute la plante. Cette capacité de transport est essentielle pour aboutir à la constitution finale et au fonctionnement des différentes parties de la plante, ainsi que pour son développement et sa structure générale. Les tissus qui participent au transport des substances à longue distance sont le xylème et le phloème. On a vu aux chapitres 24 à 26 que ces deux tissus constituent un système conducteur continu qui pénètre pratiquement dans toutes les parties de la plante. Le xylème et le phloème sont étroitement associés, spatialement et fonctionnellement. Bien que le xylème soit souvent considéré comme *le* tissu conducteur de l'eau et le phloème comme *le* tissu conducteur des substances nutritives, leurs fonctions se superposent. Le phloème est par exemple la source d'eau principale pour de nombreuses parties de la plante en développement, comme les jeunes fruits de nombreuses plantes cultivées. En outre, certaines substances passent du phloème au xylème et recirculent ainsi à travers toute la plante.

Les premiers chercheurs qui se sont intéressés à la « circulation » chez les plantes étaient des médecins du XVIIᵉ siècle qui cherchaient des voies et des mécanismes de pompage analogues à ceux qui font circuler le sang chez les animaux. On a beaucoup progressé, au cours du XVIIIᵉ siècle, dans la compréhension du déplacement de l'eau et des minéraux en solution dans le xylème. À la fin du XIXᵉ siècle, un mécanisme plausible a été proposé pour expliquer l'ascension de l'eau dans les plantes de taille élevée. Ce ne fut pas avant les années 1920 et 1930 cependant que l'on admit le rôle du phloème comme tissu conducteur de la sève élaborée. Notre compréhension du transport par le phloème a considérablement progressé depuis lors.

Mouvement de l'eau et des éléments minéraux dans la plante

Les plantes perdent de grandes quantités d'eau par transpiration

Au début du XIXᵉ siècle, le médecin anglais Stephen Hales avait remarqué que les plantes absorbent beaucoup plus d'eau que les animaux. Il avait calculé qu'à poids égal, une plante de tournesol absorbe et transpire en 24 heures 17 fois plus d'eau qu'un homme (Figure 31-1). La quantité totale d'eau absorbée par une plante est effectivement énorme — bien supérieure à celle qu'utilise un animal de poids identique. La consommation de l'animal est bien moindre parce que l'eau circule en circuit fermé dans son corps sous forme (chez les vertébrés) de plasma sanguin et d'autres liquides. Chez les plantes, près de 99 % de l'eau absorbée par les racines est libérée dans l'air sous forme de vapeur. Le tableau 31-1 donne les quantités d'eau transpirées par plusieurs plantes cultivées au cours d'une seule saison. Ces quantités sont cependant bien dépassées par celle qui est perdue *en un seul jour* — de 200 à 400 litres — pour un seul arbre d'une forêt décidue du sud-ouest de la Caroline du Nord. Cette perte en vapeur d'eau, ou **transpiration**, peut se produire dans toutes les parties aériennes de la plante, mais les feuilles en sont de loin les principaux organes.

Pourquoi les plantes perdent-elles autant d'eau par transpiration ? On peut répondre à cette question en examinant quels sont les besoins de la principale fonction de la feuille, la photosynthèse — source de toute l'alimentation de la plante. L'énergie nécessaire à la photosynthèse provient de la lumière solaire. Dès lors, pour une photosynthèse maximale, la plante doit présenter à la lumière la plus grande surface possible et créer par la même occasion une grande surface de transpiration. La lumière solaire ne représente cependant qu'une des exigences de la photosynthèse ; les chloroplastes ont également besoin de dioxyde de carbone. Dans la plupart des circonstances, le dioxyde de carbone est disponible dans l'air entourant la plante. Il pénètre dans la cellule végétale par diffusion, mais il doit d'abord entrer en solution parce que la membrane plasmique est pratiquement imperméable à sa forme gazeuse. Le gaz doit donc entrer en contact avec une surface cellulaire imbibée d'eau mais, dès que l'eau est en contact avec une atmosphère insaturée, elle s'évapore. Autrement dit, l'absorption du dioxyde de carbone nécessaire à la photosynthèse et la perte d'eau par transpiration sont intimement liées dans la vie de la plante verte.

La vapeur d'eau diffuse dans l'atmosphère par les stomates de la feuille

La transpiration — parfois appelée un « mal inévitable » — peut être extrêmement néfaste pour la plante. Une transpiration excessive (perte d'eau supérieure à l'absorption) retarde la croissance de nombreuses plantes et en tue beaucoup d'autres par déshydratation. En dépit de leur longue histoire évolutive, les plantes n'ont pas développé de structure capable en même temps de permettre l'accès du dioxyde de carbone indispensable à la photosynthèse et d'empêcher la perte d'eau par transpiration. Un certain nombre d'adaptations particulières réduisent cependant les pertes d'eau tout en favorisant l'accès du dioxyde de carbone.

TABLEAU 31.1

Quantité d'eau émise par une plante en une seule saison

Plante	Perte d'eau (litres)
Vigna sinensis	49
Pomme de terre (*Solanum tuberosum*)	95
Blé (*Triticum aestivum*)	95
Tomate (*Lycopersicon esculentum*)	125
Maïs (*Zea mays*)	206

D'après J.F. Ferry, *Fundamentals of Plant Physiology* (New York : Macmillan Publishing Company, 1959).

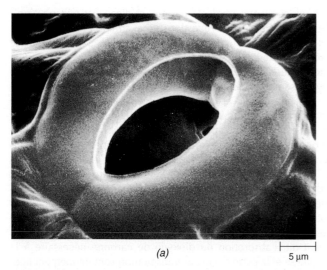

(a)   5 µm

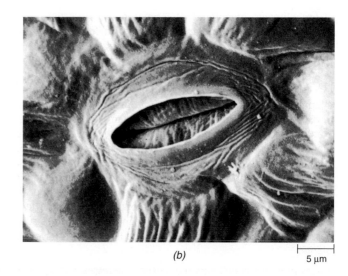

(b)   5 µm

Figure 31-2

Micrographies au microscope électronique à balayage montrant **(a)** un stomate ouvert dans l'épiderme d'une feuille de concombre *(Cucumis sativus)* et **(b)** un stomate fermé dans l'épiderme d'une feuille de persil *(Petroselinum crispum)*. Les stomates donnent accès à des espaces aérifères alvéolés entourant les cellules photosynthétiques à parois minces du mésophylle de la feuille. Les espaces aérifères sont saturés en vapeur d'eau évaporée à la surface des cellules du mésophylle.

La cuticule représente un obstacle efficace aux pertes d'eau.
Les feuilles sont recouvertes d'une **cuticule** qui rend leur surface très peu perméable à l'eau comme au dioxyde de carbone (page 25). Seule une faible proportion de l'eau transpirée par les plantes peut traverser cette barrière protectrice, et une autre petite fraction est perdue par les lenticelles de l'écorce (voir figures 27-10d et 27-11). La plus grande partie de l'eau transpirée par une plante vasculaire est de loin celle qui passe par les stomates (Figure 31-2). La transpiration stomatique implique deux étapes : (1) l'évaporation de l'eau à la surface des parois entourant les espaces intercellulaires (chambres sous-stomatiques) de la feuille et (2) la diffusion de la vapeur d'eau depuis les espaces intercellulaires jusqu'à l'atmosphère en passant par les stomates (voir figure 31-20).

L'ouverture et la fermeture des stomates contrôlent les échanges de gaz à travers la surface des feuilles. Comme on l'a vu précédemment (page 692), les cellules de garde des stomates ouvrent et ferment l'ostiole en changeant de forme. Bien qu'on en trouve sur toutes les parties aériennes en structure primaire, les stomates sont particulièrement abondants à la surface des feuilles. Le nombre de stomates peut être très élevé ; il y en a par exemple environ 12.000 par centimètre carré de surface foliaire chez le tabac *(Nicotiana tabacum)*. Les stomates conduisent à des espaces aérifères alvéolaires entourés par les cellules à parois minces du mésophylle de la feuille. Ces espaces représentent de 15 à 40 % du volume total de la feuille et contiennent un air saturé en vapeur d'eau évaporée par les surfaces humides des cellules du mésophylle. Bien que les ostioles ne représentent qu'environ 1 % de la surface foliaire totale, plus de 90 % de l'eau transpirée par la plante passent par les stomates. Le reste est perdu à travers la cuticule.

La fermeture des stomates n'empêche pas seulement la perte de vapeur d'eau par la feuille mais, comme on l'a vu, elle empêche également la pénétration du dioxyde de carbone. Une certaine quantité de CO_2 est cependant produite par la plante par la respiration et, pour autant que la lumière soit présente, il peut être utilisé pour maintenir un très faible niveau de photosynthèse, même si les stomates sont fermés.

Les mouvements des stomates sont dus à des modifications de la pression de turgescence dans les cellules de garde. Les stomates s'ouvrent suite à l'accumulation active de solutés dans les cellules de garde. Cette accumulation (et la diminution du potentiel hydrique qui en découle) provoque un mouvement osmotique de l'eau dans les cellules de garde et l'établissement d'une pression de turgescence supérieure à celle des cellules épidermiques voisines. La fermeture des stomates est induite par le processus inverse : à la suite d'une diminution de la concentration des solutés dans les cellules de garde (et de l'augmentation du potentiel hydrique qui en découle), l'eau s'échappe des cellules de garde et la pression de turgescence diminue. La turgescence est donc maintenue ou perdue suivant que le déplacement osmotique fait entrer ou sortir l'eau des cellules suivant un gradient de potentiel hydrique créé par un transport actif de solutés. On a parlé des solutés importants responsables de ce mécanisme au chapitre 28.

L'orientation radiale des microfibrilles de cellulose dans les parois des cellules de garde est indispensable pour l'ouverture des stomates. La structure des parois des cellules de garde joue un rôle clé dans les mouvements des stomates. Lorsque les deux cellules de garde se dilatent, deux contraintes physiques provoquent leur

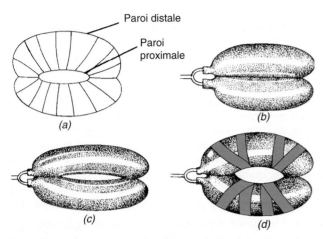

Paroi distale

Paroi proximale

(a)

(b)

(c)

(d)

Figure 31-3

Orientation radiale des micelles dans les cellules de garde. **(a)** Paire de cellules de garde, où les traits montrent la disposition radiale des microfbrilles de cellulose. **(b)** On a collé ensemble près de leurs extrémités deux ballons partiellement gonflés pour représenter l'effet des micelles orientées radialement sur l'ouverture des stomates. **(c)** Les mêmes ballons complètement gonflés. On observe une fente étroite. **(d)** Paire de ballons complètement gonflés sur lesquels on a placé des bandes adhésives pour imiter les micelles orientées radialement. L'ouverture est beaucoup plus grande qu'en **(c)**.

courbure et donc l'ouverture de l'ostiole. Une de ces contraintes est l'orientation radiale des microfibrilles de cellulose dans les parois des cellules de garde (Figure 31-3a). Cette **orientation radiale des micelles** permet aux cellules de garde de s'allonger, mais empêche leur expansion latérale. La seconde contrainte se situe aux extrémités des cellules de garde, à l'endroit où elles se rejoignent. La longueur de la paroi commune reste à peu près constante au cours de l'ouverture et de la fermeture du stomate. Par conséquent, l'augmentation de la pression de turgescence écarte les parois externes (distales) des cellules de garde de leur paroi commune. À ce moment, les micelles orientées radialement transmettent le mouvement à la paroi bordant l'ostiole (la paroi proximale) et l'ostiole s'ouvre. La figure 31-3b à d représente une expérience réalisée sur des ballonnets et destinée à montrer le rôle de l'orientation radiale des micelles dans le mouvement des stomates.

La perte d'eau est le facteur principal déterminant la fermeture des stomates. Lorsque la turgescence d'une feuille tombe en-deçà d'une valeur critique, variable suivant les espèces, l'ostiole devient plus étroite. La perte d'eau est plus importante que les autres facteurs agissant sur les stomates, mais des modifications peuvent apparaître indépendamment de toute absorption ou perte d'eau par la plante. L'exemple le plus évident est celui des nombreuses espèces dont les stomates s'ouvrent régulièrement le matin et se ferment le soir, même en l'absence de toute modification de la quantité d'eau disponible pour la plante.

Chez de nombreuses espèces, la teneur en acide abscissique (ABA) augmente notablement lors d'un stress hydrique. Lorsqu'il est « arrivé » ou appliqué aux feuilles, l'ABA provoque la fermeture des stomates en quelques minutes. L'influence de l'ABA sur l'ouverture des stomates est d'autre part facilement réversible (page 693). Les cellules de garde commencent à perdre des solutés lorsque l'ABA provenant des cellules du mésophylle arrive aux stomates et leur signale que ces cellules subissent un stress hydrique. L'ABA produit par les racines peut également provoquer la fermeture des stomates sans aucune modification de la turgescence des feuilles. Lorsque le sol se dessèche, une quantité supplémentaire d'ABA est synthétisée dans les racines et transférée aux feuilles par le xylème. La concentration d'ABA dans le xylème et, par conséquent, le comportement des stomates, sont le reflet de l'accès des racines à l'eau du sol.

Les mutants — par exemple *flacca*, mutant flétri de tomate *(Lycopersicon esculentum)* — incapables de synthétiser l'ABA sont constamment fanés. Lorsqu'on applique l'ABA à leurs feuilles, leurs stomates se ferment et la plante devient turgescente.

Le mouvement des stomates est également influencé par des facteurs ou des signaux externes. La *concentration en dioxyde de carbone*, la *lumière* et la *température* sont des facteurs du milieu capables d'influencer le mouvement des stomates. Chez la plupart des espèces, une augmentation de la concentration en CO_2 provoque la fermeture des stomates. Cette réponse au CO_2 est plus ou moins nette suivant les espèces et l'importance du stress hydrique subi par la plante au moment même ou antérieurement. Chez le maïs *(Zea mays)*, les stomates peuvent réagir aux modifications de la teneur en CO_2 en quelques secondes. Le site capable de détecter la teneur en CO_2 est situé à l'intérieur des cellules de garde.

Chez la plupart des espèces, les stomates s'ouvrent à la lumière et se ferment à l'obscurité. Ces réactions s'expliquent en partie par la consommation du CO_2 dans la photosynthèse, qui réduit sa teneur à l'intérieur de la feuille. La lumière peut cependant avoir une influence plus directe sur les stomates. On sait depuis longtemps que la lumière bleue stimule leur ouverture indépendamment du CO_2. En présence de potassium (K^+), les protoplastes de cellules de garde d'oignon *(Allium cepa)* par exemple, deviennent turgescentes si elles sont éclairées par une lumière bleue. Le pigment qui absorbe le bleu (une flavine ou un caroténoïde localisé dans le tonoplaste et peut-être dans la membrane plasmique) induit l'entrée de K^+ dans les cellules de garde. La réponse à la lumière bleue intervient dans l'ouverture des stomates en début de matinée et dans leur réaction aux taches de lumière provenant des rayons solaires qui traversent le feuillage et qui durent de quelques secondes à quelques minutes.

On a également prouvé une stimulation de l'ouverture des stomates par la lumière rouge dans laquelle interviennent les chloroplastes des cellules de garde. Les chloroplastes semblent fournir l'ATP qui alimente le pompage des protons au niveau de la membrane plasmique des cellules de garde, site de passage du K^+ actif. On pense que les chloroplastes des cellules de garde interviennent dans l'adaptation des stomates au soleil, à l'ombre et à la température.

Aux températures normales (10 à 25°C), les changements de température ont peu d'influence sur le comportement des stomates, mais les températures supérieures à 30 ou 35°C peuvent entraîner leur fermeture. On peut cependant empêcher cette fermeture en maintenant la plante dans une atmosphère dépourvue de dioxyde de carbone : il semble donc que les changements de température agissent principalement en modifiant la concentration en dioxyde de carbone dans la feuille. Une température élevée augmente la respiration et, par le fait même, la concentration intercellulaire en dioxyde de carbone, qui est peut-être la cause finale de la fermeture des stomates en réponse à la chaleur. Dans les climats chauds, beaucoup de plantes ferment régulièrement leurs stomates à midi, apparemment en raison de l'accumulation du dioxyde de carbone dans la feuille et parce que les feuilles sont déshydratées du fait que la quantité d'eau perdue par transpiration est supérieure à celle qui est absorbée.

Les stomates ne réagissent pas seulement aux facteurs du milieu : ils manifestent également des rythmes quotidiens d'ouverture et de fermeture qui semblent contrôlés par la plante elle-même — il existe donc des rythmes circadiens également à leur niveau (page 706).

Des plantes succulentes très diverses — comme les cactus, l'ananas (*Ananas comosus*) et certaines crassulacées — ouvrent leurs stomates pendant la nuit, lorsque les conditions sont moins favorables à la transpiration. Le métabolisme de l'acide crassulacéen (CAM) caractéristique de ces plantes comporte une voie du carbone qui ne diffère pas fondamentalement de celle des plantes en C_4 (page 147). Pendant la nuit, leurs stomates étant ouverts, les plantes CAM laissent entrer le dioxyde de carbone et le transforment en acides organiques. Pendant la journée, alors que les stomates sont fermés, ces acides organiques libèrent le dioxyde de carbone qui est utilisé pour la photosynthèse.

Le taux de transpiration est influencé par des facteurs externes

Bien que l'ouverture et la fermeture des stomates soient les principaux facteurs affectant le taux de transpiration, plusieurs autres facteurs de l'environnement, mais également de la plante elle-même, influencent la transpiration. Un des plus importants est la *température*. Le taux d'évaporation de l'eau double pour chaque augmentation de la température de 10°C. L'évaporation refroidissant la surface foliaire, sa température n'augmente cependant pas aussi rapidement que celle de l'air ambiant. Comme on l'a vu antérieurement, les stomates se ferment lorsque les températures dépassent 30 à 35°C.

L'*humidité* a également son importance. Le taux de transpiration est en effet proportionnel à la différence de tension de vapeur, qui est la différence entre la tension de la vapeur d'eau dans les espaces intercellulaires et à la surface de la feuille. La perte d'eau est beaucoup plus lente dans un air déjà chargé en vapeur d'eau. Les feuilles des plantes croissant dans l'ombre des forêts, où l'humidité est en général élevée, ont généralement une taille luxuriantes parce que le principal problème de ces plantes n'est pas la perte d'eau, mais l'accès à une luminosité suffisante. Au contraire, les plantes vivant dans les prairies et d'autres habitats dégagés possèdent souvent des feuilles étroites caractérisées par une surface réduite, une cuticule épaisse et des stomates abrités. Les plantes des prairies reçoivent toute la lumière nécessaire, mais elles risquent constamment une perte d'eau excessive en raison de la faible humidité de l'air ambiant.

Le *vent* influence également les taux de transpiration. La brise rafraîchit votre peau au cours d'une chaude journée en évacuant la vapeur d'eau qui s'est accumulée à sa surface et elle accélère ainsi l'évaporation de l'eau du corps. De la même manière, le vent évacue la vapeur d'eau de la surface des feuilles et modifie la différence de tension de vapeur de part et d'autre de la surface. Si l'air est très humide, le vent peut parfois réduire la transpiration en refroidissant la feuille, mais un vent chaud augmentera notablement l'évaporation.

L'eau est transportée par les vaisseaux et les trachéides du xylème

L'eau pénètre dans la plante par les racines et elle en sort en grande quantité par les feuilles. Comment se déplace-t-elle d'un endroit à l'autre, en franchissant parfois des distances verticales considérables ? Cette question a intrigué de nombreuses générations de botanistes.

La voie suivie par l'eau qui s'élève à travers la plante est bien connue. On peut la suivre en plaçant simplement un segment de tige dans de l'eau contenant un colorant neutre (il est préférable de couper la tige sous l'eau afin d'empêcher l'entrée de l'air dans les éléments du xylème), puis de suivre la voie du liquide jusqu'aux feuilles. Le colorant indique très clairement les éléments conducteurs du xylème. Les expériences réalisées avec des isotopes radioactifs confirment que ces isotopes, et sans doute l'eau, se déplacent effectivement par les vaisseaux (ou les trachéides) du xylème. Dans l'expérience illustrée à la figure 31-4, on avait pris soin de séparer le xylème du phloème. Dans les expériences antérieures, cette séparation n'avait pas été faite et les résultats étaient ambigus en raison de déplacements latéraux importants de l'eau du xylème vers le phloème. L'expérience montre cependant que ces déplacements latéraux ne sont pas nécessaires au transport global de l'eau et des minéraux du sol jusqu'aux feuilles.

L'eau est aspirée jusqu'au sommet des grands arbres : théorie de la cohésion-tension. Maintenant que nous connaissons la voie suivie par l'eau, la question qui se pose ensuite est celle-ci : « quel est le mécanisme responsable de ce déplacement ? » On peut logiquement envisager deux possibilités : elle peut être poussée par le bas ou

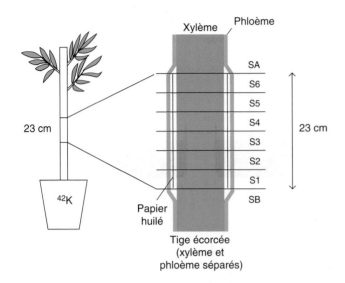

	Segment de tige	⁴²K dans le xylème (ppm)	⁴²K dans le phloème (ppm)
Au-dessus de l'écorçage	SA	47	53
Section écorcée	S6	119	11,6
	S5	122	0,9
	S4	112	0,7
	S3	98	0,3
	S2	108	0,3
	S1	113	20
Sous l'écorçage	SB	58	84

Figure 31-4

L'addition de potassium radioactif (⁴²K) à l'eau du sol montre que le xylème est la voie utilisée pour l'ascension de l'eau et des ions inorganiques. On a inséré un papier huilé entre le xylème et le phloème pour empêcher le transfert latéral de l'isotope. Les quantités relatives de ⁴²K détectées dans les différents segments de la tige sont donnés dans le tableau. Remarquez la diminution des quantités de ⁴²K dans le phloème de la partie écorcée de la tige.

aspirée vers haut. Nous allons voir que la première hypothèse n'apporte pas de réponse satisfaisante. En résumé, la pression racinaire (voir page 760) n'existe pas chez toutes les plantes et, lorsqu'elle existe, elle n'est pas suffisante pour pousser l'eau jusqu'au sommet d'un arbre de grande taille. De plus, l'expérience simple qui vient d'être décrite (avec un segment de tige) montre que la pression racinaire n'est pas un facteur important. Il nous reste donc l'hypothèse selon laquelle l'eau est aspirée à travers la plante, et tous les arguments actuels sont en faveur de cette hypothèse.

Lorsque l'eau s'évapore à la surface des parois cellulaires tapissant les espaces intercellulaires de la feuille au cours de la transpiration, elle est remplacée par de l'eau provenant de l'intérieur de la cellule. Cette eau diffuse au travers de la membrane plasmique, parfaitement perméable à l'eau, mais pas aux solutés de la cellule. Par conséquent, la concentration des solutés augmente à l'intérieur de la cellule et le potentiel hydrique diminue. Un gradient de potentiel hydrique s'établit ainsi entre cette cellule et ses voisines, plus saturées. Celles-ci reçoivent à leur tour de l'eau d'autres cellules jusqu'à ce que cette série de réactions arrive finalement à une nervure et exerce une « succion », ou tension, sur l'eau du xylème. En raison de l'extraordinaire cohésion qui existe entre les molécules d'eau, cette tension est transmise de proche en proche depuis la tige jusqu'aux racines. C'est ainsi que l'eau est soutirée des racines, aspirée dans le xylème et répartie entre les cellules qui rejettent la vapeur d'eau dans l'atmosphère (Figure 31-5). En raison de cette perte d'eau, le potentiel hydrique des racines devient plus négatif et l'extraction l'eau du sol est facilitée. La diminution du potentiel hydrique des feuilles induit par la transpira-tion et/ou par l'utilisation de l'eau dans les feuilles crée de la sorte un gradient de potentiel hydrique entre les feuilles et la solution du sol au niveau des racines. Ce gradient fournit l'énergie nécessaire au mouvement de l'eau tout au long du continuum sol-plante-atmosphère.

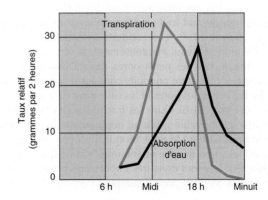

Figure 31-5

La mesure du mouvement de l'eau chez un frêne *(Fraxinus)* indique une plus forte absorption d'eau lorsque la transpiration est accrue. Ces résultats suggèrent que la perte d'eau est à l'origine de la force nécessaire à son absorption.

Figure 31-6

Démonstrtaion de la théorie de la cohésion-tension. **(a)** Système physique simple. Un vase d'argile poreux est rempli d'eau et fixé à l'extrémité d'un long et étroit tube de verre également plein d'eau. L'extrémité inférieure du tube est placée sous la surface d'un volume de mercure contenu dans un récipient. L'eau s'évapore par les pores du vase et est remplacée par l'eau aspirée aux dépens de la colonne continue du tube. Le mercure est à son tour aspiré dans le tube et prend sa place. **(b)** La transpiration par les feuilles entraîne une perte d'eau suffisante pour créer la même tension.

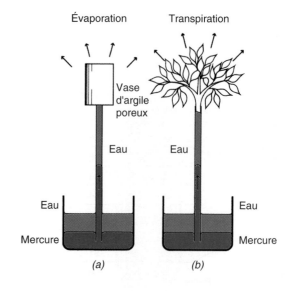

Cette théorie concernant le mouvement de l'eau est la **théorie de la cohésion-tension**, parce qu'elle repose sur la cohésion de l'eau, propriété qui lui permet de résister à la tension (Figure 31-6). On pourrait également parler de la *théorie cohésion-adhérence-tension* parce que l'adhérence des molécules d'eau aux parois des trachéides et des vaisseaux du xylème, ainsi qu'aux parois cellulaires dans les feuilles et les racines, est tout aussi importante pour l'ascension de l'eau que la cohésion et la tension. L'eau se déplace le long de parois cellulaires dont la surface est devenue très hygroscopique au cours de l'évolution. Cette surface est capable de retenir l'eau avec une force suffisante pour supporter une colonne d'eau de plusieurs kilomètres de haut malgré les forces de pesanteur.

Des bulles d'air peuvent interrompre la continuité de l'eau dans le xylème. L'effet filtrant des racines augmente la cohésion de l'eau du xylème en éliminant les fines particules susceptibles d'induire la formation de bulles. La cohésion de l'eau est encore accentuée par le faible diamètre des conduits du xylème — vaisseaux et trachéides — qu'elle emprunte. Malgré la filtration par les racines, des bulles se forment cependant et leur apparition est normale chez de nombreux arbres. La *cavitation* (rupture des colonnes d'eau) et l'obstruction, ou *embolie* (occupation des vaisseaux et/ou des trachéides par l'air ou la vapeur d'eau) qui s'ensuit sont un danger pour le mécanisme de cohésion-tension (Figure 31-7). Les conduits xylémiens interrompus ne peuvent plus amener l'eau. Heureusement, la tension de surface du ménisque air-eau dans les petits pores des membranes des doubles ponctuations aréolées entre conduits contigus empêche en général le passage des bulles par les pores et les isole ainsi dans un seul vaisseau ou trachéide (Figure 31-8). Dans les trachéides des conifères, le passage de l'air est impossible grâce au déplacement latéral de la membrane de la ponctuation : le torus bloque ainsi une des ouvertures de la double ponctuation aréolée et enferme la bulle d'air. Les membranes des ponctuations sont donc très importantes pour assurer la sécurité du transport de l'eau (Voir également l'exposé des pages 576 et 577).

Les obstructions sont le plus souvent provoquées par de l'air aspiré dans le vaisseau ou la trachéide par un pore dans la paroi ou par la membrane d'une ponctuation en contact avec un tube déjà obstrué. Ce processus, appelé *nucléation*, ne survient que si la différence de

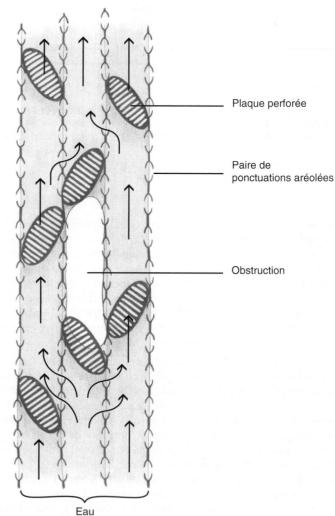

Figure 31-7

Évitement d'un élément vasculaire obstrué. L'obstruction provoquée par de la vapeur d'eau a bloqué le passage de l'eau dans un élément vasculaire isolé. L'eau est cependant capable de contourner l'élément obstrué en passant par les paires de ponctuations aréolées reliant les vaisseaux contigus. Les éléments vasculaires représentés sont caractérisés par des plaques perforées scalariformes.

Figure 31-8

Élément vasculaire obstrué. **(a)** Schéma montrant des paires de ponctuations aréolées entre des éléments vasculaires, dont l'un est obstrué (rempli d'air) et donc non-fonctionnel. **(b)** Détail d'une membrane de ponctuation. Lorsqu'un élément vasculaire est obstrué, l'air est empêché de passer dans l'élément fonctionnel contigu par la tension superficielle du ménisque air-eau au niveau des pores de la membrane. Les ponctuations aréolées représentées ne possèdent pas de torus, épaississement central imperméable typique de la membrane des ponctuations des trachéides des conifères. On retrouve également des torus dans les membranes séparant les vaisseaux chez certaines angiospermes.

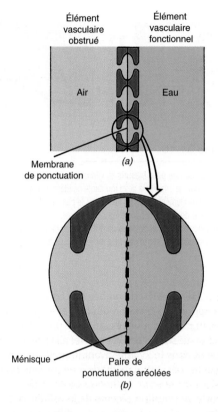

pression entre les deux faces de la paroi ou de la membrane de la ponctuation dépasse la tension superficielle du ménisque à la surface de l'eau dans le pore (Figure 31-8b). Les pores les plus larges sont les plus vulnérables à la pénétration de l'air. La plante est à la merci de ce type d'accident dès qu'un de ses vaisseaux ou trachéides se remplit d'air à la suite d'une blessure (par exemple une attaque d'insecte ou une branche cassée). Le gel peut également provoquer des obstructions parce que l'air n'est pas soluble dans la glace et que la sève minérale (le liquide présent dans le xylème) — contient de l'air dissous. En outre, on sait aujourd'hui que les dysfonctionnements dus à la sécheresse posent de sérieux problèmes aux plantes.

La théorie de la cohésion-tension a été vérifiée. Il ne fait pas de doute que la force de cohésion de l'eau est suffisante pour empêcher la séparation des molécules d'eau contiguës soumises aux forces nécessaires pour soulever l'eau dans le xylème des grands arbres, en dépit de certains avis contraires. On a par exemple prouvé qu'une colonne d'eau contenue dans un mince capillaire est capable de supporter une tension de -26,4 mégapascals (MPa) ; on considère que la tension nécessaire pour faire monter l'eau au sommet d'un grand séquoia *(Sequoia sempervirens)* n'atteint qu'environ -2,0 MPa.

Comment peut-on vérifier la théorie de la cohésion-tension ? On peut le faire directement en mesurant le potentiel hydrique de grands ensembles de tissus, comme des tiges entières, à l'aide de *chambres à pression* (appelées aussi bombes à pression). La chambre à pression permet de mesurer la pression hydrostatique négative, ou tension, existant dans l'ensemble du morceau de plante. On suppose que le potentiel hydrique du xylème est assez proche de celui du morceau de plante. Lorsqu'on coupe par exemple un rameau d'un arbre qui transpire, les colonnes d'eau qui étaient sous tension dans les vaisseaux, se retirent brusquement sous la surface de la coupe. À ce

moment, la surface tranchée apparaît sèche. Pour faire une mesure, on place le rameau dans une chambre à pression, comme le montre la figure 31-9. La chambre est ensuite mise sous pression en y introduisant un gaz (de l'air ou de l'azote) jusqu'à l'apparition (observée à la

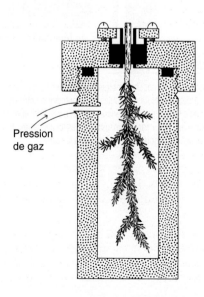

Figure 31-9

Mesure du potentiel hydrique dans un rameau sectionné. Après le prélèvement du rameau, une partie de la sève minérale — qui était auparavant soumise à une pression négative (ou tension) — rentre dans le xylème sous la surface de coupe. On suppose que le potentiel hydrique du xylème est très semblable à celui de l'ensemble du rameau. Le rameau est placé dans une chambre à pression dont on augmente la pression jusqu'à la sortie de la sève au niveau de la section. Si l'on suppose que la même pression est nécessaire pour déplacer la sève dans chaque sens, la pression positive nécessaire pour la faire sortir est en théorie égale à la tension qui existait dans le rameau avant sa section.

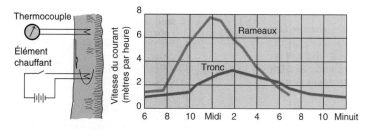

Figure 31-10

Méthode utilisée pour mesurer la vitesse du courant de sève. Un petit élément chauffant inséré dans le xylème chauffe la sève montante pendant quelques secondes. Un thermocouple situé au-dessus de l'élément chauffant enregistre le passage d'une vague de chaleur. L'observateur mesure l'intervalle de temps séparant les deux événements. Le graphique montre que le matin, la sève commence à s'écouler plus rapidement d'abord dans les rameaux et ensuite dans le tronc. Le soir, la vitesse décroît d'abord dans les rameaux, puis dans le tronc.

loupe) de la surface bombée des colonnes d'eau arrivant au niveau de la coupure. La pression qui doit être appliquée pour ramener l'eau au niveau de la coupure est appelée pression d'équilibre ; sa valeur équivaut (mais son signe est opposé) à la pression négative, ou tension, qui existait dans le xylème avant le prélèvement du rameau. Les résultats obtenus par cette méthode concordent parfaitement avec les prévisions basées sur la théorie de la cohésion-tension. En dépit d'une remise en question récente de la validité des estimations de la tension dans le xylème basées sur l'utilisation de la chambre à pression,

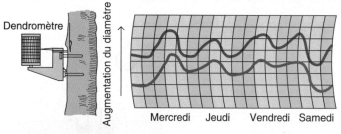

Figure 31-11

Un dendromètre (à gauche) enregistre les faibles fluctuations journalières du diamètre d'un tronc d'arbre à deux hauteurs différentes. Le graphique montre que, le matin, la contraction s'observe un peu plus tôt à la partie supérieure qu'à la partie inférieure. Ces résultats suggèrent que l'eau du tronc est « aspirée » par la transpiration des feuilles avant de pouvoir être remplacée par les racines. Les bandes ombrées correspondent à la nuit.

d'autres travaux semblent avoir confirmé l'existence de fortes tensions dans le xylème.

Un second ensemble de résultats confirmant la théorie de la tension-cohésion montre que le mouvement de l'eau débute au sommet de l'arbre. On a mesuré la vitesse du courant de sève dans différentes parties de l'arbre en utilisant une méthode ingénieuse : on chauffe le contenu du xylème pendant quelques secondes au moyen d'un petit élément chauffant et un thermocouple sensible permet de détecter le moment où la sève minérale chauffée passe par un endroit déterminé (Figure 31-10). Comme le montre le graphique, la sève commence à couler le matin dans les rameaux lorsque la tension se manifeste à proximité des feuilles, puis ensuite dans le tronc. Le soir, le courant diminue d'abord dans les rameaux, en même temps que la perte d'eau dans les feuilles, puis dans le tronc. Les troncs à vaisseaux larges (d'un diamètre de 200 à 400 micromètres) ont montré des vitesses maximales de 16 à 45 mètres par heure à midi (mesurées à 1,5 mètre de haut), tandis que ceux qui possédaient des vaisseaux étroits (50 à 150 micromètres de diamètre) avaient des pointes de vitesse plus faibles à midi, de l'ordre de 1 à 6 mètres par heure.

Un troisième groupe d'arguments découle de la mesure de très faibles modifications du diamètre du tronc (Figure 31-11). Certains chercheurs considèrent que la contraction du tronc est provoquée par les pressions négatives subies par les parties du xylème parcourues par l'eau. Les molécules d'eau adhérant aux parois des vaisseaux les attireraient vers l'intérieur. Lorsque la transpiration débute le matin, c'est d'abord la partie supérieure du tronc qui se contracte, du fait que l'eau est soutirée du xylème avant de pouvoir être remplacée par celle venant des racines ; la partie inférieure du tronc se contracte ensuite. Plus tard au cours de la journée, la partie supérieure du tronc se dilate avant la partie inférieure. Il est possible que ces modications du diamètre du tronc soient dues, au moins en partie, à la contraction et à la dilatation des tissus de l'écorce lorsque l'eau entre et sort latéralement du xylème en réponse aux modifications des pressions qui règnent dans les vaisseaux.

Remarquez que l'énergie responsable de l'évaporation des molécules d'eau — et donc du mouvement de l'eau et des molécules inorganiques dans la plante — ne provient pas de la plante, mais directement du soleil. Remarquez également que le mouvement est possible grâce aux extraordinaires propriétés de cohésion et d'adhérence de l'eau, auxquelles la plante est si bien adaptée.

La théorie de la cohésion-tension s'appelle parfois la « théorie de la transpiration-aspiration ». Ces termes sont malheureux, car « transpiration-aspiration » implique que la transpiration est indispensable au déplacement de l'eau vers les feuilles. La transpiration peut effectivement accroître la vitesse du mouvement, mais toute utilisation de l'eau dans les feuilles produit des forces capables d'y amener l'eau.

Les poils absorbants facilitent l'absorption de l'eau par les racines

Le système racinaire sert à la fixation de la plante dans le sol et, par-dessus tout, à répondre aux énormes besoins des feuilles en eau en raison de la transpiration. La plus grande partie de l'eau que la plante prélève du sol y pénètre par les parties les plus jeunes de la racine (voir chapitre 25). Elle est absorbée directement à travers l'épiderme des jeunes racines. Les poils absorbants, situés à plusieurs millimètres de l'extrémité, représentent une énorme surface absorbante (Figure 31-12 ; tableau 31-2). À partir des poils absorbants, l'eau traverse le cylindre cortical (dont au moins l'assise externe peut être différenciée en exoderme, assise sous-épidermique dont les cellules possèdent un cadre de Caspari). À partir de là, l'eau progresse à travers l'endoderme (l'assise la plus interne de cellules corticales) et dans le cylindre conducteur. Dès qu'elle arrive aux éléments conducteurs du xylème, l'eau monte à travers la racine et la tige jusque dans les feuilles, d'où la plus grande partie se perd dans l'atmosphère par transpiration. On peut donc considérer la voie sol-plante-atmosphère comme un continuum servant au déplacement de l'eau.

Pour traverser la racine, l'eau peut suivre au moins l'une des trois voies possibles. Le chemin suivi par l'eau dans la racine dépend beaucoup du degré de différenciation des tissus composant la racine. Dans chacun des tissus, l'eau peut suivre au moins l'une des trois voies suivantes : (1) **apoplastique** (à travers les parois cellulaires), (2) **symplastique** (de protoplaste à protoplaste en passant par les plasmo-

desmes) et/ou (3) **transcellulaire** (de cellule à cellule en passant d'une vacuole à l'autre) (Figure 31-13). Dans une racine dépourvue d'exoderme par exemple, l'eau peut migrer jusqu'à l'endoderme en passant par l'apoplaste. Au niveau de l'endoderme cependant, elle est obligée de traverser les membranes plasmiques et les protoplastes des cellules compactes de l'endoderme en raison de la présence des cadres de Caspari imperméables à l'eau sur les parois radiales et transversales de ces cellules (page 598). Dans les racines qui possèdent un exoderme par contre, les cadres de Caspari des parois radiales et transversales de cette assise cellulaire dense empêchent le passage

TABLEAU 31.2

Densité des poils absorbants à la surface des racines de trois espèces

Plante	Densité des poils absorbants (par centimètre carré)
Pin *(Pinus taeda)*	217
Robinier *(Robinia pseudoacacia)*	520
Seigle *(Secale cereale)*	2500

D'après J.F. Ferry, *Fundamentals of Plant Physiology* (New York : Macmillan Publishing Company, 1959).

Figure 31-12

Poils absorbants. **(a)** Racine primaire d'une plantule de radis *(Raphanus sativus)* montrant ses nombreux poils absorbants. **(b)** Poils absorbants entourés par les particules de sol couvertes d'une couche d'eau adsorbée.

(b)

(a)

Figure 31-13

Voies que peut suivre l'eau du sol se déplaçant jusqu'aux éléments conducteurs de la racine, en passant par l'épiderme et le cylindre cortical : **(a)** le mouvement apoplastique (trait noir) passe par les parois cellulaires ; **(b)** le mouvement symplastique (trait bleu) passe de protoplaste en protoplaste par les plasmodesmes ; **(c)** le mouvement transcellulaire (trait rouge) va de cellule en cellule, l'eau passant par les vacuoles. La racine représentée ne possède pas d'exoderme (assise sous-épidermique garnie de cadres de Caspari).

Remarquez que les cadres de Caspari des cellules endodermiques obligent l'eau qui suit un chemin apoplastique à traverser les membranes plasmiques et les protoplastes de ces cellules pour arriver au xylème. Après avoir traversé la membrane plasmique de la face interne de l'endoderme, l'eau peut à nouveau reprendre le chemin apoplastique pour aboutir à l'intérieur des éléments vasculaires. Les ions inorganiques sont activement absorbés par les cellules épidermiques et suivent ensuite une voie apoplastique à travers le cylindre cortical et dans les cellules parenchymateuses, d'où ils peuvent être sécrétés à l'intérieur des éléments vasculaires.

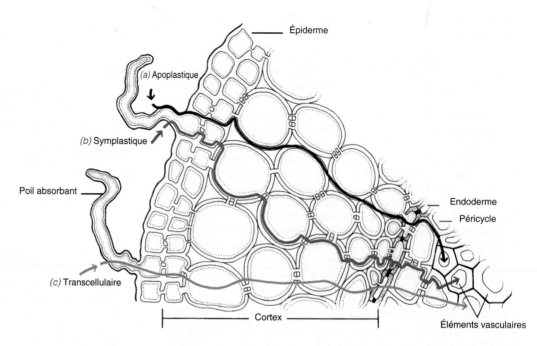

apoplastique de l'eau. L'eau peut traverser ces cellules soit par le symplaste, soit par les cellules. Cependant, si les parois tangentielles externes des cellules de l'exoderme possèdent des lamelles de subérine, l'eau ne peut les traverser et le symplaste seul reste accessible. Après la traversée de l'exoderme, le déplacement de l'eau à travers le cylindre cortical peut se poursuivre par une ou plusieurs des voies déjà mentionnées.

En l'absence de transpiration, les racines peuvent exercer une poussée positive. La différence de potentiel hydrique entre la solution du sol à la surface de la racine et la sève du xylème est la force responsable du mouvement de l'eau à travers la racine. Lorsque la transpiration est très faible ou nulle, par exemple durant la nuit, le gradient de potentiel hydrique est assuré par la sécrétion d'ions dans le xylème. Le tissu conducteur de la racine étant entouré par l'endoderme, les ions ne peuvent s'échapper du xylème. Le potentiel hydrique du xylème devient donc plus négatif et l'eau y pénètre par osmose à travers les cellules voisines. Une poussée positive est ainsi induite : c'est la **pression racinaire** ; elle fait monter l'eau et les ions dans le xylème (Figure 31-14).

Les gouttelettes d'eau semblables à de la rosée qui apparaissent à la pointe des feuilles de graminées et d'autres plantes au petit matin

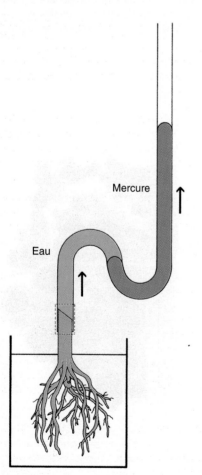

Figure 31-14

Démonstration de la pression racinaire dans une souche de plante sectionnée. L'absorption de l'eau par les racines fait monter le mercure dans la colonne. On a mesuré, de cette façon, des pressions allant de 0,3 à 0,5 mégapascal.

Figure 31-15

Les gouttelettes de guttation sur les bords d'une feuille d'alchémille *(Alchemilla vulgaris)* prouvent également l'existence d'une pression racinaire. Ces gouttelettes ne proviennent pas de la condensation de la vapeur d'eau atmosphérique ; elles sont émises de la feuille par des ouvertures situées dans des structures appelées hydathodes localisées au sommet et sur le bord des feuilles (voir figure 31-16).

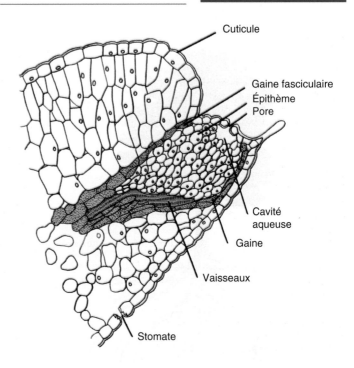

Figure 31-16

Coupe longitudinale d'un hydathode d'une feuille de saxifrage *(Saxifraga lingulata)*. L'hydathode est composé des vaisseaux de l'extrémité d'un faisceau conducteur, d'un parenchyme à parois minces (l'épithème) possédant de nombreux espaces intercellulaires, et d'un pore épidermique. Les vaisseaux sont directement au contact de l'épithème, qui déverse son contenu dans une cavité aqueuse située sous le pore. Les pores épidermiques sont souvent des stomates incapables de se fermer et de s'ouvrir.

sont dues à la pression racinaire (Figure 31-15). Ce ne sont pas des gouttelettes de rosée — provenant de la condensation de l'eau atmosphérique ; elles proviennent de l'intérieur de la feuille par le processus de **guttation** (du latin *gutta*, qui signifie « goutte »). Elles s'échappent par des ouvertures — souvent par des stomates incapables de s'ouvrir et de se fermer — aboutissant à des structures spéciales appelées **hydathodes**, situées au sommet et sur le bord des feuilles (Figure 31-16). L'eau de guttation est littéralement poussée au-dehors des feuilles par la pression racinaire.

La pression racinaire est moins évidente pendant le jour, quand le déplacement de l'eau dans la plante est le plus rapide, et elle n'est jamais suffisante pour pousser l'eau jusqu'au sommet d'un grand arbre. En outre, il n'existe aucune pression racinaire chez de nombreuses plantes, comme le pin et d'autres conifères. On pourrait donc considérer la pression racinaire comme un sous-produit du système de pompage des ions dans le xylème et comme un mécanisme secondaire qui déplace l'eau dans la tige dans des conditions particulières.

Beaucoup de plantes redistribuent l'eau du sol par une sorte d'ascenseur hydraulique. Chez de nombreuses plantes, des recherches récentes montrent que l'eau prélevée durant la nuit par les racines profondes atteignant des zones humides du sol est amenée dans les parties plus sèches par des racines plus superficielles. Ce phénomène porte le nom d'**ascenseur hydraulique**. Bien que ce mécanisme semble passif — actionné par les gradients de potentiel hydrique de la

racine et du sol — on ne peut exclure un rôle actif des racines. Non seulement l'ascenseur hydraulique améliore les conditions d'hydratation du sol pour la plante elle-même, mais les plantes voisines peuvent également utiliser une portion non négligeable de cette source d'eau (Figure 31-17).

L'ascenseur hydraulique semble répandu ; on l'a découvert aussi bien chez des plantes adaptées à l'aridité, comme les armoises et les chênes du chaparral de Californie, que chez des plantes vivant dans des habitats plus humides, comme la luzerne, l'orge et le maïs. On le trouve même chez l'érable à sucre, qui vit dans des milieux très humides.

Todd Dawson, écologiste de l'Université Cornell, a estimé qu'un érable à sucre haut de 40 mètres était capable de fournir chaque nuit de 150 à plus de 200 litres d'eau aux horizons supérieurs du sol. En se basant sur la teneur en isotopes d'hydrogène pour distinguer l'eau stockée en profondeur de celle qui provient des pluies d'été (la teneur en deutérium, ^2H, isotope lourd de l'hydrogène, est plus élevée dans l'eau de pluie), Dawson a pu déterminer l'origine de l'eau absorbée par les plantes voisines. Il a constaté que beaucoup de plantes vivant à proximité des érables à sucre utilisaient l'eau libérée par ces arbres (Figure 31-17).

L'absorption d'eau par les racines des plantes qui transpirent peut être passive. Au cours des périodes de transpiration intense, les ions accumulés dans le xylème de la racine sont emportés par le **flux transpiratoire**, ou flux d'eau, et l'importance du mouvement

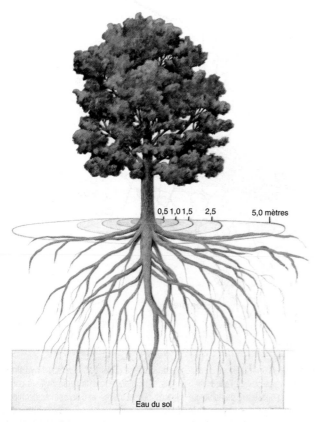

Espèces	Distance depuis la base de l'arbre				
	0,5 m	1,0 m	1,5 m	2,5 m	5,0 m
Podophyllum peltatum	61 %	53 %	50 %	9%	0%
Smilacina racemosa	60	58	5	0	0
Fragaria virginiana	58	54	50	13	1
Thalictrum dioicum	55	50	11	2	0
Asarum canadense	31	21	8	0	0
Trillium grandiflorum	25	18	0	0	0
Solidago flexicaulis	20	19	6	0	0
Vaccinium vacillans	19	10	5	1	0
Holcus lanatus	21	7	0	0	0
Lindera benzoin	11	6	0	0	0
Tilia heterophylla	0	1	0	1	0
Fagus grandifolia	1	0	0	0	0

Figure 31-17

Influence de l'ascenseur hydraulique sur les plantes voisines. Le tableau montre les pourcentages moyens de la sève minérale remontée par ce moyen chez différents types de plantes vivant à proximité d'un érable à sucre *(Acer saccharum)*.

osmotique à travers l'endoderme diminue. À ce moment, les racines deviennent des surfaces d'absorption passives au travers desquelles l'eau est aspirée par le flux induit par la transpiration de la partie aérienne. Certains chercheurs pensent que pratiquement toute l'absorption d'eau par les racines des plantes qui transpirent est passive.

Au cours des périodes de forte transpiration, le prélèvement autour des poils absorbants peut être tellement rapide qu'il entraîne un épuisement local de l'eau. Dans ce cas, l'eau devra parcourir une certaine distance à travers les minces pores du sol pour parvenir aux poils absorbants. Les racines arrivent cependant en général à trouver de nouvelles quantités d'eau en s'allongeant, bien qu'elles ne se développent pas dans un sol sec. En conditions normales, les racines de pommier par exemple s'allongent en moyenne de 3 à 9 millimètres par jour, celles des graminées des prairies de plus de 13 millimètres et les racines principales de maïs de 52 à 63 millimètres en moyenne. Les conséquences d'une croissance aussi rapide peuvent être remarquables : une plante de seigle *(Secale cereale)* de quatre mois possède plus de 10.000 kilomètres de racines et des milliards de poils absorbants.

L'absorption des sels minéraux par les racines exige de l'énergie

Les ions inorganiques sont absorbés à travers l'épiderme des jeunes racines. Les données actuelles suggèrent que les ions passent principalement de l'épiderme à l'endoderme de la racine par le symplaste — ils vont de protoplaste en protoplaste en passant par les plasmodesmes. L'absorption des ions par la voie symplastique débute au niveau de la membrane plasmique des cellules épidermiques. Les ions passent ensuite du protoplaste de ces cellules à la première assise de cellules corticales (qui peut être un exoderme) par les plasmodesmes des parois séparant ces deux assises (Figure 31-13). Le mouvement des ions se poursuit par diffusion dans le symplaste cortical — à nouveau de protoplaste à protoplaste par les plasmodesmes — dans l'endoderme et dans les cellules parenchymateuses du cylindre central. Les courants cytoplasmiques facilitent peut-être ce mouvement à l'intérieur des cellules.

Pour l'absorption des éléments nutritifs du sol, la plupart des spermatophytes reçoivent une aide importante des champignons mycorhiziens associés à leurs systèmes racinaires (page 340). Les mycorhizes sont particulièrement importantes pour l'absorption et le transfert du phosphore, mais on a également démontré une absorption accrue de zinc, de manganèse et de cuivre. Ces éléments sont assez peu mobiles dans le sol et ils peuvent s'épuiser rapidement autour des racines et des poils absorbants. Le réseau d'hyphes des mycorhizes s'étend à plusieurs centimètres des racines colonisées et exploite donc un volume important de sol avec une efficacité accrue.

La manière dont les ions pénètrent dans les vaisseaux (ou les trachéides) différenciés du xylème à partir des cellules parenchymateuses du cylindre central a fait l'objet de nombreuses discussions. À une

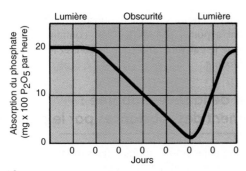

Figure 31-18

Énergie nécessaire à l'absorption des nutriments. L'absorption du phosphate (mesurée sous forme de P_2O_5 ; voir page 745) par les plantes de maïs *(Zea mays)* tombe pratiquement à zéro après quatre jours d'obscurité continue. Elle commence à remonter si la lumière est ensuite rétablie. Ces résultats, ainsi que d'autres encore, indiquent que l'absorption des ions minéraux par les plantes est un processus nécessitant de l'énergie.

certaine époque, on avait suggéré que les ions transitaient passivement des cellules parenchymateuses vers les vaisseaux, mais des arguments sérieux font actuellement penser que les ions sont sécrétés dans les vaisseaux soit directement à partir des cellules parenchymateuses, soit indirectement par l'intermédiaire de canaux apoplastiques (parois cellulaires) qui relient les cellules parenchymateuses aux vaisseaux.

La composition minérale des cellules de la racine est très différente de celle du milieu où vit la plante. On a par exemple trouvé une concentration de l'ion K^+ 75 fois plus élevée dans les cellules de la racine de pois *(Pisum sativum)* que dans la solution nutritive. Une autre expérience a montré que les vacuoles des cellules de rutabaga *(Brassica napus* var.*napobrassica)* contenaient 10.000 fois plus de K^+ que la solution extérieure.

Les substances ne diffusant pas à l'encontre d'un gradient de concentration, il est évident qu'un **transport actif** (page 83) intervient dans l'absorption des minéraux. On sait en effet que cette absorption exige de l'énergie. Elle diminue fortement par exemple si les racines sont privées d'oxygène ou traitées par un poison qui réduit la respiration. De même, une plante privée de lumière cessera d'absorber des éléments minéraux dès que ses réserves de glucide seront épuisées (Figure 31-18) et elle finira par renvoyer les minéraux dans la solution du sol. Le transport des ions du sol jusqu'aux vaisseaux du xylème nécessite donc deux mécanismes membranaires actifs impliquant des transporteurs : (1) l'absorption au niveau de la membrane plasmique des cellules épidermiques et (2) la sécrétion dans les vaisseaux au niveau de la membrane plasmique des cellules parenchymateuses en contact avec eux.

Il existe des échanges de substances nutritives inorganiques entre les courants de sève minérale et de sève élaborée

Dès leur sécrétion à l'intérieur des vaisseaux (ou des trachéides) du xylème, les ions inorganiques sont rapidement transportés vers le haut et dans toute la plante par le flux transpiratoire. Une partie des ions passe latéralement du xylème aux tissus environnants des racines et des tiges, alors que le reste poursuit son chemin vers les feuilles (Figure 31-19).

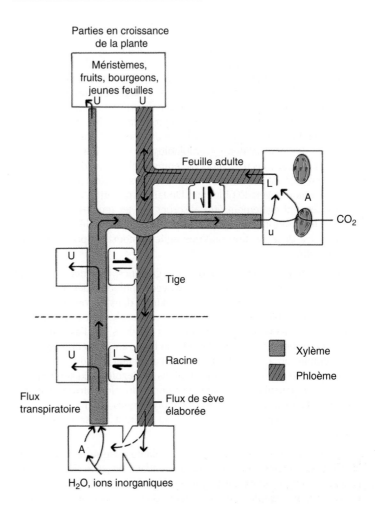

Figure 31-19

Schéma montrant la circulation de l'eau, des ions inorganiques et des produits de l'assimilation dans la plante. L'eau et les ions inorganiques montent par le xylème dans le flux transpiratoire. Une partie de l'eau et des ions se déplace latéralement dans les tissus de la racine et de la tige, tandis que le reste est transporté aux parties en croissance de la plante et aux feuilles adultes. Dans les feuilles, des quantités substantielles d'eau et d'ions inorganiques sont transférées vers le phloème et exportées avec le saccharose dans le courant de sève élaborée. Les parties en croissance de la plante, assez mal situées pour se procurer l'eau directement à partir de la sève minérale, reçoivent la plus grande partie de leurs éléments nutritifs et de l'eau par le phloème. L'eau et les solutés arrivant aux racines par le phloème peuvent retourner au xylème et circuler à nouveau dans le flux transpiratoire. Le symbole A représente les sites spécialisés dans l'absorption et l'assimilation des matériaux bruts provenant du milieu. L et U représentent respectivement les sites de chargement et de déchargement et I représente les principaux points d'échanges entre le xylème et le phloème.

On connaît beaucoup moins bien les voies suivies par les ions dans les feuilles que leur trajet dans les racines. À l'intérieur de la feuille, les ions sont transportés en même temps que l'eau par l'apoplaste, c'est-à-dire par les parois cellulaires. Certains ions peuvent rester dans le flux transpiratoire et arriver aux principales régions où l'eau s'évapore — les stomates et les autres cellules épidermiques. La plupart pénètrent finalement dans les protoplastes des cellules foliaires, vraisemblablement grâce à des mécanismes de transport où interviennent des transporteurs semblables à ceux des racines. Le déplacement des ions peut alors devenir symplastique (dans les protoplastes, en passant par les plasmodesmes) vers d'autres portions de la feuille, y compris vers le phloème. De faibles quantités d'ions inorganiques peuvent également être absorbés par les feuilles ; c'est pourquoi la fertilisation par application directe d'oligo-éléments sur le feuillage est devenue une pratique agricole courante pour certaines plantes cultivées.

D'importantes quantités d'ions inorganiques importées dans les feuilles par le xylème sont échangées avec le phloème des nervures et exportées en même temps que le saccharose dans le courant de sève organique du phloème (Figure 31-19 ; voir également ci-dessous la discussion concernant le transport des produits de l'assimilation). Dans une recherche réalisée sur le lupin blanc annuel (*Lupinus albus*) par exemple, on a constaté que, dans l'alimentation du fruit assurée par le système conducteur, plus de 80 % de l'azote et du soufre et 70 à 80 % du phosphore, du magnésium et du zinc provenaient du phloème. La délivrance de ces ions inorganiques aux fruits en développement est sans doute couplée au courant de saccharose du phloème.

Il peut exister un recyclage dans la plante lorsque les nutriments arrivant aux racines par le flux descendant de sève élaborée du phloème sont transférés au flux ascendant du xylème (Figure 31-19). Seuls les ions capables de se déplacer dans le phloème — *les ions mobiles par le phloème* — peuvent être exportés à grande distance à partir des feuilles. Les ions K^+, Cl^- et phosphate (HPO_4^{2-}) par exemple sont aisément exportés par les feuilles, contrairement à Ca^{2+}. Des solutés tels que le calcium, ainsi que le bore et le fer, sont *peu mobiles par le phloème*.

Transport de la sève élaborée : déplacement des substances par le phloème

Alors que l'eau et les solutés inorganiques montent dans la plante par le xylème, les sucres élaborés au cours de la photosynthèse quittent les feuilles par le **flux de sève organique** du phloème (Figure 31-20). Les sucres ne sont pas transportés uniquement vers les endroits où ils sont utilisés, comme les extrémités en croissance des tiges et des racines, mais également vers les sites de stockage, comme les fruits, les graines et le parenchyme de réserve des tiges et des racines (Figure 31-19).

On dit que le déplacement des produits de l'assimilation va de la source au puits. Les principales **sources**, exportateurs de solutés organiques, sont les feuilles vertes ; les tissus de réserve peuvent cependant aussi représenter une source importante. Toutes les portions de la plante incapables de subvenir à leurs propres besoins nutritifs peuvent être des **puits**, autrement dit des importateurs de produits de l'assimilation. Les tissus de réserve fonctionnent donc comme puits quand ils importent des produits élaborés et comme sources quand ils en exportent.

Les relations source-puits peuvent être relativement simples et directes, par exemple dans certaines jeunes plantules, où les cotylédons contenant les réserves alimentaires représentent la principale source et les racines en croissance sont le puits principal. Dans les plantes plus âgées, les feuilles adultes supérieures, qui sont les plus récentes, exportent souvent surtout les produits de l'assimilation vers la pointe de la tige, les feuilles inférieures les exportent surtout vers les

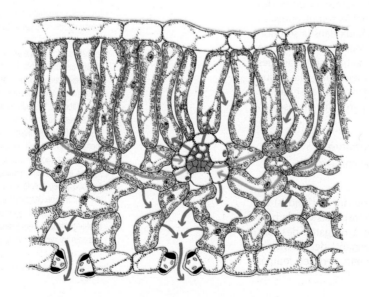

Figure 31-20

Dessin d'une feuille montrant les voies suivies par les molécules d'eau du flux transpiratoire qui passent du xylème d'une petite nervure aux cellules du mésophylle, s'évaporent à la surface des parois de ces cellules et diffusent ensuite hors de la feuille par un stomate ouvert (flèches bleues).

On voit également les voies suivies par les molécules de sucre synthétisées au cours de la photosynthèse lors de leur déplacement entre les cellules du mésophylle et le phloème de la même nervure, ainsi que leur entrée dans le courant de sève élaborée. On suppose que les molécules de sucre élaborées dans les cellules du parenchyme palissadique migrent vers le parenchyme spongieux et de là vers le phloème (flèches oranges).

(a)   *(b)*

Figure 31-21

Représentation schématique du transport de la sève élaborée dans une plante. **(a)** au stade végétatif et **(b)** à la fructification. Les flèches indiquent la direction du transport de la sève élaborée à ces deux stades.

racines et les intermédiaires dans les deux sens (Figure 31-21a). Ce mode de répartition des produits de l'assimilation se modifie beaucoup lors du passage de la croissance végétative à la phase reproductrice. Les fruits en développement sont des puits très compétitifs qui monopolisent la sève organique des feuilles les plus proches et fréquemment aussi de feuilles plus lointaines en réduisant souvent de façon notable le développement végétatif (Figure 31-21b).

Les expériences utilisant des traceurs radioactifs démontrent le transport des sucres par les tubes criblés

Les observations réalisées sur des arbres après l'élimination d'un anneau complet d'écorce ont apporté les premiers arguments en faveur du rôle du phloème dans le transport des produits de l'assimilation. On a vu au chapitre 27 que le phloème est le principal composant de l'écorce des tiges âgées. Lorsqu'un arbre actif au point de vue photosynthèse est ainsi annelé, l'écorce se dilate au-dessus de l'anneau, indiquant la formation de nouveaux tissus de bois et d'écorce stimulée par l'accumulation de la sève descendant des feuilles vertes par le phloème (Figure 31-22).

On a obtenu des preuves indiscutables du rôle du phloème dans le transport des produits de l'assimilation par l'emploi de traceurs radioactifs. Les expériences utilisant des produits de l'assimilation radioactifs (comme le saccharose marqué au ^{14}C) ont confirmé non seulement le déplacement de ces substances par le phloème, mais

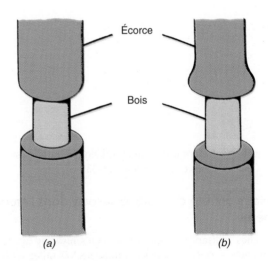

Écorce

Bois

(a)   *(b)*

Figure 31-22

Dès le XVIIe siècle, Marcello Malpighi, en Italie, avait remarqué que **(a)** l'enlèvement d'un anneau d'écorce **(b)** entraînait l'apparition d'un renflement des tissus situés au-dessus de l'annélation. Il interpréta correctement ce phénomène comme une nouvelle croissance des tissus du bois et de l'écorce stimulée par une accumulation de matières nutritives descendant des feuilles et arrêtées par l'annélation. Malpighi étudia les conséquences de l'annélation à différentes époques de l'année et constata l'absence de renflement au cours des mois d'hiver.

Figure 31-23

Transport du sucre dans les tubes criblés. Microautoradio-graphies de coupes transversale **(a)** et longitudinale **(b)** d'un faisceau conducteur dans une tige de féverole *(Vicia faba)*. Une feuille de cette plante avait été exposée au $^{14}CO_2$ pendant 35 minutes. Pendant cette période, le $^{14}CO_2$ s'était incorporé aux sucres qui ont ensuite été transportés vers les autres parties de la plante. La feuille a été sectionnée et les coupes ont été mises pendant 32 jours en contact avec un film pour autoradiographies. Après le développement du film et sa comparaison aux coupes de tissus sous-jacentes, on a constaté que la radioactivité (visible sous la forme de grains foncés sur le film) était presque totalement limitée aux tubes criblés.

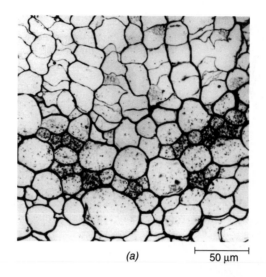

(a)   50 µm

(b)   50 µm

elles ont également montré de manière définitive que les sucres sont transportés par les tubes criblés (Figure 31-23).

Les aphides ont été d'un grand secours dans l'étude du phloème

Les recherches utilisant des aphides — petits insectes qui sucent la sève des plantes — ont donné des informations très utiles sur le déplacement des substances dans le phloème. La plupart des aphides se nourrissent à partir du phloème. Ils introduisent leurs stylets, pièces buccales modifiées, dans une tige ou une feuille et l'enfoncent jusqu'au moment où leur pointe perce un tube criblé (Figure 31-24). La pression de turgescence pousse alors le liquide du tube criblé dans le tube digestif du puceron et le fait émerger à son extrémité postérieure sous forme de gouttelettes de « miellat ». Si les pucerons occupés à s'alimenter sont anesthésiés (pour les empêcher de retirer leur stylet des tubes criblés) et amputés de leur stylet, les tubes criblés continuent à exsuder de la sève par les stylets, souvent pendant plusieurs heures. On peut récolter l'exsudat à l'aide d'une micropipette. L'ana-

lyse des exsudats obtenus de cette manière montre que la sève des tubes criblés contient de 10 à 25 % de matière sèche, dont au moins 90 % de sucre — *principalement du saccharose* chez la plupart des plantes. On y trouve également des acides aminés en faible concentration (moins d'un pour-cent) et d'autres molécules azotées.

D'après les informations découlant de travaux utilisant des aphides et des traceurs radioactifs, le déplacement longitudinal de la sève organique dans le phloème est remarquablement rapide. La sève se déplaçait par exemple à une vitesse d'un mètre par heure environ au niveau des pointes de stylet.

Le transport par le phloème est actionné par un courant sous pression d'origine osmotique

On a proposé plusieurs mécanismes pour expliquer le transport de la sève élaborée dans les tubes criblés du phloème. La première explication a probablement été celle de la diffusion ; on a ensuite fait appel au courants cytoplasmiques. La diffusion normale et les courants cytoplasmiques, tels qu'on les observe dans les cellules végétales, sont

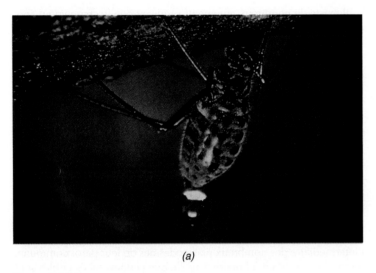

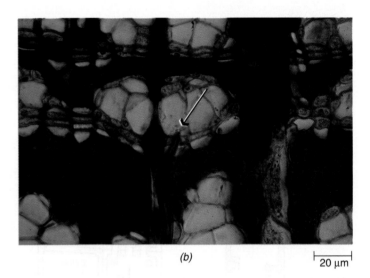

(a)

(b)   ⊢ 20 µm ⊣

Figure 31-24

(a) Aphide *(Longistigma caryae)* se nourrissant sur une tige de tilleul *(Tilia americana)*. On peut voir une gouttelette de « miellat » sortant du puceron. **(b)** Micrographie montrant une partie des pièces buccales modifiées (stylet) de l'aphide dans un tube criblé du phloème secondaire de la tige de tilleul. Une flèche indique la pointe des stylets.

pratiquement abandonnés comme explication des mécanismes de transport depuis que l'on sait que la vitesse de la sève élaborée (généralement comprise entre 50 et 100 centimètres par heure) est beaucoup trop élevée pour que l'un ou l'autre de ces phénomènes puisse rendre compte du transport à longue distance par les tubes criblés.

On a avancé d'autres hypothèses, mais une seule rend suffisamment compte de tous les résultats des recherches expérimentales et structurales sur le phloème : c'est l'hypothèse du flux sous pression.

Proposée à l'origine en 1927 par le physiologiste allemand Ernst Münch et modifiée par la suite, la théorie du flux sous pression est l'explication la plus simple et la plus largement admise pour le transport à longue distance de la sève élaborée dans les tubes criblés. C'est la plus simple parce qu'elle ne fait appel qu'à l'osmose comme source d'énergie.

En bref, l'**hypothèse du flux sous pression** stipule que les produits de l'assimilation sont transportés des sources aux puits suivant un gradient de pression de turgescence d'origine osmotique. Le saccharose, par exemple, produit dans les cellules du mésophylle par les feuilles photosynthétiques, pénètre dans les tubes criblés des petites nervures, augmentant ainsi leur concentration en saccharose par rapport aux cellules du mésophylle (Figure 31-25). Ce processus actif, ou **chargement du phloème**, diminue le potentiel hydrique du tube criblé et y fait entrer par osmose l'eau arrivant à la feuille par le flux transpiratoire. Grâce au mouvement de l'eau vers le tube criblé fonctionnant comme source, le saccharose est transporté passivement par l'eau vers un puits, par exemple un tissu en croissance ou un organe de réserve,

où le tube criblé se décharge. Le prélèvement du saccharose augmente le potentiel hydrique du tube criblé au niveau du puits et provoque ensuite la sortie de l'eau. Le saccharose peut être utilisé pour la croissance ou la respiration ou stocké dans le puits, mais la plus grande partie de l'eau retourne au xylème et rentre dans le circuit du flux de sève minérale.

Notez que l'hypothèse du courant sous pression confine les tubes criblés dans un rôle passif dans le déplacement de la solution sucrée qui les parcourt. Un transport actif intervient également dans le mécanisme du courant sous pression, mais pas directement dans le transport à grande distance par les tubes criblés. Le transport actif intervient plutôt dans le chargement et peut-être aussi dans le déchargement des sucres et d'autres substances aux deux extrémités des tubes criblés.

Le chargement du phloème peut être apoplastique ou symplastique. Le chemin suivi par le saccharose depuis les cellules du mésophylle jusqu'aux complexes tubes criblés-cellules compagnes des petites nervures pourrait être totalement symplastique — c'est-à-dire passer de cellule en cellule par les plasmodesmes — ou, au contraire, le saccharose pourrait pénétrer dans l'apoplaste (paroi cellulaire) avant d'être chargé activement dans les complexes tubes criblés-cellules compagnes. Ces complexes de chargeurs apoplastiques ne possèdent pratiquement pas de connexions par plasmodesmes avec d'autres types de cellules foliaires (Figure 31-26a), alors que les cellules compagnes des chargeurs symplastiques sont connectées au symplaste du mésophylle par de nombreux plasmodesmes.

767

Il existe de nombreux arguments prouvant que le chargement apoplastique du saccharose est actionné par un gradient protonique produit par une pompe à protons aux dépens de l'ATP (Figure 31-26b). La pompe est une H^+-ATPase fixée à la membrane plasmique ; elle utilise l'énergie provenant de l'hydrolyse de l'ATP pour transporter les protons (H^+) à travers la membrane. Le gradient protonique instauré par ce transport primaire de protons est ensuite utilisé par des molécules de transport actif de la membrane plasmique pour coupler le retour des protons dans le symplaste au transport du saccharose. Ce mode de transport actif secondaire est connu sous le nom de **cotransport saccharose-proton** ou symport (page 83).

Toute l'énergie métabolique nécessaire au chargement apoplastique peut être fournie par les cellules compagnes plutôt que par les tubes criblés. On a supposé, à une certaine époque, que le chargement se faisait au travers de la membrane plasmique de la cellule compagne, qui transférait ensuite le sucre au tube criblé associé par l'intermédiaire des nombreux plasmodesmes de leur paroi commune. Il semble cependant à l'heure actuelle que certains tubes criblés sont capables de se charger eux-mêmes, le site du transport actif se trouvant dans leur propre membrane plasmique. Quoi qu'il en soit, le tube criblé entièrement différencié a probablement besoin de sa cellule compagne pour couvrir la majeure partie de ses besoins énergétiques.

Le mécanisme du chargement symplastique reste encore un sujet de discussion. Il est intéressant de constater que les familles d'angiospermes possédant un chargement symplastique sont surtout représentées dans les régions tropicales et subtropicales et que les familles à chargement apoplastique se retrouvent dans les régions tempérées et boréales. Il semble en outre que le chargement symplastique a évolué avant le chargement apoplastique.

Le chargement du phloème est un processus sélectif. Comme on l'a signalé antérieurement, le saccharose est de loin le sucre transporté le plus commun ; en outre, tous les sucres trouvés dans la sève des tubes criblés sont non-réducteurs. Certains acides aminés et ions sont également sélectivement chargés dans le phloème.

Le déchargement et le transport dans les cellules du puits peuvent être apoplastiques ou symplastiques. Le mécanisme qui permet aux sucres et aux autres produits de l'assimilation transportés par le phloème de sortir des tubes criblés au niveau des cellules du puits est le **déchargement du phloème**. Pour désigner le transport qui suit immédiatement le déchargement, on parle de *transport postphloème.*

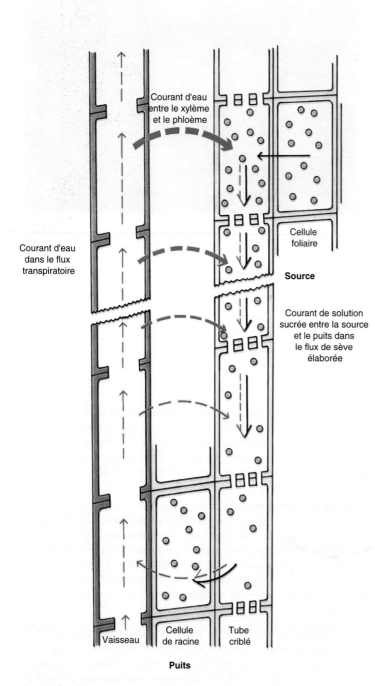

Figure 31-25

Schéma représentant le mécanisme responsable du courant sous pression induit par osmose. Les taches jaunes représentent des molécules de sucre. Le sucre est activement chargé dans le tube criblé à la source. Avec l'augmentation de la concentration du sucre, le potentiel hydrique diminue et l'eau du xylème pénètre par osmose dans le tube criblé. Le sucre est prélevé (déchargé) au niveau du puits et la concentration en sucre diminue ; le potentiel hydrique augmente donc et l'eau sort du tube criblé. Grâce à l'entrée de l'eau dans le tube criblé à la source et à sa sortie au puits, les molécules de sucre sont entraînées passivement par l'eau en suivant un gradient de concentration entre la source et le puits. Remarquez que le tube criblé reliant la source au puits est délimité par une membrane à perméabilité sélective, la membrane plasmique. Par conséquent, l'eau entre et sort du tube criblé non seulement à la source et au puits, mais aussi tout le long du trajet. Il existe des indices montrant que, parmi les molécules d'eau qui pénètrent à la source, il n'y en a pas ou seulement peu, qui parviennent au puits parce qu'elles sont échangées avec d'autres molécules d'eau pénétrant le long du trajet dans le tube criblé par l'apoplaste du phloème.

Labels in figure:
Courant d'eau entre le xylème et le phloème
Cellule foliaire
Source
Courant d'eau dans le flux transpiratoire
Courant de solution sucrée entre la source et le puits dans le flux de sève élaborée
Vaisseau
Cellule de racine
Tube criblé
Puits

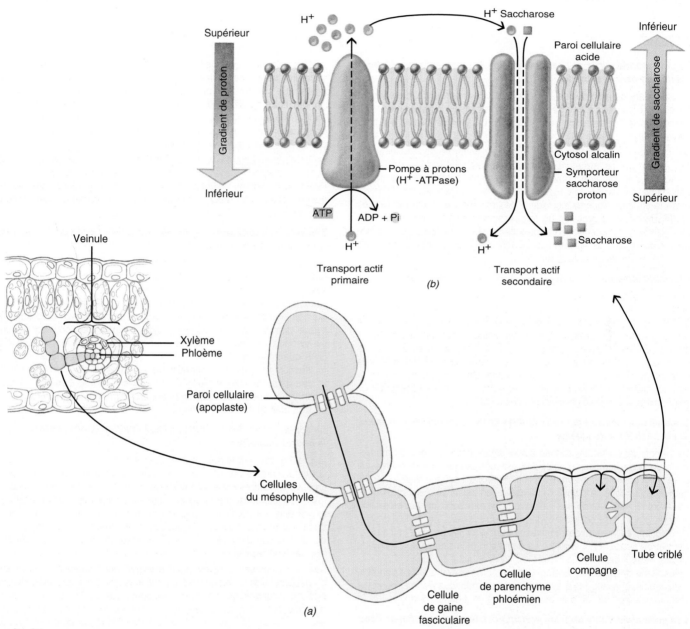

Figure 31-26

Chargement du phloème à partir de l'apoplaste, ou paroi cellulaire. **(a)** Chez les espèces où le chargement du phloème est apoplastique, le saccharose élaboré dans les cellules du mésophylle des feuilles situées à la source suit une voie symplastique à travers les protoplastes en passant par les plasmodesmes jusqu'à proximité immédiate des complexes tubes criblés-cellules compagnes. Il quitte alors la voie symplastique et parvient à la voie apoplastique. Venant de l'apoplaste, le saccharose est ensuite chargé activement dans les complexes tubes criblés-cellules compagnes qui ne possèdent que peu ou pas de liaisons par plasmodesmes avec les autres cellules foliaires. **(b)** La force nécessaire au transport du saccharose dans les complexes tubes criblés-cellules compagnes est fournie par un gradient protonique produit par les pompes à protons (H⁺-ATPase) de la membrane plasmique. Le gradient protonique est utilisé ensuite par un transporteur spécifique (symporteur saccharose-protons) de la membrane plasmique qui couple le transport du saccharose à la diffusion des H⁺ revenant à la cellule.

Dans les puits végétatifs en croissance, comme les jeunes feuilles et racines, le déchargement et le transport dans les cellules sont généralement symplastiques. Dans d'autres puits, le déchargement est apoplastique. Bien que le processus effectif de déchargement soit probablement passif, le transport dans les tissus du puits requiert une activité métabolique. Lors d'un déchargement symplastique, par exemple, un apport d'énergie est nécessaire pour maintenir le gradient de concentration entre les tubes criblés et les cellules du puits. Dans les organes de stockage, comme les racines de betterave sucrière et les tiges de canne à sucre, où le déchargement est apoplastique, il faut de l'énergie pour accumuler les sucres à des concentrations élevées dans les cellules du puits.

RÉSUMÉ

La plus grande partie de l'eau transpirée par une plante vasculaire s'échappe par les stomates

La plus grande partie de l'eau absorbée par les racines de la plante est émise dans l'air sous forme de vapeur. Ce processus, la transpiration, est intimement lié à l'absorption par la feuille du CO_2 indispensable à la photosynthèse.

Les deux cellules de garde peuvent changer de forme pour ouvrir et fermer le stomate. La fermeture des stomates empêche la perte de vapeur d'eau par la feuille. Les mouvements du stomate sont dus à des modifications de la pression de turgescence à l'intérieur des cellules de garde et de la structure (orientation radiale des micelles) de leurs parois. Les modifications de la pression de turgescence sont intimement liées aux changements de la teneur en solutés dans les cellules de garde. Le stomate s'ouvre lorsque les cellules deviennent turgescentes et se ferme quand elles deviennent déturgescentes.

Plusieurs facteurs affectent les mouvements des stomates

La fermeture des stomates est principalement due à une perte d'eau. Au cours des périodes de stress hydrique, la teneur en acide abscissique (ABA) augmente chez de nombreuses plantes et provoque la fermeture des stomates. Des facteurs environnementaux affectent également le mouvement des stomates, par exemple la concentration en dioxyde de carbone, la lumière et la température. La température, l'humidité et le vent affectent aussi le taux de transpiration. Chez la plupart des espèces, les stomates s'ouvrent à la lumière et se ferment à l'obscurité. Le phénomène est inversé chez les plantes CAM.

L'eau va des racines jusqu'aux feuilles en passant par les vaisseaux et les trachéides du xylème

La théorie généralement admise actuellement pour expliquer le mouvement de l'eau jusqu'au sommet des grandes plantes par le xylème est celle de la cohésion-tension. Selon cette théorie, l'eau est aspirée vers le haut à travers toute la plante. Cette aspiration, ou tension, est provoquée par la transpiration et/ou par l'utilisation de l'eau dans les feuilles, entraînant un gradient de potentiel hydrique depuis les feuilles jusqu'à la solution du sol au niveau des racines. C'est la cohésion de l'eau qui lui permet de supporter la tension. La cavitation et la présence d'air ou de vapeur d'eau dans les conduits du xylème sont un danger pour le mécanisme de cohésion-tension. Les membranes des doubles ponctuations aréolées reliant des éléments xylémiens contigus évitent heureusement le passage de l'air d'un tube obstrué à un tube fonctionnel.

Les poils absorbants sont les principaux sites d'absorption de l'eau par les racines

Les poils absorbants constituent une énorme surface pour l'absorption d'eau. Chez certaines plantes, l'absorption de l'eau du sol entraîne une pression positive, ou pression racinaire, lorsque la transpiration est très faible ou nulle. Cette absorption osmotique repose sur le transport d'ions inorganiques du sol au xylème par les cellules vivantes de la racine et peut provoquer la guttation, qui se traduit par l'expulsion d'eau par des structures spéciales (hydathodes) situées à l'extrémité et sur le bord des feuilles. Le chemin suivi par l'eau dans la racine peut être apoplastique, symplastique ou transcellulaire ; le mouvement apoplastique est cependant arrêté au niveau de l'endoderme par les cadres de Caspari. L'eau doit passer par la membrane plasmique et le protoplaste des cellules endodermiques pour arriver au xylème.

De nombreuses plantes redistribuent l'eau du sol par ascenseur hydraulique : Il s'agit d'un mécanisme nocturne par lequel les plantes transfèrent aux régions sèches du sol, par l'intermédiaire des racines superficielles, l'eau récoltée par les racines profondes situées dans les zones humides.

Les sels minéraux sont disponibles pour les plantes dans la solution du sol sous forme d'ions

Les plantes utilisent leur énergie métabolique pour concentrer les ions qui leur sont nécessaires. Le transport des ions du sol aux vaisseaux du xylème exige deux mécanismes actifs faisant appel à des transporteurs : l'absorption au niveau de la membrane plasmique des cellules épidermiques et la sécrétion dans les vaisseaux au niveau de la membrane plasmique des cellules parenchymateuses voisines. Les ions inorganiques suivent une voie essentiellement symplastique de l'épiderme au xylème. Des quantités importantes d'ions inorganiques importées dans les feuilles par le xylème sont transmises au phloème des nervures foliaires et sont exportées par la feuille dans la sève élaborée. Les champignons mycorhiziens facilitent notablement l'absorption des sels minéraux du sol chez la plupart ds spermatophytes.

Le déplacement des produits de l'assimilation dans le phloème va de la source au puits

Les recherches sur le déplacement des substances dans le phloème ont largement profité de l'utilisation des aphides et des traceurs radioactifs. La sève des tubes criblés contient du sucre (principalement du saccharose), de faibles quantités de substances azotées et d'ions mobiles par le phloème. La vitesse des déplacements longitudinaux des substances dans le phloème dépasse de beaucoup la vitesse normale de diffusion du saccharose dans l'eau — elle est normalement comprise entre 50 et 100 centimètres par heure.

Selon l'hypothèse du courant sous pression, les produits de l'assimilation de déplacent de la source vers le puits en suivant des gradients de pression de turgescence d'origine osmotique. Les sucres sont activement chargés dans les complexes tubes criblés-cellules compagnes à la source. Ce chargement entraîne une diminution du potentiel hydrique dans le tube criblé et un déplacement de l'eau par osmose. Entretemps, le prélèvement du saccharose au niveau du puits augmente le potentiel hydrique dans le tube criblé à cet endroit. Les molécules de sucre sont transportées passivement le long du gradient de concentration grâce au mouvement de l'eau qui entre dans le tube criblé à la source et en sort au puits.

MOTS CLÉS

ascenseur hydraulique p. 761

chargement apoplastique p. 767

chargement du phloème p. 767

chargement symplastique p. 767

cotransport saccharose-proton (symport) p. 768

cuticule p. 752

déchargement du phloème p. 768

flux de sève organique

flux transpiratoire p. 761

guttation p. 761

hydathode p. 761

hypothèse du flux sous pression p. 767

orientation radiale des micelles p. 753

pression racinaire p. 760

puits p. 764

sources p. 764

théorie de la cohésion-tension p. 756

transpiration p. 751

voie apoplastique p. 759

voie symplastique p. 759

voie transcellulaire p. 759

QUESTIONS

1. Expliquez comment les facteurs ou signaux suivants influencent le mouvement des stomates : concentration en dioxyde de carbone, lumière, température.

2. Expliquez comment les facteurs suivants affectent le taux de transpiration : température, humidité, vent.

3. En vous servant d'un schéma simple, décrivez le chemin suivi par une molécule d'eau dans le courant transpiratoire depuis un poil absorbant jusqu'à l'atmosphère entourant la feuille. Indiquez tous les tissus et assises cellulaires intéressants le long du trajet.

4. Les membranes des ponctuations sont très importantes pour assurer la sécurité du transport de l'eau. Expliquez.

5. Quelle est la preuve de la théorie de la cohésion-tension ?

6. Expliquez les rapports existant entre la pression racinaire et la guttation.

7. Quelle est l'utilité de l'ascenseur hydraulique pour les plantes vivant à proximité d'une plante manifestant ce phénomène ?

8. Faites la distinction entre symplaste et apoplaste.

9. L'absorption des éléments inorganiques est un processus nécessitant de l'énergie. Expliquez.

10. Comment a-t-on prouvé le passage de la sève élaborée par les tubes criblés du phloème ?

Section 7

ÉCOLOGIE

Les fruits du rosier, ou cynorhodons, sont riches en vitamine C : on les a utilisés depuis l'antiquité pour la distillation de produits médicinaux. Pline l'Ancien (23-79 ap. J.C.) écrivait : « l'extrait de rose est utilisé pour les oreilles, les douleurs à la bouche, les gencives, comme gargarisme pour les amygdales, pour l'estomac, l'utérus, les troubles rectaux, les maux de tête. »

L'utilisation des fruits du rosier remonte même encore plus loin dans l'histoire. Des fouilles récentes effectuées dans un grotte datée de plus de 300.000 ans ont montré que l'homme de Pékin, qui appartenait à l'espèce disparue la plus proche de l'homme moderne, récoltait des cynorhodons, ainsi que des noix, des noisettes et des graines de pin.

Dynamique des communautés et des écosystèmes $\boldsymbol{32}$

SOMMAIRE

L'écologie — étude des interactions des organismes les uns avec les autres et avec leur milieu physique — se préoccupe de certains aspects du monde qui nous entoure qui nous sont les plus familiers, et pourtant les plus mystérieux et imprévisibles. Lorsque nous voyons une fleur dans un jardin ou un arbre dans un parc par exemple, nous ne nous rendons guère compte des multiples influences qu'exercent sur la croissance de la plante quantité d'organismes tels que des bactéries, des champignons, des animaux, petits et grands, ainsi que d'autres plantes. Les plantes ne sont pas seulement soumises aux conditions d'environnement qui nous sont familières, comme la lumière solaire, la température et la pluie, mais également à des facteurs plus subtils tels le pH du sol et les teneurs en macroéléments et oligo-éléments. Pour compliquer les choses, les organismes présents dans l'environnement de la plante peuvent exercer une influence indirecte par des interactions avec des éléments inertes et modifier ainsi la croissance des plantes. Les bactéries peuvent par exemple modifier le pH du sol qui, de son côté, influence la plante.

Un des buts de l'écologie est une description de ces interactions complexes suffisamment précise pour nous permettre de prévoir ce qui se passera si l'homme modifie un milieu particulier, par exemple en abattant et en brûlant une forêt, en introduisant de nouvelles espèces ou en appliquant des pesticides. Il était extrêmement difficile dans le passé de faire des prévisions exactes parce que des interactions subtiles n'ont même pas été envisagées.

Ce chapitre apportera des informations sur la structure fondamentale et le fonctionnement des systèmes écologiques — ou écosystèmes. Les points envisagés seront les types d'organismes présents dans les écosystèmes et leurs modes d'interaction, le recyclage des éléments nutritifs, le transfert de l'énergie à travers les chaînes alimentaires et les modifications des écosystèmes au cours du temps.

POINTS DE REPÈRE

Quand vous terminerez la lecture de ce chapitre, vous devriez pouvoir répondre aux questions suivantes :

- *Que comprend la science de l'écologie et quelle est la différence entre une population, une communauté et un écosystème ?*
- *Qu'entend-on par mutualisme ?*
- *Que signifie, pour un écologiste, le terme « compétition » et comment les plantes se font-elles concurrence ?*
- *Comment les plantes se défendent-elles contre les herbivores et les pathogènes ?*
- *Qu'est-ce qu'une chaîne alimentaire, quels types d'organismes trouve-t-on aux différents chaînons de la chaîne et comment est-elle traversée par le flux d'énergie ?*

Par définition, l'écologie est l'étude des organismes et de leurs interactions mutuelles, ainsi qu'avec tout ce qui compose leur environnement. Les questions posées par les écologistes sont parmi les plus fondamentales de la biologie. Pourquoi par exemple, peut-on trouver certaines plantes et certains animaux vivant ensemble à un endroit et pas à d'autres ? Comment les **écosystèmes** — c'est-à-dire l'ensemble des organismes occupant une station, ainsi que le milieu avec lequel ils interagissent — réagissent-ils aux perturbations induites par l'homme et comment pouvons-nous réduire notre impact sur les écosystèmes et finalement sur toute la vie de la planète ?

Au niveau individuel, les écologistes se demandent comment l'organisme fonctionne et interagit avec son milieu. Les individus font partie de **populations**, groupes d'individus, appartenant généralement à la même espèce, rassemblés en une station donnée. Au niveau de la population, les écologistes envisagent ce qui détermine l'abondance et la distribution des individus d'une espèce particulière.

Les **communautés**, formées de plusieurs populations, comprennent les groupes de plantes, d'animaux et d'autres organismes vivant dans une région particulière. Nous pouvons parler d'une formation herbeuse ou d'une communauté de vertébrés, mais le terme « communauté » utilisé seul s'applique généralement à *tous* les organismes réunis à un endroit particulier. Un écosystème ne comprend pas seulement les différents organismes de la communauté, mais aussi leur environnement physique et les interactions entre les organismes, ainsi qu'entre ceux-ci et leur milieu.

Tout au long de cet ouvrage, nous avons vu que le lien unissant l'énorme diversité du monde vivant est l'évolution, qui est à l'origine des modifications survenues au cours des temps. L'évolution est intimement liée à l'écologie dans ce que G.E.Hutchinson, de l'Université de Yale, appelait très justement « le théâtre de l'écologie et la pièce de l'évolution ». Dans les chapitres précédents, nous avons envisagé les aspects fondamentaux de la théorie de l'évolution et les principaux groupes d'arguments, ainsi que les mécanismes par lesquels progresse l'intrigue de la pièce de l'évolution. Dans ce chapitre et dans les suivants, nous allons prendre place nous-mêmes dans le théâtre écologique et regarder les acteurs — autrement dit tous les organismes vivants — dans leurs diverses interactions mutuelles et avec le milieu physique qui composent la pièce.

Interactions entre les organismes

L'interaction est au centre de l'écologie. Aucun organisme n'est isolé s'il vit dans une communauté — que celle-ci soit un lambeau forestier, une pâture, un étang ou un récif corallien. Chaque organisme participe à un certain nombre d'interactions avec d'autres organismes et avec les composants non-vivants du milieu. Nous allons organiser notre exposé autour des trois principales interactions entre les espèces : symbiose, concurrence et interactions plantes-herbivores (et plantes-pathogènes).

Le mutualisme est une interaction bénéfique pour les deux espèces

Le mutualisme est une interaction biologique favorisant la croissance, la survie et/ou la reproduction des deux espèces qui interagissent. Dans de nombreux exemples de mutualisme, aucun des partenaires ne peut survivre sans l'autre, en particulier si l'on tient compte de la compétition d'autres plantes et la prédation : on parle alors de symbiose. Nous avons déjà rencontré plusieurs exemples de mutualisme dans les chapitres précédents. Les lichens en sont un exemple typique (voir chapitre 15). Les rapports entre les légumineuses et les bactéries fixatrices d'azote vivant dans les nodules de leurs racines en sont un autre (voir chapitre 30), ainsi que les relations étroites au niveau de la pollinisation dont il a été question au chapitre 22, par exemple entre les mites et le yucca. Deux autres exemples de symbiose sont constitués par les mycorhizes et les relations entre fourmis et acacias.

Les mycorhizes sont des associations entre les racines et les champignons. Les interactions entre les champignons et les plantes constituent un des exemples les plus intéressants et les plus significatifs pour l'écologie. Nous avons vu aux chapitres 15 et 30 que les racines de la plupart des plantes vasculaires sont associées à des champignons et forment avec eux des structures composites appelées mycorhizes. Ces champignons jouent un rôle vital dans l'absorption du phosphore et d'autres éléments essentiels pour les plantes. Sans les champignons, la croissance normale des plantes serait impossible. Les mycorhizes paraissent également avoir joué un rôle crucial dans l'installation des premières plantes sur la terre ferme.

Chez de nombreuses plantes vasculaires, les individus non-mycorhizés sont rares dans les conditions naturelles, même lorsque la croissance est possible sans champignons grâce à une abondante alimentation. La plupart des plantes vasculaires sont des organismes doubles dans le même sens que les lichens, même si les relations ne sont pas aussi évidentes au-dessus de la surface du sol. S.A.Wilde, pédologue de l'Université du Wisconsin, a dit ceci : « Un arbre arraché du sol n'est qu'une partie de la plante, une partie chirurgicalement séparée de son...organe d'absorption et de digestion. »

Les champignons formant des associations mycorhiziennes avec la plupart des plantes sont des zygomycètes. Comme on l'a vu au chapitre 15, on parle d'endomycorhizes pour désigner ces associations caractéristiques de la plupart des espèces d'herbes, d'arbustes et d'arbres. Chez certains groupes de conifères et de dicotylées — principalement des arbres — les associations impliquent surtout des basidiomycètes, mais également certains ascomycètes ; on parle alors d'ectomycorhizes. Certaines sont très spécifiques, une espèce de champignon formant des associations ectomycorhiziennes avec une seule espèce particulière ou avec un groupe de plantes vasculaires apparentées. On sait par exemple que le champignon à pores *Boletus elegans* ne s'associe qu'au mélèze *(Larix)*, un conifère. On a constaté que d'autres champignons, comme *Cenococcum geophilum*, forment des ectomycorhizes avec des arbres forestiers de plus d'une douzaine de genres. Les ectomycorhizes sont particulièrement caractéristiques dans des massifs relativement purs d'arbres vivant aux hautes latitudes dans l'hémisphère nord ou aux hautes altitudes, deux types de stations où l'accès aux éléments du sol peut être particulièrement limité en raison de la lenteur des décompositions.

Les acacias et les fourmis trouvent tous deux un avantage à leur association. Les exemples de mutualisme les plus complexes se rencontrent dans les régions tropicales, où les espèces d'organismes sont beaucoup plus nombreuses qu'en régions tempérées. Les arbustes et les arbres du genre *Acacia* par exemple sont largement répandus dans les régions tropicales et subtropicales. L'association entre certaines espèces d'*Acacia* des régions de basse altitude du Mexique et d'Amérique Centrale et les fourmis qui logent dans leurs épines (en réalité des stipules modifiées) est une interaction remarquablement complexe. On a particulièrement bien étudié les relations entre *Acacia cornigera* et les fourmis du genre *Pseudomyrmex* (figure 32-1).

Les acacias possèdent, à la base de chaque feuille, une paire d'épines très renflées longues de plus de 2 centimètres. Il existe des nectaires sur les pétioles et de petites structures alimentaires, appelées corpuscules de Belt, sont situées à l'extrémité de chaque foliole. Les fourmis vivent à l'intérieur des épines creuses ; elles se procurent des sucres en buvant le nectar, ainsi que des graisses et des protéines en consommant les corpuscules de Belt. Les acacias ont une croissance extrêmement rapide et sont particulièrement communs dans les zones perturbées, où la compétition est souvent intense entre les colonisateurs de ce type.

Thomas Belt donna la première description des relations entre *Pseudomyrmex* et *Acacia cornigera* dans son livre, *The Naturalist in Nicaragua* (1874). Ses observations furent suivies d'une longue controverse sur le fait de savoir si la présence des fourmis était réellement bénéfique pour l'acacia. Le problème fut finalement et définitivement résolu en 1964 par Daniel Janzen. Janzen constata que les fourmis ouvrières, qui pullulent sur toute la surface de la plante, s'attaquent aux animaux de toute taille qui la touchent et la protègent ainsi contre les herbivores tout en assurant pour elles-mêmes un abri. D'autre part, chaque fois que des branches d'une autre plante arrivent en contact avec un acacia habité, les fourmis enlèvent un anneau d'écorce de la plante voisine, détruisant ainsi les branches envahissantes ; elles ouvrent de cette manière un accès à la lumière lui permettant de traverser la dense végétation tropicale environnante.

Lorsque Janzen éliminait les fourmis d'une plante en les empoisonnant ou en taillant les portions de la plante qui les abritait, l'arbre se développait très lentement et mourait en quelques mois à la suite des dégâts provoqués par les insectes et de l'ombrage des autres plantes. Par contre, les plantes occupées par les insectes se développaient très rapidement, atteignant bientôt une taille de 6 mètres au moins et surplombaient le reste de la végétation secondaire. Les fourmis du genre *Pseudomyrmex* ne font leurs nids que sur ces acacias et dépendent totalement de leurs nectaires et de leurs corpuscules de Belt pour leur

(a)

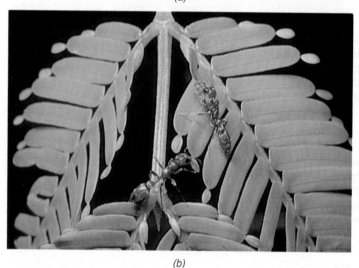

(b)

Figure 32-1

Fourmis et acacias. **(a)** Une ouvrière *(Pseudomyrmex ferruginea)* buvant à un nectaire d'acacia *(Acacia cornigera)*. À droite se trouve l'entrée de la loge creusée par la reine dans une épine. Après avoir vidé la loge, la reine y élève sa couvée. **(b)** Ouvrières récoltant des corpuscules de Belt à l'extrémité des folioles de l'acacia. Riches en protéine et huiles, ces corpuscules sont une source importante d'alimentation pour les adultes comme pour les larves. Les fourmis tuent les autres insectes qui tenteraient de se nourrir sur l'acacia et prélèvent un anneau d'écorce sur les plantes avec lesquelles il entre en contact.

nourriture. Le système fourmi-acacia est donc une entité biologique double tout autant qu'un lichen par exemple. Isolé, un des éléments de la communauté ne peut habituellement survivre sans l'autre.

Il y a concurrence lorsque plusieurs organismes exigent une même ressource présente en quantité limitée

Par définition, la **concurrence**, ou compétition, est une interaction entre membres d'une même population ou de plusieurs populations qui tentent de se procurer une même ressource essentielle qui n'est disponible qu'en quantité limitée. Dans la compétition, une espèce peut aller jusqu'à empêcher à une autre l'accès à cette ressource.

La vitesse de croissance est un facteur important de concurrence entre les plantes. Contrairement aux animaux, qui ingèrent leur nourriture, les plantes vertes ne disposent que d'un seul mécanisme pour se procurer leur énergie, c'est la photosynthèse. Chez les plantes, la concurrence se traduit donc en grande partie en termes de « lutte pour la lumière ». Dans un milieu particulier, les plantes possédant la croissance la plus rapide grâce à leur taux de photosynthèse, leur structure ou leur mode de répartition de l'énergie entre les feuilles, les racines et les tiges, seront souvent avantagées dans la compétition. Si leur croissance est plus lente, les plantes doivent soit pouvoir effectuer leur photosynthèse à faible intensité lumineuse, soit se développer ailleurs plus rapidement que d'autres concurrents. Sinon, ces plantes à croissance lente disparaîtront. L'évolution des plantes à photosynthèse C_4 et CAM (pages 147-149) est un exemple de ce type. Grâce à leurs propriétés physiologiques, ces plantes sont capables de prendre le dessus dans des zones climatiques où leurs ancêtres en C_3 auraient péri ou auraient été éliminés de la compétition par les espèces en C_4 ou CAM à croissance plus rapide.

Les différences dans la taille, la disposition des feuilles, la forme de la cime et la répartition de l'énergie entre les racines et les feuilles affectent la vitesse de croissance d'une plante par rapport aux concurrents potentiels. Différentes combinaisons de ces caractères peuvent améliorer la croissance dans des milieux différents ; il n'existe pas de combinaison unique capable de donner un concurrent qui soit le meilleur dans tous les milieux. En conséquence, la végétation des différentes zones climatiques est dominée par des plantes possédant des modes de croissance différents. Dans une zone donnée — en fait, à l'intérieur d'une seule formation, comme une forêt ou une prairie de région tempérée — les différences dans les modes de croissance, la physiologie de la photosynthèse et la répartition des ressources énergétiques permettent aux espèces de coexister en garantissant à chacune un avantage compétitif dans les différents microenvironnements.

Les moyens dont disposent les plantes individuelles pour améliorer leur développement général et donc pour être compétitives dans la recherche de la lumière, de l'eau et des éléments minéraux, sont la principale raison de leur succès dans des habitats différents. La connaissance de ces facteurs est donc essentielle si l'on veut améliorer la production dans des environnements rigoureux, relativement pauvres en éléments nutritifs ou en eau ou encore fortement ombragés. C'est pourquoi ces relations sont importantes pour l'agriculture. La connaissance de ces facteurs apportera en outre les informations qui permettront de prévoir les performances d'espèces ou de formations végétales particulières dans un monde en rapide mutation en raison du réchauffement global provenant de l'augmentation, dans l'atmosphère, des teneurs en CO_2 et d'autres gaz en grande partie attribuable aux activités humaines.

Le principe de l'exclusion compétitive constitue un point de départ pour étudier la concurrence. Il est plus facile de mettre en évidence la concurrence entre les espèces végétales en conditions expérimentales que dans la nature. En observant la croissance des organismes dans des milieux simples, on a constaté que deux espèces dont les exigences environnementales sont semblables ne peuvent coexister indéfiniment dans le même habitat. C'est une version simplifiée de ce que Garrett Hardin appelait le **principe de l'exclusion compétitive**. Une étude classique avait été faite sur deux espèces de lentilles d'eau, *Lemna polyrhiza* et *Lemna gibba*. En culture pure, *L.gibba* se développait toujours plus lentement que *L.polyrhiza* mais, lorsque les deux espèces étaient cultivées ensemble, *L.polyrhiza* était toujours supplantée par *L.gibba*. Les plantes de *L.gibba* possèdent des sacs remplis d'air leur permettant de former une masse qui flotte et

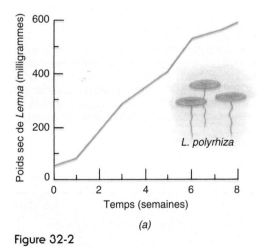
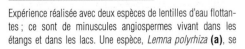
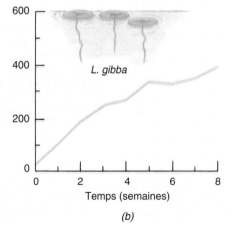
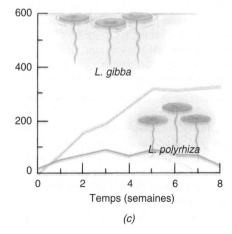

(a)   (b)   (c)

Figure 32-2

Expérience réalisée avec deux espèces de lentilles d'eau flottantes ; ce sont de minuscules angiospermes vivant dans les étangs et dans les lacs. Une espèce, *Lemna polyrhiza* **(a)**, se développe plus rapidement en culture pure que l'autre espèce, *Lemna gibba* **(b)**. Mais *L.gibba* possède de minuscules sacs aérifères lui permettant de flotter en surface. Lorsque les deux espèces sont réunies, *L.gibba* ombrage *L.polyrhiza* et sort victorieuse de la lutte pour la lumière **(c)**.

recouvre l'autre espèce en interceptant la lumière. En conséquence, en culture mixte, *L.polyrhiza* était ombragée et dépérissait (Figure 32-2).

Si le milieu est complexe, comme souvent dans la nature, les différents organismes peuvent s'y adapter par des moyens variés, en subdivisant en fait le milieu en microenvironnements particuliers où chacun peut être compétitif. La coexistence de ces différents organismes peut alors se poursuivre indéfiniment.

L'épicéa *Picea engelmannii* et le sapin *Abies lasiocarpa* par exemple constituent ensemble la formation arborescente prédominante dans la zone subalpine des Montagnes Rocheuses centrales et septentrionales. Des mesures précises effectuées sur le terrain suggèrent que ces deux espèces d'arbres se maintiennent comme codominantes dans cette zone. La longévité et la taille plus élevée de l'épicéa est contrebalancée par la croissance plus rapide du sapin et ses exigences plus souples lors de l'installation des plantules. On retrouve surtout des plantules d'épicéa dans les clairières ou sous la fûtaie des sapins, alors que les plantules de sapin sont plus fréquentes dans le sous-bois. Les plantules de sapin sont plus compétitives que celles de l'épicéa dans les sous-bois ombragés tout simplement parce qu'elles y survivent. D'autre part, les plantules d'épicéa sont mieux adaptées que celles du sapin aux stations plus ensoleillées en raison de leur croissance plus rapide et de leur moindre sensibilité à la sécheresse. Les perturbations constantes dues aux tempêtes, aux inondations et aux avalanches, et à d'autres facteurs encore, ainsi que la durée de vie relativement courte du sapin, ne lui permettent cependant pas d'occuper la totalité du territoire. Les exemples de ce type sont fréquents dans différentes formations végétales, mais ils ne sont pas toujours aussi évidents. Les exigences différentes des espèces empêchent une compétition directe et leur permettent de coexister indéfiniment.

Si les populations d'espèces concurrentes sont peu abondantes, leur exclusion compétitive peut être évitée, même si elles doivent en principe se disputer les mêmes ressources présentes en quantités limitées. Cette situation se rencontre dans les pelouses calcaires en Angleterre, où les graminées sont broutées à ras par les lapins. De nombreuses espèces d'angiospermes peuvent ainsi se développer dans ces stations. La diversité augmente lorsque les espèces les plus compétitives — les graminées et d'autres grandes herbes dans ce cas — sont préférentiellement attaquées. Cette éventualité permet la coexistence de nombreuses espèces de graminées de taille plus réduite et d'autres plantes herbacées. La situation s'est cependant considérablement modifiée au début de ce siècle lorsqu'une grave épidémie de myxomatose, maladie provoquée par un virus, a fortement réduit les populations de lapins. À la suite de cette régression, la couverture de graminées des sols crayeux est devenue plus haute et plus dense, et de nombreuses espèces d'angiospermes précédemment abondantes se sont raréfiées. On observe souvent les mêmes effets lorsqu'on compare des prairies ou des pelouses pâturées et non-pâturées, ainsi que des régions où les catastrophes naturelles, telles que les ouragans, sont fréquentes. On doit donc s'attendre à une plus grande diversité spécifique le long d'une côte battue par les vagues, où les perturbations sont plus continues, que dans un milieu plus stable.

La reproduction clonale peut compliquer les recherches sur la concurrence. La reproduction d'individus génétiquement identiques, ou reproduction clonale, est importante chez beaucoup de plantes et peut compliquer la définition des séparations entre les individus dans la nature. De ce fait, il peut être difficile d'évaluer les interactions compétitives entre les différents génotypes au sein d'une espèce. Des individus de même génotype peuvent être largement dispersés, mais aussi se rencontrer dans des milieux semblables très éloignés les uns des autres au sein d'un même habitat complexe. Ce comportement n'est pas seulement caractéristique des plantes vivaces rhizomateuses telles que beaucoup de graminées et de cypéracées, mais également des pissenlits et d'autres plantes dont les graines sont produites par voie asexuée et contiennent des embryons génétiquement identiques à leurs parents (Figure 32-3). C'est également typique de plantes, comme le trèfle rampant *(Trifolium repens)*, où une plante de départ se partage naturellement en individus distincts.

Figure 32-3

Le pissenlit est une des angiospermes les plus largement répandues. Ses fleurs produisent des quantités énormes de graines par apomixie, moyen de reproduction asexuée (page 255). Les graines sont incluses dans des fruits pourvus d'un appendice plumeux qui est emporté par le vent et facilite ainsi la dissémination. De cette manière, des individus génétiquement identiques peuvent se retrouver dans des milieux très éloignés les uns des autres, et il est donc difficile de déterminer les limites des individus. Les individus génétiquement distincts sont beaucoup moins nombreux dans la population que si la reproduction du pissenlit était sexuée.

CONCURRENCE POUR LA LUMIÈRE

La hauteur et la disposition des feuilles des plantes forestières herbacées sont remarquablement diverses. Le feuillage de certaines espèces, telles que les *Goodyera (a)* reste au niveau ou à proximité du sol. D'autres, par exemple les trilliums (voir figures 1-6b et 33-19a) et le sang-dragon, ont des feuilles situées à 20 à 50 centimètres au-dessus du sol. D'autres encore, comme une impatiente, étalent leur feuillage à un mètre au moins du sol. La plupart des herbes forestières possèdent des cimes étalées en parasol, mais certaines ont des feuilles en étages superposés le long d'une tige érigée et quelques-unes possèdent un feuillage dense réparti sur une tige recourbée. Que signifie cette diversité et quel est son rapport avec la répartition des espèces ?

Les recherches récentes de Thomas Givnish, de l'Université du Wisconsin à Madison, ont clarifié certains de ces aspects. Il ressort de son analyse que la hauteur du feuillage d'une plante herbacée peut influencer sa croissance — et donc sa supériorité concurrentielle — vis-à-vis de ses commensaux principalement pas sa capacité d'absorber la lumière et ainsi d'accaparer l'énergie. Les hautes herbes captent plus de lumière que les basses, mais dépensent une plus grande partie de leur énergie photosynthétique annuelle pour élaborer des tiges qui ne produisent rien au détriment de feuilles productives. Au cours de leur évolution, les herbes auraient produit des tiges de plus en plus hautes jusqu'au moment où l'avantage procuré par la grande taille a été compensé par un développement déficitaire dû à une trop faible attribution d'énergie au feuillage. Lorsque le couvert végétal est faible, les plantes n'ont guère intérêt à grandir et à « gaspiller » de grandes quantités d'énergie au profit des tiges : les plantes bas-

ses sont avantagées parce qu'elles sont mieux adaptées pour capter la lumière. Il existe effectivement des arguments en faveur de ces propositions. Les espèces de grande taille — comme l'impatiente, la grande ortie, de nombreux asters et les solidages *(b)* — forment souvent des populations denses sous des couverts peu denses, en particulier dans les plaines alluviales humides et fertiles. On retrouve les espèces de petite taille — comme les *Goodyera* et les pyroles — dans les sousbois ouverts, particulièrement dans les chênaies sèches et peu fertiles.

Une curieuse variante parmi les plantes herbacées forestières est la forme recourbée. Les espèces dont les feuilles sont groupées le long de tiges arquées sont moins efficaces que les herbes étalées en parasol, étant donné

qu'elles ont besoin de plus de tissu caulinaire pour élever la même masse de feuilles à une certaine hauteur au-dessus du sol. Sur les pentes raides, cependant, ces plantes sont avantagées parce qu'elles pendent vers le bas ; de ce fait, les plantes érigées enracinées en bas de pente doivent avoir des tiges plus longues pour amener leurs feuilles au même niveau. Comme prévu de nouveau, dans les forêts vierges, la prédominance des plantes recourbées augmente fortement sur les pentes qui dépassent environ 20 degrés.

Ces constatations illustrent le principe général selon lequel des milieux différents conviennent à des modes de croissance et à des répartitions d'énergie différents : l'adaptation des plantes et leur succès compétitif dépendent étroitement des conditions dans lesquelles elles vivent.

(a)

(b)

Certains organismes produisent des substances chimiques qui inhibent la croissance des autres. La pénurie d'une ressource commune, comme la lumière ou l'eau, n'est pas le seul mécanisme de concurrence entre les plantes. Dans certaines interactions compétitives, l'un des organismes (ou les deux) produit des substances chimiques qui empêchent la croissance soit des individus de la même espèce, les espaçant ainsi plus largement, soit des individus d'autres espèces. *Penicillium chrysogenum*, par exemple, est un champignon qui se développe sur des substrats organiques tels que les graines, et produit dans la nature des quantités importantes de pénicilline. La pénicilline empêche le développement des bactéries Gram positif qui pourraient en son absence disputer les mêmes substances alimentaires au champignon. Les bactéries qui produisent des pénicillinases (enzymes décomposant la pénicilline), comme par exemple *Bacillus cereus*, prennent cependant souvent la place du *Penicillium*.

Chez les plantes, les relations de ce genre sont réunies sous l'appellation générale d'**allélopathie**. L'influence du noyer noir *(Juglans nigra)* sur les autres plantes, très clairsemées sous ces arbres, est un excellent exemple de ce phénomène. Les tomates *(Lycopersicon esculentum)* et la luzerne *(Medicago sativa)* fanent lorsqu'elles sont cultivées près du noyer et leurs plantules meurent si leurs racines arrivent en contact avec celles de cet arbre. De même, le pin Weymouth *(Pinus strobus)* et le robinier *(Robinia pseudoacacia)* sont souvent éliminés par des noyers croissant au voisinage. C'est particulièrement le cas dans les sols mal drainés, où les substances toxiques produites par les noyers semblent s'accumuler. Les surfaces dénudées entourant les buissons d'une sauge *(Salvia leucophylla),* en Californie, (Figure 32-4) peuvent également provenir en partie d'influences allélopathiques, bien que les oiseaux et les rongeurs qui s'abritent dans ces buissons exercent aussi une influence importante sur les distributions observées.

Il est possible d'utiliser les influences allélopathiques dans la pratique agricole. Par exemple, une ligne qui a été plantée en sorgho ne sera envahie par les mauvaises herbes que deux à quatre fois moins que les autres lignes au cours de la saison culturale suivante. Il est évident que le sorgho libère dans le sol des composés allélopathiques qui réduisent la croissance des mauvaises herbes.

Divers mécanismes de défense interviennent dans les interactions plantes-herbivores et plantes-organismes pathogènes

Nous avons déjà envisagé un aspect important des interactions entre les plantes et les herbivores chez les angiospermes — les relations entre les fleurs et leurs visiteurs, de même qu'entre les fruits et les animaux qui les disséminent (voir chapitre 22). Ces interactions spécialisées sont apparues au cours de l'évolution à partir de relations plus générales existant entre les plantes et les animaux qui les consomment. Les rapports entre les plantes et les agents pathogènes, en particulier les champignons et les bactéries, ont des effets semblables.

La connaissance des interactions entre plantes et herbivores peut avoir des applications importantes pour déterminer l'organisation des communautés naturelles. À une certaine époque par exemple, de vastes étendues, en Australie, ont été couvertes de massifs épineux de cactus *(Opuntia),* introduits d'Amérique Latine. Des terrains fertiles sont devenus inaptes au pâturage et l'économie de vastes régions de l'intérieur a été gravement affectée. Le cactus a pratiquement été éliminé aujourd'hui par un papillon *(Cactoblastis cactorum)* découvert en Amérique du Sud et introduit délibérément en Australie pour contrôler le cactus. Les chenilles du papillon détruisent les cactus en les consommant. Abondant à une certaine époque, ce papillon ne peut se retrouver aujourd'hui qu'en inspectant soigneusement les massifs de cactus qui subsistent ; il ne fait cependant pas de doute qu'il continue à exercer son contrôle sur les populations de la plante (Figure 32-5).

Les plantes produisent des substances toxiques en réaction aux herbivores. Les herbivores ont une forte influence sur les plantes, à court comme à long terme. Ils limitent leur potentiel de reproduction en détruisant leurs surfaces photosynthétiques, leurs organes de réserve ou leurs structures reproductrices. Comme on l'a vu au chapitre 22, ces interactions ont abouti, au cours du temps, à l'évolution de toute une série de défenses chimiques chez les plantes — sous forme de molécules habituellement appelées métabolites secondaires. La capacité de certaines plantes de produire des substances toxiques et

Figure 32-4

Les buissons d'une sauge *(Salvia leucophylla)* produisent des terpènes volatils qui diffusent dans l'atmosphère pour retomber finalement sur le sol, où ils empêchent le développement des autres plantes. Sur cette photo aérienne, on voit distinctement la zone dénudée entourant les buissons individuels et les colonies de *Salvia.* On voit une zone complètement dénudée au pied des buissons, puis une zone de pelouse claire où sont disséminées quelques herbes annuelles rabougries.

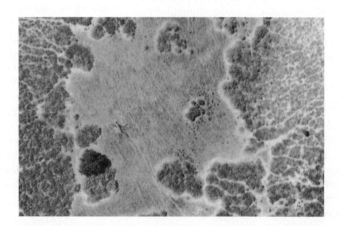

Figure 32-5

Interaction plante-herbivore. **(a)** Touffe compacte de cactus *(Opuntia inermis)* dans une pâture du Queensland (Australie) en novembre1926 ; **(b)** la même pâture en octobre 1929, après la destruction des cactus par le lépidoptère *Cactoblastis cactorum*, introduit intentionnellement d'Amérique du Sud. Après une première introduction en mai 1925, les chenilles de ce papillon ont détruit les cactus sur plus de 120 millions d'hectares de pâturages.

(a)   *(b)*

de les conserver dans leurs tissus leur confère un énorme avantage compétitif. Ces substances paraissent en effet constituer les principaux facteurs permettant de contrôler les insectes herbivores dans la nature. Cet avantage est comparable à celui, peut-être plus évident, constitué par des aiguillons ou des feuilles dures et coriaces empêchant le broutage par les herbivores. Les scientifiques qui cherchent à améliorer la résistance des plantes cultivées à l'égard des herbivores s'intéressent beaucoup à ces substances chimiques.

Dans la mer, l'évolution a procuré des défenses comparables à de nombreuses algues. Ces algues marines sont consommées par de nombreux herbivores différents : poissons, oursins, mollusques et autres animaux ; dans certains habitats, pratiquement toute la biomasse est finalement consommée. Pour échapper à ces herbivores, certaines algues se développent dans des fissures, des cavernes ou d'autres habitats que les herbivores ne peuvent atteindre. Les algues marines comestibles peuvent se protéger en se développant en mélange avec d'autres espèces qui possèdent une protection chimique. De nombreuses algues produisent des défenses chimiques qui repoussent les herbivores, alors que d'autres (par exemple les algues rouges calcifiées) peuvent être trop dures pour être consommées. Autrement dit, l'éventail des défenses mises en œuvre par les algues marines contre les herbivores est pratiquement aussi large que chez les angiospermes terrestres.

Les interactions plantes-herbivores et plantes-agents pathogènes peuvent être très complexes. Les plantes de pois *(Pisum sativum)* sont bien protégées contre les champignons parasites par une substance qu'elles produisent, appelée pisatine. De nombreuses souches d'un important champignon parasite, un *Fusarium*, possèdent cependant des enzymes appelées monooxygénases qui transforment la pisatine en une substance moins toxique. Ces enzymes permettent aux champignons de s'attaquer au pois. L'homme utilise également

des monooxygénases pour détoxifier certaines substances chimiques dangereuses pour l'organisme. C'est ainsi que la « guerre chimique » ne s'arrête jamais entre les plantes et les herbivores.

Les substances chimiques protectrices produites par les plantes n'ont pas seulement un goût repoussant, mais elles peuvent encore posséder d'autres caractéristiques qui écartent les herbivores. Les chromènes peuvent par exemple interférer avec l'hormone juvénile des insectes (indispensable pour compléter leur cycle de développement) et agir de la sorte comme de véritables insecticides. Une composée mexicaine *(Helenium sp.)* produit de l'hélénaline, dont l'action répulsive sur les insectes est très puissante. Le pyrèthre est un autre insecticide naturel produit commercialement à partir d'une espèce de *Chrysanthemum*. La surface cireuse des feuilles elles-mêmes, difficile à digérer, peut jouer un rôle important en retardant les attaques des insectes et des champignons (voir figure 2-12).

Les phytoalexines sont des molécules produites en réaction aux attaques des microorganismes. Lorsqu'elles sont infectées par des champignons ou des bactéries, les plantes se défendent souvent en produisant des antibiotiques naturels appelés **phytoalexines** (page 32). Ce sont des composés proches des lipides, dont la synthèse peut également être stimulée par les blessures produites aux feuilles. Leur production semble être une réponse à la présence de molécules glucidiques spécifiques, des **éliciteurs**, présentes dans les parois des champignons et des bactéries. Les éliciteurs sont libérés de ces parois cellulaires par des enzymes présentes dans les plantes agressées et diffusent à travers les cellules végétales un peu à la façon des hormones. Ils s'unissent finalement à des récepteurs spécifiques situés sur les membranes plasmiques des cellules de la plante, entraînant des modifications du métabolisme qui aboutissent à la production des phytoalexines.

PESTICIDES ET ÉCOSYSTÈMES

On produit chaque année environ 500 millions de tonnes de pesticides et d'herbicides destinés aux cultures, rien que pour les États-Unis. On a estimé qu'un pour-cent seulement de cette énorme quantité atteint les organismes visés. La majeure partie du reste aboutit au sol, à l'eau ou à des organismes non-visés de l'écosystème, ou encore se répand dans les écosystèmes voisins, où elle peut entraîner de graves nuisances. Ces résidus peuvent provoquer, par exemple, l'élimination de certaines espèces et la perte de ces espèces peut affecter le fonctionnement de l'ensemble de l'écosystème ou aboutir indirectement à l'élimination d'autres espèces. L'abondance de décomposeurs importants, comme les vers de terre et d'autres organismes du sol, peut être fortement réduite par les pesticides et les herbicides, de telle sorte que le fonctionnement de l'ensemble de l'écosystème est perturbé. L'importance de ces effets dépend de la toxicité des produits et de leur persistance dans le milieu.

Un des problèmes liés à certains polluants est leur tendance à se concentrer au cours de leur passage par les chaînes alimentaires : ils atteignent ainsi leurs concentrations maximales chez les prédateurs situés au sommet de la pyramide *(a)*. Les hydrocarbures chlorés par exemple, comme le DDT (dont on interdit aujourd'hui l'utilisation aux États-Unis, mais malheureusement pas la fabrication ni l'exportation, et dont l'application reste permise dans de nombreux autres pays industrialisés), se concentrent dans les tissus des oiseaux rapaces et rend la coquille de leurs œufs anormalement mince. La coquille de ces œufs peut se briser avant l'éclosion des poussins et entraîner leur mort *(b)*. En outre, de nombreuses souches d'insectes, bactéries et champignons sont devenues résistantes aux pesticides destinés à les contrôler. Sur 2000 espèces d'insectes considérés comme très nuisibles, environ un quart ont déjà produit des souches résistantes à un ou plusieurs insecticides. De même, plusieurs espèces de mauvaises herbes sont devenues résistantes aux herbicides.

D'autres conséquences sont moins directes. Il est possible qu'une espèce de prédateur qui contrôle naturellement les populations d'une espèce nuisible soit éliminée par un pesticide, entraînant la prolifération des organismes nuisibles que les substances chimiques utilisées étaient à l'origine sensées contrôler. Comme conséquence de la plupart des activités humaines, l'application des pesticides a pour effet de réduire la diversité de l'écosystème affecté. Néanmoins, l'agriculture moderne, dont le but est le rendement, repose en grande partie sur l'application de ces substances utiles.

En raison des conséquences souvent catastrophiques de l'application des pesticides et des herbicides, les scientifiques tentent cependant de mettre au point des méthodes moins dommageables permettant d'améliorer la production agricole, comme la sélection de plantes cultivées résistantes aux agents pathogènes (les méthodes d'ingénierie génétique décrites au chapitre 28 seront particulièrement utiles pour répondre à cet objectif) et la recherche de pesticides et d'herbicides moins toxiques et moins persistants que ceux qui sont utilisés actuellement. Le contrôle des pathogènes par des systèmes intégrés est également étudié : il implique une combinaison de plusieurs mesures combinant, par exemple, la création de conditions favorables aux prédateurs et aux maladies des espèces pathogènes et une application judicieuse des pesticides.

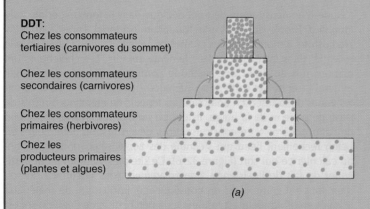

DDT :
Chez les consommateurs tertiaires (carnivores du sommet)

Chez les consommateurs secondaires (carnivores)

Chez les consommateurs primaires (herbivores)

Chez les producteurs primaires (plantes et algues)

(a)

(b)

(a) Concentration des résidus de DDT aux différents niveaux d'une chaîne alimentaire simple. La concentration en DDT augmente au cours du passage par la chaîne, elle est la plus forte chez les carnivores.

(b) Cet embryon mort de faucon pélerin, presque complètement développé, accompagnait deux œufs non-fécondés brisés dans un nid trouvé dans le sud-ouest de l'Écosse en mai 1971. On ignore si la mort du jeune faucon est une conséquence directe des hautes teneurs de DDT dans son organisme ou le résultat de l'écrasement de la coquille. Les oiseaux qui se situent au sommet des chaînes alimentaires, comme le faucon pélerin, l'orfraie et l'aigle chauve, sont les principales victimes. Après l'interdiction du DDT dans de nombreux pays, on a observé un renouvellement spectaculaire des populations de ces trois espèces.

Il serait en principe possible de pulvériser des éliciteurs sur les plantes cultivées avant leur infection et donc de les protéger contre les champignons et les bactéries pathogènes. Ce traitement serait comparable à la vaccination de l'homme et des animaux domestiques. Il existe cependant un risque possible : le coût énergétique de la production de grandes quantités de phytoalexines pourrait réduire le rendement final de la plante plus que l'infection fongique ou bactérienne. Un avantage naturel des phytoalexines est que la plante ne doit pas dépenser l'énergie nécessaire à leur production tant qu'elle n'est pas effectivement attaquée. Pour pouvoir protéger les plantes cultivées, il est cependant très important de comprendre comment sont produites les phytoalexines dans les plantes et plusieurs éliciteurs synthétiques ont déjà été produits et testés. La manipulation des gènes de résistance, aujourd'hui possible grâce aux techniques d'ingénierie génétique (décrites au chapitre 28) offre également de nouvelles perspectives d'amélioration de la résistance des plantes cultivées sans entraîner de grosses dépenses énergétiques.

Les tanins fournissent une défense chimique statique. Alors que certaines plantes produisent des phytoalexines, d'autres produisent des tanins et d'autres substancs phénoliques (pages 34-37), et ces substances semblent jouer le même rôle dans la nature. Les tanins constituent généralement des défenses statiques, présentes en permanence dans les portions de plante où elles se rencontrent. Dans certains cas cependant, ils peuvent être produits par la plante à la suite d'une agression. Lorsqu'un papillon *(Lymantria dispar)* attaque et détruit le feuillage des chênes *(Quercus* spp.) par exemple, les arbres produisent de nouvelles feuilles beaucoup plus riches en tanins et autres produits phénoliques qu'habituellement. Les nouvelles feuilles produites dans ces conditions sont également plus coriaces et contiennent moins d'eau que celles qu'elles remplacent. Les différences sont effectivement suffisantes pour réduire la croissance des larves qui se nourrissent de ces nouvelles feuilles et pour diminuer ainsi le niveau de prolifération ultérieure du papillon. Les tanins semblent agir sur la digestion des insectes en se combinant aux protéines végétales et en les rendant inassimilables. Les mêmes effets sont également fréquents chez d'autres plantes. Par exemple, lorsque le lièvre des neiges broute intensivement certains arbres et arbustes comme, par exemple le bouleau à papier *(Betula papyrifera)*, ces plantes produisent de nouveaux rejets beaucoup plus riches en résines et composés phénoliques que les premiers rameaux.

Les métabolites secondaires ingérés par les herbivores peuvent à leur tour intervenir dans leurs relations avec les autres animaux. Certains insectes par exemple, comme le papillon monarque, emmagasinent ces poisons dans leurs tissus et sont ainsi protégés contre leurs prédateurs (voir figure 2-28). En outre, certaines plantes consommées par les insectes leur confèrent une attraction sexuelle olfactive.

Considérées dans leur ensemble, les interactions existant à l'intérieur d'une communauté sont incroyablement complexes. Les organismes qui en font partie ont souvent évolué ensemble. Au sein de la communauté, ils s'influencent mutuellement par des voies d'une diversité sans fin et les scientifiques commencent seulement à saisir la signification de quelques-unes d'entre elles.

Le cycle des substances nutritives

Les écosystèmes ont la propriété de réguler le flux d'énergie dont l'origine est le soleil et de contrôler le cycle des substances nutritives. Nous allons examiner certains aspects de ces propriétés dans les dernières pages de ce chapitre.

Un écosystème est plus ou moins autosuffisant au niveau de son alimentation. Une des principales raisons de cette autonomie est le recyclage continu des éléments chimiques entre les organismes et le milieu. Les voies suivies par certains de ces éléments essentiels, les cycles des éléments nutritifs, ont été envisagées au chapitre 30. En théorie, rien ne se perd, la masse de ces éléments se renouvelle constamment et reste continuellement à la disposition des organismes pour leur croissance. L'importance du flux venant du pool inorganique vers les organismes vivants et vice-versa, la quantité de matériel disponible dans le pool inorganique et la constitution de ce dernier peuvent prendre des formes variées pour chacun des nutriments et pour les différents habitats.

Si l'on considère les interactions existant entre les organismes, on constate aisément que la concurrence pour les éléments nutritifs doit être fréquente. Dans certains cas, cette concurrence est devenue telle que les organismes tirent profit de leurs interactions de mutualisme, par exemple en produisant des mycorhizes, un partenaire assumant alors la responsabilité de fournir des aliments à l'autre.

Des expériences classiques sur le recyclage des éléments nutritifs ont été menées à Hubbard Brook

L'étude d'un écosystème de forêt décidue dans la forêt expérimentale Hubbard Brook de la White Mountain National Forest, au New Hampshire, a montré que les plantes de cette formation jouent un rôle essentiel dans la rétention des éléments nutritifs. Les chercheurs ont d'abord mis au point une méthode permettant d'estimer le budget minéral — entrée et sortie, ou « bénéfice » et « perte » — de différentes zones de la forêt. En analysant les teneurs en éléments nutritifs de l'eau de pluie et de la neige, ils ont pu estimer les entrées provenant de l'atmosphère et, en construisant des déversoirs, ou débitmètres en béton recueillant l'eau qui s'écoule des zones sélectionnées, ils ont pu calculer ce qui sort (Figure 32-6). Ce site présentait un atout particulier du fait de l'existence, immédiatement sous la surface du sol, d'un sous-sol granitique ; en conséquence, la quantité de matériaux lessivés en profondeur est minime et la percolation de l'eau du sol est limitée. En outre, la roche sous-jacente est très résistante et sa dissolution n'apporte que très peu d'éléments nutritifs.

Les chercheurs ont constaté que la forêt naturelle conservait ses éléments minéraux avec une très grande efficacité. La perte nette annuelle en calcium de l'écosystème était par exemple de 9,2 kilogrammes par hectare, ce qui ne représente que 0,3% environ de la quantité de calcium présente dans le système.

ensuite transformés en nitrates, forme d'azote habituellement assimilée par les plantes. En l'absence de toute végétation cependant, les ions nitrate n'étaient pas retenus dans le sol. La perte nette en azote atteignit 120 kilogrammes par hectare et par an de 1966 à 1968. On a constaté une conséquence secondaire : le cours d'eau drainant la parcelle a été pollué par les nitrates et a été envahi par les algues. La concentration en nitrate du ruisseau a dépassé les niveaux admis pour une eau potable par l'U.S. Public Health Service.

L'azote n'est pas toujours éliminé aussi rapidement des écosystèmes forestiers perturbés. Dans l'expérience de Hubbard Brook, on a empêché la reprise de la végétation par l'application d'herbicide, empêchant ainsi toute récupération. Ces résultats représentent donc la perte maximale possible. Les pertes locales réelles en azote sont plus ou moins importantes suivant les particularités du cycle de l'azote dans la forêt avant son remaniement. Si les microorganismes de l'écosystème pouvaient par exemple utiliser une partie importante de l'azote libéré par la coupe à blanc, les pertes provoquées par la perturbation seraient moindres que celles qui ont été mesurées à Hubbard Brook.

Les niveaux trophiques

Outre ses composants *physiques* (non-vivants), l'écosystème comprend aussi deux classes de composants *biotiques* (vivants) — autotrophes et hétérotrophes. Les autotrophes sont principalement des organismes photosynthétiques, capables d'utiliser l'énergie lumineuse pour élaborer leur propre nourriture ; ce sont les **producteurs primaires.** Les autotrophes comprennent les plantes vertes, les algues et les bactéries autotrophes. Ne pouvant élaborer leur propre nourriture, les hétérotrophes utilisent les molécules organiques synthétisées par les autotrophes. Il existe, parmi les hétérotrophes, plusieurs niveaux d'alimentation, ou **niveaux trophiques** : les **consommateurs primaires,** ou **herbivores** — animaux qui se nourrissent de plantes vivantes, les **consommateurs secondaires**, parasites et carnivores — animaux qui se nourrissent d'autres animaux — et les **décomposeurs** — champignons, bactéries et petits animaux divers qui décomposent la matière organique contenue dans les autres organismes. Les trois niveaux existent dans la plupart des écosystèmes.

Dans un écosystème donné, les organismes appartenant à chacun des niveaux trophiques constituent ce que l'on appelle une **chaîne alimentaire**. Les rapports entre les organismes d'une chaîne alimentaire contrôlent le flux d'énergie et d'éléments nutritifs au travers de l'écosystème. La longueur et la complexité de ces chaînes alimentaires varient dans une large mesure. Un organisme dispose en général de plusieurs sources de nourriture et il constitue lui-même une proie pour plusieurs organismes différents. Dans la plupart des cas, on se rapproche plus de la réalité en parlant de **réseau alimentaire** (Figure 32-7). La complexité des relations trophiques a plusieurs conséquences importantes pour les propriétés générales de cet écosystème.

Figure 32-6

Un débitmètre dans la forêt expérimentale Hubbard Brook, au New Hampshire. On a récolté l'eau provenant de chacun des six écosystèmes expérimentaux par des débitmètres installés à la sortie des bassins versants et les éléments chimiques y ont été analysés. Les arbres et les arbustes ont été abattus dans le vallon situé en amont de ce déversoir. Ces expériences ont montré que la déforestation perturbait le cycle interne des éléments nutritifs assuré par les divers organismes vivants dans l'écosystème et en augmentait fortement les pertes.

L'écosystème accumulait en fait environ 2 kilogrammes d'azote par an. Le bénéfice net du système était semblable, mais un peu plus faible, pour le potassium.

À Hubbard Brook, on a testé la régulation biologique du cycle des éléments par l'expérience suivante. Au cours de l'hiver 1965-1966, tous les arbres, baliveaux et arbustes d'une parcelle de 15,6 hectares ont été abattus dans un petit bassin versant de la forêt. On n'a cependant pas enlevé la matière organique et le sol n'a pas été remanié. Au cours du printemps suivant, on a pulvérisé un herbicide sur la parcelle afin d'empêcher la reprise de la croissance. Pendant quatre mois, de juin à septembre 1966, la quantité d'eau s'écoulant de la parcelle a été quatre fois plus importante que les années précédentes. Les pertes nettes en calcium et potassium furent environ 20 fois plus élevées que dans la forêt intacte. Le cycle de l'azote fut le plus perturbé. Les tissus des plantes et des animaux morts ont continué à se décomposer en ammoniac et ions ammonium que les bactéries nitrificatrices ont

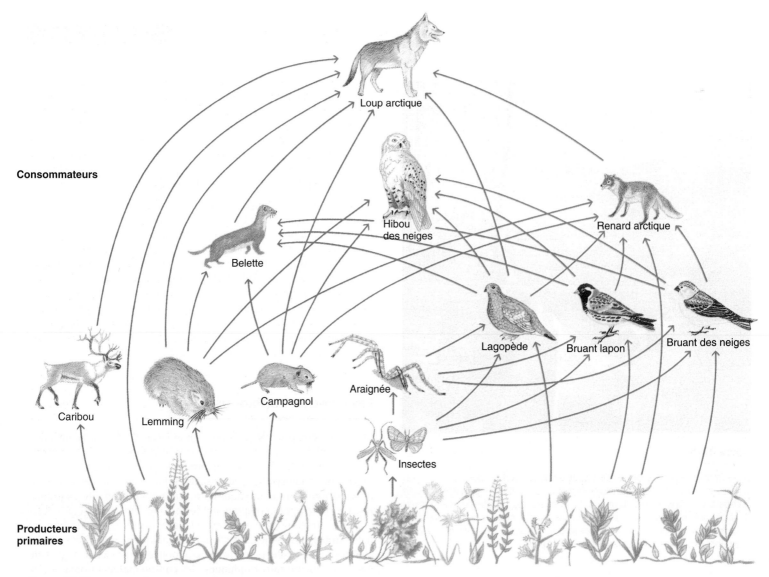

Producteurs primaires

Consommateurs

Loup arctique

Hibou des neiges

Belette

Renard arctique

Lagopède

Bruant lapon

Bruant des neiges

Araignée

Caribou

Lemming

Campagnol

Insectes

Figure 32-7

Schéma d'un réseau alimentaire dans la toundra arctique au cours du printemps et de l'été. Les flèches indiquent la direction du flux d'énergie. Ce réseau alimentaire est très simplifié. En réalité, de nombreuses autres espèces végétales et animales en font partie. Les champignons, les bactéries et d'autres petits animaux intervenant comme décomposeurs (non représentés ici) jouent également un rôle important dans les réseaux alimentaires.

Le flux d'énergie traversant les écosystèmes n'est pas cyclique, mais linéaire

Dans un écosystème, le flux d'énergie débute normalement par la capture de l'énergie solaire au cours de la photosynthèse et son utilisation dans la synthèse des molécules glucidiques. Le parcours de l'énergie dans les écosystèmes n'est pas cyclique ; il passe plutôt des autotrophes (généralement des organismes photosynthétiques, c'est-à-dire les plantes, les algues et certaines bactéries) aux consommateurs (animaux et protistes hétérotrophes), puis aux décomposeurs. À chaque étape, la majeure partie de l'énergie se dissipe sous forme de chaleur et est finalement perdue dans l'espace sous forme de rayons infrarouges.

Une très grande quantité de **biomasse** est produite sur terre chaque année (« Biomasse » est un raccourci pratique pour désigner la matière organique.) On estime actuellement la production annuelle

de biomasse sur la terre à quelque 200 milliards de tonnes. Ce chiffre énorme ne doit pas cacher la faible efficacité des organismes photosynthétiques dans la transformation de l'énergie solaire en composés organiques. En général, moins d'un pour-cent de la lumière incidente est utilisée par les plantes pour la photosynthèse (voir chapitre 5). Des zones de végétation particulièrement productives et certains systèmes aquatiques peuvent cependant transformer jusqu'à 3 % du rayonnement solaire incident annuel en énergie chimique.

Seule une petite fraction de l'énergie disponible passe d'un niveau trophique au suivant. La consommation par un herbivore de la matière organique produite par les plantes libère de l'énergie. La plus grande partie de cette énergie est perdue sous forme de chaleur et une fraction de la matière organique consommée est transformée en tissu animal. En général, moins — et souvent beaucoup moins — de 20 % de l'énergie utilisable (énergie potentielle) de la plante s'incorpore à la masse de l'herbivore ; le reste est perdu par la respiration. On retrouve le même rapport entre bénéfices et pertes à chacun des niveaux successifs. En supposant donc que les plantes utilisent chaque jour en moyenne 1500 kilocalories d'énergie lumineuse par mètre carré de surface terrestre, un pour-cent environ (comme on vient de le voir), soit 15 kilocalories, est incorporé aux tissus végétaux. De cette quantité, 10 % peut-être, soit 1,5 kilocalorie sont incorporés aux organismes des herbivores qui se nourrissent des plantes, et 10 % de cette énergie, soit 0,15 kilocalorie, sont incorporés aux organismes des carnivores qui se nourrissent aux dépens des herbivores.

Pour donner un exemple concret, Lamont Cole, de l'Université Cornell, a effectué une étude sur le lac Cayuga, proche du campus de cette université dans l'Etat de New York ; il a calculé que, sur 1000 kilocalories d'énergie lumineuse utilisées par les algues du lac, 150 environ se retrouvent dans les petits animaux aquatiques. De ces 150 kilocalories, 30 se retrouvent dans de petits poissons, des éperlans. En mangeant ces poissons, nous gagnerions environ 6 kilocalories sur les 1000 utilisées à l'origine par les algues. Mais si les truites consomment les éperlans et si nous mangeons ensuite les truites, nous ne disposerons que de 1,2 kilocalorie environ sur les 1000. Les éperlans sont beaucoup plus abondants et représentent une partie beaucoup plus importante de la biomasse du lac Cayuga que les truites. Nous disposons donc d'une plus grande partie de l'énergie initiale si nous mangeons les éperlans plutôt que les truites qui s'en nourrissent ; nous considérons cependant la truite comme un luxe et les éperlans comme une nourriture beaucoup moins agréable. En cas de famine, on ne pourrait admettre la perte de 90 % de l'énergie par la consommation des plantes par les animaux ; dans ces conditions, nous devrions devenir herbivores afin de conserver la plus grande quantité de nourriture possible.

Les chaînes alimentaires sont généralement limitées à trois ou quatre chaînons ; la quantité d'énergie subsistant au bout d'une chaîne alimentaire plus longue est tellement minime qu'elle ne peut suffire qu'à un nombre limité d'organismes. La taille de l'organisme peut également jouer un rôle dans la structure des chaînes alimentaires. La taille d'un animal constituant un chaînon, par exemple, doit en général être suffisante pour lui permettre de capturer sa proie dans le chaînon qui le précède dans la chaîne alimentaire (quoique de petits insectes se nourrissent de grands arbres !) En fin de compte, la plus grande partie de la biomasse de l'écosystème est utilisée par des décomposeurs tels que les champignons et les bactéries.

On peut en général décrire les écosystèmes par des pyramides d'énergie, de biomasse et de nombres d'individus. En raison des rapports dont il vient d'être question, l'énergie totale d'un écosystème diminue en général fortement aux niveaux trophiques successifs, aboutissant à une sorte de relation qui peut être représentée par une « pyramide d'énergie » (Figure 32-8). Cette relation ne pourrait persister qu'en cas de renouvellement rapide des producteurs primaires, comme les algues du lac. Le taux de renouvellement devient alors le facteur limitant et l'énergie totale présente à ce niveau peut être relativement faible à tout moment.

Une relation semblable caractérise la masse et aboutit à considérer des « pyramides de biomasse ». La plupart des pyramides de biomasse ont la forme d'une pyramide dressée, comme celle de la figure 32-9a, que la taille des producteurs soit grande ou petite. Les pyramides de biomasse ne sont inversées que si les producteurs se reproduisent très rapidement. Dans l'océan par exemple, la quantité de phytoplancton

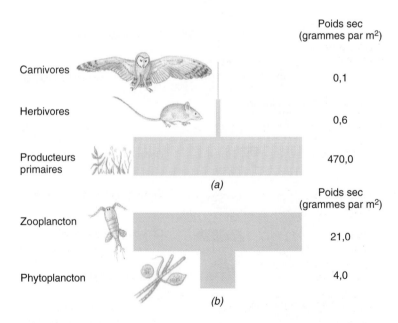

Figure 32-9

Pyramides de biomasse pour **(a)** les plantes et les animaux d'un champ cultivé en Géorgie et **(b)** le plancton dans la Manche. Ces pyramides représentent la masse existant à un moment donné. Le rapport apparemment paradoxal entre la biomasse du phytoplancton et celle du zooplancton provient du fait que la reproduction très rapide de la petite population de phytoplancton suffit à alimenter une grande population de zooplancton.

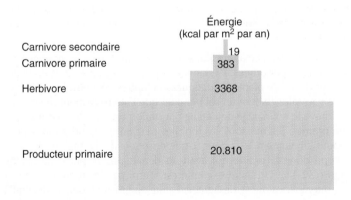

Figure 32-8

Pyramide du flux d'énergie dans un écosystème de rivière en Floride. Une proportion relativement faible de l'énergie du système est transférée à chaque niveau trophique. La plus grande partie de l'énergie est utilisée pour le métabolisme et se mesure en chaleur (en kilocalories) perdue par la respiration.

peut être inférieure à la biomasse du zooplancton qui s'en nourrit (Figure 32-9b). La reproduction de la population de phytoplancton étant aussi rapide ou plus rapide que sa consommation par le zooplancton, une biomasse limitée de phytoplancton peut être suffisante pour nourrir une biomasse importante de zooplancton.

En général, les individus sont aussi beaucoup plus nombreux aux niveaux trophiques inférieurs qu'aux niveaux supérieurs, ce qui aboutit à une « pyramide numérique ». La figure 32-10a montre par exemple une pyramide des nombres d'individus pour un écosystème de prairie. Dans ce type d'écosystème, les producteurs primaires (les plantes de graminées) sont de petite taille et ils doivent être nombreux pour nourrir les consommateurs primaires (les herbivores). Dans un écosystème où les producteurs primaires sont de grande taille (par exemple des arbres), un producteur peut nourrir de nombreux herbivores, comme le montre la figure 32-10b.

De même que les pyramides de biomasse, les pyramides des nombres ne représentent que la quantité de matière organique présente à un moment donné. Elles ne donnent aucune indication sur la quantité totale de matière produite ni, comme le font les pyramides d'énergie, sur la vitesse de leur production.

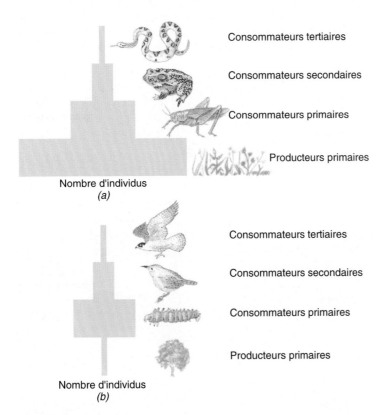

Consommateurs tertiaires

Consommateurs secondaires

Consommateurs primaires

Producteurs primaires

Nombre d'individus
(a)

Consommateurs tertiaires

Consommateurs secondaires

Consommateurs primaires

Producteurs primaires

Nombre d'individus
(b)

Figure 32-10

Pyramide des nombres d'individus pour **(a)** un écosystème prairial, caractérisé par un grand nombre de producteurs primaires (les plantes de graminées) et **(b)** une forêt tempérée, où un seul producteur primaire, un arbre, peut entretenir un grand nombre d'herbivores.

On peut envisager un aspect pratique du flux d'énergie traversant les écosystèmes ; l'homme tente en effet de développer des sources d'énergie renouvelables à partir des plantes : il s'agit d'une transformation biologique de l'énergie. Les plantations d'arbres ou d'autres plantes à croissance rapide peuvent représenter dans l'avenir une source importante d'énergie renouvelable et constituer un des moyens les plus inoffensifs de capter efficacement l'énergie solaire. Aujourd'hui déjà, les scientifiques estiment que les déchets abandonnés chaque année après la récolte dans les cultures et les forêts pourraient fournir une quantité d'énergie équivalente à 1 % de l'essence consommée chaque année aux États-Unis, ou à 4 % de la consommation annuelle d'électricité du pays. Ce potentiel est cependant limité par les coûts énergétiques nécessaires à la récolte des matériaux. Dans les pays en voie de développement, plus de 2 milliards d'individus se contentent presqu'exclusivement de la biomasse pour la cuisine, le chauffage et l'éclairage ; la faculté des plantes de transformer l'énergie solaire en une forme utilisable par l'homme a donc une importance primordiale à l'échelle du globe.

Développement des communautés et des écosystèmes

La série évolutive est la suite des modifications que subit une communauté au cours du temps

Certaines formations végétales paraissent rester identiques d'année en année, alors que d'autres se modifient rapidement. Dans ce dernier cas, on parle d'une **série** pour désigner la suite des modifications. Une coupe de bois est rapidement colonisée par les arbres persistant au voisinage. De même, une pâture finit par se transformer en forêt. Il existe des séquences analogues dans les zones naturellement perturbées comme les lacs, les forêts alluviales inondables ou les pentes abruptes. Les catastrophes naturelles (par exemple les inondations, les ouragans, les tremblements de terre, les glissements de terrain, les incendies) sont des caractéristiques touchant tous les écosystèmes, même des zones sauvages « vierges » peu perturbées par l'homme. Le mécanisme de la série évolutive est à la fois continu et de portée universelle.

La série progresse à une allure variable dans toutes les régions temporairement perturbées. Certains étangs par exemple, sont colmatés par des débris de plantes aquatiques et d'autres déchets ; la végétation qui s'y installe élabore un sol pendant que l'atterrissement se poursuit et achève le colmatage de l'étang ; la station est ensuite colonisée par une prairie ; les buissons hygrophiles peuvent y prendre place pour aboutir finalement à la forêt caractéristique de la région ; celle-ci occupe donc la prairie qui avait au départ pris la place de l'étang (Figure 32-11). Un autre exemple est fourni par les roches soumises aux intempéries qui se désagrègent suite au gel et au dégel, ainsi qu'à d'autres facteurs physiques. Le processus est parfois accéléré sous l'action des lichens qui sécrètent des substances chimiques érodant directement les roches et par les mousses, qui se gonflent à l'humidité et détachent continuellement de petits éclats de roche (Figure 32-12). Le sol s'accumule à la base des lichens et des mousses, et des plantules d'angiospermes finissent par s'établir. Leurs racines pénètrent dans

(a)

(b)

(c)

(d)

Figure 32-11

Série évolutive. **(a)** Une végétation émergée se développe en bordure d'un étang. **(b)** Des plantes aquatiques à feuilles flottantes, comme le nénuphar *(Nymphaea odorata)* se développent à la surface de l'étang et finissent par étouffer les plantes submergées. **(c)** La jacinthe d'eau *(Eichhornia crassipes)* joue un rôle semblable dans les climats plus chauds. **(d)** Les graminées des marais, les cypéracées et les massettes *(Typha* spp.) poursuivent l'évolution de la série en se développant sur le fond d'un étang asséché.

Figure 32-12

Stade précoce d'une série. Les lichens ont commencé à éroder les roches, tandis que les fougères et les bryophytes accumulent le sol dans une petite crevasse.

Figure 32-13

Semis de sapins *(Abies balsamea)* se développant sous les peupliers *(Populus tremuloides)* et prenant leur place, dans le nord de l'Arizona — c'est un stade de la série forestière conduisant à une formation climax d'épicéa *(Picea glauca)* et de sapin.

les fissures et continuent à dégrader les roches. Finalement, après plusieurs siècles peut-être, la roche peut être complètement réduite en particules de sol, associées à la matière organique produite par les générations d'organismes qui s'y sont succédées. Le sol sera finalement occupé par des forêts ou par d'autres types de végétation caractéristiques de la région. Au cours des premiers stades de la série, les plantes possédant des symbiontes capables de fixer l'azote peuvent prendre le dessus, au moins pendant un certain temps. La figure 32-13 montre un autre exemple de série.

La série ne progresse par toujours dans la même direction, en particulier durant ses derniers stades. L'observation des premiers stades d'une série est généralement aisée et l'interprétation des derniers stades très difficile. Dans les formations proches de la maturité, la série progresse souvent à rebours des prévisions et ses stades ultimes peuvent subir, de la part des formations avoisinnantes, une influence décisive.

La formation de **chablis**, ou éclaircies, par les catastrophes naturelles, et leur recolonisation ultérieure, jouent un rôle capital dans le maintien de la biodiversité de beaucoup de formations végétales. Les chablis naturels en forêt, par exemple, permettent la prolifération de nombreuses espèces très exigeantes en lumière. En Amérique du Nord tempérée, plusieurs espèces caractéristiques des éclaircies, comme les ronces et les merisiers, produisent des fruits charnus qui sont consommés par les oiseaux. Les parties charnues de ces fruits sont digérées et les graines sont disséminées dans d'autres éclaircies, qui sont

ainsi efficacement colonisées. Ces espèces pionnières possèdent souvent un bois tendre et sont caractérisées par des cimes diffuses à plusieurs étages et croissance rapide en conditions ensoleillées. Les arbres dominants dans la même forêt à la fin de la série ont souvent des caractères très différents : bois lourd mais de plus grande longévité, cimes plus denses et croissance lente en pleine lumière. Ces arbres ont cependant une bonne croissance à l'ombre et vivent plus longtemps que les pionniers. Ces différences entre les arbres jouent un rôle essentiel dans leur dominance locale et donc dans la composition de la forêt adulte.

Le feu est une des catastrophes naturelles qui entraînent les modifications les plus profondes dans la végétation (Figure 32-14). Lorsque les premiers colons européens arrivèrent en Californie par exemple, ils découvrirent une magnifique forêt de pins *(Pinus lambertiana)* au flanc de la plus grande partie de la Sierra Nevada. Malgré les tentatives de conservation de lambeaux de forêt dans des réserves et des parcs nationaux, de nombreux peuplements de pins ont finalement été remplacées par d'autres essences, comme le sapin *(Abies concolor)* et le cèdre *(Calocedrus decurrens)*. Comment ces changements se sont-ils produits ?

Dans la série évolutive des forêts de la région, le stade à *Pinus lambertiana* persistait grâce aux feux périodiques. Le nombre et l'ampleur de ces feux se sont fortement réduits après l'établissement des colons dans la région. Sans les feux de faible intensité allumé par la foudre et parcourant périodiquement les bois, des broussailles denses et de petits arbres se sont développés, provoquant un ombrage d'une telle

(a)

(b)

Figure 32-14

(a) Lorsqu'un incendie a parcouru une forêt, la recolonisation débute par une régénération provenant des massifs de végétation voisins non brûlés. Certaines plantes produisent des rejets à leur base, d'autres répandent de nombreuses graines dans la zone incendiée. Chez certains pins, les cônes ne s'ouvrent pour libérer leurs graines que s'ils ont été soumis au feu. **(b)** *Pinus lambertiana*, dans le Yosemite National Park, en Californie. En raison de la suppression par l'homme des feux de forêt, ces pins sont remplacés par d'autres arbres, comme des sapins *(Abies concolor)* : ce sont les arbres visibles au pied des pins.

densité que les plantules du pin n'étaient plus compétitives. Seule une règlementation permettant aux feux courants spontanés ou contrôlés de parcourir le terrain permettait de préserver les massifs ouverts de pin appréciés du public (Figure 32-14b). On peut trouver des situations semblables dans tous les types de végétation périodiquement parcourus par les feux, qu'ils soient naturels ou provoqués par l'homme.

Après une catastrophe naturelle, la recolonisation produit les mêmes modifications dans la séquence évolutive. En août 1883 par exemple, une violente explosion volcanique détruisit la moitié de l'île de Krakatoa, dans le détroit de Java, à 40 kilomètres environ de Java (Indonésie). L'autre moitié de l'île fut recouverte d'une couche de pierre ponce et de cendrées épaisse de plus de 31 mètres. Les îles voisines furent également recouvertes et toute vie animale et végétale présente sur ces îles fut balayée. Peu après cependant, la recolonisation de Krakatoa débuta et environ 30 espèces d'oiseaux terrestres et d'eau douce étaient arrivées dans les 30 ans qui ont suivi : ce nombre correspondait à la population antérieure vivant dans la région. La recolonisation par les plantes fut également rapide, plus de 270 espèces au total étant recensées dans l'île de Krakatoa en 1934.

Dans l'Etat de Washington, la violente éruption du Mont St.Helens du 18 mai 1980 projeta une énorme avalanche de débris volcaniques depuis le sommet et la face nord de la montagne dans la vallée de la North Toutle River. En 15 minutes, plus de 61.000 hectares de forêt et

LE GRAND INCENDIE DU YELLOWSTONE

En 1988, l'été fut exceptionnellement sec, le plus sec depuis le « dust bowl » des années 1930. Les responsables du Parc National de Yellowstone ne redoutaient cependant pas des incendies majeurs. Et pourtant, en juillet, le parc prit feu. Très vite, de nouveaux incendies prirent naissance dans toutes les parties du parc et continuèrent à s'étendre en août et en septembre. Les installations du parc furent en danger. Il fallu évacuer les touristes, un holocauste avait débuté. Quel était le coupable ?

Le parc de Yellowtone a été fondé en 1872 afin de conserver sa beauté naturelle, ce qui impliquait une protection contre les incendies. À la longue cependant, les scientifiques et les gestionnaires ont constaté une régression de certaines espèces, confirmée par des photographies prises à différentes époques.

Cette constatation, ainsi que l'existence de souches carbonisées, montraient clairement que le feu était une partie intégrante de l'écosystème du Yellowstone. En 1972, les responsables du parc mirent en œuvre un programme consistant à ne pas intervenir et à laisser courir les feux naturels dans des zones périphériques. Ce programme fut ensuite étendu à l'ensemble du parc, à l'exception de

(a)

5 % de la surface totale — les zones habitées. On a considéré que cette politique était un succès.

En octobre 1988 cependant, 4.300 kilomètres carrés avaient brûlé et il n'était plus possible de trouver une seule partie du parc ayant échappé aux dommages provoqués par l'incendie. Les vents secs, soufflant jusqu'à plus de 100 kilomètres par heure, avaient déjoué les efforts de plus de 9.000 pompiers qui tentaient de contenir l'extension des flammes. Cette catastrophe était-elle la conséquence de l'accumulation de quantités anormales de biomasse provenant des arbres et des arbustes ? Aurait-on pu l'éviter par des feux contrôlés ?

Les traces d'incendies conservées dans les cernes de croissance annuelle de *Pinus contorta* indiquent que toutes les parties du Yellowstone ont brûlé naturellement tous les 20 à 25 ans, mais à des intervalles très variés. Comme les autres pins, *P. contorta* est adapté au feu. Ses cônes ne s'ouvrent que si la chaleur est intense, la régénération par les graines est optimale après le passage du feu, les plantules profitent de l'élimination des arbres adultes qui arrêtent la lumière et elles prospèrent aux dépens des éléments nutritifs libérés par la combustion des aiguilles de pin. Les magnifiques massifs de pins d'un même âge caractéristiques du Parc National du Yellowstone sont une conséquence directe et le souvenir d'incendies périodiques catastrophiques.

À plus haute altitude, le climat étant plus frais, ce sont surtout de petits incendies qui ont sévi presque tous les dix ans. Dans les zones échappant aux grands incendies, *Pinus ponderosa* est finalement remplacé par trois autres essences, dont *Abies lasiocarpa* et *Picea engelmannii*. Ces espèces succèdent généralement au pin environ 150 ans après un incendie, et deviennent dominantes au cours du siècle suivant. À la mort des pins, le couvert forestier devient plus irrégulier, entrecoupé de nombreuses éclaircies, et très inflammable. Les feux qui surviennent aux premiers stades de la série sont généralement peu importants mais, lorsque la forêt devient adulte, les feux sont plus étendus et très dévastateurs.

Dans le Yellowstone, les feux interviennent généralement et les formations climaciques sapin-épicéa sont rares. Les grands feux de 1988 semblent être le rappel d'une série d'autres incendies qui sont survenus aux alentours de 1700, et il faudrait peut-être les considérer également comme un caractère naturel de cette région. Les efforts importants consentis pour éviter les incendies dans le Yellowstone n'ont peut-être eu comme conséquence principale qu'un retard de quelques années dans le cycle naturel.

De toute manière, le grand incendie de 1988 ne paraît pas avoir entraîné des conséquences durables pour l'écosystème. Des pelouses luxuriantes nourrissent des bisons et des cervidés en bonne santé. Les lupins colorés participent au remplacement de l'azote dans le sol épuisé. Les plantules de pin prospèrent sur les portions plates et les pentes ensoleillées. Les pins se développent lentement au Yellowstone. Dans 30 ans, les plantules auront une taille de 2 à 4 mètres ; dans 80 ou 100 ans peut-être, les forêts commenceront à ressembler à celles qui ont brûlé en 1988. Dans deux ou trois siècles, tout sera en place pour une répétition de ce qui s'est passé à la fin de l'été de cette année-là. En attendant, la curiosité suscitée par la restauration de l'écosystème du Yellowstone après ce grand incendie a fortement stimulé le tourisme et un nombre record de personnes a visité la région.

En termes de gestion, il est évident que la poursuite d'un programme laissant courir les feux allumés par la foudre est une bonne stratégie si l'on veut conserver les écosystèmes naturels du Yellowstone, mais l'ensemble de la zone — comme toutes les zones protégées — est trop réduit pour permettre de laisser toute liberté aux incendies. Trop d'intérêts sont impliqués par les feux à l'intérieur des zones protégées et en-dehors de leurs limites pour autoriser une totale passivité. Les scientifiques et les responsables étudient actuellement la possibilité de mettre périodiquement le feu à des zones proches des habitations afin de réduire la quantité de combustible naturel. Les conflits persistent entre les intérêts de l'homme et la conservation de la nature. Dans ce contexte, le feu est clairement perçu comme exemple d'un facteur naturel envahissant qui affecte unécosystème en apparence intact.

(a) Photo satellite de la région du Yellowstone au maximum des incendies, en septembre 1988. Le rouge correspond aux zones qui se trouvent à l'intérieur des périmètres brûlés, la végétation non affectée est en vert. Le lac Yellowstone est la plage bleue à droite, juste sous le centre. **(b)** Régénération à proximité d'Elk Park, dans le Yellowstone, un an après l'incendie.

(b)

de terrains de loisirs furent dévastés par une explosion latérale qui détruisit quelque 21.000 hectares de forêt, anéantissant les arbres et les autres végétaux, mais les épargnant sur 9.700 autres hectares. En outre, une éruption de neuf heures recouvrit toute la zone de 0,5 mètre de cendrées, de pierre ponce et de roches pulvérisées par l'explosion.

La vie commença cependant presque aussitôt à réapparaître sur les pentes affectées par l'éruption, les plantes émergeant des débris volcaniques au printemps suivant (Figure 32-15).La plus grande partie de ces débris ont été rapidement enlevés par l'érosion et des graines et des fruits ont été à nouveau disséminés par le vent dans la région.

Figure 32-15

Lors de l'explosion du Mont St.Helens, dans l'état de Washington en mai 1980, les ondes de choc ont renversé tous les arbres sur une surface d'environ 21.000 hectares et une épaisse couche de cendrées s'est déposée. L'épilobe en épi *(Chamaenerion angustifolium)* et des graminées, que l'on voit ici quatre mois après l'éruption, étaient parmi les premières plantes à recoloniser la région.

Cette dissémination était particulièrement importante dans les zones ensevelies sous les avalanches, où les débris étaient tellement épais qu'ils avaient tué toutes les plantes, ainsi que sur les coulées de lave. De nombreux petits animaux ont également survécu, sous terre, dans les lacs et les cours d'eau, et des vertébrés terrestres sont aussi revenus rapidement dans la région. Les périodes d'éruption du Mont St. Helens n'ont été séparées que de 100 à 500 ans au cours de 35 derniers siècles ; l'explosion elle-même et la réparation des dégâts que les scientifiques ont pu observer au début des années 1980 sont caractéristiques des phénomènes naturels qui affectent périodiquement les systèmes vivants dans les régions volcaniques.

La série se termine en théorie par une formation climax. Si les conditions climatiques restent constantes, l'évolution des séries se caractérise par un ralentissement et un arrêt presque complet ; elle se termine par ce que l'on appelle une **formation climax**. Cette formation se perpétue par elle-même et elle correspond aux conditions climatiques spécifiques qui ont prévalu au cours de son évolution. Une formation climax est toutefois un concept théorique qui sert surtout de référence pour estimer l'évolution des formations. En réalité, les conditions climatiques changent souvent, des perturbations surviennent, par exemple des ouragans et des glissements de terrain, et des animaux influencent la nature des formations au cours de leur évolution. Les formations qui se développent à un endroit particulier traduisent un équilibre entre de nombreux facteurs environnementaux différents.

Avec l'accroissement constant des populations et l'impact de plus en plus profond de l'homme sur les écosystèmes, l'**écologie de la recolonisation**, science qui tente de mieux comprendre le fonctionnement des séries évolutives et d'appliquer leurs principes au rétablissement des formations naturelles, prendra de plus en plus d'importance. Souvent, recréer des formations naturelles après leur destruction n'est pas une mince affaire ; il s'agit cependant d'un processus très important dans un monde de plus en plus surpeuplé.

Un exemple bien connu d'écologie de la recolonisation s'est déroulé à l'arboretum de l'Université du Wisconsin à Madison (Figure 32-16). En 1934, au départ de terres agricoles dégradées, on a constitué plusieurs formations naturelles différentes : une prairie à grandes herbes, une prairie sèche et plusieurs types de forêts de pins et d'érables. La recolonisation peut être coûteuse et aléatoire, mais c'est un moyen permettant de prendre l'initiative dans un combat visant à assurer la survie des écosystèmes classiques, ainsi que des plantes et des animaux qui y vivent. La Curtis Prairie de l'arboretum abrite par exemple plus de 200 espèces de plantes locales, dont beaucoup sont devenues rares dans la région. Les premiers travaux sur la Curtis Prairie ont apporté de nouvelles indications sur l'importance des feux dans l'écosystème des prairies. Les feux jouent un rôle essentiel, non seulement en éliminant la plupart des espèces arborescentes, mais en agissant en outre sur l'économie des nutriments de cet écosystème et par d'autres moyens encore. On peut en réalité considérer une prairie comme un écosystème très inflammable qui « utilise » le feu pour se protéger de l'envahissement par des espèces étrangères. Dans de nombreuses régions d'Amérique du Nord, la pérennité de la prairie repose sur les feux périodiques — qui étaient allumés par les Indiens locaux ou par la foudre avant l'arrivée des Européens. En

(a)   (b)

Figure 32-16

Une prairie restaurée dans l'arboretum de l'Université du Wisconsin à Madison. **(a)** La prairie à la fin de l'été : *Liatris pycnostachya* (fleurs pourpres), *Euphorbia corollata* (fleurs blanches) et *Ratibida pinnata* (fleurs jaunes). **(b)** Un feu allumé à la fin de l'automne joue un rôle important dans le maintien de l'écosystème prairie.

l'absence de feux, la prairie peut être colonisée rapidement par des arbres et les espèces sciaphiles qui les accompagnent. C'est effectivement ce qui s'est produit dans beaucoup de prairies à hautes herbes du Midwest américain après la colonisation européenne et l'absence des feux dans ces territoires. Bien que les feux aient joué un rôle important dans la gestion de la végétation dans de nombreuses régions même après la colonisation, sa signification biologique n'a été élucidée qu'assez récemment. Les essais de restauration des prairies, comme celle de la Curtis Prairie de l'arboretum de l'Université du Wisconsin ont beaucoup contribué à clarifier ce rôle.

Bien que les éruptions volcaniques soient un exemple très spectaculaire de catastrophe naturelle et des premiers stades des séries qui leur succèdent, ces phénomènes sont typiques dans toutes les formations et se retrouvent dans le monde entier. Perturbation et séries évolutives sont deux facteurs importants qui participent à la diversité de la vie sur terre.

RÉSUMÉ

Un écosystème se compose d'une communauté et de son environnement

Les écosystèmes sont des ensembles qui se maintiennent spontanément et comprennent les organismes vivants aussi bien que les éléments du milieu non-vivant (physique) avec lesquels ils interagissent. Les communautés comprennent tous les organismes vivant dans un territoire particulier.

Dans les communautés, on observe des relations de mutualisme, de concurrence et des interactions plantes/herbivores

On peut réunir les relations se manifestant dans les communautés sous trois intitulés : mutualisme, concurrence et relations plantes/herbivores (et plantes/organismes pathogènes). Dans le mutualisme et la symbiose, deux populations interagissent dans leur intérêt mutuel. On en trouve des exemples chez les lichens, dans les associations mycorhiziennes entre les champignons et les racines des plantes, ainsi que dans les relations entre les angiospermes, leurs pollinisateurs et les animaux disséminant les fruits et les graines. Chez un acacia d'Amérique Latine, les épines abritent des fourmis spécialisées qui se nourrissent de la plante et la protège des herbivores et de la concurrence d'autres plantes.

La concurrence se manifeste lorsque des organismes utilisent les quantités limitées d'une même ressource

La concurrence se manifeste entre des espèces végétales voisines les unes des autres, mais également entre chacun des individus. Selon le principe de l'exclusion compétitive, si deux espèces d'organismes vivant ensemble se disputent les mêmes ressources disponibles en quantité limitée, une seule finalement occupera le territoire. Une des formes les plus importantes de compétition concerne la lumière. Les plantes se développant le plus rapidement dans un milieu particulier y seront fréquemment les plus compétitives. Au cours de leur évolution, les plantes ont également développé des armes chimiques augmentant leur agressivité à l'égard des plantes voisines ; ces relations allélopathiques peuvent aussi modifier la composition de la formation. Les angiospermes se disputent souvent les services des pollinisateurs ou des animaux disséminant leurs graines ; cette compétition peut avoir des conséquences profondes sur la reproduction et sur l'abondance des différentes espèces à longue échéance.

Les plantes disposent d'une gamme de mécanismes de défense physique et chimique

Pour se protéger des herbivores qui réduisent leur potentiel reproducteur, les plantes ont développé des épines, des feuilles résistantes et d'autres structures ou adaptations, et surtout des défenses chimiques. Chaque insecte ou herbivore qui tolère les défenses chimiques d'une plante dispose non seulement d'une nouvelle source de nourriture encore souvent inexploitée, mais il peut en outre se servir des substances toxiques produites par la plante pour améliorer sa protection à l'égard de ses propres prédateurs.

Les composants biotiques d'un écosystème sont les producteurs, les consommateurs et les décomposeurs

Un écosystème comprend des éléments non-vivants et des éléments vivants — autotrophes (producteurs primaires) et hétérotrophes (consommateurs). Parmi les hétérotrophes se trouvent les consommateurs primaires, ou herbivores, les consommateurs secondaires, carnivores et parasites, et les décomposeurs. À ces différents niveaux, les organismes font partie de chaînes ou de réseaux alimentaires.

Hubbard Brook a été un laboratoire de terrain pour l'étude des cycles des éléments nutritifs

On a étudié expérimentalement les propriétés des écosystèmes à Hubbard Brook, dans le New Hampshire, et montré que les communautés naturelles non perturbées contrôlent les cycles des éléments nutritifs, mais que ce contrôle à tendance à disparaître si l'écosysème est perturbé.

Le flux d'énergie traversant un écosystème modifie la masse et le nombre des organismes qui le composent

Des flux d'énergie traversent les écosystèmes, mais les plantes vertes ne transforment qu'un pour-cent au maximum de l'énergie solaire incidente en énergie chimique. Lorsque ces plantes sont consommées, moins de 20 % de leur énergie potentielle est emmagasinée au niveau trophique suivant ; les transferts ultérieurs dans la chaîne alimentaire ont un rendement semblable. La quantité d'énergie conservée après plusieurs transferts est tellement faible que les chaînes alimentaires comportent rarement plus de trois ou quatre chaînons. Dans la plupart des écosystèmes, la quantité d'énergie, de biomasse et d'individus est la plus importante aux niveaux trophiques inférieurs, ce qui se traduit dans ce que l'on appelle des pyramides d'énergie, de biomasse et de nombres.

Une série évolutive est la suite des modifications subies au cours du temps par une formation

Les séries évolutives se présentent dans des espaces naturellement dégagés, comme les lacs, les étangs ou les prairies incluses dans une forêt, de même qu'après l'élimination naturelle ou artificielle de la végétation. Dans le déroulement d'une série, les espèces végétales et animales se succèdent continuellement, certaines étant caractéristiques des premiers stades de la série seulement. L'ouvertrure et l'occupation des éclaircies créées par les catastrophes naturelles dans les formations forestières jouent un rôle capital dans la succession et dans le maintien de la biodiversité. Les espèces pionnières qui colonisent les clairières et se développent rapidement grâce au plein éclairement possèdent des caractères différents de ceux des arbres qui vont dominer la forêt adulte. La série peut finalement aboutir à une formation climax qui se maintient indéfiniment en l'absence de modifications majeures du milieu.

Les feux jouent un rôle important dans la dynamique de nombreux écosystèmes, dans la persistance des forêts de *Pinus lambertiana* de la Sierra Nevada en Californie par exemple, ainsi que dans les formations de prairies. Les séries qui ont succédé à des éruptions volcaniques, comme celle du Krakatoa à Java en 1883 et du Mont St. Helens en 1980 sont des exemples spectaculaires de ce processus et ces territoires ont été étudiées en détail.

MOTS CLÉS

QUESTIONS

1. Quelles sont les ressemblances entre le système fourmi-acacia et un lichen ?

2. Expliquez le rôle de la vitesse de croissance dans la concurrence entre plantes.

3. D'après le principe de l'exclusion compétitive, deux espèces qui ont les mêmes exigences environnementales ne peuvent coexister indéfiniment dans le même habitat. Comment éviter l'exclusion compétitive ?

4. La diversité des espèces est plus grande dans un milieu soumis à des perturbations continuelles que dans un milieu plus stable. Pourquoi ?

5. Expliquez le rôle des phytoalexines et des tanins dans la protection des plantes à l'égard des microorganismes d'une part et des herbivores de l'autre.

6. Donnez votre avis sur l'importance des plantes dans la conservation des éléments nutritifs dans les écosystèmes forestiers.

7. Pourquoi les chaînes alimentaires sont-elles généralement limitées à trois ou quatre chaînons ?

8. On peut généralement représenter les écosystèmes par des pyramides d'énergie, de biomasse et de nombres d'individus. Expliquez.

9. Quel est le rôle des éclaircies dans les séries ?

10. Catastrophes naturelles et séries sont deux facteurs importants intervenant dans la biodiversité. Expliquez.

11. Comment une formation végétale se modifie-t-elle au cours du temps ?

33

L'écologie globale

(a)

(b)

Figure 33-1

Les régions à hivers doux et étés longs et secs sont souvent occupées par des arbustes épineux à feuilles persistantes larges et épaisses. Cette végétation de maquis méditerranéen a reçu différentes appellations locales. **(a)** En Amérique du Nord, comme ici dans le sud de la Californie, on parle de chaparral. **(b)** Dans les régions méditerranéennes, comme dans cette île grecque de Corfou, on parle de maquis. Bien qu'il n'existe pas de lien de parenté taxonomique entre les plantes de ces deux régions, elles se ressemblent beaucoup par leur mode de croissance et leur aspect caractéristique.

SOMMAIRE

Imaginez que vous traversiez les États-Unis de New York à Los Angeles. Botaniste avisé, vous remarquerez la succession des formations végétales le long du chemin. Vous observerez par exemple des arbres décidus dans les états atlantiques, des graminées dans les Grandes Plaines et des cactus dans les déserts du sud-ouest. Ces grandes formations sont des biomes, et elles font l'objet de ce chapitre.

Un avantage de l'étude des biomes est que vous pouvez vous sentir chez vous — d'un point de vue botanique — où que vous soyez dans le monde. Les biomes sont conditionnés principalement par la température et les précipitations ; on peut donc très bien retrouver le même biome sur plusieurs continents si le climat est semblable. Nous retrouverons par exemple la forêt tempérée décidue en France, en Chine et en Russie aussi bien qu'aux États-Unis.

Au cours de votre traversée du pays, vous constaterez aussi l'absence de limites tranchées entre les biomes. La forêt décidue passe progressivement à la prairie et la prairie au désert. Si votre voyage vous faisait franchir les montagnes, vous constateriez également une modification des formations avec l'altitude. Ces modifications ressemblent à celles que vous rencontreriez en allant soit vers le nord, soit vers le sud de l'équateur.

Ce chapitre décrira les principaux biomes du globe — en allant de la toundra arctique jusqu'aux forêts ombrophiles équatoriales. Nous mettrons principalement l'accent sur l'influence de l'homme sur ces formations.

POINTS DE REPÈRE

Quand vous terminerez la lecture de ce chapitre, vous devriez pouvoir répondre aux questions suivantes :

- *Qu'est-ce qu'un biome et quel sont les facteurs qui influencent la répartition des biomes dans le monde ?*

- *Si l'on tient compte de la grande diversité spécifique des forêts ombrophiles équatoriales, pourquoi les sol tropicaux sont-ils peu favorables à l'agriculture ?*

- *Quelles sont les différences entre une savane africaine et une prairie d'Amérique du Nord ? Quel est le rôle des feux dans les prairies ?*

- *Comment peut-on le mieux caractériser un désert : température élevée ou faible précipitation ? Comment les plantes se sont-elles adaptées à la vie dans le désert ?*

- *Quels sont les changements saisonniers dans la physionomie d'une forêt décidue tempérée ? À quoi sont dus ces changements ?*

Vous avez peut-être déjà fait la connaissance de nombreux grands biomes terrestres — la toundra et ses troupeaux de caribous, les forêts décidues des régions tempérées, dépouillées en hiver, mais retrouvant la vie au printemps, et les déserts avec leurs cactus et autres plantes succulentes et épineuses par exemple. D'un point de vue biologique, un **biome** se définit comme un ensemble d'écosystèmes terrestres contrôlés par le climat, caractérisés par une végétation particulière où se situent des transferts d'eau, d'éléments nutritifs, de gaz et de composants biologiques, y compris l'homme. Les plantes et les animaux présents dans un biome particulier sont caractérisés par des modes de vie et d'autres adaptations qui ont évolué en fonction de conditions climatiques spécifiques. Ces formes biologiques particulières nous permettent d'identifier des biomes tels que les savanes ou les déserts où qu'ils se trouvent, même si les organismes individuels d'un biome présent dans deux régions distinctes ont des identités différentes mais ont acquis une apparence semblable en raison d'une évolution parallèle. Un biome particulier occupe de vastes superficies et se retrouve généralement sur plusieurs continents (Figure 33-1). Il existe plusieurs manières de classer les biomes, mais les catégories dont il est question dans cet ouvrage (voir figure 33-3) constituent une base permettant d'apprécier l'ensemble de la végétation du globe.

La vie sur la terre ferme

Les plantes terrestres sont exposées à des problèmes divers. Dans de nombreuses régions, elles sont soumises à des sécheresses périodiques et à de brusques modifications diurnes et saisonnières des températures. Elles doivent supporter des saisons défavorables à leur croissance, elles doivent souvent se développer sur des substrats de composition minérale déficientes et sont soumises à la pesanteur (dont l'influence est beaucoup plus forte sur les organismes terrestres que sur les organismes aquatiques). La vie sur la terre ferme offre cependant quelques avantages, en raison d'une répartition beaucoup plus uniforme de l'oxygène dans l'air que dans l'eau et d'une meilleure disponibilité du dioxyde de carbone.

La distribution des biomes dépend de trois types de facteurs physiques : (1) de la répartition de la chaleur du soleil et des saisons dans les différentes parties du globe, (2) de la façon globale dont l'air circule et particulièrement de la direction des vents dominants chargés d'humidité et (3) de facteurs géologiques tels que la répartition des montagnes, leur altitude et leur exposition. Tous ces facteurs interagissent pour aboutir aux différents types de végétation présents à la surface du globe et sont à l'origine des différences de productivité dans les différentes régions géographiques (Figure 33-4).

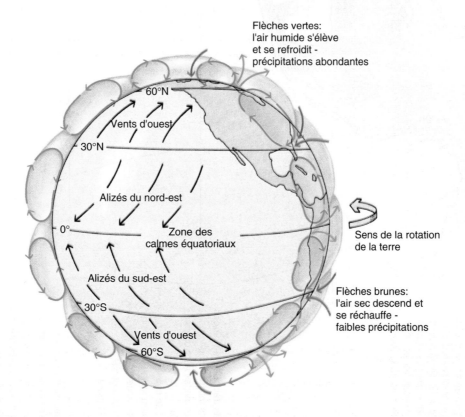

Figure 33-2

La surface terrestre est entourée par des zones latitudinales de courants atmosphériques qui déterminent la distribution générale du vent et de la pluie. Dans ce schéma, les flèches bleues indiquent la direction du mouvement de l'air dans les zones. Les flèches vertes montrent les régions d'air ascendant, caractérisées par des précipitations élevées, et les flèches brunes indiquent les régions d'air descendant, caractérisées par de faibles précipitations. L'air sec descendant aux latitudes de 30° nord et sud est à l'origine des grands déserts du globe. Les vents dominants de la surface du globe, indiqués par les flèches noires, sont produits par une déviation du vent dans chacune des zones due à la rotation de la terre.

Figure 33-3

Les biomes du globe. Les informations données par cette carte et la légende qui l'accompagne sont dues à A.W.Küchler, de l'Université du Kansas, spécialiste bien connu de la répartition des biomes. Les cartes couvrant l'ensemble du globe, leur échelle est assez petite et elles ne sont pas très précises. Les biomes ne sont pas toujours uniformes et des types de végétation très différents sont représentés dans chacun d'eux. Les limites entre les biomes peuvent être nettes, mais elles sont plus souvent imprécises et représentées par de larges zones de transition entre deux types de végétation.

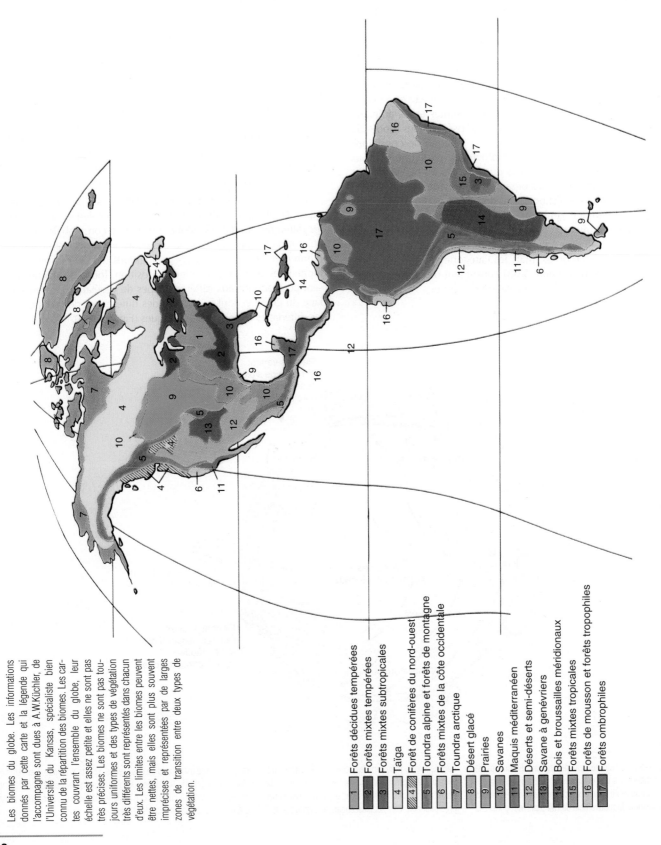

1	Forêts décidues tempérées
2	Forêts mixtes tempérées
3	Forêts mixtes subtropicales
4	Taïga
4	Forêt de conifères du nord-ouest
5	Toundra alpine et forêts de montagne
6	Forêts mixtes de la côte occidentale
7	Toundra arctique
8	Désert glacé
9	Prairies
10	Savanes
11	Maquis méditerranéen
12	Déserts et semi-déserts
13	Savane à genévriers
14	Bois et broussailles méridionaux
15	Forêts mixtes tropicales
16	Forêts de mousson et forêts tropophiles
17	Forêts ombrophiles

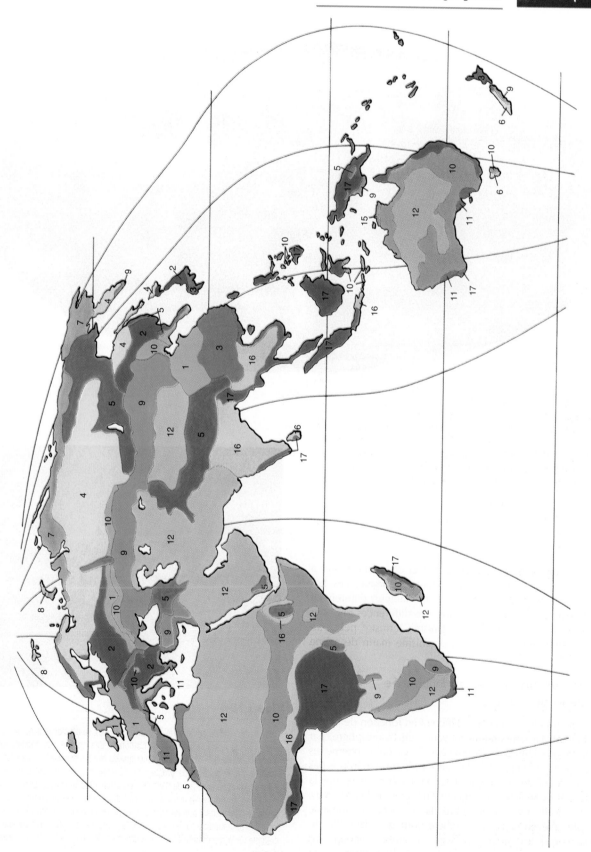

Figure 33-4

Productivité biologique du globe, reconstituée à partir de données satellitaires de trois années obtenues de la NASA. Les forêts ombrophiles et les autres zones à forte productivité sont représentées en vert foncé, les déserts sont en jaune-orange. Plus des deux-tiers de l'ensemble de la productivité biologique provient de la terre ferme, le reste de la mer. La concentration du phytoplancton, composé de protistes photosynthétiques, est représentée par une gamme de couleurs qui va du rouge (productivité maximum) à l'orange, au jaune, au vert, au bleu et au pourpre (productivité la plus faible).

Les masses continentales sont discontinues et ce morcèlement a des conséquences importantes sur la distribution des organismes. Les précipitations, les substrats, les climats et d'autres facteurs diffèrent en outre beaucoup dans les différentes régions. Ces différences ont pour conséquence que la répartition d'un organisme terrestre peut être beaucoup plus restreinte que celle d'un organisme marin de même taille et de même mobilité (Figure 33-5).

La distribution des organismes est influencée par la latitude et par l'altitude

Les plantes et les formations végétales diffèrent en fonction de la latitude de leur habitat. La température moyenne de l'atmosphère, par exemple, diminue aux latitudes plus élevées. En ce qui concerne les moyennes annuelles, la température la plus élevée ne se retrouve pas à l'équateur, mais à 10° de latitude nord. Ce n'est qu'en janvier que la latitude la plus chaude se situe à l'équateur. En juillet, on la retrouve à 20° de latitude nord. Dans l'ensemble, la température annuelle moyenne est plus élevée dans l'hémisphère nord que dans l'hémisphère sud parce que les surfaces terrestres y sont beaucoup plus étendues. La température annuelle moyenne à l'équateur atteint

Figure 33-5

Cette fougère, la doradille verte *(Asplenium viride)*, se développe dans une crevasse de rocher à Sierra Buttes, dans le nord de la Californie. Elle occupe des habitats similaires dans tout l'hémisphère nord — dans toute l'Amérique du Nord et l'Eurasie — mais les stations nord-américaines d'*A. viride* les plus proches de Sierra Buttes se trouvent dans le centre de l'état de Washington et au nord-est de l'Arizona, à environ 1000 kilomètres. Dans son aire de distribution, *A. viride* se développe sur des falaises très éloignées les unes des autres ; ses spores disséminées par le vent permettent à la fougère d'occuper de nouvelles stations. Sierra Buttes est cependant fort isolé par rapport à l'aire continue de la fougère et sa présence à cet endroit est un excellent exemple de la discontinuité et de la dispersion des aires occupées par beaucoup de plantes et d'animaux.

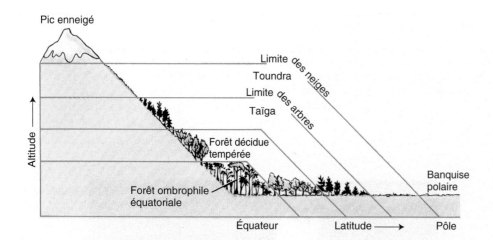

Pic enneigé

Limite des neiges

Toundra

Limite des arbres

Taïga

Forêt décidue
tempérée

Banquise
polaire

Forêt ombrophile
équatoriale

Altitude

Équateur   Latitude ⟶   Pôle

26,3°C, alors qu'elle est de 14°C à 40° de latitude nord et 12,4°C à
40° de latitude sud.

Les températures diminuent lorsqu'on s'élève en altitude de la
même manière que lorsqu'on s'écarte de l'équateur vers le nord ou
vers le sud. En général, une augmentation de l'altitude d'environ 100
mètres entraîne une différence de température correspondant à une
augmentation d'un degré de latitude. Cette relation a des conséquences importantes pour la répartition des organismes terrestres. Il est par
exemple possible de retrouver des plantes typiques des régions arctiques à haute altitude au niveau ou à proximité de l'équateur, en particulier dans les chaînes de montagnes orientées nord-sud (Figure 33-
6).

Il existe cependant des différences importantes entre les habitats de
haute latitude et ceux de haute altitude. Dans les montagnes, l'air est
plus pur et les radiations solaires sont plus intenses. La majeure partie
de la vapeur d'eau de l'atmosphère — qui joue un rôle important en
empêchant les pertes de chaleur par le rayonnement terrestre au cours
de la nuit — est située en-dessous de 2000 mètres d'altitude. Pour une
même latitude, les nuits sont par conséquent souvent beaucoup plus
fraîches dans les montagnes qu'aux basses altitudes. De plus, la longueur du jour varie beaucoup plus dans l'arctique et l'antarctique,
allant de 24 heures de lumière en été à 24 heures d'obscurité en hiver
dans l'extrême nord et l'extrême sud, alors qu'elle ne s'écarte guère
de 12 heures tout au long de l'année à l'équateur. Les variations de
température sont également beaucoup plus importantes dans les habitats arctiques et antarctiques qu'aux hautes altitudes à l'équateur. Les
organismes « arctiques » ou « antarctiques » dont l'aire s'étend vers
l'équateur en haute montagne doivent ajuster leur physiologie à ces
différences entre les milieux de haute latitude (arctiques et antarctiques) et de haute altitude (alpins).

Les températures diffèrent souvent beaucoup suivant les versants
d'une même montagne. Aux latitudes moyennes de l'hémisphère
nord, par exemple, les versants sud et ouest des montagnes sont souvent plus chauds que les versants nord et est : les versants nord ne
reçoivent pas directement les rayons du soleil et les versants est ne les
reçoivent que le matin, alors qu'il fait plus frais et que les rayons solai-

res sont moins intenses. Les nuages qui se forment le matin se dissipent souvent dans l'après-midi et augmentent cette différence.

Les précipitations locales sont également affectées par la présence
des montagnes. Le long de la côte occidentale des États-Unis par
exemple, les vents dominants soufflent de l'ouest et les pluies sont
abondantes sur les versants occidentaux de la Sierra Nevada, tandis
que les pentes orientales sont sèches et désertiques. Lorsque l'air
océanique atteint le versant occidental, il s'élève, se refroidit et l'eau
qu'il contient précipite. Après avoir ensuite dépassé la crête de la
chaîne de montagnes, l'air redescend. En se réchauffant, sa capacité
de rétention de l'eau augmente et produit un foehn sur le versant
oriental (Figure 33-7).

L'air descend
et se réchauffe

L'air s'élève
et se refroidit

Foehn

Vents dominants

Figure 33-7

Effet des montagnes côtières sur les précipitations dans l'hémisphère nord. Lorsque le vent vient
d'une étendue couverte d'eau, le relief l'oblige à s'élever, il se refroidit et précipite son humidité
sous forme de pluie ou de neige. Quand l'air redescend de l'autre côté des montagnes et se
réchauffe, sa capacité de rétention d'eau augmente et produit un foehn.

ALEXANDER VON HUMBOLD

Alexander von Humbold (1769-1859) fut peut-être le plus grand voyageur scientifique de tous les temps et il fut certainement l'un des plus grands écrivains et savants de son époque. Né en Allemagne, von Humbold fit de longs voyages au centre de l'Amérique latine de 1799 à 1804 et fit l'ascension de certaines de ses plus hautes montagnes. Alors qu'il explorait la région située entre l'Équateur et le centre du Mexique, von Humbold fut le premier à reconnaître l'incroyable diversité de la vie sous les tropiques et, par voie de conséquence, de se rendre compte du nombre énorme d'espèces végétales et animales qui devait exister sur la terre.

Au cours de ses voyages, von Humbold fut impressionné par la tendance des plantes à constituer des groupements permanents, ou formations végétales, et par l'apparition des mêmes associations dès que les mêmes conditions sont réunies — que ce soit dû au climat, au sol ou aux interactions biologiques. Il découvrit également un second principe essentiel — la relation entre l'altitude et la latitude. Il constata que faire l'ascension d'une montagne sous les tropiques revient à se déplacer vers le nord (ou vers le sud) de l'équateur. von Humbold illustra ce point par son schéma bien connu des étages de végétation du Mont Chimborazo en Équateur, dont il fit l'escalade. Son ascension constituait le record d'altitude de l'époque.

Lorsqu'il quitta l'Amérique Latine en 1804, von Humbold visita les États-Unis pendant huit semaines. Au cours de ce séjour, il fut pendant trois semaines l'hôte du président Thomas Jefferson à Monticello et ils discutèrent ensemble de nombreux sujets d'intérêt mutuel. On sup-

pose que l'enthousiasme de von Humbold pour l'exploration de nouveaux territoires conforta Jefferson dans son grand projet d'exploration de l'ouest des États-Unis. Ce n'est donc pas sans raison que le nom de Humbold a été donné à plusieurs comtés, chaînes de montagnes et rivières de l'ouest américain.

En raison des relations dont il vient d'être question, le versant le plus sec d'une montagne de l'hémisphère nord est généralement orienté au sud-est. (Quel serait, pensez-vous, le versant le plus sec dans l'hémisphère sud ?) Pour les mêmes raisons, les mousses et les lichens se rencontrent, ou sont mieux développés, sur le côté des arbres orienté au nord-est dans l'hémisphère nord, d'où un dicton populaire permettant d'identifier les points cardinaux quand on essaye de retrouver son chemin dans les bois. Cette relation n'est cependant valable que dans les endroits suffisamment humides et éclairés.

En raison des interactions complexes entre des facteurs localisés et variables, la distribution des biomes n'est pas celle à laquelle on pourrait s'attendre si la terre était une sphère parfaitement régulière. De plus, les formations végétales ont subi dans le passé d'importantes modifications qui affectent profondément la végétation actuelle. Dans les pages qui suivent, nous verrons, par des exemples, comment le climat, la topographie et le type de sol interagissent pour contrôler la répartition des biomes. Nous traiterons des 17 biomes représentés sur la carte de la figure 33-3, réunis en neuf catégories principales : forêts ombrophiles, savanes et forêts tropicales décidues (réunissant les savanes, les forêts subtropicales mixtes, les forêts tropophiles et de mousson, les forêts mixtes tropicales, les bois et maquis méridionaux), les déserts (déserts et semi-déserts, savanes à genévriers), les prairies, les forêts décidues tempérées, les forêts tempérées mixtes et les forêts de conifères (comprenant les forêts mixtes de la côte occidentale, les forêts mixtes tempérées, la toundra alpine et les forêts de montagne), le maquis méditerranéen, la taïga (taïga et forêt de conifères du nord-ouest) et la toundra arctique (toundra arctique et désert glacé).

(a)

Figure 33-8

Forêt ombrophile équatoriale. **(a)** Sous-bois d'une forêt ombrophile au Costa Rica. Les plantes à larges feuilles et fleurs rouges sont *Heliconia irrasa*. **(b)** La diversité des arbres de la forêt, qui peut atteindre plusieurs centaines d'espèces par hectare, est rendue évidente lorsque certains arbres fleurissent, comme ici, dans la forêt ombrophile sur la côte brésilienne. **(c)** Un arbre à contreforts dans la forêt ombrophile d'Équateur. Remarquez les plantes grimpantes ligneuses, ou lianes, sur les troncs.

(b)

(c)

Les forêts ombrophiles

Il existe plus d'espèces végétales et animales dans les **forêts ombrophiles équatoriales** que dans l'ensemble de tous les autres biomes du globe. Ni l'eau ni la température ne constituent un facteur limitant à aucun moment de l'année. En dépit du nombre élevé d'espèces, celles-ci ne sont généralement représentées que par un nombre restreint d'individus. Une espèce d'arbre peut par exemple être représentée par un seul individu par hectare. Non seulement les espèces sont extrêmement nombreuses dans les forêts ombrophiles équatoriales, mais leurs interactions sont plus complexes que parmi les plantes et les animaux de tous les autres biomes (Figure 33-8).

Les forêts ombrophiles équatoriales sont dominées par des arbres sempervirents à grandes feuilles. Seule une lumière atténuée atteint le sol des forêts, et la pluviosité est généralement comprise entre 2000 et 4000 millimètres par an. Les débris organiques ne s'accumulent guère en raison de la dégradation rapide des feuilles, des tiges et des organismes animaux par les décomposeurs sous un climat constamment chaud et humide. Les éléments nutritifs libérés par cette décomposition sont rapidement absorbés par les racines mycorhizées ou lessivées du sol par la pluie. En dépit d'éventuelles variations notables dans les précipitations mensuelles, il n'existe pas de saison sèche nette.

Les plantes des forêts ombrophiles équatoriales n'ont généralement pas acquis par l'évolution des adaptations permettant leur survie pendant des saisons défavorables, sèches ou froides. La plupart des plantes sont ligneuses, et les plantes grimpantes, les **lianes**, sont abondantes. Il existe une grande flore d'**épiphytes** se développant sur les branches d'autres plantes dans la strate éclairée située bien au-dessus du sol. Les épiphytes, les orchidées, les fougères et les broméliacées entre autres (Figure 33-9), ne sont pas directement en contact avec le sol. Leur eau provient de l'atmosphère humide de la cime des arbres et directement de la pluie ; elles trouvent leurs éléments minéraux dans la poussière atmosphérique et à la surface des plantes sur lesquelles elles vivent. De nombreuses espèces d'animaux vivent également dans la cime des arbres en compagnie des épiphytes et des lianes ; c'est dans cette partie de la forêt ombrophile équatoriale que la vie animale est la plus abondante et la plus diversifiée.

La lumière qui atteint le sol est tellement faible que très peu de plantes herbacées y croissent et celles qui en sont capables se retrouvent surtout dans des éclaircies produites par les chablis. De nombreuses espèces de la forêt ombrophile équatoriale sont des arbres généralement plus élevés que ceux des forêts tempérées, ils atteignent souvent de 40 à 60 mètres de haut. Les espèces d'arbres sont en outre nombreuses : on compte en moyenne plus de 40 espèces par hectare. La richesse spécifique est très différente de celle des forêts tempérées, où l'on rencontre rarement plus de quelques espèces à l'hectare. Les arbres de la forêt ombrophile équatoriale ont cependant une physionomie remarquablement homogène. Ils ne se ramifient généralement que près de la cime. Leurs racines étant d'habitude superficielles, ils possèdent souvent à la base du tronc des contreforts qui leur assurent un ancrage stable et large. Leurs feuilles sont de taille moyenne, elles sont coriaces, ni dentées, ni lobées, et de couleur vert sombre. L'écorce de ces arbres est mince et lisse et leurs fleurs sont généralement peu visibles et de couleur verdâtre ou blanchâtre. Ces forêts produisent souvent plusieurs strates de feuillage, les inférieures étant composées de plantules des espèces de plus grande taille et d'un nombre relativement faible d'espèces plus réduites.

Les forêts ombrophiles équatoriales sont bien représentées dans trois grandes régions du monde (Figure 33-3). La plus vaste est celle du bassin de l'Amazone en Amérique du Sud, qui s'étend depuis la zone côtière du Brésil jusqu'en Amérique Centrale et dans l'est du Mexique, ainsi que dans les îles des Caraïbes. En Afrique existe une vaste zone de forêt ombrophile dans le bassin du Congo, qui s'étend vers l'ouest le long de la côte jusqu'au Liberia. La troisième région occupée par la forêt ombrophile s'étend du Sri Lanka et de l'ouest de l'Inde à la Thaïlande, au Cambodge, au Vietnam, aux Philippines, à l'Indonésie, aux grandes îles de Malaisie et à une étroite bande le long de la côte nord-est et est de l'Australie. En Amérique du Nord, la forêt ombrophile équatoriale ne se rencontre que dans le sud-est du Mexique, à Porto-Rico et dans la partie septentrionale de Saint-Domingue dans les Caraïbes.

La structure des forêts ombrophiles tempérées est beaucoup plus simple que celle des forêts ombrophiles équatoriales et leur diversité spécifique est moindre. Elles sont dominées par des arbres sempervirents à grandes feuilles comme sous les tropiques, dont les branches sont couvertes d'une épaisse couche d'épiphytes. On trouve des forêts ombrophiles tempérées sur la face orientale de l'Australie, en Tasmanie et dans certaines parties de la Nouvelle-Zélande.

La destruction des forêts ombrophiles est rapide

La forêt ombrophile équatoriale représente actuellement environ la moitié des zones forestières du globe, mais elle est en voie de disparition du fait des activités humaines. L'expansion rapide de la population humaine dans les régions tropicales, associée aux modes traditionnels de propriété de la terre, sont à l'origine des pratiques agricoles habituelles sous les tropiques — coupe à blanc de la forêt suivie

Figure 33-9

Les épiphytes collectent et stockent l'eau et les substances nutritives provenant de l'air ambiant, de la pluie et de la poussière atmosphérique, créant ainsi de petites mottes de sol à partir des débris accumulés. Les broméliacées, formant des touffes de feuilles, sont parmi les épiphytes les plus communs. Leurs feuilles s'imbriquent mutuellement à la base pour former des réservoirs étanches pouvant contenir, chez les espècs les plus grandes, jusqu'à 45 litres d'eau de pluie. Ces réservoirs d'eau forment des écosystèmes contenant des bactéries, des protozoaires, des larves, des insectes et des insectivores. De nombreux moustiques des forêts ombrophiles se reproduisent exclusivement dans les réservoirs des broméliacées. Ces plantes absorbent l'eau de leurs propres réservoirs et sont également alimentées à partir des débris de plantes et d'animaux. Cette photographie montre également des lianes.

d'une culture de courte durée — extrêmement dévastatrices quand elles sont appliquées sur une échelle aussi étendue. Nous verrons au chapitre suivant que de nombreuses espèces de plantes, d'animaux et de microorganismes sont voués à l'extinction suite à ces destructions.

La nature des sols tropicaux est une des raisons qui expliquent la dégradation rapide des forêts tropicales sous la pression de l'homme. Les températures constamment élevées et les pluies abondantes provoquent fréquemment une forte dégradation de ces sols qui sont par conséquent relativement peu fertiles. La plupart des éléments nutritifs minéraux sont bloqués dans les plantes elles-mêmes et non dans le sol comme c'est le cas dans de nombreuses formations des régions tempérées. Dans les régions tropicales, plus de la moitié des sols sont acides et carencés en calcium, phosphore, potassium, magnésium et autres éléments nutritifs. De plus, le phosphore de ces sols a tendance à se combiner au fer ou à l'aluminium pour former des composés insolubles non-assimilables pour le développement des plantes, et les sols contiennent souvent des teneurs toxiques en ions aluminium. Les racines des plantes ont tendance à se cantonner à une mince couche superficielle qui ne dépasse pas quelques centimètres, et elles apportent rapidement aux plantes les éléments nutritifs libérés par la décomposition des feuilles et des branches mortes. Sous ce mince horizon de sol superficiel, rapidement détruit après l'abattage des arbres, il n'y a pratiquement pas de matère organique. Pour toutes ces raisons, la culture des sols tropicaux pose d'énormes problèmes, même si les éléments nutritifs sont parfois abondants aussitôt après l'abattage et si des rendements élevés peuvent être obtenus pendant deux ou trois ans. Les forêts tropicales du globe sont cependant abattues et brûlées à un rythme accéléré, surtout pour produire des champs qui perdent toute utilité pour l'agriculture après quelques années (Figure 33-10). On estime que la plupart des forêts ombrophiles équatoriales auront disparu dès le début du siècle prochain, à l'exception de celles du bassin occidental de l'Amazone et celles d'Afrique Centrale.

Savanes et forêts tropicales tropophiles

Les **savanes** sont des formations herbeuses où sont dispersés des arbres décidus et sempervirents à grandes feuilles. Certaines sont dominées par des arbres, souvent denses, d'autres, par des arbustes. Les savannes occupent la région située entre la forêt ombrophile sempervirente équatoriale et le désert (Figure 33-11). Les arbres des savanes sont généralement décidus et perdent leurs feuilles pendant la saison sèche. Les savannes couvrent de vastes étendues en Afrique orientale ; on les retrouve également sur tous les continents en bordure des forêts ombrophiles, là où les pluies sont saisonnières et constituent un facteur limitant (Figure 33-3). On les retrouve également dans les régions séparant d'une part les prairies des forêts décidues tempérées et, d'autre part, entre les prairies et la taïga en Amérique du Nord et dans une grande partie du Mexique oriental, de Cuba et de l'extrême sud de la Floride.

La pluviosité annuelle est habituellement beaucoup plus faible dans les savanes que dans les forêts ombrophiles équatoriales — elle est souvent comprise entre 900 et 1500 millimètres. Les températures mensuelles moyennes sont également très variables en raison de la sécheresse saisonnière et de la faible couverture végétale. Les forma-

Figure 33-10

Il ne reste que 10 % de la végétation indigène qui recouvrait Madagascar, île de l'Océan Indien située 420 kilomètres à l'est du continent africain, et sa disparition se poursuit rapidement. À Madagascar, comme dans les autres forêts ombrophiles équatoriales, le sol devient rouge-brique et dur comme du béton après la dispariton de la végétation. L'eau de pluie ruisselle sur les terrains dénudés, colmatant les rivières et provoquant des inondations et des coulées de boue. La mer entourant Madagascar est rougie par les terres provenant de l'île. Les rizières sont détruites par les inondations et la population est à la limite de la famine.

tions épineuses (cerrado) qui couvrent de vastes étendues au Brésil font partie de ce biome des savanes. Les savanes et les formations végétales tropicales et subtropicales de même type, qui perdent leurs feuilles à certaines saisons, passent graduellement aux forêts ombrophiles équatoriales quand la pluviosité augmente et est mieux répartie ; des couloirs de forêt équatoriale (appelés galeries forestières)

Figure 33-11

Girafes entourées d'un troupeau d'impalas dans une savane d'Afrique de l'est. La présence de graminées, d'arbustes et de petits arbres montre que ce biome fait la transition entre la végétation caractéristique de la forêt ombrophile équatoriale et le désert.

s'avancent alors dans les savanes le long des rivières. Lorsqu'on se dirige vers les pôles, les savanes et les formations végétales apparentées se transforment progressivement en déserts.

Le sol des savanes est généralement bien éclairé en raison de la dispersion des arbres et, en conséquence, les herbes pérennes (essentiellement des graminées), prolifèrent. Les plantes bulbeuses sont abondantes parce qu'elles peuvent résister aux feux périodiques. On trouve peu d'herbes annuelles en raison de la couverture dense des herbes vivaces due aux pluies saisonnières. Les épiphytes sont également rares.

Les arbres des savanes possèdent souvent une écorce épaisse. Ils sont très ramifiés, mais dépassent rarement 15 mètres de hauteur. Presque tous sont décidus ; ils perdent leurs feuilles au début de la saison sèche et fleurissent après la chute des feuilles. Leurs feuilles sont généralement plus petites que celles des arbres sempervirents de la forêt ombrophile et les pertes d'eau par transpiration sont ainsi réduites.

En Afrique centrale et méridionale, sur le sous-continent indien et en Asie du Sud-Est, de vastes régions sont occupées par la **forêt de mousson** (forêt tropophile ou forêt claire) (Figure 33-3), qui rappelle la savane par l'existence d'une saison sèche. Dans la forêt de mousson cependant, la densité des arbres est beaucoup plus forte que dans les savanes, les arbres et les arbustes possèdent généralement de grandes feuilles et sont décidus. Les forêts de mousson représentent un type particulièrement répandu de forêt dont les feuilles tombent à certaines saisons et l'on en retrouve plusieurs autres types dans différentes régions tropicales. Les forêts de mousson existent également dans le nord de la Péninsule du Yucatan au Mexique et dans l'est du Brésil. Dans les régions couvertes par ces forêts, les précipitations sont élevées durant certaines parties de l'année, lorsque les vents apportant l'humidité soufflent régulièrement de l'océan, mais il existe également une saison sèche bien nette au cours de laquelle les arbres perdent leurs feuilles.

Il existe d'autres types de forêts décidues ou partiellement décidues en régions tropicales et subtropicales, dans très régions où existe une saison sèche prononcée. La plus grande partie de la Floride et de vastes régions s'étendant dans tout le sud-est des États-Unis sont recouvertes de forêts subtropicales mixtes. Dans ces forêts, des pins (Figure 33-12) et d'autres arbres sempervirents sont mêlés aux arbres décidus ; les pluies tombent principalement en été. Les forêts mixtes tropicales, où les arbres et les arbustes sempervirents sont mieux représentés que dans les forêts mixtes subtropicales, se retrouvent localement dans l'est et le sud du Brésil, ainsi que dans le nord de l'Australie (Figure 33-3). En Argentine, on trouve des formations voisines — des forêts mixtes subtropicales et tropicales, ainsi que des bois

Figure 33-12

Pinus elliottii est une des espèces arborescentes sempervirentes communes dans les forêts mixtes subtropicales du sud-est des États-Unis.

et maquis méridionaux. L'existence des savanes et des forêts claires en Afrique et dans d'autres régions dépend dans une large mesure des feux périodiques. L'hiver est long et chaud, et les habitants mettent fréquemment le feu à la végétation pour favoriser la croissance d'herbe fraîche destinée aux troupeaux d'animaux domestiques et sauvages.

Les déserts

Tous les grands **déserts** du globe sont situés dans les zones à haute pression atmosphérique longeant les tropiques aux environs de 30° de latitude nord et sud ; ils s'étendent vers les pôles à l'intérieur des grands continents (Figure 33-3). Beaucoup de déserts reçoivent moins de 200 millimètres de pluie par an. Dans le désert d'Atacama, sur la côte du Pérou et du nord du Chili, la pluviosité annuelle moyenne est inférieure à 20 millimètres. De grands déserts sont situés en Afrique du Nord et dans la partie méridionale du continent africain, où le désert du Namib est habité par certains des organismes les plus extra-ordinaires au monde, par exemple le *Welwitschia* (voir figure 20-43). Il existe d'autres déserts au Proche-Orient, dans le sud-est de la Mongolie et le nord de la Chine, dans l'ouest de l'Amérique du Nord, l'ouest et le sud de l'Amérique du Sud et en Australie. Le Sahara, qui s'étend de la côte atlantique de l'Afrique jusqu'à la péninsule arabi-

que, est le plus vaste désert du monde. Septante pour-cent de l'ensemble du continent australien est occupé par des régions semi-arides ou arides. Les déserts représentent moins de 5 % de l'Amérique du Nord.

Dans de nombreux déserts — les *déserts chauds* — les températures sont très élevées ; les températures estivales supérieures à 36°C sont fréquentes dans certains d'entre eux. D'autres déserts sont plus frais. Le désert du Grand Bassin, qui s'étend depuis la chaîne de la Sierra Nevada et des Cascades jusqu'aux Montagnes Rocheuses, est un exemple de *désert froid*. On n'y compte seulement quelques semaines de températures élevées par an. Dans les déserts cependant, l'humidité atmosphérique ne peut généralement se condenser, même lorsqu'elle est abondante, en raison des températures élevées. La couverture végétale étant généralement clairsemée, les déserts perdent rapidement leur chaleur par rayonnement pendant la nuit, entraînant d'importantes amplitudes de température au cours d'une période de 24 heures.

La répartition annuelle des précipitations dans les déserts est généralement liée à celle des régions voisines. Du côté de l'équateur, il pleut en été ; vers les pôles, il pleut en hiver. Entre les deux, par exemple dans les régions basses de l'Arizona, on peut avoir deux pics annuels de précipitations. Par conséquent, il existe généralement deux périodes de croissance active des plantes dans ces régions — l'une en hiver et l'autre en été — et des plantes différentes se développent à chaque période. Le type d'activité des plantes du désert dépend en général de leur origine. Les espèces provenant de régions où elles se développaient en hiver conservent généralement le même rythme dans le désert. De même, les espèces arrivées dans le désert en provenance de régions où elles se développaient au cours des pluies d'été continuent à se développer en cette saison, pour autant que les pluies estivales soient suffisantes.

Les plantes des déserts sont adaptées aux faibles précipitations et aux températures extrêmes

Les plantes annuelles sont mieux représentées, en nombre d'individus et en nombre d'espèces, dans les régions désertiques et semi-désertiques du globe que partout ailleurs. En raison de l'alimentation irrégulière en eau, les herbes vivaces sont mal adaptées aux déserts et aux semi-déserts, et la couverture des plantes vivaces n'est pas suffisante pour empêcher la croissance des annuelles. Profitant de leur croissance très rapide, les plantes annuelles peuvent germer et accomplir leur cycle de développement dans les zones dénudées pendant les courtes périodes où l'eau est disponible. Les graines de ces plantes peuvent persister dans le sol durant les longues périodes de sécheresse, qui couvrent parfois de nombreuses années. Lorsqu'ensuite l'eau est suffisante pour induire leur germination et permettre leur croissance jusqu'à la floraison, les graines peuvent germer rapidement.

Les rares herbes pérennes vivant dans les déserts sont souvent bulbeuses et restent en repos pendant la plus grande partie de l'année. La plupart des plantes de taille plus élevée sont succulentes — c'est le cas des cactus, des euphorbes et d'autres plantes typiques des déserts (Figure 33-13) — ou elles possèdent de petites feuilles coriaces ou caduques pendant les saisons défavorables (Figure 33-14). Les feuilles possèdent habituellement une cuticule plus épaisse et des stomates moins nombreux que celles des plantes des régions moins arides. Les

Figure 33-13

Le désert. On voit ici quelques plantes caractéristiques des principaux déserts d'Amérique du Nord. **(a)** Le désert de Sonora s'étend du sud de la Californie à l'ouest de l'Arizona et descend jusqu'au Mexique. Le cactus géant saguaro *(Carnegiea gigantea)* est une plante dominante, il atteint souvent 15 mètres de hauteur et possède un réseau étendu de racines superficielles. L'eau est stockée dans une tige épaissie qui s'élargit en accordéon après la pluie. **(b)** À l'est du désert de Sonora se trouve le désert de Chihuahua, dont une des plantes dominantes est l'agave *(Agave shawii),* une monocotylée. **(c)** Le désert de Mojave est situé au nord du désert de Sonora : la plante caractéristique est le yucca *(Yucca brevifolia).* Cette plante doit son nom local (« Joshua tree ») aux colons mormons qui lui trouvaient une ressemblance avec un patriarche gesticulant en prière. Dans le désert de Mojave se trouve la Death Valley, point le plus bas du continent (90 mètres sous le niveau de la mer), à 130 kilomètres seulement du Mont Whitney, dont l'altitude dépasse 4000 mètres. **(d)** Le désert de Mojave passe graduellement au désert du Grand Bassin, désert froid limité par la Sierra Nevada à l'ouest et les Rocheuses à l'est. C'est le plus vaste et le plus dénudé des déserts d'Amérique. La plante dominante est une armoise *(Artemisia tridentata),* que l'on voit ici avec les montagnes enneigées de la Sierra Nevada à l'arrière-plan.

(a)

(b)

(c)

(d)

Figure 33-14

Une des plantes les plus caractéristiques des déserts de Mojave, de Sonora et de Chihuahua est cet arbuste *(Larrea divaricata),* dont les petites feuilles coriaces peuvent garder leur eau. Dans le désert de Mojave, ces buissons peuvent former des clones circulaires ou elliptiques grâce à la production de nouvelles branches en périphérie des couronnes de tiges et de la segmentation et de la mort des plus vieilles tiges, ce qui aboutit à la production d'un anneau de buissons satellites autour d'une zone centrale dénudée. Cette zone centrale accumule généralement du sable qui forme un puits pouvant atteindre un demi-mètre de profondeur et fonctionner comme réserve d'eau, contribuant ainsi à la survie de la plante au cours des périodes de sécheresse. Certains clones peuvent être extrêmement âgés : on estime que l'âge du King Clone, représenté ici, à près de 12.000 ans. Ces anciens clones ont pris naissance par la germination de graines vers la fin de la dernière expansion glaciaire.

COMMENT FONCTIONNE UN CACTUS ?

Le cactus *Ferocactus acanthodes,* qui vit à la limite nord-ouest du désert de Sonora, en Californie méridionale, a une forme qui lui a valu son nom familier : cactus en tonneau. Sa tige semble avoir été repliée comme un éventail, et il est couvert d'épines comme un porc-épic. Quel est l'avantage que cette plante du désert peut retirer d'une forme aussi inhabituelle et extraordinaire ?

Lorsque le cactus est rempli d'eau, les cannelures gonflent et sont à peine visibles mais, lorsque la plante se dessèche, elles s'approfondissent et la tige peut se contracter sans écraser les cellules sous-jacentes. Cette contraction de la tige en cannelures et sillons a d'autres avantages encore. Les stomates sont profondément enfoncés dans les sillons séparant les cannelures. Les épines contribuent à ralentir la circulation de l'air et les sillons constituent donc des creux empêchant les vents secs du désert d'atteindre l'air humide des chambres sous-stomatiques. Ces terribles épines protègent en outre le cactus contre les rongeurs et les oiseaux toujours à la recherche d'eau, qu'ils vont jusqu'à soutirer des tiges suculentes. Suivant les recherches de Park Nobel, de l'Université de Californie à Los Angeles, les cactus en tonneau accumuleraient de l'eau en suffisance dans leurs tiges succulentes pour leur permettre de maintenir leurs stomates ouverts 40 jours environ après que le sol soit devenu trop sec pour fournir la moindre quantité d'eau. Dans ces conditions, beaucoup de fines racines se flétrissaient, de manière à éviter la perte d'eau dans le sol. Après une sécheresse de sept mois, l'activité des stomates s'interrompait et le potentiel osmotique de la tige était deux fois plus élevé que pendant la période humide, en dépit de la capacité de la tige à se replier et à se contracter. Au retour des pluies finalement, le système racinaire superficiel (à une profondeur moyenne de 8 centimètres seulement) absorbait l'eau si rapidement que les stomates montraient à nouveau un fonctionnement normal 24 heures après la pluie.

Ce ne sont cependant pas les seuls mécanismes mis en œuvre par le cactus pour conserver l'eau. Comme beaucoup d'autres plantes des déserts, le cactus en tonneau possède le métabolisme de l'acide crassulacéen (CAM). Il n'ouvre ses stomates que pendant la nuit et, de cette manière, les échanges gazeux s'effectuent au contact d'une atmosphère plus fraîche, qui contient moins d'eau que l'air chaud. En conséquence, la plante perd moins d'eau dans l'atmosphère par transpiration. La quantité d'eau transpirée, rapportée au poids du CO_2 fixé, n'atteint que 70 :1 pour l'année entière. Ce rapport est de loin inférieur à celui d'une plante en C_3, qui a besoin de volumes d'eau beaucoup plus importants pour fixer la même quantité de carbone, mais dont l'activité photosynthétique est cependant plus élevée.

Ne pouvant, comme leurs parents, supporter des températures extrêmement élevées ni une sécheresse prolongée, les plantules du cactus en tonneau ne peuvent survivre que certaines années et doivent disposer de microhabitats abrités. À 26 ans, ces plantes n'ont en général poussé que de 34 centimètres environ, la masse de leur tige ne s'accroissant que d'environ 10 % chaque année.

Cactus en tonneau. **(a)** À l'état hydraté et **(b)** déshydraté.

(a)   (b)

tiges de nombreuses plantes des déserts sont vertes, riches en chlorophylle et peuvent fournir des quantités appréciables de produits de la photosynthèse ; ces plantes sont souvent dépourvues de feuilles, comme, par exemple, la plupart des cactus. Beaucoup de plantes ont adopté la photosynthèse CAM (page 147) et absorbent le dioxyde de carbone uniquement pendant la nuit ; leurs stomates restant fermés pendant la journée. La photosynthèse en C_4 est également plus fréquente chez les plantes des déserts et des autres habitats chauds à saisons sèches qu'ailleurs (page 146).

(a)   *(b)*

Figure 33-15

(a) Savane à genévrier *(Juniperus osteosperma)* dans le Grand Bassin, près de Wellington, Utah.
(b) Les hivers froids sont une caractéristique des savanes à pin pignon et genévrier, ainsi que des formations buissonnantes du Grand Bassin, comme ici au sud de Moab, Utah.

Chez les plantes des déserts, l'activité photosynthétique est souvent maximale à des températures beaucoup plus élevées que chez les plantes des autres biomes. Chez *Tidestromia oblongifolia* par exemple, herbe vivace en C_4 commune dans la région de la Death Valley de Californie et du Nevada, la photosynthèse atteint son maximum entre 45 et 50°C en plein soleil au milieu de l'été. Beaucoup de plantes des déserts possèdent en outre des feuilles de taille réduite, la réduction de la surface foliaire étant une autre adaptation permettant de conserver l'eau. Les feuilles peuvent également être orientées de manière à réduire l'absorption de chaleur, ou encore elles sont couvertes d'un revêtement dense de poils (trichomes) qui réfléchissent les radiations solaires. Les arbres et les arbustes des déserts possèdent un enracinement très étendu qui absorbe efficacement l'eau des pluies périodiques, ou bien ils se limitent aux oueds et arroyos où se concentre l'eau souterraine.

Les savanes à genévriers qui sont si familières dans toute la partie intérieure de l'ouest des États-Unis (Figure 33-15) se retrouvent dans les déserts froids, mais généralement à des altitudes plus élevées. Au cours des périodes pluviales du pléistocène, à l'époque de la plus grande expansion des glaciers continentaux, ces formations végétales sont descendues dans les régions de basse altitude qui se sont ensuite transformées pour leur plus grande partie en déserts. Les matières végétales se conservent tellement bien dans l'air sec des déserts, qu'il est possible de reconstituer l'évolution de la végétation d'une région donnée à partir des feuilles et des branches sèches retrouvées dans d'anciens nids de hamsters.

Les prairies

Les prairies occupent une zone située entre les déserts et les forêts décidues tempérées, où le niveau des pluies est intermédiaire entre ceux qui caractérisent ces deux biomes. Des formations végétales très diverses sont réunies sous le nom de prairies, certaines passant aux savanes, d'autres aux déserts, et d'autres encore aux forêts décidues tempérées. Avec la diminution des précipitations, les principales formations herbeuses du globe se transforment souvent en déserts en allant vers l'équateur. Les formations herbeuses les plus fertiles reçoivent jusqu'à 1000 millimètres de précipitations par an ; elles passent aux forêts décidues tempérées, où l'humidité disponible est encore plus abondante. Les prairies sont caractérisées par des hivers froids et, contrairement aux savanes, elles sont généralement dépourvues d'arbres, sauf le long des cours d'eau.

Traditionnellement, les prairies ont été soumises à une exploitation agricole intensive, soit pour le pâturage, soit pour la culture, après labour. On a consenti beaucoup d'efforts pour tenter de transformer d'autres biomes en prairies et, après leur transformation, pour les maintenir dans cet état. Les sols les plus productifs pour l'agriculture des régions tempérées sont situés dans des régions occupées à l'origine par les prairies à hautes herbes (Figure 30-5).

Les prairies couvrent en général de vastes étendues à l'intérieur des continents, plus précisément en Amérique du Nord et à travers l'Eurasie (Figure 33-3). En Amérique du Nord, une transition se marque entre la prairie occidentale à herbes rases, plus désertique (les Grandes Plaines) et la forêt décidue tempérée orientale, en passant par les prairies à hautes herbes plus humides et plus riches (le Corn Belt) (Figure 33-16). Dans la moitié orientale du continent nord-américain, les prairies deviennent progressivement plus sèches quand on s'écarte de l'Océan Atlantique et du Golfe du Mexique, principales sources de vents chargés d'humidité.

(a)

(b)

Figure 33-16

Les prairies. Les prairies d'Amérique du Nord sont représentées par de vastes étendues de formations à herbes rases et de grande taille. **(a)** Femelle de bison allaitant son veau dans une prairie à herbes rases du Custer State Park, dans le Dakota du Sud. **(b)** Prairie à hautes herbes au mois de juin dans le Dakota du Nord. Le bosquet de peupliers près d'un cours d'eau est une caractéristique de ce biome.

Figure 33-17

Coreopsis est l'espèce dominante dans une clairière d'une forêt décidue tempérée proche de St.Louis, dans le Missouri. Ces clairières, généralement installées dans des zones à sol peu profond, sont souvent dominées par des plantes de la prairie qui forment des populations continues au-delà des limites de la forêt.

Plus au nord, les prairies deviennent à nouveau plus humides avec la diminution de l'évaporation liée aux températures relativement fraîches. La prairie à herbes courtes « typique » se retrouve dans les milieux semi-arides. Au cours des années plus humides, des graminées de taille plus élevée (différentes cependant des très grandes espèces de la prairie à hautes herbes) ont tendance à dominer. Dans de nombreuses régions boisées des États-Unis du centre et de l'est, on rencontre des zones ouvertes, des clairières, typiquement dominées par les plantes des prairies (Figure 33-17).

Les graminées cespiteuses et gazonnantes sont les plus importantes, mais d'autres herbes vivaces sont également fréquentes. En dépit de la croissance saisonnière des plantes des prairies, il reste peu de place pour le développement des plantes annuelles, pratiquement absentes de ce biome. Des plantes annuelles et des mauvaises herbes introduites s'installent occasionnellement dans les terrains remaniés, par exemple autour des terriers des animaux, près des constructions et le long des routes et des voies de chemin de fer.

Les feux jouent un rôle essentiel dans le développement des prairies. Du côté des déserts, la biomasse est trop peu abondante pour entretenir des feux courants. Dans les régions plus humides, comme celles des forêts décidues tempérées, les arbres atteignent souvent assez vite une taille suffisante pour échapper à l'influence des feux au niveau du sol, au moins dans les endroits fertiles. Les feux éliminent sélectivement les plantes possédant des organes aériens permanents et favorisent les graminées, les cypéracées et d'autres plantes herba-

Figure 33-18

Les sols de la prairie étaient à l'origine tellement compacts et fixés par les racines des graminées, qu'il ne fut possible de les mettre en culture qu'après la mise au point de charrues adaptées. Mais, après l'élimination des plantes par surpâturage ou culture mal adaptée, les sols se sont rapidement dégradés et ils ont été emportés par le vent. Cette photographie d'un champ fortement érodé, prise en Oklahoma en 1937, rappelle de façon éclatante le « dust bowl », responsable de l'émigration de plusieurs milliers de personnes du centre des États-Unis. Le roman de John Steinbeck, *Les raisins de la colère*, est basé sur les épreuves subies par ces migrants.

cées dont les méristèmes sont situés au niveau du sol et ne sont pas aisément détruits par le feu ou par le pâturage. Lorsque les prairies ont été perturbées, elles se sont souvent transformées soit en forêts, soit en déserts. C'est ainsi que les prairies qui s'étendaient à l'origine du sud de l'Arizona à l'ouest du Texas et que les premiers colons européens ont découvertes, ont été surpâturées et transformées en déserts au cours du XIXᵉ siècle. L'incapacité des fermiers et des éleveurs de gérer correctement les prairies a conduit aux désastres du « dust bowl » dans le centre ds États-Unis au cours des années 1930 (Figure 33-18).

Toutes les grandes formations herbeuses du monde ont été occupées, à certaines époques, par des troupeaux de mammifères herbivores accompagnés de grands prédateurs. Ces troupeaux étaient largement répandus pendant les périodes d'extension maximale des glaciers au pléistocène, lorsqu'ils furent chassés sur une grande échelle par nos ancêtres. Beaucoup de ces mammifères, comme le bison d'Amérique, ont depuis cette époque été chassés intensivement et ils ont failli disparaître. Ils survivent aujourd'hui principalement dans des réserves et ils ont cédé la place aux troupeaux d'animaux domestiques et aux champs cultivés.

Les forêts décidues tempérées

Les **forêts décidues tempérées** sont à peu près absentes de l'hémisphère austral, mais elles sont bien représentées sur toutes les grandes étendues continentales du nord (Figure 33-3). Ce type de forêt atteint son développement maximum dans les régions à étés chauds et hivers relativement frais (Figure 33-19). Les précipitations annuelles varient généralement de 750 à 2500 millimètres environ et elles sont réparties uniformément sur toute l'année ou parfois concen-

trées durant les mois d'été. On peut mettre en relation le type décidu (caducifolié) des forêts avec l'absence d'eau disponible durant la plus grande partie de l'hiver, les températures du sol descendant sous le point de congélation. Ces conditions retardent le déplacement de l'eau du sol vers les racines. Dans les régions les plus froides occupées par la forêt décidue tempérée, le sol est gelé pendant de nombreux mois. En fait, dans les régions occupées par la forêt décidue tempérée, les hivers sont comparables aux saisons chaudes et sèches régnant dans les savanes et les forêts tropophiles tropicales. Dans les deux biomes, l'indisponibilité de l'eau s'accompagne d'une chute saisonnière des feuilles des arbres et des arbustes.

L'écologie des forêts décidues tempérées diffère de celle des forêts sempervirentes par la nature du cycle annuel de croissance (Figure 33-20). En hiver, les arbres ont perdu leurs feuilles et leur activité métabolique est fortement réduite. Au printemps, diverses plantes herbacées prolifèrent sur le sol bien éclairé de la forêt (Figure 33-19a). Chez certaines espèces (les **éphémères printanières**), les feuilles émergent complètement formées des bulbes ou des rhizomes et leur période d'activité se déroule à la lumière du soleil avant que les feuilles des arbres ne s'étalent au-dessus d'elles. D'autres espèces (par exemple les **estivales précoces** et **tardives**, ainsi que les **sempervirentes**) apparaissent progressivement et poursuivent leur activité photosynthétique plus longtemps et plus tardivement dans les conditions ombragées de l'été. Les espèces estivales ont généralement des feuilles plus larges, mais plus minces en coupe transversale que celles qui ne sont actives qu'au printemps, et leurs organes de réserve sont d'habitude plus réduits que ceux des espèces à périodes de croissance plus courtes. La taille des herbes des forêts varie de quelques centimètres à plus d'un mètre. La hauteur des feuilles semble être en rapport

(a)

Figure 33-19

Forêt décidue tempérée. Plantes caractéristiques des forêts décidues tempérées d'Amérique du Nord. **(a)** Forêt de bouleaux et d'érables dans le Michigan, photographiée an printemps. Le sol de la forêt est couvert de trillium à grande fleur *(Trillium grandiflorum)* **(b)** En automne, comme ici dans une forêt au sud des Monts Appalaches, les feuilles d'érable et d'*Oxydendrum* prennent une belle teinte pourpre.

(b)

avec la densité particulière du feuillage des différentes espèces qui doivent s'affronter dans la concurrence au sein de leur microenvironnement (voir l'encadré de la page 778). Les graines de la plupart des espèces arrivant à maturité au printemps sont disséminées par les fourmis (pages 548 et 549), qui sont actives à l'époque où les autres animaux susceptibles d'assurer la dissémination sont peu nombreux. La plupart des espèces dont les graines mûrissent en automne sont d'autre part disséminées par les oiseaux, cette saison coïncidant avec les grandes migrations d'automne. Les plantes annuelles sont très rares dans les forêts décidues, sans doute parce que les plantules souffrent de la concurrence sous le couvert végétal dense du sous-bois humide.

Les sols des régions couvertes par la forêt décidue tempérée sont habituellement acides et assez pauvres en éléments nutritifs. Pour ces raisons, ces sols sont rapidement carencés en éléments nutritifs après l'abattage des forêts et ils peuvent devenir stériles après quelques années de culture intensive. Les sols des prairies sont beaucoup plus fertiles et leurs propriétés sont beaucoup plus favorables à une agriculture permanente.

Une des caractéristiques étonnantes de la forêt décidue tempérée est la similitude des plantes vivant dans les trois principales régions de l'hémisphère nord : ce sont souvent des espèces vicariantes appartenant à certains genres. Les plantes herbacées des forêts décidues de l'Asie orientale, par exemple, ressemblent en général plus à celles de l'est de l'Amérique du Nord qu'à celles de l'ouest, où la plupart des forêts décidues tempérées ont disparu il y a plusieurs millions d'années.

Figure 33-20

Les quatre saisons dans une forêt décidue tempérée d'Illinois. Les arbres bourgeonnent au début du printemps et commencent à synthétiser leur nourriture ; ils perdent leurs feuilles en automne et entrent pratiquement dans un stade de repos pour passer l'hiver défavorable à la croissance. De nombreuses plantes herbacées se développent sous les arbres (voir figure 33-19a) et beaucoup fleurissent au tout début du printemps, avant le développement complet des feuilles qui ombragent ensuite le sol. Au printemps, la plupart des arbres produisent de grandes quantités de pollen, qui est transporté par le bent.

DES EMPLOIS CONTRE DES CHOUETTES

Certaines des plus belles forêts du monde sont situées sur le versant occidental de la chaîne des Cascades, dans l'état de Washington, dans l'Oregon et dans le nord de la Californie. Dans la péninsule olympique de Washington, ce sont de véritables forêts ombrophiles tempérées, recevant plus de 4000 millimètres de pluie par an ; d'autres forêts sont plus méridionales et plus éloignées de la côte, et donc plus sèches. Dans les forêts adultes, ou forêts primaires, les plus gros arbres dépassent 250 ans ; certains atteignent presque 100 mètres de hauteur et environ 2 mètres de diamètre. Ces forêts possèdent une grande diversité biologique, représentant un stade avancé de la série, montrant dans le sous-bois un bon développement de plantes herbacées, fougères, mousses et autres végétaux (voir chapitre 32).

Ces forêts primaires couvraient probablement à l'origine plus de 76.000 kilomètres carrés dans les états de la côte pacifique. Les estimations de la superficie actuelle varient beaucoup en raison des divergences concernant la définition d'une forêt primaire, mais elle ne représente pas plus d'un tiers et peut-être pas plus d'un sixième de la superficie d'origine. Les forêts qui subsistent sont en outre souvent très fragmentées ; le soleil, le vent et d'autres facteurs sans conséquences pour une forêt intacte y entraînent la disparition de certaines espèces et réduisent la diversité génétique.

Une énorme controverse a pris naissance dans les états d' Oregon et de Washington en 1989 lorsque l'U.S. Forest Service proposa de mettre fin à l'exploitation de plus de 1500 kilomètres carrés de forêt nationale pour protéger la chouette tachetée septentrionale, déclarée depuis peu espèce menacée par l'U.S. Fish and Wildlife Service. Cette mise en réserve réduisait d'environ 5 % la quantité de bois disponible et faisait perdre quelque 3000 emplois ; en revanche, cela suffisait à protéger environ 1300 couples de chouettes.

En 1993, l'administration Clinton proposa un compromis qui irritait les deux clans. Le congrès adopta ensuite une loi de sauvegarde permettant aux bûcherons d'enlever les arbres morts et malades de ces forêts. Les bûcherons ont également dû faire face aux pêcheurs, qui ont signé des pétitions pour que le statut d'espèce menacée soit accordé à deux espèces de saumon. La vase provenant des coupes à blanc peut colmater les sites de ponte du saumon dans les cours d'eau des forêts. Les discussions se poursuivent.

De manière plus fondamentale, la controverse dans les états du nord-ouest ne concerne pas seulement un choix entre les chouettes et les emplois, mais la valeur intrinsèque de la région et la façon dont nous souhaitons traiter les reliques de la forêt primaire, âgée de centaines d'années et d'une importance fondamentale pour la conservation des paysages et de la santé de l'écologie de la région. D'un point de vue économique, le tourisme est même plus important que l'exploitation forestière dans la région nord-ouest, mais les bénéfices qui découlent du tourisme profitent aux citadins plurôt qu'aux habitants des localités rurales, dont la survie dépend parfois directement de l'industrie du bois. Si tous les vieux arbres sont abattus — en pratique, tous ceux qui subsistent se trouvent dans des territoires fédéraux — cela donnera encore du travail pour quelques années seulement, et il est donc de toute façon nécessaire de passer à une exploitation forestière durable ou à d'autres types d'emplois. Bien que le nombre d'espèces végétales et animales totalement inféodées aux forêts primaires soit assez limité, ces forêts abritent pourtant beaucoup d'organismes en dehors des chouettes.

Comme c'est généralement le cas lorsque des problèmes écologiques sont en jeu, il faut trouver de nouveaux moyens pour déterminer les priorités globales et ne pas nécessairement marchander chaque arbre pour essayer de « protéger » des emplois à court terme. Un pays qui a l'ambition de se comporter de cette manière doit trouver d'autres moyens de prendre soin de sa population et de lui procurer des emplois sans pour autant anéantir des ressources naturelles irremplaçables. En attendant, les prix élevés payés par les Japonais pour les grumes en provenance du nord-ouest continueront à assurer une destruction rapide des forêts primaires, et la chouette restera le symbole de valeurs régionales fondamentales en voie d'anéantissement.

La chouette tachetée septentrionale, que l'on rencontre dans les forêts primaires depuis le nord de la Californie jusqu'en Colombie Britannique (Canada).

Les forêts mixtes tempérées et les forêts de conifères

Les forêts mixtes, composées principalement de conifères associés aux arbres décidus, sont situées à la limite des forêts décidues boréales. Ces forêts mixtes tempérées (Figure 33-21) sont typiques de la région des Grands Lacs et du Saint-Laurent, de la plus grande partie du sud-est des États-Unis, de l'Europe orientale, des limites nord et est de la Mandchourie (au nord-est de la Chine) et de la Sibérie voisine, de la Corée orientale et du nord du Japon (Figure 33-3). Les forêts mixtes tempérées occupent parfois des régions où les hivers sont plus froids que dans la forêt décidue tempérée. Les forêts mixtes tempérées caractérisent également en partie les régions à sols plus pauvres en minéraux ou à saisons moins marquées. Les **forêts mixtes tempérées** constituent une large zone de transition entre les forêts décidues tempérées au sud et la taïga au nord.

Figure 33-22

Les séquoias *(Sequoia sempervirens)* constituent la caractéristique principale des forêts mixtes de la côte occidentale de Californie. Alimentés en eau par les brouillards fréquents dans la région au cours des étés secs, et protégés du gel par la proximité de l'océan, les séquoias forment souvent des massifs spectaculaires, et beaucoup sont préservés dans des parcs et des réserves, comme ici dans les Muir Woods, près de San Francisco.

Figure 33-21

Forêt mixte tempérée. Dans cette forêt de l'Ontario méridional, les conifères sempervirents apparaissent en vert foncé, tandis que les feuillus montrent leurs teintes automnales.

La plupart des arbres décidus et des plantes herbacées qui leur sont associées ont été éliminés de l'ouest de l'Amérique du Nord au cours de la seconde moitié du cénozoïque lorsque la pluviosité a fortement décliné. Leur place est actuellement occupée par les **forêts de conifères** de montagne et les forêts mixtes du nord-ouest de l'Amérique, où l'on rencontre des arbres tels que le séquoia côtier (*Sequoia sempervirens* ; figure 33-22), le séquoia géant (*Sequoiadendron giganteum*), le douglas (*Pseudotsuga menziesii*) et un pin (*Pinus lambertiana* ; voir figure 32-14b), espèces dont l'aire de distribution a été beaucoup plus vaste dans le passé (voir « Des emplois contre des chouettes », page 815). On retrouve les mêmes types de végétation dans d'autres régions à climat semblable, en Scandinavie, en Europe centrale, dans les Pyrénées, le Caucase, l'Oural, le sud du Tibet et depuis le nord de l'Himalaya jusqu'en Sibérie. On retrouve également des types de végétation semblables dans certaines régions de l'ouest de l'Amérique du Sud, du centre de la Nouvelle-Guinée, du sud-ouest de la Nouvelle-Zélande, du sud de la péninsule arabique, de l'Éthiopie et des montagnes d'Afrique Centrale (Figure 33-3). Dans ces régions, on rencontre à haute altitude des formations herbeuses ouvertes appelées toundra alpine (Figure 33-23) qui se mêlent, en Amérique du Nord, aux forêts de montagne depuis la chaîne de Brooks dans le sud de l'Alaska jusqu'aux Montragnes Rocheuses, aux Cascades et à la Sierra Nevada.

Le maquis méditerranéen

Des **formations arbustives** très particulières ont évolué à partir des forêts mixtes décidues-sempervirentes dans les régions à climat méditerranéen, caractérisées par des hivers frais et humides et des étés chauds et secs (Figure 33-24). On rencontre ces climats sur les rives de la Méditerranée, sur une grande partie de la Californie (et un peu au nord et au sud de cet état), au centre du Chili, sur la côte méridionale de l'Afrique et sur une partie des côtes de l'Australie du sud et du sud-ouest (Figure 33-3). Les plantes de ces régions — souvent des

Figure 33-23

Toundra alpine dans la Péninsule Olympique (état de Washington). Cette toundra alpine ressemble beaucoup à la toundra arctique qui se trouve à des centaines de kilomètres au nord. Ici cependant, les pentes boisées se trouvent à quelques centaines de mètres seulement des pelouses alpines.

arbres et buissons sempervirents ou décidus en été — profitent de périodes de croissance relativement courtes qui se limitent à la saison fraîche, lorsque l'humidité est relativement abondante. Elles peuvent stocker efficacement des éléments nutritifs dans leurs feuilles persistantes. Sous les climats méditerranéens, la végétation luxuriante du printemps fait place à la sécheresse et à la période estivale de repos.

Le feu a une grande importance écologique pour les végétations de type méditerranéen et les incendies étaient probablement réguliers dans ces formations végétales bien avant leur occupation par l'homme. Le feu peut aujourd'hui poser un sérieux problème dans des régions telles que le sud de la Californie, où les habitations se répandent loin à l'intérieur du chaparral. **Chaparral** est le terme utilisé en Californie et dans d'autres régions de l'ouest de l'Amérique du Nord pour désigner les arbustes sempervirents, souvent épineux, for-

mant typiquement des fourrés denses. Des types de végétation semblables se sont développés ailleurs, en particulier dans des zones caractérisées par des climats méditerranéens, et ils ont reçu des noms locaux différents. Autour de la Méditerranée, la végétation correspondante est le *maquis* (Figure 33-1), au Chili, on parle de *matorral* et, en Afrique du Sud, de *fynbos*.

Comme pour les déserts, les régions à climat méditerranéen du globe sont isolées les unes des autres et chacune possède son propre ensemble caractéristique de plantes et d'animaux. La convergence écologique est cependant importante et le chaparral de Californie ressemble fort au matorral du Chili ou au maquis méditerranéen, même si la plupart des plantes ne sont pas apparentées taxonomiquement. La saison sèche donne plus d'importance aux différences édaphiques (relatives au sol) et biotiques, et de faibles variations dans les

Figure 33-24

Maquis méditerranéen. Chaparral dans les montagnes proches de Los Angeles, en Californie. Ce type de formation végétale, composé d'arbustes sempervirents à feuilles larges, résistants à la sécheresse et souvent épineux, ne se retrouve que sur des surfaces limitées dans le monde, mais il a évolué indépendamment sur cinq continents dans des régions caractérisées par un climat méditerranéen (à été sec) (voir également la figure 33-1).

précipitations ont souvent des répercussions profondes sur la végétation et la vie animale de la région. C'est pourquoi ces régions possèdent souvent une proportion élevée d'espèces animales et végétales extrêmement localisées, dont beaucoup risquent aujourd'hui de disparaître. Telles qu'elles se présentent actuellement, ces régions ont déjà été fortement modifiées par l'homme. L'état de leur végétation est aujourd'hui très différent de ce qu'il était avant l'occupation par l'homme et ses troupeaux de ruminants — on peut par exemple y trouver aujourd'hui plus d'arbustes et moins d'arbres qu'auparavant et plus de plantes épineuses et vénéneuses.

La taïga

Cette forêt boréale de conifères, ou forêt boréale, se caractérise par une couverture permanente de neige en hiver et par un climat très sévère dans sa partie nord. À la limite méridionale de la taïga, les arbres sont plus grands et plus luxuriants, atteignant souvent 75 mètres de haut ou plus (Figure 33-25). Dans son aire principale septentrionale toutefois, les arbres sont plus petits et des milliers de kilomètres carrés sont couverts d'une forêt uniforme, ne rassemblent qu'un nombre relativement faible d'espèces animales et végétales (Figure 33-26). Taïga est le terme russe qui désigne la végétation de ce biome, s'étendant sur la plus grande partie de la Russie, de la Scandinavie et de l'Amérique du Nord septentrionale (Figure 33-3). Elle est presque partout sempervirente, sauf dans de vastes régions du nord-est de la Sibérie, où les mélèzes *(Larix),* conifères décidus, sont dominants.

La taïga se rencontre à l'intérieur des grandes masses continentales aux latitudes qui lui sont propices et, en Amérique du Nord, elle s'étend vers le sud le long de la côte pacifique jusqu'en Californie. Dans ces régions, les températures extrêmes varient de -50 à 35°C. La taïga est bordée au sud par les forêts de montagnes (dans l'ouest de l'Amérique du Nord par exemple), par les forêts décidues, les savanes ou les prairies, suivant le niveau des précipitations dans la région. La taïga est absente de l'hémisphère sud parce qu'il n'y existe pas de masses continentales aux latitudes qui lui conviennent. En raison de l'influence des vents dominants d'ouest amenant l'air des courants océaniques relativement chauds entre 40 et 50° de latitude nord, les parties occidentales de l'Amérique du Nord et de l'Eurasie sont caractérisées par des climats plus tempérés que leurs parties orientales. C'est pourquoi la taïga remonte un peu plus vers le nord sur la côte pacifique que sur la côte atlantique de l'Amérique du Nord, et cela vaut aussi pour la distribution de nombreuses espèces végétales et animales ocupant ce biome. Les limites septentrionales de la taïga sont finalement déterminées par la sévérité du climat arctique : elles correspondent à une température mensuelle maximum d'environ 10°C.

Dans les vastes étendues septentrionales de la taïga, la plupart des précipitations tombent en été ; dans ces régions, l'air froid de l'hiver contient très peu d'humidité. Les précipitations annuelles totales ne

Figure 33-25

Taïga. La forêt dense, de haute taille, qui se développe sur les pentes et les plateaux très arrosés de la Péninsule Olympique, dans l'état de Washington, est la forme méridionale de la taïga, ou forêt septentrionale de conifères. On voit que les mousses, hépatiques, sélaginelles et lichens épiphytes ont un développement luxuriant sur les arbres.

Figure 33-26

La taïga septentrionale, qui couvre des centaines de milliers de kilomètres carrés dans les régions froides de la zone tempérée nord, est dominée par l'épicéa *(Picea glauca)* et le mélèze *(Larix).* Cette photographie a été prise dans le nord du Manitoba, au Canada. Plus au nord, les arbres ont une taille plus réduite.

dépassent généralement pas 300 millimètres. L'évaporation est cependant faible et les lacs, les tourbières et les marécages sont fréquents (Figure 33-26). Plus des trois-quarts des étendues septentrionales de la taïga s'étendent sur un sous-sol toujours gelé, le **permafrost,** généralement situé à moins d'un mètre de profondeur ; le permafrost a tendance à capter l'eau de surface et à former des lacs. Les feux sont fréquents dans la taïga et ils donnent naissance à des zones généralement plus chaudes et plus productives pendant une durée d'au moins 10 à 20 ans, en raison de la fonte locale du permafrost. Les sols de la taïga sont en général très acides, très pauvres en éléments nutritifs ; ils ne conviennent guère à l'agriculture.

Des espèces appartenant à quelques genres arborescents sont très répandues dans la taïga septentrionale, par exemple des épicéas (*Picea*), des mélèzes (*Larix*), des sapins (*Abies*) et des peupliers (*Populus*). Parmi les arbustes les plus communs, on trouve des ronces (*Rubus*), des rhododendrons (*Rhododendron*), des saules (*Salix*), des bouleaux (*Betula*) et des aulnes (*Alnus*). On trouve occasionnellement des pins (*Pinus*) dans les régions chaudes et sèches. Les espèces de tous ces genres d'arbres et arbustes possèdent des endomycorhizes et forment des massifs denses composés d'une seule ou de quelques espèces seulement. Les plantes herbacées vivaces sont fréquentes, les mousses et les lichens sont particulièrement développés et forment souvent des masses luxuriantes. Il n'existe pratiquement pas de plantes annuelles.

Les grandes étendues de forêts de conifères sempervirents du nord-ouest des États-Unis et du Canada (Figure 33-3) sont des adaptations aux hivers humides et aux étés chauds de cette région. La photosynthèse étant limitée au cours de la saison chaude par manque d'humidité, les arbres décidus sont défavorisés et ne se rencontrent habituellement que le long des cours d'eau. Les conifères sempervirents peuvent toutefois synthétiser leurs glucides pendant toute l'année, et en raison de leur taille massive, ils sont capables de stocker l'eau et les éléments nutritifs pour les utiliser pendant la saison sèche. Leur écorce épaisse et leur couronne élevée les protègent des feux typiques de la région.

À sa limite septentrionale, la taïga passe irrégulièrement à la toundra. Dans ces deux biomes, les jours sont longs durant la période de croissance relativement courte ; au nord du cercle arctique, le soleil ne se couche pas pendant une partie au moins de l'été. En raison de l'abondance saisonnière de la lumière et des températures favorables, les plantes cultivées en saison froide, comme les choux (*Brassica oleracea* var. *capitata*) peuvent se développer rapidement dans les zones dégagées de la taïga et atteindre une grande taille en un temps remarquablement court. Les sols peu fertiles et fortement lessivés de la taïga ne conviennent cependant pas à la plupart des formes d'agriculture.

La toundra arctique

La toundra arctique est un biome dépourvu d'arbres qui s'étend jusqu'aux limites septentrionales de la végétation (Figure 33-27). Elle occupe une superficie énorme : un cinquième de la surface des terres du globe (Figure 33-3). La majeure partie de la toundra se trouve dans l'arctique, principalement au-delà du cercle polaire, bien qu'elle

(a)

(b)

Figure 33-27

Toundra arctique. **(a)** Toundra arctique humide près de Prudhoe Bay, en Alaska, à la fin de l'été. Les plantes d'un brun rougeâtre sont celles d'*Arctophila fulva*, les vertes sont celles de *Carex aquatilis* (cypéracée). Notez que la nappe aquifère se trouve au-dessus de la surface du sol en raison de la présence du permafrost ; cette situation est caractéristique de la toundra arctique. **(b)** Toundra arctique à Barrow, en Alaska. Un clone de la cypéracée *Eriophorum angustifolium* se développe à l'intérieur d'une plage d'une autre espèce du même genre, *E.scheuchzeri*. La reproduction végétative, comme celle d'*E.angustifolium*, est caractéristique de beaucoup de plantes de la toundra.

s'étende plus loin vers le sud à l'est des continents qu'à l'ouest. La toundra arctique forme essentiellement une très large bande à travers l'Eurasie et l'Amérique du Nord, tandis que la toundra alpine, en relation avec les forêts de montagne voisines, s'étend dans les montagnes plus vers le sud (Figure 33-23 ; voir également la figure 33-6). Certaines espèces végétales de la toundra arctique ont une large répartition circumboréale.

Toute la région occupée par la toundra arctique repose sur un permafrost. Les sols sont acides ou neutres, pauvres en éléments nutritifs et généralement impropres à l'agriculture. Bien que les précipitations ne dépassent généralement pas 250 millimètres par an, la plus grande partie de l'eau se maintient près de la surface à cause du permafrost sous-jacent, et le sol est habituellement gorgé d'humidité. Il n'y a généralement que très peu d'azote fixé et il n'existe que quelques espèces de légumineuses et d'autres plantes à bactéries symbiotiques fixant l'azote atmosphérique. L'évaporation est faible en raison de la teneur en eau assez élevée de l'air et des basses températures. Par contre, certaines régions de la toundra sont tellement sèches qu'elles constituent de véritables déserts polaires. La plus grande partie des terres situées au nord du 75e parallèle est un désert ou un semi-désert, où peu de plantes dépassent 5 centimètres de haut. Cette situation est due aux très faibles précipitations aussi bien en été qu'en hiver et aux très basses températures hivernales.

Pour la croissance des plantes, la température moyenne mensuelle doit être supérieure à zéro degré au moins pendant un mois. La saison de croissance (temps séparant deux périodes de gel létal) de nombreuses régions de la toundra arctique est inférieure à deux mois. Plusieurs genres de buissons bas, comme des bouleaux (*Betula*), des saules (*Salix*), les myrtilles (*Vaccinium*) et des rhododendrons (*Rhododendron*) sont fréquents dans la toundra ; on y rencontre un certain nombre de genres de plantes herbacées pérennes, mais une seule espèce annuelle indigène (*Koenigia islandica*). Beaucoup de plantes vivant dans la toundra arctique, par exemple nombre de graminées et de cypéracées, sont sempervirentes, ce qui leur permet de démarrer la photosynthèse dès que la lumière, l'humidité et la température sont adéquates. La hauteur des plantes est surtout limitée par l'épaisseur de la neige en hiver ; il n'existe pas de plantes ligneuses de grande taille parce qu'elles dépensent une trop grande quantité d'énergie à former une tige improductive que la période de croissance courte et froide ne peut produire. Un certain nombre de plantes de la toundra possèdent des fleurs assez grandes et spectaculaires dont la production demande aux plantes des quantités considérables d'énergie. Ces fleurs constituent

Tableau résumé
Quelques caractéristiques des principaux biomes du globe

BIOME	TEMPÉRATURE ET PRÉCIPITATION	PLANTES CARACTÉRISTIQUES	DIVERS
Forêts ombrophiles	Température élevée et forte pluviosité toute l'année.	Arbres sempervirents à feuilles larges, épiphytes et lianes.	C'est le biome dont la diversité spécifique est la plus grande. Sols peu fertiles.
Savanes et forêts tropicales tropophiles	Température élevée et sécheresse saisonnière.	Formations herbeuses parsemées d'arbres ou d'arbustes décidus à grandes feuilles.	Les feux périodiques sont importants.
Déserts	Précipitations en général très faibles à l'exception de pics occasionnels ; la température maximale varie suivant le type de désert.	Plantes succulentes, comme les cactus ; herbes annuelles.	Présence d'adaptations telles que des feuilles de petite taille, des cuticules épaisses, une photosynthèse maximale à haute température.
Prairies	Précipitations assez faibles ; hivers froids et étés chauds.	Graminées vivaces cespiteuses et gazonnantes.	Fortement exploitées pour l'agriculture.
Forêts décidues tempérées	Précipitations modérées réparties uniformément ; hivers frais et étés chauds.	Arbres décidus et nombreuses herbes vivaces.	Les plantes herbacées dominantes diffèrent suivant les saisons.
Forêts mixtes tempérées et forêts de conifères	Précipitations assez faibles et hivers assez froids.	Mélanges d'arbres décidus et de conifères.	Constitue une zone de transition au nord de la forêt décidue. Se retrouve également sur des sols pauvres ou dans des milieux à saisons moins marquées.
Maquis méditerranéen	Hivers frais et humides, étés chauds.	Arbres et arbustes résistants à la sécheresse sempervirents ou perdant leurs feuilles en été, groupés en fourrés denses.	Appelé chaparral en Californie et maquis autour de la Méditerranée.
Taïga	Précipitations assez faibles et hivers froids, bien que les hivers soient très humides dans la région pacifique du nord-ouest.	Forêt d'arbres sempervirents.	Les sols sont très acides et très pauvres ; il peut exister un permafrost.
Toundra arctique	Précipitations très faibles en été comme en hiver ; hivers très froids.	Buissons bas, graminées, cypéracées et lichens.	Permafrost partout présent. La majeure partie de la biomasse est souterraine.

une monnaie d'échange riche en énergie, destinée à leurs pollinisateurs — énergie indispensable en raison des basses températures qui prévalent aux hautes latitudes. La propagation végétative est habituelle chez beaucoup de plantes pérennes, et ce fait peut être corrélé avec la production aléatoire de graines mûres au cours du bref été arctique. La majeure partie de la biomasse des plantes de la toundra — de 50 à 98 % — est souterraine, formée non seulement des racines, mais également des rhizomes et d'autres types de tiges souterraines. Au nord de la toundra arctique s'étend le désert glacé : les conditions physiques y sont encore plus extrêmes et la végétation en est absente. Le désert glacé est typique de l'intérieur du Groenland, de Svalbard, petit archipel au large de la Norvège, et de la Nouvelle Zemble, deux îles au nord de la côte de Sibérie. La plus grande partie de l'Antarctique, non représentée sur la carte de la figure 33-3, est également recouverte de glace.

RÉSUMÉ

Les biomes sont des écosystèmes terrestres caractérisés par une végétation particulière. La répartition des biomes résulte d'interactions complexes entre la distribution de la chaleur solaire, la circulation de l'air et la géologie. Ces facteurs sont à l'origine de différences locales et saisonnières importantes pour les températures et les précipitations. La vie végétale et animale dans les différents biomes du globe n'est pas seulement influencée par le climat, mais également par des facteurs dépendant de la surface des continents, comme la composition des sols et l'altitude.

Les forêts ombrophiles équatoriales sont caractérisées par une grande diversité spécifique et un petit nombre d'individus par espèce

La forêt ombrophile équatoriale, où ni l'eau ni les basses températures ne constituent un facteur limitant, est de loin le biome le plus riche en nombre d'espèces. Les arbres sont sempervirents et caractérisés par des feuilles coriaces de taille moyenne. Une strate herbacée peu importante se développe en sous-bois, mais les lianes et les épiphytes sont nombreux dans les strates supérieures. Les sols tropicaux sont souvent acides et très pauvres en éléments nutritifs ; leur fertilité disparaît rapidement lorsque la forêt est abattue.

Les savanes et les forêts tropicales tropophiles sont établies dans les régions où les pluies sont saisonnières

La plupart des formations tropicales et subtropicales caractérisées par une sécheresse saisonnière sont des savanes, des forêts mixtes subtropicales, des forêts de mousson, ou forêts tropophiles, des forêts mixtes tropicales ou des fourrés et maquis méridionaux. Les arbres et les arbustes de ces formations perdent totalement ou partiellement leurs feuilles pendant les périodes de sécheresse. Les plantes vivaces herbacées sont nombreuses. On trouve également des savanes entre les prairies et les forêts décidues tempérées, de même qu'entre les prairies et la taïga en Amérique du Nord. Les forêts mixtes subtropicales couvrent la plus grande partie de la Floride et les grandes plaines du sud-est des États-Unis. Dans ces forêts, des arbres sempervirents, comme les pins, sont mélangés aux arbres décidus.

Les plantes des déserts sont adaptées aux faibles précipitations et aux températures extrêmes

Quand on s'éloigne de l'équateur, les formations tropicales et subtropicales deviennent des déserts et des semi-déserts, caractérisés par des précipitations faibles et souvent par des températures élevées durant la journée, au moins pendant une partie de l'année. Les plantes succulentes et herbacées annuelles sont fréquentes dans les déserts.

Les prairies se rencontrent là où les précipitations et les feux interviennent et favorisent les plantes herbacées aux dépens des arbres

Les prairies, qui se rapprochent des savanes, des déserts et des forêts tempérées, se caractérisent par une absence générale d'arbres, sauf le long des cours d'eau. Les sols des prairies sont les terres agricoles les plus productives des régions tempérées.

Les forêts décidues tempérées sont composées d'arbres à feuilles caduques et de nombreux types d'herbes vivaces

Dans les forêts décidues tempérées, la plupart des arbres perdent leurs feuilles durant les hivers froids (généralement enneigés), lorsque l'eau n'est pas disponible pour la croissance. De nombreux genres sont communs aux forêts décidues tempérées de l'est de l'Amérique du Nord et de l'Asie orientale. Ces forêts sont bordées au nord par les forêts mixtes tempérées et les forêts de conifères, où ces derniers jouent un rôle important.

Le maquis méditerranéen est caractérisé par des arbustes ou des arbres sempervirents, résistants à la sécheresse, formant des fourrés

Des formations arbustives différentes, appelées chaparral en Amérique du Nord et maquis en région méditerranéenne, on évolué dans les cinq régions du monde à climat méditerranéen — été chaud et période de croissance hivernale fraîche et pluvieuse — régions nettement séparées les unes des autres. Ces formations existent à l'ouest de l'Amérique du Nord et du Sud, autour de la Méditerranée, dans la région du Cap en Afrique du Sud et en Australie du sud-ouest.

La taïga est caractérisée par des arbres sempervirents

La taïga est une vaste forêt septentrionale de conifères qui forme une bande ininterrompue en Eurasie et en Amérique du Nord et descend le long de la côte pacifique jusqu'au nord de la Californie. À sa limite méridionale, la taïga est dominée par de grands arbres associés à un développement luxuriant des bryophytes et des lichens ; vers le nord, elle est représentée par de vastes étendues monotones d'une forêt composée d'un très petit nombre d'espèces d'arbres.

La toundra arctique est composée de buissons bas et de graminées, mais elle est dépourvue d'arbres

La toundra se situe au nord de la taïga : c'est une région dépourvue d'arbres s'étendant tout autour de l'hémisphère nord, principalement au-delà du cercle polaire arctique, formant une bande continue, interrompue seulement par les mers. Le permafrost est continu sous la partie septentrionale de la taïga et toute la toundra. En raison de la présence de ce permafrost et surtout de la faible évapotranspiration, les sols de la toundra et de la taïga sont relativement humides et le lessivage des éléments nutritifs est important.

MOTS CLÉS

QUESTIONS

1. Expliquez l'influence de la latitude et de l'altitude sur la répartition des organismes terrestres.

2. Décrivez l'influence des montagnes sur les précipitations locales.

3. Comparez les forêts équatoriales et tempérées en ce qui concerne le nombre d'espèces, ainsi que la taille et la forme des arbres.

4. Expliquez pourquoi les plantes annuelles sont mieux représentées, en nombre d'individus et en diversité spécifique, dans les déserts et dans les régions semi-arides du globe que partout ailleurs.

5. Comparez les quantités relatives d'éléments nutritifs présentes dans les sols des forêts et des prairies.

6. Comment les conifères sempervirents du nord-ouest des États-Unis et du Canada sont-ils adaptés aux hivers humides et aux étés secs de ces régions ?

7. Quelles sont les principales différences entre la taïga et la toundra ? Quel est le rôle du permafrost dans ces biomes ?

Le point de vue de l'homme 34

SOMMAIRE

Ainsi que nous l'avons vu au chapitre 32, quelles que soient nos préférences alimentaires, notre alimentation à tous dépend directement ou indirectemnt des plantes. Ce chapitre se poursuit sur ce thème et met l'accent sur les espèces de plantes dont dépend l'alimentation de l'humanité. L'alimentation a pourtant une longue histoire, et nous allons entreprendre un voyage qui débute il y a 5 millions d'années pour se poursuivre aujourd'hui et dans l'avenir.

Après une rapide description du premier développement de l'*Homo sapiens*, ce chapitre se tournera vers le développement de l'agriculture — d'abord dans le Proche-Orient et dans d'autres régions de l'Ancien Monde, puis plus tard dans les Amériques. À chaque étape, nous allons rencontrer des aliments qui sont aujourd'hui familiers, mais que l'on ne trouvait au début que dans des régions localisées du globe. L'orge et le blé ont par exemple été domestiqués à l'origine dans le Proche-Orient, le riz et le soja en Chine, le bananier en Asie tropicale, le caféier en Afrique, le maïs et les haricots au Mexique et les pommes de terre en Amérique du Sud. Des épices telles que la cannelle, le poivre et le clou de girofle ont d'abord été cultivées en Asie tropicale, et des condiments tels que la menthe, le thym et le basilic ont été domestiqués en Europe. L'alimentation de l'homme repose aujourd'hui sur un nombre relativement faible de cultures, bien que les espèces sauvages représentent un potentiel important de culture.

Nous traiterons ensuite de la croissance rapide de la population et de la manière dont cette croissance risque de dépasser la capacité de l'agriculture à l'alimenter. Ce chapitre se clôturera par la description de quelques développements prometteurs de l'agriculture qui pourraient apporter des solutions au problème de la faim dans le monde.

Figure 34-1

Un San du Kalahari — population s'adonnant à la chasse et à la cueillette — portant une pintade qu'il a prise au piège. Il porte à sa taille un arc et un carquois contenant des flèches empoisonnées. À une époque, les San ont peuplé la plus grande partie du sud et du centre-est de l'Afrique. Ils vivent aujourd'hui dans la région désertique du Kalahari, au Botswana.

POINTS DE REPÈRE

Quand vous terminerez la lecture de ce chapitre, vous devriez pouvoir répondre aux questions suivantes.

- *Quand et où l'agriculture a-t-elle pris naissance ? Quelles plantes ont été particulièrement importantes dans les premières cultures ?*

- *Quelles plantes ont été importantes pour l'agriculture du Nouveau Monde ? En quoi ces plantes sont-elles différentes de celles qui furent cultivées à l'origine dans l'Ancien Monde ?*

- *Quelle est la différence entre une épice et un condiment ? D'où proviennent les épices et les condiments ?*

- *Quelles sont aujourd'hui les principales plantes cultivées dans le monde ?*

- *Comment la croissance démographique a-t-elle évolué depuis les premières décennies de la révolution industrielle ? Quels sont les problèmes découlant de cette croissance ?*

L'espèce à laquelle nous appartenons, *Homo sapiens*, existe depuis 500.000 ans au moins et elle est bien représentée depuis environ 150.000 ans. Comme tous les autres organismes, nous représentons le produit d'au moins 3,5 milliards d'années d'évolution. Nos ancêtres les plus proches, membres du genre *Australopithecus*, sont apparus il n'y a pas moins de 5 millions d'années. À peu près à cette époque, ils semblent s'être séparés en Afrique de la lignées évolutive qui avait donné naissance aux chimpanzés et aux gorilles, nos plus proches parents encore en vie. Les espèces du genre *Australopithecus* étaient des singes de taille relativement modeste qui se déplaçaient souvent sur le sol en position debout.

Des être humains de plus grande taille — membres du genre *Homo*, qui se servaient d'outils, sont apparus il y a environ 2 millions d'années. Ils ont presque certainement évolué à partir du genre *Australopithecus*, mais leur cerveau beaucoup plus volumineux était associé apparemment à leur faculté d'utiliser des outils. Les premiers membres du genre *Homo* trouvaient probablement leur subsistance en récoltant leur nourriture (par la cueillette de fruits, de graines et de noix, la récolte de rameaux et de feuilles comestibles et l'arrachage de racines), en dépouillant des animaux morts et occasionnellement en chassant. Ils ont appris l'usage du feu il y a au moins 1,4 million d'années. Les méthodes de chasse et de cueillette utilisées pour se procurer nourriture et abri ressemblaient probablement à celles de certains groupes humains contemporains (Figure 34-1). Notre espèce, *Homo sapiens,* est apparue en Afrique il y a quelque 500.000 ans et en Eurasie il y a environ 250.000 ans.

Il y a environ 34.000 ans, les néanderthaliens, hommes vigoureux, petits et trapus, qui avaient été abondants en Europe en en Asie occidentale, ont complètement disparu. Ils ont été remplacés par des hommes essentiellement semblables à nous. Depuis cette époque, nos ancêtres ont fabriqué des outils extrêmement complexes en os, en ivoire et en corne, matériaux jamais encore utilisés auparavant. C'étaient d'excellent chasseurs, prélevant leur part dans les troupeaux de grands animaux dont ils partageaient l'environnement. Ils ont également commencé à créer des peintures rituelles, souvent magnifiques, sur les parois des grottes. Les fondements de la société moderne étaient posés.

La révolution agricole

L'agriculture a débuté par le semis intentionnel de graines sauvages

Les hommes modernes qui ont pris la place des néanderthaliens se sont rapidement répandus sur toute la surface du globe. Ils ont colonisé la Sibérie peu après leur apparition en Europe et en Asie occidentale et ils ont atteint l'Amérique du Nord il y a 12.000 à 13.000 ans. Leur migration vers l'est s'est déroulée pendant une des périodes froides du pléistocène, alors que les savanes et leurs grands troupeaux de ruminants étaient abondants. Lors de leurs migrations, ces populations semblent avoir provoqué l'extinction de nombreuses espèces de ces animaux. En tout cas, la chasse à grande échelle, ainsi que des modifications climatiques majeures, se sont produites à l'époque où ces animaux ont disparu dans de nombreuses régions du monde.

Il y a environ 18.000 ans, les glaciers ont commencé à se retirer, exactement comme ils l'avaient fait 18 ou 20 fois auparavant au cours

(a)

(b)

Figure 34-2

(a) Récolte et **(b)** vannage du blé *(Triticum)* en Tunisie. Ce type de culture à petite échelle existe autour du bassin méditerranéen depuis plus de 10.000 ans.

des 2 millions d'années précédentes. Les forêts ont progressé vers le nord à travers l'Eurasie et l'Amérique du Nord, tandis que les formations herbeuses se réduisaient et que les grands animaux qui leur étaient associés devenaient moins nombreux. Il n'y avait probablement pas plus de 5 millions d'être humains pour l'ensemble du monde, et ils ont progressivement commencé à utiliser de nouvelles sources de nourriture. Certains vivaient le long des côtes, où les animaux pouvant servir à leur alimentation étaient localement abondants ; d'autres, cependant, ont commencé à cultiver des plantes et ont donc eu accès à une nouvelle source de nourriture relativement assurée.

Le premier semis intentionnel fut probablement la conséquence logique d'une simple séquence d'événements. D'un point de vue écologique, les céréales sauvages (graminées produisant des grains) par exemple, sont des mauvaises herbes ; cela signifie qu'elles se développent de préférence sur des surfaces dégagées ou remaniées et sur des terrains dénudés où elles ne rencontrent guère de concurrence. Les hommes qui les récoltaient régulièrement ont dû en laisser tomber accidentellement à proximité de leur campement ou en semer délibérément, créant ainsi une source de nourriture mieux garantie. C'est par cette séquence d'événements que l'agriculture a débuté (Figure 34-2). Aux endroits où les céréales et les légumineuses sauvages étaient abondantes et faciles à récolter, l'homme se serait fixé pour une plus longue durée, apprenant finalement comment augmenter leur production en conservant et en semant les graines, en protégeant les champs des rongeurs, des oiseaux et d'autres ennemis, en les arrosant et en les fertilisant.

Par la sélection artificielle progressive de variants génétiques particuliers, les plantes domestiquées se seraient progressivement modifiées, conduisant à une augmentation de la quantité de graines choisies sur les plantes qui possédaient des caractères facilitant la récolte, la conservation ou l'utilisation. Par exemple, le rachis se brise facilement chez les blés sauvages et chez les formes voisines, ce qui facilite la dispersion des graines mûres. Chez les espèces cultivées de blé, le rachis est résistant et permet de conserver les graines jusqu'à la récolte. Ces graines ne seraient pas disséminées efficacement dans la nature, mais elles peuvent être récoltées sans peine par l'homme pour être consommées ou resemées. Avec la poursuite de ce processus de sélection, la plante cultivée devient définitivement dépendante de l'homme qui la cultive, exactement comme l'homme dépend de plus en plus de la plante.

Dans l'Ancien Monde, l'agriculture a pris naissance dans le Croissant Fertile

La domestication des plantes et des animaux a débuté il y a environ 11.000 ans dans une région appelée le **Croissant Fertile**, à l'est de la Méditerranéenne, dans des territoires qui font actuellement partie du Liban, de la Syrie, de la Turquie, de l'Irak, de l'Iran, de la Jordanie et d'Israël. L'orge *(Hordeum vulgare)* et le blé *(Triticum)* sont probablement les premières plantes mises en culture dans cette région, suivies de près par la lentille *(Lens culinaris)* et le pois *(Pisum sativum)* (Figure 34-3). D'autres plantes ont été domestiquées très tôt dans cette région : le pois chiche *(Cicer arietinum)*, les vesces *(Vicia spp.)*, l'olivier *(Olea europaea)*, le dattier *(Phoenix dactylifera)*, le grenadier *(Punica granatum)* et la vigne *(Vitis vinifera)*. Le vin obtenu à partir des vignes et la bière brassée à partir des céréales ont été consommés à des époques très reculées. On a également cultivé très tôt le lin *(Linum usitatissimum)*, probablement à la fois comme aliment (les graines sont encore consommées aujourd'hui en Éthiopie) et pour les fibres utilisées comme textile.

Parmi les premières plantes cultivées, les céréales représentaient une riche source de glucides et les légumineuses étaient une source abondante de protéines. Les graines des légumineuses sont les plus riches en protéines parmi les organes des plantes et leurs protéines sont d'autre part riches en acides aminés particuliers peu représentés chez les céréales. Il n'est donc pas surprenant que les légumineuses aient été cultivées avec les céréales dès les origines de l'agriculture dans différentes parties du monde. À l'échelle du globe, l'homme trouve chez les plantes environ 70 % de toutes les protéines qu'il consomme et 30 % chez des animaux. Dix-huit pour-cent seulement des

protéines végétales proviennent des légumineuses et environ 70 % des céréales, bien que leur teneur en protéines soit plus faible. Néanmoins, les protéines des légumineuses sont très importantes dans l'alimentation humaine, et les possibilités d'améliorer leur qualité — au niveau de leur composition en acides aminés — ouvrent de grandes perspectives.

La domestication des plantes a influencé d'autres domaines de la culture. L'agriculture s'est de mieux en mieux organisée au cours du temps. Les outils utilisés pour la récolte et le traitement des céréales, comme les lames de faucilles en silex, les meules des moulins et les mortiers en pierre et les pilons, par exemple, utilisés depuis plus

(a)

(b)

Figure 34-3

Deux des premières plantes mises en culture dans le Proche-Orient : **(a)** l'orge *(Hordeum vulgare)* et **(b)** le pois *(Pisum sativum)*.

de 10.000 ans. Il y a quelque 8.000 ans, l'homme a commencé à fabriquer des récipients de terre pour conserver les céréales. À l'époque où débutait la culture des plantes dans le Proche-Orient, différents animaux — par exemple les chiens (qui ont peut-être été les premiers animaux régulièrement adoptés par l'homme), les chèvres, les moutons, les bovins et les porcs — étaient également domestiqués. Les chevaux furent domestiqués plus tard dans le sud-ouest de l'Europe, les chats en Égypte et les poules en Asie du sud-est, mais tous ces animaux se sont rapidement répandus dans le monde entier.

Partout où on les a élevés, les animaux domestiques ont consommé les plantes disponibles, cultivées ou non ; ils produisaient de la laine, des peaux, du lait, du fromage et des œufs ; ils pouvaient être eux-mêmes consommés par leurs propriétaires. Lorsque les hommes sont devenus plus nombreux, leurs troupeaux se sont tellement étendus qu'ils ont commencé à détruire leurs propres pâturages et provoqué des dégâts écologiques à grande échelle (Figure 34-4). Une grande partie du Proche-Orient et du pourtour de la Mer Méditerranéenne est encore fortement surpâturée et les déserts continuent à s'étendre, comme ils l'ont fait depuis le début de la constitution de grands troupeaux d'animaux domestiques.

De toute manière, l'homme disposait dès lors de sources sûres de nourriture sous la forme de plantes et d'animaux domestiques et il pouvait fonder des villages, il y a environ 10.000 ans, et organiser finalement des villes, 4.000 ans plus tard environ. Les terres productives, où l'homme pouvait vivre de façon permanente, pouvaient devenir sa propriété, être étendues et transmises à ses descendants.

Il existe des preuves d'une antique domestication de plantes alimentaires en Chine, en Asie tropicale et en Afrique. L'agriculture apparue dans le Proche-Orient s'est répandue vers le nord-ouest pour couvrir la plus grande partie de l'Europe et atteindre la Grande-Bretagne vers 4000 avant J.C. À la même époque, l'agriculture s'est développée indépendamment dans d'autres régions du monde. On a des preuves de pratiques agricoles dans la région subtropicale du Fleuve Jaune en Chine presque en même temps que dans le Proche-Orient. Plusieurs genres de céréales groupées sous le nom de millet étaient déjà cultivés et finalement le riz *(Oryza sativa)*, une des plus précieuses céréales du monde, s'y est ajoutée. Le riz a ensuite détrôné les millets dans la plus grande partie de leur aire initiale. Le soja *(Glycine max)* est cultivé en Chine depuis au moins 3100 ans (Figure 34-5).

Figure 34-4

Les troupeaux d'animaux domestiques, comme ces moutons karakul en Afghanistan, ont dévasté de vaste régions en Méditerranée orientale lorsque leur nombre a augmenté. Dans de nombreuses régions, seules les plantes épineuses ou vénéneuses ont survécu, tandis que les champs auparavant fertiles se transformaient en désert.

Figure 34-5

Le soja *(Glycine max)* est une des principales plantes cultivées aux États-Unis depuis 50 ans seulement. C'est une des plantes alimentaires les plus nourrissantes, les graines contenant de 40 à 45 % de protéines et 18 % de graisses et huiles. Dans les pays du sud-est asiatique, le soja est utilisé pour fabriquer par exemple du lait caillé (caillette) et de la sauce soy. Les régions tempérées sont les plus aptes à la culture du soja, et les États-Unis en produisent plus de la moitié du tonnage mondial. Comme de nombreuses légumineuses, il abrite des bactéries fixatrices d'azote dans ses nodules racinaires, ce qui lui permet de trouver l'azote nécessaire à sa propre croissance et d'enrichir le sol (voir chapitre 30). Le soja est souvent cultivé en alternance avec le maïs aux États-Unis, principalement pour interrompre le cycle de développement des nématodes et des principaux insectes s'attaquant à ces deux cultures essentielles.

(a)   *(b)*

Figure 34-6

Le riz *(Oryza sativa)* produit la nourriture nécessaire à quelque 1,6 milliard d'êtres humains et plus d'un quart de la nourriture consommée par 400 millions d'autres. Il est cultivé depuis 6000 ans au moins et planté actuellement sur 145 millions d'hectares, soit environ 11 % des terres arables du globe. Le riz est à l'origine de plusieurs boissons alcoolisées, comme le sake, boisson traditionnelle au Japon. Lorsque le riz est cultivé sous eau, des poissons sont souvent élevés dans les rizières inondées et récoltés en même temps que le riz. Depuis son installation aux Philippines en 1962, l'Institut International de Recherche sur le Riz a beaucoup contribué à l'amélioration de cette culture. On voit ici **(a)** des rizières en terrasses et **(b)** l'utilisation du buffle d'eau pour la culture du riz à Bali, en Indonésie.

Dans d'autres régions d'Asie subtropicale, s'était développée une agriculture basée sur le riz, ainsi que sur différentes légumineuses et plantes tubéreuses. Des documents archéologiques attestent de l'existence de la culture du riz en Thaïlande il y a environ 10.000 ans, mais ces dates devront être confirmées par de nouvelles recherches. L'humidité atmosphérique et les pluies abondantes des régions tropicales ont tendance à éliminer la plupart des documents fossiles qui pemettent à l'archéologue de retracer les événements du passé. Des animaux tels que les buffles d'eau, les chameaux et les poules, ont été domestiqués depuis longtemps en Asie et ils sont devenus des éléments importants des pratiques culturales de ces régions.

Finalement, des plantes telles que le manguier *(Mangifera indica)* et les différentes espèces d'agrumes *(Citrus spp.)* ont été mises en culture en Asie tropicale et d'autres, comme le riz et le soja, se sont répandus vers le nord. Le taro *(Colocasia esculenta)* est une plante alimentaire très importante en Asie tropicale, où elle est cultivée pour ses tubercules amylacés ; *Xanthosoma* est une plante alimentaire apparentée originaire des régions tropicales du Nouveau Monde. *Colocasia* et d'autres genres voisins, comme *Xanthosoma*, produisent le « poi », une nourriture amylacée de base des îles du Pacifique, entre autres des îles Hawaii, où ces plantes ont été introduites par des colons polynésiens il y a environ 1500 ans.

Les bananiers *(Musa x paradisiaca)* sont parmi les plus importantes plantes domestiquées originaires d'Asie tropicale ; leurs fruits constituent la base de l'alimentation dans les régions tropicales à travers le monde. Dans les régions tropicales, où sont consommés les deux-tiers de toutes les bananes produites, les variétés amylacées, appelées plantains, sont une ressource alimentaire beaucoup plus importante que les bananes de table, variétés sucrées mieux connues dans les régions tempérées. Les bananes sauvages contiennent de grosses graines dures, mais les variétés cultivées, comme beaucoup de fruits d'agrumes cultivés, sont dépourvues de graines. Le bananier est arrivé en Afrique il y a environ 2000 ans et il a été introduit dans le Nouveau Monde peu après les voyages de Christophe Colomb.

Des plantes alimentaires ont été domestiquées très tôt en Afrique aussi, mais les indices directs dont nous disposons pour dater leur origine sont à nouveau insuffisants. De toute façon, un intervalle d'au moins 5000 ans sépare l'origine de l'agriculture dans le Croissant Fertile et son apparition à l'extrémité méridionale de l'Afrique. Des céréales comme le sorgho *(Sorghum spp.)*, différentes espèces de millet *(Pennisetum spp.* et *Panicum spp.)*, plusieurs légumes, comme le gombo *(Hibiscus esculentus)*, plusieurs sortes de plantes tubéreuses, mais particulièrement les ignames *(Dioscorea spp.)* et une espèce de cotonnier *(Gossypium)* — toutes ces plantes ont été mises en culture à l'origine en Afrique. Les différentes espèces de cotonniers étaient répandues à l'état sauvage, principalement sous des climats doux mais caractérisés par une saison sèche ; les longs poils de leurs graines sont faciles à tisser (Figure 34-7). On a retrouvé en Inde des fragments de tissu de coton datant de 4500 ans. Les graines de coton sont également utilisées pour leur huile et le tourteau provenant des graines après l'extraction de l'huile est utilisé pour l'alimentation du bétail. Le caféier *(Coffea arabica)* est une autre plante originaire d'Afrique. Il a été mis en culture beaucoup plus tard que les autres plantes qui viennent d'être citées, mais c'est actuellement une culture industrielle très importante dans les régions tropicales.

Figure 34-7

Le cotonnier *(Gossypium)*, une des plantes les plus cultivées pour ses fibres, semble avoir été domestiquée indépendamment en Inde et en Chine (la même espèces de cotonnier est cultivée dans ces deux régions), en Afrique (une autre espèce), au Mexique (une autre espèce) et dans l'ouest de l'Amérique du Sud (encore une quatrième espèce). Le cotonnier a été cultivé pendant des milliers d'années pour tisser des vêtements et il est également devenu une source importante d'huile au cours du siècle dernier. Le cotonnier actuellement cultivé sur une grande échelle dans le monde entier est un polyploïde originaire du Nouveau Monde ; les cultures des espèces diploïde de l'Ancien Monde sont plus localisées.

Figure 34-8

Le maïs *(Zea mays)* est la plante cultivée la plus importante des États-Unis. Cultivée principalement à l'origine pour l'alimentation humaine, le maïs est actuellement un des principaux aliments pour animaux domestiques. Aux États-Unis, 80 % environ de la production est consommée par les animaux. À l'époque de Christophe Colomb, le maïs était cultivé du sud du Canada au sud de l'Amérique du Sud. On en distingue cinq types principaux : le pop-corn, le maïs corné, le maïs à farine, le maïs denté et le maïs sucré. Dans le maïs denté, les grains portent une dent ; c'est la principale source de production dans le corn belt des États-Unis et il est surtout utilisé dans l'alimentation du bétail. Il est de plus en plus important comme source de sirop de maïs à haute teneur en fructose, utilisé dans les boissons en boîtes, et d'éthanol.

L'agriculture du Nouveau Monde a utilisé de nombreuses nouvelles espèces

L'agriculture s'est développée parallèlement en Amérique du Nord et du Sud. Les hommes semblent n'avoir apporté aucune plante domestiquée de l'Ancien au Nouveau Monde avant 1492. Les chiens ont certainement accompagné les populations qui sont arrivées en Amérique du Nord par le détroit de Bering, mais c'est le seul animal domestique qu'elles aient emmené avec elles. Cela prouve la grande valeur des chiens pour la défense, la chasse, la garde des troupeaux et également comme source de viande. Ce fait a peut-être aussi une relation avec la domestication très ancienne des chiens.

Les plantes mises en culture dans le Nouveau Monde étaient différentes de celles qui ont été cultivées à l'origine dans l'Ancien Monde. Au lieu du blé, de l'orge et du riz, il y eut le maïs (*Zea mays* ; figure 34-8) et, au lieu des lentilles, des pois et des pois chiches, les habitants du Nouveau Monde ont cultivé le haricot commun *(Phaseo-*

lus vulgaris), le haricot de Lima *(Phaseolus lunatus)* et l'arachide *(Arachis hypogaea)*, ainsi que d'autres légumineuses. D'autres plantes mexicaines également importantes sont les cotonniers (*Gossypium* spp.), le poivre rouge (*Capsicum* spp.), les tomates (*Lycopersicon* spp.), le tabac *(Nicotiana tabacum)*, le cacaoyer *(Theobroma cacao*, qui produit le cacao, principal composant du chocolat), l'ananas *(Ananas comosus)*, les citrouilles et les courges (*Cucurbita* spp.), ainsi que l'avocatier *(Persea americana)*. Le cotonnier fut domestiqué indépendamment dans le Nouveau et dans l'Ancien Monde à partir d'espèces différentes vivant dans des centres de domestication différents. Au Mexique, sa culture remonte à 4000 ans au moins et elle est encore plus ancienne au Pérou. Les cotonniers du Nouveau Monde sont polyploïdes et sont à l'origine de la plupart des cultures actuellement répandues dans le monde entier ; les cotonniers de l'Ancien Monde sont par contre diploïdes. Après les voyages de Christophe Colomb, beaucoup de plantes cultivées découvertes par les Européens dans le Nouveau Monde ont été cultivées en Europe et se sont

L'ORIGINE DU MAÏS

Les épis de maïs sont tellement différents de ceux de son ancêtre sauvage que, pendant de nombreuses années, on n'a pas réussi à identifié l'espèce ancestrale. Nous pensons cependant à l'heure actuelle que le maïs *(Zea mays* subsp.*mays)* est simplement la forme domestiquée d'une graminée sauvage de grande taille, le téosinte annuel du sud du Mexique *(Zea mays* subsp.*parviglumis)*. Les plantes de téosinte portent des centaines de petits épis minces, à deux rangs, composés chacun de 5 à 12 enveloppes fructifères (contenant chacune un seul grain), qui se désarticulent à maturité. Les enveloppes étant lignifiées et solidaires des grains, la farine produite est immangeable. Les différentes espèces de téosinte sont réparties du sud du Chihuahua, au Mexique, jusqu'au Nicaragua. Elles peuvent donner des hybrides avec le maïs et ces croisements sont spontanés lorsque les deux plantes poussent côte à côte (on appelle ces hybrides *maiz de coyote*, ou maïs sauvage).

On ne connaît le maïs que sous sa forme cultivée et il ne peut survivre comme tel à l'état sauvage. Non seulement ses gros grains nus sont vulnérables, mais ils sont en permanence solidaires d'un axe central (la rafle) et protégés par une série de gaines foliaires superposées (les spathes) qui ne permettraient pas leur dissémination même si les grains étaient libres. En résumé, l'épi de maïs est un artefact agricole bien emballé, à haute productivité et facile à récolter, dont tous les principaux caractères ont été sélectionnés par les premiers agriculteurs.

La domestication du maïs, qui a débuté dans le sud du Mexique il y a plus de 7000 ans, a visiblement eu comme conséquence de permettre l'utilisation des grains de téosinte comme aliment, d'augmenter en même temps la taille du grain et de l'épi et de rendre la récolte plus aisée. En raison de la sélection de ces caractères par l'homme, les différences entre le maïs et le téosinte sont devenues aussi grandes qu'entre le tournesol cultivé, non ramifié et monocéphale, et son ancêtre sauvage très ramifié et à capitules multiples. Le maïs, comme le tournesol cultivé, ont rassemblé toutes les ressources reproductrices d'une seule tige au profit d'une énorme structure terminale à nombreuses graines, l'épi du maïs ou le capitule du tournesol, ce qui facilite la récolte et augmente le rendement.

La découverte d'une nouvelle espèce pérenne de téosinte, *Z.diploperennis*, a ouvert une nouvelle page de l'histoire de l'évolution du maïs. Cette plante rare a été découverte pour la première fois en 1977 dans le sud-ouest du Mexique par Rafael Guzman, qui préparait à l'époque un doctorat à l'Université de Guadalajara, et elle fut reconnue comme une nouvelle espèce en 1978 par Hugh Iltis, John Doebley et leurs associés à l'Université du Wisconsin, à Madison. Donnant des hybrides fertiles avec le maïs annuel, il possède des gènes de résistance à sept des neuf principaux virus infectant le maïs aux États-Unis ; pour cinq de ces gènes, on ne connaît pas d'autre source de résistance. Les implications économiques sont évidentes si l'on tient compte de l'importance économique mondiale du maïs — près de 560 milliards de dollars en 1991 seulement.

Zea diploperennis n'existe en nature que dans trois petites localités totalisant un peu plus de deux cents hectares, dans la forêt humide de la Sierra de Manantlan, une chaîne de montagnes située entre Guadalajara et Puerto Vallarta. La plante aurait bien pu y être détruite par l'extension des cultures et le pâturage des bovins sans que la science en ait eu connaissance. Pour protéger cette espèce unique, ainsi que les riches flore et faune qui y sont associées (comprenant des ocelots, des jaguars et des pumas), l'Université de Guadalajara a installé une grande réserve naturelle de biosphère et un laboraoire de recherche.

On voit ici *Zea mays* subsp. *parviglumis* (à gauche) et *Zea mays* subsp. *mays* (à droite).

répandues à partir de là dans le reste du monde. Non seulement certaines de ces plantes étaient totalement nouvelles pour les Européens, mais d'autres, comme les espèces américaines de cotonniers, étaient supérieures aux formes déjà cultivées en Eurasie et elles les ont supplantées.

La domestication des plantes a pris naissance à la fois en Amérique Centrale et en Amérique du Sud. La première trace de l'existence de plantes domestiquées au Mexique remonte à environ 9000 ans, mais l'agriculture ne semble être devenue importante que beaucoup plus tard. La domestication des plantes semble donc bien avoir été plus tardive dans le Nouveau Monde qu'en Eurasie. La plupart des plantes domestiquées à l'origine au Mexique se sont répandues depuis l'Amérique Centrale et le Mexique vers le nord jusqu'au Canada. Des plantes semblables étaient également cultivées sur une large échelle dans les régions de basse et de moyenne altitude d'Amérique du Sud. En fait, il semble vraisemblable que l'agriculture se soit développée indépendamment au Mexique et au Pérou, bien que les preuves disponibles actuellement ne permettent pas de trancher la question. Les premières traces d'agriculture sont à peu près aussi anciennes au Pérou qu'au Mexique et certaines plantes domestiques, comme l'arachide, pourraient bien avoir été introduites par l'homme d'Amérique du Sud au Mexique.

Figure 34-9

Une forme originale d'agriculture s'est développée aux hautes altitudes dans les Andes d'Amérique du Sud. **(a)** Champs cultivés dans les montagnes du nord-ouest de l'Argentine. **(b)** Champ de pomme de terre *(Solanum tuberosum)* en Équateur. Une faible quantité seulement de la diversité génétique des pommes de terre a été utilisée pour l'amélioration de cette plante cultivée, une des plus importantes au monde. **(c)** Trois des quatre principales plantes à tubercules cultivées dans les Andes, en vente sur un marché à Tarma, au Pérou — la pomme de terre *(Solanum tuberosum)*, l'añu *(Tropaeolum tuberosum)* et l'ulluque *(Ullucus tuberosus)* ; l'ulluque, qui peut être cultivé à des altitudes plus élevées que la pomme de terre, produit des tubercules volumineux à haute valeur alimentaire ; il pourrait devenir une plante intéressante dans d'autres parties du monde. La quatrième plante à tubercules commune dans les Andes est l'oca *(Oxalis tuberosa)*, également cultivée sur une échelle limitée en Nouvelle-Zélande et ailleurs. Les tubercules de ces quatre plantes sont congelés naturellement par les paysans des Andes, ce qui permet leur conservation aisée et leur consommation ultérieure. **(d)** Le quinoa *(Chenopodium quinoa)*, de la famille des chénopodes *(Chenopodiaceae)*, est une plante cultivée importante dans les Andes — on la voit ici en culture dans le nord du Chili — et l'on procède actuellement à des essais de culture sur une plus large échelle.

(a)

(b)

(c)

(d)

Vers le sud des Andes centrales d'Amérique du Sud s'est développé un type particulier d'agriculture (Figure 34-9), basé sur des plantes à tubercules telles que les pommes de terre *(Solanum tuberosum* et espèces voisines), ainsi que des plantes à graines comme le quinoa *(Chenopodium quinoa)* et les lupins *(Lupinus* spp., de la famille des *Fabaceae)*. Les pommes de terre étaient cultivées sur toutes les hautes terres d'Amérique du Sud à l'époque de Christophe Colomb, mais ce sont les Espagnols qui les ont introduites en Amérique centrale et au Mexique.

Elles ont constitué une des principales cultures alimentaires en Europe pendant deux siècles, produisant plus de deux fois autant de calories à l'hectare que le blé.

Des plantes et des animaux divers ont été domestiqués dans différentes parties du Nouveau Monde. D'autres plantes ont à l'origine été mises en culture en dehors de ces centres principaux. Le tournesol *(Helianthus annuus)*, par exemple, a été domestiqué par des Indiens d'Amérique habitant ce qui constitue actuellement les États-Unis (Figure 34-10). Une autre plante cultivée très importante du Nouveau Monde est le manioc *(Manihot* spp.), domestiqué dans les régions sèches d'Amérique du Sud, mais aujourd'hui cultivé sur grande échelle dans toutes les régions tropicales (Figure 34-11).

Alors que la pomme de terre appartient à la famille des solanacées, la patate douce *(Ipomoea batatas)*, que connaissent bien tous ceux qui en ont vu un champ en fleur, fait partie de la famille du liseron *(Convolvulaceae)* et n'est donc pas apparentée à la pomme de terre. À l'époque des voyages de Christophe Colomb, la patate douce était cultivée sur une grande échelle en Amérique centrale et méridionale, mais elle était également répandue dans certaines îles du Pacifique, jusqu'en Nouvelle-Zélande et aux îles Hawaii, où elle avait sans doute été introduite par l'homme au cours de voyages plus anciens. Plus tard, la patate douce est devenue une culture importante dans la plus grande partie de l'Afrique et de l'Asie tropicale. Très peu d'animaux ont été domestiqués dans le Nouveau Monde. Certaines races de canard, les dindes, les cobayes, les lamas et les alpagas en sont originaires. Des villes, puis de grandes agglomérations se sont développées dans le Nouveau Monde, exactement comme dans toute l'Eurasie, partout où l'agriculture était suffisamment développée pour

Figure 34-10

Le tournesol *(Helianthus annuus)*, plante cultivée importante pour l'huile extraite de ses graines, a été domestiquée il y a plus de 3000 ans dans une région située actuellement au centre des États-Unis.

(a) *(b)*

Figure 34-11

La manioc *(Manihot esculenta)* est une des principales plantes à racines tubéreuses cultivées dans les régions tropicales. Le tapioca est produit à partir de l'amidon extrait de ses racines. Certaines souches cultivées, les maniocs amers, contiennent des cyanures vénéneux qui doivent être éliminés avant la consommation des tubercules. **(a)** Culture de manioc dans une clairière dans le sud du Vénézuela. **(b)** Femme Tirió du sud du Surinam épluchant une racine de manioc avant de la cuire.

les nourrir. Les cultures étaient très développées autour de ces centres, mais il n'existait pas de grands troupeaux d'animaux domestiques comparables à ceux qui avaient pris une telle importance dans toute l'Europe et l'Asie.

Lorsque les Européens ont colonisé l'hémisphère occidental toutefois, ils ont amené leurs troupeaux avec eux. Avec le temps, ces troupeaux ont provoqué les mêmes désastres écologiques à grande échelle dans certaines parties du Nouveau Monde que ceux qui s'étaient produits des milliers d'années auparavant dans le Proche-Orient et dans d'autres parties de l'Eurasie. La transformation de formations végétales naturelles en pâturages n'est pas chose aisée. L'abattage à grande échelle des forêts tropicales humides afin de les transformer en pâturages, par exemple, a entraîné d'énormes destructions partout où l'expérience a été tentée (voir chapitre 33). La plupart du temps, les pâturages de ces régions ne sont productifs que pendant un temps donné, jusqu'à l'épuisement des éléments nutritifs du sol, et ils doivent souvent être abandonnés après 10 ou 15 ans seulement.

Les épices et les plantes condimentaires sont recherchées pour leurs aromes

Aux chapitres 2 et 22, nous avons envisagé les substances produites par les plantes pour se défendre contre les insectes et les autres herbivores. Beaucoup de plantes doivent à ces substances leur saveur, leur odeur et leur goût : ce sont des caractères mis à profit par l'homme dès la préhistoire. Certaines sont vénéneuses pour l'homme et les autres animaux, mais d'autres sont recherchées.

Les **épices** sont des portions aromatiques de plantes généralement riches en huiles essentielles ; elles peuvent provenir de l'écorce, des graines, des fruits ou des bourgeons. De leur côté, les **condiments** sont généralement des feuilles de plantes herbacées, mais on y trouve aussi la feuille de laurier et quelques autres condiments provenant d'arbres ou d'arbustes. En pratique, il n'existe aucune frontière entre les condiments et les épices. Tous ces produits ont été utilisés traditionnellement pour donner du goût aux aliments, en particulier lorsqu'ils étaient périmés ou plus ou moins altérés.

Au cours de l'histoire, les épices les plus importantes ont été cultivées en Asie tropicale. Les épices et les condiments ont été utilisés en cuisine aux époques les plus reculées. La recherche des épices a joué un rôle essentiel dans les grands voyages des Portugais, des Hollandais et des Anglais dès le XIIIe siècle et qui ont abouti à la découverte de l'hémisphère occidental par les Européens. Les épices les plus importantes provenaient des régions tropicales d'Asie : elles ont été à l'origine des voyages, mais également de bien des guerres. Dès le IIIe siècle avant notre ère, des caravanes de chameaux — dont le voyage prenait souvent deux ans — ramenaient des épices d'Asie jusqu'aux civilisations de la région méditerranéenne. Parmi ces épices, on trouvait la canelle (écorce de *Cinnamomum zeylanicum*), le poivre noir (fruits séchés de *Piper nigrum* ; figure 34-12), le clou de girofle (boutons floraux séchés d'*Eugenia aromatica*), la cardamone (graines d'*Elettaria cardamomum*), le gingembre (rhizome de *Zingiber officinale*), la muscade et le macis (graines et enveloppe externe de la graine de *Myristica fragrans* ; figure 34-13). Lorsque les Romains ont constaté qu'il était possible d'atteindre l'Inde à partir d'Aden en tirant

Figure 34-12

Le poivre noir *(Piper nigrum)* est connu depuis de milliers d'années comme une épice importante. À l'échelle du globe, l'utilisation et la consommation du poivre noir équivalent à peu près à celles de toutes les autres épices réunies.

Figure 34-13

La noix de muscade *(Myristica fragrans)* est une des plus importantes épices traditionnelles en Asie tropicale. La muscade provient des graines moulues, alors que le macis provient de l'arille charnue, qui forme ici des bandes de tissu rouge. Les oiseaux disséminent naturellement les graines en prélevant la graine et l'arille pour consommer cette dernière en raison de sa haute teneur en protéines. La graine tombe et se retrouve ainsi dans le sol de la forêt loin de la plante mère de cette espèce dioïque.

profit des vents de la mousson, ils ont réduit le trajet d'un an — mais il s'agissait encore d'une entreprise très dangereuse et hasardeuse. Un petit nombre d'autres épices sont parvenues des régions tropicales du Nouveau Monde après les voyages de Christophe Colomb : c'est le cas de la vanille (gousses fermentées et séchées de l'orchidée *Vanilla planifolia* ; voir figure 22-15), du poivre rouge *(Capsicum* spp.) et du piment (baies immatures séchées de *Pimenta officinalis)* qui semblait combiner le goût de la canelle, du clou de girofle et de la muscade (d'où son nom anglais « allspice »).

Les plantes condimentaires sont originaires de nombreuses parties du monde. En Europe et en région méditerranéenne en général, il existait de nombreuses espèces indigènes de plantes condimentaires ; certaines d'entre elles étaient localement communes et c'est peut-être pour cette raison qu'elles n'étaient pas appréciées au même titre que des épices importées de pays lointains. Les labiées *(Lamiaceae)* étaient particulièrement bien représentées. C'est le cas du thym *(Thymus* spp.), de la menthe *(Mentha* spp.), du basilic *(Ocimum vulgare)*, de l'origan *(Origanum vulgare)* et de la sauge *(Salvia* sp.). Les ombellifères *(Apiaceae)* étaient également importantes, avec le persil *(Petroselinum crispum)*, l'aneth *(Anethum vulgare)*, le cumin *(Carum carvi)*, le coriandre *(Coriandrum sativum)* et l'anis *(Anethum graveolens)*. Certains membres de cette famille (par exemple le persil) sont cultivés surtout pour leurs feuilles et d'autres (comme le cumin), le sont pour leurs graines, mais beaucoup (comme l'aneth et le coriandre) sont recherchés pour les unes et les autres.

Les feuilles d'estragon *(Artemisia dracunculus)* proviennent d'une plante appartenant au même genre que les armoises de l'ouest des États-Unis et du Canada. La graine de moutarde *(Sinapis nigra)*, peut être moulue pour produire l'épice du même nom ; elle dérive vraisemblablement d'une plante originaire d'Eurasie. Les feuilles de laurier sont traditionnellement cueillies sur un arbre de la région méditerranéenne, *Laurus nobilis* ; on les récolte actuellement aussi sur un arbre de Californie et de l'Orégon, *Umbellularia californica* ; il s'agit également d'une plante condimentaire tempérée mais appartenant à une famille essentiellement tropicale, celle des *Lauraceae*. Le safran, populaire dans le Proche-Orient et dans les régions voisines, est composé de stigmates séchés de *Crocus sativus*, petite plante bulbeuse de la famille de l'iris *(Iridaceae)*. Les stigmates sont récoltés laborieusement à la main, ce qui explique le prix extrêmement élevé du safran et le fait qu'il soit tellement apprécié — autant pour sa couleur que pour son goût.

Le café (Figure 34-14) et le thé *(Camellia sinensis)* sont les deux boissons les plus consommées dans le monde ; on les consomme principalement pour l'alcaloïde stimulant qu'ils contiennent, la caféine. Le café est obtenu à partir des graines du caféier après séchage, torréfaction et mouture, alors que le thé est préparé à partir des pousses feuillées séchées du théier. Comme on l'a signalé plus haut, le caféier a été domestiqué dans les montagnes du nord-est de l'Afrique, tandis que le théier a été cultivé en premier lieu dans les montagnes d'Asie subtropicale ; tous deux constituent actuellement des cultures répandues dans toutes les régions chaudes du globe. Le café est le moyen d'existence de quelque 25 millions de personnes et il constitue la principale source de revenus de 50 pays tropicaux qui l'exportent. Un tiers de l'approvisionnement mondial en café provient du Brésil.

L'agriculture est un phénomène mondial

Au cours des 500 dernières années, les plantes cultivées importantes ont été transportées à travers le monde entier et cultivées partout où leur croissance était optimale. Les principales céréales — blé, riz et maïs — sont cultivées partout où le climat l'autorise. Des plantes inconnues en Europe avant Christophe Colomb, comme le maïs, les tomates et les piments du genre *Capsicum*, sont maintenant cultivées dans le monde entier. Plus de la moitié de la production mondiale de tournesol, domestiqué à l'origine dans une région des États-Unis actuels, provient aujourd'hui de Russie. Les graines de tournesol sont utilisées sur une grande échelle par l'homme comme amuse-gueule et

Figure 34-14

Le caféier *(Coffea arabica)* est une importante culture commerciale dans les régions subtropicales. Il appartient à la famille de la garance *(Rubiaceae)*, comme le quinquina *(Cinchona)*, qui produit la quinine, alcaloïde important en médecine. Les *Rubiaceae* constituent une des plus vastes familles d'angiospermes, comptant environ 6000 espèces, principalement tropicales.

les tourteaux occupent une place importante dans l'alimentation animale. Le tournesol concurrence également l'olivier comme source d'huile en Espagne et dans d'autres régions méditerranéennes. Le tournesol est cultivé dans le monde entier sur une grande échelle pour son huile et, dans ce domaine, il suit directement le soja.

Certaines plantes tropicales sont également devenues largement cosmopolites. L'arbre à caoutchouc (dérivé de plusieurs espèces arborescentes du genre *Hevea*, de la famille des *Euphorbiaceae*) est cultivé à une échelle commerciale depuis 150 ans environ. L'Asie tropicale est la principale région productrice de caoutchouc (voir figure 2-27). Pour l'hévéa comme pour beaucoup d'autres plantes, la culture en dehors de leurs régions d'origine semble avoir été bénéfique. De cette manière, les plantes sont souvent indemnes des parasites et des maladies présentes dans leurs régions d'origine, pour autant bien entendu qu'un parasite n'ait pas été introduit en même temps — par exemple dans la conservation des graines. On sous-estime cependant souvent la nécessité de quarantaines sévères pour éviter le passage des parasites et des maladies d'un pays ou d'un continent à l'autre, dans le désir d'établir à tout prix des relations commerciales internationales.

Le palmier à huile *(Elaeis guineensis)* est originaire d'Afrique occidentale, mais on le cultive actuellement dans toutes les régions tropicales. Bien que leur culture à une échelle industrielle ne remonte qu'à 75 ans environ, les palmiers à huile constituent aujourd'hui une des plus importantes cultures commerciales dans les régions tropicales. Le caféier et le bananier, tous deux très répandus, en sont deux autres. Le cacaoyer, d'abord partiellement domestiqué dans la partie tropicale du Mexique et en Amérique Centrale, est devenu important surtout en Afrique de l'ouest (Figure 34-15). La canne à sucre *(Saccharum officinarum)* a été domestiquée en Nouvelle-Guinée et dans les régions voisines, tandis que la betterave sucrière a été sélectionnée à partir de variétés cultivées de l'espèce en Europe. Les ignames *(Dioscorea* spp.) sont d'importantes cultures tropicales à tubercules. Plusieurs espèces d'ignames sont cultivées en régions tropicales ; certaines sont originaires d'Afrique occidentale, d'autres d'Asie du sud-est et quelques-unes — moins importantes — sont cultivées en Amérique Latine. Les meilleures ignames se sont maintenant répandues dans toutes les régions tropicales et constituent une nourriture de base dans de vastes régions. Le manioc n'est pas seulement une des plus importantes cultures vivrières : (Figure 34-11) ; c'est en outre une culture industrielle de premier plan. Des plantations extensives en ont fait une importante source d'amidon industriel et d'aliment pour bétail. Des tonnes de manioc traité, séché et présenté sous forme de granulés sont exportées d'Asie du sud-est, principalement de Thaïlande, vers l'Europe, où elles constituent le principal supplément alimentaire pour les élevages de porcs et de vaches laitières. Depuis les parcelles d'étendue réduite jusqu'aux grandes exploitations mécanisées d'Amérique centrale et méridionale, ainsi qu'en Afrique et en Asie, cette plante tubéreuse est une des principales source d'alimentation pour les populations en expansion dans les régions tropicales.

Le cocotier *(Cocos nucifera)* est également une des plus importantes plantes cultivées des régions tropicales ; il est probablement originaire d'une région située entre le Pacifique occidental et l'Asie tropicale, mais il était déjà très répandu dans l'Océan Pacifique occidental et central avant les explorations européennes. Les massifs naturels de cocotiers sont rares dans la partie orientale du Pacifique, et l'on n'en connaît que quelques-uns en Amérique Centrale. La vaste répartition du cocotier est peut-être le résultat d'une dissémination naturelle par les fruits flottant en mer, plutôt que de l'intervention de l'homme. Chaque arbre produit chaque année environ 50 à 100 fruits (des drupes), riches en protéines, huiles et glucides. Les coques, les feuilles, les fibres du fruit et les stipes du cocotier sont utilisés pour fabriquer de nombreux objets utiles : vêtements, constructions et ustensiles ; c'est l'albumen solide et liquide que nous consommons.

L'alimentation du monde repose essentiellement sur quatorze espèces de plantes cultivées. L'agriculture moderne s'est fortement mécanisée dans les régions tempérées, ainsi que dans certaines parties des tropiques. Elle s'est également fortement spécialisée, six espèces de plantes seulement — le blé, le riz, le maïs, la pomme de terre, la patate douce et le manioc — fournissant directement ou indirectement (c'est-à-dire après avoir servi de nourriture aux animaux) plus de 80 % de toutes les calories consommées par l'homme. Ces plantes sont riches en glucides, mais n'offrent pas une alimentation équilibrée. Elles sont habituellement consommées avec des légumineuses, comme les haricots, les pois, les lentilles, les arachides ou le soja, riches en protéines, ainsi qu'avec des légumes cultivés pour les feuilles, comme la laitue, le chou, l'épinard *(Spinacia oleracea)* et la

Figure 34-15

Le cacaoyer *(Theobroma cacao),* dont dérivent le chocolat et le cacao. Les fruits que l'on voit ici contiennent plusieurs graines volumineuses, ou « fèves ». Le cacaoyer a été domestiqué au Mexique, où le chocolat était une boisson appréciée des Aztèques ; à cette époque, les fèves étaient utilisées comme monnaie.

Figure 34-16

La betterave sucrière *(Beta vulgaris)*. La plante cultivée n'est qu'une variété de la betterave commune — sélectionnée à partir de lignées cultivées antérieurement comme fourrage et non pour les racines — dont la sélection a augmenté la teneur en saccharose d'environ 2 % jusqu'à plus de 20 %. Les betteraves ont été sélectionnées en Europe, où leurs feuilles ont longtemps été utilisées dans l'alimentation ; la carde suisse est une autre variété de betterave cultivée pour ses feuilles comestibles. Pendant quelque 300 ans, les betteraves ont également été utilisées comme source de sucre pouvant concurrencer la canne à sucre, cultivée exclusivement dans les régions tropicales et importée dans les pays développés. Aux États-Unis, la production de sucre brut à partir de betterave représente environ un tiers de tout le sucre consommé par les ménages.

de plantes sont une tâche d'importance capitale pour l'espèce humaine, ainsi que nous allons le voir.

L'explosion démographique

Les quelque 5 millions d'être humains qui vivaient il y a 11.000 ans constituaient déjà le groupe de mammifères le plus largement répandu dans le monde. Par la suite cependant, avec le développement de l'agriculture, ce nombre s'est accru à une allure accélérée.

Divers mécanismes entrent en jeu pour limiter le nombre d'individus dans les groupes humains vivant de la chasse. Lors des migrations, une femme ne peut porter plusieurs enfants en plus des bagages de son ménage, si minimes soient-ils. Lorsqu'il n'existe pas de méthodes simples et efficaces de contrôle des naissances — souvent la simple abstention de relations sexuelles, la femme peut recourir à l'avortement ou, plus souvent, à l'infanticide. De plus, la mortalité naturelle est très importante dans ces populations, en particulier parmi les très jeunes, les personnes âgées, les malades, les handicapés et les femmes qui accouchent. Tous ces facteurs ont tendance à limiter la taille des populations dépendant de la chasse. D'autre part, la spécialisation des

bette, qui sont des sources abondantes de vitamines et d'éléments minéraux. Des plantes telles que le tournesol et l'olivier fournissent les graisses, également nécessaires à l'alimentation humaine.

Outre les six principales plantes cultivées, huit autres ont une importance considérable pour l'homme : la canne à sucre, la betterave sucrière (Figure 34-16), le haricot, le soja, l'orge, le sorgho, le cocotier et le bananier. Ensemble, ces 14 espèces végétales constituent la majeure partie des plantes cultivées pour l'alimentation.

Les modes d'alimentation diffèrent beaucoup suivant les régions. Le riz (Figure 34-6) constitue par exemple les trois quarts de l'alimentation dans beaucoup de régions d'Asie et le blé (Figure 34-17) domine de la même manière dans une partie de l'Amérique du Nord et de l'Europe. Dans les régions à faible pluviosité, on ne peut cultiver le maïs avec succès qu'en fournissant un supplément d'irrigation, qui n'est généralement pas nécessaire pour le blé. L'extension des aires de production de ces céréales majeures et la recherche d'autres espèces

Figure 34-17

Culture moderne de blé tendre *(Triticum aestivum)*. Domestiqué initialement dans le Proche-Orient, le blé est devenu la plante cultivée la plus répandue dans le monde d'aujourd'hui. Avec l'orge, fort utilisé actuellement pour l'alimentation du bétail et comme source de malt en brasserie, le blé a probablement été une des deux premières plantes cultivées. En raison des propriétés particulières de certaines de ses protéines, le blé est la céréale la plus utilisée pour la panification. Les protéines du blé forment une substance collante appelée gluten qui facilite la manipulation de la pâte et donne sa consistance au pain.

connaissances et l'acquisition de métiers ne sont guère stimulées ; ces capacités de base sont pourtant indispensables et les plus importantes pour la survie des individus.

Le développement de l'agriculture a eu une énorme influence sur la croissance des populations

Dès que la plupart des groupes humains se sont sédentarisés, la limitation des naissances ne présentait plus la même nécessité et, plus que par le passé, les enfants pouvaient devenir une aide pour leurs familles en participant aux travaux agricoles entre autres. Les populations pouvaient être beaucoup plus denses qu'auparavant. Dans les économies basées sur la chasse et la cueillette, il faut compter en moyenne une surface de 5 kilomètres carrés environ pour nourrir une famille. Avec l'agriculture, une petite partie seulement de cette surface est nécessaire. La productivite de l'agriculture a permis le développement d'agglomérations et de villes où la spécialisation des connaissance humaines s'est accrue. Le travail de quelques individus pouvant suffire à produire la nourriture nécessaire à chacun, les modes de vie se sont de plus en plus diversifiés. Les gens sont devenus commerçants, artisans, banquiers, enseignants, poètes — toute la riche diversité qui fait une communauté moderne. Le développement de l'agriculture a mis la société sur le chemin de la modernité.

Le développement de l'agriculture a eu pour conséquence une augmentation de la population qui atteignait environ 130 millions d'âmes, réparties sur toute la terre, au début de l'ère chrétienne. Sur une période de 8000 ans environ, la population a été multipliée par 25. En 1650, la population du globe a atteint 500 millions, une partie importante vivant dans des centres urbains (Figure 34-18). Le développement des sciences et des technologies avait débuté, en même temps que l'industrialisation qui a conduit à de nouvelles et profondes modifications du mode de vie de l'homme et de ses rapports avec la nature. La natalité était restée pratiquement constante dans le monde depuis le XVIIᵉ siècle, mais la mortalité avait fortement diminué dans certaines régions avec, comme conséquence, un accroissement sans précédent de la populations globale. Au XXᵉ siècle, la natalité elle-même a chuté dans les pays développés.

Figure 34-18

Londres était une des villes les plus prospères d'Europe au XVIIᵉ siècle et son influence s'est étendue aux confins du monde à mesure de la croissance de sa population. La population du globe a atteint un milliard vers 1850.

Comment nourrir une population mondiale en croissance rapide ?

À la fin du XXᵉ siècle, il y a presque 6 milliards d'être humains sur notre planète ; à comparer aux 2,5 milliards de 1950. L'ensemble de la population a doublé en moins de 40 ans. En 1997, environ 21 % de la population vivait dans les pays développés (Les États-Unis, le Canada, l'Europe, la Russie, l'Australie et la Nouvelle-Zélande), environ 21 % en Chine, et le reste dans le Tiers-Monde, réunissant principalement des pays tropicaux ou subtropicaux, au moins en partie.

Pour l'ensemble de la planète, la population s'accroît d'environ 1,5% par an. Cela signifie qu'environ 165 êtres humains viennent s'ajouter chaque minute à la population du globe — plus de 240.000 chaque jour, ou quelque 88 millions chaque année — ce qui équivaut à peu près à l'ensemble de la population de l'Allemagne ou du Mexique. Un pourcentage important — généralement de 35 à 48 % envi-

ron — des hommes vivant dans les pays en développement ont moins de 15 ans. Dans les pays développés, ces pourcentages atteignent environ 12 à 18 % en Europe et au Japon, 20 % au Canada et 22 % aux États-Unis. Ces jeunes n'ont pas encore atteint l'âge d'avoir des enfants. En conséquence, la croissance de la population dans les pays en développement ne pourra pas être contrôlée de sitôt, même si les politiques gouvernementales et les choix individuels vont dans ce sens. Avec une population de 6 milliards d'individus dans le monde dans les années 2000, près d'un milliard — autant que l'ensemble de la population de tout le globe il y a 200 ans, au début de la révolution industrielle — seront venus s'ajouter au cours des années 1990 seulement. Plus de 95 % de cet accroissement concerne les pays en développement.

Si les efforts en faveur du contrôle des naissances sont poursuivis avec énergie au niveau du monde entier, la population du globe peut se stabiliser à 8-8,5 milliards d'individus environ ; sinon, le nombre

Figure 34-19

Cette population pauvre, vivant dans les faubourgs de Tegucigalpa, au Honduras, représente la situation d'une majorité de la population du globe. Les perspectives d'avenir dépendent directement d'une limitation de la démographie, de la participation des pauvres à l'économie globale et de la mise au point de méthodes nouvelles et améliorées d'agriculture productive dans les régions tropicales et subtropicales.

total sera finalement supérieur, peut-être de l'ordre de 10-12 milliards — mais tout dépend des actions futures. Dans le cadre des 100 prochaines années, les quelques décennies à venir seront probablement une des périodes les plus difficiles auxquelles la race humaine devra faire face (Figure 34-19). En 1996, la banque mondiale estimait que 1,4 milliard d'individus — à peu près un quart des humains — vivaient dans une pauvreté absolue. Ces personnes sont incapables de se procurer une nourriture, un abri ou des vêtements. Environ 500 millions — près d'un dixième — n'avaient accès qu'à moins de 80 % de la quantité quotidienne de calories alimentaires recommandée par les Nations Unies. Leurs facultés mentales et vitales sont en pleine consommation.

On estime que l'homme consomme, brûle ou gaspille actuellement plus de 40 % de tout ce qui est produit sur la terre par la photosynthèse, et que cette production a été fortement réduite par tout ce que nous avons brûlé et abattu dans le passé. En dépit d'une multiplication par 2,6 de la production mondiale de céréales depuis 1950, cette augmentation s'est accompagnée d'une perte d'au moins 25 % du sol de surface et de 15 % des terres cultivées. Nous avons vu au chapitre 33 que nous ne disposons pas d'une technologie agricole permettant de produire durablement sur la plupart des terres des régions tropicales. La plupart des terres du globe susceptibles d'être cultivées par les techniques actuelles ont déjà été mises en culture. En dépit de cela, la plus grande partie de la population mondiale en croissance rapide qui vit dans les régions tropicales doit être nourrie de l'une ou l'autre façon. La solution au problème de l'alimentation de l'humanité doit être trouvée dans les régions où elle réside en majorité — les régions tropicales et subtropicales.

Pour alimenter convenablement la population du monde, il faut accroître de façon substantielle la quantité de nourriture, particulièrement en raison de la demande croissante d'aliments riches en protéines dans le monde en développement. En réalité, l'espoir d'y arriver semble mince. Dans certaines régions tropicales, comme l'Afrique au sud du Sahara, la production alimentaire par habitant a en réalité décliné. Récemment, la quantité *totale* d'aliments produite a même diminué dans cette vaste région, dont la population dépasse nettement les 500 millions et s'accroît rapidement. Pour les citoyens américains, qui dépensent en moyenne moins d'un cinquième de leur revenu personnel pour leur alimentation, l'augmentation du coût des produits alimentaires est déjà une sérieuse cause de souci. Pour ceux des pays en développement, qui dépensent jusqu'à 80 à 90 % de leurs revenus pour leur alimentation, elle peut correspondre à une condamnation à mort. Dans des pays comme le Bangladesh et Haïti et dans des régions telles que l'Afrique de l'est, en effet, la mortalité augmente à cause du manque de nourriture. Comment peut-on améliorer cette situation ?

L'agriculture de l'avenir

Les progrès de l'agriculture sont une source de problèmes aussi bien que d'avantages

Le premier progrès important qui a abouti à une augmentation massive de la productivité agricole fut le développement de l'irrigation. (Figure 34-20). La nécessité de fournir de l'eau aux plantes cultivées a toujours été tellement évidente que l'irrigation était déjà pratiquée dans le Proche-Orient il y a 7000 ans et qu'elle s'est développée indépendamment au Mexique, il y a environ 5000 ans semble-t-il. Au cours des deux derniers siècles, l'agriculture a bénéficié de la mise au

Figure 34-20

Ce champ de coton irrigué au Texas est une illustration de l'agriculture intensive moderne. L'irrigation peut entraîner de sérieux problèmes d'environnement à long terme, en particulier si elle est associée à une utilisation intensive de pesticides et d'herbicides. L'utilisation des pesticides est plus importante chez le cotonnier que chez toutes les autres plantes cultivées au monde.

point de machines de plus en plus spécialisées et efficaces et la productivité s'est fortement accrue. Les engrais ont été largement utilisés, leur production faisant largement appel aux combustibles fossiles. Un problème grave à l'échelle mondiale est de savoir comment utiliser les gains de productivité qu'a permis l'accroissement de la mécanisation, de l'irrigation et de la fertilisation sans déplacer par la même occasion des millions de travailleurs. Dans la majeure partie du monde en développement, plus des trois-quarts de la population s'investissent dans la production alimentaire, pour moins de 3 % aux États-Unis à la fin du XXe siècle.

La recherche a déjà fait beaucoup pour améliorer l'agriculture. Aux États-Unis, le système des instituts agronomiques, associé aux stations agricoles expérimentales des états, a apporté une contribution majeure en ce domaine. De nombreux problèmes subsistent cependant. Le coût énergétique de la production agricole est très élevé aux États-Unis et dans les autres pays développés. L'agriculture moderne dépend en outre d'un système de distribution complexe, coûteux en énergie et fragile. Une part importante de chaque production, variable suivant les régions et les années, est perdue à cause des insectes et d'autres parasites. Dans de nombreuses régions, une autre partie importante est perdue après la récolte soit par dégradation, soit à cause des insectes, des rats, des souris et d'autres pestes. L'eau est de plus en plus coûteuse dans de nombreuses régions et l'eau disponible sur place est souvent polluée par le ruissellement provenant des champs alimentés en engrais et en pesticides. Partout, l'érosion des sols constitue un problème, et il s'aggrave avec l'intensification de l'agriculture (Figure 34-21). Beaucoup d'efforts sont tentés pour améliorer la productivité des cultures, leur protection contre les parasites et l'efficacité de l'irrigation. Tous ces points vont être traités dans ce chapitre.

Figure 34-21

L'application de systèmes culturaux évitant le labour et combinant des pratiques agricoles anciennes et modernes, se généralise de plus en plus. En l'an 2000, on peut éviter le labour sur 65 % des surfaces cultivées des États-Unis. Ce système évite pratiquement l'érosion du sol, comme on le voit dans un champ de maïs cultivé sans labour sous une couverture de trèfle mort (à droite). Comparez ces résultats à l'érosion qui s'est manifestée dans la plantation traditionnelle de maïs (à gauche). Cette photographie a été prise juste après une tornade printanière. Les méthodes évitant le labour réduisent respectivement de 7 et de 18 % la quantité d'énergie nécessaire à la production du maïs et du soja et le rendement est au moins aussi élevé que pour les méthodes traditionnelles avec labour.

Un objectif important est l'amélioration qualitative des plantes cultivées actuelles

La meilleure façon de réduire le problème de la faim dans le monde semble être la poursuite de l'amélioration des plantes déjà cultivées actuellement. La plus grande partie des terres disponibles pour l'agriculture est déjà occupée et, dans de nombreuses régions du monde, il n'est pas possible économiquement de fournir aux plantes plus d'eau, d'engrais et d'autres produits chimiques. L'amélioration génétique des plantes cultivées existantes est donc particulièrement importante. Cet objectif ne concerne pas seulement le rendement de ces plantes, mais aussi la quantité de protéines et des autres substances nutritives qu'elles contiennent. La *qualité* des protéines des plantes alimentaires est également de la plus haute importance pour l'alimentation humaine : les animaux, en particulier les hommes, doivent trouver dans leur alimentation les quantités requises de tous les acides aminés essentiels — ceux qu'ils ne peuvent synthétiser eux-mêmes. Neuf des 20 acides aminés nécessaires aux adultes doivent provenir de l'alimentation (page 26) ; l'organisme humain peut synthétiser les 11 autres. Les plantes sélectionnées en vue d'améliorer leur teneur en protéines ont cependant inévitablement des exigences en azote et autres éléments nutritifs plus importantes que leurs ancêtres non-améliorés. Pour cette raison, il n'est pas toujours possible de cultiver les

plantes améliorées sur les terres marginales où elles seraient particulièrement utiles.

Il est également possible d'améliorer la qualité des plantes pour bien d'autres caractères que leur rendement ou la composition et la quantité de leurs protéines. Les nouvelles variétés peuvent être plus résistantes aux maladies, par exemple si elles contiennent des métabolites secondaires peu appréciés par les animaux qui les consomment, si leur forme, leur aspect ou leur couleur est plus appréciée (par exemple des pommes rouge vif), si elles sont mieux adaptées à la conservation et au transport (par exemple des tomates qui se logent mieux dans les emballages) ou si d'autres caractères importants pour la plante cultivée sont améliorés.

Pendant des décennies, les sélectionneurs ont produit des milliers de lignées améliorées de nos plantes de culture en passant au crible la diversité génétique disponible et en créant des hybrides ou des variétés plus prometteurs (Figure 34-22). Des milliers d'hybrides ont été créés et évalués dans le but d'en trouver quelques-uns qui représentent des améliorations spectaculaires des rendements, surtout dans les centre internationaux d'amélioration situés dans les régions subtropicales. La culture des lignées de blé, de maïs et de riz améliorées dans ces centres dans des pays tels que le Mexique, l'Inde et le Pakistan ont accru la productivité dans une telle mesure que l'on a parlé de révolution verte. Les techniques d'amélioration, de fertilisation et d'irrigation mises au point au cours de cette révolution verte ont été appliquées dans de nombreux pays en développement.

Toutes les céréales exigent d'excellentes conditions pour donner des rendements élevés ; la fertilisation, la mécanisation et l'irrigation ont été des éléments essentiels du succès de la révolution verte. Seuls les agriculteurs relativement fortunés ont été capables de cultiver les nouvelles variétés et, dans beaucoup de régions, la conséquence la plus nette a été une accélération de l'accaparement des terres par quelques grandes exploitations appartenant à de riches propriétaires. Cette concentration n'a pas nécessairement procuré du travail ni de la nourriture à la majorité des populations locales.

Le triticale est un hybride prometteur entre le blé et le seigle. Il peut arriver que les méthodes traditionnelles appliquées par le sélectionneur aboutissent à des résultats surprenants. Les hybrides entre le blé *(Triticum)* et le seigle *(Secale)*, appelés **triticale** (leur nom scientifique est *Triticosecale*) sont par exemple devenus une plante cultivée de plus en plus importante dans plusieurs régions et son avenir est plein de promesses (Figure 34-23). Les triticales proviennent

Figure 34-22

Norman Borlaug, qui reçut le prix Nobel de la Paix en 1970. Borlaug a dirigé un programme de recherche parrainé par la Fondation Rockefeller qui permit la mise au point de nouvelles variétés de blé au Centre d'Amélioration du Maïs et du Blé (CIMMYT) au Mexique. Cultivées à grande échelle, ces nouvelles variétés ont fait du Mexique un pays exportateur de blé en 1964, alors qu'il était importateur lorsque le programme débuta en 1944. Borlaug a aussi joué un rôle vital en introduisant les variétés de blé à haut rendement en Inde et au Pakistan.

une véritable amélioration par rapport à ceux qui étaient déjà répandus en culture. Le rendement du maïs aux États-Unis par exemple a été multiplié environ par huit entre les années 1930 et 1980, bien qu'une faible partie seulement de la variabilité génétique de cette plante remarquable ait été mise à profit pour ce faire.

Les maïs hybrides ont un rendement supérieur. Chez le maïs, l'introduction de la **semence hybride** a permis d'augmenter la productivité. Les lignées purifiées de maïs (elles-mêmes d'origine hybride) sont utilisées comme parents. Après croisement, les semences obtenues produisent des plantes plus vigoureuses. Les lignées à croiser sont cultivées en rangées alternées, les inflorescences mâles d'une rangée étant éliminées mécaniquement ou manuellement, de telle sorte que toute la descendance de ces plantes aura une origine hybride. Par une sélection soigneuse des meilleures lignées purifiées, il est possible de produire des hybrides de maïs vigoureux adaptés à chaque région. La récolte est facilitée par la grande uniformité des hybrides, et leur production est bien supérieure à celle des plantes non-hybrides. En 1935, moins d'un pour-cent du maïs cultivé aux États-Unis était hybride ; actuellement, pratiquement toutes les cultures sont hybrides. Il faut moins d'eau, d'engrais, de pesticides et de travail pour une production à l'hectare beaucoup plus élevée.

La révolution verte a été possible grâce au travail effectué dans les centres internationaux de recherche agronomique. Des efforts importants ont été consentis au cours des quelques dernières décennies afin d'améliorer la productivité du blé et d'autres céréales, en particulier dans les régions chaudes. Ces efforts ont conduit à

Figure 34-23

Le triticale *(Triticosecale)*, hybride polyploïde moderne entre le blé et le seigle, qui combine la haute qualité du blé à la rusticité du seigle.

d'un doublement spontané du nombre chromosomique chez un hybride stérile entre le blé et le seigle (voir chapitre 12) ; on les a ensuite produits artificiellement. Au milieu des années 1950, J.G. O'Mara, de la State University of Iowa a produit ces hybrides en faisant usage de la colchicine, qui bloque la formation de la plaque cellulaire et permet donc le doublement du nombre chromosomique ches les plantes traitées.

Le fertilité du triticale n'est malheureusement que partielle et son albumen est souvent mal développé. Il combine les hauts rendements et la qualité du blé à la résistance au froid et aux maladies du seigle, mais les sélectionneurs sont encore à la recherche des meilleures combinaisons de ces caractères. Les lignées améliorées de triticale sont devenues de plus en plus populaires dans les années 1990 et elles sont déjà cultivées sur plus d'un million d'hectares dans 30 pays répartis dans le monde entier. Le triticale est principalement utilisé dans l'alimentatioin du bétail, mais la consommation humaine augmente aussi progressivement.

Pour assurer leur protection contre les agents pathogènes, il est indispensable de conserver et d'utiliser la diversité génétique des plantes cultivées. Les grands programmes d'amélioration et de sélection ont eu pour conséquence de réduire la diversité génétique des plantes cultivées. Pour des raisons évidentes, la sélection artificielle s'est surtout intéressée au rendement, et la résistance aux maladies a parfois disparu dans les descendances très uniformes provenant d'une sélection sévère pour l'augmentation de la productivité. De façon générale, toutes les plantes cultivées ont tendance à s'uniformer de plus en plus, certains caractères ayant été soumis à des pressions sélectives plus fortes que d'autres, et ces plantes sont devenues plus vulnérables aux maladies et aux parasites. En 1970 par exemple, le champignon responsable de l'helminthosporiose du maïs, *Cochliobolus heterostrophus,* a détruit environ 15 % des cultures de maïs des États-Unis — une perte d'environ un milliard de dollars (Figure 34-24). Ces pertes semblent dues à l'apparition d'une nouvelle race du champignon très agressive à l'égard d'une des principales lignées de maïs utilisée à grande échelle pour la production de semence hybride. Les facteurs génétiques cytoplasmiques portés par de nombreuses lignées commerciales importantes étaient identiques car ils avaient été introduits lors de la production du maïs hybride en utilisant de manière répétée le même parent femelle.

Pour se mettre à l'abri de nouvelles pertes de cette importance, il est indispensable de localiser et de conserver des lignées diversifiées de nos plus importantes plantes cultivées parce que ces lignées — même si leurs caractères pris dans leur ensemble n'ont pas d'intérêt économique — peuvent posséder des gènes utiles pour la poursuite de la lutte contre les parasites et les maladies (Figure 34-25). Le matériel héréditaire conservé dans les banques de gènes et de clones peut également être une source de gènes permettant d'améliorer les rendements, l'adaptabilité ou certains caractères de grande valeur, comme la production d'huiles spéciales. Depuis l'origine de l'agriculture, d'énormes réserves de diversité se sont accumulées chez toutes les plantes cultivées à la suite de mutations, de l'hybridation, de la sélection artificielle et de l'adaptation à des conditions très diverses. Chez

Figure 34-24

L'helminthosporiose du maïs, maladie provoquée par un champignon, *Cochliobolus heterostrophus.*

(a)

(b)

Figure 34-25

Conservation des lignées de plantes cultivées. **(a)** La banque de gènes du Département de l'Agriculture des États-Unis à Fort Collins, au Texas : les graines sont triées et emballées dans des sachets scellés pour une conservation à long terme. Environ 200.000 lignées génétiques sont conservées dans ces installations. **(b)** La pépinière de Three Lakes, dans le Wisconsin, est la réserve nationale des souches de pommes de terre.

des plantes comme le blé, la pomme de terre et le maïs, on connaît des milliers de lignées. Il existe en outre une diversité génétique plus grande encore chez les parents sauvages des plantes cultivées, souvent localisée cependant dans des régions où elle disparaît face à la progression de la civilisation. Le problème consiste à découvrir, conserver et utiliser la diversité génétique des plantes cultivées et de leurs parents sauvages avant sa disparition.

Nous allons prendre la pomme de terre comme exemple du rôle joué par la diversité génétique dans l'histoire d'une plante cultivée et dans ses perspectives. Il existe plus de 60 espèces de pommes de terre, dont la plupart n'ont jamais été cultivées, ainsi que des milliers de lignées cultivées différentes (Figure 34-9). En dépit de cela, la plupart de nos pommes de terre cultivées descendent d'un très petit nombre de variétés introduites en Europe à la fin du XVIe siècle. Cette uniformité génétique est la cause directe de la grande famine survenue en Irlande en 1846 et 1847, au cours de laquelle les cultures de pomme de terre ont pratiquement été anéanties par le mildiou provoqué par *Phytophthora infestans* (voir chapitre 17). En trois ans, la population de l'Irlande est tombée de 8,5 à 6,5 millions : un individu sur dix est mort de faim ou de maladies liées à la famine, et un sur cinq a émigré. La sélection ultérieure de lignées de pomme de terre résistantes au mildiou a remis la plante en valeur en Irlande comme ailleurs. Si l'on se tourne vers l'avenir, les possibilités d'amélioration ultérieure de la pomme de terre cultivée par l'utilisation d'autres formes cultivées et sauvages est énorme.

Les sélectionneurs de tomate ont donné des exemples évidents des possibilités offertes par le matériel génétique provenant des formes sauvages. La collection de lignées de tomates, principalement réunie récemment par Charles Rick et ses associés de l'Université de Californie à Davis a permis de contrôler efficacement de nombreuses maladies importantes de la tomate, comme les pourritures causées par les deutéromycètes *Fusarium* et *Verticillium* et plusieurs maladies virales. On a notablement amélioré la valeur nutritive des tomates et augmenté leur tolérance à la salinité et à d'autres facteurs défavorables grâce à la récolte systématique, à l'analyse et à l'utilisation de souches de tomates sauvages dans les programmes d'amélioration.

Plusieurs espèces sauvages pourraient devenir des plantes cultivées importantes

À côté des espèces végétales déjà cultivées à grande échelle, il existe de nombreuses espèces sauvages et de plantes dont la culture est cantonnée localement : elles pourraient apporter une contribution importante à l'économie mondiale si elles étaient cultivées de manière plus étendue. Ainsi que nous l'avons déjà vu, nous dépendons par exemple encore pour plus de 80 % de nos calories de six espèces d'angiospermes seulement sur les quelque 235.000 qui existent. Environ 3000 espèces d'angiospermes seulement ont un jour ou l'autre été cultivées pour l'alimentation, et la grande majorité ne sont plus exploitées ou ne le sont que très localement. Environ 150 espèces seulement ont été cultivées sur une grande échelle.

En dehors de ce nombre limité cependant, de nombreuses plantes — spécialement celles qui ont déjà été utilisées auparavant, mais qui ont été complètement abandonnées ou considérées comme moins importantes — peuvent se montrer très utiles. Certaines espèces sont encore cultivées dans différentes régions du monde. Nous avons l'habitude de considérer d'abord les plantes comme d'importantes sources de nourriture, mais elles produisent également des huiles, des médicaments, des pesticides, des parfums et de nombreuses autres substances importantes pour notre société industrielle moderne. En réalité, 25 % environ des médicaments d'utilisation courante dérivent directement de produits végétaux. Nous en sommes cependant arrivés à considérer la production de ces substances par les plantes comme une méthode quelque peu archaïque, totalement supplantée aujourd'hui par la synthèse chimique en laboratoire industriel. Leur production par les plantes n'exige cependant d'autre énergie que celle du soleil : elle est naturelle. Alors que nos sources d'approvisionnement en énergie non-renouvelable s'épuisent et que leurs prix s'élèvent, il devient de plus en plus important de trouver des moyens permettant de produire des molécules chimiques complexes à moindres frais. D'autre part, la grande majorité des plantes n'ont jamais été étudiées ni testées pour déterminer leur utilité.

Quelques exemples de plantes mises récemment en culture vont montrer le potentiel important présent dans la nature. En dépit de son nom latin, le jojoba, *Simmondsia chinensis* est un arbuste originaire des déserts du nord-ouest du Mexique et des régions voisines des États-Unis (Figure 34-26). Les grosses graines du jojoba contiennent

Figure 34-26

Le jojoba *(Simmondsia chinensis)*, plante importante dont la culture se répand de plus en plus dans les régions arides du monde. Le jojoba est une source de cires qui possèdent entre autres des propriétés particulières de lubrification.

environ 50 % de cire liquide, une substance qui possède un potentiel industriel impressionnant. Ce type de cire est un lubrifiant indispensable aux très hautes pressions, par exemple dans les engrenages des engins lourds et dans les transmissions d'automobiles. La production industrielle de la cire liquide synthétique est difficile et la seule source alternative naturelle est l'huile de cachalot, espèce qui risque de disparaître. La cire de jojoba est également utilisée dans les cosmétiques et comme additif dans l'alimentation ; d'autres usages encore restent à trouver pour cette substance inhabituelle. La plante prospère dans les déserts chauds où la plupart des autres cultures sont impossibles, et certaines variétés sont en outre très tolérantes à la salinité. La culture du jojoba s'est répandue dans les zones arides du monde entier et elle contribue notablement au développement économique de ces régions, particulièrement en participant à la création d'emplois locaux nécessités par la culture de la plante.

Le jojoba pourrait aussi être utile pour arrêter l'extension des déserts, étant donné qu'il peut se développer dans un sol sableux alors que la pluviosité ne dépasse pas 75 millimètres par an. Dans certaines régions, les plantations de jojoba peuvent contribuer utilement à la stabilisation du sol. Ces constatations sont d'une importance capitale étant donné que le Sahara, par exemple, s'étend vers le sud à une allure d'environ 5 kilomètres par an et limite de la sorte la production alimentaire potentielle de régions qui ne sont pas encore désertiques. À l'heure actuelle, l'Arabie saoudite, le Koweit, l'Égypte, le Maroc, l'Équateur et le Nigeria expérimentent le jojoba dans ce but.

Une autre nouvelle plante cultivée intéressante est le guayule, *Parthenium argentatum* (Figure 34-27). Cette plante appartient à la famille de la pâquerette et du tournesol (les *Asteraceae*) et elle est pro-

Figure 34-27

Le guayule *(Parthenium argentatum)*, arbuste du désert produisant un caoutchouc naturel. Récolté à l'origine dans les peuplements naturels, le guayule est actuellement cultivé à grande échelle.

che des *Ambrosia*. C'est un petit buisson originaire du nord du Mexique et du sud-ouest des États-Unis. Le caoutchouc peut représenter jusqu'à 20 % de la plante vivante.

Le caoutchouc synthétique a remplacé le caoutchouc naturel pour de nombreuses applications et il représente actuellement environ les deux-tiers de la consommation mondiale. Il est fabriqué à partir de pétrole et il n'est donc pas renouvelable comme le caoutchouc d'origine végétale. Presque tout le caoutchouc naturel provient actuellement de l'arbre à caoutchouc, du genre *Hevea* (*Euphorbiaceae*). Selon un rapport de la Banque Mondiale, au début du prochain siècle, environ les deux-tiers de nos besoins continueront à être couverts par les caoutchoucs de synthèse et 30 millions de tonnes de caoutchouc naturel seront nécessaires pour des produits qui vont des pneus à hautes performances aux préservatifs et aux gants chirurgicaux (le virus de l'immunodéficience humaine (VIH) peut traverser toute autre matière). Bien qu'originaire du bassin de l'Amazone en Amérique du Sud, l'hévéa rencontre les meilleures conditions de culture en Asie tropicale. Alors que le caoutchouc naturel a été extrait des arbres de la forêt depuis le XIXᵉ siècle, c'est en 1899 que l'on a pour la première fois signalé officiellement la production de caoutchouc naturel dans les plantations d'Asie du sud-est. Cette année-là, 4 tonnes de caoutchouc avaient été récoltées sur un total de 1600 hectares d'hévéa ; alors que les arbres venaient seulement d'être introduits du Brésil en Asie du sud-est en passant par les Jardins Botaniques de Kew, près de Londres.

Le guayule est une alternative prometteuse aux espèces d'*Hevea*. On peut le cultiver dans le désert et il peut accroître notablement la production mondiale de caoutchouc. Les plantes sauvages de guayule ont été une source de caoutchouc pendant près d'un siècle et, aux États-Unis, les cultures en champ en ont produit plus de 1300 tonnes pendant la seconde guerre mondiale, lorsque les Japonais ont interrompu l'approvisionnement en caoutchouc. Bien que le guayule n'ait guère retenu l'attention au cours des quatre décennies qui ont suivi la fin de la guerre, des recherches actives lui sont à nouveau consacrées. Le caoutchouc de guayule est hypoallergique et peut donc remplacer celui d'hévéa pour les préservatifs et pour d'autres usages médicaux.

Une troisième plante qui pourrait bien être cultivée sur une plus grande échelle est l'amarante à grain (diverses espèces d'*Amaranthus*), plantes cultivées pendant des milliers d'années pour l'alimentation en Amérique Latine, mais à une échelle relativement restreinte. La réapparition récente des amarantes à grain est un bon exemple de nouvelle plante alimentaire potentielle. Des variétés adventices d'*Amaranthus* sont appelées « pigweeds » dans les pays anglophones mais, aux périodes précolombiennes, les graines de ces plantes constituaient un des aliment de base du Nouveau Monde — presqu'aussi important que le maïs et les haricots. Quelque 20.000 tonnes de graines étaient envoyées chaque année à Tenochtitlan (aujourd'hui Mexico) comme tribut destiné au chef des Aztèques. Les conquistadors espagnols interdirent aux Mexicains d'utiliser l'amarante en raison de son association aux rites païens et aux sacrifices humains, et elle ne subsista comme culture que dans des régions très localisées et peu étendues. La teneur en protéines des graines d'amarante est aussi élevée que celle des céréales et leurs protéines contiennent de plus de grandes quantités de lysine, acide aminé qui en fait un complément de choix des céréales traditionnelles. (De nombreuses céréales sont pauvres en lysine, acide aminé essentiel pour l'homme.) Les feuilles de certaines races d'amarante peuvent également servir de légume. Au vu de toutes ces qualités, il n'est pas surprenant que la culture des amarantes se répande à travers le monde.

L'identification de nouvelles plantes cultivées tolérantes à la salinité est un domaine de recherche important. L'agriculture intensive s'étend de plus en plus dans les régions arides et semi-arides du globe, surtout pour répondre aux besoins d'une population toujours plus nombreuse. Ces pratiques demandent des quantités énormes d'eau, alors que les disponibilités locales sont très limitées ; ces eaux sont devenues de plus en plus saumâtres du fait de leur utilisation, de leur réutilisation et de leur pollution par les engrais en provenance des zones cultivées voisines. Dans de nombreuses régions du monde, spécialement à proximité de la mer, le sol et l'eau disponibles sont en outre naturellement salins. Improductives si les pratiques agricoles traditionnelles sont appliquées, ces régions peuvent être mises en culture à condition de trouver des espèces de plantes qui leur sont adaptées (Figure 34-28).

Le choix de plantes adaptées aux régions salines n'implique pas seulement la recherche de cultures entièrement nouvelles, mais également la sélection de la tolérance à la salinité chez les plantes traditionnelles (voir l'encadré des pages 744 et 745). Chez les tomates par exemple, une espèce sauvage vivant sur les falaises maritimes des îles Galapagos, et donc très résistante au sel, *Lycopersicon cheesmaniae*, a été utilisée comme source de tolérance à la salinité chez de nouveaux hybrides avec la tomate cultivée, *Lycopersicon esculentum*. Ces hybrides ont été sélectionnés sur un mileu contenant la moitié de la teneur en sel de l'eau de mer. Les chercheurs ont réussi à identifier des individus capables d'accomplir la totalité de leur cycle dans de l'eau contenant cette concentration en sel. La même méthode a été appliquée pour la sélection de lignées d'orge tolérantes à la salinité.

Les plantes restent d'importantes sources de médicaments. En plus de leurs autres utilisations, les plantes sont d'importantes sources de médicaments. En fait, un quart environ des ordonnances médicales rédigées aux États-Unis contiennent au moins un produit dérivé d'une plante. Pendant des millénaires, l'homme a utilisé les plantes à des fins médicales. La botanique en fait était considérée traditionnellement comme une branche de la médecine, et les botanistes professionnels, distincts des médecins, n'existent que depuis 150 ans environ. Il n'y a cependant pas encore eu de tentative généralisée pour identifier et utiliser les métabolites secondaires encore inexploités comme ceux dont il a été question aux chapitres 2 et 22.

Si les plantes restent d'importantes sources de médicaments, en dépit de la facilité de synthétiser de nombreuses substances en laboratoire, c'est en partie parce que les plantes les fabriquent gratuitement, sans demander d'énergie supplémentaire. De plus, la structure de

(a)

(b)

Figure 34-28

Le développement de nouvelles cultures, ou de nouvelles variétés de plantes déjà cultivées, capables de supporter des concentrations en sel relativement élevées est important dans de nombreuses régions du globe, en particulier dans les régions arides ou semi-arides. **(a)** Aubergines *(Solanum melongena)* cultivées dans la vallée d'Arava, en Israël, sous irrigation au goutte-à-goutte (l'eau arrive aux plantes par des tuyaux en plastique, ce qui permet une économie substantielle) au moyen d'eau à forte teneur en sel (1800 ppm). Il y a quinze ans, on considérait que cette teneur en sel était incompatible avec une production commerciale. **(b)** Dans une parcelle expérimentale sur la côte méditerranéenne d'Israël, un arbuste fourrager à haute valeur alimentaire, *Atriplex nummularia*, est cultivé sous eau de mer pratiquement pure. Les rendements sont semblables à ceux de la luzerne, mais les feuilles et les tiges d'*Atriplex* sont très salées et son fourrage n'a pas la valeur de celui de la luzerne. Les recherches de D.Pasternak et de ses collaborateurs de l'Université Ben-Gourion dans le Negev tentent de résoudre les problèmes posés par l'irrigation par l'eau de mer ; ce type d'irrigation pourrait un jour permettre la mise en culture d'énormes surfaces qui sont actuellement des déserts côtiers.

UN NOUVEAU MILLÉNAIRE : PASSAGE À UN DÉVELOPPEMENT DURABLE

« Un siècle semblable à celui qui se termine n'est plus supportable » : tel est l'avertissement donné par George Schaller, spécialiste de la conservation de la nature, lors d'une conférence nationale sur la biodiversité et les écosystèmes qui s'est tenue à Washington en automne 1997. Mais, en voyant tous les signes de progrès dans son entourage immédiat — air plus propre, approvisionnement mieux assuré en nourriture et en eau et meilleur souci général de la conservation des habitats sauvages — que peut signifier une telle déclaration pour un citoyen des États-Unis, la nation la plus prospère au monde ?

Tout simplement, que notre système est insoutenable. Il a été rendu possible par l'utilisation d'une énergie et de matières premières à la fois abondantes et bon marché faisant fi des coûts environnementaux de leur exploitation à grande échelle. Ces coûts sont aujourd'hui terriblement évidents : croissance dramatique de la population, épuisement des ressources, diminution de la biodiversité et changements globaux de l'atmosphère dont les effets sont consternants par leur étendue et leurs conséquences pour toutes les formes de vie. La mise en œuvre de stratégies permettant une croissance durable ne reposant plus sur cette dégradation de l'environnement : tel est le défi auquel nous devons faire face si nous voulons éviter « un autre siècle semblable à celui-ci. »

Un développement durable débute par la reconnaissance de plusieurs réalités simples, immuables, qui façonnent notre rapport avec le milieu. La réalité la plus importante, c'est que la terre est une planète unique, fonctionnant comme elle le fait grâce à l'activité de ses systèmes vivants. En pratique, l'énergie solaire est la seule chose qui arrive à la surface terrestre et rien n'en sort — absolument rien — si ce n'est un peu d'énergie rejetée dans l'espace. Tous ensemble, nous devons nous rendre compte qu'il nous est impossible de rien jeter « dehors », parce qu'il n'y a pas de dehors !

Nous devons également admettre que le XXᵉ sièche a été une période unique dans l'histoire. Rien que pendant la seconde moitié de ce siècle, la population du globe est passée de 2,5 à plus de 6 milliards. Cette croissance démographique a eu des conséquences écologiques profondes. Au cours de cette période, nous avons gaspillé par érosion environ un quart de l'horizon superficiel du sol et près d'un cinquième de ses terres agricoles, en raison d'une combinaison de pratiques agricoles inadéquates et d'une utilisation exagérée de terres marginales. Nous sommes responsables d'un changement substantiel de la composition de l'atmosphère. Nous avons abattu, sans les replanter, environ un tiers des forêts qui existaient en 1950. Près de 50 % de la production photosynthétique nette de la terre ferme — la production de près de la moitié de toutes les plantes terrestres du monde — est directement ou indirectement consommée, gaspillée ou détournée par l'homme (par exemple quand une ville prend la place de la forêt). Les autres organismes eucaryotes, dans leur ensemble, dont le nombre d'espèces est estimé à 5 à 7 millions, disposent seulement d'une quantité d'énergie équivalente à celle utilisée par l'homme. L'extinction d'un grand nombre d'espèces ne doit donc pas nous étonner.

Et elles disparaissent à un rythme alarmant. Les activités humaines ont multiplié par mille la vitesse d'extinction sur l'ensemble du globe, de telle sorte que pour chaque nouvelle espèce qui voit le jour, plus de 1000 disparaissent. Même depuis que ce problème a été récemment identifié, cette vitesse continue à grimper brutalement. À la fin du XXIᵉ siècle, sans une modification radicale préalable de notre comportement, les trois-quarts de toutes les espèces vivant actuellement sur la terre ferme pourraient avoir disparu ou être en voie d'extinction. On n'a connu que cinq grandes période d'extinction sur plus de 3,5 milliards d'années que compte l'histoire de la vie terrestre, toutes provoquées apparemment par des cataclysmes environnementaux telles que des collisions avec des astéroïdes. Le XXᵉ siècle a connu le début d'une sixième de ces périodes, mais celle-ci est provoquée par les activités d'une seule espèce, la nôtre.

En dehors de toute motivation morale, éthique et religieuse obligeant à conserver les espèces vivant dans le monde, il existe des raisons tout à fait pratiques de le faire. Nous croyons que le XXIᵉ siècle sera l'époque de la biologie en ce sens que les gènes, les organismes individuels et les écosystèmes entiers seront utilisés pour produire des biens et pour restaurer les dégâts subis par l'environnement. Il n'est certainement pas de notre intérêt de laisser disparaître un si grand nombre d'organismes, d'autant plus que nous n'avons encore identifiés qu'un quart des espèces supposées exister sur terre. Nous n'avons même jamais vu ni sûrement analysé les potentialités de la majorité des espèces que nous somme en train de perdre.

La perte de la biodiversité peut même s'accélérer en raison des changements atmosphériques globaux induits par la double menace des produits chlorofluorocarbonés et des gaz à effet de serre.

Pendant 3,5 milliards d'années environ, l'activité photosynthétique des organismes vivants a transformé notre atmosphère, initialement réductrice et riche en hydrogène, en une atmosphère oxydante, contenant environ 21 % d'oxygène. Cet oxygène (O_2) est en équilibre avec l'ozone (O_3). L'ozone se trouve principalement dans la stratosphère, à des centaines de kilomètres au-dessus de la surface terrestre, où il joue un rôle esentiel en arrêtant les rayons UV-B du soleil, très dangereux pour les protéines et les acides nucléiques — éléments de construction à la base de la vie. La formation de cette couche protectrice d'ozone a marqué un tournant essentiel dans l'évolution de la vie. Les produits chlorofluorocarbonés (CFC), sont des gaz à longue durée de vie, produits depuis environ 75 ans et largement utilisés comme réfrigérants ; ils détruisent l'ozone. Leur arrivée dans la stratosphère a déjà provoqué la décomposition de 6 à 8 % de l'ozone et augmenté de 20 à 25 % l'incidence du cancer de la peau aux latitudes moyennes et encore plus au voisinage des pôles. Cette tendance est suffisamment sérieuse pour que tous les pays se soient mis d'accord pour y mettre fin et la production des CFC est actuellement interdite par des règlements internationaux. Ces accords internationaux sont une reconnaissance importante, bien que tardive, que le développement global durable exige des solutions globales.

Un cycle indépendant de négociations internationales s'est tenu à Kyoto, au Japon, à la fin de 1997, pour s'attaquer au problème de la prolifération des gaz à effet de serre, plus particulièrement du dioxyde de carbone. La teneur de l'atmosphère en gaz carbonique a augmenté rapidement et sans discontinuer depuis le début de la révolution industrielle au milieu du XVIIIᵉ siècle. De 190 ppm à la fin de la dernière période glaciaire (il y a environ 18.000 ans) à environ 250 ppm au début de la révolution industrielle, à la fin du XVIIIᵉ siècle, le taux de dioxyde de carbone est actuellement monté jusqu'à environ 362 ppm. Il continue à grimper rapidement. L'excès de gaz carbonique dans l'atmosphère provient principalement de la combustion des « combustibles fossiles » dérivés des organismes qui ont vécu dans le passé et sont conservés dans le sous-sol sous forme de pétrole, de charbon et de gaz naturel. Un quart environ de tout le dioxyde de carbone qui s'est ajouté à l'atmosphère provient d'autre part de la destruction des forêts, qui emmagasinent naturellement une grande quantité de carbone.

L'augmentation de la teneur en dioxyde de carbone dans l'atmosphère pose problème parce que ce gaz absorbe les rayons infrarouges qui dissipent la chaleur dans l'espace. Avec la vapeur d'eau, le méthane et les CFC, le dioxyde de carbone fonctionne donc comme les vitres d'une serre, entraînant sur la terre une température plus élevée que si ces gaz étaient absents. Les planètes qui possèdent une atmosphère riche en dioxyde de carbone sont très chaudes, tandis que celles qui en sont dépourvues sont très froides. En l'absence de tout gaz carbonique dans l'atmosphère, la température annuelle moyenne de la terre serait d'environ -15°C ; grâce à lui, elle atteint environ 12°C. Au cours de l'histoire de notre planète, des périodes anormalement froides ont régné lorsque les teneurs en dioxyde de carbone étaient faibles et il a fait anormalement chaud lorsque ces teneurs étaient élevées.

Depuis les années 1990, il était évident que la température globale avait commencé à s'élever : les arguments à notre disposition parlaient déjà d'un accroissement de 0,3 à 0,6°C, et ce réchauffement était déjà plus rapide qu'à la fin des périodes glaciaires. À la conférence internationale sur le changement climatique, organisation parrainée par les Nations-Unies et réunissant de nombreux experts éminents en modélisation des climats et autres domaines voisins, on a estimé par le calcul un accroissement des températures globales de 1,5 à 5°C pour la fin du siècle prochain si les modes actuels d'activité ne sont pas radicalement modifiés.

Le réchauffement prévu risque de soulever de nombreux défis. Le niveau des mers s'est par exemple déjà relevé de 8 à 18 centimètres et l'on prévoit une hausse d'au moins 60 centimètres au cours du prochain siècle, ce qui risque de noyer des centaines de millions d'êtres humains sur l'ensemble du globe ou d'entraîner leur émigration. Des courants marins, par exemple le Gulf Stream, pourraient subir des perturbations importantes susceptibles de modifier la pluviosité et d'autres aspects du climat et de rendre l'agriculture difficile ou impossible dans de nombreuses régions couvertes actuellement par de riches terres agricoles. Des modifications radicales de la répartition des précipitations risquent d'augmenter le nombre et l'intensité de tempêtes violentes comme les ouragans. Ces changements climatiques, ainsi que les modifications atmosphériques qui en sont responsables, peuvent accélérer les taux d'extinction et éroder encore la biodiversité.

Les combustibles fossiles responsables de ces changements climatiques sont, d'un autre côté, le principal moteur de l'économie mondiale. Il est difficile de voir comment contrôler leur niveau, mais c'est évidemment indispensable.

Abattage dans une forêt adulte de la Gifford Pinchot National Forest, au sud de l'état de Washington. L'exploitation forestière se poursuit dans les 5 % des forêts adultes subsistant dans le pays, dont beaucoup fournissent un habitat critique à des espèces sauvages menacées et où l'on rencontre également d'importantes zones aquifères.

Les arguments qui sont donnés pour tenter de mieux préciser le réchauffement climatique réel ne peuvent rien changer à un point fondamental : nous devons cesser de rejeter des quantités énormes de gaz carbonique dans l'atmosphère. La plupart d'entre nous estiment que la plus grande partie de notre civilisation ne pourrait survivre à un doublement de la teneur actuelle en gaz carbonique et des changements radicaux devraient déjà être mis en œuvre dès à présent, rien que pour limiter l'accroissement de cette teneur, par exemple à 550 ppm. Ces mutations auront dans certains cas des conséqueces néfastes pour le développement économique : c'est pourquoi beaucoup hésitent à s'y engager. D'autres, comme John Browne, directeur de British Petroleum, ont sagement admis qu'en raison de l'inertie et de la lourdeur de notre économie globale, il est nécessaire de démarrer maintenant — et ils estiment que les sociétés et les nations qui le feront, plutôt que de continuer à prendre leurs désirs pour des réalités et de se mentir à elles-mêmes, seront gagnantes dans l'avenir.

Le développement durable exige que l'on ne prenne plus des décisions comme si le monde et ses systèmes de production n'avaient pas de limites. Un éminent médecin suédois, Karl-Henrik Robert, et ses collègues ont proposé un système alternatif de prise de décision. Ce système, appelé « l'étape naturelle », est important en raison de la simplicité de ses principes et parce qu'il ne repose pas sur des points suscitant la controverse, mais sur des avis communément admis concernant l'environnement. Ses « conditions du système » fondamentales d'après lesquelles nos activités devraient s'organiser sont simples :

Les produits manufacturés ou extraits et leurs déchets ne peuvent s'accumuler indéfiniment dans la biosphère.

Nous devons conserver les plantes, les algues et les bactéries responsables de la photosynthèse dont dépend finalement toute vie sur la terre, y compris la nôtre.

La justice sociale doit prévaloir pour éviter des inégalités insupportables entre les différents groupes humains.

Cet ensemble de principes doit constituer les fondations sur lesquelles un monde durable peut être édifié. Comme l'a déclaré l'ancien sous-secrétaire d'État des États-Unis Tim Wirth, « L'économie est un système auxiliaire qui appartient totalement à l'environnement. » Le monde pourra continuer à prospérer à l'avenir grâce à l'activité avisée de ceux qui admettent des données simples et inaltérables concernant notre relation avec l'environnement. Comme vous faites partie de ces gens, vous avez un rôle vital à jouer — celui de pionniers à la recherche d'un développement durable global pour le nouveau millénaire. Vous n'avez jamais dû affronter un défi de cette ampleur, et personne n'aura jamais influencé aussi profondément tous les aspects de votre vie et personne n'aura une telle influence dans l'avenir.

certaines molécules — comme les stéroïdes, par exemple la cortisone et les hormones utilisées dans les pilules contraceptives (Figure 34-29) — est tellement complexe qu'en dépit de la possibilité de les synthétiser chimiquement, les méthodes de production ont un coût prohibitif. Pour cette raison, les pilules contraceptives et la cortisone ont été principalement fabriquées antérieurement à partir de substances extraites des racines d'ignames sauvages *(Dioscorea)*, provenant surtout du Mexique. Lorsque ces sources ont été pratiquement épuisées, on a cultivé dans le même but d'autres plantes, comme *Solanum aviculare,* espèce du même genre que la morelle noire et les pommes de terre.

En dehors du problème des coûts, l'extraordinaire diversité des substances synthétisées par les plantes est importante : c'est une source apparemment inépuisable de nouveaux produits (Figure 34-30). Les scientifiques ont appris à connaître les potentialités des nouveaux médicaments en étudiant les utilisations médicales des plantes auprès des populations rurales et indigènes (Figure 34-31). C'est ainsi qu'ont été « découvertes » les propriétés contraceptives des ignames mexicaines.

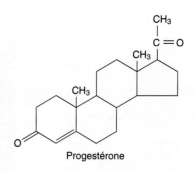

Figure 34-29

Le stéroïde progestérone est le précurseur des hormones sexuelles mâle et femelle chez l'homme. Sa formule est proche de celle du cholestérol (voir figure 2-14), autre stéroïde humain abondant, et du cortisol, commercialisé sous le nom de cortisone et utilisé comme anti-inflammatoire. On trouve d'autres stéroïdes chez les plantes, et ils sont abondants chez les ignames *(Dioscorea),* dont les extraits sont utilisés comme matériel de base pour la synthèse des substances actives des pilules contraceptives. Les stéroïdes ont une très forte activité physiologique chez les vertébrés.

Figure 34-30

La pervenche de Madagascar *(Catharanthus roseus)* est la source naturelle de deux médicaments, la vinblastine et la vincristine. Ces substances, développées dans les années 1960, sont très actives contre certains cancers. La vinblastine est habituellement utilisée pour le traitement de la maladie de Hodgkin, qui est une forme de lymphome, et la vincristine est utilisée dans les cas de leucémie aiguë. Avant la mise au point de la vinblastine, un patient atteint de la maladie de Hodgkin avait une chance sur cinq de survivre ; la proportion atteint actuellement neuf sur dix. Cette pervenche est répandue dans toutes les régions chaudes du globe, mais elle n'est indigène qu'à Madagascar, une île dont la plus grande partie de la végétation naturelle a été perturbée.

Figure 34-31

Hortense Robinson, guérisseuse traditionnelle de Bélize, explique les usages médicaux des feuilles de l'arbre à pain à Michael Balick, directeur de l'Institut de Botanique Économique du Jardin Botanique de New York. L'extrait obtenu en faisant bouillir les feuilles dans l'eau est utilisé pour le traitement du diabète et l'hypertension artérielle. Bien que l'étude des utilisations médicales des plantes forestières ait conduit à la découverte de médicaments importants, comme le chlorure de D-tubocurarine (utilisé pour la relaxation des muscles dans la chirurgie à cœur ouvert) et l'ipéca (utilisé dans le traitement de la dysenterie amibienne), les chances d'avoir accès à ces connaissances se perdent rapidement avec la disparition des cultures indigènes. Des groupes entiers de populations abandonnent leur style de vie traditionnel, et les forêts, ainsi que les autres régions sauvages abritant des plantes médicinales, sont détruites. Les connaissances utiles qui se sont accumulées pendant des milliers d'années d'expérimentation se perdent en peu de temps. La plus grande partie de cette information a été transmise oralement en l'absence de rapports écrits.

En élargissant notre recherche de plantes utiles, nous devrions garder à l'esprit la disparition rapide des espèces végétales due (1) à la croissance rapide de la population, (2) à la pauvreté, particulièrement dans les régions tropicales, où vivent environ les deux-tiers des espèces végétales du monde et (3) à notre connaissance imparfaite de la manière de concevoir des systèmes agricoles productifs applicables aux régions tropicales. Avec la destruction complète des forêts vierges tropicales, qui semble assurée avant un siècle, de nombreuses espèces de plantes, d'animaux et de microorganismes vont disparaître. Notre connaissance des plantes, particulièrement dans les régions tropicales, est tellement rudimentaire que nous sommes confrontés à la perspective de voir disparaître de nombreuses espèces végétales avant même d'en connaître l'existence, sans avoir eu l'occasion de voir si elles pourraient nous être d'une quelconque utilité. L'étude des plantes sauvages en vue de leur utilisation potentielle par l'homme doit être accélérée et les espèces prometteuses doivent être conservées dans les banques de gènes, en culture ou, de préférence, dans des réserves naturelles.

Les manipulations génétiques prendront une part de plus en plus grande dans l'amélioration des plantes

Les méthodes de transformation génétique sont un des moyens les plus importants d'améliorer les plantes cultivées. Les biologistes moléculaires ont appris à transférer les gènes étrangers aux cellules végétales. Nous avons vu au chapitre 12 que l'hybridation naturelle, qui conduit à la recombinaison du matériel génétique, joue un rôle important dans la poursuite de l'évolution des plantes. De la même manière, le sélectionneur s'est servi de l'hybridation pour recombiner le matériel génétique et ainsi obtenir des plantes possédant des caractères améliorés. Ce qui est nouveau avec les méthodes d'ingénierie génétique, c'est qu'elles permettent d'insérer des gènes isolés dans les organismes de manière à la fois simple et précise. Les caractères auxquels on s'intéresse peuvent de ce fait être améliorés directement, sans avoir besoin d'autant de recroisements et de sélection dans les descendances que dans le passé. On a exposé plus en détail l'ingénierie génétique au chapitre 28.

La solution du problème de la faim dans le monde exige une approche intégrée

Éliminer le fardeau de la faim et de l'extrême pauvreté supporté par un cinquième au moins de la population du globe reste un problème grave. La révolution verte doit bien sûr se poursuivre mais, en même temps, nous devons nous rendre compte que l'ensemble des données du problème a une portée sociale, politique et éthique. Les solutions impliquent non seulement un accroissement de la production alimentaire et de sa distribution, mais également la création d'emplois donnant aux pauvres les moyens de se procurer de la nourriture. La limitation de la croissance de la population est nécessaire, mais elle doit être accompagnée d'une amélioration notable du niveau de vie des pauvres. Quels que soient les progrès des sciences agricoles, ils ne suffiront jamais à éliminer la faim dans un monde dont la population s'accroît rapidement. Dans les pays dont une grande partie de la population vit dans la pauvreté, un système devrait être organisé pour faciliter l'introduction des nouvelles pratiques agricoles. Les engrais, les pesticides, l'équipement, le crédit et l'eau devraient être à la disposition de chacun ; les agriculteurs devraient pouvoir vendre leurs produits et, pour ce faire, ils devraient pouvoir amener ces produits au marché. Les manipulations génétiques, associées à une meilleure connaissance de la physiologie végétale, donneront certainement naissance à de nouvelles plantes cultivées de qualité supérieure, mais les milliards de paysans pauvres du Tiers-Monde y auront-ils accès ?

Il faut également développer des plantes plus directement orientées vers des produits non-alimentaires comme les médicaments, d'autres composés chimiques et énergétiques. Nos principales plantes cultivées se sont répandues depuis des milliers d'années et beaucoup d'autres pourraient s'y ajouter si nous faisions l'effort de les identifier, d'assurer leurs besoins dans les cultures et de les mettre en production. De nombreux observateurs estiment cependant qu'en raison de la destruction rapide de la végétation dans le monde entier, de 15 à 20 % du nombre total d'espèces végétales pourraient avoir disparu au cours des 30 prochaines années. Cette perte (jusqu'à 50.000 espèces végétales) limiterait tragiquement et sans nécessité nos choix, et il faut la réduire autant que faire se peut. La perspective d'une perte de cette ampleur signifie sans aucun doute que la recherche de plantes utiles et leur conservation sont particulièrement urgentes.

Une connaissance étendue de la biologie végétale est devenue de plus en plus indispensable à la recherche de solutions à certains des problèmes les plus critiques de notre société actuelle. La stabilisation de la population doit être prioritaire, mais nous devons ensuite fixer notre attention sur la lutte contre la pauvreté et la malnutrition et trouver des ressources qui permettront de nourrir les populations de tous les pays. Tous les principes de la croissance et du développement des plantes doivent être appliqués afin d'améliorer les pratiques agricoles dans le monde entier et de permettre à notre planète de s'accommoder d'un nombre sans précédent d'habitants dans la dignité et dans une relative prospérité. Y arriver poussera à ses limites l'imagination et l'ingéniosité de l'homme, mais l'importance de la tâche est immense. Nous devons faire tous les efforts possibles pour l'accomplir.

RÉSUMÉ

Par rapport à l'histoire de la terre, l'évolution de l'homme a été relativement tardive

La race humaine est originaire d'Afrique. Le genre *Australopithecus* y était présent il y a 5 millions d'années. Notre genre, *Homo*, semble avoir évolué à partir d'*Australopithecus* il y a environ 2 millions d'années et notre espèce, *Homo sapiens*, existe depuis 500.000 ans au moins.

L'agriculture a débuté dans le Croissant Fertile et s'est répandue dans d'autres régions de l'Ancien Monde

Il y a environ 11.000 ans, les hommes ont commencé à cultiver des plantes telles que l'orge, la lentille, le blé et le pois dans le Croissant Fertile — une région qui s'étend du Liban et de la Syrie à l'Irak et à l'Iran. En cultivant et en soignant ces plantes, les premiers agriculteurs ont modifié leurs caractères : elles sont devenues plus nourrisantes, plus faciles à récolter et elles ont acquis d'autres différences par rapport à leurs ancêtres sauvages. L'agriculture s'est répandue au départ de ce centre à travers l'Europe pour atteindre la Grande-Bretagne il y a environ 6000 ans. Elle semble également s'être étendue vers le sud en Afrique, bien que l'agriculture puisse y être apparue de manière indépendante dans un ou plusieurs centres. De nombreuses plantes ont été domestiquées à l'origine en Afrique, comme les ignames, l'okra, le caféier et le cotonnier, qui a été aussi domestiqué indépendamment dans le Nouveau Monde et peut-être en Asie. En Asie, l'agriculture s'est développée avec, à la base, le riz et le soja — et, plus au sud, les agrumes, le manguier, le taro, les bananiers et d'autres espèces.

La domestication des animaux a accompagné celle des plantes

La domestication des animaux, et en premier lieu du chien, a été une caractéristique importante de l'agriculture de l'Ancien Monde dès son origine. Les troupeaux d'herbivores ont eu un effet dévastateur sur l'écologie de nombreuses régions semi-arides de l'Ancien Monde, particulièrement lorsque le nombre d'animaux s'est accru, mais ils représentaient également une importante ressource alimentaire. Après leur introduction en Amérique Latine à la suite des voyages de Christophe Colomb, ils ont provoqué des dégâts énormes dans de nombreux habitats, sans exclure les forêts tropicales.

L'agriculture du Nouveau Monde a utilisé de nombreuses nouvelles espèces

L'agriculture s'est développée indépendamment dans le Nouveau Monde. Elle a débuté il y a au moins 9000 ans au Mexique et au Pérou. Les chiens ont été introduits dans le Nouveau Monde par les populations immigrées d'Asie, mais aucun autre animal ou plante domestique n'a été introduit par cette voie. Au cours de leurs voyages, Christophe Colomb et ses successeurs ont trouvé une véritable corne d'abondance, riche de nouvelles plantes cultivées qu'ils on pu introduire dans l'Ancien Monde : le maïs, le haricot commun, le haricot de Lima, le tomate, le tabac, le poivre rouge, la pomme de terre, le manioc, les citrouilles et les courges, l'avocatier, le cacaoyer et les principales espèces cultivées de cotonnier.

Les épices et les plantes condimentaires sont recherchées pour leur arome et leur odeur

Les épices sont des portions de plantes fortement aromatiques généralement riches en huiles essentielles : ce sont des racines, des écorces, des graines, des fruits ou des bourgeons. Les condiments sont généralement des feuilles de plantes non ligneuses. Le gingembre, le poivre noir et le clou de girofle sont des exemples d'épices ; la menthe, l'aneth et l'estragon sont des plantes condimentaires.

L'alimentation du globe repose essentiellement sur un nombre assez limité de plantes cultivées

Au cours des 500 dernières années, les plantes les plus importantes ont été cultivées dans le monde entier. Le blé, le riz et le maïs, qui constituent la majorité des calories que nous consommons, sont cultivés partout où ils peuvent se développer, et un nombre réduit d'autres plantes ont acquis une importance commerciale mondiale. Six cultures — le blé, le riz, le maïs, la pomme de terre, la patate douce et le manioc — fournissent plus de 80 % des calories consommées par les populations du globe.

L'accroissement rapide de la population cause de nombreux problèmes

La population humaine s'est accrue depuis environ 5 millions au moment où l'agriculture a débuté jusqu'à 6 milliards à la fin du XXᵉ siècle. La population du globe s'accroît très rapidement et plus de 95 % de cet accroissement concerne les pays en voie de développmeent. Près de 25 % de la population du globe vit dans une pauvreté absolue. En raison de cette prolifération et de l'étendue de la pauvreté, et parce que relativement peu d'actions ont été déployées pour développer des pratiques agricoles adaptées aux régions tropicales, ces régions sont écologiquement sinistrées et 20 % des espèces existant dans le monde pourraient disparaître au cours des 30 prochaines années.

La solution aux problèmes actuels exige une approche intégrée

Il est possible d'améliorer l'approvisionnement alimentaire du globe par les méthodes traditionnelles de sélection des plantes, par la culture de nouvelles espèces et par l'application des manipulations génétiques. La diversité génétique est nécessaire pour permettre de modifier les plantes cultivées de manière à leur assurer une bonne croissance dans des régions diverses ; l'agriculture industrielle moderne a pourtant tendance à réduire la diversité génétique. Parmi les nouvelles cultures les plus prometteuses récemment développées, on peut citer le triticale et les amarantes à grain, de même que diverses espèces tolérantes à la salinité. Le jojoba, précieux comme source de cire liquide destinée à la lubrification, et le guayule, source de caoutchouc, sont également de nouvelles plantes industrielle pleines de promesses. De nombreux médicaments dérivent également des plantes et beaucoup d'autres attendent sans doute d'être découverts. La destruction à grande échelle des habitats tropicaux menace cependant l'existence de nombreuses espèces végétales potentiellement utiles avant même leur identification et leur exploitation.

MOTS CLÉS

condiments p. 832

Croissant Fertile p. 825

épices p. 832

maïs hybride p. 839

révolution agricole p. 824

triticale p. 839

QUESTIONS

1. Parmi les premières plantes cultivées figurent les céréales et les légumineuses. Quelle est l'intérêt de ces deux groupes de plantes pour l'alimentation humaine ?

2. Expliquez comment le développement de l'agriculture a influencé la croissance démographique.

3. Qu'entend-on par révolution verte ?

4. Expliquez l'importance de la conservation de la diversité des plantes cultivées comme sauvegarde contre les agents pathogènes.

5. Expliquez l'importance de l'amélioration de la tolérance à la salinité chez les plantes cultivées traditionnelles.

6. Bien qu'il soit possible de synthétiser beaucoup de médicaments en laboratoire, les plantes restent une source importante de ces produits. Pourquoi ?

7. Quels sont les développements de l'agriculture susceptibles d'aider à résoudre le problème de la faim dans le monde ?

Lectures suggérées

Chapitre 1

Allègre, C.J., and **S.H. Schneider:** "The Evolution of the Earth," *Scientific American*, October 1994, 66–71, 74–75.

Balik, Michael J., and **Paul A. Cox:** *Plants, People, and Culture: The Science of Ethnobotany*, Scientific American Library, W.H. Freeman, New York, 1996.

Balter, Michael: "Looking for Clues to the Mystery of Life on Earth," *Science*, 273:870–872, 1996.

Baskin, Yvonne: *The Work of Nature: How the Diversity of Life Sustains Us*, Island Press, Washington, DC, 1997.

Benton, M.J.: "Diversification and Extinction in the History of Life," *Science*, 268:52–58, 1995.

Berner, Robert A.: "The Rise of Plants and Their Effect on Weathering and Atmospheric CO_2," *Science*, 276:544–545, 1997.

Botanical Society of America, "Botany for the Next Millennium," June 1995, Department of Botany, Ohio State University, 1735 Neil Avenue, Columbus, OH 43210.

Botanical Society of America, "Careers in Botany, A Guide to Working with Plants," Department of Botany, Ohio State University, 1735 Neil Avenue, Columbus, OH 43210.

Bowring, Samuel A., and **Todd Housh:** "The Earth's Early Evolution," *Science*, 269: 1535–1540, 1995.

Daily, Gretchen C., and **Paul R. Ehrlich:** "Population, Sustainability, and Earth's Carrying Capacity," *BioScience*, 42:761–771, 1992.

de Duve, Christian: "The Beginnings of Life on Earth," *American Scientist*, 83:428–437, 1995.

Gordon, Malcolm S., and **Everett C. Olson:** *Invasions of the Land: The Transitions of Organisms from Aquatic to Terrestrial Life*, Columbia University Press, New York, 1994.

Holland, Heinrich D.: "Evidence for Life on Earth More Than 3850 Million Years Ago," *Science*, 275:38–39, 1997.

Monastersky, Richard: "The Rise of Life on Earth," *National Geographic*, March 1998, 54–81.

Smith, Bruce D.: *The Emergence of Agriculture*, Scientific American Library, W.H. Freeman, New York, 1995.

SECTION 1

Chapitres 2–4

Agre, Peter, Dennis Brown, and **Soren Nielsen:** "Aquaporin Water Channels: Unanswered Questions and Unresolved Controversies," *Current Opinion in Cell Biology*, 7:472–483, 1995.

Alberts, Bruce, Dennis Bray, Julian Lewis, Martin Raff, Keith Roberts, and **James D. Watson:** *Molecular Biology of the Cell*, 3rd ed., Garland, New York, 1994.

Bartley, Glenn E., and **Pablo A Scolnik:** "Plant Carotenoids: Pigments for Photoprotection, Visual Attraction, and Human Health," *The Plant Cell*, 7:1027–1038, 1995.

Becker, Wayne M., Jane B. Reece, and **Martin F. Poenie:** *The World of the Cell*, 3rd ed., Benjamin/Cummings, Menlo Park, CA, 1996.

Bednarek, Sebastian Y., and **Natasha V. Raikhel:** "Intracellular Trafficking of Secretory Proteins," *Plant Molecular Biology*, 20:133–150, 1992.

Bolwell, G. Paul: "Cyclic AMP, the Reluctant Messenger in Plants," *Trends in Biochemical Sciences*, 20:492–495, 1995.

Brett, C., and **K. Waldron** (eds.): *Physiology and Biochemistry of Plant Cell Walls*, 2nd ed., Chapman & Hall, London, 1996.

Carpita, Nick, Maureen McCann, and **Lawrence R. Griffing:** "The Plant Extracellular Matrix: News from the Cell's Frontier," *The Plant Cell*, 8:1451–1463, 1996.

Cyr, Richard J.: "Microtubules in Plant Morphogenesis: Role of the Cortical Array," *Annual Review of Cell Biology*, 10:153–180, 1994.

Dakora, Felix D.: "Plant Flavonoids: Biological Molecules for Useful Exploitation," *Australian Journal Plant Physiology*, 22:87–99, 1995.

Delmer, Deborah P., and **Yehudit Amor:** "Cellulose Biosynthesis," *The Plant Cell*, 7:987–1000, 1995.

Driouich, Azeddine, L. Faye, and **L. Andrew Staehelin:** "The Plant Golgi Apparatus: A Factory for Complex Polysaccharides and Glycoproteins," *Trends in Biochemical Sciences*, 18:210–214, 1993.

Epel, Bernard L: "Plasmodesmata: Composition, Structure and Trafficking," *Plant Molecular Biology*, 26:1343–1356, 1994.

Fosket, Donald E: *Plant Growth and Development, A Molecular Approach*, Academic Press, San Diego, CA, 1994.

Gibeaut, David M., and **Nicholas C. Carpita:** "Biosynthesis of Plant Cell Wall Polysaccharides," *FASEB Journal*, 8:906–915, 1994.

Goddard, Russell H., Susan M. Wick, Carolyn D. Silflow, and **D. Peter Snustad:** "Microtubule Components of the Plant Cell Cytoskeleton," *Plant Physiology,* 104:1–6, 1994.

Goldberg, Martin W., and **Terence D. Allen:** "Structural and Functional Organization of the Nuclear Envelope," *Current Opinion in Cell Biology,* 7:301–309, 1995.

Hepler, Peter K., and **Julia M. Hush:** "Behavior of Microtubules in Living Plant Cells," *Plant Physiology,* 112:455–461, 1996.

Hyams, Jeremy S., and **Clive W. Lloyd** (eds.): *Microtubules,* John Wiley & Sons, New York, 1994.

Kerr, Richard A.: "Martian 'Microbes' Cover Their Tracks," *Science,* 276:30–31, 1997.

King, John: *Reaching for the Sun: How Plants Work,* Cambridge University Press, New York, 1997.

Kragler, Friedrich, William J. Lucas, and **Jan Monzer:** "Plasmodesmata: Dynamics, Domains and Patterning," *Annals of Botany,* 81:1–10, 1998.

Kuroiwa, Tsuneyoshi, and **Hidenobu Uchida:** "Organelle Division and Cytoplasmic Inheritance,": *BioScience,* 46:827–835, 1996.

Kutchan, Toni M.: "Alkaloid Biosynthesis—The Basis for Metabolic Engineering of Medicinal Plants," *The Plant Cell,* 7:1059–1070, 1995.

Lackey, Robert T.: "The Future of the Earth," *BioScience,* 45: 295–296, 1995.

Lambert, Anne-Marie: "Microtubule-Organizing Centers in Higher Plants: Evolving Concepts," *Botanica Acta,* 108:535–537, 1995.

Lehninger, Albert L., David L. Nelson, and **Michael M. Cox:** *Principles of Biochemistry,* 2nd ed., Worth, New York, 1992.

Leigh, R.A., D. Sanders, and **J.A. Callow** (eds.): *"The Plant Vacuole,"* *Advances in Botanical Research,* 25:1–463, 1997.

Lloyd, Clive W. (ed.): *The Cytoskeletal Basis of Plant Growth and Form,* Academic Press, New York, 1991.

Marano, Maria R., Esteban C. Serra, Elena G. Orellano, and **Nestor Carrillo:** "The Path of Chromoplast Development in Fruits and Flowers," *Plant Science,* 94:1–17, 1993.

Martin, Cathie, and **Alison M.:** "Starch Biosynthesis," *The Plant Cell,* 7:971–985, 1995.

Martin, Ronald E.: "Late Permian Extinctions," *Science,* 274:1549–1550, 1996.

Mazza, G., and **E. Miniati:** *Anthocyanins in Fruits, Vegetables, and Grains,* CRC Press, Boca Raton, FL 1993.

McGarvey, Douglas J., and **Rodney Croteau:** "Terpenoid Metabolism," *The Plant Cell,* 7:1015–1026, 1995.

McKay, David S., et al.: "Search for Past Life on Mars: Possible Relic Biogenic Activity in Martian Meteorite ALH84001," *Science,* 273:924–930, 1996.

Mohnen, Debra, and **Michael G. Hahn:** "Cell Wall Carbohydrates as Signals in Plants," *Cell Biology,* 4:93–102, 1993.

Mojzsis, S.J., et al.: "Evidence for Life on Earth Before 3,800 Million Years Ago," *Nature,* 384:55–59, 1996.

Monastersky, Richard: "Impact Wars: Debate Rages Over Killer Comets and Dinosaur Deaths," *Science News,* 145:156–157, 1994.

Moore, Peter D.: "Life in the Slow Lane," *Nature,* 374:26, 1995.

Niklas, Karl J.: *The Evolutionary Biology of Plants,* University of Chicago Press, Chicago, 1997.

Oparka, Karl J.: "Signaling Via Plasmodesmata—The Neglected Pathway," *Cell Biology,* 4:131–138, 1993.

Saap, Jan: "Cell Evolution and Organelle Origins: Metascience to Science," *Archiv Protistenkunde,* 145:263–275, 1995.

Sackheim, G.: *Introduction to Chemistry for Biology Students,* 5th ed., Benjamin/Cummings, Redwood City, CA, 1996.

Sharon, Nathan, and **Halina Lis:** "Carbohydrates in Cell Recognition," *Scientific American,* January 1993, 82–89.

Silverstein, Samuel C.: "Phagocytosis of Microbes: Insights and Prospects," *Trends in Cell Biology,* 5:141–142, 1995.

Smith, C. J.: "Accumulation of Phytoalexins: Defense Mechanism and Stimulus Response System," *New Phytologist,* 132: 1–45, 1996.

Verma, D.P.S.: *Signal Transduction in Plant Growth and Development,* Elsevier Science, Ireland, 1997.

Waterman, Peter G.: "Roles for Secondary Metabolites in Plants," in *Secondary Metabolites: Their Function and Evolution,* pp. 255–269, John Wiley & Sons, New York, 1992.

Whatley, Jean M.: "The Endosymbiotic Origin of Chloroplasts," *International Review of Cytology,* 144:259–299, 1993.

Wolf, S., and **W.J. Lucas:** "Virus Movement Proteins and Other Molecular Probes of Plasmodesmal Function," *Plant, Cell and Environment,* 17:573–585, 1994.

Wyatt, Sarah E., and **Nicholas C. Carpita:** "The Plant Cytoskeleton–Cell Wall Continuum," *Trends in Cell Biology,* 3:413–417, 1993.

Young, Allen M.: *The Chocolate Tree: A Natural History of Cacao,* Smithsonian Institution Press, Washington, DC, 1994.

SECTION 2

Chapitres 5–7

Alberts, Bruce, Dennis Bray, Julian Lewis, Martin Raff, Keith Roberts, and **James D. Watson:** *Molecular Biology of the Cell,* 3rd ed., Garland, New York, 1994.

Apel, P.: "Evolution of the C_4 Photosynthetic Pathway: A Physiologist's Point of View," *Photosynthetica,* 30:495–502, 1994.

Becker, Wayne M., Jane B. Reece, and **Martin F. Poenie:** *The World of the Cell,* 3rd ed., Benjamin/Cummings, Menlo Park, CA, 1996

Birky, C. William, Jr.: "Uniparental Inheritance of Mitochondrial and Chloroplast Genes: Mechanisms and Evolution," *Proceedings of the National Academy of Sciences USA,* 92:11331–11338, 1995.

Culotta, Elizabeth: "Will Plants Profit from High CO_2?", *Science,* 268: 654–656, 1995.

Dai, Ziyu, S.B. Ku, and **Gerald E. Edwards:** "C_4 Photosynthesis: The CO_2-Concentrating Mechanism and Photorespiration," *Plant Physiology,* 103:83–90, 1993.

Egginston, S., and **H.F. Ross** (eds.): *Oxygen Transport in Biological Systems: Modelling of Pathways from Environment to Cell*, Cambridge
University Press, New York, 1992.

Ehleringer, James R., and **Russell K. Monson:** "Evolutionary and Ecological Aspects of Photosynthetic Pathway Variation," *Annual Review of Ecology and Systematics*, 24:411–439, 1993.

Falkowski, Paul G., and **John A. Raven:** *Aquatic Photosynthesis*, Blackwell Science, Malden, MA, 1997.

Fosket, Donald E.: *Plant Growth and Development, A Molecular Approach*, Academic Press, San Diego, CA, 1994.

Furbank, Robert T., and **William C. Taylor:** "Regulation of Photosynthesis in C_3 and C_4 Plants: A Molecular Approach," *The Plant Cell*, 7:797–807, 1995.

Garby, Lars, and **Poul S. Larsen:** *Bioenergetics: Its Thermodynamic Foundations*, Cambridge University Press, New York, 1995.

Gibson, Arthur C.: *Structure-Function Relations of Warm Desert Plants*, Springer-Verlag, New York, 1996.

Hall, D.O., and **K.K. Rao**: *Photosynthesis*, 5th ed., Cambridge University Press, Cambridge, 1994.

Leegood, R.C.: "The Regulation of C_4 Photosynthesis," *Advances in Botanical Research*, 26:251–316, 1997.

Lehninger, Albert L., David L. Nelson, and **Michael M. Cox:** *Principles of Biochemistry*, 2nd ed., Worth, New York, 1992.

MacKenzie, Debora: "Where Has All the Carbon Gone?" *New Scientist*, January 8, 1994, 30–33.

MacKenzie, Sally, Shichuan He, and **Anna Lyznik:** "The Elusive Plant Mitochondrion as a Genetic System," *Plant Physiology*, 105:775–780, 1994.

Murray, David R.: *Carbon Dioxide and Plant Responses*, Research Studies Press, UK, 1997.

Nisbet, Euan G., Johnson R. Cann, and **Cindy Lee Van Dover:** "Origins of Photosynthesis," *Nature*, 373:479–480, 1995.

Rögner, Matthias, Egbert J. Boekema, and **Jim Baker:** "How Does Photosystem 2 Split Water: The Structural Basis of Efficient Energy Conversion," *Trends in Biochemical Sciences*, 21:44–49, 1996.

Salisbury, Frank B., and **Cleon W. Ross:** *Plant Physiology*, 4th ed., Wadsworth, Belmont, CA, 1992.

Siedow, James N., and **Ann L. Umbach:** "Plant Mitochondrial Electron Transfer and Molecular Biology," *The Plant Cell*, 7:821–831, 1995.

Sitte, P.: "Facts and Concepts in Cell Compartmentation," *Progress in Botany*, 59: 3–36, 1998.

Taiz, Lincoln, and **Eduardo Zeiger:** *Plant Physiology*, Benjamin/Cummings, Redwood City, CA, 1991.

Winter, K., and **J. A. C. Smith** (eds.): *Crassulacean Acid Metabolism: Biochemistry, Ecophysiology and Evolution*, Springer-Verlag, New York, 1996.

Zelitch, Israel: "Control of Plant Productivity by Regulation of Photorespiration," *BioScience*, 42:510–516, 1992.

SECTION 3

Chapitre 8

Barinaga, Marcia: "A New Twist to the Cell Cycle," *Science*, 269:631–632, 1995.

Doerner, Peter W.: "Cell Cycle Regulation in Plants," *Plant Physiology*, 106:823–827, 1994.

Doree, Marcel, and **Simon Galas:** "The Cyclin-Dependent Protein Kinases and the Control of Cell Division," *Journal FASEB*, 8:1114–1121, 1994.

Forer, A., and **P.J. Wilson:** "A Model for Chromosome Movement During Mitosis," *Protoplasma*, 179:95–105, 1994.

Fuller, Margaret T.: "Riding the Polar Winds: Chromosomes Motor Down East," *Cell*, 81:5–8, 1995.

Khodjakov, Alexey, Richard W. Cole, Andrew S. Bajer, and **Conly L. Rieder:** "The Force for Poleward Chromosome Motion in *Haemanthus* Cells Acts Along the Length of the Chromosome During Metaphase but Only at the Kinetochore During Anaphase," *Journal of Cell Biology*, 132:1093–1104, 1996.

Murray, Andrew: "Cyclin Ubiquitination: The Destructive End of Mitosis," *Cell*, 81:149–152, 1995.

Shaul, Orit, Marc van Montagu, and **Dirk Inze:** "Regulation of Cell Division in *Arabidopsis*," *Critical Reviews in Plant Sciences*, 15:97–112, 1996.

Smirnova, Elena A., and **Andrew S. Bajer:** "Microtubule Converging Centers and Reorganization of the Interphase Cytoskeleton and the Mitotic Spindle in Higher Plant *Haemanthus*," *Cell Motility and the Cytoskeleton*, 27:219–233, 1994.

Staiger, Chris, and **John Doonan:** "Cell Division in Plants," *Current Opinion in Cell Biology*, 5:226–231, 1993.

Vernos, Isabelle, and **Eric Karsenti:** "Chromosomes Take the Lead in Spindle Assembly," *Trends in Cell Biology*, 5:297–301, 1995.

Chapitre 9

Asker, Sven E., and **Lenn Jerling:** *Apomixis in Plants*, CRC Press, Boca Raton, FL, 1992.

Bickel, Sharon E., and **Terry L. Orr-Weaver:** "Holding Chromatids Together to Ensure They Go Their Separate Ways," *BioEssays*, 18:293–300, 1996.

Calzada, Jean-Philippe Vielle, Charles F. Crane, and **David M. Stelly:** "Apomixis: The Asexual Revolution," *Science*, 274:1322–1323, 1996.

Carpenter, Adelaide T.C.: "Chiasma Function," *Cell*, 77:959–962, 1994.

Cresti, M., and **A. Tiezzi** (eds.): *Sexual Plant Reproduction*, Springer-Verlag, New York, 1992.

Kenrick, Paul: "Alternation of Generations in Land Plants: New Phylogenetic and Palaeobotanical Evidence," *Biological Review*, 69:293–330, 1994.

Koltunow, Anna M., Ross A. Bicknell, and **Abdul M. Chaudhury:** "Apomixis: Molecular Strategies for the Generation of Genetically

Identical Seeds Without Fertilization," *Plant Physiology*, 108:1345–1352, 1995.

McKim, Kim S., and **R. Scott Hawley**: "Chromosomal Control of Meiotic Cell Division," *Science*, 270:1595–1600, 1995.

Mogie, Michael: *The Evolution of Asexual Reproduction in Plants*, Chapman & Hall, New York, 1992.

Nilsson, Nils-Otto, Torbjorn Sall, and **Bengt O. Bengtsson:** "Chiasma and Recombination Data in Plants: Are They Compatible?" *Trends in Genetics*, 9:344–348, 1993.

Petes, Thomas D., and **Patricia J. Pukkila:** "Meiotic Sister Chromatid Recombination," *Advances in Genetics*, 33:41–62, 1995.

Richards, A. I.: *Plant Breeding Systems*, 2nd ed., Chapman & Hall, New York, 1997.

Schmekel, Karin, and **Bertil Daneholt:** "The Central Region of the Synaptonemal Complex Revealed in Three Dimensions," *Trends in Cell Biology*, 5:239-242, 1995.

Valero, Myriam, Sophie Richerd, Veronique Perrot, and **Christophe Destombe:** "Evolution of Alternation of Haploid and Diploid Phases in Life Cycles," *Trends in Ecology and Evolution*, 7:25–29, 1992.

Chapitre 10

Blackburn, Elizabeth H.: "Telomerases," *Annual Review of Biochemistry*, 61:113–129, 1992.

Blackburn, Elizabeth H.: "Telomeres: No End in Sight," *Cell*, 77:621–623, 1994.

Coghlan, Andy: "Engineering the Therapies of Tomorrow," *New Scientist*, 138(1870):26–31, 1993.

Corcos, A.F., and **F.V. Monaghan:** *Gregor Mendel's Experiments on Plant Hybrids: A Guided Study*, Rutgers University Press, New Brunswick, NJ, 1993.

Fuchs, J., A. Brandes, and **I. Schubert:** "Telomere Sequence Localization and Karyotype Evolution in Higher Plants," *Plant Systematics and Evolution*, 196:227–241, 1995.

Griffiths, Anthony J.F., Jeffrey H. Miller, David T. Suzuki, Richard C. Lewontin, and **William M. Gelbart:** *An Introduction to Genetic Analysis*, 6th ed., W.H. Freeman, New York, 1996.

Klug, W.S., and **M.R. Cummings:** *Concepts of Genetics*, 5th ed., Prentice Hall, Upper Saddle River, NJ, 1997.

Marx, Jean: "Chromosome Ends Catch Fire," *Science*, 265:1656–1658, 1994.

Marx, Jean: "How DNA Replication Originates," *Science*, 270:1585–1587, 1995.

Osborne, Brian I., and **Barbara Baker:** "Movers and Shakers: Maize Transposons as Tools for Analyzing Other Plant Genomes," *Current Opinion in Cell Biology*, 7:406–413, 1995.

Stent, Gunther: "DNA's Stroke of Genius," *New Scientist*, 138(1870):21–25, 1993.

Zakian, Virginia A.: "Telomeres: Beginning to Understand the End," *Science*, 270:1601–1606, 1995.

Chapitre 11

Alberts, Bruce, Dennis Bray, Julian Lewis, Martin Raff, Keith Roberts, and **James D. Watson:** *Molecular Biology of the Cell*, 3rd ed., Garland, New York, 1994.

Becker, Wayne M., Jane B. Reece, and **Martin F. Poenie:** *The World of the Cell*, 3rd ed., Benjamin/Cummings, Menlo Park, CA, 1996.

Charlesworth, Brian, Paul Sniegowski, and **Wolfgang Stephan:** "The Evolutionary Dynamics of Repetitive DNA in Eukaryotes," *Nature*, 371:215–220, 1994.

Griffiths, Anthony J.F., Jeffrey H. Miller, David T. Suzuki, Richard C. Lewontin, and **William M. Gelbart:** *An Introduction to Genetic Analysis*, 6th ed., W.H. Freeman, New York, 1996.

McElfresh, Kevin C., Debbie Vining-Forde, and **Ivan Balazs:** "DNA-based Identity Testing in Forensic Science," *BioScience*, 43:149–157, 1993.

Melese, Teri, and **Zhixiong Xue:** "The Nucleolus: An Organelle Formed By the Act of Building a Ribosome," *Current Opinion in Cell Biology*, 7:319–324, 1995.

Meyerowitz, Elliot M., and **Chris R. Somerville** (eds.): *Arabidopsis*, Cold Spring Harbor Laboratory Press, Plainview, NY, 1994.

Wang, Thomas A., and **Joachim J. Li:** "Eukaryotic DNA Replication," *Current Opinion in Cell Biology*, 7:414–420, 1995.

Weising, Kurt, Hilde Nybom, Kirsten Wolff, and **Wieland Meyer:** *DNA Fingerprinting in Plants and Fungi*, CRC Press, Boca Raton, FL, 1994.

Chapitre 12

Baskin, Yvonne: "California's Ephemeral Vernal Pools May Be a Good Model for Speciation," *BioScience*, 44:384–388, 1994.

Bell, Graham: *Selection: The Mechanism of Evolution*, Chapman & Hall, New York, 1997.

Gibbons, Ann: "On the Many Origins of Species," *Science*, 273:1496–1499, 1996.

Givnish, Thomas J.: "Adaptive Plant Evolution on Islands: Classical Patterns, Molecular Data, New Insights," in P.R. Grant (ed.), *Evolution on Islands*, Oxford University Press, London, pp. 281–304, 1998.

Gould, Stephen Jay, and **Niles Eldredge:** "Punctuated Equilibrium Comes of Age," *Nature*, 366:223–227, 1993.

Hecht, Max K., Ross J. MacIntyre, and **Michael T. Clegg** (eds.): *Evolutionary Biology*, Plenum Press, New York, 1996.

Kerr, Richard A.: "Did Darwin Get It All Right?," *Science*, 267:1421–1422, 1995.

Landman, Otto E.: "Inheritance of Acquired Characteristics Revisited," *BioScience*, 43:696–705, 1993.

McEvey, Shane F.: "Hugh E.H. Paterson: Evolution and the Recognition Concept of Species: Collected Writings," Johns Hopkins University Press, Baltimore, 1993.

Mlot, Christine: "Microbes Hint at a Mechanism Behind Punctuated Evolution," *Science*, 272:1741, 1996.

Morell, Virginia: "Starting Species with Third Parties and Sex Wars," *Science*, 273:1499–1502, 1996.

Rosenzweig, Michael L.: *Species Diversity in Space and Time*, Cambridge University Press, New York, 1995.

Thompson, John N.: *The Coevolutionary Process*, University of Chicago Press, Chicago, 1994.

Zeyl, Clifford, and **Graham Bell:** "Symbiotic DNA in Eukaryotic Genomes," *Trends in Ecology and Evolution*, 11:10–15, 1996.

SECTION 4

Chapitre 13

Barinaga, Marcia: "Archaea and Eukaryotes Grow Closer," *Science*, 264:1251, 1994.

Brooks, Daniel R., Deborah A. McLennan, James M. Carpenter, Stephen G. Weller, and **Jonathan A. Coddington:** "Systematics, Ecology, and Behavior," *BioScience*, 45:687–695, 1995.

Davis, George M.: "Systematics and Public Health," *BioScience*, 45:705–715, 1995.

Donoghue, Michael J., James A. Doyle, Jacques Gauthier, Arnold G. Kluge, and **Timothy Rowe:** "The Importance of Fossils in Phylogeny Reconstruction," *Annual Review of Ecology and Systematics*, 20:431–460, 1989.

Doolittle, Russell F., Da-Fei Feng, Simon Tsang, Glen Cho, and **Elizabeth Little:** "Determining Divergence Times of the Major Kingdoms of Living Organisms with a Protein Clock," *Science*, 271:470–477, 1996.

Doyle, Jeff J.: "DNA, Phylogeny, and the Flowering of Plant Systematics," *BioScience*, 43:380–389, 1993.

Gogarten, J. Peter: "The Early Evolution of Cellular Life," *Trends in Ecology and Systematics*, 10:147–151, 1995.

Hoch, Peter C., and **A.G. Stephenson** (eds.): *Experimental and Molecular Approaches to Plant Biosystematics*, Monographs in Systematic Botany from the Missouri Botanical Garden, vol. 53, Missouri Botanical Garden, St. Louis, MO, 1995.

Huston, Michael A.: *Biological Diversity: The Coexistence of Species on Changing Landscapes*, Cambridge University Press, New York, 1994.

Keeling, Patrick J., and **W. Ford Doolittle:** "Archaea: Narrowing the Gap Between Prokaryotes and Eukaryotes," *Proceedings of the National Academy of Sciences USA*, 92:5761–5764, 1995.

Lauder, George V., Ray B. Huey, Russell K. Monson, and **Richard J. Jensen:** "Systematics and the Study of Organismal Form and Function," *BioScience*, 45:696–704, 1995.

Margulis, Lynn: *Symbiosis in Cell Evolution*, 2nd ed., W.H. Freeman, New York, 1993.

Margulis, Lynn, and **Karlene V. Schwartz:** *Five Kingdoms, An Illustrated Guide to the Phyla of Life on Earth,* 3rd ed., W.H. Freeman, New York, 1998.

Miller, Douglass R., and **Amy Y. Rossman:** "Systematics, Biodiversity, and Agriculture," *BioScience*, 45:680-686, 1995.

Mishler, Brent D.: "Cladistic Analysis of Molecular and Morphological Data," *American Journal of Physical Anthropology*, 94:143–156, 1994.

Morell, Virginia: "Proteins 'Clock' the Origins of All Creatures—Great and Small," *Science*, 271:448, 1996.

Pearson, Lorentz C.: *The Diversity and Evolution of Plants*, CRC Press, Inc., Boca Raton, FL, 1995.

Sapp, Jan: *Symbiosis Evolving*, Oxford University Press, New York, 1994.

Savage, Jay M.: "Systematics and the Biodiversity Crisis", *BioScience*, 45:673–680, 1995.

Schiebinger, Londa: "The Loves of the Plants," *Scientific American*, February 1996, 110–115.

Schopf, J. William: "Microfossils of the Early Archean Apex Chert: New Evidence of the Antiquity of Life," *Science*, 260:640–646, 1993.

Service, Robert F.: "Microbiologists Explore Life's Rich, Hidden Kingdoms," *Science*, 275:1740–1742, 1997.

Simpson, Beryl B., and **Joel Cracraft:** "Systematics: The Science of Biodiversity." *BioScience*, 45:670–672, 1995.

Soltis, Pamela S., and **Douglas E. Soltis:** "Plant Molecular Systematics," *Evolutionary Biology*, 28:139–194, 1995.

Taylor, Thomas N., and **Edith L. Taylor:** *The Biology and Evolution of Fossil Plants*, Prentice Hall, Upper Saddle River, NJ, 1993.

Williams, David M., and **T. Martin Embley:** "Microbial Diversity: Domains and Kingdoms," *Annual Review of Ecology and Systematics*, 27:569–595, 1996.

Woodland, Dennis W.: *Contemporary Plant Systematics*, 2nd ed., Andrews University Press, Berrien Springs, MI, 1997.

Chapitre 14

Agrios, George N.: *Plant Pathology*, 3rd ed. Academic Press, New York, 1988.

Atlas, Ronald M.: *Microbiology: Fundamentals and Applications*, 2nd ed., Macmillan, New York, 1988.

Barinaga, Marcia: "Archaea and Eukaryotes Grow Closer," *Science*, 264:1251, 1994.

Baumann, Peter, Sohail A. Qureshi, and **Stephen P. Jackson:** "Transcription: New Insights from Studies on Archaea," *Trends in Genetics*, 11:279–283, 1995.

Carmichael, Wayne W.: "The Toxins of Cyanobacteria," *Scientific American*, January 1994, 78–85.

Dangl, J.L.: *Bacterial Pathogenesis of Plants and Animals*, Springer-Verlag, New York, 1994.

Day, Lucille: "Microbial Phylogeny," *Mosaic*, 22:47–56, 1991.

DeLong, Edward F., Ke Ying Wu, Barbara B. Prezelin, and **Raffael V.M. Jovine:** "High Abundance of Archaea in Antarctic Marine Picoplankton," *Nature*, 371:695–697, 1994.

Forterre, Patrick: "Thermoreduction, a Hypothesis for the Origin of Prokaryotes," *C.RC. Acad. Sci. Paris, Serie III, Life Sciences*, 318:415–422, 1995.

Gianinazzi-Pearson, Vivienne, and **Jean Denarie:** "Red Carpet Genetic Programmes for Root Endosymbioses," *Trends in Plant Science,* 2:371–372, 1997.

Hecht, Jeff: "'Rare' Bug Dominates the Oceans," *New Scientist,* 144:21, 1994.

Hoffman, Michelle: "Researchers Find Organism They Can Really Relate To," *Science,* 257:32, 1992.

Holm, Constance: "Genes Confirm Archaea's Uniqueness," *Science,* 271:1061, 1996.

Koiwa, Hisashi, Ray A. Bressan, and **Paul M. Hasegawa:** "Regulation of Protease Inhibitors and Plant Defense," *Trends in Plant Science,* 2:379–384, 1997.

Levin, Morris A., Ramon J. Seidler, and **Marvin Rogul** (eds.): *Microbial Ecology: Principles, Methods and Applications,* McGraw-Hill, New York, 1992.

Losick, Richard: "Differentiation and Cell Fate in a Simple Organism," *BioScience* 45(6):400–405, 1995.

Madigan, Michael T., and **Barry L. Marrs:** "Extremophiles," *Scientific American,* April 1997, 82–87.

Madigan, Michael T., John M. Martinko, and **Jack Parker:** *Biology of Microorganisms,* 8th ed., Prentice Hall, Upper Saddle River, NJ, 1997.

Matthews, R.E.F.: *Plant Virology,* 3rd ed., Academic Press, New York, 1991.

Matthews, R.E.F.: *Diagnosis of Plant Virus Diseases,* CRC Press, Boca Raton, FL, 1993.

Meeks, John C.: "Symbiosis between Nitrogen-fixing Cyanobacteria and Plants," *BioScience,* 48:266–276, 1998.

Miller, Virginia L., James B. Kaper, Daniel A. Protnoy, and **Ralph R. Isberg** (eds.): *Molecular Genetics of Bacterial Pathogenesis,* ASM Press, Washington, DC, 1994.

Mohan, S., C. Dow, and **J.A. Cole** (eds.): *Prokaryotic Structure and Function: A New Perspective,* Cambridge University Press, New York, 1992.

Nisbet, E.G., and **C.M.R. Fowler:** "Some Like It Hot," *Nature,* 382:404, 1996.

Shapiro, James A., and **Martin Dworkin** (eds.): *Bacteria as Multicellular Organisms,* Oxford University Press, New York, 1997.

Walter, Malcolm: "Old Fossils Could Be Fractal Frauds," *Nature,* 383:385–386, 1996.

Wolf, S., and **W.J. Lucas:** "Virus Movement Proteins and Other Molecular Probes of Plasmodesmal Function," *Plant, Cell and Environment,* 17:573–585, 1994.

Chapitre 15

Ahmadjian, Vernon: *The Lichen Symbiosis,* John Wiley & Sons, New York, 1993.

Alexopoulous, C.J., C.W. Mims, and **M. Blackwell:** *Introductory Mycology,* 4th ed., John Wiley & Sons, New York, 1996.

Benjamin, Denis R.: *Mushrooms: Poisons and Panaceas—A Handbook for Naturalists, Mycologists, and Physicians,* W.H. Freeman, San Francisco, 1995.

Castello, John D., Donald J. Leopold, and **Peter J. Smallidge:** "Pathogens, Patterns and Processes in Forest Ecosystems," *BioScience,* 45:16–24, 1995.

Chen, Mei-Yu, Robert H. Insall, and **Peter N. Devreotes:** "Signaling Through Chemoattractant Receptors in *Dictyostelium,*" *Trends in Genetics,* 12:52–57, 1996.

Chiu, Sui-Wai, and **David Moore** (eds.): *Patterns in Fungal Development,* Cambridge University Press, New York, 1996.

Crittenden, P.D., J.C. David, D.L. Hawksworth, and **F.S. Campbell:** "Attempted Isolation and Success in the Culturing of a Broad Spectrum of Lichen-forming and Lichenicolous Fungi," *New Phytologist,* 130:267–297, 1995.

Deacon, J.W.: *Modern Mycology,* 3rd ed., Blackwell Science, Malden, MA, 1997.

Dix, Neville J., and **John Webster:** *Fungal Ecology,* Chapman & Hall, New York, 1995.

Esser, Karl: "Fungal Genetics: From Fundamental Research to Biotechnology," *Progress in Botany,* 58:3–38, 1997.

Frankland, J.C., N. Magan, and **G.M. Gadd:** *Fungi and Environmental Change,* Cambridge University Press, New York, 1996.

Fry, William E., and **Stephen B. Goodwin:** "Resurgence of the Irish Potato Famine Fungus," *BioScience,* 47:363–371, 1997.

Gargas, Andrea, Paula T. DePriest, Martin Grube, and **Anders Tehler:** "Multiple Origins of Lichen Symbioses in Fungi Suggested by SSU rDNA Phylogeny," *Science,* 268:1492–1495, 1995.

Hagiwara, Hiromitsu: *Magic of the Myxomycetes,* National Science Museum, Tokyo, 1997.

Hawksworth, D.L.: "The Recent Evolution of Lichenology: A Science for Our Times," *Cryptogamic Botany,* 4:117–129, 1994.

Hawksworth, D.L., P.M. Kirk, B.C. Sutton, and **D.N. Pegler:** *Ainsworth and Bisby's Dictionary of the Fungi,* 8th ed., Oxford University Press, New York, 1996.

Holden, Constance (ed.): "A Fungus on Our Family Tree," *Science,* 260:295, 1993.

Jennings, D.H.: *The Physiology of Fungal Nutrition,* Cambridge University Press, New York, 1995.

Mittler, Ron, and **Eric Lam:** "Sacrifice in the Face of Foes: Pathogen-induced Programmed Cell Death in Plants," *Trends in Microbology,* 4:10–15, 1996.

Mukerji, K.G.: *Concepts in Mycorrhizal Research,* Kluwer Academic Publishers, Boston, 1996.

Retallack, G.J.: "Were Early Animals Really Lichens?" *Science,* 267:967, 1995.

Smith, F.A., and **S.E. Smith:** "Mutualism and Parasitism: Diversity in Function and Structure in the 'Arbuscular' (VA) Mycorrhizal Symbiosis," *Advances in Botanical Research,* 22:1–43, 1996.

Smith, Myron L., Johann N. Bruhn, and James B. Anderson: "The Fungus *Armillaria bulbosa* is Among the Largest and Oldest Living Organisms, *Nature*, 356:428–431, 1992.

Stephenson, Steven L., and Henry Stempen: *Myxomycetes: A Handbook of Slime Molds,* Timber Press, Portland, OR, 1994.

Strange, Richard N.: *Plant Disease Control: Towards Environmentally Acceptable Methods,* Chapman & Hall, London, 1993.

Sutton, Brian: *A Century of Mycology,* Cambridge University Press, New York, 1996.

Taylor, T.N., H. Hass, W. Remy, and H. Kerp: "The Oldest Fossil Lichen," *Nature*, 378:244, 1995.

Taylor, T.N., and Jeffrey M. Osborn: "The Importance of Fungi in Shaping the Paleoecosystem," *Review of Palaeobotany and Palynology,* 90:249–262, 1996.

Yoon, Carol Kaesuk: "Pariahs of the Fungal World, Lichens Finally Get Some Respect," *The New York Times,* June 13, 1995.

Chapitres 16 et 17

Bhattacharya, Debashis (ed.): *Origins of Algae and Their Plastids,* Plant Systematics and Evolution, Supplement 11, pp. 1–287, Springer-Verlag, Wien, 1997.

Bhattacharya, Debashish, and Linda Medlin: "Algal Phylogeny and the Origin of Land Plants," *Plant Physiology,* 116:9–15, 1998.

Buchheim, Mark A., Melinda A. McAuley, Elizabeth A. Zimmer, Edward C. Theriot, and Russell L. Chapman: "Multiple Origins of Colonial Green Flagellates from Unicells: Evidence from Molecular and Organismal Characters," *Molecular Phylogenetics and Evolution,* 3:322–343, 1994.

Bold, H.C., and Michael J. Wynne: *Introduction to the Algae Structure and Reproduction,* 2nd ed., Prentice Hall, Englewood Cliffs, NJ, 1985.

Canter-Lund, Hilda, and John W.G. Lund: *Freshwater Algae: Their Microscopic World Explored,* Biopress, Bristol, England, 1995.

Cornillon, Sophie, et al.: "Programmed Cell Death in *Dictyostelium,*" *Journal of Cell Science,* 107:2691–2704, 1994.

Dawes, Clinton J.: *Marine Botany,* 2nd ed., John Wiley & Sons, New York, 1998.

Emslie, Kerry R., Martin B. Slade, and Keith L. Williams: "From Virus to Vaccine: Developments Using the Simple Eukaryote, *Dictyostelium discoideum,*" *Trends in Microbiology,* 12:476–479, 1995.

McCourt, Richard M.: "Green Algal Phylogeny," *Trends in Ecology and Evolution,* 10:159–163, 1995.

McFadden, Geoff, and Paul Gilson: "Something Borrowed, Something Green: Lateral Transfer of Chloroplasts by Secondary Endosymbiosis," *Trends in Ecology and Evolution,* 10:12–17, 1995.

Richardson, Laurie L.: "Remote Sensing of Algal Bloom Dynamics," *BioScience* 46:492–501, 1996.

Siegert, Florian, and Cornelis J. Weijer: "Spiral and Concentric Waves Organize Multicellular *Dictyostelium* Mounds," *Current Biology,* 5:937–943, 1995.

Smayda, Theodore J., and Yuzuru Shimizu: *Toxic Phytoplankton Blooms in the Sea: Proceedings of the Fifth International Conference on Toxic Marine Phytoplankton,* Elsevier, New York, 1993.

Stiller, John W., and Benjamin D. Hall: "The Origin of Red Algae: Implications for Plastid Evolution," *Proceedings of the National Academy of Sciences USA,* 94:4520–4525, 1997.

van den Hoek, C., D.G. Mann, and H.M. Jahns: *Algae: An Introduction to Phycology,* Cambridge University Press, New York, 1995.

Chapitres 18–22

Agosta, William: *Bombardier Beetles and Fever Trees: A Close-up Look at Chemical Warfare and Signals in Animals and Plants,* Addison-Wesley, Reading, MA, 1996.

Barth, Friedrich G.: *Insects and Flowers,* Princeton University Press, Princeton, NJ, 1985.

Basile, Dominick V., and Margaret R. Basile: "The Role and Control of the Place-Dependent Suppression of Cell Division in Plant Morphogenesis and Phylogeny," *Memoirs of the Torrey Botanical Club,* 25:63–84, 1993.

Bell, Peter R.: *Green Plants: Their Origin and Diversity,* Dioscorides Press, Portland, OR, 1992.

Brown, Roy C., and Betty E. Lemmon: "Diversity of Cell Division in Simple Land Plants Holds Clues to Evolution of the Mitotic and Cytokinetic Apparatus in Higher Plants," *Memoirs of the Torrey Botanical Club,* 25:45–62, 1993.

Buckles, Mary Parker: *The Flowers Around Us: A Photographic Essay on Their Reproductive Structures,* University of Missouri Press, Columbia, MO, 1985.

Coen, Enrico S., and Jacqueline M. Nugent: "Evolution of Flowers and Inflorescences," *Development,* Supplement: 107–116, 1994.

Cox, Paul Alan: "Water-Pollinated Plants," *Scientific American,* October 1993, 68–74.

Crane, Peter R., Else Marie Friis, and Kaj Raunsgaard Pedersen: "The Origin and Early Diversification of Angiosperms," *Nature,* 374:27–33, 1995.

Cronquist, Arthur: *The Evolution and Classification of Flowering Plants,* 2nd ed., The New York Botanical Garden, Bronx, NY, 1988.

Cullen, J.: *The Identification of Flowering Plant Families, Including a Key to Those Native and Cultivated in North Temperate Regions,* Cambridge University Press, New York, 1997.

Doust, Jon Lovett, and Lesley Lovett Doust (eds.): *Plant Reproductive Ecology: Patterns and Strategies,* Oxford University Press, New York, 1988.

Doyle, Jeff J.: "DNA, Phylogeny, and the Flowering of Plant Systematics," *BioScience* 43:380–389, June 1993.

Endress, Peter K.: "Floral Structure and Evolution of Primitive Angio-sperms: Recent Advances," *Plant Systematics and Evolution,* 192:79–97, 1994.

Fleming, Theodore H.: "Plant-Visiting Bats," *American Scientist,* 81:460–467, 1993.

Frahm, Jan-Peter, "Systematics of the Bryophytes," *Progress in Botany,* 58:455–469, 1997.

Friedman, William E.: "The Evolutionary History of the Seed Plant Male Gametophyte," *Trends in Ecology and Evolution,* 8:15–21, 1993.

Friedman, William E.: *Biology and Evolution of the Gnetales,* University of Chicago Press, Chicago, 1996.

Friedman, William E., and Jeffrey S. Carmichael: "Double Fertilization in Gnetales: Implications for Understanding Reproductive Diversification Among Seed Plants," *International Journal of Plant Sciences,* 157 (6 Supplement): S77–S94, 1996.

Friis, Else Marie, and Peter K. Endress: "Flower Evolution," *Progress in Botany,* 57:253–280, 1996.

Gamlin, Linda: "The Big Sneeze," *New Scientist,* 37–41, June 2, 1990.

Gifford, Ernest M., and Adriance S. Foster: *Morphology and Evolution of Vascular Plants,* 3rd ed., W.H. Freeman, New York, 1989.

Graham, Linda E.: *Origin of Land Plants,* John Wiley & Sons, New York, 1993.

Hughes, Norman F.: *The Enigma of Angiosperm Origins,* Cambridge University Press, New York, 1994.

Iwatsuki, K., and P.H. Raven (eds.): *Evolution and Diversification of Land Plants,* Springer-Verlag, New York, 1997.

Kearns, Carol Ann, and David William Inouye: "Pollinators, Flowering Plants, and Conservation Biology," *BioScience,* 47:297–307, 1997.

Kenrick, Paul, and Peter R. Crane: "Water-Conducting Cells in Early Fossil Land Plants: Implications for the Early Evolution of Tracheophytes, *Botanical Gazette,* 152:335–356, 1991.

Kenrick, Paul, and Else Marie Friis: "Paleobotany of Land Plants," *Progress in Botany,* 56:372–395, 1995.

Kenrick, Paul, and Peter R. Crane: *The Origin and Early Diversification of Land Plants: A Cladistic Study,* Smithsonian Institution Press, Washington, DC, 1997.

King-Hele, Desmond: "Chronicle of the Lustful Plants," *New Scientist,* pp. 57–61, April 22, 1989.

Kroken, Scott B., Linda E. Graham, and Martha E. Cook: "Occurrence and Evolutionary Significance of Resistant Cell Walls in Charophytes and Bryophytes," *American Journal of Botany,* 83:1241–1254, 1996.

Lanner, Ronald M.: *Made for Each Other: A Symbiosis of Birds and Pines,* Oxford University Press, New York, 1996.

Lawrence, Susan V.: "Recent Advances in Hay Fever Research Are Nothing to Sneeze At," *Smithsonian,* September 1984, 100–111.

Lloyd, David G., and Spencer C.H. Barrett: *Floral Biology: Studies on Floral Evolution in Animal-Pollinated Plants,* Chapman & Hall, New York, 1996.

Mabberley, D.J.: *The Plant-Book: A Portable Dictionary of the Vascular Plants,* 2nd ed., Cambridge University Press, New York, 1997.

Niklas, Karl J.: "The Aerodynamics of Wind Pollination," *The Botanical Review,* 51:328–386, 1985.

Niklas, Karl J., *Plant Allometry: The Scaling of Form and Process,* University of Chicago Press, Chicago, IL, 1994.

Niklas, Karl J.: *The Evolutionary Biology of Plants,* University of Chicago Press, Chicago, 1997.

Norstog, Knut J., and Trevor J. Nicholls: *The Biology of the Cycads,* Cornell University Press, New York, 1997.

Pearson, Lorentz C.: *The Diversity and Evolution of Plants,* CRC Press, New York, 1995.

Philbrick, C. Thomas, and Donald H. Les: "Evolution of Aquatic Angiosperm Reproductive Systems," BioScience, 46:813–826, 1996.

Press, Malcolm C., and Jonathan D. Graves (eds.): *Parasitic Plants,* Chapman & Hall, New York, 1995.

Reski, R.: "Development, Genetics, and Molecular Biology of Mosses," *Botanica Acta,* 111:1–15, 1998.

Richards, A.J.: *Plant Breeding Systems,* Allen and Unwin, Winchester, MA, 1986.

Robacker, David C., Bastiaan J.D. Meeuse, and Eric H. Erickson: "Floral Aroma," *BioScience,* 38:390–396, 1988.

Schiebinger, Londa: "The Loves of the Plants," *Scientific American,* February 1996, 110–115.

Silvertown, Jonathan, Miguel Franco, and John L. Harper: *Plant Life Histories: Ecology, Phylogeny and Evolution,* Cambridge University Press, New York, 1997.

Stewart, Wilson N., and Gar W. Rothwell: *Paleobotany and the Evolution of Plants,* 2nd ed., Cambridge University Press, New York, 1993.

Stuessy, Tod F.: *Plant Taxonomy: The Systematic Evaluation of Comparative Data,* Columbia University Press, New York, 1990.

Taylor, David Winship, and Leo J. Hickey: *Flowering Plant Origin, Evolution and Phylogeny,* Chapman & Hall, New York, 1996.

Taylor, Thomas N., and Edith L. Taylor: *The Biology and Evolution of Fossil Plants,* Prentice Hall, Englewood Cliffs, NJ, 1993.

Thomas, Barry A., and R.A. Spicer: *The Evolution and Paleobotany of Land Plants,* Croom Helm, London, 1987.

White, Mary E.: *The Flowering of Gondwana,* Princeton University Press, Princeton, NJ, 1990.

Winship, D.W., and L.J. Hickey (eds.): *Flowering Plant Origin, Evolution, and Phylogeny,* Chapman & Hall, New York, 1996.

Young, James A.: "Tumbleweed," *Scientific American,* March 1991, 82–87.

SECTION 5

Chapitres 23–27

Benfey, Philip, and John W. Schiefelbein: "Getting to the Root of Plant Development: The Genetics of *Arabidopsis* Root Formation," *Trends in Genetics,* 10:84–88, 1994.

Bowman, John (ed.): *Arabidopsis, An Atlas of Morphology and Development,* Springer-Verlag, New York, 1993.

Core, Harold A., Wilfred A. Côté, and Arnold C. Day: *Wood Structure and Identification,* 2nd ed., Syracuse University Press, Syracuse, NY, 1979.

Esau, Katherine: *Anatomy of Seed Plants,* 2nd ed., John Wiley & Sons, New York, 1977.

Fahn, Abraham: *Plant Anatomy,* 4th ed., Pergamon Press, Elmsford, NY, 1990.

Gartner, B.L. (ed.): *Plant Stems: Physiology and Functional Morphology,* Chapman & Hall, New York, 1995.

Goldberg, Robert B., Genaro de Paiva, and **Ramin Yadegari:** "Plant Embryogenesis: Zygote to Seed," *Science,* 266:605–614, 1994.

Greenberg, Jean T.: "Programmed Cell Death: A Way of Life for Plants," *Proceedings of the National Academy of Sciences USA,* 93:12094–12097, 1996.

Hara, Noboru: "Developmental Anatomy of the Three-Dimensional Structure of the Vegetative Shoot Apex," *Journal Plant Research,* 108:115–125, 1995.

Hart, Stephen: "The Drama of Cellular Death, *BioScience,* 44: 451–455, 1994.

Haughn, George W., Elizabeth A Schultz, and **Jose M. Martinez-Zapater:** "The Regulation of Flowering in *Arabidopsis thaliana:* Meristems, Morphogenesis, and Mutants," *Canadian Journal of Botany,* 73:959–981, 1995.

Havel, L., and **D.J. Durzan:** "Apoptosis in Plants," *Botanica Acta,* 109: 268–277, 1996.

Hoadley, R.B.: *Understanding Wood,* The Taunton Press, Newtown, CT, 1980.

Kalthoff, Klaus: *Analysis of Biological Development,* McGraw-Hill, New York, 1996.

Kolek, J., and **V. Konzinka** (eds.): *Physiology of the Plant Root System,* Kluwer Academic Publishers, Boston, 1992.

Kozlowski, Theodore T., Paul J. Kramer, and **Stephen G. Pallardy:** *The Physiological Ecology of Woody Plants,* Academic Press, San Diego, CA, 1991.

Kozlowski, Theodore T., and **Stephen G. Pallardy:** *Growth Control in Woody Plants,* Academic Press, San Diego, CA, 1997.

Laux, Thomas, and **Gerd Jurgens:** "Establishing the Body Plan of the *Arabidopsis* Embryo," *Acta Botanica Neerlandica,* 43:247–260, 1994.

Metcalfe, C.R., and **L. Chalk:** *Anatomy of the Dicotyledons,* vol. 1, 2nd ed., Clarendon Press, Oxford, 1979.

Metcalfe, C.R., and **L. Chalk:** *Anatomy of the Dicotyledons,* vol. 2, 2nd ed., Clarendon Press, Oxford, 1983.

Meyerowitz, Elliot M.: "The Genetics of Flower Development," *Scientific American,* May, 1994, 56–65.

Panshin, A.J., and **C. De Zeeuw:** *Textbook of Wood Technology,* vol. 1, 4th ed., McGraw-Hill, New York, 1980.

Raghavan, V.: *Molecular Embryology of Flowering Plants,* Cambridge University Press, New York, 1997.

Sinha, Neelima: "Simple and Compound Leaves: Reduction or Multiplication," *Trends in Plant Science,* 2:396–402, 1997.

Smith, Laurie G., and **Sarah Hake:** "The Initiation and Determination of Leaves," *The Plant Cell,* 4:1017–1027, 1992.

Smith, William K., Thomas C. Vogelmann, Evan H. DeLucia, David T. Bell, and **Kelly A. Shepherd:** "Leaf Form and Photosynthesis," *BioScience,* 47:785–793, 1997.

Steeves, Taylor A., and **Ian M. Sussex:** *Patterns in Plant Development,* 2nd ed., Prentice Hall, Englewood Cliffs, NJ, 1989.

Vincent, Carol A., Rosemary Carpenter, and **Enrico S. Coen:** "Cell Lineage Patterns and Homeotic Gene Activity During *Antirrhinum* Flower Development," *Current Biology,* 5:1449–1458, 1995.

Waisel, Yoav, Amram Eshel, and **Uzi Kafkafi:** *Plant Roots: The Hidden Half,* Marcel Dekker, New York, 1991.

Weigel, Detlef: "Patterning the *Arabidopsis* Embryo," *Current Biology,* 3:443–445, 1993.

Yeung, Edward C., and **David W. Meinke:** "Embryogenesis in Angiosperms: Development of the Suspensor," *The Plant Cell,* 5:1371–1381, 1993.

Zimmermann, Martin H.: *Xylem Structure and the Ascent of Sap,* Springer-Verlag, New York, 1983.

SECTION 6

Chapitres 28 et 29

Barendse, Gerard W.M., and **Ton J.M. Peeers:** "Multiple Hormonal Control in Plants," *Acta Botanica Neerlandica,* 44:3–17, 1995.

Bevan, M.W., B.D. Harrison, and **C.J. Leaver** (eds.): *The Production and Uses of Genetically Transformed Plants,* Chapman & Hall, New York, 1994.

Bowles, Dianna J.: "Signal Transduction in Plants," *Trends in Cell Biology,* 5:404–408, 1995.

Chamovitz, Daniel A., and **Xing-Wang Deng:** "Light Signaling in Plants," *Critical Reviews in Plant Sciences,* 15:455–478, 1996.

Cohen, Jon: "The Genomics Gamble," *Science,* 275:767–772, 1997.

Cohen, Jon: "Developing Prescriptions with a Personal Touch," *Science,* 275:776, 1997.

Davies, Eric: "Intercellular and Intracellular Signals and Their Transduction Via the Plasma Membrane-Cytoskeleton Interface," *Cell Biology,* 4:139–147, 1993.

Davies, Peter J. (ed.): *Plant Hormones and Their Role in Plant Growth and Development,* Martinus Nijhoff Publishers, Boston, MA, 1987.

Davies, Peter J. (ed.): *Plant Hormones: Physiology, Biochemistry and Molecular Biology,* Kuwer Academic Publishers, Dordrech, 1995.

Fluhr, Robert, and **Autar K. Mattoo:** "Ethylene—Biosynthesis and Perception," *Critical Reviews in Plant Sciences,* 15:479–523, 1996.

Fosket, Daniel E.: *Plant Growth and Development, A Molecular Approach,* Academic Press, San Diego, 1994.

Frederick, Robert J., and **Margaret Egan:** "Environmentally Compatible Applications of Biotechnology," *BioScience,* 44:529–535, 1994.

Galston, Arthur W.: *Life Processes of Plants,* Scientific American Library, W.H. Freeman, New York, 1994.

Giampietro, Mario: "Sustainability and Technological Development in Agriculture," *BioScience,* 44:677–689, 1994.

Irving, M.S., Sigalit Ritter, A.D. Tomos, and **D. Koller:** "Phototropic Response of the Bean Pulvinus: Movement of Water and Ions," *Botanica Acta,* 110:118–126, 1997.

Jean, Roger V.: *Phyllotaxis: A Systemic Study in Plant Morphogenesis,* Cambridge University Press, New York, 1994.

Jenkins, Gareth I., John M. Christie, Geeta Fuglevand, Joanne C. Long, and **Jennie A. Jackson:** "Plant Responses to UV and Blue Light: Biochemical and Genetic Approaches," *Plant Science,* 112:117–138, 1995.

Kieliszewski, Marcia J., and **Derek T.A. Lamport:** "Entensin: Repetitive Motifs, Functional Sites, Post-Translational Codes, and Phylogeny," *The Plant Journal,* 5:167–172, 1994.

King, John: *Reaching for the Sun: How Plants Work,* Cambridge University Press, New York, 1997.

Koller, D.: "Light-Driven Leaf Movements," *Plant, Cell and Environment,* 13:615–632, 1990.

Kozlowski, Theodore T., and **Stephen G. Pallardy:** *Growth Control in Woody Plants,* Academic Press, San Diego, 1997.

Lang, G.A. (ed.): *Plant Dormancy: Physiology, Biochemistry and Molecular Biology,* CAB International, Wallingford, Oxon, UK, 1996.

Marion-Poll, Annie: "ABA and Seed Development," *Trends in Plant Science,* 2:447–487, 1997.

Marshall, Eliot: "Gene Tests Get Tested," *Science,* 275:782, 1997.

Mohr, Hans, and **Peter Schopfer:** *Plant Physiology,* Springer-Verlag, New York, 1995.

Parks, Brian M., and **Roger P. Hangarter:** "Blue Light Sensory Systems in Plants," *Cell Biology,* 5:347–353, 1994.

Quail, Peter H.: "Photosensory Perception and Signal Transduction in Plants," *Current Opinion in Genetics and Development,* 4:652–771, 1994.

Rissler, Jane, and **Margaret Mellon:** *Perils Amidst the Promise, Ecological Risks of Transgenic Crops in a Global Market,* Union of Concerned Scientists, Cambridge, MA, 1993.

Salisbury, F.B., and **C.W. Ross:** *Plant Physiology,* 4th ed., Wadsworth, Belmont, CA, 1992.

Smith, Harry: "Phytochrome Transgenics: Functional, Ecological and Biotechnological Applications," *Cell Biology,* 5:315–325, 1994.

Stearns, Tim: "The Green Revolution," *Current Biology,* 5:262–264, 1995.

Taiz, L., and **E. Zeiger:** *Plant Physiology,* Benjamin/Cummings, Redwood City, CA, 1991.

Takahashi, Hideyuki: "Hydrotropism: The Current State of Our Knowledge," *Journal Plant Research,* 110:163–169, 1997.

Vasil, Indra K.: "Molecular Improvement of Cereals," *Plant Molecular Biology,* 25:925–937, 1994.

Vernooij, Bernard, Scott Uknes, Eric Ward, and **John Ryals:** "Salicylic Acid as a Signal Molecule in Plant-Pathogen Interactions," *Current Opinion in Cell Biology,* 6:275–279, 1994.

Ward, John M., Zhen-Ming Pei, and **Julian I. Schroeder:** "Roles of Ion Channels in Initiation of Signal Transduction in Higher Plants," *The Plant Cell,* 7:833–844, 1995.

Wayne, Randy: "Excitability in Plant Cells," *American Scientist,* 81:140–151, 1993.

Wilkes, Garrison: "Gene Banks," *Encyclopedia of Environmental Biology,* 2:181–190, 1995.

Wilkes, Garrison: "Germplasm Conservation," *Encyclopedia of Environmental Biology,* 2:191–201, 1995.

Chapitres 30 et 31

Allen, Michael F.: *The Ecology of Mycorrhizae,* Cambridge University Press, New York, 1991.

Asner, Gregory P., Timothy R. Seastedt, and **Alan R. Townsend:** "The Decoupling of Terrestrial Carbon and Nitrogen Cycles," *BioScience,* 47:226–234, 1997.

Baker, David A., and **John L. Hall** (eds.): *Transport of Photoassimilates,* Longman Scientific & Technical, Harlow, Essex, England, and John Wiley & Sons, New York, 1989.

Brown, Kathryn S.: "The Green Clean," *BioScience,* 45:579–582, 1995.

Campbell, Stu: *The Gardener's Guide to Composting,* revised ed., Storey Publishing, Pownal, VT, 1990.

Campbell, Stu: *The Mulch Book: A Complete Guide for Gardeners,* Storey Publishing, Pownal, VT, 1991.

Canny, Martin J.: "What Becomes of the Transpiration Stream," *New Phytologist,* 114:341–368, 1990.

Canny, Martin J.: "Apoplastic Water and Solute Movement: New Rules for an Old Space," *Annual Review of Plant Physiology and Plant Molecular Biology,* 46:215–236, 1995.

Canny, Martin J.: "Transporting Water in Plants," *American Scientist,* 86:152–159, 1998.

Chernicoff, Stanley, and **Ramesh Venkatakrishnan:** *Geology,* Worth, New York, 1995.

Coleman, David C., and **D.A. Crossley, Jr.:** *Fundamentals of Soil Ecology,* Academic Press, San Diego, CA, 1996.

Crawford, Nigel M.: "Nitrate: Nutrient and Signal for Growth," *The Plant Cell,* 7:859–868, 1995.

Dawson, Todd E.: "Hydraulic Lift and Water Use by Plants: Implications for Water Balance, Performance, and Plant-Plant Interactions," *Oecologia,* 95:565–574, 1993.

Geurts, René, and **Henk Franssen:** "Signal Transduction in *Rhizobium*-induced Nodule Formation," *Plant Physiology,* 112:447–453, 1996.

Juniper, B.E., R.J. Robins, and **D.M. Joel:** *Carnivorous Plants,* Academic Press, London, 1998.

Knoblauch, Michael, and **Aart J.E. van Bel:** "Sieve Tubes in Action," *The Plant Cell,* 10:35–50, 1998.

Kozlowski, Theodore T., and **Stephen G. Pallardy:** *Physiology of Woody Plants,* Academic Press, San Diego, CA, 1997.

Kramer, Paul J., and John S. Boyer: *Water Relations of Plants and Soils*, Academic Press, San Diego, CA, 1995.

Larcher, Walter: *Physiological Plant Ecology: Ecophysiology and Stress Physiology of Functional Groups*, 3rd ed., Springer-Verlag, Berlin, 1995.

Lösch, Rainer: "Plant-Water Relations," *Progress in Botany*, 56:56–96, 1995.

Madore, Monica A., and William J. Lucas (eds.): *Carbon Partitioning and Source-Sink Interactions in Plants*, American Society of Plant Physiologists, Baltimore, 1995.

Marschner, H.: *Mineral Nutrition of Higher Plants*, 2nd ed., Academic Press, San Diego, CA, 1995.

Marschner, H., E.A. Kirby, and C. Engels: "Importance of Cycling and Recycling of Mineral Nutrients within Plants for Growth and Development," *Botanica Acta*, 110:265–273, 1997.

Merson, John: "Mining with Microbes," *New Scientist*, January 4, 1992, 17–19.

Mylona, Panagiota, Katharina Pawlowski, and Ton Bisseling: "Symbiotic Nitrogen Fixation," *The Plant Cell*, 7:869–885, 1995.

Plucknett, Donald L.: "International Agricultural Research for the Next Century," *BioScience*, 43:432–440, 1993.

Richter, Daniel D., and Daniel Markewitz: "How Deep is Soil?" *BioScience*, 45:600–609, 1995.

Salisbury, Frank B., and Cleon W. Ross: *Plant Physiology*, 4th ed., Wadsworth, Belmont, CA, 1992.

Schulz, Alexander: "Phloem. Structure Related to Function," *Progress in Botany*, 59:429–475, 1998.

Singer, Michael J., and Donald N. Munns: *Soils, An Introduction*, 3rd ed., Prentice Hall, Upper Saddle River, NJ, 1996.

Taiz, Lincoln, and Eduardo Zeiger: *Plant Physiology*, Benjamin/Cummings, Redwood City, CA, 1991.

Zimmermann, Martin H., and Claud L. Brown: *Trees: Structure and Function*, Springer-Verlag, New York, 1975.

Zimmermann, Martin H.: *Xylem Structure and the Ascent of Sap*, Springer-Verlag, New York, 1983.

Section 7

Chapitres 32–34

Bailey, Robert G.: *Ecosystem Geography*, Springer-Verlag, New York, 1996.

Balick, Michael J., and Paul Alan Cox: *Plants, People, and Culture: The Science of Ethnobotany*, Scientific American Library, W.H. Freeman, New York, 1996.

Balick, Michael J., Elaine Elisabetsky, and Sarah A. Laird: *Medicinal Resources of the Tropical Forest: Biodiversity and Its Importance to Human Health*, Columbia University Press, New York, 1996.

Bartley, Glenn E., and Pablo A. Scolnik: "Plant Carotenoids: Pigments for Photoprotection, Visual Attraction, and Human Health," *The Plant Cell*, 7:1027–1038, 1995.

Bazzaz, Fakhri A., and Eric D. Fajer: "Plant Life in a CO_2-Rich World," *Scientific American*, January 1992, 68–74.

Behrensmeyer, Anna K., John D. Damuth, William A. DiMichele, Richard Potts, Hans-Dieter Sues, and Scott L. Wing (eds.): *Terrestrial Ecosystems through Time, Evolutionary Paleoecology of Terrestrial Plants and Animals*, The University of Chicago Press, Chicago, IL, 1992.

Bisset, Norman G. (ed.): *Herbal Drugs and Phytopharmaceuticals*, CRC Press, Boca Raton, FL, 1994.

Bohnert, Hans J., Donald E. Nelson, and Richard G. Jensen: "Adaptations to Environmental Stresses," *The Plant Cell*, 7:1099–1111, 1995.

Buhner, Stephen H.: *Sacred Plant Medicine*, Roberts Rinehard, Boulder, CO, 1996.

Bullock, Stephen H., Harold A. Mooney, and Ernesto Medina (eds.): *Seasonally Dry Tropical Forests*, Cambridge University Press, New York, 1995.

Cairns, John, Jr., and John R. Heckman: "Restoration Ecology: The State of an Emerging Field," *Annual Review of Energy Environment*, 21:167–189, 1996.

Chadwick, Derek J., and Joan Marsh (eds.): *Ethnobotany and the Search for New Drugs*, Ciba Foundation Symposium 185, John Wiley & Sons, New York, 1994.

Chrispeels, Maarten J., and David E. Sadava: *Plants, Genes and Agriculture*, Jones and Bartlett, Boston, MA, 1994.

Committee on Sustainable Agriculture and the Environment in the Humid Tropics: *Sustainable Agriculture and the Environment in the Humid Tropics*, National Academy Press, Washington, DC, 1993.

Cowan, C. Wesley, and Patty Jo Watson (eds,)L *The Origins of Agriculture*, Smithsonian Institution Press, Washington, DC, 1992.

Cox, Paul A., and Michael J. Balick: "The Ethnobotanical Approach to Drug Discovery," *Scientific American*, June 1994, 82–87.

Ellis, Gerry, and Karen Kane: *America's Rain Forest*, North Word Press, Minocqua, WI, 1991.

Forsyth, A.; *Portraits of the Rainforest*, Camden House, Camden East, Ontario, 1990.

Frankel, Otto H., Anthony H.D. Brown, and Jeremy J. Burdon: *The Conservation of Plant Biodiversity*, Cambridge University Press, New York, 1995.

Givnish, T. J., and K. J. Sytsma (eds.): *Molecular Evolution and Adaptive Radiation*, Cambridge University Press, New York, 1997.

Goulding, Michael: "Flooded Forests of the Amazon," *Scientific American*, March 1993, 114–120.

Guertin, David, S., William E. Easterling, and James R. Brandle: "Climate Change and Forests in the Great Plains," *BioScience*, 47:287–294, 1997.

Holloway, Marguerite: "Nurturing Nature," *Scientific American*, April 1994, 98–108.

Holloway, Marguerite: "Sustaining the Amazon," *Scientific American*, June 1993, 90–99.

Homer-Dixon, Thomas F., Jeffrey H. Boutwell, and **George W. Rathjeus:** "Environmental Change and Violet Conflict," *Scientific American,* February 1993, 38–45.

Jeffries, Michael J.: *Biodervisity and Conservation,* Routledge, New York, 1997.

Kareiva, Peter M., Joel G. Kingsolver, and **Raymond B. Huey,** (eds.): *Biotic Interactions and Global Change,* Sinauer Associates, Sunderland, MA, 1993.

Kusler, Jon A., William J. Mitsch, and **Joseph S. Larson:** "Wetlands," *Scientific American,* January 1994, 64–70.

Larson, Douglas: "The Recovery of Spirit Lake," *American Scientist,* 81:166–177, 1993.

Martin, Gary J.: *Ethnobotany—A Methods Manual,* Chapman & Hall, New York, 1995.

Mitsch, W. J. (ed.): *Global Wetlands: Old World and New,* Elsevier Science, Amsterdam, The Netherlands 1994.

National Research Council: *Lost Crops of the Incas,* National Academy Press, Washington, DC, 1990.

New York Botanical Garden: *Advances in Economic Botany,* a series of monographs, The New York Botanical Garden, Bronx, NY.

Norse, Elliott A.: *Ancient Forests of the Pacific Northwest,* The Island Press, Washington, DC, 1990.

Peterken, George F.: *Natural Woodland, Ecology and Conservation in Northern Temperate Regions,* Cambridge University Press, New York, 1996.

Pickett, T. A., Jurek Kolasa, and **Clive G. Jones:** *Ecological Understanding: The Nature of Theory and the Theory of Nature,* Academic Press, San Diego, CA, 1994.

Polis, Gary A., and **Kirk O. Winemiller:** *Food Webs, Integration of Patterns and Dynamics,* Chapman & Hall, New York, 1996.

Prance, G.T., J. Chadwick, and **J. Marsh** (eds.): *Ethnobotany and the Search for New Drugs,* John Wiley & Sons, New York, 1994.

Primack, Richard B.: *Essentials of Conservation Biology,* Sinauer Associates, Sunderland, MA, 1993.

Raven, Peter H., Linda R. Berg, and **George B. Johnson:** *Environment,* 2nd ed., Saunders College Publishing, Fort Worth, NY, 1995.

Reagan, Douglas P., and **Robert B. Waide:** *The Food Web of a Tropical Rain Forest,* University of Chicago Press, Chicago, IL, 1996.

Redford, Kent, and **Christine Padoch** (eds.): *Conservation of Neotropical Forests—Working from Traditional Resource Use,* Columbia University Press, New York, 1992.

Reid, Walter V., et al.: *Biodiversity Prospecting—Using Genetic Resources for Sustainable Development,* World Resources Institute, Washington, DC, 1993.

Richards, P. W.: *The Tropical Rain Forest,* An Ecological Study, 2nd ed., Cambridge University Press, New York, 1996.

Sandlund, O. T., et al. (eds.): *Conservation of Biodiversity for Sustainable Development,* Scandinavian University Press; outside Scandinavia, distributed by Oxford University Press, London, 1992.

Schulter, Richard Evans, and **Siri von Reis:** *Ethnobotany—Evolution of a Discipline,* Timber Press, Portland, OR, 1995.

Simpson, Beryl B., and **Molly Conner Ogorzaly:** *Economic Botany—Plants in Our World,* 2nd ed., McGraw-Hill, New York, 1995.

Smith, Bruce D.: *The Emergence of Agriculture,* Scientific American Library, New York, 1995.

Smith, C. I.: "Accumulation of Phytoalexins: Defense Mechanism and Stimulus Response System," *New Phytologist,* 132:1–45, 1996.

Solbrig, O. T., H. M. van Emden, and **P. G.W. J. van Oordt:** *Biodiversity and Global Change,* CAB International, Wallingford, UK, 1994.

Vitousek, Peter M., et al.: "Human Alteration of the Global Nitrogen Cycle: Sources and Consequences," *Ecological Applications,* 7:737–750, 1997.

Weiner, Jonathan: *The Next One Hundred Years: Shaping the Future of Our Living Earth,* Bantam Books, New York, 1990.

Wilson, Edward O.: *The Diversity of Life,* The Belknap Press of Harvard University Press, Cambridge, MA, 1992.

Young, James, A.: "Tumbleweed," *Scientific American,* March 1991, 82–87.

Les atomes

Toute matière est constituée par une combinaison d'**éléments**. Il existe 92 éléments naturels sur la terre. Par définition, ce sont des substances qui ne peuvent être scindées en d'autres substances par les méthodes chimiques ordinaires. La plus petite particule d'un élément qui en possède les propriétés est un **atome** (du grec *atomos*, qui signifie « indivisible ») Chaque élément possède une structure atomique qui lui est propre.

L'atome possède un **noyau** contenant une ou plusieurs particules chargées positivement appelées **protons**. Les atomes des différents éléments se distinguent par le nombre de leurs protons. Un atome d'hydrogène, l'élément le plus simple, possède par exemple un proton dans son noyau et le carbone en a 6. Le **nombre atomique** de tout élément est le nombre de protons présents dans le noyau de son atome. Le nombre atomique de l'hydrogène est donc 1 et celui du carbone est 6.

En périphérie du noyau atomique se trouvent des particules à charge négative, les **électrons**, qui sont attirés par la charge positive des protons. Dans un atome, le nombre d'électrons est égal à celui des protons. Le nombre et la disposition des électrons déterminent la la manière dont un atome réagit éventuellement avec d'autres.

Les noyaux atomiques contiennent également des **neutrons**, particules non chargées, dont le poids est à peu près le même que celui des protons. Le poids d'un atome est pratiquement la somme des poids des protons et des neutrons de ses noyaux ; les électrons sont tellement légers que l'on néglige habituellement leur poids. Par définition, le **poids atomique** d'un élément est le rapport entre le poids d'un de ses atomes et celui d'un atome de carbone possédant 6 protons et 6 neutrons, dont le poids atomique est représenté par 12 (^{12}C ; voir les isotopes ci-dessous). Étant des valeurs relatives, ces poids atomiques sont exprimés sans mention d'unité de poids. De même, la **masse atomique** d'un élément est la masse d'un atome rapportée à celle d'un atome de carbone auquel on attribue une masse atomique de 12 (^{12}C). La masse atomique est exprimée en unités appelées *unités de masse atomique* ou *daltons*, un dalton étant un douzième de la masse d'un atome de carbone (^{12}C). Le tableau A-1 donne la structure atomique de certains éléments.

Les isotopes

Bien que le nombre de protons présents dans le noyau de tous les atomes d'un même élément soit identique, ces atomes peuvent posséder

TABLEAU A.1

Structures atomiques de quelques éléments communs

| Élément | Symbole | Noyau | | Nombre d'électrons | Masse atomique* |
		Nombre de protons (nombre atomique)	Nombre de neutrons*		
Hydrogène	H	1	0	1	1
Hélium	He	2	2	2	2
Carbone	C	6	6	6	12
Azote	N	7	7	7	14
Oxygène	O	8	8	8	16
Sodium	Na	11	12	11	23
Phosphore	P	15	16	15	31
Soufre	S	16	16	16	32
Chlore	Cl	17	18	17	35
Potassium	K	19	20	19	39
Calcium	Ca	20	20	20	40

* Pour l'isotope le plus fréquent

des nombres différents de neutrons. Ces différentes formes d'un même élément, dont le poids atomique (nombre de protons plus nombre de neutrons) diffère, contrairement au nombre atomique qui reste identique, sont des **isotopes.** Le poids atomique d'un élément possédant deux ou plusieurs isotopes est une moyenne calculée pour les mélanges naturels d'isotopes.

La plupart des éléments possèdent plusieurs isotopes. Il existe par exemple trois isotopes d'hydrogène (Figure A-2). La forme habituelle possède un proton et un poids atomique de 1 ; on le représente par ^1H, ou simplement H (Par convention, on inscrit le poids atomiques sous forme d'exposant à gauche du symbole de l'élément.) Un second isotope, le deutérium, possède un proton et un neutron, son poids atomique est de 2 ; cet isotope est représenté par ^2H. Un troisième isotope très rare est le tritium, ^3H : il possède 1 proton et 2 neutrons. Les trois isotopes ont pratiquement les mêmes propriétés chimiques : tous trois ont le même nombre d'électrons, et ce sont les électrons qui déterminent les propriétés chimiques. (Notez que le poids atomique de l'hydrogène naturel, mélange des trois isotopes, est de 1,008.)

Certains isotopes (c'est le cas du tritium, ^3H) sont radioactifs. Cela signifie que leur noyau est instable et qu'il émet de l'énergie en se transformant en une forme plus stable. Il existe plusieurs moyens de détecter l'énergie (particules ou radiations) libérée par les **isotopes radioactifs**, ou **radioisotopes**, en utilisant par exemple un compteur Geiger ou un film photographique.

Un échantillon de radioisotope émet une énergie proportionnelle au nombre d'atomes présents. On parle de *transformation radioactive* lorsque les atomes d'un isotope se transforment en un autre isotope ou en un autre élément. On mesure la vitesse de transformation en

termes de demi-vie : par définition, la *demi-vie* d'un radioisotope est le temps nécessaire pour qu'un échantillon ait perdu la moitié de sa radioactivité et se soit stabilisé. La demi-vie d'un isotope étant constante, il est possible de calculer la proportion d'un isotope qui s'est transformée, pendant une période de temps donnée. Les demi-vies sont très variables. Elle est de 10 minutes pour l'isotope radioactif ^{13}N de l'azote et de 12,25 ans pour le tritium (^3H). L'isotope d'uranium le plus commun (^{238}U) a une demi-vie de 4,5 milliards d'années.

Les radioisotopes ont plusieurs applications importantes en recherche biologique. On peut les utiliser pour déterminer l'âge, pour *dater* les fossiles ou les roches qui les contiennent. La transformation de l'isotope ^{238}U de l'uranium, par exemple, passe par une série d'étapes pour aboutir finalement à un isotope du plomb, ^{206}Pb. Le rapport entre ^{238}U et ^{206}Pb dans un échantillon de roche donne donc une bonne indication sur l'âge de la roche. On utilise actuellement cinq isotopes différents pour la datation des roches. Les isotopes radioactifs sont également utilisés comme *traceurs*. Les propriétés chimiques des isotopes d'un même élément étant identiques, le comportement d'un radioisotope dans un organisme sera identique à celui de l'isotope non radioactif habituel. En conséquence, les biologistes peuvent utiliser les isotopes d'un certain nombre d'éléments, en particulier du carbone, de l'azote et de l'oxygène, pour suivre à la trace dans les systèmes vivants de nombreuses réactions chimiques essentielles. L'utilisation du dioxyde de carbone ($^{14}CO_2$) a par exemple joué un rôle important pour élucider les voies photosynthétiques. Une troisième application des isotopes est l'*autoradiographie ;* cette technique consiste à placer, sur un morceau de film photographique, un échantillon contenant un radioisotope.

TABLEAU A.2

Isotopes de l'hydrogène

Isotope	Symbole	Nombre de protons (nombre atomique)	Nombre de neutrons	Nombre d'électrons	Poids atomique
Hydrogène	^{1}H	1	0	1	1
Deutérium	^{2}H	1	1	1	2
Tritium	^{3}H	1	2	1	3

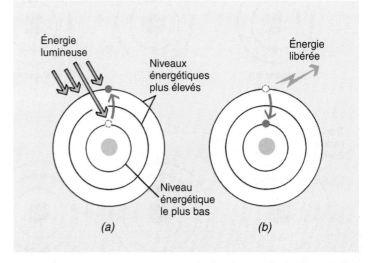

L'énergie émise par l'isotope laisse des traces sur le film et montre ainsi la localisation exacte de l'isotope à l'intérieur de l'échantillon (voir figure 31-23).

Les électrons et l'énergie

Les atomes, unités indivisibles des éléments, sont les éléments de construction à la base de toute matière. Ils sont pourtant surtout constitués de vide. Les électrons se déplaçant autour du noyau à une vitesse proche de celle de la lumière, la distance qui les sépare du noyau vaut en moyenne environ 1000 fois le diamètre de celui-ci. Les électrons sont tellement minuscules que la plus grande partie de l'espace interne de l'atome est presque entièrement vide.

La distance entre un électron et le noyau autour duquel il gravite dépend de son *énergie potentielle,* ou énergie de position (pages 95-96). Un électron est d'autant plus chargé d'énergie qu'il est plus éloigné du noyau. Si l'énergie d'un électron est relativement faible, il est donc proche du noyau : on dit qu'il se trouve à un faible **niveau énergétique**. Un électron qui possède plus d'énergie est situé plus loin du noyau, à un niveau énergétique supérieur. Une addition suffisante d'énergie peut faire passer un électron d'un niveau énergétique faible à un niveau plus élevé — mais pas à un état énergétique intermédiaire. On dit qu'un atome se trouve dans un *état excité* lorsqu'il a absorbé une quantité d'énergie suffisante pour propulser un électron à un niveau énergétique supérieur. Aussi longtemps que l'électron reste au niveau supérieur, il conserve l'énergie acquise. Lorsqu'il revient au niveau énergétique inférieur, cette énergie est libérée (Figure A-1).

La répartition des électrons : modèles de structure atomique

L'atome est conçu comme une unité indivisible des éléments depuis près de 200 ans. Notre conception de la structure atomique a cependant évolué au cours du temps. Une des représentations les plus utiles de la structure atomique découle des recherches du physicien Niels Bohr, qui découvrit que les électrons possèdent une énergie différente et sont plus ou moins éloignés du noyau (Figure A-2). Dans le modèle de Bohr, les niveaux énergétiques sont décrits comme des anneaux concentriques entourant le noyau. Ce modèle n'est pas une véritable

Figure A-1

(a) Quand un atome, comme l'atome d'hydrogène dans ce schéma, reçoit de l'énergie, par exemple sous forme de lumière, un électron (représenté ici en rouge) peut être propulsé à un niveau énergétique supérieur. L'énergie potentielle de l'électron est ainsi accrue. La tache grise au centre du schéma représente le noyau. **(b)** Lorsque l'électron revient à son niveau énergétique antérieur, son énergie est libérée sous forme de chaleur ou de lumière.

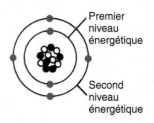

Figure A-2

Modèle de Bohr appliqué à l'atome de carbone.

« photographie » de l'atome et il a été remplacé par un autre modèle (décrit ci-dessous) ; les schémas dérivés du modèle de Bohr (comme ceux de la figure A-3) peuvent cependant aider à représenter les

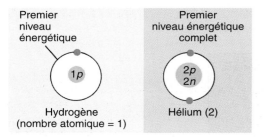

Premier niveau énergétique

1p

Hydrogène (nombre atomique = 1)

Premier niveau énergétique complet

2p
2n

Hélium (2)

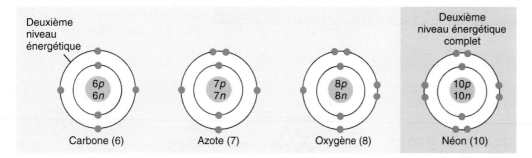

Deuxième niveau énergétique

6p
6n

Carbone (6)

7p
7n

Azote (7)

8p
8n

Oxygène (8)

Deuxième niveau énergétique complet

10p
10n

Néon (10)

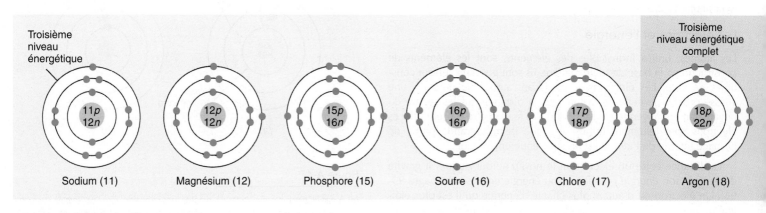

Troisième niveau énergétique

11p
12n

Sodium (11)

12p
12n

Magnésium (12)

15p
16n

Phosphore (15)

16p
16n

Soufre (16)

17p
18n

Chlore (17)

Troisième niveau énergétique complet

18p
22n

Argon (18)

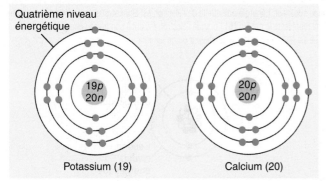

Quatrième niveau énergétique

19p
20n

Potassium (19)

20p
20n

Calcium (20)

Figure A-3

Représentation schématique de la disposition des électrons pour quelques éléments communs. Dans le noyau, *p* représente les protons et *n* les neutrons. Dans chaque dessin, les électrons se trouvent à leurs niveaux énergétiques les plus bas possibles. Notez la manière dont les premiers niveaux énergétiques sont comblés successivement à mesure que le nombre atomique augmente. Vous constaterez que le potassium et le calcium possèdent respectivement un et deux électrons à leur quatrième niveau d'énergie. Lorsque le nombre atomique est supérieur à celui du calcium, les électrons supplémentaires comblent le troisième niveau d'énergie (jusqu'à 10 électrons) avant d'ajouter des électrons au quatrième niveau.

niveaux énergétiques d'un atome, à connaître le nombre d'électrons à chaque niveau énergétique et à voir comment les atomes peuvent interagir.

La stabilité d'un atome est maximale quand tous ses électrons se trouvent aux niveaux énergétiques les plus bas possibles. Les électrons d'un atome occupent donc les niveaux énergétiques dans l'ordre suivant : le premier, puis le second, puis le troisième, et ainsi de suite. Le premier niveau énergétique (le plus bas), qui est le plus proche du

noyau, ne peut accepter au maximum que deux électrons. L'unique électron de l'hydrogène tourne donc autour du noyau au premier niveau énergétique, de même que les deux électrons de l'hélium (Figure A-3). Les atomes de tous les autres éléments possèdent plus de deux électrons. Puisque le premier niveau énergétique est entièrement occupé par deux électrons, les suivants doivent se trouver à des niveaux énergétiques plus élevés, plus éloignés du noyau. Le deuxième niveau énergétique peut accepter au maximum huit électrons, de même que le troisième, pour les éléments dont le nombre atomique ne dépasse pas 20 (calcium).

Le modèle le plus récent de la structure atomique donne une image plus correcte de l'atome (Figure A-4). L'électron est tellement petit et se déplace tellement vite qu'il est impossible de préciser à chaque instant sa position et son énergie. Ce modèle représente donc le *mode* de déplacement de l'électron plutôt que sa position. L'**orbitale** est le volume dans lequel se situe un électron pendant 90 % du temps. L'électron ou les deux électrons du niveau énergétique inférieur (le premier) occupent une seule orbitale sphérique. Pouvant contenir huit électrons, le deuxième niveau énergétique se compose de quatre orbitales. Jusqu'à l'élément numéro 20, le troisième niveau comporte également quatre orbitales. La disposition devient plus complexe pour les éléments dont le nombre atomique est supérieur.

Dans chaque orbitale, les électrons circulent dans une région particulière de l'espace et, considérés dans leur ensemble, ces déplacements donnent à l'atome une forme tridimensionnelle particulière (Figure A-5). L'atome ne possède cependant pas de limites rigides. On le définit plutôt par des régions de charge.

Base de la réactivité chimique

La manière donc un atome réagit chimiquement est déterminée par le nombre et la disposition de ses électrons. La stabilité d'un atome est maximale si tous ses électrons se trouvent aux niveaux énergétiques les plus bas possibles. Un élément dont le niveau énergétique extérieur est entièrement occupé par des électrons est d'autre part plus stable qu'un élément dont le niveau énergétique externe est incomplètement occupé. Comme le montre par exemple la figure A-3, les niveaux énergétiques de l'hélium (nombre atomique 2), du néon (10) et de l'argon (18) sont complets et ces éléments sont peu réactifs.

Dans les atomes de la plupart des éléments cependant, le niveau énergétique externe n'est que partiellement occupé. Ces atomes ont tendance à interagir avec d'autres de manière à saturer, après réaction, les niveaux énergétiques externes des deux atomes. Certains atomes perdent des électrons, certains en gagnent. Et, dans la plupart des

réactions chimiques les plus importantes dans les systèmes vivants, les atomes se partagent leurs électrons.

L'électronégativité

Les noyaux atomiques des différents éléments attirent les électrons à des degrés différents. L'affinité d'un élément pour les électrons est appelée son **électronégativité**. L'électronégativité s'exprime sur une échelle de 0 à 4, l'hélium et les autres gaz rares ayant une électronégativité de 0 et le fluor de 4. Le tableau A-4 donne la valeur de l'électronégativité de certains éléments. Nous allons voir que les différences d'électronégativité ont des conséquences importantes pour les propriétés des molécules.

TABLEAU A.3
Électronégativité de quelques éléments communs

Fluor (F)	4,0
Oxygène (O)	3,5
Azote (N)	3,0
Chlore (Cl)	3,0
Carbone (C)	2,5
Soufre (S)	2,5
Hydrogène (H)	2,1
Phosphore (P)	2,1
Sodium (Na)	0,9
Hélium (He)	0,0

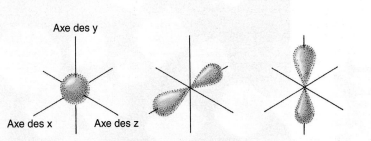

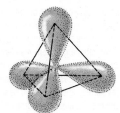

Figure A-4

Les quatre orbitales du deuxième niveau énergétique. Chaque orbitale peut contenir au maximum deux électrons. L'orbitale du premier niveau énergétique est sphérique et entoure le noyau, situé à l'intersection des axes. Les trois autres orbitales sont en forme de massue et leurs axes sont perpendiculaires. Plus plus de clarté, les orbitales ont été représentées séparément. En réalité, elles s'influencent mutuellement et déterminent la forme générale de l'atome.

Figure A-5

Schéma des orbitales de l'atome de carbone. Chaque orbitale du deuxième niveau d'énergie possède un seul électron. Chaque électron se déplace de manière à rester le plus possible à l'écart des autres. La forme qui en résulte ressemble à quatre larmes s'écartant du noyau.

Ions, molécules et liaisons chimiques

Nous venons de voir que les atomes peuvent interagir de différentes façons pour arriver à compléter les niveaux énergétiques externes : en perdant des électrons, en en gagnant ou en se les partageant. Un gain ou une perte d'électrons aboutit à des atomes chargés appelés **ions**. Une mise en commun d'électrons produit de nouvelles particules plus volumineuses, les **molécules**.

Lorsque des éléments différents se combinent dans un rapport défini et constant et sont maintenus par des liaisons chimiques, le produit est un **composé chimique.** L'eau (H_2O), le chlorure de sodium (NaCl), le dioxyde de carbone (CO_2) et le glucose ($C_6H_{12}O_6$) sont des exemples de composés chimiques.

Ions et interactions ioniques

Pour beaucoup d'atomes, le moyen le plus simple de parvenir à un niveau énergétique externe complètement saturé est de gagner ou de perdre un ou deux électrons. Un atome de chlore (nombre atomique 12), par exemple, a besoin d'un électron pour compléter son niveau énergétique externe ; le sodium (nombre atomique 11) ne possède qu'un seul électron à son niveau externe (Figure A-3). Cet électron externe du sodium est fortement attiré par l'atome de chlore (très électronégatif) et il saute du sodium au chlore (voir figure 5-5).

À la suite de ce transfert, les niveaux énergétiques externes du sodium et du chlore sont complets, et chaque atome possède ainsi des nombres différents d'électrons et de protons : le sodium possède 11 protons et 10 électrons (une charge positive supplémentaire) ; le chlore possède 17 protons et 18 électrons (une charge négative en plus). Ces atomes chargés électriquement sont des ions. Les ions chargés positivement, comme Na^+, sont des **cations** et les ions chargés négativement, comme Cl^-, sont des **anions**.

Les ions à charges opposées s'attirent l'un l'autre et la substance qui en résulte, dans le cas de Na^+ et Cl^- est le chlorure de sodium (NaCl), ou sel de cuisine (Figure A-6). Les interactions impliquant une attraction mutuelle entre ions de charges opposées sont appelées **interactions ioniques**, ou liaisons ioniques. Le potassium (nombre atomique 19) possède également un seul électron à son niveau énergétique externe et réagit avec le chlore pour produire le chlorure de potassium (KCl).

L'ion calcium (Ca^{2+}) résulte de la perte de deux électrons ; il peut attirer et fixer deux ions Cl^- pour produire le chlorure de calcium, $CaCl_2$ (le chiffre 2 signifie la présence de deux atomes de chlore). De même, le magnésium produit le chlorure de magnésium, $MgCl_2$.

Les petits ions, comme Na^+ et Cl^-, représentent moins d'un pourcent de la masse de toute la matière vivante, mais leur rôle est primordial. K^+, par exemple, est le principal ion positif chez la plupart des organismes, et de nombreuses réactions biologiques essentielles ne se déroulent qu'en présence de K^+. Na^+ et K^+ interviennent dans le transport actif des sucres et des acides aminés à travers la membrane plasmique ; Ca^{2+} a une influence directe sur les propriétés physiques de la membrane et il a de nombreux autres rôles dans les cellules ; Mg^{2+} fait partie intégrante de la chlorophylle, molécule des plantes vertes et des algues qui capte l'énergie irradiée par le soleil.

Molécules et liaisons covalentes

Les atomes disposent d'un autre moyen pour compléter leurs niveaux énergétiques externes : le partage d'électrons avec d'autres atomes. Les liaisons chimiques formées par une ou plusieurs paires d'électrons mises en commun sont des **liaisons covalentes**. Dans une liaison covalente, chaque électron passe une partie de son temps à tourner autour d'un noyau et une autre partie à tourner autour de l'autre. Une mise en commun d'électrons complète donc le niveau énergétique de chaque atome et neutralise la charge positive de chaque noyau.

Les atomes qui doivent acquérir des électrons pour compléter et ainsi stabiliser leurs niveaux énergétiques externes ont une forte tendance à former des liaisons covalentes. L'exemple le plus simple est la

Figure A-6

Interactions ioniques. **(a)** Les ions à charges opposées, comme ceux de sodium et de chlorure, représentés ici par des sphères, s'attirent l'un l'autre. Le sel de table est le NaCl cristallin, réseau d'ions Na^+ et Cl^- qui alternent et sont maintenus ensemble par leurs charges opposées. Ces liaisons entre ions de charges opposées sont des interactions ioniques. **(b)** La régularité du réseau se traduit par la structure des cristaux de sel, grossis ici environ 30 fois.

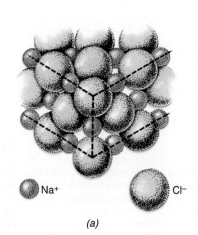

Na^+ Cl^-

(a)

(b)

liaison covalente entre deux atomes d'hydrogène dans la molécule d'hydrogène, H_2 (Figure A-7).

La capacité du carbone de former des liaisons covalentes est particulièrement importante dans les systèmes vivants. Le carbone (nombre atomique 6) possède quatre électrons à son niveau énergétique externe (Figure A-3). Chacun de ces électrons peut être partagé avec un autre atome et former des liaisons covalentes avec au maximum quatre autres atomes et aboutir ainsi à un niveau énergétique externe stable (8 électrons) (Figure A-8). Les liaisons covalentes peuvent impliquer différents éléments — le plus souvent l'hydrogène, l'oxygène ou l'azote — ou d'autres atomes de carbone.

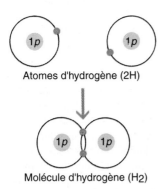

Figure A-7

Liaisons covalentes. **(a)** Lors de la formation d'une molécule d'hydrogène, chaque atome partage son seul électron avec l'autre atome. En conséquence, le niveau énergétique externe des deux atomes est effectivement saturé par deux électrons — c'est une disposition très stable. Ce type de liaison impliquant une mise en commun d'électrons est une liaison covalente. **(b)** Représentation du mouvement des électrons communs autour des atomes d'hydrogène. Les électrons se déplacent si rapidement que les charges des deux noyaux sont en réalité neutralisés à tout moment.

Liaisons simples et doubles Les atomes peuvent former des liaisons covalentes et combler leurs niveaux énergétiques externes de différentes manières. L'oxygène possède par exemple six électrons externes (Figure A-3) ; quatre sont réunis par paires et ne peuvent en général intervenir dans les liaisons, mais les deux autres électrons non appariés peuvent être partagés avec un autre atome. Dans la molécule d'eau (H_2O), un de ces électrons fait partie d'une liaison covalente avec un atome d'hydrogène et l'autre avec un second atome d'hydrogène (Figure A-9a). Deux liaisons simples sont ainsi formées et les niveaux énergétiques des trois atomes sont complets.

Le mode de liaison est différent dans une autre substance commune, le dioxyde de carbone (CO_2). Dans cette molécule, chaque atome d'oxygène est uni à l'atome de carbone par *deux paires* d'électrons (quatre électrons). On parle ici de **doubles liaisons** (Figure A-9b). Les atomes de carbone peuvent former des doubles liaisons entre eux, ainsi qu'avec d'autres éléments, comme dans l'éthylène, $H_2C=CH_2$ et dans les molécules qui entrent dans la composition de certaines graisses et huiles (voir figure 2-9). Les atomes de carbone peuvent également former des liaisons triples (dans lesquelles trois paires d'électrons sont partagées), mais ces liaisons sont rares dans les systèmes vivants.

Les liaisons simples sont flexibles et permettent aux atomes réunis de tourner l'un par rapport à l'autre. Les doubles liaisons sont beaucoup plus rigides et limitent les mouvements relatifs des atomes liés. La présence de liaisons doubles dans une molécule influence notablement ses propriétés comme, par exemple, dans les graisses et les huiles (pages 23-24).

Liaisons covalentes polaires On a noté l'existence de différences d'électronégativité entre les éléments — c'est-à-dire d'une affinité différente pour les électrons. Dans les liaisons covalentes entre atomes d'éléments différents, les électrons ne sont pas partagés de manière équivalente entre les deux atomes : les électrons communs ont tendance à passer plus de temps autour du noyau de l'atome le plus

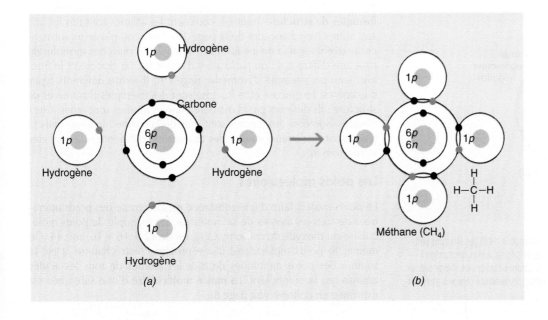

Figure A-8

Avec ses quatre électrons au niveau énergétique externe, l'atome de carbone peut former des liaisons covalentes avec quatre autres atomes au maximum. **(a)** Lorsqu'un atome de carbone réagit avec quatre atomes d'hydrogène, chaque électron de son niveau énergétique externe forme une liaison covalente avec l'unique électron d'un atome d'hydrogène et donne **(b)** une molécule de méthane, CH_4.

Figure A-9

Liaisons simples et doubles. **(a)** Schéma d'une molécule d'eau, H_2O. Chaque liaison covalente comporte un électron provenant de l'oxygène et un autre provenant de l'hydrogène. La liaison covalente de la molécule d'hydrogène (Figure A-7) et les quatre liaisons covalentes de la molécule de méthane (Figure A-8) sont également des liaisons simples. **(b)** Molécule de dioxyde de carbone, CO_2. L'atome de carbone intervient dans deux doubles liaisons, une avec chaque atome d'oxygène. Chaque double liaison comporte deux paires d'électrons. Une double liaison se représente par deux traits parallèles, $=$

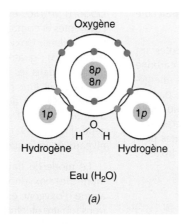

Eau (H_2O)

(a)

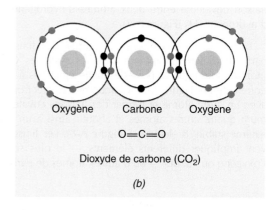

Dioxyde de carbone (CO_2)

(b)

électronégatif. En conséquence, cet atome possède une charge légèrement négative et l'atome moins électronégatif possède une charge légèrement positive (Figure A-10).

On parle de **liaisons covalentes polaires** pour désigner les liaisons covalentes dans lesquelles les électrons sont inégalement partagés. Fortement électronégatif, l'oxygène intervient souvent dans ces liaisons. Dans les molécules parfaitement symétriques, comme le dioxyde de carbone (Figure A-9b), les charges inégales s'annulent et la molécule, dans son ensemble, n'est pas polaire. Dans des molécules asymétriques comme celle de l'eau (Figure A-9a), cependant, la molécule dans son ensemble est polaire : certaines régions ont une charge négative partielle et d'autres une charge positive partielle (voir figure A-12). De nombreuses propriétés spécifiques de l'eau, dont dépend la vie, découlent en grande partie de sa nature polaire.

On peut considérer les interactions ioniques, les liaisons covalentes polaires et non-polaires comme des liaisons chimiques différentes

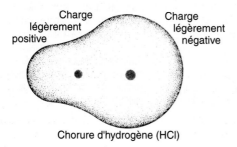

Figure A-10

Dans une molécule polaire, par exemple dans le chlorure d'hydrogène (HCl), les électrons partagés ont tendance à se retrouver plus souvent autour du noyau de l'atome le plus électronégatif — le noyau de chlore dans ce cas. Il en résulte que l'atome de chlore possède une charge légèrement négative et que l'atome moins électronégatif (l'hydrogène) possède une charge légèrement positive.

réparties sur une échelle comprenant des différences plus ou moins grandes d'électronégativité entre les atomes combinés. Dans les interactions ioniques, il n'existe pas d'électrons communs, mais plutôt une attraction électrostatique entre ions de charges opposées — un cas de différence extrême d'électronégativité (par exemple Na et Cl). Dans les liaisons covalentes, des électrons sont partagés mais, lorsque l'électronégativité est différente entre les atomes liés (par exemple H et O), leur partage est inégal. Dans les liaisons covalentes parfaitement non-polaires, les électrons sont partagés également ; ces liaisons n'existent qu'entre atomes identiques, comme H_2, Cl_2, O_2 et N_2.

Formules chimiques

Les propriétés des molécules dépendent de leur structure tridimensionnelle — de leur forme et de l'espace occupé par leurs électrons aux niveaux énergétiques (orbitales) externes. Les chimistes ont cependant mis au point des moyens permettant de représenter les molécules sur papier — en deux dimensions — de manière à identifier tous les atomes et leurs liaisons. Les **formules moléculaires** donnent le nombre et les types d'atomes présents dans une molécule ; les **formules de structure** montrent comment les atomes sont liés les uns aux autres (voir l'encadré de la page 19). Deux ou plusieurs substances peuvent avoir la même formule moléculaire, mais des formules de structure différentes : on parle alors d'isomères. Le glucose et le fructose sont un exemple d'isomérie (page 19). Il existe différents types d'isomères. Le glucose et le fructose sont des exemples d'*isomères de structure* : ils diffèrent par la manière dont les atomes sont reliés. Chez d'autres isomères, les atomes sont unis de la même manière, mais la disposition tridimensionnelle des atomes est différente : ce sont des *stéréoisomères*.

Les poids moléculaires

Le poids moléculaire d'une substance est la somme des poids atomiques de tous les atomes de sa molécule. Par exemple, le poids moléculaire du dioxyde de carbone, CO_2, est de 12 + 16 + 16, soit 44. De même, le poids moléculaire d'une protéine (voir chapitre 2) est la somme des poids atomiques de tous les atomes de tous les acides aminés qui la composent. La **masse moléculaire** d'une substance est exprimée en daltons (voir page 863).

Les molécules, ainsi que les atomes, s'expriment en quantités appelées **moles**. Une mole d'une substance contient le même nombre de particules (atomes, ions ou molécules) qu'une mole de toute autre substance. Ce nombre ($6,022 \times 10^{23}$) est le *nombre d'Avogadro*. Une mole de sodium contient donc $6,022 \times 10^{23}$ atomes de sodium, une mole d'ions chlorure contient $6,022 \times 10^{23}$ ions Cl^- et une mole d'eau contient $6,022 \times 10^{23}$ molécules d'eau. Une mole d'une substance équivaut à son poids atomique ou à son poids moléculaire exprimé en grammes. Une mole de sodium pèse donc 23 grammes et une mole d'eau (H_2O) pèse 18 grammes. La mole est utile pour définir les quantités qui interviennent dans les réactions chimiques. Pour produire de l'eau, par exemple, il faut combiner deux moles d'hydrogène (H_2) (4 grammes) et une mole d'oxygène (O_2) (32 grammes), c'est-à-dire quatre atomes d'hydrogène pour deux atomes d'oxygène. Cela donnerait 2 moles d'eau pesant chacune 18 grammes.

Groupements fonctionnels

Des groupes d'atomes unis par des liaisons covalentes ont parfois tendance à réagir ensemble comme un groupe, appelé **groupement fonctionnel**. Les propriétés chimiques particulières des molécules organiques sont principalement déterminées par leurs groupements fonctionnels.

Le groupement hydroxyle — représenté par -OH pour éviter toute confusion avec OH^-, l'ion hydroxyde) — en est un exemple. C'est, par exemple, le groupement fonctionnel du méthanol (CH_3OH) et de l'éthanol (C_2H_5OH). Le glycérol, $C_3H_5(OH)_3$, qui fait partie de nombreux lipides, possède trois groupements hydroxyle (voir figure 2-9). Le glucose ($C_6H_{12}O_6$) est un sucre possédant cinq groupements hydroxyle (page 19). Le tableau A-4 montre un certain nombre de groupements fonctionnels importants en biologie.

Les réactions chimiques

Les **réactions chimiques** sont des échanges d'électrons entre atomes. Elles impliquent souvent la rupture de liaisons et la formation de nouvelles liaisons. Les réactions sont représentées par des **équations chimiques.** Voici par exemple l'équation représentant la production d'eau à partir d'oxygène et d'hydrogène gazeux :

$$2H_2 + O_2 \rightarrow 2H_2O$$
$$\text{Réactifs} \qquad \text{Produit}$$

La flèche de l'équation signifie « donne » et indique la direction de la modification chimique. Comme les équations algébriques, les équations chimiques sont en équilibre : la nature des atomes et leur nombre doivent être les mêmes dans le(s) produit(s) et dans le(s) réactif(s) d'origine. L'équation ci-dessus nous apprend que deux molécules d'hydrogène réagissent avec une molécule d'oxygène pour produire deux molécules d'eau.

On peut classer les nombreuses réactions chimiques différentes qui se déroulent dans les systèmes vivants en quelques grands types, catalysés par des groupes différents d'enzymes (catalyseurs biologiques ; voir chapitre 5). Certaines réactions fréquentes en biologie sont des réactions de condensation, ou de déshydratation (page 20), d'hydrolyse (page 20), d'oxydoréduction (pages 98-99), de phosphorylation (page 106), de réorganisation des molécules, comme celles qui sont

TABLEAU A.4
Quelques groupements fonctionnels des molécules biologiques

Groupement		Nom
—OH		Hydroxyle
—NH₂	—NH₃⁺	Amine[*]
—C—C— (avec O double liaison)		Carbonyle
—C—OH (avec O double liaison)	—C—O⁻ (avec O double liaison)	Carboxyle[a]
—O—P—OH (avec O double liaison et OH)	—O—P—O⁻ (avec O double liaison et O⁻)	Phosphate[a]
—SH		Sulfhydryle (thiol)

[*] Pour ces groupements, la forme ionisée (représentée à droite) est prédominante aux pH biologiques.

catalysées par l'isomérase et la mutase au cours de la glycolyse (pages 111-112), ainsi que des réactions de carboxylation, comme la réaction photosynthétique catalysée par Rubisco, l'enzyme la plus abondante dans le monde vivant (page 140).

L'équilibre chimique

Certaines réactions chimiques peuvent se dérouler dans les deux sens. Lorsqu'il n'y a plus de changement effectif, on dit que la réaction est en **équilibre**. Prenons la réaction fictive suivante :

$$A + B \;\rightleftharpoons\; C + D$$

L'équilibre est atteint quand le nombre de molécules de C et de D transformées en molécules de A et de B est égal au nombre de molécules de A et de B transformées en molécules de C et de D. À l'équilibre, la concentration des réactifs ne doit pas nécessairement être égale à celle des produits ; seules doivent être égales les *vitesses* des réactions dans les deux sens. Dans l'équation ci-dessus, les longueurs différentes des flèches indiquent qu'à l'équilibre, il y a plus de C + D que de A + B.

Supposons que les molécules A et B soient seules présentes à l'origine. La réaction se déplacera d'abord vers la droite, A réagissant avec B pour produire C et D. La figure A-11 montre les modifications de concentration lorsque la réaction se poursuit. C et D s'accumulant, la vitesse de la réaction inverse s'accroît ; en même temps, la vitesse de la première réaction diminue parce que la concentration de A et de B diminue. À un certain moment (après quelques microsecondes dans l'exemple de la figure A-11, les vitesses des deux réactions antagonistes s'équilibrent et les concentrations ne se modifient plus. Le rapport entre les réactifs (A +B) et les produits (C + D) reste identique, mais il y a toujours plus de C et D que de A et B.

Structure et propriétés de l'eau

Comme on l'a noté antérieurement, la molécule d'eau est polaire. En raison de la forte électronégativité de l'oxygène, les paires d'électrons des deux liaisons covalentes passent plus de temps autour du noyau d'oxygène qu'autour de ceux d'hydrogène. Par conséquent, la région proche des deux noyaux d'hydrogène possède une faible charge positive. De plus, l'atome d'oxygène possède quatre autres électrons à son niveau énergétique externe. Ces électrons, qui ne participent pas aux liaisons covalentes avec l'hydrogène, sont unis par paires dans deux orbitales possédant chacune une faible charge négative. Au point de vue de sa polarité, la molécule d'eau est donc quadrangulaire et comprend deux angles chargés positivement et deux autres chargés négativement (Figure A-12a).

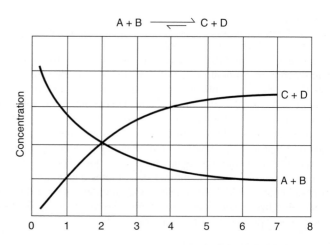

Figure A-11

Diagramme montrant les changements de concentration des produits et des réactifs d'une réaction réversible. À l'origine, A et B sont seuls présents. La réaction débute lorsque A et B réagissent pour donner C et D. Après deux microsecondes (2×10^{-6} seconde), les concentrations de A + B et C + D sont égales. La réaction se poursuivant, la concentration en C + D continue à s'accroître jusqu'à un équilibre (après environ 6 microsecondes), puis elle reste plus élevée que celle de A + B. À l'équilibre, les vitesses des deux réactions inverses sont identiques.

Figure A-12

La polarité de la molécule d'eau et ses conséquences. **(a)** Ce modèle à orbitales montre la forme quadrangulaire de la molécule d'eau. Les deux orbitales formées par les deux paires d'électrons partagés liant les atomes d'hydrogène à celui d'oxygène possèdent une charge légèrement positive parce que les électrons passent plus de temps autour du noyau d'oxygène qu'autour des noyaux d'hydrogène. Les deux autres orbitales et leurs électrons non liés possèdent une charge légèrement négative. **(b)** Chaque molécule d'eau peut former des liaisons hydrogène (traits interrompus) avec quatre autres molécules d'eau au maximum. Dans l'eau liquide, les liaisons hydrogène se rompent et se reforment constamment. **(c)** En se congelant, l'eau acquiert une structure cristalline. Chacune de ses molécules est unie par des liaisons hydrogène à quatre autres molécules d'eau pour former un réseau tridimensionnel. La disposition hexagonale représentée ici se répète dans tout le cristal. Les molécules d'eau sont plus écartées les uns des autres dans la glace que dans l'eau liquide : c'est pourquoi la glace est plus légère (moins dense) que l'eau.

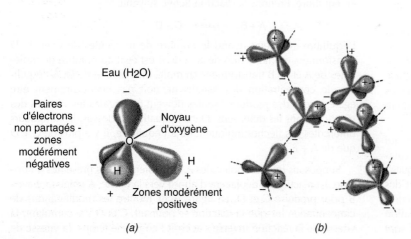

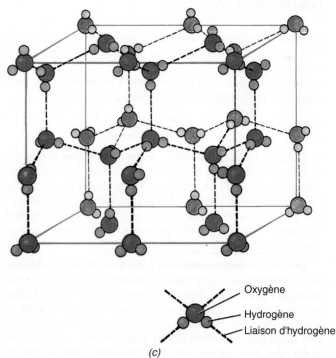

(a)   (b)   (c)

TABLEAU A.5

Quelques molécules biologiques dans lesquelles les liaisons hydrogène sont importantes.

Type de molécule	Liaisons hydrogène
ADN	Entre les paires de bases de la double hélice (pages 199-200)
	Entre l'ADN et l'ARN au cours de la transcription (page 210)
	Entre l'ADN et les protéines de régulation (page 221)
ARN	Entre régions de la molécule d'ARN de transfert (page 211)
	Entre l'ADN et l'ARN au cours de la transcription (page 210)
	Entre l'ARN messager et l'ARN de transfert au cours de la traduction (page 212)
Protéines	Entre les résidus acides aminés dans la structure secondaire (hélice alpha, feuillet plissé bêta) ; dans la structure tertiaire (organisation tridimensionnelle de la chaîne polypeptidique) ; dans la structure quaternaire (entre chaînes polypeptidiques) (pages 28-30)
Polysaccharides	Entre les résidus glucose dans l'amidon et la cellulose (page 21)
Eau	Entre les molécules d'eau
	Entre les molécules d'eau et d'autres molécules polaires ou régions polaires de molécules

Les liaisons hydrogène

Lorsqu'une des régions chargées d'une molécule d'eau se rapproche de la région de charge opposée d'une autre molécule d'eau, la force d'attraction produit entre elles une liaison non-covalente appelée **liaison hydrogène**. Une liaison hydrogène se forme entre l'« angle » négatif d'une molécule d'eau et l' »angle » positif de l'autre. Chaque molécule d'eau peut former des liaisons hydrogène avec au maximum quatre autres molécules d'eau. L'importance des liaisons hydrogène varie avec la température de l'eau (Figure A-12b).

Une liaison hydrogène isolée est nettement plus faible qu'une liaison covalente ou une interaction ionique. Sa durée de vie est en outre extrêmement courte ; chaque liaison hydrogène individuelle persiste environ 1/100.000.000.000me de seconde (10^{-12} seconde). Mais, dès qu'une liaison est rompue, une autre se forme. Considérées dans leur ensemble, les liaisons hydrogène ont une force considérable.

Une liaison hydrogène peut se former entre tout atome d'hydrogène uni par covalence à un atome électronégatif — généralement l'oxygène ou l'azote — et l'atome électronégatif d'une autre molécule. Ces liaisons se forment également entre des régions différentes de nombreuses molécules biologiques volumineuses, et elles interviennent dans la stabilité de leur structure. Les liaisons hydrogène ont une importance vitale dans la structure de nombreuses molécules biologiques (Tableau A-5).

L'eau comme solvant

Dans les systèmes vivants, de nombreuses substances se trouvent en solution aqueuse. Une **solution** est un mélange uniforme de molécules ou d'ions de deux ou plusieurs substances. La substance pré-sente en plus grande quantité — généralement un liquide — est le **solvant** ; les substances présentes en moins grande quantité sont les **solutés**.

En raison de leur polarité, les molécules d'eau peuvent servir de solvant pour des molécules polaires ou chargées. Les molécules polai-res de l'eau ont tendance à séparer des substances telles que NaCl en leur ions. La figure A-13 montre que les molécules d'eau s'assemblent autour des ions chargés et les isolent.

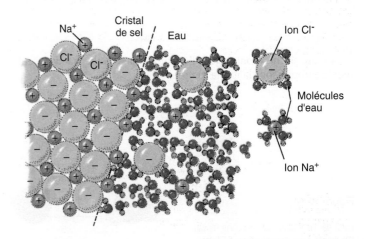

Figure A-13

En raison de la polarité de ses molécules, l'eau peut servir de solvant aux molécules et aux ions polaires. Ce schéma montre la dissolution du chlorure de sodium (NaCl) dans l'eau. Les molé-cules polaires d'eau s'agglomèrent autour des ions individuels et les écartent les uns des autres. Notez la disposition différente des molécules d'eau autour des ions Na^+ et de Cl^-.

De nombreuses molécules importantes dans les systèmes vivants sont polaires ou possèdent des régions polaires. En raison de leur polarité, ces molécules attirent les molécules d'eau. Les petites molécules polaires se dissolvent aisément dans l'eau — c'est le cas de sucres, comme le glucose et le saccharose. Les molécules plus volumineuses possédant des régions polaires interagissent avec l'eau au niveau de ces régions. On dit que les molécules polaires ou les régions polaires sont **hydrophiles** (« aiment l'eau »).

Les molécules dépourvues de régions polaires sont insolubles dans l'eau. Les liaisons hydrogène entre les molécules d'eau agissent pour repousser les molécules non-polaires. En raison de cette répulsion, les molécules non-polaires ont tendance à se rassembler au sein de l'eau — c'est pourquoi les gouttelettes de graisse s'assemblent à la surface d'un bouillon. On dit que ces molécules sont **hydrophobes** (« craignent l'eau ») et leur réunion est une **interaction hydrophobe**. Les molécules volumineuses telles que les protéines et certains types de lipides possèdent des régions hydrophiles et des régions hydrophobes. Leur structure générale et leurs interactions avec les solutions aqueuses des cellules dépendent de la répartition de ces régions hydrophiles et hydrophobes au sein de la molécule.

Acides et bases

Dans l'eau liquide, le noyau d'un des atomes d'hydrogène de la molécule a une légère tendance à s'écarter de l'atome d'oxygène auquel il est lié par covalence et à sauter sur l'atome d'oxygène auquel il est uni par liaison hydrogène. Cette réaction produit deux ions : l'ion hydronium H_3O^+ et l'ion hydroxyde OH^- (Figure A-14). Pour simplifier, l'ion H_3O^+ est généralement représenté dans les équations chimiques par un ion hydrogène H^+. Un ion hydrogène, composé seulement d'un noyau d'hydrogène est également appelé **proton**.

Dans un volume donné d'eau pure, un nombre limité, mais constant, de molécules sont ionisées de cette façon. Ce nombre est constant parce que la tendance à l'ionisation de l'eau est compensée par la tendance à la réunion des ions ; la dissociation de l'eau est donc en équilibre :

$$H_2O \rightleftharpoons H^+ + OH^-$$

La longue flèche montre qu'à l'équilibre, une petite fraction seulement se trouve sous la forme ionisée.

Dans l'eau pure, le nombre d'ions H^+ est exactement égal au nombre d'ions OH^-. Ce doit être le cas parce qu'aucun de ces ions ne peut se former sans l'autre si les molécules de H_2O sont seules présentes. On sait que la concentration des ions H^+ dans l'eau pure à 25°C atteint 10^{-7} mole par litre. À 25°C, $[H^+] = [OH^-] = 1 \times 10^{-7}$ mole par litre (Les chimistes utilisent les crochets pour signifier « concentration en. »)

Lorsqu'une substance ionique ou polaire est dissoute dans l'eau, elle peut modifier les nombres relatifs d'ions H^+ et OH^-, de telle sorte que $[H^+]$ n'égale plus $[OH^-]$. Lorsque par exemple le chlorure d'hydrogène (HCl) se dissout dans l'eau, il est presque totalement ionisé en ions H^+ et Cl^-. En conséquence, dans une solution d'HCl (acide chlorhydrique), $[H^+]$ dépasse $[OH^-]$. Inversement, lorsque l'hydroxyde de sodium ou soude caustique (NaOH) se dissout dans l'eau, il s'ionise en Na^+ et OH^- et $[OH^-]$ dépasse $[H^+]$ dans la solution de soude caustique.

Une solution est *acide* lorsque $[H^+]$ est supérieur à $[OH^-]$; inversement, une solution est basique, ou alcaline, lorsque $[OH^-]$ est supérieur à $[H^+]$. Le rapport entre $[H^+]$ et $[OH^-]$ est toujours en relation inverse parce que le produit de leurs concentrations est une constante. À 25°C, pour toute solution aqueuse,

$$[H^+][OH^-] = 1 \times 10^{-14} (\text{moles par litre})^2$$

Par définition, un **acide** est donc une substance qui entraîne une augmentation du nombre relatif d'ions H^+, ou protons, dans une solution ; on dit également que les acides sont des *donneurs de protons*. Et, par définition, une **base** est une substance qui provoque une diminution du nombre relatif d'ions H^+ — c'est-à-dire une augmentation du nombre relatif d'ions OH^- — dans une solution. Les bases sont des *accepteurs de protons*.

Acides et bases forts et faibles Les acides et les bases forts sont des substances, comme HCl et NaOH, qui s'ionisent presque complètement en solution et augmentent fortement $[H^+]$ et $[OH^-]$ respectivement. Les acides et les bases faibles sont au contraire des substances qui s'ionisent faiblement et augmentent relativement peu $[H^+]$ ou $[OH^-]$. Les groupements fonctionnels de nombreuses molécules biologiques importantes sont des acides ou des bases faibles.

Figure A-14

Lors de l'ionisation de l'eau, un noyau d'hydrogène (un proton) glisse de l'atome d'oxygène auquel il est uni par covalence à l'atome d'oxygène auquel il est uni par liaison hydrogène. Les ions qui en résultent sont l'ion hydroxyde, OH^-, et l'ion hydronium, H_3O^+.

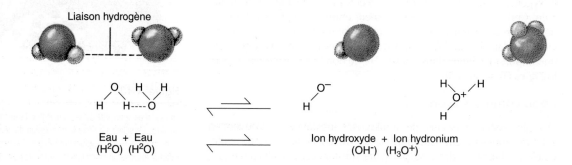

Liaison hydrogène

Eau + Eau
(H_2O) (H_2O)

Ion hydroxyde + Ion hydronium
(OH^-) (H_3O^+)

Le groupement carboxyle (–COOH) fonctionne par exemple comme un acide faible parce qu'il s'ionise en solution en libérant un proton :

$$R—COOH \rightleftharpoons R—COO^- + H^+$$

(R représente une structure chimique quelconque à laquelle est fixé le groupement carboxyle.) Le groupement amine (-NH$_2$) fonctionne comme une base faible et accepte un proton :

$$R—NH_2 + H^+ \rightleftharpoons R—NH_3^+$$

Ces deux groupements fonctionnels sont présents dans tous les acides aminés (voir figure 2-15) et dans les protéines.

L'échelle de pH Les chimistes expriment le degré d'acidité dans une **échelle de pH**. (« pH » dérive de l'allemand *potenz Hydrogen*, « potentiel d'hydrogène ».) On a vu plus haut qu'un litre d'eau pure contient 10^{-7} mole d'ions H$^+$; sur l'échelle des pH, on le représente simplement par pH 7 (tableau A-6). À pH 7, les concentrations en ions libres H$^+$ et OH$^-$ sont exactement les mêmes, [H$^+$] = [OH$^-$] = 10^{-7} mole par litre. On dit qu'une solution de pH 7 est *neutre* ; l'eau pure est également neutre. Tout pH inférieur à 7 est acide et tout pH supérieur à 7 est basique. Plus le pH est bas, plus élevée est la concentration en ions hydrogène et plus la solution est acide. Une solution de pH 2 contient 10^{-2} mole de H$^+$ par litre de solution, elle est très acide ; une solution de pH 10 contient 10^{-10} mole de H$^+$ par litre, elle est très basique. Une différence d'une unité de pH représente dix fois plus ou moins de H$^+$.

Dans les systèmes vivants, de nombreuses réactions chimiques se déroulent aux environs du pH 7. Certains liquides biologiques sont très acides : le jus de citron a un pH d'environ 2, comme le contenu de l'estomac de l'homme et d'autres animaux. Le jus d'orange a un pH d'environ 3. Le pH du sang humain est de 7,4. Le meilleur pH du sol pour la plupart des plantes est d'environ 6,4, mais le pH des sols alcalins est compris entre 7 et 9 et celui des tourbières peut descendre jusqu'à 3.

Le facteur énergétique dans les réactions chimiques

Les molécules réagissent entre elles quand elles se heurtent avec une énergie suffisante pour (1) surmonter les forces de répulsion entre leurs orbitales d'électrons chargées négativement et (2) rompre les liaisons chimiques existantes. L'énergie requise, appelée **énergie d'activation** (pages 99-100) varie suivant la nature des molécules : plus une substance est stable, plus forte doit être la collision pour rendre la réaction possible. Chaque liaison chimique possède une énergie caractéristique, ou **énergie de liaison** ; l'énergie nécessaire pour rompre une liaison est d'autant plus grande que l'énergie de liaison est élevée et que la liaison est forte. L'énergie de liaison totale d'une molécule est la quantité d'énergie nécessaire pour la rompre en ses atomes constitutifs.

Dans un échantillon donné, certaines molécules se déplacent avec une énergie suffisante (énergie cinétique) pour permettre une réaction. Aux températures et pressions normales cependant, le pourcentage de molécules qui disposent de cette énergie peut être tellement faible qu'en pratique la réaction ne se déroule pas. La vitesse d'une réaction peut être accrue en augmentant la probabilité des collisions suffisamment fortes entre les molécules. On peut atteindre cet objectif par une élévation de la température, qui augmente la vitesse moyenne des molécules, leur énergie et la probabilité de rencontres suffisantes pour qu'elles réagissent. La chaleur est communément utilisée pour favoriser les réactions chimiques dans les laboratoires et dans l'industrie. On utilise également les hautes pressions pour accélérer les réactions. Les chimistes utilisent encore d'autres moyens pour accélérer les réactions, en augmentant par exemple la concentration des réactifs et en utilisant des catalyseurs. Les *catalyseurs* abaissent l'énergie d'activation d'une réaction.

Les systèmes vivants ne peuvent accélérer les réactions en utilisant des températures ou des pressions plus élevées, et les concentrations des réactifs sont souvent très faibles. Tous les organismes utilisent des catalyseurs appelés *enzymes* pour abaisser l'énergie d'activation et augmenter la vitesse des réactions, comme on l'a vu au chapitre 5.

On peut mesurer les changements énergétiques survenant au cours des réactions chimiques, et les rapports entre les différentes formes d'énergie font l'objet de la **thermodynamique**. Prenons l'oxydation

TABLEAU A.6
Échelle de pH

	Concentration en ions H$^+$ (mole par litre)		pH	Concentration en ions OH$^-$ (mole par litre)	
	1,0	10^0	0	10^{-14}	
	0,1	10^{-1}	1	10^{-13}	
	0,01	10^{-2}	2	10^{-12}	
Acide	0,001	10^{-3}	3	10^{-11}	
	0,0001	10^{-4}	4	10^{-10}	
	0,00001	10^{-5}	5	10^{-9}	
	0,000001	10^{-6}	6	10^{-8}	
Neutre	0,0000001	10^{-7}	7	10^{-7}	
		10^{-8}	8	10^{-6}	0,000001
		10^{-9}	9	10^{-5}	0,00001
		10^{-10}	10	10^{-4}	0,0001
Basique		10^{-11}	11	10^{-3}	0,001
		10^{-12}	12	10^{-2}	0,01
		10^{-13}	13	10^{-1}	0,1
		10^{-14}	14	10^0	1,0

complète (combustion) du glucose, représentée par la réaction suivante :

$$C_6H_{12}O_6 + 6O_2 \rightarrow 6CO_2 + 6H_2O$$

Cette réaction libère de l'énergie dans son environnement. La réaction peut être mise en route par un allumage électrique, et l'énergie est libérée sous forme de chaleur, mesurable très précisément dans un calorimètre (Figure A-15). On peut exprimer comme suit cette libération de chaleur lors de la combustion du glucose :

$$\Delta H = \text{-673 kilocalories par mole de glucose}$$

où ΔH est la différence du *contenu calorique* (la lettre grecque Δ représente la « différence » et H représente le « contenu calorique »). La valeur négative signifie une libération de chaleur. Par définition, une calorie est la quantité de chaleur nécessaire pour élever d'1°C la température d'un gramme d'eau ; 1000 calories = 1 kilocalorie. On dit qu'une réaction est *exothermique* si, comme la combustion du glucose, elle libère de la chaleur.

ΔH est un des deux facteurs importants permettant de déterminer si une réaction libère de l'énergie *(exergonique)* ou si elle en consomme *(endergonique)*, et si la réaction se déroulera dans des conditions particulières. Le second facteur est ΔS, la modification d'entropie, ou hasard. La transformation d'énergie globale d'une réaction est donnée par la relation

$$\Delta G = \Delta H - T\Delta S$$

où ΔG représente la modification d'*énergie libre* et T est la **température absolue**. La température absolue est la température mesurée à partir du zéro absolu, température à laquelle tout mouvement moléculaire cesse et où il n'y a plus de chaleur ; elle est d'environ - 273,16°C. Les températures absolues sont exprimées en unités kelvin (K) ; 25°C est équivalent à environ 298K. On a parlé de l'énergie libre, de l'entropie, ainsi que des réactions endergoniques et exergoniques au chapitre 5.

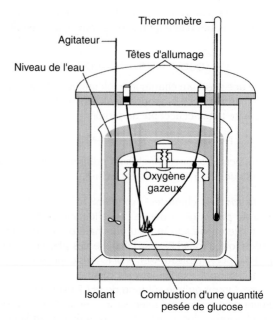

Figure A-15

Calorimètre. Une quantité connue de glucose ou d'une autre substance est allumée électriquement et complètement brûlée (oxydée) pour produire du dioxyde de carbone et de l'eau. On mesure l'élévation de la température d'une quantité connue d'eau. En se basant sur la chaleur spécifique de l'eau (la chaleur, exprimée en calories, nécessaire pour élever la température d'un gramme d'eau d'1°C), on peut calculer le nombre de calories libérées par la combustion de l'échantillon. Dans le cas du glucose, la combustion libère 673 kilocalories par mole, ou 3,74 kilocalories par gramme.

La loi de Hardy et Weinberg

Ainsi que nous l'avons signalé dans le texte (page 240), Hardy et Weinberg ont prouvé la constance de la fréquence des allèles et des génotypes dans une population idéale qui remplit cinq conditions :

1. Absence de mutations.
2. Isolement par rapport aux autres populations.
3. Population de grande taille.
4. Fécondation aléatoire.
5. Absence de sélection naturelle.

Pour comprendre comment Hardy et Weinberg sont arrivés à l'équation qui leur a permis d'exprimer l'équilibre des fréquences alléliques et génotypiques dans une population respectant ces cinq conditions, voyons ce qui se passe pour un gène unique. Pour simplifier, nous allons en choisir un qui ne possède que deux allèles que nous appellerons A et a. Nous nous intéressons aux proportions relatives — autrement dit, aux fréquences — de A et a au cours des générations successives. Par convention, les lettres p et q représentent les fréquences de deux allèles. S'il n'existe que deux allèles, p et q ensemble valent l'unité : $p + q = 1$.

Ces proportions — p et q — peuvent s'exprimer par des fractions, comme le faisait Mendel, mais, les proportions des deux allèles n'étant probablement pas égales, comme elles l'étaient dans les expériences soigneusement contrôlées de Mendel, il est plus facile d'exprimer les nombres sous forme de décimales. Supposons par exemple que, dans une population particulière, 80 % des allèles du gène étudié soient A. La fréquence de A est 0,8 ou $p = 0,8$. Comme il n'existe que deux allèles, nous savons que la fréquence de l'allèle a est 0,2. Autrement dit, $q = 1 - p$.

Supposons que les fréquences relatives et A et a soient les mêmes chez les mâles et les femelles (comme c'est le cas de la plupart des allèles dans les populations naturelles). Supposons en outre que les mâles et les femelles s'unissent au hasard en ce qui concerne les allèles A et a. Nous pouvons calculer les fréquences des génotypes qui en proviennent en dessinant un carré de Punnett. On peut voir ainsi que les fécondations aléatoires produiraient une population comportant 64 % de génotype AA, 32 % de Aa et 4 % de aa.

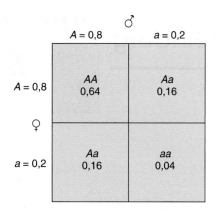

Résultats d'une fécondation aléatoire dans une population dans laquelle la fréquence *(p)* de l'allèle *A* vaut 0,8 et la fréquence *(q)* de l'allèle *a* vaut 0,2. En dessinant le carré de Punnett, nous supposons que les fréquences des allèles sont les mêmes chez les mâles et les femelles.

Au lieu de construire un carré de Punnett, nous pouvons nous adresser à l'algèbre. Étant donné que p + q = 1 :

$$(p + q)(p + q) = 1 \times 1 = 1$$

ou :

$$p^2 + 2pq + q^2 = 1$$

Cette expression algébrique des fréquences génotypiques est l'équation de Hardy-Weinberg.

Appliquons cette équation à la reproduction aléatoire qui vient de se dérouler dans notre population. En partant des valeurs initiales des fréquences des deux allèles, nous arrivons aux résultats suivants :

$$p^2 = 0,8 \times 0,8$$
$$= 0,64 \text{ (fréquence du génotype } AA)$$
$$2pq = 2 \times 0,8 \times 0,2$$
$$= 0,32 \text{ (fréquence du génotype } Aa)$$
$$q^2 = 0,2 \times 0,2$$
$$= 0,04 \text{ (fréquence du génotype } aa).$$

Qu'advient-il des fréquences des deux allèles dans le pool génique à la suite de ce cycle de reproduction ? D'après nos calculs, nous savons que la fréquence de *AA* est de 0,64. De plus, la moitié des allèles des hétérozygotes (*Aa*) sont *A* ; la fréquence totale de *A* est donc égale à 0,64 plus la moitié de 0,32 - soit 0,64 plus 0,16, ce qui

donne un total de 0,8. La fréquence de l'allèle *A* (*p*) ne s'est pas modifiée. De même, la fréquence de l'allèle *a* est de 0,04 (chez les homozygotes) plus 0,16 (moitié des allèles des hétérozygotes) ; soit 0,2. La fréquence de l'allèle *a* (*q*) n'a pas changé non plus.

Après un nouveau cycle de reproduction, les proportions des génotypes *AA, Aa* et *aa* dans notre population seront à nouveau respectivement de 64 %, 32 % et 4 %. Les fréquences des allèles *A* et *a* seront également à nouveau de 0,8 et 0,2. Et ainsi de suite génération après génération. Dans une population idéale qui respecte les cinq conditions, ni les fréquences alléliques, ni les fréquences génotypiques ne se modifient au cours des générations.

L'équilibre de Hardy-Weinberg s'applique également aux situations dans lesquelles le même gène est représenté par plus de deux allèles. L'équation représentant l'équilibre est cependant plus complexe. Le développement de l'équation $(p + q + r)^2 = 1$ exprime par exemple les fréquences phénotypiques de trois allèles, *r* représentant la fréquence du troisième allèle dans le pool de gènes.

Application de la loi de Hardy-Weinberg

Nous avons noté que l'équilibre de Hardy-Weinberg ne s'applique qu'aux populations qui remplissent les cinq conditions énoncées. Que se passe-t-il si une de ces conditions n'est pas remplie? Imaginons une autre paire d'allèles pour laquelle l'allèle *a* a une influence négative à l'état homozygote et réduit les chances de survie et de reproduction des individus homozygotes *aa*. Nous pouvons estimer le nombre de génotypes *aa* dans la population, par exemple par des tests appliqués aux nouveaux-nés. Supposons par exemple que nous arrivions à 1 enfant sur 10.000. En d'autres termes, q^2 = 1/10.000, soit 0,0001. Donc $q = \sqrt{0,0001}$, soit 0,01. Si $q = 0,01$, $p = 0,99$ et $2pq$ = 0,0198, soit à peu près 0,02. On peut donc estimer qu'environ 2 % de la population — un individu sur 50 — est un hétérozygote porteur de cet allèle.

Supposons maintenant que les mêmes tests soient appliqués cinq ans plus tard et que nous trouvions que *q* ne vaut plus 0,01, mais 0,009, et qu'en le répétant quelques années plus tard, nous découvrions qu'il a de nouveau diminué très légèrement, par exemple jusqu'à 0,008. Autrement dit, il y a eu évolution. La fréquence d'un allèle a diminué, alors que celle de l'autre a augmenté. En utilisant l'équilibre de Hardy-Weinberg comme étalon, nous savons non seulement qu'il y a eu changement et dans quelle direction, mais encore qu'il doit y avoir une raison à ce changement. Nous pouvons alors rechercher les facteurs responsables de ce changement.

Système métrique

	Unité de base	Quantité	Valeur chiffrée	Symbole	Équivalent anglais
Surface		hectare	10.000 m²	ha	2.471 acres
Longueur	mètre			m	39,37 pouces
		kilomètre	1000 (10^3) m	km	0,62137 mile
		centimètre	0,01 (10^{-2}) m	cm	0,3937 pouce
		millimètre	0,001 (10^{-3}) m	mm	
		micromètre	0,000001 (10^{-6}) m	μm	
		nanomètre	0,000000001 (10^{-9}) m	nm	
		angström	0,0000000001 (10^{-10}) m	Å	0,03527 once
Masse	gramme			g	
		kilogramme	1000 g	kg	2,2 livres
		milligramme	0,001 g	mg	
		microgramme	0,000001 g	μg	
Temps	seconde			sec	
		milliseconde	0,001 sec	msec	
		microseconde	0,000001 sec	μsec	
Volume (solides)	mètre cube			m³	35,314 pieds cubes
		centimètre cube	0,00000m³	cm³	0,061 pouces cubes
		millimètre cube	0,000000001 m³	mm³	
Volume (liquides)	litre			l	1,06 quart de gallon
		millilitre	0,001 litre	ml	
		microlitre	0,000001 litre	μl	

Conversion des températures

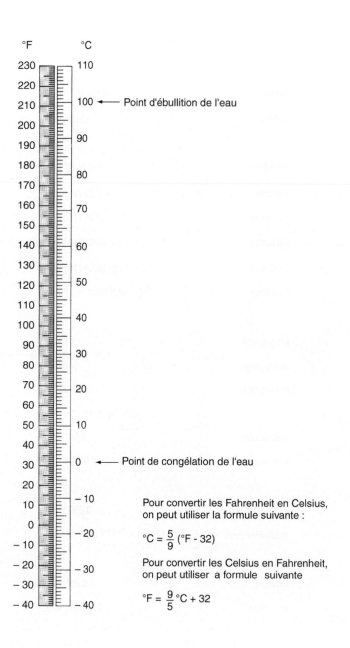

°F   °C

Point d'ébullition de l'eau ← 100

Point de congélation de l'eau ← 0

Pour convertir les Fahrenheit en Celsius, on peut utiliser la formule suivante :

$$°C = \frac{5}{9} \, (°F - 32)$$

Pour convertir les Celsius en Fahrenheit, on peut utiliser a formule suivante

$$°F = \frac{9}{5} \, °C + 32$$

Classification des organismes

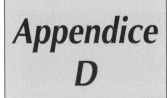

Il existe plusieurs moyens de classer les organismes. Celui que nous présentons ici respecte le schéma global décrit au chapitre 13, dans lequel les organismes sont divisés en trois domaines : *Archaea, Bacteria* et *Eukarya. Archaea* et *Bacteria* sont des lignées distinctes d'organismes procaryotes. Les *Eukarya*, composés exclusivement d'organismes eucaryotes, comprennent quatre règnes : *Protista, Animalia, Fungi* et *Plantae*. Les principales catégories taxonomiques sont le domaine, le règne, l'embranchement, la classe, l'ordre, la famille, le genre et l'espèce.

La classification qui suit comprend les embranchements des *Protista*, à l'exception de ceux qui sont considérés comme des *Protozoa*, ainsi que les *Fungi* et les *Plantae*. Dans cet ouvrage, on a également mis l'accent sur certaines classes, mais les listes sont loin d'être exhaustives. Le nombre d'espèces donné pour chaque groupe est une estimation du nombre d'espèces vivantes actuellement décrites. Les virus ne sont pas inclus dans cet appendice, mais il en est question au chapitre 14.

Domaine des *Archaea*

Les *Archaea* sont des cellules procaryotes. Ils sont dépourvus d'enveloppe nucléaire, de plastes, de mitochondries et d'autres organites délimités par des membranes, ainsi que de flagelles 9 + 2. Ils sont unicellulaires, mais s'assemblent parfois en filaments ou forment d'autres associations pluricellulaires. Ils se nourrissent le plus souvent par absorption, mais plusieurs genres obtiennent leur énergie en métabolisant le soufre et un autre genre, *Halobacterium*, le fait en utilisant une pompe à protons. Beaucoup d'*Archaea* sont méthanogènes et produisent du méthane. D'autres font partie des procaryotes les plus halophiles et les plus thermophiles. La reproduction est asexuée et se fait par scissiparité ; on n'a pas observé de recombinaison génétique.Leur diversité morphologique est grande : ce sont des bâtonnets, des coques ou des spirilles mobiles grâce à des flagelles ou immobiles. Les *Archaea* diffèrent fondamentalement des *Bacteria* par les séquences de bases de leurs ARN ribosomiques et par la composition des lipides de leurs membranes plasmiques. Ils en diffèrent également par l'absence de peptidoglycanes dans leurs parois cellulaires. Il en existe moins de 100 espèces décrites.

Domaine des *Bacteria*

Comme les *Archaea*, les *Bacteria* sont dépourvus d'enveloppe nucléaire, de plastes, de mitochondries et d'autres organites délimités par des membranes, ainsi que de flagelles 9 + 2. Ils sont unicellulaires, mais beaucoup forment des colonies. Leur principal mode d'alimentation est l'absorption, mais certains groupes sont photosynthétiques ou chimiosynthétiques. La reproduction est principalement asexuée et se déroule par scissiparité ou par bourgeonnement, mais des segments d'ADN peuvent également être échangés dans certaines circonstances. Ils se déplacent à l'aide d'un flagelle unique ou par glissement, ou bien ils sont immobiles.

On connaît actuellement environ 2600 espèces de bactéries, mais cela ne représente probablement qu'une petite fraction du nombre réel. On ne peut identifier les espèces comme chez les eucaryotes et l'on se base principalement sur des caractères métaboliques. Un groupe, la classe des *Rickettsiae* — bactéries de très petite taille — est représenté par des parasites très répandus chez les arthropodes et il en existe peut-être des dizaines de milliers d'espèces, en fonction des critères de classification utilisés ; ils ne sont pas compris dans l'estimation ci-dessus.

On peut diviser les *Bacteria* en douze lignées principales, ou règnes. Le règne des cyanobactéries est un groupe ancien, il est abondant et son importance écologique est grande. Anciennement appelées erronément « algues bleues », les cyanobactéries possèdent un type de photosynthèse basé sur la chlorophylle *a*. Comme les algues rouges, elles possèdent également des pigments accessoires appelés phycobilines. Beaucoup de cyanobactéries peuvent fixer l'azote atmosphérique, souvent dans des cellules spécialisées appelées hétérocystes. Certaines cyanobactéries forment des filaments complexes ou d'autres types de colonies. Bien que l'on ait décrit quelque 7500 espèces, une estimation plus raisonnable situe le nombre de ces bactéries spécialisées autour d'environ 200 espèces non-symbiotiques.

Domaine des *Eukarya*

Règne des *Fungi*

Organismes multicellulaires, rarement unicellulaires, chez lesquels les noyaux se trouvent dans un mycélium fondamentalement continu ; ce mycélium se cloisonne dans certains groupes et à certains stades du cycle de développement. Les champignons sont hétérotrophes ; ils se nourrissent par absorption. Sauf dans un embranchement (les *Chytridiomycota*), ils font partie d'associations symbiotiques importantes avec les racines des plantes, appelées mycorhizes. Les cycles de reproduction impliquent typiquement des stades sexués et asexués. Il existe plus de 70.000 espèces décrites de champignons et l'on en découvrira sans doute beaucoup d'autres. Certains ont reçu deux ou plusieurs noms ; c'est en particulier le cas des champignons qui peuvent être classés à la fois comme ascomycètes et deutéromycètes. Les principaux caractères des embranchements de *Fungi* sont donnés au tableau 15-1.

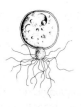

Embranchement des Chytridiomycota : Les chytrides. Organismes hétérotrophes principalement aquatiques possédant des cellules mobiles à certains stades de leur cycle de développement. Les cellules mobiles possèdent le plus souvent un seul flagelle postérieur lisse. Les parois cellulaires sont formées de chitine, mais il peut exister aussi d'autres polymères, et leurs réserves sont composées de glycogène. Il existe environ 790 espèces.

Embranchement des Zygomycota : Champignons terrestres dont les hyphes ne sont cloisonnées que dans les organses reproducteurs ; les parois cellulaires comportent surtout de la chitine. Il est généralement possible de reconnaître les zygomycères à leurs hyphes abondantes, à croissance rapide. La classe comprend environ 1060 espèces décrites, dont certaines font partie des endomycorhizes présentes chez environ 80 % de toutes les plantes vasculaires.

Embranchement des Ascomycota : Champignons terrestres et aquatiques dont les hyphes sont cloisonnées, mais les cloisons sont perforées ; des cloisons complètes isolent les structures reproductrices, par exemple les spores et les gamétanges. Les parois cellulaires sont principalement composées de chitine. La reproduction sexuée implique la formation d'une cellule caractéristique — l'asque : c'est là que se déroule la méiose et que se forment les ascospores. Chez de nombreux ascomycères, les hyphes s'agglomèrent en structures complexes appelés ascomes. Il existe quelque 32.300 espèces d'ascomycètes.

Embranchement des Basidiomycota : Champignons terrestres dont les hyphes sont cloisonnées, mais les cloisons sont perforées ; des cloisons complètes isolent les structures reproductrices, par exemple les spores. Les parois cellulaires sont principalement formées de chitine. La reproduction sexuée implique la formation de basides : la méiose s'y déroule et c'est sur elles que les basidiospores se forment. Les basidiomycètes sont dicaryotiques pendant la plus grande partie de leur cycle de développement et des « tissus » complexes se différencient souvent dans les carpophores. Ils représentent l'élément fongique de la plupart des ectomycorhizes. Environ 22.300 espèces ont été décrites.

Classe des *Basidiomycetes* : Comprend les hyménomycètes et les gastéromycètes. Les hyménomycètes produisent des basidiospores dans un hyménium situé à la surface d'un carpophore ; ce sont les clavaires, les champignons à chapeau et en console. Les basidiospores des gastéromycètes sont produites à l'intérieur des carpophores, où elles sont complètement enfermées au moins pendant une partie de leur développement ; ce sont les vesses de loup, les géastres, les satyres et formes apparentées. Les basides de la plupart des *Basidiomycetes* ne possèdent pas de cloisons internes.

Classe des *Teliomycetes* : Comprend les champignons généralement appelés rouilles. Contrairement aux *Basidiomycetes*, les rouilles ne forment pas de carpophores et leurs basides sont cloisonnées.

Classe des *Ustomycetes* : Champignons communément appelés charbons. Comme les *Teliomycetes*, ils ne produisent pas de carpophores et leurs basides sont cloisonnées.

Levures : Par définition, une levure est simplement un champignon unicellulaire qui se reproduit principalement par bourgeonnement. Les levures ne constituent pas un véritable groupe taxonomique. La forme levure se retrouve chez des champignons très divers et non apparentés entre eux comme les *Zygomycota*, les *Ascomycota* et les *Basidiomycota*. La plupart des levures sont des ascomycètes, mais un quart au moins des genres appartiennent aux *Basidiomycota*.

Deutéromycètes : Les deutéromycètes forment un groupe artificiel de quelque 15.000 espèces différentes de champignons dont on ne connaît que le stade de reproduction asexué ou chez lesquelles la classification n'est pas basée sur des caractères liés à la reproduction sexuée. On les désigne souvent comme des « Fungi imperfecti ».

Lichens : Un lichen est une association symbiotique entre un partenaire fongique et un genre d'algue verte ou de cyanobactérie. L'élément fongique du lichen est appelé mycobionte et l'élément photosynthétique est le photobionte. Environ 98 % des mycobiontes sont des *Ascomycota*, les autres sont des *Basidiomycota*. On a décrit environ 13.250 espèces de champignons lichénisants.

Règne des *Protista*

Organismes eucaryotes unicellulaires ou pluricellulaires. Ils se nourrissent par ingestion, photosynthèse et absorption. Dans la plupart des embranchements il existe une véritable sexualité. Ils se déplacent à l'aide de flagelles 9 + 2 ou ne se déplacent pas. Les champignons, les plantes et les animaux sont des groupes multicellulaires spécialisés dérivés des *Protista*. Les embranchements considérés dans cet ouvrage sont classés comme protistes hétérotrophes (les trois premiers embranchements de la liste ci-dessous — myxomycètes et oomycètes — et comme protistes photosynthétiques (les algues). Les caractères des embranchements des *Protista* sont esquissés aux tableaux 16-1 et 17-1.

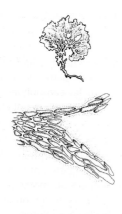

Embranchement des Myxomycota : Myxomycètes plasmodiaux. Organismes amiboïdes hétérotrophes produisant un plasmode multinucléé qui rampe et se différencie finalement en sporanges plurinucléés libérant de nombreuses spores. On observe parfois une reproduction sexuée. Ils se nourrissent principalement par ingestion. Il en existe environ 700 espèces.

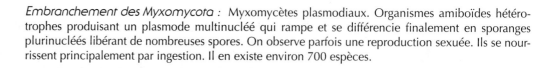

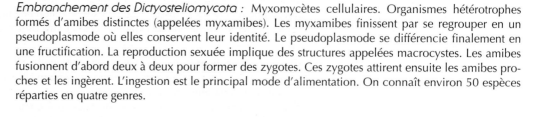

Embranchement des Dictyosteliomycota : Myxomycètes cellulaires. Organismes hétérotrophes formés d'amibes distinctes (appelées myxamibes). Les myxamibes finissent par se regrouper en un pseudoplasmode où elles conservent leur identité. Le pseudoplasmode se différencie finalement en une fructification. La reproduction sexuée implique des structures appelées macrocystes. Les amibes fusionnent d'abord deux à deux pour former des zygotes. Ces zygotes attirent ensuite les amibes proches et les ingèrent. L'ingestion est le principal mode d'alimentation. On connaît environ 50 espèces réparties en quatre genres.

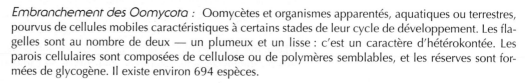

Embranchement des Oomycota : Oomycètes et organismes apparentés, aquatiques ou terrestres, pourvus de cellules mobiles caractéristiques à certains stades de leur cycle de développement. Les flagelles sont au nombre de deux — un plumeux et un lisse : c'est un caractère d'hétérokontée. Les parois cellulaires sont composées de cellulose ou de polymères semblables, et les réserves sont formées de glycogène. Il existe environ 694 espèces.

Embranchement des Euglenophyta : Euglènes. Parmi la quarantaine de genres d'euglènes, un tiers environ possèdent des chloroplastes avec chlorophylles *a* et *b,* ainsi que des caroténoïdes. Les autres sont hétérotrophes et ressemblent beaucoup aux membres de l'embranchement des *Zoomastigina,* où il serait probablement opportun de les classer. Ils stockent leurs réserves sous forme d'un glucide inhabituel, le paramylon. Les euglènes possèdent généralement deux flagelles apicaux et une vacuole contractile. La pellicule flexible est riche en protéines. On ne connaît pas de reproduction sexuée. Il existe environ 900 espèces, la plupart vivant dans les eaux douces.

Embranchement des Cryptophyta : Cryptophycées. Organismes photosynthétiques possédant les chlorophylles *a* et *c* et des caroténoïdes ; certaines cryptophycées possèdent en outre une phycobilmine, soit la phycocyanine, soit la phycoérythrine. Elles sont riches en acides gras polyinsaturés. Outre un noyau normal, les cryptophycées contiennent un noyau atrophié appelé nucléomorphe. On en connaît environ 200 espèces.

Embranchement des Rhodophyta : Algues rouges. Algues essentiellement marines caractérisées par la présence de la chlorophylle *a* et de phycobilines. Particulièrement abondantes dans les eaux tropicales et chaudes. Les réserves glucidiques sont composées d'amidon floridéen et les parois sont formées de cellulose ou de pectines, elles sont souvent imprégnées de carbonate de calcium. Il n'existe de cellules mobiles à aucun stade de leur cycle de développement complexe. L'organisme végétatif est composé de filaments étroitement associés dans une matrice gélatineuse et n'est pas différencié en racines, feuilles et tiges. Il n'existe pas de cellules conductrices spécialisées. On connaît de 4000 à 6000 espèces.

Embranchement des Dinophyta : Dinoflagellates. Organismes autotrophes, dont la moitié environ possèdent les chlorophylles *a* et *c,* ainsi que des caroténoïdes ; les autres ne possèdent pas d'appareil photosynthétique et se nourrissent donc soit en ingérant des particules alimentaires solides, soit en absorbant des substances organiques dissoutes. Les réserves sont formées d'amidon. Une assise de vésicules — contenant souvent de la cellulose — est située à l'intérieur de la membrane plasmique. Cet embranchement renferme quelque 2000 à 4000 espèces connues ; ce sont principalement des organismes biciliés : ils possèdent tous des flagelles latéraux, dont l'un bat dans un sillon entourant l'organisme. La reproduction sexuée est généralement isogame, mais l'anisogamie existe également. La mitose des dinoflagellates est particulière. Beaucoup sont des symbiontes (zooxanthelles) d'animaux marins et leur contribution à la productivité des récifs coralliens est importante.

Embranchement des Haptophyta : Haptophytes. Organismes le plus souvent photosynthétiques possédant la chlorophylle *a* et une variante de la chlorophylle *c*. Certains possèdent un pigment accessoire, la fucoxanthine. Le caractère le plus typique des haptophytes est l'haptonème, structure filamenteuse qui s'ajoute aux deux flagelles de la cellule. On connaît environ 300 espèces d'haptophytes.

Embranchement des Chrysophyta : Chrysophytes. Organismes principalement unicellulaires ou coloniaux possédant les chlorophylles *a* et *c*, ainsi que des caroténoïdes, principalement la fucoxanthine. Les réserves sont stockées sous forme d'un glucide hydrosoluble, la chrysolaminarine. Les parois cellulaires sont absentes ou composées de cellulose et éventuellement imprégnées de minéraux ; elles sont parfois recouvertes de plaques siliceuses. On connaît environ 1000 espèces vivantes.

Embranchement des Bacillariophyta : Diatomées. Organismes unicellulaires ou coloniaux possédant des parois siliceuses bipartites, dont les deux valves s'emboîtent comme dans une plaque de Pétri. Les diatomées possèdent les chlorophylles *a* et *c*, ainsi que la fucoxanthine. Les réserves comprennent des lipides et la chrysolaminarine. Les diatomées sont dépourvues de flagelles, sauf chez certains gamètes mâles. On estime qu'il existe au moins 100.000 espèces vivantes et des milliers d'espèces éteintes.

Embranchement des Phaeophyta : Algues brunes. Algues pluricellulaires presque toujours marines, caractérisées par la présence des chlorophylles *a* et *c* et de la fucoxanthine. Les réserves glucidiques sont composées de laminarine et les parois cellulaires sont formées d'une matrice cellulosique contenant de l'algine. Les cellules mobiles sont biflagellées, avec un flagelle antérieur plumeux et un flagelle postérieur lisse. Les grandes algues brunes (de l'ordre des *Laminariales*) sont très différenciées, elles possèdent des cellules conductricces spécialisées pour le transport des produits de la photosynthèse vers les régions peu éclairées de l'organisme. Il n'existe cependant pas de différenciation en racines, feuilles et tiges comme chez les plantes vasculaires. Bien qu'il n'existe que 1500 espèces d'algues brunes, elles occupent une place prédominante sur les côtes rocheuses des régions fraîches du globe.

Embranchement des Chlorophyta : Algues vertes. Organismes photosynthétiques unicellulaires ou pluricellulaires caractérisés par la présence des chlorophylles *a* et *b* et de divers caroténoïdes. Les réserves glucidiques sont composées d'amidon ; seules les algues vertes et les plantes qui en dérivent visiblement emmagasinent leurs matières de réserve à l'intérieur de leurs plastes. Les parois cellulaires des algues vertes sont composées de polysaccharides, parfois de cellulose. Les cellules mobiles possèdent généralement deux flagelles apicaux lisses. Les genres vraiment pluricellulaires ne possèdent pas de différenciations complexes. Les organismes pluricellulaires sont apparus à deux reprises au moins. On connaît environ 17.000 espèces.

Classe des *Chlorophyceae* : Algues vertes chez lesquelles la division cellulaire n'implique qu'un phycoplaste — système de microtubules parallèles au plan de la division cellulaire. L'enveloppe nucléaire persiste pendant la mitose et les chromosomes se divisent à l'intérieur. Si les cellules mobiles existent, elles sont symétriques et possèdent deux, quatre ou de nombreux flagelles apicaux orientés vers l'avant. La reproduction sexuée implique toujours la formation d'un zygote quiescent et une méiose zygotique. Ces algues se retrouvent surtout dans les eaux douces.

Classe des *Ulvophyceae* : Algues vertes à mitose fermée, avec persistance de l'enveloppe nucléaire ; le fuseau persiste pendant la cytocinèse. S'il existe des cellules mobiles, elles sont symétriques et possèdent deux, quatre ou de nombreux flagelles apicaux et orientés vers l'avant. La reproduction sexuée implique souvent une alternance de générations et une méiose sporique ; les zygotes quiescents sont rares. Ce sont surtout des algues marines.

Classe des *Charophyceae* : Algues vertes unicellulaires ou composées de quelques cellules, filamenteuses ou parenchymateuses dont la division cellulaire implique un phragmoplaste — système de microtubules perpendiculaires au plan de la division cellulaire. L'enveloppe nucléaire se désagrège au cours de la mitose. S'il existe des cellules mobiles, elles sont asymétriques et possèdent deux flagelles subapicaux s'écartant latéralement et perpendiculairement à la cellule. La reproduction sexuée implique toujours la formation d'un zygote quiescent et une méiose zygotique. Certains membres de cette classe sont plus proches des plantes que tout autre organisme. Ces algues vivent principalement dans l'eau douce.

Règne des *Plantae*

Les plantes sont des organismes autotrophes (quelques-unes sont des hétérotrophes secondaires) multicellulaires caractérisés par une différenciation anatomique poussée. Toutes les plantes possèdent une alternance de générations dans laquelle la phase diploïde (le sporophyte) comprend un embryon et la phase haploïde (le gamétophyte) produit les gamètes à la suite de mitoses. Leurs pigments photosynthétiques et leurs matières de réserve sont les mêmes que chez les algues vertes. Les plantes sont principalement terrestres. Les caractères principaux des différents embranchements se trouvent dans les tableaux résumés des chapitres 18 à 20 et au tableau 21-1.

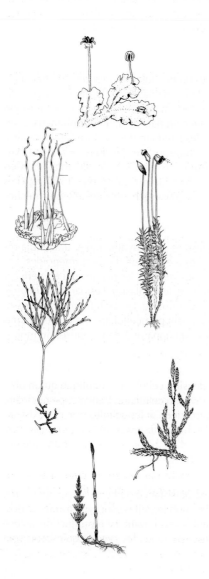

Embranchement des Hepatophyta : Hépatiques. Les *Hepatophyta* et les deux embranchements suivants, qui constituent avec eux les bryophytes, possèdent des gamétanges pluricellulaires délimités par une assise stérile ; leurs anthérozoïdes sont biflagellés. Dans ces trois embranchements, le gamétophyte est le principal responsable de la photosynthèse et le sporophyte en dépend. Les hépatiques ne possèdent pas de tissu conducteur spécialisé (à quelques exceptions près peut-être) ni de stomates ; ce sont les plantes actuelles les plus simples. Les gamétophytes sont en forme de thalle ou de tige feuillée et leurs rhizoïdes sont unicellulaires. Il en existe environ 6000 espèces.

Embranchement des Anthocerophyta : Anthocérotes. Bryophytes à gamétophytes à thalle ; le sporophyte s'accroît aux dépens d'un méristème intercalaire basal aussi longtemps que les conditions sont favorables. Il existe des stomates sur le sporophyte ; il n'y a pas de tissu conducteur spécialisé. On compte environ 100 espèces.

Embranchement des Bryophyta : Mousses. Bryophytes à gamétophytes feuillés ; les sporophytes possèdent des systèmes complexes de déhiscence. Les gamétophytes et les sporophytes de certaines espèces possèdent un tissu conducteur spécialisé. Les rhizoïdes sont pluricellulaires. Il existe environ 9500 espèces.

Embranchement des Psilophyta : Psilophytes. Les *Psilophyta* et les trois embranchements suivants sont les embranchements actuels de cryptogames vasculaires. Les psilophytes sont isosporés. Il existe deux genres, dont l'un possède des appendices foliacés sur la tige ; les sporophytes des deux genres sont extrêmement simples, sans différenciation entre la racine et la tige. Les anthérozoïdes sont mobiles. Il existe plusieurs espèces.

Embranchement des Lycophyta : Lycophytes. Plantes vasculaires isosporées et hétérosporées caractérisées par la présence de microphylles. L'aspect des lycophytes est extrêmement divers. Tous possèdent des anthérozoïdes mobiles. Il existe de 10 à 15 genres comprenant quelque 1000 espèces actuelles.

Embranchement des Sphenophyta : Prêles. Un seul genre de plantes vasculaires isosporées, *Equisetum*, dont les tiges sont articulées, marquées de noeuds apparents et de cannelures siliceuses proéminentes. Les sporanges apparaissent sur un strobile au sommet de la tige. Les anthérozoïdes sont mobiles. Il existe 15 espèces actuelles de prêles.

Embranchement des Pterophyta : Fougères. La plupart sont isosporées, mais quelques-unes sont hétérosporées. Toutes possèdent des mégaphylles. Le gamétophyte est plus ou moins autonome et généralement photosynthétique. Il existe des gamétanges pluricellulaires et les anthérozoïdes sont capables de nager. Il y a environ 11.000 espèces.

Embranchement des Cycadophyta : Cycadales. Cet embranchement et les trois suivants constituent les gymnospermes. Les cycadales ont un cambium à croissance lente et des feuilles composées pennées rappelant celles des palmiers ou des fougères ; les ovules et les graines sont libres. Les anthérozoïdes sont flagellés et mobiles, mais ils sont amenés à proximité de l'ovule par un tube pollinique. Il y a 11 genres comprenant quelque 140 espèces.

Embranchement des Ginkgophyta : Ginkgo. Gymnosperme possédant une croissance cambiale importante et des feuilles en éventail à nervation dichotomique ouverte ; ovules et graines libres, à spermoderme charnu. Les anthérozoïdes sont amenés à proximité de l'ovule par un tube pollinique, mais ils sont flagellés et mobiles. Il n'existe qu'une seule espèce.

Embranchement des Coniferophyta : Conifères. Gymnospermes possédant une croissance cambiale active et des feuilles simples ; ovules et graines libres ; anthérozoïdes non-flagellés. C'est le groupe de gymnospermes le plus répandu. Il existe quelque 50 genres et 550 espèces.

Embranchement des Gnetophyta : Gnétophytes. Gymnospermes possédant de nombreux caractères d'angiospermes, par exemple des vaisseaux ; les gnétophytes sont les seules gymnospermes possédant des vaisseaux. C'est le groupe de gymnospermes le plus proche des angiospermes. Il n'y a pas d'anthérozoïdes mobiles. Il existe trois genres très différents comprenant environ 70 espèces.

Embranchement des Anthophyta : Angiospermes. Spermatophytes dont les ovules sont inclus dans un carpelle et dont les graines se forment à l'intérieur des fruits. Les angiospermes ont un appareil végétatif très diversifié, mais elles sont caractérisées par la fleur, fondamentalement pollinisée par les insectes. D'autres modes de pollinisation, comme l'anémophilie, en sont dérivés chez plusieurs lignées différentes. Les gamétophytes sont très réduits, le gamétophyte femelle ne comportant souvent que sept cellules à maturité. La double fécondation impliquant les deux noyaux mâles du microgamétophyte différencié donne naissance au zygote (noyau spermatique et oosphère) et au noyau primaire de l'albumen (noyau spermatique et noyaux polaires) ; le premier évolue en embryon et le second devient un tissu nourricier particulier, l'albumen. Il y a environ 235.000 espèces.

Classe des *Monocotyledones* : Monocotylées. Pièces florales généralement par trois ; nervation des feuilles généralement parallèle ; les faisceaux conducteurs primaires sont dispersés dans la tige ; il n'existe pas de véritable croissance secondaire ; cotylédon unique. Il y a environ 65.000 espèces.

Classe des *Dicotyledones* : Dicotylées. Pièces florales généralement par quatre ou cinq ; nervation des feuilles généralement réticulée ; les faisceaux conducteurs primaires de la tige forment un anneau ; il existe souvent un cambium et une véritable croissance secondaire ; deux cotylédons. Il y a environ 165.000 espèces.

Les monocotylées et les dicotylées représentent ensemble environ 97 % des angiospermes. Les trois derniers pour cent d'angiospermes actuelles sont les magnoliidées : on y trouve les caractères les plus primitifs et ce sont les ancêtres des monocotylées comme des dicotylées.

D'autres termes communs utilisés pour décrire les grands groupes de plantes méritent d'être signalés ici. Dans les systèmes de classification qui considèrent les algues et les champignons comme des plantes, ces organismes sont souvent réunis dans un sous-règne, celui des *Thallophyta*, les thallophytes : organismes dépourvus d'organes différenciés tels que la racine, la tige ou la feuille, et de tissus conducteurs (xylème et phloème). Les bryophytes et les plantes vasculaires sont dans ce cas réunis dans un second sous-règne, celui des *Embryophyta,* dans lequel le zygote se développe en embryon pluricellulaire encore enfermé dans un archégone ou un sac embryonnaire. Tous les embryophytes sont caractérisées par une alternance de générations hétéromorphes. Le terme « embryophyte » est communément utilisé comme synonyme de plante.

Bien qu'ils ne soient plus utilisés dans les schémas classiques de classification, des termes tels que « algues », « thallophytes », « plantes vasculaires » et « gymnospermes » restent parfois utiles dans un sens informel. Un système encore plus ancien divisait toutes les plantes en « phanérogames », portant des fleurs, et « cryptogames », dépourvues de fleurs ; on rencontre encore occasionnellement ces terme actuellement.

Glossaire

A

Å : *voir* angström

A- [alpha privatif] : préfixe niant le reste du mot ; « an- » devant une voyelle et « h »).

Abscission : chute des feuilles, des fleurs, des fruits ou d'autres parties de la plante, généralement à la suite de la formation d'une zone d'abscission.

Acclimatation : mécanisme permettant à de nombreux processus physiques et physiologiques de préparer une plante à l'hiver.

Acide : substance qui se dissocie dans l'eau et libère des ions hydrogène (H^+) en provoquant une augmentation de la concentration de ces ions ; ses solutions ont un pH inférieur à 7 ; donneur de protons ; opposé à « base ».

Acide abscissique [du latin *abscissus*, enlevé] : hormone végétale responsable, entre autres, de la dormance des bourgeons et des graines, ainsi que de la fermeture des stomates.

Acide désoxyribonucléique (ADN) : porteur de l'information génétique dans les cellules ; composé de chaînes de phosphate, sucre (désoxyribose), ainsi que de purines et pyrimidines ; peut s'autorépliquer et contrôler la synthèse de l'ARN.

Acide indole-acétique (AIA) : auxine naturelle ; c'est une hormone végétale.

Acide nucléique : acide organique formé par la réunion de nucléotides ; les deux types sont l'acide désoxyribonucléique (ADN) et l'acide ribonucléique (ARN).

Acide ribonucléique (ARN) : type d'acide nucléique produit au niveau de l'ADN chromosomique intervenant dans la synthèse protéique ; composé de phosphate, de molécules de sucre (ribose) et de purines et pyrimidines ; l'ARN est le matériel génétique de nombreux types de virus.

Acides aminés [du grec *Ammon*, rappelant le dieu égyptien du soleil : c'est près de ses temples que les sels d'ammonium étaient préparés originellement à partir d'excréments de chameau] : acides organiques azotés, unités à partir desquelles sont construites les molécules protéiques.

Actinomorphe [du grec *aktis*, rayon de lumière, et *morphê*, forme] : s'applique à un type de fleur que l'on peut diviser en parties égales dans plusieurs plans longitudinaux ; on parle aussi de fleur à symétrie radiaire ou régulière ; *voir aussi* zygomorphe.

Ad- [du latin *ad-*, vers] : préfixe signifiant « en direction de », « vers ».

Adaptation : particularité structurale, physiologique ou comportementale permettant à un organisme de s'ajuster à son milieu.

Adénine : base purique présente dans l'ADN, dans l'ARN et dans des dérivés de nucléotides comme l'ADP et l'ATP.

Adénosine triphosphate (ATP) : nucléotide formé d'adénine, du sucre ribose et de trois groupements phosphate ; principale source d'éner-gie chimique utilisable dans le métabolisme. L'ATP s'hydrolyse en perdant un phosphate et se transforme en adénosine diphosphate (ADP) en libérant une énergie utilisable.

Adhérence [du latin *adhaere*, coller à] : accolement de deux objets ou matières différents.

ADN : *voir* acide désoxyribonucléique.

ADN complémentaire (ADNc) : molécule monocaténaire d'ADN synthétisée à partir d'un ARNm modèle par transcription inverse.

ADN recombinant : ADN formé soit dans la nature, soit en laboratoire, par réunion de segments d'origines différentes.

ADN satellite : courte séquence nucléotidique répétée en tandem des milliers de fois ; cette région du chromosome possède une composition en bases distincte et elle n'est pas transcrite.

Adné [du latin *adnatus* : développés ensemble] : se dit de parties différentes qui sont fusionnées, comme les étamines et les pétales ; *voir également* conné.

ADP : *voir* adénosine triphosphate.

Adsorption [du latin *ad-*, vers, *sorbere*, aspirer] : adhérence d'un liquide, d'un gaz ou d'une substance dissoute à un solide, augmentant la concentration de cette substance.

Adventif [du latin *adventicius*, qui n'appartient pas vraiment à] : s'applique à une structure se développant à un endroit inaccoutumé, par exemple des bourgeons ailleurs qu'aux aisselles foliaires ou des racines se développant sur des tiges ou des feuilles.

Aérobie [du grec *aer*, air et *bios*, vie] : qui exige de l'oxygène libre.

Agar : substance gélatineuse provenant de certaines algues rouges ; utilisé pour solidifier les milieux nutritifs destinés à la culture des microorganismes.

AIA : *voir* acide indole-acétique.

Aisselle [*axilla* en grec] : angle supérieur entre un bourgeon ou une feuille et la tige qui les porte.

Ajustement : processus permettant à des périodes répétées de lumière et d'obscurité, ou à tout autre cycle externe, de maintenir le synchronisme d'un rythme circadien en respectant le cycle du facteur d'entraînement ou d'ajustement.

Akène : fruit simple sec indéhiscent, à une seule graine, dont le spermoderme n'adhère pas au péricarpe.

Akinète : cellule végétative de cyanobactérie transformée en spore résistante à paroi épaissie.

Albumen : tissu contenant des réserves alimentaires, se développant à partir de l'union d'un noyau mâle et des noyaux polaires de la cellule centrale ; il est digéré au cours du développement du sporophyte soit avant, soit après la maturation de la graine ; on ne le trouve que chez les angiospermes.

Alcali [de l'arabe *algili*, cendres de soude végétale] : substance fortement basique.

Alcalin : s'applique aux substances qui libèrent des ions hydroxyle (OH^-) dans l'eau ; leur pH est supérieur à 7.

Alcaloïdes : composés azotés basiques (alcalins) amers ; on y trouve la morphine, la cocaïne, la caféine, la nicotine et l'atropine.

Aleurone [du grec *aleuron*, farine] : matière protéique, généralement présente sous forme de petits granules, dans l'assise externe de l'albumen du blé et des autres céréales.

Algine : polysaccharide important faisant partie des parois cellulaires des algues brunes ; utilisée pour stabiliser et émulsifier certains aliments et pour les peintures.

Algue : terme traditionnel s'appliquant à une série de groupes d'organismes eucaryotes photosynthétiques non apparentés dépourvus d'organes reproducteurs pluricellulaires (à l'exception des charophytes) ; les « algues bleues », ou cyanobactéries, sont des bactéries photosynthétiques.

Allèle [du grec *allêlôn*, réciproque] : une des deux ou plusieurs formes alternatives d'un gène.

Allélopathie [du grec *allêlôn*, réciproque, et *pathos*, souffrant] : inhibition d'une espèce de plante par des substances chimiques produites par une autre plante.

Allogamie : fusion de gamètes provenant d'individus différents, par opposition à l'autofécondation.

Allopolyploïde : polyploïde provenant de l'union de deux lots chromosomiques distincts et de leur dédoublement ultérieur.

Alternance de générations : cycle de développement dans lequel une phase haploïde (*n*), le gamétophyte, produit des gamètes qui s'unissent deux à deux pour donner un zygote ; celui-ci germe et produit une phase diploïde (*2n*), le sporophyte. Après les divisions méiotiques dans le sporophyte, les spores donnent naissance à de nouveaux gamétophytes, ce qui complète le cycle.

Amiboïde [du grec *amoibe*, changement] : déplacement ou alimentation à l'aide de pseudopodes (protubérances cytoplasmiques temporaires de la cellule).

Amidon : glucide insoluble complexe ; principale substance de réserve des plantes ; composé d'au moins plusieurs milliers de glucoses unitaires.

Ammonification : décomposition des acides aminés et d'autres substances organiques azotées, aboutissant à la production d'ammoniac (NH_3) et d'ions ammonium (NH_4^+).

Amphi- [du grec *amphi-* : sur les deux côtés] : préfixe signifiant « des deux côtés », « les deux », ou « des deux sortes ».

Amylase : enzyme qui décompose l'amidon en unités plus petites.

Amyloplaste : leucoplaste (plaste incolore) produisant des grains d'amidon.

An- [du grec *an-*, sans] préfixe équivalent à « a », signifiant « non » ou « sans » ; utilisé devant une voyelle et un h.

Anabolisme [du grec *ana-*, au-dessus, et *-bolism*, comme dans métabolisme] : partie constructive du métabolisme ; ensemble des réactions chimiques impliquées dans la biosynthèse.

Anaérobie [du grec *an-*, sans, *aer*, air, et *bios*, vie] : s'applique à tout processus qui peut se dérouler en l'absence d'oxygène, ou au métabolisme d'un organisme capable de vivre en l'absence d'oxygène ; les anaérobies stricts ne peuvent survivre en présence d'oxygène.

Analogue [du grec *analogos*, en rapport] : s'applique aux structures de même fonction, mais d'origine évolutive différente, comme les phyllodes d'un *Acacia* d'Australie et les feuilles d'un chêne.

Anaphase [du grec *ana*, loin, et *phasis*, forme] : stade mitotique correspondant à la séparation des chromatides des différents chromosomes et à leur déplacement vers les pôles ; stades semblables de la méiose au cours desquels les chromatides des chromosomes appariés se séparent.

Anatomie : étude de la structure interne des organismes ; la morphologie est l'étude de leur structure externe.

Anatomie de Kranz [de l'allemand *Kranz*, couronne] : disposition des cellules du mésophyle en une couronne autour d'une assise de grandes cellules de gaine foliaire, ce qui donne deux assises concentriques autour du faisceau conducteur, typiques des feuilles des plantes en C_4.

Andro- [du grec *andros*, homme] : préfixe signifiant « mâle ».

Androcée [du grec *andros*, homme, et *oikos*, maison] : (1) verticille floral comprenant les étamines ; (2) chez les hépatiques à feuilles, renflement contenant les anthéridies.

Aneuploïde : aberration chromosomique impliquant un écart léger par rapport au nombre chromosomique normal de l'espèce.

Angiosperme [du grec *angion*, bateau, et *sperma*, graine] : littéralement, une graine née dans un bateau (le carpelle) ; appartenant donc à un groupe de plantes dont les graines se développent à l'intérieur d'un ovaire différencié (fruit).

Angström [d'après le physicien suédois A.J.Ångström, 1814-74] : unité de longueur égale à 10^{-10} mètre ; Å en abrégé.

Anion [du grec *anienae*, monter] : ion à charge négative.

Anisogamie [du grec *aniso*, inégal et *gamos*, mariage] : présence de gamètes mobiles différents.

Anneau [du latin *anus*, cercle] : chez les fougères, rangée de cellules spécialisées du sporange ; chez les champignons à lames, restes du voile interne formant un anneau sur le stipe.

Annélation : élimination d'un anneau d'écorce d'une tige ligneuse.

Annuelle [du latin *annuus*, année] : plante dont le cycle de développement se déroule sur une seule saison.

Antérieur : situé devant ou à l'avant.

Anthère [du grec *anthos*, fleur] : partie de l'étamine qui contient le pollen.

Anthéridie : structure produisant les anthérozoïdes ; peut être pluri- ou unicellulaire.

Anthéridiophore [du grec *anthos*, fleur, et *phoros*, qui porte] : chez certaines hépatiques, stipe portant les anthéridies.

Anthérozoïde : gamète mâle différencié, généralement mobile et plus petit que le gamète femelle.

Anthocyane [du grec *anthos*, fleur, et *kyanos*, bleu foncé] pigment hydrosoluble bleu ou rouge localisé dans le suc cellulaire.

Anthophyta : embranchement des angiospermes, ou plantes à fleurs.

Anthophytes : nom collectif réunissant les *Bennettitales*, les gnétophytes et les angiospermes, qui possèdent tous des organes reproducteurs semblables à des fleurs ; à ne pas confondre avec les *Anthophyta*, embranchement des angiospermes.

Antibiotique [du grec *anti*, contre, et *biotikos*, se rapportant à la vie) : substance organique naturelle qui retarde ou empêche la croissance des organismes ; désigne en général des substances produites par des microorganismes et empêchant le développement d'autres microorganismes.

Anticline : perpendiculaire à la surface.

Anticodon : séquence de trois nucléotides d'une molécule d'ARNt qui s'apparie au codon de l'ARNm correspondant à l'acide aminé porté par cet ARNt particulier ; l'anticodon est complémentaire du codon de l'ARNm.

Antipodes : cellules (au nombre de trois ou plus) du sac embryonnaire différencié, localisées à l'extrémité opposée au micropyle.

Apomixie [du grec *apo-*, à l'écart de, et *mixis*, mélange] : reproduction sans méiose ni fécondation ; reproduction végétative.

Apoplaste [du grec *apo-*, à l'écart de, et *plastos*, modelé] : ensemble des parois cellulaires d'une plante ou d'un organe ; on parle de déplacement ou de transport apoplastique pour désigner le déplacement de substances par les parois cellulaires.

Apoptose : mort cellulaire programmée.

Apothécie [du grec *apotheke*, magasin] : ascome ouvert en forme de coupe ou de cupule.

Appariement des chromosomes : association côte à côte des chromosomes homologues.

Aptitude : contribution génétique d'un organisme aux générations futures, comparée à la participation des organismes à génotypes différents vivant dans le même milieu.

Arbre : plante ligneuse vivace, possédant généralement une seule tige (tronc).

Arc foliaire : bourrelet latéral situé sous le méristème apical ; représente le premier stade de développement du primordium foliaire.

Arch-, archéo- [du grec *arche*, origine] : préfixe signifiant « premier » ou « principal ».

Archaea : règne phylogénétique de procaryotes composé des méthanogènes, des halophiles et hyperthermophiles extrêmes, ainsi que de *Thermoplasma*.

Archégone : structure pluricellulaire dans laquelle se différencie une seule oosphère ; on le trouve chez les bryophytes et certaines plantes vasculaires.

Archégoniophore [du grec *archegonos*, premier d'une race, et *phoros*, qui porte] : stipe qui porte les archégones chez certaines hépatiques.

Arille [du latin *arillus*, raisin, graine] : enveloppe annexe de la graine, souvent formée par une excroissance de la base de l'ovule, souvent très colorée, qui peut servir à la dissémination en attirant les animaux qui la consomment et transportent ainsi la graine loin de la plante parentale.

ARN : *voir* acide ribonucléique.

ARN de transfert (ARNt) : ARN de faible poids moléculaire s'attachant à un acide aminé et le guidant vers la position correcte sur le ribosome en vue de la synthèse des protéines ; il existe au moins un ARNt par acide aminé.

ARN messager (ARNm) ; classe d'ARN qui transporte l'information génétique du gène au ribosome, où il est traduit en protéine.

ARN ribosomique : série de molécules spécifiques qui font partie d'un ribosome et participent à la synthèse des protéines.

ARNm : *voir* ARN messager.

ARNr ; *voir* ARN ribosomique.

ARNt : *voir* ARN de transfert.

Artefact [du latin *ars*, art, et *facere*, faire] : produit qui n'existe pas dans la nature, mais est dû à un agent externe, particulièrement à l'homme.

Ascogone : oogone, ou gamétange femelle des ascomycètes.

Ascome : structure pluricellulaire des ascomycètes, couverte de cellules spécialisées, les asques, où se produisent la fusion des noyaux et la méiose. Les ascomes peuvent être ouverts ou fermés. Aussi appelé ascocarpe.

Ascospore : spore produite dans un asque, chez les ascomycètes.

Asepté [du grec *a*, non, et du latin *septum*, clôture] : non cloisonné

Aspect : forme caractéristique ou apparence d'un organisme.

Asque : cellule spécialisée, caractéristique des ascomycètes, dans laquelle deux noyaux haploïdes fusionnent pour donner un zygote qui subit immédiatement la méiose ; à maturité, l'asque contient les ascospores.

Assise de croissance : assise formée dans le xylème ou le phloème secondaire ; *voir également* cerne de croissance.

Assortiment indépendant : *voir* seconde loi de Mendel.

Atome [du grec *atomos*, indivisible] la plus petite unité qui peut être obtenue par division d'un élément chimique et qui conserve ses propriétés caractéristiques.

ATP : *voir* adénosine triphosphate.

ATP synthétase : complexe enzymatique qui produit l'ATP à partir d'ADP et de phosphate au cours de la phosphorylation oxydative dans la membrane mitochondriale interne.

Aubier : partie externe du bois du tronc ou d'une branche ; il se distingue généralement du bois de coeur par une couleur plus pâle et il est responsable de la conduction de l'eau.

Auto- [du grec *autos*, même] préfixe signifiant « même » ou « lui-même ».

Autoïque [du grec *autos*, même, et *oikia*, demeure] chez certaines rouilles, déroulement du cycle de développement sur une seule espèce végétale hôte.

Autopoplyploïde : polyploïde produit par dédoublement d'un même génome.

Autoradiographie : empreinte photographique produite par une substance radioactive agissant sur un film photographique sensible.

Autotrophe [du grec *autos*, même, et *trophos*, nourriture] : organisme capable de synthétiser les substances nutritives nécessaires à partir des éléments minéraux de son environnement ; *voir également* hétérotrophe.

Auxine [du grec *auxein*, augmenter] : catégorie d'hormones végétales contrôlant entre autres l'élongation des cellules.

Axe hypocotyle-racine : axe de l'embryon situé sous le ou les cotylédons, composé de l'hypocotyle et du méristème apical de la racine ou de la radicule.

Axillaire : terme appliqué aux bourgeons ou au rameaux se trouvant à l'aisselle d'une feuille.

B

Bacille [du latin *baculum*, bâton] : bactérie en forme de bâtonnet.

Back-cross : croisement d'un hybride avec un de ses parents ou avec un organisme génétiquement équivalent ; croisement entre un individu dont on veut tester les gènes et un individu homozygote pour tous les gènes récessifs considérés dans l'expérience.

Bacteria (bactéries) : règne phylogénétique comprenant tous les procaryotes qui ne font pas partie de celui des *Archaea*.

Bactéries fixatrices d'azote : bactéries du sol qui transforment l'azote atmosphérique en composés azotés.

Bactéries lysogènes : bactéries contenant des virus latents (phages) qui finissent par se séparer du chromosome bactérien et entreprendre un cycle actif d'infection, en provoquant la lyse de l'hôte bactérien

Bactériophage [du grec *bacterion*, bâtonnet, et *phagein*, manger] : virus parasitant les cellules bactériennes.

Bactéroïde : cellule gonflée et déformée de *Rhizobium* ou de *Bradyrhizobium* dans les nodules racinaires, capable de fixer l'azote atmosphérique.

Baie : fruit charnu simple formé d'une paroi ovarique charnue et d'un ou plusieurs carpelles et graines ; les raisins, les tomates et les bananes sont des baies.

Bande préprophasique : bande annulaire de microtubules située immédiatement à l'intérieur de la membrane plasmique, qui délimite le plan équatorial du futur fuseau mitotique de la cellule avant la mitose.

Banque génomique : banque réunissant un génome complet, soit du noyau, soit du nucléoïde d'un organite (mitochondrie, plaste) chez les eucaryotes, soit du nucléoïde d'un procaryote.

Base : substance soluble dans l'eau, provoquant une diminution de la concentration en ions hydrogène (H^+), souvent par libération d'ions hydroxyle (OH^-) ; en solution, les bases ont un pH supérieur à 7 ; contraire d'acide.

Base azotée : molécule azotée possédant des propriétés basiques (tendance à acquérir un atome d'hydrogène) ; purine ou pyrimidine ; un des éléments de construction des acides nucléiques.

Baside : cellule reproductrice spécialisée des *Basidiomycota*, souvent en forme de massue, dans laquelle les noyaux fusionnent et subissent la méiose.

Basidiome : structure pluricellulaire, typique des *Basidiomycota*, dans laquelle sont produites les basides.

Basidiospore : spore de basidiomycète, produite et apparaissant sur une baside à la suite de la fusion nucléaire et de la méiose.

Bi- [du latin *bis*, double, deux] : préfixe signifiant « deux », « deux fois » ou « à deux points ».

Biomasse : poids sec total de tous les organismes d'une population, d'un échantillon ou d'une région.

Biome : ensemble de communautés terrestres de très grande étendue caractérisé par son climat et par son sol ; c'est l'unité écologique la plus large.

Biosphère : partie de l'atmosphère, de la terre et de l'eau occupée par les organismes à la surface du globe.

Biotechnologie : application pratique des progrès réalisés dans la recherche sur les hormones et la biochimie de l'ADN en vue de la manipulation génétique des plantes.

Biotique : en relation avec la vie.

Bisannuelle : plante qui a normalement besoin de deux saisons de croissance pour réaliser son cycle de développement, fleurissant et fructifiant la seconde année.

Bivalent [du latin *bis*, double, et *valere*, valoir] : paire de chromosomes homologues appariés. Également appelé tétrade.

Bois : xylème secondaire.

Bois à porosité annelée : bois dont les pores (vaisseaux) du bois de printemps sont nettement plus grands que ceux du bois d'été et forment un anneau bien défini dans les coupes transversales.

Bois à porosité diffuse : bois dans lequel les pores (les vaisseaux) sont répartis de manière assez uniforme parmi les cernes de croissance ou dont la taille des pores n'est guère différente entre le bois de printemps et le bois d'été.

Bois d'été (ou d'automne) : dernière partie de l'accroissement au cours de la saison de croissance ; ses cellules sont plus petites et il est plus dense que le bois de printemps.

Bois de coeur (duramen) : bois mort et souvent de teinte foncée n'intervenant plus dans le transport de l'eau ; il est entouré par l'aubier.

Bois de compression : bois de réaction des conifères ; se développe du côté inférieur des troncs ou des branches inclinés.

Bois de feuillus : bois des magnoliidées et des dicotylées.

Bois de printemps : bois formé au début d'une période de croissance ; ses cellules sont plus grandes et il est moins dense que le bois produit ensuite.

Bois de réaction : bois anormal se développant dans les troncs et les branches inclinés : *voir également* bois de compression *et* bois de tension.

Bois de résineux : nom souvent appliqué au bois de conifère.

Bois de tension : bois de réaction des magnoliidées et des dicotylées ; se développe du côté supérieur des troncs et de branches inclinés.

Bourgeon : (1) tige embryonnaire, souvent protégée par de jeunes feuilles ; (2) excroissance végétative des levures et de certaines bactéries servant à la reproduction asexuée.

Bourgeon accessoire : bourgeon situé au-dessus ou de chaque côté d'un bourgeon axillaire.

Bractée : structure foliacée modifiée, généralement réduite.

Bryophytes : membres des embranchements de plantes non-vasculaires : les mousses, les anthocérotes et les hépatiques.

Buisson : plante ligneuse pérenne de taille relativement courte, à plusieurs tiges provenant généralement à peu près du niveau du sol.

Bulbe : courte tige souterraine couvertes de bases foliaires agrandies et charnues contenant les réserves alimentaires.

C

Cadre de Caspari [pour Robert Caspari, botaniste allemand] : cadre de la paroi primaire contenant de la subérine et de la lignine ; on le trouve dans les parois anticlines — radiales et transversales — des cellules de l'endoderme et de l'exoderme.

Cal [du latin *callos,* peau durcie] : tissu indifférencié ; terme utilisé dans les cultures de tissus, les greffes et la cicatrisation des blessures.

Calice (du grec *kalyx,* gousse, coupe) : l'ensemble des sépales, verticille externe de la fleur.

Callose : glucide ramifié complexe, composant habituel des parois associé aux plages criblées des éléments criblés ; peut apparaître en réponse aux dommages subis par les éléments criblés et les cellules parenchymateuses.

Calorie [du latin *calor,* chaleur] : quantité d'énergie correspondant à la chaleur nécessaire pour élever d'1°C la température d'un gramme d'eau. Dans les mesures métaboliques, on utilise généralement la kilocalorie (kcal) — quantité de chaleur nécessaire pour élever d'1°C la température d'un kilogramme d'eau.

Calyptre (coiffe) : capuchon recouvrant partiellement ou complètement la capsule de certaines espèces de mousses ; elle provient de la croissance de la paroi de l'archégone.

CAM : *voir* métabolisme de l'acide crassulacéen.

Cambium fasciculaire : cambium se développant au sein d'un faisceau conducteur.

Cambium interfasciculaire : cambium se formant entre les faisceaux conducteurs, à partir du parenchyme interfasciculaire.

Cambium [du latin *cambiare,* échanger] : gaine cylindrique de cellules méristématiques dont les divisions produisent les xylème et phloème secondaires.

Canal résinifère : espace intercellulaire tubuliforme bordé par des cellules (épithéliales) sécrétant de la résine qui s'accumule dans cet espace.

Capacité au champ : pourcentage d'eau retenue par un sol donné à l'encontre de la pesanteur.

Capside : enveloppe protéique d'une particule virale.

Capsule : (1) Chez les angiospermes, fruit sec déhiscent dérivé de deux ou plusieurs carpelles ; (2) couche visqueuse entourant les cellules de certaines bactéries ; (3) sporange des bryophytes.

Carnivores : qui se nourrissent d'animaux, par opposition à ceux qui se nourrissent de plantes (les herbivores) ; s'applique aussi aux plantes qui utilisent les protéines d'animaux capturés, principalement des insectes.

Carotène [du latin *carota,* carotte] : pigment jaune ou orange appartenant au groupe des caroténoïdes.

Caroténoïdes : catégorie de pigments liposolubles comprenant les carotènes (pigments jaunes et orange) et les xanthophylles (pigments jaunes) ; on les trouve dans les chloroplastes et les chromoplastes des plantes. Les caroténoïdes fonctionnent comme pigments accessoires dans la photosynthèse.

Carpelle [du grec *karpos,* fruit] : une des parties du gynécée, verticille interne de la fleur ; chaque carpelle contient un ou plusieurs ovules. Un ou plusieurs carpelles constituent un gynénée.

Carpellée : s'applique à une fleur possédant un ou plusieurs carpelles, mais sans étamines fonctionnelle. On parle aussi de fleur femelle.

Carpogone [du grec *karpos,* fruit, et *gonos,* descendance] : gamétange femelle des algues rouges.

Carposporange [du grec *karpos,* fruit, *spora,* graine, et *angeion,* bateau] : cellule contenant le carpogone chez les algues rouges.

Carpospore : protoplaste diploïde unique dans le carposporange des algues rouges.

Caryogamie [du grec *karyon,* noyau, et *gamos,* mariage] : union de deux noyaux après la fécondation ou plasmogamie.

Caryopse [du grec *karyon,* noix, et *opsis,* apparence] : fruit indéhiscent simple, sec, à une seule graine, dont le péricarpe est fermement uni de toute part au spermoderme ; c'est le fruit caractéristique des graminées (famille des *Poaceae).*

Catabolisme [du grec *katabolê,* faire tomber] : ensemble des réactions biochimiques aboutissant à la dégradation des substances complexes et impliquant une libération d'énergie.

Catalyseur [du grec *katalis,* dissolution] : substance qui accélère une réaction chimique mais ne s'épuise pas au cours de la réaction ; les enzymes sont des catalyseurs.

Cation [du grec *katienai,* descendre] : ion chargé positivement.

Cellulase : enzyme hydrolysant la cellulose

Cellule accessoire : *voir* cellule subsidiaire

Cellule albumineuse : cellule d'un rayon et du parenchyme axial du phloème des gymnospermes, associée spatialement et fonctionnellement aux cellules des tubes criblés ; on l'appelle également cellule de Strasburger.

Cellule annexe : cellule épidermique morphologiquement distincte des autres et associée à une paire de cellules de garde.

Cellule collenchymateuse : cellule vivante allongée à paroi primaire inégalement épaissie, non-lignifiée.

Cellule compagne : cellule parenchymateuse spécialisée associée à un élément de tube criblé dans le phloème des angiospermes et provenant de la même cellule mère que l'élément de tube criblé.

Cellule criblée : long et mince élément criblé possédant des plages criblées relativement peu spécialisées et dont les parois terminales atténuées n'ont pas de plaques criblées ; on les trouve dans le phloème des gymnospermes.

Cellule de passage : Cellule endodermique de la racine qui conserve une paroi mince et un cadre de Caspari alors que les autres produisent des parois secondaires épaisses.

Cellule de transfert : cellule parenchymateuse spécialisée possédant des invaginations de la paroi qui augmentent notablement la surface de la membrane plasmique ; semble intervenir dans le transfert des solutés à faible distance.

Cellule de tube : cellule qui se développe en tube pollinique dans les gamétophytes mâles (grains de pollen) des spermatophytes.

Cellule générative : (1) chez de nombreuses gymnospermes, cellule du gamétophyte mâle qui se divise en cellules stériles et spermatogènes ; (2) chez les angiospermes, cellule du gamétophyte mâle qui se divise en deux cellules spermatiques.

Cellule mère de mégaspores : cellule diploïde où se déroule la méiose, produisant quatre mégaspores ; on parle également le mégasporocyte.

Cellule mère de microspore : cellule où la méiose se déroule et produit quatre microspores ; chez les spermatophytes, on parle souvent de cellule mère du grain de pollen ; synonyme de microsporocyte.

Cellule mère de spores : cellule diploïde (2*n*) qui subit la méiose et produit (habituellement) quatre cellules haploïdes (spores) ou quatre noyaux haploïdes.

Cellule parenchymateuse : cellule vivante, à parois généralement minces, de taille et de forme variables ; c'est le type cellulaire le plus répandu chez les plantes.

Cellule prothallienne [du grec *pro*, avant, et *thallos*, bourgeon] : cellule(s) stérile(s) des gamétophytes mâles (microgamétophytes) des plantes vasculaires autres que les angiospermes ; considérées comme des reliques du tissu végétatif du gamétophyte mâle.

Cellule sclérenchymateuse : cellule de forme et de taille variables, à parois secondaires plus ou moins épaisses, souvent lignifiées ; peut être vivante ou morte à maturité ; les fibres et les scléréides sont des cellules sclérenchymateuses.

Cellule spermatogène : cellule du gamétophyte mâle (grain de pollen) des gymnospermes, qui se divise par mitose pour produire les deux gamètes mâles.

Cellule stérile : une des deux cellules provenant de la division de la cellule générative du grain de pollen chez les gymnospermes ; ce n'est pas un gamète et elle finit par dégénérer.

Cellule [du latin *cella*, chambrette] : unité structurale des organismes ; chez les plantes, les cellules sont formées d'une paroi et d'un protoplaste.

Cellules bulliformes : grandes cellules formant des files longitudinales dans les feuilles de graminées ; également appelées cellules motrices. On pense qu'elles interviennent dans l'enroulement et le déroulement des feuilles.

Cellules de garde : paire de cellules épidermiques spécialisées entourant l'ostiole d'un stomate ; les changements de turgescence dans une paire de cellules de garde provoquent l'ouverture et la fermeture de l'ostiole.

Cellules fondatrices : groupe de cellules situées dans la zone périphérique du méristème apical, intervenant dans l'initiation d'un primordium foliaire.

Cellules mères centrales : cellules vacuolisées relativement grandes situées sous la surface des méristèmes apicaux des tiges.

Cellules somatiques [du grec *soma*, corps] : toutes les cellules, à l'exception des gamètes et des cellules dont ils dérivent.

Cellulose : glucide insoluble complexe formé de microfibrilles de molécules de glucose fixées bout-à-bout ; composant principal de la paroi cellulaire des plantes et de certains protistes.

Cénocytique [du grec *koinos*, commun, et *kytos*, tube creux] : terme utilisé pour décrire un organisme ou une partie d'organisme plurinucléé, les noyaux n'étant séparés ni par des parois ni par des membranes ; on parle également de siphoné ou syncytial.

Centre quiescent : région initiale relativement inactive du méristème apical de la racine.

Centre réactionnel : complexe de molécules de protéines et de chlorophylle d'un photosystème capables de transformer l'énergie lumineuse en énergie chimique au cours de la réaction photochimique.

Centriole [du grec *kentron*, centre, et du latin *-olus*, petit] : organite cytoplasmique situé en-dehors de l'enveloppe nucléaire, dont la structure est identique à celle du corpuscule basal ; on trouve des centrioles dans les cellules de la plupart des eucaryotes, en-dehors des champignons, des algues rouges et des cellules végétales non flagellées. Les centrioles se divisent et organisent les fibres fusoriales au cours de la mitose et de la méiose.

Centromère [du grec *kentron*, centre, et *meros*, partie] ; constriction du chromosome où les chromatides soeurs sont maintenues ensemble.

Cerne annuel : couche de bois formée en une seule année.

Cerne de croissance : assise de croissance du xylème ou du phloème secondaire observée en coupe transversale.

Chaîne (réseau) alimentaire : chaîne d'organismes présents dans une communauté naturelle, chaque chaînon se nourrissant du précédent et servant de nourriture au suivant ; il existe rarement plus de six chaînons dans une chaîne, les autotrophes se trouvant à la base et les grands carnivores au sommet.

Chalaze [du grec *chalaza*, petit tubercule] : partie de l'ovule ou de la graine où le funicule s'unit aux téguments et au nucelle.

Champignons imparfaits : deutéromycètes, ou champignons à conidies, qui se reproduisent asexuellement, ou dont on n'a pas découvert le cycle sexué ; la plupart des deutéromycètes sont des ascomycètes.

Chargement du phloème : mécanisme de sécrétion active de substances (principalement des sucres) dans les tubes criblés.

Chaton : inflorescence spiciforme de fleurs unisexuées ; on n'en trouve que chez des plantes ligneuses.

Chiasma [du grec *chiasma*, en croix] : figure en X formée par la réunion de deux chromatides non-soeurs de chromosomes homologues ; site du crossing-over.

Chimioautotrophe : s'applique aux procaryotes capables de fabriquer leurs propres aliments de base en utilisant l'énergie libérée par des réactions inorganiques spécifiques ; *voir aussi* autotrophe.

Chitine [du grec *chiton*, tunique] : polysaccharide azoté dur et résistant des parois cellulaires de certains champignons, de l'exosquelette des arthropodes et de la cuticule épidermique et d'autres structures superficielles de certains protistes et animaux.

Chlor- [du grec *chloros*, vert] : préfixe signifiant « vert ».

Chlorenchyme : cellules parenchymateuses contenant des chloroplastes.

Chlorophylle [du grec *chloros*, vert, et *phyllon*, feuille] : pigment vert des cellules végétales, récepteur de l'énergie lumineuse dans la photosynthèse ; on la trouve également chez les algues et chez les bactéries photosynthétiques.

Chloroplaste : plaste contenant les chlorophylles ; site de la photosynthèse. Il existe des chloroplastes chez les plantes et chez les algues.

Chlorose : perte ou production réduite de chlorophylle.

Chroma- [du grec *chroma*, couleur] : préfixe signifiant « couleur ».

Chromatide [du grec *chroma*, couleur, et du latin *-id*, fils de] : un des deux brins provenant de la duplication d'un chromosome, réunis au niveau du centromère.

Chromatine : complexe très colorable d'ADN et de protéines qui compose les chromosomes eucaryotes.

Chromatophore [du grec *chroma*, couleur, et *phoros*, qui porte] : chez certaines bactéries, petite vésicule limitée par une membrane simple et contenant les pigments photosynthétiques.

Chromoplaste : plaste contenant des pigments autres que la chlorophylle, généralement des caroténoïdes jaunes et orange.

Chromosome [du grec *chroma*, couleur, et *soma*, corps] : structure qui porte les gènes. Les chromosomes eucaryotes apparaissent comme des filaments ou des bâtonnets de chromatine, visibles sous une forme condensée au cours de la mitose et de la méiose et sont enfermés le reste du temps dans un noyau ; chaque chromosome eucaryote contient une molécule linéaire d'ADN ; les procaryotes possèdent normalement un seul chromosome composé d'une molécule circulaire d'ADN.

Chromosomes homologues : chromosomes qui s'apparient au début de la méiose ; chaque membre d'une paire dérive d'un parent différent.

Chrysolaminarine : substance de réserve des chrysophytes et des diatomées.

Cicatrice fasciculaire : cicatrice ou trace laissée par les faisceaux conducteurs rompus au moment de la chute de la feuille.

Cicatrice foliaire : cicatrice laissée sur un rameau par la chute d'une feuille.

Cils [*cilium* en latin] flagelles courts, en forme de poils, généralement nombreux et disposés en rangées.

Citerne [du latin *cistern*, réservoir] : portion aplatie ou sacciforme du réticulum ou d'un appareil de Golgi (dictyosome).

Clade : lignée évolutive d'organismes.

Cladistique : système de classification des organismes basé sur l'analyse de leurs caractères primitifs et évolués visant à refléter correctement leurs relations phylogénétiques.

Cladogramme : diagramme linéaire à ramifications successives représentant les relations phylogénétiques entre les organismes.

Cladophylles [du grec *clados*, tige, et *phyllon*, feuille] : rameau ressemblant à une feuille.

Classe : rang taxonomique qui se situe entre l'embranchement et l'ordre. Une classe comprend un ou plusieurs ordres et fait partie d'un embranchement particulier.

Cleistothèce [du grec *kleistos*, fermé, et *thekion*, petit réceptacle] : ascome sphérique clos.

Cline : séquence de modifications progressives concernant certains caractères de l'espèce, souvent corrélée à une modification progressive du climat ou d'un autre facteur géographique.

Cloisonné : divisé par des parois transversales en cellules ou en compartiments.

Clonage : production d'une lignée ou d'une culture de cellules dont tous les membres sont caractérisés par une séquence d'ADN spécifique ; élément essentiel en ingénierie génétique.

Clone [du grec *klon*, brindille] : population de cellules ou d'individus provenant de la division asexuée d'une cellule ou d'un individu unique ; l'ensemble de cette population.

Coalescence [du latin *coalescere*, se développer ensemble] : union de pièces florales appartenant au même verticille, comme les sépales ou les pétales.

Code génétique : système de triplets (codons) d'ADN et d'ARN déterminant la séquence des acides aminés des protéines ; à l'exception de trois signaux « stop », chaque codon détermine un des 20 acides aminés.

Codon : séquence de trois nucléotides dans une molécule d'ADN ou d'ARNm codant un seul acide aminé ou la terminaison d'une chaîne polypeptidique.

Coenzyme : molécule organique ou autre cofacteur organique jouant un rôle accessoire dans les processus catalysés par les enzymes, souvent en fonctionnant comme donneur ou accepteur d'électrons ; NAD^+ et FAD sont des coenzymes fréquentes.

Coévolution [du latin *co*, avec, *e-*, en dehors, et *volvere*, rouler] : évolution simultanée d'adaptations dans deux ou plusieurs populations qui interagissent de manière tellement étroite que chacune représente pour l'autre une puissante pression sélective.

Cofacteur : un ou plusieurs éléments non-protéiques nécessaires au fonctionnement des enzymes ; beaucoup de cofacteurs sont des ions métalliques, les autres sont appelés coenzymes.

Cohésion [du latin *cohaerrere*, coller ensemble] : attraction mutuelle de molécules de la même substance.

Coiffe : masse de cellules en forme de dé à coudre recouvrant et protégeant la pointe en croissance de la racine.

Coléoptile [du grec *koleos*, gaine, et *ptilon*, plume] : gaine entourant le méristème apical et les primordiums foliaires de l'embryon des graminées ; souvent considéré comme une première feuille.

Coléorhize [du grec *koleos*, gaine, et *rhiza*, racine] : gaine entourant la radicule de l'embryon des graminées.

Collenchyme [du grec *kolla*, colle] : tissu de soutien composé de cellules collenchymateuses ; fréquent dans les zones de croissance primaire des tiges et de certaines feuilles.

Colloïde : suspension permanente de fines particules.

Combustibles fossiles : restes modifiés d'organismes disparus, brûlés pour leur énergie ; pétrole, gaz et charbon.

Communauté : tous les organismes occupant un environnement commun et interagissant les uns avec les autres.

Compétition : interaction entre membres d'une même population ou de populations différentes pour l'accès à une ressource nécessaire à chacun et disponible en quantité limitée.

Complexe antennaire : partie d'un photosystème formée de molécules de pigment (les pigments de l'antenne) qui collectent la lumière et la canalisent vers le centre réactionnel.

Composé : combinaison d'atomes en proportion définie, maintenue par des liaisons chimiques.

Condensation : synthèse d'une substance ou d'une molécule impliquant une perte d'eau.

Conducteur : s'applique à tout tissu végétal ou à toute région composée de tissu conducteur ou lui donnant naissance ; par exemple, le xylème, le phloème, le cambium.

Cône : *voir* strobile.

Conidie [du grec *konis*, poussière] : spore asexuée de champignon qui n'est pas incluse dans un sporange ; elle peut être produite isolément ou en chaîne ; la plupart des conidies sont plurinucléées.

Conidiophore : hyphe portant une ou plusieurs conidies.

Conifère : arbre portant des cônes.

Conjugaison : fusion temporaire de paires de bactéries, de protozoaires et de certaines algues et champignons au cours de laquelle du matériel génétique est transféré entre les deux individus.

Conné : se dit de parties semblables unies ou fusionnées, comme des pétales soudés en tube ; *voir également* adné.

Connexion à boucles : chez les basidiomycètes, connexion latérale entre cellules voisines d'une hyphe dicaryotique ; garantit la présence de deux noyaux différents dans chaque cellule de l'hyphe.

Consommateur : en écologie, organisme qui se procure sa nourriture chez un autre organisme.

Coque [du grec *kokkos*, baie] : bactérie sphérique.

Corme : tige souterraine épaissie, verticale, où s'accumulent les réserves, généralement sous forme d'amidon.

Corolle [du latin *corona*, couronne] : l'ensemble des pétales ; c'est généralement le verticille floral très coloré.

Corps prolamellaire : corpuscule semi-cristallin s'observant dans les plastes lorsque leur développement est arrêté faute de lumière.

Corpuscule basal : organite cytoplasmique cylindrique capable de se répliquer, d'où proviennent les cils et les flagelles ; sa structure est identique à celle du centriole qui intervient à la mitose et à la méiose chez beaucoup d'animaux et de protistes.

Cotransport : transport membranaire dans lequel le transfert d'un soluté dépend du transfert simultané ou successif d'un autre soluté.

Cotylédon [du grec *kotyledon*, creux cupuliforme] : feuille séminale ; absorbe généralement les substances nutritives chez les monocotylées et les emmagasine chez d'autres angiospermes.

Coupe radiale : coupe longitudinale parallèle au rayon d'un organe cylindrique, comme une racine ou une tige ; parallèle aux rayons dans le cas du xylème secondaire (bois), et du phloème secondaire.

Coupe tangentielle : coupe longitudinale perpendiculaire au rayon d'une structure cylindrique, comme une racine ou une tige ; dans le cas du xylème secondaire (bois) et du phloème secondaire, perpendiculaire aux rayons.

Coupe transversale : coupe perpendiculaire à l'axe longitudinal d'une partie de la plante.

Couplage chimiosmotique : couplage de la synthèse de l'ATP au transport d'électrons par un gradient électrochimique H^+ au travers d'une membrane.

Courant de masse : mouvement général de l'eau ou de tout autre liquide induit par la pesanteur, la pression ou une combinaison des deux.

Crampon : (1) partie basale d'une algue multicellulaire qui la fixe à un support solide ; peut être unicellulaire ou composé d'une masse de tissu ; (2) structure cupuliforme située au sommet de certaines vrilles permettant leur fixation.

Cristae : replis de la membrane mitochondriale interne formant une série de crêtes qui contiennent les chaînes de transport d'électrons impliquées dans la production d'ATP.

Croissance définie : croissance de durée limitée, caractéristique des méristèmes floraux et des feuilles.

Croissance indéfinie : croissance non limitée, par exemple celle du méristème apical, qui produit indéfiniment un nombre illimité d'organes latéraux.

Croissance primaire : chez les plantes, croissance découlant des méristèmes apicaux des tiges et des racines, par opposition à la croissance secondaire.

Croissance secondaire : chez les plantes, croissance dérivée des méristèmes secondaires (latéraux), le cambium et le phellogène ; la croissance secondaire entraîne une augmentation de l'épaisseur, alors que la croissance primaire est à l'origine d'une augmentation de longueur.

Crossing-over : échange de segments correspondants de matériel génétique entre les chromatides de chromosomes homologues à la méiose.

Cryptogame : terme ancien représentant tous les organismes à l'exclusion des phanérogames, des animaux et des protistes hétérotrophes.

Cultivar : variété de plante n'existant qu'en culture.

Culture de tissus : technique permettant de garder en vie des fragments de tissus végétaux ou animaux dans un milieu après leur prélèvement sur l'organisme.

Cuticule : couche cireuse ou grasse recouvrant la paroi externe des cellules épidermiques, composée de cutine et de cire.

Cutine [du latin *cutis*, peau] : substance grasse déposée dans de nombreuses parois cellulaires végétales et à la surface externe des parois des cellules épidermiques, où elle forme la cuticule.

Cycle de Calvin : séquence des réactions photosynthétiques catalysées par les enzymes au cours de laquelle le dioxyde de carbone est réduit en 3-phosphoglycéraldéhyde et l'accepteur de dioxyde de carbone, le ribulose 1,5-diphosphate, est régénéré. Une molécule de glycéraldéhyde 3-phosphate est obtenue pour trois molécules de dioxyde de carbone entrant dans le cycle.

Cycle de développement : ensemble des phases qui se succèdent au cours de la croissance et du développement de tout organisme depuis le début de la formation du zygote jusqu'à la production des gamètes.

Cycle de Krebs : série de réactions aboutissant à l'oxydation du pyruvate en atomes d'hydrogène, électrons et dioxyde de carbone. Les électrons, transmis à des molécules transporteuses d'électrons, passent ensuite par les processus de phosphorylation oxydative et d'oxydation finale. On parle également du cycle de l'acide tricarboxylique ou du cycle TCA.

Cycle de l'acide tricarboxylique, ou cycle TCA : *voir* cycle de Krebs.

Cycle du carbone : circulation et utilisation des atomes de carbone à l'échelle du globe.

Cycle du glyoxylate : variante du cycle de Krebs ; chez les bactéries et dans certaines cellules végétales il transforme l'acétate en succinate et, finalement, en un nouveau glucide.

Cycle du pentose phosphate : voie d'oxydation du glucose 6-phosphate en pentose phosphates.

Cycle parasexuel : fusion et ségrégation de noyaux haploïdes hétérocaryotiques chez certains champignons, aboutissant à la production de noyaux recombinants.

Cyclose [du grec *kyklosis*, circulation] : courant cytoplasmique dans la cellule.

Cylindre cortical ou **cortex :** région du tissu fondamental de la tige ou de la racine délimité à l'extérieur par l'épiderme et à l'intérieur par le système conducteur ; c'est un tissu primaire ; cortex désigne également la partie périphérique d'un protoplaste.

-cyte, cyto- [du grec *kytos*, récipient] : suffixe ou préfixe signifiant « en rapport avec la cellule ».

Cytochrome [du grec *kytos*, récipient, et *chroma*, couleur] : protéines du hème servant de transporteur d'électrons dans la respiration et la photosynthèse.

Cytocinèse [du grec *kytos*, récipient, et *kinesis*, mouvement] : division du cytoplasme de la cellule après la division nucléaire.

Cytokinine [du grec *kytos*, récipient, et *kinesis*, mouvement] : catégorie d'hormones végétales qui favorise, entre autres, la division cellulaire.

Cytologie : étude de la structure et du fonctionnement de la cellule.

Cytoplasme : matière vivante de la cellule, à l'exclusion du noyau ; protoplasme.

Cytosine : une des quatre bases pyrimidiques des acides nucléiques (ADN et ARN) du noyau.

Cytosol : matrice cytoplasmique du cytoplasme, dans laquelle sont suspendus le noyau, différents organites et les systèmes membranaires.

Cytosquelette : réseau interne flexible des cellules, composé de microtubules et de filaments d'actine, ou microfilaments.

D

Dé- [du latin *de-*, de, à partir de] : préfixe signifiant « loin de », « de » ; déshydratation signifie par exemple perte d'eau.

Décidu [du latin *decidere*, tomber de] : dont les feuilles tombent à une certaine saison.

Décomposeurs : organismes (bactéries, champignons, protistes hétérotrophes) de l'écosystème qui dégradent les matières organiques en molécules plus petites réutilisables.

Déhiscence [du latin *de*, à partir de, et *hiscere*, s'ouvrir] : ouverture d'une anthère, d'un fruit ou d'une autre structure, permettant aux organes reproducteurs de s'en échapper.

Dénitrification : transformation du nitrate en azote gazeux ; elle est effectuée par quelques genres de bactéries libres du sol.

Dérive génétique : évolution (changement de la fréquence des allèles) résultant du hasard.

Desmotubule [du grec *desmos*, lier, et du latin *tubulus*, petit tube] : tubule passant par un canal à travers le plasmodesme et réunissant le réticulum endoplasmique de deux cellules voisines.

Désoxyribose [du latin *deoxy*, perte d'oxygène, et *ribose*, sorte de sucre] : sucre à cinq carbones contenant un atome d'oxygène de moins que le ribose ; c'est un composant de l'acide désoxyribonucléique.

Deutérium : hydrogène lourd ; atome d'hydrogène dont le noyau contient un proton et un neutron. (Le noyau de la majorité des atomes d'hydrogène ne possède qu'un proton.)

Dicaryon [du grec *di*, deux, et *karyon*, noix] : mycélium de champignon contenant deux noyaux qui proviennent en général de deux parents différents.

Dicaryotique : champignons dont les cellules ou les segments contiennent des paires de noyaux.

Dichotomie : division d'un axe en deux branches.

Dicotylées : terme désignant toutes les angiospermes autres que les monocotylées et les magnoliidées ; elles sont caractérisées par la présence de deux cotylédons.

Dictyosomes : chez les eucaryotes, saccules plats, disciformes, souvent ramifiés en tubules sur leurs bords : ils jouent le rôle de centres de collecte et d'empaquetage dans la cellule et interviennent dans les activités de sécrétion ; le terme « appareil de Golgi » désigne l'ensemble des dictyosomes d'une cellule.

Différenciation : processus de développement au cours duquel une cellule peu spécialisée se transforme progressivement en une cellule plus spécialisée ; spécialisation des cellules et des tissus en vue de fonctions particulières au cours du développement.

Diffusion facilitée : transport passif assisté par des protéines porteuses.

Diffusion [du latin *diffundere*, sortir] : déplacement net de particules en suspension ou en solution d'une région concentrée vers une région moins concentrée résultant du déplacement aléatoire des molécules individuelles ; ce processus a tendance à répartir uniformément ces particules dans tout le milieu.

Digestion : transformation enzymatique d'aliments complexes, généralement insolubles, en formes simples, généralement solubles.

Dimorphisme [du grec *di*, deux, et *morphê*, forme] : existence de deux formes distinctes, par exemple de feuilles stériles et de feuilles fertiles chez les fougères, de tiges stériles et de tiges fertiles chez les prêles.

Dioïque [du grec *di*, deux, et *oikos*, maison] : unisexué ; dont les éléments mâles et femelles (ou staminés et pistillés) se trouvent sur des individus différents de la même espèce.

Diploïde : qui possède deux lots de chromosomes, le nombre chromosomique 2*n* (diploïde) est caractéristique de la phase sporophytique.

Disaccharide [du grec *di*, deux, et *sakcharon*, sucre] : glucide composé de deux molécules simples de sucre unies par une liaison covalente : le saccharose par exemple.

Distal : situé à l'écart, ou loin du point de référence (en général la partie principale de l'organisme) par opposition à proximal.

Division cellulaire : division d'une cellule et de son contenu, généralement en deux parties à peu près égales.

Domaine : rang taxonomique supérieur au règne ; les trois domaines sont les *Archaea*, les *Bacteria* et les *Eukarya*.

Dominance apicale : inhibition du développement des bourgeons latéraux (axillaires) par un bourgeon terminal.

Dominant : on dit qu'un allèle est dominant par rapport à un autre s'il n'est pas possible de distinguer phénotypiquement l'homozygote pour l'allèle dominant de l'hétérozygote ; on dit que l'autre allèle est récessif.

Dormance [du latin *dormire*, dormir] : interruption de la croissance au cours de laquelle la plante ou des portions de la plante telles que les bourgeons et les graines ne commencent à se développer que dans des conditions environnementales spéciales. Ces conditions, par exemple une exposition au froid ou une photopériode adéquate, évitent une levée de la dormance à un moment où les conditions de développement sont superficiellement favorables.

Double fécondation : fusion de l'oosphère et d'un noyau gamète mâle (produisant un zygote 2*n*) et fusion simultanée du second noyau mâle aux noyaux polaires (aboutissant habituellement à un noyau primaire d'albumen 3*n*) ; c'est un caractère propre à toutes les angiospermes.

Drupe [du grec *dryppa*, olive très mûre] : fruit charnu simple, dérivé d'un seul carpelle, contenant généralement une seule graine, dont la partie interne du fruit est dure et peut adhérer à la graine.

E

Écaille ovulifère : chez certains conifères, appendice ou tige en forme d'écaille auquel est fixé l'ovule.

Écidie : structure cupuliforme des rouilles, où sont produites les écidiospores.

Écidiospore [du grec *aikia*, injure, et *spora*, graine] : spore binucléée des rouilles ; produite dans une écidie.

Éco- [du grec *oikos*, maison] : préfixe signifiant « maison ».

Écologie : étude des interactions entre les organismes et avec leur environnement physique.

Écorce : terme courant s'appliquant à l'ensemble des tissus situés en-dehors du cambium dans une tige ligneuse.

Écosystème : principal système d'interaction impliquant les organismes vivants aussi bien que leur environnement physique.

Écotype [du grec *oikos*, maison, et du latin *typus*, image] : variant d'un organisme adapté à un territoire, génétiquement différent des autres écotypes.

Édaphique [du grec *edaphos*, sol] : concernant le sol.

Effet fondateur : type de dérive génétique aboutissant à la création d'une population par un faible nombre d'individus.

Élatère [du grec *elater*, conducteur] : (1) cellule stérile allongée, fusiforme, présente dans le sporange du sporophyte des hépatiques (favorise la dissémination des spores). (2) Bandes hygroscopiques en forme de massues fixées aux spores des prêles.

Électrolyte : substance qui se dissocie en ions en solution aqueuse, permettant ainsi le passage d'un courant électrique à travers la solution.

Électron : particule de l'atome dont la charge électrique négative équivaut à la charge positive du proton, mais dont la masse n'atteint que 1/1837 de celle de ce dernier. Les électrons orbitent autour du noyau de l'atome, chargé positivement, et déterminent ses propriétés chimiques.

Élément : substance composée d'une seule sorte d'atomes ; un parmi plus de cent types de matière différents, naturels ou synthétiques qui, isolément ou en combinaison avec d'autres, composent pratiquement toute la matière de l'univers.

Élément de tube criblé : un des composants d'un tube criblé ; on le trouve surtout chez les spermatophytes et il est normalement associé à une cellules compagne.

Élément vasculaire : cellule faisant partie d'un vaisseau ; aussi appelé élément de vaisseau.

Élément xylémien : terme général désignant une cellule conductrice de l'eau chez les plantes vasculaires ; ce sont les trachéides et les éléments de vaisseaux.

Éléments essentiels : éléments chimiques indispensables à la croissance et au développement normaux des plantes ; on parle également de minéraux ou de nutriments essentiels.

Embranchement : catégorie taxonomique réunissant des classes qui se ressemblent ; catégorie de rang supérieur située en-dessous du règne et au-dessus de la classe.

Embryogenèse : développement d'un embryon à partir d'une oosphère fécondée, le zygote.

Embryon [du grec *en*, dans, et *bryein*, gonfler] : jeune sporophyte, avant le démarrage de la période de croissance rapide (la germination chez les spermatophytes).

Embryophytes : les bryophytes et les plantes vasculaires, qui produisent tous deux des embryons ; synonyme de plantes.

Endergonique : désigne une réaction chimique dont le déroulement exige de l'énergie ; s'oppose à exergonique.

Endo- [du grec *endon*, au-dedans] : préfixe signifiant « à l'intérieur ».

Endocarpe [du grec *endon*, au-dedans, et *karpos*, fruit] : assise interne de la paroi ovarique à maturité (le péricarpe).

Endocytose [du grec *endon*, au-dedans, et *kytos*, récipient] : entrée d'une substance à l'intérieur d'une cellule grâce à une invagination de la membrane plasmique ; s'il s'agit d'une substance solide, on parle de phagocytose ; si la matière est dissoute, on parle de pinocytose.

Endoderme [du grec *endon*, au-dedans, et *derma*, peau] : assise cellulaire unique formant une gaine autour de la région conductrice des racines et de certaines tiges ; les cellules de l'endoderme sont caractérisées par un cadre de Caspari formé à l'intérieur des parois radiales et transversales. Dans les racines et les tiges des spermatophytes, l'endoderme est l'assise interne du cylindre cortical.

Endogamie : reproduction entre plantes ou animaux étroitement apparentés ; chez les plantes, elle provient généralement d'autopollinisations répétées.

Endogène [du grec *endon*, au-dedans, et *genos*, race, sorte] : qui se produit au sein des tissus, par exemple dans le cas des racines latérales.

Énergie : capacité de produire un travail.

Énergie d'activation : énergie dont doivent disposer les atomes ou les molécules pour réagir.

Énergie libre : énergie disponible pour un travail.

Entrenoeud : région de la tige située entre deux noeuds successifs.

Entropie : mesure du hasard ou du désordre d'un système.

Enveloppe nucléaire : double membrane entourant le noyau de la cellule.

Enzyme : protéine capable d'accélérer des réactions chimiques spécifiques en abaissant l'énergie d'activation nécessaire, sans être elle-même modifiée au cours du processus ; c'est un catalyseur biologique.

Enzymes de restriction : enzymes qui scindent la double hélice d'ADN au niveau de séquences nucléotidiques spécifiques.

Épi : inflorescence indéfinie comprenant un axe allongé et des fleurs sessiles.

Épi- [du grec *epi*, sur] : préfixe signifiant « sur », ou « au-dessus ».

Épicotyle : partie supérieure de l'axe de l'embryon ou de la plantule, au-dessus des cotylédons et sous la ou les feuilles suivantes.

Épiderme : assise cellulaire extérieure de la feuille et des jeunes tiges et racines ; il a une origine primaire.

Épiderme multiple : tissu composé de plusieurs assises cellulaires dérivées du protoderme, dont l'assise externe seule assume les caractéristiques d'un épiderme typique.

Épigée [du grec *epi*, sur, et *ge*, la terre] : mode de germination de la graine dans lequel les cotylédons sont soulevés au-dessus du niveau du sol.

Épigynie [du grec *epi*, sur, et *gyne*, femme] : organisation de la fleur dans laquelle les sépales, les pétales et les étamines semblent se développer à partir du sommet de l'ovaire ; *voir également* hypogynie.

Épillet : partie d'inflorescence chez les graminées ; petit groupe de fleurs chez les graminées.

Épine : structure indurée, pointue ; généralement une feuille ou une partie de feuille modifiée.

Épiphyte : organisme qui se développe sur un autre sans le parasiter.

Épistasie [du grec *epistasis*, blocage] : terme s'appliquant à un gène dont l'action modifie l'expression phénotypique d'un gène situé à un autre locus.

Épithète spécifique : seconde partie du nom de l'espèce ; par exemple *mays* de *Zea mays*, le maïs.

Équilibre intermittent : modèle d'évolution qui suppose que de longues périodes où les changements sont nuls ou faibles sont séparées par de brefs intervalles de changement rapide.

Espèce : sorte d'organisme ; dans un texte, les espèces sont désignées par un binôme en italique.

Étamine : pièce florale produisant le pollen, généralement composée d'une anthère et d'un filet.

Éthylène : hydrocarbure simple qui intervient comme hormone végétale dans la maturation du fruit ; $H_2C=CH_2$.

Étiolement : allongement accru de la tige, faible développement foliaire et absence de chlorophylle ; on l'observe chez les plantes croissant à l'obscurité ou sous une lumière fortement atténuée.

Étioplaste : plaste d'une plante qui s'est développée à l'obscurité et contient un corps prolamellaire.

Eucaryote [du grec *eu*, bon, et *karyon*, noix] : cellule possédant un noyau et des organites délimités par des membranes, ainsi que des chromosomes dont l'ADN est associé à des protéines ; organisme composé de ces cellules. Les plantes, les animaux, les champignons et les protistes sont les quatre règnes d'eucaryotes.

Eukarya : domaine phylogénétique réunissant tous les organismes eucaryotes.

Eusporange : sporange qui dérive de plusieurs cellules initiales et produit, avant maturation, une paroi composée de plusieurs assises cellulaires.

Eustèle [du grec *eu-*, bon, et *stele*, pilier] : stèle dans laquelle les tissus conducteurs primaires sont répartis en cordons distincts autour d'une moelle : typique des gymnospermes et des angiospermes.

Évolution : apparition de formes progressivement plus complexes aux dépens d'ancêtres simples ; Darwin a proposé la sélection naturelle comme principal mécanisme responsable de cette évolution.

Évolution convergente [du latin *convergere*, tourner ensemble] : développement indépendant de structures semblables chez des organismes d'origine phylogénétique différente ; fréquente chez des organismes vivant dans des milieux semblables.

Évolution parallèle : développement parallèle de structures semblables douées des mêmes fonctions dans deux ou plusieurs lignées évolutives soumises à des pressions sélectives identiques.

Exergonique [du latin *ex*, dehors, et du grec *ergon*, travail] : qui produit de l'énergie, par exemple dans une réaction chimique ; s'applique à un processus de « chute ».

Exine : couche externe de la paroi d'une spore ou d'un grain de pollen.

Exocarpe [du grec *exo*, en-dehors, et *karpos*, fruit] : partie externe de la paroi ovarique à maturité (péricarpe).

Exocytose [du grec *ex*, hors de, et *kytos*, récipient] : processus cellulaire impliquant l'inclusion de particules ou de substances en solution dans une vésicule et leur transport jusqu'à la surface de la cellule ; à cet endroit, la membrane de la vésicule s'unit à la membrane plasmique et expulse son contenu au-dehors.

Exoderme : assise externe du cylindre cortical de certaines racines, épaisse d'une ou plusieurs cellules ; ces cellules sont caractérisées par la présence de cadres de Caspari sur leurs parois radiales et transversales. Après le développement des cadres de Caspari, une lamelle de subérine se dépose sur toutes les parois de l'exoderme.

Exon [du grec *exo*, extérieur] : segment d'ADN transcrit en ARN et traduit en protéine ; les eucaryotes sont caractérisés par la présence des exons. *Voir également* intron.

Extension de la gaine fasciculaire : groupe de cellules qui s'étendent dans le mésophylle foliaire depuis la gaine fasciculaire jusqu'à l'épiderme supérieur ou inférieur ou jusqu'aux deux ; peut être composée de parenchyme, de collenchyme ou de sclérenchyme.

F

F_1 : première génération filiale. Descendance d'un croisement. F_2 et F_3 sont les deuxième et troisième générations provenant de ce croisement.

Faisceau caulinaire : faisceau conducteur faisant partie de la tige.

Faisceau conducteur : cordon de tissu contenant le xylème primaire et le phloème primaire (ainsi que le procambium, s'il existe encore), souvent entouré d'une gaine de parenchyme ou de fibres.

Faisceau conducteur fermé : faisceau conducteur dépourvu de cambium.

Faisceau conducteur ouvert : faisceau conducteur où se développe un cambium.

Famille : rang taxonomique situé entre l'ordre et le genre ; le nom des familles se termine en *-idae* chez les animaux et les protistes hétérotrophes et par *-aceae* chez tous les autres organismes. Une famille comprend un ou plusieurs genres et chaque famille fait partie d'un ordre.

Famille multigénique : ensemble de gènes apparentés présents sur un chromosome ; la plupart des gènes eucaryotes paraissent appartenir à des familles multigéniques.

Fascicule [du latin *fasciculus*, petit paquet] : faisceau de feuilles de pin ou d'autres feuilles en aiguille chez les gymnospermes.

Faux fruit : fruit, ou groupe de fruits, dont les parties charnues dérivent en grande partie de tissus différents de ceux de l'ovaire. La fraise en est un exemple : la partie charnue est le réceptacle et les fruits (akènes) sont insérés à sa surface.

Fécondation : fusion de deux noyaux gamètes en un zygote diploïde.

Fenêtre de trace foliaire : région du tissu parenchymateux du cylindre conducteur primaire de la tige située au-dessus du point de départ de la ou des traces foliaires chez les spermatophytes.

Fenêtre foliaire : région du parenchyme cortical, dans le cylindre conducteur primaire, situé au-dessus du point de départ de la trace foliaire, ou des traces foliaires chez les fougères.

Fermentation : extraction de l'énergie de composés organiques sans intervention de l'oxygène.

Ferrédoxines : protéines de transfert d'électrons à forte teneur en fer ; certaines interviennent dans la photosynthèse.

Feuille : principal appendice latéral de la tige ; sa structure et sa fonction sont très variables ; la feuille verte est un organe spécialisé dans la photosynthèse.

Feuille composée : feuille dont le limbe est divisé en plusieurs folioles distinctes.

Feuille simple : feuille indivise ; par opposition à feuille composée.

Fibre : cellule sclérenchymateuse allongée, effilée, à parois épaisses, présente chez les plantes vasculaires ; ses parois ne sont pas nécessairement lignifiées et, après leur différenciation, elles peuvent éventuellement conserver un protoplaste vivant.

Fibres fusoriales : faisceaux de microtubules, dont certains vont des kinétochores des chromosomes aux pôles du fuseau.

Fibrille : filament inframicroscopique composé de molécules de cellulose : c'est sous cette forme que la cellulose se trouve dans la paroi cellulaire.

Filament : terme utilisé pour décrire certaines structures des algues ou des champignons.

Filament d'actine : filament protéique hélicoïdal, épais de 5 à 7 nanomètres, composé de molécules globulaires d'actine ; élément essentiel du cytosquelette de toutes les cellules eucaryotes ; également appelé microfilament.

Filet : support d'une étamine.

Fixation de l'azote : incorporation de l'azote atmosphérique à des composés azotés, réalisée par certaines bactéries libres et symbiotiques.

Fixation du carbone : transformation du CO_2 en molécules organiques au cours de la photosynthèse.

Flagelle [du latin *flagellum*, fouet] : long organite filamenteux émergeant à la surface d'une cellule. Les flagelles des bactéries sont capables de se mouvoir par rotation et sont composés d'une seule fibre protéique ; les flagelles des eucaryotes, utilisés pour la locomotion et l'alimentation, sont composés d'une structure microtubulaire interne caractéristique 9 + 2 et sont capables de déplacements ondulatoires, mais pas de rotation. Un cil est un petit flagelle eucaryote.

Flavonoïdes : composés phénoliques ; pigments hydrosolubles présents dans les vacuoles des cellules végétales ; on a signalé que ceux du vin et du jus de raisin abaissent le taux de cholestérol du sang.

Flavoprotéine : déshydrogénase contenant une flavine et souvent un métal et jouant un rôle essentiel dans l'oxydation ; FP en abrégé.

Fleur : structure reproductrice des angiospermes ; une fleur complète comprend le calice, la corolle, l'androcée (étamines) et le gynécée (carpelles), mais toutes les fleurs comprennent au moins une étamine ou un carpelle.

Fleur complète : fleur possédant quatre verticilles de pièces — sépales, pétales, étamines et carpelles.

Fleur hermaphrodite : fleur possédant au moins une étamine et un carpelle fonctionnels.

Fleur incomplète : fleur dépourvue de l'un ou l'autre type de pièces florales : sépales, pétales, étamines ou carpelles.

Fleur unisexuée : fleur dépourvue soit d'étamines, soit de carpelles.

Fleuron : une des petites fleurs faisant partie de l'inflorescence composée ou de l'épi des graminées.

Fleurs du disque : fleurs actinomorphes tubulaires des *Asteraceae* ; elles diffèrent des ligules zygomorphes aplaties. Chez de nombreuses *Asteraceae*, les fleurs du disque se trouvent au centre de l'inflorescence et les ligules à la périphérie.

Florigène [du latin *flor*, fleur, et du grec *genes*, producteur] : hormone végétale hypothétique favorisant la floraison.

Flux cyclique d'électrons : dans les chloroplastes, flux, induit par la lumière, des électrons qui proviennent du photosystème I et y retournent.

Flux des produits de l'assimilation : flux de sève élaborée dans le phloème ; se déplace de la source vers le puits.

Flux génique : entrée et sortie d'allèles d'une population.

Flux non cyclique d'électrons : flux d'électrons induit par la lumière, au cours de la photosynthèse, entre l'eau et $NADP^+$ dans la photosynthèse avec libération d'oxygène ; les deux photosystèmes, I et II, interviennent.

Flux transpiratoire : flux d'eau passant par le xylème, allant des racines jusqu'aux feuilles.

Foliole : partie d'une feuille composée.

Follicule [du latin *folliculus*, petite boule] : fruit sec, simple, déhiscent, dérivé d'un carpelle unique et s'ouvrant sur un seul côté.

Formation climax : stade final d'une série progressive ; sa nature est en grande partie déterminée par le climat et le sol de la région.

Fossiles : restes, empreintes ou traces d'un organisme conservés dans les roches de la croûte terrestre.

Fourche de réplication : au cours de la synthèse de l'ADN, structure en Y formée à l'endroit où les deux brins de la molécule d'origine se séparent et où commence la synthèse des brins complémentaires.

FP : *voir* flavoprotéine.

Fragments d'Okasaki [d'après le généticien japonais Okasaki] : au cours de la réplicaion de l'ADN, segments discontinus résultant de la synthèse du brin 3'-5' (brin retardé) de la double hélice d'ADN ; leur longueur atteint généralement de 1000 à 2000 nucléotides chez les procaryotes et de 100 à 200 chez les eucaryotes.

Fréquence génique : proportion relative d'un allèle particulier dans une population.

Fronde : feuille de fougère ; toute grande feuille divisée.

Fruit : chez les angiospermes, ovaire (ou groupe d'ovaires) arrivé à maturité et contenant les graines, ainsi que toutes les parties contiguës qui peuvent y être fusionnées à maturité ; parfois appliqué, à tort, lorsqu'on parle de « fructification », aux structures reproductrices d'autres types d'organismes.

Fruit composé (apocarpe) : fruit développé à partir de plusieurs carpelles libres d'une même fleur.

Fruit multiple : ensemble d'ovaires mûrs dérivés d'un groupe de fleurs, comme chez l'ananas.

Fruit simple : fruit dérivé d'un carpelle ou de plusieurs carpelles soudés.

Fucoxanthine [du grec *phykos*, algue, et *xanthos*, jaune-brun] : caroténoïde brunâtre des algues brunes et des chrysophytes.

Funicule [du latin *funiculus*, petite corde] : stipe de l'ovule.

Fuseau mitotique : ensemble de microtubules se formant entre les pôles opposés dans la cellule eucaryote au cours de la mitose.

G

Gaine : (1) base d'une feuille entourant la tige, par exemple chez les graminées ; (2) couche de tissu entourant un autre tissu, comme une gaine fasciculaire.

Gaine fasciculaire : assise(s) de cellules entourant un faisceau conducteur ; peut être composée de cellules parenchymateuses et/ou sclérenchymateuses.

Gamétange : cellule ou structure pluricellulaire où se forment les gamètes.

Gamète [du grec *gamein*, se marier] : cellule reproductrice haploïde ; les gamètes fusionent deux à deux pour produire des zygotes diploïdes.

Gamétophore [du grec *gamein*, se marier, et *phoros*, porter] : chez les bryophytes, stipe fertile portant les gamétanges.

Gamétophyte : chez les plantes possédant une alternance de générations, génération (ou phase) haploïde (*n*) produisant les gamètes.

Gel : mélange de substances dont la consistance est semi-solide ou solide.

Gène : unité héréditaire ; séquence de nucléotides codant une molécule de protéine, d'ARNt ou d'ARNr, ou contrôlant la transcription de cette séquence.

Gène de régulation : gène qui inhibe ou réprime l'activité des gènes de structure d'un opéron.

Gène de structure : tout gène codant une protéine ; à distinguer des gènes de régulation.

Génome : ensemble de l'information génétique contenue dans le noyau, le plaste ou la mitochondrie.

Génotype : composition génétique, latente ou exprimée, d'un organisme, par opposition au phénotype ; l'ensemble des gènes d'un individu.

Genre : rang taxonomique situé entre la famille et l'espèce ; les genres comprennent une ou plusieurs espèces.

Géotropisme [du grec *ge*, terre, et *tropes*, orientation] : réponse d'une tige ou d'une racine à l'attraction terrestre.

Germination [du latin *germinare*, germer] : début ou reprise de la croissance à partir d'une spore, d'une graine, d'un bourgeon ou de tout autre structure.

Gibbérellines [du genre de champignon *Gibberella*] : catégorie d'hormones végétales dont l'effet le mieux connu est l'élongation accrue des tiges de plantes.

Glucide : molécule organique formée d'une chaîne d'atomes de carbone auxquels l'hydrogène et l'oxygène sont fixés dans un rapport de 2 :1 ; on y trouve les sucres, l'amidon, le glycogène et la cellulose.

Glucose : sucre à six carbones commun ($C_6H_{12}O_6$) ; c'est le monosaccharide le plus fréquent chez la plupart des organismes.

Glycérol : molécule à trois carbones et trois groupements hydroxyle ; les molécules de glycérol se combinent aux acides gras pour produire les graisses et les huiles.

Glycogène [du grec *glykys*, doux, et *gen*, sorte] : glucide comparable à l'amidon, servant de réserve alimentaire chez les bactéries, les champignons et la plupart des organismes à l'exclusion des plantes.

Glycolyse : décomposition anaérobie du glucose donnant deux molécules de pyruvate et libérant finalement deux molécules d'ATP ; catalysée par des enzymes dans le cytosol.

Glyoxysome : peroxysome contenant les enzymes nécessaires à la transformation des graisses en glucides ; les glyoxysomes jouent un rôle important au cours de la germination des graines.

Gousse : fruit simple dérivé d'un carpelle et s'ouvrant sur les deux côtés.

Gradient de concentration : différence de concentration d'une substance par unité de distance.

Gradient électrochimique : force permettant à un ion de traverser une membrane, provenant de la différence de charge électrique de part et d'autre de la membrane, combinée à une différence de concentration des ions sur ses deux faces.

Grain : *voir* caryopse.

Grain de pollen : microspore contenant un microgamétophyte (gamétophyte mâle) plus ou moins complètement différencié ; on trouve des grains de pollen chez les spermatophytes.

Graine : structure provenant de la maturation de l'ovule fécondé chez les spermatophytes.

Graisse : molécule composée de glycérol et de trois molécules d'acide gras ; la proportion d'oxygène par rapport au carbone est beaucoup moindre dans les graisses que dans les glucides. On parle d'huiles quand les graisses sont à l'état liquide.

Grana (granum *au singulier*) : structures internes des chloroplastes, apparaissant comme des granules verts au microscope optique et comme une série de thylakoïdes empilés au microscope électronique ; les grana contiennent les chlorophylles et les caroténoïdes et c'est là que se déroulent les réactions lumineuses de la photosynthèse.

Greffage : réunion d'individus différents dans laquelle une portion d'un individu, la greffe, est insérée dans une racine ou une tige d'un autre individu, le porte-greffe.

Groupement hydroxyle : groupement OH^- ; ion chargé négativement provenant de la dissociation d'une molécule d'eau.

Groupement prosthétique : ion métallique ou groupement inorganique (autre qu'un acide aminé) thermostable qui s'unit à une protéine et lui sert de groupement actif.

Guanine [du quechua *huanu*, fumier] : base purique de l'ADN et de l'ARN. Son nom découle de l'abondance de la guanine sous forme d'une base cristalline blanche dans le guano et dans d'autres sortes d'excréments animaux.

Guttation [du latin *gutta*, goutte] : exsudation d'eau liquide à partir des feuilles provoquée par la pression racinaire.

Gymnosperme [du grec *gymnos*, nu, et *sperma*, graine] : spermatophyte dont les graines ne sont pas enfermées dans un ovaire ; les conifères sont le groupe le plus répandu ; ne constitue pas un groupe monophylétique.

Gynécée [du grec *gyne*, femme, et *oikos*, maison] : ensemble des carpelles de la fleur chez les spermatophytes.

H

Habitat [du latin *habitare*, habiter] : environnement d'un organisme ; endroit où il se trouve habituellement.

Hadrome : cordon central de cellules conductrices de l'eau dans les axes de certains gamétophytes et sporophytes de mousses.

Haploïde [du grec *haplos*, unique] : qui possède un seul lot de chromosomes (*n*), par opposition au diploïde (2*n*).

Héliotropisme [du grec *helios*, soleil, et *tropes*, orientation] : faculté des feuilles et des fleurs de nombreuses plantes de se déplacer pendant le jour en s'orientant soit perpendiculairement, soit parallèlement aux rayons solaires.

Hémicellulose : polysaccharide proche de la cellulose, mais plus soluble et moins structuré ; on la trouve principalement dans les parois cellulaires.

Herbacé : adjectif s'appliquant aux plantes non ligneuses.

Herbe [du latin *herba*, graminée] : spermatophyte non ligneux dont la partie aérienne a une durée de vie relativement courte.

Herbier : collection d'échantillons végétaux séchés et pressés.

Herbivore : qui se nourrit de plantes.

Hérédité polygénique : hérédité de caractères quantitatifs contrôlés par des gènes multiples.

Hérédité [du latin *heredis*, héritier] : transmission de caractères des parents aux descendants par l'intermédiaire des gamètes.

Hermaphrodite [du grec, pour *Hermès* et *Aphrodite*] : organisme possédant des organes reproducteurs mâles et femelles. Fleur possédant en même temps des étamines et des carpelles.

Hétéro- [du grec *heteros*, différent] : préfixe signifiant « autre », ou « différent ».

Hétérocaryotique [du grec *heteros*, différent, et *karyon*, noyau] : champignon possédant deux ou plusieurs types de noyaux génétiquement différents dans un même mycélium.

Hétérocyste [du grec *heteros*, différent, et *cystis*, sac] : cellule fixatrice d'azote, transparente, à paroi épaisse, qui se forme dans les filaments de certaines cyanobactéries.

Hétérogamie [du grec *heteros*, différent, et *gamos*, union ou reproduction] : reproduction impliquant deux types de gamètes.

Hétéroïque [du grec *heteros*, différent, et *oikos*, maison] : rouille qui exige deux espèces d'hôtes différentes pour boucler son cycle de développement.

Hétérokontées : organismes pourvus d'un long flagelle plumeux et d'un flagelle lisse plus court ; c'est le cas des oomycètes, des chrysophytes, des diatomées, des algues brunes et de certains autres groupes.

Hétéromorphe [du grec *heteros*, différent, et *morphê*, forme] : terme s'appliquant à un cycle de développement dans lequel les générations haploïde et diploïde ont une forme différente.

Hétérosis [du grec *heterosis*, altération] : vigueur hybride, supériorité de l'hybride comparé aux deux parents pour un caractère mesurable.

Hétérosporé : qui possède deux sortes de spores, les microspores et les mégaspores.

Hétérothallique [du grec *heteros*, différent, et *thallus*, bourgeon] : terme s'appliquant à une espèce dont les individus haploïdes sont autostériles ou autoincompatibles ; il faut deux souches ou individus compatibles pour que la reproduction sexuée soit possible.

Hétérotrophe [du grec *heteros*, différent, et *trophos*, nourriture] : organisme qui ne peut élaborer de substances organiques et doit donc se nourrir de matière organique provenant d'autres plantes ou animaux ; *voir également* autotrophe.

Hétérozygote : qui possède deux allèles différents au même locus sur les chromosomes homologues.

Hile [du latin *hile*, petite quantité] : (1) cicatrice laissée sur la graine après sa séparatioon du funicule ; (2) partie d'un grain d'amidon autour de laquelle l'amidon se dépose en couches plus ou moins concentriques.

Histone : groupe de cinq protéines basiques associées aux chromosomes des cellules eucaryotes.

Homéo-, homo- [du grec *homos*, semblable] : préfixe signifiant « semblable », ou « le même ».

Homéostasie [du grec *homos*, semblable, et *stasis*, position] : conservation d'un milieu physiologique interne relativement stable à l'intérieur d'un organisme, ou d'un équilibre dynamique dans une population ou un écosystème. L'homéostasie implique généralement des mécanismes de rétroinhibition.

Homocaryotique [du grec *homos*, semblable, et *karyon*, noyau] : champignon dont les noyaux du mycélium ont la même composition génétique.

Homologie [du grec *homologia*, accord] : condition indiquant une même origine phylogénétique, ou évolutive, mais pas nécessairement la même structure et/ou fonction actuelle.

Homothallique [du grec *homos*, semblable, et *thallus*, bourgeon] : terme utilisé pour décrire une espèce dont les individus sont autostériles.

Homozygote : portant des allèles identiques au même locus sur les chromosomes homologues.

Horloge biologique [du grec *bios*, vie et *logos*, discours] : mécanisme interne de mesure du temps contrôlant les rythmes innés des organismes.

Hormogonie : portion d'un filament de cyanobactérie qui se détache et se développe en un nouveau filament.

Hormone [du grec *hormaein*, exciter] : substance organique produite, généralement en quantités infimes, dans une partie de l'organisme ; elle est ensuite transportée vers une autre partie du même organisme sur laquelle elle a un effet spécifique ; les hormones fonctionnent comme signaux chimiques intercellulaires très spécifiques.

Hôte : organisme sur lequel ou dans lequel vit un parasite.

Humus : matière organique en décomposition dans le sol.

Hybridation : production d'une descendance à partir de deux parents différents.

Hybride : descendance de deux parents différant par un ou plusieurs caractères héréditaires ; descendance de deux variétés ou espèces différentes.

Hydrocarbure [du grec *hydro*, eau, et du latin *carbo*, carbon] : composé organique formé uniquement d'atomes d'hydrogène et de carbone.

Hydroïdes : cellules conductrices de l'eau dans l'hadrome des mousses ; ils ressemblent aux éléments vasculaires des plantes vasculaires, mais sont dépourvus d'épaississements spécialisés des parois.

Hydrolyse [du grec *hydro*, eau, et *lysis*, séparation] : clivage d'une molécule par séparation des ions H^+ et OH^- de l'eau.

Hydrophyte [du grec *hydro*, eau, et *phyton*, plante] : plante qui exige une humidité importante ou se développe entièrement ou partiellement dans l'eau.

Hydrotropisme : croissance des racines en direction de régions à potentiel hydrique plus élevé ou en réponse à un gradient d'humidité.

Hyménium [du grec *hymen*, membrane] : couche d'asques sur un ascome ou de basides sur un carpophore, avec les hyphes stériles qui leur sont associées.

Hyper- [du grec *hyper*, au-dessus] : préfixe signifiant « au-dessus ».

Hypertonique : s'applique à une solution dont la concentration en molécules de soluté est suffisante pour attirer l'eau à travers une membrane semi-perméable à partir d'une autre solution.

Hyphe [du grec *hyphe*, tissu] : filament tubulaire simple d'un champignon, d'un oomycète ou d'un chytride ; l'ensemble des hyphes forme le mycélium.

Hyphes ascogènes [du grec *askos*, vessie et *genous*, qui produit] : hyphes contenant les noyaux mâles et femelles appariés ; ils se développent à partir de l'ascogone et donnent finalement naissance à l'asque.

Hypo- [du grec *hypo*, inférieur] : préfixe signifiant « sous », « moins ».

Hypocotyle : portion de l'embryon ou de la plantule située entre les cotylédons et la radicule.

Hypoderme [du grec *hypo*, sous, et *derma*, peau] : une ou plusieurs assises cellulaires situées sous l'épiderme, distinctes des cellules du cylindre cortical ou du mésophylle.

Hypogé [du grec *hypo*, sous, et *ge*, terre] : mode de germination de la graine où les cotylédons restent sous terre.

Hypogynie [du grec *hypo*, sous, et *gyne*, femme] : organisation de la fleur dans laquelle les sépales, les pétales et les étamines sont insérés au réceptacle sous l'ovaire ; *voir également* épigynie.

Hypothèse de la croissance acide : hypothèse selon laquelle l'acidification de la paroi cellulaire provoque l'hydrolyse des liaisons présentes dans la paroi et, en conséquence, une élongation de la cellule induite par sa pression de turgescence.

Hypotonique : s'applique à une solution dont la concentration en solutés est suffisamment basse pour qu'elle perde de l'eau à travers une paroi semi-perméable au profit d'une autre solution.

I

Imbibition : absorption d'eau et gonflement de substances colloïdales dû à l'adsorption des molécules d'eau aux surfaces internes de ces substances.

Indéhiscent : restant fermé à maturité, comme de nombreux fruits (par exemple les samares).

Indusie [du latin *indusium*, sous-vêtement féminin] : excroissance membraneuse de l'épiderme de la feuille de fougère recouvrant un sore.

Inflorescence : groupe de fleurs disposées de manière définie.

Ingénierie génétique : manipulation du matériel génétique en vue d'applications pratiques ; on parle également de technologie de l'ADN recombinant.

Initiale : (1) cellule qui persiste indéfiniment dans un méristème et, en même temps, donne de nouvelles cellules à la plante en se divisant ; (2) cellule méristématique finissant par se différencier en une cellule ou un élément plus spécialisé.

Initiale de rayon : initiale du cambium qui donne naissance aux cellules de rayon du xylème et du phloème secondaires.

Initiales fusiformes : cellules cambiales allongées verticalement qui donnent naissance aux cellules du système axial dans le xylème et le phloème secondaires.

Inter- [du latin *inter*, entre] : préfixe signifiant « entre », ou au « milieu de ».

Interaction allostérique [du grec *allos*, autre et *steros*, forme] : modification de la forme d'une protéine induite par son union à une molécule différente du substrat ; sous sa nouvelle forme, la protéine possède normalement des propriétés différentes.

Intercalaire [du latin *intercalare*, insérer] : s'applique à un tissu méristématique ou à une croissance qui ne se limite pas à l'apex d'un organe : croissance au niveau des noeuds.

Interphase : période située entre deux cycles mitotiques ou méiotiques ; la cellule s'accroît et son ADN se réplique au cours de l'interphase.

Intine : partie interne de la paroi d'une spore ou d'un grain de pollen.

Intra- [du latin *intra*, à l'intérieur] : préfixe qui signifie à l'intérieur.

Intron [du latin *intra*, à l'intérieur] : portion d'ARNm transcrit à partir de l'ADN eucaryote éliminée enzymatiquement avant la traduction en protéine (*voir également* exon).

Invertase : enzyme qui hydrolyse le saccharose en glucose et fructose ; on parle également de sucrase.

Ion : atome ou molécule qui a perdu ou acquis un ou plusieurs électrons et est donc chargé positivement ou négativement.

Iso- [du grec *isos*, égal] : préfixe signifiant « semblable ». (is- devant une voyelle).

Isogamie : mode de reproduction sexuée dans lequel les gamètes (ou les gamétanges) ont la même taille ; on la trouve chez certaines algues et chez certains champignons.

Isomère [du grec *isos*, égal, et *meros*, partie] : une des substances de composition atomique identique, mais différant dans leur disposition structurale ; par exemple, le glucose et le fructose.

Isomorphe [du grec *isos*, égal, et *morphê*, forme] : de même forme.

Isosporé : qui ne possède qu'une seule sorte de spores.

Isotonique : possédant la même concentration osmotique.

Isotope : une des différentes formes possibles d'un élément chimique différant des autres par le nombre de neutrons dans le noyau atomique, mais dont les propriétés chimiques sont identiques.

K

Kinétine [du grec *kinetikos*, qui entraîne le mouvement] : purine probablement inexistante dans la nature, mais fonctionnant chez les plantes comme une cytokinine.

Kinétochores [du grec *kinetikos*, qui met en mouvement, et *chorus*, choeur] : complexes protéiques spécialisés qui se développent au niveau des différents centromères et auxquels se fixent les fibres fusoriales au cours de la mitose et de la méiose.

L

L$_1$, L$_2$, L$_3$, assises cellulaires externes des méristèmes apicaux des angiospermes possédant une organisation tunica-corpus.

Lamelle mitoyenne : couche de matériel intracellulaire, riche en composés pectiques, qui cimente les parois primaires des cellules contiguës.

Lamelle [du latin *lamella*, mince plaque métallique] : membrane cellulaire, en particulier membrane photosynthétique contenant les chlorophylles.

Lames : bandes de tissu situées sous le chapeau des basidiomycètes.

Laminarine : un des principaux produits de réserve des algues brunes ; polymère du glucose.

Légumineuse [du latin *legumen*, légumineuse] : espèce de l'ordre des *Fabales*, qui comprend le pois et le haricot.

Lenticelles [du latin *lenticella*, petite fenêtre] : zones spongieuses à la surface de l'écorce des tiges, des racines et d'autres parties de la plante, permettant les échanges de gaz entre les tissus internes et l'atmosphère à travers le périderme ; se trouvent chez les plantes vasculaires.

Leptoïdes : cellules conductrices de sève organique associées aux hydroïdes dans certains gamétophytes et sporophytes de mousses ; ils ressemblent aux éléments criblés de certaines cryptogames vasculaires.

Leptome : tissu conducteur de sève organique composé de leptoïdes ; entoure l'hadrome dans les axes de certains gamétophytes et sporophytes de mousses.

Leptosporange : sporange provenant d'une seule cellule initiale et dont la paroi se compose d'une seule assise cellulaire.

Lessivage : mouvement vers le bas des minéraux (ions inorganiques) du sol entraîné par la percolation de l'eau.

Leucoplaste [du grec *leuko*, blanc, et *plasein*, former] : plaste incolore ; les leucoplastes sont souvent des centres de formation d'amidon.

Liaison covalente : liaison chimique formée entre atomes suite à la mise en commun de deux électrons.

Liaison hydrogène : liaison faible entre un atome d'hydrogène fixé à un atome d'oxygène ou d'azote et un autre atome d'oxygène ou d'azote.

Liaison peptidique : type de liaison produite lorsque deux unités acides aminés sont réunies bout à bout avec élimination d'une molécule d'eau ; les liaisons se forment toujours entre le groupement carboxyle (-COOH) d'un acide aminé et le groupement amine (-NH$_2$) du suivant.

Liane [du français *lier*] : grande plante ligneuse grimpant sur d'autres plantes.

Liber : partie interne et vivante de l'écorce chez les arbres âgés ; c'est la partie située à l'intérieur du périderme le plus profond.

Liège : tissu secondaire produit par un phellogène ; composée de cellules polygonales, mortes à maturité, à parois subérisées, imperméables aux gaz et à la vapeur d'eau ; c'est la partie externe du périderme.

Ligase : enzyme qui unit deux molécules par un processus consommant de l'énergie ; l'ADN ligase, par exemple, est indispensable à la synthèse de l'ADN : elle catalyse la liaison covalente entre l'extrémité 3' d'un nouveau fragment d'ADN et l'extrémité 5' de la chaîne en croissance.

Lignine : un des plus importants composants de la paroi secondaire des plantes vasculaires ; toutes les parois secondaires ne contiennent cependant pas de la lignine ; après la cellulose, la lignine est le polymère végétal le plus abondant.

Ligule [du latin *ligula*, languette] : petite excroissanec ou appendice situé à la base de la feuille des graminées et de certains lycophytes.

Limbe : partie élargie de la feuille.

Linkage : tendance de certains gènes à être hérités ensemble parce qu'ils sont localisés sur le même chromosome.

Lipide [du grec *lipos*, graisse] : un des grands types de molécules organiques non polaires insolubles dans l'eau (qui est polaire), mais se dissolvant aisément dans les solvants organiques non polaires ; les lipides comprennent les graisses, les huiles, les stéroïdes, les phospholipides et les caroténoïdes.

Locus : position occupée par un gène sur un chromosome particulier.

Loge : cavité à l'intérieur d'un sporange ou cavités de l'ovaire contenant les ovules.

Loi de Hardy-Weinberg : expression mathématique du rapport entre les fréquences relatives de deux ou plusieurs allèles dans une population. Elle prouve que les fréquences des allèles et des génotypes restent constantes dans une population où la reproduction est aléatoire, en l'absence d'endogamie, de sélection ou d'autres forces évolutives.

Lumière : espace délimité par la paroi cellulaire végétale ; espace délimité par les thylakoïdes dans les chloroplastes ; mince espace clair dans le réticulum endoplasmique.

Lyse [du grec *lysis*, dissolution] : désintégration ou destruction de la cellule.

Lysosome [du grec *lysis*, dissolution, et *soma*, corps] : organite délimité par une membrane unique, contenant des enzymes hydrolytiques libérés par la rupture de l'organite et capables de décomposer les protéines et d'autres macromolécules complexes.

M

Macle : cristal composé, plus ou moins sphérique, réunissant de nombreux cristaux élémentaires qui hérissent sa surface ; composé d'oxalate de calcium

Macrocyste : structure irrégulière aplatie, entourée d'une membrane simple, dans laquelle se forment les zygotes au cours du cycle de développement des myxomycètes cellulaires.

Macroéléments (macronutriments) : éléments chimiques inorganiques exigés en quantités importantes pour la croissance des plantes, comme l'azote, le potassium, le calcium, le phosphore, le magnésium et le soufre.

Macroévolution : modifications évolutives à grande échelle, impliquant des tendances évolutives majeures.

Macrofibrille : ensemble de microfibrilles visible au microscope optique.

Macromolécule [du grec *makros*, grand] : molécule de poids moléculaire très élevé ; s'applique particulièrement aux protéines, aux acides nucléiques, aux polysaccharides et aux complexes qui en dérivent.

Magnoliidées : les 3 % d'angiospermes actuelles qui possèdent les caractéristiques les plus primitives ; ce sont les ancêtres des monocotylées et des dicotylées.

Magnoliidées ligneuses : magnoliidées à grandes fleurs hermaphrodites, robustes, à nombreuses pièces libres, disposées en spirale sur un axe allongé (réceptacle).

Maltase : enzyme hydrolysant le maltose en glucose.

Mannitol : une des molécules de réserve des algues brunes ; c'est un alcool.

Matrotrophie : concerne une forme d'alimentation provenant du gamétophyte maternel : c'est le cas du gamétophyte des mousses qui alimente le zygote et le sporophyte en développement.

Mauvaise herbe : plante, généralement herbacée, sans valeur esthétique, vivant à l'état sauvage, considérée comme un gaspillage de terrain ou une gêne pour le développement d'une végétation utile.

Méga- [du grec *megas*, grand] : préfixe qui signifie « grand ».

Mégagamétophyte [du grec *megas*, grand, *gamos*, mariage, et *phyton*, plante] : chez les plantes hétérosporées, c'est le gamétophyte femelle ; localisé à l'intérieur de l'ovule chez les spermatophytes.

Mégaphylle [du grec *megas*, grand, et *phyllon*, feuille] : feuille de taille généralement grande, possédant plusieurs nervures : sa ou ses traces sont associées à une fenêtre foliaire (chez les fougères) et à une fenêtre de trace foliaire (chez les spermatophytes) ; s'oppose à microphylle.

Mégasporange : sporange où sont produites les mégaspores (*voir également* nucelle).

Mégaspore : chez les plantes hétérosporées, spore haploïde (*n*) se développant en gamétophyte femelle ; dans la plupart des groupes, les mégaspores sont plus volumineuses que les microspores.

Mégasporophylle : feuille ou structure foliacée portant un mégasporange.

Méiose gamétique : méiose aboutissant à la formation de gamètes haploïdes à partir d'un individu diploïde ; les gamètes fusionnent en un zygote diploïde qui se divise pour produire un nouvel individu diploïde.

Méiose sporique : méiose aboutissant à la production de spores haploïdes à partir d'un individu diploïde, le sporophyte ; les spores donnent naissance à des individus haploïdes, les gamétophytes, qui produisent finalement des gamètes qui fusionnent en zygotes diploïdes ; les zygotes se développent à leur tour en sporophytes ; ce cycle de développement est une alternance de générations.

Méiose zygotique : méiose se déroulant dans un zygote et produisant quatre cellules haploïdes qui se divisent par mitoses pour produire soit d'autres cellules haploïdes, soit un organisme pluricellulaire qui donnera finalement naissance aux gamètes.

Méiose [du grec *meioun*, rendre plus petit] : succession de deux divisions nucléaires entraînant la réduction du nombre chromosomique de diploïde (2*n*) à haploïde (*n*) et la ségrégation des gènes ; des gamètes ou des spores (chez les organismes à alternance de générations) peuvent provenir de la méiose.

Méiospores : spores provenant de la méiose et donc haploïdes.

Membrane plasmique, ou plasmalemme : limite externe du cytoplasme, contre la paroi cellulaire ; consiste en une membrane simple.

Membrane unitaire : membrane tripartite identifiable au microscope électronique, composée de deux couches foncées séparées par une couche claire.

Membrane vacuolaire : *voir* tonoplaste.

Méristème apical : méristème situé à l'extrémité de la racine ou de la tige chez une plante vasculaire.

Méristème fondamental : méristème primaire, ou tissu méristématique à l'origine des tissus fondamentaux.

Méristème primaire : tissu dérivé des méristèmes apicaux ; ils sont de trois types : protoderme, précambium et méristème fondamental.

Méristème [du grec *merizein*, diviser] : tissu végétal indifférencié, perpétuellement jeune, dont proviennent les nouvelles cellules.

Méristèmes latéraux : méristèmes à l'origine des tissus secondaires ; cambium et phellogène.

Méso- [du grec *mesos*, milieu] : préfixe signifiant « milieu ».

Mésocarpe [du grec *mesos*, milieu, et *karpos*, fruit] : couche intermédiaire de la paroi ovarique à maturité (péricarpe), située entre l'exocarpe et l'endocarpe.

Mésocotyle : entrenoeud situé entre le noeud scutellaire et le coléoptile dans l'embryon et la plantule des graminées (*Poaceae*).

Mésophylle : tissu fondamental (parenchyme) de la feuille, localisé entre les assises épidermiques ; les cellules du mésophylle contiennent généralement des chloroplastes.

Mésophyte [du grec *mesos*, milieu, et *phyton*, plante] : plante qui demande un environnement ni trop humide, ni trop sec.

Messager secondaire : petite molécule produite ou libérée à l'intérieur du cytosol en réponse à un signal externe ; il relaie le signal vers l'intérieur de la cellule ; les ions calcium et l'AMP cyclique sont des messagers secondaires.

Métabolisme de l'acide crassulacéen, ou **CAM** : variante de la voie en C_4 : le phosphoénolpyruvate fixe le CO_2 sous forme de molécules en C_4 pendant la nuit puis, durant la journée, le CO_2 fixé est transféré au ribulose diphosphate du cycle de Calvin dans la même cellule. Caractéristique de la plupart des plantes succulentes, comme les cactus.

Métabolisme [du grec *metabolê*, changement] : ensemble de tous les processus chimiques qui se déroulent à l'intérieur d'une cellule vivante ou d'un organisme.

Métabolites primaires : molécules présentes dans toutes les cellules végétales et nécessaires à la vie de la plante ; on y trouve par exemple les sucres simples, les acides aminés et les acides nucléiques.

Métabolites secondaires : molécules dont la distribution est localisée, à l'intérieur de la plante ainsi que dans des plantes différentes ; importants pour la survie et la propagation des plantes qui les produisent ; il en existe trois classes principales — les alcaloïdes, les terpénoïdes et les produits phénoliques.

Métaphase : stade de la mitose ou de la méiose au cours de laquelle les chromosomes se trouvent dans le plan équatorial du fuseau.

Métaxylème [du grec *meta*, après, et *xylon*, bois] : partie du xylème primaire qui se différencie après le protoxylème ; le métaxylème se différencie lorsque l'allongement de la partie de la plante où il se trouve a cessé.

Micellation radiale : orientation radiale des microfibrilles de cellulose dans les parois des cellules de garde ; joue un rôle dans le mouvement de ces cellules.

Micro- [du grec *mikros*, petit] : préfixe signifiant « petit ».

Microbody : *voir* peroxysome.

Microévolution : changement évolutif à l'intérieur d'une population au cours d'une succession de générations.

Microfibrille : composant filamenteux de la paroi cellulaire, formé de molécules de cellulose, visible seulement au microscope électronique.

Microfilament : *voir* filament d'actine.

Microgamétophyte [du grec *mikros*, petit, *gamos*, mariage, et *phyton*, plante] : gamétophyte mâle des plantes hétérosporées.

Micromètre (micron) : Unité de mesure microscopique utile pour décrire les dimensions cellulaires ; 1/1000 de millimètre ; symbolisé par μm.

Microphylle [du grec *mikros*, petit, et *phyllon*, feuille] : petite feuille à nervure et trace foliaire uniques, qui n'est associée ni à une fenêtre foliaire, ni à une fenêtre de trace foliaire ; opposé à mégaphylle. Les microphylles sont caractéristiques des lycophytes.

Micropyle : ouverture dans les téguments des ovules de spermatophytes, par où passe normalement le tube pollinique.

Microsporange : sporange où se forment des microspores.

Microspore : chez les plantes hétérosporées, spore qui se développe en gamétophyte mâle.

Microsporocyte : voir cellule mère de microspores.

Microsporophylle : organe foliacé portant un ou plusieurs microsporange.

Microtubule [du grec *mikros*, petit, et du latin *tubulus*, petit tube] : tubule non-membraneux allongé, étroit (environ 25 nanomètres de diamètre) et de longueur indéterminée ; il existe des microtubules dans les cellules eucaryotes. Les microtubules déplacent les chromosomes au cours de la division cellulaire et font partie de la structure interne des cils et des flagelles.

Mimétisme [du grec *mimos*, mime] : ressemblance superficielle en forme, couleur ou comportement entre certains organismes et d'autres, plus forts ou mieux protégés, aboutissant à la protection des premiers, à leur camouflage ou à tout autre avantage.

Minéral : élément chimique ou composé inorganique naturel.

Mitochondrie [du grec *mitos*, filament, et *chondrion*, petit grain] : organite délimité par une double membrane présent dans les cellules eucaryotes ; elle contient les enzymes du cycle de Krebs et la chaîne de transport d'électrons ; c'est la principale source d'ATP des cellules non-photosynthétiques.

Mitose [du grec *mitos*, filament] : processus au cours duquel les chromosomes dupliqués se divisent longitudinalement et les chromosomes fils se séparent ensuite pour donner deux noyaux fils génétiquement identiques ; s'accompagne généralement d'une cytocinèse.

Modèle : patron, ou moule qui guide la synthèse d'un négatif ou d'un complément ; le terme s'applique essentiellement à la duplication de l'ADN, qui s'explique par une hypothèse de modèle.

Modèle de la mosaïque fluide : modèle de structure membranaire selon lequel la membrane se compose d'une bicouche lipidique renfermant des protéines globulaires.

Moelle : tissu fondamental occupant le centre de la tige ou de la racine à l'intérieur du cylindre conducteur ; généralement composée de parenchyme.

Mole : nom donné à une molécule gramme. Le nombre de particules dans une mole de substance, quelle qu'elle soit, est toujours égal au nombre d'Avogadro : $6,022 \times 10^{23}$.

Molécule : la plus petite unité possible d'une substance, composée d'au moins deux atomes.

Molécule polaire : molécule possédant des extrémités chargées positivement et négativement.

Mono- [du grec *monos*, unique] : préfixe signifiant « un », ou « unique ».

Monocaryotique [du grec *monos*, unique, et *karyon*, noyau] : chez les champignons : possédant un seul noyau haploïde par cellule ou compartiment.

Monocotylée : plante dont l'embryon possède un seul cotylédon ; une des deux grandes classes d'angiospermes, les *Monocotyledones*.

Monoïque [du grec *monos*, unique, et *oikos*, maison] : dont les anthères et les carpelles se trouvent dans des fleurs séparées du même individu.

Monomères [du grec *monos*, unique, et *meros*, partie] : petites unités répétitives qui peuvent se réunir en polymères.

Monophylétique : s'applique à un taxon provenant d'un seul ancêtre.

Monosaccharide [du grec *monos*, unique, et *sakcharon*, sucre] : sucre simple, comme les sucres à cinq et six carbones, qui ne peuvent être divisées en particules sucrées plus petites.

Morph-, -morphe [du grec *morphê*, forme] : préfixe ou suffixe signifiant « forme ».

Morphogenèse : développement d'une forme.

Morphologie [du grec *morphê*, forme, et *logos*, discours] : étude de la forme et de son développement.

Mucigel : gaine muqueuse couvrant la surface de nombreuses racines.

Mutagène [du latin *mutare*, changer, et du grec *genaio*, produire] : agent qui augmente le taux de mutation.

Mutant : gène muté ou organisme possédant un gène qui a subi une mutation.

Mutation homéotique : mutation qui modifie l'identité d'un organe de telle sorte que des structures inhabituelles apparaissent à des endroits ou à des moments inadéquats.

Mutation ponctuelle : modification d'un des nucléotides de la molécule d'ADN du chromosome ; un allèle d'un gène est modifié ; on parle également de mutation génique.

Mutualisme : vie en commun de deux ou plusieurs organismes dans une association avantageuse pour chacun.

Myc-, myco- [du grec *mykes*, champignon] : préfixe qui signifie « en rapport avec les champignons ».

Mycélium [du grec *mykes*, champignon] : ensemble des hyphes qui constituent l'organisme d'un champignon, d'un oomycète ou d'un chytride.

Mycologie : étude des champignons.

Mycorhize : association symbiotique entre certains champignons et la plupart des plantes vasculaires.

N

NAD$^+$: *voir* nicotinamide adénine dinucléotide.

NADP$^+$: *voir* nicotinamide adénine dinucléotide phosphate.

Nanoplancton [du grec *nanos*, nain, et *planktos*, errant] : plancton dont les dimensions sont inférieures à 70-75 micromètres.

Nastie : mouvement des plantes en réponse à un stimulus, dont la direction est indépendante de celle du stimulus.

Nectaire [du grec *nektar*, boisson des dieux] : chez les angiospermes, glande qui sécrète du nectar, liquide sucré attirant les animaux vers les plantes.

Nervation : disposiiton des nervures dans le limbe foliaire.

Nervation parallèle : mode de nervation dans lequel les nervures principales de la feuille sont parallèles ou à peu près ; c'est une caractéristique des monocotylées.

Nervation réticulée : disposition en forme de réseau des nervures dans le limbe foliaire ; caractéristique des feuilles de magnoliidées et de dicotylées.

Nervilles : petits faisceaux conducteurs des feuilles, localisés dans le mésophylle et entourés d'une gaine fasciculaire ; elles prennent part à la répartition du flux transpiratoire et à la collecte des produits de la photosynthèse.

Nervure : faisceau conducteur faisant partie du réseau de tissus responsable de la conduction et du soutien dans une feuille ou un autre organe étalé.

Nervures principales : faisceaux conducteurs les plus grands, intervenant dans l'entrée et la sortie des substances de la feuille.

Neutron : particule dépourvue de charge dont la masse est légèrement supérieure à celle d'un proton, se trouvant dans le noyau de l'atome de tous les éléments à l'exception de l'hydrogène, dont le noyau ne comporte qu'un seul proton.

Niche : place occupée par une espèce particulière dans son écosystème.

Nicotinamide adénine dinucléotide (NAD$^+$) : coenzyme fonctionnant comme accepteur d'électrons dans de nombreuses réactions d'oxydation de la respiration.

Nicotinamide adénine dinucléotide phosphate (NADP$^+$) : coenzyme fonctionnant comme accepteur d'électrons dans de nombreuses réactions de réduction de la biosynthèse ; sa structure est semblable à celle de la NAD$^+$, sauf qu'elle contient un groupement phosphate supplémentaire.

Nitrification : oxydation des ions ammonium ou de l'ammoniac en nitrate ; processus effectué par une bactérie libre particulière du sol.

Niveau trophique : étape du transfert d'énergie dans un écosystème, représenté par un ensemble particulier d'organismes.

Nodules : renflements des racines de légumineuses et de certaines autres plantes occupés par des bactéries fixatrices d'azote.

Noeud : partie de la tige ou sont insérées une ou plusieurs feuilles ; *voir également* entrenoeud.

Noix : fruit simple sec, indéhiscent, dur, à une seule graine, provenant généralement d'un gynécée formé de plusieurs carpelles soudés.

Nombre atomique : nombre de protons dans le noyau d'un atome.

Noyau : (1) organite spécialisé de la cellule eucaryote délimité par une double membrane et contenant les chromosomes ; (2) partie centrale de l'atome d'un élément chimique.

Noyau atomique : partie centrale d'un atome, contenant les protons et les neutrons, autour de laquelle gravitent les électrons.

Noyau primaire d'albumen : résultat de la fusion d'un noyau spermatique et des deux noyaux polaires.

Noyaux polaires : généralement deux noyaux, provenant des deux pôles du sac embryonnaire et occupant une position centrale ; ils s'unissent à un noyau mâle pour produire le noyau primaire de l'albumen (normalement 3*n*).

Nucelle [du latin *nucella*, petite noix] : tissu formant la plus grande partie de l'ovule jeune, dans lequel se développe le sac embryonnaire ; équivalent d'un mégasporange.

Nucléoïde : région où se trouve l'ADN des cellules procaryotiques, des mitochondries et des chloroplastes.

Nucléole [du latin *nucleolus*, petit noyau] : corpuscule sphérique présent dans le noyau des cellules eucaryotes, composé principalement d'ARNr ; les sous-unités ribosomiques y sont produites.

Nucléoplasme : substance de base du noyau.

Nucléosome : complexe formé d'ADN et d'histones constituant l'unité de condensation fondamentale de l'ADN eucaryote ; sa structure ressemble aux perles d'un collier.

Nucléotide : unité isolée d'un acide nucléique, composée d'un phosphate, d'un sucre à cinq carbones (soit le ribose, soit le désoxyribose) et d'une purine ou d'une pyrimidine.

O

-oïde [du grec *oid*, semblable] : suffixe signifiant « semblable ».

Oligo-éléments (micronutriments) : éléments chimiques inorganiques qui ne sont nécessaires à la croissance des plantes qu'en très petite quantité, sous forme de trace, comme le fer, le chlore, le cuivre, le manganèse, le zinc, le molybdène, le nickel et le bore.

Ombelle [du latin *umbella*, ombrelle] : inflorescence dont les pédicelles individuels partent du sommet du pédoncule.

Ontogenèse [du grec *on*, être, et *genesis*, origine] : développement, histoire d'un organisme individuel ou d'une de ses parties.

Oo- [du grec *oion*, oeuf] : préfixe signifiant « oeuf ».

Oogamie : reproduction sexuée impliquant un gamète de grande taille et immobile (l'oosphère) et un gamète plus petit et mobile (l'anthérozoïde).

Oogone : organe reproducteur femelle unicellulaire contenant une ou plusieurs oosphères.

Oosphère : gamète femelle immobile, généralement plus volumineux qu'un gamète mâle de la même espèce.

Oospore : zygote à paroi épaisse caractéristique des oomycètes.

Opaque aux électrons : en microscopie électronique : qui ne permet pas le passage des électrons et a donc un aspect sombre.

Opérateur : segment d'ADN qui interagit avec une protéine répresseur pour contrôler la transcription des gènes de structure d'un opéron.

Opercule [du latin *operculum*, couvercle] : couvercle du sporange chez les mousses.

Opéron [du latin *opus, operis*, travail] : segment d'ADN du chromosome bactérien composé d'un promoteur, d'un opérateur et d'un groupe de gènes de structure contigus ; les gènes de structure, qui codent des produits liés à une voie biochimique particulière, sont transcrits en une seule molécule d'ARNm et leur transcription est contrôlée par une seule protéine fonctionnant comme répresseur.

Ordre : rang situé entre la classe et la famille dans les classifications ; les classes comprennent un ou plusieurs ordres et les ordres sont à leur tour formés d'une ou plusieurs familles.

Organe : structure composée de tissus différents : racine, tige, feuille ou pièce florale.

Organique : s'applique aux organismes vivants en général, aux substances produites par les organismes vivants et à la chimie des composés carbonés.

Organisateur nucléolaire : région particulière d'un chromosome associée à la production du nucléole.

Organisme : toute créature vivante individuelle, qu'elle soit unicellulaire ou pluricellulaire.

Organisme transgénique (OGM) : organisme dont le génome contient de l'ADN — provenant de la même espèce ou d'une autre — qui a été modifié par ingénierie génétique.

Organite : portion spécialisée de la cellule, délimitée par une membrane.

Osmose [du grec *osmos*, impulsion, poussée] : diffusion de l'eau ou d'un autre solvant au travers d'une membrane à perméabilité sélective ; en l'absence d'autres forces, le déplacement de l'eau au cours de l'osmose se fera toujours de la région à potentiel hydrique élevé vers celle à potentiel hydrique moindre.

Ovaire infère : ovaire complètement ou partiellement attaché au calice ; les autres verticilles floraux semblent insérés au sommet de l'ovaire.

Ovaire supère : ovaire libre et distinct du calice.

Ovaire [du latin *ovum*, oeuf] : base agrandie du carpelle ou d'un gynécée formé de carpelles soudés ; le fruit est l'ovaire mur, parfois acompagné d'autres parties qui y adhèrent.

Ovule [du latin *ovulum*, petit oeuf] : structure des spermatophytes contenant le gamétophyte femelle et l'oosphère, le tout entouré du nucelle et d'un ou deux téguments ; à maturité, l'ovule se transforme en graine.

Oxydation : perte d'un électron par un atome ou une molécule. L'oxydation et la réduction (gain d'un électron) sont simultanées parce qu'un électron perdu par un atome est accepté par un autre. Les réactions d'oxydo-réduction sont un mode important de transfert d'énergie dans les systèmes vivants.

P

Paire de ponctations : deux ponctuations opposées avec le voile.

Paléobotanique [du grec *palaios*, vieux] : étude des plantes fossiles.

Paléoherbes : magnoliidées non-ligneuses ; c'est un assemblage très hétérogène ; on y place toutes les angiospermes qui ne sont ni des magnoliidées ligneuses, ni des dicotylées, ni des monocotylées.

Panicule [du latin *panicula*, touffe] : inflorescence dont l'axe principal est ramifié et dont les ramifications portent des groupes lâches de fleurs.

Para- [du grec *para*, à côté] : préfixe signifiant « à côté ».

Paramylon : molécule de réserve des euglénoïdes.

Paraphylétique : désigne un taxon dont sont exclues des espèces qui ont un même ancêtre que les espèces qui y sont incluses.

Paraphyse [du grec *para*, à côté, et *physis*, croissance] : chez certains champignons, filament stérile se développant parmi les cellules reproductrices de la fructification ; s'applique également aux filaments stériles qui se développent parmi les gamétanges et les sporanges de certaines algues brunes et parmi les anthéridies et les archégones des mousses.

Parasite : organisme vivant sur ou à l'intérieur d'un organisme d'une autre espèce et qui s'en nourrit ; l'association est avantageuse pour le parasite et néfaste pour l'hôte.

Parenchyme palissadique : tissu foliaire composé de cellules parenchymateuses chlorophylliennes en forme de colonnes, leur grand axe étant perpendiculaire à la surface de la feuille.

Parenchyme spongieux : tissu foliaire composé de cellules chlorophylliennes lâchement disposées.

Parenchyme [du grec *para*, à côté, *en*, dans, et *chein*, verser] : tissu composé de cellules parenchymateuses.

Paroi cellulaire : assise externe rigide des cellules des plantes, de certain protistes et de la plupart des procaryotes.

Paroi cellulaire primaire : assise pariétale déposée au cours de l'expansion de la cellule.

Paroi cellulaire secondaire : assise interne de la paroi, produite dans certaines cellules lorsque l'élongation est terminée ; la structure microfibrillaire des parois secondaires est très organisée.

Parthénocarpie [du grec *parthenos*, vierge, et *karpos*, fruit] : développement du fruit sans fécondation ; les fruits parthénocarpiques sont généralement dépourvus de graines.

Pathogène [du grec *pathos*, souffrant, et *genesis*, début] : organisme responsable d'une maladie.

Pathologie : étude des maladies des plantes ou des animaux, de leurs effets sur l'organisme et de leur traitement.

PCR : *voir* réaction en chaîne de la polymérase.

Pectine : polysaccharide très hydrophile présent dans la couche intercellulaire et la paroi primaire des cellules végétales ; est utilisée pour les gelées de fruits.

Pédicelle : support d'une fleur individuelle dans une inflorescence.

Pédoncule : support d'une inflorescence ou d'une fleur solitaire.

Penne [du latin *pinna*, plume] : division primaire, ou foliole, d'une feuille ou d'une fronde composée ; peut être divisée en pinnules.

Peptide : deux ou plusieurs acides aminés unis par des liaisons peptidiques.

Péri- [du grec *peri*, autour] : préfixe signifiant « autour ».

Périanthe [du grec *peri*, autour, et *anthos*, fleur] : (1) ensemble des pétales et des sépales ; (2) chez les hépatiques à feuilles, gaine tubulaire entourant l'archégone, puis le sporophyte en développement.

Péricarpe [du grec *peri*, autour, et *karpos*, fruit] : paroi du fruit, provenant de la maturation de la paroi ovarique.

Péricline : parallèle à la surface.

Péricycle [du grec *peri*, autour, et *kyklos*, anneau] : tissu caractéristique des racines, limité vers l'extérieur par l'endoderme et, vers l'intérieur, par le phloème.

Périderme [du grec *peri*, autour, et *derma*, peau] : tissu protecteur externe remplaçant l'épiderme détruit au cours de la croissance secondaire ; comprend le liège, le phellogène et le phelloderme.

Périgynie [du grec *peri*, autour, et *gyne*, femme] : type d'organisation florale dans lequel les sépales, les pétales et les étamines sont insérés sur le bord d'une expansion cupuliforme du réceptacle ; les sépales, les pétales et les étamines sont à première vue insérés sur l'ovaire.

Périsperme [du grec *peri*, autour, et *sperma*, graine] : tissu de réserve dérivé du nucelle, présent dans les graines de certaines angiospermes.

Péristome [du grec *peri*, autour, et *stoma*, bouche] : chez les mousses, couronne de dents entourant l'ouverture du sporange.

Périthèce : ascome sphérique ou en forme de bouteille.

Perméabilité sélective : s'applique aux membranes qui permettent le passage de l'eau et de certains solutés, mais s'opposent au passage des autres ; membranes à perméabilité sélective permettant le passage de l'eau, mais pas celui des solutés.

Perméable [du latin *permeare*, passer au travers] : s'applique généralement à une membrane au travers de laquelle les substances liquides peuvent diffuser.

Peroxysome : organite sphérique, délimité par une membrane simple, dont le diamètre est compris entre 0,5 et 1,5 micromètre ; certains peroxisomes interviennent dans la photorespiration et d'autres (appelés glyoxysomes), dans la transformation des graisses en sucres au cours de la germination de la graine ; également appelés microbodies.

Pétale : pièce florale, généralement bien colorée ; partie de la corolle.

Pétiole : portion basale rétrécie de la feuille.

pH : symbole représentant la teneur relative en ions hydrogène d'une solution ; les valeurs de pH vont de 0 à 14 et la valeur est d'autant plus basse que la solution est plus acide ; c'est-à-dire qu'elle contient plus d'ions hydrogène ; le pH 7 est neutre, il est acide en-dessous de 7 et alcalin au-dessus.

Phage : *voir* bactériophage.

Phagocytose : *voir* endocytose.

Phelloderme : [du grec *phellos*, liège, et *derma*, peau] : tissu produit vers l'intérieur par le phellogène, à l'opposé du liège ; portion interne du périderme.

Phellogène : méristème latéral qui produit le périderme, composé du liège à l'extérieur et du phelloderme à l'intérieur ; commun dans les tiges et les racines des gymnospermes et des angiospermes ligneuses.

Phénoliques : large gamme de substances possédant toutes un groupement hydroxyle (-OH) fixé à un cycle aromatique (anneau de six carbones comportant trois doubles liaisons) ; on y trouve les flavonoïdes, les tanins, les lignines et l'acide salicylique.

Phénotype : apparence externe d'un organisme ; le phénotype est le résultat de l'interaction entre la composition génétique (génotype) de l'organisme et son environnement.

Phloème [du grec *phloos*, écorce] : tissu conducteur de la sève organique chez les plantes vasculaires, composé d'éléments criblés, de différents types de cellules parenchymateuses, de fibres et de scléréides.

Phosphate : substance dérivée de l'acide phosphorique par substitution d'un ou plusieurs atomes d'hydrogène.

Phospholipides : lipides phosphorylés ; leur structure est semblable à celle d'une graisse, mais deux acides gras seulement sont unis au squelette glycérol, la troisième position étant occupée par une molécule contenant du phosphore ; ce sont des composants importants des membranes cellulaires.

Phosphorylation au niveau du substrat : phosphorylation — production d'ATP à partir d'ADN et phosphate inorganique — au cours de la glycolyse.

Phosphorylation oxydative : production d'ATP à partir d'ADP et de phosphate inorganique ; la phosphorylation oxydative se déroule dans la chaîne de transport d'électrons de la mitochondrie.

Phosphorylation [du grec *phosphoros*, qui apporte la lumière] : réaction ajoutant du phosphate à une substance ; par exemple, production d'ATP à partir d'ADP et de phosphate inorganique.

Photo-, -photique [du grec *photos*, lumière] : préfixe ou suffixe signifiant « lumière ».

Photobionte [du grec *photos*, lumière, et *bios*, vie] : élément photosynthétique d'un lichen.

Photolyse : clivage des molécules d'eau, dépendant de la lumière, qui se déroule dans le photosystème II des réactions lumineuses de la photosynthèse.

Photon [du grec *photos*, lumière] : particule élémentaire de lumière.

Photopériodisme : réponse à la durée et à la répartition du jour et de la nuit ; mécanisme apparu par évolution chez les organismes qui leur permet d'estimer la durée du jour au cours des saisons.

Photophosphorylation [du grec *photos*, lumière, et *phosphoros*, qui apporte la lumière] : production d'ATP dans le chloroplaste au cours de la photosynthèse.

Photorespiration : activité oxygénase de la Rubisco combinée à la voie de récupération, consommant O_2 et libérant CO_2 ; se déroule lorsque Rubisco s'unit à O_2 au lieu de CO_2.

Photosynthèse [du grec *photos*, lumière, *syn*, ensemble, et *tithenai*, placer] : transformation de l'énergie lumineuse en énergie chimique ; production de glucides à partir de dioxyde de carbone et d'eau en présence de chlorophylle grâce à l'énergie lumineuse.

Photosystème : unité distincte d'organisation de la chlorophylle et d'autres molécules pigmentées enrobées dans les thylakoïdes des chloroplastes intervenant dans les réactions claires de la photosynthèse.

Phototropisme [du grec *photos*, lumière, et *trope*, tourner] : croissance de la plante dépendant essentiellement de la direction de la lumière qui est le facteur déterminant ; elle est orientée vers la source lumineuse ; orientation en réponse à la lumière.

Phragmoplaste : ensemble fusiforme de fibrilles se formant entre deux noyaux fils en télophase et dans lequel se forme la plaque cellulaire au cours de la division cellulaire ou cytocinèse. Les fibrilles du phragmoplaste sont composées de microtubules. On trouve des phragmoplastes chez toutes les algues vertes, à l'exception de la classe des *Chlorophyceae*, ainsi que chez les plantes.

Phragmosome : couche de cytoplasme traversant la cellule, là ou le noyau se situe et se divise.

Phycobilines : groupe de pigments accessoires, comme les phycocyanines et les phycoérythrines, trouvés chez les algues rouges et les cyanobactéries.

Phycologie [du grec *phykos*, algue] : étude des algues.

Phycoplaste : ensemble de microtubules se développant entre les deux noyaux fils parallèlement au plan de la division cellulaire. On ne trouve de phycoplastes que chez les algues vertes de la classe des *Chlorophyceae*.

Phyllo-, Phyll- [du grec *phyllon*, feuille] : préfixe signifiant « feuille ».

Phyllode : pétiole ou tige photosynthétique, aplati ; les phyllodes se rencontrent dans certains genres de plantes vasculaires et jouent le rôle des limbes foliaires pour la photosynthèse.

Phyllotaxie : disposition des feuilles sur la tige.

Phyllotaxie opposée : terme utilisé pour des feuilles insérées par paires à chaque noeud.

Phyllotaxie spiralée : disposition des feuilles impliquant une seule feuille par noeud et leur répartition le long d'une spirale autour de la tige ; on parle également de phyllotaxie alterne.

Phyllotaxie verticillée : insertion d'au moins trois feuilles ou pièces florales autour d'un noeud.

Phylogénie [du grec *phylon*, race, tribu] : relations évolutives entre les organismes ; histoire de l'évolution d'un groupe d'organismes.

Physiologie : étude des activités et mécanismes chez les organismes vivants.

Phyto-, -phyte [du grec *phyton*, plante] : préfixe ou suffixe signifiant « plante ».

Phytoalexine [du grec *phyton*, plante, et *alexein*, protéger] : substance chimique produite par une plante pour combattre l'infection par un champignon ou une bactérie pathogène.

Phytochrome : pigment semblable à une phycobiline présent dans le cytoplasme des plantes et de quelques algues vertes, associé à l'absorption de la lumière ; photorécepteur de lumière rouge et rouge lointain ; participe à plusieurs processus de timing, comme la floraison, la dormance, la production des feuilles et la germination des graines.

Phytoplancton [du grec *phyton*, plante, et *planktos*, errant] : organismes photosynthétiques microscopiques aquatiques flottants.

Pigment : substance qui absorbe la lumière, souvent de façon sélective.

Pigment accessoire : pigment qui capte l'énergie lumineuse et la transfère à la chlorophylle *a*.

Pinocytose : *voir* endocytose.

Pistil [du latin *pistillum*, pilon] : désigne un carpelle individuel ou un groupe de carpelles soudés.

Placenta [du latin *placenta*, gâteau] : partie de la paroi ovarique où sont insérés les ovules ou les graines.

Placentation : mode d'insertion des ovules dans l'ovaire.

Plage : zone transparente dans une couche de cellules provenant de la destruction, ou lyse, des cellules par les virus.

Plage criblée : portion de la paroi d'un élément criblé possédant un groupe de pores qui réunissent les protoplastes d'éléments contigus.

Plancton [du grec *planktos*, errant] : organismes aquatiques flottant librement, pour la plupart microscopiques.

Plante vasculaire : plante possédant xylème et phloème ; on parle également de trachéophyte.

Plantes de jours courts : plantes qui doivent être soumises à des périodes de lumière inférieures à une valeur critique pour pouvoir fleurir ; elles fleurissent normalement en automne.

Plantes de jours longs : plantes qui doivent être exposées à des périodes lumineuses supérieures à une durée critique pour pouvoir fleurir ; elles fleurissent au printemps ou en été.

Plantes en C$_3$: plantes qui utilisent uniquement le cycle de Calvin, ou voie en C$_3$, pour la fixation du CO$_2$; le premier produit stable est un composé à trois carbones, le 3-phosphoglycérate.

Plantes en C$_4$: plantes chez lesquelles le premier produit de la fixation du CO$_2$ est un composé à quatre carbones (l'oxaloacétate) ; les plantes en C$_4$ utilisent en même temps le cycle de Calvin (voie en C$_3$) et la voie en C$_4$.

Plantes indifférentes : plantes qui fleurissent sans égard à la longueur du jour.

Plantule : jeune sporophyte, provenant d'une graine germée.

Plaque cellulaire : structure qui se forme à l'équateur du fuseau dans les cellules en division des plantes et de quelques algues vertes en début de télophase.

Plaque criblée : partie des éléments de tubes criblés possédant une ou plusieurs plages criblées.

Plaque perforée : partie perforée de la paroi d'un élément de vaisseau.

Plasmalemme : *voir* membrane plasmique.

-plasme, plasmo-, plast- [du grec *plasma*, forme, moule] : préfixe ou suffixe signifiant « formé, » ou « modelé » ; par exemple protoplasme, « produit en premier lieu » (matière vivante), et chloroplaste, « forme verte ».

Plasmide : fragment d'ADN bactérien relativement court, capable de s'intégrer à un chromosome et de se répliquer ensuite avec lui. Les plasmides représentent environ 5 % de l'ADN chez de nombreuses bactéries, mais ils sont rares chez les eucaryotes.

Plasmide Ti : plasmide circulaire d'*Agrobacterium tumefaciens* permettant à la bactérie d'infecter les cellules végétales et d'induire une tumeur (crown gall) ; outil efficace pour le transfert de gènes étrangers dans les génomes végétaux.

Plasmode : stade du cycle de développement des myxomycètes plasmodiaux. Masse multinucléée de protoplasme entourée d'une membrane.

Plasmodesmes [du grec *plasma*, forme, et *desma*, liaison] : minces filaments cytoplasmiques passant par les ouvertures dans les parois cellulaires et reliant les protoplastes de cellules vivantes contiguës.

Plasmogamie [du grec *plasma*, forme, et *gamos*, mariage] : union des protoplastes des gamètes non accompagnée de la fusion de leurs noyaux.

Plasmolyse [du grec *plasma*, forme, et *lysis*, libération] : Séparation du protoplaste de la paroi cellulaire lorsque le protoplaste a perdu de l'eau par osmose.

Plaste : organite présent dans les cellules de certains groupes d'eucaryotes, où sont localisées des activités telles que l'élaboration et le stockage des aliments ; les plastes sont délimités par deux membranes.

Pléiotropie [du grec *pleros*, plus, et *trope*, tourner] : faculté pour un gène d'affecter plusieurs caractères phénotypiques.

Pneumatophores [du grec *pneuma*, respiration, et *phoros*, qui porte] : expansions à géotropisme négatif du système racinaire de certains arbres vivant dans des milieux marécageux ; ils s'allongent vers le haut en dehors de l'eau et assurent probablement une aération adéquate.

Poids atomique : poids d'un atome représentatif d'un élément rapporté au poids d'un atome de carbone ^{12}C auquel on a attribué une valeur de 12.

Poids moléculaire : poids relatif d'une molécule lorsqu'une valeur de 12 est attribuée à la forme la plus fréquente de l'atome de carbone ; somme des poids relatifs des atomes d'une molécule.

Poils absorbants : excroissances tubulaires des cellules épidermiques de la racine ; augmentent fortement la surface d'absorption de la racine.

Point de flétrissement permanent : pourcentage d'eau restant dans le sol lorsqu'une plante ne se rétablit pas après fanaison, même si elle est placée dans une chambre humide.

Pollen [du latin *pollen*, poussière fine] : désigne l'ensemble des grains de pollen.

Pollinisation : chez les angiospermes, passage du pollen d'une anthère au stigmate. Chez les gymnospermes, transfert direct du pollen d'un cône mâle à un ovule.

Pollinisation croisée : transfert du pollen de l'anthère d'une plante au stigmate d'une fleur d'une autre plante.

Poly- [du grec *polys,* plusieurs] : préfixe signifiant « beaucoup ».

Polyembryonie : présence de plusieurs embryons dans la graine en développement.

Polymère : grosse molécule composée de nombreuses sous-unités semblables.

Polymérisation : réunion chimique de monomères tels que le glucose ou les nucléotides pour produire des polymères tels que l'amidon ou un acide nucléique.

Polynucléotide : molécule monocaténaire d'ADN ou d'ARN.

Polypeptide : molécule composée d'acides aminés unis par des liaisons peptidiques, moins complexe qu'une protéine.

Polyphylétique : s'applique à un taxon dont les membres dérivent de deux ou plusieurs ancêtres différents.

Polyploïde : s'applique à un organisme, tissu ou cellule possédant plus de deux lots complets de chromosomes.

Polysaccharide : polymère composé de nombreux monosaccharides unitaires réunis en une longue chaîne, comme le glycogène, l'amidon et la cellulose.

Polysome ou **polyribosome** : groupe de ribosomes activement impliqués, l'un à la suite de l'autre, dans la traduction d'une même molécule d'ARN.

Pomme : fruit charnu simple formé des pièces florales entourant l'ovaire et développées au cours de la croissance du fruit ; on ne trouve ce fruit que dans une sous-famille des *Rosaceae* (pommes, poires, coing, pyracantha, etc.)

Pompes : protéines de transport activées soit par l'énergie chimique (ATP), soit par l'énergie lumineuse ; dans les cellules des plantes et des champignons, ce sont typiquement des pompes à protons.

Ponctuation : orifice dans la paroi cellulaire dépourvu d'épaississement secondaire.

Ponctuation aréolée : ponctuation dans laquelle la paroi secondaire se recourbe sur la membrane de la ponctuation.

Ponctuation primaire : surface mince de la paroi cellulaire primaire traversée par des plasmodesmes ; ces derniers peuvent cependant exister aussi dans d'autres régions.

Ponctuation simple : ponctuation qui n'est pas entourée par un rebord provenant de la paroi secondaire ; contraire de punctuation aréolée.

Pool génique : ensemble des allèles de tous les gènes de tous les individus d'une population.

Population : groupe d'individus, appartenant généralement à la même espèce, qui occupent en même temps un espace donné.

Post-maturation : terme appliqué aux modifications métaboliques que doivent subir certaines graines dormantes pour permettre la germination.

Potentiel chimique : activité ou énergie libre d'une substance ; elle dépend de la vitesse du déplacement d'une molécule moyenne et de la concentration des molécules.

Potentiel de membrane : différence de voltage de part et d'autre d'une membrane, due à une distribution différentielle des ions.

Potentiel hydrique : somme algébrique du potentiel de soluté et de la pression de paroi ; c'est l'énergie potentielle de l'eau.

Potentiel osmotique : modification de l'énergie libre ou potentiel chimique de l'eau provoquée par les solutés ; porte un signe négatif.

Préfoliaison circinée [du latin *circinare,* enrouler, et *vernare,* fleurir] : disposi-ton enroulée en crosse des feuilles et des folioles dans le bourgeon, par exemple chez les fougères ; la feuille se déroule progressivement en poursuivant son développement.

Première loi de Mendel : les facteurs responsables d'une paire de caractères alternatifs se séparent, et un gamète particulier ne peut en porter qu'un seul (ségrégation génétique).

Pression de paroi : pression exercée par la paroi cellulaire sur le protoplaste turgescent ; elle est opposée et de même valeur que la pression de turgescence.

Pression de turgescence : pression intracellulaire due à l'entrée d'eau à l'intérieur de la cellule.

Pression osmotique : pression potentielle que peut développer une solution séparée de l'eau pure par une membrane à perméabilité sélective ; en l'absence d'autres forces, le mouvement de l'eau au cours de l'osmose se fera toujours de la région à potentiel élevé vers celle à potentiel hydrique moindre.

Pression racinaire : pression développée dans les racines par osmose, provoquant la guttation d'eau par les feuilles et l'exsudation par les souches sectionnées.

Primordium foliaire [du latin *primordium,* début] : excroissance latérale du méristème apical qui deviendra finalement une feuille.

Primordium [du latin *primus,* premier, et *ordiri,* commencer à tisser] : premier stade de différenciation d'une cellule ou d'un organe.

Pro- [du grec *pro,* avant] : préfixe signifiant « avant ».

Procambium [du grec *pro,* avant, et du latin *cambiare,* changer] : tissu méristématique primaire à l'origine des tissus conducteurs primaires.

Procaryote [du grec *pro,* avant, et *karyon,* noyau] : cellule ne contenant ni noyau ni d'autres organites délimités par des membranes : *Bacteria* et *Archaea.*

Proembryon : premiers stades de développement d'un embryon, avant que l'embryon proprement dit et le suspenseur ne soient distincts.

Promoteur : segment spécifique d'ADN auquel s'attache l'ARN polymérase pour entamer la transcription de l'ARNm à partir d'un opéron.

Propagule : petite masse de cellules végétatives ; excroissance du thalle, par exemple chez les hépatiques et certains champignons ; peut se développer en plante entière.

Prophase [du grec *pro,* avant, et *phasis,* forme] : premier stade de la division nucléaire, caractérisé par le raccourcissement et l'épaississement des chromosomes et leur mouvement vers la plaque métaphasique.

Proplaste : petit organite cytoplasmique qui se réplique de manière autonome et se différencie en plaste.

Protéase : enzyme digérant les protéines par hydrolyse des liaisons peptidiques ; on parle également de peptidases.

Protéine de transport : protéine membranaire spécifique responsable du transfert des solutés au travers des membranes, réparties en trois grandes classes : pompes, transporteurs et canaux.

Protéine P : protéine phloémienne ; substance protéique des cellules du phloème des angiospermes, spécialement des éléments de tubes criblés.

Protéine [du grec *proteios,* primaire] : substance organique complexe composée d'un grand nombre (au moins 100) d'acides aminés réunis par des liaisons peptidiques.

Protéines de canal : protéines de transport qui forment des canaux remplis d'eau au travers des membranes cellulaires ; quand elles sont ouvertes, les protéines de canal laissent passer des solutés spécifiques.

Protéines intrinsèques : protéines transmembranaires et autres protéines fermement unies à la membrane.

Protéines transmembranaires : protéines globulaires traversant la bicouche lipidique des membranes cellulaires. Certaines traversent la bicouche sous forme d'une hélice alpha et d'autres sous forme de plusieurs hélices.

Prothalle : chez les plantes vasculaires isosporées, comme les fougères, il s'agit d'un gamétophyte photosynthétique plus ou moins indépendant.

Protiste : membre du règne des *Protista.*

Proto- [du grec *protos,* premier] : préfixe signifiant « premier » ; par exemple, *Protozoa,* « premiers animaux ».

Protoderme [du grec *protos,* premier, et *derma,* peau] : tissu méristématique primaire qui donne naissance à l'épiderme.

Proton : particule élémentaire, subatomique, possédant une seule charge positive de même importance que celle d'un électron et de masse égale à 1 ; composant élémentaire de tout noyau atomique.

Protonéma [du grec *protos,* premier, et *nema,* filament] : premier stade de développement du gamétophyte chez les mousses et chez certaines hépatiques ; les protonémas peuvent être filamenteux ou foliacés.

Protoplasme : terme général désignant la substance vivante de toutes les cellules.

Protoplaste : protoplasme d'une cellule individuelle ; chez les plantes, c'est l'unité de protoplasme située à l'intérieur de la paroi cellulaire.

Protostèle [du grec *protos*, premier, et *stele*, pilier] : type le plus simple de stèle, consistant en une colonne pleine de tissu conducteur.

Protoxylème : première partie du xylème primaire, qui se différencie au cours de l'élongation de la portion de plante à laquelle il appartient.

Protrachéophyte : organisme possédant des axes ramifiés et des sporanges multiples, mais dont les cellules conductrices de l'eau sont semblables aux hydroïdes des mousses modernes plutôt qu'aux éléments vasculaires des plantes vasculaires ; stade intermédiaire de l'évolution des plantes vasculaires ou trachéophytes.

Proximal [du latin *proximus*, proche] : situé près du point de référence, généralement la partie principale de l'organisme ou le point de fixation ; par opposition à distal.

Pseudo- [du grec *pseudes*, faux] : préfixe signifiant « faux ».

Pseudoplasmode : masse multicellulaire de cellules amiboïdes individuelles, représentant le stade d'agrégation des myxomycètes cellulaires.

Pulvinus : épaississement articulé situé à la base du pétiole d'une feuille ou du pétiolule d'une foliole et qui intervient dans les mouvements de la feuille ou de la foliole.

Purine : le plus volumineux des deux types de bases nucléotidiques de l'ADN et de l'ARN ; base azotée à double cycle, comme l'adénine ou la guanine.

Pyramide d'énergie : rapport énergétique entre les différents niveaux nutritionnels intervenant dans une chaîne alimentaire particulière ; les autotrophes (à la base de la pyramide) possèdent la plus importante quantité d'énergie disponible ; viennent ensuite les herbivores, puis les carnivores primaires, les carnivores secondaires et ainsi de suite. Il existe des pyramides semblables pour la mase, la taille et le nombre d'individus dans les communautés naturelles.

Pyrénoïdes [du grec *pyren*, noyau de fruit, et *oides*, semblable] : parties différenciées du chloroplaste qui fonctionnent comme centres de production de l'amidon, chez les algues vertes et les anthocérotes.

Pyrimidine : le plus petit des deux types de bases nucléotidiques de l'ADN et de l'ARN : base azotée comportant une structure à un seul cycle, comme la cytosine, la thymine et l'uracile.

Q

Quantasome [du latin *quantus*, combien, et du grec *soma*, corps] : granules localisés à la surface interne des lamelles du chloroplaste ; on pense qu'ils interviennent dans les réactions claires de la photosynthèse.

Quantum : la plus petite unité d'énergie lumineuse.

R

Racème [du latin *racemus*, grappe de raisins : inflorescence indéfinie dont l'axe principal est allongé, mais les fleurs sont portées par des pédicelles de longueur à peu près identique.

Rachis [du grec *rachis*, colonne vertébrale] : axe principal d'un épi ; axe d'une feuille de fougère (fronde) où sont insérées les pennes ; dans les feuilles composées, prolongement du pétiole correspondant à la nervure médiane d'une feuille entière.

Racine : axe de la plante, généralement orienté vers le bas et situé dans le sol, servant à la fixation de la plante, ainsi qu'à l'absorption et au transport de l'eau dans celle-ci.

Racine latérale : racine dérivée d'une autre plus ancienne ; on parle également de racine secondaire si elle dérive de la racine primaire.

Racine pivotante : racine primaire d'une plante prolongeant directement la radicule de l'embryon, forme une racine principale effilée robuste, d'où dérivent des racines latérales plus minces.

Racine primaire : première racine de la plante, provenant du développement de la pointe de la radicule de l'embryon.

Racine secondaire : *voir* racine latérale.

Racines échasses (aériennes) : racines adventives produites par la tige au-dessus du sol et participant au soutien de la plante ; fréquentes chez beaucoup de monocotylées, comme le maïs (*Zea mays*).

Radicule [du latin *radix*, racine] : racine embryonnaire.

Radioisotope : isotope instable d'un élément se désintégrant spontanément en émettant un rayonnement ; on parle également d'un isotope radioactif.

Rang : niveau auquel se situe un groupe particulier dans un système de classification hiérarchique.

Raphé [du grec *raphe*, suture] : (1) crête produite sur les graines par le stipe de l'ovule, lorsque celui-ci est fortement recourbé à la base de l'ovule ; (2) sillon sur la frustule d'une diatomée.

Raphides [du grec *raphis*, aiguille] : cristaux minces, aigus, en forme d'aiguilles, d'oxalate de calcium que l'on trouve dans les vacuoles de nombreuses cellules végétales.

Rayon médulaire : *voir* région interfasciculaire.

Rayonnement adaptatif : évolution d'un type d'organisme en plusieurs formes divergentes, chacune spécialisée en faveur d'un mode de vie différent.

Rayons ligneux ; feuillets de parenchyme s'étendant radialement à travers le bois, au travers du cambium et dans le phloème secondaire ; ils dérivent toujours du cambium.

Réaction chimique : établissement ou rupture de liaisons chimiques entre atomes ou molécules.

Réaction de Hill : évolution de l'oxygène et photoréduction d'un accepteur d'électrons artificiel par une préparation de chloroplastes en l'absence de dioxyde de carbone.

Réaction en chaîne de la polymérase (PCR) : technique d'amplification de régions spécifiques de l'ADN par de nombreux cycles de polymérisation basée sur l'utilisation d'amorces particulières, de molécules d'ADN polymérase et de nucléotides ; chaque cycle est suivi d'un court traitement par la chaleur destiné à séparer les brins complémentaires.

Réactions claires : Réactions de la photosynthèse qui exigent de la lumière et ne peuvent se dérouler à l'obscurité ; on parle également de réactions dépendantes de la lumière et de réactions de transfert d'énergie.

Réactions couplées : réactions dans lesquelles des réactions chimiques exigeant de l'énergie sont liées à des réactions qui en libèrent.

Réactions de fixation du carbone : réactions enzymatiques indépendantes de la lumière conduisant à la synthèse du glucose à partir de CO_2, ATP et NADPH dans les cellules photosynthétiques ; on parle également de réactions indépendantes de la lumière ou de réactions sombres.

Réactions de transfert d'énergie : *voir* réactions lumineuses.

Réceptacle : partie de l'axe d'une fleur qui porte les pièces florales.

Récessif : s'applique à un gène dont l'expression phénotypique est masquée chez l'hétérozygote par un allèle dominant ; les hétérozygotes ne peuvent se distinguer phénotypiquement des homozygotes dominants.

Recombinaison génétique : apparition, dans la descendance, de combinaisons géniques différentes de celles des parents.

Réduction : gain d'un électron par un atome ; la réduction se déroule en même temps que l'oxydation (perte d'un électron par un atome), parce que l'électron perdu par un atome est accepté par un autre.

Région de transition : partie des tissus primaires de la plante montrant des caractères de transition entre les structures racinaires et caulinaires.

Région interfasciculaire : tissus situés entre les faisceaux conducteurs de la tige ; on parle également de rayons médullaires.

Règne : un des sept rangs taxonomiques principaux ; par exemple les *Fungi* ou les *Plantae*.

Rejet : pousse produite par les racines de certaines plantes, à l'origine d'une nouvelle plante ; pousse dressée provenant de la base des tiges.

Répliquer : produire un fac-similé ou une copie ressemblante ; utilisé pour la production d'une seconde molécule d'ADN exactement semblable à la première ou la production d'une chromatide sœur.

Répresseur : protéine contrôlant la transcription de l'ADN ; elle agit en empêchant l'ARN polymérase de se fixer au promoteur et de transcrire le gène (*voir également* opérateur).

Reproduction asexuée : tout mécanisme de reproduction, comme la scissiparité ou le bourgeonnement, n'impliquant pas l'union de gamètes.

Reproduction sexuée : fusion des gamètes suivie de la méiose et de la recombinaison à l'un ou l'autre stade du cycle de développement.

Reproduction végétative : (1) chez les spermatophytes, reproduction impliquant des moyens autres que la reproduction sexuée ; apomixie ; (2) chez les autres organismes, reproduction par spores végétatives, fragmentation ou division de l'organisme somatique. En l'absence de mutations, les cellules ou individus produits sont génétiquement identiques à leurs parents.

Résistance au froid : faculté pour une plante se supporter les grands froids et la dessiccation de l'hiver.

Respiration : processus intracellulaire au cours duquel des molécules, en particulier le pyruvate du cycle de Krebs, sont oxydées en libérant de l'énergie. La dégradation complète du sucre et d'autres composés organiques en dioxyde de carbone et eau est appelée respiration aérobie, bien que les premières étapes de ce processus soient anaérobies.

Réticulum endoplasmique : système membranaire tridimensionnel complexe de taille indéterminée présent dans les cellules eucaryotes, qui divise le cytoplasme en compartiments et canaux. On parle de réticulum endoplasmique rugueux pour désigner les parties densément couvertes de ribosomes et de réticulum endoplasmique lisse pour les autres portions qui ne possèdent que peu ou pas de ribosomes.

Rétroinhibition : mécanisme de contrôle dans lequel l'augmentation de la concentration d'une molécule empêche la poursuite de la synthèse de cette molécule.

Rhizobiums [du grec *rhiza*, racine, et *bios*, vie] : bactéries des genres *Rhizobium* et *Bradyrhizobium* qui peuvent former avec les légumineuses des associations symbiotiques permettant la fixation de l'azote.

Rhizoïdes [du grec *rhiza*, racine] : (1) extensions ramifiées en forme de racines de champignons et d'algues qui absorbent de l'eau, des aliments et des éléments nutritifs ; (2) chez les hépatiques, les mousses et certaines plantes vasculaires, structures en forme de poils racinaires développées par des gamétophytes indépendants.

Rhizome : tige souterraine plus ou moins horizontale.

Rhytidome : dans les vieux arbres, partie externe morte de l'écorce ; comprend le périderme le plus interne et tous les tissus situés en-dehors de celui-ci.

Ribose : sucre à cinq carbones ; fait partie de l'ARN.

Ribosome : petite particule composée de protéines et d'ARN ; site de la synthèse protéique.

Rotation des cultures : pratique consistant à cultiver des plantes différentes selon une séquence régulière afin d'améliorer le contrôle des insectes et des maladies, d'accroître la fertilité du sol et de réduire l'érosion.

Rubisco : RuDP carboxylase/oxygénase, enzyme catalysant la première réaction du cycle de Calvin, impliquant la fixation du dioxyde de carbone au ribulose 1,5-diphosphate (RuDP).

Rythmes circadiens [du latin *circa*, environ et *dies*, jour] : rythmes réguliers de croissance et d'activité dont la périodicité est d'environ 24 heures.

S

Sac embryonnaire : gamétophyte femelle des angiospermes, structure généralement composée de sept cellules et huit noyaux ; les sept cellules sont l'oosphère, deux synergides et trois antipodes (toutes uninucléées), ainsi que la cellule centrale (binucléée).

Sac pollinique : cavité de l'anthère contenant les grains de pollen.

Saccharose : disaccharide (glucose et fructose) présent dans de nombreuses plantes ; c'est principalement sous cette forme que le sucre produit par photosynthèse est transporté.

Samare : fruit sec indéhiscent, à une ou deux graines, possédant des excroissances ailées issues du péricarpe.

Saprophyte [du grec *sapros*, pourri, et *phyton*, plante] : organisme qui trouve directement son alimentation dans la matière organique non-vivante.

Savane : formation herbeuse parsemée d'arbres.

Scarification : blessure ou amollissement du spermoderme destiné à accélérer la germination.

Schizo- [du grec *schizein*, fendre] : préfixe qui signifie « fendu ».

Schizocarpe : fruit sec simple à deux ou plusieurs carpelles qui se séparent à maturité.

Scissiparité : reproduction asexuée impliquant la division d'un individu unicellulaire en deux nouveaux individus unicellulaires de même taille. S'applique également à la division des plastes.

Scléréide [du grec *skleros*, dur] : cellule sclérenchymateuse à paroi secondaire lignifiée épaisse percée de nombreuses ponctuations. ; il peut être vivant ou mort à maturité.

Sclérenchyme [du grec *sckleros*, dur, et *enchyma*, infusion] : tissu de soutien composé de cellules sclérenchymateuses, comme les fibres et les scléréides.

Scutellum [du latin *scutella*, petit bouclier] : l'unique cotylédon de l'embryon des graminées, spécialisé dans l'absorption de l'albumen.

Seconde loi de Mendel : La transmission héréditaire d'une paire de caractères est indépendante de la transmission simultanée des autres caractères, ces caractères se répartissant indépendamment comme si les autres n'étaient pas présents (modifiée par la suite après la découverte du linkage).

Ségrégation : séparation, à la méiose, des chromosomes (et des gènes) provenant de parents différents (*voir* seconde loi de Mendel).

Sélection artificielle : amélioration d'organismes sélectionnés destinée à produire des lignées possédant les caractères souhaités.

Sélection naturelle : reproduction différentielle des génotypes en fonction de leur constitution génétique.

Sépale [du latin *sepalum*, couverture] : une des pièces florales externes, faisant partie du calice ; les sépales entourent généralement les autres pièces florales dans le bouton.

Séquençage de l'ADN : détermination de l'ordre des nucléotides dans une molécule d'ADN.

Série : en écologie, progression méthodique de modifications de la composition d'une communauté au cours du développement de la végétation dans une région, du début de la colonisation jusqu'à l'aboutissement au climax typique d'une zone géographique particulière.

Sessile [du latin *sessilis*, bas, nain] : directement fixé par sa base ; s'applique à une feuille dépourvue de pétiole ou à une fleur ou un fruit sans pédicelle.

Sève : liquide contenu dans le xylème et dans les éléments criblés du phloème.

Silique : fruit caractéristique des crucifères ; elle possède deux loges, les valves s'ouvrent à partir de la base et le placenta persiste avec la fausse cloison. On parle de silicule lorsque la silique est petite et aplatie.

Siphoné [du grec *siphon*, tube] : chez les algues, cellule plurinucléée dépourvue de parois transversales ; cénocytique.

Siphonostèle [du grec *siphon*, tube, et *stele*, pilier] : type de stèle composé d'un cylindre creux de tissu conducteur entourant une moelle.

Site actif : région superficielle d'une enzyme qui s'unit au substrat au cours de la réaction qu'elle catalyse.

Soie : chez les bryophytes, tige qui porte la capsule ; fait partie du sporophyte.

Sols argileux : sols contenant du sable, du limon et de l'argile dans des proportions qui donnent les meilleurs sols agricoles.

Soluté : molécule dissoute dans une solution.

Solution : généralement un liquide dans lequel les molécules de la substance dissoute (par exemple le sucre) sont dispersées parmi les molécules du solvant (par exemple l'eau).

Sore [du grec *soros*, tas] : groupe de sporanges ou de spores.

Sorédie [du grec *soros*, tas] : unité de reproduction spécialisée des lichens, formée de quelques cellules de cyanobactéries ou d'algues vertes entourées d'hyphes fongiques.

Souche reproductrice : lignée génétiquement définie d'un organisme incapable de se reproduire sexuellement avec un autre individu de la même lignée, mais capable de se reproduire avec des individus d'une autre souche du même organisme.

Sous-espèce : principale subdivision de l'espèce. Certains botanistes utilisent le terme variété comme équivalent de sous-espèce ; on peut aussi diviser les sous-espèces en variétés.

Spécialisé : (1) organisme possédant des adaptations particulières en fonction d'un milieu ou d'un mode de vie particulier ; (2) cellule possédant des fonctions particulières.

Spéciation : apparition de nouvelles espèces au cours de l'évolution.

Spéciation allopatrique [du grec *allos*, autre et *patra*, patrie, pays] : spéciation résultant d'une séparation géographique d'une population d'organismes.

Spéciation sympatrique [du grec *syn*, avec, et *patra*, patrie] : spéciation qui se déroule sans isolement d'une population ; fait habituellement suite à une hybridation accompagnée de la polyploïdie ; peut parfois résulter d'une sélection disruptive.

Spécificité : le fait d'être unique, comme pour les protéines d'un organisme donné ou les enzymes de réactions particulières.

Spécimen type : généralement un exemplaire pressé et séché de plante conservé dans un herbier ; chosi par un taxonomiste pour servir de point de comparaison avec d'autres spécimens et déterminer s'ils font partie de la même espèce.

Spectre d'absorption : spectre des longueurs d'onde lumineuses absorbées par un pigment particulier.

Spectre d'action : spectre des longueurs d'onde lumineuses qui induisent une réaction particulière.

Spectre électromagnétique : ensemble du spectre des radiations, dont la longueur d'onde varie de moins d'un nanomètre à plus d'un kilomètre.

Spermatange : structure des algues rouges qui produit les spermaties.

Spermatie [du grec *sperma*, semence] : petit gamète mâle non-mobile des algues rouges et de certains champignons.

Spermatophyte [du grec *sperma*, graine, et *phyton*, plante] : plante à graines.

Spermoderme : assise externe de la graine, dérivée des téguments de l'ovule.

Spermogonie [du grec *sperma*, semence, et *gonos*, descendance] : structure qui produit les spermaties chez les rouilles.

Spirille [du latin *spira*, enroulement] : longue bactérie enroulée ou spiralée.

Sporange [du grec *spora*, semence, et *angeion*, vaisseau] : structure creuse, uni- ou pluricellulaire, où les spores sont produites.

Sporangiophore [du grec *spora*, graine, et *phorein*, porter] : rameau portant un ou plusieurs sporanges.

Spore : cellule reproductrice, capable de se développer en organisme adulte sans s'unir à une autre cellule.

Sporophylle : feuille ou organe foliacé portant des sporanges ; s'applique aux étamines et aux carpelles des angiospermes, aux frondes fertiles des fougères et à d'autres structures semblables.

Sporophyte : phase diploïde (2*n*), produisant des spores, dans un cycle caractérisé par une alternance de générations.

Sporopollénine : substance résistante composant l'exine, paroi externe des spores et des grains de pollen ; c'est un alcool cyclique très résistant à la décomposition.

Stade parfait : stade du cycle de développement d'un champignon qui comprend la fusion sexuelle et les spores liées à cette fusion.

Staminé : s'applique à une fleur qui possède des étamines, mais pas de carpelles fonctionnels.

Statolithes [du grec *statos*, stationnaire, et *lithos*, pierre] : senseurs de la pesanteur ; plastes contenant de l'amidon (amyloplastes) ou autres corpuscules cytoplasmiques.

Stèle [du grec *stele*, pilier] : cylindre central, situé à l'intérieur du cylindre cortical des racines et des tiges des plantes vasculaires.

Stérigmate [du grec *sterigma* : support] : petite protubérance mince d'une baside portant une basidiospore.

Stigma : petite structure pigmentée sensible à la lumière, chez les organismes unicellulaires ciliés.

Stigmate : partie du carpelle sur laquelle les grains de pollen se déposent et germent.

Stipe : support, comme le pied des champignons à lames ou le pétiole des feuilles de fougère.

Stipule : appendice, souvent foliacé, situé des deux côtés de la base d'une feuille, ou entourant la tige, chez de nombreuses espèces d'angiospermes.

Stolon [du latin *stolo*, tige] : tige se développant horizontalement à la surface du sol et pouvant former des racines adventives, par exemple chez le fraisier.

Stomate [du grec *stoma*, bouche] : petite ouverture, délimitée par les cellules de garde, dans l'épiderme des feuilles et des tiges, par où passent les gaz ; désigne également l'ensemble de l'appareil stomatique — les cellules de garde et l'ostiole.

Stratification : exposition des graines aux basses températures pendant une période prolongée avant de tenter leur germination à température élevée.

Strobile [du grec *strobilos*, cône] : structure reproductrice composée d'un certain nombre de feuilles modifiées (sporophylles) ou d'écailles portant des ovules, réunies à l'extrémité d'une tige ; cône. Il existe des strobiles chez de nombreuses espèces de gymnospermes, de lycophytes et de sphénophytes.

Stroma [du grec *stroma*, tout ce qui sort de] : substance de base des plastes.

Style [du grec *stylos*, colonne] : mince colonne de tissu portée au sommet de l'ovaire et dans laquelle les tubes polliniques se développent.

Sub- [du latin *sub*, sous] : préfixe signifiant « sous » ; par exemple subépidermique, « sous l'épiderme ».

Subérine [du latin *suber*, chêne-liège] : matière grasse des parois cellulaires du liège et du cadre de Caspari de l'endoderme.

Substrat : base à laquelle est fixé un organisme ; substance sur laquelle agit une enzyme.

Suc vacuolaire : liquide contenu dans la vacuole.

Succulente : plante à tiges ou feuilles charnues, accumulant l'eau.

Suçoir (haustorium) : expansion d'une hyphe fongique fonctionnant comme organe de pénétration et d'absorption ; chez les angiospermes parasites, racine modifiée capable de pénétrer dans les tissus de l'hôte et d'absorber des substances.

Suspenseur : structure située à la base de l'embryon chez de nombreuses plantes vasculaires. Chez beaucoup de plantes, il pousse l'embryon dans le tissu riche en matières de réserve du gamétophyte femelle.

Suspension : dispersion hétérogène dans laquelle la phase dispersée est composée de particules solides suffisamment volumineuses pour pouvoir être éliminées du milieu liquide par gravité.

Symbiose [du grec *syn*, avec, et *bios*, vie] : vie conjointe de deux ou plusieurs organismes différents étroitement associés.

Symplaste [du grec *syn*, avec, et *plastos*, modelé] : les protoplasmes interconnectés et leurs plasmodesmes ; on parle de mouvement symplastique ou de transport symplastique des substances pour désigner leur déplacement dans le symplaste.

Sympode : faisceau caulinaire et traces foliaires qui lui sont associées.

Syn-, sym- [du grec *syn*, avec] : préfixe signifiant « avec ».

Synapsis [du grec *synapsis*, contrat, union] : appariement des chromosomes homologues avant la première division méiotique ; le crossing-over se produit à ce moment.

Synergides : deux cellules éphémères proches de l'oosphère dans le sac embryonnaire différencié de l'ovule des angiospermes.

Syngamie [du grec *syn*, avec, et *gamos*, mariage] : *voir* fécondation.

Synthèse : production d'une substance complexe à partir de substances plus simples.

Systématique : étude scientifique des espèces et de la diversité des organismes, ainsi que de leurs relations mutuelles.

Système axial : dans le xylème et le phloème secondaires ; le terme s'applique à l'ensemble des cellules dérivées des cellules fusiformes du cambium. Le grand axe de ces cellules est orienté parallèlement à celui de la racine ou de la tige. Appelé également système longitudinal et système vertical.

Système conducteur : ensemble des tissus conducteurs avec leur disposition spécifique dans une plante ou un organe végétal.

Système de tissus : tissu ou groupe de tissus organisés en unité de structure ou de fonction dans une plante ou un organe végétal. Il existe trois systèmes de tissus : protecteur, conducteur et fondamental ;

Système endomembranaire : ensemble des membranes cellulaires qui constituent un continuum (membrane plasmique, tonoplaste, réticulum endoplasmique, appareil de Golgi et enveloppe nucléaire).

Système radial : dans le xylème et le phloème secondaires, ce terme s'applique à l'ensemble des rayons, dont les cellules dérivent des initiales de rayons.

T

Taïga : forêt septentrionale de conifères.

Tapis : tissu nourricier du sporange, en particulier de l'anthère.

Taxon : terme général s'appliquant à toute catégorie taxonomique, comme l'espèce, la classe, l'ordre ou l'embranchement.

Taxonomie [du grec *taxis*, arrangement, et *nomos*, règle] : science qui concerne la classification des organismes.

Tégument : assise(s) externe(s) de cellules entourant le nucelle de l'ovule ; se transforme en spermoderme.

Téleutospore : chez les rouilles, spore à paroi épaisse dans laquelle se déroulent la caryogamie et la méiose et qui produit les basides.

Télie : structure des rouilles produisant les téleutospores.

Télomère : extrémité d'un chromosome ; possède des séquences répétitives d'ADN qui interviennent pour compenser la tendance du chromosome à se raccourcir à chaque cycle de réplication.

Télophase : stade ultime de la mitose et de la méiose durant laquelle les chromosomes se réorganisent en deux nouveaux noyaux.

Tépale : pièce d'un périanthe qui n'est pas différencié en sépales et pétales.

Test-cross : croisement d'un dominant avec un homozygote récessif ; destiné à déterminer si le dominant est homozygote ou hétérozygote.

Tétrade : groupe de quatre spores provenant d'un sporocyte à la suite de la méiose ; *voir également* bivalent.

Tétraploïde [du grec *tetra*, quatre, et *ploos*, fois] : deux fois le nombre habituel, diploïde (2*n*) de chromosomes (soit 4*n*).

Tétrasporange [du grec *tetra*, quatre, *spora*, graine, et *angeion*, vaisseau] : chez certaines algues rouges, sporange où la méiose se déroule et donne des tétraspores.

Tétraspore [du grec *tetra*, quatre, et *spora*, graine] : les quatre spores produites par la méiose dans le tétrasporange de certaines algues rouges.

Tétrasporophyte [du grec *tetra*, quatre, *spora*, graine, et *phyton*, plante] : chez certaines algues rouges, individu diploïde produisant des tétrasporanges.

Texture : s'applique à la taille relative et aux différences de taille des éléments dans les cernes de croissance du bois.

Thalle [du grec *thallos*, pousse] : type d'organisme qui n'est pas différencié en racine, tige et feuille ; ce terme a été utilisé communément lorsque les champignons et les algues étaient considérés comme des plantes, afin de distinguer leur structure simple, ainsi que celle de certains gamétophytes, des sporophytes plus différenciés des plantes et des gamétophytes complexes des bryophytes.

Thallophyte : terme ancien servant à désigner l'ensemble des champignons et des algues.

Théorie [du grec *theorein*, examiner] : hypothèse correctement testée qui court peu de risque d'être réfutée par un nouvel argument.

Thermodynamique [du grec *therme*, chaleur, et *dynamis*, puissance] : étude des échanges énergétiques utilisant la chaleur comme référence la plus facile pour mesurer l'énergie. Selon la première loi de la thermodynamique, l'énergie totale de l'univers reste constante. Selon la seconde, l'entropie, ou niveau de hasard, a tendance à s'accroître.

Thermophile : organisme caractérisé par une température de croissnace optimale comprise entre 45 et 80°C.

Thigmomorphogenèse : modification du mode de croissance des plantes en réaction à un stimulus mécanique.

Thigmotropisme [du grec *thigma*, toucher] : réaction au contact d'un objet solide.

Thylakoïde [du grec *thylakos*, sac, et *oides*, semblable] : structure membranaire sacciforme des cyanobactéries et des chloroplastes des eucaryotes ; dans les chloroplastes, les piles de thylakoïdes forment des grana ; les chlorophylles se trouvent dans les thylakoïdes.

Thylle : excroissance en forme de ballonnet produite par une cellule parenchymateuse d'un rayon ou de l'axe passant par une ponctuation de la paroi d'un vaisseau pour aboutir dans la lumière de celui-ci.

Thymine : pyrimidine présente dans l'ADN, mais pas dans l'ARN ; *voir également* uracile.

Tige : partie de l'axe des plantes vasculaires située au-dessus du sol, ainsi que les portions anatomiquement semblables situées dans le sol, comme les rhizomes et les cormes.

Tigelle : premier bourgeon de l'embryon ; portion de jeune tige feuillée située au-dessus des cotylédons.

Tissu : groupe de cellules semblables organisées en une unité de structure et de fonction.

Tissu complexe : tissu formé d'au moins deux sortes de cellules ; l'épiderme, le périderme, le xylème et le phloème sont des tissus complexes.

Tissu de transmission : tissu semblable au tissu stigmatique servant à diriger le tube pollinique dans le style.

Tissu dermique : tissu de revêtement externe de la plante ; c'est l'épiderme ou le périderme.

Tissu fondamental : tissu autre que l'épiderme (ou le périderme) et les tissus conducteurs.

Tissu simple : tissu composé d'un seul type de cellules ; le parenchyme, le collenchyme et le sclérenchyme sont des tissus simples.

Tissu stigmatique : tissu du stigmate qui reçoit le pollen.

Tissus primaires : cellules dérivées des méristèmes apicaux et des tissus méristématiques primaires de la racine et de la tige ; par opposition aux tissus secondaires dérivés du cambium ou du phellogène ; la croissance primaire est responsable d'un développement en longueur.

Tissus secondaires : partie de l'organisme végétal produite par le cambium et le phellogène ; composée du xylème secondaire, du phloème secondaire et du périderme.

Tonoplaste [du grec *tonos*, tension, et *plastos*, formé] : membrane cytoplasmique entourant la vacuole des cellules végétales ; on parle également de membrane vacuolaire.

Torus : portion centrale épaissie du voile de ponctuation dans les ponctuations aréolées des conifères et de certaines autres gymnospermes.

Totipotence : capacité d'une cellule végétale de se développer en une plante complète.

Toundra : région circumpolaire dépourvue d'arbres, surtout développée dans l'hémisphère septentrional, au nord du cercle polaire arctique.

Trace foliaire : partie d'un faisceau conducteur qui va de la base de la feuille jusqu'à sa connexion au cordon conducteur de la tige.

Trachéide : cellule allongée, à paroi épaisse, servant à la conduction et au soutien dans le xylème. Ses extrémités sont atténuées et elle possède des parois ponctuées sans perforations, au contraire des éléments de vaisseaux. On les trouve chez la plupart des plantes vasculaires.

Trachéophyte : plante vasculaire.

Traduction : assemblage d'une protéine sur les ribosomes ; l'ARNm sert à diriger l'ordre des acides aminés.

Transcription : assemblage, catalysé par des enzymes, d'une molécule d'ARN complémentaire d'un brin d'ADN.

Transcription inverse : utilisation d'une molécule d'ARN comme modèle pour la synthèse d'une copie monocaténaire d'ADN.

Transduction : transfert de gènes d'un organisme à un autre par un virus.

Transfert d'énergie par résonance : transfert de l'énergie lumineuse d'une molécule de chlorophylle excitée à une molécule de chlorophylle voisine, excitant celle-ci et permettant à la première de revenir à son état de base.

Transformation : transfert d'un ADN nu d'un organisme à un autre ; on parle également de « transfert génique ». Les transposons servent fréquemment de vecteurs lorsque la transformation s'effectue en-dehors du laboratoire.

Translocation : échange de segments entre chromosomes non-homologues.

Transmission des signaux : processus permettant à une cellule de transformer un signal extracellulaire en une réaction.

Transpiration : perte de vapeur d'eau par les différentes parties de la plante, principalement par les stomates.

Transport actif : transport d'un soluté à travers une membrane à l'encontre d'une concentration croissante (contre le gradient de concentration) : il exige de l'énergie.

Transport d'électrons : descente des électrons le long d'une série de molécules transporteurs d'électrons vers des niveaux énergétiques légèrement différents ; au cours du déplacement des électrons le long de la chaîne, l'énergie libérée est utilisée pour produire de l'ATP à partir d'ADP et de phosphate. Le transport d'électrons joue un rôle essentiel dans les derniers stades de la respiration cellulaire et dans les réactions photosynthétiques dépendant de la lumière.

Transport passif : transport qui ne demande pas d'énergie pour le passage d'un soluté à travers une membrane le long d'un gradient de concentration ou électrochimique, soit par diffusion simple, soit par diffusion facilitée.

Transporteurs : protéines de transport qui fixent des solutés spécifiques et changent de conformation de manière à les transporter au travers de la membrane.

Transposon [du latin *transponere*, changer la position de quelque chose] : séquence d'ADN contenant un ou plusieurs gènes et limitée par des séquences de bases qui permettent son déplacement d'une molécule d'ADN à une autre ; élément capable de transposition, c'est-à-dire capable de changer de place sur le chromosome.

Trichogyne [du grec *trichos*, poil, et *gyne*, femme] : protubérance réceptive du gamétange femelle destinée à guider les spermaties, chez les algues rouges, certains ascomycètes et *Basidiomycota*.

Trichome [du grec *trichos*, poil] : excroissance épidermique, comme un poil, une écaille ou une vésicule.

Triglycéride : glycérol ester d'acides gras ; principal constituant des graisses et des huiles.

Triose [du grec *tries*, trois, et *ose*, suffixe pour glucide] : un sucre à trois carbones.

Triple fusion : chez les angiospermes, fusion du second gamète mâle et des noyaux polaires, conduisant à la production d'un noyau primaire d'albumen, triploïde (3*n*) dans la majorité des groupes.

Triploïde [du grec *triploos*, triple] : possédant trois lots chromosomiques complets par cellule (3*n*).

Tritium : isotope radioactif de l'hydrogène, ^{3}H. Le noyau de l'atome de tritium contient un proton et deux neutrons, alors que le noyau d'hydrogène le plus commun ne contient qu'un proton.

-trophe, tropho- [du grec *trophê*, nourriture] : suffixe ou préfixe signifiant « qui nourrit », ou »nourrissant ».

Tropisme [du grec *trope*, tournant] : réponse à un stimulus externe, la direction du mouvement étant généralement déterminée par celle du stimulus principal.

Tube criblé : série d'éléments de tube criblé disposés bout à bout et reliés par des plaques criblées.

Tube de conjugaison : tube formé au cours de la conjugaison pour faciliter le transfert du matériel génétique.

Tube de la corolle : structure tubuliforme provenant de la fusion des pétales par leurs bords.

Tube floral : coupe ou tube formé par la fusion des parties basales des sépales, pétales et étamines ; on trouve fréquemment un tube floral chez les plantes dont l'ovaire est supère.

Tube pollinique : tube formé après la germination du grain de pollen ; transporte les gamètes mâles dans l'ovule.

Tubercule : tige souterraine courte, charnue, hypertrophiée, comme la pomme de terre.

Tunica-corpus : organisation de l'apex de la tige chez la plupart des angiospermes et chez quelques gymnospermes, caractérisée par la présence d'une ou plusieurs assises cellulaires périphériques (les assises de tunica) et d'une région interne (le corpus). Les assises de la tunica sont responsables de la croisance superficielle (par divisions anticlines) et le corpus de l'augmentation de volume (en se divisant dans tous les plans).

Turgescent [du latin *turgor*, gonflement] : gonflé, distendu ; s'applique à une cellule sous pression en raison son contenu en eau.

Type sauvage : en génétique, phénotype ou génotype caractéristique de la majorité des individus d'une espèce dans son milieu naturel.

U

Unicellulaire : composé d'une seule cellule.

Unisexué : s'applique d'habitude à une fleur dépourvue soit d'étamines, soit de carpelles ; le périanthe peut être présent ou absent.

Uracile : pyrimidine présente dans l'ARN mais pas dans l'ADN ; *voir également* thymine.

Urédie [du latin *uredo*, flétrissement] : structure produisant les urédospores chez les rouilles.

Urédospore [du latin *uredo*, flétrissement, et *spora*, graine] : spore binucléée rougeâtre produite en été par les rouilles.

V

Vacuole contractile : vacuole limpide, remplie de liquide, présente dans certains groupes de protistes, qui collecte l'eau de la cellule, se contracte et expulse son contenu à l'extérieur.

Vacuole [du latin *vacuum*, vide] : espace ou cavité présente à l'intérieur du cytoplasme, remplie d'un liquide aqueux, le suc vacuolaire ; c'est un compartiment lysosomique.

Vaisseau : structure tubulaire du xylème, composée de cellules allongées (les éléments vasculaires) placées bout à bout et reliées par des perforations. Leur fonction consiste à conduire l'eau et les minéraux à travers toute la plante. On les trouve chez la plupart des angiospermes et chez quelques autres plantes vasculaires (par exemple chez les gnétophytes).

Variation : différences existant parmi les descendants d'une espèce donnée.

Variation continue : variation de caractères contrôlés par plusieurs gènes ; la variation a souvent une distribution « normale », ou en forme de cloche.

Variété : groupe végétal ou animal inférieur à l'espèce ; certains botanistes considèrent que les variétés correspondent aux sous-espèces, d'autres les considèrent comme des subdivisions de la sous-espèce.

Vecteur : (1) agent pathogène qui transmet une maladie d'un organisme à un autre ; (2) en génétique, tout ADN de virus ou de plasmide dans lequel un gène est intégré et ensuite transféré à une cellule.

Végétatif : en rapport avec la propagation asexuée ; s'applique également aux parties de la plantes qui n'interviennent pas dans la reproduction.

Velamen, ou voile : épiderme multiple recouvrant les racines aériennes de certaines orchidées et aracées ; existe également dans certaines racines terrestres.

Ventre : portion basale élargie d'un archégone où se trouve l'oosphère.

Vernalisation [du latin *vernalis*, printemps] : induction de la floraison par un traitement au froid.

Vésicule aqueuse : cellule épidermique gonflée qui stocke l'eau ; c'est un type de trichome.

Viable : capable de vivre.

Vigueur hybride : *voir* hétérosis.

Vivaces (pérennes) : plantes dont l'appareil végétatif persiste année après année.

Voie en C_3 : voir cycle de Calvin

Voie en C_4 : ensemble de réactions qui aboutissent à la fixation du dioxyde de carbone au phosphoénolpyruvate (PEP) pour donner un composé à quatre carbones, l'oxaloacétate.

Voile de ponctuation : lamelle mitoyenne et les deux parois cellulaires primaires entre deux ponctuations.

Volve [du latin *volva*, enveloppe] : structure cupuliforme située à la base du pied de certains champignons.

Vrille : feuille ou portion de feuille ou de tige modifiée en une mince structure spiralée qui intervient pour soutenir les tiges ; les vrilles n'existent que chez certaines angiospermes.

X

Xanthophylle [du grec *xanthos*, brun-jaunâtre, et *phyllon*, feuille] : pigment chloroplastique jaune ; fait partie des caroténoïdes.

Xérophyte [du grec *xeros*, sec, et *phyton*, plante] : plante adaptée aux habitats arides.

Xylème [du grec *xylon*, bois] : tissu vasculaire complexe transportant la majeure partie de l'eau et des minéraux de la plante ; caractérisé par la présence d'éléments vasculaires.

Z

Zéatine : hormone végétale ; cytokinine naturelle isolée du maïs.

Zone cambiale : région formée de cellules méristématiques indifférenciées à parois minces située entre le xylème secondaire et le phloème secondaire ; comprend les initiales du cambium et leurs descendants directs.

Zone d'abscission : région située à la base d'une feuille, d'une fleur, d'un fruit ou d'une autre partie de la plante, où se trouvent des tissus qui interviennent dans la séparation d'une partie de la plante par rapport à l'organisme.

Zooplancton [du grec *zoe*, vie, et *planktos*, errant] : terme général désignant les organismes non-photosynthétiques du plancton.

Zoosporange : sporange contenant des zoospores.

Zoospore : spore mobile, présente chez les algues, les oomycètes et les chytrides.

Zygomorphe [du grec *zygo*, paire, et *morphê*, forme] : type de fleur qui peut être divisée en deux moitiés symétriques par un seul plan longitudinal passant par l'axe ; on parle également de symétrie bilatérale.

Zygosporange : sporange contenant une ou plusieurs zygospores.

Zygospore : spore résistante, à paroi épaisse, provenant d'un zygote produit par fusion d'isogamètes.

Zygote [du grec *zygotos*, apparié] : cellule diploïde ($2n$) provenant de la fusion de gamètes mâle et femelle.

Crédits d'illustrations

Toutes les photographies non citées ci-après sont dues à Ray F. Evert. Toutes les illustrations au début des sections sont de Rhonda Nass.

Chapitre 1

Opener, p. xvi, Rhonda Nass; **1.1** Tokai University Research Center; **1.2** Biological Photo Service; **1.3** Richard E. Dickerson, "Chemical Evolution and the Origin of Life," *Scientific American*, vol. 239(3), pages 70–86, 1978; **1.4** Michael Durham/Ellis Nature photography; **1.5** Sidney W. Fox; **1.6(a, b)** Gary Breckon; **1.7** Harlen P. Banks; **1.8** Anne Wertheim/Animals Animals; **1.9** Dr. Jeremy Burgess/Science Photo Library/Photo Researchers Inc.; **1.10** After W. Troll, *Vergleichende Morphologie der Hoheren Pflanzen*, vol. 1, pt. 1, Verlage von Gebruder Borntraeger, Berlin, 1937; **1.11(a)** Dr. Anne La Bastille/Photo Researchers, Inc.; **1.11(b)** B. C. Alexander/Photo Researchers, Inc.; **1.11(c)** Martin Harvey/The Wildlife Collection; **1.11(d)** Jack Swenson/The Wildlife Collection; **1.11(e)** Fred Hirschmann; **1.11(f)** Stephen P. Parker/Photo Researchers, Inc.; **1.12** From H. Curtis and N. Sue Barnes, *Invitation to Biology*, 5th ed., Worth Publishers, New York, 1994; **1.13** Line art adapted from: P. Ehrlich, A. Ehrlich, and Holdren, *Ecoscience: Population, Resources, Environment*, W. H. Freeman and Company, New York, 1977

Chapitre 2

2.4(c) L. M. Biedler; **2.8** M. Kruatrachue and R. Evert, *American Journal of Botany*, vol. 64, pages 310–325, 1977; **2.9** From H. Curtis and N. Sue Barnes, *Invitation to Biology*, 5th ed., Worth Publishers, New York, 1994; **2.10** From Curtis and Barnes, *op. cit.*, 1994; **2.12** B. E. Juniper; **2.17–2.19** From H. Curtis and N. Sue Barnes, *Invitation to Biology*, 5th ed., Worth Publishers, New York, 1994; **2.25(a)** Dr. Jeremy Burgess/Photo Researchers, Inc.; **2.25(b)** Dr. Morley Read /Photo Researchers, Inc.; **2.25(c)** Gerry Ellis/Ellis Nature Photography; **2.25(d)** Bill Storde; **2.26(b)** Marcel Isy-Schwart/Image Bank; **2.27** Gerry Ellis/Ellis Nature Photography; **2.28(a)** Frans Lanting/Minden Pictures; **2.28(b)** Dwight Kuhn/Bruce Coleman, Inc.; **2.29** Albert F. W. Vick, Jr.; **2.30** Katherine Esau; **2.31(b)** Steve Solum/Bruce Coleman, Inc.

Chapitre 3

3.1(a) Dr. Jeremy Burgess/Science Photo Library/Photo Researchers, Inc.; **3.1(b)** Courtesy of the National Library of Medicine; **3.2 A. Ryter; 3.3(photo)** N. J. Lang, *Journal of Psychology*, vol. 1, pages 127–134, 1965; **3.4(photo)** George Palade; **3.5(photo)** Michael A. Walsh; **3.11** Myron C. Ledbetter; **3.12** D.S. Neuberger; **3.13** R. R. Dute; **3.15** David Stetler; **3.16(photo)** K. Esau; **3.17** K. Esau; **3.18(a)** Mary Alice Webb; **3.19** M. Kruatrachue and R. Evert, *American Journal of Botany*, vol. 64, pages 310–325, 1977; **3.21** Dr. Peter K. Hepler; **3.22(a, b)** R. R. Dute; **3.27(b)** Dr. M. V. Parthasarathy; **3.28** R. R. Powers; **3.29(b)** Lewis Tilney; **3.30(a)** Brian Wells and Keith Roberts in Alberts et al., *Molecular Biology of the Cell*, 2nd ed., Garland Publishing, Inc., New York, 1989; **3.32** After K. Esau, *Anatomy of Seed Plants*, 2nd ed., John Wiley and Sons, Inc., New York, 1977; **3.34(a)** H. A. Core, W. A. Côté, and A. C. Day, *Wood Structure and Identification*, 2nd ed., Syracuse University Press, Syracuse, NY, 1979; **3.34b** After R. D. Preston, in A. W. Robards (ed.), *Dynamic Aspects of Plant Ultrastructure*, McGraw-Hill Book Company, New York, 1974; **Page 47** After Richard E. Williamson, Plant Physiology, vol. 82, pp. 631-634,

1986, and B. Alberts, D. Bray, J. Lewis, M. Raff, K. Roberts, and J. D. Watson, *Molecular Biology of the Cell*, 2nd ed., Garland Publishing, Inc., New York, 1989

Chapitre 4

4.4–4.7 From H. Curtis and N. Sue Barnes, *Invitation to Biology*, 5th ed., Worth Publishers, New York, 1994; **4.8** After A. L. Lehninger, *Biochemistry*, 2nd ed., Worth Publishers, New York, 1975; **Page 80,** Doug Wechsler/Earth Scenes; **4.14** Birgit Satir; **4.16(a–c)** David G. Robinson; **4.19(a–c)** E. B. Tucker, *Protoplasma*, vol. 113, pages 193–201, 1982

Chapitre 5

5.8(a, b) Thomas A. Steitz

Chapitre 6

6.2 From H. Curtis and N. Sue Barnes, *Invitation to Biology*, 5th ed., Worth Publishers, New York, 1994; **6-15(b)** John N. Telfold; **6-18(b)** The Metropolitan Museum of Art; **Page 122,** M. P. Price/Bruce Coleman, Inc.; **6.20** From H. Curtis and N. Sue Barnes, *Invitation to Biology*, 5th ed., Worth Publishers, New York, 1994

Chapitre 7

7.2 Paul W. Johnson/Biological Photo Service; **7.3** Colin Milkins/Oxford Scientific Films; **7.4** From Peter Gray, *Psychology*, Worth Publishers, New York, 1991; **7.5** From H. Curtis and N. Sue Barnes, *Invitation to Biology*, 5th ed., Worth Publishers, New York, 1994; **7.6** Prepared by Govindjee; **7.7** L. E. Graham; **7.12** D. Branton; **Page 137,** After Alberts et al., *Molecular Biology of the Cell*, 2nd ed., Figure 9–52, Garland Publishing, Inc., New York, 1989; **7.15** Adapted from B. Alberts et al., *Molecular Biology of the Cell*, 2nd ed., Garland Publishing, Inc., New York, 1989, page 378; **7-17** Dr. Jeremy Burgess/Photo Researchers, Inc.; **7.28(a)** Leonard L. Rue/Bruce Coleman, Inc.; **7.28(b)** Phil Degginger/Bruce Coleman, Inc.

Chapitre 8

8.1 From H. Curtis and N. Sue Barnes, *Invitation to Biology*, 5th ed., Worth Publishers, New York, 1994; **Page 159 (a–d)** Susan Wick; **8.6(a–f)** W. T. Jackson; **8.10** J. Cronshaw; **8.11(a–c)** P. K. Hepler, *Protoplasma*, vol. 111, pages 121–133, 1982

Chapitre 9

9.5 B. John; **9.7** W. Tai; **9.8(a, b)** P. B. Moens; **9.9** G. Ostergren; **Page 180, (a)** G. I. Bennard/Oxford Scientific Films; **(b, c)** Heather Angel/Biofotos

Chapitre 10

10.1 Moravian Museum, Brno, Czechoslovakia; **10.2** From H. Curtis and N. Sue Barnes, *Invitation to Biology*, 5th ed., Worth Publishers, New York, 1994; **10.3** Adapted from K. von Frisch, *Biology*, translated by Jane Oppenheimer, Harper and Row Publishers, Inc., New York, 1964; **10.4–10.9** From H. Curtis and N. Sue Barnes, *Invitation to Biology*, 5th ed., Worth Publishers, New York,

1994; **10.10** After Figure 5-15 in: Anthony J. F. Griffiths, Jeffrey H. Miller, David T. Suzuki, Richard C. Lewontin, William M. Gelbart, *An Introduction to Genetic Analysis,* 6th ed., W. H. Freeman and Company, New York, 1996; **10.11(a)** C. G. G. J. van Steenis; **10.11(b)** Warren L. Wagner, Smithsonian, Washington, D.C.; **10.12** Nik Kleinberg; **10.13** From H. Curtis and N. Sue Barnes, *Invitation to Biology,* 5th ed., Worth Publishers, New York, 1994; **10.15** Dr. Max–B. Schroder and Hannelore Oldenburg; **10.16** Heather Angel; **10.17** From H. Curtis and N. Sue Barnes, *Invitation to Biology,* 5th ed., Worth Publishers, New York, 1994; **10.18(a)** From J. D. Watson, *The Double Helix,* Antheneum Publishers, New York, 1968; **10.18(b)** Will and Deni Mcintyre/ Photo Researchers, Inc.; **10.19–10.21** From H. Curtis and N. Sue Barnes, *Invitation to Biology,* 5th ed., Worth Publishers, New York, 1994; **10.22** A. B. Blumenthal, H. J. Kreigstein, and D. S. Hognes, *Cold Spring Harbor Symposium on Quantitative Biology,* vol. 38, page 205, 1973; **10.23** From Curtis and Barnes, **Biology,** 5th ed., Worth Publishers, New York, 1989; **Essay, page 000** From Curtis and Barnes, *Invitation to Biology,* 5th ed., Worth Publishers, New York, 1994.

Chapitre 11

11.1 Computer Graphics Laboratory, University of California at San Francisco; **11.2** From H. Curtis and N. Sue Barnes, *Invitation to Biology,* 5th ed., Worth Publishers, New York, 1994; **11.9** Hans Ris; **11.10** After W. M. Becker, J. B. Reece, M. F. Poenie, *The World of the Cell,* 3rd ed., Benjamin/Cummings Publishing Company, Inc., Menlo Park, CA, 1996, page 586; **11.11–11.14** From H. Curtis and N. Sue Barnes, *Invitation to Biology,* 5th ed., Worth Publishers, New York, 1994; **11.15(a)** John Bova/Photo Researchers, Inc.; **11.15(b)** Arnold Sparrow **11.16(a)** Victoria Foe; **11.17** Adapted from B. Alberts et al., *Molecular Biology of the Cell,* 2nd ed., Garland Publishing, Inc., New York, 1989; **11.18(a)** James German; **11.18** Line art adapted from P. Chambon, "Split Genes," *Scientific American,* May 1981, pages 60–71; **11.19** Adapted from R. Lewin, Science, vol. 212, pages 28–32, 1981; **11.20** Adapted from B. Alberts et al., *Molecular Biology of the Cell,* Garland Publishing, Inc., New York, 1983; **11.21** From H. Curtis and N. Sue Barnes, *Invitation to Biology,* 5th ed., Worth Publishers, New York, 1994; **11.22** Adapted from Neil A. Campbell, *Biology,* 4th ed., Benjamin/Cummings Publishing Company, Inc., Menlo Park, CA, 1996; **Page 228 (a–d)** T. Bleecker; (drawing) S. Ross-Craig, *Drawings of British Plants,* Part III, *Cruciferae,* Bell, London, 1949; **11.23** Adapted from a photo by John T. Fiddles and Howard M. Goodman; **11.24** From Curtis and Barnes, op. cit., 1994; **11.26** Vysis; **11.27** Redrawn from Curtis and Barnes, *Biology,* 5th ed., Worth Publishers, New York, 1989

Chapitre 12

12.1 By permission of Mr. G. P. Darwin, courtesy of The Royal College of Surgeons of England; **12.2** From Curtis and Barnes, *Invitation to Biology,* 5th ed., Worth Publishers, New York, 1994; **12.3** After D. Lack, *Darwin's Finches,* Harper and Row, Publishers, Inc., New York, 1961; **12.4(a)** Mervin W. Larson/ Bruce Coleman; **12.4(b)** Frans Lanting/Minden Pictures; **12.6(a)** E. R. Degginger/Bruce Coleman, Inc.; **12.6(b)** P. Hereneen; **12.6(c)** Dr David Grimaldi, American Museum of Natural History; **12.7** A. J. Griffiths; **12.10(a)** M&C Photography/Peter Arnold, Inc.; **12.10(b)** Kent and Donna Dannen/Photo Researchers, Inc.; **12.11(a, b)** Heather Angel/Biofotos; **12.12** Robert Ornduff, University of California, Berkeley; **12.15** Adapted from E. O. Wilson and W. H. Burrert, *A Primer of Population Biology,* Sinauer Associates, Sunderland, MA, 1971; **Page 250,** Gerald D. Carr; **12.16 and 12.17** From H. Curtis and N. Sue Barnes, *Invitation to Biology,* 5th ed., Worth Publishers, New York, 1994; **12.18** In Marion Ownbey, "Natural hybridization and amphiploidy in the genus *Tragopogon,*" *American Journal of Botany,* 37 (7), 487–499, 1950; **12.19(a, b)** Heather Angel/Biofotos; **12.19(c–e)** C. J. Marchant; **12.21(a)** Thase Daniel/Bruce Coleman, Inc.

Chapitre 13

13.1 Corbis/Bettmann; **13.2(a)** Larry West; **13.2(b)** L. Campbell/NHPA; **13.2(c)** Imagery; **Table 13.1(top)** G. R. Roberts; **Table 13.1(bottom)** David Thomas/ Oxford Scientific Films; Essay, page 266(a–c) E. S. Ross; **13.5** From Curtis and Barnes, *Biology,* 5th ed., Worth Publishers, New York, 1989; **13.7** From Curtis and Barnes, *Invitation to Biology,* 5th ed., Worth Publishers, New York, 1994; **13.9** Jones/Mayer; **13.10(a)** L. V. Leak, *Journal of Ultrastructural Research,* vol. 21, pages 61–74, 1967; **13.10(b)** Helmut Koing and Karl Stettler; **13.10(c)** K. Esau; **13.12(a)** R. M. Meadows/Peter Arnold, Inc.; **13.12(b)** L. E. Graham; **13.13(a)** R. M. Meadows/Peter Arnold, Inc.; **13.13(b)** L. E. Graham; **13.13(c)** Kim Taylor/Bruce Coleman, Inc.; **13.13(d)** G. I. Bernard/Oxford Scientific Films/Animals Animals; **13.13(e)** E. V. Gravé; **13.14(a)** Photo Researchers, Inc.; **13.14(b)** L. West; **13.14(c)** K. B. Sandved; **13.14(d)** John A. Lynch; **13.15(a)** L. West/Bruce Coleman, Inc.; **13.15(b)** J. W. Perry; **13.15(c)** E. S. Ross; **13.15(d)** Robert Carr; **13.15(e)** John Shaw/Bruce Coleman, Inc.; **13.15(f–h)** J. Dermid; **13.15(i)** Steve Solum 1985/Bruce Coleman, Inc.; **13.15(j)** E. Beals

Chapitre 14

14.1 MSU Instructional Media Center/R. Hammerschmidt; **14.2** Paul Chesley/ Photographers Aspen; **14.3(a, b)** M. T. Madigan; **14.4** D. A. Cuppels and A. Kelman, *Phytopathology,* vol. 70, pages 1110–1115, 1980; **14.5** C. C. Brinton, Jr., and John Carnahan; **14.6(a)** USDA; **14.6(b)** David Phillips/Visuals Unlimited; **14.6(c)** Richard Blakemore; **14.7** Hans Reichenbach; **14.8** P. Gerhardt; **14.9** E. J. Ordal; **14.10(photo)** M. Jost; **14.11(a)** E. V. Gravé; **14.11(c)** Winton Patnode/Photo Researchers, Inc.; **14.12**(top) Fred Bavendam/Peter Arnold, Inc.; **14.12(bottom)** After M. R. Walter, *American Scientist,* vol. 65, pages 563–571, 1977; **14.13(a)** Robert D. Warmbrodt; **14.13(b)** Paul W. Johnson/Biological Photo Service; **14.14** Robert and Linda Mitchell; **14.15** Germaine Cohen-Bazire; **14.16** T. D. Pugh and E. H. Newcomb; **14.17** J. F. Worley/USDA; **14.18(a)** M. V. Parthasarathy; **14.18(b)** Henry Donselman; **14.19** After G. N. Agrios, *Plant Pathology,* 2nd ed., Academic Press, Inc., New York, 1978; **14.20** USGS Eros Data Center; **14.21** R. Robinson/Visuals Unlimited; **14.22** Leonard Lessin/Peter Arnold, Inc.; **14.24(b)** Jean-Yves Sgro; **14.25(a)–(d)** Jean-Yves Sgro; **14.26(a)** G. Gaard and R. W. Fulton; **14.26(b), (c)** G. Gaard and G. A. deZoeten; **14.27** M. Dollet and R. G. Milne; **14.29** D. Maxwell; **14.30(a)** K. Maramorosch **14.30(b)** E. Shikata **14.30(c)** E. Shjikata and K. Maramorosch; **14.31** T. White; **14.32** Th. Koller and J. M. Sogo, Swiss Federal Institute of Technology, Zurich.

Chapitre 15

15.1 R. M. Meadows/Peter Arnold Inc.; **15.2** Charles M. Fitch/Taurus Photos; **15.3(a)** M. Powell; **15.3(c)** Thomas Volk; **15.3(d)** E. S. Ross; **15.4** R. J. Howard; **15.5** M. D. Coffey, B. A. Palevitz, and P. J. Allen, *The Canadian Journal of Botany,* vol. 50, pages 231–240, 1972; **15.6** E. C. Swann and C. W. Mims; **15.8** M. Powell; **15.9** John W. Taylor; **Page 315, (b)** John Hogdin, from A. H. R. Buller, *Researchers on Fungi,* vol. 6, Longman, Inc., New York; **15.13(a)** Thomas Volk; **15.13(b)** G. J. Breckon; **15.15(a, b)** J. C. Pendland and D. G. Boucias; **15.16(a)** C. Bracker; **15.16(b)** D. S. Neuberger; **15.16(c)** Bryce Kendrick; **15.19(a)** David J. McLaughlin, Alan Beckett, and Kwon S. Yoon, *Botanical Journal of the Linnaean Society,* vol. 91, page 253, 1985; **15.19(b)** D. J. McLaughlin and A. Beckett; **15.20** Haisheng Lü and D. J. McLaughlin, *Mycologia,* vol. 83, page 320, 1991; **15.21(b)** Haisheng Lü and D. J. McLaughlin, *Mycologia,* vol. 83, page 320, 1991; **15.22(a)** C. W. Perkins/Earth Scenes; **15.22(b)** Thomas Volk; **15.22(c)** Peter Katsaros/Photo Researchers, Inc.; **15.22(d)** J. W. Perry; **15.24** E. S. Ross; **15.25** Walter Hodge/Peter Arnold, Inc.; **15.26(a, b)** R. Gordon Wasson, Botanical Museum of Harvard University; **15.27(a)** M. Fogden; **15.27(b)** Thomas Volk; **15.27(c), (d)** Jeff Lopore/Photo Researchers Inc.; **15.28** E. S. Ross; **15.31(a, b)** Stephen J. Kron; **15.32** Grant Heilman Photography; **15.33(a)** Andrew McClenaghan/Photo Researchers Inc.; **15.33(b)** John Durham/Photo Researchers Inc.; **15.34(a, b)** G. L. Barron; **Page 333, (a, b)** G. L. Barron, University of Guelph; **(c)** N. Allin and G. L. Barron, University of Guelph; **Page 355,** John Webster, University of Exeter; **15.35(a, b)** E. Imre Friedmann; **15.36(a)** E. S. Ross; **15.36(b)** Meredith Blackwell/Louisiana State University; **15.36(c)** Robert A. Ross; **15.37(a, b)** E. S. Ross; **15.37(c)** Stephen Sharnoff/National Geographic Society; **15.37(d)** Larry West; **15.39(a–c)** V. Ahmadjian and J. B. Jacobs; **15.40** S. A. Wilde; **15.41(a, b)** Bryce Kendrick; **15.42** William J. Yawney and Richard C. Schultz; **15.43** D. J. Read; **15.44** B. Zak, U. S. Forest Service; **15.45(a)** R. D. Warmbrodt; **15.45(b)** R. L. Peterson and M. L. Farquhar; **15.46** Thomas N. Taylor, Ohio State University

Chapitre 16

16.1 G. Vidal and T. D. Ford, *Precambrian Research,* 1985; **16.2** D. P. Wilson/ Science Source/Photo Researchers, Inc.; **16.3(a)** Biophoto Associates/Photo Researchers, Inc.; **16.4** Linda Graham; **16.5** D. S. Neuberger; **16.7(a)** Victor Duran; **16.7(b)** Ed Reschke/Peter Arnold, Inc.; **16.8(a, b)** K. B. Raper **16.8(c), (d)** London Scientific Films/Oxford Scientific Films; **16.8(e–g)** Robert Kay; **16.9** K. B. Raper; **16.10** Linda Graham; **16.11** Geoff McFadden and Paul Gilson; **16.12** Kim Taylor/Bruce Coleman, Inc.; **16.13(a)** D. P. Wilson/Eric and David Hosking Photography; **16.13(b)** E. S. Ross; **16.13(c)** R. C. Carpenter; **16.13(d)** Jean Baxter/Photo NATS; **16.14(a, b)** M. Littler and D. Litter, Smithsonian Institution; **16.15(a)** Linda Graham; **16.15(b)** J. Waaland; **16.16** Ronald Hoham, Colgate University; **16.17** (photo) C. Pueschel and K. M. Cole, *American Journal of Botany,* vol. 69, pages 703–720, 1982. **16.20(a, b)** D. P. Wilson/Science Source/Photo Researchers, Inc.; **16.20(c)** Florida Department of Natural Resources; **(b)** Florida Department of Natural Resources; **16.21** Robert F. Sisson/National Geographic Society; **16.22(a–c)** J. Burkholder, North Carolina State University; **16.23** J. Burkholder, North Carolina State University; **16.24(a)** Elizabeth Venrick, Scripps Institution of Oceanography, University of California, San Diego; **16.24(b)** Peggy Hughes/Institute of Marine Sciences

Chapitre 17

17.1 Doug Wechsler/Animals Animals; **17.3(a)** A. W. Barksdale; **17.3(b)** A.W. Barksdale, *Mycologia,* vol. 55, pages 493–501, 1963; **17.5** After J. H. Niederhauser and W. C. Cobb, *Scientific American,* vol. 200, pages 100–112, 1959; **17.6(a)** M. I. Walker/Photo Researchers, Inc.; **17.6(b)** F. Rossi; **17.6(c)** Biophoto Associates/Science Source/Photo Researchers, Inc.; **17.6(d)** Dr. Ann Smith/SPL/Photo Researchers, Inc.; **17.8(a)** C. Sandgren; **17.9(a)** G. R. Roberts; **17.9(b), (c)** D. P. Wilson/Eric and David Hosking Photography; **Page 380 (a)** Bob Evans/Peter Arnold, Inc.; **(b)** W. H. Hodge/Peter Arnold, Inc.; **(c)** Kelco Communications; **17.10(b)** Oxford Scientific Films; **17.11** C. J. O'Kelly; **17.12(a, b)** R. Evert and John West; **17.15(a–f)** Ronald Hohman; **17.17** After K. R. Mattox and K. D Stewart, in *Systematics of the Green Algae,* D. E. G. Irvine and D. M. John (eds.), 1984; **17.18** L. E. Graham; **17.19** W. L. Dentler/Biological Photo Service; **17.21(a–c)** L. Graham; **17.22** David L. Kirk, *Science,* vol. 231, page 51, 1986; **17.23** J. Robert Waaland/Biological Photo Resources; **17.24(a)** L. E. Graham; **17.24(b)** M. I. Walker/Photo Researchers, Inc.; **17.25** L. E. Graham; **17.26(a, b)** Larry Hoffman; **17.27** Gary Floyd; **17.28** After R. T. Skagel, R. J. Bandoni, G. E. Rouse, W. B. Schofield, J. R. Stein, and T. M. C. Taylor, *An Evolutionary Survey of the Plant Kingdom,* Wadsworth Publishing Company, Inc., Belmont, CA, 1966; **17.29(a)** James Graham; **17.29(b, c)** K. Esser, *Cryptograms,* Cambridge University Press, Cambridge, 1982; **17.29(d)** E. S. Ross; **17.30** D. P. Wilson/Eric and David Hosking Photography; **17.32(a)** Robert A. Ross; **17.32(b)** Grant Heilman Photography; **17.32(c)** L. R. Hoffman; **17.32(d)** V. Paul; **17.33(a, b)** Richard W. Greene; **17.34(a-d)** M. I. Walker/ Science Source/Photo Researchers, Inc.; **17.35(a–d)** Lee W. Wilcox; **17.36(a, b)** L. E. Graham; **17.37(a)** William H. Amos/Bruce Coleman, Inc.

Chapitre 18

18.1 T. S. Elias; **18.2** Brent Mishler; **18.3** D. R. Given; **18.5(b)** R. E. Magill, Botanical Research Institute, Pretoria; **18.6** L. Graham; **18.7(a, b)** D. S. Neuberger; **18.10** Karen Renzaglia; **18.11** D. K. Smith; **18.12(a)** John Wheeler; **18.13(a)** Field Museum of Natural History; **18.13(b)** Dr. G. J. Chafaris/Dr. E. R.

Degginger; **18.15 (a, b)** Harold Taylor AB IPP/Oxford Scientific Films; **18.16(a,b)** J. J. Engel, *Fieldiana: Botany* (New Series), vol. 3, pages 1–229, 1980; **18.16(c)** J. J. Engel; **18.18** K. B. Sandved; **18.19(a)** Andrew Drinnan; **18.19(d)** D. S. Neuberger; **18.21** Larry West; **18.22** Martha Cook; **18.23(a)** M. C. F. Proctor; **18.24** C. Hebant; **18.25(a–c)** C. Hebant, *Journal of the Hattori Botanical Laboratory,* vol. 39, pages 235–254, 1975; **18.26(a)** D. S. Neuberger; **18.28** Rod Planck/Photo Researchers, Inc.; **18.29** Fred D. Sack; **18.30(b)** R. E. Magill, Missouri Botanical Garden, St. Louis; **18.31(a)** A. E. Staffen; **18.31(b)** E. S. Ross

Chapitre 19

19.1 Diane Edwards; **19.2** M. K. Rasmussen and Stuart A. Naquin; **19.3** After A. S. Foster and E. M. Gifford, Jr, *Comparative Morphology of Vascular Plants,* 2nd ed., W. H. Freeman & Company, New York, 1974; **19.4** After Katherine Esau, *Plant Anatomy,* 2nd ed., John Wiley & Sons, New York, 1965; **19.5(a, d)** After K. K. Namboodiri and C. Beck, *American Journal of Botany,* vol. 55, pages 464–472, 1968; **19.5(b, c)** After K. Esau, *Plant Anatomy,* 2nd ed., John Wiley & Sons, Inc., New York, 1965; **19.10(b)** After J. Walton, *Phytomorphology,* vol. 14, pages 155–160, 1964; **19.10(c)** After F. M. Heuber, *International Symposium on the Devonian System,* vol. 2, D. H. Oswald (ed.), Alberta Society of Petroleum Geologists, Calgary, Alberta, Canada, 1968; **19.11** Field Museum of Natural History; **19.13** Specimen provided by Ripon Microslides, Ripon, WI; **19.15(a)** D. S. Neuberger; **19.16(a)** David Johnson, Big Bend National Park; **19.16(b, c)** D. S. Neuberger; **19.16(d)** Fletcher and Baylis/Photo Researchers, Inc.; **19.19** W. H. Wagner; **19.20** After Kristine Rasmussen and Stuart Naquin; **Page 456, (a)** After M. Hirmer, *Handbuch der Palaobotanik,* vol. 2, Druck and Verlag von R. Oldenbourg, Munich and Berlin, 1927; **Page 457, (b)** After W. N. Stewart and T. Delevoryas, *Botanical Review,* vol. 22, pages 45–80, 1956; **19.22(a)** R. L. Peterson, M. J. Howarth, and D. P. Whittier, *Canadian Journal of Botany,* vol. 59, pages 711–720, 1981; **19.22(b)** Heather Angel; **19.23(a)** D. Cameron; **19.23(b)** R. Schmid; **19.25(a)** R. Carr; **19.25(b)** E. S. Ross; **19.27** Dr. Jeremy Burgess/Science Photo Library/Photo Researchers, Inc.; **1930(a, c, e)** W. H. Wagner; **1930(b)** James L. Castner; **19.30(d)** Nancy A. Murray; **19.30(f)** David Johnson; **19.32(a)** W. H. Wagner; **19.32(b)** John D. Cunningham/Visuals Unlimited; **19.34** Bill Ivy/Tony Stone Images, Inc.; **19.35(a–d)** C. Neidorf; **19.37(a–c)** D. Farrar; **19.39(a)** D. S. Neuberger; **19.39(b, c)** W. H. Wagner

Chapitre 20

20.1 M. K. Rasmussen and Stuart A. Naquin; **20.4(a, b)** After J. M. Pettit and C. B. Beck, *Contributions from the Museum of Paleontology,* University of Michigan Press, vol. 2, pages 139–54, 1968; **20.4(c)** J. M. Pettitt and C. B. Beck, *Science,* vol. 156, pages 1727–1729, 1967; **20.6** Charles B. Beck; **20.7** After S. E. Scheckler, *American Journal of Botany,* vol. 63, pages 923–934, 1975; **20.8, 20.9** M. K. Rasmussen and Stuart A. Naquin: **20.11(a)** Field Museum of Natural History; **20.13, 20.14(a)** J. Dermid; **20.15** E. S. Ross; **20.16** J. Kummerow; **20.19** B. Haley; **20.21(c)** Gary J. Breckon; **20.25** N. Fox-Davies/ Bruce Coleman Ltd.; **20.28(a)** W. H. Hodge/Peter Arnold, Inc.; **20.28(b)** E. S. Ross; **20.29** H. H. Iltis; **20.30** Grant Heilman Photography; **20.31(a)** Larry West; **20.31(b)** J. Burton/Bruce Coleman, Inc.; **20.32** Geoff Bryant/Photo Researchers, Inc.; **20.33 (photo)** Carolina Biological Supply Company; **20.34** Mark Wetter; **20.35** Gene Ahrens/Bruce Coleman, Inc.; **20.36** Sichuan Institute of Biology; **20.37** D. A. Steingraeber; **20.38(a)** Knut Norstog; **20.38(b)** D. T. Hendricks and E. S. Ross; **20.39** Knut Norstog; **Page 484 (a, b)** W. Jones; **(c–e)** J. Plazz; **20.40(a)** J. W. Perry; **20.40(b)** Runk and Schoenberger/Grant Heilman Photography; **20.41(b, c)** G. Davidse; **20.42(a)** E. S. Ross; **20.42(b, d)** J. W. Perry; **20.42(c)** K. J. Niklas; **20.43(a)** C. H. Bornman; **20.43(b, c)** E. S. Ross

Chapitre 21

21.1 E. S. Ross; **21.2(a–c)** W. P. Armstrong; **21.3(a, b)** G. J. Breckon; **21.3(c)** E. S. Ross; **21.4(a)** E. S. Ross; **21.4(b)** E. R. Degginger/Earth Scenes; **21.4(c)** T.

Davis/Photo Researchers, Inc.; **21.5(a, b)** E. S. Ross; **21.5(c)** R. Carr; **21.8(a, c)** Larry West; **21.8(b, e)** J. H. Gerard; **21.8(d)** Grant Heilman Photography; **21.10** E. S. Ross; **21.12(a)** Larry West; **21.12(b)** Specimen provided by Rudolf Schmid; **21.13(a)** Runk and Schoenberger/Grant Heilman Photography; **21.15(a)** p. Echlin; **21.15(b, c)** J. Heslop-Harrison and Y. Heslop-Harrison; **21.15(d)** J. Mais; **21.21(a, b)** P. Hoch; **21.22** James L. Castner; **21.24(a, b)** C. S. Webber

Chapitre 22

22-1 Chris R. Hill, courtesy of E. A. Jarzembowski, Maidstone Museum and Art Gallery; **22.2** E. Dorf; **22.4(a–c)** James L. Castner; **22.5(a–d)** David L Dilcher (Reconstructions by Megan Rohn in consultation with D. Dilcher); **22.6** Geoff Bryant/Photo Researchers, Inc.; **22.7 (photo)** D. W. Taylor and L. J. Hickey, *Science,* vol. 247, page 702, 1990; **22.8(a, b)** E. M. Friis; **22.10** Mike Andrews/ Animals Animals/Earth Scenes; **22.11(a, c)** E. S. Ross; **22.11(b)** J. W. Perry; **Page 526(a)** Donald H. Les; **22.12(b, c)** E. S. Ross; **22.12(d)** A. Sabarese; **22.13(a)** E. S. Ross; **22.14(a, b)** J. A. L. Cooke; **22.15(a, b)** W. H. Hodge; **22.16(a)** E. S. Ross; **22.16(b)** D. L. Dilcher; **22.17(a)** Larry West; **22.17(b)** T. J. Hawkeswood; **22.18, 22.19, 22.20** E. S. Ross; **22.21** Larry West; **22.22(a, b)** T. Eisner; **22.23, 22.24, 22.25(a, c)** E. S. Ross; **22.25(b)** L. B. Thein; **22.26** E. S. Ross; **22.27** M. P. L. Fogden/Bruce Coleman, Inc.; **22.28** R. A. Tyrell; **22.29** Oxford Scientific Films; **22.30(a–c)** E. S. Ross; **22.31** D. J. Howell; **22.32(a, b)** T. Hovland/ Grant Heilman Photography; **22.32(c)** E. S. Ross; **22.32(d)** J. F. Skvarla, University of Oklahoma; **22.33(b,c)** After D. B. Swingle, *A Textbook of Systematic Botany,* McGraw-Hill Book Company, New York, 1946; **22.28(c)** After L. Berson, *Plant Classification,* D. C. Heath and Company, Boston,1957; **22.34** D. S. Neuberger; **22.35(a)** John M. Pettitt and R. Bruce Knox, *Scientific American,* vol. 244, pages 134–144, 1981; **22.35(b)** Sean Morris/Oxford Scientific Films; **22.35(b), 22.38(b), 22.40(a)** After R. T. Skagel, R. J. Bandoni, G. E. Rouse, W. B. Schofield, J. R. Stein, and T. M. C. Taylor, *An Evolutionary Survey of the Plant Kingdom,* Wadsworth Publishing Company, Inc., Belmont, CA, 1966; **22.37(a)** J. L. Castner; **22.38(a)** E. S. Ross; **22.39(a)** E. S. Ross; **22.39(b ,c)** K. B. Sandved; **22.42** E. S. Ross; **22.43** Larry Atkinson/ Mobridge Tribune; **22.44(a)** E. S. Ross; **22.44(b)** U.S. Forest Service; **22.45(a–c)** E. S. Ross; **22.46(a, b)** E. S. Ross; **22.47** J. Kendrick; **22.49** Robert and Linda Mitchell; **22.50(a, c, d)** T. Plowman; **22.50(b)** E. S. Ross

Chapitre 23

23.2 After A. S. Foster and E. M. Gifford, Jr., *Comparative Morphology of Vascular Plants,* 2nd ed., W. H. Freeman & Company, New York, 1974; **23.4(a–c)** Daniel M. Vernon and David W. Meinke; **23.6(a–e)** Gerd Juergens, Lehrstuhl fuer Entwicklungsgenetik, Universitaet Tuebingen; Essay, page 563, Werner H. Muller/Peter Arnold, Inc.; **23.9** Tom McHugh/Photo Researchers, Inc.

Chapitre 24

24.7 M. C. Ledbetter and K. B. Porter, *Introduction to the Fine Structure of Plant Cells,* Springer-Verlag, Inc., New York, 1970; **24.14(a, b)** H. A. Core, W. A. Cote, and A. C. Day, *Wood: Structure and Identification,* 2nd ed., Syracuse University Press, Syracuse, NY, 1979; **24.15** I. B. Sachs, Forest Products Laboratory, U.S.D.A.; **24.17, 24.22, 24.27** After K. Esau, *Anatomy of Seed Plants,* 2nd ed., John Wiley & Sons, New York, 1977; **24.20(a)** M. A. Walsh; **4.24** J. S. Pereira; **24.26** Randall Brand; **24.28** T. Vogelman and G. Martin; **24.29** M. David Marks and Kenneth A. Feldman

Chapitre 25

25.1, 25.2 After J. E. Weaver, *Root Development of Field Crops,* McGraw-Hill Book Company, New York, 1926; **25.4(a, b)** F. C. Guinel and M. E. McCully; **25.7** F. A. L. Clowes; **25.8** After K. Esau, Plant Anatomy, 2nd ed., John Wiley & Sons, Inc., New York, 1965; **25.9(a)** Robert Mitchell/Earth Scenes; **25.13** H. T. Bonnett, Jr., *Journal of Cell Biology,* vol. 37, pages 199-205, 1968; **25.14** After W. Braune, A. Leman, and H. Taubert, Pflanzenanatomisches Praktikum, VEB Gustav Fischer Verlag, Jena, 1967; **25.15** Robert D. Warmbrodt. *New Phytolo-*

gist, vol. 102, pages 175–192, 1986; **25.19** E. R. Degginger/Bruce Coleman, Inc.; **Page 604 (c, d)** M. E. Galway, J. D. Masucci, A. M. Lloyd, V. Walbot, R. W. Davis, and J. W. Sciefelbein. *Developmental Biology,* vol. 166, pages 740–754, 1994; **25.20** Robert and Linda Mitchell; **25.22(a, b)** D. A. Steingraeber

Chapitre 26

26.5(a–d) Mary Ellen Gerloff; **Page 617(a)** H. C. Jones, Tennessee Valley Authority; **(b)** J. S. Jacobson and A. C. Hill (eds.), *Recognition of Air Pollution Injury to Vegetation: A Pictorial Atlas,* Air Pollution Control Association, Pittsburgh, PA, 1970; **(c)** After T. H. Maugh, II, *Science,* vol. 226, pages 1408–1410, 1984; **26.12(c)** W. Eschrich; **26.14, 26.15** After K. Esau, *Anatomy of Seed Plants,* 2nd ed., John Wiley & Sons, New York, 1977; **Page 626,** After P. A. Deschamp and T. J. Cooke, *Science,* vol. 219, pages 505–507, 1983; **26.17, 26.19** Rhonda Nass/Ampersand; **26.18(a)** James W. Perry; **26.24(a)** Michele McCauley; **26.25** William A. Russin; **26.31** Daniel J. Barta; **26.32** Joanne M. Dannenhoffer; **26.33(a, b)** Raymon Donahue and Greg Martin; **26.36(a–i)** Shirley C. Tucker; **26.37(a)** Leslie Sieburth; **26.39(a, b)** Leslie Sieburth; **6.39(c)** Mark Running; **26.40** James W. Perry; **26.41** E. R. Degginger/Earth Scenes; **26.42** David A. Steingraeber; **26.43(a, b)** James W. Perry; **26.44** G. R. Roberts

Chapitre 27

27.19 S. Gutierrez/Photo Researchers, Inc.; **27.23** I. B. Sachs, Forest Products Laboratory, U.S.D.A.; **27.26** H.A. Core, W. A. Côté, and A. C. Day, *Wood Structure and Identification,* 2nd ed., Syracuse University Press, Syracuse, NY, 1979; **27.28(a)** Galen Rowell 1985/Peter Arnold, Inc.; **27.28(b)** C. W. Ferguson, Laboratory of Tree-Ring Research, University of Arizona; **27.30** Regis Miller; **Page 668 (c–e)** R. Evert

Chapitre 28

28.4 Roni Aloni, Tel Aviv University; **28.6** Runk and Schoenberger/Grant Heilman Photography; **27.7(a–c)** Bruce Iverson; **28.9(a)** E. Webber/Visuals Unlimited; **28.9(b)** F. Skoog and C. O. Miller, *Symposia of the Society for Experimental Biology,* vol. 11, pages 118–131, 1957; **28.11** J. D. Goeschl; **28.13** D. R. McCarty; **28.15** S. W. Wittwer; **28.16(b)** J. E. Varner; **28.17** J. van Overbeck, *Science,* vol. 152, pages 721–731, 1966; **28.18** Carolina Biological Supply Co.; **28.19** Abbott Laboratories; **28.25** After illustration by Hilleshög, Laboratory for Cell and Tissue Culture, Research Division, Landskvona, Sweden; **28.26** Phillip A. Harrington/Fran Heyl Associates; **28.27** Eugene W. Nester; **28.30** Bleecker; **28.31** Keith Wood, University of California, San Diego

Chapitre 29

29.3(a, b) Department of Botany, University of Wisconsin; **29.4(a, b)** J. S. Ranson and R. Moore, *American Journal of Botany,* vol. 70, pages 1048–1056, 1983; **29.5** After B. E. Juniper, *Annual Review of Plant Physiology,* vol. 27, pages 385–406, 1976; **29.6** Stephen A. Parker/Photo Researchers, Inc.; **29.7(a, b)** Jack Dermid; **29.8** After A. W. Galston, *The Green Plants,* Prentice Hall, Inc., Upper Saddle River, NJ, 1968; **29.9(a)** Biophoto Associates/Science Source/ Photo Researchers, Inc.; **29.9(b, c)** After B. Sweeney, *Rhythmic Phenomena in Plants,* Academic Press, Inc., New York, 1969; **29.10** Steve A. Kay; **29.11** After A. W. Naylor, *Scientific American,* vol. 286, pages 49–56, 1952; **29.12** After P. M. Ray, *The Living Plant,* Holt, Rinehart, & Winston, Inc., New York, 1963; **29.13(a, b)** Department of Botany, University of Wisconsin; **29.14(a–d)** U.S. Department of Agriculture; **29.18** Breck P. Kent/Earth Scenes; **29.19** U.S. Department of Agriculture; **29.20** A. Lang, M. Kh. Chailakhyan, and I. A. Frolova, *Proceedings of the National Academy of Sciences,* vol. 74, pages 2412–2416, 1977; **29.21** R. Amasino; **29.23** After A. W. Naylor, *Scientific American,* vol. 286, pages 49–56, 1952; **29.25(a, b)** Robert L. Dunne/Bruce Coleman, Inc.; **29.26(a, b)** Runk and Schoenberger/Grant Heilman Photography; **29.27** Janet Braam; **29.28(a)** J. Ehleringer and I. Forseth, University of Utah; **29.28(b)** Gene Ahrens/Bruce Coleman, Inc.; **29.29** After J. Ehleringer and I. Forseth, *Science,* vol. 210, pages 10-94–10-98, 1980

Chapitre 30

30.1 Lipha Tech; **30.2(a)** Donald Specker/Earth Scenes; **30.2(b)** Biological Photo Service; **30.3(a, b)** University of Wisconsin, Madison, Department of Soil Science; **30.4** E. Crichton/Bruce Coleman, Ltd.; **Page 737 (a)** Dwight Kuhn/Bruce Coleman, Inc.; **(b)** L. West, Bruce Coleman, Inc.; **30.6** After B. Gibbons, *National Geographic,* vol. 166, pages 3500–388, 1984 (Ned M. Seidler, artist); **30.7** After F. B. Salisbury and C. W. Ross, *Plant Physiology,* 4th ed., Figure 5–12b, Wadsworth Publishing Company, Belmont, CA, 1992; **30.8** From H. Curtis and N. Sue Barnes, *Invitation to Biology,* 5th ed., Worth Publishers, Inc., New York, 1994; **30.9(a, b)** B. F. Turgeon and W. D. Bauer, *Canadian Journal of Botany,* vol. 60, pages 152–161, 1982; **30–9(c)** Ann Hirsch, University of California, Los Angeles; **30-9(d)** E. H. Newcomb; **30.10** J. M. L. Selker and E. H. Newcomb, *Planta,* volume 165, pages 446–454, 1985; **30.11(b)** H. E. Calvert; **30.13** From H. Curtis and N. Sue Barnes, *Invitation to Biology,* 5th ed., Worth Publishers, Inc., New York, 1994; **Page 745(a)** Grant Heilman Photography; **(b)** J. H. Troughton and L. Donaldson, *Probing Plant Structures,* McGraw-Hill Book Company, New York, 1972; **Page 746** Foster/Bruce Coleman, Inc.

Chapitre 31

31.1 Stephen Hale; **31.2(a, b)** J. H. Troughton; **31.3** After D. E. Aylor, J. Y. Parlange, and A. D. Krikorian, *American Journal of Botany,* vol. 60, pages 163–171, 1973; **31.4** After M. Richardson, *Translocation in Plants,* Edward Arnold Publishers, Ltd., London, 1968; **31.15** After A. C. Leopold, *Growth and Development,* McGraw-Hill Book Company, New York, 1964; **31.6** After M. Richardson, *Translocation in Plants,* Edward Arnold Publishers, Ltd., London, 1968; **31.7** L. Taiz and E. Zeiger, *Plant Physiology,* The Benjamin/Cummings Publishing Company, Inc., Redwood City, CA; **31.9** P. F. Scholander, H. T. Hammel, E. D. Bradstreet, and E. A. Hemmingsen, *Science,* vol. 148, 1965; **31.10, 31.11** After M. H. Zimmermann, *Scientific American,* vol. 208, pages 132–142, 1963; **31.12(a)** G. R. Roberts; **31.14** After M. Richardson, *Translocation in Plants,* Edward Arnold Publishers, Ltd., London, 1968; **31.15** H. Reinhard/BruceColeman, Inc.; **31.16** After E. Hausermann and A. Frey-Wyssling, *Protoplasma,* vol. 57, pages 37–80, 1963; **31.17** After Todd E. Dawson, "Hydraulic Lift and Water Use by Plants: Implications for Water Balance, Performance, and Plant-Plant Interactions," *Oecologia,* 95:565–574; **31.19** After J. S. Pate, *Transport in Plants,* I., *Phloem Transport,* M. H. Zimmermann and J. A. Milburn (eds.), Springer-Verlag, Berlin, 1975; **31.22** After Malpighii, *Opera Posthuma,* London, 1675; **31.23(a, b)** E. Fritz; **31.24(a, b)** M. H. Zimmermann; **31.26** After Neil A. Campbell, *Biology,* 4th ed., The Benjamin/Cummings Publishing Company, Inc., Menlo Park, CA, 1996

Chapitre 32

32.1(a) N. H. Cheatham/DRK Photo; **32–1(b)** Michael Fogden/DRK Photo; **32.3** Harry Taylor/Oxford Scientific Films; **Page 778(a)** Kevin Byron/Bruce Coleman, Inc.; **(b)** John Shaw/Bruce Coleman, Inc.; **32.4** C. H. Muller; **32.5(a, b)** Australian Department of Lands; **Page 781(b)** R. T. Smith/Ardea; **32.6** G. E. Likens; **32.11(a)** Fred Bauendam/Peter Arnold, Inc. **32.11(b)** Wendell Metzen/Peter Arnold, Inc.; **32.11(c)** James H. Carmichael/Bruce Coleman, Inc.; **32.11(d)** L. West/Bruce Coleman, Inc.; **32.12** Jane Burton/Bruce Coleman, Inc.; **32.13** Bruce Coleman, Inc.; **32.14(a)** J. Dermid; **32.14(b)** E. S. Ross; **Page 790, (a)** U.S. Geological Survey; **Page 791, (b)** Jeff Henry/Peter Arnold, Inc.; **32.15** John Marshall; **32.16(a)** Keith Wendt/UW Arboretum; **32.16(b)** W. R. Jordan/UW Arboretum

Chapitre 33

33.1(a) Jack Wilburn/Earth Scenes; **33.1(b)** Ardea Photographics; **33.3** After A. W. Kiichler; **33.4** Dr. Gene Feldman/NASA/Goddard Space Flight Center; **33.5** C. D. MacNeill, Jepson Herbarium, University of California, Berkeley; **Page 802,** F. G. Weitsch; **33.8(a)** Michael Fogden/DRK photo; **33.8(b)** Martin Wendler/NHPA; **33.8(c)** E. S. Ross; **33.9** Tom Bean/Allstock; **33.11** Peter Ward/Bruce Coleman, Inc.; **33.12** J. Dermid; **33.13(a)** Martin Wendler/NHPA; **33.13(b)** Max Thompson/NAS/Photo Researchers, Inc.; **33.13(c)** Ric Ergenbright; **33.13(d)** Greg Vaughn/Tom Stack and Associates; **33.14** F. C. Vasck; **Page 809, (a, b)** Ronald F. Thomas; **33.15(a, b)** J. Reveal; **33.16(a)** Jeff Foott; **33.16(b)** Pat Caulfield; **33.18** Soil Conservation Service; **33.19(a)** Rod Planck/Tom Stack and Associates; **33.19(b)** P. White; **33.20** J. H. Gerard; **Page 815,** Tom and Pat Leeson; **33.21** R. Burda/Taurus Photos, Inc.; **33.22** E. S. Ross; **33.23** E. Beals; **33.24** D. Brokaw; **33.25** E. S. Ross; **33.26** J. Bartlett and D. Bartlett/Bruce Coleman, Inc.; **33.27(a, b)** W. D. Bellings

Chapitre 34

34.1 Irven de Vore/Anthrophoto; **34.2(a, b)** E. S. Ross; **34.3(a, b)** E. S. Ross; **34.4** E. S. Ross; **34.5** W. H. Hodge/Peter Arnold, Inc.; **34.6(a)** James P. Blair, © 1983, National Geographic Society; **34.6(b)** Susan Pierres/Peter Arnold, Inc.; **34.7** E. S. Ross; **34.8** G. R. Roberts; **Page 829,** John Doebley; **34.9(a)** E. Zardini; **34.9(b)** C. B. Heiser, Jr.; **34.9(c)** A. Gentry; **34.9(d)** M. K. Arroyo; **34.10** E. S. Ross; **34.11(a)** C. F. Jordan; **34.11(b)** M. J. Plotkin; **34.12** M. J. Plotkin; **34.13** K. B. Sandved; **34.14** W. H. Hodge/Peter Arnold, Inc.; **34.15** E. S. Ross; **34.16** W. H. Hodge/Peter Arnold, Inc.; **34.17** Harvey Lloyd/Peter Arnold, Inc.; **34.20** R. Abernathy; **34.21** C. A. Black; **34.22** AP/Wide World Photos; **34.23** W. H. Hodge/Peter Arnold, Inc.; **34.24** Agricultural Research Service, U.S.D.A.; **34.25(a)** Agricultural Research Service, U.S.D.A; **34.25(b)** University of Wisconsin; **34.26** Robert and Linda Mitchell; **34.27** 1982 Angelina Lax/Photo Researchers, Inc.; **34.28(a, b)** J. Aronson; **Page 845,** Gary Braasch/Tony Stone Images; **34.30** M. J. Plotkin; **34.31** Michael J. Balick

Index

Les nombres en **caractères gras** concernent les figures et les tableaux